Handwörterbuch des deutschen Aberglaubens

Band 1

Handwörterbuch des deutschen Aberglaubens

Herausgegeben von
Hanns Bächtold-Stäubli

unter Mitwirkung von
Eduard Hoffmann-Krayer

mit einem Vorwort von
Christoph Daxelmüller

Band 1
Aal – Butzemann

Walter de Gruyter · Berlin · New York
1987

Unveränderter photomechanischer Nachdruck der Ausgabe
Handwörterbuch des deutschen Aberglaubens
herausgegeben unter besonderer Mitwirkung von E. Hoffmann-Krayer
und Mitarbeit zahlreicher Fachgenossen
von Hanns Bächtold-Stäubli, (Handwörterbücher zur deutschen Volkskunde,
herausgegeben vom Verband deutscher Vereine für Volkskunde,
Abteilung I, Aberglaube), erschienen 1927 bis 1942 bei
Walter de Gruyter & Co. vormals G. J. Göschen'sche Verlagshandlung –
J. Guttentag, Verlagsbuchhandlung – Georg Reimer – Karl J. Trübner –
Veit & Comp., Berlin und Leipzig.

Abbildung auf dem Einband:
Frau Alraune, Symbol des Hexen- und Zauberkrautes, nach Cube/Hortus sanitatis, 1485.

Abbildung auf der Kassette:
Zwei Adepten unter dem Planetenbaum, nach Basilius Valentinus,
Azoth, Paris 1659.

Die Originalausgabe dieses Bandes erschien 1927

CIP-Kurztitelaufnahme der Deutschen Bibliothek

Handwörterbuch des deutschen Aberglaubens / hrsg.
von Hanns Bächtold-Stäubli unter Mitw. von Eduard
Hoffmann-Krayer. Mit e. Vorw. von Christoph Daxel-
müller. – Unveränd. photomechan. Nachdr. – Berlin;
New York: de Gruyter
 ISBN 3-11-011194-2
NE: Bächtold-Stäubli, Hanns [Hrsg.]
Bd. 1. Aal – Butzemann. – Unveränd. photomechan.
Nachdr. d. Ausg. Berlin u. Leipzig, de Gruyter, Gutten-
tag, Reimer, Trübner, Veit, 1927. – 1987.

Druck: H. Heenemann GmbH & Co, Berlin
Einbandgestaltung: Rudolf Hübler
Bindearbeiten: Lüderitz & Bauer, Berlin

Vorwort

Man hat sich 1986 der Frage nach der wissenschaftlichen Bedeutung eines Lexikons, des zwischen 1927 und 1942 erschienenen „Handwörterbuchs des deutschen Aberglaubens" (im folgenden: HDA) zu stellen, das den durch ein halbes Jahrhundert überholten Forschungsstand repräsentiert, ebenso dem Bedürfnis, sich heute über „Aberglauben", der so offenkundig dem aufgeklärt-rationalen Denken unserer Zeit zu widersprechen scheint, informieren zu müssen. Oder kommt es etwa einer Zeitmentalität entgegen, die sich längst durch ihr Unbehagen an einer durch und durch strukturierten physikalischen Welt auszeichnet, der zunehmend das Bewußtsein der Öffentlichkeit prägenden Schadenfreude darüber, daß die inzwischen als sanft geltenden traditionellen Heilweisen der in die Schußlinie geratenen Schulmedizin, daß Gespenster den Agnostikern, der Hundertjährige Kalender den Meteorologen ständig ein Schnippchen schlagen?

Manche Anzeichen sprechen dafür, daß das 20. Jahrhundert nicht nur als die Epoche in die Geschichte eingehen wird, in der die Menschen ihre vorläufig letzten Grenzen durchbrachen und z. B. in den Weltraum vordrangen, sich mit Hilfe der Gentechnologie zum Schöpfer von Homunculi machten, in der sie endgültig die Schranken des von der mittelalterlichen Curiositas-Lehre Erlaubten niederrissen und ihre wissenschaftliche Neugierde selbstzerstörerische Ausmaße annahm. Man wird von ihm vielmehr auch von einer neuen Periode des Aberglaubens sprechen, des Ausbruchs aus dem normierenden Zwang der Industriegesellschaft und des Aufbruchs ins Irrationale. Wer das gegenwärtige, nur zu oft schamlose Geschäft mit okkultistischer, spiritistischer und parapsychologischer Literatur, wer den Erfolg östlicher Sekten, Heilslehren und Meditationstechniken, die Flucht in Mystik und Magie beobachtet, wird unschwer den Wunsch nach einem geistigen Freiraum erkennen, in dem neben mathematischen, physikalischen und chemischen Formeln wieder Platz für das Unerklärliche, das Widersinnige ist.

Doch Aberglaube im 20. Jahrhundert ist längst nicht mehr nur das, was das HDA uns auf Tausenden von Spalten vorzustellen versucht, auch nicht die zur Konvention gewordene Verniedlichung glücksbringender Fliegenpilze und Schornsteinfeger oder unglücksverheißender Schwarzer Kater, jener „kleine Aberglaube", die Magie des Alltags, die Iørn Piø zusammengestellt hat[1]. Ob allerdings

---

[1] Iørn Piø: Den lille overtro. Håndbog om hverdagens magi. København 1973.

der Nachdruck des HDA deswegen zum wissenschaftlichen Anachronismus gerät, bedarf einer näheren Überprüfung.

Denn er besitzt, was bereits hier angemerkt sei, in mehrfacher Hinsicht seine Berechtigung: als Ausweis für einen Verlag, der sich vor allem in der Person Gerhard Lüdtkes zu einem Zeitpunkt für ein Fach engagierte, als dieses noch um allgemeine wissenschaftliche Anerkennung und akademische Institutionalisierung zu kämpfen hatte, als wissenschafts- und methodengeschichtliches Dokument und schließlich als Sachzeuge für eine wichtige, ja entscheidende Entwicklungsphase innerhalb der deutschsprachigen Volkskunde sowohl in organisatorischer wie inhaltlicher Hinsicht. Denn wie kaum ein zweites Großunternehmen vertritt das HDA das Leistungsvermögen einer damals noch verhältnismäßig jungen Volkskunde, ihren Weg zur Zusammenarbeit auf internationaler Grundlage, zur institutionellen Selbständigkeit und nicht zuletzt ihr Ringen um Anerkennung durch die akademischen Nachbardisziplinen.

Enzyklopädisierung und Arbeitsorganisation

Das HDA kam allein deswegen nicht von ungefähr, als die 20er Jahre unseres Jahrhunderts für die Volkskunde eine Periode der Konzentration durch straffere Organisation einerseits, der Enzyklopädie andererseits bedeuteten. Am 6. April 1904 hatten sich in Leipzig die regionalen volkskundlichen Vereine zum „Verband deutscher Vereine für Volkskunde" zusammengeschlossen[2], in Hamburg 1919 Otto Lauffer den ersten Lehrstuhl für deutsche Volks- und Altertumskunde erhalten[3]. Die Volkskunde begann, auch an den Universitäten konkurrenzfähig zu werden. Wollte sie dies aber bleiben, mußte sie ihre Kräfte zusammenfassen. Die auf zahlreiche regionale Zeitschriften und Heimatblätter verteilten Publikationen und das in ihnen behandelte Material zu den einzelnen Bereichen populärer Kultur zeichneten sich nur zu oft durch den Charakter des Zufälligen und nicht durch systematisch-methodische Aufarbeitung aus. Was in ihnen an volkstümlichem Erzählgut, an Volksliedern, Äußerungen von Volksglauben und an Sachgut gesammelt war, beeindruckt in seiner Fülle, doch die Entlegenheit so mancher Veröffentlichung erschwerte sinnvolle Forschungsarbeit mehr, als sie ihr nützte.

Es hieß, die Arbeit zu rationalisieren und hierfür nicht nur die Bildung von Fachkommissionen zu fördern, sondern vor allem auch Nachschlagewerke zu erstellen, die dem Fachmann wie den interessierten Vertretern der Nachbarwissenschaften den schnellen Zugriff auf Informationen und die Übersicht über den aktuellen Forschungsstand der Volkskunde gestatten sollten. Beschleunigung des In-

---

[2] S. JOHN MEIER/FRIEDRICH HEINZ SCHMIDT: 50 Jahre Verband der Vereine für Volkskunde 1904—1954. o. O. (1954), S. 8 und 31.

[3] Zur Situation der Volkskunde an den Universitäten vgl. z. B. FRITZ BOEHM: Zur Pflege der Volkskunde im Universitätsunterricht. In: Zeitschrift des Vereins für Volkskunde 35/36 (1925/26), S. 114—115.

formationsflusses, Reputation nach außen aber trafen sich im „enzyklopädischen Zeitalter", wie Fritz Boehm in einer Besprechung des HDA anmerkte: „Wörterbücher der verschiedensten Wissenschaften sind im Erscheinen begriffen oder geplant, erinnert sei nur an das Ebertsche der Vorgeschichte, an das Merker-Stammlersche der Literaturgeschichte, an das Rechtswörterbuch, das Wörterbuch der Assyriologie u. a. m." Solche auch für die Volkskunde zu schaffen sei „eine der Hauptaufgaben [. . .], die sich der Verband deutscher Vereine für Volkskunde für die nächsten Jahre gesetzt hat, an Aberglaube, Märchen, Lied, Sage ist dabei zunächst gedacht. Der erste Grund für alle diese Unternehmungen ist zweifellos das Bedürfnis des Forschers, das nötige Material für seine Untersuchungen zur Hand zu haben und so dem Zwang eigener Durchackerung der für jede Wissenschaft unübersehbar gewordenen Masse von Einzelpublikationen überhoben zu sein"[4].

Die meisten dieser volkskundlichen Lexikonprojekte, hinter denen der Verlag Walter de Gruyter stand, kamen über die Anfänge nicht hinaus. Vom „Handwörterbuch des deutschen Märchens" erschienen lediglich zwei Bände[5], das 1927 in Angriff genommene „Handwörterbuch des deutschen Volkslieds" brachte es nur zu einer Stichwortliste und wurde 1937 eingestellt. Einzige Ausnahme bildete trotz zahlreicher ausgefallener und auch im Nachtragsband nicht mehr berücksichtigter Stichwörter das HDA.

Die Vorgeschichte des HDA

Doch es entstand nicht von heute auf morgen. Vielmehr reichen die Pläne zur Schaffung eines Nachschlagewerkes zum populären Aberglauben sehr viel weiter zurück. Mit ihnen verbinden sich die Namen von Eduard Hoffmann-Krayer, seines Schülers Hanns Bächtold-Stäubli und nicht zuletzt von John Meier. Ihnen gemeinsam war vor allem der Einsatz für organisatorische Belange.

John Meier (1864—1953), Schüler der Germanisten Eduard Sievers (1850—1932) in Tübingen und Hermann Paul (1846—1921) in Freiburg i. Br., seit 1899 Inhaber des germanistischen Lehrstuhls an der Universität Basel, leistete Bahnbrechendes vorwiegend im Bereich der Volksliedforschung[6]. Ihm ist z. B. die

---

[4] Fritz Boehm: Rezension von: Handwörterbuch des deutschen Aberglaubens, Band I, 1. Lieferung. Berlin/Leipzig 1927. In: Zeitschrift des Vereins für Volkskunde 37/38 (1927/28), S. 139—140. Er bezieht sich hierbei auf folgende Lexika: Max Ebert: Reallexikon der Vorgeschichte. 15 Bde., Berlin 1924—1932; Paul Merker/Wolfgang Stammler (Hg.): Reallexikon der deutschen Literaturgeschichte. 2. Aufl., neu bearbeitet, hrsg. von Werner Kohlschmidt und Wolfgang Mohr. Bd. 1 —, Berlin 1958 — (ursprünglich 4 Bde., 1925—1931); Erich Ebeling/Bruno Meissner (Hg.): Reallexikon der Assyriologie. Bd. 1 —, Berlin/Leipzig 1928 — (Herausgeber ab Band 3: Ernst Weidner/Wolfram von Soden; ab Band 4: Dietz Otto Edzard).

[5] Lutz Mackensen (Hg.): Handwörterbuch des deutschen Märchens. Bd. 1—2, Berlin/Leipzig 1930—1940 (=Handwörterbücher zur deutschen Volkskunde, Abteilung 2).

[6] Zu John Meier s. Erich Seemann: John Meier zum Gedächtnis. In: Schweizerisches Archiv für Volkskunde 49 (1953), S. 212—218; ders.: John Meier. Sein Leben, Forschen und Wirken. Freiburg

„Rezeptionstheorie" zu verdanken. 1905 in Rheinfelden zum Obmann der Schweizerischen Gesellschaft für Volkskunde gewählt, zugleich mit dem Vorsitz der Kommission zur Sammlung schweizerischer Volkslieder betraut, gründete er 1906 in Zusammenarbeit mit Hoffmann-Krayer das Schweizerische Volksliedarchiv und regte im gleichen Jahr auf der ersten Tagung des „Verbandes deutscher Vereine für Volkskunde" in Hamburg eine ähnliche Initiative an, deren Leitung er ebenfalls übernahm. 1914 richtete er nach langjährigen Vorbereitungen in Freiburg, wohin er 1912 unter Niederlegung seiner Baseler Professur gezogen war, das „Deutsche Volksliederarchiv" ein. Doch nicht weniger verdienstvoll als seine forscherischen Aktivitäten war sein Einsatz für den Verband deutscher Vereine für Volkskunde, den er von 1911 bis 1949 mit großem Geschick leitete. Er organisierte die systematische Sammlung der deutschen Segens- und Beschwörungsformeln, der Flurnamen, der Überlieferung über Glocken und — vor dem Hintergrund des Ersten Weltkriegs — der Soldatensprache[7]. Er rief den „Atlas der deutschen Volkskunde" ins Leben, zu dessen Erstellung er 1927 durch die Abgeordnetenversammlung des Verbandes in Freiburg den Auftrag erteilen ließ, ferner die — später internationale — „Volkskundliche Bibliographie"[8], als deren Redakteur und Herausgeber er seinen Baseler Freund Hoffmann-Krayer gewinnen konnte. Meier brachte schließlich die Zusammenarbeit mit dem Folkloristischen Forscherbund,

1953 (= Freiburger Universitätsreden, Neue Folge, Heft 17); vgl. ferner HANS TRÜMPY: Volkskundliche Forschung und Lehre an den deutsch-schweizerischen Universitäten und die Schweizerische Gesellschaft für Volkskunde. In: WOLFGANG BRÜCKNER/KLAUS BEITL (Hg.): Volkskunde als akademische Disziplin. Studien zur Institutionenausbildung (= Österreichische Akademie der Wissenschaften, Phil.-Hist. Klasse, Sitzungberichte, 414. Band. Mitteilungen des Instituts für Gegenwartsvolkskunde Nr. 12). Wien 1983, S. 63—76; WILHELM HEISKE: Das deutsche Volksliedarchiv. Ein Bericht zu seinem 50jährigen Bestehen. In: Zeitschrift für Volkskunde 60 (1964), S. 242—251.

[7] Vgl. u. a. HANS BESCHORNER: Die deutsche Flurnamenliteratur der Jahre 1938—1940 (nebst Nachträgen für die früheren Jahre). IV. Anschlußbericht zu dem Handbuch der deutschen Flurnamenliteratur bis Ende 1926. Dresden (1941); PAUL SARTORI: Das Buch von deutschen Glocken. Im Auftrage des Verbandes deutscher Vereine für Volkskunde geschrieben. Leipzig/Berlin 1932; HANNS BÄCHTOLD: Deutscher Soldatenbrauch und Soldatenglaube. Herausgegeben vom Verband deutscher Vereine für Volkskunde. Straßburg 1917 (= Trübners Bibliothek, Bd. 7); vgl. auch JOHN MEIER: Das deutsche Soldatenlied im Felde. Straßburg 1916 (= Trübners Bibliothek, Bd. 4).

[8] EDUARD HOFFMANN-KRAYER: Volkskundliche Bibliographie. Im Auftrage des Verbandes deutscher Vereine für Volkskunde herausgegeben von Eduard Hoffmann-Krayer. Straßburg 1919 —; später unter PAUL GEIGER (Hg.): Bibliographie Internationale des Arts et Traditions Populaires/International Folklore Bibliography/Volkskundliche Bibliographie. Années 1939—1941. o. O. 1949; seit 1950 (für die Jahre 1942—1947) unter Mitwirkung von ROBERT WILDHABER, seit 1954 (für die Jahre 1948 und 1949) unter dem Titel „Internationale Volkskundliche Bibliographie" (Basel 1954) allein redigiert von WILDHABER, seit 1977 (für die Jahre 1973 und 1974) von WILDHABER und ROLF W. BREDNICH, seit 1979 (für die Jahre 1975 und 1976) allein von BREDNICH, seit 1985 (für die Jahre 1979 und 1980) von BREDNICH und JAMES R. DOW herausgegeben. Zur Geschichte der „Internationalen Volkskundlichen Bibliographie" vgl. ROBERT WILDHABER: Das Werden und die Aufgaben der Internationalen Volkskundlichen Bibliographie. In: Humaniora. Essays in Literature, Folklore, Bibliography. Honoring Archer Taylor on his Seventieth Birthday (ed. WAYLAND D. HAND/GUSTAVE O. ARLT). Locust Valley, New York 1960, S. 219—228; ders.: Die Internationale Volkskundliche Bibliographie. In: Volkskunde 66 (1965), S. 94—102.

FF, in Helsinki zustande. In seine Amtszeit aber fiel nicht zuletzt die Entstehung und Herausgabe des HDA, das „unter besonderer Mitwirkung" Hoffmann-Krayers, wie es im Titelblatt lautet, entstand.

„Wenn auch die Anteilnahme Hoffmann-Krayers am Handwörterbuch des deutschen Aberglaubens seit 1918", also längst vor Erscheinen des ersten Bandes, wie sich Hanns Bächtold-Stäubli erinnerte, „nicht mehr sehr gross war (er hat im oben erwähnten Artikel ‚Volksglaube und Volksbrauch' in der Behaghel-Festschrift darüber Auskunft gegeben), so hat er eben das sehr grosse Verdienst, dass er Mitinitiant war und bis in die allerletzte Zeit hinein immer zur Verfügung stand, wenn Fragen grundsätzlicher Natur zu lösen waren. Sein Name ist darum mit vollem Rechte im Titel des Handwörterbuches aufgeführt [. . .]; ohne seine vielen Anregungen, ohne seinen Ansporn, ohne seinen Rat und seine Hilfe würde es nicht, endlich, bald fertig werden[9]."

Eduard Hoffmann-Krayer (1864—1936) war 1890 nach dem Studium der Germanistik, Romanistik und Sprachwissenschaft in Basel, Freiburg, Leipzig und Berlin mit einer Arbeit über den Vokalismus der Basler Mundart promoviert worden, ein Jahr später habilitierte er sich mit der Untersuchung „Stärke, Höhe, Länge. Ein Beitrag zur Physiologie der Akzentuation" (Straßburg 1891) in Zürich für deutsche Philologie. Dort wirkte er auch bis 1900 als Privatdozent, arbeitete von 1896 bis 1899 am Schweizer Idiotikon und folgte 1900 einem Ruf als Extraordinarius für „Phonetik, Schweizerische Mundart und Volkskunde" an die Universität Basel, wo er 1909 Ordentlicher Professor für „Deutsche Sprache und Literatur", nach dem Ausscheiden John Meiers und der Teilung der germanistischen Professur 1912 für „Germanische Philologie mit besonderer Berücksichtigung der Sprache und älteren Literartur" wurde[10].

In erster Linie sei er Germanist, betonte Hoffmann-Krayer immer wieder, zur Volkskunde sei er vor allem durch seine Mitarbeit am Idiotikon gekommen, für das er die mit -nacht zusammengesetzten Stichworte wie Fastnacht oder Weihnacht übernommen hatte. 1896 gründete er zusammen mit E. A. Stückelberg und Emil Richard die „Schweizerische Gesellschaft für Volkskunde", gab seit 1897 das „Schweizerische Archiv für Volkskunde" heraus, neben das von 1910 an als Korrespondenzblatt der Gesellschaft die „Schweizer Volkskunde" trat. Er, der es als Germanist zumeist mit Wörtern zu tun hatte, war davon überzeugt, daß zu ihnen auch die Sachen gehörten, und so gründete er 1904 die „Abteilung Europa" des

---

[9] HANNS BÄCHTOLD-STÄUBLI: Eduard Hoffmann-Krayer (5. XII. 1864—28. XI. 1936). Erinnerungen an meinen Lehrer und Freund. In: Schweizerisches Archiv für Volkskunde 35 (1936), S. I—XV, hier S. X—XI.

[10] Zu Eduard Hoffmann-Krayer s. BÄCHTOLD-STÄUBLI (wie Anm. 9), ferner FRITZ BOEHM: Eduard Hoffmann-Krayer †. In: Zeitschrift für Volkskunde 45 (= N. F. 7) (1937), S. 212—214; JOHN MEIER: Worte des Gedenkens an Eduard Hoffmann-Krayer. In: Schweizer Volkskunde 27 (1937), S. 47—49; PAUL GEIGER: Eduard Hoffmann-Krayer 1864—1936. In: ders. (Hg.): Eduard Hoffmann-Krayer, Kleine Schriften zur Volkskunde. Basel 1946, S. I—XVIII; KARL MEULI: Die Eduard Hoffmann-Krayer-Stiftung. In: Schweizer Volkskunde 27 (1937), S. 1—4, sowie TRÜMPY (wie Anm. 6).

Museums für Volkskunde in Basel (heute Schweizerisches Museum für Volkskunde), die er bis zu seinem Tode 1936 ehrenamtlich leitete. Der „Schweizerischen Gesellschaft für Volkskunde" stand er von 1896 bis 1899, 1914 bis 1920 und
noch einmal von 1928 bis 1935 vor.

Hoffmann-Krayers Haupttätigkeit bildete das Sammeln. Er hinterließ eine
kaum überschaubare Anzahl von Notizen, Exzerpten, Zeitungsausschnitten und
Bildern, und so kam es nicht von ungefähr, daß ihn der „Verband deutscher Vereine für Volkskunde" beauftragte, die — später „Internationale" — „Volkskundliche Bibliographie" zu übernehmen, die er von 1919 bis 1930 herausgab[11]. Ferner
gehörte Hoffmann-Krayer dem Ausschuß des „Atlas' der deutschen Volkskunde"
und der Deutschen Volkskunstkommission sowie von 1912 bis 1937 dem ge-
schäftsführenden Ausschuß des „Verbandes deutscher Vereine für Volkskunde"
an.

Doch über all der organisatorischen Tagesarbeit — er beklagte sich einmal, daß
andere „arbeiten und publizieren" könnten, „er aber müsse nur ,erledigen'"[12] —
darf seine Bedeutung für die Methodik der Volkskunde als einer damals noch re-
putationsbedürftigen Wissenschaft nicht vergessen werden. Seine Baseler Antritts-
vorlesung 1900 bestritt er mit der später berühmt gewordenen „Volkskunde als
Wissenschaft", in der er sie von der Ethnologie und der Kulturgeschichte ab-
grenzte und das Schlagwort vom „vulgus in populo" schuf[13]. An sie sollte sich in
der Folgezeit eine ebenso lebhafte wie fruchtbare Diskussion anschließen.

Einer seiner Schüler aber war Hanns Bächtold-Stäubli (1886—1941). Er hatte
bereits während seiner Tätigkeit als Lehrer in Stein volkskundliches Material gesammelt, bevor er durch John Meier und Eduard Hoffmann-Krayer, bei dem er
1914 dann auch mit einer Dissertation über Brauchtum bei Verlobung und Hochzeit promovierte[14], intensiver mit der Volkskunde in Berührung kam[15]. Sein wissenschaftliches Œuvre war wie das seines Freundes Hoffmann-Krayer, dem er bis
an sein Lebensende eng verbunden blieb, sehr vielseitig. 1913 hatte er zusammen
mit Samuel Singer die vergleichenden Anmerkungen zu Jegerlehners „Walliser Sagen" verfaßt, 1916 die „Flurnamen der schaffhausischen Enklave Stein" und ein
Bändchen „Schweizer Märchen" herausgegeben[16]. Doch vor allem zeichnete er
sich durch sein organisatorisches Talent aus. Neben seiner sozialpolitischen Tätig-

---

[11] Sie umfaßte das Schrifttum von 1917 bis 1924; vgl. auch Anm. 8.

[12] GEIGER (wie Anm. 10), S. XI.

[13] EDUARD HOFFMANN-KRAYER: Die Volkskunde als Wissenschaft. Zürich 1902; nachgedruckt u. a. in
GEIGER (wie Anm. 10), S. 1—23.

[14] HANNS BÄCHTOLD: Die Gebräuche bei Verlobung und Hochzeit mit besonderer Berücksichtigung
der Schweiz. Eine vergleichende volkskundliche Studie. Basel/Straßburg 1914 (= Schriften der
Schweizerischen Gesellschaft für Volkskunde, 11).

[15] Zu BÄCHTOLD-STÄUBLI s. PAUL GEIGER: † Dr. Hanns Bächtold-Stäubli (28. März 1886—10. Oktober
1941). In: Schweizer Volkskunde 31 (1941), S. 89—92.

[16] JOHANNES JEGERLEHNER: Walliser Sagen. Leipzig 1922 (= Die Schweiz im deutschen Geistesleben,
Bd. 10); HANNS BÄCHTOLD: Die Flurnamen der schaffhauserischen Enklave Stein am Rhein.
Frauenfeld 1916; ders.: Schweizer Märchen. Basel 1916.

keit gehört er seit 1913 dem Vorstand der Schweizerischen Gesellschaft für Volkskunde an, für die er bis 1921 als „Schreiber" tätig war, und redigierte zudem seit
1925 zusammen mit Hoffmann-Krayer deren beide Publikationen. Er entwarf den
Plan zu einem großen volkskundlichen Institut und einer internationalen Zeitschrift, beteiligte sich maßgeblich während des Ersten Weltkrieges an der Aufzeichnung der Soldatensprache und des Soldatenbrauchs[17] und organisierte zu Beginn der 30er Jahre die große Enquête, mit der Material für eine internationale
Volkskunstausstellung erhoben werden sollte. Als sich diese nicht verwirklichen
ließ, führte man die Aktion als Bestandsaufnahme des lebenden Volksguts durch,
woraus sich später der von Richard Weiss und Paul Geiger realisierte „Atlas der
Schweizerischen Volkskunde" entwickelte.

Doch stets unterstützte er Hoffmann-Krayer bei dessen Unternehmungen, ob
im Museum, ob in der Gesellschaft, mit ihm zusammen bereitete er das HDA vor,
das schließlich die beiden letzten Jahrzehnte seines Lebens voll in Anspruch nahm
und das er dank seines unermüdlichen Fleißes noch kurz vor seinem Tode ab-
schließen konnte.

Die Entstehung des HDA

Das mit zehn Bänden bis heute immer noch umfangreichste Nachschlagewerk
der deutschsprachigen Volkskunde war, wie sich Bächtold-Stäubli erinnerte, dem
allgemeinen Bedürfnis nach wissenschaftlichen Arbeitshilfen entsprungen: „Als ich
vorwiegend in seiner [Hoffmann-Krayers] prächtigen Bibliothek meine Doktorar-
beit über ‚Verlobung und Hochzeit' schrieb, jammerten wir beide recht oft darüber, dass es keine zusammenfassenden Lexika gebe, aus denen man über ver-
schiedenste Fragen der Volkskunde Material und Bibliographie schöpfen könnte.
Bei einem der vielen gemütlichen Schoppen in der alten Veltlinerhalle in Basel beschlossen wir deshalb, gemeinsam ein solches Lexikon der gesamten Volkskunde
herauszugeben. Die Grundlage dazu sollten die erwähnten bibliographischen Exzerpte Hoffmann-Krayers bilden. Dr. Gerhard Lüdtke, damals Leiter des Strass-
burger Verlages K. J. Trübner, war mit uns begeistert von dem Plan, aber ge-
schäftskundiger als wir, riet er uns, zunächst ein Gebiet in Angriff zu nehmen, und
es entstand so schon im 1. Kriegsjahr 1914 ein erster Vertrag über ein ‚Aberglaubenslexikon', berechnet auf zwei Bände zu je 40 Druckbogen, Manuskript
abzuliefern bis zum Ende des Jahres 1915!"[18].

Tatsächlich sah der Plan ursprünglich sehr viel bescheidener aus. Hoffmann-
Krayer und Bächtold-Stäubli hatten eine erweiterte Neubearbeitung von Adolf
Wuttkes „Deutschem Volksaberglauben der Gegenwart"[19] beabsichtigt, Bäch-
told-Stäubli diesen Plan 1908 in Straßburg Lüdtke vorgetragen. Am 23. September

---

[17] S. Anm. 7.
[18] BÄCHTOLD-STÄUBLI (wie Anm. 9), S. X.
[19] ADOLF WUTTKE: Der deutsche Volksaberglaube der Gegenwart. 2. Aufl. Berlin 1869, 3. Aufl. Berlin
      1900, 4. Aufl., bearbeitet von ELARD HUGO MEYER, Leipzig 1925 (1. Aufl. 1860).

1929 schrieb Lüdtke rückblickend an Bächtold: „Du erinnerst Dich ja gern der
Stunde im Kammerzell'schen Haus, als wir über die Neuauflage von Wuttke sprachen und ich dieser Deiner Absicht den Plan entgegensetzte, ein Reallexikon wie
Hoops zu machen und damit für die Volkskunde ein Monumentalwerk zu schaffen. Wir haben uns ja im Laufe der Jahre weidlich darüber gezankt, und dann ist
das Unternehmen zustande gekommen, bei dem nicht alle Blütenträume reiften,
das aber für Jahrzehnte die [sic!] der Forschung sein sollte"[20]. Wie es dann später
im Vorwort zu Band I des HDA (1927, S. V) hieß, sei Wuttkes Werk zwar eine
außerordentlich verdienstvolle Leistung, doch sowohl im Hinblick auf das mitgeteilte Material wie auch auf die naturmythologischen Interpretationen inzwischen
völlig überholt.

Daß dennoch ein Aberglaubenslexikon zu solchem, die ursprünglichen Absichten weit überschreitenden Umfang anwachsen konnte, war nicht zuletzt ein Verdienst des Verlages Walter de Gruyter und hier insbesondere des promovierten
Germanisten Gerhard Lüdtke, Leiter des Verlages Karl J. Trübner, bis 1981 in
Straßburg, dann in Berlin, später als „Abteilung Trübner" im Berliner Verlag Walter de Gruyter & Co. aufgegangen. Walter de Gruyter, seit 1906 Teilhaber des
Verlages von Karl J. Trübner, Straßburg, hatte ihn 1907 nach dessen Tod als allei-
niger Inhaber und damit nicht nur eine Reihe volkskundlicher Publikationen vornehmlich südwestdeutscher und schweizerischer Autoren, sondern auch Max
Eberts „Reallexikon der Vorgeschichte" und das von Johannes Hoops von 1910
bis 1918 in vier Bänden herausgegebene „Reallexikon der germanischen Altertumskunde" übernommen[21]. Auch daran erinnerte sich Lüdtke: „Vor dem Kriege
war die Volkskunde bei Karl J. Trübner schon beheimatet, aber sie stand noch
nicht im Vordergrunde unseres Interesses. Man nahm die volkskundlichen Arbeiten eben mit, wie sie kamen; Elard Hugo Meiers Bücher waren aus diesem Kreise
noch die besten. Buchhändlerisch gesprochen, war aber mit ihnen auch nicht viel
anzufangen"[22]. Diese Zeilen wie zahlreiche Briefe, die sich heute im Archiv des
Verlages Walter de Gruyter, Berlin, und im Deutschen Volksliedarchiv, Freiburg
i. Br., befinden, zeigen, daß sich Lüdtke selbst mit einem „seltenen persönlichen
Engagement gerade der volkskundlichen Literatur" annahm, die „für den Verlag
oft ein Verlustgeschäft gewesen ist"[23]. Doch hierin besaß er das Einverständnis und

---

[20] Brief Gerhard Lüdtkes vom 23. September 1929 an Hanns Bächtold-Stäubli; Verlag Walter de
Gruyter & Co., Berlin, Archiv.

[21] EBERT (wie Anm. 4); JOHANNES HOOPS (Hg.): Reallexikon der Germanischen Altertumskunde.
4 Bde., Straßburg 1911—1919; HERBERT JANKUHN/HANS KUHN/KURT RANKE/REINHARD WENSKUS
(Hg.): Reallexikon der Germanischen Altertumskunde. Begründet von JOHANNES HOOPS. Zweite,
völlig neu bearb. und stark erweiterte Aufl. Bd. 1—, Berlin/New York 1968—.

[22] Wie Anm. 20.

[23] S. HEIDEMARIE SCHADE: De Gruyter und die Volkskunde bis 1945. Ein Verlagsarchiv als wissenschaftliche Quelle. In: BRÜCKNER/BEITL (wie Anm. 6), S. 145—159, hier S. 150; vgl. auch GERHARD
LÜDTKE: Der Verlag Walter de Gruyter & Co. Skizzen aus der Geschichte der seinen Aufbau bildenden ehemaligen Firmen, nebst einem Lebensabriß Dr. Walter de Gruyter's. Berlin 1924 (Nachdruck Berlin 1978).

die Unterstützung Walter de Gruyters, der sich stets den Traditionen der von ihm übernommenen Verlage verpflichtet fühlte[24].

Allerdings war es für das HDA längst noch nicht so weit. „Mit Feuereifer" machten sich Bächtold-Stäubli und Hoffmann-Krayer nach der ersten Absprache mit Lüdtke an die Arbeit: „Samstag für Samstag war ich von morgens früh bis abends spät bei ihm und arbeitete Probeartikel mit ihm aus. Dann, als der Weltkrieg leider weiter dauerte, gingen wir an die Aufstellung des Stichwortverzeichnisses; dabei zeigte es sich sehr bald, dass ein Stichwortverzeichnis nicht auf Grund von Sachregistern einiger grösserer volkskundlicher Werke geschaffen werden könne, sondern dass wir es nur auf einer umfassenden Materialsammlung aufbauen könnten. So fingen wir dann an, Material zu sammeln. Von 1916 bis 1925 kamen über 600 000 Zettel zusammen, alphabetisch nach Stichwörtern geordnet, aus denen sich leicht entscheiden liess, was ein Stichwort geben müsse"[25].

Auch eine Systematik mußte erarbeitet werden. Am 19. Februar 1915 konnte sich Bächtold-Stäubli in einem Schreiben an den Verlag Trübner zu diesem Punkt äußern: „Ihre Absicht, das Buch über den deutschen Volksaberglauben in verschiedenen Bändchen der ‚volkskundlichen Bibliothek' erscheinen zu lassen, ist ja zweifellos vom buchhändlerischen Standpunkte aus ausgezeichnet. Ich habe auch für Professor Hoffmann-Krayer und mich eine kleine Disposition gemacht und versucht, den ganzen Stoff zu gliedern, dass er in 5—6 Einzelbände aufgeteilt werden könnte. Diesen Plan hatte ich vorher Professor Hoffmann-Krayer gesandt und ihn gebeten, seinerseits zu überlegen, ob sich unser Werk so ausführen lasse. Es ging aber Professor Hoffmann-Krayer ganz ähnlich, wie es mir ging: Wir hatten uns das Buch über den Volksaberglauben rein äusserlich ganz anders vorgestellt: Es sollte nach unserer Auffassung ein ‚Standard-Work' werden, das selbstverständlich über Wuttke hinausgehen und auch den deutschen Volksaberglauben des Mittelalters berücksichtigen sollte. Wir dachten uns, dass es für die gesamte volkskundliche Forschung eine Art Quellen-Werk geben sollte, in dem der gesamte deutsche Volksaberglauben enthalten und jede einzelne abergläubische Meinung und Handlung mit ihren wesentlichen lokalen Varianten verzeichnet sein sollte. Es würde sich aber nicht nur um eine umfassende Zusammenstellung dessen, was Wuttke und Grimm und was gerade in den letzten zwei Jahrzehnten in den zahllosen Publikationen und Zeitschriften an Volksaberglauben mitgeteilt haben [sic!], handeln, sondern dazu käme noch, eine Verarbeitung, das heißt Rückführung auf die Quellen, Klärung des Ursprungs und Deutung der einzelnen abergläubischen Meinungen und Handlungen.

Die Disposition haben wir uns in der folgenden Weise gedacht:

Erster allgemeiner Hauptteil

A Einleitung (Geschichte und Bedeutung der Erforschung des Volksaberglaubens, Definitionen)

---

[24] LÜDTKE (wie Anm. 23).
[25] BÄCHTOLD-STÄUBLI (wie Anm. 9), S. X.

Professor Hoffmann-Krayer ist mit diesem ersten provisorischen Plan, den ich ihm vorlegte, einverstanden, ist aber mit mir der Meinung, dass ein definitiver Plan erst gemacht werden könne, wenn die grössere Hälfte des gesamten Materials gesammelt sei. Denn selbstverständlich muss die Disposition des Werkes sich von selbst aus dem Stoffe heraus ergeben. Man könnte ja zur Not erklären, dass der erste Hauptteil in einem, der zweite Hauptteil in 3—5 Bändchen der volkskundlichen Bibliothek zu je 20 Bogen ungefähr veröffentlicht werden könnte"[26].

Noch war also von einem mehrbändigen Werk die Rede, nicht von einem Lexikon. Bis es dazu kam, mußten Fragen wie die der Herausgeberschaft und der Mitarbeiter geklärt werden. Ganz als Verlagsmanager erwies sich Lüdtke in einem Brief vom 13. September 1921 an Bächtold-Stäubli: „Nach Deiner neuesten Mitteilung weiss ich nun nicht, ob Ihr daran festhaltet, dass Hoffmann-Krayer und Du das Wörterbuch beide schreibt. Aber ich fürchte, dass dann doch mindestens fünf bis sechs Jahre vergehen werden, bis Ihr zu Ende kommt. Hoffmann-Krayer ist durch Berufsgeschäfte zu sehr in Anspruch genommen und auch kein schneller Arbeiter. Deshalb dachte ich daran, ob Ihr nicht einen grössern Kreis von Mitarbeitern heranziehen wolltet, wie es beim Hoops'schen Reallexikon der Fall war. Ich meine, diese Mitarbeiter sollten sich finden lassen. Dazu gehört allerdings eine genaue Aufstellung einer Stichwortliste und evtl. die Übermittlung des das betreffende Stichwort gesammelten Materials an diese Mitarbeiter. [. . .] Du und Hoffmann-Kreyer [sic!] würden als Herausgeber fungieren"[27].

Die langjährigen Überlegungen und Vorbereitungen nahmen dann endlich 1925 konkrete Gestalt an. Der „Verband deutscher Vereine für Volkskunde" und der Verlag Walter de Gruyter waren sich über die Erstellung größerer volkskundlicher Nachschlagewerke einig geworden. Man plante das unter Johannes Boltes Mitwirkung von Lutz Mackensen herausgegebene „Handwörterbuch des Märchens", vom dem lediglich zwei Bände erschienen, ein von John Meier und Harry Schewe zu bearbeitendes „Handbuch des Volksliedes", das Friedrich Panzer anvertraute „Handwörterbuch der Sage" und schließlich das zu diesem Zeitpunkt in seinen Vorarbeiten am weitesten fortgeschrittene HDA[28]. Ferner konnte der Verband neben der „Volkskundlichen Bibliographie" die Kommission für Segens- und Beschwörungsformeln, eine Volkstrachtenkommission und die Volksliedkommission vorweisen, die bereits über ein Material von 112 300 eingesandten Liedern verfügte.

Vom 25. bis 27. September 1925 versammelten sich unter dem Vorsitz von John Meier die Vertreter der volkskundlichen Vereine und verwandter Institutionen in

---

[26] Brief Hanns Bächtold-Stäublis an den Verlag Karl J. Trübner, Straßburg, vom 19. Februar 1915; Verlag Walter de Gruyter & Co., Berlin, Archiv. Die Systematik von 1915 ähnelt auffallend derjenigen Matthias Zenders in GÜNTER WIEGELMANN/MATTHIAS ZENDER/GERHARD HEILFURTH: Volkskunde. Eine Einführung (= Grundlagen der Germanistik, Bd. 12) Berlin 1977, S. 149.

[27] Brief Gerhard Lüdtkes vom 13. September 1921 an Hanns Bächtold-Stäubli; Verlag Walter de Gruyter & Co., Berlin, Archiv.

[28] Vgl. Anm. 5.

Stuttgart. Hoffmann-Krayer und Bächtold-Stäubli vertraten dabei die „Schweizerische Gesellschaft für Volkskunde". Auf dieser Tagung berichtete Bächtold als
Redakteur des HDA nicht nur über die Anlage des Lexikons und über die vorliegenden Zusagen von Autoren, sondern er betonte auch, daß „weitere Meldungen
zur Mitarbeit [. . .] der Herausgeber (Basel, Benkenstr. 25) gern entgegennähme";
man hoffe, „daß das Werk in verhältnismäßig kurzer Zeit fertig vorliegen und dem
Volkskundeforscher viel zeitraubende Sammelarbeiten ersparen wird". Um dem
Projekt Nachdruck zu verleihen, hielt Bächtold-Stäubli zudem einen öffentlichen
Vortrag über „Glaube und Aberglaube", in dem er den engen Zusammenhang
zwischen beiden Bereichen aufzeigte, noch einmal den Plan des Handwörterbuchs
entwickelte und um Mitarbeit bat[29].

Arbeitsbedingungen

Auf der Abgeordnetenversammlung des „Verbandes deutscher Vereine für
Volkskunde", die am 5. und 6. September 1928 in Freiburg i. Br. stattfand, konnte
John Meier „mit besonderem Danke" mitteilen, „daß der Herausgeber des Wörterbuches des Aberglaubens, Herr. Dr. Bächtold-Stäubli, sein über 600 000 Zettel
umfassendes Material, unter Vorbehalt der eigenen Benutzung auf Lebenszeit,
dem Verband geschenkt habe[30]. Nach Bächtolds eigenen Angaben soll es sich sogar um annähernd 1,5 Millionen Karteikarten gehandelt haben[31], die nicht nur zur
Erstellung der Stichwortliste gedient hatten, sondern auch den Autoren zur Verfügung gestellt wurden.

Diese Zahlen sind nicht aus der Luft gegriffen. Denn das HDA-Material befindet sich heute, geordnet in 69 Karteikästen, die ihrerseits wieder je zwei Kästen
voll mit Zetteln enthalten, im Archiv des Seminars für Volkskunde der Universität
Göttingen. Wer sie durchblättert, kann sich einen Eindruck von der Arbeitsweise,
vor allem aber von dem nahezu unglaublichen Fleiß der Herausgeber und hier insbesondere Bächtold-Stäublis verschaffen. Die Karteikarten enthalten handschriftliche Notizen, Literaturhinweise und kleine, aus Büchern und Zeitschriften ausge-
schnittene und aufgeklebte Abschnitte, selten jedoch längere Exzerpte (Abb. 2).
Die Arbeitsbedingungen, unter denen diese Sammlung und damit das HDA entstand, nötigen heute, im Zeitalter großer Redaktionsstäbe und der elektronischen
Datenverarbeitung, uneingeschränkte Bewunderung ab. Denn in der das HDA betreffenden Korrespondenz hat sich eine Reihe von Bettelbriefen erhalten, in denen
Bächtold um die kostenlose Zusendung von einschlägigen Veröffentlichungen zum
Zerschneiden bat; so schrieb er am 15. Mai 1915 an Lüdtke: „Unsere Vorarbeiten

[29] S. Fritz Boehm: Abgeordneten-Versammlung des Verbandes deutscher Vereine für Volkskunde in
    Stuttgart. In: Zeitschrift des Vereins für Volkskunde 35/36 (1925/26), S. 115—117, hier S. 116.
[30] Fritz Boehm: Abgeordnetenversammlung des Verbandes deutscher Vereine für Volkskunde in
    Freiburg i. Br. (5. und 6. September 1928). In: Zeitschrift des Vereins für Volkskunde 37/38 (1927/
    28), S. 154—155, hier S. 155.
[31] Angabe nach Meier/Schmidt (wie Anm. 2), S. 22.

zum Volksaberglauben schreiten vorwärts. Die ganze Woche hat ein Arbeitsloser bei mir geklebt, was ich an gedrucktem schweizerischen Material zerschnitten und verzettelt habe: einige tausend Zettel müssen jetzt geordnet werden. Ich wäre Ihnen dankbar, wenn Sie uns von dem für Vorarbeiten bewilligten Kredit von Mk. 500.— die folgenden Bücher verschaffen würden und zwar in je zwei Exemplaren. [. . .] Alle diese Werke enthalten ein grosses Material, das ich zunächst verzetteln möchte. Selbstverständlich werden noch andere folgen, bei denen das Zerschneiden ebenfalls weitaus rascher geht und billiger ist als das Kopieren. Antiquarisch sollten sie jetzt verhältnismässig billig zu haben sein"[32].

Wo dies nicht möglich war, begnügte sich Bächtold-Stäubli auch mit einem Exemplar, das er mit anderen Kollegen teilte. Am 18. Juni 1915 schrieb er an John Meier, daß ihm ab 1. Juli 1915 eine Sekretärin bei der Materialsammlung behilflich und unter seiner Leitung die Zerschneidung und Verzettelung der gedruckten Literatur vornehmen würde: „Wenn Sie für die Zwecke des Volksliedarchivs ,Köhler, Volksbrauch' benützt haben, so bin ich Ihnen sehr dankbar für gefl. Zusendung des Ueberrestes, damit wir ihn dann für uns weiter verarbeiten können. Ausser ,Andree, Braunschweiger Volkskunde' haben wir noch Engelien und Lahn, der ja auch Liedermaterial enthält, sowie Rochholz, Kinderlied in einem Exemplar. Dieses letztere sollten wir allerdings auch für unser Schweizer Volksliedarchiv verzetteln. [. . .] Allerdings wäre es vielleicht gut wenn die Verzettelung beider, des Aberglaubens und der Lieder, an e i n e m Orte geschehen würde, in solchen Fällen wenigstens, wo Lieder und Aberglaube nicht in bestimmten gesonderten Kapiteln behandelt sind, sondern über das ganze Buch verstreut sind. Sonst könnte unter Umständen eine Unordnung in die übriggebliebenen Buchreste Kommen [sic!], die recht unangenehm sein würde und zeitraubend. Da ich die Grundsätze kenne, nach denen Sie die Lieder verzetteln, so schlage ich Ihnen vor, dass in solchen Fällen dies unter meiner Leitung und Verantwortlichkeit in Basel geschieht; denn diejenige des Aberglaubens bietet doch grössere Schwierigkeiten und kann nur in Basel ausgeführt werden[33]."

Zur Schwierigkeit der Materialbeschaffung und -bearbeitung kam der Umstand, daß Bächtold-Stäubli nur nebenamtlich am HDA tätig sein konnte. In einem Brief vom 15. Mai 1915 schrieb er an Lüdtke: „Die Tätigkeit als Militärzensor strengt mich neben der Schule sehr an, da ich viel Nachtschicht habe. Aber es lässt sich dabei doch gerade eine mechanische Arbeit, die man jederzeit unterbrechen kann wie das Verzetteln sehr gut ausführen. Was ich bisher dafür leistete, entstand meist nachts auf der Zensur, so zwischen 2½ und 7 Uhr morgens, gerade die rechte Zeit für den Aberglauben[34]."

---

32 Brief Hanns Bächtold-Stäublis vom 15. Mai 1915 an Gerhard Lüdtke; Verlag Walter de Gruyter & Co., Berlin, Archiv.

33 Brief Hanns Bächtold-Stäublis vom 18. Juni 1915 an John Meier; Deutsches Volksliedarchiv Freiburg i. Br.

34 Brief Hanns Bächtold-Stäublis vom 15. Mai 1915 an Gerhard Lüdtke; Verlag Walter de Gruyter & Co., Berlin, Archiv.

chen aus landschaftlichen Monographien, die oft kaum aufzutreiben sind, und aus
den verschiedenen volkskundlichen Zeitschriften. Und dann ist er erst nicht sicher,
ob ihm nicht eine wertvolle Quelle entgangen ist", schrieb Paul Geiger 1928, und
er verlieh der Hoffnung Ausdruck, daß es „ein Werk zu werden" verspräche,
„worin man auf jede mit dem Aberglauben zusammenhängende Frage nicht nur
Material, sondern auch Erklärungen oder wenigstens Deutungsversuche finden
wird"[41]. Otto Weinreich strich ebenfalls die Bedeutung des HDA für die Nachbarwissenschaften heraus: „Denn ein leitender Gesichtspunkt des Gesamtwerkes ist
es, die Probleme historisch aufzufassen, das Material für die deutschen Erscheinungen an ihrem geschichtlichen Platz in der Entwicklung des menschlichen Denkens einzuordnen, die Vorstufen in der antiken, orientalischen, nordischen Altwelt
zu berücksichtigen, kurzum die Volkskunde als Zweig der Geschichts- und Gei-
steswissenschaft weitblickend zu betreiben. Das gibt dem Werk, um dies gleich
vorauszuschicken, einen besonderen Wert für die Disziplinen; der Altphilologe,
den das Fortleben der Antike interessiert, den Orientalisten jeder Sparte, der
Theologe, dem die niedere Welt des Glaubens nicht gleichgiltig sein darf, der Ju-
rist, der Ethnologe, sie alle werden wie die Neueren Philologien hier ein Nachschlagewerk benutzen, das sich an Qualität neben die besten deutschen und internationalen Enzyklopädien stellen darf"[42].

Die Volkskunde sei nun endlich konkurrenzfähig geworden, stellte Richard
Beitl 1931 in seiner ausführlichen Besprechung fest: „Die deutsche Volkskunde,
auf manchem Gebiet von den Unternehmungen benachbarter Nationen überflü-
gelt, scheint mit mächtigen Schritten in wenigen Jahren diesen Vorsprung einholen
zu wollen. Das Handwörterbuch des deutschen Aberglaubens stellt eine großzü-
gige und zuverlässige Zusammenfassung der Forschungsergebnisse im weiten Gebiet des deutschen Aberglaubens und in den meisten Fällen schon eine entschlos-
sene Blickwendung auf den zukünftig von der Wissenschaft einzuschlagenden
Weg dar. Nicht nur durch die Weitung und Bereicherung des Inhalts, auch im wissenschaftlichen Ziel stellt das Werk einen neuen Typus des Handwörterbuchs dar.
Wie seine Gründung befördert wurde durch den Aufschwung der Volkskunde im
deutschen Sprachgebiet, so gibt es diesem — selbst noch im Werden begriffen —
schon heute mit jedem Heft neue Antriebe durch bisher in dieser Klarheit unbekannte Überblicke und daraus entspringende fruchtbare Fragestellungen"[43].

Kritische und ergänzende Anmerkungen beschränkten sich zumeist auf einzelne Artikel, was bei der Größenordnung eines solchen lexikographischen Unter-
nehmens und der Vielzahl seiner Autoren nicht verwundert. Doch manche Äußerungen reichten tiefer. Otto Weinreich etwa wandte sich in seiner ansonsten

[41] PAUL GEIGER: Rezension von: Handwörterbuch des deutschen Aberglaubens, Band I, Lieferung 1.
    Berlin/Leipzig 1927. In: Schweizerisches Archiv für Volkskunde 28 (1928), S. 134—136.
[42] OTTO WEINREICH: Volkskunde (1925—1931). In: Archiv für Religionswissenschaft 29 (1931),
    S. 244—284, hier S. 256 (zum HDA: S. 255—258).
[43] RICHARD BEITL: Rezension von: Handwörterbuch des deutschen Aberglaubens, Band 1—3. In:
    Zeitschrift für Volkskunde 41 (= N. F. 3) (1931/32), S. 71—77, hier S. 71—72.

durchweg wohlwollenden Besprechung gegen die „Inflation von Lexika"; sie sei ein „Zeichen der Zeit, die jedes Wissensgebiet in eine möglichst rasch und praktisch benutzbare Kartothek, die Studierstube in ein gelehrtes Büro zu wandeln strebt. Eine Gefährdung des Triebes zum Selbstlernen ist nicht von der Hand zu weisen. Das Nebeneinander von verschiedenartigsten Forscherindividuen auf benachbarten Teilgebieten kann die große, systematische Darstellung nicht ersetzen, die eine Forscherhand, ein Forschergeist in einem tiefdurchdachten Lebenswerk niederlegt. Ist ein Mann wie J. Bolte nicht wichtiger als 5 oder 6 Bände Märchenlexikon? Doch dieser Gedanke an das überhandnehmende Spezialistentum unserer Zeit und die Lexikaflut als Form ihres utilitaristischen Strebens soll uns die Freude gerade am HDA nicht vergrämen"[44].

Man kann diese Beschwörung des längst der Vergangenheit angehörenden Bildes vom polyhistorisch gebildeten Wissenschaftler als anachronistischen Seitenhieb abtun, der die Substanz des HDA wenig trifft. Andere Bemerkungen jedoch bezogen sich bereits während des Erscheinens des Handwörterbuchs auf wesentliche Schwachstellen. Man tadelte einerseits das ständige Verweisen bei ausgefallenen Stichwörtern, andererseits wurden die Herausgeber bereits 1928 mit dem Vorwurf konfrontiert, daß die methodische Durcharbeitung des Stoffes der zwar eindrucksvollen, aber kaum reflektierenden Materialsammelei zum Opfer gefallen sei. Am 2. August 1928 schrieb der Münchener Anglist Prof. Dr. Max Förster in einem Brief an Eduard Hoffmann-Krayer: „[. . .] Freilich mischt sich auch mancherlei Bedenken bei. Es [= HDA] ist in erster Linie doch eine Material-Sammlung und wird daher denjenigen Wasser auf ihre Mühle bringen, die behaupten, die Volkskunde sei über das Stadium des Materialsammelns noch kaum herausgekommen. Bei dem ausserordentlichen Umfang, den das Wörterbuch annimmt, werden die meisten Benützer doch wünschen, mehr Bearbeitung der Themen zu erhalten, wenn sie dafür auf auch [sic!] die lückenlose Ausbreitung der Belege verzichten müßten"[45]. Hoffmann-Krayer wehrte sich zwar gegen diesen Vorwurf; am 7. August 1928 legte er das Schreiben Försters einem Brief an Bächtold-Stäubli bei, wobei er anmerkte: „F. hat eine merkwürdige Vorstellung von den Zielen und Grenzen eines Aberglauben-Wbs. Namentlich der Vorwurf der Materialsammlung ist absurd. Wollte Gott, wir hätten eine denkbar vollständige Materialsammlung des deutschen Aberglaubens!"[46].

Aus heutiger Sicht allerdings trifft diese Kritik Försters nicht nur zu, sie offenbart auch eine fundamentale Schwäche des gesamten Werks; denn über dem Bemühen, aus möglichst vielen Quellen und Informationen ohne Rücksicht auf historische und soziale Bedingungen und Verläufe eine Phänomenologie des Aberglaubens zu entwickeln, blieb die Geschichte populärer Vorstellungen von den Dingen und Ereignissen der Welt auf der Strecke.

---

[44] WEINREICH (wie Anm. 42), S. 258.

[45] HANS TRÜMPY: Aus Eduard Hoffmann-Krayers Briefwechsel. In: Schweizerisches Archiv für Volkskunde 60 (1964), S. 113—132, hier S. 129.

[46] TRÜMPY, ibidem.

„Aberglaube". Das Eigenverständnis des HDA

Es ist nahezu unmöglich, den Begriff „Glaube" befriedigend zu erklären. Definitionsversuche erwiesen sich vor allem dann als Irrwege, wenn man ihn in seinen wahrnehmbaren Ausdrucksformen erfassen wollte. Gleiches gilt für den „Aberglauben". Gerade weil er bedeutungsgeschichtlich immer vom „Glauben" ab- und ausgegrenzt wurde, verbanden sich mit den Bestimmungsversuchen nur zu oft sehr konkrete historische, subjektive und ideologische Absichten. Ihn zudem noch auf lexikalische Stichwörter zu reduzieren mußte und muß erhebliche Vorbehalte auslösen. Was ein zeitgenössischer Kritiker wie Förster als unreflektierte Materialsammlung ablehnte, erscheint heute als unzulässige, da verzerrende Beschreibung vermeintlich populärer Denkweisen.

Denn zwischen dem Aberglaubensbegriff des HDA und dem modernen, sehr viel vorsichtigeren Umgang mit den Strukturen und Inhalten volkstümlicher Vorstellungswelt bestehen erhebliche Unterschiede. Eduard Hoffmann-Krayer hatte selbst den umfangreichen Artikel „Aberglaube" verfaßt und damit die Richtung des Werkes vorprogrammiert (I, Sp. 64—87). Schon im Vorwort hatte er sich mit der ursprünglichen Überlegung auseinandergesetzt, statt „Aberglaube" den neutralen Begriff „Volksglaube" zu verwenden und sich dadurch des wertenden Urteils über außerkanonische Glaubensvorstellungen zu entledigen. Doch „Volksglaube", so Hoffmann-Krayer, umfasse mit populären Ansichten über Gott und die Heiligen, über Sünde und Gnade vorwiegend den religiösen Bereich. Aberglaube hingegen, wertfrei betrachtet, erlaube auch die Berücksichtigung ausschließlich literarisch bezeugter Superstitionen, die nie ins Volk eingedrungen seien.

So fortschrittlich, da umfassend orientiert, dieses Bemühen 1927 war, am Problem der Ausgrenzung hatte sich — aus heutiger Sicht — wenig geändert, wurden abergläubische Vorstellungen und Praktiken als Bestandteil einer Eigen- und Gegenkultur der Unterschichten festgeschrieben. Trotz der Betonung einer objektiven Annäherung bestand die Wertung von Aberglaube durch das subjektive Messen am offiziellen religiösen Standpunkt weiterhin fort, blieb er als irriger, irregeführter Glaube ein Widerspruch zum System, da er „Glaube an die Wirkung und Wahrnehmung naturgesetzlich unerklärter Kräfte" sei, „soweit diese nicht in der Religionslehre selbst begründet sind" (I, Sp. 66). Religion bestünde in der gläubigen, allerdings nicht an ein bestimmtes kirchliches Umfeld gebundenen Hingabe des Menschen an eine göttliche Macht. Dies schließe jedoch den Aberglauben aus kirchlich-religiösen Handlungen nicht aus.

Hoffmann-Krayer teilt dem Aberglauben drei Funktionen zu: Praktiken zur Erfahrung des Verborgenen, etwa durch Deutung von Vorzeichen, das Abwehren oder Zufügen von Unheil und schließlich den sich auf Anschauungen über den Menschen, die Natur und die übernatürlichen Wesen beziehenden „absoluten Aberglauben". Davon trennt er, heutiger Erkenntnis widersprechend, die magischen Wissenschaften, zu denen er die komplizierten Divinationstechniken und die Geheimkünste zählt; über sie informiert das HDA tatsächlich nur sehr unzureichend. Das enge Zusammenspiel von Glaube und Handlung aber erfordere es, ansonsten selbständig zu betrachtende Quellengruppen wie die Sage, die Volksmedizin, Segensformeln oder Kalender-, Bauern- und Wetterregeln, soweit diese superstitiös geprägt seien, in den Bereich des Aberglaubens einzubeziehen. Seinen Ursprung und seine Wirkung besitze der Aberglaube in der Überzeugung von magischen Kräften in der Natur, die entweder von sich aus wirksam seien oder vom Menschen bewußt in Anspruch genommen werden könnten. Ein wesentliches Merkmal bilde daher die magische Handlung und das gesprochene oder geschriebene Zauberwort, die beide auf Analogiedenken beruhten. Ihr Ziel sei das materielle Wohlergehen des Menschen, sein Schutz und sein Heil.

Das Bewußtsein des Aberglaubens

Hoffmann-Krayer legte in seiner Systematisierung eine Leitlinie fest, die man mit Fug und Recht als „Definition von außen" bezeichnen darf: aus einmal als solchen festgeschriebenen Aberglaubensformen entsteht ein Gerüst von Abweichungen, von Überzeugungen, die nicht den gesellschaftlichen und wissenschaftlich verbindlichen Ideen, sondern eigenen, magischen Kausalitäten folgen. Aberglaube wird damit zum Ausdruck einer präscientistischen Welt- und Naturdeutung, die ihre Lebenskraft aus einer längst überholten Auffassung vom Kosmos schöpft. Er ist im Verständnis Hoffmann-Krayers, Bächtold-Stäublis wie des gesamten Handwörterbuchs objekt- und handlungsorientiert, nur insofern ein historisches und entwicklungsgeschichtliches Phänomen, als er sich erst aus dem Gegensatz von geistigem Fortschritt und dumpfem Beharren auf traditionellem Glauben zu ergeben scheint. Zudem steht hinter dem HDA eine Methode der Datenerhebung und -interpretation, die von der Volkskunde bis weit ins 20. Jahrhundert hinein, ja vereinzelt trotz der historisch-archivalischen Arbeitsweise, wie sie vor allem Karl-Sigismund Kramer und Hans Moser vertreten, und trotz der Neuorientierung des Faches vereinzelt bis heute angewandt wird: die Analyse von nur oberflächlich vergleichbarem Material, ohne dessen Geschichtlichkeit zu berücksichtigen. Der zeitgenössische Vorwurf der unkritischen Kompilation an das HDA auf Kosten der exakten historischen Zuordnung läßt sich heute noch schärfer formulieren: der Mensch als geschichtlicher Träger u n d Betroffener von „Aberglauben" spielt keine Rolle. Im Vordergrund stehen Objektivationen wie Hostienzauber, Blutaberglaube oder populäre Kryptognostiken und Krankheitsdiagnosen, von ihren Erforschern längst mit dem Gütesiegel „superstitiös" versehen, aus nicht vergleichbaren zeitlichen und räumlichen Schichten zu allgemeinen Ausdrucksformen abstrahiert. Der Mensch in der schwer bestimmbaren Ballung „Volk" wird als Garant von Kontinuität stillschweigend vorausgesetzt, historischer Wandel unterliegt dem Postulat von Traditionen, die in vorchristliche, und dies leider nur zu oft in germanische Urzeiten zurückgeführt werden. Es ist sicherlich auch Folge der lexikalischen Beschränkung, daß viele unzulässigen Vergleiche und Rückschlüsse deswegen so schroff erscheinen, da kein ausreichender Platz zur Verfügung stand, um den meist sehr diffizilen individuellen und kollektiven Entwicklungen, Vermittlun-

gen und Prozessen nachzugehen, die etwa aus einem geläufigen Gebet ein zauber-
ähnliches Gebilde machten, und dabei den Menschen als „activum" und „passi-
vum", um mit den Worten Hoffmann-Krayers zu sprechen, zu berücksichtigen.
Die durch das HDA repräsentierte volkskundliche Aberglaubensforschung begnügte sich mit einer letztlich blut- und menschenleeren Kultur des Altartigen und
Überholten, des Relikts als Merkmal unterschichtlicher Lebensweisen. Begriffe wie
Angst vor Aberglauben, Verzauberung, angehexter Krankheit, psychischer Verletzung, vor Denunziation und Diffamierung als Hexe und Magier waren in diesem
Zusammenhang ebenso unbekannt wie die *Notwendigkeit* von „Aberglauben" dort,
wo Menschen z. B. infolge fehlender ärztlicher Versorgung auf dem Land weiterhin die mit alten Heilweisen vertrauten Weisen Frauen und Männer des Dorfes
konsultieren mußten. Die Verfasser der einzelnen Beiträge des HDA beschrieben
Phänomene, niemals jedoch die Einstellung der Menschen zu abergläubischen
Praktiken.

In der Sage sieht Hoffmann-Krayer ein wichtiges Zeugnis zur Erschließung historischer (Aber-)Glaubensformen und bezeichnet diese Erzählform noch in der
Verfremdung durch eine längst wissenschaftlich reglementierte Aufzeichnungs-
und Wiedergabetechnik als einen Ausdruck des „absoluten Aberglaubens". Doch
es fällt auf, wie leicht die narrative Einheit „Sage" zum Aberglaubensbericht for-
malisiert und aus diesem wiederum die „Sage" restituiert werden kann; man mut-
maßt forscherischen Eingriff zu Lasten einer wirklichkeitsgetreuen Erhebung populären Denkens, wenn man an die Mühelosigkeit der Umwandlung denkt. Gerade hier aber bedarf es erhöhter Vorsicht bei der Benutzung des im HDA inter-
pretierten Materials. Denn bereits das Literatur- und Abkürzungsverzeichnis wie
auch die Anmerkungsapparate der einzelnen Artikel lassen den heute nicht mehr
gültigen Begriff von Geschichtlichkeit ahnen, dem Herausgeber und Autoren verpflichtet waren und der u. a. zur unkritischen Auswertung des Sagenmaterials
führte. Sie waren dem Grimm'schen Verständnis vom historischen Bezug der Sage
gefolgt, folglich mußte sich in Erzählungen und Memoraten von wunderlichen
und abnormen Dingen, von Gespenstern und magischen Riten, von Frauen, die
über ungewöhnliche Fähigkeiten und geheimes Wissen verfügten, von Freveltaten
und ihren Bestrafungen immer auch historisches Denken wiederfinden lassen und
mit ihm die Tatsächlichkeit des Superstitiösen. Dem ist aus heutiger Sicht entge-
genzuhalten, daß Vieles nur erschlossen, rekonstruiert und in bürgerlich-akademi-
sche Denkmuster eingepaßt wurde. Rudolf Schenda hat den beinahe zum Glaubensbekenntnis gewordenen Hinweis „aus mündlicher Überlieferung", mit dem
viele frühe Sagensammler operierten, als Literaturexzerpte nachgewiesen, sie
selbst als Schreibtischtäter entlarvt[47]. Ihre Vorbilder, Jacob und Wilhelm Grimm,

---

[47] RUDOLF SCHENDA: Mären von deutschen Sagen. Bemerkungen zur Produktion von „Volkserzählungen" zwischen 1850 und 1870. In: Geschichte und Gesellschaft 9 (1983), S. 26—48; ders.: Volkser-
zählung und nationale Identität: Deutsche Sagen im Vormärz (1830—1848). In: Fabula 25 (1984),
S. 296—303; ders.: Jacob und Wilhelm Grimm: Deutsche Sagen Nr. 103, 298, 337, 340, 350, 357
und 514. Bemerkungen zu den literarischen Quellen von sieben Schweizer Sagen. In: Schweizerisches Archiv für Volkskunde 81 (1985), S. 196—206.

waren gleichfalls dem schriftlich überlieferten Material, vor allem aber dem Geschichtsverständnis und den wissenschaftlichen Verfahrensweisen des 18. Jahrhunderts bei der Bearbeitung und Deutung der Sagenstoffe verpflichtet[48]. Was in der Gefolgschaft der Grimms als Aberglaube festgelegt und dann von einer Volkskunde der heilen Welt aufgezeichnet wurde, besitzt folglich seine eigene definitorische Geschichte. Bevor sich das HDA ihm zuwenden konnte, war er längst präfiguriert; man wußte, wie, wonach und wozu man zu suchen hatte. Man hatte die Langlebigkeit abergläubischen Wissens postuliert, um damit letztendlich zu den heidnischen Germanen zurückzufinden, aber man vergeudete keine Mühe daran, die Bedingungen für die — vermeintliche — Konstanz zu überprüfen. So entstand ein Destillat, das weniger den Aberglauben als ein historisches Faktum, sondern eher den Umgang einer elitären Bildungsschicht mit ihr absonderlich, dennoch kulturell interessant, da altertümlich erscheinenden Äußerungen bezeugt; mit anderen Worten: es ist notwendig, sich vor der Benutzung des HDA zuerst den Forschungsstand und die Forschungsintentionen dieser Zeit wie grundsätzlich den Stellenwert der volkskundlichen Aberglaubensforschung zu vergegenwärtigen, sich die damals angewandten, heute unzulänglichen Erhebungstechniken und Quellenanalysen bei der Deutung von Kulturformen vor Augen zu halten. Denn Volkskunde ist längst nicht mehr eine Hilfswissenschaft der germanischen Altertumskunde, geschweige denn eine Forschungsdisziplin, aus der sich die Bestätigung holen ließe, daß der Osterhase die Reminiszenz an eine germanische Gottheit sei[49].

Aberglaube als geschichtliches Problem

Seit dem HDA haben sich Inhalte und Methoden der volkskundlichen Beschäftigung mit dem Aberglauben grundlegend geändert, ja es stellt sich die Frage, ob man heute ein vergleichbares Werk mit diesem Namen überhaupt noch in Angriff nehmen könnte. Dennoch, eine allgemein gültige Definition von „Aberglaube" ist ebenso wenig möglich wie zu Bächtold-Stäublis und Hoffmann-Krayers Zeiten. Denn wie damals überwiegt die Ab- und Ausgrenzung, von kirchlichen und naturwissenschaftlichen Lehrmeinungen ebenso wie von gesellschaftlichen Übereinkünften. Wenn der Aberglaube trotzdem wenig von seiner Faszination verloren hat, dann verdankt er dies seiner magischen Komponente, der Überzeugung, daß es hinter einer physikalisch erklärbaren Gesetzmäßigkeit noch eine verborgene, okkulte Wirklichkeit gebe, die es zu aktivieren gilt. Der Aberglaube, so stellvertretend für zahllose Bestimmungsversuche das „Praktische Bibellexikon", äußere sich

---

[48] Vgl. hierzu CHRISTOPH DAXELMÜLLER: Disputationes curiosae. Zum „volkskundlichen" Polyhistorismus an den Universitäten des 17. und 18. Jahrhunderts (= Veröffentlichungen zur Volkskunde und Kulturgeschichte, 5). Würzburg 1979, S. 187—254.

[49] ÅKE V. STRÖM: Germanische Religion. In: ders./HARALDS BIEZAIS: Germanische und Baltische Religion. Stuttgart/Berlin/Köln/Mainz 1975, S. 154, wo der Osterhase mit den weiblichen Gottheiten Skadi und Hreda verglichen wird.

darin, „Dingen u. Handlungen übernatürliche Kräfte zuzuschreiben, die sie an sich nicht haben"[50].

Eine allseits befriedigende Erklärung wird auch deswegen kaum möglich sein, da sie immer eine Frage des jeweiligen Standpunkts ist. Man kann den Aberglauben entwicklungsgeschichtlich darstellen, ihn als überholten Glauben an paranormale Zusammenhänge in der Natur, an die den Menschen und Dingen eigenen magischen Kräfte (virtutes), die einst in sich selbst auf einem in sich logischen System beruhten, am gültigen Erkenntnisstand messen: der Glaube an die Heil- und Wirkkraft von Mineralien etwa, die man mit analogen Zusammenhängen begründete, weswegen man z. B. den Hämatit wegen seiner roten Farbe und nicht aus Kenntnis seines chemischen Aufbaus als Mittel für Blutstillung anwendete, wurde durch die moderne Laboranalyse und Pharmazie, der Einfluß der Planetenkonstellationen und -konjunktionen durch die Anwendung von Spurenelementen in synthetisch produzierten Drogen, die Kabbalistik mit ihren wort- und symbolbefrachteten, kaum mehr lesbaren Schutzzetteln und Amuletten durch das nicht minder komplizierte Systema sephiroticum chemischer Formeln ersetzt. Die Naturwissenschaft des 17. und 18. Jahrhunderts, die sich zunehmend von ihrer einstigen Bindung an die Theologie zu lösen, der Welt eine eigene, dem menschlichen Verstand zugängliche Gesetzmäßigkeit einzuräumen und der übernatürlichen Heilkraft wallfahrtsmäßig aufgesuchter Quellen mit der Feststellung natürlicher therapeutischer Stoffe zu entgegnen begann, entzog sich behutsam den engen Grenzen des mittelalterlichen Naturverständnisses, indem sie von den im Schöpfungsakt in der Natur festgelegten „qualitates occultae", den verborgenen Eigenschaften sprach. Diese Kräfte reizten die Naturphilosophen und -wissenschaftler des späten 16. und des 17. Jahrhunders, wurden ihnen zur Verpflichtung, die entmythologisierte Natur zu erforschen und zu entschlüsseln. Johann Jakob Hvalsø (1656—1712) sprach das zukunftsorientierte forscherische Wollen stellvertretend für seine akademischen Zeit- und Zunftgenossen aus: auch wenn man derzeit noch nicht in der Lage sei, übernatürlich anmutende Phänomene oder die Ursachen wunderbarer Geschehnisse und Kräfte in der Natur zu erklären, so bedeute das nicht, daß es spätere Zeiten nicht vermöchten[51]. Man fühlt sich an ein Wort von Franz Strunz erinnert: „Aller Aberglaube ist alte Wissenschaft, alle Wissenschaft neuer Aberglaube. . . . Was heute Aberglaube ist, war einst Wissenschaft"[52].

Glaube wird folglich dort zum bekämpfenswerten Aberglauben, wo neue erkenntnistheoretische Positionen erreicht sind. Dies zeigen die Auseinandersetzung des Frühchristentums und der Kirchenväter mit dem heidnischen Bildungsgut, vor allem jedoch die für die Entwicklung der christlich-abendländischen Begrifflich-

---

50   ANTON GRABNER-HAIDER: Praktisches Bibellexikon. Freiburg/Basel/Wien 1969, S. 3.
51   JOHANN JAKOB HVALSØ (Präses)/JOACHIM HØJER (Respondent): Dissertatio valedictoria de miraculis non miraculis seu de naturae arcanis, qvae vulgo miracula falsò putantur. Kopenhagen 1684, S. 44—46.
52   FRANZ STRUNZ: Beiträge und Skizzen zur Geschichte der Naturwissenschaften. Hamburg/Leipzig 1909, S. 1.

keit maßgebliche Superstitionenlehre des Augustinus (354—430). Dieter Harmening hat die Übernahme des lateinischen Wortes „superstitio" durch die frühchrist-
liche Apologetik eingehend untersucht[53]. Sie führte den römischen Religionsbegriff
zur Kennzeichnung fremder und neuer Kulte fort, um nun allerdings das Heidentum selbst damit zu brandmarken; wie dem Römer jede nichtrömische, so wurde
dem Christen jetzt jede nichtchristliche Religion zur „superstitio", jede nicht sich
an den christlichen Gott richtende Verehrung zum Götzendienst (idololatria).
Doch die Theologen erweiterten dieses Bedeutungsfeld, indem sie unter Aberglauben auch jedes der wahren Religion hinzugefügte, sie zur „falsa religio" machende
Element, jeden überflüssigen Brauch, verstanden. Thomas von Aquin (um
1225—1274) interpretierte „superstitio" als Götzendienst, als „cultus divinus cui
non debet", als „cultus exhiberi deo vero, modo indebito", als etwas „überflüssig-
abergläubisches" (superfluum et superstitiosum), das über die „dei et ecclesiae in-
stitutionum, vel contra consuetudinem communem" hinausginge (Summa theolo-
giae II. II. 92, 2; II. II. 93, 2).

Diese Bestimmung des Aberglaubens als Götzendienst wie als unnötige Kult-
ausübung sollte sich als folgenschwer erweisen. Die Superstitionenlehre des Mittelalters sah im Aberglauben einen Rest von Heidentum, zu dessen Konstitutiven der
Dämonenkult gehört. Damit erhielten abergläubische Handlungen zugleich einen
dämonologisch-magischen Charakter. Denn in einem Weltbild, in dem Gut und
Böse gleichermaßen existieren, ja in dem das Böse selbst Bestandteil des göttlichen
Heilsplans ist, handelt der Mensch aus eigener Entscheidungs- und Willensfreiheit.
Für seine Wahlmöglichkeit zwischen Gott und Satan aber schuf die christliche Sy-
stematisierung der neuplatonischen Dämonologie eine der Grundvoraussetzungen.
In der Allgegenwart der auch körperlich-wesenhaft erfahrbaren Dämonen repräsentiert sich zugleich die Verfaßtheit des Menschen und seine in der Erbsünde an-
gelegte Neigung zum Bösen. Er kann sich der Hilfe dieser Wesen durch einen
Pakt und durch die Kenntnis ihrer geheimen Namen und Zeichen versichern. Der
Schritt von der „superstitio artis magicae" zum „crimen magiae", vom Götzendienst der Dämonenverehrung zum spät- und nachmittelalterlichen Hexenwahn
war bereits in der frühchristlichen Theologie vorgezeichnet.

Wie konstant solches Verständnis von Aberglauben war, beweist die von Georg
Dietrich Thies 1717 unter dem Präsidium von Gottlieb Samuel Treuer angefertigte
Helmstedter Dissertation „De superstitionis conditoribus et propagatoribus":
Aberglaube sei die bis zur Unsinnigkeit übertriebene Furcht und Verehrung des
Übernatürlichen sowie der vom göttlichen Ratschluß losgelöste Vollzug von
Handlungen.

---

[53] DIETER HARMENING: Superstitio. Überlieferungs- und theoriegeschichtliche Untersuchungen zur
kirchlich-theologischen Aberglaubensliteratur des Mittelalters. Berlin 1979; ders.: Aberglaube und
Alter. Skizzen zur Geschichte eines polemischen Begriffes. In: Volkskultur und Geschichte. Festschrift für Josef Dünninger, hrsg. von DIETER HARMENING/GERHARD LUTZ/BERNHARD SCHEMMEL/
ERICH WIMMER. Berlin 1970, S. 210—235.

Die Diskriminierung des Aberglaubens geschah somit nicht, weil man etwa an der Möglichkeit magischer Effekte zweifelte, sondern weil er aus der Konfrontation des spätantik-heidnischen Glaubens mit den neuen christlichen Lehren die Qualität des Unmoralischen erhielt, des Fehlglaubens, der Abirrung menschlichen Verhaltens.

Es liegt auf der Hand, daß für die Tradition solcher Inhalte, Kategorisierungen und Wertungen die kleine elitäre Schicht der Gelehrten maßgeblich war und blieb. Sie wußte in langen Traktaten zu trennen, was rechtmäßige, kollektive Überzeugung und was Aberglaube sei. Wo sich jedoch alte Wissenschaft zum neuen superstitiösen Denken entwickelte, implizierte dies immer auch eine soziale Bedingung: auf der einen Seite die Schicht der Gebildeten, die über Wissen, von dessen Rechtmäßigkeit sie überzeugt war, verfügte, auf der anderen Seite die große Zahl der Analphabeten und Ungebildeten, die infolge ihres Standes und ihrer Lebensumstände von der Bildung und vom Informationsfluß ausgeschlossen waren, seit dem 17. Jahrhundert die beginnende Herrschaft der Vernunft auf der einen, Menschen, die wegen mangelnder Aufstiegsmöglichkeiten auch nicht am Fortschritt des Denkens teilhaben konnten, sondern an alten Denkweisen und Verhaltsmustern festhalten mußten, auf der anderen Seite. Nirgendwo wird diese geistige Spannung zwischen Bildung und Ungebildetsein deutlicher als in der Aufklärung. Sie hatte es sich zum Ziel gesetzt, mit überholtem Glauben und unsinnig gewordenen Traditionen aufzuräumen und durch Weiterreichung des neuen Wissensstandes den Menschen zu verbessern; denn nur so könne er sich zu einem aufgeklärten, in der letzten Konsequenz dann wirtschaftlich produktiven Untertanen entwickeln. Wie hervorragend hierbei die Aufklärung des 18. Jahrhunderts auf die Aberglaubensbekämpfung vorbereitet war, zeigen nicht nur die Modethemen Magie, Superstition oder Spektrologie, über die man seit der zweiten Hälfte des 17. Jahrhunderts an den europäischen Universitäten zahlreiche Dissertationen und Traktate verfaßt hatte[54], sondern auch volkssprachliche Kompilationen wie das Aberglaubensbrevier des Georg Christoph Zimmermann (1663—1744)[55].

Doch von solchen tendentiösen, vorwiegend literarischer Überlieferung verpflichteten Werken auf die konkrete historische Wirklichkeit abergläubischer Vorstellungen und Praktiken schließen zu wollen, wie es das HDA mit großer Selbstverständlichkeit tut, ist schlechthin unmöglich. Sie dienten dazu, den „alten Sauerteig des Heidentums" auszurotten, wie es der dänische Bischof Erik Pontoppidan

---

[54] Vgl. hierzu CHRISTOPH DAXELMÜLLER: Bibliographie barocker Dissertationen und Traktate. Teil I. In: Jahrbuch für Volkskunde N. F. 3 (1980), S. 194—238; Teil II. In: ibid. N. F. 4 (1981), S. 225—243; Teil III. In: ibid. N. F. 5 (1982), S. 213—224; Teil IV. In: ibid. N. F. 6 (1983), S. 230—244; Teil V. In: ibid. N. F. 7 (1984), S. 195—240.

[55] GEORG CHRISTOPH ZIMMERMANN: Den in vielen Stücken allzuabergläubigen Christen [. . .] zum besseren Unterricht. Frankfurt/Leipzig 1721; vgl. hierzu ADOLF SPAMER: Zur Aberglaubensbekämpfung des Barock. Ein Handwörterbuch deutschen Aberglaubens von 1721 und sein Verfasser (Georg Christoph Zimmermann). In: Miscellanea Academica Berolinensia II, 1 (Berlin 1950), S. 133—159.

(1698—1764) in einer einschlägigen Schrift von 1736 formulierte[56], nicht der folkloristischen Aufzeichnung populärer Kulturformen. Diese Polemiken sahen im Aberglauben Wissen wider besseres Wissen, und hatten die Kirchenväter und die Theologen des Mittelalters ihn als Sünde des Götzendienstes bezeichnet, so war er jetzt zur Sünde der Ungebildetheit geworden, der Verletzung der Fähigkeiten des menschlichen Denkens. Dennoch benötigte die neue Vernunft den Aberglauben als Negativargument, um sich im Vergleich mit seiner Rückständigkeit selbst rechtfertigen zu können.

Von Beginn an verband sich somit die Intoleranz des Dogmatischen, das Unumstößliche der Rechtgläubigkeit mit den Kriterien für das Abergläubische. Dies wird in der Sprache der Konfessionspolemik zwischen dem Protestantismus und dem Katholizismus deutlich. Die reformatorische Befreiung der „religio" von unnötigem bildlichen und dinglichen Beiwerk, von Marien- und Heiligenverehrung, von rituellen Gebärden wie dem Kreuzzeichen und liturgischen Symbolen wie dem Weihwasser, ging mit dem massiven Vorwurf des papistisch-heidnischen Aberglaubens, des römischen Götzendienstes an die Adresse derjenigen einher, die schon aus Gewohnheit nicht auf die jetzt bekämpften Ausdrucksformen verzichten konnten oder wollten. Man setzte der fast magisch zwingenden Mechanik liturgischer Formeln, dem Vertrauen auf die Macht geweihter Medaillen und gesegneter Kräuter, die dämonenbannende Kraft des Kreuzzeichens und des Glockenklangs den Glauben an Gott und die Unterwerfung unter seine Vorsehung entgegen. Beide Parteien aber warfen sich, jeweils überzeugt von der Rechtmäßigkeit ihres Denkens und Tuns, „Aberglauben" vor, falschen, heidnischen Glauben also, der vom Weg hin zu Gott ablenke und direkt in die Fänge des Bösen führe.

Daß der von Reformation und Gegenreformation mit solchen Mitteln und Argumentationen um Macht und um die Seele des Menschen geführte Streit seine Folgen hatte, steht außer Zweifel. Aberglaube wurde zum Kampfmittel religiöser Gruppen, zum Kriterium für soziale Kontrollen und letztlich für die Verwirklichung von Machtansprüchen. Er war nicht nur Ausdruck gesellschaftlicher Ängste, sondern selbst Ausgangspunkt von Angst. Auch hier versuchte die Aufklärung einen Schlußstrich zu ziehen. Heute mutet die „Juristische Entscheidung der Frage: Ob einer einem andern/wegen Furcht Vor Gespenstern die Haus-Miethe wieder auffsagen könne?", die der große Rechtsgelehrte und Streiter gegen den Hexenwahn und die Folter, Christian Thomasius (1655—1728), 1711 in Halle veröffentlichte, unsinnig an. Doch er versuchte, die Ängstlichen zu beruhigen: „Wie aber/ wenn ein Weib das Hauß gemietet hat/ darff denn auch dieselbe in der Miete nicht wiederum zurücktreten/ aus Furcht vor den Gespenstern? Es wäre ja unhöflich/ daß man von einer Frau begehrete/ daß sie eine Furcht haben solle/ welche einem hertzhaften Manne begegnen kan. Es ist aber genug/ daß diese Furcht von Gespenstern gantz und gar nichtig ist/ und nicht einmal einer hertzhaften Frau be-

---

56 ERIK PONTOPPIDAN: Fejekost til at udfeje den gamle surdejg eller de i de danske lande tiloversblevne og her for dagen bragte levninger af saavel hedenskab som papisme. 1736. Oversat og forsynet med indledning af JØRGEN OLRIK. København 1923 (= Danmarks Folkeminder Nr. 27)

gegnen kan. So wird denn auch eines Weibes Furcht dem der das Haus vermietet
hat/ nicht schaden/ sondern/ wenn sie nicht bleiben will/ ist sie schuldig dem
Mietherren die Miete zu bezahlen"[57].

Dieses Beispiel aber verdeutlicht vor allem die anthropologische Dimension des
Aberglaubens, auch seine Gefährlichkeit. Eine der Grundvoraussetzungen von
„Glaube" ist die Überzeugung und Verinnerlichung von verstandesmäßig nicht
wahrnehmbaren Dingen und nachvollziehbaren Axiomen. Er kann weder aus natürlichen und geschöpflichen Prämissen deduziert werden, noch erschließt er sich
restlos einer rationalen Auflösung. Daher darf man die Steuerungsmechanismen
auch des „Aber"glaubens auf das alltägliche Leben nicht verkennen, nicht die sich
in Superstitionen ausdrückenden irrationalen Ängste und Hoffnungen.

Ein weiterer Aspekt des historischen Interesses am Aberglauben ist seine
Gleichsetzung mit ethischen Absichten. Er galt als Gefahr für den Menschen wie
für die Gesellschaft, da er von Normen abwich, die theologisch festgeschrieben
waren. Hierbei wirkte sich die Verbindung von „superstitio" mit dem „paganum",
dem Heidnischen, in doppelter Hinsicht folgenschwer aus, sozial und forschungs-
geschichtlich. Im Mittelalter war aus dem abergläubischen „ethnicus", dem Nicht-
christen im frühchristlichen Wortsinn, der christliche Häretiker, der Ketzer aus
der Sekte der Katharer, der Zauberer, später dann der Katholik, der Protestant
und schließlich der Ungebildete geworden. Mit diesem „ethnicus" aber setzte eine
gerade für die Frühgeschichte der Volkskunde verhängnisvolle Entwicklung ein.
Denn die gebildeten Autoren des 17. und 18. Jahrhunderts fanden ihren „heidnischen Aberglauben" bei der traditionell unterprivilegierten Schicht der „rustici",
der ungelehrten, zum Stereotyp verkommenen Bauern, die falschen, heidnischen,
allerdings nicht im Sinne der Mythologen des 19. Jahrhunderts vorchristlich-ger-
manischen Anschauungen nachhingen. Durch ihre mangelnde Bildung standen sie
am Rande der Hölle; die aufklärerische Aberglaubensbekämpfung, nach deren
Auffassung jedoch nur mehr und besseres Wissen ein gottgefälliges Leben gewähr-
leisten konnte, erfüllte somit neben ihrer intellektuellen auch eine christlich-mis-
sionarische Aufgabe.

Zur Gleichsetzung des „ethnicum" mit dem „superstitiosum" kam das Verständnis von Geschichte als einem sich in Personen, Ereignissen und Objekten verwirk-
lichenden Kontinuum hinzu. Es prägte das historische Interesse der Humanisten
wie die Bearbeitung der in der Renaissance wiederentdeckten antiken Schriftsteller. Mit Hilfe des Vergleichs geschichtlicher Phänomene war es möglich, zeitgenössische mit antiken, europäische mit außereuropäischen Kulturformen zu verbinden, sie aus der Antike heraus zu interpretieren. Fastnachtsbräuche ließen sich
an die Bacchanalien und Lupercalien der Römer, so manches Hochzeitsbrauchtum
an heidnisch-römische Kultformen anschließen. Aberglaube ergab sich folglich aus
dem direkten Kulturvergleich.

---

[57] CHRISTIAN THOMASIUS: Juristische Entscheidung der Frage: Ob einer einem andern/ wegen Furcht
vor Gespenstern/ die Haus-Miethe wieder auffsagen könne? Halle 1711, S. 32.

Ohne sich der Methode des ahistorischen Vergleichs sofort zu entledigen — sie
hätte damit gegen gültige wissenschaftliche Argumentationsverfahren verstoßen
—, differenzierte die Aufklärung dennoch den Begriff „Aberglaube". Sie sah in
ihm einen zu überwindenden Rest des Mittelalters, die Vorenthaltung von Bildung.
Der geistig noch im Mittelalter verbliebene, die Krankheiten seines Viehs beru-
fende „rusticus", die alten Weiber und ihre Rockenphilosophie (philosophia colus)
und Ammenmärchen (fabulae aniles) erschienen den Aufklärern Berechtigung genug, engagiert gegen die Überreste solchen Heidentums der Nichtkonformität
vorzugehen.

Doch der Schritt von diesem „ethnicum" zu den Mythologen und zur volkskundlichen Aberglaubensforschung seit dem 19. Jahrhundert war nun nicht mehr
groß. Es bedurfte lediglich der romantischen Neubewertung von „Volk" als Träger alten, ja uralten, weit in die vorchristliche Zeit hineinreichenden Wissens. Aus
dem bekämpfenswerten „heidnischen" Aberglauben wurde eine wichtige Quelle
zur Rekonstruktion germanischer Religion und Kultur. Jacob Grimm formulierte
dieses Umdenken in seiner „Deutschen Mythologie": „Wir sind froh, des vielen
aberglaubens ledig zu gehn; doch erfüllte er das leben unsrer voreltern nicht allein
mit furcht, sondern auch mit trost"[58]. Dennoch befindet er sich mit der Zuweisung
des Aberglaubens an den Bauern in alten Fahrwassern: „Was unsere vorfahren
hoften oder fürchteten bezog sich mehr auf krieg und sieg, der heutige landmann
sorgt um sein getraide und sein vieh. Wenn die heidnische zauberin durch ihren
hagel das feindliche heer verdirbt, so macht die hexe wetter für des nachbars ak-
ker. Ebenso prophezeit sich der bauer gedeihlichen acker aus dem zeichen, das in
der vorzeit sieg bedeutete. Aber auch landbau und viehzucht reichen in ein hohes
alterthum und eine menge abergläubischer gebräuche, die mit ihnen zusammenhängen, zieht sich unverrückt durch lange jahrhunderte. Daneben sind alle richtungen des aberglaubens auf häusliche verhältnisse, auf geburt, freien und sterben,
natürlich und fast unwandelbar in dem lauf der zeiten; der aberglaube bildet gewissermaßen eine religion für den ganzen niederen hausbedarf"[59].

Damit aber war die nun einsetzende wissenschaftliche Aberglaubensforschung
ideologisch vorgeprägt. Die schriftlichen und archäologischen Zeugnisse über germanische Geschichte, Religion und Kultur reichten nicht aus, um aus ihnen ein
Bild des vorchristlichen Altertums erstellen zu können. In der Altartigkeit rezenter
Aberglaubensformen, seien es nun Segensformeln, die sich formal mit den Merseburger Zaubersprüchen verbinden ließen, seien es so unverdächtige Rügebräuche
und Dorfvergnügen wie das Scheibenschlagen, vermutete man die Reminiszenz an
germanische Götter und Kulte. Das HDA ist solchen Mißdeutungen in hohem
Maße erlegen.

Wie jedoch die Geschichte der Superstitionenüberlieferung und -kritik zeigt,
entstammten die Normen und Katalogisierungen des Aberglaubens einem letztlich

---

[58] Jacob Grimm: Deutsche Mythologie, Bd. II. Frankfurt a. M./Berlin/Wien 1981 (Nachdruck der
4. Aufl., Berlin 1875—1877), S. 960.

[59] Ibidem S. 926.

in der spätantik-mediterranen Welt entwickelten Deutungssystem. Der Bezug auf
diese Epoche, den die Humanisten wie auch die Gelehrten des 17. und noch des
18. Jahrhunderts auf Grund der ihnen nur in beschränktem Maße zur Verfügung
stehenden Informationen suchten, kommt aus der Sicht des heutigen Forschungs-
standes der historischen Wahrheit sehr viel näher als die Hypothesen der mythologischen Schule des 19. Jahrhunderts und nicht zuletzt des HDA.

Dieter Harmening hat überzeugend nachgewiesen, daß die Aberglaubenskata-
loge des Mittelalters, auf Vollständigkeit bedachte Kompilationen, nur geringen
Quellenwert für zeitgenössische Erscheinungen besitzen, daß sie an der Antike
entwickelte Musterbücher für den Seelsorger darstellten, damit dieser bei seinem
missionarischen Kampf gegen das Heidentum keine *Möglichkeit* nichtchristlichen
Verhaltens übersähe. Aberglaube wird hier nicht als Problem des historischen Alltags, sondern lediglich als definitorische Zuweisung einer gebildeten Elite deutlich,
als Ausdruck einer Idee. Das inhaltliche Raster existierte längst, bevor sich die
Volkskundler und Kulturhistoriker mit dem Aberglauben zu beschäftigen begannen.

Das HDA und seine Folgen

Wie kaum ein zweites wissenschaftliches Unternehmen der deutschsprachigen
Volkskunde wirkte das HDA von Beginn an über den kleinen Kreis der Fachge-
lehrten wie über Landes- und Sprachgrenzen hinaus. Seine Popularität verdankte
es nicht zuletzt — und trotz moderner Vorbehalte — der unbestreitbaren inhaltli-
chen Vielfalt, der recht umfassenden Annäherung an den Gegenstand und der be-
eindruckenden Materialfülle. So verwundert es nicht, daß es auch von anderen
kulturwissenschaftlichen Disziplinen rezipiert wurde, von der Archäologie und
Vor- und Frühgeschichte ebenso wie von der Geschichtswissenschaft, der Ethnologie, der Theologie und der Religionswissenschaft oder der Medizingeschichte.
Wer sich schnell informieren oder auch nur über den Wissens- und Forschungsstand einer mit ähnlichen Materialien befaßten Wissenschaft unterrichten wollte,
schlug in ihm nach, ja es hat bis heute unumgängliche Zitiertraditionen geschaffen.

Daß es bereits während des Zeitpunkts seines Erscheinens längst den Kreis aka-
demischer Wissenschaft verlassen hatte, bezeugt Richard Beitl in seiner Besprechung von Band IV, V und VI des HDA: „Den Lesern dieser Zeitschrift braucht
dieses Werk nicht mehr empfohlen zu werden. Sie benutzen es alle sicher seit Jahren. Auch Forscher auf benachbarten Wissensgebieten bedürfen kaum noch des
Hinweises auf dieses in den Fragestellungen wie in deren geographischer und historischer Ausweitung gleich umfassende Lexikon. Der Völkerkundler und Kulturhistoriker, der klassische Philologe wie der Germanist und der Religionswissen-
schaftler können seine Hilfe nicht entbehren. In den Handbüchern und Enzyklo-
pädien, die benachbarte Wissenschaften in den letzten Jahren geschaffen haben
(z. B. Buchberger, Lexikon für Theologie und Kirche), nicht minder natürlich in
den bekannten Nachschlagewerken, die sich an den allgemeinen Leserkreis wen-

den, ist das Aberglaubenswörterbuch das meist zitierte volkskundliche Werk. Für das seit 1933 so stark gewordene Bedürfnis nach tieferem Wissen um Glauben und Brauch des Volkes ist es unzähligen die zuverlässige Auskunftsstelle geworden. Der Schreiber dieser Zeilen kennt Schriftleiter, die sich das Werk, solange es noch nicht in der Redaktionsbücherei stand, heftweise ausgeliehen haben, und Stadtpfarrer in Berlin, die sich im Lesesaal der Staatsbibliothek seiner Hilfe bedient haben, um ihre Osterpredigt zu bauen"[60].

In solcher Breitenwirkung aber lag und liegt auch die Gefahr des HDA, für die Volkskunde selbst wie für denjenigen, der methodisch nicht mit ihm umzugehen weiß, der nicht über den Stand der modernen volkskundlichen Beschäftigung mit Bereichen wie Magie und den Strukturen populären Glaubens informiert ist. Hier kommt man um die Feststellung nicht herum, daß wie keine andere Publikation das HDA das Bild vom Folkloristen als einem Archäologen des Alt- und Abartigen, des Kuriosen geprägt hat, die Vorstellung von einer Wissenschaft, die sich mit Magie und Aberglauben, herkömmlicher Sitte und altüberliefertem Brauch, vorindustriellen Lebensformen und maschinenlosem Kampf gegen die Natur auseinandersetze, einer Welt also, in der sich die Gegenwart direkt mit der Urzeit verband, sich der Mythos gegen den Materialismus und gegen einen naturwissenschaftlichen Rationalismus stellte. Der Volkskundler hingegen vertritt jene kleine, nostalgische Schicht, die sich das Gefühl für eine verflossene, anachronistisch gewordene Kultur bewahrt hat und mit archäologischem Spürsinn Verschüttetes offenlegt. Er ist Garant für den Ausgleich zwischen moderner Vernunft und einem Bereich mit anderen Ätiologien und Wertungen. Das Panoptikum des Magischen und Superstitiösen, wie es das HDA zusammengestellt hatte, trug sicherlich durch seine Popularität dazu bei, dem Volkskundler die Aura des Spezialisten für das Magische, des Hilfsparapsychologen und Exorzisten, des Geisterjägers und Geisterbanners anzuheften. Die phantastische Literatur und nicht zuletzt die Horrorgeschichten eines Howard Phillips Lovecraft oder Algernon Blackwood sind ein beredtes Zeugnis für den Topos des Folkloristen. Er agiert in der gegenwärtig kursierenden Zombie-Welle, in den Büchern eines Stephen King als mit okkulten Handschriften vertrauter Forscher, der bei dämonischer Gefahr aus dem Jenseits zum Retter der Welt wird, vergleichbar mit der Figur des Archäologen, Wissenschaftlers und zugleich Abenteurers und Schatzjägers Indiana Jones, die Steven Spielberg geschaffen hat. Aus eigenem Erleben: die Bereitwilligkeit gegenüber der Regionalpresse, Auskunft über Geschichte und Bedeutung „Freitags des 13." zu geben, geriet zur dicken Schlagzeile: „Volkskundler warnt vor Aberglauben".

Es wäre vermessen, zwischen HDA und Lovecraft eine direkte Verbindung ziehen zu wollen, doch die Breitenwirkung dieses Lexikons des Paranormalen, Mythischen und Magischen bleibt unbestritten. Dazu verhalf ihm die Faszination des Aberglaubens selbst, aber auch der Versuch der lexikalischen Systematisierung und schließlich die leicht eingängige und deswegen für Nachbardisziplinen wie etwa

---

60 RICHARD BEITL: Rezension von: Handwörterbuch des deutschen Aberglaubens, Bd. 4—6. In: Zeitschrift für Volkskunde 45 (= N. F. 7) (1935/37), S. 167—173, hier S. 167.

die Religionswissenschaft attraktive Methode der komparativen Phänomenologie. Doch während nach dem Zweiten Weltkrieg innerhalb der Universitätsvolkskunde eine fruchtbare Diskussion um die Berechtigung des alten Forschungskanons und um Erhebungsverfahren einsetzte, man auf exaktes historisches Arbeiten pochte, zugleich die Volkskunde aus dem Dunstkreis der Altertumswissenschaft heraus- und sie an die Probleme der Gegenwart heranführte, lebte das HDA als wissenschaftlicher Monolith weiter fort. Analysiert man den Begriff „Volkskunde" und ihre Forschungsaufgaben, wie ihn heute die Medien vermitteln, dann erkennt man, daß er ungeachtet der Entwicklung weiterhin identisch mit den Inhalten des HDA ist. Wer als Volkskundler einschlägige Fernsehsendungen, wie sie vorwiegend von den Regionalprogrammen ausgestrahlt werden, verfolgt, sieht sich selbst mit dem Bild des Volkskundlers Lovecraft'scher Prägung als Erforscher des Alten, Geheimnisvollen und Mythischen konfrontiert. Er kennt die sich Jahr für Jahr hartnäckig wiederholenden Anfragen der Presse an den Brauchterminen Weihnachten, Fastnacht, Ostern, Pfingsten oder Allerseelen, um Sendezeiten oder Spalten in Sonder- und Wochenendbeilagen von Tageszeitungen zu füllen. Dort aber schlägt ihm das popularisierte und manchmal auch verzerrte HDA ins Gesicht: Jul- und Weihnachtsfest, germanische Fruchtbarkeitsriten, Wotan und das Wilde Heer, die Dämonenbannung durch Feuer und Scheibenschlagen, Osterei und „germanische" Göttin Ostara sowie anderer Unsinn bis hin zur verantwortungslosen Publikation äußerst vorsichtig zu behandelnder Kräuterrezepturen. Hier hat das HDA, direkt und indirekt, sehr viel geistiges Unheil angerichtet, nicht zuletzt aber aus dem Blickwinkel der breiten Öffentlichkeit das Bewußtsein um die Aufgaben des Volkskundlers erheblich verfälscht.

Der Nachdruck eines inzwischen zur Wissenschaftsgeschichte gewordenen Werkes muß sich diesen kommentierenden Anmerkungen stellen. Dennoch sollte man nicht ungerecht mit dem HDA verfahren. Es ist methodisch überholt, aber es stellt auch eine monumentale editorische Leistung dar, die bis heute kaum ihresgleichen gefunden hat und allein aus diesem Grund Respekt verdient. Mit dem Reprint aber sollte man es nicht bewenden lassen; es wäre sinnvoll, ja notwendig, es in einigen Jahrzehnten durch eine völlige Neubearbeitung auf den modernen Forschungsstand zu bringen. Bis dahin bleibt es das einzige Nachschlagewerk dieser Art und dieses Umfangs. Wer sorgfältig mit ihm umzugehen weiß, wird es weiterhin mit Gewinn benutzen können. Und, seien wir ehrlich, auch seine Kritiker arbeiten mit ihm, da es ihnen ans Herz gewachsen ist.

Freiburg i. Br., im September 1986   Christoph Daxelmüller

Verzeichnis der mit dem Hinweis „Nachtrag" versehenen Stichwörter

Wotan
Wunde
Wunder
Wundsegen
Wunsch, wünschen
Wurf, werfen
Wurforakel
würgen
Wut s. Tollwut
wütendes Heer
* Xylomantie
Zacharias, -kreuz
Zachäus
Zahl
zählen
Zahn, zahnen, Zahnweh
Zahnstocher
Zauber, -bücher
Zaum

* Zaun
* Zaunrütteln
Zehe
zeigen (deuten)
Zelten
zerbeißen
zerbrechen
Zettel
Zigarre
Zigeuner
[*] Zimmerleute
Zirkelwahrsagung
Ziu
Zopf
zucken
Zunge
zweites Gesicht
[*] Zwerg
Zwillinge

* Die mit * gekennzeichneten Stichwörter wurden in den Nachträgen (Bd. 9) berücksichtigt.

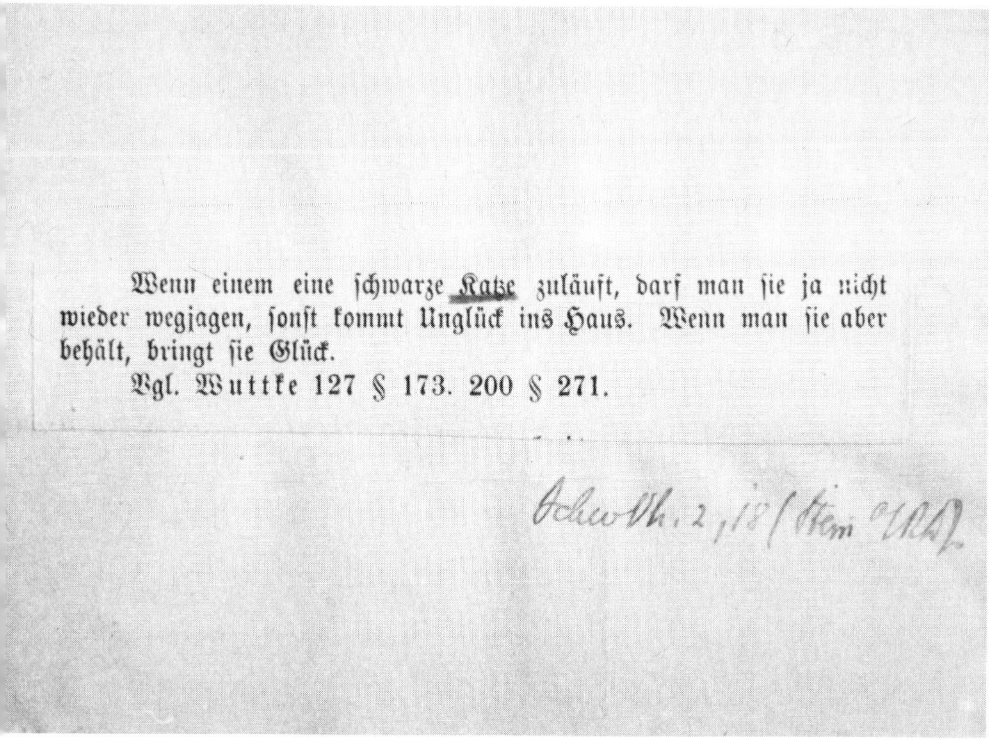

Wenn einem eine schwarze Katze zuläuft, darf man sie ja nicht wieder wegjagen, sonst kommt Unglück ins Haus. Wenn man sie aber behält, bringt sie Glück.

Vgl. Wuttke 127 § 173. 200 § 271.

Schwth. 2, 18 (Nim °112)

Künstler Augn ausgestochn, damit er Kunstwerk nicht wiederholn kann.

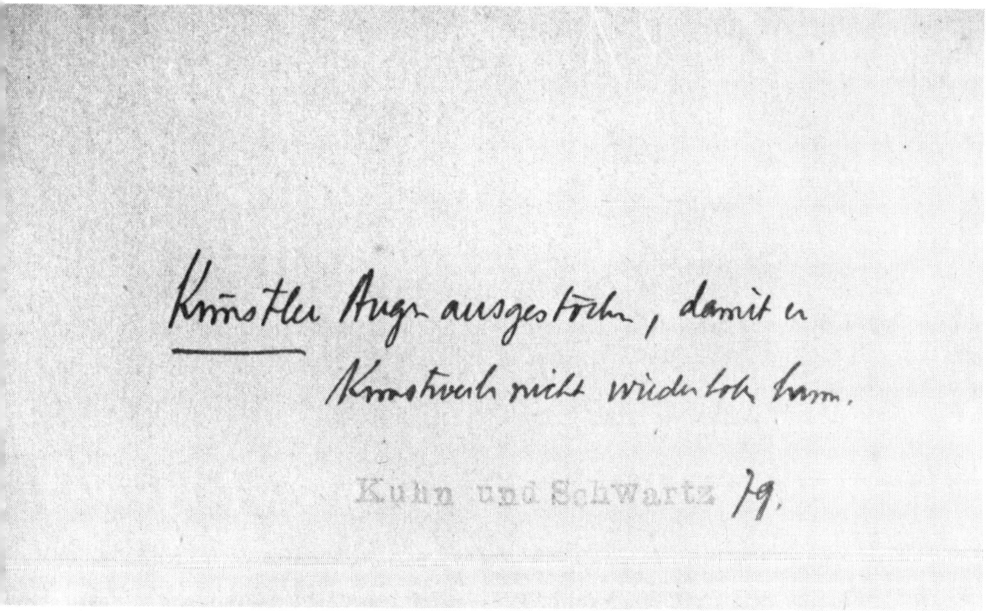

Kuhn und Schwartz *79.*

Abb. 1: Originalzettel zu den Stichwörtern „Katze" und „Künstler"; Originalgröße. HDA-Materialien, Seminar für Volkskunde, Universität Göttingen, Archiv

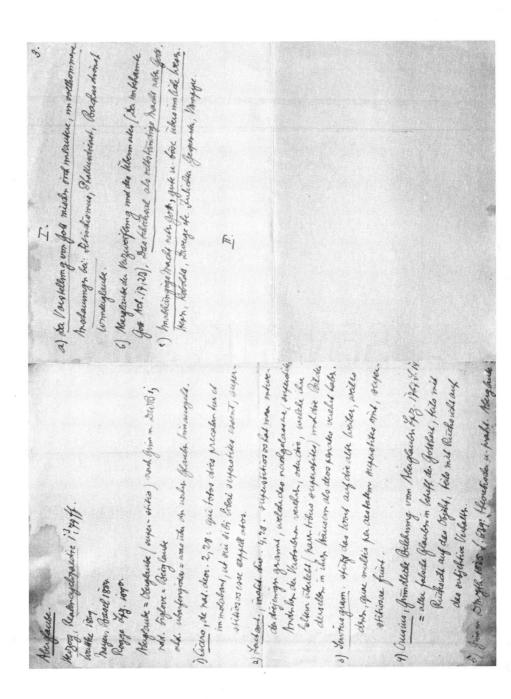

Abb. 2: Originalzettel zum Stichwort „Aberglaube"; verkleinert. HDA-Materialien, Seminar für Volkskunde, Universität Göttingen, Archiv

Vorwort

Das Handwörterbuch des deutschen Aberglaubens setzt sich zwei Ziele. Das eine ist, die in zahllosen, oft seltenen und entlegenen Publikationen zerstreuten Materialien über die einzelnen abergläubischen Überlieferungen zusammenzufassen; das andere, Ursprung und Bedeutung des einzelnen Aberglaubens darzulegen, so weit das uns heute möglich ist.

Das Handwörterbuch ist also zunächst eine K o m p i l a t i o n. Wer in der volkskundlichen Arbeit steht oder von einem andern Forschungsgebiete her sich über einen Aberglauben orientieren will, der weiß, wie mühsam es ist und wie sehr man bei der Arbeit dadurch aufgehalten wird, wenn man die verschiedenen Formen oder Vorkommen eines Aberglaubens aus der fast unübersehbaren Literatur volkskundlicher und ortsgeschichtlicher Zeitschriften und Einzelpublikationen zusammensuchen muß, und wie leicht man dabei Gefahr läuft, entweder wichtige und für die Erklärung des Aberglaubens gerade wesentliche Überlieferungen nicht zu erfassen oder aus unvollständigem Material Fehlschlüsse zu ziehen.

Zwar haben wir schon eine Zusammenfassung deutschen Aberglaubens in Adolf Wuttkes Deutschem Volksaberglauben der Gegenwart. Dieses Werk war seinerzeit eine außerordentlich verdienstvolle Leistung. Für grundlegende Forschung ist es aber heute sowohl in bezug auf das mitgeteilte Material als auch die gegebenen Erklärungen ungenügend. Es gibt keine Quellen an (nur in der von E. H. Meyer besorgten 3. Bearbeitung finden sich gelegentlich solche), und die systematische Anordnung des Buches, die ganz der naturmythologischen Schule seiner Zeit entspricht, tut sehr vielen Überlieferungen Zwang an und verleitete zu falschen Deutungen.

Dem gegenüber geht das Handwörterbuch des deutschen Aberglaubens darauf aus, bei seltener vorkommenden abergläubischen Erscheinungen möglichst alle Belege, die uns bekannt sind, mitzuteilen, dagegen bei solchen, die sich häufig finden, oder gar allgemein verbreitet sind, meist nur ihre typischen Formen und als Belege solche Werke zu geben, die leicht zu beschaffen sind und ihrerseits wieder weitere Literaturangaben bieten, so daß der Benützer durch sie den Kreis seiner Belege nach Bedürfnis erweitern und die Verbreitung eines Aberglaubens auch geographisch verfolgen kann. Grundsätzlich hielten wir aber dafür, daß eher zu viel Literatur mitgeteilt werden solle als zu wenig.

Der Begriff des Aberglaubens wurde möglichst weit gefaßt: Feste und Bräuche, die auf alte Kulte zurückgehen, volksmedizinische Anweisungen, bei denen nicht ohne weiteres klar ist, daß sie auf naturwissenschaftlich begründeter Grundlage stehen, die Sagen, die mit Ausnahme der rein geschichtlichen meist nichts anderes sind als in Form von Erzählungen berichtete abergläubische Anschauungen, sind miteinbezogen worden.

Das Handwörterbuch des deutschen Aberglaubens ist, im Gegensatz zu Wuttke, nicht systematisch angeordnet, sondern in Form eines Lexikons, in dem versucht wird, das große, heute bekannte Material des deutschen Aberglaubens in etwa 2500 Stichwörtern zusammenzufassen. Diese lexikographische Darstellung erschien Verlag und Herausgebern entsprechend dem heutigen Stand der Forschung die richtige zu sein, weil sie nicht die Gefahren der Systematisierung mit sich bringt, denen Wuttke zum Teil erlag. Die einzelnen Artikel werden, gemäß der verschiedenen Einstellung der Mitarbeiter, namentlich aber auch gemäß der Verschiedenartigkeit ihres Stoffes, in Umfang und Behandlung weit auseinandergehen. Grundsätzlich unterscheiden wir drei Arten: 1. Spezialartikel, die einen ganz speziellen Gegenstand, z. B. Messer, Brennessel, in allen Aberglaubenäußerungen vereinzelt darstellen; 2. Sammelartikel, die ganze Gruppen von Objekten zusammenfassen, z. B. Fisch, Pflanze; 3. Allgemeine Artikel, die zumeist abstrakte Begriffe behandeln, z. B. Abwehrzauber, Animismus. Ein sehr weit in die Einzelheiten gehendes Sachregister am Schlusse des Handwörterbuches soll die rasche Auffindung eines Aberglaubens erleichtern.

In mehr als zehnjähriger Sammelarbeit haben die Herausgeber ein über 600 000 Zettel umfassendes, nach Stichwörtern alphabetisch geordnetes Material zusammengebracht, das den Mitarbeitern zur Verfügung gestellt wurde und ihnen ihre Arbeit erleichterte. Dieses Material soll nach Fertigstellung des Handwörterbuches weiter vermehrt werden und den Grundstock für ein Archiv des deutschen Aberglaubens bilden.

In der Hauptsache behandelt das Handwörterbuch den deutschen Aberglauben des 19. und 20. Jahrhunderts, so wie er in der volkskundlichen Literatur enthalten ist. Wo es möglich war, wurden auch mittelalterliche Quellen und solche des 15.—18. Jahrhunderts beigezogen.

Das Handwörterbuch verfolgt aber als zweiten Zweck, wenn immer möglich, die äußere und innere G e s c h i c h t e   d e r   e i n z e l n e n   a b e r g l ä u b i s c h e n   E r s c h e i n u n g e n   k u r z   d a r z u l e g e n   u n d   g e g e b e n e n f a l l s   i h r e n   U r s p r u n g   u n d   S i n n   z u   d e u t e n. Die Herausgeber legen Wert darauf zu erklären, daß sie dabei den Mitarbeitern vollständig freie Hand gelassen haben. Jede wissenschaftlich begründete Deutung eines Aberglaubens, auch wenn sie von derjenigen der Redaktion abweicht, wurde aufgenommen, in der Meinung, daß ein solches Vorgehen der volkskundlichen Forschung nur die allergrößten Dienste leisten könne. Die Verantwortung für ihre Erklärungen tragen die einzelnen Mitarbeiter. Derselbe Aberglaube kann, von verschiedenen Mitarbeitern unter verschiedenen Stichwörtern behandelt, von dem einen so, von dem zweiten anders gedeutet werden: ein Zeichen dafür, daß oft ein und derselbe Aberglaube an verschiedenen Orten und zu verschiedenen Zeiten tatsächlich verschiedenen Ursprungs sein kann.

Ein Wort noch über den Titel des Werkes. Es wurde uns nahegelegt, an Stelle von A b e r g l a u b e   den Ausdruck V o l k s g l a u b e   zu wählen. Die Befürworter desselben wiesen nachdrücklich darauf hin, daß „Aberglaube" ein Werturteil ausspreche und deshalb unwissenschaftlich sei. Mit „Volksglaube" umfasse die Volkskunde objektiv alle Erscheinungen des Glaubens, so weit sie in das Gebiet der Volkskunde gehörten. „Volk" sei hier in demselben Sinne gebraucht wie in Volkslied, Volksbrauch und in dem Worte Volkskunde selbst. Wir fänden also Volksglauben in allen Bevölkerungsschichten, wie die Volkskunde die Vorstellungswelt nicht einer bestimmten, sozial abzugrenzenden Gesellschaftsschicht behandle. Es komme hier wie bei der Volkskunde überhaupt auf die Denkart der Menschen und auf die Gestaltung ihrer Vorstellungswelt an. Die Volkskunde habe nicht nach rationalistischen oder ethischen Gesichtspunkten abzugrenzen, ob der Glaube des Volkes gut oder verwerflich sei; das sei Aufgabe der Theologen; die Lösung werde auch dort immer verschieden ausfallen, je nachdem der Beurteiler Katholik oder Protestant, Christ oder Nichtchrist, freidenkend oder lehrgläubig sei. Brauchten wir aber das Wort Aberglaube, so fällten wir derartige Urteile, die nur relativ und wissenschaftlich nicht bestimmbar seien. Noch ein anderer Grund spreche für das Wort Volksglaube. Im Handwörterbuch sei es nicht zu umgehen, daß Glaubenserscheinungen besprochen würden, die in den Bereich christlicher Lehre gehörten. Die Kirche werde sich

dagegen wehren, daß wir Glaubensäußerungen, die sie billige und zulasse, als Aberglauben bezeichneten. Und von ihrem Standpunkte aus habe sie auf alle Fälle recht.
Wir aber könnten das Recht nicht für uns beanspruchen, weil das Urteil über das,
was Glaube oder Aberglaube ist, nur relativ sein kann. Nicht aus ängstlicher Nach-
giebigkeit solle man Rücksicht auf die Kirche nehmen, sondern aus wissenschaftlichen
Gründen in diesem Falle mit ihr Hand in Hand gehen.

Innere und äußere Gründe bewogen Verlag und Herausgeber trotz diesen in manchen
Punkten richtigen Erwägungen nicht den Terminus „Volksglaube", sondern „Aberglaube" zu wählen; sie sind größtenteils schon im Artikel Aberglaube (I, 32 ff.) selbst
aufgeführt.

Das Wort „Aberglaube" mag insofern mißverständlich sein, als es in seinem gewöhnlichen Gebrauche eine Wertschätzung in sich schließt. Noch mißlicher erscheint
uns aber die Bezeichnung „Volksglaube"; denn unter „Volksglauben" müssen wir
doch den ganzen Umfang der religiösen Betätigungen und Empfindungen des Volkes
verstehen, seine Auffassung und Gestaltung des Christentums mindestens in gleichem
Maße wie die vor- und nebenchristlichen Rudimente, die es sich bewahrt hat. Im
„Volksglauben" scheinen uns die christlichen Bestandteile einen weit breiteren und
wesentlicheren Umfang einzunehmen als im sog. „Aberglauben". Ein Handwörterbuch des Volksglaubens müßte, um ein Beispiel zu geben, auch die volkstümlichen
Gottesbegriffe, die Stellung des Volkes zu Christus, den Widerstreit der primitiven
mit der christlichen Ethik im Volksleben usw. behandeln. Wenn hier Kirchliches
gestreift oder erwähnt wird, so geschieht es doch immer nur im Hinblick auf die abergläubischen Vorstellungen, die sich daran knüpfen oder daraus entwickelt haben,
und jeder unvoreingenommene Geistliche wird aus der Erfahrung bestätigen, wie
oft kirchlich Sanktioniertes zu unkirchlichen Zwecken verwendet wird. Daß auch in
der Kirche heute manches als Irrung beurteilt wird, das früher als Recht anerkannt
worden war, sei nur nebenbei bemerkt (Hexenglaube). Unser Werk enthält weiter
manches, das nicht in das Volk Eingang gefunden hat, wie z. B. einzelne Kapitel der
Mantik, Geheimwissenschaften u. dgl., ja sogar mancherlei Tier- oder Pflanzenaberglauben, der sich nur als gelehrte Überlieferung nachweisen läßt. Wenn wir also
„Aberglaube" in dem weitesten Sinne und ohne verketzerndes Urteil gebrauchen, so
tun wir nichts anderes, als was zahlreiche Forscher schon vor uns getan haben und
was auch die Franzosen und Engländer mit ihrem „superstition" tun. Das Wort
„Aberglaube" ist in unserer Sprache tiefer eingewurzelt als „Volksglaube", und so
wird auch der Benutzer klarer darüber sein, was er in einem Handwörterbuch des
„Aberglaubens" als des „Volksglaubens" zu suchen hat.

Es bleibt uns noch übrig, den Mitarbeitern für ihre große Bereitwilligkeit und Aus-
dauer unsern Dank abzustatten. Sie haben eine sehr große und oft undankbare Arbeit
mit bewundernswerter Freudigkeit geleistet und damit gleichzeitig den Beweis
geliefert, wie solche Handwörterbücher von allen Forschern auf dem Gebiete der
Volkskunde für eine gedeihliche Weiterentwicklung volkskundlicher Forschung
sehnlich gewünscht werden. Unser Dank gebührt aber auch dem Verlage, der seit
mehr als einem Jahrzehnt Anteil an unserm Plane genommen und ihn auch unter
den schwierigen Verhältnissen des Krieges und der Nachkriegszeit stets gefördert
hat. Herr Dr. Gerhard Lüdtke ist uns ein steter, getreuer Eckart gewesen. Sein
Verdienst am Zustandekommen des Werkes ist sehr groß.

Basel, im Juni 1927.

E. Hoffmann-Krayer.   Hanns Bächtold-Stäubli.

Abkürzungsverzeichnis

a.	= anno	id.	= idem
A.	= Anmerkung	idg.	= indogermanisch
a. a. O.	= am angeführten Orte	i. e.	= id est
Abb.	= Abbildung	Jg.	= Jahrgang
ae.	= altenglisch	Jh.	= Jahrhundert
afries.	= altfriesisch	Jhh.	= Jahrhunderte
afrz.	= altfranzösisch	isl.	= isländisch
agerm.	= altgermanisch	ital.	= italienisch
ags.	= angelsächsisch	lat.	= lateinisch
ahd.	= althochdeutsch	l. c.	= loco citato
aind.	= altindisch	lit.	= litauisch
air.	= altirisch	lt.	= laut
aisl.	= altisländisch	MA.	= Mittelalter
allg.	= allgemein	ma.	= mittelalterlich
Anm.	= Anmerkung	md.	= mitteldeutsch
anord.	= altnordisch	me.	= mittelenglisch
as.	= altsächsisch	m. E.	= meines Erachtens
aschwed.	= altschwedisch	mhd.	= mittelhochdeutsch
A. T.	= Altes Testament	mlat.	= mittellateinisch
Aufl.	= Auflage	mnd.	= mittelniederdeutsch
b.	= bei	mndl.	= mittelniederländisch
bayr.	= bayerisch	n. Chr.	= nach Christus
Bd.	= Band	nd.	= niederdeutsch
Bde.	= Bände	ndl.	= niederländisch
Beil.	= Beilage	nds.	= niedersächsisch
bes.	= besonders	ne.	= neuenglisch
c.	= caput, Kapitel	nfrz.	= neufranzösisch
ca.	= circa	nhd.	= neuhochdeutsch
dass.	= dasselbe	nlat.	= neulateinisch
ders.	= derselbe	nnd.	= neuniederdeutsch
dgl.	= dergleichen	nndl.	= neuniederländisch
d. h.	= das heißt	nord.	= nordisch
dial.	= dialektisch	norw.	= norwegisch
Diss.	= Dissertation	Nr.	= Nummer
dt.	= deutsch	N. T.	= Neues Testament
ebd.	= ebenda	obd.	= oberdeutsch
ed.	= editio	o. J.	= ohne Jahrangabe
engl.	= englisch	ON.	= Ortsname
estn.	= estnisch	o. O.	= ohne Ortsangabe
f.	= folgende Seite	ostd.	= ostdeutsch
ff.	= folgende Seiten	österr.	= österreichisch
Fig.	= Figur	Progr.	= Programm
fries.	= friesisch	Reg.	= Register
frz.	= französisch	röm.	= römisch
geb.	= geboren	russ.	= russisch
germ.	= germanisch	s.	= siehe
gest.	= gestorben	S.	= Seite
got.	= gotisch	s. a.	= siehe auch
H.	= Heft	SA.	= Sonderabzug
hd.	= hochdeutsch	sächs.	= sächsisch
hg. v.	= herausgegeben von	s. d.	= siehe dies
Hs.(s)	= Handschrift(en)	slaw.	= slawisch
J.	= Jahr	s. o.	= siehe oben

sog.	= sogenannt		urgerm.	= urgermanisch
spätlat.	= spätlateinisch		usf., usw.	= und so fort, weiter
s. u.	= siehe unten		u. v. a.	= und vieles andere
s. v.	= sub voce, verbo		v. Chr.	= vor Christus
s. w.	= siehe weiter		vgl.	= vergleiche
u. a.	= unter anderm		vulglat.	= vulgärlateinisch
u. a. m.	= und anderes mehr		westf.	= westfälisch
übers.	= übersetzt		z. B	= zum Beispiel

Verzeichnis der Mitarbeiter

Professor Dr. Wolfgang A l y , Freiburg i. Br.
Professor Dr. Walter A n d e r s o n , Dorpat.
Dr. Hanns B ä c h t o l d - S t ä u b l i , Basel.
Privatdozent Dr. Otto B a s l e r , Berlin.
Professor Dr. phil. et theol. Karl B e t h , Wien.
Dr. phil. et. jur. Marianne B e t h , Wien.
Studienrat Dr. Fritz B o e h m , Berlin.
Lizenziat Dr. L. F. Werner B o e t t e , Marburg a. L.
Professor Dr. Ludwig D e u b n e r , Freiburg i. Br.-Berlin.
Professor Dr. Franz D o r n s e i f f , Greifswald.
Professor Dr. F. E c k s t e i n , Freiburg i. Br.
Professor Dr. Hans F e h r , Bern.
Professor Dr. Eugen F e h r l e , Heidelberg.
Herbert F r e u d e n t h a l , Hamburg.
Dr. Paul G e i g e r , Basel.
Professor Dr. V. G e r a m b , Graz.
Professor Dr. Emil G o l d m a n n , Wien.
Paul G r o t h , Greifswald.
Professor Dr. Hermann G ü n t e r t , Heidelberg.
Professor Dr. Artur H a b e r l a n d t , Wien.
Professor Dr. J. W. H a u e r , Marburg a. L.
Dr. Kurt H e c k s c h e r , Hannover.
Landesgerichtsdirektor Dr. A. H e l l w i g , Potsdam.
Professor Dr. Karl H e l m , Marburg a. L.
Professor Dr. Hugo H e p d i n g , Gießen.
Professor Dr. Ludwig H e r o l d , Karlsbad.
Professor Dr. E. H o f f m a n n - K r a y e r , Basel.
Professor Dr. R. H ü n n e r k o p f , Heidelberg.
Pfarrer Dr. A. J a c o b y , Luxemburg.
Professor Dr. Gustav J u n g b a u e r , Prag.
Professor Dr. R. F. K a i n d l , Waltendorf-Graz.
Dr. Bernhard K a r l e , Donaueschingen.
Professor Dr. A. K l e i n , Waltendorf-Graz.
Dr. Kurt K l u s e m a n n , Waltendorf-Graz.
Dr. Bernhard K u m m e r , Leipzig.
Dr. Johannes K ü n z i g , Freiburg i. Br.
Dr. F. L ü e r s , München.
Privatdozent Dr. Lutz M a c k e n s e n , Greifswald.
Dr. med. Alfred M a r t i n , Nauheim.
Dr. Carl M e n g i s , Karlsruhe.

Studienprofessor Dr. Heinrich M a r z e l l , Gunzenhausen.
Kurt M e s c h k e , VDM., Greifswald.
Privatdozent Dr. Karl M e u l i , Basel.
Direktor Dr. H. M ö t e f i n d t , Beuthen O.S.
Studienprofessor Dr. Walther M ü l l e r - B e r g s t r ö m , Ettenheim.
Professor Dr. Hans N a u m a n n , Frankfurt a. M.
Dr. Ida N a u m a n n , Frankfurt a. M.
Dr. F. O h r t , Kopenhagen.
Studienrat Professor Dr. Karl O l b r i c h , Breslau.
Professor Dr. F. P a n z e r , Heidelberg-Berlin.
Dr. Adelgard P e r k m a n n , Wien.
Dr. Will-Erich P e u c k e r t , Breslau.
Professor Dr. F. P f i s t e r , Würzburg.
Professor Dr. F. R a n k e , Königsberg.
Professor R. R i e g l e r , Klagenfurt.
Dr. Oskar R ü h l e , Tübingen.
Professor Dr. Paul S a r t o r i , Dortmund.
Professor Dr. Isidor S c h e f t e l o w i t z , Köln.
Dr. Harry S c h e w e , Freiburg i. Br.
Ruth S c h m e k e l , Greifswald.
Professor Dr. E. S c h n e e w e i s , Belgrad.
Dr. A. M. S c h n e i d e r , Kaplan, z. Z. Rom.
Dr. Rosa S c h ö m e r , Wien.
Dr. Marianne S c h u s s e r , Wien.
Dr. Erich S e e m a n n , Freiburg i. Br.
† Dr. med. S. S e l i g m a n n , Hamburg.
Professor Dr. Th. S i e b s , Breslau.
Professor Dr. S. S i n g e r , Bern.
Professor Dr. A. S p a m e r , Dresden.
Professor Dr. W. S t a m m l e r , Greifswald.
Dr. Victor S t e g e m a n n , Heidelberg.
Privatdozent Dr. Walter S t e l l e r , Breslau.
Professor Dr. E. S t e m p l i n g e r , Rosenheim.
Professor Dr. R. S t ü b e , Leipzig.
Professor Dr. Archer T a y l o r , Chicago.
Karl-Albrecht T i e m a n n , Greifswald.
Professor Dr. A. W e b i n g e r , Waltendorf-Graz.
Professor Dr. O. W e i n r e i c h , Tübingen.
Privatdozent Dr. Lily W e i s e r , Wien.
Professor Dr. A. W i r t h , Dessau.
Professor Dr. A. W r e d e , Köln.

Literaturverzeichnis

(Ein Nachtrag erscheint am Schlusse des Werkes.)

A A.SS. — Acta Sanctorum, hg. v. Joh. Bolland u. a. Antwerpen 1643 ff.

A b e g h i a n *Armenien* — Manuk Abeghian Der armenische Volksglaube. Diss. Jena 1899.

AbhLpz. — Abhandlungen der sächsischen Akademie der Wissenschaften in Leipzig.

A b t *Apuleius* — Adam Abt Die Apologie des Apuleius von Madaura und die antike Zauberei. Gießen 1908 (= RVV IV, 2).

A c k e r m a n n *Shakespeare* — August Ackermann Der Seelenglaube bei Shakespeare. Eine mytholog.-literarwiss. Abhandlung. Zürcher Diss. Frauenfeld 1914.

ADB. — Allgemeine deutsche Biographie. Leipzig 1875 ff.

AfdA. — Anzeiger für deutsches Altertum.

AfnF., AnordF. — Arkiv for nordisk Filologi. Kristiania, Lund 1883 ff.

AGermMus. — Anzeiger des germanischen Nationalmuseums in Nürnberg.

AGVorarlb. — Archiv für Geschichte und Landeskunde Vorarlbergs. Bregenz.

A g r i p p a v. N e t t e s h e i m — Hch. Corn. Agrippas von Nettesheim Magische Werke. Berlin 1916. 5 Bde.

A i g r e m o n t *Fußerotik* — Dr. Aigremont Fuß- und Schuh-Symbolik und -Erotik. Leipzig 1909.

— *Pflanzenwelt* — Dr. Aigremont Volkserotik und Pflanzenwelt. Leipzig 1919.

AKultG. — Archiv für Kulturgeschichte.

A l b e r s *Das Jahr* — J. H. Albers Das Jahr und seine Feste. 3. Aufl. Stuttgart 1917.

A l b e r t u s M a g n u s — Albertus Magnus Bewährte ägyptische Geheimnisse für Menschen und Vieh. Brabant.

— *1508* — Albertus Magnus Das buch der versammlung oder das buch der heymligkeiten Magni Alberti von den tugenden der krüter und edelgestein und von etlichen thieren. Straßburg 1508.

— *De Animalibus* — De animalibus libri XXVI. Nach der Cölner Urschrift hsg. von H. Stadler. Münster i. W. 1916—20 (= Beitr. zur Gesch. der Phisophie des MA. XV—XVI).

— *De Vegetabilibus* — Alberti Magni ex ordine Prädicatorum De Vegetabilibus Libri VII. Ed. crit. ab Ernesto Meyero coeptam absolv. Carolus Jessen. Berolini 1867.

A l b r e c h t *Leipzig* — Karl Albrecht Die Leipziger Mundart. Leipzig 1881.

Alemannia — Alemannia. Zeitschrift für Sprache, Literatur u. Volkskunde des Elsasses und Oberrheins, hg. v. A. Birlinger. 1873 ff.

A l p e n b u r g *Tirol* — J. N. Ritter v. Alpenburg Mythen u. Sagen Tirols. Zürich 1857.

Altbayern — Altbayerische Sagen. Ausgew. vom Jugendschriftenausschuß des Bezirkslehrervereins. München o. J.

Alt-Recklinghausen — Alt-Recklinghausen. Zweimonatsschrift für Geschichte u. Volkskunde der Stadt und des Vestes Recklinghausen. 1920 ff.

A l y *Märchen.* — Wolf Aly Volksmärchen, Sage und Novelle bei Herodot und seinen Zeitgenossen. Göttingen 1921.

A m e r s b a c h *Grimmelshausen* — Karl Amersbach Aberglaube, Sage und Märchen bei Grimmelshausen. 2 Tle. Progr. Baden-Baden 1891 und 1893.

— *Lichtgeister* — Karl Amersbach Licht- und Nebelgeister. Ein Beitrag zur Sagen- und Märchenkunde. Baden-Baden 1901.

A m i r a *Grundriß* — K. v. Amira Grundriß des germanischen Rechts. Straßburg 1913 (= Grundriß d. germ. Philol. 3. Aufl. Bd. 5.)

— *Stab* — Karl v. Amira Der Stab in der germ. Rechtssymbolik. München 1909.

— *Todesstrafen* — Karl v. Amira Die germ. Todesstrafen. Abh. d. bayer. Ak. d. Wiss., phil.-histor. Kl. 31. Bd. 13. Abt. (1922).

AnBoll. — Analecta Bollandiana. Brüssel 1882 ff.

A n d e l *Volksgeneeskunst* — Martinus Antonie van Andel Volksgeneeskunst in Nederland. Diss. Leiden 1909.

A n d r e a e *Chymische Hochzeit* — (Jo. Sal. Andreae) Chymische Hochzeit Christiani Rosencreutz Anno 1459. Neudruck der Ausgabe Straßburg 1616 von Ferd. Maack. Berlin 1913 (= Geheime Wissensch. 1).

A n d r e e *Anthropophagie* — Richard Andree Die Anthropophagie. Eine ethnographische Studie. Leipzig 1887.

— *Braunschweig* — Richard Andree Braunschweiger Volkskunde. 2. Aufl. Braunschweig 1901.

— *Juden* — Richard Andree Zur Volkskunde der Juden. Bielefeld u. Leipzig 1881.

— *Parallelen* — Richard Andree Ethnographische Parallelen und Vergleiche. 2 Tle. Leipzig 1878 u. 1887.

A n d r e e *Votive* — Richard Andree Votive und Weihegaben des katholischen Volkes in Süddeutschland. Ein Beitrag zur Volkskunde. Braunschweig 1904.

A n d r e e - E y s n *Volkskundliches* — Marie Andree-Eysn Volkskundliches. Aus dem bayrisch-österreichischen Alpengebiet. Braunschweig 1910.

A n d r i a n *Altaussee* — Ferd. Freiherr von Andrian Die Altausseer. Ein Beitrag zur Volkskunde des Salzkammerguts. Wien 1905.

— *Höhenkultus* — Ferd. Freiherr v. Andrian Der Höhenkultus asiatischer u. europäischer Völker. Wien 1891.

— *Wetterzauberei* — Ferd. Freiherr v. Andrian Über Wetterzauberei. S.-A. aus Mitth. d. Anthropolog. Ges. in Wien 24 (1894).

Angl. — Anglia.

AnglBbl. — Anglia, Beiblatt.

AnglF. — Anglistische Forschungen.

A n h o r n *Magiologia* — (Anhorn) Magiologia, Christlicher Bericht von dem Aberglauben und Zauberey, fürgestellt durch Philonem. Basel 1674; 1675.

AnordF., AfnF. — Arkiv för nordisk filologi.

AnSpr. — Archiv für das Studium der neueren Sprachen.

Anthr. — Anthropos.

AntTidskr. — Antikvarisk Tidskrift för Sverige.

ANuG. — Aus Natur- u. Geisteswelt.

AnzfKddV. — Anzeiger für Kunde der deutschen Vorzeit. 1835 ff.

ARw. — Archiv für Religionswissenschaft.

ASiebLk. — Archiv des Vereins für siebenbürgische Landeskunde.

ATradpop. — Archivio per lo studio delle tradizioni popolari. Palermo e Torino 1881 ff.

Aufruf — Aufruf zur Sammlung der deutschen Segen- u. Beschwörungsformeln. Hg. v. Verband deutscher Vereine für Volkskunde. O. O. u. J. (1914).

AUngMus. — Anzeiger der ethnographischen Abteilung des Ungarischen Nationalmuseums.

A v é - L a l l e m a n t *Bockreiter* — F. Chr. B. Avé-Lallement Die Merseburger Bockreiter des 18. u. 19. Jhs. Leipzig 1880.

B a a d e r *Sagen* — Bernhard Baader Volkssagen aus dem Lande Baden. Karlsruhe 1851.

— *NSagen* (1859) — Bernhard Baader Neugesammelte Volkssagen aus dem Lande Baden u. den angrenzenden Gegenden. Karlsruhe 1859.

B a c h e r *Lusern* — Jos. Bacher Die deutsche Sprachinsel Lusern. Innsbruck 1905.

B a c h o f e n *Gräbersymbolik* — J. J. Bachofen Versuch über die Gräbersymbolik der Alten. Basel 1859.

— *Mutterrecht* — J. J. Bachofen Das Mutterrecht. 2. Aufl. Basel 1897.

— *Tanaquil* — J. J. Bachofen Die Sage von Tanaquil. Heidelberg 1870.

B ä c h t o l d *Hochzeit* — Hanns Bächtold Die Gebräuche bei Verlobung und Hochzeit. I. Bd. Basel 1914 (= Schriften d. Schweiz Ges. f. Volksk. 11).

BadHmt. — Badische Heimat.

BadWb. — Badisches Wörterbuch, bearbeitet von E. Ochs. Lahr i. B. 1926 ff.

B a n g — s. *Norske Hexefml.*

B a r t e l s *Medizin* — Max Bartels Die Medizin der Naturvölker. Ethnologische Beiträge zur Urgeschichte der Medizin. Leipzig 1893.

— *Pflanzen* — W. Bartels Pflanzen der englischen Folklore. Beilage zum Programm der Realschule auf der Uhlenhorst zu Hamburg über das Schuljahr 1899—1900. Hamburg 1900.

B a r t i s c h — Georg Bartisch von Königsbrück Augen-Dienst. Sultzbach 1686.

B a r t s c h *Mecklenburg* — Karl Bartsch Sagen, Märchen und Gebräuche aus Mecklenburg. Wien 1879—1880. 2 Bde.

B a s i l e *Pentamerone* — Giambattista Basile Il Pentamerone ossia la fiaba delle fiabe. Tradotta da Benedetto Croce. Bari 1925.

B ä ß l e r *Legenden* — Ferd. Bäßler Altchristliche Geschichten und Sagen, gemeinhin Legenden genannt. 1864.

B a s t i a n *Elementargedanke* — A. Bastian Ethnische Elementargedanken in der Lehre vom Menschen 2 Tle. Berlin 1895.

B a t e r e a u *Tiere* — Otto Batereau Die Tiere in der mittelhochdeutschen Literatur. Diss. Leipzig 1909.

B a u e r *Volksleben* — L. Bauer Volksleben im Lande der Bibel. Leipzig 1903.

B a u e r n f e i n d *Nordoberpfalz* — Wolfg. Bauernfeind aus dem Volksleben. Sitten, Sagen und Gebräuche der Nordoberpfalz. Regensburg 1910.

B a u e r n - P h i l o s o p h i e. 2 Bde. Passau 1802.

B a u m b e r g e r *St. Galler Land* — Georg Baumberger St. Galler Land — St. Galler Volk. Einsiedeln 1903.

B a u m g a r t e n *Aus der Heimat* — Amand Baumgarten Aus der volksmäßigen Überlieferung der Heimat. S.-A. 3 Teile. Linz (Mus.-Progr.) 1862—1869.

— *Jahr u. s. Tage* — Amand Baumgarten Das Jahr und seine Tage in Meinung und Brauch der Heimat. Linz 1860.

Bavaria — Bavaria. Landes- und Volkskunde des Königreichs Bayern. München 1860 ff.

BayHfte. — Bayerische Hefte für Volkskunde.

Bayld. — Das Bayerland.

BdböVk. — Beiträge zur deutschböhmischen Volkskunde s. die einzelnen Verfasser.

B e a u q i e r *Faune et Flore* — Charles Beauquier Faune et Flore populaires de la Franche-Comté. 2 vol. Paris 1910.

B e c h s t e i n *Thüringen* — Ludwig Bechstein Thüringer Sagenbuch. 2. Aufl. Leipzig 1885. 2 Bde.

B e c k *De juribus Judaeorum* — J. J. Beck Tractatus de juribus Judaeorum, Vom Recht der Juden. Nürnberg 1731.

B e c k e r *Frauenrechtliches* — Albert Becker Frauenrechtliches in Brauch und Sitte. Kaiserslautern 1913.
— *Frühlingsfeiern* — Albert Becker Pfälzer Frühlingsfeiern. Kaiserslautern 1908 (= S.-A. aus HessBl.).
— *Pfalz* — Albert Becker Pfälzer Volkskunde. Bonn u. Leipzig 1925 (= Volksk. rhein. Landschaften).
B e i s s e l *Heiligenverehrung* — Stephan Beissel Die Verehrung der Heiligen und ihrer Reliquien in Deutschland. Freiburg i. Br. 1890 u. 1892.
B e r g e *Husgudar* — Rikard Berge Husgudar i Norge. 1921.
B e r g e n *Animal and Plant-Lore* — Fanny D. Bergen Animal and Plant-Lore. Collected from the oral tradition of English speaking Folk. 1899 (= Memoirs of the American Folk-Lore Soc. Vol. VII).
— *Superstitions* — Fanny D. Bergen Current Superstitions. Collected from the oral tradition of english speaking Folk. (= Memoirs of the American Folk-Lore Society. Vol. IV). Boston and New York 1896.
B e r g m a n n — Bergmann Bergmännisches Wörterbuch. Chemnitz 1773.
— *DWb.* — Karl Bergmann Deutsches Wörterbuch. Zugleich 3. Ausgabe des etymologischen deutschen Wörterbuches von P. J. Fuchs. Leipzig 1923.
— *Deutscher Wortschatz* — Karl Bergmann Der deutsche Wortschatz. Gießen 1912.
B e r n o u l l i *Merowinger* — Carl Albrecht Bernoulli Die Heiligen der Merowinger. Tübingen 1900.
B e r t h o l d *Unverwundbarkeit* — Otto Berthold Die Unverwundbarkeit in Sage und Aberglauben der Griechen. Gießen 1911 (= RVV XI, 1).
B e r t s c h *Weltanschauung* — Heinrich Bertsch Weltanschauung, Volkssage und Volksbrauch. Dortmund 1910.
B e t h *Religion u. Magie* — Karl Beth Religion und Magie bei den Naturvölkern. Leipzig und Berlin 1914; 2. umgearbeitete Aufl. 1927.
— *Religgesch.* — Karl Beth Einführung in die Religionsgeschichte. Leipzig u. Berlin 1920 (= ANuG 658).
B e z z e n b e r g e r *Litauische Forsch.* — Adalbert Bezzenberger Litauische Forschungen. Beitr. z. Kenntnis der Sprache u. des Volkstums der Litauer. Göttingen 1882.
BF. — Bulletin de Folklore. Liège.
Bilderatlas z. Religgesch. — Bilderatlas zur Religionsgeschichte, hsg. v. Hans Haas. Leipzig u. Erlangen 1924 ff.
B i n d e r *Sagen* — W. Binder Schwäbische Volkssagen, Geschichten u. Märchen. Stuttgart 1845.
B i n d e w a l d *Sagenbuch* — Theodor Bindewald Oberhessisches Sagenbuch. Aus dem Volksmunde gesammelt. Neue vermehrte Ausgabe. Frankfurt a. M. 1873.

B i r l i n g e r *Aus Schwaben* — Anton Birlinger Aus Schwaben. Sagen, Legenden, Aberglauben usw. Neue Sammlung. Wiesbaden 1874. 2 Bde.
— *Volksth.* — Anton Birlinger Volksthümliches aus Schwaben. Freiburg i. Br. 1861—1862. 2 Bde.
— *Wb.* — Anton Birlinger Schwäbisch-augsburgisches Wörterbuch. München 1864.
B i s c h o f f *Jenseits d. Seele* — Erich Bischoff Das Jenseits der Seele. Zur Mystik des Lebens nach dem Tode. Berlin 1919 (= Geheime Wissensch. 18).
— *Kabbalah* — Erich Bischoff Die Elemente der Kabbalah. Berlin 1913—14 (= Geheime Wissensch. 2).
— *Zahlen* — Erich Bischoff Die Mystik und Magie der Zahlen (Arithmetische Kabbalah). Berlin 1920 (= Geheime Wissensch. 20).
B l a c k *Folk-Medicine* — W. G. Black Folk-Medicine, a chapter in the History of culture. London 1883.
BlAlbV. — Blätter des schwäb. Albvereins.
B l a u *Zauberwesen* — Ludwig Blau Das altjüdische Zauberwesen. 2. Aufl. Berlin 1914.
B l a u f u ß *Röm. Feste* — Hans Blaufuß Römische Feste und Feiertage nach den Traktaten über fremden Dienst (Abodazara) in Mischna, Tosefta, Jerusalemer u. babylonischem Talmud. Progr. Nürnberg 1909.
BlBayGymn. — Blätter für das bayerische Gymnasialwesen.
BlBayVk. — Blätter zur bayerischen Volkskunde. Würzburg.
BlhessVk. — Blätter für hessische Volkskunde 1—3. Gießen 1899—1901.
BlPommVk. — Blätter für Pommersche Volkskunde, hg. v. O. Knoop und A. Haas.
B l u m *Schutzgeister* — Ida Blum Die Schutzgeister in der altnordischen Literatur. Diss. Straßburg 1912.
B o c k *Kreuterbuch* — Hier. Bock New Kreutterbuch von underscheydt, würckung und namen der kreütter so in Deutschen landen wachsen. Straßburg 1539 (u. Ausg. v. 1551).
B ö c k e l *Handbuch* — Otto Böckel Handbuch des deutschen Volksliedes. 4. gänzl. neugestaltete Ausgabe von A. F. C. Vilmars Handbüchlein. Marburg 1908.
— *Psychologie* — Otto Böckel Psychologie der Volksdichtung. Leipzig 1906.
— *Volkslieder* — Otto Böckel Deutsche Volkslieder aus Oberhessen. Marburg 1885.
— *Volkssage* — Otto Böckel Die deutsche Volkssage. Übersichtlich dargestellt. Leipzig 1909 (= ANuG. 262).
B o e c l e r *Ehsten* — Joh. Wolfg. Boecler Der Ehsten abergläubische Gebräuche, Weisen und Gewohnheiten. Mit auf die Gegenwart bezüglichen Anmerkungen beleuchtet von Fr. R. Kreutzwald. Petersburg 1854.
B o d e m e y e r *Rechtsalterth.* — Hildebrand Bodemeyer Hannoversche Rechtsalterthümer. 1. Beitrag: Die Luxus- und Sittengesetze. Göttingen 1857.

B ö h m e *Kinderlied* = Franz Magnus Böhme, Deutsches Kinderlied und Kinderspiel. Leipzig 1897.

B o h n e n b e r g e r — Karl Bohnenberger Mitteilungen über volkstümliche Überlieferungen in Württemberg Nr. 1. Stuttgart 1904 (S.-A. aus den Württemb. Jahrb. f. Statistik u. Landesk. 1904).

B o l l *Lebensalter* — Franz Boll Die Lebensalter. Ein Beitrag zur antiken Ethnologie und zur Geschichte der Zahlen. Leipzig und Berlin 1913.

— *Offenbarung Joh.* — Franz Boll Aus der Offenbarung Johannis. Hellenistische Studien zum Weltbild der Apokalypse. Leipzig u. Berlin 1914.

— *Sphaera* — Franz Boll Sphaera. Neue griechische Texte u. Untersuchungen zur Geschichte der Sternbilder. Leipzig 1903.

— *Sternglaube* — Franz Boll Sternglaube und Sterndeutung. Die Geschichte und das Wesen der Astrologie. Unter Mitwirkung von Carl Bezold dargestellt. Leipzig u. Berlin 1918 (= ANuG. 638).

B o l l - G u n d e l — Boll-Bezold Sternglaube u. Sterndeutung. 3. Aufl. hg. v. W. Gundel. Leipzig 1926.

B o l t e - P o l í v k a — Johannes Bolte und Georg Polívka Anmerkungen zu den Kinder- und Hausmärchen der Brüder Grimm. Leipzig 1913—18. 3 Bde.

B o e s e *Superst. Arelat.* — Ricardus Boese Superstitiones Arelatenses e Caesario collectae. Diss. Marpurgi 1909.

B r a n d *Pop. Ant.* — John Brand Observations on popular Antiquities of Great Britain. London 1908. 3 Bde.

Brandenburg — Landeskunde der Provinz Brandenburg. Bd. III: Volkskunde. Berlin 1912.

B r a n d s t e t t e r *Wuotan* — Renward Brandstetter Die Wuotansage im alten Luzern, in „Geschichtsfreund" 62 (1907), 101—160.

B r a u n *Sage* — J. Braun Naturgeschichte der Sage. Leipzig 1864. 2 Bde.

B r ä u n e r *Curiositaeten* — Joh. Jacob Bräuners Physikalisch und Historisch eroerterte Curiositaeten; oder Entlarvter Teufflischer Aberglaube von Wechselbälgen usw. Franckfurt a. M. 1737.

B r e h m *Tierleben* — Brehms Tierleben. Leipzig u. Wien.

Bressl. Samml. — Sammlungen von Natur- und Medizin- wie auch hierzugehörigen Kunst- und Literaturgeschichten, hg. v. Joh. Kanold. Erfurt 1717—1726; zitiert nach „Versuchen"; Rgb. = Registerband.

B r i s s a u d *Express. popul.* — Edouard Brissaud Histoire des expressions populaires relatives à l'anatomie, à la physiologie et à la médecine. Paris 1892.

B r i t t e n a n d H o l l a n d *Plant-Names* — J. Britten and Robert Holland A Dictionary of English Plant-Names (= Engl. Dial. Soc. Series C) London 1878. 1886.

Brnd. — Brandenburgia.

B r o d m a n n *Ettingen* — Paul Brodmann Heimatkunde d. Dorfes u. d. Pfarrei Ettingen. Basel 1883.

B r o n n e r *Sitt' u. Art* — Bronner Von deutscher Sitt' u. Art. Volkssitten und Volksbräuche in Bayern u. den angrenzenden Gebieten im Kreislauf des Jahres dargestellt. München 1908.

B r ü c k m a n n — U. F. B. Brückmann Abhandlung von den Edelsteinen. 2. Aufl. Braunschweig 1773.

B r ü c k n e r *Reuß* — G. Brückner Volks- u. Landeskunde des Fürstenthums Reuß j. L. Gera 1870.

B r u n f e l s *Kreuterbuch* — Otho Brunfels Contrafayt Kreuterbuch nach rechter vollkommener art usw. Straßburg 1532. Ander Teyl 1537.

B r u n n e r *Ostdeutsche Volksk.* — Karl Brunner Ostdeutsche Volkskunde. Leipzig 1925.

— *Rechtsgeschichte* — Brunner Deutsche Rechtsgeschichte, hsg. von E. v. Künnsberg. Leipzig.

BRw — Beiträge zur Religionswissenschaft, hg. v. d. religionswissensch. Gesellschaft in Stockholm.

B u c h *Wotjäken* — Max Buch Die Wotjäken. Eine ethnologische Studie. Helsingfors 1882.

B ü c h e r *Rhythmus* — Karl Bücher Arbeit und Rhythmus. 3. Aufl. Leipzig 1902.

B u c h m ü l l e r *Beatenberg* — Georg Buchmüller St. Beatenberg. Geschichte einer Berggemeinde. Bern 1914.

B u c k *Volksmedizin* — M. R. Buck Medizinischer Volksglauben und Volksaberglauben aus Schwaben. Ravensburg 1865.

B u g g e *Heldensagen* — Sophus Bugge Studien über die Entstehung der nordischen Götter- und Heldensagen. München 1889.

B ü h l e r *Davos* — V. Bühler Davos in seinem Walserdialekt. Heidelberg 1870 ff.

Bull. Glossaire — Bulletin du Glossaire des patois de la Suisse Romande. 1902 ff.

B u s c h *Volksglaube* — Moritz Busch Deutscher Volksglaube. Leipzig 1877.

B u x t o r f *Judenschul* — Joh. Buxtorf Synagoga judaica Das ist Judenschul usw. Basel 1643.

C a e s a r i u s v. H e i s t e r b a c h — Alexander Kaufmann Caesarius von Heisterbach. Ein Beitrag zur Culturgeschichte des 12. und 13. Jhs. 2. Aufl. Cöln 1862.

— *Dialogus* — Dialogus Miraculorum. ed. Jos. Strange. Coloniae 1854.

C a m i n a d a *Friedhöfe* — Christian Caminada Die Bündner Friedhöfe. Eine kulturhistorische Studie aus Bünden. Zürich 1918.

— *Glocken* — Christian Caminada Die Bündner Glocken. Zürich 1915.

Car. — Carinthia. Mitteilungen des Geschichtsvereins für Kärnten. Klagenfurt.

C a r u s *Zoologie* — J. Victor Carus Geschichte der Zoologie bis auf Joh. Müller und Charles Darwin. München 1872 (= Gesch. d. Wissensch. in Deutschland 12).

C a s p a r i *Homilia* — C. P. Caspari Eine Augustin fälschlich beigelegte Homilia de sacrilegiis. Christiania 1886.

C a s s e l *Kirchenbuch* — Paulus Cassel Das Kirchenbuch. Friedenau-Berlin 1892.

C a s t r é n *Finn. Myth.* — Alex. Castréns Vorlesungen über die finnische Mythologie. Petersburg 1853.

Cat.cod.astr. — Catalogus codicum astrologorum Graecorum, ed. Fr. Boll, Fr. Cumont usw. Bruxelles tom. I—VIII, 4. X.

CCA. s. Cat. cod. astr.

C i s z e w s k i *Künstl. Verwandtsch.* — Stanislaus Ciszewski Künstliche Verwandtschaft bei den Südslaven. Diss. Leipzig 1897.

C l e m e n *Leben n. d. Tode* — Carl Clemen Das Leben nach dem Tode im Glauben der Menschheit. Leipzig u. Berlin 1920 (= ANuG. 544).

— *Neues Test.* — Carl Clemen Religionsgeschichtl. Erklärung des Neuen Testaments. Gießen 1909.

— *Persische Relig.* — Carl Clemen Die griechischen und lateinischen Nachrichten über die persische Religion. Gießen 1920 (= RVV XVII, 1).

— *Reste* — C. Clemen Die Reste der primitiven Religion im ältesten Christentum. Gießen 1916.

d e C o c k *Oude Gebr.* — A. de Cock Spreekworden en Zegswijzen afkomstig van oude Gebruiken en Volkszeden. 2. Aufl. Gent 1908.

— *Volksgeloof* — A. de Cock Spreekworden, Zegswijsen en Uitdrukkingen op Volksgeloof berustend. 1. Bd. Antwerpen 1920.

— *Volksgeneeskunde* — A. de Cock Volksgeneeskunde in Vlaanderen. Gent 1891.

— *Volkssage* — A. de Cock Volkssage, Volksgeloof en Volksgebruik. Antwerpen 1918.

— *Vrouwen* — A. de Cock Spreekwoorden en Zegswijzen over de Vrouwen, de Liefde en het Huwelijk. Gent 1911.

C o c k a y n e *Leechdoms* — Oswald Cockayne Leechdoms, Wordcunning and Starcraft of early England. 3 Vol. London 1864—1866.

C o h n *Tiernamen* — Hugo Cohn Tiernamen als Schimpfwörter. Progr. Berlin 1910.

C o r r e v o n *Gespenstergesch.* — Hedwig Correvon Gespenstergeschichten aus Bern. Bern 1919.

C o r s o *Folklore* — R. Corso Folklore, Storia, obbietto, metodo, bibliographia. Roma 1923.

C r e c e l i u s *Wb.* — Wilh. Crecelius Oberhessisches Wörterbuch. Darmstadt 1897.

C r o o k e *Northern India* — W. Crooke An Introduction to the popular Religion and Folklore of Northern India. Allahabad 1894.

C u m o n t *After Life* — Franz Cumont After Life in Roman Paganism. New Haven 1923.

— *Orient. Rel.* — Franz Cumont Die orientalischen Religionen im römischen Heidentum. 2. Aufl. Berlin 1914.

C u r t z e *Waldeck* — L. Curtze Volksüberlieferungen aus dem Fürstenthum Waldeck. Arolsen 1860.

C y s a t — Renw. Brandstetter Renward Cysat 1545—1614, der Begründer der Schweiz. Volkskunde. Luzern 1909.

D ä h n h a r d t *Natursagen* — Oskar Dähnhardt Natursagen. Eine Sammlung naturdeutender Sagen, Märchen, Fabeln und Legenden. Leipzig 1907 ff.

— *Volkst.* — Oskar Dähnhardt Volkstümliches aus d. Königreich Sachsen, auf d. Thomasschule gesammelt. 2 Hefte. Leipzig 1898.

D a l l a T o r r e *Tiernamen* — V. Dalla Torre Die volkstümlichen Tiernamen in Tirol und Vorarlberg. Innsbruck 1894 (S.-A. aus „Beiträge z. Anthropologie von Tirol").

Danm. Tryllefml. — F. Ohrt Danmarks Trylleformler. I. II. København og Kristiania 1917 bis 1921.

D a n n e i l *Plattdeutsches Wb.* — J. F. Danneil Wörterbuch der altmärkisch-plattdeutschen Mundart. Salzwedel 1858.

DanSt. — Danske Studier.

D a r e m b e r g et S a g l i o — Dictionnaire des antiquités grecques et romaines, publié sous la direction de A. Daremberg et Edm. Saglio. Paris 1877 ff.

D a u z a t *Géogr. linguistique* — Albert Dauzat Essais de géographie linguistique: Noms d'animaux. Paris 1921.

Davoser Landbuch — Landbuch der Landschaft und Hochgerichts-Gemeinde Davos im Eidg. Stand Graubünden. Davos 1912.

DbotMon. — Deutsche botanische Monatsschrift. Hg. v. Leimbach 1883 ff.

D e e c k e *Lübische Sagen* — Ernst Deecke Lübische Geschichten u. Sagen. 2. Ausgabe. Lübeck 1857.

D e i g e n d e s c h *Arzneibuch* — Johannes Deigendesch (Scharfrichter) Nachrichters Pferdoder Roß-Arzneibuch. Neue Aufl. Stuttgart 1857.

D e l r i o *Disquisitiones* — Martin Delrio Disquisitionum magicarum libri sex. Mainz 1606. Köln 1679.

D e M é l y — De Mély Les lapidaires de l'antiquité et du moyen-âge. Paris 1896.

D e m i t s c h *Russ. Volksheilmittel* — Wassily Demitsch Russische Volksheilmittel aus dem Pflanzenreich. Eine literarisch-pharmakologische Studie. In: Histor. Studien aus dem Pharmakolog. Institut der kais. Univers. Dorpat. Hg. v. Kobert. Halle a. S. 1 (1889), 134—266.

D e o n n a *Croyances relig.* — W. Deonna Les croyances religieuses et superstitieuses de la Genève antérieure au christianisme. Genève 1917 (= Bulletin de l'Institut genevois XLII).

D e t t l i n g *Hexenprozesse* — A. Dettling Die Hexenprozesse im Kanton Schwyz. Schwyz 1907.

D e V i s s e r — M. W. De Visser Die nicht menschengestaltigen Götter der Griechen. Leiden 1903.

DG — Deutsche Gaue. Kaufbeuren.

DGQ — Deutschlands Geschichtsquellen im Mittelalter bis zur Mitte des 13. Jahrhunderts. Berlin, W. Hertz.

DHmt. — Deutsche Heimat (Wien).

Die deutschen Mundarten s. F r o m m a n n.

D i e l s *Zuckungsliteratur* — H. Diels Beiträge zur Zuckungsliteratur des Okzidents und Orients. Berlin 1908.

D i e n e r *Hunsrück* — W. Diener Hunsrücker Volkskunde. Bonn 1925.

D i e t e r i c h *Abraxas* — Albrecht Dieterich Abraxas. Studien zur Religionsgeschichte des spätern Altertums. Leipzig 1891.

— *Byzanz* — Karl Dieterich Hofleben in Byzanz. Zum ersten Male aus den Quellen übersetzt. Leipzig s. a. (= Voigtl. Quellenbücher 19).

— *Kl. Schr.* — Albrecht Dieterich Kleine Schriften. Leipzig u. Berlin 1911.

— *Mutter Erde* — Albrecht Dieterich Mutter Erde. Ein Versuch über Volksreligion. 2. Aufl. Leipzig und Berlin 1913. 3. Aufl. hsg. v. E. Fehrle, ebd. 1925.

— *Mithrasliturgie* — Albrecht Dieterich Eine Mithrasliturgie. 2. Aufl. Leipzig u. Berlin 1910. 3. Aufl. v. O. Weinreich, ebd. 1923.

— *Nekyia* — Albrecht Dieterich Nekyia. Beiträge zur Erklärung der neuentdeckten Petrusapokalypse. 2. Aufl. Berlin 1913.

D i o s k u r i d e s *Mat. med.* — Dioskurides Pedanii Anazarbei De Materia Medica Libri V. ed. M. Wellmann. Berolini 1907—1914. 3 Vol.

D i r k s e n *Meiderich* — Carl Dirksen Volkstümliches aus Meiderich (Niederrhein). Bonn 1895 (= Zur deutschen Volkskunde 2).

D o b e n e c k *Mittelalter* — Friedr. Ludw. Ferdin. Dobeneck Des deutschen Mittelalters Volksglauben und Heldensagen, hg. v. Jean Paul. Berlin 1815. 2 Bde.

D ö h r i n g *Etym. Skizzen* — Alfred Döhring Etymologische Skizzen. Beiträge zur indogermanischen Sprach- und Sagenkunde. Progr. Königsberg 1912.

D o m a s z e w s k i *Religion* — Alfred v. Domaszewski Abhandlungen zur römischen Religion. Leipzig u. Berlin 1909.

D ö r l e r *Innsbruck* — Sagen aus Innsbrucks Umgebung mit bes. Berücksichtigung des Zillertales, ges. und hsg. von A. F. Dörler. Innsbruck 1895.

D o r n s e i f f *Alphabet* — Franz Dornseiff Das Alphabet in Mystik und Magie. Leipzig und Berlin 1922. 2. Aufl. ebd. 1925.

DoW. — Deutsche optische Wochenschrift.

D r e c h s l e r — Paul Drechsler Sitte, Brauch und Volksglaube in Schlesien. Leipzig 1903 bis 1906. 2 Bde.

— *Haustiere* — Paul Drechsler Das Verhältnis des Schlesiers zu seinen Haustieren und Bäumen. Progr. Zabrze 1901.

D u l l e r *Deutsches Volk* — Eduard Duller Das deutsche Volk in seinen Mundarten, Sitten, Gebräuchen, Festen und Trachten. Leipzig 1847.

D u r a n d *Rationale* — G. Durand Rationale divinorum officiorum. Lugduni 1565.

D u r m a y e r *Reste* — Joh. Durmayer Reste altgermanischen Heidentums in unsern Tagen. Nürnberg 1883.

DVöB. — Deutsche Volkskunde aus dem östlichen Böhmen.

DWb. — Deutsches Wörterbuch von Jacob und Wilhelm Grimm. Leipzig 1854 ff.

D y e r *Plants* — F. F. Dyer The Folk-Lore of Plants. London 1889.

E b e r h a r d *Landwirtschaft* — A. Eberhard Sitte und Brauch in der Landwirtschaft. Mitteilungen über volkstümliche Überlieferungen in Württemberg Nr. 3. Stuttgart 1907 (= S.-A. aus Württemb. Jahrb. f. Statistik u. Landesk. 1907).

E b e r l i *Thurgau* — J. Eberli Beitrag zur Thurgauischen Volksbotanik. In: Mitteil.d. Thurgauischen Naturforschenden Gesellsch. 16 (1904), 129 ff.

E b e r m a n n *Blutsegen* — Oskar Ebermann Blut- und Wundsegen in ihrer Entwicklung dargestellt. Berlin 1903 (= Palaestra XXIV).

E c k a r t *Südhannover. Sagen* — Rud. Eckart Südhannoversches Sagenbuch. Leipzig s. a.

E d l i n g e r *Tiernamen* — August v. Edlinger Erklärung der Tiernamen aus allen Sprachgebieten. Landshut 1886.

Egerl. — Unser Egerland.

E i s e l *Voigtland* — Robert Eisel Sagenbuch des Voigtlandes. Gera 1871.

E i s e n - E r k e s — M. J. Eisen Estnische Mythologie. Übertragen v. E. Erkes. Leipzig 1925.

E i s l e r *Weltenmantel* — Robert Eisler Weltenmantel u. Himmelszelt. Religionsgeschichtliche Untersuchungen zur Urgeschichte des antiken Weltbildes. München 1910. 2 Bde.

— *Mysteriengedanken* — Robert Eisler Orphisch-Dionysische Mysteriengedanken in der christlichen Antike. Leipzig u. Berlin 1925 (= Vorträge der Bibliothek Warburg 1922—23. II. Teil).

E i t r e m *Opferritus* — S. Eitrem Opferritus und Voropfer der Griechen und Römer. Kristiania 1915.

Elsäß. Monatsschr. — Elsässische Monatsschrift für Geschichte und Volkskunde, hg. v. Alb. Fuchs 1 (1910) ff.

Encycl. Superstitions — Encyclopaedia of Superstitions, Folklore and the Occult Sciences of the World. Editorial Staff: Cora Linn Daniels and C. M. Stevans. 3 Vols. Chicago and Milwaukee 1903.

E n d e r s *Kuhländchen* — Joh. Nep. Enders (gen. Johann v. Hadrisch) Das Kuhländchen. Ethnographisch-geographisch-historische Schilderung. Neutitschein 1868.

E n d t *Sagen* — Johann Endt Sagen und Schwänke aus dem Erzgebirge. Der Zauberer P. Hahn, der Wunderdoktor Rölz u. a. Prag 1909 (= Beitr. z. deutsch-böhm. Volksk. X).

E n g e l i e n u. L a h n — A. Engelien u. W. Lahn Der Volksmund in der Mark Brandenburg. Berlin 1868.
ERE — siehe H a s t i n g s.
E r k - B ö h m e — Ludwig Erk und Franz M. Böhme Deutscher Liederhort. Leipzig 1893 bis 1894. 3 Bde.
E s t e r m a n n *Rickenbach* — Melchior Estermann Geschichte der Pfarrei Rickenbach. Der Heimatkunde für den Kt. Luzern 4. Lieferung. Luzern 1882.
E v a n s *Animal symbolism* — E. P. Evans Animal symbolism in ecclesiastical architecture. London 1896.

F a h z *Doctrina magica* — Ludovicus Fahz De poetarum Romanorum doctrina magica quaestiones selectae. Gissae 1904 (= RVV. II, 3).
F a l k *Ehe* — Franz Falk Die Ehe am Ausgang des Mittelalters. Eine kirchen- u. kulturhistorische Studie. Freiburg i. Br. 1908 (= Erläuterungen ... zu Janssens Geschichte VI 4).
F a l k u. T o r p *Etym.Wb.* — Norwegisch-dänisches etymologisches Wörterbuch von H. S. Falk und A. Torp. 2 Bde. Heidelberg 1910—1911.
Fatab. — Fataburen. Kulturhistorisk Tidskrift. Stockholm 1906 ff.
FdM. — Fortschritte der Medizin. Leipzig (Verlag Vogel).
F e h r *Aberglaube* — Joseph Fehr Der Aberglaube und die katholische Kirche des Mittelalters. Stuttgart 1857.
F e h r l e *Baden* — Eugen Fehrle Badische Volkskunde. I. Teil. Leipzig 1924.
— *Geoponica* — Eugen Fehrle Studien zu den griechischen Geoponikern. Leipzig u. Berlin 1920 (= Stoicheia 3).
— *Keuschheit* — Eugen Fehrle Die kultische Keuschheit im Altertum. Gießen 1910 (= RVV VI).
— *Volksfeste* — Eugen Fehrle Deutsche Feste und Volksbräuche. Leipzig u. Berlin 1916 (= ANuG. 518). 2. Aufl. ebd. 1920.
— *Zauber u. Segen* — Eugen Fehrle Zauber und Segen. Jena 1926 (= Deutsche Volkheit).
F e i l b e r g *Bjaergtagen* — H. F. Feilberg Bjaergtagen. In: Danmark Folkeminder 5 (1910).
— *Dansk Bondeliv* — H. F. Feilberg Dansk Bondeliv, saaledes som det i Mands Minde førtes navnlig i Vestjylland. 2 Tle. København 1899.
— *Ordbog* — H. F. Feilberg Bidrag til en ordbog over jyske almues mål. 4 Bde. Kopenhagen 1886—1914.
— *Festskrift til Feilberg* — Festskrift til H. F. Feilberg. Købnhavn 1911.
FFC. — F. F. Communications (s. die einzelnen Verfasser).
F i e n t *Prättigau* — G. Fient Das Prättigau. Ein Beitrag zur Schweiz. Landes- u. Volkskunde. 2. Aufl. Chur (Davos) 1897.

F i n d e r *Vierlande* (Progr.) — Ernst Finder Die Vierlande um die Wende des 16. und 17. Jahrhunderts. Ein Beitrag zur Kulturgeschichte Niedersachsens. Progr. Hamburg 1907.
— *Vierlande* 1, 2 — Ernst Finder Die Vierlande. Beiträge zur Geschichte, Landes- und Volkskunde Niedersachsens. 2 Bde. Hamburg 1922.
(F i s c h e r) *Aberglaube* — (H. L. Fischer) Das Buch vom Aberglauben. Leipzig 1790—91, Hannover 1794.
— *Altertumsk.* — Hermann Fischer Grundzüge der deutschen Altertumskunde. 2. Aufl. Leipzig 1917 (= Wissenschaft und Bildung 40).
— *Angelsachsen* — A. Fischer Aberglaube unter den Angel-Sachsen. Progr. Meiningen 1891.
— *Aufklärung* 1794 — (H. L. Fischer) Beiträge zur Beantwortung der Frage, ob Aufklärung schon weit genug gediehen oder vollendet sei. Anhang zu dem Buch vom Aberglauben. Hannover 1794.
— *Hexenprozesse* — Fr. Fischer Die Basler Hexenprozesse i. d. 16. u. 17. Jahrhundert. Basel (1840).
— *Oststeierisches* — Rosa Fischer Oststeierisches Bauernleben. Mit einer Vorrede von Peter Rosegger. Wien (1903).
— *Probenächte* — F. C. J. Fischer Über die Probenächte der deutschen Bauernmädchen. Neudruck. Leipzig (1880).
— *SchwäbWb.* — Hermann Fischer Schwäbisches Wörterbuch. Tübingen 1901 ff.
FL. — Folk-Lore, a quarterly review of myth, traditions etc. London 1889 ff.
F l a c h s *Rumänen* — A. Flachs Rumänische Hochzeits- und Totengebräuche. Berlin 1899.
F l ü g e l *Volksmedizin* — Flügel Volksmedizin und Aberglaube im Frankenwald. München 1863.
FoF — Folkminnen och Folktankar. 1914 ff.
F o g e l *Pennsylvania* — Edvin Miller Fogel Beliefs and Superstitions of the Pennsylvania Germans. Philadelphia 1915 (= Americana Germanica).
F o l t i n *Alpensagen* — A. Foltin Tiroler Alpensagen. Stuttgart 1897.
F o n t a i n e *Götterwelt* — Ed. de la Fontaine Die deutsche Götterwelt im Luxemburger Lande. 1906.
— *Luxemburg* — Ed. de la Fontaine Luxemburger Sitten und Gebräuche. Luxemburg 1883.
F o s s e l *Volksmedizin* — V. Fossel Volksmedizin und medizinischer Aberglaube in Steiermark. Graz 1886.
F o x *Saarland* — N. Fox Saarländische Volkskunde. Bonn 1927.
F r a e n g e r s. JbhistVk.
F r a e n k e l *Mythologie* — Georg Fraenkel Niedere Mythologie im mhd. Epos. Diss. Breslau 1903.

G ü n t e r t *Kalypso* — Hermann Güntert Kalypso. Bedeutungsgeschichtl. Untersuchungen auf dem Gebiet der indogermanischen Sprachen. Halle 1919.

L. v. H. *Magia divina* — L. v. H. Magia divina Oder Grund- und deutlicher Unterricht Von denen fürnehmsten Caballistischen Kunst-Stücken ... Franckfurt u. Leipzig 1745.

H a a s *Usedom* — A. Haas Sagen u. Erzählungen von den Inseln Usedom und Wollin. Stettin 1903.

H a a s u. W o r m *Mönchgut* — A. Haas u. Fr. Worm Die Halbinsel Mönchgut und ihre Bewohner. Stettin 1909.

H a h n z o g *Predigten* — Chr. Ludw. Hahnzog Predigten wider den Aberglauben der Landleute. Magdeburg 1784.

H a l b e r s t a d t *Semmering* — Arthur Halberstadt Eine originelle Bauernwelt. Das Volksleben im Semmeringgebiete. 2. Aufl. Wien 1912.

H a l l a u e r *Chansons de geste* — Marguerite Hallauer Das wunderbare Element in den Chansons de geste. Diss. Basel 1918.

H ä l s i g *Zauberspruch* — Fr. Hälsig Der Zauberspruch bei den Germanen bis um die Mitte des XVI. Jahrh. Diss. Leipzig 1910.

H a l t a u s *Calendarium* — Christ. Gottlob Haltaus Calendarium medii aevi praecipue germanicum. Lipsiae 1729.

H a l t r i c h *Abergl.* — Jos. Haltrich Die Macht u. Herrschaft des Aberglaubens in seinen vielfachen Erscheinungsformen. Schäßburg 1871.

— *Siebenb. Sachsen* — Josef Haltrich Zur Volkskunde der Siebenbürger Sachsen. Kleinere Schriften. In neuer Bearbeitung hg. v. J. Wolff. Wien 1885.

H a n d e l m a n n *Weihnachten* — Heinrich Handelmann Weihnachten in Schleswig-Holstein. Kiel 1866.

H a n d t m a n n *Brandenburg* — E. Handtmann Neue Sagen aus der Mark Brandenburg. Ein Beitrag zum deutschen Sagenschatz. Berlin 1883.

— *Märk. Heide* — E. Handtmann Was auf märkischer Heide sprießt. Märkische Pflanzen-Legenden und Pflanzen-Symbole. Berlin (1892).

H a n s e m a n n *Aberglaube* — D. v. Hansemann Der Aberglaube in der Medizin u. seine Gefahr für Gesundheit u. Leben. 2. Aufl. Leipzig-Berlin 1914 (= ANuG. 83).

H a n s e n *Friesische Sagen* — C. P. Hansen Friesische Sagen und Erzählungen. Altona 1858.

— *Hexenwahn* (oder *Quellen*) — Josef Hansen Quellen und Untersuchungen zur Geschichte des Hexenwahns und der Hexenverfolgung im Mittelalter. Bonn 1901.

— *Zauberwahn* — Josef Hansen Zauberwahn, Inquisition und Hexenprozeß im Mittelalter und die Entstehung der großen Hexenverfolgung. München und Leipzig 1900 (= Histor. Bibliothek 12).

A r n o l d v. H a r f f — Die Pilgerfahrt des Ritters Arnold von Harff, 1496—1499, hg. v. E. v. Groote. Cöln 1860.

H a r t l a n d *Paternity* — Edwin Sidney Hartland Primitive Paternity. The Myth of supernatural Birth in relation to the History of the Family. London 1909—10.

— *Perseus* — E. S. Hartland The Legend of Perseus. London 1894—96.

H a r t l i e b — s. U l m.

H a r t m a n n *Dachau u. Bruck* — Fz. X. Hartmann Sitten und Gebräuche in den Landbezirken Dachau u. Bruck bei der Geburt, der Hochzeit u. dem Tode. S.-A. 1875.

— *Weihnachtslied* — August Hartmann Weihnachtslied und Weihnachtsspiel in Oberbayern. München 1870 (= S.-A. aus Bd. 34 des Oberbayer. Archivs).

— *Westfalen* — Hermann Hartmann Bilder aus Westfalen. Osnabrück 1871 und Minden i. W. 1884.

H a s a k *Christl. Glaube* — Vincenz Hasak Der christliche Glaube des deutschen Volkes beim Schlusse des Mittelalters. Regensburg 1868.

H a s t i n g s — Encyclopaedia of Religion and Ethics, edited by James Hastings. Edinburgh 1908 ff.

H a u c k — s. H e r z o g - H a u c k.

H a u f f e n *Gottschee* — Adolf Hauffen Die deutsche Sprachinsel Gottschee. Graz 1895.

H a u p t *Lausitz* — Karl Haupt Sagenbuch der Lausitz. Leipzig 1862 (= S.-A. aus Neues Lausitzer Magazin).

H a u s e r *Paznaun* — Sagen aus dem Paznaun u. dessen Nachbarsch., ges. u. hg. v. Christ. Hauser. Innsbruck 1894.

H e c k e n b a c h *de nuditate* — Josephus Heckenbach De nuditate sacra sacrisque vinculis. Gießen 1911 (= RVV IX 3).

H e c k e r *Tanzwut* — J. F. C. Hecker Die Tanzwuth, eine Volkskrankheit im Mittelalter. Berlin 1832.

H e c k s c h e r — Kurt Heckscher Die Volkskunde des germanischen Kulturkreises. An Hand der Schriften Ernst Moritz Arndts und gleichzeitlicher wie neuerer Parallelbelege dargestellt. Hamburg 1925.

— *Hannov. Volksk.* — Kurt Heckscher Hannoveranische Volkskunde I: Die Volkskunde der Provinz Hannover. Bd. 1: Die Volkskunde des Kreises Neustadt am Rübenberge. 1927.

H e e g *Hermetica* — Joseph Heeg Hermetica (Ex Catalogo codicum astrologorum Graecorum 8, 2 scorsum expressum. Brüssel 1911.

H e e r *Altglarn. Heidentum* — Gottfried Heer Das altglarnerische Heidentum in seinen noch vorhandenen Überresten. Zürich 1887.

H e f e l e *Conciliengeschichte* — Carl Joseph von Hefele Conciliengeschichte. 2. Aufl. Freiburg i. Br. 1873 ff.

H e i m *Incantamenta* — Ricardus Heim Incantamenta Magica Graeca-Latina. Jahrbücher f. klassische Philologie, hg. v. A. Fleckeisen. XIX. Suppl.-Bd. Leipzig 1892.

H e i n z e r l i n g *Wirbellose Tiere* — J. Heinzerling Die Namen der wirbellosen Tiere in der Siegerländer Mundart. Beilage z. Jahresbericht d. Siegener Realschule 1879.

H e l l w i g *Aberglaube* — Albert Hellwig Verbrechen und Aberglaube. Skizzen aus der volkskundlichen Kriminalistik. Leipzig 1908 (= ANuG. 212).

— *Kalender* — L. Chr. von Hellwig curiöser Hauskalender. Erfurt 1726.

— *Weltkrieg* — Alb. Hellwig Weltkrieg u. Aberglaube. Leipzig 1916.

H e l m *Religgesch.* — Karl Helm Altgermanische Religionsgeschichte. 1. Bd. Heidelberg 1913.

H e l m o n t *Morgenröte* — Joh. Baptista v. Helmont Die Morgenröthe. Sulzbach 1683 (Neudruck).

Hembygden — Hembygden. Tidskrift för svensk Folkkunskap och Hembygdsforskning i Finland. Helsingfors 1910 ff.

H e n d e r s o n *Folk-Lore* — W. Henderson Notes on the Folk-Lore of the Northern Counties of England and the Borders. London 1879.

H e n r i c i *Volksheilmittel* — A. A. v. Henrici Weitere Studien über Volksheilmittel verschiedener in Rußland lebender Völkerschaften. In: Hist. Studien aus dem pharmakol. Institut der Kaiserl. Universität Dorpat. 4 (1894), 1—165.

H e p d i n g *Attis* — Hugo Hepding Attis, seine Mythen und sein Kult. Gießen 1903 (= RVV 1).

H e r t z *Abhandl.* — Wilhelm Hertz Gesammelte Abhandlungen, hg. v. F. v. d. Leyen. Stuttgart und Berlin 1905.

— *Elsaß* — Wilhelm Hertz Deutsche Sage im Elsaß. Stuttgart 1872.

— *Werwolf* — Wilhelm Hertz Der Werwolf. Beitrag zur Sagengeschichte. Stuttgart 1862.

H e r z o g *Schweizersagen* — H. Herzog Schweizersagen. Für Jung und Alt dargestellt. 3. Aufl. Aarau 1913. 2 Bde.

— *Volksfeste* — H. Herzog Schweizerische Volksfeste, Sitten u. Gebräuche. Aarau 1884.

H e r z o g - H a u c k — Herzog Realencyclopaedie für protestantische Theologie und Kirche. 3. Aufl. Leipzig 1896 ff.

H e s e m a n n *Ravensberg* — Heinrich Hesemann Beiträge zur Ravensbergischen Volkskunde. Diss. Greifswald 1909.

HessBl. — Hessische Blätter für Volkskunde.

Hessenl. — Hessenland.

HessHmt — Hessische Heimat.

H e ß l e r *Hessen* — Carl Heßler Hessische Landes- und Volkskunde. Marburg 1906—1907. 2 Bde.

H e u g r e n — Paul Heugren Husdjuren i nordisk folktro. Oerebro 1925.

Hexenhammer — Der Hexenhammer von Jakob Sprenger u. Heinrich Institoris, übersetzt von J. W. R. Schmidt. Berlin 1920. 3 Bde.

H e y l *Tirol* — Joh. Adolf Heyl Volkssagen, Bräuche und Meinungen aus Tirol. Brixen 1897.

H i g e l i n *Sundgau* — Die Sagen des Sundgaues, gesammelt von Maurice Higelin. Altkirch 1909.

H i l d e g a r d *Physica* — Hildegard Physica sive Subtilitatum diversarum Naturarum Creaturarum libri IX. In: Migne Patrologiae Cursus completus. Tom. CXCVII. Paris 1882. Sp. 1225 ff.

H i l l n e r *Siebenbürgen* — Johann Hillner Volksthümlicher Glaube und Brauch bei Geburt und Taufe im Siebenbürger Sachsenlande. Progr. Schäßburg 1877.

HmtblRE. — Heimatblätter der roten Erde. Münster i. W.

Hmtg. — Heimatgaue. Zeitschrift f. oberösterreich. Geschichte, Landes- u. Volkskunde. Linz.

HmtK. — Die Heimat (Kiel).

Hmtl. — Mein Heimatland (Karlsruhe 1914 ff.).

HmtM. — Die Heimat (Meran).

HmtVrlb. — Heimat. Volkstüml. Beiträge zur Kultur- u. Naturkunde Vorarlbergs (Innsbruck 1920 ff.).

H o c k e r *Hohenzollern* — Nicolaus Hocker Die Stammsagen der Hohenzollern u. Welfen. Düsseldorf 1857.

— *Volksgl.* — N. Hocker Deutscher Volksglaube in Sang und Klang. Göttingen 1853.

H o f f m a n n *Fundgruben* — A. H. Hoffmann Fundgruben f. Geschichte deutscher Sprache u. Literatur. 2 Bde. Breslau 1830 ff.

H o f f m a n n *Ortenau* — J. J. Hoffmann Trachten, Sitten, Gebräuche und Sagen in der Ortenau und im Kinzigtal. Lahr i. B. 1899.

H o f f m a n n - K r a y e r — Eduard Hoffmann-Krayer Feste und Bräuche des Schweizervolkes. Zürich 1913.

H ö f l e r *Allerseelen* — Max Höfler Allerseelengebäcke. Eine vergleichende Studie der Gebildbrote zur Zeit des Allerseelentages. Wien 1907 (= ZföVk. 13).

— *Botanik* — Max Höfler Volksmedizinische Botanik der Germanen. Wien 1908.

— *Fastnacht* — Max Höfler Gebildbrote der Fasching-, Fastnachts- und Fastenzeit. Wien 1908 (= ZföVk. 14, Suppl. V).

— *Hochzeit* — Max Höfler Gebildbrote der Hochzeit. Wien 1911 (= ZföVk. 17, Suppl. VII).

— *Kelten* — M. Höfler Volksmedizinische Botanik der Kelten. In: Archiv für Geschichte der Medizin. 5 (1911), 1—35. 241—279.

— *Krankheitsnamen* — M. Höfler Deutsches Krankheitsnamen-Buch. München 1899.

— *Organotherapie* — Max Höfler Die volksmedizinische Organotherapie und ihr Verhältnis zum Kultopfer. Stuttgart, Berlin u. Leipzig s. a.

— *Ostern* — Max Höfler Ostergebäcke. Eine vergleichende Studie der Gebildbrote zur Osterzeit. Wien 1906 (= ZföVk. 12, Suppl. IV).

K i e ß l i n g *Drosendorf* — F. X. Kießling Die Bründlein von Drosendorf und Umgebung. Ein Beitrag zur Volkskunde. Horn (Niederösterreich) 1899.

K l a p p e r *Erzählungen* — Joseph Klapper Erzählungen des Mittelalters in deutscher Übersetzung und lateinischem Urtext. Breslau 1914 (= Wort und Brauch 12).

— *Schlesien* — Joseph Klapper Schlesische Volkskunde auf kulturgeschichtlicher Grundlage. Breslau 1925 (= Schles. Volkstum 1).

K l e e b e r g e r *Fischbach* — C. Kleeberger Volkskundliches aus Fischbach i. d. Pfalz. Kaiserslautern 1902.

K l i n g n e r *Luther* — Erich Klingner Luther und der deutsche Volksaberglaube. Berlin 1912 (= Palaestra LVI).

Kloster, Das — s. N o r k.

K l u g e *Bunte Blätter* — Friedrich Kluge Bunte Blätter. Kulturgeschichtliche Vorträge und Aufsätze. Freiburg i. Br. 1908.

K n o o p *Hinterpommern* — Otto Knoop Volkssagen, Erzählungen, Aberglauben, Gebräuche und Märchen aus dem östlichen Hinterpommern. Posen 1885.

— *Pflanzenwelt* — O. Knoop Volkstümliches aus der Pflanzenwelt. In: Deutsche Gesellschaft für Kunst und Wissenschaft in Posen. Zeitschr. der Naturwissensch. Abteilung. 11 (1904), 52—59. 72—88; 12 (1905), 13—17.

— *Posen* — O. Knoop Sagen u. Erzählungen aus der Provinz Posen. Posen 1893.

— *Posener Märchen* — O. Knoop Posener Märchen. Lissa 1909 (Rogasener Progr.).

— s. Rogasener Familienblatt.

— *Schatzsagen* — O. Knoop Posener Geld- und Schatzsagen. Ein Beitrag zur Heimat- und Volkskunde der Provinz Posen. Lissa 1908 (Rogasener Progr.).

— *Tierwelt* — O. Knoop Volkstümliches aus der Tierwelt. Rogasen 1905.

K n o r r n *Pommern* — Knorrn Sammlung abergläubischer Gebräuche (aus dem Stettiner Regierungsbezirk). In: Baltische Studien 33 (1883), 113—147.

K n o r t z *Amerik. Aberglaube* — Karl Knortz Amerikanischer Aberglaube der Gegenwart. Leipzig 1913.

— *Insekten* — Karl Knortz Die Insekten in Sage, Sitte u. Literatur. Annaberg 1910.

— *Körper* — Karl Knortz Der menschliche Körper in Sage, Brauch und Sprichwort. Würzburg 1909.

— *Reptilien* — Karl Knortz Reptilien u. Amphibien in Sage, Sitte u. Literatur. Annaberg 1911.

— *Streifzüge* — Karl Knortz Folkloristische Streifzüge. 1. Bd. Leipzig 1899.

— *Vögel* — Karl Knortz Die Vögel in Geschichte, Sage, Brauch und Literatur. München (1913).

K n u c h e l *Umwandlung* — Eduard Fritz Knuchel Die Umwandlung in Kult, Magie und Rechtsbrauch. Basel u. Berlin 1919 (= Schriften d. Schweiz. Ges. f. Volksk. 15).

K o b e l l *Pflanzensagen* — Fr. v. Kobell Über Pflanzensagen und Pflanzensymbolik. München 1875.

K o c h *Animismus* — Th. Koch Zum Animismus der südamerikan. Indianer. 1900. (= Internat. Arch. f. Ethnographie. Suppl. zu Bd. 13).

— *Siebenschläfer* — J. Koch Die Siebenschläferlegende, ihr Ursprung und ihre Verbreitung. Eine mythol.-literaturgeschichtliche Studie. Leipzig 1883.

K ö c h l i n g *de coronarum vi* — Josef Köchling De coronarum apud antiquos vi atque usu. Gießen 1914 (= RVV XIV, 2).

K ö h l e r *Kl. Schr.* — Reinhold Köhler Kleinere Schriften. 3 Bde. Weimar 1898 — Berlin 1900.

— *Sagen* — Joh. Aug. Ernst Köhler Sagenbuch des Erzgebirges. Schneeberg u. Schwarzenberg 1886.

— *Voigtland* — Joh. August Ernst Köhler Volksbrauch, Aberglauben, Sagen und andere alte Überlieferungen im Voigtlande, mit Berücksichtigung des Orlagaus und des Pleißnerlandes. Leipzig 1867.

K o h l r u s c h *Sagen* — C. Kohlrusch Schweizerisches Sagenbuch. Nach mündlichen Überlieferungen, Chroniken etc. Basel 1854.

K o l b e *Hessen* — Wilhelm Kolbe Hessische Volkssitten und Gebräuche im Lichte der heidnischen Vorzeit. 2. Aufl. Marburg 1888.

K o n d z i e l l a *Volksepos* — Franz Kondziella Volkstümliche Sitten und Bräuche im mhd. Volksepos. Mit vergleichenden Anmerkungen. Breslau 1912 (= Wort und Brauch 8).

K o p p *Beiträge* — Hermann Kopp Beiträge zur Geschichte der Chemie. 3 Stücke. Braunschweig 1869—75.

K o r t h *Bergheim* — Leonhard Korth Volkstümliches aus dem Kreise Bergheim (= Annalen des Hist. Ver. f. d. Niederrhein 52, 1 ff.). (Köln 1891.)

— *Jülich* — Leonhard Korth Volkstümliches aus dem Kreise Jülich (= S.-A. aus Zs. d. Aachener Geschichtsver. XIV [1893], 72 ff.).

K o t e l m a n n — L. Kotelmann Die Ophthalmologie bei den alten Hebräern. Hamburg u. Leipzig 1910.

K r a i n z — J. Krainz Mythen und Sagen aus dem steirischen Hochlande. Bruck a. M. 1880.

K r a u s e *Westpreußen* — K. Krause Sitten, Gebräuche u. Aberglauben in Westpreußen. Berlin 1913.

K r a u ß *Relig. Brauch* — Friedrich S. Krauß Volksglaube und religiöser Brauch der Südslaven. Münster 1890 (= Darstellungen aus dem Gebiete der nichtchristl. Religionsgesch. 2).

— *Sitte u. Brauch* — Friedrich S. Krauß Sitte und Brauch der Südslaven. Nach heimischen gedruckten und ungedruckten Quellen. Wien 1885.

K r a u ß *Slav. Volkforschung* — Friedrich S.
Krauß Slavische Volkforschungen. Abhandlungen über Glauben, Gewohnheiten, Sitten,
Bräuche und die Guslarenlieder der Südslaven. Leipzig 1908.

K r ä u t e r m a n n — V. Kräutermann Der
thüring. Th. Paracelsus. Arnstadt u. Leipzig
1730 (Neudruck).

— *Zauber-Arzt* — Valentin Kräutermann Der
curieuse u. vernünftige Zauber-Arzt. Frankf.
u. Leipz. 1725.

K r o h n — Kaarle Krohn Skandinavisk myto-
logi. 1922.

K r o l l *Aberglaube* — Wilhelm Kroll Antiker
Aberglaube. Hamburg 1897.

K r o n f e l d *Krieg* — E. Kronfeld Der Krieg
im Aberglauben und im Volksglauben.
München (1915).

— *Zauberpflanzen* — M. Kronfeld Zauberpflanzen u. Amulette. Wien 1898.

K r ü g e r *Mecklenburg* — Die volkstümlichen
Pflanzennamen Mecklenburgs. In: Archiv
des Vereins der Freunde der Naturgeschichte in Mecklenburg 71 (1917).

K r ü n i t z *Encyklop.* — Ökonomisch-techno-
logische Encyklopädie, oder allgemeines
System der Staats-, Stadt-, Haus- u. Land-
Wirthschaft, und Kunst-Geschichte, in al-
phabetischer Ordnung; von Joh. Georg
Krünitz. Berlin 1773 ff.

K r u s p e *Erfurt* — H. Kruspe Die Sagen der
Stadt Erfurt. Erfurt (1877). 2 Bdchen.

K ü c k *Lüneburger Heide* — Eduard Kück Das
alte Bauernleben der Lüneburger Heide.
Leipzig 1906.

— *Wetterglaube* — E. Kück Wetterglaube in der
Lüneburger Heide. Hamburg 1915.

K ü c k u. S o h n r e y — Ed. Kück und Heinrich Sohnrey Feste und Spiele des deutschen
Landvolkes. 2. Aufl. Berlin 1911. 3. Aufl.
ebd. 1925.

K u h n *Herabkunft d. Feuers* — Adalbert Kuhn
Die Herabkunft des Feuers und des Götter-
trankes. Ein Beitrag zur vergleichenden Mythologie der Indogermanen. Berlin 1859.

— *Märk. Sagen* — Adalbert Kuhn Märkische
Sagen u. Märchen nebst einem Anhange von
Gebräuchen und Aberglauben. Berlin 1843.

— *Mythol. Stud.* — Adalbert Kuhn Mythologi-
sche Studien, hg. v. Ernst Kuhn. Bd. 2:
Hinterlassene mytholog. Abhandlungen.
Gütersloh 1912.

— *Westfalen* — Adalb. Kuhn Sagen, Gebräuche
und Märchen aus Westfalen und einigen andern, besonders den angrenzenden Gegenden
Norddeutschlands. Leipzig 1859. 2 Bde.

— u. S c h w a r t z — A. Kuhn u. W. Schwartz
Norddeutsche Sagen, Märchen und Gebräuche etc. Leipzig 1848.

K ü h n a u *Breslauer Sag.* — Richard Kühnau
Breslauer Sagen. Breslau 1926.

— *Brot* — Richard Kühnau Die Bedeutung
des Backens und des Brotes im Dämonenglauben des deutschen Volkes. Patschkau
1900 (Progr.).

K ü h n a u *Oberschlesische Sagen* — Richard
Kühnau Oberschlesische Sagen geschichtlicher Art. Breslau 1926.

— *Sagen* — Richard Kühnau Schlesische Sagen. Leipzig 1910—13. 3 Bde. (= Schlesiens
Volkstüml. Überlieferungen Bd. III—V).

Kunst-Buch — Nigromantisches Kunst-Buch,
handelnd von . . . den dienstbaren Krystall-
u. Schatzgeistern . . . Köln 1743. Neudruck.
Scheible.

K u n z e *Suhler Sagen* — Friedrich Kunze
Suhler Sagenbuch. Sagen u. Merkwürdigkeiten aus Suhl und Umgebung. Suhl 1920.

K ü n z i g *Baden* — Badische Sagen. Ges. u.
hg. v. Joh. Künzig. Leipzig-Gohlis 1925.

K u o n i *St. Galler Sagen* — J. Kuoni Sagen des
Kantons St. Gallen. St. Gallen 1903.

K ü s t e r *Schlange* — Erich Küster Die
Schlange in der griechischen Kunst und
Religion. Gießen 1913 (= RVV XIII, 2).

K u t s c h *Heilgötter* — Ferdinand Kutsch At-
tische Heilgötter und Heilheroen. Gießen
1913 (= RVV XII, 3).

L a c h m a n n *Überlingen* — Theodor Lachmann Überlinger Sagen, Bräuche und Sitten
mit geschichtlichen Erläuterungen. Ein Beitrag zur Volkskunde der badischen See-
gegend. Konstanz 1909.

L a i s t n e r *Nebelsagen* — Ludwig Laistner
Nebelsagen. Stuttgart 1879.

— *Sphinx* — Ludwig Laistner Das Rätsel der
Sphinx. Berlin 1889.

L a m m e r t — G. Lammert Volksmedizin und
medizinischer Aberglaube in Bayern usw.
Würzburg 1869.

Land — Das Land. Hsg. von H. Sohnrey. Berlin 1893 ff.

L a n d s t e i n e r *Niederösterreich* — Karl Landsteiner Reste des Heidenglaubens in Sagen
und Gebräuchen des niederösterreichischen
Volkes. Krems 1869 (Progr.).

L a n d t m a n *Folkdiktning* — Finlands Svenska Folkdiktning VII, utgivet av Gunnar
Landtman. Helsingfors 1919.

L a u b e *Teplitz* — Gustav E. Laube Volks-
thümliche Überlieferungen aus Teplitz und
Umgebung. Prag 1896. 2. Aufl. 1902. (= Beiträge z. deutsch-böhm. Volksk. I, 2).

L a u f f e r *Niederdeutsche Volksk.* — Otto
Lauffer Niederdeutsche Volkskunde. Leipzig 1917 (= Wiss. u. Bildung 140).

L e B r a z *Légende.* — A. Le Braz La légende
de la Mort chez les Bretons armoricains.
2 Bde. Paris 1923.

L e h m a n n *Aberglaube* — Alfr. Lehmann
Aberglaube u. Zauberei von den ältesten
Zeiten an bis in die Gegenwart. Deutsche
Ausgabe von Petersen. Stuttgart 1898.
2. Ausg. ebd. 1925.

— *Sudetendeutsche* — E. Lehmann Sudetendeutsche Volkskunde. Leipzig 1926.

L e i s t *Franken* — Friedrich Leist Aus Fran-
kens Vorzeit. Kleine Kulturbilder. Würzburg 1881.

Leithaeuser *Berg. Pflanzennamen* — Julius Leithaeuser Bergische Pflanzennamen. Elberfeld 1912.

Lemke *Ostpreußen* — Elisabeth Lemke Volksthümliches in Ostpreußen. Mohrungen 1884 —99. 3 Tle.

Lenggenhager *Sagen* — Hs. Georg Lenggenhager Volkssagen aus dem Kanton Baselland. Basel 1874.

— *Schlösser* — Joh. Georg Lenggenhager Die Schlösser u. Burgen in Baselland . . . nebst einer Menge Volkssagen. 2. Aufl. Ormalingen 1875.

Leoprechting *Lechrain* — Karl Freiherr v. Leoprechting Aus dem Lechrain. München 1855.

Lepner *Littauer* — Theodor Lepner Der Preusche Littauer. Danzig 1744.

Lessiak *Gicht* — Primus Lessiak Gicht. Ein Beitrag zur Kunde deutscher Krankheitsnamen (= S.-A. ZfdA. 53, 1911, 101—182).

Lévy-Bruhl *Fonctions mentales* — L. Lévy-Bruhl Les fonctions mentales dans les sociétés inférieures. 5me éd. Paris 1922.

Lewalter-Schläger — Johann Lewalter Deutsches Kinderlied und Kinderspiel. In Kassel aus Kindermund gesammelt. Abhandlung und Anmerkungen von Georg Schläger. Kassel 1911.

vdLeyen *Märchen* — Friedrich v. d. Leyen Das Märchen. Ein Versuch. Leipzig 1911 (= Wissenschaft u. Bildung 96).

— *Sagenbuch* — Friedrich v. d. Leyen Deutsches Sagenbuch. I: Die Götter u. Göttersagen der Germanen. Neue Bearbeitung. München 1920.

— *Weltuntergang* — Friedrich v. d. Leyen Deutsche Sagen vom Weltuntergang. Volkskunst u. Volkskunde 1907.

Liebrecht *Gervasius* — Felix Liebrecht Des Gervasius von Tilbury Otia imperialia. In einer Auswahl hg. Hannover 1856.

— *Zur Volksk.* — Felix Liebrecht Zur Volkskunde. Alte und neue Aufsätze. Heilbronn 1879.

Liliencron *Deutsches Leben* — Rochus Freiherr von Liliencron Deutsches Leben im Volksliede um 1530. Stuttgart (1884) (=Deutsche Nationalliteratur 13).

Lippert *Christentum* — Julius Lippert Christentum, Volksglaube und Volksbrauch. Geschichtliche Entwicklung ihres Vorstellungsinhaltes. Berlin 1882.

— *Kulturgeschichte* — Julius Lippert Kulturgeschichte der Menschheit in ihrem organischen Aufbau. Stuttgart 1886—87. 2 Bde.

Llano *Cantares* — Aurelio de Llano Esfoyaza De Cantares asturianos. Oviedo 1924.

Lloyd — L. Lloyd Peasant life in Sweden. London 1870.

Löbe *Altenburg* — I. Löbe Aberglaube und Volksheilmittel aus dem Altenburgschen. In: Mitteil. d. Geschichts- und Altertumsforschenden Gesellsch. des Osterlandes. 7 (1874), 441—457.

Locher *Venediger* — Emma Locher Die Venedigersagen. Diss. Tübingen 1922.

Lohmeyer *Saarbrücken* — Karl Lohmeyer Die Sagen des Saarbrücker und Birkenfelder Landes. Leipzig, Stuttgart 1920. 2. Aufl. ebd. 1925.

Lonicer *Kräuterbuch* — Adam Lonicer (Eucharius Rößlins) Kreuterbuch. Frankfurt a. M. 1564.

Lorenz *Edelsteine* — M. Lorenz Die okkulte Bedeutung der Edelsteine. Leipzig 1915.

Losch *Balder* — Friedrich Losch Balder und der weiße Hirsch. Ein Beitrag zur deutschen Mythologie. Stuttgart 1892.

Loewe *Pflanzennamen* — Richard Loewe Germanische Pflanzennamen. Etymologische Untersuchungen über Hirschbeere, Hindebeere, Rehbockbeere u. ihre Verwandten. Heidelberg 1913 (= Germ. Bibliothek II, 6).

Löwenstimm *Abergl.* — August Löwenstimm Aberglaube und Strafrecht. Berlin 1897.

Löwis of Menar *Balten* — August Löwis of Menar Märchen und Sagen. Die Baltischen Provinzen Bd. 5. Berlin 1916 (= Ostsee und Ostland I).

Lucius *Heiligenkult* — Ernst Lucius Die Anfänge des Heiligenkults in der christlichen Kirche, hg. v. Gustav Anrich. Tübingen 1904.

Luck *Alpensagen* — Georg Luck Rätische Alpensagen. Gestalten und Bilder aus der Sagenwelt Graubündens. Davos 1902.

Lüers *Sitte und Brauch* — F. Lüers Sitte und Brauch im Menschenleben. München 1926.

Lütjens *Zwerg* — August Lütjens Der Zwerg in der deutschen Heldendichtung des Mittelalters. Breslau 1911 (= Germ. Abhandl. 38).

Lütolf *Sagen* — Alois Lütolf Sagen, Bräuche, Legenden aus den fünf Orten Lucern, Uri, Schwiz, Unterwalden und Zug. Lucern 1862.

Lüttich *Zahlen* — Selmar Lüttich Über bedeutungsvolle Zahlen. Eine kulturgeschichtliche Betrachtung. Naumburg a. S. 1891 (Progr.).

Lynker *Sagen* — Karl Lynker Deutsche Sagen und Sitten in hessischen Gauen. 2. Ausg. Cassel u. Göttingen 1860.

Maack *Lübeck* — Martin Maack Kultische Volksbräuche beim Ackerbau aus dem Gebiete der freien und Hansestadt Lübeck, aus Ostholstein und den Nachbargebieten. Zürcher Diss. Wetzikon 1915.

Maaß *Mistral* — Albert Maaß Allerlei provenzalischer Volksglaube, zusammengestellt nach F. Mistrals „Mirèio". Diss. Berlin 1895.

Mackensen *Nds. Sagen* — Lutz Mackensen Niedersächsische Sagen (II. Hannover-Oldenburg). Leipzig-Gohlis 1925.

MAG. — Mitteilungen der anthropologischen Gesellschaft Wien.

Magiologia = Magiologia. Das ist: Christlicher Bericht. Von dem Aberglauben und Zauberey .... Durch Philonem. Augustae Rauracorum 1675 (vgl. A n h o r n).

M a g n u s *Augenheilkunde* — Hugo Magnus Die Augenheilkunde der Alten. Breslau 1901.

M a i l l y *Niederösterreich* — Anton Mailly Niederösterreichische Sagen (= Eichblatt 12). Leipzig-Gohlis 1926.

M a n g o l t *Fischbuch* — Gregor Mangolt Fischbuch. Von der natur vnd eigenschaft der vischen / insonderheit ... im Bodensee. Zürich 1557. Neudruck in „Thurgauische Beiträge z. vaterländ. Gesch." 45 (1905), 119—185.

M a n n h a r d t — Wilhelm Mannhardt Wald- und Feldkulte. 2. Aufl., besorgt v. W. Heuschkel. Berlin 1904—05. 2 Bde.

— *Aberglaube* — W. Mannhardt Die praktischen Folgen des Aberglaubens mit besonderer Berücksichtigung der Provinz Preußen. Berlin 1878 (= Zeit- u. Streitfragen VII, 97—98).

— *Forschungen* — Wilhelm Mannhardt Mythologische Forschungen, hg. von Herm. Patzig. Straßburg 1884 (= Quellen u. Forsch. LI).

— *Germ. Mythen* — Wilhelm Mannhardt Germanische Mythen. Forschungen. Berlin 1858.

— *Götter* — Wilhelm Mannhardt Die Götter der deutschen und nordischen Völker. Berlin 1860.

— *Korndämonen* — Wilh. Mannhardt Die Korndämonen. Beitrag zur germ. Sittenkunde. Berlin 1868.

— *Roggenwolf* — Wilhelm Mannhardt Roggenwolf und Roggenhund. Beitrag z. germ. Sittenkunde. Danzig 1865.

M a n n h a r t *Zauberglaube* — W. Mannhart Zauberglaube und Geheimwissen. 4. Aufl. Berlin 1909.

M a e n n l i n g — Joh. Christ. Maennling Denckwürdige Curiositaeten. Franckfurt u. Leipzig 1713.

M a n s i k k a *Ostslaven* — V. J. Mansikka Die Religion der Ostslaven I (= F. F. Communications No. 43). Helsinki 1922.

M a n z *Sargans* — Werner Manz Volksbrauch und Volksglaube des Sarganserlandes. Basel und Straßburg 1916 (= Schriften d. Schweiz Ges. f. Volksk. 12).

M a r c e l l u s E m p i r i c u s — Marcellus Empiricus De medicamentis, ed. G. Helmreich. Leipzig 1889.

M a r s h a l l *Arznei-Kästlein* — William Marshall Neueröffnetes wundersames Arzenei-Kästlein. Leipzig 1894.

M a r t i *Altes Testament* — Karl Marti Die Religion des Alten Testaments unter den Religionen des vorderen Orients. Tübingen 1906.

M a r t i n *Badewesen* — Alfred Martin Deutsches Badewesen in vergangenen Tagen. Nebst einem Beitrag zur Geschichte der deutschen Wasserheilkunde. Jena 1906.

M a r t i n u. L i e n h a r t *Elsäss.Wb.* — E. Martin und H. Lienhart Wörterbuch der elsässischen Mundarten. 2 Bde. Straßburg 1899—1907.

M a r t i n y *Molkerei* — Benno Martiny Aberglaube im Molkereiwesen. Ein Beitrag zum Verständnis des Aberglaubens und zur Geschichte des Molkereiwesens. Bremen 1891.

M a r t i u s *Magie* — J. N. Martius Unterricht von der wunderbaren Magie. Frankfurt und Leipzig 1719 (Neudruck).

M a r z e l l *Bayer. Volksbot.* — Heinrich Marzell Bayerische Volksbotanik. Volkstümliche Anschauungen über Pflanzen im rechtsrheinischen Bayern. Nürnberg (1926).

— *Heilpflanzen* — Heinrich Marzell Unsere Heilpflanzen. Ihre Geschichte u. ihre Stellung in der Volkskunde. Freiburg i. Br. 1922.

— *Kräuterb.* — Heinrich Marzell. Neues Illustriertes Kräuterbuch. Eine Anleitung zur Pflanzenkenntnis usw. 2. Aufl. Reutlingen 1923.

— *Pflanzennamen* — Heinrich Marzell Die Tiere in deutschen Pflanzennamen. Ein botanischer Beitrag zum deutschen Sprachschatze. Heidelberg 1913.

— *Pflanzenwelt* — Heinrich Marzell Die heimische Pflanzenwelt im Volksbrauch und Volksglauben. Skizzen zur deutschen Volkskunde. Leipzig 1922 (= Wiss. u. Bildung 177).

— *Volksleben* — Heinrich Marzell Die Pflanzen im deutschen Volksleben. Jena 1925.

M a t t h i a s *Gottesurteile* — Matthias Beiträge zur Erklärung der germanischen Gottesurteile. Burg 1900 (Progr.).

M a u r e r *Isländ. Sagen* — Konrad Maurer Isländische Volkssagen der Gegenwart. Leipzig 1860.

M a x w e l l — William Maxwell Drei Bücher der magnetischen Heilkunde. Stuttgart 1855.

Medicina Salernitana — Medicina Salernitana, ed. Joh. Curio. Francofurti 1612.

Medizet — Medizinische Zeitschrift für Gebildete 1 (Berlin 1925) ff.

M e g e n b e r g *Buch der Natur* — Das Buch der Natur von Conrad von Megenberg. In Neuhochdeutscher Sprache bearbeitet usw. von Hugo Schulz. Greifswald 1897.

— — ed. Franz Pfeiffer. Stuttgart 1861.

M e i c h e *Sagen* — Alfred Meiche Sagenbuch des Königreichs Sachsen. Leipzig 1903 (= Veröffentlichungen der Ver. für sächs. Volksk.).

M e i e r *Schwaben* — Ernst Meier Deutsche Sagen, Sitten und Gebräuche aus Schwaben. Stuttgart 1852. 2 Thle.

Mélusine — Mélusine. Recueil de mythologie ..., traditions populaires et usages. Paris 1883 ff.

M e n g h i n *Südtirol* — Alois Menghin Aus dem deutschen Südtirol. Mythen, Sagen, Legenden usw. Meran 1884.

M e n k — Menk Hannov. Wendland. Hannover 1910.

M e n s i n g *Schlesw.Wb.* — Schleswig-Holsteinisches Wörterbuch (Volksausgabe) hg. v. Otto Mensing. Neumünster 1926 ff.

M e n z e l *Symbolik* — Wolfgang Menzel, Christliche Symbolik. 2 Bde. Regensburg 1856.

M e s s i k o m m e r — H. Messikommer Aus alter Zeit. Sitten und Gebräuche im Zürcher Oberlande. Zürich 1909—11. 3 Bde.

M e y e r *Aberglaube* — Carl Meyer Der Aberglaube des Mittelalters und der nächstfolgenden Jahrhunderte. Basel 1884.

— *Baden* — Elard Hugo Meyer Badisches Volksleben im 19. Jahrhundert. Straßburg 1900.

— *Germ. Myth.* — Elard Hugo Meyer Germanische Mythologie. Berlin 1891 (= Lehrb. d. germ. Philologie I).

— *Religgesch.* — Rich. M. Meyer Altgermanische Religionsgeschichte. Leipzig 1910.

— *Rendsburg* — Gustav Friedr. Meyer Amt Rendsborger Sagen. Rendsburg 1925.

— *Volksk.* — E. H. Meyer Deutsche Volkskunde. Straßburg 1898.

— *Weihnacht* — Arnold Meyer Das Weihnachtsfest. Seine Entstehung und Entwicklung. Tübingen 1913.

M e y e r - L ü b k e *REWb.* — W. Meyer-Lübke Romanisches etymologisches Wörterbuch. Heidelberg 1911.

MG. — Monumenta Germaniae historica inde ab anno Christi quingentesimo usque ad annum millesimum et quingentesimum. Hann. et Berol. 1826 ff.

MG. Schul. — Monumenta Germaniae historica in usum scholarum edita. Berlin, Weidmann.

M i g n e *PL.* — Migne Patrologiae cursus completus. Series latina. Paris 1844 ff.

Mitteil. Anhalt. Gesch. — Mitteilungen des Vereins f. Anhaltische Geschichte und Altertumskunde.

MjdVk. — Mitteilungen zur jüdischen Volkskunde.

MK. — Medizinische Klinik. Berlin.

MkaschVk. — Mitteilungen des Vereins für kaschubische Volkskunde.

MnböhmExc. — Mitteilungen des Nordböhmischen Excursionsclubs. Leipa.

M o g k *Mythologie* — Eugen Mogk Mythologie, in: Paul, Grundriß der germ. Philologie. 2. Aufl. 3, 230—406. Straßburg 1900.

— *Relgesch.* — Eugen Mogk Germanische Religionsgeschichte und Mythologie. Berlin u. Leipzig 1921 (Sammlg. Göschen).

MoM. — Maal og Minne. Norske Studier. Oslo.

Mones Anzeiger s. AGermMus. u. AnzfKddV.

M o n e *Schauspiele* — F. J. Mone Schauspiele des Mittelalters. Neue Ausg. Mannheim 1852. 2 Bde.

M o n t a n u s *Volksfeste* — Montanus Die deutschen Volksfeste und Volksbräuche in Sagen, Märlein und Volksliedern. Iserlohn s. a.

Mosis, 6. u. 7. Buch — Sechstes u. siebentes Buch Mosis oder der magisch-sympatische Hausschatz. Philadelphia.

M o s t *Encyklopädie* — G. F. Most Encyclopädie der gesamten Volksmedizin oder Lexikon der Hausmittel. Leipzig 1843.

— *Sympathie* — G. F. Most Die sympathetischen Mittel u. Curmethoden. Rostock 1842.

MQ — Mitteilungen aus dem Quickborn.

MsäVk. — Mitteilungen des Vereins für sächsische Volkskunde.

MschlesVk. — Mitteilungen der Schlesischen Gesellschaft für Volkskunde.

MSchönhVk. — Mitteilungen zur Volkskunde des Schönhengster Landes.

MSD. — Müllenhoff u. Scherer Denkmäler deutscher Poesie und Prosa aus dem 8. —12. Jahrhundert 3. Ausg. Berlin 1892.

M ü l h a u s e — E. Mülhause Die aus der Sagenzeit stammenden Gebräuche der Deutschen, namentlich der Hessen. Kassel 1862 (S.-A. aus Zeitschr. d. Ver. f. Hess. Gesch. u. Landesk.).

— *Hessen* — Elard Mülhause Die Urreligion des deutschen Volkes, in hessischen Sitten, Sagen usw. Cassel 1860.

M ü l l e n h o f f *Altertumsk.* — Karl Müllenhoff Deutsche Altertumskunde. Berlin 1890, 1906, 1892, 1920, 1908. 5 Bde.

— *Natur* — K. Müllenhoff Die Natur im Volksmunde. Berlin 1898.

— *Sagen* — Karl Müllenhoff Sagen, Märchen und Lieder der Herzogthümer Schleswig-Holstein und Lauenburg. Kiel 1845.

M ü l l e r *Altertumsk.* — Sophus Müller Nordische Altertumskunde. Nach Funden und Denkmälern aus Dänemark und Schleswig. Straßburg 1897—98. 2 Bde.

— *Essays* — Max Müller Essays. 1. u. 2. Bd. 2. Aufl. Leipzig 1879—81. 3. u. 4. Bd. Leipzig 1872—76.

— *Hexenglaube* — Friedrich Müller Beiträge zur Geschichte des Hexenglaubens und des Hexenprozesses in Siebenbürgen. Braunschweig 1854.

— *Isergebirge* — Wilhelm Müller-Rüdersdorf Aberglaube und Volksmeinung im Isergebirge. Friedberg 1920.

— *RheinWb.* — Josef Müller Rheinisches Wörterbuch. Bonn u. Leipzig 1923 ff.

— *Siebenbürgen* — Friedrich Müller Siebenbürgische Sagen. 2. Aufl. Wien u. Hermannstadt 1885 (= Siebenb.-deutsche Volksbücher I).

— *Stilform* — Martin Müller Über die Stilform der altdeutschen Zaubersprüche bis 1300. Diss. Gotha 1901.

— *Urner Sagen* — Josef Müller Sagen aus Uri. Aus dem Volksmunde gesammelt. Basel 1926 ff. (= Schriften d. Schweiz. Ges. f. Volksk. 18).

M ü l l e r - F r a u r e u t h — Karl Müller-Fraureuth Wörterbuch der obersächsischen und erzgebirgischen Mundart. Dresden 1911 ff.

M u r r *Pflanzenwelt* — Josef Murr Die Pflanzenwelt in der griechischen Mythologie. Innsbruck 1890.

M u u s *Altgerm. Relig.* — Rudolf Muus Die altgermanische Religion nach kirchlichen Nachrichten aus der Bekehrungszeit der Südgermanen. Diss. Bonn 1914.
MVerBöhm. — Mitteilungen des Vereins für Geschichte der Deutschen in Böhmen.
MwürttVk. — Mitteilungen über volkstümliche Überlieferungen in Württemberg (s. die einzelnen Verfasser).
N a r d o *Zoologia veneta* — C. A. Nardo Zoologia popolare veneta, specialmente Bellunese. Palermo 1887.
N a s o *Phoenix* — E. J. Naso Phoenix redivivus Ducatuum Suidnicensis et Jauroviensis. Breßlau 1667.
N a u m a n n *Gemeinschaftskultur* — Hans Naumann Primitive Gemeinschaftskultur. Beiträge zur Volkskunde und Mythologie. Jena 1922.
— *Grundzüge* — Hans Naumann Grundzüge der deutschen Volkskunde. Leipzig 1922 (= Wiss. u. Bildung 181).
— *Schutzgeister* s. B l u m.
NdlTVk. — Nederlandsch Tijdschrift voor Volkskunde.
Nds. — Niedersachsen.
NdZfVk. — Niederdeutsche Zeitschrift für Volkskunde, hg. v. E. Grohne. Bremen 1925 ff.
N e c k e l *Walhall* — G. Neckel Walhall. Studien über germanischen Jenseitsglauben. Dortmund 1913.
N e i d h a r t *Schwaben* — Franz X. Neidhart Die Pflanzen in religiöser, abergläubischer u. volkstüml. Beziehung. Ein Beitr. z. Volksbotanik Schwabens. 19. Bericht des Naturhistor. Vereins in Augsburg 1867, 3—66.
N e m n i c h — Phil. Andr. Nemnich Allgem. Polyglotten-Lexikon der Naturgeschichte. Hamburg u. Halle 1793.
N e u m a n n *Steinkreuze* — R. Neumann Alte Steinkreuze in der Gegend der mittl. Saale. Progr. s. l. e. a.
Neuphilologische Mitteilungen. Helsingfors Bd. 1 ff.
N Jbb. — Neue Jahrbücher für das klassische Altertum usw., hg. von Joh. Ilberg.
N i e d e r b e r g e r *Unterwalden* — Franz Niederberger Sagen, Märchen und Gebräuche aus Unterwalden. Sarnen 1908—14. 3 Bde.
N i e d *Heilige* — Edmund Nied Heiligenverehrung u. Namengebung. Diss. Freiburg i. Br. 1924.
NieddZ. s. NdZfVk.
N i e d e r h ö f f e r *Meckl. Sagen* — A. Niederhöffer Mecklenburgs Volkssagen. 4 Bde. Leipzig 1858—62.
N i l s s o n *Griech. Feste* — Martin P. Nilsson Griechische Feste von religiöser Bedeutung mit Ausschluß der attischen. Leipzig 1906.
— *Jahresfeste* -- Martin P. Nilsson Die volkstümlichen Feste des Jahres. Tübingen 1914 (= Relig.geschichtl. Volksbücher III, 17 bis 18).

N i l s s o n *Religion* — Martin P. Nilsson Primitive Religion. 1.—6. Tausend. Tübingen 1911 (= ebd. III, 13—14).
— *Time-Reckoning* — Martin P. Nilsson Primitive Time Reckoning. A Study in the origins and first development of the act of counting time among the primitive and early culture peoples. Lund 1920.
N o r d e n *Aeneis* — Eduard Norden P. Vergilius Maro Aeneis Buch VI. 2. Aufl. Leipzig u. Berlin 1916.
— *Geburt* — Ed. Norden Die Geburt des Kindes. Geschichte einer religiösen Idee. Leipzig und Berlin 1924 (= Studien der Bibliothek Warburg III).
N o r k *Festkalender* — F. Nork Der Festkalender. Stuttgart 1847 (= Das Kloster VII).
— *Sitten* — F. Nork Die Sitten u. Gebräuche der Deutschen. Stuttgart 1849 (= Das Kloster XII).
— *Volkssage* — F. Nork Mythologie der Volkssagen. Stuttgart 1848 (= Das Kloster IX).
Norske Hexefml. — A. Chr. Bang Norske Hexeformularer og magiske Opskrifter, Vidensskabsselskabets Skrifter. II. Historisk-Filos. Klasse. 1901 Nr. 1. Kristiania 1901—02.

O b e r h o l z e r *Thurgau* — A. Oberholzer Thurgauer Sagen. Frauenfeld 1912.
O c h s *BadWb.* — s. BadWb.
OdZfVk. — Oberdeutsche Zeitschrift für Volkskunde, hg. v. E. Fehrle 1 (1927) ff.
O h r t s. *Danm. Tryllefml.*
O l r i k *Ragnarök* — Axel Olrik Ragnarök. Die Sagen vom Weltuntergang, übertragen von Wilh. Ranisch. Berlin 1922.
Ons Hémecht, Festschrift zur Feier des 30jährigen Bestehens des Vereins 1894—1924. Luxemburg.
O s e n b r ü g g e n *Studien* — Eduard Osenbrüggen Studien zur deutschen und schweizerischen Rechtsgeschichte. Basel 1881.
O t t e *Glockenkunde* — H. Otte Glockenkunde. 2. Aufl. Leipzig 1884.

P a c h i n g e r *Steinreich* — A. M. Pachinger Glaube und Aberglaube im Steinreich. München 1912.
P a l a n d e r *Ahd. Tiernamen* — Hugo Palander Die althochdeutschen Tiernamen. Darmstadt 1899.
P a n z e r *Beitrag* — Friedrich Panzer Beitrag zur deutschen Mythologie. München 1848 bis 1855. 2 Bde.
— *Sigfrid* — Friedrich Panzer Studien zur germanischen Sagengeschichte. II: Sigfrid. München 1912.
P a p a h a g i *Folklorul romanic* — Tache Papahagi Din folklorul romanic şi cel latin Studiu comparat. Bucureşti 1923.
Paracelsus — F. Freudenberg Paracelsus und Fludd. Berlin 1918 (= Geheime Wiss. 17).
P a r t h e y — G. Parthey Zwei griechische Zauberpapyri des Berliner Museums. Berlin 1866.

P a u l l i n i *Dreck-Apotheke* — K. F. Paullini Heilsame Dreck-Apotheke. Nach der Ausgabe von 1714 neugedruckt. Stuttgart (Scheible) 1847.

P a u l u s *Hexenwahn* — Nikolaus Paulus Hexenwahn u. Hexenprozeß vornehmlich im 16. Jahrhundert. Freiburg i. Br. 1910.

P a u l y - W i s s o w a — Paulys Real-Encyclopädie der classischen Altertumswissenschaft. Neue Bearbeitung. Hg. v. G. Wissowa u. a. Stuttgart 1893 ff.

PBB — Paul u. Braune Beiträge z. Geschichte der deutschen Sprache und Literatur.

P e r d e l w i t z *Petrusbrief* — Richard Perdelwitz Die Mysterienreligion und das Problem des 1. Petrusbriefes. Gießen 1911 (= RVV XI, 3).

P e r g e r *Pflanzensagen* — A. Ritter v. Perger Deutsche Pflanzensagen. Stuttgart u. Oehringen 1864.

P e t e r *Österreichisch-Schlesien* — A. Peter Volkstümliches aus Österreichisch-Schlesien. Troppau 1865.

P e t e r s *Pharmazeutik* — Hermann Peters Aus pharmazeutischer Vorzeit in Bild und Wort. 1. Bd. 2. Aufl. Berlin 1891. 2. Bd. cbd. 1889.

P e t e r s e n *Hufeisen* — Chr. Petersen Hufeisen und Roßtrappen oder die Hufeisensteine in ihrer mythologischen Bedeutung. Kiel 1865 (= Bericht XXV der Schleswig-Holstein.-Lauenburg. Gesellsch. f. d. Sammlung vaterl. Alterth.).

P e u c k e r t *Schlesien* — Will-Erich Peuckert Schlesische Sagen. Jena 1924 (= Deutscher Sagenschatz).

P f a l z *Marchfeld* — Anton Pfalz d. Ä. Bauernlehr' und Bauernweis'. Volkstümliche Redensarten und Wörter, Bräuche u. Meinungen, Sitten u. Sagen . . . aus dem Leben eines Marchfelders. Wien 1914.

P f a n n e n s c h m i d *Erntefeste* — Heino Pfannenschmid Germanische Erntefeste im heidnischen und christlichen Cultus mit besonderer Beziehung auf Niedersachsen. Hannover 1878.

— *Weihwasser* — Heino Pfannenschmid Das Weihwasser im heidnischen und christlichen Cultus unter besonderer Berücksichtigung des germanischen Alterthums. Hannover 1869.

P f e i f f e r *Arzneibücher* — Franz Pfeiffer Zwei deutsche Arzneibücher aus dem 12. und 13. Jahrhundert. In: Phil.-hist. Sitz.-ber. der Akademie. Wien 2 (1863), 110—200.

— *Sternglaube* — Erwin Pfeiffer Studien zum antiken Sternglauben. Leipzig u. Berlin 1916 (= Stoicheia II).

P f i s t e r *Hessen* — Hermann v. Pfister Sagen und Aberglaube aus Hessen und Nassau. Marburg 1885.

— *Reliquienkult* — Friedrich Pfister Der Reliquienkult im Altertum. Gießen 1909—12. 2 Bde. (= RVV V).

P f i s t e r *Schwaben* — Friedrich Pfister Schwäbische Volksbräuche, Feste und Sagen. Augsburg 1924.

P h i l i p p *Ermland* — Max Philipp Beiträge zur ermländischen Volkskunde. Diss. Greifswald 1906.

P i c k *Aachen* — Rich. Pick Aachener Sitten und Bräuche in älterer Zeit. Rheinische Geschichtsblätter 1 (1894), 8 ff.; 2 (1895), 177 ff.

P i e p e r *Volksbotanik* — Richard Pieper Volksbotanik. Unsere Pflanzen im Volksgebrauche, in Geschichte u. Sage usw. Gumbinnen 1897.

P i t r è *Fiabe* — G. Pitrè Fiabe e leggende. Palermo.

— *Usi* — Gius. Pitrè Usi e Costumi, credenze e pregiudizi del popolo siciliano. 4 Bde. Palermo 1889.

P l e n z a t *Sage u. Sitte* — Karl Plenzat Sage und Sitte im Deutschherrenlande. Breslau 1926.

P l e y *de lanae usu.* — Jakob Pley De lanae in antiquorum ritibus usu. Gießen 1911 (= RVV XI, 2).

P l i n i u s — C. Plinius Secundus Naturalis Historia.

P l o ß *Kind* — Heinrich Ploß Das Kind in Brauch und Sitte der Völker. 3. Aufl. Hg. v. B. Renz. Leipzig 1911—12. 2 Bde.

— *Weib* — Hch. Ploß u. Max Bartels Das Weib in der Natur- u. Völkerkunde. 10. Aufl. Leipzig 1913. 2 Bde.

P o l l i n g e r *Landshut* — Johann Pollinger Aus Landshut und Umgebung. Ein Beitrag zur Heimats- und Volkskunde. München 1908.

P ö t t i n g e r *Niederösterreich* — Jos. Pöttinger Niederösterreichische Volkssagen. Wien 1924.

P r a d e l *Gebete* — Fritz Pradel Griechische und süditalienische Gebete, Beschwörungen und Rezepte. Gießen 1907 (= RVV III, 3).

P r a e t o r i u s *Anthropodemus* — Johann Praetorius Anthropodemus Plutonicus das ist Neue Weltbeschreibung von allerley wunderbaren Menschen. Magdeburg 1666.

— *Blocksberg* — J. Praetorius Blockes Berges Verrichtung. Leipzig 1668.

— *Deliciae pruss.* — Matthäus Prätorius Deliciae prussicae oder Preußische Schaubühne, hg. v. W. Pierson. Berlin 1871.

— *Phil.* — J. Praetorius Philosophia colus oder Pfy lose vieh der Weiber usw. Leipzig und Amsterdam 1662.

P r e u ß *Medizin* — Julius Preuß Biblisch-talmudische Medizin. Berlin 1911.

— *Naturvölker* — K. Th. Preuß Die geistige Kultur der Naturvölker. Leipzig u. Berlin 1914 (= ANuG. 452).

P r ö h l e *Harz* — H. Pröhle Harzsagen, zum Theil in der Mundart der Gebirgsbewohner. Leipzig 1886.

— *Unterharz* — Heinrich Pröhle Unterharzische Sagen. Aschersleben 1856.

P s e l l u s — M. Psellus De lapidum virtutibus ed. Bernard. Lugd. Batav. 1745.

Q u e n s e l *Thüringen* — Paul Quensel Thüringer Sagen. Jena 1926.

Q u e n s t e d t — Fr. Aug. Quenstedt Handbuch d. Mineralogie. 2. Aufl. Tübingen 1863.

Q u e r i *Bauernerotik* — Georg Queri Bauernerotik und Bauernfehme in Oberbayern. München 1911.

Q u i t z m a n n — Anton Quitzmann Die heidnische Religion der Baiwaren. Erster faktischer Beweis der Abstammung dieses Volkes. Leipzig und Heidelberg 1860.

R a d e r m a c h e r *Beiträge* — Ludwig Radermacher Beiträge zur Volkskunde aus dem Gebiete der Antike. Wien 1918 (= Akad. d. Wiss., philos.-hist. Kl. 187, 3).

R a n k *Böhmerwald* — Josef Rank Aus dem Böhmerwalde. Bilder u. Erzählungen aus dem Volksleben. 1. Gesamtausgabe. Leipzig 1851. 3 Bde.

R a n k e *Sagen* — Friedrich Ranke Die deutschen Volkssagen. München 1910. 2. Aufl. ebd. 1923 (= F. v. d. Leyen, Deutsches Sagenbuch 4).

R a n t a s a l o *Ackerbau* — A. V. Rantasalo Der Ackerbau im Volksglauben der Finnen und Esten mit entsprechenden Gebräuchen der Germanen verglichen (F. F. Communications Nr. 30 ff.). Sortavala 1919 ff.

R a t z e l *Völkerkunde* — Friedrich Ratzel Völkerkunde. 3 Bde. Leipzig 1886—1888.

R e h m *Feste* — Herm. S. Rehm Deutsche Volksfeste und Volkssitten. Leipzig 1908 (= ANuG. 214).

R e i c h b o r n - K j e n n e r u d *Laegeurter* — J. Reichborn-Kjennerud Våre folkemedisinske laegeurter. Tillej til Tidskrift for den Norske Laegeforening. 1922.

R e i n f r i e d *Buchari* — H. Reinfried Bräuche bei Zauber und Wunder nach Buchari. Freiburger Diss. Karlsruhe 1915.

R e i n s b e r g *Böhmen* — O. Freiherr v. Reinsberg-Düringsfeld Festkalender aus Böhmen. Neue Ausgabe. Prag (1861).

— *Festjahr* — O. Freiherr von Reinsberg-Düringsfeld Das festliche Jahr in Sitten, Gebräuchen und Festen der germanischen Völker. Leipzig 1863.

— *Meran* — O. Freiherr v. Reinsberg-Düringsfeld Culturhistorische Studien aus Meran. Leipzig 1874.

R e i s e r *Allgäu* — Karl Reiser Sagen, Gebräuche und Sprichwörter des Allgäus. Kempten s. a. (1897—1902). 2 Bde.

R e i t e r e r *Ennstalerisch* — Karl Reiterer Ennstalerisch. Volkstümliches aus der nordwestl. Steiermark. Graz 1913.

— *Steiermark* — Karl Reiterer 's steirische Paradies. Graz 1919.

R e i t z e n s t e i n *Wundererz.* — R. Reitzenstein Hellenistische Wundererzählungen. Leipzig 1906.

R e l i n g u. B o h n h o r s t *Pflanzen* — H. Reling u. J. Bohnhorst Unsere Pflanzen. 3. Aufl. Gotha 1898.

REthn. — Revue d'Ethnographie et des Traditions populaires.

R e u s c h *Samland* — R. Reusch Sagen des Preußischen Samlandes. 2. Aufl. Hsg. v. d. Lit. Kränzchen zu Königsberg. Königsberg 1863.

R e u s c h e l *Streifzüge* — Karl Reuschel Volkskundliche Streifzüge. Dresden u. Leipzig 1903.

— *Volkskunde* — Karl Reuschel Deutsche Volkskunde im Grundriß. Leipzig u. Berlin 1920 u. 1924 (= ANuG. 644 u. 645).

R e u t e r s k i ö l d *Speisesakr.* — Edgar Reuterskiöld Die Entstehung der Speisesakramente. Übersetzt v. Hans Sperber. Heidelberg 1912 (= Relig.-wiss. Bibl. 4).

Rev. intern. — Revue internationale.

RGG. — Die Religion in Geschichte und Gegenwart. Tübingen 1909—13. 2. Aufl. ebd. 1927 ff.

Rhein.Wb. — s. Jos. M ü l l e r.

R h i n e r *Waldstätten* — Josef Rhiner Volkstümliche Pflanzennamen der Waldstätten. Schwyz 1866.

RhMus. — Rheinisches Museum für Philologie.

RHRel. — Revue de l'Histoire des Religions.

R i e g l e r *Tier* — Richard Riegler Das Tier im Spiegel der Sprache. Dresden u. Leipzig 1907.

— *Tiernamenkunde* — Richard Riegler Zur Tiernamenkunde (Dachs, Rebhuhn, Raupe). Progr. Pola 1909. Zugleich erschienen in Festschrift d. 50. Versammlung deutscher Philologen u. Schulmänner. Graz 1909.

R i e t s c h e l *Weihnacht* — Georg Rietschel Weihnachten in Kirche, Kunst und Volksleben. Bielefeld u. Leipzig 1902 (= Sammlung illustr. Monographien 5).

R o c h h o l z *Gaugöttinnen* — E. L. Rochholz Drei Gaugöttinnen Walburg, Verena und Gertrud als deutsche Kirchenheilige. Leipzig 1870.

— *Glaube* — E. L. Rochholz Deutscher Glaube und Brauch im Spiegel der heidnischen Vorzeit. Berlin 1867. 2 Bde.

— *Kinderlied* — E. L. Rochholz Alemannisches Kinderlied und Kinderspiel aus der Schweiz. Leipzig 1857.

— *Naturmythen* — E. L. Rochholz Naturmythen. Neue Schweizersagen gesammelt und erläutert. Leipzig 1862.

— *Sagen* — E. L. Rochholz Schweizersagen aus dem Aargau. Aarau 1856. 2 Bde.

— *Tell* — E. L. Rochholz Tell und Geßler in Sage und Geschichte. Heilbronn 1877.

Rockenphilosophie — Die gestriegelte Rockenphilosophie oder Aufrichtige Untersuchung derer von vielen superklugen Weibern hochgehaltenen Aberglauben. 5. Aufl. Chemnitz 1759.

Rogasener Familienblatt — O. Knoop Rogasener Familienblatt. Rogasen.

R o h d e *Psyche* — Erwin Rohde Psyche. See-lencult und Unsterblichkeitsglaube der Griechen. 7. u. 8. Aufl. Tübingen 1921. 2 Bde.
— *Kl. Schr.* — Erwin Rohde Kleine Schriften. Tübingen und Leipzig 1901. 2 Bde.
R ö h r — J. Röhr Der okkulte Kraftbegriff im Altertum. Leipzig 1923.
R o l l a n d *Faune* — Eugène Rolland Faune populaire de la France. 13 Bde. Paris 1877 ff.
— *Flore* — Eugène Rolland Flore populaire ou histoire naturelle des plantes dans leurs rapports avec la linguistique et le folklore. Paris 1896 ff. 11 Vol.
Romanusbüchlein — Romanusbüchlein oder Gott der Herr bewahre meine Seele. Schwä-bisch-Hall.
R o s c h e r *Fünfzig* — Wilh. Heinr. Roscher Die Zahl 50 in Mythus, Kultus, Epos und Taktik der Hellenen und anderer Völker, besonders der Semiten. Leipzig 1917.
— *Lex.* — W. R. Roscher Lexikon d. griech. u. röm. Mythologie Leipzig 1884 ff.
— *Omphalos* — Wilh. Heinr. Roscher Ompha-los. Eine philologisch-archäologisch-volks-kundliche Abhandlung über die Vorstellun-gen der Griechen und anderer Völker vom „Nabel der Erde". Leipzig 1913 (= Abhandl. sächs. Ges. d. Wiss. phil.-hist. Kl.. XXIX. Bd., Nr. IX).
— *Omphalosgedanke* — Wilh. Heinr. Roscher Der Omphalosgedanke bei verschiedenen Völkern, bes. den semitischen. Ein Beitrag zur vergleichenden Religionsgeschichte, Volkskunde u. Archäologie. Leipzig 1918.
— *Sieben- u. Neunzahl* — Wilh. Heinr. Ro-scher Die Sieben- und Neunzahl im Kultus und Mythus der Griechen. Leipzig 1904.
— *Tesserakontaden* — W. H. Roscher Die Tesserakontaden der Griechen und anderer Völker. Abh. sächs. Akad. (1909).
R o s e g g e r *Sittenbilder* — P. Rosegger Sit-tenbilder aus dem steierischen Oberlande. Graz 1870.
— *Steiermark* — P. K. Rosegger Das Volksleben in Steiermark in Charakter- und Sitten-bildern dargestellt. Wien, Pest, Leipzig 1881.
R o s é n *Död och begravning* — H. Rosén Död och begravning. S.-A. aus: Västsvensk Forntro och Folksed. Göteborgs Jubileums-publikationer 1923. Göteborg.
— *Dödsrike* — H. Rosén Om dödsrike och dödsbruk i fornnordisk religion. Lund 1918.
R o s e n k r a n z *Pflanzen* — C. Rosenkranz Die Pflanzen im Volksaberglauben. 2. Aufl. Leipzig 1896.
R o t h e n b a c h *Bern* — J. E. Rothenbach Volkstümliches aus dem Kt. Bern. S. A. Zürich 1876.
R o w a l d *Bauleute* — Paul Rowald Brauch, Spruch und Lied der Bauleute. Hannover 1892.
RTrp. — Revue des Traditions populaires. Paris 1886 ff.

R u b i n *Kabbala* — S. Rubin Kabbala und Agada in mythologischer, symbolischer und mystischer Personifikation der Fruchtbar-keit in der Natur. Wien 1895.
R u s k a *Aristoteles* — Jul. Ruska Das Stein-buch des Aristoteles. Heidelberg 1912.
R u ß w u r m *Eibofolke* — C. Rußwurm Eibo-folke oder die Schweden an den Küsten Esthlands und auf Runö. 2 Theile. Reval 1855.
RVV — Religionsgeschichtliche Versuche und Vorarbeiten (s. die einzelnen Verfasser).
S a i n é a n *Etym. franç.* — L. Sainéan Les sources indigènes de l'étymologie française. 2 vol. Paris 1925.
S a m t e r *Familienfeste* — Ernst Samter Fa-milienfeste der Griechen und Römer. Berlin 1901.
— *Geburt* — Ernst Samter Geburt, Hochzeit und Tod. Beiträge zur vergleichenden Volkskunde. Leipzig u. Berlin 1911.
— *Religion* — Ernst Samter Die Religion der Griechen. Leipzig u. Berlin 1914 (= ANuG. 457).
— *Volkskunde* — E. Samter Die Volkskunde im altsprachl. Unterricht. Berlin 1923.
S a n n *Sagen* — Hans von der Sann Sagen aus der grünen Mark. 3. Aufl. Graz 1892.
S a r t o r i *Sitte u. Brauch* — Paul Sartori Sitte und Brauch. Leipzig 1910—14. 3 Bde. (= Handbücher z. Volkskunde 5—8).
— *Totenspeisung* — Paul Sartori Die Speisung der Toten. Dortmund 1903 (Progr.).
— *Westfalen* — Paul Sartori Westfälische Volkskunde. Leipzig 1922.
S a t t e r *Gottscheer Pflanzennamen* — Johann Satter Volkstümliche Pflanzennamen aus Gottschee. 2. Jahresber. des k. k. Staats-untergymnasiums zu Gottschee. Gottschee 1898, 3—21.
S a u p e *Indiculus* — Heinrich Albin Saupe Der Indiculus superstitionum et pagania-rum. Ein Verzeichnis heidnischer und aber-gläubischer Gebräuche und Meinungen aus der Zeit Karls d. Gr., aus zumeist gleich-zeitigen Schriften erläutert. Leipzig 1891 (Progr.).
SAVk. — Schweizerisches Archiv für Volks-kunde. Basel 1897 ff.
S a x l *Verzeichnis* — Saxl Verzeichnis astrol. u. mythol. illustrierter Hss. des latein. Mit-telalters in römischen Bibliotheken. Sitz.-Ber. Heidelb. Akad. phil. hist. Kl. 1915, 6.—7. Abh.
S c h a d e — O. Schade Althochdeutsches Wör-terbuch 2. Aufl. Halle 1872—82.
— *Klopfan* — Oskar Schade Klopfan. Ein Bei-trag zur Geschichte der Neujahrsfeier. Hannover 1855 (= S.-A. aus Weimar. Jahrb. II).
— *Ursula* — Oskar Schade Die Sage von der heiligen Ursula und den elftausend Jung-frauen. Ein Beitrag zur Sagenforschung. 3. Aufl. Hannover 1854.

S c h ä f e r *Verwandlung* — August Schäfer Die Verwandlung der menschlichen Gestalt im Volksglauben. Darmstadt 1905 (Progr.).

— T h o m a s — Geheim- und Sympathie-Mittel des alten Schäfer Thomas. 6. Aufl. Altona s. a. 12 Bdchen.

S c h a m b a c h *Wb.* — Georg Schambach Wörterbuch der niederdeutschen Mundart der Fürstenthümer Göttingen und Grubenhagen. Hannover 1859.

S c h a m b a c h u. M ü l l e r — Georg Schambach und Wilhelm Müller Niedersächsische Sagen und Märchen. Göttingen 1855.

S c h e f o l d u. W e r n e r — Schefold und Werner Der Aberglaube im Rechtsleben. Halle 1912.

S c h e f t e l o w i t z *Bauernglaube* — Isidor Scheftelowitz Altpalästinensischer Bauernglaube. Hannover 1925.

— *Huhnopfer* — Isidor Scheftelowitz Das stellvertretende Huhnopfer. Mit besonderer Berücksichtigung des jüdischen Volksglaubens. Gießen 1914 (= RVV XIV, 3).

— *Schlingenmotiv* — Isidor Scheftelowitz Das Schlingen- und Netzmotiv im Glauben und Brauch der Völker. Gießen 1912 (= RVV XII, 2).

S c h e l e n z *Shakespeare* — Hermann Schelenz Shakespeare und sein Wissen auf den Gebieten der Arznei- und Volkskunde. 1. Leipzig und Hamburg 1914.

S c h e l l *Bergische Sagen* — Otto Schell Bergische Sagen. Elberfeld 1897.

— *Berg. Volksk.* — Otto Schell Bergische Volkskunde. Elberfeld 1924.

S c h e r k e *Primitive* — F. Scherke Über das Verhalten der Primitiven zum Tode. Langensalza 1923 (= Fr. Manns Pädagog. Magazin Heft 938).

S c h i l d *Großätti* — Fr. Jos. Schild Der Großätti aus dem Leberberg. 2 Bde. Solothurn 1863 u. Grenchen 1873.

S c h i l l e r *Tierbuch* — C. Schiller Zum Thier- und Kräuterbuche des mecklenburgischen Volkes. Schwerin 1861 ff.

S c h i n d l e r *Aberglaube* — Heinrich Bruno Schindler Der Aberglaube des Mittelalters. Ein Beitrag zur Culturgeschichte. Breslau 1858.

S c h l e i c h e r *Sonneberg* — August Schleicher Volkstümliches aus Sonneberg im Meininger Oberlande. 2. Aufl. Sonneberg 1894.

SchleswWb. s. M e n s i n g.

S c h l o s s a r *Steiermark* — Anton Schlossar Cultur- u. Sittenbilder aus Steiermark. Graz 1855.

S c h l o s s e r *Galgenmännlein* — Alfred Schlosser Die Sage vom Galgenmännlein im Volksglauben und in der Literatur. Diss. Münster 1912.

S c h m e l l e r *BayWb.* — J. A. Schmeller Bayerisches Wörterbuch. 2. Ausg. München 1872—1877. 2 Bde.

S c h m i d - S p r e c h e r — M. Schmid und F. Sprecher Zur Geschichte der Hexenverfolgungen in Graubünden mit besonderer Berücksichtigung des Heinzenberges, der Gruob, des Schanfiggs und des Prättigaus. Chur 1919.

S c h m i d t *Geburtstag* — Wilhelm Schmidt Geburtstag im Altertum. Gießen 1908 (= RVV VII, 1).

— *Gottesidee* — P. W. Schmidt Der Ursprung der Gottesidee. Eine historisch-kritische und positive Studie. I: Historisch-kritischer Teil. Münster 1912.

— *Griech. Märchen* — Bernhard Schmidt Griechische Märchen, Sagen und Volkslieder. 1877.

— *Kräuterbuch* — Georg Schmidt Mieser Kräuter- und Arzneibuch. Prag 1905 (= Beitrag z. deutsch-böhm. Volksk. V, 3).

— *Kultübertr.* — Ernst Schmidt Kultübertragungen. Gießen 1910 (= RVV VIII, 2).

— *Name* — Wilh. Schmidt Die Bedeutung des Namens in Kult und Aberglauben. Progr. Darmstadt 1912.

— *Volksk.* — Erich Schmidt Deutsche Volkskunde im Zeitalter des Humanismus und der Reformation. Berlin 1904 (= Histor. Studien Heft 47).

— Nachrichter — Maister Franntzn Schmidts Nachrichters inn Nürmberg all sein Richten, hg. v. Albr. Keller. Leipzig 1913.

S c h m i t t *Hettingen* — Emil Schmitt Sagen, Volksglauben, Sitten und Bräuche aus dem Baulande (Hettingen). Ein Beitrag zur badischen Volkskunde. Baden-Baden 1895 (Progr.).

S c h m i t z *Bußbücher* — H. J. Schmitz Die Bußbücher und das kanonische Bußverfahren. Düsseldorf 1898.

— *Eifel* — J. H. Schmitz Sitten und Sagen, Lieder, Sprüchwörter und Räthsel des Eifler Volkes, nebst einem Idiotikon. Trier 1856 bis 1858. 2 Bde.

— *Siebengebirge* — Ferdinand Schmitz Volkstümliches aus dem Siebengebirge. S.-A. aus d. Rhein. Gesch. Bl. Bonn 1901 (= Zur deutsch. Volksk. 5).

S c h n e e w e i s *Weihnacht* — Edmund Schneeweis Die Weihnachtsbräuche der Serbokroaten. Ergänzungsband XV zur WZfVk. Wien 1925.

S c h n e l l e r *Wälschtirol* — Christian Schneller Märchen und Sagen aus Wälschtirol. Ein Beitrag zur deutschen Sagenkunde. Innsbruck 1867.

S c h ö n b a c h *Berthold v. R.* — Anton E. Schönbach Studien zur Geschichte der altdeutschen Predigt. II. Teil: Zeugnisse Bertholds von Regensburg zur Volkskunde. Wien 1900 (= Sb. Akad. Wien, phil.-hist. Kl. CXLII).

— *HSG.* — Schönbachs handschriftliche Sammlung von Segen in der Gießener Universitätsbibliothek.

S c h ö n w e r t h *Oberpfalz* — Fr. Schönwerth Aus der Oberpfalz. Sitten und Sagen. Augsburg 1857—59. 3 Tle.

S c h ö p p n e r *Sagen* — A. Schöppner Sagenbuch der Bayerischen Lande. München 1852 bis 1853. 3 Bde.

S c h r a d e r *Indogermanen* — O. Schrader Die Indogermanen. 3. Aufl. Leipzig 1919 (= Wiss. u. Bildung 77).

— *Reallex.* — O. Schrader Reallexikon der indogermanischen Altertumskunde. Straßburg 1901. 2. Aufl. (im Erscheinen).

— *Sprachvergleichung* — O. Schrader Sprachvergleichung und Urgeschichte. Linguistisch-historische Beiträge zur Erforschung des indogermanischen Altertums. 3. Neubearb. Jena 1906—07. 3 Tle.

S c h r a m e k *Böhmerwald* — Josef Schramek Der Böhmerwaldbauer. Eigenart usw. Prag 1915 (= Beiträge z. deutsch-böhm. Volksk. XII).

SchrBod. — Schriften des Vereins für Geschichte des Bodensees u. seiner Umgebung.

S c h r e i b e r *Wiesen* — Hans Schreiber Die Wiesen der Randgebirge Böhmens und ihre Verbesserung. Staab 1898.

S c h r ö d e r *Apotheke* — Joh. Schröder Trefflich versehene Medicin = Chymische Apotheke. Nürnberg 1685.

— *Germanentum* — Franz Rolf Schröder Germanentum und Hellenismus. Untersuchungen zur germanischen Religionsgeschichte. Heidelberg 1924 (= German. Bibliothek II, 17).

— *Rigveda* — Leopold von Schröder Mysterium und Mimus im Rigveda. Leipzig 1908.

S c h u l e n b u r g — Wilibald von Schulenburg Wendische Volkssagen und Gebräuche aus dem Spreewald. Leipzig 1880.

— *Wend. Volksthum* — Wilibald von Schulenburg Wendisches Volksthum in Sage, Brauch und Sitte. Berlin 1882.

S c h u l l e r u s *Pflanzen* — Pauline Schullerus Pflanzen in Glaube und Brauch der Siebenbürger Sachsen. In: Archiv des Vereins für siebenbürgische Landeskunde. Hermannstadt N. F. 40 (1916—23), 78—188. 348 bis 426.

— *Siebenbürgen* — A. Schullerus Siebenbürgische Volkskunde im Umriß („Deutsche Stämme, Deutsche Lande"). Leipzig 1926.

— *Siebenb.Wb.* — Adolf Schullerus Siebenbürgisch - sächsisches Wörterbuch. Straßburg i. E. 1908 ff.

S c h u l t z *Alltagsleben* — Alwin Schultz Alltagsleben einer deutschen Frau zu Anfang des 18. Jahrhunderts. Leipzig 1890.

— *Höfisches Leben* — Alwin Schultz Das höfische Leben zur Zeit der Minnesänger. Leipzig 1879—80. 2 Bde.

— *Leben* — Alwin Schultz Deutsches Leben im XIV. u. XV. Jahrh. Wien 1892.

S c h u r t z *Altersklassen* — Heinrich Schurtz Altersklassen und Männerbünde. Eine Darstellung der Grundform der Gesellschaft. Berlin 1902.

— *Tracht* — Heinrich Schurtz Grundzüge einer Philosophie der Tracht. Stuttgart 1891.

S c h ü t t e *Dänisches Heidentum* — Godmund Schütte Dänisches Heidentum (Kultur und Sprache). 2 Bde. Heidelberg 1923.

S c h w a b *Vocabulaire* — Moïse Schwab Vocabulaire de l'Angélologie d'après les manuscrits hébreux de la Bibliothèque Nationale (= Mémoires prés. par divers savants à l'Académie des Inscr. et Belles-Lettres, Ier série, t. 10, 2e partie. Paris 1897.

S c h w a r t z *Heidentum* — F. L. W. Schwartz Der heutige Volksglaube und das alte Heidentum. 2. Aufl. Berlin 1862.

— *Mythologie* — (F. L.) W. Schwartz Der Ursprung der Mythologie. Dargelegt an griechischer und deutscher Sage. Berlin 1860.

— *Naturanschauungen* — (F. L.) W. Schwartz Die poetischen Naturanschauungen der Griechen, Römer und Deutschen in ihrer Beziehung zur Mythologie. 2 Bde. Berlin 1864 u. 1879.

— *Studien* — (F. L.) W. Schwartz Prähistorisch-anthropologische Studien. Mythologisches und Kulturhistorisches. Berlin 1884.

— *Volksglaube* — (F. L.) W. Schwartz Indogermanischer Volksglaube. Ein Beitrag zur Religionsgeschichte der Urzeit. Berlin 1885.

S c h w e b e l *Tod u. ewiges Leben* — Oskar Schwebel Tod und ewiges Leben im deutschen Volksglauben. Minden i. W. 1887.

S c h w e d a *Wilder Jäger* — Valentin Schweda Die Sagen vom wilden Jäger und vom schlafenden Heer in der Provinz Posen. Diss. Gnesen 1915.

SchweizId. — Schweizerisch. Idiotikon. Frauenfeld 1881 ff.

S c h w e n c k f e l t *Catalogus* — Stirpium et Fossilium Silesiae catalogus concinnatus per Casparum Schwenckfelt. Lipsiae 1601 (zitiert als 1). Theritropheum Silesiae. Lignicii anno 1603 (zitiert als 2).

S c h w e n n *Menschenopfer* — Friedr. Schwenn Die Menschenopfer bei den Griechen und Römern. Gießen 1915 (= RVV XV, 3).

SchwVk. — Schweizer Volkskunde. Basel 1911 ff.

Scr. rer. germ. — Scriptores rerum Germanicarum, in usum scholarum ex monumentis Germaniae historicis separatim editi.

S é b i l l o t *Folk-Lore* — Paul Sébillot Folk-Lore de France. Paris 1904—07. 4 Bde.

— *Métiers* — P. Sébillot Légendes et curiosités des métiers. Paris s. a.

— *Paganism* — Paul Sébillot Le paganism contemporain. Paris 1908.

S e e f r i e d - G u l g o w s k i — Ernst Seefried-Gulgowski Von einem unbekannten Volke in Deutschland. Ein Beitrag zur Landes- und Volkskunde der Kaschubei. Berlin 1911.

S e h l i n g *Evang. Kirchenord.* — Emil Sehling Die evangelischen Kirchenordnungen des XVI. Jhs. Leipzig 1902—13. 5 Bde.

S e l i g m a n n *Augendiagnose* — S. Seligmann Augendiagnose und Kurpfuschertum. Berlin 1910.

— *Blick* — S. Seligmann Der böse Blick und Verwandtes. Ein Beitrag zur Geschichte des Aberglaubens aller Zeiten und Völker. Berlin 1910. 2 Bde.

— *Zauberkraft* — S. Seligmann Die Zauberkraft des Auges und das Berufen. Hamburg 1922.

S e n n *Charakterbilder* — Walter Senn Charakterbilder schweizerischen Landes, Lebens und Strebens. Glarus 1870.

S e p p *Religion* — Sepp Die Religion der alten Deutschen und ihr Fortbestand in Volkssagen, Aufzügen und Festgebräuchen bis zur Gegenwart. München 1890.

— *Sagen* — Sepp Altbayerischer Sagenschatz zur Bereicherung der indogermanischen Mythologie. Neue Ausg. München s. a.

S e y f a r t h *Sachsen* — Carly Seyfarth Aberglaube und Zauberei in der Volksmedizin Sachsens. Ein Beitrag zur Volkskunde des Königreichs Sachsen. Leipzig 1913.

S e y f f e r t *Dorf u. Stadt* — O. Seyffert Aus Dorf und Stadt. Volkskundliche Bilder. Dresden 1920.

S i e b e r *Sachsen* — Friedr. Sieber Sächsische Sagen. Jena 1926.

S i e c k e *Götterattribute* — Ernst Siecke Götterattribute und sog. Symbole. Jena 1909.

S i m r o c k *Mythologie* — Karl Simrock Handbuch der deutschen Mythologie mit Einschluß der nordischen. 6. Aufl. Bonn 1887.

S i n g e r *Schweiz. Märchen* — S. Singer Schweizer Märchen. Anfang eines Kommentars zu der veröffentlichten Schweizer Märchenliteratur. Bern 1903. 1. Fortsetzung. Ebd. 1906 (= Untersuchungen zur neueren Sprach- u. Lit.-Geschichte 3 u. 10).

S i t t l *Gebärden* — Carl Sittl Die Gebärden der Griechen und Römer. Leipzig 1890.

SitzbBerl. ⎫
SitzbHeid. ⎪ — Sitzungsberichte d. Akademien
SitzbLeipz. ⎬ von Berlin, Heidelberg, Leipzig, München u. Wien, Philolo-
SitzbMü ⎪ gisch-historische Klasse.
SitzbWien ⎭

S k l a r e k *Märchen* — Elisabeth Sklarek Ungarische Volksmärchen. Leipzig 1901.

S l o e t *Dieren* — Sloet De Dieren in het germaansche volksgeloof en volksgebruik. 's Gravenhage 1887.

S ö h n s *Pflanzen* — Franz Söhns Unsere Pflanzen. 6. Aufl. Leipzig 1920.

S o l d a n - H e p p e — Soldan-Heppe Geschichte der Hexenprozesse. Neubearbeitet hsg. von Max Bauer. München (1911). 2 Bde.

S o m m e r *Haar* — Ludwig Sommer Das Haar in Religion und Aberglauben der Griechen. Diss. Münster i. W. 1912.

S o m m e r *Sagen* — Emil Sommer Sagen, Märchen und Gebräuche aus Sachsen und Thüringen. 1 Heft. Halle 1846.

S o m m e r t *Egerland* — Hans Sommert (Ernst Freimut) Tillenwunder. Ein Sagenkranz aus dem Egerlande. 2. Aufl. Eger (1924).

S p a n o *Voc. sard.-it.* — Spano Vocabulario sardu-italiano e italiano - sardu. Kalaris 1851.

S p e e *Niederrhein* — J. Spee Volksthümliches vom Niederrhein. 2 Hefte. Köln 1875.

S p e n c e r *Prinzipien* — Herbert Spencer Prinzipien der Ethnologie. Deutsch von Vetter u. Carus. 1875 ff. 1901 ff.

S p i e ß *Fränkisch-Henneberg* — Balthasar Spieß Volksthümliches aus dem Fränkisch-Hennebergischen. Wien 1869.

— *Mythos* — Karl von Spieß Der Mythos als Grundlage der Bauernkunst. Wiener-Neustadt 1911 (Progr.).

— *Obererzgebirge* — Moritz Spieß Aberglauben, Sitten und Gebräuche des sächsischen Obererzgebirges. Abhandlung zum Programm der Realschule zu Annaberg. Dresden 1862.

— *Prähistorie* — Karl von Spieß Prähistorie und Mythos. Wiener-Neustadt 1910 (Progr.).

S p i l l e r *Dornröschen* — Reinhold Spiller Zur Geschichte des Märchens vom Dornröschen. Frauenfeld 1893 (Progr.).

SS. — Monumenta Germaniae etc. Abt. Scriptores.

S t a e h l i n *Mantik* — Rudolf Staehlin Das Motiv der Mantik im antiken Drama. Gießen 1912 (= RVV XII, 1).

S t a l d e r — Franz Jos. Stalder Versuch eines Schweizerischen Idiotikon. 2 Bde. Basel 1806 und 1812.

S t a r i c i u s — Joh. Staricius New-reformirt- und vermehrter Helden-Schatz usw. 1679.

S t a r c k *Alraun* — Adolf Tayler Starck Der Alraun. Ein Beitrag zur Pflanzensagenkunde. Baltimore 1917.

S t a u b *Brot* — (F. Staub) Das Brot im Spiegel schweizer-deutscher Volkssprache und Sitte. Leipzig 1868.

S t a u b e r *Zürich* — Emil Stauber Sitten und Bräuche im Kt. Zürich. 2 Tle. Zürich 1922 und 1924 (= 122. und 124. Neujahrsblatt der Hilfsgesellschaft in Zürich).

S t e b l e r *Lötschberg* — F. G. Stebler Sonnige Halden am Lötschberg. Bern 1914.

S t e i g e r *Frömmigkeit* — Karl Steiger Ruinen altschweizerischer Frömmigkeit. 1. Sitten und Sprüche aus der Heimat. St. Gallen 1839.

S t e i n e r *Mineralreich* — C. J. Steiner Das Mineralreich nach seiner Stellung in Mythologie und Volkssagen usw. Gotha 1895.

S t e i n m e y e r *Sprachdenkmäler* — Elias v. Steinmeyer Die kleineren althochdeutschen Sprachdenkmäler. Berlin 1916.

S t e m p l i n g e r *Aberglaube* — Eduard Stemplinger Antiker Aberglaube in modernen Ausstrahlungen. Leipzig 1922 (= Das Erbe der Alten).

— *Sympathie* — Eduard Stemplinger Sympathieglaube u. Sympathiekuren in Altertum und Neuzeit. München 1919.

— *Volksmedizin* — Eduard Stemplinger Antike und moderne Volksmedizin. Leipzig 1925 (= Das Erbe der Alten X).

S t e n g e l *Opfergebräuche* — Paul Stengel Opfergebräuche der Griechen. Leipzig und Berlin 1910.

S t e p h a n *Askanische Volksk.* — Oskar Stephan Beiträge zur Askanischen Volkskunde. Aschersleben 1926.

S t e r n *Türkei* — Bernhard Stern Medizin, Aberglaube und Geschlechtsleben in der Türkei. Berlin 1903. 2 Bde.

S t e r z i n g e r *Aberglaube* — Don Ferdinand Sterzingers Bemühung den Aberglauben zu stürzen. München 1785.

S t ö b e r *Aberglaube* — August Stöber Zur Geschichte des Volks-Aberglaubens im Anfange des XVI. Jahrhunderts. Basel 1856.

— *Elsaß* — August Stöber Die Sagen des Elsasses. Neue Ausgabe. Straßburg 1892.

S t o l l *Suggestion* — Otto Stoll Suggestion und Hypnotismus in der Völkerpsychologie. Leipzig 1904.

— *Zauberglaube* — Otto Stoll Zur Kenntnis des Zauberglaubens, der Volksmagie und Volksmedizin in der Schweiz. Jahresbericht der geogr.-ethnographischen Gesellschaft in Zürich 1908/09.

S t o l l e *Kirchenväter* — Gottlieb Stolle Aufrichtige Nachricht von dem Leben, Schriften und Lehren der Kirchen-Väter usw. Jena 1733.

S t o r f e r *Jungfr. Mutterschaft* — A. J. Storfer Marias jungfräuliche Mutterschaft. Berlin 1914 (= Neue Studien z. Gesch. d. menschl. Geschlechtslebens 1).

S t r a c k *Blut* — Hermann L. Strack Das Blut im Glauben und Aberglauben der Menschheit. 5.—7. Aufl. München 1900.

S t r a c k e r j a n — Ludwig Strackerjan Aberglaube und Sagen aus dem Herzogtum Oldenburg. 2. Aufl. hg. v. Karl Willoh. Oldenburg 1909. 2 Bde.

S t r a f f o r e l l o *Errori* — Gostavo Strafforello Errori e pregiudizi volgari. 2 a ediz. Milano 1911 (Manuali Hoepli).

S t r a u ß *Bulgaren* — Adolf Strauß Bulgarische Volksdichtungen übersetzt. Wien und Leipzig 1895.

S t ü b e *Himmelsbrief* — R. Stübe Der Himmelsbrief. Tübingen 1918.

S u o l a h t i *Vogelnamen* — Hugo Suolahti Die deutschen Vogelnamen. Straßburg 1909.

T a u b m a n n *Nordböhmen* — Josef Alfred Taubmann Märchen und Sagen aus Nordböhmen. Reichenberg 1887.

T e g e t h o f f *Amor u. Psyche* — Ernst Tegethoff Studien zum Märchentypus von Amor und Psyche. Bonn und Leipzig 1922 (= Rheinische Beiträge 4).

T e g e t h o f f *Märchen, Schwänke* — Ernst Tegethoff Märchen, Schwänke u. Fabeln. München 1925 (= Bücher des MAs. 4).

T e m e s v a r y *Geburtshilfe* — Rudolf Temesvary Volksbräuche und Aberglauben in der Geburtshilfe und der Pflege des Neugeborenen in Ungarn. Leipzig 1900.

T e m m e *Altmark* — J. D. H. Temme Die Volkssagen der Altmark. Berlin 1839.

— *Pommern* — J. D. H. Temme Die Volkssagen von Pommern und Rügen. Berlin 1840.

T e t t a u u. T e m m e — W. J. A. von Tettau und J. D. H. Temme Die Volkssagen Ostpreußens, Litthauens und Westpreußens. Berlin 1837.

T e t z n e r *Slaven* — Franz Tetzner Die Slaven in Deutschland. Braunschweig 1902.

T h a l h o f e r *Liturgik* — V. Thalhofer Handbuch der katholischen Liturgik. 2. Aufl. v. L. Eisenhofer. 2 Bde. Freiburg i. Br. 1912.

T h a r s a n d e r — Tharsander (= G. Wilh. Wegner) Schau-Platz Vieler Ungereimten Meynungen und Erzehlungen. Berlin. I (1736), II (1739), III (1742).

Theatrum Diabol. — Theatrum Diabolorum. Frankfurt 1569.

T h i e l e *Folkesagn* — I. M. Thiele Danmarks Folkesagn. København. I (1843), II (1843), III (1860).

T h i e r s *Traité* — Jean-Batiste Thiers Traité des Superstitions qui regardent les sacremens. Paris 1697 ff. et Avignon 1777. 4 Bde.

T i e d e *Gotteserkenntnis* — Ernst Tiede Urarische Gotteserkenntnis. 2. Aufl. Berlin 1920 (= Geheime Wiss. 15).

T i l l e *Weihnacht* — Alexander Tille Die Geschichte der deutschen Weihnacht. Leipzig 1894.

T o b l e r *Epiphanie* — Otto Tobler Die Epiphanie der Seele in deutscher Volkssage. Diss. Kiel 1911.

— *Kl. Schr.* — Ludwig Tobler Kleine Schriften zur Volks- und Sprachkunde, hg. v. J. Bächtold und A. Bachmann. Frauenfeld 1897.

T o e p p e n *Masuren* — M. Toeppen Aberglauben aus Masuren. 2. Aufl. Danzig 1867.

T r e d e *Heidentum* — Th. Trede Das Heidentum in der römischen Kirche. Bilder aus dem religiösen und sittlichen Leben Süditaliens. 4 Teile. Gotha 1889—1891.

T r e i c h e l *Westpreußen* — A. Treichel Volkstümliches aus der Pflanzenwelt, besonders für Westpreußen. I—VI in: Schriften der naturforschenden Gesellschaft zu Danzig. N. F. 5 und 6; VII—XII in: Altpreußische Monatsschrift 24 (1887), 513—607; 31 (1894), 240—319; 431—469; 32 (1895), 259—295. 425—432.

T r i t h e i m *Wunderbuch* — Johannes Tritheim's Wunder-Buch. Passau 1506. Neudruck (Scheible).

T r o e l s L u n d — Troels Lund Dagligt liv i Norden i det 16de Aarhundrede. Folkeudgave. København 1903—1904. 14 Bde.

T r o e l s *Gesundheit* — Troels Lund Gesundheit und Krankheit in der Anschauung alter Zeiten. Leipzig 1901.

— *Himmelsbild* — Troels Lund Himmelsbild und Weltanschauung im Wandel der Zeiten. 4. Aufl. Leipzig 1913.

T r u s e n — Trusen Sitten, Gebräuche und Krankheiten der alten Hebräer. 2. Aufl. 1853.

T y l o r *Cultur* — Edward B. Tylor Die Anfänge der Cultur, ins Deutsche übertragen von J. W. Sprengel und Fr. Poske. Leipzig 1873. 2 Bde.

U l m *Hartlieb* — Dora Ulm Hartliebs Buch aller verbotenen Kunst. Halle 1914.

U l r i c h *Volksbotanik* — August Ulrich Beiträge zur bündnerischen Volksbotanik. 2. Aufl. Davos 1897.

U n g e r u. K h u l l *Steir. Wortsch.* — Th. Unger und F. Khull Steirischer Wortschatz als Ergänzung zu Schmellers Bayer. Wörterbuch. Graz 1903.

U n g n a d *Deutung d. Zukunft* — Arthur Ungnad Deutung der Zukunft bei den Babyloniern und Assyrern. Leipzig 1909 (= Der alte Orient X, 3).

Unoth — Der Unoth. Zeitschrift f. Geschichte u. Alterthum des Standes Schaffhausen, hg. v. Johannes Meyer. Schaffhausen 1868.

U n w e r t h *Totenkult* — Wolf von Unwerth Untersuchungen über Totenkult und Odinverehrung. Breslau 1911 (= German. Abhandl. 37).

U n z e r *Der Arzt* — Der Arzt. Eine medicinische Wochenschrift von Joh. Aug. Unzer. Neueste Ausgabe. Hamburg, Lüneburg und Leipzig 1769.

Urdhs-Brunnen — Am Urdhs-Brunnen. Monatsschrift für Volkskunde (Vorläufer des „Urquell").

Urquell — Am Ur-Quell. Monatsschrift für Volkskunde. 1890—1897.

U s e n e r *Kl. Schr.* — Hermann Usener Kleine Schriften IV: Arbeiten zur Religionsgeschichte. Leipzig und Bonn 1913.

— *Sinthflut* — Hermann Usener Die Sinthflutsagen. Bonn 1899.

— *Weihnacht* — Hermann Usener Das Weihnachtsfest. 2. Aufl. Bonn 1911 (= Religionsgeschichtl. Unters. I).

V e c k e n s t e d t s *Zs.* — Zeitschrift f. Volkskunde, hg. von Edm. Veckenstedt. 1889—1892.

V e c k e n s t e d t *Sagen* — Edm. Veckenstedt Wendische Sagen, Märchen u. abergl. Gebräuche. Graz 1880.

V e n *Volksleven* — D. J. van der Ven Neerlands Volksleven. 1920.

V e r n a l e k e n *Alpensagen* — Theodor Vernaleken Alpensagen. Volksüberlieferungen aus der Schweiz usw. Wien 1858.

— *Mythen* — Theodor Vernaleken Mythen und Bräuche des Volkes in Österreich. Wien 1859.

V i l m a r *Wb.* — A. F. C. Vilmar Idiotikon von Kurhessen. Marburg u. Leipzig 1868.

V i n t l e r *Pluemen* — Hans Vintler Pluemen der Tugend. Hg. v. Zingerle. Innsbruck 1874.

V i s s c h e r *Naturvölker* — H. Visscher Religion und soziales Leben bei den Naturvölkern. Bonn 1911. 2 Bde.

VjVorarlb. — Vierteljahrsschrift für Geschichte u. Landeskunde Vorarlbergs.

VkBll. — Volkskunde-Blätter aus Württemberg u. Hohenzollern.

Vld. — Das deutsche Volkslied.

V o g e s *Braunschweig* — Th. Voges Sagen aus dem Lande Braunschweig. Braunschweig 1895.

V o g t *Weihnachtsspiele* — Friedrich Vogt Die schlesischen Weihnachtsspiele. Leipzig 1901 (= Schlesiens volkstümliche Überlieferungen 1).

Volkskunde — Volkskunde. Tijdschrift voor Nederlandsche Folklore. 1888 ff.

Volksleven — Ons Volksleven. Tijdschrift voor Taal-, Volks- en Oudheitkunde. Te Brecht 1888 ff.

V o n b u n *Beiträge* — F. J. Vonbun Beiträge zur deutschen Mythologie. Gesammelt in Churraetien. Chur 1862.

— *Sagen* — F. J. Vonbun Die Sagen Vorarlbergs. Innsbruck 1858.

V o r d e m f e l d e *Religion* — Hans Vordemfelde Die germanische Religion in den deutschen Volksrechten: 1. Der religiöse Glaube. Gießen 1923 (= RVV 18, 1).

W. — siehe Wuttke.

W ä c h t e r *Reinheit* — Theodor Wächter Reinheitsvorschriften im griechischen Kult. Gießen 1910 (= RVV IX, 1).

W a c k e r n a g e l *Kl. Schr.* — Wilh. Wackernagel Kleinere Schriften. 3 Bde. Leipzig 1872—74.

W a g e n f e l d *Münsterland* — Karl Wagenfeld Über die Pflanzen und ihre Namen im Plattdeutschen des Münsterlandes. In: Jahresber. des westf. Prov.-Vereins für Wissenschaft und Kunst (Botan. Sektion) 40 (1912), 227—245.

W a g n e r *Sagen* — Karl Wagner Pinzgauer Sagen (= Deutsche Hausbücherei Bd. 142). Wien 1925.

W a g s t a f f *Hexerei* — Johann Wagstaff Von der Hexerei usw. Halle 1711.

W a i b e l u. F l a m m — Badisches Sagenbuch, hg. durch J. Waibel u. H. Flamm. 1. Sagen des Bodensees usw. 2. Sagen des Breisgaus. Freiburg i. Br. 1899. 2 Bde.

W a i z e r *Culturbilder* — Rud. Waizer Cultur- u. Lebensbilder. Klagenfurt 1882.

W a l d e *LEWb.* — Alois Walde Lateinisches etymologisches Wörterbuch. 2. Aufl. Heidelberg 1910.

W a l l b e r g e r *Zauberbuch* — Joh. Wallberger's Berühmtes Zauberbuch. Frankfurt u. Leipzig 1760 (Neudruck).

Walliser Sagen — Walliser Sagen, hg. v. d. Historischen Verein von Oberwallis. Brig 1907. 2 Bde.

W a r t m a n n *St. Gallen* — B. Wartmann Beiträge zur St. Gallischen Volksbotanik. 2. Aufl. St. Gallen 1874.

W a s c h n i t i u s *Perht'* — Viktor Waschnitius Perht, Holda und verwandte Gestalten. Wien 1914 (= Sb. Wiener Akad. phil.-hist. Kl. 174, 2).

W a s e r *Charon* — Otto Waser Charon, Charun, Charos. Berlin 1898.

W a s s e r s c h l e b e n — F. W. H. Wasserschleben Die Bußordnungen der abendländischen Kirche. Halle 1851.

W e b e r *Theologie* — Ferdinand Weber Jüdische Theologie auf Grund des Talmuds und verwandter Schriften. 2. Aufl. Leipzig 1897.

W e g n e r — s. T h a r s a n d e r.

W e i g a n d - H i r t *DWb.* — Deutsches Wörterbuch v. Fr. L. K. Weigand, 5. Aufl. hg. v. Hermann Hirt, 2 Bde. Gießen 1909.

W e i n h o l d *Festschrift* — Beiträge zur Volkskunde. Festschrift Karl Weinhold zum 50-jährigen Doktorjubiläum dargebracht. Breslau 1896 (= Germ. Abhandl. XII).

— *Frauen* — Karl Weinhold Die deutschen Frauen in dem Mittelalter. 3. Aufl. Wien 1897. 2 Bde.

— *Neunzahl* — Karl Weinhold Die mystische Neunzahl bei den Deutschen. Berlin 1897.

— *Ritus* — Karl Weinhold Zur Geschichte des heidnischen Ritus. Berlin 1896.

— *Weihnachtsspiele* — Karl Weinhold Weihnachtsspiele und Lieder aus Süddeutschland und Schlesien. Neue Ausgabe. Wien 1875.

W e i n k o p f *Naturgeschichte* — Ed. Weinkopf Naturgeschichte auf dem Dorfe. Wien 1926.

W e i n r e i c h *Heilungswunder* — Otto Weinreich Antike Heilungswunder. Gießen 1909 (= RVV VIII, 1).

— *Triskaid. Stud.* — Otto Weinreich Triskaidekadische Studien. Beiträge zur Geschichte der Zahlen. Gießen 1916 (= RVV XVI, 1).

W e i s e *Mundarten* — Oskar Weise Unsere Mundarten, ihr Werden und ihr Wesen. Leipzig u. Berlin 1910 (= ANnG).

W e i s e r *Jul* — Lily Weiser Jul, Weihnachtsgeschenke und Weihnachtsbaum, eine volkskundliche Untersuchung ihrer Geschichte. Stuttgart 1923.

W e l l h a u s e n *Reste* — J. Wellhausen Reste arabischen Heidentums. 2. Ausg. Berlin 1897.

W e s s e l y 1 — C. Wessely Griechische Zauberpapyri von Paris und London (Denkschriften der Kaiserl. Adademie der Wissenschaften in Wien, Philos.-Histor. Kl. Bd. 36). Wien 1888.

— 2 — C. Wessely Neue griechische Zauberpapyri (Denkschr. d. K. A. d. W. in Wien, Phil.-Hist. Kl. Bd. 42). Wien 1893.

W e t t s t e i n *Disentis* — Emil Wettstein Zur Anthropologie und Ethnographie des Kreises Disentis. Zürcher Diss. Zürich 1902.

W e t z e r u. W e l t e — Wetzer u. Welte Kirchenlexikon. 2. Aufl. Freiburg i. Br. 1882 bis 1903.

W i d l a k *Synode v. Liftinae* — Franz Widlak Die abergläubischen und heidnischen Gebräuche der alten Deutschen nach dem Zeugnisse der Synode von Liftinae im Jahre 743. Znaim s. a.

W i e d e m a n n *Esthen* — F. J. Wiedemann Aus dem inneren u. äußeren Leben der Esthen. St. Petersburg 1876.

W i l d e *Pfalz* — Julius Wilde Die Pflanzennamen im Sprachschatze der Pfälzer. Neustadt a. d. H. (1923).

W i l u t z k i *Recht* — Paul Wilutzki Vorgeschichte des Rechts. Breslau 1903. 2 Bde.

W i n t e l e r *Naturlaut* — J. Winteler Naturlaut u. Sprache. Aarau 1892.

W i r t h *Beiträge* — A. Wirth Beiträge zur Volkskunde von Anhalt (1. Geisterglaube, 2.—3. Menschliches Leben, 4.—5. Tiere, 6.—7. Pflanzen). Dessau o. J.

W i r z *Zürich* — Joh. Jacob Wirz Historische Darstellung der urkundlichen Verordnungen, welche die Geschichte des Kirchen- und Schulwesens in Zürich . . . betreffen. Zürich 1793—94. 2 Bde.

WissMittBosnHerc. — Wissenschaftliche Mitteilungen aus Bosnien und der Hercegowina. Hg. vom Bosn.-Herc. Landesmuseum in Serajevo. Wien 1893 ff.

W i s s o w a *Religion* — Georg Wissowa Religion u. Kultus d. Römer. 2. Aufl. München 1912.

W i t t s t o c k *Siebenbürgen* — O. Wittstock Volkstümliches der Siebenbürger Sachsen. In: Beiträge zur Siedlungs- und Volkskunde der Siebenbürger Sachsen. S.-A. aus A. Kirchhoff Forschungen zur deutschen Landes- und Volkskunde. Stuttgart 1895.

W i t z s c h e l *Thüringen* — August Witzschel Kleine Beiträge zur deutschen Mythologie . . aus Thüringen. Wien 1866 u. 1878. 2 Bde.

W l i s l o c k i *Magyaren* — Heinrich von Wlislocki. Aus dem Volksleben der Magyaren. München 1893.

— *Sieb. Volksgl.* — H. v. Wlislocki Volksglaube und Volksbrauch der Siebenbürger Sachsen. Berlin 1893.

— *Volksglaube* — Heinrich von Wlislocki Volksglaube u. religiöser Brauch der Zigeuner. Münster i. W. 1891 (= Darstellungen a. d. Gebiete der nichtchristl. Relig. IV).

— *Zigeuner* — Heinrich von Wlislocki Volksdichtungen der siebenbürgischen und südungarischen Zigeuner. Wien 1890.

W o l f *Beiträge* — J. W. Wolf Beiträge zur deutschen Mythologie. Göttingen und Leipzig 1852 und 1857. 2 Bde.

— *Niederl. Sagen* — Joh. Wilh. Wolf Niederländische Sagen. Leipzig 1843.

— *Sagen* — J. W. Wolf Hessische Sagen. Göttingen 1853.

W o s s i d l o *Mecklenburg* — Richard Wossidlo Mecklenburgische Volksüberlieferungen. Bd. 1, 2, 3. Wismar 1897 ff.

W o e s t e *Mark* — J. F. L. Woeste Volksüberlieferungen in der Grafschaft Mark nebst einem Glossar. Iserlohn 1848.

— *Wb.* — Friedrich Woeste Wörterbuch der westfäl. Mundart. Norden u. Leipzig. 1882.

W r e d e *Rhein. Volksk.* — Adam Wrede Rhein. Volkskunde. Leipzig 1919. 2. Aufl. 1922.

— *Eifeler Volksk.* — Adam Wrede Eifeler Volkskunde. Bonn 1922.

WS — Wörter u. Sachen.

W u c k e *Werra* — Sagen der mittleren Werra, gesammelt v. Chr. Ludw. Wucke. 3. Aufl. Eisenach 1921.

W u n d t *Mythus u. Religion* — Wilhelm Wundt Völkerpsychologie. 4.—6. Bd.: Mythus und Religion. 1. Bd. 3. Aufl. Leipzig 1920; 2. und 3. Bd. 2. Aufl. Ebd. 1914—15.

W ü n s c h e *Lebensbaum* — August Wünsche Die Sagen vom Lebensbaum und Lebenswasser (Ex oriente lux. 1—2, 3). 1905.

— *Teufel* — Aug. Wünsche Der Sagenkreis vom geprellten Teufel. Leipzig u. Wien 1905.

WürttVjh. — Württembergische Vierteljahrshefte f. Landesgeschichte.

W ü s t e f e l d *Eichsfeld* — Karl Wüstefeld Eichsfelder Volksleben. Duderstadt 1919.

W ü s t e r *Tiere* — Gustaf Wüster Die Tiere in der altfranzösischen Literatur. Diss. Göttingen 1916.

W u t t k e — Adolf Wuttke Der deutsche Volksaberglaube der Gegenwart. 3. Bearbeitung von E. H. Meyer. Berlin 1900.

— *Sächs. Volksk.* — Robert Wuttke Sächsische Volkskunde. 2. Aufl. Leipzig 1903.

W y s s *Milch* — Karl Wyss Die Milch im Kultus der Griechen und Römer. Gießen 1914 (= RVV XV, 2).

— *Reise* — J. R. Wyß Reise in das Berner Oberland. Bern 1816.

WZfVk. — Wiener Zeitschrift für Volkskunde (s. a. ZföVk.).

Y e r m o l o f f *Volkskalender* — Alexander Yermoloff Der landwirtschaftliche Volkskalender. Autor. Ausgabe. Leipzig 1905.

Z a c h a r i a e *Kl. Schr.* — Theodor Zachariae Kleine Schriften. Bonn und Leipzig 1900.

Z a h l e r *Simmenthal* — Hans Zahler Die Krankheit im Volksglauben des Simmenthals. Diss. Bern 1898.

ZAlpV. — Zeitschrift d. deutschen u. österreichischen Alpenvereins.

Z a u n e r t *Natursagen* — Paul Zaunert Deutsche Natursagen. I.: Von Holden u. Unholden. Jena 1921.

— *Rheinland* — Paul Zaunert Rheinland-Sagen Jena 1924. 2 Bde. (= Deutscher Sagenschatz).

— *Westfalen* — Paul Zaunert Westfälische Sagen. Jena 1927.

ZDMG. — Zeitschrift der deutschen morgenländischen Gesellschaft.

ZdVfVk. s. ZfVk.

Z e d l e r — Zedlers Großes vollständiges Universallexikon aller Wissenschaften und Künste. Bd. 1—64; Suppl. 1—4. Halle, Leipzig 1732—1754.

Z e l e n i n *Russ. Volksk.* — Dmitrij Zelenin Russ, (Ostslavische) Volksk. Berlin u. Leipzig 1927 (= Grundriß d. slav. Philologie).

Z e u m e r *Formulae* — K. Zeumer Formulae Merovingui et Karolini Aevi (Monumenta Germaniae historica legum sectio 5).

ZfäF. — Zeitschrift f. ärztl. Fortbildung. Jena.

ZfdA. — Zeitschrift für deutsches Altertum. Berlin 1841 ff.

ZfDkde. — Zeitschrift für Deutschkunde.

ZfdMda. — Zeitschrift für deutsche Mundarten.

ZfdMyth. — Zeitschrift für deutsche Mythologie u. Sittenkunde. Göttingen 1853—59.

ZfdPh. — Zeitschrift für deutsche Philologie, begründet von Jul. Zacher. Halle 1868 ff.

ZfdU. — Zeitschrift für den deutschen Unterricht; s. a. ZfDkde.

ZfEthn. — Zeitschrift für Ethnologie. Berlin 1868 ff.

ZfGORh. — Zeitschrift für Geschichte des Oberrheins.

ZföVk. — Zeitschrift für österreichische Volkskunde. 1894 ff.

ZfrheinVk. (u. ZfrwVk.) — Zeitschrift des Vereins für rheinische u. westfälische Volkskunde. 1904 ff.

ZfvglRw. — Zeitschrift für vergleichende Rechtswissenschaft.

ZfvglSpr. — Zeitschrift für vergleichende Sprachforschung.

ZfVk. — Zeitschrift des Vereins für Volkskunde.

Z i m m e r m a n n *Bezaar* — Zimmermann Bezaar, wider alle Stich, Straich und Schüss, voller grossen Geheimnussen (Hd. d. Herz. Bibliothek zu Gotha, chart. fol. No. 566, circa 1591), vgl. ZfdA. 43 (1899), 89 ff.

— *Volksheilkunde* — Walther Zimmermann Badische Volksheilkunde. Karlsruhe 1927 (= Vom Bodensee zum Main Nr. 29).

Z i n g e r l e *Johannissegen* — Ignaz von Zingerle Johannissegen und Gertrudenminne. Sb. der kaiserl. Akad. der Wiss., phil.-hist. Classe XL (Wien 1862), 177 ff.

— *Sagen* — Ignaz Zingerle Sagen aus Tirol. 2. Aufl. Innsbruck 1891.

— *Tirol* — Ignaz v. Zingerle Sitten, Bräuche und Meinungen des Tiroler Volkes. 2. Aufl. Innsbruck 1871.

ZRG. = Zeitschrift f. Rechtsgeschichte.

Z ü r i c h e r *Kinderlied* — Gertrud Züricher Kinderlieder der deutschen Schweiz. Basel 1926 (= Schriften der Schweiz. Ges. für Volkskunde 17).

A.

Aal. 1. B i o l o g i s c h e s[1]). Die noch heute wie im Altertum[2]) und MA.[3]) geltende Anschauung, daß der A. b e i d e G e s c h l e c h t e r in sich vereinige, also ein Zwitter sei, und lebende Junge gebäre, beruht wohl auf der Tatsache, daß sich nur Weibchen in den Flüssen aufhalten. Diese ziehen, nachdem sie sich aus kleinen, durchsichtigen „Glasaalen" bis zu 2 kg schweren „Blankaalen" herausgemästet haben, nach dem Meere, wo die Paarung in Tiefen von über 1000 m stattfindet; dort laichen sie, und erst wenn die Jungen ausgeschlüpft sind, steigen die Weibchen unter ihnen wieder in die Flüsse hinauf. Auch die Meinung, daß der A. a u s S c h l a m m entstanden sei, findet sich schon bei Aristoteles und Plinius[4]). Nach Hovorka-Kronfeld (1, 3) nahm man im MA. Entstehung aus Pferdehaaren oder Gras an (Quelle?). Ferner hat die richtige Beobachtung, daß der A. dank seiner engen und verschließbaren Kiemenöffnung längere Zeit auf dem T r o c k e n e n leben bleibt (Plinius spricht sogar von 6 Tagen), zu dem Glauben geführt, er besuche nachts die E r b s e n - oder B o h n e n f e l d e r und verzehre die jungen Erbsen oder die Bohnenblüten[5]). Auch daß das B l u t des A. giftig und den A u g e n s c h ä d - l i c h sei[6]), ist in der Natur begründet (Ichthyotoxin). Die verbreitete Ansicht, daß der A. zu den Schlangen gehöre, zeigt sich auch in der schon mittelalterlichen Meinung, er p a a r e s i c h m i t S c h l a n g e n[7]). Anderseits sagt Gesner[7a]): „Es sol der A. ein hassz gegen der Schlangen haben." Zuweilen wird der A. mit der Schlange verwechselt[8]). Er bezeichnet einen Menschenfeind, denn er lebt abgesondert[9]). A.e nannte man

in Holstein die in wurmförmiger Gestalt sich zusammenziehenden Säfte einiger Fische zur Rogenzeit; sie verursachen beim Menschen Bandwurm[10]).

[1]) v. L i n s t o w *Fortpflanzungsgeschichte der A.e.* Stuttg. 1900; B r e h m [4] *Fische* 329 ff.; N e r e s h e i m e r *Fische* (1923) 71 ff. [2]) Aristoteles, Plinius u.a. s. P a u l y - W i s s. s. v. A. [3]) A l b e r t u s M a g n u s *Anim.* I, 61; VI, 81. 87; XXI, 50; M e g e n b e r g *Buch d. Nat.* ed. Pfeiffer 244; vgl. V i n c e n t i u s B e l l o v a c e n s i s *Speculum naturale* l. 17, c. 31; G e s n e r *Fischb.* 178b. [4]) P a u l y - W i s s. l. c.; I s i d o r *Etym.* XII, VI, 41; A l b. M a g n. XXIV, 8 (auch aus Regenwürmern). [5]) L e m k e *Ostpr.* 1, 96; BlPomVk. 7, 18; MschlesVk. H. VIII, 2; SchweizId. 5, 177; S c h u l e n b u r g *Wend.* V. 158; K n o o p *Tierw.* 1; A l b. M a g n u s XXIV, 8; G e s n e r *Fischb.* 178 b. [6]) AfdA. 27, 220; BlPomVk. 7, 19. [7]) Alemannia 12, 82; S c h u l e n b u r g *Wend.* V. 158; M e g e n b. ed. Pf. 242 (vgl. I s i d o r *Etym.* l. 12, 82; A l b. M a g n. XXIV, 8; V i n c. B e l l o v. XVII, 71 (de murena); M a n n h a r d t *Germ. Mythen* 82 A. 1; lat. *anguilla* „kl. Schlange"; S c h r a d e r und H o o p s *Reallex.* s. v. A.; H a n s v. W a l d h e i m a. 1474, in: Arch. d. hist. Ver. d. Kt. Bern 35, 97. [7a]) *Fischb.* 179 a. [8]) MschlesVk. H. VIII, 1 ff. [9]) A g r i p p a v. N e t t e s h. 1, 256. [10]) M e n s i n g *Schlesw.-H. Wb.* 1, 3 f.

2. In der V o l k s m e d i z i n finden der A. und seine Teile nicht selten Verwendung. Pferden lasse man gegen Bauchschmerzen „einen lebenden A. in den Hals laufen, so kreucht er ganz wieder heraus"[11]). Zur Förderung des Geschlechtstriebs läßt man eine Kuh einen lebendigen A. verschlucken[12]). Sein B l u t wird gegen Warzen[13]), Hühneraugen[14]), Krämpfe[15]), Bauchgrimmen[16]) verwendet und vertreibt Feuermäler[17]); es wird aber auch als augenschädlich bezeichnet (s. Anm. 6). Ein in Branntwein oder Wein ersäufter A. kuriert Trunksüchtige für immer, wenn man ihnen von

dem Trank zu kosten gibt [18]). Der Sud
von seinem F l e i s c h ist gut gegen Auszehrung [19]). Als besonders wirksam aber
wird sein F e t t angesehen: Schwerhörig-
keit wird durch Einträuflungen in das
Ohr gebessert [20]), Augenleiden, Wunden
und Hämorrhoiden geheilt, Haar und
Hautfarbe gekräftigt [21]), durch das Fett
der Leber ein Fremdkörper aus dem Auge
entfernt [22]). Die L e b e r ist fördernd bei
Schwergeburten [23]). Dem gleichen Zweck
dient die G a l l e ; ferner ist sie gut gegen
Augen- (vgl. Fisch) und Gehörleiden, Gelbsucht und Schlaflosigkeit [24]). Die H a u t ,
einer Schwangeren um den Leib gelegt,
gibt ihr Kraft [25]), einer Wöchnerin pulverisiert eingegeben, beschleunigt sie die
Nachgeburt [26]), auf eingeklemmte Brüche
gelegt und um ein verrenktes oder schmer-
zendes Glied gewunden oder darauf gebunden, beseitigt sie den Schaden [27]),
um den Arm gebunden stillt sie Nasenbluten [28]), unter den Kopf gelegt heilt sie
ein an Gichtern erkranktes Kind [29]); als
Strumpfband getragen ist sie gut gegen
Krampf [30]). Warzen bestreiche man mit
der Schnittfläche eines A.k o p f s und
vergrabe diesen; wenn er verwest, verschwinden sie [31]). Zerkleinert man einen
halben A.s c h w a n z und gibt ihn einer
Kuh zu fressen, so bekommt sie reichlich
Milch [32]). Fieber kann auf den A. übertragen werden, indem man die Krankheit
auf ein Papier schreibt und dieses ins
Wasser wirft [33]), oder die Nägelabschnit-
zel werden in einem Leinwandsäckchen
einem l e b e n d e n A. an den Hals gebunden und dieser wieder ins Wasser gebracht [34]); ein lebender A., dem Menschen
auf den Bauch gelegt, zieht Kolik an
(s. Fisch) [35]). Läßt man einen A. in der
Hand totlaufen, so gewinnt die Hand
eine besondere Heilkraft (Holst.) [36]). Von
einem Kraftmenschen sagt man in Schleswig, er habe von dem großen A. gefressen [37]). Ein Krankheitssegen in Köperitz
(Ruppin) lautet: Der Schwamm und der
A. / Gingen beide zur Wahl; / Der A. gewann, / Und der Schwamm verschwand [38]).

[11]) D r e c h s l e r 2, 115; G e s n e r Fischb.
179 a. [12]) M e n s i n g Schlesw.-H. Wb. 1, 3.
[13]) J ü h l i n g 20; S e y f a r t h 295 (1787);

B a r t s c h 2, 120. [14]) B a r t s c h ebd.
[15]) BlPomVk. 7, 19. [16]) J ü h l i n g 17 (n.
G e s n e r , 16. Jh.). [17]) BlPomVk. 7, 19;
J ü h l i n g 21; M e n s i n g Schlesw.-H. Wb.
1, 3; H o v o r k a - K r. 2, 351. [18]) BlPom-
Vk. 7, 19; J ü h l i n g 20; S t r a c k e r j a n
2, 174; SchwVk. 2, 78; vgl. K a m p Danske
Folkeminder (Odense 1877) S. 178 und schon
M e g e n b e r g 244; vgl. Vinc. Bellov. l. 17
c. 31, n. I s i d o r Et. XII, VI, 41; G e s n e r
Fischb. 179 a. [19]) J ü h l i n g 17 (n. G e s n e r).
[20]) BlPomVk. 7, 19; J ü h l i n g 17 (n. G e s -
n e r); M e g e n b e r g 244 (vgl. schon Vinc.
Bellov. l. 17 c. 31). [21]) J ü h l i n g 17—19;
G e s n e r l. c. [22]) J ü h l i n g 20. [23]) Ebd.; H ö f -
l e r Organotherapie 191. [24]) Ebd. 226; J ü h -
l i n g 18—20. 145. 150. 211; L a m m e r t 91,
231. [25]) Alemannia 12, 82. [26]) J ü h l i n g 20.
[27]) Ebd. 20. 21; SAVk. 4, 5; 8, 151; ZfrwVk.
1, 198; K n o o p Tierw. 59; M e i e r Schwaben 514; M e n s i n g Schl.-H. Wb. 1, 3; F o -
g e l Pennsylv. 269. 297. 328; S c h m i d t
Kräuterb. 50; D i r k s e n Meiderich 47; ZfVk.
4, 325: die A.-haut muß bleiben, bis sie von
selbst abfällt. Bemerkt man das, so darf man
nicht dergleichen tun. [28]) F o g e l Pennsylv.
301. [29]) M e y e r Bad. 41. [30]) S t o l l Zaubergl.
46; Z a h l e r 39; vgl. ZfVk. 24, 299 (1612).
[31]) M e n s i n g 1, 3; ZfVk. 8, 199. [32]) BlPom-
Vk. 7, 20; ZfVk. 8, 175 (Vielleicht, weil nach
dem Volksglauben im Schwanz die Lebenskraft des A.s sitzt, S é b i l l o t 3, 340).
[33]) S t r a c k e r j a n 1, 82. [34]) Agr. r. N e t -
t e s h. 1, 228. [35]) H o v o r k a - K r o n f e l d
1, 3. [36]) M e n s i n g 1, 3. [37]) Ebd. [38]) ZfVk.
8, 57.

3. V o n s o n s t i g e m A b e r g l a u -
b e n wäre zu nennen, daß, wer einen
weißen A. fange, die Gabe der W e i s -
s a g u n g erhalte [39]), ebenso wer das
Herz eines A.s warm esse [40]); vogelsprache-
kundig wird man nach einer niedersächs.
Sage durch den Genuß eines weißen
A.s [41]); wer einen A. auf dem Lande er-
blicke (s. o.), müsse sterben (Posen); auch
könne der A. einen badenden Menschen
erdrosseln (Posen) [42]). In der Sommersonnenwende soll man keinen A. essen [43]).

[39]) ZfEthn. 15, 101. [40]) W o l f Beitr. 1, 249
(Frankr.). [41]) S c h a m b a c h u. M ü l l e r 50.
338. [42]) K n o o p Tierw. 1. [43]) H ö f l e r
Organoth. 150.

4. S a g e n berichten von dämonischen,
riesigen [44]), oder von Unheil verkünden
den A.en [45]) (s. Fisch). Gesner [46]) berichtet, daß im Genfersee wenig A.e seien,
weil sie „von einem Bischoff Guilielmus genannt mit beschweerung oder
fluch vertriben / also die sag ist".

⁴⁴) BlPomVk. 7, 21; M a n n h a r d t *Germ. Mythen* 82 A. 1. ⁴⁵) S t r a c k e r j a n 1, 44; K u h n u. S c h w a r t z 293. ⁴⁶) *Fischb.* 177^b.

5. Der A. ist Symbol des P h a l l u s ⁴⁷). Über den A. bei exotischen Völkern s. H a s t i n g s 1, 514 a.

⁴⁷) G u b e r n a t i s *Tiere* 600 ff.
Hoffmann-Krayer.

Aalraupe (Aal-) Quappe, Quakaal, Rutte, Drüsche, Trische, Rufurken, Rufolk, lat. lota vulgaris, bei G e s n e r mustela fluviatilis. V o l k s m e d i z i n i s c h braucht man im Kt. Schwyz die A. gegen Gelbsucht: „Kauf ein lebendige Drischen, wie man dir solche bietet (d. h. ohne zu feilschen), red nichts in, dann wann du abends gehn schlafen geist, so leg dise Drischen in ein Duch eingewunden über den Magen, lass sei (sie) druff sterben, so wird die Drischen ganz gelb." ¹) (s. Fisch 4). Der erzgebirg. Magister L e h m a n n nennt es „altvettelische Lappalien", wenn man einer A. den Kopf abbeiße, ihn dörre, pulvere und dem Kindlein vor der Taufe eingebe, um es „für den Fresel" zu bewahren" ²). Das Fett der Leber ist gut gegen Augenleiden ³) (s. Fisch 4), und nach Konr. G e s n e r „soll das Mäglin der Trüschen ein herrliche krafft haben wider alle Krankheiten der Mutter (Gebärmutter) der Weiber, insonderheit soll er, im Tranck gegeben, die Nachgeburt gewaltig treiben, auch das Bauchgrimmen hinnemmen" ⁴).

Eine A. in der Tasche getragen (?), schützt vor Geldmangel (Schweinfurt) ⁵).

¹) SAVk. 15, 177 (17. Jh.). ²) S e y f a r t h *Sachsen* 298. ³) K ö h l e r *Voigtl.* 353; C. G e s n e r *Fischbuch* (1598) 174 b; H ö f l e r *Organoth.* 190. ⁴) *Fischbuch* l. c. ⁵) ZfVk. 5, 415.
Hoffmann-Krayer.

Aas, Tierleichnam. Wenn Kinder unversehens einem A. begegnen, spucken sie dreimal darauf und schreien: „Pfui Teufel! daß məē Vatər und Muətər itt rǝidig wēǝrǝt" ¹). „Der veldtbau" (Straßburg 1556, buch 15, cap. 1) erzählt nach Varro r. r. 2, 5, wie aus dem faulenden Fleische eines toten Stieres Bienen entstehen. Nach dem Gl. Salom. entstehen aus dem faulen Fleische der Esel Wespen, aus dem der Maultiere Drohnen, aus dem

der Pferde Hornissen, aus dem der Kälber Bienen (s. d.) ²). In einigen Orten der Rheinprovinz nagelt man dem Schnitter der letzten Halme den Kadaver irgendeines kleinen Tieres an die Wand seines Hauses ³). Legt man im Voigtlande ein Stück Luder unter die Stallschwelle, so ist kein Pferd aus dem Stalle zu bringen⁴). Hat ein Obstbaum weníg Früchte getragen, so legt man einen A.knochen in seine Äste; dann schämt er sich und trägt im folgenden Jahre reichlicher ⁵). Stört man den wilden Jäger (s. d.) auf seiner Fahrt oder erzürnt man ihn gar, so wirft er ein Stück A. herab, das nur durch ihn selbst wieder abgeholt werden kann oder mit Hilfe des Scharfrichters verbannt werden muß ⁶).

S. a. F l e i s c h , K n o c h e n , T o t e n k n o c h e n .

¹) B i r l i n g e r *Volksth.* 1, 458 Nr. 31. ²) G r i m m *Myth.* 3, 202; 2, 579; *Diutisca* 2, 194; Buch d. Richter 14, 8; P l i n i u s 11, 20. ³) M a n n h a r d t *Forschungen* 182 = *Korndämonen* 19. ⁴) W u t t k e 267 § 392. ⁵) G r o h m a n n 87. 143 Nr. 1050 = W u t t k e 15 § 13; 427 § 669. ⁶) K ü h n a u *Sagen* 2, 453 Nr. 1053; M e i c h e *Sagen* 407 Nr. 535; W o l f *Beiträge* 2, 149.   Bächtold-Stäubli.

Aba, Zauberwort in der Formel: + Aba Aluy + Abafroy + Agera + Procha usw.¹), um im Spiel zu gewinnen.

¹) T h i e r s 1, 356.   Jacoby.

Abaddon, Fürst der Furien, der Stifterinnen des Unheils ¹). Die Figur des A. stammt aus der Offenb. Joh. 9, 11, wo er als βασιλεύς, König, der dämonischen Heuschrecken bezeichnet wird, als Engel des Abgrunds, der hebräisch Abaddon und griechisch Verderber ('Αβαδδών-'Απολλύων) genannt ist. אֲבַדּוֹן ist im Alten Testament der „Untergang", das „Totenreich", in der griech. Übersetzung ἀπώλεια, Vulgata: perditio vgl. Hiob 26, 6. 28, 22. 31, 12. Prov. 27, 20. Ps. 88, 12. Ps. Sal. 14, 6. 15, 10. 11. Targ. Jon. Ez. 31, 16²). Schon Hiob 28, 22 personifiziert den A., ebenso der Talmud ³) und die Schrift de morte Josephi 23, 9⁴): „Da kam A. herein und nahm die Seele meines Vaters Joseph hinweg usw.", in der A. mit dem „Tod" wechselt. Als „Abathon" erscheint der

1*

Name neben Sabaoth in einem koptischen Zaubertext [5]).

[1]) A g r i p p a v. N e t t e s h e i m 3, 110 ff.
[2]) H e r z o g - H a u c k 1, 14.   [3]) W e b e r
Theol. 172. [4]) L a g a r d e *Aegyptiaca* (1883),
28.   [5]) *Gnost. Trakt.* 17 (R o s s i *Cinque
manoscritti* in Memor. Accad. Torino ser. 2, 43).
                               Jacoby.

abbacken. I. Das Brot ist abgebacken[1]),
wenn die R i n d e sich von der K r u -
m e , „dem innern, weichen Teil des
Brotes" [2]), loslöst, so daß zwischen Kruste
und Krume ein Hohlraum entsteht; das
wird oft beim unreifen Getreide beobachtet; im Rheinland [3]) sagt man: „de
K ö s c h es a f g e b a c k e = die Kruste
hat sich gelöst"; in Schleswig [4]) heißt es:
„dat Brood is a f b a c k t". Das Volk
führt diese unangenehme Eigenschaft
des fehlerhaft gebackenen Brotes auf
bestimmte Umstände zurück. Schon
die Rockenphilosophie [5]) warnt: „Sieht
ein h u n d in den backofen, wo man
backt, so wird das brot e r l ö s e t oder
a b g e b a c k e n" (vgl. backen § 5). In
Mecklenburg [6]) darf man nicht in den
Backofen blasen, wenn Brot darin ist,
sonst backt es ab; in Westböhmen [7]) darf
man sich, während das Brot im Ofen ist,
nicht auf den Backkübel setzen, sonst bekommt man abgebackenes Brot oder
„d a l a i s t's" Brot (= erlöstes Brot) [8]).
Wenn man in Mecklenburg [9]) „ein soge-
nanntes P r o b e b r o t anschneidet, um
zu sehen, wie es geraten ist, so darf man
die erste Scheibe nicht ganz abschneiden,
sondern muß sie zuletzt abbrechen, weil
das noch im Ofen befindliche Brot sonst
abbackt; oder man macht auch vorher
drei Kreuze darüber." In Schleswig [10])
hat die „Aufschlägerin" ihre S e e l e ins
B r o t g e b a c k e n , wenn es abgebacken ist; auch gilt besonders in Süd-
schleswig [11]) abgebackenes Brot als üble
Vorbedeutung. Auch in Schlesien sucht
man zu vermeiden, daß das Brot erlöst
wird: man streut Salz k r e u z w e i s e
über den Teig; wird es erlöst, so stirbt
jemand in der Familie [12]). Meistens ist das
Brot, das Löcher hat, mit abgebackenem
identisch, besonders in Mittel- und Süddeutschland, wo man den Begriff und das

Wort „abbacken" nicht kennt. In Schleswig-Holstein [13]) sagt man allgemein, der
Bäcker habe seine Seele ins Brot gebacken, wenn ein Loch darin ist; sonst
hört man auch [14]): der Bäcker ist durchgekrochen, eine Maus ist durchgekrochen
oder der Bäcker ist mit seiner Frau
„hindurchgeschlupft" [15]) (Heidelberg).
Ähnlich wie in Schleswig das A. des
Brotes, ist sonst das Vorkommen von
Löchern ein schlimmes Omen: es wird
jemand krank [16]), oder es gibt Trauer in
der Familie [17]).

[1]) G r i m m *DWb.* 1, 11; F r i s c h b i e r
Preuß. Wb. I, 4. Dagegen: F i s c h e r *Schwäb.
Wb.* 1, 4; S c h m e l l e r *Bayer.Wb.* 1, 194—195;
[2]) H. P a u l *DWb.*[3] 303. [3]) M ü l l e r *Rhein. Wb.*
1, 372. [4]) M e n s i n g *Schleswig-Holstein. Wb.*
1, 58; d e V r i e s e n t e W i n k e l *Woordenboek der Nederlandsche Taal* 1, 848—49;
abgebackenes Brot heißt auch „afköstig":
M e n s i n g 1, 73; F r i s c h b i e r *Preuß.
Wb.* 1, 4. [5]) G r i m m *Myth.* 3, 435 Nr. 32;
D e r s. *DWb.* 3, 907; D r e c h s l e r *Schlesien*
2, 13; vgl. den Aberglauben in Frankreich, wo
das Eintreten einer K a t z e in die Bäckerei
als gefährlich gilt: S é b i l l o t *Folk-Lore* 3, 99.
[6]) B a r t s c h *Mecklenburg* 2, 136 Nr. 595. [7]) J o h n
Westböhmen 246. [8]) G r i m m *DWb.* 3, 907.
[9]) B a r t s c h 2, 135. 590. [10]) M e n s i n g l. c.
1 207. [11]) D e r s. 58. [12]) In Oldenburg bedeutet
abgebackenes und querüber geborstenes Brot
Unglück: S t r a c k e r j a n *Oldenburg* 1, 38.
[12]) D r e c h s l e r 2, 13. 203. [13]) ZdVfVk. 24 (1914),
56. 7; M e n s i n g 1, 525; vgl. G r i m m
DWb. „Seele" 25 a, γ; ebenso bei den
Deutschamerikanern: F o g e l *Pennsylvania Germans* 188 Nr. 916; vgl. Z i n -
g e r l e *Tirol* 57, 494. B a u m g a r t e n *Jahr
u. s. Tage* 7. [14]) S t a u b *Brot* 56; Schweiz. Id.
5, 924; [15]) Alemannia 33 (1905), 304. [16]) SAVk.
8, 269 Nr. 33; vgl. S. 146, 4. [17]) Urquell 1
(1890), 9.   Eckstein.

abbacken. II. Eine uralte volksmedizinische Heilart ist das A. K r a n k e r , vor
allem skrophulöser, tuberkulöser Kinder
und Rheumatiker. Bereits Bußordnungen
des 11. Jahrhunderts verbieten den Müttern bei strenger Strafe, fieberkranke
Kinder in den Ofen zu legen [1]). Die
Rockenphilosophie [2]) schildert den Brauch
ausführlich: „Sie binden die Arme dem
ohnedem schmachtenden Kinde auf eine
Kuchen-Scheibe und schieben solche nach
ausgenommenem B r o t e etliche Male
in einen Back-Ofen, daß es nicht Wunder
wäre, das Kind erstickte in der Hitze."

Bei solch alt aussehenden Kindern, die das „Ä l t e r l e i n" (s. d.) haben, sagte man den Spruch: „Alt hinein und jung heraus."

Noch heute wird dieses Ab- oder Umbacken von Kranken im Erzgebirge vorgenommen. So versuchte ein rheumatischer Bauer im November 1906 seine Schmerzen abzubacken. Er rieb sich mit Petroleum ein und legte sich dann in den noch warmen Backofen. Nach einigen Stunden fand man ihn als Leiche, da er offenbar durch die im Ofen sich entwikkelnden Gase erstickt war [3]).

Einen symbolischen Ersatz für das menschliche A. sehen wir in dem sog. D a r r a b b a c k e n in manchen Gegenden Preußens. Drei Donnerstage hintereinander und zwar bei abnehmendem Mond nach Sonnenuntergang knetet man einen Teig, formt daraus 3 Brote und bäckt sie im Backofen. Währenddessen geht ein anderer ums Haus und fragt beim Küchenfenster: „Was backst?" Antwort: „Ich backe dem (der) N. N. die Darre (= Abzehrung)ab." Jener: „Back, Back!" Das geschieht dreimal und so noch an zwei folgenden Donnerstagen. Jedesmal werden die gebackenen Brote in ein fließendes Wasser geworfen [4]). s. a. T r a n s p l a n t a t i o n, b a c k e n 2.

[1]) F r i e d b e r g *Bußbücher* 28. 90.   [2]) I, 123.   [3]) H e l l w i g *Abergl.* 55; Ders. *Das „Backen" von Kranken:* Arch. f. Kriminalanthrop. 28, 360.   [4]) F r i s c h b i e r *Hexenspr.* 43.   Stemplinger.

abbeißen (im Gegensatz zu abreißen, abschneiden) (s. d.) der Fingernägel kleiner Kinder wird vielfach gefordert: „Viele glauben," schreibt J. Albert Conlin in seinem ‚Abergläubischen Narren' (1710), „der kleinen Kinder ihre Nägel müssen zum erstenmal (oder im ersten Lebensjahr) von der Mutter abgebissen werden, sonst lernen sie stehlen." Dieser Glaube ist außerordentlich weit verbreitet [1]), auch die Chemnitzer Rockenphilosophie kennt ihn [2]). Da und dort ist vergessen worden, weshalb man sie a. muß [3]), oder die Begründung ist eine andere: in der Wetterau bekommt das Kind sonst Nagelwurz [4]), im Erzgebirge schneidet

man ihm sonst das Glück ab [5]), auf der Lüneburger Heide verkürzt man ihm die Lebensdauer [6]); die ursprünglich wahrscheinlich allgemeine, heute noch fränkische Vorschrift, daß die Mutter die Nägelabfälle dann verschlucken müsse (damit das Kind leicht zahne) [7]), läßt den Ursprung dieses Glaubens erraten: er wurzelt in der Anschauung, daß die Hexen über den Gewalt erhalten, von dessen Körper oder Eigentum sie etwas in ihre Hände bekommen [8]). Das besagt deutlich eine schwäbische Regel: kleinen Kindern werden die Nägel nicht abgeschnitten, höchstens abgebissen, sie mögen sich damit auch noch so sehr zerkratzen, damit die Hexen nicht zukommen. [9]) — Wer die Nägel einer Leiche abbeißt, befreit sich von einem unheilbaren Uebel [10]) (s. Leiche). — Aber auch sonst findet sich das A. an Stelle des Abschneidens: Gegen Zahnweh beißt man einer M a u s den Kopf ab [11]). Wenn ein Kind die Zähne schwer bekommt, muß jemand einer lebenden Maus den Kopf a. Der Kopf wird dann in ein Säckchen genäht und dem Kinde umgehängt. In jedem Orte um Landshut findet sich leicht eine Person, die gegen ein kleines Trinkgeld einer Maus den Kopf a. [12]). Das Zahnen wird auch erleichtert, wenn man einer Maus den Schwanz abbeißt und ihn dem Kinde umhängt [13]). Die Rockenphilosophie weiß zu berichten, daß, wer eine abgebissene M a u l w u r f s pfote bei sich trägt, wohlfeil kauft und teuer verkauft [14]) (s. a. Aalraupe, Maulwurf, Maus). — P f l a n z e n, die man für gewisse Zwecke verwenden will, müssen ebenfalls abgebissen werden. Gegen Fieber geht man in Westfalen vor Sonnenaufgang zu einem Kirschbaum und beißt, rückwärts gewandt, indem man den Namen Gottes ausspricht, die Knospen ab [15]). Im Böhmerwald steckt man jungen Ochsen, die am Fastnachtdienstag zum ersten Male eingespannt werden, zwei Ähren in das Joch, welche sich an e i n e m Halme befinden; dadurch werden sie kräftig zum Ziehen. Der Halm darf aber nicht abgerissen, sondern muß abgebissen werden [16]). Nach einem Berichte aus Patschkau (Kreis

Neiße) müssen die Kirschenzweige, die man am Andreastag ins Wasser stellt und die an Weihnacht blühen sollen (s. Barbarazweig), unter strengem Stillschweigen abgebissen und nach Hause getragen werden [17]). Seltsam ist der Aberglaube der Rockenphilosophie (317 Nr. 1), wonach „in der Mitternacht vor St. Johannistag der T e u f e l s a b b i ß an der mittleren Wurzel nicht stumpf sei, sondern eine ganze Wurzel gerade in die Erde habe, weil zu solcher Zeit der Teufel (als welcher denen Menschen diese Wurzel, um ihrer großen Kraft willen, nicht gönnet, und sie deßwegen alle abbeißet) keine Gewalt haben soll, solche abzubeißen, biß wieder nach Mitternacht, alsdenn ist keine mehr unabgebissen anzutreffen" (s. a. Teufelsabbiß) [18]). — Eine Näherin, die an einem Totenhemde arbeitet, beiße ja den Faden nicht ab, sonst werden die Zähne faul und fallen aus [19]) (s. Leichenkleid). Einem neu eingezogenen jungen Ehepaar hielt der erste Ackerknecht ein Weißbrot zum A. hin; je nachdem der Biß ausfiel, war auch das künftige Schicksal der Ehe [20]). — Vgl. weiter auch a b - r e i ß e n, a b s c h n e i d e n § 5, b e i ß e n.

[1]) B i r l i n g e r *Aus Schwaben* 1, 392; D e r s. *Volksth.* 1, 498 Anm. 1; Alemannia 27 (1900), 229; Schweiz. Id. 4, 1689; V e r n a l e k e n *Alpensagen* 395 Nr. 57; P a n z e r *Beitrag* 1, 258; P o l l i n g e r *Landshut* 244; ZfrheinVk. 2 (1905), 184; C u r t z e *Waldeck* 371 Nr. 8; D r e c h s l e r 1, 215 Nr. 244; G r o h m a n n 110 Nr. 805; ZfVk. 6 (1896), 255 (Iglau); H i l l n e r *Siebenbürgen* 52 Nr. 11; F o g e l *Pennsylvania* 54 Nr. 153 (wo auch englische Parallelen); M e y e r *Aberglaube* 219; ZfdMyth. 2 (1854), 420 Nr. 31; ZfVk. 14 (1904), 429 Nr. 5; W u t t k e 392 § 600. [2]) Rockenphilosophie 33 Nr. 23,= G r i m m *Mythol.* 3, 435 Nr. 23. [3]) SchwVk. 10, 4; B i r - l i n g e r *Volksth.* 1, 498 Nr. 32; A n d r e e *Braunschweig* 292; S c h r a m e k *Böhmerwald* 257; G r ü n e r *Egerland* 40. [4]) W u t t - k e 392 § 600. [5]) Ebd. [6]) K ü c k 8. [7]) W u t t - k e 392 § 600. [8]) H a l t r i c h *Siebenbürgen* 313 f.; Germania 26 (1881), 205; M ü l h a u s e 8. [9]) B i r l i n g e r *Aus Schwaben* 2, 239. [10]) W u t t k e 463 § 733. [11]) P o l l i n g e r *Landshut* 285. [12]) Ebd. 291. [13]) Ebd. 285; vgl. W u t t k e 393 § 602. [14]) G r i m m *Myth.* 3, 443 Nr. 261. [15]) K u h n *Westfalen* 2, 205 Nr. 581. [16]) S c h r a m e k *Böhmerwald* 240. [17]) K ü h n a u *Sagen* 3, 35. [18]) Vgl. auch G r i m m *Myth.* 3, 440 Nr. 189. [19]) K u h n *Westfalen* 2, 53 Nr. 151. [20]) S t r a c k e r j a n 1, 105 § 118; 2, 224 § 475.   Bächtold-Stäubli.

abbeten. A. kann man eine Krankheit, die man als Folge des Anwünschens und der Hexerei oder als durch Geister hervorgerufen betrachtet, dadurch, daß man Zaubersprüche und Gebete darüber spricht. Der Ausdruck ist weit verbreitet [1]). Auch der Ausdruck V e r b e t e n kommt vor [2]). S. K r a n k h e i t, G e - b e t, Z a u b e r f o r m e l.

[1]) H o v o r k a u. K r o n f e l d 2, 403. 724; R o s e g g e r *Steiermark* 69; P o l l i n g e r *Landshut* 290. 293 f.; SchwVk. 10, 3; ZföVk. 9 (1903), 212; WZfVk. 31 (1926), 51 ff. [2]) H o - v o r k a u. K r o n f e l d 2, 500.   Pfister.

abbilden s. B i l d, P h o t o g r a p h i e.

abbinden (abschnüren). Das A. ist eine chirurgische Operation, die auch in der heutigen Medizin noch angewendet wird [1]). Im Volksbrauch ist es aber meist entweder mit abergläubischen Handlungen verbunden oder bedeutet eine ganz andere nicht mechanische Handlung. a) Warzen werden abgebunden, indem man sie mit einem Faden oder einem Roßhaar umwindet und durch allmähliches Zusammenziehen entfernt [2]). In Sachsen bindet man mit einem Seidenfaden ab und wirft ihn dann rückwärts fort [3]); man tut dies, während die Glocken zu einem Begräbnis läuten und spricht: „Sie läuten einer Leich, Meiner Warze zugleich" [4]); um Landshut macht man darauf so viele Knoten in den Faden, als man Warzen hat und vergräbt ihn oder das Roßhaar unter die Dachtraufe [5]). b) Krankheiten werden „abgebunden", bei denen eine mechanische Abschnürung nicht möglich ist. So umbindet man einen „übertretenen" Fuß mit einem Faden roter Seide, worauf man alsbald von den üblen Schmerzen befreit sein soll [6]). Den Wadenkrampf beseitigt man, indem man einen hohlen Schlüssel an die Wade oder Kniekehle hält und einen Schwefelfaden um das Bein bindet [7]). Nasenbluten hört auf, nachdem man den kleinen Finger der linken Hand mit einem Zwirnsfaden fest umwickelt hat [8]). Auch Wunden werden abgebunden. Zunächst spricht man dreimal den Spruch: „Die Wunde verbinde ich in drei Namen † † †, daß du an dich nimmst Gliedmaßen, Geschwulst und Eiter und Alles, was die Wunde schaden mag" usw., dann fährt man mit einem Faden dreimal um die Wunde herum, legt den Faden gegen die rechte Ecke (?) gegen die Sonne und spricht: „Ich lege dich daher im Namen Gottes und † † †" usw. [9]). Gegen Halsgeschwulst empfiehlt die Rockenphilosophie (385 Nr. 31) stillschweigend in die Mühle zu gehen, ein Band von einem Sacke zu stehlen und um den Hals zu binden [10]), und Magister Lehmann überliefert aus dem 17. Jh., daß man „wider das Schwinden eine Mauß unangegriffen fangen, einen Faden mit der Nadel durch ihre Augen ziehen und diesen um das schwindende Glied binden" müsse [11]). Das A. berührt sich in diesen Fällen stark mit dem Binden überhaupt und dem Bannen durch das Umbinden. — c) Schließlich werden als A. auch Heilhandlungen bezeichnet, die mit dem eigentlichen Abschnüren gar nichts mehr zu tun haben. Der Fieberkranke geht zu einem Baum und bindet unter gewissen Formeln ein Strohseil um den Stamm, dadurch wird das Fieber gefesselt; wer das Seil wieder abbindet, bindet auch das Fieber wieder los und erhält es selbst [12]). Oder er wickelt einen blauen Wollenfaden neunmal um eine Zehe des linken Fußes und trägt ihn neun Tage daran, dann geht er vor Sonnenaufgang stillschweigend an einen Holunder- oder Fliederstrauch, bindet ihm den Faden um und sagt:

> Goden Abend, Herr Fleder,
> Hier bring' ik min Feber,
> Ik bind' em Di an
> Und gah davan [13]).

In anderer Form findet sich dieses Fieberabbinden (ebenfalls als „Abbeten, Ablaufen" bezeichnet) in Belgien: fieberkranke Männer binden sich mit einem Strohseil fest um einen Obstbaum, reißen sich dann mit großer Anstrengung los und laufen unter Hersagung abergläubischer Gebete möglichst schnell nach Hause [14]). Auf der Lüneburger Heide wird auch das Gliederreißen abgebunden. Man legt einen Tannenzweig um den Arm oder das Bein und spricht leise: „Ich binn di an, nimm mi dat af" usw.

Das muß dreimal nach Sonnenuntergang geschehen, am Dienstag, Donnerstag und Samstag und in den beiden folgenden Wochen wiederholt werden [15]).

S. ü b e r t r a g e n, v e r g r a b e n, v e r p f l ö c k e n usw. der Krankheit.

[1]) M e y e r *Konvers. Lex.* s. v. [2]) H o v o r - k a - K r o n f e l d 2, 879; DWB 1, 13; Schweiz.Id. 4, 1345; P o l l i n g e r *Landshut* 279; F o g e l *Pennsylvania* 321 Nr. 1703 f. [3]) S e y f a r t h *Sachsen* 234. [4]) Ebd. 214. 234. [5]) P o l l i n g e r *Landshut* 289. [6]) S e y f a r t h *Sachsen* 234. [7]) Ebd. [8]) K ö h l e r *Voigtland* 350 = S e y f a r t h 234. [9]) S e y f a r t h 235. [10]) Vgl. ebd. 235. [11]) *Historischer Schauplatz* . . 901 = S e y f a r t h 235. [12]) W u t t k e 328 § 488, wo auch noch weitere Beispiele; Schweiz Id. 4, 1345. [13]) H o v o r k a - K r o n f e l d 2, 878 f. [14]) W o l f *Beiträge* 1, 219 Nr. 256. [15]) K ü c k *Lüneburger Heide* 8 Anm. 2; vgl. auch B a r t s c h *Mecklenburg* 2, 320 f.; ZfVk. 13 (1903), 67.   Bächtold-Stäubli.

Abbiß s. T e u f e l s a b b i ß.

Abboth, Zauberwort. Steht auf einem Lederfleck in folgender Form: „דברא Abboth dabat. Von Gott" [1]). Die hebr. Buchstaben bedeuten wohl דברא = דִּבְרָה „Ausspruch, Formel". Auch A. wird hebräisch und Hoheitsplural sein: אָבות „Väter = Vaterschaft" für „Gott" [2]). In einem koptischen Zaubertext findet sich ein Engelnamen „Abôthêl" [3]), d. h. wohl „Vaterschaft Gottes". Das Ganze würde also lauten: „Formel. Gott (hebr.) hat (es) gegeben (latein.). Von Gott (deutsch wiederholt)".

[1]) S e y f a r t h *Sachsen* 157. [2]) G e s e - n i u s - K a u t z s c h *Hebräische Grammatik* (1881), 248. [3]) *Turiner gnost. Traktat* f. 19 in R o s s i *Cinque manoscritti*, Memor. Accad. Tor. ser. 2, 43.   Jacoby.

Abc. 1. E r l e r n u n g. An die Alphabetreihe knüpft sich mannigfacher Aberglaube und sonst für den Volkskundler Belangreiches. Das Alphabet enthält die Zeichen für alles, was in Wort und Schrift mitgeteilt werden kann, und so ist seine Erlernung ein wichtiger Schritt. Daher sucht man auf zauberische Weise nachzuhelfen. Die badische Mutter verhackt die Buchstaben des großen und kleinen Alphabets ganz fein mit einem Karfreitagsei und gibt es vor dem ersten Schulgang (beim Beginn des neuen Schuljahres an Ostern) dem Knaben zu essen, damit er lernkräftig werde [1]). In Langenbach bei Vöhrenbach wird dem Neugeborenen mit dem ersten Papp (Mus) das „Abc îgstriche", denn die Mutter hat einen mit dem Abc beschriebenen Zettel darin gekocht [2]). In Crailsheim in Württemberg gibt man dem Kind drei Buchstaben in den Brei oder in eine Eierspeise, damit es gescheit wird [3]). Wir kennen ähnliche neugriechische Zauberrezepte [4]): in Sizilien legt man dem Neugeborenen ein Abizzé in die Wiege [5]); aus dem römischen Altertum kennen wir den Brauch, den Kindern zum Erleichtern des Alphabetlernens Kuchen zu geben, was wahrscheinlich auch in diesen Zusammenhang gehört [6]). Nach einer altirischen Lebensbeschreibung des hl. Columba hat diesem sein Lehrer das Alphabet auf einen Kuchen geschrieben. Columba verzehrte dann die eine Hälfte für das Land im Osten, die andre für das Land im Westen des Meeres, was auf seine Missionstätigkeit gedeutet wurde. Durch das Verschlucken des Abc-Kuchens lernte aber Columba ganz von selbst das Lesen [7]). In alter Zeit waren in Deutschland Schultafeln aus Lebkuchenteig sehr verbreitet, auf denen die Buchstaben in einem dem römischen Metallspiegel ähnlichen Rahmen dargestellt waren [8]). Auch im jüdischen Schulunterricht ist ein ähnlicher Brauch belegt (seit dem 11. Jahrhundert): Der Lehrer nahm eine Tafel mit den vier ersten und den vier letzten Buchstaben des Alphabets [9]) sowie einigen Bibelversen. Der Schüler mußte die Buchstabennamen nachsprechen und die mit Honig bestrichene Tafel ablecken, um so die Süssigkeit der Lehre zu empfinden [10]).

[1]) M e y e r *Baden* 109; D e r s. *Germ. Myth.* 310; H ö f l e r *Ostern* 17. [2]) M e y e r *Baden* 16. [3]) B o h n e n b e r g e r Nr. 1, 18. [4]) D o r n s e i f f *Alphabet* 20. [5]) Ebd. 77. [6]) Ebd. 17; B e c k e r in Philol. 76 (1920), 234. [7]) A n d r e e in ZfVk. 15 (1905), 95. [8]) H ö f l e r *Weihnacht* 34. [9]) Zur Erklärung dieser Reihenfolge D o r n s e i f f *Alphabet* 136. [10]) L e w y in ZfVk. 15 (1905), 181; D o r n s e i f f *Alphabet* 171.

2. **D i e   h e r g e s a g t e   u n d   h i n - g e s c h r i e b e n e   A l p h a b e t r e i h e   a l s   Z a u b e r.** Das Hersagen des Abc ist eine Art Zählen. Daher machen sich die Kinder als Abzähltext aus dem Alphabet, das sie ja alle gut auswendig können, eine Folge von Worten zurecht, deren Anfangsbuchstaben die Alphabetreihe darstellen. Das kann dann wie eine Anhäufung von Schimpfwörtern aussehen: Adler, Bendling, C-Fleisch, Dordreck, Eierfresser, Fettgans (Fingerlecker), Grünes Gras usw. (aus Lauenburg in Pommern), oder wie eine Reihe von Personennamen: Anna Boyken, Christian Doyken, Erkel Fredden usw. (aus Sylt) [11]). Das schnelle Hersagen des Alphabets gilt als Heilmittel gegen den Schlucker. [12]). Aus dem Altertum ist das Alphabet — in ebenso unmagischer Weise — als Mittel gegen Jähzorn überliefert [13]).

Von der Lust am Hersagen der Alphabetreihe und aus einem gewissen Glauben an ihre zwingende Macht stammt ferner die Verwendung des Alphabets als A k r o - s t i c h i s in beliebten Kirchenliedern, die ihrerseits wieder nur die letzten Ausläufer einer sehr alten Tradition im jüdischen und griechisch-byzantinischen Altertum sind [14]).

Die ganze hingeschriebene Alphabetreihe gilt als zauberkräftig. In der Umgegend von Graudenz gibt man neun Tage lang dem Beschrieenen in einem Stück Brot Asa foetida und die 25 Buchstaben des Alphabets. Dann betet man jedesmal: Jesus Christus Ueberwinder, wende ab den Teufelsfluch [15])! Um einem Kinde die Gichter zu vertreiben, legt man ihm das Abc - Buch unter den Kopf [16]). Der merkwürdigste Beleg für den Glauben an die Macht der Alphabetreihe ist die geltende Vorschrift der katholischen Kirche, daß bei der Einweihung einer Kirche der Bischof mit einem Stab zwei griechische Alphabete auf ein auf den Boden gestreutes Aschenkreuz schreibt. Diese Vorschrift hat in ihrem Zusammenhang mit den antiken Abc-Denkmälern Albrecht Dieterich erläutert [17]). Auch die Worte Christi in der Offenbarung des Johannes: „Ich bin das A und das O", legten jederzeit mystische Vertiefung der Alphabetreihe nahe [18]). Die Alphabetreihe ganz oder teilweise als

Inschrift auf Glocken und auf Münzen gehört wohl in ähnliche Zusammenhänge [19]).

Die Alphabetmagie und -symbolik der Juden, wie sie in der K a b b a l a ausgebildet worden ist, stammt hauptsächlich aus der Notwendigkeit, den Text ihrer heiligen Schrift allegorisch auszulegen. Es hat sich da eine Reihe von Regeln der Buchstabenvertauschung entwickelt, deren Wirkung ab und zu auch in deutschem volkskundlichem Bereich in Betracht zu ziehen ist [20]). Seltener wird man wohl der G e m a t r i a begegnen, d. h. der Umsetzung der Buchstaben eines Wortes in ihren Zahlenwert, den sie als Zahlbuchstaben darstellen, eine Kunst, die Griechen und Juden schon von den Babyloniern überkommen haben [21]); am ehesten wohl noch in der Spielerei der Chronosticha, d. h. Zeilen, in die auf diese Methode eine Jahreszahl hineingeheimnisst ist [22]).

[11]) Urquell 4 (1893), 55. 150. 260; 5 (1894), 114. 192. [12]) L a m m e r t 241. [13]) D o r n - s e i f f *Alphabet* 73 f. [14]) Ebd. 147 ff. [15]) S e - l i g m a n n *Blick* 1, 287. [16]) R o c h h o l z *Kinderlied* 335. [17]) RhMus. 56 (1901), 77 ff. = *Kl. Schr.* 202 ff. [18]) D o r n s e i f f *Alphabet* 122 ff. [19]) Ebd. 77. [20]) Ebd. 79. 136. [21]) Ebd. 91 ff. [22]) Ebd. 113; H a l l o in ARw. 23 (1923), 173.

3. L o s e n   u n d   W a h r s a g e n. Als die festgelegte Reihe sämtlicher Bestandteile der Sprache ist die Alphabetzeile ferner wie geschaffen, um beim Losen und Wahrsagen aus ihr auszulesen. In Thüringen, Schlesien, Erzgebirge, Mecklenburg schreibt die heiratslustige weibliche Jugend am Andreasabend die 24 Buchstaben des Alphabets an die Tür und faßt dann mit verbundenen Augen darnach oder stößt darnach mit dem Stock; der getroffene ist der Anfangsbuchstabe des künftigen Gatten [23]). Auch werden die Buchstaben auf einzelne Zettel geschrieben, diese unter das Kopfkissen gelegt, und in der Nacht greift man zum gleichen Zweck darnach; auch den künftigen Beruf kann man durch solche Zettel erfahren [24]). Das sind uralte Verfahren, die ihre Vorläufer im griechisch-römischen Altertum haben. Man nahm etwa ein

Becken, an dessen Rand die 24 Buchstaben standen, und ließ einen an einer Schnur herabhängenden Ring anschlagen. Oder man verwandte das sog. Hahnorakel, ἀλεχτρυομαντεία (s. d.). Hier bediente man sich eines Kreises mit 24 Feldern; auf jedem Felde lag ein Korn, und jedem entsprach zugleich ein Buchstabe des Alphabets. Es kam nun darauf an, welche Körner ein herbeigeholter Hahn wegpickte [25]). Oder man schrieb die Buchstabenreihe in Asche (vgl. oben über die Kirchenweihe), es kam dann darauf an, welche Buchstaben der Wind stehen ließ (τεφρομαντεία) (s. d.) [26]). Äußerst altertümlich ist auch eine Mantik, die aus Schlesien und Ostpreußen berichtet wird [27]): man schreibt die 25 Buchstaben in der Neujahrsnacht auf einzelne Zettel und zieht drei davon; die drei entsprechenden Verse des „Goldenen Abc", d. h. des Liedes: „Allein auf Gott setz' dein Vertrauen", sind die für das künftige Jahr bedeutsamen. Dieses alphabetisch-akrostichische Kirchenlied wird da nämlich in der genau gleichen Weise als Losbuch benutzt wie antike Losorakelgedichte, die hauptsächlich in Kleinasien auf Stein gefunden worden sind [28]). Eine neugriechische Parallele bietet Pradel Gebete 14 ff. und 70: wenn man wissen will, was der Traum der letzten Nacht bedeutet, so soll man den Psalter nehmen, ihn hinter sich legen, drei Vaterunser sprechen und dann das Buch öffnen. Beim ersten Buchstaben, den du siehst, beachte, was dir das Alphabet sagt (folgt eine Liste der Buchstaben mit Angabe ihrer Bedeutungen). — Ein andres Omen: wenn man unwillkürlich einen Vers sagt und zählt die Silben im Alphabet nach, so gibt der Buchstabe den Namen einer Person, die an einen denkt (Heidelberg) [29]).

[23]) W u t t k e 233. [24]) Ebd.; Urquell NF. 1 (1897), 71; B a r t s c h *Mecklenburg* 2, 238. [25]) R i e ß in P a u l y - W i s s o w a 1, 1363; M a n n h a r d t *Korndämonen* 18 Anm. 46; Meyer *Aberglaube* 284; D o r n s e i f f *Alphabet* 154. [26]) M e y e r ebd. [27]) W u t t k e 242. [28]) D o r n s e i f f *Alphabet* 151. [29]) *Alemannia* 33 (1905), 304.

          Dornseiff.

Abdankung. Abschluß der Teufels- oder Geisterbeschwörung, durch die der Teufel

resp. Geist verabschiedet, „abgedankt"
wird. Vielfach geschieht es durch Rückwärtslesen (s. d.) der Beschwörungsformel[1]. Oft sind dazu aber auch ausführliche besondere A.s-formeln nötig [2]).

[1]) B a u m g a r t e n *A. d. Heimat* 1, 75;
D e r s. *Jahr u. s. Tage* 17. [2]) Vgl. z. B. ZfVk.
9 (1899), 271; K i e s e w e t t e r *Faust* 408 f.;
M a n n h a r d t *Zauberglaube* 172.
                              Bächtold-Stäubli.

Abdecker. Die A. gehörten wie die Fahrenden und Spielleute, Bader, Müller,
Leineweber, Schäfer, Scharfrichter und
Schergen zu der Kategorie der unehrlichen Leute, die durch ihr anrüchiges
Gewerbe der Standesehre für ihre Person
verlustig gegangen waren[1]). Eine Rechts-
folge dieses Zustandes bestand darin, daß
die Angehörigen solcher Berufe und ihre
Kinder von der Aufnahme in andere
Zünfte ausgeschlossen waren.

In ganz besonderem Maße war die
Tätigkeit des A.s wie die des Scharfrichters, der im Nebenamt auch oft das
Schinderhandwerk ausübte, verrufen[2]).
Diese Leute waren von der Stadt- und
Dorfgemeinschaft ausgeschlossen, sie
mußten abgesondert wohnen, und niemand wollte mit ihnen und ihren Dienst-
leuten in Berührung kommen. Nach den
Statuten der Engelsgesellschaft in Rotweil „soll kein Engelsgeselle tanzen, wo
des Schinders Gesindlein tanzt"[3]). „Wer
dem Henker und dem Schinder abkouffet
hat Schmalz oder Unschlitt, dem soll die
Zunft verboten sein ein Jahr"[3]).

Diese Gesinnung reichte auch noch
über das Grab hinaus: „In Gundelfingen
wollte anno 1748 das Weberhandwerk
die vier aufgestellten Totengräber vom
Handwerk ausschließen, weil sie den
Wasenmeister zu Grabe getragen"[4]).

Die Verachtung, mit der man den A.
betrachtete, gibt sich auch in den bösen
Schelt- und Schimpfworten kund, die mit
seinem Namen gebildet werden, z. B.
Schindershund, -bua, -kerl, Schelmen-
schinder; jemand einen „Schinder heißen" wurde bestraft[5]).

Der Volksmund kennt für den A. zahlreiche Bezeichnungen; außer den bereits
genannten z. B. Fall-, Feld-, Klee-, Wa-

senmeister, Racker usw., die z. T. als
Decknamen aufzufassen sind, da sie zur
Umschreibung des eigentlichen, jedoch
anstößig gewordenen Namens gebraucht
wurden. Im Schelten-Wörterbuch von
K l e n z werden allein 23 Namen für den
A. aufgezählt [6]).

Seinem verrufenen Gewerbe verdankte
er aber gewisse anatomische Kenntnisse,
und durch diese, sowie durch die er-
zwungene Ausschließung aus der bürgerlichen Gesellschaft kam er in den Ruf
geheimer Heil- und Zauberkräfte[7]), so
daß nicht nur das Volk, sondern auch
Angehörige höherer Stände sich gegebenenfalls mit ihren Anliegen an ihn
wandten [8]).

In seinen Kuren mischten sich, wie bei
allen Heilkundigen aus dem Volke, alte,
durch viele Generationen vererbte volksmedizinische Kenntnisse und durch die
Klöster überlieferte antike Heilkunst mit
abergläubischen Vorstellungen, denen
aber die größte Wichtigkeit beigemessen
wurde. Dabei spielt auch sein Handwerkszeug, das Schindmesser, eine Rolle:
Kindern, welche den Gurfel (Milchschorf)
hatten, mußte er dasselbe zur Heilung
dreimal durch den Mund ziehen, berichtet der Egerer Scharfrichter Karl
Huß in seiner Chronik von 1823[9]).

Dieses Messer diente auch zur Unehr-
lichmachung beim Strafvollzug an Personen, die sich Unterschleife öffentlicher
Gelder hatten zuschulden kommen lassen, indem es ihnen hiebei vom Scharfrichter unters Kinn gesetzt wurde[10]). Der
A. steckte es ferner demjenigen, der ihm
ins Handwerk gepfuscht, d. h. ein gefallenes Stück Vieh selbst enthäutet hatte,
in den Türpfosten, zum Zeichen, daß er
sich dafür bei ihm lösen müsse[11]).

Die Figur des A.s tritt auch im Gefolge
des Schimmelreiters beim Brechelfest in
Kärnten[12]) und beim Faschingsrennen
in Krakaudorf[13]) auf, die beide deutlich
als Fruchtbarkeitsbräuche gekennzeichnet sind.

[1]) Materialien über A. und Scharfrichter aus
süddeutschen und Schweizer Quellen gesammelt bei B i r l i n g e r *Aus Schwaben* 2, 441 ff.;
D e r s. *Volksth.* 2, 235 ff.; aus Norddeutsch-

land bei **B e n e k e** *Von unehrlichen Leuten*
167 ff. Vgl. auch **F e i l b e r g** *Iysk Ordbog* 3,
8 ff.; Suppl. 326; **H o o p s** *Reallexikon* 4, 373.
[2]) Vgl. **S c h a r f r i c h t e r**, für den in vieler
Hinsicht das hier über den A. Gesagte gilt.
[3]) **R u c k g a b e r** *Gesch.* 1, 278 (**B i r l i n g e r**
Aus Schw. 2, 445); Rotw. Rechtsb. 127 a (**B i r l**.
a. a. O.). [4]) **B i r l**. a. a. O.. [5]) A. a. O. 2, 448.
[6]) S. 1 ff. (mit Worterklärungen). [7]) Volks-
kundeblätter aus Württemberg u. Hohenzollern
1911, 11: ein alter Kleemeister versteht die
Kunst des Festbannens. [8]) **H ö h n** *Volksheilkunde* 1, 68; **F l ü g e l** *Volksmedizin* 26;
F o s s e l *Volksmedizin* 43; **W u t t k e** 488
§ 778. [9]) ZföVk. 6, 120 u. 123; **H o v o r k a**
u. **K r o n f e l d** 2, 78 (zu „Gurfel" vgl.
G r i m m *DWb.* 5, 2805 s. v. „Kurfes".)
[10]) **B i r l i n g e r** *Aus Schw.* 2, 498 Nr. 41.
[11]) **B e n e k e** *Unehrl. L.* 280. [12]) ZföVk. 17,
148 ff. [13]) Sitzb. d. Anthr. Ges. Wien 1926/27,
170 ff. Schömer.

Abdontag. Am Tage Abdons, eines Märtyrers unter Kaiser Decius (30. Juli), soll
man Gras schneiden, Farn ausreißen,
Schilf aus den Teichen, Dornen aus den
Feldern rotten [1]), Schwamm am Hause
beseitigen [2]), Ungeziefer vertilgen [3]), Kugeln gießen [4]). Hühneraugen, an diesem
Tage geschnitten, wachsen nie wieder [5]).
Holz und Kraut, das angerührt oder leicht
angehauen wird, vertrocknet [6]). In allen
Fällen ist der Glaube auf den Anklang
des Namens an „a b t u n" zurückzuführen. Im Bergischen heißt der Tag daher „A b t u - T a g" [7]). Um die Kenntnis von seinen unheilvollen Eigenschaften
verschwinden zu lassen, hat man ihn
„Beatrix" umbenannt [8]).

[1]) **G r i m m** *Myth.* 3, 439 (140); ZfVk. 24,
12; **R e i n s b e r g** *Böhmen* 379; ZfrwVk. 11,
157. 270; **S a r t o r i** *Sitte u. Brauch* 3, 240.
[2]) ZföVk. 13, 139. [3]) **S c h ö n w e r t h** *Oberpfalz* 3, 283; **W o l f** *Beitr.* 1, 218; **P f i s t e r**
Hessen 164; ZfVk. 10, 212; [4]) **K r o n f e l d**
Krieg 115. [5]) ZfrwVk. 11, 157; **B a r t s c h**
Mecklenburg 2, 294; ZfVk. 24, 12 (Vogesen).
[6]) **K n o o p** *Hinterpommern* 175; **S c h u l e n-
b u r g** 255; **J a h n** *Pommern* 350. [7]) ZfrwVk.
11, 270. [8]) **J a h n** *Pommern* 350. Sartori.

Abek, Zauberwort zur Blutstillung:
„A., Wabek, Fabek" [1]) u. ä. Klangworte,
von denen das erste sich wohl schon in
der Formel: „Horner. larci, h a b e c h . . .
Cisius. elaoro hodier laciaon Virtus coeli
libera pellet . . . ." gegen den „morbus
comitialis" in einem Cod. Cavensis saec.
XI [2]) findet.

[1]) **S t e m p l i n g e r** *Sympathie* 81; **D e r s.**
Aberglaube 82; **W u t t k e** 171 § 230; **H o-
v o r k a** u. **K r o n f e l d** 2, 371. [2]) **H e i m**,
Incantamenta 539 Nr. 226. Jacoby.

Abel. 1. **K ö n i g o d e r H e r z o g**
A., eine der vielen, örtlich und zeitlich begrenzten Substitutionen für den
wilden Jäger (s. d.), der als dämonische
Figur älter, verbreiteter und unvergäng-
licher ist als jeder seiner wechselnden
göttlichen oder geschichtlichen Namen.
Wie König Waldemar I. in Dänemark,
jagte König A. in Schleswig, dem Schauplatz seines Verbrechens, als wilder Jäger
nach dem Glauben des Mittelalters und
dem der Neuzeit bis ins 19. Jahrhundert [1]);
die historische Beziehung war zu dieser
Zeit freilich schon lange verloren gegangen. Sein Urbild ist jener Herzog A. [2]),
Sohn Waldemars II., der am 10. August
1250 seinen Bruder, den dänischen König
Erich Pflugpfennig, auf der Schlei ermorden ließ und der, selbst nun König,
1252 von den Nordfriesen erschlagen
wurde. Da er als Wiedergänger umging,
nahm man seine Leiche aus dem Dom zu
Schleswig und versenkte und verpfählte
sie in einem Sumpf bei Gottorp. Von da
aus jagt er nun, schwarz, von 3 oder 10
feurigen oder weißen Rüden begleitet,
nach Mösunde, wo Erich starb, und wieder
zurück in den Sumpf.

[1]) S. die älteren, noch historisch begründeten
Sagen, sowie einige jüngere mit den typischen
Zügen der Sagen vom wilden Jäger bei **M ü l-
l e n h o f f** *Sagen* Nr. 487, 488, vgl. **G r i m m**
Mythol. 788; danach **M a n n h a r d t** *Götter*
119; **W o l f** *Beiträge* 2, 130. 137. 151; **S i m-
r o c k** *Mythol.* 198, 208; E. H. **M e y e r**
German. Mythol. 237. Ganz willkürlich bezieht
M e y e r ebda. 256 das Haferopfer auf dem
Hesterberg (**M ü l l e n h o f f** Nr. 490) auf
König Abel. [2]) Das Historische bei **D a h l-
m a n n** *Dänische Geschichte* 1, 403 ff. S. noch
A b e l 2.

2. **D e r b i b l i s c h e A b e l.** Das
Blut A.s als mystisch-sakraler Gegenstand erscheint neben dem Haupt Christi,
dem Herz Eliä usw. in einem Tiroler
Segen [3]); doch möchte ich vermuten, daß
es sich um eine Verderbnis für das in
solchen Fällen viel gebräuchlichere Blut
Adams handelt. — Daß A. in der Vor-
hölle des Redentiner Osterspiels als erster

den Schein im düstern Grund bemerkt, hängt vielleicht mit der Lehre des Epiphanius [4]) zusammen, Abel sei durch das Licht der Natur selig geworden. — Das Bewußtsein von A. als dem Opfer des weitverbreiteten Brudermordmärchens [5]) hat schließlich in jener oben behandelten Geschichte des Königs A. den historischen Vorgang umgekehrt, denn Dahlmann [6]) kann berichten: „mir selber sind im Dome (scil. von Schleswig) Gebeine und Ketten gezeigt, einem König A. gehörig, der von seinem Bruder erschlagen sei."

[3]) ZfVk. 9 (1899), 374. [4]) S t o l l e *Kirchenväter* 337. [5]) Vgl. darüber G u n k e l *Märchen* 130. 138. [6]) *Dänische Geschichte* 408.

H. Naumann.

Abend. 1. Mit der einbrechenden D ä m m e r u n g (s. d.) und dem S o n n e n u n t e r g a n g (s. d.) bildet der A. den Übergang zur N a c h t (s. d.). Ursprünglich hat man sich bei Zeitangaben wohl nur an den Sonnenuntergang allein gehalten, weshalb eine eigene Benennung für die Übergangszeit, den A., nicht nötig war. Hiefür besitzen auch die idg. Sprachen bezeichnenderweise keinen einheitlichen, auf eine gemeinsame Urform zurückweisenden Ausdruck [1]), und im Germanischen kommen zwei verschiedene Wortstämme in Betracht, die nicht voll geklärt sind, aber doch im allgemeinen dasselbe wie Sonnen- oder Tagesuntergang zu bedeuten scheinen. Einerseits ahd. *âband*, ags. *êfen*, an. *aptann* (got. *sagqs*, eigentl. 'Sinken der Sonne'), andrerseits an. *kveld*, ags. *cwyldseten* (Abendsetzung), ahd. *chwilti-wërch* (Abendarbeit), nhd. *kilt* (alem.), was wahrscheinlich 'Tod' des Tages (ags. *cwelan* = sterben) bedeutet [2]).

Als die römische Tageseinteilung von der christlichen Kirche übernommen und zu fünf Gebetszeiten (*horae canonicae*) umgestaltet wurde (*Matutina, Tertia, Sexta, Nona, Vespera*) deckte sich die *Vespera* (*hora vespertina*) mit der Abendzeit. Im 5. Jahrhundert schob man zwischen Matutin und Terz eine *hora prima* und zum Schluß des Tages die *Completa* oder das *Completorium* ein, wodurch die

V e s p e r auf eine Stunde früher verschoben wurde [3]). Im Laufe der Zeit verschob sie sich noch mehr gegen den Mittag zu, so daß sie vielfach ausdrücklich vom Abend unterschieden wird. Schon zu Beginn des 16. Jahrhunderts findet man die Vesperzeit bis auf 2 Uhr nachmittags zurückverlegt, so daß damit nur mehr der Spätnachmittag bezeichnet wird [4]). Das Volk, das sich ursprünglich bei seiner Tageseinteilung dort, wo von den Klöstern und Stiftskirchen die 7 Horen durch Glockenläuten verkündet wurden, nach diesen richtete, gewöhnte sich, nachdem später das A v e - M a r i a - L ä u t e n am Morgen und A., später auch mittags, eingeführt worden war [5]), dieses A b e n d l ä u t e n (s. d.) als den Beginn des A. zu betrachten. Es hat fast keine zeitliche Übereinstimmung mit dem Sonnenuntergang, da es gewöhnlich im Sommer um 8 Uhr und im Winter um 7 Uhr erfolgt [6]).

Zur E r k l ä r u n g d e s A b e r g l a u b e n s kommen die gleichen Grundlagen und Umstände in Betracht wie bei der Nacht (s. d.). Die Eigentümlichkeit, daß dem A. auch Z u k u n f t s b e d e u t u n g beigelegt wird, erklärt sich daraus, daß er ursprünglich ein zeitlicher A n f a n g s p u n k t war, indem die nach Nächten zählende altgermanische Zeitrechnung den Tag mit dem vorangehenden A. begann [7]), was auch bei den alten Griechen [8]) und wahrscheinlich schon in der idg. Urzeit [9]) üblich war.

[1]) S c h r a d e r *Reallex.* 1 ff. u. *Sprachvergleichung* 2, 237. [2]) H o o p s *Reallex.* 1, 3 f.; S c h r a d e r a. a. O.; G r i m m *Myth.* 2, 624. [3]) G u s t a v B i l f i n g e r *Die mittelalterlichen Horen und die modernen Stunden* (Stuttgart 1892) 2 ff. [4]) Ebd. 54 f. [5]) Ebd. 5 f. [6]) G e r a m b *Brauchtum* 81. [7]) H o o p s *Reallex.* 1, 3 f. [8]) S c h u l t z *Zeitrechnung* 59 f. [9]) S c h r a d e r *Reallex.* 2.

2. Bei Durchsicht der volkstümlichen Überlieferungen, besonders der Sagen, ergibt sich, daß der A. meist als ein T e i l d e r N a c h t erscheint, die die im Wechsel der Jahreszeiten sich verschiebende Zeit vom Sonnenuntergang bzw. Gebetläuten bis zum Schlafengehen bedeutet [10]). So zeigen sich auch schon

am A. fast alle jene G e i s t e r , denen die Nacht (s. d.) gehört und deren Macht um Mitternacht (s. d.) am größten ist.

Die U n t e r i r d i s c h e n kommen heraus [11]), tanzen a.s im Mondenschein [12]) und strafen den, der ihnen zusieht, mit Erblindung [13]). Am A. nimmt das B e r g - m ä n n l e i n teil an einem Hochzeitstanz [14]), Z w e r g e verplaudern die Abendstunden bei den Menschen [15]), die Zwergin kommt zur Bäuerin, damit sie ihr als Wehmutter beistehe [16]); Zwerge beginnen auch schon am A., wie die eigentlichen H a u s g e i s t e r , ihr geschäftiges Werken in Haus und Hof [17]). Ein Todesfall steht bevor, wenn sich am A. der Hausgeist mit traurigem Gesicht zeigt [18]) oder wenn das K l a g e w e i b kläglich jammert [19]). Im Hochgebirge, namentlich in Tirol, steigen mit Anbruch des A.s die w i l d e n L e u t e und ihre unheimlichen Weiber, die F a n g g e n , von den Bergen herab und gefährden die Menschen, und der w i l d e M a n n verfolgt die wunderschönen S a l i g e n [20]). So jagt auch der w i l d e J ä g e r die w e i ß e F r a u bereits am späten A. [21]), an dem die H o l z w e i b l e i n Kuchen backen [22]), und schreckt, straft oder entführt die Unvorsichtigen, welche ihm in den Weg kommen [23]) oder gar ihn zu höhnen wagen [24]). Der schlesische N a c h t - j ä g e r [25]) beginnt zuweilen schon um 7 Uhr a.s seine Streifen [26]). In Norddeutschland vermeidet man a.s auszugehen und hält die Türen verschlossen, wenn die Zeit der Zwölften ist, weil dann F r a u G o d e , wie die G s t a m p e in Tirol [27]), an der Spitze des wilden Heeres umherzieht [28]). Der W a s s e r - m a n n , der sich sonst zu Mittag (s. d.) sonnt, zeigt seine dämonische Natur besonders am A., wo er sein Opfer sucht [29]) und Menschen heranlockt, indem er kläglich um Hilfe schreit [30]) oder sich in Roßgestalt als Reittier anbietet [31]). Aus dem Klückensee bei Arnswalde ruft die drei letzten Tage vor dem Tode eines Opfers eine Stimme A. für A. den Namen dessen, der dem See zur Beute werden soll [32]). Anderseits kommt er aber auch in friedlicher Absicht a.s zu den Men-

schen, bittet auf der Suche nach seinem Weibe um ein sonderbares Nachtlager [33]) oder holt eine Wehmutter [34]). Am A. besuchen die Töchter des Wassermanns oder die S e e - u n d W a s s e r j u n g - f r a u e n , wie in Schlesien sogar die Töchter des Nachtjägers [35]), Tanzunterhaltungen, müssen aber vor Mitternacht wieder heimgekehrt sein [36]). Am A. waschen Wasserjungfern auch Wäsche [37]).

Mit Eintritt des A.s beginnt auch der T e u f e l seine Tätigkeit [38]), setzt mitunter schon das Treiben der H e x e n ein [39]), und zum Schlafengehen stellen sich die bösen Druckgeister ein, der A l p , die T r u d e n , M a h r t e n [40]) oder W a l r i d e r s k e n [41]). Dazu gesellt sich vereinzelt der W e r w o l f . So überfielen vor mehr als 200 Jahren in der Gegend von Greifswald die Werwölfe alle Leute, welche nach acht Uhr a.s sich außer dem Hause sehen ließen [42]).

Es heißt, daß der durch eigene oder fremde Schuld vor der Zeit ums Leben Gekommene solange vom Abendläuten an bis zum Morgenläuten umgehen muß, bis die abgerissenen Lebensjahre vollendet sind [43]). Und so ist der A. auch die Zeit, wo ferner die a r m e n S e e l e n , oft in Gestalt weißer Frauen [44]), und r u h e l o s e T o t e erscheinen. Die verstorbene Mutter sorgt für ihr Kind [45]), der tote Bräutigam holt die Braut [46]), und der Gutsherr poltert im Schlosse, wenn seine Witwe nicht gegen 9 Uhr a.s die Gruft besucht [47]). Sonst findet jeder, der die Ruhe der Toten am Friedhof in den Abendstunden stört, seine Strafe [48]). In dieser Zeit zeigen sich auch schon der Grenzsteinversetzer [49]), Selbstmörder [50]) und Ermordete [51]), oder unter schrecklichen Umständen ums Leben Gekommene [52]), Neck- und Schreckgeister [53]), die den Leuten aufhocken [54]), und kopflose Spukgestalten [55]). Manche erscheinen, wie der Feuermann [56]), in feuriger Gestalt [57]). A.s eilen auch die Irrwische, die Seelen ungetaufter Kinder, herbei und zeigen dem Wanderer den Weg zu einem Wasser, damit er sie taufe [58]). Sonst dienen I r r l i c h t e r als Wegweiser [59]), führen aber auch in die Irre [60]).

Arme Seelen, die noch erlöst werden können, meist aber auf ewig Verdammte, begegnen am A., wie der Wassermann und Teufel, auch als T i e r e , als schwarze Hunde[61]) oder Hunde mit feurigen Augen[62]), als Pferde[63]) u. a. Nach Schweizer Volksglauben soll man a.s allein weidenden Kühen nicht zu nahe kommen[64]). Am A. zeigen sich natürlich auch schon die geheimnisvollen Nachttiere (s. d.), wie etwa der unheimliche Vogel in Luxemburg oder die Habergeiß in Steiermark[65]). Von sonstigem A b e n d - s p u k ist zu nennen das I r r e g e h e n dessen, der in den Abendstunden auf eine Irrwurzel tritt[66]) oder, wie in Budweis in Südböhmen, zwischen 9 und 10 Uhr über den sog. Irrstein am Ringplatz geht[67]), oder auf einen Irrfleck oder über eine Irrwiese kommt[68]). Umgekehrt gibt es wieder unheimliche Stellen, von welchen die a.s vorbeigehenden Leute n i c h t w e g k o m m e n[69]). An anderen Punkten darf sich nach dem Abendläuten n i e m a n d b l i c k e n l a s s e n[70]). Auf ruhelose Tote und arme Seelen deuten die G e s p e n s t e r f u h r - w e r k e[71]) und allerlei f e u r i g e E r s c h e i n u n g e n , die auch schon am A. sichtbar werden, so feurige Fässer[72]) oder Lichter, die anderer Art als die Irrlichter sind[73]). Und wie das Auge am A. mancherlei Seltsames sieht, so hört auch das Ohr rätselhaftes L ä r m e n und G e r ä u s c h an gewissen Plätzen[74]). Auf einem Schlosse der Grafschaft Glatz geriet sogar an allen A.en das Wasser in sämtlichen Gefäßen in wallende Bewegung, bis man an jedem Sonnabend den Rosenkranz betete[75]).

Um die Kinder zu zwingen, mit Einbruch des A.s nach Hause zu kommen, erinnert man sie an S c h r e c k g e s p e n - s t e r , z. B. an den S c h w a n e w e r t in der oberen Emsgegend[76]) und erfand sogar eigene a b e n d l i c h e S c h r e c k g e - s t a l t e n , so den W a u w a u im Böhmerwald[77]) oder die „b l i n d N a i h r e“ in Schwaben, die mit ihrer Nadel die Kinder sticht, welche mit der Betglocke nicht heimkehren[78]). Bei den Tschechen ist die Abendglocke selbst zu einem solchen K i n d e r s c h r e c k geworden, indem der K l e k a n i č e k (= Abendglocke) die nach dem Betläuten noch im Freien weilenden Kinder holt[79]).

[10]) Vgl. K ü h n a u Sagen 1, 310 Nr. 283 (Es war ungefähr abends 10 Uhr). [11]) G r i m m Sagen 32 Nr. 46; Z a u n e r t Natursagen 1, 30 f. [12]) R a n k e Sagen[2] 153. [13]) Z a u n e r t Rheinland 1, 202. [14]) G r i m m Sagen 27 Nr. 39. [15]) K ü h n a u Sagen 2, 77 Nr. 744. [16]) Z a u n e r t Rheinland 1, 198. [17]) Ebd. 1, 200. [18]) K ü h n a u Sagen 2, 51 Nr. 711. [19]) Ebd. 2, 54 Nr. 715. [20]) Z a u n e r t Natursagen 1, 66 ff. [21]) R a n k e Sagen[2] 117 f. [22]) K ü h n a u Sagen 2, 176 Nr. 806. [23]) Zimmerische Chronik, hg. von K. B a r a c k (Freiburg und Tübingen, 2. Aufl. 1881) 4, 122 ff. = K a p f f Schwaben 7 ff.; J a h n Pommern 16 Nr. 18, 25 Nr. 33; S t r a c k e r j a n 1, 457 ff. Nr. 249b—i; H e y l Tirol 239 Nr. 52[2], 517 Nr. 84, 800 Nr. 247; J u n g b a u e r Böhmerwald 89. [24]) R a n k e Sagen[2] 121. [25]) K ü h n a u Sagen 2, 445 ff., bes. Nr. 1060, 1077. [26]) P e u c k e r t Schlesien 197. [27]) H e y l Tirol 165 Nr. 75. [28]) K u h n u. S c h w a r t z 413 Nr. 174. [29]) P e u c k e r t Schlesien 163 (als weißer Pudel), 205. [30]) J a h n Pommern 153 Nr. 190. [31]) J u n g b a u e r Böhmerwald 61. [32]) J a h n Pommern 151 Nr. 186. [33]) G r i m m Sagen 41 Nr. 59. [34]) K ü h n a u Sagen 2, 352 f. Nr. 957. [35]) P e u c k e r t Schlesien 197. [36]) G r i m m Sagen 217 Nr. 306; K ü h n a u Sagen 220 Nr. 856, 262 Nr. 909, 331 Nr. 933; J u n g b a u e r Böhmerwald 62. [37]) K ü h n a u Sagen 2, 247 Nr. 892. [38]) G r i m m Sagen 154 Nr. 201; S t r a c k e r j a n 1, 301 Nr. 190 e; J a h n Pommern 275 Nr. 344; K ü h n a u Sagen 2, 554. Nr. 1201, 678 ff. Nr. 1304, 1308; R a n k e Sagen[2] 267; J u n g b a u e r Böhmerwald 182 ff. [39]) H e y l Tirol 800 Nr. 246; K ü h n a u Sagen 3, 64 f. Nr. 1423, als Katzen ebd. 28 ff. Nr. 1381 ff. W u t t k e 380 § 577. [40]) G r i m m Sagen 185 Nr. 248; J a h n Pommern 371 ff. Nr. 470, 472, 475, 480; K ü h n a u Sagen 3, 27 Nr. 1380, 112 ff. Nr. 1468, 1472; 122 Nr. 1492 (Alpdrücken sogar schon vor dem Schlafengehen); 138 f. Nr. 1521, 1525; R a n k e Sagen[2] 16 f. [41]) S t r a c k e r j a n 1, 464 Nr. 250 a b = Z a u n e r t Westfalen 256; H o f f m a n n - K r a y e r 42. [42]) J a h n Pommern 379 Nr. 483. [43]) P f a l z Marchfeld 122. [44]) K ü h n a u Sagen 1, 159 Nr. 564. [45]) J a h n Pommern 407 f. Nr. 516; vgl. K ü h n a u Sagen 1, 617 Nr. 653. [46]) J a h n Pommern 404 Nr. 515; K ü h n a u Sagen 1, 360 Nr. 351. [47]) P e u c k e r t Schlesien 123. [48]) K ü h n a u Sagen 1, 20 f. Nr. 12. [49]) R a n k e Sagen[2] 62; J u n g b a u e r Böhmerwald 70. [50]) P e u c k e r t Schlesien 114. [51]) K ü h n a u Sagen 1, 111 Nr. 122. [52]) S c h ö p p n e r Sagen 3 (1874), 399 Nr. 1324. [53]) J a h n Pommern 421 ff. Nr. 531, 537; K ü h n a u Sagen 1, 42 Nr. 35, 204 ff. Nr. 196 (Erlösung eines Hostienfrevlers an

einem Freitag um 7 Uhr abends), 233 Nr. 223, 252 Nr. 233 [1], 290 ff. Nr. 247; R a n k e *Sagen* [2] 95; G o y e r t und W o l t e r 116 ff.; ZfVk. 18 (1908) 183. [54]) K ü h n a u *Sagen* 1, 319 Nr. 294. [55]) Ebd. 1, 49 ff. Nr. 46, 70 f. Nr. 84, 307 f. Nr. 277, 326 f. Nr. 307, 309, 372 f. Nr. 366, 565 Nr. 603; J u n g b a u e r *Böhmerwald* 26 f. [56]) K ü h n a u *Sagen* 1, 391 f. Nr. 392, 398 Nr. 403; P e u c k e r t *Schlesien* 85. [57]) W u c k e *Werra* 367 Nr. 637, 391 Nr. 688, 404 Nr. 713; Z a u n e r t *Rheinland* 1, 224. [58]) G o y e r t u. W o l t e r 170; R a n k e *Sagen* [2] 72. [59]) K ü h n a u *Sagen* 1, 387 Nr. 384, 404 ff. Nr. 419, 423; R a n k e *Sagen* [2] 70. [60]) K ü h n a u *Sagen* 1, 421 f. Nr. 438 f.; J u n g b a u e r *Böhmerwald* 71 f. [61]) J a h n *Pommern* 422 Nr. 532; S t r a c k e r j a n 1, 321 Nr. 196 b; K ü h n a u *Sagen* 1, 509 Nr. 548. [62]) K ü h n a u *Sagen* 1, 508 Nr. 545. [63]) S c h ö p p n e r *Sagen* 3 (1874), 202 Nr. 1181. [64]) M a n z *Sargans* 102. [65]) R a n k e *Sagen* [2] 219. [66]) J u n g b a u e r *Böhmerwald* 72. [67]) Ebd. 103. [68]) P e u c k e r t *Schlesien* 166 f. [69]) Ebd. 167. [70]) Ebd. 175. [71]) S t r a c k e r - j a n 1, 278 Nr. 185 d, 286 Nr. 185 g. [72]) J u n g - b a u e r *Böhmerwald* 232 f.; K ü h n a u *Sa- gen* 1, 429 Nr. 451. [73]) K a p f f *Schwaben* 136. [74]) K ü h n a u *Sagen* 1, 54 f. Nr. 54, 129 Nr. 139. [75]) P e u c k e r t *Schlesien* 116. [76]) Z a u n e r t *Westfalen* 216. [77]) Verf. [78]) K a p f f *Schwaben* 75. [79]) G r o h m a n n 15.

3. Der A. bringt daher viele G e f a h - r e n für den Menschen, denen er mit er- höhter V o r s i c h t und entsprechen- den S c h u t z m a ß n a h m e n begegnen muß.

Vor allem trachtet er jede Berührung mit den bösen Geistern zu vermeiden. Man soll sich nach dem Gebetläuten n i c h t i m F r e i e n a u f h a l t e n [80]). Besonders gefährlich ist dies für Leute, bei deren T a u f e (s. d.) sich die Paten aus Unachtsamkeit im Gebete geirrt haben, die daher leicht von feindlichen Wesen entführt werden können [81]), ferner für B r a u t p a a r e, die vom Tage des ersten Ehegelöbnisses an nach dem Ge- betläuten nicht mehr ohne Begleitung das Haus verlassen dürfen, dann für eine B r a u t [82]) (s. d.) und noch mehr für die W ö c h n e r i n (s. d.), die vor dem ersten Kirchgang das Haus unbedingt nicht verlassen darf [83]). Am A. aus dem Hause getragene S ä u g l i n g e werden verhext [84]), und bei größeren K i n d e r n, in Frankreich bei Kindern vor Vollendung des 7. Lebensjahres [85]), sieht jeder ordent- liche Hausvater darauf, daß sie nach dem

Abendläuten daheim sind [86]). In Schöll- bronn in Baden dürfen auch E r s t - k o m m u n i k a n t e n nach dem Bet- zeitläuten nicht mehr über die S c h w e l - l e [87]) (s. d.).

Muß man aber a.s ausgehen, so soll man sich vorher mit W e i h w a s s e r besprengen [88]). Und will in Sachsen eine Mutter, die ein noch nicht ein halbes Jahr altes Kind hat, a.s fortgehen, so stellt sie die Wiege über den S t u b e n w e c h - s e l hinüber, da man glaubt, daß die Wechselbutten nicht über diese kleineren, angestückelten Bretter des Fußbodens kämen [89]). Hält man sich im Freien auf, so soll man jeden L ä r m v e r m e i d e n. Wie überhaupt das Pfeifen vor dem Schlafengehen den Teufel anlockt [90]), so freut sich, wie es in Mecklenburg heißt, der Teufel, wenn man a.s flötet [91]). In einer norddeutschen Sage rät der Tod einem Manne, er möge sich a.s beim Ausgehen immer hübsch ruhig verhalten und das gottlose Pfeifen, Singen und mit den Hunden hetzen lassen; dann holt er ein Mädchen mitten aus singenden Flachs- brechern heraus [92]). Im Sommer soll man a.s im Freien stets eine Kopfbedeckung aufsetzen, sonst kommen die Fledermäuse ins Haar [93]), oder sie pissen hinein, und man bekommt einen Kahlkopf [94]).

Im Hause selbst ist es g e f ä h r l i c h, am A. die T ü r e n o f f e n z u l a s - s e n, wenn ein kleines K i n d i m H a u s e ist, das leicht von Zwergen ge- stohlen [95]) oder vertauscht [96]) werden kann. Im Egerland steckte die Kindes- mutter sogar den hölzernen Kochlöffel vor die sorgsam versperrte Tür in das Schloß, um so alles zu verriegeln, daß „kein Alb, kein Druit, noch Erdgeist und Hexe hinein kann" [97]). In Schwaben darf man, wenn man a.s jemand besucht, n i c h t a n k l o p f e n (s. d.); es würde auch niemand „herein" rufen, weil sonst eine Hexe oder der Böse eintreten könnte [98]). In Tirol sieht es der wilde Mann nicht gern, wenn nach dem Betläuten noch die Haustür offen steht [99]), in der Eifel- gegend kommt dann der schwarze Mann in die Stube und setzt sich auf den Feuer- herd [100]).

Ein weiteres Gebot ist, daß man a.s n i c h t s d r a u ß e n l a s s e n soll, am wenigsten K i n d e r w i n d e l n [101]), weil die Kinder an Siechtum leiden, so lange dies geschieht, oder überhaupt K i n d e r w ä s c h e [102]), in die sich nach niederösterreichischem Volksglauben die Trud hineinwickelt [103]). Nach dem Glauben der Rumänen in der Bukowina hängen sich an solche Windeln unreine Geister, weshalb man sie vor dem Gebrauch mit Kümmel ausräuchern muß [104]). Auch sonstige W ä s c h e soll, wie in gleicher Weise das V i e h f u t t e r, vor dem Gebetläuten hereingebracht werden [105]).

Man soll mit dem Anbruch des A.s überhaupt jede Verbindung mit der gefährlichen Außenwelt abbrechen, n i c h t s v e r b o r g e n und n i c h t s v e r - k a u f e n [106]), wie etwa Milch, Butter, Eier u. a., weil sonst der Segen aus dem Hause gegeben wird. Dies geschieht auch, wenn man Kehricht oder Mist a.s hinausträgt [107]), wie man das A u s - k e h r e n selbst am A. unterlassen soll, weil dann der Teufel auf dem Besen reitet [108]), oder weil man damit das Glück [109]), oder den Schlaf [110]) hinauskehrt. A r b e i t nach dem Abendläuten ist besonders am Sonnabend (s. d.) und Feierabend (s. d.) verpönt. Bei den Rumänen in der Bukowina darf a.s, wenn ein kleines Kind im Hause ist, weder Feuer noch Kohle aus dem Hause gegeben werden, sonst kann das Kind die ganze Nacht nicht schlafen [111]).

Anderseits soll man nach dem Abendläuten auch n i c h t s i n d a s H a u s h i n e i n n e h m e n. Darum darf man in Franken der Wöchnerin nichts mehr in die Stube bringen, besonders kein W a s - s e r, weil sonst die Hexen mit hineinkommen könnten [112]); in Baden darf man aus dem gleichen Grunde a.s keine K a t z e zum Fenster hereinlassen [113]), und in Niederösterreich vermeidet man, a.s aus dem Brunnen zu t r i n k e n, weil man sonst den Teufel hineintrinken könnte [114]). Dieser erscheint einem in der Nacht, wenn man a.s in einen S p i e g e l blickt [115]) (s. Nacht).

Zum Schutze des ungetauften Kindes brennt man auch vom Beginn des A. an durch die ganze Nacht L i c h t in der Stube [116]). Wenn die Mutter das Kind a.s schlafen legt, so muß sie das K r e u z über das Kleine machen, damit es kein Alp werde, wozu in Schlesien eine eigene Segensformel gesprochen wird [117]).

Eine Erweiterung ursprünglichen Volksglaubens liegt vor, wenn nicht allein das Haus, sondern auch die Gesamtheit der Häuser, die Stadt, in der Abendzeit m e h r S i c h e r h e i t bietet als das Freie. In einer Sage aus Enns in Oberösterreich hofft der Teufel, einen Wüstling als Beute zu erlangen, wenn er ihn einmal nach den letzten Tönen der geweihten Abendglocke außerhalb der Tore der Stadt ertappe [118]).

Besondere Bedeutung kommt den A.en bestimmter W o c h e n t a g e, so des Donnerstags [119]) (s. d.) und Samstags [120]) (s. d.), und bestimmter T a g e d e s J a h r e s zu, an welchen meist erhöhte Gefahren bestehen, die verstärkte Abwehr erfordern. In der Zeit der Z w ö l f - t e n (s. d.), in welcher man sich besonders vor dem Ausgehen hüten [121]) und bestimmte Arbeiten unterlassen muß [122]), sind vor allem wichtig der W e i h - n a c h t s a b e n d [123]) (s. d.), der S i l - v e s t e r a b e n d [124]) (s. d.) und der A. vor D r e i k ö n i g [125]) (s. d.). Gefahrvoll ist ferner der W a l p u r g i s - a b e n d [126]) (s. d.), und allerlei Zauber waltet am J o h a n n i s a b e n d [127]) (s. d.). Im Untergailtale in Kärnten durfte sich auch am K i r c h t a g e, der durch einen Tanz im Freien unter der Dorflinde gefeiert wurde, nach dem Abendläuten kein Mädchen mehr unter der Linde sehen lassen [128]). Nur an d r e i T a g e n d e s J a h r e s kann der B i l w e s s c h n i t t e r während des Abendläutens (s. d.) sein Zerstörungswerk verrichten [129]), und bestimmte Tage des Jahres sind stets auch gemeint, wenn es z. B. in Sagen heißt, daß „zu gewissen Zeiten" abends dies oder jenes geschehe, etwa versunkene Burgen wieder auftauchen [130]).

Betreffs der A b w e h r b ö s e r W e -
s e n a n b e s o n d e r e n A.en d e s
J a h r e s , z. B. am Walpurgisabend,
s. die einzelnen Stichwörter.

Vgl. auch G e b e t , O p f e r .

⁸⁰) H e y l *Tirol* 239 Nr. 52 (2). 517 Nr. 84.
⁸¹) J u n g b a u e r *Böhmerwald* 89. ⁸²) (F. X.)
H a r t m a n n *Dachau u. Bruck* 208 Nr. 42;
H e y l *Tirol* 800 Nr. 246. ⁸³) S c h ö n -
w e r t h *Oberpfalz* 1, 189; K ü h n a u *Sagen*
2, 153 Nr. 783; D r e c h s l e r 1, 204; R a n k e
Sagen ² 102; vgl. Z a u n e r t *Westfalen* 22;
G r o h m a n n 114 (Tschechen). ⁸⁴) *ZfVk.* 11
(1901), 446 (Südtirol); F o g e l *Pennsylvania*
51 Nr. 137. ⁸⁵) S é b i l l o t *Folk-Lore* 1, 143.
⁸⁶) *Pfalz Marchfeld* 88; R e i s e r *Allgäu*
233. ⁸⁷) M e y e r *Baden* 116. ⁸⁸) *Pfalz Marchfeld*
142. ⁸⁹) S e y f a r t h *Sachsen* 14. ⁹⁰) S t r a k -
k e r j a n 1, 330 Nr. 200. ⁹¹) B a r t s c h
Mecklenburg 2, 4. ⁹²) J a h n *Pommern* 35
Nr. 45. ⁹³) R e i s e r *Allgäu* 2, 449. ⁹⁴) W u t t -
k e 406 § 628. ⁹⁵) J a h n *Pommern* 66 Nr. 81.
⁹⁶) *ZföVk.* 2 (1896), 161 (Südwestmähren).
⁹⁷) H u ß *Aberglaube* 40. ⁹⁸) W u t t k e 404
§ 624. ⁹⁹) H e y l *Tirol* 346 Nr. 17, 351 Nr. 20.
¹⁰⁰) *ZfrwVk* 1909, 275. ¹⁰¹) H e y l *Tirol* 167
Nr. 76; Z a u n e r t *Westfalen* 22. ¹⁰²) *ZfVk.* 11
(1901), 446 (Südtirol). ¹⁰³) *Pfalz Marchfeld*
84. ¹⁰⁴) *ZföVk.* 3 (1897), 117. ¹⁰⁵) H e y l *Tirol*
800 Nr. 246 f. ¹⁰⁶) *ZfVk.* 9 (1899), 444.
¹⁰⁷) W u t t k e 405 § 625; 397 § 610. ¹⁰⁸) *Urquell* 1 (1890), 48 (Königsberg). ¹⁰⁹) *Pfalz
Marchfeld* 54. Auch im Böhmerwald, Verf.
¹¹⁰) *Ebd.* 129. ¹¹¹) *ZföVk.* 3 (1897), 183.
¹¹²) L a m m e r t 174 (Oberpfalz); W u t t k e
380 § 577. ¹¹³) M e y e r *Baden* 555.
¹¹⁴) *Pfalz Marchfeld* 33. ¹¹⁵) Rogasener Familienblatt 8. Nr. 2, 8. ¹¹⁶) J a h n *Pommern*
52 Nr. 66; J o h n *Erzgebirge* 52; W u t t k e
383 § 583; Z a u n e r t *Natursagen* 1, 34; *ZföVk.*
2 (1896), 286 (Rumän. Bukowina). ¹¹⁷) K ü h n a u
Sagen 2, 154 Nr. 786. ¹¹⁸) G l o n i n g *Oberösterreich* 51. ¹¹⁹) W u t t k e 60 § 70. ¹²⁰) *Ebd.*
62 § 72. ¹²¹) H e y l *Tirol* 165 Nr. 75; K u h n
u. S c h w a r t z 413 Nr. 174. ¹²²) W u t t k e
63 ff. § 74. ¹²³) *Ebd.* 68 § 78. ¹²⁴) *Ebd.* 65
§ 75. ¹²⁵) *Ebd.* 69 § 79. ¹²⁶) *Ebd.* 75 ff. § 88 f.
¹²⁷) *Ebd.* 78 ff. § 92. ¹²⁸) G e r a m b *Brauchtum* 83. ¹²⁹) L e o p r e c h t i n g *Lechrain*
20 f. ¹³⁰) Z a u n e r t *Rheinland* 1, 32.

4. Da der A. ursprünglich zum folgenden Tage gerechnet wurde und so ein
zeitlicher Anfang war, kommt ihm auch
Z u k u n f t s b e d e u t u n g zu.

S p i n n e n am A. bedeuten Glück¹³¹):

> Spinne am Abend
> Ist heilsam und labend ¹³²).

Daher soll man in der Abendzeit auch
keine töten ¹³³). In Mecklenburg gilt der
A. auch als günstig für den D i e n s t -

a n t r i t t ; den Knechten und Mägden
wird dann das Jahr nicht lang ¹³⁴). Er
ist auch die geeignete Zeit zur E r f o r -
s c h u n g d e r Z u k u n f t , besonders
der Vorabend wichtiger Festtage, die
einen neuen Zeitabschnitt einleiten, wie
der Weihnachtsabend ¹³⁵), der Silvester-
abend¹³⁶) und der A. vor Dreikönig¹³⁷), in
bezug auf Liebe und Ehe vornehmlich
der Andreasabend ¹³⁸). Bei einzelnen Menschen löst der A. auch die Gabe des
H e l l s e h e n s aus ¹³⁹). In Tirol sehen
Leute nach dem Abendläuten manchmal
Leichenzüge; dann stirbt die Person,
welche sie unmittelbar hinter der Bahre
gehen sehen ¹⁴⁰). An einem September-
abend 1759 hatte Swedenborg das berühmt gewordene Ferngesicht vom Brande
Stockholms ¹⁴¹). Diese mit dem „zweiten
Gesicht" begabten Menschen sehen meist
nur das Unheil der Zukunft voraus. Darauf deuten auch andere A n z e i c h e n
des A.s. In der Schweiz glaubt man, daß ein
außergewöhnlich r o t e r H i m m e l am
A. (oder am Morgen) Krieg anzeigt ¹⁴²).
Im Rheinland sah man einmal spät a.s
eine ganze Stunde lang den Himmel auf
Frankreich zu blutrot und alle meinten:
„Das bedeutet Krieg oder eine Pest" ¹⁴³).

Aus verschiedenen Abendzeichen
schließt man auf das künftige W e t -
t e r , doch hat man es hier nicht allein
mit abergläubischen Meinungen, sondern
auch mit Tatsachen zu tun, dem Ergebnis
guter Naturbeobachtung und uralter Erfahrung. Nach allgemeinem Glauben
tritt s c h ö n e s W e t t e r dann ein,
wenn am A. die Mücken recht tanzen,
wenn die Spinnen fleißig im Freien
weben, wenn die Johanniswürmchen ungewöhnlich leuchten und glänzen und
wenn, was wieder die Voraussetzung für
das lustige Treiben der Tiere ist, ein
schönes Abendrot (s. d.) am Himmel
steht. Auch ein Regenbogen am A.
kündet schönes Wetter an. S c h l e c h -
t e s W e t t e r kommt, wenn sich die
Tiere am A. verbergen oder wenn sie
unruhig sind. Kräht z. B. der Hahn noch
a.s, so regnet es am folgenden Tage, was
auch bei dickem Nebel oder Wind am A.
vorauszusehen ist ¹⁴⁴).

2

Zum Teil spielt der Gedanke an die Zukunft herein, wenn hie und da der A. für die A u s s a a t gewählt wird [145]). Ursprünglich tat man dies, um unbemerkt von den schädlichen Tieren zu bleiben, die um diese Zeit bereits schlafen, und so den ausgestreuten Samen oder die Setzlinge vor ihnen zu sichern. Dies erweiterte sich dann zu dem Glauben, daß bei einer Aussaat am A., nach Sonnenuntergang (s. d.), in der Nacht (s. d.) oder vor Sonnenaufgang (s. d.) auch die zukünftige Frucht vor den Schädlingen verschont bleibt. So sät man in der Schweiz den Mohn a.s in der dritten Stunde, weil man glaubt, daß sonst die reifen Kapseln von den Raben geöffnet werden [146]).

[131]) W u t t k e 206 § 283; L a u b e *Teplitz* 53. [132]) Vld. 9 (1907), 170 (Oberschefflenz). [133]) A n d r e e *Braunschweig* 406. [134]) B a r t s c h *Mecklenburg* 2, 131 = S a r t o r i *Sitte u. Brauch* 2, 40. [135]) B a u m g a r t e n *Jahr u. s. Tage* 15; W u t t k e 67 § 78. [136]) W u t t k e 65 § 75. [137]) Ebd. 69 § 79. [138]) Ebd. 86 § 104. [139]) Z a u n e r t *Rheinland* 2, 194. [140]) Z i n - g e r l e *Tirol* 47 = W u t t k e 225 § 322. [141]) Vgl. F r i e d r. z u r B o n s e n *Das Zweite Gesicht* [5] (Köln 1920), 62. [142]) SAVk. 19, 209. [143]) Z a u n e r t *Rheinland* 1, 49. [144]) R e i n s b e r g *Wetter* 31 ff.; B. H a l d y *Die deutschen Bauernregeln* (Jena 1923) 112 ff.; J o h n *Westböhmen* [2] 236. Bei den Kaschuben bringt Krähen einer Henne am Abend dem Besitzer Unglück, S e e f r i e d - G u l g o w s k i 180. [145]) M e y e r *Baden* 420; FFC. Nr. 31, 60 ff. [146]) Zürich-Bülach (hs.).

5. In der V o l k s m e d i z i n ist der A. als die Zeit nach dem Sonnenuntergang (s. d.) günstig. Die an bestimmten A.en gesammelten H e i l k r ä u t e r haben besondere Kraft. In Tirol sammeln am A. vor Mariä Himmelfahrt, also in der segensreichen Zeit der Frauendreißigst (s. d.), Frauen, Mädchen und Kinder nach dem Gebetläuten Heilkräuter, die an den folgenden Marientagen in der Kirche geweiht werden [147]). Auch verschiedene H e i l h a n d l u n g e n werden am A. durchgeführt, so in Franken Fieberkuren um 7 Uhr a.s wegen Joh. 4, 52 [148]). Wer Gicht hat, geht Freitags um Betglockenzeit aufs freie Feld (Pforzheim) [149]), oder er tritt drei Montage und Freitage a.s (auch bei Morgengrauen) unter einen

jungen Birnbaum und spricht: „Mein lieber, guter Birnbaum, ich klage dir all mein Reißen und Spleißen und die schwellende Gicht, die mich plagt Tag und Nacht, daß sich Gott im Himmel erbarmen mag. Der erste Vogel, welcher fliegt über diese Kluft, nehme die Schmerzen mit in die Luft." Dann betet er ein Vaterunser [150]). Um Teplitz vertrieb man den Kropf, indem man dreimal an drei folgenden A.en das Gesicht gegen den zunehmenden Mond kehrte, die Hand an den Hals legte und sprach: „Was ich anschaue, soll wachsen, was ich befühle, soll vergehen!" Darüber mußte aber Stillschweigen beobachtet werden [151]). Auch gegen Schwäche der Kinder [152]), gegen fressende Flechte [153]), Zahnschmerzen [154]), Bruch [155]), die englische Krankheit [156]) u. a. erfolgen die Heilhandlungen am A. An diesem kann man auch b e h e x t e K i n d e r heilen. Hiczu stellt sich im Marchfelde die Mutter abends nach dem Ave-Maria-Läuten unter die Haustür mit dem Gesicht gegen den Hof und schwingt das verschriene Kind dreimal hinaus; dann geht sie rücklings in die Stube zurück [157]).

[147]) G e r a m b *Brauchtum* 72. [148]) W u t t k e 324 § 480. [149]) G r i m m *Myth.* 3, 455 Nr. 623. [150]) H o v o r k a u. K r o n f e l d 2, 281 (Westböhmen). [151]) L a u b e *Teplitz* 52. [152]) S e y f a r t h *Sachsen* 190. [153]) Ebd. 193. [154]) Ebd. 196. [155]) Ebd. 200. [156]) Ebd. 236. [157]) P f a l z *Marchfeld* 85.   Jungbauer.

Abenddämmerung s. D ä m m e r u n g.

Abendessen s. E s s e n, M a h l z e i t.

Abendgebet s. G e b e t.

Abendglocke s. A b e n d l ä u t e n, G l o c k e n l ä u t e n.

Abendläuten. 1. Von den sieben Glockenzeichen der Klöster und Stiftskirchen, welche den sieben Gebetszeiten (*horae canonicae*) entsprachen, kamen für den Abend das V e s p e r l ä u t e n, das sich aber im Laufe der Zeit immer mehr auf den Nachmittag verschob, und das C o m p l e t l ä u t e n in Betracht [1]). Nachdem das zuerst im 11. Jh. auftauchende A v e - M a r i a mit dem erweiterten Mariendienst dem Vaterunser gleichgestellt und allgemein beliebt geworden war, führten alle Kirchen etwa vom 13. Jh. an das Ave Maria-Läuten oder Angelusläuten zunächst morgens und abends, dann auch mittags ein [2]). Papst Johann XXII. verordnete 1326 ausdrücklich, das Ave Maria dreimal am Tage (morgens, mittags, abends) zu beten und jedesmal dazu das Zeichen mit der Glocke zu geben [3]).

Das Ave-Maria-Läuten am Abend oder A., oft auch kurz „Gebetläuten" genannt, da das Morgen- und Mittagläuten (s. d.) minder wichtig ist, ist sonach nicht, wie behauptet wird [4]), polizeilichen Ursprunges. Polizeilichen Zwecken dienten und dienen noch hie und da in Städten besondere Formen des A.s, die mit dem kirchlichen Läuten nichts zu tun haben, so z. B. früher die Weinglocke und die Feuerglocke [5]) und heute noch, besonders auf schwäb.-alem. Gebiet, die meist die Sperrstunde anzeigenden Neuner-, Buben- oder Lumpenglöcklein [6]) u. a. (s. läuten, Glocke). Doch gilt auch das kirchliche A. in manchen Gegenden als Zeichen der Sperrstunde. In Schwaben [7]) und im Böhmerwald betet man während des A.s im Gasthause und verläßt dieses in einzelnen Dörfern des Böhmerwaldes sofort nach dem Beten [8]).

Einige Orte haben neben dem gewöhnlichen Gebetläuten am Abend noch ein zweites A., über dessen Entstehung meist Sagen berichten. Vielfach geht es auf fromme Stiftungen und Gelübde zurück, die in späterer Zeit vergessen wurden, weshalb dann die Sage dieses rätselhafte zweite A. zu erklären suchte. So ist in Heßberg an jedem Donnerstag kurz nach dem Gebetläuten ein zweites Läuten üblich, der Sage nach von einer der edlen Frauen von Heßberg gestiftet, die sich im Walde verirrt hatte und durch das Abendgebetläuten in Heßberg gerettet worden war [9]). Auf die Verordnung eines Bischofs Piwitt von Osnabrück, der sich auf der Jagd verirrt und nach dem Läuten einer Kirchenglocke wieder zurechtgefunden hatte, wird zurückgeführt, daß im ganzen Osnabrücker Land von Allerheiligen bis Lichtmeß an jedem Samstag nach dem Angelusläuten noch einmal geläutet wird, was Piwittläuten oder Nachtgesang genannt wird. Nach einer anderen Überlieferung soll der verirrte Bischof ein mit den Worten „*Piae vitae*" beginnendes Lied verfaßt und bestimmt haben, daß dieses Lied unter Glockengeläute von Allerheiligen bis Lichtmeß in den Klöstern abends gesungen werde. In Wirklichkeit dürfte es sich, da dieses zweite Läuten auch an Vorabenden hoher Festtage stattfindet, um ein besonders feierliches Einläuten der Sonn- und Festtage handeln, wobei auch hier ersichtlich ist, wie entsprechend der alten Zählung nach Nächten der Abend schon zum nächsten Tag gerechnet wird. In einem Ort bei Osnabrück erfolgt das Piwittläuten in der angegebenen Winterzeit an allen Donnerstag- und Sonntagabenden [10]), wo der heilige Tag, der Donnerstag (s. d.), gemäß der alten auf die vorchristliche Zeit zurückweisenden Überlieferung und der Sonntag selbst betont erscheint.

Nur dort, wo dieses zweimalige Läuten an jedem Abend der Winterszeit erfolgt, darf man annehmen, daß es tatsächlich auch den Zweck hatte, Verirrte auf den richtigen Weg zu führen, so das Siebenuhrläuten in Aub von Martini bis zum 22. Februar [11]), das zur selben Abendstunde übliche Galliläuten in Öttingen vom Gallustage (16. Oktober) an bis Lichtmeß [12]) u. a. Bestimmt ist dies der Fall, wenn dieses Läuten an jedem Abend des Jahres eingeführt ist, wie etwa in Jever [13]) oder bei dem Säumerglöcklein in Prachatitz, dem Endpunkt des „goldenen Steiges", der uralten Säumerstraße zwischen Bayern und Böhmen, das um 9 Uhr abends geläutet wird [14]).

Das eigentliche A. oder abendliche Gebetläuten erfolgt im Sommer meist um 8 Uhr, im Winter um 7 Uhr [15]), vor Sonn- und Feiertagen aber schon früher, wo es den Feierabend (s. d.) auch schon nachmittags einläutet und dann zuweilen Vesperläuten genannt wird [16]).

[1]) G. B i l f i n g e r *Die mittelalterlichen Horen u. die modernen Stunden* (Stuttgart 1892), 5. [2]) Ebd. 6. [3]) M e y e r *Konv.-Lex.* 2 (1904), 197. [4]) H o o p s *Reallex.* 4, 305. [5]) B i l f i n g e r a. a. O. 55 f. [6]) SchweizId. 2, 614; vgl. 3, 1507, 1511; M a r t i n u. L i e n h a r t 1, 257; K a p f f *Schwaben* 92. [7]) B i r l i n g e r *Volksth.* 2, 442. [8]) Verf.; vgl. BdböVk. 17, 120. [9]) W u c k e *Werra* 5 Nr. 7. [10]) S t r a c k e r j a n 2, 335 f. Nr. 537 b. [11]) S c h ö p p n e r *Sagen* 2 (1874), 205 f. Nr. 657. [12]) K a p f f *Schwaben* 92. [13]) S t r a c k e r j a n 2, 398 Nr. 588 e; vgl. Nr. 595 b. [14]) J u n g b a u e r *Böhmerwald* 74. [15]) G e r a m b *Brauchtum* 81. [16]) S t r a c k e r j a n 2, 335 Nr. 537 b; SchweizId. 3, 1507.

2. Das A. bezeichnet das Ende des Tages, an Werktagen den A b s c h l u ß d e r T a g e s a r b e i t [17]). Darnach darf nicht mehr gearbeitet werden; denn vom A. bis zum Morgenläuten ist die Zeit der G e i s t e r [18]), denen die Nacht (s. d.) gehört (s. Abend, Dämmerung, Feierabend, Samstag, Sonnenuntergang).

V o r d e m A. erscheinen nur selten Geister, die meist durch den Klang der Betglocke verscheucht werden [19]). Viel wichtiger ist die kurze Spanne Zeit w ä h r e n d d e s A.s. Sie ist segensvoll und begünstigt allerlei Zauber, kann aber auch zu bösem Zauber benützt werden. Zuweilen kommt dem A., wie dem Abend (s. d.) überhaupt, Z u k u n f t s b e d e u t u n g zu. Die Behauptung, daß im Abendgeläute die vergangene und im Morgengeläute die zukünftige Zeit spricht [20]), ist unrichtig. Wichtig ist der Abend bestimmter Tage für die B r ä u t i g a m s - s c h a u, die oft an die Zeit des A.s selbst geknüpft ist. In Tirol zeigt sich den heiratslustigen Mädchen der Zukünftige, wenn sie am Johannistag während des A.s rasch ein Kränzchen winden, das mit dem letzten Glockenschlage fertig sein muß. Wenn sie dieses Kränzlein nicht mehr berühren, sondern in ein gespaltenes Holz gezwängt heimtragen und vor dem Schlafengehen unter den Kopf legen, so erscheint ihnen im Traum der Zukünftige [21]). Zu dem gleichen Zwecke kehrt in Kärnten das Mädchen ebenfalls am Johannisabend während des A.s die

Kammer aus. Kommt sie dabei zur Tür, so erscheint der Zukünftige an der Tischecke, auf die man vorher einen Brotlaib und ein Messer legen muß. Das Mädchen muß aber noch vor Ende des A.s aus der Tür sein, sonst stößt ihr der Teufel das Messer in den Rücken [22]). Auch für die Bräutigamsschau am Andreas-, Thomas- und Christabend kommt manchmal das A. in Betracht [23]). Nach Tiroler Glauben hat der, welcher während des A.s am Johannistage Zweiklee findet, noch dasselbe Jahr Glück im Heiraten [24]).

Das A. am J o h a n n i s t a g ist überhaupt sehr wichtig. Wer am Vorabend dieses Tages während des A.s ein Stücklein Holz, das eine Öffnung hat, aus einem Baume haut, kann durch dieses Holz am Johannistage während der Wandlung die H e x e n zum Opfer gehen sehen [25]). In Tirol l ä u t e t m a n am Johannis- und Sonnwendabend n u r k u r z, weil die Hexen während des A.s Giftkräuter zum Wettermachen und andere Zauberkräuter sammeln [26]). Ebenso gibt der Mesner in Essenbach bei Landshut am Johannisabend nur ein kurzes Zeichen durch einige Schläge mit der Glocke, weil man glaubt, daß an diesem Tage, aber n u r w ä h r e n d d e s A.s, der Bilwesschneider in die Felder geht [27]). Sonst heißt es vom B i l m s c h n i t t e r oder Bilwesschnitter (s. d.), daß er nur an drei Tagen des Jahres (Veitstag, Johannistag, Peter- und Paultag) während des A.s sein Unwesen treibt [28]).

U n s i c h t b a r kann sich der Mann machen, der sich während des A.s vor einem hohen Festtag in Weiberkleidern in einen Bach legt, aber so weit von der Kirche entfernt, daß man das Läuten nicht mehr hört und von niemand gesehen wird. Dabei ertrank in Tirol 1782 ein Knecht am Vorabend vor Fronleichnam [29]). Dies erinnert an den tschechischen Volksglauben, daß der Wassermann über jene Gewalt hat, welche während des A.s baden [30]). Ein D i e b kann das ganze Jahr ungefährdet stehlen, wenn er am Silvesterabend während des A.s schweigend und unbeschrieen sich in ein

Haus einschleicht, welches im letzten Jahre keinen Toten hatte, und dort, ohne ertappt zu werden, ein Stück Brennholz stiehlt [31]).

Durch Zauberhandlungen während des A.s kann man ferner G e l d und R e i c h - t u m erwerben [32]) oder, wie man früher bei den Tschechen glaubte, die Glücksnummern des Lotto erfahren [33]). Ein e n t l a u f e n e r H u n d kommt zurück, wenn man an drei Abenden während des A.s seinen Namen dreimal durch ein Wagenrad ruft [34]). Endlich gedeihen K ü r b i s s e am besten, wenn man sie am Abend vor Christi Himmelfahrt während des A.s pflanzt [35]), und O b s t b ä u m e tragen im nächsten Jahre reichlich, wenn sie während des A.s bestimmter Tage mit Stroh umwickelt werden [36]).

Während des A.s zünden beim O s t e r f e u e r in Franken die Knaben ihre Besen an [37]), wie überhaupt das A. oft das Z e i c h e n z u m B e g i n n irgendeines Umzuges oder Brauches ist [38]): Während des A.s wird, oft auch im Freien, das A b e n d g e b e t (s. Gebet) verrichtet.

An die Zeit n a c h d e m A., das so den Beginn des Abends darstellt, knüpfen sich eine Menge abergläubischer Überlieferungen (s. Abend).

Vgl. A b e n d, G e b e t l ä u t e n, M i t t a g l ä u t e n, M o r g e n l ä u t e n.

[17]) Schweizld. 2, 615. [18]) Z i n g e r l e *Sagen* (1859) 131 Nr. 218; P f a l z *Marchfeld* 52; Z a u n e r t *Natursagen* 1, 30. [19]) R e i t e r e r *Steiermark* 96. [20]) *DWb.* 1, 24. [21]) H e y l *Tirol* 758 Nr. 41 = G e r a m b *Brauchtum* 61. [22]) Ebd. 61 f. [23]) W u t t k e 238 § 341; 251 § 364. [24]) Z i n g e r l e *Tirol* 158 Nr. 1346. [25]) Ebd. Nr. 1349. [26]) Ebd. Nr. 1345. 1348; G e r a m b *Brauchtum* 61. [27]) P o l l i n g e r *Landshut* 220 f. [28]) L e o p r e c h t i n g *Lechrain* 20 f.; W u t t k e 268 § 394. [29]) H e y l *Tirol* 803 Nr. 266. [30]) G r o h m a n n *Sagen* 149 = Grohmann 12 = W u t t k e 49 § 54. [31]) W u t t k e 271 § 400 (Franken). [32]) P f a l z *Marchfeld* 52. [33]) W u t t k e 254 § 367. [34]) Ebd. 434 § 680 (Waldeck). [35]) Ebd. 78 § 91 (Norddeutschland); 426 § 667. [36]) H a l t r i c h *Siebenb. Sachsen* 283. [37]) W u t t k e 70 § 80. [38]) G e r a m b *Brauchtum* 9. 11. 96. 104.

Jungbauer.

Abendmahl.

1. Überblick über die ideengeschichtliche Entwicklung der A.slehre. — 2. Das A. als kirchliche Sitte. — 3. Das A. im Aberglauben. — 4. Die Elemente des A.s im Aberglauben. — 5. Krankenkommunion. — 6. A.sprobe.

1. Das A., bis zum heutigen Tag von allen christlichen Kirchengemeinschaften als Sakrament gefeiert, ist nach Ursprung und Wesen ein viel umstrittenes Problem. Das eine ist sicher: es wurde von Jesus nicht als Sakrament gestiftet, sondern war einfach ein Gedächtnismahl nach üblichem jüdischem Hausgebrauch. Lassen die Berichte aus der jüdischen Urgemeinde (Mark. 14, 22 ff.; Matth. 26, 26 ff.; Luk. 22, 15 ff.) diesen ursprünglichen Sinn des A.s noch deutlich erkennen, so finden wir bei dem stärker im Hellenismus wurzelnden Paulus die Idee des Sakraments mit dem A. verbunden (I. Kor. 11, 20 ff.). Zur Erklärung dieses Tatbestandes genügt es nicht, auf die kultischen Mahlzeiten der hellenistischen und synkretistischen Mysterienkulte oder auf die gemeinsemitische Anschauung vom sühnenden Charakter des Opfers hinzuweisen. Es gibt in der Umwelt des Christentums auffallend parallele Vorstellungen; z. B. lesen wir in einem demotischen Zauberpapyrus, Osiris habe der Isis in einem Becher sein Blut in Gestalt von Wein zu trinken gegeben, damit sie ihn nicht vergesse [1]). Solche Gedanken haben höchstens Formelemente zur Bildung der paulinischen A.slehre abgegeben, haben ihre magisch - dingliche Ausprägung geschaffen — doch ist damit der Quellpunkt der für das Christentum zentralen Idee vom A. als Sakrament nicht aufgezeigt. Deren letzter Ursprung liegt im Christuserlebnis des Paulus, als Geheimnis, das nicht weiter zerlegt werden kann, weil es ein Stück von dem unfaßbaren Geheimnis ist, das wesentlich jede Religion lebendig erhält.

Für Paulus ist das A. ein Mahl der Gemeinschaft mit dem erhöhten Christus. Wenn er über dieses Thema an seine Gemeinde etwa in Korinth schreibt, so knüpft er zu besserem Verständnis an vorhandene und geläufige uralte Vor stellungen, wie die von der mystischen Vereinigung mit der Gottheit durch Essen und Trinken an. Äußerlich bestand ja zwischen dem „Herrenmahl" und dem heidnischen Opfermahl so große Ähnlichkeit, daß Justin der Märtyrer im Kultmahl der Mithras-Verehrer eine vom Teufel bewirkte Nachbildung und Verhöhnung des christlichen A.s sehen konnte [2]).

Diese Formelemente, die Paulus nicht betont wissen wollte, verschmolzen jedoch im Fortgang der Entwicklung mit den Wesenselementen, so daß uns im nachapostolischen Zeitalter ein starker Realismus in der A.sauffassung entgegentritt. Für Ignatius von Antiochia ist das A.sbrot ein Heilmittel zur Unsterblichkeit [3]). Für Tertullian sind Brot und Wein wirklich Leib und Blut Christi. Die Elemente werden kultisch verehrt, vom „Körper des Herrn" darf nichts zu Boden fallen oder verloren gehen [4]). Bei Irenäus ist der Realismus besonders ausgeprägt [5]), während sich bei Origenes eine mehr symbolische Auffassung anbahnt. Das Brot ist nur Hinweis auf die wahre Seelenspeise, das göttliche Wort.

Die theologischen Streitigkeiten des folgenden Jahrtausends um den Sinn des A.s sind nichts anderes als der Kampf der symbolischen mit der realistischen, d. h. magisch-sakramentalen Auffassung. Verfocht auch Augustin die symbolische Sakramentsauffassung [6]), so setzte sich doch die realistische mehr und mehr durch, bis sie durch Papst Innozenz IV. auf dem 4. Laterankonzil 1215 mit der Lehre von der Transsubstantiation zum Dogma erhoben wurde; d. h. also: die Substanz von Brot und Wein wird durch die Weihe des Priesters in die Substanz von Leib und Blut Christi verwandelt — ein Lehrsatz, der bis heute im Katholizismus unentwegt gilt.

Luther blieb im wesentlichen bei der Lehre von der Transsubstantiation, wenn er sie auch durch Hinzufügen des Ubiquitätsgedankens, d. h. der Lehre von der Allgegenwärtigkeit des Leibes Christi, erträglicher zu machen suchte. Art. 10 der Augsburger Konfession verdammt alle, die nicht glauben, quod corpus et sanguis Christi vere adsint et distribuantur vescentibus in coena domini. Demgegenüber sind sich Zwinglianer und Calvinisten einig, daß im A. von Leib und Blut Christi nur als von geistlichen Gütern die Rede sein kann. Dieser Gegensatz, der sich in Luthers „das i s t mein Leib" und Zwinglis „das b e d e u t e t meinen Leib" in seiner ganzen Schärfe spiegelt, durchzieht noch heute unheilvoll den gesamten Protestantismus. Dank der Arbeit der religionsgeschichtlichen Schule vor allem setzt sich in der Wissenschaft mehr und mehr die symbolische A.sdeutung durch. Das darf aber nicht darüber hinwegtäuschen, daß in Laienkreisen, und zwar bei hoch und niedrig, die magische Anschauung durchaus vorherrscht. Damit ist nun die Anknüpfung gegeben für die Verbindung des A.s mit abergläubischen Vorstellungen.

[1]) R e i t z e n s t e i n *Wundererzählungen* 103 [2]. [2]) Apol. I, 66. [3]) Epheserbrief 20, 2, Smyrnäerbrief 7, 1. [4]) *de corona* 3. [5]) *adv. haer.* 4. 18. 5. [6]) *epist.* 98, 9. — Die Literatur zur Frage nach der Entstehung und Entwicklung der A.slehre ist unübersehbar. Treffliche Fingerzeige geben die Artikel von H e i t - m ü l l e r und S c h e e l in RGG.[1] 1, Sp. 20 ff. und Sp. 52 ff., sowie von K. L. S c h m i d t und W i e g a n d in RGG.[2] 1, Sp. 6 ff. und Sp. 16 ff. — Vgl. H a r n a c k *Lehrbuch der Dogmengeschichte*, 1909 [4], Reg.

2. Nach heutigem Sprachgebrauch ist A. (auch Nachtmahl) beschränkt auf das Sakrament der protestantischen Kirchen. Das katholische Gegenstück ist die Eucharistie, die aber nicht als selbständige Erscheinung, sondern nur als Wesensbestandteil der Messe von Bedeutung ist. Überall, wo im deutschen Sprachgebiet evangelisches Christentum lebendig ist, gehört der Besuch des A.s zur guten kirchlichen Sitte. Mindestens einmal im Jahr geht der Christ, der etwas auf sich hält, zum Tisch des Herrn, häufig an hohen Festtagen, Palmsonntag, Gründonnerstag, Karfreitag, Ostern, Pfingsten oder am Bußtag [7]). In Handschuhsheim bei Heidelberg haben die Leute ihren bestimmten „A.stag" [8]). Besonders gerne wird bei besonderen und feierlichen Anlässen der A.stisch aufgesucht, etwa

von Schwangeren vor der Geburt [9]); in einer Kirchenordnung von 1589 wurde sogar Schwangeren der Empfang des heiligen Mahles zur Pflicht gemacht [10]). Mancherorts in Baden gehen Brautleute vor der Hochzeit oder junge Eheleute bald nachher gemeinsam an den Tisch des Herrn [11]). Auch nach überstandener Krankheit oder nach einem Todesfall in der Familie wird das A. besucht, ebenso vor Antritt einer Reise, besonders vor Auswanderung [12]). Die Idee dieser A.s-besuche ist deutlich: man will die wichtigen Vorgänge im Menschenleben heiligen. Selbst bei dem rauhen Bergvolk der Montenegriner wird eine Wahlbrüderschaft dadurch besiegelt, daß die beiden „Brüder" das A. nehmen, und zwar trinken sie zugleich dreimal aus dem Kelch [13]).

[7]) M e y e r *Baden* 523; vgl. auch SAVk. 19, 13. [8]) M e y e r *Baden* 523. [9]) Ebd. 388, 523 = H ö h n *Geburt* 258. [10]) L a m m e r t 164. [11]) M e y e r *Baden* 523. [12]) Ebd. 523. [13]) C i s z e w s k i *Künstl. Verwandtsch.* 34.

3. Wie vom Heiligen zum Dämonischen nur ein kleiner Schritt ist, so verbinden sich mit der h e i l i g e n Handlung des A.s naturgemäß unterwertige Momente des Zaubers. Das A. wird als Zaubermittel benutzt, um sich in egoistischer Weise reale Vorteile zu verschaffen. Man erhofft vom Tisch des Herrn eine leichte Geburt und kräftiges Leben für das neugeborene Kind [14]). Oder es wird das A. als Amulett betrachtet, das sicher durch das Todestal führt [15]). Dieser Gedanke liegt der aus Oberschwaben bezeugten Sitte zugrunde, daß den Verstorbenen das Nachtmahlsbüchlein in einem selbstgesponnenen weißen Tuch in den Sarg gelegt wird [16]). Vielfach gilt das A. als Heilmittel gegen Krankheiten. Im Lauenburgischen muß sich der Geistliche gelegentlich sagen lassen, man habe ihn geholt, weil der Doktor zu teuer sei, oder man wolle es noch mit dem A. versuchen, nachdem die eingenommenen Arzneien nichts genutzt hätten [17]). A.sgenuß bewirkt, daß die Dämonen und der Teufel keine Gewalt über den Menschen haben [18]). Wer an Petri Stuhlfeier geboren ist und an Petri Kettenfeier in 3 aufeinanderfolgenden

Jahren das A. genommen hat, kann den reichen Schatz im Kirschauer Raubschloß heben [19]). Ebenso kann die Schatzjungfrau erlösen, wer das A. genommen hat [20]). Im Voigtland sucht man seine Zahnschmerzen loszuwerden, indem man beim A. hinter dem Altar in eine mitgebrachte Semmel beißt [21]). Aus Ostpreußen ist der Glaube belegt, wer nach Empfang des A.s hinter dem Altar mit einem Peitschchen knallt, könne hexen [22]). Um Kugeln und Schwerter treffsicher zu machen, muß man das A. unter Anrufung des Teufels nehmen [23]). Im Böhmerwald herrscht der Glaube, daß sich die Bäuerin, die Hühner zur Aufzucht ansetzen will, während des A.s nicht von ihrem Platze rühren darf [24]). Selbst zum Liebeszauber wird das A. benutzt. Nimmt man zum Tisch des Herrn eine Blume mit und wischt sich damit nach dem Genuß des Weines den Mund ab, so erhält die Blume die Kraft, den, der sie annimmt, dauernd in Liebe zu fesseln [25]). Nicht nur das vom Pfarrer gereichte A., auch ein selbst veranstaltetes hat zauberische Wirkung. Eine junge Meistersfrau in Zürich, die ihren Mann gern losgehabt hätte, legte am Altjahrabend auf vier Tische je ein Brot und setzte ein Maß Wein dazu. Dann sprach sie die Einsetzungsworte des heiligen Nachtmahls und aß und trank von allen vier Tischen. Sogleich bewegte sich zur Tür herein ein Leichenzug, hinterher auf schönem Roß ein schlanker, junger Bursche. Nach wenigen Tagen starb der Alte, und ein Junger nahm die Witwe zur Ehe [26]).

Der Genuß des A.s verleiht besondere Kräfte. In Oldenburg glaubt man, das Vieh gedeihe besonders gut, wenn man es gleich beim Nachhausekommen vom A. füttert [27]). Man ist ängstlich darauf bedacht, diese durchs A. empfangene Kraft nicht wieder zu verlieren. So gehen die Mädchen nach dem A. nicht gern zum Flachsbrechen. Sie fürchten, es umsonst genossen zu haben, wenn sie sich am Finger verwunden [28]). Der Gedanke ist wohl der, daß mit dem Blut das kraftspendende Blut des Herrn, das sie im Wein getrunken haben, entweiche.

Durch falsches Verhalten beim A. kann sich der Mensch schaden. Vor allem darf man sich nicht umsehen (s. d.). Wer sich umsieht, bekommt böse Augen, und alles, was er mit diesen bösen Augen ansieht, hat keinen Segen, junges Vieh wird versehen [29]). Wer das Brot fallen läßt oder den Wein verschüttet, zumal beim ersten A.sgang, wird sehr unglücklich [30]). Ebenso bedeutet es Unglück, wenn man den Rest des Weines aus dem Kelch zu trinken bekommt [31]). Da haben die andern die beste Kraft schon weggetrunken. Dagegen bedeutet es Glück, wenn man einen vollen Becher erhält [32]). Im Erzgebirge glaubt man, daß ein Kommunikant, dem frisch eingeschenkt wird, bald Gevatter stehen muß [33]). Ganz schlimm ist es, wenn man beim A. eine lädierte Oblate bekommt [34]).

[14]) H o f f m a n n - K r a y e r 23. [15]) M e y e r *Baden* 523. [16]) H ö h n *Tod* 321. [17]) W u l t - k e 140. [18]) K ü h n a u *Sagen* 1, 243; J a h n *Pommern* Nr. 547. [19]) M e i c h e *Sagen* 734 Nr. 906. [20]) S c h e l l *Bergische Sagen* 503 Nr. 17. [21]) K ö h l e r *Voigtland* 412. [22]) T ö p p e n 13. [23]) K r o n f e l d *Krieg* 91. [24]) S c h r a m e k *Böhmerwald* 117. [25]) F r i s c h - b i e r *Hexenspr.* 159. [26]) SAVk. 2, 270. [28]) S t r a c k e r j a n 1, 123 = 2, 9. [28]) K u h n u. S c h w a r t z 445 Nr. 358. [29]) B a r t s c h *Mecklenburg* 2, 55 = K u h n u. S c h w a r t z 444 Nr. 342. [30]) B a r t s c h *Mecklenburg* 2, 56. [31]) SAVk. 21 (1917), 58. [32]) Ebd. 24 (1922), 67. [33]) J o h n *Erzgebirge* 58 = P a n - z e r *Beitrag* 1, 263. [34]) B a r t s c h *Mecklenburg* 2, 56.

4. Die Elemente B r o t und W e i n , die realiter Leib und Blut Christi darstellen, sind schlechthin heilig und daher vor jeder Profanierung unter allen Umständen zu schützen. Schon die Kirchenordnungen der alten Kirche gebieten, sorgsam darauf zu achten, daß kein Ungläubiger am heiligen Mahle teilnimmt und es durch seine Teilnahme profaniert [35]). Cyprian von Karthago erzählt von einem Kind, das Überreste einer heidnischen Opfermahlzeit genossen hatte und sich von dem Diakonen, der ihm den Kelch des Herrn reichen wollte, abwandte. Dem Diakon gelang es aber doch, dem Kind etwas Wein einzuflößen. Da erbrach es sich, denn der zum Blut des Herrn geweihte Trunk konnte nicht in dem entheiligten Magen bleiben [36]). In einem hussitischen Verzeichnis aus dem Anfang des 15. Jhs. finden sich unter denen, die vom A. ausgeschlossen sein sollen: Wahrsager, Zauberer, Exorzisten und solche, die durch Benediktionen Kranke auf widernatürliche Weise heilen [37]). Gelegentlich kann das Heilige sogar zur Selbsthilfe greifen, um sich vor Entweihung durch Ungläubige zu schützen. In Konstantinopel geht eine Sage: Als die Türken die Stadt eroberten, wurde in der Sophienkirche gerade das heilige A. gefeiert. Sofort schlossen sich von selbst die Türen des Allerheiligsten. Sie bleiben solange geschlossen, bis die Türken die Stadt verlassen haben [38]).

Als Entheiligung schwerster Art gilt es, wenn von den Elementen etwas zu Boden fällt und gar mit den Füßen getreten wird. Schon im 4. Jh. wird es dem Kleriker als Todsünde angerechnet, wenn er vom Brot fallen läßt oder vom Wein verschüttet [39]). In mittelalterlichen Bußbüchern ist bestimmt, daß der, der die Eucharistie nicht bewahrt, so daß sie von einer Maus gefressen werden kann, 40 Tage büßen muß. Alles, was mit dem geweihten Brot unrechtmäßig in Berührung kommt, muß verbrannt werden [40]). Von Luther hören wir, daß er einer Frau, die das „Blut des Herrn" auf ihre Jacke geschüttet hatte, befahl, das befeuchtete Stück herauszuschneiden und zu verbrennen [41]). Noch bis ins 18. Jh. hinein konnte es dem Ansehen eines Geistlichen schaden, wenn er etwas vom Kelche vergoß [42]). Wurde eine Altardecke befeuchtet, so genügte es nicht, sie einfach zu waschen, sie mußte dreimal gewaschen werden [43]). — Die Kirche traf allerlei Vorkehrungen, um das zu-Bodenfallen der heiligen Elemente zu verhüten. Um die Gefahr auf ein Minimum zu beschränken, bildete sich allmählich die Sitte heraus, daß der Geistliche dem A.sgast Hostie und Kelch unmittelbar zum Munde führt, während es in älteren Zeiten selbstverständlich gewesen war, daß jeder Brot und Kelch wie bei einer häuslichen Mahlzeit selbst gehandhabt hatte. Vielleicht spielten solche Gesichts-

punkte auch bei der Frage der Kelch-
entziehung neben autokratischen Ge-
lüsten des Klerus eine Rolle [44]).

Daß die Elemente des A.s nicht nur für
die Seele, sondern auch für den Körper
heilkräftig sind, hat schon Cyrill von
Jerusalem um die Mitte des 4. Jhs. gelehrt [45]) — ein Glaube, der noch heute
allenthalben verbreitet ist. Sogar dem
Stallvieh wird von den heiligen Speisen
verabreicht [46]).

A.s w e i n gilt als das letzte und
sicherste Heilmittel [47]), er befreit Frauen
vom Blutfluß [48]), in der Lausitz trinkt
man ihn gegen Epilepsie [49]). Zur Förderung des Zahnens bestreicht man im
Erzgebirge dem Säugling den Mund mit
einem Taschentuch, das die Mutter beim
A. mit Wein befeuchtet hat [50]). Die
Esten bestreichen mit dem Tuch, mit dem
sie sich nach dem Genuß des A.sweines
den Mund gewischt hatten, kranke Augen
und Ohren [51]). Überreste des A.sweins
gibt man in der Leonberger Gegend
Kindern, die schwer sprechen [52]) oder
schwer lernen [53]). In Ostpreußen wird
für Kranke gern eine Flasche Wein auf
den Altar gestellt, damit der Wein beim
A. mitgesegnet wird [54]).

Bleibendes Glück kann man sich
schaffen, wenn man beim A. das geweihte
B r o t nicht genießt, sondern unversehrt
im Mund behält und dann aufbewahrt [55]).
Im Berner Land hängt man ein Stückchen A.sbrot im Stall auf, damit bei den
Tieren keine Seuche ausbricht [56]), ein
krankes Kind wird durch den Genuß geweihten Brotes gesund [57]). Auch im
Liebeszauber wird A.sbrot benutzt. Im
Kaffee gegessen, macht es den Mann
seinem Weib so treu, daß er mit keiner
andern mehr etwas zu tun haben will [58]).
Eine besondere Rolle spielt das A.sbrot
in Form der Oblate im Schießzauber.
Eine Büchse, mit einer Oblate geladen,
trifft unfehlbar [59]). Im Vogtland gewinnt man einen Freischuß (d. h. die
Fähigkeit ein Ziel immer zu treffen, selbst
wenn man es nicht sieht) (s. Freikugel),
wenn man die A.soblate an einen Baum
nagelt und darnach schießt [60]). Freilich
kann der Schießzauber auch einmal ver-

sagen. Der Jäger Brandt in der Rostocker
Heide hatte seine Flinte mit einer Oblate
geladen und schoß damit auf einen Keiler.
Er verwundete das Tier aber bloß, so daß
dieses auf ihn losfuhr und ihm den Bauch
aufschlitzte [61]). Das Vertrauen auf die helfende Kraft des A.sbrotes geht soweit,
daß manche Verbrecher glauben, unge-
straft einen Meineid schwören zu können,
wenn sie eine Oblate bei sich tragen [62]).
Im MA. zumal war die Verwendung von
Hostien zu zauberischen Handlungen allgemein üblich — in solchem Ausmaß, daß
die kirchliche Gerichtsbarkeit einschrei-
ten mußte. Aus der Praxis des berüchtigten Inquisitors Bernhard Guidonis von
Toulouse († 1331) ist uns ein Formular
für das Urteil gegen einen, der mit der
Eucharistie Malefizien treibt, erhalten.
Ein solcher ist je nach der Schwere des
Falles mit Exkommunikation oder mit
lebenslänglicher Kerkerhaft zu bestrafen.
Auch muß er, um sofort als Schänder des
Leibes Christi von jedermann erkannt zu
werden, bei allen Kleidern auf Brust und
Rücken eine große Hostie in gelb aufge-
malt tragen [63]).

Nicht nur die heiligen Elemente selbst
sind von besonderer magischer Wirkung,
sondern auch andere Dinge, die mit ihnen
in Berührung kommen und der Kraft teilhaftig werden. Im A.s k e l c h sich spiegeln,
heilt die Gelbsucht [64]), sei es, daß man ihn
nach Hause holen läßt, sei es, daß man
in der Kirche versucht, auf den Grund
zu sehen [65]). Hierbei sind Momente des
Analogiezaubers im Spiel: der Glaube, daß
von Gleichem zu Gleichem und von
Ähnlichem zu Ähnlichem geheime, wunderbare Fäden weben. Der Kelch ist in
der Regel innen vergoldet, und so spiegelt
man sich gelb darin. — Eine geheimnisvolle Sage wird von dem A.skelch zu
Grimma erzählt: bald nach der Umwandlung des Klosters in eine Schule hörte man
aus einem verschlossenen Gang immerfort Stimmengewirr. Der Rektor Adam
Siber sammelte seine stärksten Schüler
um sich, und sie stiegen in den unterirdischen Gang hinab. Obgleich sie die
Erscheinung eines eisgrauen, alten Mönches warnte, gingen sie immer weiter, bis

Der Unsinnige nahm es — und starb kurz darnach auf der Rückreise von Rom in Piacenza[95]). Sibico, der Bischof von Speyer, reinigte sich vor der Generalsynode von Mainz 1049 von der Klage der Verführung einer Frau dadurch, daß er die Hostie nahm und gesund blieb[96]). Lambert von Hersfeld erzählt, nach der Lossprechung des Königs Heinrich IV. vom Bann habe Papst Gregor VII. feierlich die Messe genommen, um sich von den Anschuldigungen, die der König gegen ihn vorgebracht hatte, zu reinigen, und habe auch Heinrich die Eucharistie zur Bekräftigung seines Schwures reichen wollen. Dieser habe sich aber der A.sprobe durch Ausflüchte entzogen[97]). Ob die Sache sich wirklich so zugetragen hat, wird sich mit Sicherheit nicht ausmachen lassen; aber daß sie berichtet werden konnte, ist ein Beweis für die allgemeine Verbreitung des festen Glaubens an die untrügliche Entscheidung der A.sprobe. Weiteres siehe unter G o t t e s u r t e i l.

[87]) G l i t s c h *Gottesurteile* 34.   [88]) Globus 29, 40.   [89]) G l i t s c h *Gottesurteile* 31; W i l u t z k y *Recht* 3, 148.   [90]) 4. Mose 5, 18 ff. [91]) H c h.   B r u n n e r   *Deutsche Rechtsgeschichte* 2 (1892), 412; G r i m m *RA.* 2, 597. [92]) I. Kor. 11, 20.   [93]) F r a n z *Benediktionen* 2, 340.   [94]) Ebd. 2, 340.   [95]) MGSS. I, 580 f. [96]) A d a m v. B r e m e n *Kirchengesch.* III, 29; MGSS. VII, 346. [97]) MGSS. V, 259 f.   Rühle.

Abendopfer s. O p f e r.

Abendröte. Weitesten Kreisen ist es bekannt, daß bei klarer A. das Wetter für den folgenden Tag gut wird, im Gegensatz zur Morgenröte (s. d.). Die Erklärung dafür ist darin zu suchen, daß der für die nördlich der Alpen gelegenen Länder feuchtigkeitsfreie O s t w i n d gegen Westen Nebelmassen und Dunstteile in starkem Maße zusammenballt, die sich der Sonne vorlagern. In ihnen werden die blauen und violetten Strahlen der Sonne absorbiert, so daß nur die roten Strahlen bis zu unserm Auge gelangen.

1. W e t t e r p r o p h e z e i u n g e n. Der Volksglaube hat diese Beobachtung des Naturvorganges zu Wetterregeln zusammengefaßt, in denen naturgemäß nicht die Deutung des Wetters aus dem Ostwind als der natürlichen Ursache von

Wichtigkeit ist, sondern die rote Farbe der Sonne und des Abendhimmels. Den ältesten, mir bekannten Beleg bringt die Bauernpraktik (Ausgabe von 1508 fol. V verso; s. B a u e r n p r a k t i k II Ende)[1]) in einem wohl von einem Mönch gedichteten Vers: Nocte rubens caelum cras indicat esse serenum u. L. Reynmans Wetterbüchlein S. 5 u. nach der Ausgabe von 1510 (älteste von 1505; s. W e t t e r b ü c h l e i n): „Item wenn jm auf vn̄ nydergang der sonnen schein vor jr geen auf die nacht rot sein; bedeüt den nächsten tag schön wetter"[1]). Widerschein der A. im östlichen Gewölk gilt in ganz Deutschland, der Schweiz und Österreich als ganz besonders gutes Zeichen eines folgenden schönen Tages[2]): „Abendrot — in der Früh Sonn ins G'schrott" (= Almwiese)[3]) „Abendrot, Morgens god"[4]), „Abendrot makt'tWett'r got"[5]) (beides aus Holstein). Ähnliches wird aus der Lüneburger Heide berichtet[6]). Bemerkenswert ist der Vers: „geiht de Sünn unner gäl, gift et häil Rägen väl, geiht de Sünn unner rod, ward dat Wäder häil goud"[6]). Meist sind in diesen Sprüchen A. und Morgenröte drastisch kontrastiert; so lautet der vorletzt genannte Spruch vollständig: „Abendrot makt't Well'r got; Morgenrot bringt Wat'r in'n Sod" (= Brunnen)[7]). Weiter: „Gut Wetter kündet Abendrot, Morgenrot bringt Wind und Kot" (Mecklenburg)[8]); „Abendrot gut Wetter bot, Morgenrot bringt Dreck und Kot" (Landsberg a. W.)[9]); „Abendrot bringt Brot, Morgenrot fällt in Kot" (Schlesien)[10]); „Abendrot bringt heitern Tag, Morgenrot nicht weilen mag" (Mecklenburg)[11]). — Merkwürdig ist der Unterschied, den man mit der F a r b e des Abendrotes in der Lechgegend macht: „Abendrot (goldfarbig) gut Wetter bot — Abendrot (feuerfarbig) morgens Kot"[12])[13]).

[1]) Edition in „Neudrucke von Schriften und Karten über Meteorologie und Erdmagnetismus hrsg. von G. Hellmann Bd. 5. *Die B.*Faksimile hinter S. 72; L. R e y n m a n *Von warer erkanntnuss des wetters . . .* = Neudrucke, hrsg. von G. Hellmann Bd. 1. Faksimile der Ausg. von 1510 nach S. 42.   [2]) ZfVk. 4 (1894), 82. [3]) Steiermark: R e i t e r e r 56.   [4]) ZfVk. 24

(1914), 59. [5]) Ebd. [6]) K ü c k *Wetterglaube in
der Lüneburger Heide* (1915) 108 ff.   [7]) Vgl.
Geoponika ed. H. B e c k h 1895 I 3, 2: καὶ ὁ
ἥλιος δὲ ἐρυθρὸς ἀνατέλλων καὶ μελαινόμονος
ὄμβρους δηλοῖ. Von *Sonnenuntergang* und A. ist
hier und sonst bei antiken Schriftstellern nie
die Rede (s. M o r g e n r ö t e und Anm. 13).
[8]) B a r t s c h *Mecklenburg* 2, 211. [9]) E n g e -
l i e n u. L a h n 281.   [10]) D r e c h s l e r 2,
135 f.   [11]) B a r t s c h *Mecklenburg* 2, 211.
[12]) L e o p r e c h t i n g *Lechrain* 154; (K e l -
l e r) *Grab d. Abergl.* 4, 207 f.; A n d r e e *Braunschweig* 411.   K ü c k 108 ff.   [13]) Die Regeln
sind auf dem n ö r d l i c h der Alpen gelegenen Gebiet heimisch. Von den antiken Wetterregeln dieser Art, wie man sie bei Aratos
Phainom. Vers 820 ff. und nach ihm bei Vergil
Georg. I, 438 ff. liest, weichen sie stark ab. A.
wird überhaupt nie erwähnt als Wetterzeichen.
Ein Beispiel: Vergil Georg. I, 438 ff. (besonders 453): (Sol) caeruleus pluviam denuntiat,
igneus euros: Der Euros (Südostwind) ist im
Süden feucht und bringt Regen (Belege bei
P a u l y - W i s s o w a s. v. Euros Bd. 6
Sp. 1313. — Einfluß antiker Wetterregeln in
der Bauernpraktik (s. d.) sonst sehr
deutlich; über dieselbe vgl. W e t t e r r e g e l).
— Nachträglich zu A. noch einen Beleg aus
der französischen Westschweiz: ,,Raveu du
nïn, / Bio tein du dzo que vïn / . Raveu du
matïn, / Aminne o carapïn (Rougeur de
l'horizon, le soir, beau temps du jour qui vient.
Rougeur du matin amène le carapin (= petite
couche de neige) (SAVk. 2, 240).

2. S o n s t i g e r V o l k s g l a u b e
knüpft sich an die A. in eigentümlichen
Vorstellungen an. ,,Schau, die Muttergottes bacht Küchlein", sagt man in
manchen Gegenden Schwabens den Kindern, wenn die A. besonders leuchtend
ist [14]). In Biel (Schweiz) ist der Glaube
verbreitet, bei A. brate der liebe Gott die
kleinen Kindlein [15]). Sind die Gedanken,
die zur Bildung solcher Anschauungen
führten, teilweise schwer zu ermitteln
(doch vgl. Atmosphäre 2), so gilt das
nicht von der Prophezeiung des Krieges
aus der A. [16]). So scheint auch die bekannte Stelle bei Schiller, Wallensteins
Lager, verstanden werden zu müssen [17]):
Am Himmel geschehen Zeichen und Wunder,
Und aus den Wolken blutigrot
Hängt der Herrgott den Kriegsmantel runter.

Hier liegt antike Tradition zugrunde,
die aus der r o t e n F a r b e (s. d.)
vor allem bei siderischen Erscheinungen,
den Krieg weissagt. A. selbst ist, soweit
ich sehe, in der Antike allerdings nicht als
Kriegsomen aufgefaßt worden. Über die

Übernahme und Weiterbildung antiker
Astronomie und Astrologie im deutschen
MA. s. S t e r n d e u t u n g , P l a n e -
t e n [18]).

[14]) B i r l i n g e r *Aus Schwaben* 1, 104.
[15]) SchwVk. 10, 37. [16]) L e m k e *Ostpreußen*
3, 116 Nr. 80. Ähnliches auch in Oldenburg:
S t r a c k e r j a n 2, 63 f. Weitere Literatur
Brandenburgia 1916, 162.   [17]) 8. Auftritt,
Vers 24 ff. [18]) Vgl. H e p h a i s t i o n v o n
T h e b e n ed. Engelbrecht S. 82 von der roten
Farbe bei Finsternissen: ἐπὶ τῶν τελείων ἐκ-
λείψεων τὸ μὲν χρῶμα τὸ μέλαν θάνατον τοῦ
ἄρχοντος... σημαίνει· τὸ δὲ ἐρυθρὸν τῆς χώρας
κάκωσιν. Der zweite Reiter in der bekannten
Stelle der Offenbarung Johannis (6, 3—4), der
über Krieg und Frieden entscheidet, reitet ein
feuerrotes Roß (B o l l *Offenbarung Johannis*
83). Dem Planeten Ares-Mars gehört in der
späten, d. h. griech.-ägypt. Astrologietradition
die rote Farbe und der Krieg (C a t a l o g u s
c o d i c u m a s t r o l. g r a e c o r u m VII
217, 22. 219, 6; H e p h a i s t i o n v. T h e -
b e n 79, 31 ff.).

3. M y t h o l o g i s c h e s. Grimm [19])
schreibt, daß das edlere Wort *Abendrot*
(statt Abendröte), mhd. *abentrôt*, in der
Mythologie als männlicher Riese des
Abends aufgefaßt werde. Diese Personifikation wirkt noch in der von Grimm
a. a. O. notierten bäuerlichen Anschauung
nach: d i e A. zieht über Land [19]).

a) In der germ. Mythologie bildet
Abentrôt mit Ecke und Fasolt eine
Trias; alle drei sind in der Luft wirkende Dämonen oder Riesen, die den
segnenden Lichtgeistern der Höhe feindlich gegenüberstehen. Tag und Nacht
kämpfen miteinander den Kampf, in dem
Abentrôt das Dunkel über den Himmel
herauführt und den Sonnenstrahlen den
Weg zur Erde hemmt. Der Kampf endet
mit dem Siege der Nachtgeister [20]).

b) Inwieweit in dem blutigen Tode
Swanhilds (Swanhild als mythische Personifizierung der Sonnenstrahlen aufgefaßt) die A. zu Recht zu erkennen ist,
wie Simrock und Mannhardt [21]) die Sage
der Edda (Guðrúnarhvǫt 14—16) erklären, wage ich nicht zu entscheiden. Swanhild Goldfeder (Svanhildr Gullfjǫðr) als
Tochter von Tag und Sonne (Fornal-
durs. II 7) wird Guðrúnarhvǫt 15 ausdrücklich einem lichten Sonnenstrahl
verglichen [22]).

c) Die im Abendrot aufleuchtendé W o l k e (s. d.), ist als f e u r i g e M a u e r oder von Feuer umlohte B u r g der Riesin Gerdr und der Valkyrie Brynhildr aufgefaßt [23]).

[19]) G r i m m *DWb.* s. v. A. [20]) M a n n h a r d t *Germ. Mythen* 90. 354; G r i m m *Myth.* 2, 624; M e y e r *Germ. Myth.* 144. [21]) S i m r o c k *Mythologie* 30; M a n n h a r d t *Germ. Mythen* 376. [22]) „Allen schien sie (scil. Swanhild) / in unserer Halle, / als sei sie ein lichter / Sonnenstrahl". [23]) M e y e r *Germ. Myth.* 88 f.   Stegemann.

Abendsegen s. G e b e t.

Abendstern. Nur die selbständigen Vorstellungen, die an den A. anknüpfen, sind im folgenden behandelt; aller Volksglaube, in dem der A. als Venus im Zusammenhang mit der Planetenreihe erscheint, ist s. v. P l a n e t e n besprochen.

1. A l l g e m e i n e s. Weitaus den meisten Völkern gilt der Aufgang des A.s als Anbruch der Nacht, d. h. Ruhezeit, als Zeitpunkt zur Vermählung und Liebeszusammenkunft. Über die Liebenden breitet der Stern einen Schimmer der Verklärung; Liebende, die getrennt sind, senden ihm ihren Gruß. Schon die griechische Dichterin Sappho huldigt dem Aufgang des A.s mit gefühlstiefen Worten [1]). Herrliche Töne fand der römische Dichter Catull in seinem Hochzeitsgedicht (Nr. 62). Ähnliche Stimmen in der jüngeren deutschen Literatur sind bekannt, hier sei nur an Wolframs Lied an den A. von Wagner erinnert. Aber auch in der ältern deutschen Literatur findet sich manches, was hierher gehört. Von dem, was mir zufällig begegnet ist, sei folgendes zitiert: in dem aus dem 13./14. Jahrhundert stammenden Gedicht von „zwei Kaufmann" (nach Vers 935 verfaßt von dem sonst unbekannten Dichter Ruprecht v. Würzburg) stehen die Verse (180 ff.) [2]):

„nu begund die sunne sigen
vnd der a b e n t s t e r n e stigen
nach den alten gewonheit,
ob mir ist geseit die warheit:
die beide do ein bett emphing,
ein vil lieb da ergieng" usw.

Ein weiteres Zitat aus diesen älteren Zeiten findet sich in der von der Hagenschen Ausgabe der Minnesänger [3]). Bei

dem für die Neugestaltung der deutschen Literatur wichtigen Dichter Weckherlin findet sich der Vers:

„bis den Menschen der A. zu der ruh widerführet" [4]).

Weitere Belege bringen die Gedichte v. Salis-Seewis' (18. Jh.). So liest man in dem „Abendbilder" überschriebenen Gedicht (1786) in der letzten Strophe [5]):

bis der liebe
Stern so trübe
in der Abendröte schwimmt.

Manches auch in den Hochzeitsgedichten von Opitz [6]).

[1]) P a u l y - W i s s o w a   s. v. Hesperos. Sp. 1254; R o s c h e r *Mythol. Lexikon* 1 396 unten. [2]) J. G r i m m *Altdeutsche Wälder* Cassel 1 (1813), 41. 66; P i p e r *Höfische Epik* 3, 538 (Deutsche Nat.Lit.). [3]) 1, 125 c. [4]) W e c k h e r l i n hrsg. v. K. G o e d e k e, Leipzig 1873 (= Deutsch. Dicht. d. 17. Jahrh. 5) 226. [5]) ed. F r e y Deutsche Nat.Lit. 41,2, 268; vgl. ebd. 256 Nr. 3 „Abendwehmut". [6]) O p i t z *Werke* ed. O e s t e r l e in Deutsche Nat.Lit. 27, 35 ff.

2. M y t h o l o g i s c h e s zum A. kennt der deutsche Volksglaube so gut wie gar nicht.

Schon in der arischen Urreligion spielte der A. keine hervorragende Rolle [7]). Spuren göttlicher Verehrung des Morgen- und A.s hat man wohl in dem Kult der Asvins der Inder zu finden geglaubt; aber wenn man überhaupt in diesem Dämonenpaar A. und Morgenstern sehen darf, so gilt die Verehrung mehr dem Bruderverhältnis der beiden, als ihrer Göttlichkeit [8]). Doch ist das Wesen jener Gottheiten noch viel zu wenig geklärt und mit der Darlegung ihrer sideralen Eigenschaften nicht erschöpft [9]). Aber wichtig bleibt die Beobachtung, daß nicht nur im deutschen Volke der A. in der Mythologie k e i n e Rolle spielt, sondern daß er überhaupt von den Völkern arischen Stammes nicht verehrt worden ist. Das beweisen auch die lettischen Naturmythen (13. Jh.), die noch indogermanische Anschauungen enthalten [10]). Von Gestirnkultus ist auch in ihnen nie die Rede. Wenn der A. der herabsinkenden Sonne das Lager bereitet [11]), wie er im antiken Volksglauben abends die Himmelslichter (d. h. die

Sterne) anzündet [12]), so ist das Ganze ein Bild schlicht personifizierten Naturgeschehens wie auch in der Anschauung vom Morgenstern, der in jenen lettischen Liedern der Sonne das Feuer entzündet[13]). (Dazu vgl. die antiken Darstellungen von Morgen- und A. mit gehobener und gesenkter Fackel) [14]).

A.- und Morgenstern sind weder im Mythus des deutschen Volkes noch der antiken Völker jemals identifiziert worden; obgleich die Babylonier bereits um 2000 v. Chr. die Identität der beiden Sterne beobachtet haben, läßt sich diese Erkenntnis im Okzident (Hellas) nicht vor dem 6. Jahrhundert v. Chr. nachweisen [15]), und selbst dann noch trennt der Mythus beide Erscheinungen des gleichen Gestirns (so noch in den Dionysiaka des Nonnos von Panopolis, 5. Jahrhundert n. Chr.) [16]). Für das Römische hat Gundel die gleiche Feststellung gemacht [17]): er kommt zu dem weiteren Schluß, daß selbst die Planetennatur der Gestirne lange Zeit von den Römern nicht erkannt worden ist.

Auch das deutsche Heidentum wird die Identität von Morgenstern und A. kaum erkannt haben; noch weniger glaube ich, daß man in germanischer und fränkischer Zeit in Volkskreisen etwas von der planetarischen Natur der Venus wußte (gegen Grimm, Myth. 603). Bei der vollkommenen Uninteressiertheit der frühdeutschen Zeit für astronomische Dinge (s. Sterndeutung) scheint mir eine Erkenntnis wie die der planetarischen Natur der Venus und der Identität von Morgenstern und A. undenkbar. So laufen seit dem Ahd. die Ausdrücke A. und Morgenstern nebeneinander her, wie im lateinischen Sprachgebiet Vesper und Lucifer. Ahd. heißt die abendliche Venus *âpantsterno. tunkelsterne* scheint *vesperugo* zu sein, der in der Dämmerung aufleuchtende A. Weiter begegnet *nahtfare*; dies ist die einzige mythische Bezeichnung des A.s, nach Grimm ein Name für die nachts ausfahrende weise Frau oder Hexe [18]). Einen modernen Beleg für die Trennung von Morgenstern und A. kenne ich aus der Oberpfalz [19]): Wenn unser lieben Frauen vom Schlafe aufsteht, gehen die Nachtsterne unter und der Morgenstern auf, und umgekehrt. Dieser Stern ist also der ständige Begleiter unser lieben Frauen. Die Vorstellung weist inhaltlich noch eine Besonderheit auf; denn christlicher Einfluß auf die u r s p r ü n g l i c h e (indogerman.?) Fassung dieses Mythologems von der Sonne, bei deren Erheben die Sterne erbleichen, ist unverkennbar; denn auf lettischem Gebiet begegnet in jenen Liedern ein Synkretismus, der Maria der Sonnentochter substituiert [20]).

[7]) G r i m m *Myth.* 603. [8]) M e y e r *Relig.-gesch.* 106. [9]) S t e n K o n o w in C h a n t e - pie de la S a u s s a y e *Lehrbuch der Religionsgeschichte* [4] 2, 33. [10]) S i e c k e *Götterattribute* 21; berührt sich zum Teil mit M a n n - h a r d t *Die lettischen Sonnenmythen* ZfEthnologie VII; C h a n t e p i e de la S a u s - s a y e a.a.O. [11]) S i e c k e 32. [12]) G u n d e l *Sterne und Sternbilder im Glauben des Altertums und der Neuzeit* 22. [13]) S i e c k e 31. [14]) Literatur bei R o s c h e r *Myth. Lex.* I [2], 2604 s. v. Hesperos. [15]) B o l l - B e z o l d *Sternglaube und Sterndeutung* [3] 6. [16]) V. S t e g e - m a n n *Nonnos v. Panopolis und das astrologische Weltbild der Dionysiaka.* Index s. v. Abendstern. [17]) G u n d e l *de stell. appell.* 24. [18]) G r i m m *Myth.* 2, 603, woselbst die Zitate der Quellen. Gr. bemerkt noch zu englischen Vorstellungen verwandter Art: „Den A n g e l - s a c h s e n hieß der A. svâna steorra (bubulcorum stella), weil die Hirten, sobald er aufging, heimtrieben. [19]) S c h ö n w e r t h *Oberpfalz* 2, 80 f. [20]) S i e c k e a. a. O. 25.

3. V o l k s g l a u b e knüpft sich, entsprechend der nicht göttlich verehrten Erscheinung des A., nur in geringem Maße an das Gestirn an. Man kennt ihn wohl nur im Liebessegen; das Mädchen tritt vor die Tür des Hauses und richtet an den A. die Bitte, ihr ihren Liebsten treu zu erhalten [21]). Gelegentlich ist der A. in Verbindung mit dem Monde (s. d.) angerufen; zu dieser Kombination von A. und Mond vgl. die griechische, von Hesiod (Theog. 986 ff.) erzählte Sage vom Raube des Phaethon-A. durch Aphrodite = Mondgöttin [22]). In der Oberpfalz heißt cs [23]):

Grüß dich Gott, mein lieber Abendstern,
Ich seh dich heut und allzeit gern.
Schaut der Mond übers Eck
Meinem Herzliebsten aufs Bett,
Laß ihm nicht Rast

Laß ihm nicht Rou,
Daß er zu mir kommen mou.

Zu diesem Spruch teilt Müllenhoff aus
Schleswig-Holstein einen ähnlichen mit[24]),
der zu Orakelzwecken verwendet wird:
„Will eine Jungfrau ihren zukünftigen
Bräutigam sehen, so muß sie zur Mitternacht vor Neujahr r ü c k w ä r t s (s. d.)
in der Küchentür stehen und sprechen:

> Gott grüß dich, Abendstern,
> Du scheinst so hell von fern,
> Über Osten, über Westen,
> Über alle Kreiennesten.
> Ist einer zu mein Liebsten geboren?
> Ist einer zu mein Liebsten erkoren?
> Der komm als er geht
> Als er steht
> In sein täglich Kleid [25]).

[21]) S c h ö n w e r t h *Oberpfalz* I, 133.
[22]) R o s c h e r *Myth. Lex.* I, 396. [23]) S c h ö n -
w e r t h *Oberpfalz* I, 133 (dort noch eine andere,
doch ähnliche Fassung). Ferner W e i n h o l d,
Neunzahl 51 (ebd. Liebessegen); ZfVk. 26, 198.
[24]) M ü l l e n h o f f *Sagen* 519 Nr. 37. [25]) Ein
venezianisches Märchen erzählt von einer Prinzessin, die ihren Gemahl verloren hat und sich
in ihrer Verzweiflung an den A. wendet, der
sie an die Sonne weiterverweist. Diesem
Märchen liegt die gleiche Auffassung des A.s
in seiner Beziehung zum Liebeszauber zugrunde.
Vgl. G. W i d d e r und A. W o l f *Volksmärchen aus Venetien* = Jahrb. f. rom. Lit. 7
(1866), 251.

4. D e u t u n g. Die Beziehungen des
A.s zum Liebeszauber sind keinesfalls in
den schwachen Ansätzen einer mythischen
Auffassung des A.s bei den Ariern begründet, so naheliegend der Gedanke
sein mag. Auch als „astrologisch" kann
man diese Beziehung kaum deuten, weil
die Sterne nach der Lehre der Astrologie dem Weltgesetz gegenüber, das ihre
Tätigkeit regelt, keine Freiheit haben,
also Gebeten, die an sie gerichtet würden,
keinesfalls Gehör schenken könnten [26]).
Vielmehr ist die Verbindung von A. und
Liebe in Gefühlsmomenten verwurzelt. Es
ist derselbe Trieb des Gefühls, der in so
viel stärkerem Maße bei allen abendländischen Völkern die Mondgöttin zur
Gefährtin im Liebeszauber gemacht hat [27])
(s. Mond).

[26]) Doch vgl. F i r m i c u s M a t e r n u s
Matheseis 4, 16, 9; C a t. c o d. a s t r. VIII 3,
154 ff.; B o l l in P a u l y - W i s s o w a
s. v. Hebdomas Sp. 2571 Mitte; B o u c h é -

L e c l e r q *L'astrologie Grecque* (Paris 1899),
466, 2; 616, 4. [27]) W i l a m o w i t z Hermes
18, 419.   Stegemann.

Abendtau s. T a u.

Abentrot s. R i e s e, A b e n d r ö t e 3 a.

Aberacula, Zauberwort gegen Fieber [1]).
Nebenform von Abracadabra (s. d.), flügelförmig geschrieben s. u. Z a u b e r -
w o r t.

[1]) Alemannia 27, 114; H ö h n *Volksheilkunde* I, 154; G a n z l i n *Sächs. Zauberformeln* 20 Nr. 36; S e y f a r t h *Sachsen* 171;
DG. 17, 59.   Jacoby.

Aberglaube.

1. Etymologie. — 2. Begriff. — 3. Einteilung
und Inhalt des A.s. — 4. Momente u. Zweck des
A.s. — 5. Ursprung und Geschichte des A.s. —
6. Quellen des deutschen A.s. Chronologische
Bibliographie.

1. Das W o r t A. ist zuerst in einer
Randnote zum St. Trudperter „Hohen
Lied" (12. Jh., alemann. oder bayr. Ursprungs) belegt: 'dehein ab^sglo^vbe' [1]),
viell. spätere Randnote. Kluge [2]) stellt
Aber-, das nhd. auch in *Aberwitz*, früher
in *Aberlist* 'Unklugheit', *Abergunst* 'Miß-
gunst', *Aberwandel* 'schlechter Lebens-
wandel', schweiz. *abersinnig* 'unsinnig',
Aberwillen 'Widerwillen' usw. vorkommt,
zu mhd. *abe* 'ab', Paul [3]) und Weigand-
Hirt [4]), wohl richtiger, zu *aber* (das
neben ,wieder' den Sinn von „gegen"
hat) [5]). Die Herleitung aus *Ober-*, wegen
ndl. *overgeloof*, dän. *overtro*, die Grimm [6])
und Lexer [7]) vertreten, ist wegen der
verhältnismäßig zahlreichen Zusammensetzungen mit *Aber-*, bes. im Schwäbischen und Bairischen, wo sie sowohl
„wieder" und „nach" als „wider" bedeuten können [8]), unwahrscheinlich. Das
ndl. *ofergeloof* (16. Jh.) scheint an *ofer*
'über' (vgl. lat *s u p e rstitio*) angelehnt [9]);
sonst gilt ndl. *bijgeloof* [9]), eigentl. 'Neben-
glaube', das schon mndd. als *bigelove*
bezeugt ist [10]), isl. *hjátrú* ,Bei- oder Ne-
benglaube', an. *hindrvitni* ,Afterglaube',
schwed. *vidskepelse*, eigentl. ,Beigestalt'.
Die Grundbedeutung von lat. *superstitio*
ist noch nicht aufgeklärt. „Überbleibsel"
scheint eine moderne Deutung. Das
griech. δεισιδαιμονία heißt einfach „Furcht
vor Göttern".

¹) *Das Hohe Lied*, hrsg. von J o s. H a u p t (1864) 176, zu 95, 13. ²) *Etym.Wb.* ⁹ (1921), 3. ³) *Dt.Wb.* ² (1908), 5. ⁴) *Dt.Wb.*⁵ 1 (1909), 6. ⁵) Vgl. D e t t e r in ZfdA. 42, 53. ⁶) DWb. 1, 32 (in der *Grammatik* 2, 710 dagegen zu ahd. *avar* „wieder"). ⁷) *Mhd.Wörterb.* 1. 12. ⁸) F i - s c h e r *SchwäbWb.* 1, 18 ff.; S c h m e l l e r *BayrWb.* 1, 12 f. ⁹) Woordenboek der Neder- landsche Taal 2, 2609; 2, 1710. ¹⁰) S c h i l l e r u. L ü b b e n *MnddWb.* 1, 332.

Seit Anfang des 19. Jhs. wird statt A. vielfach die Bezeichnung V o l k s - g l a u b e verwendet ¹¹). Das Wort wurde geschaffen aus dem Gefühl der Unsicher- heit, wie weit die Grenzen des A.s, in dem man ein Werturteil erblickt, zu ziehen seien. Die Bezeichnung „Volksglaube" mag also vorsichtiger und auch objek- tiver scheinen, indem sie kein subjektives Urteil über die betr. Glaubenssatzungen ausspricht; anderseits aber schiebt sie den hohen Begriff „Glauben" in den un- würdigen Gegensinn hinüber und schränkt ihn außerdem ein; denn „Volksglaube" umfaßt sämtliche auf das Religiöse be- züglichen Empfindungen, Anschauungen und Betätigungen des Volkes, die doch weit über das hinausgehen, was mit „Aberglaube" bezeichnet wird. Zum Volksglauben gehören die Anschauungen des Volkes über Gott, Christus, den Hl. Geist, die Dreieinigkeit, seine Stellung zu Sünde, Gnade u. a. m. ¹²).

Wenn wir das Wort A. für vorliegendes Wörterbuch beibehalten, so geschieht es also i n v ö l l i g o b j e k t i v e m S i n n , ohne ein Werturteil auszuspre- chen; wie es auch vor uns zahlreiche For- scher getan haben, und wie es auch die französischen und englischen Folkloristen mit ihrem Wort „superstition" tun, ob- wohl auch hier die verurteilende Neben- bedeutung vorliegt. Außerdem wird in diesem Lexikon mancher nur literarisch bezeugter A. (z. B. aus mittelalterlichen Tierbüchern) Aufnahme finden, der nie in das Volk gedrungen ist. Sehr wesent- lich ist auch die praktische Frage, bei welchem Terminus der Benützer mehr im klaren ist, was er in dem Lexikon zu finden hat, und hier scheint uns „A." den Vorzug zu verdienen (s. Vorwort).

¹¹) Ältester mir bekannter Beleg: F. L. v. D o b e n e c k *Des deutschen Mittelalters V o l k s - g l a u b e n und Heroensagen.* Berl. 1815. ¹²) Goethe scheint unter Volksglaube die Anthro- pomorphisierung u. Personifikation des Leblosen oder Nichtmenschlichen durch die Phantasie des Volkes zu verstehen und sieht in ihm poetische Werte (W. 41, I, 128—131).

2. B e g r i f f. Eine allgemein befrie- digende Definition von A. ist bis jetzt noch nicht geboten worden und kann auch nicht geboten werden, solange man sich auf den subjektiv- religiösen Standpunkt stellt und mit A. ein Werturteil ausspricht, d. h. ihn als „irrigen", „gesetzwidrigen" Glauben, als „Wahnglauben" usw. be- zeichnet. Verschiedene Definitionen gibt R u d. H o f m a n n in Herzog-Hauck I, 78 f. wieder, darunter seine eigene: „A. ist der irrige Glaube von einem der Ver- nunft und Offenbarung widersprechen- den, die Naturgesetze ignorierenden Kau- salnexus übersinnlicher Kräfte und sinn- licher Wirkungen und umgekehrt." Auch S t r ü m p e l l s Formulierung: „Der A. ist ein Fürwahrhalten, welches sein Da- sein und seine Stärke dadurch empfängt, daß der Mensch seinen rein subjektiven Gemütszuständen das Recht einräumt zu entscheiden, was außer ihm wirklich ist und wirklich geschieht", wird durch das Moment der „Gemütszustände" ein- seitig. Je komplizierter und subjektiver eine Definition ist, um so eher gerät sie mit einzelnen Teilen der A.-Erschei- nungen in Konflikt. So möchten wir denn mit möglichster Objektivität sagen:

A. i s t d e r G l a u b e a n d i e W i r k u n g u n d W a h r n e h m u n g n a t u r g e s e t z l i c h u n e r k l ä r t e r K r ä f t e , soweit diese nicht in der Re- ligionslehre selbst begründet sind.

Dabei möchten wir „R e l i g i o n" allerdings im höchsten Sinne fassen: als gläubige Hingabe des Menschen an eine alliebende, seine Geschicke leitende Macht, nicht als ein bestimmtes kirchliches Sy- stem der Gottesverehrung und des Gottes- dienstes; denn nur allzu leicht knüpfen sich an Wesenheiten und Gegenstände von Religionssystemen Anschauungen und Handlungen an, die in den Bereich des A.s im obigen Sinne gehören (z. B. der Gebrauch der Hostie im Zauber), und überdies können sich auch die Auffassungen über gewisse Erscheinungen innerhalb ein- und desselben Religionssystems wandeln. Die Hexen werden heute selbst in theologischen Darstellungen als Erzeugnisse des A.s behandelt; früher wurde ihre Zauberabsicht allgemein geglaubt, und selbst ein Rückwandel ist nicht ausgeschlossen. Wie endlos abgestuft ist ferner der Glaube an die Wirkung und der Gebrauch von Segenssprüchen, Devotionalien u. dgl., und wie verschieden, nach Zeiten und Gegenden, die Einstellung der Geistlichkeit zur Verwendung dieser Dinge durch das Volk!

3. **Einteilung und Inhalt des A.s.** Die Einteilung des A.s begegnet großen Schwierigkeiten, da bei jeder abergläubischen Anschauung mehrere Gesichtspunkte in Betracht kommen. So können wir z. B. bei der Vorstellung, daß aus dem Aufblühen eines an Weihnachten ins Wasser gestellten Kirschbaumzweiges auf die Fruchtbarkeit des kommenden Jahres geschlossen werden könne, drei verschiedene Gesichtspunkte unterscheiden: 1. das Orakel, 2. die Pflanze, 3. die heilige Zeit. Demnach ließe sich dieser A. nach dem **Zweck** (Fruchtbarkeit), nach dem **Mittel** (Kirschbaumzweig), nach dem **Ausgangspunkt** (Weihnacht) einteilen. Wissenschaftlich am ehesten zu rechtfertigen scheint uns die Einteilung nach dem **Zweck oder Ergebnis** des A.s, soweit überhaupt ein Zweck vorliegt. O. Stolls Einteilung *(Zauberglauben)* in defensive, offensive und expetitive (d. h. erstrebende) Verfahren ließe sich gut als Grundlage annehmen, nur fehlt ihr die große Gruppe des absoluten, anscheinend ziellosen A.s (s. u. III).

Wir möchten folgende Einteilung vorschlagen, obschon auch in ihr nicht alle A.serscheinungen restlos aufgehen:

I. **Kündung oder Erforschung des Unbekannten** (Vorzeichen, Anzeichen, Omen, Orakel):

A. **Passiv** (ohne Zutun des Menschen):

Bricht einem heiratsfähigen Mädchen beim Nähen eines Kleides die Nadel, so näht es an einem Brautkleide. — Weiße Flecken an den Fingernägeln bedeuten lange Lebensdauer, da das Holz zum Sarge noch „blüht". — Setzt sich eine Elster auf das Haus, so gibt es darin Streit.

B. **Aktiv** (durch menschliche Handlung):

Um zu wissen, ob ein Kranker stirbt oder nicht, nimmt man Brot, streicht es dem Kranken über die Stirn und gibt es einem Hund zu fressen. Frißt er's, so bleibt der Kranke am Leben, andernfalls stirbt er. — Holt man sich nachts zwölf Uhr aus dem Totenhause einen Totenknochen und blickt durch ihn hindurch, so sieht man, wie die Hexen rückwärts auf den Friedhof kommen.

II. **Abwehr oder Antun von Unheil bzw. Herbeiführen oder Verhindern von Heil:**

A. **Verfahren zugunsten des Objekts.**

1. Abwehr von Unheil:

Gegen den Umlauf („Wurm") am Finger spricht man: „Wurm, ich beschwöre dich bei dem hl. Tag!" usw. — Krankheiten vergehen, wenn man sie mit einem Gegenstand bestreicht und diesen in einen Balken oder Baum verpflöckt, oder wenn man das kranke Glied durch ein Loch stößt oder den ganzen Leib durch einen gespaltenen Baum zieht. — Schutzmittel gegen Behexung und zauberische Gegenwirkung: C. M. B. (die Namen der hl. Dreikönige) über der Tür. — Brotrinde in der Tasche schützt vor bösem Blick. — Findet sich ein Karfreitagsei im Hause, so ist dieses vor Blitzschlag geschützt.

2. Herbeiführen von Heil:

Ein Leichenzahn, ohne Knoten in ein leinenes Säckchen genäht, erleichtert das Zahnen. — Um sich bei den Leuten angenehm zu machen, trage man ein Wiedehopfauge bei sich. — Um rechtzeitig aufstehen zu können, spricht man beim Schlafengehen: „St. Vit, ich bitte dich" usw.

B. **Verfahren zuungunsten des Objekts:**

1. Antun von Unheil:

Die Behexung in ihren zahllosen Formen, z. B.: Wenn man Kinderwäsche über Nacht draußen hängen läßt, zaubert die Hexe etwas Böses hinein. — Auf der Grenze zwischen II, A 2 und II, B 1 steht der Liebeszauber, z. B.: Man nehme drei Stücklein Brot, trage dieselben so lange unter dem Arm, bis sie von Schweiß durchtränkt sind, und mische sie dem Geliebten in die Speise.

2. Verhindern von Heil:

Eine weiße Haselwurzel unter die Schwelle der Stalltüre gelegt, bewirkt, daß die Kühe unfruchtbar werden.

III. **Absoluter Aberglauben**
(d. h. Anschauungen und Handlungen
ohne Beziehung auf Vorzeichen oder
Orakel und Verfahren zugunsten oder zuungunsten des Objekts):

A. Anschauungen und Handlungen
in bezug auf **Mensch, Natur,
menschliche Einrichtungen**:

Die Wöchnerin ist unrein, bis sie zum erstenmal nach der Niederkunft wieder zur Kirche
geht. — Kinder bekommen den Charakter ihrer
Taufpaten. — Der Mittwoch ist Unglückstag,
weil er kein „Tag" ist. — Das Vieh bekommt
in der Christnacht menschliche Sprache, Wasser verwandelt sich in Wein. — An Ostern
geht die Sonne hüpfend auf. — Im Augustkrebs
soll man Heilkräuter sammeln.

B. Anschauungen und Handlungen in
bezug auf **übernatürliche Wesen**:

Die Seele des Menschen kann aus dem lebenden Körper entweichen (oft in Gestalt einer
Hummel, eines Schmetterlings u. dgl.) und wieder in denselben zurückkehren.

Eine scharfe Abgrenzung dieser drei
Gruppen ist nicht immer möglich. So
wird man z. B. das Auffinden von Ertrunkenen mit Hilfe eines Stückes geweihten Agathenbrotes, das auf das Wasser
geworfen wird, zu I B oder II A 2 stellen
können. Der A., daß das Schneiden der
Haare im Zeichen des Steinbocks dieselben bald ergrauen lasse, kann als I B
(Zukünftiges) oder aber (und wohl besser)
als III A gedeutet werden; dagegen reiht
sich die Vorschrift, die Haare im Leu zu
schneiden, richtiger in II A 2, als in
III A ein. Daß der 18. August ein Unglückstag sei, läßt sich ebensogut als I
wie als III deuten. Die Vorschrift, nur an
einem fleischlosen Tag (Freitag) am Kohl
zu arbeiten, da die Fleischtage Gras-
würmer herbeiführen, kann als I A,
II A oder III A aufgefaßt werden usw.

Seinem **Inhalt** nach fassen wir also
unter A. (wie Grimm Myth. 925) sowohl
die passiven Anschauungen wie die aktiven Verfahren zusammen, im Gegensatz
zu Alfr. Lehmann (Aberglaube), der
mit „A." nur die Theorie (Anschauung),
die Praxis dagegen mit „Zauberei" oder
„Magie" bezeichnet. Anderseits glauben
wir von dem Begriff A. im landläufigen
Sinne die sog. **magischen Wis-**

senschaften fernhalten zu sollen,
wie Astrologie, Geomantie, Chiromantie,
Nekromantie und andere systematisch
betriebene Mantik; ferner die Kabbalah
(jüd. Geheimwiss.), die Alchemie, sowie
die **Geheimwissenschaften**
(Okkultismus, Spiritismus), wenn es auch
nicht zu leugnen ist, daß sich Spuren
dieser höheren Magie und des Okkultismus im Volksaberglauben finden. Sie sind
daher auch, so weit es uns tunlich schien,
in dieses Wörterbuch aufgenommen worden.

Aus obiger Einteilung ist zu erkennen,
daß gewisse volkskundliche Forschungsgebiete, die oft gesondert behandelt werden, wenigstens teilweise sich in den A.
einreihen. Zunächst die **Sage**. Die zahlreichen Hexen-, Zwergen-, Drachensagen
und solche über gespenstische Tiere (Dorf-
hund, dreibeinige Hasen usw.), irrende
Seelen, zu bestimmten Zeiten sich son-
nende Schätze und vieles andere mehr,
lassen sich dem absoluten A. (III) an-
gliedern. In der **Volksmedizin**
sind eine Unzahl von Heilmitteln und die
Vorschriften zu ihrer Gewinnung und
Anwendung rein abergläubischer Natur;
ebenso die **Segensformeln**. Andere
Volksmittel aber dürften sich als medi-
zinisch begründet erweisen. Ähnlich steht
es mit den **Kalender-, Bauern-**
und **Wetterregeln**. Abergläubisch
wäre z. B. die homonymische Bauernregel, daß am Bonifaztag die Bohnen gepflanzt, oder die Analogieregel, daß die
Haare im Zeichen des Widders geschnitten werden sollen, damit sie kraus werden.
Vieles andere ist dagegen landwirtschaftlich oder meteorologisch durchaus ge-
rechtfertigt.

4. **Momente und Zweck des**
A.s. Der A. wurzelt in der Vorstellung
magischer Kräfte, die im Reich des Un-
körperlichen wie des Körperlichen wohnen und walten. Diese Kräfte können von
sich aus wirken oder gedeutet werden;
sie können aber auch vom Menschen als
Mittel zum Zweck verwendet werden.
Magische Kräfte besitzt alles, was man
als **heilig** betrachtet: Dinge (Hostie),
Zeichen (Kreuz), Worte (Johannes-Evan-

gelium), Handlungen (läuten), Orte (Kirche, Grab), Zeiten (Weihnacht) u. a.; ferner die anthropomorph übersinnliche Welt, die sich auch wahrnehmbar verkörpern kann: Dämonen, Geister, Seelen; der Mensch selbst (und Teile von ihm) in bestimmten Beschaffenheiten, Zuständen und Eigenschaften: Geschlecht (Begegnung mit einem Knaben), Jugend und Alter, Berufe (Schäfer), Rassen (Juden), Körperbeschaffenheit (Bucklige), Nacktheit, Ungetauftheit, geistige Abnormität, Tod, dämonische Fähigkeiten (böser Blick), Blut, Speichel, Harn usw.; Tiere, die mit besondern Eigenschaften begabt erscheinen, Pflanzen wegen ihres Aussehens, biologischer Erscheinungen, Wirkungen usw.; Steine, Metalle u. a. Mineralien, denen heilbringende oder übelabwehrende Eigenschaften verschiedenster Art zugeschrieben werden: von Steinen namentlich durch Gestalt oder Farbe auffallende: durchlochte Steine, vorgeschichtliche Artefakte, Versteinerungen, Bernstein (vom Volke als Stein aufgefaßt); ferner Edelsteine, Edelmetalle, Eisen, Salz, Erde. Hier mag auch Feuer und Wasser angeschlossen werden. Meteorologisches: Tau, Regen, Regenbogen usw. Natürlich auch die Gestirne, besonders der Mond und der Tierkreis. Menschliche Erzeugnisse, an deren magische Kraft teilweise schon in ältesten Zeiten geglaubt wurde, wie Brot, Wein, Kleid, Spiegel, Sieb, Schlüssel, Geld, Besen, Hufeisen, Axt; als deutliches Bindungssymbol der Knoten. Oft gibt ein Akzidens dem Gegenstand magische Kraft: wenn er gefunden, gestohlen, ererbt ist u. a. Zauberische Orte sind (außer den geweihten) namentlich im Hause; die heilige Feuerstätte, der Herd, ferner der Ofen, die Schwelle, die Dachtraufe u. a. Außerdem: Kreuzwege, vorgeschichtliche Kultstätten u. dgl. Hier seien auch die Himmelsrichtungen, sowie rechts und links genannt. Bedeutungsvollen Zeiten (Stunden, Wochen- und Kalendertagen) und Zahlen (besonders 3, 7, 9) wird ebenfalls magische Kraft beige-

messen. Von Farben ist Rot die bedeutsamste.

Ein sehr wichtiges Moment ist die magische Handlung und das gesprochene oder geschriebene Zauberwort, deren Kräfte auf die verschiedensten Ursachen zurückgeführt werden müssen. Gewissermaßen als seelischer Teil des Menschen wird der Atem betrachtet; daher ist für den Zauber das Hauchen und Blasen wichtig, von Substanzausscheidungen das Spucken. Von Bewegungen sind wesentlich: das Umkreisen, das Abstreifen, die Rückwärtsbewegung. Bestimmte Vorschriften knüpfen sich ferner an das Kaufen und Verkaufen, Leihen, Stehlen.

Sehr vielen Handlungen, wie abergläubischen Vorstellungen überhaupt, liegt der Analogiegedanke zugrunde: man verbindet ein Stuhlbein zur Heilung eines gebrochenen Tierbeins, man hält das wächserne Abbild des zu Schädigenden über das Feuer, man macht an eine Schnur so viele Knoten, als man Warzen hat, usw. Auch die befreiende und übertragende Handlung (wegschwemmen, verpflöcken, abstreifen, auf Tiere und Menschen übertragen u. v. a.) haben ihre Zauberkraft in der Analogie des Vorgangs, wie auch der Zauberspruch in seinem epischen Eingang meist ein analoges Geschehen erzählt.

Wesentlich ist ferner das Unterlassen der Handlung: schweigen, nicht arbeiten, nüchtern sein u. a. m.

Die Zwecke oder die Ergebnisse des aktiven und des passiven A.s sind so mannigfache, daß sie an dieser Stelle nicht einmal beispielsweise mitgeteilt werden können. In den meisten Fällen ist es Herbeiführung von Glück, Gelingen, Fruchtbarkeit usw. und ihrer Gegenteile; vielfach bezieht er sich auch auf Vorkommnisse im menschlichen Leben (Geburt, Kinderzahl, Liebe, Heirat, Hausbezug, Besuch, Krankheit, Tod usw.), auf häusliche und landwirtschaftliche Vornehmungen, auf die Lösung gewisser Gebundenheiten (von Bann, Behexung, das Wiederfinden von Verlorenem u. v. a.), auf die Erwerbung von

Fähigkeiten (Hellsehen, unsichtbar machen, unfehlbarer Schuß usw.), auf Handel und Berufliches, Prozeß und Gericht. Das Glück also und das m a t e r i e l l e Wohl des Menschen, bzw. das Unglück seines Widersachers, steht beim A. weit im Vordergrund. P s y c h i s c h e und e t h i s c h e Momente kommen meist nur dann in Betracht, wenn sie entweder auch wieder auf Vorteile für das leibliche Leben oder auf Belohnung bzw. Strafvermeidung im Jenseits Bezug nehmen. In dem Erdreich des absichtslos Guten schlägt der A. keine Wurzeln [13]).

[13]) L. M a c k e n s e n *Volksreligion* im SAVk. 27, 161 ff.

5. U r s p r u n g u. G e s c h i c h t e d e s A.s. Der Begriff „A." als einer verwerflichen oder sinnlosen Anschauung kann natürlich erst in einer Zeit entstanden sein, wo man sich über den A. zu erheben begann. Der Abergläubische selbst sieht in dem A. etwas Berechtigtes und glaubt an seine Wirkungen. Der A. geht also in die Urzeiten der Menschheitsgeschichte zurück; denn von dem Augenblicke an, wo der Mensch äußere Vorgänge zu beobachten und daraus Schlüsse zu ziehen begann, mußte sich auch der A. einstellen. Dieser uranfängliche A. baute sich jedoch keineswegs auf e i n e r Grundvorstellung auf, etwa dem „Animismus", „Manismus" u. dgl., sondern mußte sich bei dem Fehlen naturgesetzlichen Wissens und Denkens zunächst überall da bilden, wo entweder etwas E i n d r u c k s v o l l e s, S e l t e n e s s i c h e r e i g n e t e oder wo m i t e i n e r w i c h t i g e n m e n s c h - l i c h e n H a n d l u n g e i n e a u f - f a l l e n d e E r s c h e i n u n g z u - s a m m e n f i e l. Das Einschlagen eines Blitzes in ein Ackergerät bewirkt eine heilige Scheu vor dem getroffenen Objekt, die verbietet, es weiter zu profanem Zweck zu verwenden. Dabei denkt man aber primär noch nicht an einen Blitzg o t t, wenn nicht etwa schon ein solcher im Religionssystem vorhanden ist. Das Finden eines vierblättrigen Kleeblatts bedeutet Glück wegen seiner Seltenheit; das auffallende Zurückschauen eines Pferdes am Leichenwagen erweckt die Vorstellung, daß dieses Tier weitere Todesopfer anblicke, und man glaubt daher, daß bald einer aus dem Leichengeleite dem Toten nachfolgen werde. Das bloße Erstaunen über das auffallende Ereignis und die unwillkürliche Frage nach seiner Bedeutung sind somit die älteste Form des A.s. Der G l a u b e a n d ä m o n i s c h e K r ä f t e u n d W e s e n und weiterhin ihre Gunsterwerbung oder ihre Abwehr mag sich unmittelbar an diese primäre Empfindung anschließen; er zeigt uns aber bereits eine Schlußfolgerung aus den Erscheinungen: der Blitz wird zum Blitzdämon, das Pferd erhält dämonische Orakelkräfte. Eine dritte Stufe wäre die A n w e n d u n g d e r f e s t g e w o r - d e n e n A n s c h a u u n g e n a u f d i e V o r g ä n g e d e s L e b e n s, z. B. die Verwendung der Hostie zum Zauber oder eines schwarzen Geißbockes zur Dämonenabwehr. Die 3 Stufen können, wie das bei primitiven Völkern geschieht, durch Ausbau und Festigung bestimmter Vorstellungen zu Religionsformen oder gar -Systemen werden (s. Fetischismus, Animismus, Manismus, Totemismus u. a.). — Alle 3 Phasen setzen in ihren Anfängen einen direkten, ja b e w u ß t e n Z u - s a m m e n h a n g z w i s c h e n d e r a b e r g l ä u b i s c h e n V o r s t e l - l u n g u n d d e r i h r z u g r u n d e - l i e g e n d e n T a t s a c h e v o r a u s, und solche direkten Zusammenhänge werden in allen 3 Phasen auch heute noch überall da sich anknüpfen, wo ein A. sich neu bildet; denn die Aufstellung obiger 3 Stufen ist nicht etwa so zu verstehen, als ob eine die andere restlos abgelöst hätte, sondern die älteste kann sich heute noch in gleicher Weise bilden, wie die neueste; aber wenn ein solcher lebendiger p r i m ä r e r A., wie wir ihn nennen möchten, einmal fest geworden und auf andere Menschen, die ihn nicht selbst unmittelbar erlebt haben, übertragen worden ist, pflanzt er sich gedankenlos weiter von Mensch zu Mensch, von Land zu Land, von Geschlecht zu Geschlecht und wird so zum traditionellen, s e k u n - d ä r e n A. Sekundäre A. können sich,

weil sie nicht mehr mit der ursprünglichen Vorstellung verbunden sind, w a n -
d e l n, infolge von Gedächtnisfehlern, Ver-
mischungen oder logischen Erwägungen.
So ist die ältere Ansicht, daß die Irrlichter vor Flüchen entweichen, vielfach
durch den umgekehrten Glauben ersetzt
worden; ebenso der Glaube, daß Regen
am Hochzeitstage Glück bringe u. v. a.
Eine ganz späte Ausartung ist natürlich der t e l e o l o g i s c h e A., wie
z. B. der, daß Kindern gewisse Dinge mit
abergläubischer Begründung verboten
werden (pädagogischer A.). Der betr. A.
selbst kann uralt sein, aber seine zweck-
zielende Anwendung ist spät.

Aus diesen Gründen läßt sich eine
E n t w i c k l u n g s g e s c h i c h t e   d e s
A.s selbst nicht schreiben; denn eine abergläubische Vorstellung, die sich vor 10 000
Jahren gebildet hat, kann noch in der
Gegenwart am gleichen Objekt sich neuerdings bilden. Nicht zu leugnen ist jedoch,
daß im M i t t e l a l t e r der A. sowohl
stofflich wie in bezug auf die Zahl der
abergläubischen Subjekte eine weit größere Ausdehnung hatte als heute. Eine
Entwicklungsgeschichte der S t e l l u n g
d e s   R e c h t s   u n d   d e r   K i r c h e   z u m
A. ist also wohl denkbar (Lit. s. am Schluß
d. Art.). Kirchliche und weltliche Organe
bis hinauf zu Papst und Kaiser waren
nicht nur von der Existenz, sondern auch
von dem Eingreifen dämonischer Mächte
in das menschliche Leben und von der
Fähigkeit des Menschen, sich dieselben
dienstbar zu machen, überzeugt. Wenn
daher Karl d. Gr. in einem Kapitular das
Wahrsagen, Traumdeuten, Zaubern, Wettermachen verbietet oder sich gegen den
Gebrauch des Chrisma zu Heilungen und
Malefizien wendet, so tut er das nicht,
weil er als Aufgeklärter dieses abergläubische Treiben verurteilt, sondern weil er,
wie die Kirche, das unheilvolle Eingreifen
gottfeindlicher Dämonen in die Geschicke
des Menschen fürchtet. Es unterliegt daher keinem Zweifel, daß die Synodalbe-
schlüsse, Pönitentialbücher, päpstlichen
Erlasse wie die weltliche Strafgesetz-
gebung durch ihre Verbote den A. nur

bestätigt und befestigt haben, und einzig
die empirische Naturbetrachtung konnte
einer nüchterneren, r a t i o n a l i s t i -
s c h e n   A u f f a s s u n g   der Dinge
Raum schaffen.
Die ersten Ansätze zu einer Kritik der
kirchlichen Dämonologie zeigen sich
bei den großen Naturbeobachtern des
13. Jhs. [14]), unter denen namentlich der
'Doctor mirabilis' R o g e r   B a c o n
(1214—1294) bahnbrechend wurde. Seine
'Epistola de secretis operibus artis et
naturae et de nullitate magiae' ist ein
glänzendes Zeugnis für die Geistesfrei-
heit, zu der er sich aus dem Wust scho-
lastischen Dämonenglaubens emporgehoben hatte [15]). In ähnlichen Bahnen
wandelt, wenn auch weniger kühn vor-
stoßend und vielfach noch in herkömmlichen Anschauungen wurzelnd, sein
Zeitgenosse, der 'Doctor universalis'
A l b e r t u s   M a g n u s (1193—1280).
Aber sonderbar: gerade das immense
Wissen dieser Universalgeister hat sie in
den Geruch der Zauberei gebracht, die sie
bekämpfen, und bei Albertus sogar dazu
geführt, daß jetzt im Volke zahlreiche
Zauberbücher unter seinem Namen kur-
sieren, die mit seinen authentischen
Schriften kaum irgendwelche Berührung
haben [16]). Als Dritter im Bunde mit dem
Engländer und dem Deutschen sei der
Franzose J e h a n   C l o p i n e l   d e
M e u n (gest. gegen 1305) genannt, der
in seinem 'Roman de la Rose' (um 1270)
mit Schärfe gegen den Wahnglauben
seiner Zeit vorgeht [17]). Ja, seine freien
Ansichten müssen so nachhaltig gewirkt
haben, daß sich mehr als 100 Jahre später
(1402) der Pariser Kanzler J e a n   G e r -
s o n bewogen sah, sie in einer Gegen-
schrift zu bekämpfen. — Bald aber über-
wucherte die D ä m o n o l o g i e   d e r
S c h o l a s t i k wieder die kaum ent-
sprossenen Keime des Rationalismus, und
während beinahe zweier Jhh. blieb die
europ. Kultur unter dem Banne des Dämonenglaubens eines P e t r u s   L o m -
b a r d u s ('Liber sententiarum' 1150),
T h o m a s   v.   A q u i n o ('Summa theo-
logiae' 1265—73), B o n a v e n t u r a
(Kommentar zu des Lombardus Sen-

tenzen ca. 1250). Die I n q u i s i t i o n , die in ihrer offiziellen Form mit dem ersten Viertel des 13. Jh. einsetzte, nachdem schon lange Zeit vorher gegen Ketzer vorgegangen worden war, kann nur als eine Frucht dieser tiefgewurzelten Anschauungen betrachtet werden, wenn auch eine Frucht, die ihrerseits wieder 'fortzeugend Böses gebären' mußte; denn mit der Aufspürung und gerichtlichen Bestrafung der Ketzer war auch der Grund zur H e x e n v e r f o l g u n g gelegt, die in den nachfolgenden Jhh. (besonders im 16. und 17. Jh.) die ganze menschliche Gesellschaft in Schrecken bannte; ist doch der „Hexenhammer" (1487), jenes Grundwerk des Hexenwahns, nichts anderes als eine Darstellung des Inquisitionsverfahrens und eine Fortsetzung der Inquisitorien eines Guidoni (um 1320), Petrucci († 1345), Eymericus (1376), die sämtlich von Dämonen- und sonstigem A. strotzen. Das Festhalten an der Inquisition bis in die Neuzeit (Italien 1859, Spanien 1834, Frankreich 1772, Deutschland: Reformation) mußte notgedrungen den A., der mit der „Ketzerei" und ihren Nebenerscheinungen aufs innigste verknüpft war, im Volke nur bestärken [18]). Um so verdienstvoller ist die Arbeit der namentlich seit der zweiten Hälfte des 16. Jhs. wieder zahlreicher auftretenden G e g n e r d e s A.s, insbesondere der Hexenverfolgung, auf deutschem Boden. Es seien hier nur die wichtigsten genannt: J o h. W i e r (Weyer) ('De Praestigiis Daemonum' 1563), T h o m a s E r a s t u s ('De Lamiis et Strigibus' 1577), A u g. L e r c h h e i m e r ('Christl. Bedenken von der Zauberei' 1585), F r i d. S p e e ('Cautio criminalis' 1631), J o h. P r a e - t o r i u s (namentl. 'Philosophia Colus' [Rockenphilosophie] 1662), der Holländer B a l t h. B e k k e r ('De betooverde Wereld' 1691) und C h r. T h o - m a s i u s ('Kurze Lehrsätze vom Laster der Zauberei' 1703). Aber noch in der zweiten Hälfte des 18. Jhs. entbrannte eine heftige Kontroverse über den Hexenglauben zwischen den Patres F e r d. S t e r z i n g e r und A n g e l u s (al. Agnellus) M ä r z , die eine reiche Literatur für und wider auslöste (s. Grässe, Bibl. mag. S. 65 f.).

E i n e wesentliche Verschiebung hat der Begriff des A.s durchgemacht: Während man in älterer Zeit unter A. Anschauungen und Handlungen verstand, denen wirklich vorhandene Dämonenkräfte zugrunde liegen, pflegt man heute im landläufigen Sinne den A. als Wahnglauben aufzufassen, der i r r t ü m l i c h solche unsichtbar wirkende Kräfte voraussetzt. Von beiden subjektiven Standpunkten hat sich die Volkskunde als Wissenschaft fernzuhalten und den A. in der Gesamtheit seiner Erscheinungen, ob sie sich auf Transzendentes oder Irdisches, auf Abstraktes oder Konkretes beziehen, als reines Forschungsobjekt zu betrachten.

[14]) H a n s e n *Zauberwahn* 130 ff. [15]) Ebd. 150. [16]) Albertus Magnus als Zauberer s. G r i m m *Sag.* Nr. 495 = T r i t h e m i u s *Annales Hirsaugenses* (1515). Zu dem A. über Alb. mögen die ihm fälschlich zugeschriebenen Werke '*Liber aggregationis seu liber secretorum Alberti M. de virtutibus herbarum et animalium*', '*De mirabilibus mundi*' und '*De secretis mulierum*' beigetragen haben. Vgl. H e r t l i n g *Albertus Magnus in Geschichte u. Sage* Köln 1880; S a i n t y v e s *Albert le Grand* in RTrp. 28, 556 ff. [17]) H a n s e n *Zauberw.* 147. [18]) L e a *A History of the Inquisition* New York 1888; deutsch: Bonn 1905—13. Nicht zugänglich war mir L y n n T h o r n d i p e *A History of Magic and experimental Science during the first thirteen Centuries of our Era.* Lond. 1923.

6. Q u e l l e n d e s d e u t s c h e n A.s. Schon in den ältesten Berichten über Deutschland und germanische Länder überhaupt finden sich vereinzelte Angaben über A. Nur Weniges freilich bei C a e s a r (50 v. Chr.) und S t r a b o 10 v. Chr.), Reichliches dagegen bei T a c i t u s (100 n. Chr.), der nicht nur Angaben über german. Götter überliefert, sondern auch mancherlei über Priestertum, heilige Bilder und Feldzeichen, Prophetinnen, Weissagung, heilige Haine, Quellen und Pferde, Menschen- und Tieropfer. Vereinzeltes auch bei C l a u d i a n (ca. 400), A m m i a n u s M a r c e l l i - n u s (5. Jh.) und A g a t h i a s (6. Jh.). Reichhaltiger sind die e i n h e i m i - s c h e n Zeugnisse des frühen MA., wie sie uns in den ältesten Heiligenleben, Ge-

schichtsdarstellungen, Konzilsakten, weltlichen und geistlichen Rechtsquellen entgegentreten. So berichtet uns im 6. Jh. Ennodius in der 'V i t a A n t o n i i' von Menschenopfern, G r e g o r v. T o u r s in der 'Historia Francorum' von Götterbildern und -hainen, das K o n z i l v o n A u x e r r e (578) von Votiven an Bäumen und Quellen, von der heidnischen Neujahrsfeier[19]), die L e x S a l i c a (ca. 500) und ihre Malbergische Glosse berühren Abergläubisches und Zauberisches in den teilweise noch dunkeln Ausdrücken 'chrenechruda, thornecallis, chreoburgio, charistado, alatrude' und erwähnen bereits die 'stria' (Hexe). Aus dem 7. Jh. ist wichtig eine Predigt des heiligen E l i g i u s, Bischofs von Tournay (588—659), wegen ihrer zahlreichen Angaben über A.[20]), von Heiligenleben die 'V i t a C o l u m b a n i' Johanns von Bobbio und die 'V. B a r b a t i', von sonstigen geistlichen Schriften: G r e g o r s d. Gr. 'Dialoge', von Rechtsquellen: die L e x R o t h a r i s. — Mit dem 8. Jh. setzt eine so reiche Literatur ein, daß wir nur noch das Wesentliche hervorheben können. Besonders sind es die P ö n i t e n t i a l i e n (Bußbücher)[21]), die eine Fülle des bedeutendsten Stoffes enthalten; vor allen das P œ n i t e n t i a l e G r e g o r s II.[22]), das fränk. P œ n i t e n t i a l e P s e u d o - R o m a n u m (ca. 700), das P œ n i t e n t i a l e E g b e r t s v. Y o r k (ca. 750) und das P. V i n d o b o n e n s e. Wichtig sind ferner die Erlasse K a r l s d. Gr.: Die C a p i t u l a t i o d e p a r t i b u s S a x o n u m (ca. 780) und die C a p i t u l a r i a d e v i l l i s (789 u. 812). Eine karoling. P r e d i g t von ca. 790 wendet sich gegen Toten- und andere Opfer, Wahrsagen, Schutzmittel, Beschwörungen[23]); Predigten, Statuten, Briefe des heiligen B o n i f a t i u s[24]) gegen allerhand abergläubische Bräuche, und in dasselbe Jahrhundert gehört der I n d i c u l u s s u p e r s t i t i o n u m (743)[25]), jenes vielerörterte Verzeichnis von 24 heidnischen Bräuchen. Endlich sei noch das Einsiedler-Manuskript D e S a c r i l e g i i s erwähnt, das laut Mélusine

(II, 218) reich an interessantem A. sein soll. — Das 9. Jh. setzt die Pönitentialien fort. Weitaus das wertvollste Dokument dieser Art ist die Schrift des Abtes R e g i n o v. P r ü m 'De synodalibus causis et disciplinis ecclesiasticis' (ca. 900)[26]), in der dt. Konzilbeschlüsse und Kapitularien des 9. Jhs. zusammengefaßt sind; weniger bedeutend das fränk. P o e n i t e n t i a l e P s. T h e o d o r i[27]). — Das 10. Jh. scheint verhältnismäßig arm an kirchlicher Literatur über abergläubische Bräuche gewesen zu sein; dagegen seien als wichtige Quelle des 11. Jhs. B u r c h a r d s v. W o r m s († 1024) 'Canones'[28]) genannt, in denen ebenfalls auf alte Bräuche zurückgewiesen wird. — Das 12. Jh. ist wieder eine Zeit der Ebbe für unser Stoffgebiet, während in das 13. Jh. die an volkskundlichen Angaben so reichhaltigen Predigten B e r t h o l d s v. R e g e n s b u r g († 1272)[29]) und der 'Dialogus miraculorum' des C a e s a r i u s v. H e i s t e r b a c h fallen[30]). — Das 14. Jh. bringt die wertvollen Schriften des F r a t e r R u d o l f u s 'De officio Cherubyn'[31]), des N i c o l a u s v. D i n k e l s b ü h l 'De preceptis decalogi' (1370)[32]) und eine Z ü r c h e r H s. vom J. 1393[33]); besonders reich ist aber wieder das 15. Jh. an Schriften abergläubischen Inhalts. Wir nennen des N i c o l a u s M a g n i d e J a w o r 'Tractatus de superstitionibus' (1405)[34]), den anonymen 'Tractatus de Daemonibus'[35]), H a n s V i n t l e r 'Blumen der Tugend'[36]), H e i n r i c h v. G o r k u m s 'Tractatus de superstitiosis quibusdam casibus' (ca. 1425)[37]), J o h a n n N i d e r s 'Formicarius' (1435—1437)[38]), T h o m. E b e n d o r f e r, 'De decem praeceptis' (1439)[39]), J o h. W u n s c h i l b u r g s 'Tractatus de Superstitionibus' (ca. 1440)[40]), F e l i x H e m m e r l i n s Schriften: 'Dialogus de nobilitate et rusticitate' (1444 bis 50), 'De exorcismis' (ca. 1455), 'De credulitate daemonibus adhibenda' (ca. 1455—60)[41]), M i c h a e l B e h a i m s Meistergesang über Ketzer und Zauberer (ca. 1460)[42]), G o t t s c h a l k H o l l e n s 'Sermones dominicales'[43]), H a r t l i e b s 'Buch aller verboten Kunst'[44]), das

'B u c h der zehen Gebot' (1458) [45]) und die Hs. i n S t. F l o r i a n [46]). In dasselbe Jahr fällt vermutlich auch die erste (franz.) Fassung der R o c k e n p h i l o - s o p h i e (Evangile des Quenouilles) [47]), die auf dt. Sprachgebiet bis tief ins 18. Jh. Neuauflagen und Bearbeitungen gefunden hat. Am Ausgang des Jhs. steht eine Hauptquelle des A.s: der 1486 vollendete 'Hexenhammer' (Malleus maleficarum) des H e i n r i c h I n s t i t o r i s und J a k o b S p r e n g e r [48]), welches Werk in späteren Drucken noch allerhand andere Schriften über Zauberei und Hexenwesen in sich vereinigt, so z. B. U l r. M o l i t o r i s' 'De laniis (so!) et phytonicis mulieribus, teutonice unholden vel hexen' (1489) [49]), T h o m a s M u r - n e r s 'Tractatus de phitonico contractu' (1499) [50]). Eine Anzahl B r e s - l a u e r H s s. aus dem 14. u. 15. Jh. sind im Anschluß an A n t o n i n v. F l o - r e n z (geb. 1389) auszugsweise mitgeteilt in MschlesVk. 21, 63 ff.

[19]) SAVk. 7, 117 ff. 187 ff. [20]) Im Auszug: G r i m m Myth. 3, 401. [21]) W a s s e r s c h l e - b e n Die Bußordnungen der abendl. Kirche. Halle 1851; J. S c h m i t z Die Bußbücher u. die Bußdisciplin der Kirche. Mainz 1883 u. 1898. [22]) W a s s e r s c h l e b e n 13, 173. 200; M i g n e P. L. 132. Z f d A. 12, 439. 442. [24]) M e y e r Myth. 20. [25]) G r i m m Myth. 3, 403; S a u p e Der Ind. Sup. erläutert. Leipz. (Programm) 1891; PBB 25, 586; F r. W i d l a k Die abergl. u. heidn. Gebr. der alten Deutschen, nebst d. Zeugn. d. Synode v. Liftinae. Znaim o. J. [26]) W a s s e r s - l e b e n 84; M e y e r Myth. 21. [27]) W a s - s e r s c h l e b e n 595. [28]) G r i m m Myth. 3, 404; W a s s e r s c h l e b e n 89. 624. [29]) S c h ö n - b a c h Berth. v. R. [30]) hrsg. von W. Strange 1851; vgl. P h. S c h m i d t Der Teufels- und Dämonenglaube bei Caes. v. H. Diss. Basel 1926. [31]) F r a n z in: Theol. Quartalschrift 1906, 411 ff. [32]) P a n z e r Beitr. 2, 256 ff. [33]) G r i m m Myth. 3, 411 ff. [34]) Ebd. 3, 414; A. F r a n z Der Magister Nicolaus Magni de Jawor. Freiburg i. B. 1898; H a n s e n Quellen 67 ff. [35]) Ebd. 82 ff. [36]) G r i m m Myth. 3, 420; Z i n g e r l e Sitten [2] 283 ff.; ZfVk. 23, 1 ff. 113 ff. [37]) H a n s e n Quellen 87. [38]) Ebd. 88 ff. [39]) ZfVk. 12, 3. [40]) H a n s e n Quellen 104.; ZfVk. 11, 272 (laut F r a n z Bened. 1, 108 ungenau). [41]) H a n s e n Quellen 109 ff. [42]) Ebd. 207. [43]) Zeitschr. f. vaterländ. Gesch. u. Alt. Westfalens 47, 85. [44]) G r i m m Myth. 3, 426; H a n s e n Quellen 130 ff.; hrsg. von D o r a U l m. Halle 1914. [45]) P a n z e r Beitr.

2, 262 ff. [46]) G r i m m Myth. 3, 415. [47]) Les Evangiles des Quenouilles. Nouv. éd. Paris 1855 (Préface. Bibliographie p. XII sq.). [48]) Westdeutsche Ztschr. 17, 119 ff.; H a n s e n Zauberwahn 473 ff.; D e r s. Quellen und Unters. 300 ff. [49]) Ebd. 243. [50]) Ebd. 254.

Im 16. u. d. f. Jhh. ist die A.literatur kaum mehr zu übersehen und spezialisiert sich immer mehr auf bestimmte Gebiete, besonders das Dämonen- und Hexenwesen, die verschiedenen Formen der Mantik u. a., so daß wir hier nur an Hand der (oft unzuverlässigen) Bibliographien (s. u. die Lit.) Werke a l l g e m e i n e - r e n Inhalts zitieren können, ohne Garantie absoluter Genauigkeit.

16. Jh.: Über L u t h e r s. E. K l i n g n e r L. u. d. dt. Volksa. Berl. 1912; ferner die Werke von A g r i p p a v. N e t t e s h e i m (1510 ff.), J o h a n n e s T r i t h e m i u s (1508 ff.; manches untergeschoben) und P a - r a c e l s u s (ca. 1570 ff.). Einzelnes: U l r. T e n g l e r „Layenspiegel". Augsb. 1511 (bes. Zauberei); G e i l e r v. K a i s e r s b e r g „Emeis" 1516 (vgl. A. S t ö b e r, Z. Gesch. d. A.s im Anf. d. 16. Jhs. Basel 1856); I o a n n e s B o e m u s „Omnium gentium mores . . ." 1520, wo im 3. Teil Deutschland; S e b. F r a n c k „Weltbuch". 1534 (s. E r. S c h m i d t Deutsche Volkskunde i. Zeitalter d. Hum. u. d. Ref. 1904, 128); C a s p. P e u c e r u s „Commentarius de praecipuis generibus divinationum". Wittenb. 1560; J o h. W i e r De Praestigiis Daemonum. Basel 1563; (Deutsch von J o h. F ü g l i n) Basel 1565); Z i m m e r i - s c h e Chronik 1566 (hrsg. von K. A. B a r a c k [2] 1881—82); T h e a t r u m D i a - b o l o r u m. Frankf. 1569 (darin bes. L u d w. M i l i c h „Der Zauber Teuffel"); J o a c h. C a m e r a r i u s „Comm. de generibus divinationum". Leipz. 1575; N i c. H e m m i n - g i u s „Admonitio de superstitionibus magicis vitandis". Kopenh. 1575 (deutsch: Wittenb. 1586); L u d w. L a v a t e r „Von Gespänsten, vngehüren, fälen vnd andern wunderbaren dingen". Zürich 1578; J. B o d i n u s „De daemonomania magorum", übers. von F i s c h - a r t. Straßb. 1581 (dazu: D a v. S t u m p f „Erklär. d. Zaubergreuel, welche aus J. Bodini daemonomania gezogen sind". Frankf. 1620); P. F r i s i u s „Des Teufels Nebelkappen, d. i. . . . . von der Zauberei". Frankf. 1583; A u g u s t i n L e r c h e i m e r „Bedenken v. d. Zaubern". Heid. 1585; B e n e d. P e r e r i u s „Advers. fallaces et superstit. artes . . ." Ingolst. 1591; N i c. R e m i g i u s „Daemonolatria". Leyden 1595 (Deutsche Übers. Frankf. 1598); G r o - s i u s H e n n i n g u s „Magica". Istebia 1597 (deutsch 1600); M a r t. D e l r i o „Disquisitionum magicarum libri VI". Löwen 1599 (später in Mainz u. Köln gedruckt).

Sehr reichhaltig, bes. an A. in Sagenform sind die hs. Kollektaneen des Luzerner Stadtschreibers R e n w a r d C y s a t (s. SAVk. 14, 198 ff. 272 ff.). Undatiert ist: M a g i c a , Eisleben, Typ. Grosianis (Graesse 51).

Für das 17. Jh. sind die Schriften von J o h. P r a e t o r i u s kennzeichnend, besonders „Philosophia Colus" (Rockenphilosophie). Arnstadt 1662. Weiteres: S i m o n M a j o l u s „Dies caniculares". Mainz 1607 ff.; „Des hertzog M a x i m i l i a n s in Bayern... landtgebott wider den aberglauben... München 1611 (s. P a n z e r Beitr. 2, 264); „Astronomia Teutsch". Frankf. 1612 (darin: „Der alten Weiber Philosophey"; s. ZfdMyth. 3, 329); P i c c a r t „Orat. de magia veteri et recenti". Leipzig 1614. Eine ganze Reihe von Dissertationes de magia (1617—1693), verzeichnet bei G r a e s s e S. 53 f. 57 f. (E v e n i u s wohl 1612, nicht 1512). 60; A n t. P r a e t o r i u s „Gründl. Bericht v. Zauberei". Frankf. 1629; J o. R ü d i n g e r „De magia illicita"... (deutsch). Jena 1630; „Der wahre G e i s t - l i c h e S c h i l d" (zuerst 1647; bis ins 19. Jh.; enthält vorwiegend Segen und Gebete); R. G w e r b „Bericht v. d. abergläubigen Leuthu. Vych besägnen und andern Zauberkünsten". Zürich 1646; G i s b. V o e t i u s Selectae disputationes theologicae. Utrecht 1648 (s. W o l f Beitr. 1, 241); J o. R u d̈. S a l k m a n n „Magiae contemplatio.." Straßb. 1655; M a r t. G e i e r „Disq. theolog. de superstitione". Leipzig 1660; J o s. A r n d i u s „Tract. de superstitione". Güstrow 1664; C o n s t. Z i e - g r a et G. F r. M a g n u s „Diss. de magia". Witt. 1665; A e g. R o t h e et Ge. S c h u - b a r t „Diss. de magia". Witt. 1670. Eines der inhaltsreichsten Werke ist B a r t h. A n - h o r n, „Magiologia". Basel 1674, 1675 unter den Pseudonym P h i l o. Wohl allgemeinerer Natur dagegen J o. J o a c h. Z e n k g r a - f i u s Diss. de superstitione. Straßb. 1677; J o. C h r i s t o p h. H a r t u n g u s „Diss. de superstitione". Jena 1685; J o. A d a m O s i a n d e r „Tract. de magia". Tüb. 1687. Von großem Einfluß auf seine Zeit (s. o. Nr. 5 Sp. 77): B a l t h. B e k k e r „Die bezauberte Welt". Amst. 1693 (zuerst holländ. 1691. Streitschrr. u. Übersetzgg. G r a e s s e 61). In mehrfachen Auflagen ist erschienen J o h. S t a r i - c i u s ' „Heldenschatz" (z. B. 1679). Endlich sei, wenngleich franz. Ursprungs, als wichtigstes Werk über A. genannt: J. B. T h i e r s, „Traité des superstitions". Par. 1679 ff.

Am Eingang des 18. Jhs. stehen die vielumstrittenen Schriften von C h r. T h o m a s i u s. Darunter: „De crimine magiae diss." Halle 1701. (Dazu: H i e r o n. a S. F i d e „Gründl. Abfertigung...." Frankf. 1703). Dann J. G. S c h m i d t s berühmte „Gestriegelte Rokkenphilosophie". Chemn. 1705, eine deutsche Bearbeitung des franz. „Evangile des quenouilles" (s. o. bei Anm. 47). Außerdem seien

erwähnt: J o h. C h r i s t. M a e n n l i n g „Denkwürdige Curiositäten". Frankf. u. Leipz. 1713; F r. M a u r e r „Ausführl. Ber. v. d. größten u. geheimsten Wundermächten...." Nürnb. 1714; T h a r s a n d e r (Pseud. f. Wegner) Schauplatz vieler ungereimten Meinungen 3 Bde. ... Berlin u. Leipz. 1736. 1739. 1742; J. J. B r ä u n e r Physikal. u. histor. erörterte Curiositäten. Frankf. 1737. E. U. K e l l e r „Das Grab des A.'s". Frankf. u. Leipzig 1777; (H. L. F i s c h e r) „Das Buch vom Aberglauben" Leipz. 1790. Einige verstreute Aufsätze mit A.-Stoff druckt G r i m m in s. Myth. 3, 434 ff. ab.

Durch die Jahrhunderte hindurch ziehen sich, oft undatiert, eine Reihe von Volkszauberbüchern, von denen die wichtigsten teilweise bei Wuttke § 258 ff., nach Düntzer in Scheibles Kloster 5, 116, erwähnt sind: F a u s t s H ö l - l e n z w a n g, das R o m a n u s b ü c h l e i n, A l b e r t u s M a g n u s' ägyptische Geheimnisse, der F e u r i g e D r a c h e, die S i e - b e n H i m m e l s s i e g e l, die S i e b e n S c h l o ß, das S e c h s t e u. S i e b e n t e B u c h M o s e. Weitere in einem Konstanzer Hirtenbrief von 1754 s. SAVk. 17, 186 ff. Vgl. auch den Artikel Z a u b e r b u c h.

Im folgenden seien nun noch einige Schriften und Bücher des 19. u. 20. Jhs. erwähnt, die als Stoffsammlungen von Bedeutung sind, wobei wir uns der Ergänzungsbedürftigkeit des Verzeichnisses sehr wohl bewußt sind. Die in unserm Literaturverzeichnis enthaltenen Schriften geben wir in A b k ü r z u n g e n wieder. „W u n d e r b ü c h l e i n...". Kempten 1806 (Auszug b. P a n z e r Beitrag 2, 292 ff.); D o b e n e c k Mittelalter, 1815; H u ß Aberglaube, 1823; G r ü n e r Egerland, 1825; J. A. S c h o l t z Über den Glauben an Zauberei in den letztverfloss. 4 Jhh. Bresl. 1830; G r i m m Myth.[1] 1835; T e t t a u u. T e m m e, 1837; C. F. S t e r t z i n g in ZfdA. 3, 360 ff. (1843); K u h n Märk. Sagen, 1843; K u h n und S c h w a r t z 1848; P a n z e r Beitrag, 1848; W o e s t e Mark, 1848; S c h w a r t z Heidentum[1], 1849; M e i e r Schwaben, 1852; W o l f Beiträge 1852—57 (Material 1, 205 ff.); L e o p r e c h t i n g Lechrain, 1855; L i e - b r e c h t Gervasius, 1856; S c h ö n w e r t h Oberpfalz, 1857; Z i n g e r l e Tirol[1], 1857; R o c h h o l z Kinderlied, 1857; M a n n - h a r d t 1858 ff.; S c h i n d l e r Aberglaube, Bresl. 1858; V e r n a l e k e n Alpensagen, 1858; S c h l e i c h e r Sonneberg 1858 (1894[2]); K u h n Westfalen, 1859; C u r t z e Waldeck, 1860. — Einen Markstein in der Aberglaubenliteratur bezeichnet das Erscheinen der 1. Auflage von W u t t k e Berlin 1860 (2. Aufl. Berl. 1869, 3. Aufl., bearb. v. Elard Hugo Meyer, Berlin 1900); B a u m g a r t e n Jahr, 1860. B i r l i n g e r Volkst., 1861; B a u m - g a r t e n Aus der Heimat, 1862—69; V o n - b u n Beiträge, 1862; S p i e ß Aberglaube, Sitten und Gebräuche des sächs. Obererzgebirges.

Progr. Annaberg 1862; K e h r e i n *Nassau* 1862; L ü t o l f *Sagen*, 1862; F l ü g e l *Volksmedizin*, 1863; G r o h m a n n 1864; T o e p p e n *Masuren*, 1866 (² 1867); W i t z - s c h e l *Thüringen*, 1866; S t r a c k e r j a n 1867; R o c h h o l z *Glaube*, 1867; K ö h l e r *Voigtland*, 1867; L a m m e r t 1869; L a n d - s t e i n e r *Niederösterreich*, 1869; B i r l i n - g e r *Aus Schwaben*, 1874; R o t h e n b a c h *Bern*, 1876; M o r. B u s c h *Dt. Volksglaube* ², Leipz. 1877 (ohne Quellen); H i l l n e r *Sieben-bürgen*, 1877; L i e b r e c h t *Zur Volksk.*, 1879; B a r t s c h *Mecklenburg*, 1879 ff.; L i p p e r t *Christent.*, 1882; M e y e r *Aberglaube*, 1884; L e m k e *Ostpreußen*, 1884; S c h w a r t z *Volksgl.*, 1885; H a l t r i c h *Siebenb. Sachsen*, 1885; K n o o p *Hinterpommern*, 1885; P f i - s t e r *Hessen*, 1885; F o s s e l *Volksmedizin*, 1886; S a u p e *Indiculus*, 1891; W l i s - l o c k i *Volksglaube*, 1891; D e r s. *Siebenb. Volksgl.* 1893; S c h m i t t *Hettingen* 1895; A n d r e e *Braunschweig*, 1896 (1901 ²); L a u b e *Teplitz*, 1896 (² 1902); H e y l *Tirol*, 1897; L ö w e n s t i m m, Abergl., 1897; R e i s e r *Allgäu* (1897—1902). H ü s e r *Beiträge*, 1898, 1900; E. M o g k in W u t t k e *Sächs. Volksk.*, 1900; M e y e r *Baden*, 1900.

20. Jh.: H a n s e n *Zauberwahn*, 1900; D e r s. *Quellen*, 1901; K l e e b e r g e r *Fisch-bach*, 1902; F i s c h e r *Oststeir. Bauernl.*, 1903; D r e c h s l e r 1903—06; J o h n *Oberlohma*, 1903; D e r s. *Westböhmen*, 1905 (² 1924). H e s s l e r *Hessen*, 1904; H e l l w i g *Aber-glaube*, 1908; S t o l l, *Zauberglauben*, 1908; H o v o r k a u. K r o n f e l d, 1908 f.; A n d r e e - E y s n *Volkskundliches*, 1910; J o h n *Erzge-birge* 1909; F r e y b e, *Der deutsche Volks-aberglaube*. Gotha 1910; H ö h n *Geburt, Hoch-zeit, Tod, Volksheilkunde*, 1910—20; S e y - f a r t h *Sachsen*, 1913; F o g e l *Pennsylva-nia*, 1915; S c h r a m e k *Böhmerwald*, 1915; M a n z *Sargans*, 1916; D e C o c k *Volkssage*, 1918; D e r s. *Volksgeloof*, 1920. M ü l l e r *Isergebirge*. 1922; S a r t o r i *Westfalen*, 1922; S t e m p l i n g e r *Aberglaube*, 1922; W r e d e *Eifler Volkskunde*, 1922; D e r s., *Rhein. Volks-kunde*, 1922; A. W i r t h *Beiträge zur Volks-kunde in Anhalt*. Dessau 1923 ff.; K u r t H e c k s c h e r *Die Volkskunde des germani-schen Kulturkreises*. Hamburg 1925; B e c k e r *Pfalz*, 1925; W. D i e n e r *Hunsrücker Volks-kunde*. Bonn 1925.

Stoffreichere Z e i t s c h r i f t e n a r t i k e l: Z f d M y t h. 1 (1853), 240 ff.; 2, 99 ff. 420 ff.; 3, 329 ff.; 4, 1 ff. 174 ff.; A l e m a n n i a 1, (1873), 194 ff.; 3, 82 ff. 134. 172 ff. 263 ff.; 12, 26 ff.; 13, 142 ff.; 17, 239 ff.; 19, 162 ff.; 20, 280 ff.; 22, 74 ff.; 25, 176 ff; 33, 299 ff.; 37, 3 ff. V e c k e n s t e d t s Z s. 1 (1889), 35 ff. 94 ff. 202 f. 239 ff. 362 f. 397 ff. 435 ff. 483 ff.; 2, 33 ff. 77 f. 160 ff. 200 ff. 243. 257 ff. 440 ff.; 3, 30 ff. 148 ff. 229 ff. 393 ff. 437; 4, 269 ff., 326 ff. 387 ff. Z f V k. 1 (1891), 178 ff.; 3, 380 ff.; 4, 80 ff.; 8, 394 ff., 11,

272 ff.; 12, 1 ff.; 20, 382 ff.; 23, 1 ff. 113 ff., 277 ff.; 24, 55 ff. 175 ff. 293 ff. B l P o m m - V k. 1 (1893), 62 ff.; 3, 66 ff.; 5, 39 ff. 103; 9, 1 ff. 17 ff. 65 ff. 113 ff. 129 ff. 153 ff. 161 ff. M S c h l e s V k. Bd. 1, H. 1 (1894), 4 ff.; Bd. 2, H. 3, 3 ff.; Bd. 7, H. 13, 43 ff., H. 14, 70 ff.; Bd. 8, H. 15, 74 ff.; Bd. 12, 121 ff.; Bd. 17, 19 ff.; Bd. 20, 41 ff.; Bd. 21, 63 ff.; Bd. 23, 59 ff. Z f ö V k. (später W Z f V k.) (1895 f.) 3, 279 f.; 6, 107 ff.; 11, 188 ff.; 13, 18 ff.; 15, 169 ff. M s ä V k. (1897 ff.) 2, 251 ff.; 3, 203 ff. 233 ff. 263 ff. 278 ff. 307 ff. 316 ff.; 4, 49 ff. 103 ff. 131 ff. 163 ff. 205 ff. 236 ff.; 7, 110 ff. 152 ff. S A V k. 1, (1897) 218 ff.; 2, 215 ff. 257 ff.; 4, 176 f.; 7, 131 ff.; 8, 267 ff.; 10, 22 ff.; 12, 149 ff. 213 f. 278 ff.; 13, 206 ff.; 14, 198 ff. 268 ff.; 15, 1 ff. 147 ff.; 17, 168 ff.; 19, 215 ff.; 20, 54 ff.; 21, 31 ff., 198 ff.; 24, 61 ff. 292 ff; 25, 65 ff. 152 ff.; 26, 196 ff. H e s s B l. (1902 ff.) 10, 114 ff.; 15, 129 ff. B a y H e f t e (1914) 1, 227 ff. Z f r w V k. (1904 ff.) 2, 177 ff. 277 ff.; 4, 116 ff. Zahlreich, aber meist in kleinere Partien zerstückelt, sind die Artikel in der Zs. A m U r q u e l l (1890 ff.).

A l l g e m e i n e L i t e r a t u r. F e h r *Der A. u. d. kath. Kirche des MA*. Stuttg. 1857; H e r m. G e r l a c h *Das canon. Recht wider den A.*: Arch. f. kath. Kirchenr. 1865, II, 161; A u g. T h e l l u n g *Der A.* (Vortr.). Biel 1867; O t t o P f l e i d e r e r *Die Theorie des A.s* (Vortr.). Berl. 1873; T. H. S i m a r *Der A.* ² 1878, ³ 1894; L i p p e r t *Christentum*. Berl. 1882; L u d w. S t r ü m p e l l *Der A.*: was er ist, woraus er entspringt, wie er sich über-winden läßt. Ein Beitr. z. Volksbildung. Leipzig 1890; C h r. R o g g e *A.*, Volksglaube und Volksbrauch. Leipzig 1890; A l f r. L e h - m a n n *A. u. Zauberei v. d. ält. Zeiten an* bis in d. Gegenwart. Stuttgart 1898; ² 1908. (Wert-voll f. die Geschichte der einz. Systeme, bes. Geheimwiss., Okkultismus, Spiritismus, mag. Geisteszustände. Wenig V o l k s - A.); R u d. T r e b i t s c h *Versuch einer Psychologie d. Volksmedizin u. d. A.s*. MittAnthrGes. Wien, B. XLIII, H. 5 (1913). C. C l e m e n *Wesen u. Ursprung der Magie*. Arch. f. Religions-psych. 1921, H. 2/3; W. M a n z *Was ist A.?* Schweiz. Lehrerztg. 1923, 17., 24. Nov., 1. Dez. C. R e a d *Man and his Superstitions*. 2d ed. Cambridge 1925 (¹ 1920). H. B ä c h t o l d - S t ä u b l i *Aberglauben in: Deutsche Volks-kunde*, hrsg. v. John Meier. Berl. 1926, 101 ff.

Außerdem die Artikel „A." in den Enzyklo-pädien: H e r z o g - H a u c k ³ (R u d. H o f - m a n n); W e t z e r u. W e l t e ² (S i m a r); R G G. ² (R ü h l e); H a s t i n g s (Alice G a r d n e r); alle mit weiterer Lit.

B i b l i o g r a p h i e: J. G. T h. G r a e s s e *Bibliotheca magica et pneumatica*. Leipzig 1843 (zahlreiche Fehler, aber reichhaltig. Sachl. geordnet); S c h i n d l e r *Aberglaube* 1858, S. XI ff. (ca. 160 Nr.; nur das Sch. Zugäng-liche; ungenau; manches bei M i g n e *Patrol. lat.* Indices vol. 221, col. 449. Unbekannt ist

mir geblieben: J. P. M i g n e Dictionnaire
des sciences occultes... 2 vol. Par. 1861.
Reichhaltig ist J a c q u e s R o s e n t h a l s
Antiqu. Kat. 31—35: „Bibl. mag. et pn." Mü.
1904 (8875 Nr., aber außer dem A. viele andere Kulturerscheinungen; sachl. geordnet).
F. H e i n e m a n n Aberglaube usw. (Bibliogr.
d. Schweiz. Landeskunde. Fasz. V 5, Heft 1),
Bern 1907. A l b. L. C a i l l e t Manuel
bibliographique des Sciences psychiques ou
occultes. 3 vol. Paris 1912 (11 609 Nr. Für
die einzelnen Titel genauer als Graesse, aber
sehr lückenhaft); H. B ä c h t o l d - S t ä u b l i
in Deutsche Volkskunde. Berl. 1926, 316 ff.
   Für die neuere Zeit sind zu vergleichen: Die
J a h r e s b e r i c h t e über die Erscheinungen
auf dem Gebiete der germanischen Philologie.
Jahrg. 1879—1909; A. A b t Die volkskundliche Literatur des Jahres 1911 (Leipzig 1913),
E. H o f f m a n n - K r a y e r , Volkskundl.
liche Bibliographie, Jahrg. 1917 ff. (Berl.
1919 ff.); C. C l e m e n Religionsgeschichtl.
Bibliographie, Jahrg. 1914 ff. (Leipzig 1917 ff.).
   Für die älteren Quellen siehe namentlich
M e y e r Germ. Myth. 15 ff. und H a n s e n
Zauberwahn.   Hoffmann-Krayer.

Aberraute s. E b e r r e i s.

Abgaben als Reste früherer Opfer vgl.
z. B. J a h n Opfergebräuche 136 ff. und
Register S. 339 s. v.; s. weiter A l m o -
s e n , A r m e r , O p f e r.

                              Bächtold-Stäubli.

Abgarsage. 1. Die A. liegt in ihrer
ältesten Überlieferung vor bei Eusebius,
Hist. eccl. I, 13, 6—22. Sein Bericht geht
auf ein syrisches Original zurück, das
sich angeblich im königlichen Archiv von
Edessa befand. Die Tendenz der Sage
ist, die Gründung der Kirche von Edessa
in die apostolische Zeit zu verlegen. Im
Mittelpunkt steht der Briefwechsel des
Königs Abgar V. Ukkama von Edessa
(13—50 n. Chr.) mit Jesus. Der erkrankte
König bittet hier Jesus, nach Edessa zu
kommen, um ihn zu heilen. Jesus antwortet mit dem Lobe seines Glaubens
und verheißt, einen seiner Jünger zu
schicken, um Abgar zu heilen. Als solcher
kommt Thaddäus (Addai) nach Edessa,
der durch seine Predigt die Stadt christianisiert. Die Sage kann erst nach der
Einführung des Christentums in Edessa
unter dem ersten christlichen König
Abgar IX. (179—214), wohl in der
2. Hälfte des 3. Jhs., entstanden sein [1]).
   2. V e r b r e i t u n g d e r S a g e.
Eusebius hat an die Echtheit des Brief-

wechsels geglaubt. In Syrien ist er
besonders hochgehalten und in der syrischen Doctrina Addai (um 400) weiter ausgebildet worden. Im Morgenland
tritt er in armenischer und arabischer
Überlieferung auf. In Gallien ist er um
388 bezeugt. Durch Rufinus, den Übersetzer des Euseb, hat sich die Sage im
Abendland weit verbreitet. In den „Acta
Thaddaei" (nach 544) tritt zuerst im Zusammenhang der A. auch die Legende
von dem wunderbar entstandenen Bilde
Jesu hervor, die auf griechischem Boden
entstanden ist. Schon das Decretum
Gelasianum bezweifelt die Echtheit des
Briefwechsels. Augustin und Hieronymus
erklären ausdrücklich, daß Jesus nichts
Schriftliches hinterlassen habe. Trotzdem
wurde der Briefwechsel im 16. Jh. von
den „Magdeburger Zenturien" als echt
behandelt, und sogar im 19. Jh. haben
hervorragende Gelehrte wie Cureton und
Phillipps an seine Echtheit geglaubt.
Otto Bardenhewer hat mit Recht geltend
gemacht, daß er in der alten Kirche nie
als echt gegolten hat. Die Unechtheit
des Briefes ist schon durch seine literarische Abhängigkeit von Evangelienstel-
len erwiesen; Abgar benutzt Matth. 5, 11,
in der Antwort Jesu klingt Joh. 20, 29
an [2]).

   3. D i e B e d e u t u n g d e r B r i e f e
beruht darauf, daß sie als wunderwirkende Reliquie geschätzt wurden. Syrische Schriftsteller des 4. und 5. Jhs.
(Ephraem Syrus, Josua Stylites, Jakob
von Sarug) bezeugen das hohe Ansehen,
das die Briefe in Edessa genossen. Sie
wurden als Schutzmittel gegen feindliche
Angriffe an die Stadttore von Edessa
geheftet. Im 4. Jh. soll der Brief die
Stadt von der Belagerung durch die
Perser befreit haben [3]). Im 4. Jh. ist
dem Briefe Jesu ein Schlußwort beigefügt worden, das ihm solche Wunderkraft zuschreibt. Auch in Privathäusern
wurden die Briefe als Schutzmittel gegen
Gefahren benützt. In einer jüngeren Gestalt des Textes empfiehlt Jesus selbst
seinen Brief als Schutzmittel. Die Zauberkraft des Briefes hat ihn durch alle Jahrhunderte erhalten; noch im 19. Jh. war

er in englischen Bauernhäusern an den Türpfosten als Talisman befestigt [4]).

S. a. H i m m e l s b r i e f.

[1]) Deutsche Übersetzung: *Neutestamentliche Apokryphen.* Herausgeg. v. E d g. H e n n e c k e. Tübingen 1904, 76—79; B a r d e n h e w e r *Patrologie* 1, 453 f.; D o b s c h ü t z ZWTh. 1906, 422—86; K. S c h m i d t bei H e r z o g - H a u c k [3] 1, 98 f. [2]) P h i l l i p s *The Doctrine of Addai the Apostle.* London 1876; D a s h i a n *Zur Abgar-Sage.* (Wiener Ztschr. f. K. d. Morgenl. 4 [1917], 177 ff.); B a e s s - l e r *Legenden* (1864), 21 ff.; S t ü b e *Himmelsbrief* 37 ff. [3]) L u c i u s *Heiligenkult* 192 f. 245. [4]) F o g e l *Pennsylvania* 364 Nr. 1947.

Stübe.

abgewöhnen s. e n t w ö h n e n.

abgraben s. v e r g r a b e n.

Abgrund (abyssus) als Ort der Hölle vgl. G r i m m *Myth.* 1, 261; 2, 672. 837; 3, 279 f.; s. a. H ö l l e, N o b i s k r u g.

Bächtold-Stäubli.

abhauen (Krankheit). Hat man den Knürrband an der Hand (Verstauchung der Hand), so muß man die Hand auf einen Block legen und mit einem Beile ein Ende davon a., d. h. die Bewegung des Hauens über der kranken Stelle machen lassen. Der Hauende sagt dabei: „Ich hau, ich hau.“ Darauf fragt der Kranke: „Was haust du?“ Jener antwortet: „Knürrband“ und fügt dreimal hinzu: „Im Namen Gottes“ usw. Einzige mir bekannte Belege aus der Gegend von Fehrbellin, Kr. Ost-Havelland: ZfVk. 7 (1897), 289 Nr. XXVIII und aus M e n - s i n g Schleswig-Holst. Wb. 1, 68.

S. a. K r a n k h e i t.   Bächtold-Stäubli.

Abia, Zauberwort in Formeln wie „abia, obia, sabia“ oder „abia, dabia, fabia“ u. ä. Die Formel wird zu sicherem Schuß auf den Flintenlauf geschrieben oder auf einen Stock, um jemand aus der Ferne zu prügeln [1]). Vielleicht sind es mit Abracadabra zusammenhängende Klangworte. An hebr. אֲבִיָּה, Ἀβιά, A. (Eigenname im A. T. 1. Sam. 8, 2; 1. Chron. 7, 8 usw.) „mein Vater ist Jahwe (Gott)“, als magische Formel gebraucht, ist kaum zu denken. „Alfā, Bētā, Yētā“, also „abi“, kommt in einem äthiopischen Zauberwort vor [2]). Auf einem Amulett gegen Hagel stehen bei Stoiber [3]) neben

SAB + Z (aus dem Zachariassegen s. d.) und NDSMB (aus dem Benediktsegen s. d.) und Agla (s. d.) die Buchstaben + A B + + I A + d. i. Abia, also wohl auch Abkürzung aus Bibelsprüchen oder Gottesnamen.

[1]) D i e t e r i c h *Kl. Schr.* 200; SAVk. 19, 228. Mitteil. Anhalt. Gesch. 14, 10; S c h ö n - w e r t h *Oberpfalz* 3, 202; K u h n *Westfalen* 2, 192 Nr. 523; B a u m g a r t e n *Aus der Heimat* 2, 91; Speyergau-Blätter 1925, Nr. 25, 90. [2]) W o r r e l l *Studien z. abessin. Zauberwesen* (1909), 23. [3]) Ubald S t o i b e r *Armamentarium Ecclesiasticum arma spiritualia* etc. 2 (Augustae Vindelic. 1726), 64.   Jacoby.

abklopfen. Wenn man etwas rühmt, seine Gesundheit, sein Glück usw., so soll man immer sagen „unberufen“ (s. d.) und dazu dreimal auf die untere Seite der Tischplatte klopfen, *toucher du bois,* wie der Franzose sagt [1]). Im Nahetal klopft man unter dem Tisch an die Tischplatte und spricht „unberufen“, oder „zur guten Stunde gesprochen“, „die Zukunft nicht heraufbeschwören“, wenn man von etwas Unangenehmem redet, das man für die Zukunft befürchtet [2]). — Verwandt mit diesen Bräuchen sind wohl die voigtländischen: Mancher Wirt von altem Schrot und Korn klopft auch auf den Tisch, wenn er das Geld einstreicht. Läßt ein Gast seinen Branntwein zum Trinken weitergeben, so wird ebenfalls vom Zutrinkenden mit dem Finger auf den Tisch gepocht [3]).

S. a. F e i e r a b e n d, k l o p f e n.

[1]) SAVk. 7 (1903), 139 Nr. 99; H a v e r s in BlbayVk. 10 (1925), 12 ff.; S e y f a r t h *Sachsen* 47; J o h n *Erzgebirge* 52; B a r t s c h *Mecklenburg* 2, 312 Nr. 1516. [2]) ZfrwVk. 2 (1905), 206. [3]) K ö h l e r *Voigtland* 208.

Bächtold-Stäubli.

Ablaß besteht nach kathol. Auffassung in dem völligen oder teilweisen Nachlaß der zeitlichen Sündenstrafen nach vergebener Sündenschuld, gegen Vollbringung bestimmter guter Werke. Er kam im 11. Jh. auf und ist sachlich verwandt mit der Redemption (Umwandlung schwerer kanonischer Bußstrafen in leichtere Ersatzwerke), eine Uebung, welche aus dem germanischen Recht (Wergeld!) in die kirchl. Bußpraxis überging. Bedeutenden Aufstieg nahm das Ablaßwesen durch die Kreuzzüge und die seit 1300 gefeierten Jubiläen. Die Ausartungen des Spätmittelalters wurden durch die Reformation beseitigt. Die A.e gelten zunächst für den, der sie „gewinnt"; seit dem 14. Jh. kann man sie aber auch an bestimmten Tagen den Verstorbenen „zuwenden" [1]. Beliebt ist der sog. „Ablaß", der darin besteht, daß für einen Verstorbenen vor der Beerdigung 3 mal 5 Vaterunser gebetet werden [2], oder auch der „kleine Ablaß", welcher denen gewährt wird, die beim Versehgang zu einem Kranken das „Allerheiligste" begleiten [3]. Werden einem Lande große A. verliehen, so glaubt man, daß die Dämonen weniger werden [4] oder daß die Macht des Teufels sich vermindert [5]. Der A.-P f e n n i g [6], der früher gleichsam als Quittung für das geleistete Almosen verabreicht ward, diente mancherorts als Amulett [7], oder man brachte ihn solchen als Unheil abwehrendes Mittel über der Stalltüre an [8] (s. a. M e d a i l l e).

[1] H e y l Tirol 782 Nr. 103. [2] M e y e r Baden 590. [3] B i r l i n g e r Volksth. 2, 419 ff. und 466. [4] H e y l l. c. 322 Nr. 138. [5] Ebd. 103 Nr. 66. [6] S c h ö n w e r t h Oberpfalz 1, 311. [7] P o l l i n g e r Landshut 274. [8] Ebd. 154.   Schneider.

ablecken s. l e c k e n.

ablösen s. l ö s e n.

abnehmen s. m e s s e n.

abnehmender Mond s. M o n d , P l a n e t e n.

Abnehmekraut s. Z i e s t.

Abnormität s. M o n s t r u m.

Abort. 1. S a c h k u n d l i c h e s. Der A. ist im volkstümlichen Hause noch heute sehr oft nicht in die Wohnung einbezogen, sondern wirklich ein Ab- (abseitig gelegener) Ort. Das war in früheren Zeiten natürlich viel mehr der Fall. Selbst in der deutschen Adelsburg geschah seine Einfügung in das Innere des Wohnteiles erst im Mittelalter [1], und noch in der fürstlich ausgedachten karolingischen Klosteranlage im Plane von St. Gallen erscheint der exitus necessarius [2] durch einen längeren Gang vom Gesamtkomplex der Klostergebäude getrennt. — Die

älteren Bezeichnungen für den A. (z. B. an. valtgangr, ganga til gards, gangr, gang, ahd. feltgang) [3] sprechen deutlich genug von der Ursprünglichkeit jener Einrichtung, und was wir im heutigen bäuerlichen Hof davon sehen, ist ein starker Beweis für die Langlebigkeit volkstümlicher Primitivkultur. Hier liegt der A. selbst im 19. u. 20. Jh. noch häufig im Freien neben der Dungstätte [4], oder wie in der Lüneburger Heide hinter der Scheune, und gar nicht selten kann man auch in hochkultivierten Gebieten die, übrigens auch den kriegszeitlichen Feldlatrinen wohlbekannte, Anlage finden, bei der jeder seine Notdurft oewern Knüppel, d. h. über einer Querstange verrichtet, die auf zwei in den Boden gerammten Pfählen befestigt ist [5]. Auch wo dem A. ein eigenes Bretterhäuschen errichtet ist, was beim bäuerlichen Hause des 15. Jhs. noch eine Seltenheit gewesen zu sein scheint [6], und was ihm in neuerer Zeit in ganz Österreich die Benennung 's Häusl und in Schwaben Häusle [7], schweiz. Hüsli gebracht hat, ist dieses dennoch häufig vom Hause gesondert im Freien oder doch nur als loser Anbau am Ende des Hausganges aufgestellt, wovon es in Schwaben auch Läublin und Läubli [7] genannt wird.

[1] A. S c h u l t z Höfisches Leben 107 f. [2] M e r i n g e r in MAG. Wien 23 (1893), 174 f. Abb. 164/65 u. 169. [3] S c h r a d e r Reallex. 4 f. u. 1008; H o o p s Reall. 1, 13; H e y n e Wohnungswesen 97 u. 181. [4] L e o p r e c h t i n g Lechrain 226. [5] K ü c k Lüneburger Heide 216. [6] Auf einem Bild der ars memorativa (Augsburg c. 1480) b. H e y n e Wohnungswesen 181, Fig. 31 verrichtet der Bauer (unkundig der Einrichtung) seine Notdurft v o r dem Häuschen. [7] B i r l i n g e r Aus Schwaben 2, 376 f.

2. D i e U n h e i m l i c h k e i t dieses abseitigen, wüsten Ortes ist uns bei verschiedenen Völkern schon aus früher Zeit mehrfach bezeugt [8]. Vielleicht hängt es damit zusammen, daß die A.-Anlagen in Skandinavien und Finnland noch heute (bisweilen auch noch in den österr. Alpenländern) und ehedem scheinbar in vielen Gegenden so eingerichtet waren, daß sie gleichzeitig von mehreren Personen benützt werden konnten. Im

Klosterplan von St. Gallen zeigt der eine *exitus necessarius* sechzehn, ein anderer acht Stellen. Und ein angelsächsischer Mönch des 11. Jhs. klagt in einem Briefe[9] über den Brauch, daß die Frauen am A. fröhliche Gelage begehen. Im *thorstein-thattr skelks* (aufgezeichnet im 13. Jh.) wird der A. am Hofe Olaf Tryggvasons als mit elf Sitzen auf jeder Seite (also 22sitzig) geschildert[10]. Die alte deutsche Bezeichnung Sprachhaus (*sprâchhûs*)[11] für A. ist ebenfalls aus der gemeinsamen, gesellschaftlichen Benutzung des Ortes erklärlich.

[8] Belege neuerdings zusammengefaßt und vermehrt von R. M e i ß n e r *Atlakviða* ZfdA. 61 (1925), 24. [9] K l u g e in Engl. Stud. 8, 62. [10] *Fornmannasögur* 3, 199; W e i n h o l d *Altnord. Leben* 228; *Olafs s. helga* c. 81. [11] H e y n e *Wohnungswesen* 97, Anm. 125.

3. A. a l s E r s c h e i n u n g s s t ä t t e der G e i s t e r u n d T e u f e l. Die Unheimlichkeit dieser „Unstätte"[12], die man bei Nacht kaum allein zu betreten wagte, ist begründet. Denn bei Isländern, Skandinaviern, Deutschen u. Arabern[13] gilt der A. als die Erscheinungsstätte von Totengeistern und Teufeln. Ausdrücklich als solche bezeichnet, erscheint er in einer irischen Mönchsregel, die auch die Segensformel angibt, mit der die Mönche den A. zu betreten haben[14]. Dasselbe ist auch aus mehreren nordischen Sagen ersichtlich[15]. In der erwähnten Thorsteinsage z. B. warnt König Olaf seine Gäste ausdrücklich, den A. des Nachts allein aufzusuchen. Thorstein tut es dennoch und hat dabei denn auch ein sehr gefährliches Abenteuer mit einem Teufel zu bestehen, der sich ihm als Totengeist eines im Kampf gefallenen Recken zu erkennen gibt. Nur dadurch, daß im letzten Augenblick die Kirchenglocken zu läuten beginnen, wird Thorstein gerettet[16]. Ebenso erscheinen in einer Sigurdsage am A. die Schatten abgeschiedener Geister[17]. Daß derselbe Glaube auch in Deutschland verbreitet war, geht aus einer Nachricht bei T h i e t m a r v o n M e r s e b u r g (4, 72) hervor, in der von einem A. im Krankenzimmer eines Klosters erzählt wird, aus dem zum Entsetzen eines Schwerkranken Dämonen emporstiegen.

[12] H ö f l e r *Krankheitsdämonen* in ARw. 2, 98. [13] L a n e *Manners and customs of the modern Egyptians* cap. X; S n o u c k H u r g r o n j e *Mekka* 2, 41 (zit. nach R. M e i ß n e r a. a. O.). Zu einem Gott des A. haben es nach G r u b e *Religion und Kultus der Chinesen* 172, die Chinesen gebracht. [14] Transactions of the R. Irish Acad. vol. 24. *Antiquities* pl. II. (Dublin 1864) 209 (zit. nach R. M e i ß n e r a. a. O.). [15] R. M e i ß n e r a. a. O. 23 f. [16] *Fornmannasögur* 3, 199 (übersetzt u. a. ZfdMyth. 1, 320 ff.). [17] ZfdMyth. 1, 321 Anm.

4. Es ist deshalb erklärlich, daß der A. als die S t ä t t e a l l e r l e i Z a u - b e r s u n d A b e r g l a u b e n s erscheint. Cäsarius von Heisterbach berichtet[18] von einer Jüdin, die über die christliche Taufe ihrer Tochter aufs höchste aufgebracht war und der Tochter drohte, die Wirkung der Taufe aufheben zu wollen, indem sie sie durch das Loch eines A. ziehen werde: „Ego tribus vicibus te sursum traham per foramen latrinae, sicque remanebit ibi virtus baptismi tui." — Ein Gegenstück dazu ist es, wenn norwegische Frauen kranke Kinder durch das Loch des A. zogen[19]. In beiden Fällen verquickt sich die Zauberkraft des A. mit der des D u r c h - z i e h e n s (s. d.). Aber auch ohne das Durchziehen kann man den A. zu zauberischen Handlungen benützen, weil er eben die Stätte ist, an dem der Teufel und die Geister ihr Spiel haben[20]. In einer der ältesten Nachrichten über schlesischen Volksglauben[21] heißt es von den Mädchen: „faciunt et laxivam et cum pectine, avena, modica carne ponunt ad cloacam dicentes: veni dyabole, balnea te et pecte. Equo tuo da avenam, accipitri carnem et ostende mihi virum meum." — Ähnliche Dinge sind auch im heutigen deutschen Volksglauben noch erhalten. Im württembergischen O.A. Blaubeuren glaubt man Blut stillen zu können, wenn man mit einem Stock darüber streicht und dann den blutigen Stock in den A. steckt[22]. Um Warzen und Überbeine zu vertreiben, nimmt man in Sachsen einen Tuchlappen, den man im Freien zufällig gefunden haben muß, und reibt mit ihm die betr. Stelle ein. Dann wirft man den Lappen in den A. und zwar womöglich

in den Kot [23]). Vor Zahnleiden schützt man sich im Fränkischen, indem man am Karfreitag in den A. riecht [24]), im Erzgebirge, indem man dreimal in den A. spuckt [25]). Fast im ganzen deutschen Sprachgebiet ist der Glaube verbreitet, daß die Paten auf dem Wege zur Kirche und solange sie den Patenbrief bei sich tragen, nicht auf den A. gehen dürfen, sonst kann später das Kind das Wasser nicht halten und verunreinigt sich selbst als Leiche. Im Notfalle müssen die Paten wenigstens den Patenbrief aus der Tasche nehmen [26]). Läßt man ein Kind allein am A. sitzen, so holts der Hoggemann (Aargau) [27]). Überhaupt gilt es als gefährlich, Kinder unter einem Jahre auf den A. mitzunehmen. Sie bekommen dann leicht böse Augen [28]) oder einen übelriechenden Atem [29]). Letzteres widerfährt auch Erwachsenen, wenn sie am A. essen [30]). In Baden müssen Erwachsene ihre abgeschnittenen Haare vergraben oder in den A. werfen, sonst bekommen sie Läuse [31]).

Vielleicht halb scherzhaft aufzufassen sind folgende Volksmeinungen: Wenn ein Mann und ein Weib, die sich nur wenig kennen, zufällig am A. zusammenkommen und beide erschrecken, so heiraten sie sich [32]). Wer an einem offenen A. vorüber muß, wird dem gram, der die Türe nicht schloß [33]). Die erstere der beiden Meinungen (oder sind es nur mehr Redensarten?) erinnere ich mich auch in Steiermark mehrmals gehört zu haben.

[1b]) C a e s a r i u s v. H e i s t e r b a c h *Dialogus* 2, 96; ZfVk. 17 (1907), 315. [19]) N y - r o p b. G a i d o z *Un vieux rite médical* (1892), 54. [20]) D r e c h s l e r 2, 191. [21]) M-schlesVk. 17 (1915), 40. [22]) B o h n e n b e r - g e r Nr. 1, 14. [23]) S e y f a r t h *Sachsen* 220. [24]) W u t t k e 351 § 526, ähnlich S c h ö n - w e r t h *Oberpfalz* 3, 244. [25]) S e y f a r t h *Sachsen* 220. [26]) W u t t k e 388 § 593. [27]) R o c h h o l z *Kinderlied* 317. [28]) J o h n *Erzgebirge* 56. [29]) K ö h l e r *Voigtland* 423. [30]) D r e c h s l e r 2, 12. [31]) M e y e r *Baden* 512. [32]) D r e c h s l e r 1, 227 u. 2, 195. [33]) J o h n *Erzgebirge* 35.   Geramb.

Abortus s. A b t r e i b u n g.

Abracadabra, ein schon dem Mediziner Q. Serenus Sammonicus [1]) um 200 n. Chr. bekanntes Zauberwort, das nach dem Schwindeschema geschrieben wurde; andere Formen: Abrasadabra usw. Es wird oft bis heute gegen Fieber, Zahnschmerz, Wunden, auch beim Buttern benutzt. Über den Ursprung des Wortes gibt es verschiedene Erklärungen. Wuttke, Kaufmann, Seligmann, Höhn führen es auf Abraxas (s. d.) zurück [2]); so auch schon Thiers [3]). Eine andere Deutung [4]) will darin a = ab (Vater), b = ben (Sohn), ruach (Geist) sehen, leitet es also aus dem Hebräischen ab. Ebenso eine dritte [5]): אַבְּרָא כְּדַבְּרָא „entfleuch diesem Worte gemäß", bzw. אַבְּדָא „nimm ab (d. W. g.)", mit Bezug auf das Schwinden der Buchstaben. Wieder andere [6]) glauben darin ein Schwindewort ohne Sinn wie Αβλαθαναλβα, ακρακαναρβα sehen zu sollen, mit Beeinflussung durch den magischen Gebrauch des Alphabets α-βα-γα-δα. Für die Verbindung mit Abraxas spricht die Aufschrift auf einem synkretischen Amulett mit Horus auf dem Lotus, umgeben von 7 Sternen (Planeten): Αω ABPAK [7]), wohl 'Ιαώ 'Αβραχ, vgl. Abrac o. Vielleicht geht das auf αββρα = αρβα אַרְבַּע „vier", vgl. Tetragrammaton in dem ἀρβάθ 'Ιαώ bzw. ἀββράθ 'Ιαώ der hellenistischen Zaubertexte zurück, womit auch Abraxas zusammenhängen könnte, so daß das Wort ein Spiel mit der die Gottheit bezeichnenden Vierzahl wäre (אַרְבַּע כַּד אַרְבַּע) [8]).

[1]) v. 935 vgl. H e i m *Incantamenta* 491. [2]) W u t t k e 181 § 246. 179 § 244; S e l i g - m a n n *Blick* 2, 300; H ö h n *Volksheilkunde* I, 154; C. M. K a u f m a n n *Handb. d. christl. Archäologie* (1913), 635. [3]) T h i e r s 1, 364. 427. [4]) ZdVfV. 5 (1895), 37 [5]) B i s c h o f f *Kabbalah* (1903), 95; *Kabbalah* 2 (1913), 192. 195, vgl. O h r t in DanSt. 1919, 11 ff. Auf die Verwandtschaft mit שברירי macht schon B u x - t o r f *Lexic. Chald.* ed. F i s c h e r (1879) 1152 aufmerksam, der auch auf A g r i p p a l. 3 c. 11 verweist. [6]) H e i m a. a. O. 491; D i e t e r i c h *Kl. Schriften* 515; D o r n s e i f f *Alphabet* 64; E i t r e m *Papyri Osloenses* 1 (1925), 135. [7]) K i n g *The gnostics and their remains* (1887) Taf. 5, 1. [8]) Vgl. noch ZföVk. 4 (1898), 143; 9 (1903), 217; Urquell 1 (1890), 186; 3 (1892), 186; H o v u. K r o n f. 1, 3. 29. 141. 2, 111. 235. 336. S t e m p l i n g e r *Sympathie* 81; C l é m e n t DanSt. 1919, 160 ff.; F r a n z *Nik. de Jawor* 186; A g r i p p a v. N e t t e s h e i m 3, 66. 4, 194; L a m m e r t 261; S c h r a m e k *Böhmerwald* 319; F r i s c h b i e r *Hexenspr.* 104; A n d r e e *Braunschweig* 419; S e y - f a r t h *Sachsen* 169. 170; K e l l e r *Grab des*

Abergl. 4, 231; W l i s l o k i *Magyaren* 146; P e t e r s *Pharmazeutik* I, 225. Jacoby.

Abraham. 1. Der biblische Erzvater, der gemäß der Legende 1000 Jahre nach dem Sündenfall den von Gott ausgerissenen und auf die Mauer des Paradieses geworfenen Baum der Erkenntnis fand und ihn in seinen Garten pflanzte, worauf eine Stimme ihm verkündete, daß dies der Baum sei, an dessen Holz der Heiland werde gekreuzigt werden [1]).

[1]) W r i g h t *Chester Plays* I, 239; L i e b - r e c h t *Gervasius* 125; jüdische Sagen: b i n G o r i o n *Sagen der Juden:* Die Erzväter (1914), 137—362; zahlreiche Parallelen aus der rabbinischen Lit.: b i n G o r i o n *Sinai und Garizim* (1926) 91—132.

2. Alttestamentlicher, jüdischer Vorname, in früheren Jahrhunderten ebenfalls bei Christen und noch jetzt bei orthodoxen Protestanten in den Niederlanden im Gebrauch, daher auch im Kalender, wo er am 20. Dezember erscheint, der als A.stag bei den Magyaren [2]) einer der Tage ist, an denen man versuchen soll, Schätze zu graben, bei den Egerländern in Zaubersegen [3]) wider das kalte Fieber aufgeführt. Er kommt auch in verbreiteten Diebssegen vor: ,,A. hat's gebunden usw." [4]).

[2]) W l i s l o c k i *Magyaren* 98. [3]) F e h r l e *Zauber u. Segen* 61. [4]) J a c o b y in HessBl. 25 (1926), 200 ff.

3. A.sfest feiern, den 50. Geburtstag feiern (nach Joh. 8, 57), dazu die Redensart ,,A. gesehen haben", d. i. über 50 Jahre alt sein, ebenso die Frage: ,,Er ist noch nicht 50 Jahre und hat schon A. gesehen"? [4a]).

[4a]) W a n d e r *Sprichww.* I, 14; Rhein.Wb. I, 28; Z o o z m a n n *Zitatenschatz* 11; F i s c h e r *SchwäbWb.* I, 51.

4. A.sgarten, im Hirtensegen und anderswo angeführt, z. B. im Orendel 1240 ,,ez leit uns in A.s garten" [5]), in Baden (Dürrenbüchig) neben A.Rain beim Hühnerkauf in dem Vers ,,Geh naus in A.Rain, am 6 kumm da widda haim" [6]) gebraucht (s. L a n d w i r t s c h a f t l. S e g e n § 2 a).

[5]) G r i m m *Myth.* 3, 1037. [6]) Badisches Wb. I, 14.

5. A.s Schoß, in A.s Schoß eingehen, sprichwörtlich nach Lukas 16, 26, wo Lazarus im Schoße Abrahams gehegt wird und dieser vom Himmel herab dem aus der Hölle emporflehenden Reichen sagt: ,,Über das alles ist zwischen euch und uns eine große Kluft befestiget...". Das von Christus gebrauchte anschauliche Bild der Vergeltung des Guten (Abholung der Seele des Armen und Übertragung in A.s Schoß) wird vom Dichter des Heliand in die Worte gefaßt: ,,Godes engilôs antfêngun is ferah endi lêddun ina forth thanan, that sie an Abrahâmes barm thes armon mannes sêola gisettun" [7]).

[7]) H e l i a n d ed. Heyne, 3. A., 67/68.

6. A.s Zauberbücher, eine Astrologia apotelesmatica und ein Buch über die Traumdeutung. Im Nischmath Chajim (Ovat. III, cap. 29) heißt es: ,,Unser Vater A. verfaßte die Massichta, in welcher er alle Arten der Magie und ihre Wirkungen durch die Macht der bösen Geister beschreibt, in ähnlicher Weise, wie er im Buche Jezirah von den heiligen Namen schrieb" [8]). Letzteres soll von Joseph ben Akiba herrühren.

[8]) K i e s e w e t t e r *Faust* 319; B i s c h o f f *Kabbalah* I (1913), 220, 158.

7. Mit Isaak häufig in Kinderreimen, Scherzfragen und Rätseln genannt [9]).

[9]) RheinWb. I, 28. F i s c h e r *SchwäbWb.*; B ö h m e *Kinderlied* S. 389; Z ü r i c h e r *Kinderlied* Nr. 4467 ff. (auch A. u. S a r a). Wrede.

Abraham, hl., Abt [1]) von Saint-Cirgues bei Clermont, gest. um 472. Sein Name erscheint in einem dt. Augensegen [2]) des 15. Jhs., auch in andern Augenbenediktionen. Die Aufnahme in diese erklärt sich aus der Stelle bei Gregor von Tours: ,,Erat mirae virtutis, fugator daemonum inluminatorque caecorum, aliorum quoque morborum potentissimus medicator" [3]).

[1]) AA.SS. Boll. 15. Jun. II, 1058 f. [2]) ZfDA. 38, 17. [3]) *Liber vitae patrum* c. 3 (M.G.SS. rer. Mer. I 2, 672). Wrede.

Abraham Julita, Zauberworte, die nach dem Schwindeschema geschrieben, gegen Fieber benutzt werden [1]); zusammengesetzt aus den Namen Abraham und Julita, deren es mehrere Heilige gibt [2]).

[1] H o v o r k a u. K r o n f e l d 1, 144; 2, 329; J o h n *Westböhmen* 271; ZföVk. 6 (1900), 116. [2] Vgl. Registerband der A c t a S a n c t o r u m B o l l. Jacoby.

Abraut s. E b e r r e i s.

Abraxas, Gottesname, der in den hellenistischen Zauberpapyri und auf zahlreichen Amulettsteinen des Altertums und des Mittelalters begegnet; die häufigere Form ist nicht Ἀβραξάς, sondern Ἀβρασάξ. Der Dämon Abrasax ist der Jahresgott; sein Name besteht aus 7 Buchstaben (vgl. 7 Tage der Woche) und hat den Zahlenwert 365 (vgl. die Tage des Jahres). Die Zurückführung des Namens auf den Gnostiker Basilides wird kaum richtig sein, da er sich ganz allgemein in den ersten Jahrhunderten unserer Zeitrechnung findet. Man hat viele Deutungen des Wortes, das durch seinen Zahlenwert keineswegs erklärt wird, versucht, bis jetzt umsonst; auch die neueste von Eisler bei Dornseiff scheitert daran, daß sie die weniger häufige Form zum Ausgang nimmt. Ob es mit Abracadabra zusammenhängt, ist fraglich; in abra könnte das hebr. Zahlwort für „vier" stecken [1].

[1] H e r z o g - H a u c k 1, 113 ff.; P a u l y - W i s s o w a 1, 109 ff.; RGG. 5, 1054; D i e t e r i c h *Abraxas* 46; D e r s. *Kl. Schr.* 225; R e i t z e n s t e i n *Poimandres* 272; D e l a t t e im *Musée Belge* 18 (1914), 27 ff.; U s e n e r *Weihnacht* 29; D o r n s e i f f *Alphabet* 42. 105; S e l i g m a n n *Blick* 2, 310. 319; H o v o r k a u. K r o n f e l d 1, 3 f.; K r o n f e l d *Krieg* 41 f.; M a n n h a r d t *Zauberglaube* 63; L i p p e r t *Christentum* 230; S e y f a r t h *Sachsen* 170; J e n n i n g s *Rosenkreuzer* 2, 227 (Reg.); A l b e r s *Das Jahr* 254; MschlesVk. 22 (1920), 14; H e i m *Incantamenta* 481. 537. 542. 543. Jacoby.

abreißen. Wie man gewisse Dinge abbeißt (s. d.), um sie nicht abschneiden (s. d.) zu müssen, so kommt auch das A. vor. Im Fränkisch-Hennebergischen schreibt ein Mittel gegen schweres Zahnen vor: Man geht vor Sonnenaufgang an eine wilde Rosenhecke und reißt davon drei Dornen rückwärts ab. Diese näht man in ein leinenes Säckchen und hängt es dem Kind um den Hals [1]. Gegen Verstopfung reißt man in der Oberpfalz einen jungen Trieb des schwarzen Hollers abwärts ab [2].
S. weiter P f l a n z e.

[1] S p i e ß *Fränkisch - Hennebergisch* 101; [2] S c h ö n w e r t h *Oberpfalz* 3, 269 f. Nr. 5. Bächtold-Stäubli.

Abreißkalender s. K a l e n d e r.

abringeln, ein anscheinend von M. Höfler [1] geprägter Terminus, zur Beseitigung von Krankheit und Abwehr von Schadenzauber durch Umkreisung. S. K r e i s, R i n g.

[1] *Volksmedizin* 36 f. Bächtold-Stäubli.

Abschabsel der Fingernägel, der Ecken des Tisches, der Mauer usw. wurden in Heil- u. Zaubertränken früherer Zeiten viel verwendet [1]. Das sog. „Äscherchen", ein Mittel der Siebenbürger Sachsen gegen das Berufensein der Kinder, wird durch A. von Ecken der Zimmer und der Hausgeräte usw. hergestellt [2]. Je weniger Leute (ebendort) von der Stunde der Geburt Kenntnis haben, desto leichter verläuft dieselbe; von den Ecken jener Häuser, deren Bewohner darum wissen, muß man etwas Mörtel abkratzen, denselben in Wasser auflösen und der Gebärenden zu trinken geben [3].

[1] Vgl. z. B. SchweizId. 8, 16; DWb. 1, 94, wo Belege aus S e u t e r *rosarznei* (1599) und R ö ß l i n *hebammenbüchlein* (1563) angeführt sind; S c h m e l l e r *BayWb.* 2, 351 f. [2] W i t t s t o c k *Siebenbürgen* 72. [3] Ebd. 74. Bächtold-Stäubli.

abschneiden, Abgeschnittenes. I. 1. Die Handlung des A.s, die wir ohne hemmende Vorstellungen mit nüchterner Selbstverständlichkeit vorzunehmen pflegen, ist für den primitiven, von Dämonenangst beherrschten Menschen in bestimmten Fällen eine verantwortungsvolle Zeremonie. Die Dämonenfurcht und die peinliche Beobachtung bestimmter Vorschriften ist dann besonders groß, wenn es sich um Teile des Körpers handelt, und gerade um jene Teile, in denen nach offenbar allgemein menschlichem Glauben die Seele oder die Lebenskraft sitzt, die Haare und Nägel [1]. Frazer [2] hat in „The Golden Bough" das Material für das Haar von der Antike bis zu den heutigen Primitiven gesammelt, die Deutung der einzelnen Fälle muß nachgeprüft werden, was Sommer [3] und Schredelseker [4] für die Antike getan haben. Die Vorstellung, daß man mit dem A. des

Haares auch das Leben in Besitz nimmt, ist in der Simson[5]-Nisosgeschichte[6]) gerade so lebendig, wie im S k a l p i e r e n der Indianer[7]). Die Verehrung der Haare und Nägel als Sitz der Seele und des Lebens und die Bedenken beim A. sind bei den Indonesiern[8]) besonders lebendig, und in Deutschland ist ein Rest dieser Vorstellung in dem Verbot enthalten, im ersten Jahr das Haar des Knaben zu schneiden, da er sonst den M u t[9]) oder Verstand[10]) verliere. Daneben wirkt die Vorstellung herein, daß das Haar dämonisch und gefährlich ist[11]); so wird dann das A. zur R e i - n i g u n g s z e r e m o n i e[12]). Einen solchen offenbar uralten Zauber haben wir aus der Oberpfalz überliefert: bevor die Braut zur Kirche geht, muß ihr die Mutter oder die „Taufbod" oder eine Freundin die Nägel an Händen und Füßen a. und verbrennen, damit sie als Weib keine Krankheit durchmache; auch schneidet man ihr Haare vom Kopfe ab und wickelt sie um die Nägel, um damit Kopfweh und Rotlauf zu verbrennen[13]). Im Haaropferritus, der in der Antike[14]) eine größere Rolle spielt als heute, ist das abgeschnittene Haar Substitut für den ganzen Menschen oder das Tier; in diesem Sinne findet sich das Haarab- schneiden im T o t e n k u l t[15]) und bei G e l ü b d e n[16]). Andererseits darf ein im heiligen Dienst Stehender[17]) oder der Mensch als Objekt[18]) einer kultlichen Verehrung Haare und Nägel n i c h t s c h n e i d e n. Unter solch einem kult- lichen Gebot stand auch der junge Chatte[19]), der das Haar nicht a. durfte, bis er einen Feind getötet hatte, und in demselben Sinne läßt der Bataver Civilis[20]) im Rachekampf gegen die Römer das Haar lang wachsen. Auch im Rechtsleben spielt das A. oder Nicht- abschneiden der Haare eine Rolle: so müssen sich alle Teilnehmer an einer Grenzhandlung in Schlesien den Bart a., nur nicht der Bürgermeister (1587)[21]). Abschneiden der Haare galt auch als Strafe und Schmach z. B. in der H r o l f - K r a k i - S a g a[21a]) besonders für Mäd- chen[21b]).

[1]) W u n d t *Völkerpsychologie* 5[2], 129. 132; vgl. 4, I, 101 u. 103; 4, I, 210 ff.; ARw. 12, 128; 17, 599 u. 602; 18, 315; SAVk. I (1897), 203. [2]) 2[3], 258 ff. [3]) L. S o m m e r *Das Haar in Religion und Aberglauben der Griechen.* Diss. Münster 1912. [4]) S c h r e d e l s e k e r *de superstitionibus Graecorum, quae ad crines perti- nent.* Diss. Heidelberg 1913; vgl. D e u b n e r s Rezension in ARw. 20, 417—18. [5]) *Buch der Richter* c. 16, 17—19; W u n d t *Völkerpsychol.* 4, I[2], 101. [6]) K r o l l bei S k u t s c h *Gallus und Vergil* L. 1906 Anhang; S o m m e r in P a u l y - W i s s o w a 7, 2, 2106; D e r s. Diss. 16 ff. u. 7 ff.; S c h r e d e l s e k e r passim. [7]) B e t h e im *Rheinischen Museum* (1907) 62, 466 A.; 57 (1902), 217; G r i m m *KHM* 29 = B o l t e - P o l i v k a I 279 ff.; ARw. 16, 381 A. 2. [8]) ARw. 17, 599. 602; vgl. 12, 128; 18, 315. [9]) W o l f *Beiträge* 1, 209, 57; vgl. K n o o p *Hinterpommern* 157, 23. [10]) In Schwa- ben: F i s c h e r *SchwäbWb.* 3, 1164; vgl. B a u m g a r t e n *Heimat* 3, 28. [11]) W u n d t l. c. 4, I, 399; daher schneidet man nach A n h o r n *Magiologia* 1016 der Hexe alle Haare am Körper ab; in den Haaren steckt die T e u f e l s k r a f t; auch die Nägel werden der Hexe abgeschnitten: H a n s e n *Hexenwahn* 155, 25. [12]) F r a z e r 2[3], 283—285; reinigend ist das Haarabschneiden bei der Wöchnerin, bei der alles dämonisch infiziert wird, besonders die Haare: F r a z e r 2[3], 284; für die Antike: S o m m e r *Diss.* 44 ff.; D ö l l e r 97; vgl. 284. [13]) S c h ö n w e r t h *Oberpfalz* I, 77, 5; vgl. S o m m e r Diss. 34 ff.; D ö l l e r 284— 85; W e i n h o l d *Frauen*[3] 1, 338. [14]) S o m - m e r *Diss.* 53 ff.; P a u l y - W i s s o w a 7, 2, 2108 ff.; S t e n g e l *Opferbräuche* 44 ff. [15]) S o m m e r 64 ff.; Thanatos nimmt vom Menschen Besitz durch A. der Haare: S o m - m e r l. c. 61—64; ZdVfV. 1899, 319; diese Vorstellung noch jetzt in Griechenland: B. S c h m i d t *Griechische Märchen, Sagen, Volks- lieder* L. 1877 Nr. 20. A. als Zeichen der Trauer bes. bei den Juden: SAVk. 17 (1913), 24—26. [16]) S o m m e r l. c. 79 ff.; hier opfert man das Haar zum Dank der Gottheit und gibt sich so in deren Gewalt; berühmt die Locke der Berenike; C a t u l l c. 64. [17]) F r a z e r 2[3], 16. 260 ff.; 2[3], 194: während des Brütens des Seidenwurmes in Mirzapur. Vgl. die Vorschrift für ein Opfermedium auf Sumatra: ARw. 18, 336; in Böhmen darf man die Nägel u. Haare nicht schneiden, während man unter dem Arm den Sotek ausbrütet: G r o h m a n n *Aber- glaube* 16, 77. [18]) So darf bei den Primitiven in Afrika der Vater von Zwillingen in der Zeit, da man mit ihm als F r u c h t b a r k e i t s - ü b e r t r ä g e r einen Kult treibt, Haare und Nägel n i c h t schneiden: F r a z e r 1, 2[3], 102. [19]) T a c i t u s *Germania* c. 31; G r i m m *RA.* I, 203; F r a z e r 2[3], 261—262; dieses Gelübde ist im Krieg uralt und allgemein: F r a z e r 2, 261; 1, I[3], 127 (Malaien). [20]) T a c i t u s *Historien* 4, 61. [21]) G r i m m *RA.* I, 203; V o r d e m f e l d e *Religion* 112 ff.

115; Drechsler 2, 26. [21 a]) Programm v. Forgan 1905, 22; Grimm *RA* 1, 396; 2, 287. [21b]) Zingerle 11, 101; Krauß *Sitte und Brauch* 193; vgl. Birlinger *Volksth.* 2, 398, 344.

2. Diese religiös-kultlichen Gesichtspunkte für das A. von Haaren und Nägeln zeigen einmal das Gemeinsame in der Scheu vor diesen Körperteilen, welche das Abtrennen zu einer Staatsaktion stempelt, wir sehen aber auch daraus, daß die Motive für das A. oder das Verbot des A.s sehr verschieden sein können, wie sich wohl die Vorstellungen vom Opfersubstitut und vom Haar als Seelensitz verbinden können und andererseits das Haar als dämonisches Tabu gefürchtet wird.

Die Hauptquelle aber, aus der der Abschneideaberglaube entspringt, ist die Angst, daß irgendein Gott, Geist, Dämon oder ein böser Mensch mit den Haar- und Nagelteilen dämonische Macht über den Menschen selbst bekomme und mit diesen Körperabfällen Schadenzauber verüben könne. Ebenso groß ist natürlich die abergläubische Verehrung dieser Körperteile, wenn sie von einem gewaltigen Menschen, Priester oder Heiligen stammen; wir kennen ja die Amulette aus Haaren und Nägeln toter Heiliger bei den verschiedensten Völkern [22]), ebenso Amulette aus Toten- und andern Nägeln [23]).

Wohl die ä l t e s t e aktenmäßige Erwähnung der abergläubischen Verehrung abgeschnittener Nägel und Haare auf g e r m a n i s c h e m Gebiet, treffen wir im Concilium Romanum (745): Deneardus, der Legat des Bonifazius, überbringt die briefliche Beschwerde seines Herrn über Eldebert dem Papst Zacharias [24]); dieser Eldebert „ungulas suas et capillos dedit ad honorificandum et portandum cum reliquiis sancti Petri principis apostolorum" [25]); der Papst verdammt diesen Aberglauben: „quis enim aliquando apostolorum . . . ex capillis suis aut ungulis pro sanctualia populis tribuerunt" [26]); und auch das ganze Konzil verdammt diesen Aberglauben [27]).

[22]) F r a z e r 1, 2 [3], 6. [23]) G. Kropatscheck *de amuletorum apud antiquos usu capita duo*. Diss. Greifswald 1907, 26; Wlislocki *Zigeuner* 98; Döller 70—71. [24]) M. G. leg. sectio III tom. II, 1 concilia 38, 5 ff. [25]) l. c. 39, 42—43. [26]) l. c. 40, 25 ff. [27]) l. c. 43, 13—14; vgl. tom. II, 2, 1010, wo Deubner Plinius XXVIII, c. 5, 40, 70, 86 zitiert; ARw. 14, 618 m. A. 2. Aus späterer Zeit vgl. H a n s e n *Hexenwahn* 447, 22.

3. Wie bei vielen Völkern über die Art des Haarabschneidens strenge Vorschriften beobachtet werden [28]) (vor allem bei Kindern) [29]), so treffen wir auch auf Zeremonien beim N ä g e l abschneiden: für die Römerin [30]) war es „religiosum", schweigend vom Zeigefinger an die Fingernägel an den nundinae zu schneiden; Buxtorf [31]) berichtet: ungues etiam quotquot d i e b u s V e n e r i s resecant, idque peculiari adhibita superstitione. A s i n i s t r a enim incipientes, digiti q u a r t i unguem primo demunt, dein ad secundum digitum transeunt, postea ad quintum, inde ad tertium, tandem in pollicem desinunt; adeo ut nunquam duorum digitorum ungues deinceps cultello purgentur, sed digitus intermedius semper transmittatur; memoriale huius ordinis est יברהא; Ad manum dextram ubi devenerunt, initium faciunt a digito secundo, inde ad quartum transitur et ita in reliquis. Huius memoriale est: בואנה. Der Aberglaube der Isländer schreibt vor: man soll jeden Nagel in d r e i S t ü k k e n abschnippsen oder abbeißen; denn wenn die Nägel ganz abgeschnitten werden, macht der Böse daraus schöne Schiffe [32]) (vgl. Nägel der Leiche); mit dem M e s s e r , mit dem man die Nägel abgeschnitten hat, muß man dreimal in H o l z schneiden, damit man sich gegen Zauberei sichert [33]) (Norwegen) oder mindestens damit schnitzeln [34]); den Sinn dieser abergläubischen Angst vor dem Schadenzauber, der sogar durch das beim A. gebrauchte Messer die P e r s o n s e l b s t beherrscht, erklärt uns eine bergische Sage, deren Hauptzug allerdings von einer andern Seite her verstanden werden muß [35]): Ein Mädchen schneidet sich auf der Ü b e r f a h r t

über den Rhein die Nägel; ein
Jude kauft ihm das Messer ab und entzieht der Jungfrau mit dem Messer Blut,
wie die Hexen den Kühen die Milch, und
das Mädchen stirbt. Das Messer, mit dem
die Nägel beschnitten sind, gibt dem
Zauberer dieselbe Macht, wie die Nägel
selbst; aber wichtig ist auch das A. auf
dem Wasser; hier kommt uns eine Notiz
bei Petron[36]) zu Hilfe: „audio enim non
licere cuiquam mortalium i n n a v e
n e q u e u n g u e s n e q u e c a p i l -
l o s deponere, nisi cum pelago ventus
irascitur". S o m m e r[37]) erklärt den
Aberglauben richtig mit der Angst, daß
die Wasserdämonen durch die abgeschnittenen Haare Gewalt über den
Seemann bekommen; in der bergischen
Sage ist der Jude ein solcher Dämon.
Wenn man sich beim A. der Nägel nach
Norden wendet, stirbt man (Island)[38]).

[28]) F r a z e r 2[3], 264 ff.; Mitt. Antiquar. Ges.
in Zürich 3 (1846—47), 100. [29]) F r a z e r 266 ff.;
W l i s l o c k i erzählt seltsame Zeremonien der
Zigeuner: *Zigeuner* 80 u. 84. [30]) P l i n i u s
N. H. XXVIII, 28 = IV, 285, 4 ff. Mayhoff.
[31]) *Judenschul* 225—26; zu dieser Zeremonie
vgl. B a r t s c h *Mecklenburg* 2, 110, 413.
[32]) L i e b r e c h t *Zur Volksk.* 367, 2; vgl. SAVk.
I (1897), 203 mit Literatur. [33]) L i e b r e c h t
330, 153. [34]) ebd. 314. 22. [35]) S c h e l l *Bergische Sagen* 270, 29. [36]) P e t r o n i u s *Sa-
turae* c. 104 = 71, 36 ff. Bücheler[4] vgl. c. 103.
[37]) S o m m e r l. c. 81 ff.; ARw. 20, 417.
[38]) L i e b r e c h t 369, 13.

4. Über die Zeit des A.s herrschen
uralte Vorschriften: In den astrologischen Kodices finden wir ein Kapitel περὶ
ὀνύχων, worin die Frage beantwortet
wurde, um welche Zeit man am besten die
Nägel (Haare) schneidet[39]). Eine verderbte Stelle bei Varro[40]) rät, die Haare
bei a b n e h m e n d e m Mond zu schneiden, Tiberius[41]) nahm die Prozedur an
Neumond vor; in Schwaben[42]) schneidet
man sich die Haare am dritten Tag des
N e u m o n d s, dann wachsen sie gut;
bei V o l l m o n d muß man sich ans
Fenster stellen, die Haare a. und dabei
sprechen: Was ich sehe, nehme ab, was
ich schneide, nehme zu (Schlesien)[43]);
in Mecklenburg[44]) wählt man zunehmenden Mond (bei abnehmendem Mond
schert man die Schafe)[45]), in Tirol[46]) gilt

diese Vorschrift für Haare und Nägel[47])
und auch allgemein, dann hat man Glück
und bewahrt sich vor Zahnschmerzen[48]).
In der Schweiz vermeidet man das Sternbild des F i s c h e s, sonst gibt es
Schuppen, aber im L ö w e n[49]) abgeschnittene Haare wachsen gut[50]); die
S c h w a b e n glauben, man müsse sie
im Zeichen des B ä r e n schneiden, um
krause Haare zu erhalten[51]). Über den Tag
des Nägelschneidens herrscht keine Einigkeit: die Römerin[52]) wählte die nundinae,
sonst ist allgemein der dies Veneris[53]),
der Freitag, vorgeschrieben; die Rockenphilosophie sagt: „wer freitags die nägel
abschneidet, hat Glück"[54]), sonst Geld[55]);
und „freitags nägel an Händen und Füßen
geschnitten, hilft gegen Zahnweh"[56]).
In Mecklenburg schneidet man an einem
Freitag vor Aufgang oder nach Untergang der Sonne von den Nägeln kreuzweise etwas ab; die Schnitzel hüllt man in
reines Linnen und verpflöckt dies in einem
grünen Eichenbaum[57]) (gegen Gicht); in
Schleswig-Holstein[58]) wird dieselbe Prozedur für 3 Freitage vorgeschrieben. Besonders wirksam ist das Nägelschneiden
am Karfreitag[59]): Man schneidet Finger-
und Zehennägel ab und vergräbt sie unter
einem Berberitzenstrauch[60]); in Schwaben schützt man Kinder vor bösen Leuten, indem man am Karfreitag Nägel an
Händen und Füßen und drei Schnipfel
Haare abschneidet und verbrennt oder
in die Mistgrube wirft[61]). Wenn man am
Karfreitag früh die Nägel an Händen und
Füßen abschneidet, diese in ein Lümp-
lein bindet und das an einem Kirschbaum aufhängt, so hat man das ganze
Jahr kein Zahnweh[62]). Andererseits soll
man sich am Freitag die Nägel nicht a.
(Norwegen)[63]), auch die Haare[64]) nicht.
„Will man das Kind vor Zahnschmerzen
bewahren, so soll man ihm n i c h t
Freitags die Fingernägel a." (Iserge-
birge)[65]); schneidet man am Freitag die
Fingernägel ab, so müssen die armen
Seelen sie verzehren[66]). Nach Berner[67])
Aberglauben soll man die Nägel gegen
Zahnweh am Freitag und Montag[68])
schneiden, nach anderm Aberglauben
an keinem Tag, welcher mit einem „r"

geschrieben wird [69]. In Schleswig-Holstein muß man die Nägel entweder Freitags bei abnehmendem Mond oder Dienstags a.[70]. „Sonntags die Nägel beschnitten, gibt Verdruß" [71]; oder es verursacht Gedankenlosigkeit (Isergebirge) [72]; aber: schneidet man alle Montag und Freitag die Nägel, so nimmt man alle Zähne mit ins Grab[73]. Am Abend geschnittene Nägel werden oft eines gesunden Mannes Tod (Island) [74]; am besten geschieht das A. vor Sonnenaufgang und nach Sonnenuntergang [75]. Auch die Haare werden am besten am Freitag geschnitten, sonst bekommt man Kopfweh [76]), oder am Karfreitag [77]; bei Plinius lesen wir [78]: „religiosum est capillum (resecari) contra defluvia ac d o l o r e s   c a p i t i s XVII luna atque XXVIIII".

Der günstigste Tag nach badischer Ansicht ist der 22. Juli [79], der Tag der Maria Magdalena [80].

[39]) So haben wir eine Überschrift περὶ ὀνύχων im codex Laurentianus, Plut. 28, 3 = Nr. 11 des catalogus codicum astrologorum Graecorum I, 51 (Brüssel 1898); im cod. Angelicus 29 = V, 1, 24 Fol. 67 steht: περὶ ἀφαιρέσεως τριχῶν: μὴ ἀφαιρήσῃς ἀπὸ τῶν τριχῶν — ἐν τῷ Ζυγῷ· περὶ κόψεως ὀνύχων· μὴ ἐπιχειρήσῃς κόψαι — τῷ Λέοντι. [40]) V a r r o rer. rusticar. I, 37, 2 = 174, 1 ff. Keil: ego istaec, inquit Agrasius, non solum in ovibus tondendis, sed in meo capillo a patre acceptum servo, ni (= ne) d e c r e s c e n t e luna tondens calvos fiam; aus P l i n i u s XVI, 194 u. XVIII, 321—22 geht hervor, daß Keil richtig crescente geschrieben hat. [41]) P l i n i u s N. H. XVI, 194; P a u l y - W i s s o w a 1, 40. [42]) M e i e r Schwaben 511, 421; SAVk. 15 (1911), 7, sonst allgemein im zunehmenden Mond: F i s c h e r SchwäbWb. 3, 1164; SchweizId. 2, 1504; ZfEthnologie 15, 913; SAVk. 12 (1908), 151, 454; ZrwVk. 1918, 78 (Rheinland); vgl. W l i s l o c k i Magyaren 79. [43]) D r e c h s l e r 2, 132. 187; vgl. M e y e r Baden 50; Z i n g e r l e l. c. 28, 175; dagegen 29, 182. [44]) B a r t s c h Mecklenburg 2, 122, 480; 199, 344; ebenso in Schleswig-Holstein, damit das Haar gut wächst: ZdVfV. 1910, 386, 18; vgl. M e y e r Baden 50; ZfEthnol. 15 (1883), 91 (Berlin); W l i s l o c k i Magyaren 49; S é b i l l o t 1, 44—45; SAVk. 12 (1908), 151, 454; Unoth 1, 188, 158. [45]) B a r t s c h 2, 199, 348; ebenso V a r r o rer. rusticar. I, 37, 2 = 174, 1 ff. Keil. [46]) H e y l Tirol 803, 262; dagegen: Z i n g e r l e l. c. 28, 173. [47]) Auch in Schlesien: D r e c h s l e r 2, 132, 510. [48]) W. 71; SAVk. 8 (1905), 142, I, 2; P o l l i n g e r Landshut 286. [49]) Vgl. A. 39. [50]) SchweizId. 2, 1504; SAVk.

17 (1913), 64. [51]) F i s c h e r l. c. 3, 1164; SchweizId. 4, 683, ebenso im W i d d e r u. S t i e r : Z i n g e r l e 29, 184; L ü t o l f Sagen 554, 561; SAVk. 17 (1913), 64; im Zeichen des S k o r p i o n gibt es L ä u s e : Z i n g e r l e 28, 174. [52]) P l i n i u s N. H. XXVIII, 28 = IV, 285, 4 ff. Mayhoff. [53]) B u x t o r f Judenschul 225. [54]) G r i m m Myth. 3, 442, 249; vgl. W o l f Beiträge 1, 238, 455; M a n n h a r d t G. M. 629 A. 1; D r e c h s l e r 2, 187. [55]) P a n z e r Beitrag 1, 157, 4; M a n n h a r d t l. c.; W. 632; ZfEthnol. 15 (1883), 91: sonst wachsen die N. nicht nach (Berlin). [56]) G r i m m l. c. 445, 340; W i t z s c h e l Thüringen 2, 195, 17; K e h r e i n Nassau 2, 257, 97; M e y e r Bad. 512; ZrwVk. 1917, 179—80; 1914, 163—64; M a n n h a r d t l. c. 629; T e t t a u u. T e m m e 283; D r e c h s l e r 2, 187; B a r t s c h 2, 217, 1129; 122, 482; SAVk. 8 (1905), 150; 8, 272, 72; W. 17; F i s c h e r l. c. 2, 1509, vgl. 4, 1925; SchweizId. 4, 683; W l i s l o c k i Zigeuner 83; A n h o r n, Magiologia 131; 134; M a e n n l i n g 224; SAVk. 12 (1908), 152, 468; 4 (1900), 228; das A. am Freitag schützt gegen „N a g e l b r ü h": SAVk. 12 (1908), 278; Z i n g e r l e 122, 1100. [57]) B a r t s c h 2, 110, 413; BlPommVk. 8, 174, 197; SAVk. 10 (1906), 35 u. 39; W. 87. 501; vgl. 526. [58]) ZdVfV. 1910, 386, 14. [59]) D ä h n h a r d t Volkst. 1, 80 Nr. 3; in Ungarn ist der K. notwendig, weil das A. Augenweh verursacht: ZdVfV. 1894, 395. [60]) D r e c h s l e r 1, 90, 98. [61]) M e i e r Schwaben 390, 59; W. 607; SAVk. 12 (1908), 152, 474; 15 (1911), 5 vgl. 9. [62]) B i r l i n g e r Schwaben 1, 386; vgl. S e l i g m a n n 2, 142; vgl. 288. 330; W. 87; K r a u ß Relig. Brauch 41; ein ähnlicher Zauber ist in der Schweiz belegt: SchweizId. 4, 683. [63]) L i e b r e c h t 314, 22, ebenso in Schwaben: F i s c h e r l. c. 4, 1925 und Ungarn: ZdVfV. 1894, 395; S a r t o r i S. u. B. 3, 143 und einmal in der Schweiz: SAVk. 8 (1905), 142, I, 2. M a e n n l i n g 224; L i e b r e c h t Gervasius 234, 171. [64]) SAVk. l. c. [65]) ZdVfV 1917, 149; ebenso S c h u l t z Alltagsleben 241. [66]) C a m i n a d a Friedhöfe 112. [67]) SAVk. 8 (1905), 272, 72. [68]) Auch in Schwaben: F i s c h e r l. c. 1509. [69]) M a n n h a r d t G. M. 629 A. 1, oder an keinem Fleischtag, sonst wachsen die Nägel ins Fleisch: SAVk. 12 (1908), 456. [70]) ZdVfV. 1910, 386, 12, am besten am Fastnachtsdienstag: Z i n g e r l e 137, 1204. [71]) ZfVk. 1910, 386, 15; oder man hat diese Woche Unglück: W o l f Beiträge 1, 217, 179; M a n n h a r d t G. M. 629 A. 1; W. 66; in England ist dies Geschäft am Christfest verboten: W o l f 1, 246, 530; M a n n h a r d t l. c. [72]) ZdVfV. 1917, 149. [73]) F i s c h e r l. c. 4, 1925. [74]) M a n n h a r d t G. M. 628. [75]) B a r t s c h 2, 109, 413; W. 464; über die Zeit: M e y e r Baden 512. [76]) M e y e r l. c.; vgl. F i s c h e r l. c. 3, 1164; C u r t z e Waldeck 414 Nr. 211; dagegen SAVk. 8 (1905), 142, I, 2. [77]) M e y e r l.c. 503—4. [78]) P l i n i u s N. H. XXVIII, 28 = IV, 285, 7 M a y h o f f;

vgl. XVI, 194 (V a r r o). [79]) M e y e r l. c. u.
50; vgl. SAVk. 14 (1910), 290 I. [80]) K ü n s t l e
Ikonographie der Heiligen. Freiburg 1926, 430 ff.

5. Wichtig ist das Haar- und Nägelschneiden in den entscheidenden Stadien
der K i n d e r e n t w i c k e l u n g [81]):
Im ersten Lebensjahr soll man dem Kind
nicht die Haare schneiden [82]), sonst verliert es den Verstand [83]), den Mut [84]), die
Kraft[85]), oder es stirbt[86]), oder es stiehlt[87]);
auch die Nägel dürfen nicht abgeschnitten
werden, sonst stehlen die Kinder[88]); „die
nägel an den kleinen Kinderhänden soll
das erste Mal die mutter a b b e i ß e n[89])
(s. d.), sonst lernen sie stehlen" (Rockenphilosophie) [90]); diese Ansicht ist gemein-
europäisch und auch sonst belegt [91]).
Manche Völker warten den Zeitpunkt der
N a m e n g e b u n g ab, um dann das
Haar, das bis dahin als Sitz der Seele und
der Kraft unberührt blieb, feierlich zu
schneiden, so die Polen [92]), Peruaner [93])
und Uganda [94]). Nach deutschem Aberglauben darf man vor dem s i e b e n t e n
J a h r e (das siebente Jahr leitet nach
deutscher Ansicht einen wichtigen Abschnitt ein) [95]) das Haar nicht schneiden,
wenn man nicht den Mut rauben will [96]);
andere Völker schneiden z. B. die Nägel
im sechsten Monat oder im vierten
Jahr [97]). In Baden [98]) schneidet man am
22. August den kleinen Mädchen etwas
von den Zöpfen ab, damit die Haare
wachsen (siehe oben 4). In Nassau [99])
„stümpft" man die Haare zur Zeit des
jungen Lichtes, in Schwaben [100]) an den
drei Donnerstagen vor Weihnachten. In
Ostpreußen [101]) tragen die Kinder die
ersten abgeschnittenen Haare als Amulett [102]) gegen Zahnweh; in der Schweiz
macht der erste Schnitt kugelfest [103]).

[81]) D ö l l e r 285; S o m m e r l. c. 21 ff.
drei „S c h ü b e l i" Haar, bei der Geburt abgeschnitten, schützen den Träger vor allem
Uebel: SAVk. 15 (1911), 10. [82]) B a r t s c h
Mecklenburg 2, 51, 119; ZdVfV. 1910, 386, 16
(Schl.-Holstein); ZdVfV. 1903, 385 (Nordthüringen); Urquell 6, 65; D ä h n h a r d t
Volkst. 2, 89, 366; B e r g e n *Current super-*
stitions (Boston 1896) 25, 55; S a r t o r i
1, 44; wenn in der Gironde das erste Kind ein
Knabe ist und man will ein Mädchen haben,
schneidet man dem Knaben die ersten Nägel
unter einem Rosenstock: S é b i l l o t 3,
391; Bulletin de la Société de Géographie 7,

Nr. 9. [83]) F i s c h e r l. c. 3, 1164. [84]) W o l f
Beiträge 1, 209, 57; vgl. K n o o p *Hinter-*
pommern 157, 23; W. 607. [85]) B a u m g a r-
t e n *Heimat* 3, 28. [86]) W. 600. [87]) M e y e r
Baden 50; ZfrwVk. 1915, 58; K e h r e i n
Nassau 2, 263, 168; P o l l i n g e r l. c.
243, [88]) B a r t s c h 2, 51, 120. Z i n g e r l e
6, 46; 9, 72. [89]) BlPommVk. 9, 73; dagegen
heißt es in Nassau: Wenn man die Fingernägel abbeißt, bekommt man die Zehrung:
K e h r e i n 2, 265, 194. [90]) G r i m m
Myth. 3, 435, 23; P o l l i n g e r *Landshut*
244; M e y e r *Baden* 50; W. 600; G r o h-
m a n n 110, 805; ZfEthnol. 15 (1883), 84
(Berlin); F i s c h e r l. c. 4, 1925. [91]) F r a z e r
2, 262 ff., mit Literatur. In Ungarn schneidet
man den Säuglingen die Finger- und Fußnägel
bei abnehmendem Monde ab, damit sie nicht
Diebe und Vagabunden werden: W l i s l o c k i
Magyaren 49. [92]) G r i m m *RA.* 1, 203.
[93]) M a n n h a r d t *G. M.* 630 A. 5; F r a z e r
2, 263. [94]) F r a z e r 2 [3], 263. [95]) G r i m m
RA. 1, 568. [96]) W o l f *Beiträge* 1, 209,
57; W. 607. [97]) F r a z e r l. c. 262—63.
[98]) M e y e r *Baden* 50, 512. [99]) K e h r e i n
Nassau 2, 263, 167; in Tirol am Fastnachtsdienstag: Z i n g e r l e 137, 1204. [100]) F i s c h e r
l. c. 1164, an S y l v e s t e r geschnittene Nägel
helfen in Ungarn zu einem Schatz: ZdVfV.
4, 317. [101]) Urquell 1, 134. [102]) Vgl. das berühmte ostpreußische Amulett: M a n n h a r d t
G. M. 629 f. [103]) SchweizId. 2, 1504.

6. Ängstlich sucht man zu verhindern,
daß die abgeschnittenen Nägel und Haare
in f r e m d e Hände gelangen, aus Angst
vor S c h a d e n z a u b e r[104]): „abgeschnittene haare sind zu v e r b r e n n e n oder
in l a u f e n d w a s s e r zu werfen; trägt
sie ein Vogel weg, so fallen dem Menschen
die Haare aus" (Journal 1790 aus Schwaben) [105]); man muß sie in der Erde oder
unter Steinen verbergen; baut ein Vogel
mit solchem Haar, so bekommt man
Kopfweh [106]). „Wer über abgeschnittene
nägel geht, wird dem gram, dessen sie
gewesen sind" (Rockenphilosophie) [107]).
Wer in Nassau auf seine Nagelschnitzel
tritt, bekommt die Zehrung [108]). Schon
Z a r a t h u s t r a[109]) gebot, man solle
die abgeschnittenen Nägel und Haare vergraben, damit sie nicht in die Hände von
bösen Geistern fallen; und bei den
Römern [110]) wurden dem flamen dialis die
Nägel unter Zeremonien abgeschnitten
und unter einem Lebensbaum vergraben;
in Deutschland [111]) vergräbt man das
A. unter dem Hollunderbaum, in Schleswig unter der Türschwelle [112]). Wer diese

Vorsicht versäumt, muß nach norwegischem Aberglauben am jüngsten Gericht die Nägel wieder sammeln (vgl. Brosamen), oder wenn die Haare auf fremdes Feld kommen, wird man krank [113]), oder die Elben machen Kugeln und schießen das Vieh [114]); nur die **e r s t e n** dem **K i n d e** abgeschnittenen Haare darf man **n i c h t** verbrennen, sonst verbrennt man das Gedächtnis [115]).

[104]) H a l t r i c h *Siebenbürg. Sachsen* 314; S o l d a n H e p p e 2, 362; K ü h n a u *Sagen* 3, 26. 38. 56. 60. 62. 189; F r a z e r 1, I [3], 57. 64. 65—66; 2 [3], 267 ff. 274 ff. 276 ff. 281 ff.; ZfEthn. 15, 91; Z i n g e r l e 28, 178 f. auch im Gegenzauber: S e l i g m a n n 1, 264. 318; Nägel im Bannzauber: ARw. 15, 315 mit Literatur; W u n d t *Völkerpsychologie* 4, I [3], 279. 420. 490. 499; W. 418; K r a u ß *Slav. Volksforschungen* 51; B u x t o r f 226: qui ungium praesegmina pedibus subicit, summe impius habetur. Sic enim in D i a b o l i p o t e s t a t e m veniunt et h o m i n e s n e q u a m illis ad f a s c i n a et m a l e - f i c i a abutuntur. [105]) G r i m m *Myth.* 3, 457. 676; W u n d t l. c.; vgl. ZdVfV. 1902, 177. [106]) B i r l i n g e r *Volkstüml.* 1, 493, 705 = M e i e r *Schwaben* 509, 407; B a r t s c h *Mecklenburg* 2, 316, 1557; K e h r e i n *Nassau* 2, 266, 201; F i s c h e r l. c. 3, 1164; F r a z e r 2 [3], 282—83; P o l l i n g e r *Landshut* 277; vgl. G r i m m 3, 473, 1027; W i t z s c h e l *Thüringen* 2, 282, 69; M e y e r *Baden* 512; ZdVfV. 1910, 386, 20—21 (Schlesw.-Holstein); vgl. W l i s l o c k i *Zigeuner* 81; SAVk. 12 (1908), 278; 15 (1911), 150; vgl. 7; BlPomm. Vk. 3, 68, 20; Z i n g e r l e 28, 180—181; 177. [107]) G r i m m *Myth.* 3, 444, 319; vgl. P l i n i u s *N. H.* XVI, 194; XXVIII, 28. [108]) K e h r e i n *Nassau* 2, 265, 195. [109]) M a n n - h a r d t *G. M.* 629; SAVk. 15 (1911), 7. [110]) F r a z e r 2 [3], 14. 275 ff. mit Literatur. [111]) W. 141; vgl. G r i m m 3, 456, 630 u. M a n n h a r d t *G. M.* 630; vgl. F r a z e r 2 [3], 276. [112]) ZdVfV. 1910, 386, 12; die alten Weiber in Danzig verstecken die Nägel unter der Türschwelle; das soll Glück bringen: M a n n - h a r d t *G. M.* 630. [113]) L i e b r e c h t 319, 48. [114]) D e r s. 330, 152; F r a z e r 2 [3], 281 ff. [115]) R o c h h o l z *Kinderlied* 317.

7. Auf Grund der Vorstellung, daß man bei der **A u f e r s t e h u n g** auch die Haare und Nägel haben muß [116]), worüber schon Augustinus [117]) Betrachtungen anstellte, bewahrt man das A. sorgfältig auf und versteckt es an g e - h e i m e n und h e i l i g e n Orten, in Baden in einer Mauer [118]) (genau so die Inkas in Peru) [119]) oder auf dem Fried-

hof [120]); die Balten [121]) trugen früher die Nagelreste auf der Brust im Kleid, weil der Mensch nach dem Tode über eine gläserne Brücke auf einen gläsernen Berg klettern müsse. Ehe man die L e i c h e in den Sarg legt, muß man ihr die Nägel schneiden (wer sie abbeißt, befreit sich von einem unheilbaren Übel) [122]), damit die Welt noch nicht untergehe (Schwaben) [123]); ebenso nach dem Gebot der Edda [124]), damit der Bau des Totenschiffes „Naglfar" und damit der Weltuntergang verhindert wird; aber in Schleswig-Holstein darf man der Leiche die Nägel nicht a. [125]); Haare zum A n d e n k e n soll man der Leiche nicht a. [126]), weil sie mit der Leiche vergehen.

[116]) F r a z e r 2 [3], 279 ff. [117]) A u g u - s t i n u s *de civitate dei* 22, 19 = v. II, 522, 34 ff. D o m b a r t. [118]) M e y e r 512. [119]) F r a z e r 2, 279. [120]) D e r s. l. c. 276 ff. [121]) ARw. 17, 487—88; F r a z e r l. c. 280 (Esten); M a n n h a r d t *G. M.* 630 (Kassuben). [122]) W. 733; dagegen K e h r e i n l. c. 2, 265, 194. [123]) B i r l i n g e r *Volkst.* 2, 407, 356; S c h ö n w e r t h *Oberpfalz* 1, 244; R o c h h o l z *Glaube* 1, 181 ff.; ZrwVk. 5, 248; S a r t o r i 1, 132; vgl. B a u m g a r t e n *Heimat* 3, 108. [124]) S i m r o c k *Mythologie* 149 ff. dagegen: M a n n h a r d t *G. M.* 630—31; SAVk. 1 (1897), 203; Archiv f. Anthr. NF. 4 (1906), 148; E. H. M e y e r *Germ. Mythologie* 134. 160; D e r s. *Baden* 513; G r i m m *Mythologie* 2, 679; 3, 241. [125]) ZdVfV. 20 (1910), 386, 17. [126]) W. 733.

8. Das A. im H e i l z a u b e r. Über Zahnschmerzen siehe oben § 4. Gegen F i e b e r verwendeten schon die Römer abgeschnittene Nägel [127]), ferner kennen sie das A. der Haare an bestimmten Tagen gegen K o p f w e h [128]), die erste Haarschur der Knaben gegen P o - d a g r a [129]); genau so wird das oben zitierte A. der Nägel gegen G i c h t in Mecklenburg verwendet (vgl. § 4, Anm. 57). Am häufigsten wendet man die Zeremonie gegen F i e b e r an: In Schleswig-Holstein schneidet man Freitags die Nägel ab, um sich gegen Fieber zu schützen [130]). In Bayern [131]) schneidet man an den 10 Fingern und 10 Zehen die Nägel ab; die Schnitzel nimmt der Abbeter zu sich; hierauf muß man an je 5 Tagen stufenweise 1—5 Vaterunser und wieder zurück beten; ebenso heilen Sympathieheilkun-

dige in Baden [132]) und in Rußland [133]) das Fieber durch A. der Nägel; hier kommen die Nagelteile in ein Ei, das ein Vogel davontragen soll [134]). Im Rheinland [135]) heilt man die **Gelbsucht**, indem man von jedem Nagel ein Stück abschneidet und alles dem klugen Mann gibt, der es den Hund fressen läßt, ähnliche Fieberheilung in der Schweiz [136]). Einen 1879 in Berlin beobachteten Übertragungszauber an einer Wegkreuzung erwähnt Krause in ZfEthnol. [137]); fast genau denselben Zauber lesen wir bei Plinius [138]). In Oldenburg bindet man, nachdem die Nägel abgeschnitten sind, die Teile einem Bachkrebs auf den Rücken und wirft diesen ins Wasser [139]), oder der Fieberkranke schneidet sich die Fingernägel ab und vergräbt die Schnitzel unter einer Espe [140]). Andererseits berichtet ein Weimarscher Medicus [141]) (1732): „es seind auch viel abergläubische Kranke, welche sich nicht getrauen, die Nägel abzuschneiden, wie sie ich weiß nicht was für eine Gefahr sich dadurch zuziehen sollen." Die Zigeuner verwenden die Freitags abgeschnittenen Nägel zu verschiedenartigem Heilzauber [142]). Um einen **Bruch** zu heilen, verpflöckt man 3 Büschel Haare und Nägel (am Karfreitag A.) in einer Weide [142 a]).

[127]) P l i n i u s *N. H.* XXVIII, 86 = IV, 305, 15 M a y h o f f. [128]) D e r s. XXVIII, 28 = IV, 285, 7, M a y h o f f; vgl. XVI, 194; nach altem Rezept in Uri: Haare im Krebszeichen a. SAVk. 10 (1906), 270. [129]) P l i n i u s XXVIII, 41 = v. IV, 290, 1 ff. (M a y h o f f); vgl. Ostpreußen, wo man die ersten abgeschnittenen Haare gegen Zahnweh als Amulett trägt: Urquell 1, 134. [130]) ZdVfV. 1910, 386, 13. [131]) P o l l i n g e r *Landshut* 293. [132]) M e y e r 512. [133]) M a n n h a r d t *G. M.* 630. [134]) P l i n i u s XXVIII, 86 berichtet von der Übertragung auf Ameisen. [135]) ZrwVk. 1914, 173. [136]) SchweizId. 4, 683 (a. 1646). [137]) 15 (1883), 79. [138]) XXVIII, 86. [139]) M a n n h a r d t *G. M.* 630; *W.* 499; vgl. Frankreich S é b i l l o t 2, 300. [140]) *W.* 477; dasselbe in Frankreich: S é b i l l o t 3, 414—15. [141]) M a n n h a r d t l. c. 628. [142]) W l i s l o c k i *Zigeuner* 83. [142 a]) SAVk. 15 (1911), 5 vgl. 9; 4 (1900), 328; vgl. 12 (1908), 152, 474.

9. Im **F r u c h t b a r k e i t s z a u b e r** treffen wir das A. der Nägel auf oldenburgischem [143]) Gebiet, wie es schon

Harsdörfer 1653 erwähnt [144]): „Schneide dem **I m p o t e n t i** überall an den Orten, wo er am ganzen Leibe Haare hat, etwas davon ab; ingleichen beschneide ihm alle Nägel an Händen und Füßen, tue alles zusammen in ein Tüchlein, bohr alsdann ein Loch in einen Holunderbaum und thue das Büschlein darein, vermache das Loch mit einem Zapfen oder Pflock von **H a g e d o r n**, merke aber, daß dies drei Tage vor dem neuen Monde geschehen müsse, und soll der Patient nicht gar lang mit der Cur warten; mit diesem ist vielen geholfen worden." Ähnliches berichtet Wlislocki von den Zigeunern [145]).

[143]) M a n n h a r d t l. c. 630. [144]) *Großer Schauplatz lust- und lehrreicher Geschichten* = *Kloster* 6, 206—207; S e l i g m a n n 1, 292. [145]) *Zigeuner* 83.

II. Einfachsten **A n a l o g i e -** und **p ä d a g o g i s c h e n** Aberglauben haben wir in den Ansichten und Augurien, die sich an das **B r o t -** und **B u t t e r a b s c h n e i d e n** (vgl. anschneiden) knüpfen; diese Handlung wird gerade bei Brot und Butter beobachtet und ausgedeutet, weil wir es mit Fruchtbarkeitssymbolen und Gegenständen der größten Verehrung zu tun haben. Das Brotabschneiden ist eine das Hausglück vermehrende Zeremonie, sobald ein **B e s u c h** kommt; diesen fordert man in Schwaben zum A. auf; tut er es nicht, so nimmt er den Frieden mit [146]); in der Walachei sagt man: schneid herum, daß es gerate [147]); kommt in Schwaben eine ledige Person, so heißt es wie in Böhmen, sie möge herumschneiden, daß der Schatz nicht absage [148]). Wer in der Weihnachtszeit kommt, muß vom Kletzenbrot a. [149]). Man soll das Brot nicht **a b w ü r g e n** oder mit einem schlechten Messer „a b g i g e n", sondern sauber und glatt a. [150]); ein a. Stück soll man nicht zerschneiden, sondern brechen [151]) (Schwaben) [152]). Wenn man Probebrot anschneidet, darf man die erste Scheibe nicht ganz a., sondern muß sie abbrechen (Mecklenburg) [153]). Bei Bielefeld macht man beim A. ein Kreuz, um das Brot gegen Hexerei zu schützen [154]) (vgl. anschneiden); wer kein Brot a. kann, kann auch keins verdienen (Böhmerwald) [155]), er darf keine Frau nehmen, da er sie nicht ernähren kann, parallel auch von der Frau (Dithmarsen) [156]). Aus der Art, wie jemand das Brot abschneidet, kann man auf seine **E i g e n s c h a f t e n** u. **H a n d l u n g e n** schließen und seine **Z u k u n f t** erkennen. Schon bei Prätorius [157]) lesen wir: „Schneid das Brot gleich, so wirst du reich"; und die Rokkenphilosophie bringt den Reimspruch in anderer Version [158]): „wer will werden reich, schneide das brot fein gleich" (allg.). Diesen Rat geben unter andern auch die Holzweibl, Zwerge usw. [159]). Wer das Brot nicht gleich schneidet, wird nicht reich, oder er ist mit dem linken Fuß zuerst aus dem Bett aufgestanden, oder er hat in der Nacht ebenso krumm im Bett gelegen [160]) (Schweiz), er darf noch nicht bald heiraten (Braunschweig) [161]), oder aber er hat nach alter allgemeiner Ansicht gelogen oder lügt noch: „wer brot ungleich aufschneidet, hat den Tag gelogen" (Rockenphilosophie) [162]). Eine Art Indifferentismus treffen wir in der Schweiz und in Südbaden, wo man sich mit der Tatsache abfindet: „Der Ebe und der Unebe hänt mit enand en Laib Brot g'gessen" [163]). Entsteht beim Brotabschneiden eine Kerbe, so hat man vorher gelogen (Vogtland) [164]). Wer das Brot schief schneidet, bekommt einen schiefen Mann [165]) (Schles.-Holst.); ein Mädchen, das ein Stück Brot dick anschneidet, „macht en guti Schtifmutter", sagt der Deutschamerikaner [166]) (Heidelberg); wer das Brot **r a u h** abschneidet, bekommt einen **r a u h e n** Mann (Schlesw.-Holst.) [167]); wer das Brot **h i n t e n h e r u m** anschneidet, schneidet dem lieben Gott die Ferse ab [168]); oder es ist nicht gegönnt; in diesem Falle macht man drei Einschnitte hinein (Schwaben) [169]); dem Gast hält man die schmale Seite des Laibes hin und sagt, wenn er ledig ist:

> Schneid hintz rum,
> Stoht der Schatz it um [170]).

Wenn man am breiten Rande schneidet, schneidet man die Liebe ab; schneidet man das Brot **q u e r**, so geht alles

quer [171]); wenn einem das Messer tief ins Brot hineinfährt, so ist man hungrig [172]); fährt das Messer heraus, so hat man keinen Hunger [173]). Ein Stück Brot, das beim A. zerbricht, zeigt an, daß der Empfänger nicht betet (Bayern und Schlesien) [174]); „wenn man zu tische brot verschneidet und ungefähr ein stück mehr, als leute da sind, so ist ein hungriger Gast unterwegs" (Rockenphilosophie) [175]); „schneidet man Brot ab, während ein anderer den Laib hält, verliert ersterer die **K r a f t**" (Böhmerwald) [176]). Am Hochzeitstage schneiden Braut und Bräutigam von einem Brot je ein Brautränftel ab; wessen Ränftel zuerst vermodert, der stirbt zuerst (Schlesien [177]) und sonst). Wer in Bayern in der Weihnachtszeit in ein Haus kommt, muß ein Stück Kletzenbrot a.[178]); bei den Esten schneidet die schwangere Frau beim Brotanschneiden zuerst einen Bissen ab, damit das Kind einen schönen Mund bekommt [179]).

[146]) F i s c h e r l. c. 1, 1440 mit alten und modernen Belegen (Auerbach); B i r l i n g e r *Aus Schwaben* 2, 379, 8; G r o h m a n n 146, 1080; F o n t a i n e *Luxemburg* 96; R o s e g g e r *Steiermark* 1, 65—66. [147]) G r o h m a n n l. c. [148]) Birlinger l. c.; vgl. G r o h m a n n l. c. 1081. [149]) Das bayrische Inn-Oberland 3 (1904), 67. [150]) S t a u b , *Brot* 57—58. [151]) Dagegen geboten die Pythagoreer: τὸν ἄρτον μὴ καταγνύναι; die antiken und modernen Erklärungen befriedigen nicht oder sind unsicher: P a u l y - W i s s o w a 1, 50; G ö t t l i n g *Gesammelte Abhandlungen aus dem klassischen Altertum* 1 (Halle 1851) 313— 314. [152]) B i r l i n g e r *Volkst.* 1, 494, 10. [153]) B a r t s c h *Mecklenburg* 2, 135, 590. [154]) ZfrwVk. 1906, 202, wo aber wohl das Anschneiden gemeint ist. [155]) S c h r a m e k *Böhmerwald* 254. [156]) ZdVfV. 1913, 280, 24; vgl. K ö h l e r *Voigtland* 395; A n d r e e *Braunschweig* 402. [157]) P r a e t o r i u s *Phil.* 41 (nach Artophylax?); vgl. B r o n n e r *Sitt u. Art* 205—6. [158]) G r i m m *Myth.* 3, 435, 38; B e c h s t e i n *Thüringer Sagenbuch* 2, 185; D r e c h s l e r *Schlesien* 2, 14; J o h n *Erzgebirge* 30; K ö h l e r *Voigtland* 431 u. 434; P f i s t e r *Hessen* 171; Unoth 1, 186, 125; W o l f *Beiträge* 1, 218, 195; W. 457; ZdVfV. 1895, 416; Bayernland 29 (1917), 20. [159]) B e c h s t e i n *Thüringen* 2, 185, 322. [160]) S t a u b l. c. 57. [161]) A n d r e e *Braunschweig* 402. [162]) G r i m m *Mythol.* 3, 437, 99; S t a u b l. c. A.9) D r e c h s l e r 2, 14; G r o h m a n n 226, 1601; J o h n *Westböhmen* 247. 248. 251; P o l l i n g e r *Landshut* 164; S c h r a m e k *Böhmerwald* 254; ZdVfV.

1895, 416; S c h ö n w e r t h *Oberpfalz* 1, 404, 4; S t r a c k e r j a n *Oldenburg* 1, 37; 2, 224, 475; W. 317; Alemannia 1905, 304; S c h m i t t *Hettingen* 17; man haut dem Herrgott die Zehen ab: M e i c h e *Sagen* 125, 52. [163]) S t a u b 57; *Zettelkasten des Freiburger Seminars.* [164]) K ö h - l e r *Voigtland* 395. [165]) ZdVfV. 1913, 281, 25 u. 26. [166]) F o g e l *Pennsylvania* 369 Nr. 1974. [167]) ZdVfV. 1913, 281, 26. [168]) S c h ö n w e r t h 1, 404, 4; W. 457; vgl. M e i c h e l.c. [169]) B i r - l i n g e r *Volkst.* 1, 493—94, 5. [170]) D e r s. *Schwaben* 2, 379, 8. [171]) W. 457. [172]) P r a e - t o r i u s *Phil.* 168. [173]) D r e c h s l e r 2, 15; Globus 42, 105. [174]) P a n z e r *Beitrag* 1, 266, 164; D r e c h s l e r *Schlesien* 2, 15; W. 293. [175]) G r i m m *Myth.* 3, 445, 332; Unoth 180, 15; M e y e r *Aberglaube* 227; W. 293. [176]) S c h r a - m e k *Böhmerwald* 254. [177]) MschlesVk. 1897, Heft 4, 57; J o h n *Westböhmen* 247; S e y - f a r t h *Sachsen* 270; S t r a c k e r j a n *Oldenburg* 1, 31; W. 567. 291; in Hinterpommern wird das Brot abgebissen: T e m m e *Pommern* 338—39. [178]) Das bayrische Inn-Oberland 3 (1904), 67; S a r t o r i *Sitte u. Brauch* 3, 31; vgl. B i r l i n g e r *Schwaben* 2, 379, 8; F o n - t a i n e *Luxemburg* 96; R o s e g g e r *Steier- mark* 1, 65—66. [179]) G r i m m *Myth.* 3, 488, 24.

III. Mit heiligem Schweigen und be- sonderen Zeremonien ist meist auch das A. d e r Z w e i g e von apotropäischen L e b e n s b ä u m e n (Wünschelrute) ver- bunden, wobei bestimmte Zeiten vorge- schrieben sind (vgl. I § 9: A. der Nägel); so wird in einem hessischen[180]) Zauberbuch der Zauberstecken nach besonderer Vor- schrift abgeschnitten oder im Berliner[181]) Aberglauben ein Holunderzweig für Heil- zauber; Leoprechting[182]) berichtet von einer Zeremonie: ein für einen Wider- zauber verwendeter E l s e n b e e r h o l z - z w e i g „muß an einem goldenen Sonn- tag vor Sonnenaufgang in drei Schnitten gegen Morgen gewendet geschnitten wer- den, ohne An- u. Widergang"; eine Zau- berrute muß man unter einem Zauber- spruch im Vollmond unbesehen a. An- derseits darf man eine für Buttergegen- zauber bestimmte Rute[183]) nicht mit dem Messer a., und die zu Weihnachtsaugurien bestimmten Kirschzweige darf man in Schlesien[184]) n i c h t a., sondern muß sie mit den Zähnen unter strengem Still- schweigen a b b e i ß e n (s. § 5). Nicht nur die Zahl der Schnitte für das A. (bald 1, bald 3) ist festgelegt[185]), sondern auch die Jahres- und Tageszeit[186]) (Karfrei- tag, Johannisnacht) und die Himmels-

richtung (der Schneidende muß gegen Osten schauen)[187]); manchmal ist das A. noch durch die Vorschrift erschwert, daß der Zweig dabei nicht berührt werden darf[188]).

[180]) D i e t e r i c h *Kl. Schr.* 199—200. [181]) ZfEthnol. 15 (1883), 82—83. [182]) L e o - p r e c h t i n g *Lechrain* 29; vgl. 98; W o e s t e *Mark* 25. [183]) G r i m m *Myth.* 3, 474, 1058; vgl. S c h ö n w e r t h 3, 259 Nr. 4. [184]) K ü h n a u *Sagen* 3, 35, 1389 (Kreis Münsterberg); auch abbrechen: B a r t s c h *Mecklenburg* 2, 351, 1648 (Johannisnacht). [185]) G r e d t *Luxemburg* Nr. 1093 = R a n k e *Sagen* 286; L e o p r e c h - t i n g *Lechrain* 98; SAVk. 2, 261 Nr. 126; über das A. der Wünschelrute grundlegend Wein- hold ZdVfV. 1901, 11 mit Lit.; vgl. 1903, 205; M e i e r *Schwaben* 245, 268; Z i n g e r l e 74, 626; 104, 890; 149, 1281; 189, 1560 B a r t s c h *Mecklenburg* 2, 104, 388; 258, 1349; 285, 1431; 288, 1439, 351, 1648; 371, 1736 c. 293, 1460 a—c; BlPommVk. 8, 137, 119; K u h n - S c h w a r t z 393, 90. [186]) L e o p r e c h t i n g a. a. O. 98. [187]) G r e d t a. a. O. Nr. 1093; K u h n *Westfalen* 199 Nr. 559. [188]) SAVk. 2, 261 Nr. 126.   Eckstein.

abschreiben. 1. Die gewöhnliche An- schauung ist, daß z. B. Zauberformeln durch A. an Kraft verlieren; deshalb hütet man die handschriftlichen Samm- lungen sorgfältig, vererbt sie von Gene- ration zu Generation und vermeidet es, so lange es nur geht, sie abzuschreiben[1]). Aber es gibt doch Fälle, da man etwas a. muß: Der in der Luft hängende Himmels- brief (s. d.) neigt sich dem zu, der Lust hat, ihn abzuschreiben; wer dazu nicht Lust hat, vor dem flieht er in die Luft. „Wer den Brief hat und nicht offenbart", heißt es weiter darin, „der sei verflucht von der herrlichen Kirche Gottes und von meiner allmächtigen Hand verlassen. Dieser Brief wird einem Jeden gegeben abzu- schreiben"[2]). Ein gleiches Gebot ent- halten auch die sog. Kettenbriefe oder -gebete (s. d.): „Dieses Gebet erhielt ich mit der Bitte, es weiter zu verbreiten. Jeder, der es erhält, soll es neun Tage hintereinander einem andern ohne Unter- schrift zuschicken. Die Kette darf nicht unterbrochen werden. Es ist die Sage, daß, wer dieses versäumt, kein Glück mehr hat; wer es aber weiterschickt, soll am 9. Tage eine große Freude erleben und von allen Sorgen befreit sein. Genau a.!"

2. Gegen verschiedene Krankheiten wendet man das sog. A. an. Man läßt den Kranken ein mit gewissen Namen oder Zeichen beschriebenes Papier eine Zeitlang an einem Bande über der Herzgrube tragen; nach einiger Zeit bringt man es an einen Ort, wohin weder Mond noch Sonne scheinen, und läßt es dort ruhig liegen. Die Krankheit vergeht dann allmählich. Wer das Papier aufhebt, erhält die Krankheit [3]). Fieber z. B. wird abgeschrieben, indem man Zauberworte auf einen Streifen Papier schreibt und diesen, in Brot gelegt, durch den Kranken essen (s. d.) läßt. Bartsch berichtet von einem Falle, da man Verse einer horazischen Ode auf einen derartigen Fieberzettel schrieb [4]). Meist wird jedoch der Name des Kranken auf das Papier geschrieben und das Papier in eine Weide verpflöckt (s. d.) oder vernagelt (s. d.) [5]), oder einem Krebs auf den Rücken gebunden [6]) und auf das Tier übertragen (s. d.). Der Name muß in Franken verkehrt (s. d.) geschrieben werden und das Papier wird dann in den Schornstein gehängt; sobald es verräuchert ist, ist die Krankheit weg [7]). In Bayern wird das Fieber in der Weise abgeschrieben, daß Name und Alter des Patienten aufgeschrieben und das Papier einem „Sympathetiker" geschickt wird; das Vertrauen auf dessen Heilkraft genügt und hilft [8]). Auf der Lüneburger Heide schreibt man in drei Nächten an einsamer Stätte Namen, Geburtsort und Geburtsjahr des vom kalten Fieber Befallenen nieder; in Frage kommen nur die drei Nächte, die zwischen zwei „Tagen" liegen, also zwischen Sonntag und Montag, Montag und Dienstag und Donnerstag und Freitag. Das nennt man „den frost afschriwen" [9]). Eine sonderbare Weiterbildung ist uns aus Mecklenburg überliefert; dort werden Flechten „abgeschrieben", indem man die kranke Stelle mit einer Nadel kreuzweise ritzt, bis Blut kommt, und die Nadel darauf rückwärts über den Kopf wirft [10]).

S. weiter F i e b e r , K r a n k h e i t , N a m e , Z a h n w e h .

[1]) Vgl. z. B. H a a s u. W o r m *Mönchgut* 75. [2]) SAVk. 2, 278. [3]) B a r t s c h *Mecklen-* burg 2, 319 f. 394 Nr. 1842 d.; W u t t k e 342 § 509. [4]) B a r t s c h 2, 105 Nr. 389; W u t t k e 342 § 509. [5]) W u t t k e 330 § 491; H o v o r k a u. K r o n f e l d 2, 846. [6]) W u t t k e 335 § 499; H o v o r k a u. K r o n f e l d 2, 326 f. [7]) W u t t k e 339 § 505. [8]) L a m m e r t 263. [9]) K ü c k 241. [10]) B a r t s c h 2, 107 Nr. 39.

Bächtold-Stäubli.

Abschwörung. Die Texte der T e u - f e l s p a k t e (s. d.) enthalten seit alters oft neben der positiven Verschwörung in Teufelsgewalt auch das entsprechende negative Moment, die Abschwörung (Entsagung, abrenuntiatio) Gottes (Christi, Marias usw.). So nicht bloß gelehrtere, sondern auch volkstümliche Formen wie diese (Prozeß vom J. 1551): „Ick vorszacke godt vater vnnde moder, vnde loue ann den boszen Szatennasz" [1]). Eine eigene Gruppe sehr volkstümlicher, aus bloß zwei Sätzen bestehender Sprüche, teilweise aus Hexenprozessen bekannt, geben bloß der n e g a t i v e n Seite direkten Ausdruck, die positive wird durch einen symbolischen Ritus (mit entspr. „Ritusaussage", s. Segen § 3) bezeichnet. Beispiele, um 1600: „Hie stehe ich auf diesem Mist und verleugne den Herrn Jesum Christ." Vom J. 1689: die Hexe soll „an den witten stock griepen undt gott vorlahten" [2]); der weiße Stock ist nach Grimm Symbol Zedierender. Die gebr. Verba sind „abschwören" (selten), „verschwören", „entsagen", „verleugnen" (Mark. 14, 30), „verlassen", „vergessen" (beide 5. Mosis 32, 18). Riten außer obiger u. a.: unter der Weide sitzen, an den „Kirchenring" greifen. Obgleich diese Riten und Worte mehrfach von den „Hexen" selbst vor Gericht eingestanden sind, mögen sie jedoch ursprünglich „sagenhaft" sein, also die Volksmeinung über Hexen wiedergeben. — Ausländische Beispiele aus Dänemark [3]); englisch v. J. 1617, jedoch ohne Ritus: „I renounce God the Father" usw. [4]).

[1]) Ztschr. des Hist. Vereins f. Niedersachsen 1867, 236. [2]) ZfdMyth. 2, 64; ZfdPh. 6, 161. Weiter Urquell 3, 101 (J. 1619); B e y e r *Kulturgeschichtl. Bilder aus Mecklenburg* (1903), 84 (J. 1651); ZfVk. 21, 294 (J. 1662); SAVk. 2, 269; S t r a c k e r j a n [1] 1, 295 ff.; M ü l l e n - h o f f *Sagen* 210; J a h n *Hexenwahn* 4; S c h i n d l e r *Aberglaube* 280; S o l d a n - H e p p e 1, 272 f.; G r i m m *Myth.* 2, 900

Anm. 2. ³) *Danmarks Tryllefml.* I Nr. 992 ff.
⁴) M u r r a y *The witchcult* 67.   Ohrt.

absitzen s. s i t z e n.

Abstinenz s. E n t h a l t s a m k e i t.

abstreichen s. s t r e i c h e n.

abstreifen gehört nach Hofschläger
neben lecken, spucken, saugen, blasen,
hauchen, streichen, wälzen zu den „tierischen" Heilhandlungen; er findet ihren
Ursprung in der tierischen Vorzeit des
Menschen: Gleich wie die Tiere triebhaft
sich an Bäumen, Mauern, Felsen scheuern
und reiben, um lästige Parasiten zu beseitigen und den Juckreiz bei Geschwüren
und Hautkrankheiten zu vermindern, so
taten es auch die Menschen und tun sie es
noch. Ein Anklang daran ist der volksmedizinische Gebrauch des A.s, der weit
verbreitet ist, heute aber nicht mehr geschieden werden kann von dem des
Durchkriechens (s. d.). Welche Idee
die ursprüngliche oder die vorwiegendere
ist, diejenige der „Wiedergeburt" durch
das Durchkriechen oder diejenige des
A.s, ist schwer festzustellen. Hofschläger
glaubt, daß das Durchkriechen „ursprünglich eine primitive Heilform mit
dem realen Zwecke des Abstreifens lästiger Parasiten sei"; Seyfarth dagegen
meint, daß die Sitte des Durchkriechens
nur von jenem tierischen Heilverfahren,
wie noch von vielen anderen mit beeinflußt worden und ursprünglich als ein
Akt magischer Wiedergeburt zu betrachten sei ¹). Wieder anders deutet es Stemplinger ²), nämlich als „eine Nachahmung
des Schlangenbrauches, wovon der Physiologus zu erzählen weiß: „Wenn sie
jung werden will, so fastet sie vierzig Tage
und vierzig Nächte, bis ihre Haut welk
wird. Und sie sucht einen Fels und eine
enge Öffnung, und hineinschlüpfend preßt
sie den Körper hindurch und streift die
alte Haut ab und wird wieder jung."

¹) *Über den Ursprung der Heilmethoden* in
Festschrift zur Feier des 50jährigen Bestehens
des Naturwissenschaftl. Vereins zu Krefeld
(1908), 135—218; S e y f a r t h *Sachsen* 239 ff
247 f. ²) *Sympathie* 73.   Bächtold-Stäubli.

Abton s. W i d e r t o n.

Abtreibung. Künstliche Beseitigung der
Leibesfrucht wird in den altdeutschen

Rechten (lex Sal. 19, 4 c. 5; lex Baiuwar.
8, 18; lex Wisigoth. 6, 3, 1) mit hohen
Geldbußen, teilweise sogar mit dem Tode
bestraft; auch die Kirche ging aufs
schärfste dagegen vor: nach den alten
Bußordnungen wurde die A., wenn sie
40 Tage nach der Konzeption erfolgte
(zu dieser Zeit nahm man schon ein Leben
des Foetus an) mit 3 Jahren, wenn vorher, mit 1 Jahr Kirchenstrafe belegt ¹);
die Synoden zu Bamberg und Würzburg
1298, 1446, 1491 verweisen dies Verbrechen unter die dem Bischof reser-
vierten Fälle ²).

Für uns kommen von den verschiedenen Abortivmitteln nur die Zaubermittel
in Betracht. Daß natürlich Hexen hier
im Spiel sein können, versteht sich ³).
In Thüringen glaubt das Volk, die Schwangerschaft verschwinde, wenn die betr.
Frau einen Tropfen ihres Blutes unter gewissen Zeremonien in ein Baumloch
fließen läßt und verbohrt⁴). Der Diptam
wirkt nach Plinius so stark, daß man ihn
nicht einmal auf das Bett einer Schwangeren legen darf, sonst treibt er die tote
Frucht aus. In der Schweiz trinkt man
Wasser, in das alte, rostige Nägel gelegt
wurden ⁵); ebendort glaubt das Volk,
Mädchen seien schwerer abzutreiben als
Knaben ⁶). Die fromme Legende weiß
übrigens in Siebenbürgen zu erzählen,
daß eine Mutter, die eine abortio zuließ
oder betrieb, im Jenseits dieses Kind auf
ewig herumtragen muß ⁷).

Andernteils gibt es auch Zaubermittel,
um den natürlichen oder gewünschten
A b o r t u s zu verhindern. Schon Plinius
empfiehlt (10, 12) das Tragen des Aëtites
(Adlerstein s. d.) ebenso wie der Talmud; im MA. waren auch noch andere
Amulette in Verwendung, insbesondere
der Jaspis, schon von Dioskurides (5, 159)
empfohlen. In Deutsch-Pennsylvanien
gibt man der Kuh ihre eigenen Schamhaare gegen Abortus zu fressen ⁸).
G r i m m ⁹) gibt folgende Anweisung aus
Thüringen wieder: Ist eine Ledige im
Verdacht der Schwangerschaft, so soll der
Knecht vor Sonnenaufgang einen Erntewagen in zwei Teile teilen, die Vorder-
seite gegen Mittag, die Hinterräder gegen

Mitternacht kehren und so stellen, daß
das Mädchen genötigt ist, bei ihren Ge-
schäften zwischen dem ausgespannten
Wagen durchzugehen (s. d.); dadurch
wird sie gehindert, ihre Frucht abzutreiben. Die Symbolik dieses Verfahrens
ist ja ohne weiteres ersichtlich.

¹) F r i e d b e r g 41; B r u n n e r *Rechtsgesch.* 2, 680. ²) F e u e r b a c h *Merkw. Verbrechen* 2, 97. ³) S o l d a n - H e p p e 2, 417;
H a n s e n *Hexenwahn* 701 (Register s. v.).
⁴) P l o ß - B a r t e l s *Weib* I, 1012. ⁵) S t o l l
Zauberglaube 70; ⁶) Ebd. 108. ⁷) H i l l n e r
Siebenbürgen 27 Nr. 11. ⁸) F o g e l 165 Nr. 784.
⁹) *DM.* 3, 468 Nr. 929; L i e b r e c h t *Zur
Volksk.* 349.   Stemplinger.

abtrocknen. Gegen Zahnschmerz soll es
ein gutes Mittel sein, wenn man sich beim
Waschen zuerst die Hände und dann das
Gesicht abtrocknet ¹). Oder man fährt
beim Beginn des Waschens mit dem
rechten nassen Daumen hinter das Ohr
und trocknet zuerst die Handgelenke
ab ²). Hühneraugen wäscht man in lau-
fendem Wasser, während man einer
Leiche ins Grab läutet, darf sie aber nicht
a.³). Liebende dürfen sich ihre Hände
nicht am selben Handtuche a., sonst
werden sie einander gram; aus dem gleichen Grunde darf das Mädchen den Mann
sich nicht an ihrer Schürze a. lassen ⁴).
S. a. H a n d t u c h.

¹) S e y f a r t h *Sachsen* 237. ²) Ebd.; K ö h l e r
Voigtland 427. ³) S e y f a r t h 213. ⁴) D r e c h s -
l e r *Schlesien* 2, 195 Nr. 563; W u t t k e 366
§ 553; 405 § 624.   Bächtold-Stäubli.

abtun. Gegen Gicht werden an manchen Orten der Pfalz um die schmerz-
haften Glieder rote Bänder gebunden,
geblasen und mit der Hand gerieben, was
man a. nennt ¹). Ebenfalls in der Pfalz
läßt sich der am Fieber Leidende von
einem, der dasselbe „a." kann, seinen
Namen auf einen Zettel schreiben, geht
morgens nüchtern hinaus, fängt sich einen
Frosch, steckt demselben den zusammen-
gewickelten Zettel ins Maul und wirft ihn
rücklings unter Anrufen der drei höchsten
Namen ins Wasser ²). Über die sprach-
geschichtliche Entwicklung von a. vgl.
F i s c h e r, *SchwäbWb.* I, 80 f.
S. A b d o n t a g.

¹) H o v o r k a u. K r o n f e l d 2, 274.
²) Ebd. 2, 326.   Bächtold-Stäubli.

Abundia, *domina Abundia (Habundia),
dame Habonde,* eine, wie es scheint, nur
auf französischem Sprachgebiet erscheinende, nur im MA., jedoch heute kaum
mehr lebendige Figur der Advents-
(Epiphanien-) Zeit, verwandt mit Epiphania (Befana, s.d.) und Perchta (s. d.)
und schon im Spätmittelalter durch
Theologen des 15. Jhs. (s. u.) mit ihnen
identifiziert, ausschließlich jedoch freundlicher Natur, die *princeps dominarum
nocturnarum,* mit denen sie durch Wälder
und würzige Wiesen streift, die Häuser
besucht, die Ställe ableuchtet, die Mähnen der Rosse zierlich verflicht, von den
offen stehengelassenen Vorräten verzehrt
(Albenmahlzeit, Speiseopfer, Gedeckter
Tisch), die sich indessen nicht vermindern, und Segen und Überfluß bringt ¹).
Die Hauptzeugnisse liefern der Rosen-
roman (ed. Méon 18622 f.) und Wilhelm
von Paris (Bischof Guilielmus Alvernus,
† 1248), Opera I 1036. 1066, 1068 ²). Die
deutschen spätmittelalterlichen Zeugnisse
aus Bußpredigten und Traktaten, besonders das Zeugnis des Nikolaus von Jauer
1405 in seinem Traktat über den Aberglauben ³), das Zeugnis des Nikolaus von
Dinkelsbühl († 1433) in seinem Zehnge-
botetraktat ⁴) und in seinen Predigten,
das Zeugnis des Thomas de Haselbach
in seinem Decalogus preceptorum von
1439 ⁵), die Tegernseer Hs. von 1448 ⁶), die
Trierer Hs. des 15. Jhs. ⁷), das Zeugnis
aus der Predigtsammlung des Domini-
kaners Joh. Herolt ⁸), gehen sämtlich auf
Wilhelm von Paris zurück und sagen also
für einen deutschen Glauben an A. nichts
aus. Thomas identifiziert A. direkt mit
Epiphania und Perchta; die Abbreviatur
von Habundia bei Nikolaus von Jauer
wurde für Huldie gelesen. Identifizierung
und Einsetzung haben möglicherweise auf
den deutschen Frau Holle-Glauben in
einigen Zügen eingewirkt ⁹), denn die Verbreitung jener Traktate und Predigten
war zum Teil ungeheuer.

Schon Wilhelm von Paris leitete, wie
Satia von *satietas,* so *Abundia* von
abundantia ab. Bringt man die Dämonin
danach mit der römischen Göttin Abundantia ¹⁰) in Zusammenhang, die wie

Copia und Ubertas eine Personifikation des nationalen Glückes zur Kaiserzeit war, so muß man ihre Popularität in der Volksüberlieferung der römischen Provinzen allein von Münzbildern ableiten, auf denen sie von Heliogabal bis Maximian erscheint, denn Kult oder Heiligtum besaß diese Göttin nicht. In der sich aufdrängenden Frage nach ihrem Verhältnis zur germanischen Göttin Fulla, Volla, wird man sie heute nicht mehr, wie die Früheren gern wollten, für eine Substitution der germanischen Göttin halten, sondern man wird angesichts der Fülle apotheosierter Abstrakta in der römischen Religion [11]) und angesichts des zweifelhaft gewordenen germanisch-heidnischen Charakters des 2. Merseburger Zauberspruchs [12]) Fulla eher für eine — etwa fränkische — Entlehnung aus Abundia = Abundantia ansehn. — Auch die englische Queen Mab wird von Domina Abundia abgeleitet [13]).

[1]) Die wesentlichen Züge schon bei G r i m m *Mythol.* 237 ff. 256. 778 und danach ohne Neues bei W o l f *Beiträge* 2, 147 f. 166. 273; M a n n h a r d t *Götter* 273; *Germ. Mythen* 725; S i m r o c k *Mythologie* 197. 225.367 f.; E. H. M e y e r *Germ. Mythol.* 140. 273; *Mschles-Vk.* 17 (1915), 47; T y l o r *Cultur* 2, 390; *ZfVk.* 8, 138 Anm. 2; 25, 122 Anm.; S o l - d a n - H e p p e *Hexenprozesse* 1, 303; L ü - t o l f *Sagen* 448; V o g t *Weihnachtsspiele* 109. [2]) Die Zeugnisse zitiert bei G r i m m. [3]) Abgedruckt bei H a n s e n *Hexenwahn* 68 f. [4]) Abgedruckt bei P a n z e r *Beitrag* 2, 262; F r i e d b e r g *Bußbücher* 54; vgl. H a n s e n *Hexenwahn* 69, Anm. [5]) S c h ö n b a c h *ZfVk.* 12 (1902), 6 (vorher schon S c h m e l l e r *Bayr. Wb.* 1, 270); W a s c h n i t i u s *Perht* 62 f.; *ARw.* 19, 122; 20, 222; H a n s e n *Zauberwesen* 133. [6]) S c h m e l l e r *Bayr. Wb.* 1, 271; W a s c h n i t i u s *Perht* 62. [7]) Abgedruckt bei H a n s e n *Hexenwahn* 82 ff. [8]) Vgl. K l a p - p e r *Schles. Vk.* 220. [9]) Ebd. [10]) W i s s o w a *Religion* 276; P a u l y - W i s s o w a 1, 1, 125 f. [11]) U s e n e r *Götternamen* 365. [12]) R. C h r i - s t i a n s e n *FFC.* 1914. [13]) A c k e r m a n n *Shakespeare* 97.   H. Naumann.

abwägen s. m e s s e n , w ä g e n.

abwärts, aufwärts. Bei verschiedenen Zauber- und Heilhandlungen ist es von Bedeutung, ob sie ab- oder aufwärts erfolgen. W a s s e r , das für Zauber- oder Heilzwecke verwendet werden soll, muß meist stromabwärts und stillschweigend vor Sonnenaufgang geschöpft werden [1]); dieser Vorschrift ist namentlich auch das Osterwasser (s. d.) unterworfen [2]). Dagegen tritt man, um Überbeine (s. d.) u. dgl. zu vertreiben, an ein fließendes Wasser, wenn man einem Toten ins Grab läutet, schöpft mit der Hand daraus stromaufwärts Wasser und spricht: „Sie läuten einem Toten ins Grab usw." [3]).

Einzelne H e i l p f l a n z e n wirken verschieden, je nachdem sie a. oder aufwärts abgeschnitten oder geschabt werden. So führt eine Abkochung von Holunderrinde ab, wenn die Rinde von oben nach unten geschabt ist, wenn aber von unten nach oben, so wirkt sie als Brechmittel [4]). Das gleiche ist der Fall bei der Rinde des Faulbaumes (Rhamnus frangula) [5]) und beim Apfel [6]). Schon Agrippa von Nettesheim (1, 235) kennt diese verschiedene Wirkung der Heilpflanzen und sucht sie zu deuten: „Die Miene und die Gebärden, die Bewegung und Stellung des Körpers und unsere ganze Figur tragen zur Aufnahme der himmlischen Gaben bei, setzen uns dem Einflusse des Oberen aus und bringen gewisse Wirkungen in uns hervor, gerade wie es bei der Nieswurz der Fall ist. Wenn man nämlich beim Einsammeln dieses Krautes die Blätter entweder a. oder aufwärts zieht, so verursacht diese Bewegung, daß sie beim Purgieren die Säfte entweder nach oben oder nach unten leiten." Auch Staricius [7]) weiß darüber zu berichten (im Kapitel über die Waffensalben) und wendet sich ausführlich und mit seiner ganzen „Gelehrsamkeit" gegen Zweifler:

„Nun ad propositum zu kommen / so weiß ich zwar / daß diese descriptiones curationum morborum, in vieler Leute Gehirne / seltzame Gedancken / und noch viel seltzamere judicia hiervon / causiren werden: Denn weil man nicht alsobald / die ursachen ihrer Würckungen / eigentlich geben kan / und mancher Asinus cum puncto, auch sinistrè hiervon zu reden / nicht unterlassen: Ich will aber den großgünstigen Leser gebeten haben, nicht alsobald mit unzeitigem Urtheil einzuplumpen: Sondern er wolle alles dasjenige / was zuvor schon angezogen / recht ponderiren / wird er in denselben als meistentheils simplicibus et a natura productis eben so wenig / als in diesen / eine rechte waare Ursache / ihrer wunderbaren Würckungen anzeigen können: Wolt er aber Sympathiam et Antipathiam vorbringen / werden dieselbigen eben so wol / auch hier statt haben / und gelten können: Oder es gebe mir einer Ursache / woher es komme / daß der rothe Beyfuß / so man das Messer von unten ansetzet / und herauffwärts gegen dem Menschen zu / abschneidet / die Menses stille: Wird aber der schnidt von dem Menschen hinabwärts gegen die Erden zu / gethan / so promoviret er dieselben. Ein geschelter Borsdörffer Appfel / gegen der Blüte zu / geschabet und gessen / laxiret, schabet man ihn aber gegen dem Stiele zu / und isset dasselbige / so stopffet es. Was mag wol die Ursache seyn / daß die grüne und andere Rinde deß jährigen Hollunder wachses / so unter der öbersten ist / wenn man sie auffwarts / und dem wachsen des Holtzes nach / abschabet / hernach in einer Milch kochet / und alsdann die durchgesiegene und außgedruckte Milch trincket / per vomitum die humores nexios, placide expelliret, schabet man sie aber hinunterwarts / unnd wie das Holtz gegen dem Stamm gestanden / abe / so purgiret sie per inferiora alleine: In summa, naturae mysteria, quo quis plus scrutatur, eo plus, quo rimari, quo admirari possit, invenit."

Auch in der W u n d b e h a n d l u n g spielen die beiden Richtungen eine Rolle: Hat sich jemand verwundet, so muß man ein Stück von einem Obstbaumzweige aufwärts abschneiden, dies an die frische Wunde halten, so daß Blut daran kleben bleibt, und es dann an einen Ort des Hauses legen, wo es ganz finster ist, so hört die Blutung auf[8]). Wenn man in Westfalen[9]) am Peterstag vor Sonnenaufgang stillschweigend und mit einem Schnitt eine Espe von unten nach oben abschneidet, so heilt ein Span von derselben alle Wunden schneller und besser als das beste Pflaster. Den Grund, weshalb aufwärts abgeschnitten werden muß, deutet Staricius[10]) an: „Wann nun einer verwundet worden / und du das Gewehr haben kanst / auch gewiß ist / an welchem Orte / und wie weit es ins Fleisch gegangen / so schmiere die (Waffen-) Salbe an demselben Orte auff das Waffen / also / daß wo er gehawen / du herunterwärts zu dem Rücken zu der schärffe schmierest / sonst heilets oben / und bleibet unten offen / ist er aber gestochen / so bestreiche die Wehre von oben herab / gegen der Spitzen zu."

In Schwaben muß man in der hl. Nacht um 12 Uhr in drei Schnitten den Bind-

nagel aufwärts schneiden, dann kommt kein Ungeziefer an die Garben[11]).

Beim S t r e i c h e n (s. d.), d. h. Massieren, wird meist vorgeschrieben, daß es (dreimal) abwärts erfolge[12]), ebenso kommt es beim B l a s e n (s. d.) vor[13]). In der Oberpfalz unterscheidet man zwischen vorwärts und rückwärts „vermeinen" (behexen, verschreien). Dagegen spricht man Zauberformeln und fährt dem Verschrieenen mit der Hand vom Kopfe an den Rücken abwärts, oder vom Kreuzbeine zum Kopfe hinauf, je nachdem er vor- oder rückwärts vermeint ist[14]).

Das B u t t e r n kann verhindert werden, wenn man die Butterfaßreifen von unten aufwärts und nicht wieder von oben herab zählt (s. d.)[15]). Fällt (s. d.) man aufwärts, so bedeutet es Glück[16]), ebenso, wenn eine Spinne an einem hinaufläuft, Unglück aber, wenn sie abwärts kriecht[17]). Bei der Taufhandlung wurde früher in Siebenbürgen[18]) das Kind mit dem Gesichte nach abwärts gekehrt, welcher Brauch sich dort auch jetzt noch an einigen Orten erhalten hat.

[1]) G r i m m Myth. 1, 487; 3, 437 Nr. 89 (Rockenphilosophie). [2]) Ebd. 3, 461 Nr. 775 (Osterode am Harz); L e o p r e c h t i n g Lechrain 173 f. [3]) Urquell 3 (1892), 210. [4]) Strackerjan 1, 93; 2, 18 Nr. 276; W u t t k e 322 § 477; 358 § 540; Fogel Pennsylvania 278 Nr. 1457; S c h ö n w e r t h Oberpfalz 3, 269 f.; W o e s t e Mark 56 Nr. 25; G r i m m Myth. 3, 358; 2, 979; vgl. S c h ö n w e r t h Oberpfalz 3, 269 Nr. 4. [5]) K ö h l e r Voigtland 353 = S e y f a r t h Sachsen 299. [6]) W u t t k e 358 § 540. [7]) Heldenschatz 543 ff.; vgl. auch S. 66. [8]) K u h n u. S c h w a r t z 437 Nr. 308. [9]) B a r t s c h 2, 293 Nr. 1460 b; vgl. 2, 104 f. Nr. 388 (Mittel gegen Bruch). [10]) Heldenschatz 535. [11]) B i r l i n g e r Volkst. 1, 466 Nr. 6. [12]) K u h n u. S c h w a r t z 442 Nr. 332; F o g e l Pennsylvania 275 Nr. 1439; ZfVk. 7 (1897), 288 Nr. 3 (Neu-Ruppin). [13]) E n g e l i e n u. L a h n 256 Nr. 136 a. [14]) S c h ö n w e r t h 3, 260. [15]) Rockenphilosophie 539 Nr. 7 = G r i m m Myth. 3, 444 Nr. 286 (hier fehlt aber „n i c h t wieder von oben herab"; der Sinn ist deshalb bei G r i m m falsch). [16]) F o g e l Pennsylvania 111 Nr. 483. [17]) B a u m g a r t e n Aus der Heimat 1, 123; W u t t k e 206 § 283. [18]) W i t t s t o c k 78.
Bächtold-Stäubli.

abwaschen s. w a s c h e n.

Abwehrzauber (Griech. Apotropaion).

1. Abwehr menschlicher Bosheit. — 2. Abwehr von Hexen und Hexerichen. — 3. Abwehr der Toten. — 4. Abwehr von Dämonen und Geistern. — 5. Abwehr böser Kräfte.

A. heißt jene weit verzweigte Gruppe von zauberischen Maßnahmen, durch die schädigender Zauber ferngehalten oder, wenn schon herangebracht, unwirksam gemacht werden soll. Diese Bräuche sind ihrem Sinne nach vor allem verschieden je nach der Ursache des abzuwehrenden Zaubers, die entweder in einem lebenden Menschen oder einem Toten oder einem Dämon oder einer unpersönlichen, unsinnlichen Energie liegen kann. Demzufolge können wir v i e r H a u p t g a t t u n g e n von Abwehrriten unterscheiden m i t B e z u g a u f d a s durch die Handlungen zu treffende O b j e k t. Nicht freilich lassen sich unter diesem Gesichtspunkt verschiedene Arten der Abwehrriten unterscheiden, da die meisten dieser Maßnahmen, welche in e i n e m Falle zur Anwendung gelangen, auch in den anderen benützt werden, indem zumeist nur eine äußerliche, das Wesen des Ritus nicht beeinträchtigende Änderung der Form durch Beziehung auf das eine oder andere Objekt bedingt wird. Auch gehen naturgemäß die Einstellungen auf das Objekt selbst bisweilen durcheinander. Denn je nach der Stufe der Anschauung, auf welcher ein solcher Ritus beobachtet wird, ist er entweder gegen einen lebenden Menschen, den man nicht kennt, oder gegen einen unsichtbaren Verstorbenen oder gegen einen Dämon oder gegen ein fluidal vorgestelltes Böses, gegen einen Krankheitsstoff oder einen Krankheitsdämon, gegen Teufel oder gegen Hexen gerichtet, und manchmal fließen diese Einstellungen, in denen sich zu differenzieren der Mensch einer Übergangsepoche unfähig ist, ineinander. Auf den einen oder anderen einzelnen Fall gesehen, muß daher die Durchführung einer solchen Einteilung etwas Gewaltsames an sich haben; sie ist gleichwohl zwecks Erreichung einer irgendmöglichen Anordnung empfehlenswert.

Auch ist nicht immer klar zu scheiden zwischen einem reinen A b w e h r mittel und einem H e i l mittel (s. Schutzzauber), namentlich wenn es sich auf Krankheiten bezieht; nicht immer reinlich zwischen der Aufdeckung und Bestrafung eines Verbrechers, eines Diebes usw. Wir stehen vor einem übergroßen System von Mitteln und Handlungen, die im primitiv-naiven Glauben der Völker, im Aberglauben später Geschlechter zusammengetragen und bewahrt werden und in unseren Tagen entweder in voller Deutlichkeit oder in abgeschwächten und entstellten Formen weiterleben. Alle Reiche der Natur, alle Arten von Wesen oder Gegenständen werden in den Dienst der Abwehrriten als Mittel hineingezogen. Für diese Mittel sind als Bezeichnungen eingebürgert lat. s e r v a t o r i a (rettend), griech. a p o t r o p a i a (Abwehrmittel), p h y l a k t e r i a (Schutzmittel), (pro-) b a s k a n i a (Tötung durch den Blick) [1]).

1. Bei den Abwehrhandlungen gegen die m e n s c h l i c h e Bosheit handelt es sich um Unwirksammachung eines feindlichen Zaubers, einer Verwünschung und Vernichtung des bösen Blickes, um Abwehr aller möglichen Schädigungen des Eigentums.

a) Unwirksammachung eines f e i n d l i c h e n Z a u b e r s bedeutet im allgemeinen Anwendung eines G e g e n z a u b e r s (s. d.), der in Kraft tritt, wenn der feindliche Zauber ausgeführt wurde.

b) V e r w ü n s c h u n g e n wird begegnet durch Ausspeien oder Anspucken, oder durch die Worte „auf dein Haupt". Vielfach wird das L o b (s. loben), namentlich das der Schönheit eines Kindes gespendete Lob, als übelwirkend gefürchtet, so daß man das Unheil desselben durch Ausspeien abzuwenden sucht. Kinderfrauen sind vielfach besorgt, wenn Vorübergehende das im Wagen liegende Kind wohlgefällig anlächeln, und suchen durch schnelles Umwenden des Wagens und Bedecken des Kindes letzteres g e g e n d e n B l i c k zu schützen, denn der Blick könnte

c) ein **b ö s e r** sein, gegen den eine unübersehbare Menge von Talismanen erfunden worden ist (s. böser Blick unter: Auge)[2]. Die blaue Glasperle, die der Muslim seinem Pferde in die Mähne bindet, ist das gute Auge, das dem bösen Auge seinen Zudrang wehrt. In Südeuropa streckt man gegen den bösen Blick den Zeige- und kleinen Finger aus. Vielleicht war, wie Schön vermutet, auch das „**d e n L e t z t e n g e b e n**" durch Handklopfen auf die Schulter oder den Rücken ursprünglich eine Art abwehrenden Zaubers[3].

d) Ganz besonders lebendig ist der Zauber zum **S c h u t z d e s E i g e n - t u m s**[4]. Die von den verschiedenen Völkern her bekannten Handlungen dieser Art weichen zwar in Einzelheiten voneinander ab, stimmen aber doch im Kern durchaus überein und gehen entweder darauf aus, den Dieb oder den Schädiger wirklich vom Eigentum fernzuhalten oder vor demselben zur Umkehr zu bewegen oder darauf, durch irgendwelche Schädigung seines Organismus ihn zur Herausgabe des Gestohlenen zu bewegen. Im strengen Sinne apotropäisch sind nur die ersteren dieser Verhaltungsweisen, welche bezwecken, den **D i e b - s t a h l** als solchen oder eine **S c h ä d i - g u n g d e s E i g e n t u m s u n m ö g - l i c h** zu machen. Da steht vor allem der **D i e b s b a n n** voran, ein geschriebener Spruch, der an gefährdeten Stellen angebracht oder in der Tasche getragen wird (s. Diebssegen). Der Dieb bleibt gebannt, bis er gelöst wird durch den Sprecher (s. Gegenzauber)[5]. Oder man schreibt ans Haus das Wort „Nichtskosemich" (Brandenburg), worunter Wuttke den heiligen Nicasius vermuten möchte[6], vielleicht aber auch „nichts koste es mich" verstanden werden kann (?). Um das Geflügel gegen Raub zu sichern, rupft man am Karfreitag früh allem Federvieh je drei Federn aus und trägt sie in eine Nachbargemeinde. Dadurch wird das Geflügel im selbigen Jahre vor Raubzeug geschützt[7]. Das wird weniger eine Abschlagszahlung oder ein Loskaufopfer an den Dieb oder dessen Schutzgeist sein, als eine Prozedur zur **I r r e f ü h -**

r u n g des Diebes, seiner Seele oder seines Dämons; es entspricht in diesem Falle den zahlreichen Irreführungszeremonien, die man mit den Toten vor und bei ihrer Bestattung vornimmt, um ihnen das Finden des Rückweges zu verwehren. Man kann auch das Vorgehen des Diebes gegen den Wachhund abwehren, wenn man letzterem von jedem Brot, das ihm etwa der Dieb zuwerfen könnte, die Bäckermarke zu fressen gibt, denn alsdann kann ihm kein Dieb sein Bellen nehmen[8].

Ist der Diebstahl erfolgt, so muß für die eigentliche Abwehrmaßregel ein Ersatz eintreten, damit das Eigentum zurückgezwungen (sein Fernbleiben abgewehrt) werde. Zu diesem Zwecke wirkt man entweder auf das gestohlene Gut direkt ein, indem man einen von ihm übriggebliebenen Rest um den Klöppel einer Kirchenglocke wickelt, so daß das nächste Geläute den Dieb zur Rückgabe mahnt[9], oder man wirkt auf den Dieb direkt ein, indem man z. B. ein Kirchengeläute anordnet, weil dann der Dieb regungslos wird und gefaßt werden kann, oder indem man für den Dieb betet, der infolgedessen feurige Kohlen auf seiner Zunge spürt und das Gestohlene zurückbringt[10]. Die meisten anderen Maßnahmen, vor allem diejenigen, durch welche der Dieb erkrankt oder getötet wird, gehören mehr zu der Klasse des Gegenzaubers. Aber der Colomanisegen ist ein Bann von vorwiegend abwehrender Wirkung: der Bestohlene betet diesen Segen in weitem Umkreis um die Stelle, wo das Gut zuletzt lag; kommt der Dieb in diesen Kreis, so ist er festgebannt und kann ihn nur auf seinen eigenen hingebreiteten Kleidern langsam verlassen, oder indem er rückwärts im Kreise gehend den Zauberfaden abwickelt[11]. Der Dieb ist hierdurch für immer von diesem Orte gebannt. Ähnlich wirkt bei wiederholten Diebstählen die Kunst des „Feststellens" (s. bannen); wer über sie verfügt, spricht einen so heftigen Bann, daß der zurückkehrende Dieb starr und steif dasteht, bis er von dem Bannenden selbst wieder frei gelassen wird[12].

Hierher gehören auch die Abwehrriten, welche gegen die E n t w e n d u n g v o n E i g e n t u m durch solche Zauberei veranstaltet werden, welche sie entweder als H e x e n oder H e x e r i c h e erkennen läßt. Wir befinden uns mit diesen Erscheinungen auf einem Gebiete des Übergangs zu den Hexen selbst und in einer Anschauung, welche auf der Grenze zwischen A n i m i s m u s (s. d.) und P r ä a n i m i s m u s (s. d.) sich befindet. Der zauberisch Entwendende ist entweder unsichtbar, mit seinem Geiste tätig, oder in Tiergestalt. Beispiel für ersteres der Küchlidieb [13]), durch dessen Wirkung die Frau die übrigen Küchlein bis auf drei aus der Pfanne verschwinden ließ. Zur Abwehr stößt sie in den drei höchsten Namen mit der Gabel durch alle Küchlein kräftig bis auf den Boden des Geschirrs; zugleich erhält der Dieb eine Gabelstichwunde in der Hand und wird dadurch an weiterem Bösen verhindert. Beispiel fürs zweite: die Verarmung des reichen Bauern, während der Nachbar reich wird, dadurch, daß des letzteren Frau als Kröte hinter den Mistwagen des ersteren kriecht, drei Mäuler voll Dung nimmt und auf den eigenen Düngerhaufen trägt; „so wird mir der Nutzen des Nachbars"; sie verrät, daß man sie mit dem mittleren Zinken der Mistgabel durchstechen muß; als die Kröte gestochen, stirbt die Bäuerin [14]). Oder wenn das Buttern durch Zauber verhindert wird, tut man Salz und Brot ins Butterfaß oder eine Silbermünze. Der Zauber kann aber auch nichts ausrichten, wenn der Dieb durch das Anbringen eines Reifens unter dem Faß getäuscht wird und nun beim Zählen der Reifen sich stets verzählt [15]), u. ä. m. [16]).

Abwehrzauber ist im westlichen Deutschland besonders ausgebildet gegen den B i l w i s s c h n i t t e r (s. d.). Da der Glaube in vielen Gegenden ganz allgemein ist und das ganze Dorf von dem Auftreten des B. betroffen werden kann[17]), werden namentlich kirchliche Weihen für die Gegenstände, die gegen den B. in Verwendung kommen, in Anspruch genommen. Das Saatkorn wird geweiht [18]). Spä-

ter wird zu Ostern, Walpurgis und Pfingsten kirchlich geweihtes Wasser, Holz und Palmkätzchen auf die Äcker gebracht, wodurch der Feind abgehalten wird [19]). Aus dem Holz, welches beim V e r b r e n n e n d e s J u d a s am Karsamstag angebrannt worden, macht der Bauer Kreuzchen und steckt sie an drei Ecken des Feldes auf (aus dem Kreuz vom Judas-Holz wurde: „den Juden in den Acker stecken") [20]), damit der Bilwis bei der vierten Ecke heraus muß und kann. Auch Eichenlaub und Wacholder werden auf die Saaten gelegt. Mit Kugeln, die bei der Ostermesse geweiht worden, schießt der Bauer quer über ein Feld, oder man bindet in die erste Garbe etwas von der Streu und den Kränzchen, die am Antlaßtage auf dem Wege zum Altar gedient haben [21]), und noch beim Dreschen des Getreides wehrt man den Bilwis ab, namentlich indem man zuerst das Unkraut ausdrischt und dessen Körner und Beeren mit der Rechten über die Linke hinwegschleudert mit den Worten: „Nimm, was dein ist" [22]). Wenn auch der Bilwis sich fast immer, wo man ihm näher tritt, als der diebische Nachbar entpuppt, so ist doch der Glaube an das unsichtbare und geheimnisvolle Bilwiswesen daraus entstanden, daß ein durch das Christentum e n t t h r o n t e r E r n t e g o t t seinen Tribut verlangt. Er ist dann freilich, eben unter dem Einfluß des christlichen Glaubens, zu einem Diener des Teufels geworden und wird als solcher behandelt. Die Loskaufzeremonie jedoch wird durch die ursprüngliche Abzweckung auf ein göttliches Wesen verständlich. Gegen den Bilwis hilft auch, wenn man einen Bohrer in den mittleren Balken des Stalles steckt; der Nachbarbauer hatte darauf den Bohrer im Knie und hinkte seitdem [23]).

[1]) S e l i g m a n n *Blick* 2, 4. [2]) Ebd., vielfach; H o v o r k a - K r o n f e l d I, 37. [3]) ZfVk. 21 (1911), 299. [4]) SAVk. 25, 65 ff. [5]) S c h ö n w e r t h *Oberpfalz* 3, 213. [6]) W u t t k e 388 Nr. 642. [7]) S c h ö n w e r t h *Oberpfalz* 1, 352. [8]) W u t t k e 680. [9]) Ebd. 388. [10]) Ebd. 389. [11]) S c h ö n w e r t h *Oberpfalz* 3, 213 f. [12]) S c h e l l *Bergische Sagen* 209, Nr. 166. [13]) L ü t o l f *Sagen* 251 Nr. 185. [14]) S c h ö n w e r t h *Oberpfalz* 1, 378. [15]) E b d. 1, 337. [16]) L ü t o l f 225. [17]) P a n -

z e r *Beitrag* 1, 240; G r i m m *Myth.* 1, 393 f. [18]) S c h ö n w e r t h 1, 433. [19]) Ebd. 434. [20]) Ebd. 434 Nr. 5. [21]) Ebd. 435 Nr. 6 u. 7. [22]) Ebd. 435 f. [23]) Ebd. 438.

2. Die zuletzt erwähnten Fälle, in denen der menschlichen Person, die letzten Endes hier gemeint war, doch gelegentlich ein Geistwesen substituiert wurde, leiten zu solchen Abwehrriten über, die g e g e n H e x e n u n d H e x e r i c h e als teufelsbündnerische Personen, die mit fremdem Antlitz oder in Tiergestalt alles mögliche Böse verüben, unternommen werden (s. Hexe). Sie sind Wesen, die man sich von Hals und Bett, von Haus und Hof halten muß und gegen die man sich, weil ihre Annäherung, im wesentlichen unsichtbar, zuweilen plötzlich durch die Luft geschieht, auf ähnliche Weise wie gegen Dämonen schützen muß. Der Umkreis ihrer Betätigungen ist jedoch ein immerhin ziemlich begrenzter, geschlossener, so daß auch der Kreis der hier in Betracht kommenden Abwehrriten ein so geschlossener ist, daß sich die A. gegen Hexenwesen am besten hier zwanglos einfügen. Es wird bei diesen Bräuchen kaum je außer acht gelassen, daß es sich im Grunde um menschliche Wesen handelt, die man fernzuhalten sucht; es darf jedoch nicht vergessen werden, daß das Unwesen der Hexen größtenteils die Stelle einnimmt, welche in vorchristlicher Zeit dem dämonischen Treiben zufiel, während sie natürlich auch die Rolle der Zauberer in primitiver Kulturschicht, der Inhaber der Schwarzen Magie, übernommen haben. Daher summiert sich im Glauben an die böse Macht der Hexen und Hexeriche im MA. der Glaube an Zauber und Dämonie und bedeutet noch heut den Rest von beiden. Darum werden auch zur Verscheuchung der Hexen nicht allein Mittel, wie sie sonst gegen menschliche Übeltäter in Anwendung sind, benützt, sondern spezifisch antidämonische Praktiken, wie sie vor allem das Gorgoneion (s. § 4) ist. Da der Hexenglaube in seiner Eigenart erst im christlichen Spätmittelalter sich verbreitet hat, so sind auch k i r c h l i c h g e w e i h t e G e g e n s t ä n d e als

Gegenmittel besonders beliebt. Ein geweihter Benediktus- oder Ablaßpfennig unter der Stalltüre hält die Hexen ab; aber auch der an die Stalltür gezeichnete Drudenfuß läßt die Drude umkehren, und ein vom Elsenbaum geschnittener Keil, der mit einem Bockshaar umwickelt und an die Türschwelle des Stalles geschlagen ist, treibt die Hexe davon [24]). Die alten, mehr der primitiven Sphäre angehörigen Mittel und die christlichen werden in der Regel miteinander verbunden [25]). Gegen das von den Hexen beliebte A u s w e c h - s e l n d e r K i n d e r (s. Wechselbalg) versagt selbst das Weihwasser seine ihm sonst gegen diese Wesen eignende Kraft in den ersten Wochen, in denen die Fernhaltung der Hexen am nötigsten wäre. Von den Hausangehörigen kann überhaupt nur der Vater dagegen etwas tun (s. Vater), der die Mutter nicht allein lassen darf. Von Erfolg kann sein, daß jeder ins Haus eintretende Fremde das Kind mit Weihwasser besprützt (s. Fremder), und daß ein Stahlgerät auf die Wiege gelegt wird. Denn Stahl ist, als ein „modernes" Material, von bösen Geistern und Hexen sonderlich gemieden [26]).

Weil die Hexen ihr Unwesen zu besonderen Jahreszeiten hervorragend treiben und ihre bestimmten Tage oder Nächte haben, wird auch zu diesen Zeiten der gegen sie gerichtete A. besonders angewendet. Es sind die Vornächte zum ersten Mai (Walpurgis), zum Karfreitag, zum Mittsommer und zu Weihnachten. Man begegnet ihren schädlichen Machenschaften zu diesen Zeiten mit Weihwasser, Weihrauch, Glockengeläute und ungeheurem Lärm und Getöse, das man durch allerlei Instrumente und eiserne Geräte anstellt. In Tirol wird ein sehr umständliches „Verbrennen der Hexen" vorgenommen. Drei Tage zuvor schon wird in den Häusern ein großes Reinemachen veranstaltet (denn Reinlichkeit ist die erste Bedingung, um Hexen abzuhalten), und alle Räume und Ställe und Scheunen werden mit Wacholderbeeren und Rauten ausgeräuchert. Darauf werden Kienspäne zusammengebunden und am Walpurgisabend zusammen mit Schierling, Wolfsmilch und Schlehdornzweigen von Leuten verbrannt, die sich zuvor in der Kirche volle Absolution geholt haben. Alles muß unter fürchterlichem L ä r m u n d G e t ö s e geschehen, wobei auch die losgelassenen Hunde durch ihr Gebell helfen. Angezündet wird, sobald die Glocken ertönen, und der Hexe wird zugerufen, wegzufliegen, wenn es ihr nicht übel ergehen solle [27]). Im Voigtlande vertreibt man die Hexen durch drei Kreidekreuze an der Stalltüre oder durch Aufhängen von Johanniskraut, Majoran und anderen scharf riechenden Kräutern an den Ställen. Die Burschen gehen mit Peitschenknallen, Schießen, Schwenken brennender Besen lärmend hinaus, um die Hexen vom Orte abzuwehren [28]). Auch im übrigen Thüringen finden sich ähnliche Bräuche, die, wenn sie gut ausgeführt werden, auch Hagel- und Blitzschaden fernhalten [29]). Ebenso sind in Bayern und Böhmen die Bräuche den eben beschriebenen verwandt. Die jungen Leute gehen auf einen Hügel vor dem Orte, um die Hexen durch Peitschenknallen zu vertreiben, wobei die Peitschenschnüre mit recht viel Knoten versehen werden, um den Knall zu verstärken, während die Hirten von den umliegenden Triften mit ihren Hörnern und Schalmeien einstimmen [30]). In Böhmen, wo man gleichfalls Dorngestrüpp auf die Stallschwellen und vor die Türen des Wohnhauses legt, um das höllische Gesindel fernzuhalten, wird auch eine aus Lumpen hergestellte Puppe unter großem Lärm verbrannt. In der Gegend von Öls in Schlesien bewaffnen sich am Karfreitag die jungen Leute mit alten Besen und treiben unter fürchterlichem Geschrei die Hexen von Haus und Hof [31]).

[24]) S c h ö n w e r t h *Oberpfalz* 1, 310 f. [25]) Z a h l e r *Simmenthal* 42; M e y e r *Aberglaube* 251 ff. [26]) K u h n und S c h w a r t z 29 ff.; W u t t k e 360 Nr. 583. [27]) A l p e n b u r g *Tirol* 260 ff. [28]) E i s e l *Voigtland* 210. [29]) W i t z s c h e l *Thüringen* 2, 262 f. [30]) R e i n s b e r g *Festjahr* 137; Bavaria 2, 272; 3, 302 f. [31]) D r e c h s l e r *Schlesien* 1, 86.

3. Wir wenden uns zur Abwehr der T o t e n. Die Furcht vor einer Rückkehr des Toten und der von ihm zu besorgenden Rachehandlungen ist fast durch die ganze Menschheit verbreitet und bestimmt die Grundformen der meisten Totenfeierlichkeiten schon bei den primitiven Völkern. Wie solche Abwehrmaßregel beispielsweise bei australischen Völkern darin besteht, daß mit der Leiche eine ziemlich lange Zeit, oft stundenlang, im Kreise herum und kreuz und quer im Busche gelaufen wird, auf daß der Tote die Orientierung verliert und den Heimweg nicht mehr zu finden imstande ist [32]), so haben sich bei uns Totenbräuche erhalten, welche den Verstorbenen, wenigstens ihrem ursprünglichen Sinne nach, v e r h i n d e r n s o l l e n, seinen W e g z u r ü c k z u f i n d e n. Diese Bräuche gehen in eine Zeit zurück, da man noch nichts von einer dem Körper gegenüber selbständigen Seele wußte (s. Präanimismus). Man wußte es eben nicht anders, als daß der Tote in seiner vollen Leiblichkeit wiederkommen könne. Gemeinhin zwar nicht derjenige, welcher in auszehrender Krankheit langsam hingesiecht war, wohl aber der, welcher aus seiner besten Lebensblüte hingegangen war. Die nordgermanischen Sagas legen beredtes Zeugnis davon ab, wie nachdrücklich das Sinnen und Denken, Sorgen und Zagen der isländischen Bevölkerung durch diese Anschauungsweise bestimmt wurde. Schon bei ihren Lebzeiten als gewalttätig und eigenmächtig hervortretende Persönlichkeiten sind nach dem Tode nicht ruhig, sondern stören nach wie vor den Frieden ihrer Sippe, so daß man sich ihrer erwehren muß. In jedem offenen Kampfe aber unterliegt der lebende Mensch dem lebenden Leichnam. N e u e s B e g r a b e n, Aufwerfen eines W a l l e s u m s G r a b macht den unverwesten Leichnam des Thorolf der Eyrbyggja Saga [33]) ebensowenig wie den des Hrapp der Laxdaela Saga [34]) und den Glam der Grettir Saga [35]) unschädlich. Bei allen hilft nur das Verbrennen der Leiche; bei den beiden ersten wird die Asche ins Meer gestreut, während Glams Asche in einem Sack dort eingegraben wird, „wo am wenigsten Schaf-

weide und Menschenpfade waren". Die Zähigkeit der Anschauung bestätigt der Fall von Leichenschändung im Jahre 1913 zu Putzig[36]: Ein Arbeiter, in dessen Familie kurz nacheinander sieben Todesfälle vorgekommen sind, weiß, daß seine vor zweieinhalb Jahren verstorbene Mutter die Schuld trägt und für die Zukunft an solchem umgängerischen Wesen gehindert werden muß. Das Mittel ist, der ausgegrabenen Leiche den Kopf abzuschlagen und vor die Füße zu legen (wie Glam seinen abgeschlagenen Kopf zuletzt vor der Verbrennung am Gesäß trug).

Viele niedere Völkerstämme, aber auch alte Kulturvölker, wie die Ägypter in prähistorischer Zeit, wenden als Abwehrmittel das Ein- und Zusammenschnüren der Toten oder das Brechen von Beinen und Rückgrat an. Mit gutem Grunde hat man vermutet, daß jede Fesselung, Schnürung, Einwickelung der Leiche ursprünglich diesem einen Zwecke diente, den Toten bewegungsunfähig zu machen und ihn dadurch am Wiederkommen zu hindern. Ist doch diese Meinung bis in die allerneueste Zeit in dem Volke immer wieder hervorgetreten. In Niederzimmern mußte 1798 verboten werden, „den Verstorbenen die Arme und Beine zu binden, da sie wieder lebendig werden könnten"[37], und 1901 wurde die Leiche eines Vagabunden im Spritzenhaus von Lichtenhain bei Jena mit Strohseilen an Armen und Beinen von einigen jungen Leuten gebunden, welche ihr das Herumstrolchen benehmen wollten[38].

Weiter folgt hieraus eine ganze Reihe von Maßnahmen, welche, außer den schon genannten, dem Toten die Wiederkehr unnötig, bzw. unmöglich machen wollen. Vor allem muß alles, was der Tote als Speisegeräte in Lebzeiten benützt hat, überhaupt alles, dessen er sich zuletzt besonders gern bediente, entweder ins Grab mitgegeben oder vernichtet werden. Hier macht sich die animistische Auffassung geltend, daß der Seelen- oder Vitalstoff des Menschen (s. Animismus 2) an seinen Gebrauchsgegenständen haftet. Solange die hier-

mit behafteten Gegenstände im Hause vorhanden sind, besteht zwischen dem Toten und ihnen eine Art sympathischen Verhältnisses, das bewirken kann, daß der Tote sich zurücksehnt und zurückkehrt (sehr allgemein; bes. Mecklenburg, Brandenburg, Hessen, Thüringen, Ostpreußen, Schlesien). Das von ihm benützte Geschirr wird daher am besten zerschlagen und an einen Kreuzweg getragen, von wo aus dem Toten der rechte Weg zumindest erschwert wird (Hessen). Das durch die Leichenwaschung animistisch infizierte Wasser muß an einer Stelle des Hofes oder Gartens ausgegossen werden, wo es dem Toten, der von hier aus kommen könnte, den Weg versperrt, da Tote nicht über Wasser gehen. Daß er aber, wenn überhaupt, nur von hinten her zum Hause zurückkehren kann, und auch dadurch ihm das Finden des Einganges unmöglich wird, wird so erreicht, daß der Sarg, falls er nicht gar durch die Hintertür hinausgeführt wird, vor der Haustüre nach verschiedenen Seiten kreuzweise gewendet wird, so daß die Richtung verwirrt wird. Selbst die Nadel, mit der das Leichengewand genäht wurde, ist mit seinem Vitalstoffe behaftet und muß deshalb, gewöhnlich in dem Gewande steckend, mitgegeben werden (Westfalen, Oldenburg; falsche Deutung: der Tote solle selbst nähen). Nur Schuhe darf man ihm nicht anziehen, weil er sonst, bis sie zerreißen, als Gespenst umgeht (Böhmen). Man darf den Toten nicht unrasiert oder mit ungeordnetem Haar lassen, weil er sonst wiederkommt. Auch das Stroh, auf welches die Leiche gelegt wurde, muß verbrannt werden. Aus der jüngeren Zeit, welche der Seele eigene Existenz zuerkennt, treten einige Maßnahmen hinzu. Das Fenster muß bei Eintritt des Sterbens geöffnet werden und bis zum Begräbnis offen bleiben, damit die Seele ungehindert hinausfliegen kann; unter Umständen muß die Seele auch durch Schwenken von Tüchern hinausgejagt werden (Erzgeb.), und die Töpfe im Haus müssen umgestürzt werden, damit die Seele nicht in einem derselben sich aufhalte (Thür.)[39].

³²) B e t h *Religgesch.* 9. 83 f. ³³) Eyrbyggja S. c. 33 ff. ³⁴) Laxdaela S. c. 24 ff. ³⁵) Grettis S. c. 32—35; vgl. B e t h *Religion u. Magie* ² 12—17. ³⁶) N a u m a n n *Gemeinschaftskultur* 56. ³⁷) Ebd. 58. ³⁸) Ebd. ³⁹) W u t t k e 431 ff. Nr. 728 ff.; S c h ö n w e r t h *Oberpfalz* 1, 243—256; S a r t o r i 1, 147 f.; W i t t s t o c k *Siebenbürgen* 61 ff.

4. Das Treiben der D ä m o n e n , Geistwesen aller Art, welche Menschen und Tiere peinigen, allerlei Übel an Leib und Besitz zufügen, oder auch, falls sie nicht rein boshaft sind, doch als launische, neidische und unzuverlässige Wesen Unheil und Schabernack stiften, sucht der Mensch dadurch abzuwehren, daß er entweder sie selbst nicht in seine engere Seinssphäre hineinkommen läßt oder ihre Einflüsse verhindert. Solche Abwehrmaßnahmen sind unter allen Völkern gebräuchlich, zum Teil auch kultlich-systematisch geregelt (s. Dämon) ⁴⁰). Zu den apotropäischen Riten im weiteren Sinne gehören auch die Versuche, diese Geister zu beschwichtigen und zu versöhnen, indem man ihnen Kleidungsstücke, Gerätschaften, die sie sich sonst holen kommen würden, aus freien Stücken an ihrem mutmaßlichen Aufenthaltsort niederlegt oder aufhängt (propitiatorische oder Versöhnungsriten) ⁴¹). Die apotropäischen Bräuche im engeren Sinne haben aber nicht so sehr defensiven als offensiven Charakter. Der Sinn dieser Art von spezifisch-antidämonischen Versöhnungsriten, bei denen sich der Mensch in der Regel irgendeines Gegenstandes zugunsten der Dämonen entäußert, ist d a s   g e r a d e G e g e n t e i l   v o n   d e n   r e l i g i ö s e n O p f e r n (s. d.), durch welche der Gott nach alter Vorstellung Kraft erhalten oder in seiner Kraft gemehrt werden soll; hier handelt es sich darum, daß d e n D ä m o n e n   i h r e   K r a f t   u n d W i r k u n g s m ö g l i c h k e i t   e n t - z o g e n wird, falls man nicht sie selbst völlig verscheuchen kann. Von Opfern an die Dämonen kann daher in diesem Zusammenhange nur in uneigentlichem Sinne gesprochen werden. Bisweilen bestehen diese Riten in der Säuberung von solchen Dingen, welche, wie Schmutz, die Dämonen anziehen, aber auch von solchen,

die den Menschen von den Dämonen, wie ja mancher religiösen Auffassung nach auch von den Göttern, geneidet werden; dadurch gewinnen solche Riten ä u ß e r - l i c h   d e n   A n s c h e i n   d e r   V e r - z i c h t l e i s t u n g   u n d   A s k e s e . In diesem Zusammenhange sei auch gleich erwähnt, daß manche Bräuche, deren Wirkung anscheinend Abwehr ist, zu diesem Sinne nur auf einem Umwege der U m d e u t u n g gelangen; namentlich sind das solche, die ursprünglich den Fruchtbarkeitsriten zugehören, z. B. phallische Bräuche. Das Vorzeigen oder Aufstellen einer Nachbildung des Phallus oder auch der weiblichen Genitalien wirkt nicht abschreckend auf die Dämonen ⁴²) (wie diese Bräuche später umgedeutet worden sind), sondern anregend auf das, was gedeihen soll, sei es Feldfrucht oder tierische oder menschliche Nachkommenschaft. Die vermeintliche abwehrende Wirkung, etwa durch erregte Abscheu, ist eine spätere Auffassung von Riten, die, weil viel älter als derartige antidämonische Gebarungen, ursprünglich mit einer Repräsentanz des frischen Lebens arbeiten, das keimhaft in den Genitalien oder frischen Pflanzenzweigen enthalten ist ⁴³). In jenem übertragenen Sinne allein konnten die Lykerinnen den Poseidon durch Aufheben ihrer Röcke verscheuchen, wie die Frauen einer provenzalischen Stadt die Belagerer dadurch fortzujagen versuchten, daß sie von der Mauer herab ihre entblößte Scham zeigten ⁴⁴). Die Umwandlung in Schreckgestalten vollzog sich daher auch unter Anwendung von äußeren Hilfsmitteln, die erst den neuen Sinn diesem ursprünglich anders lautenden Sinne verliehen: rote Farbe oder Blut wird den Phallen angestrichen ⁴⁵), damit sie als Schreckmittel dienen können.

Das A b s c h r e c k e n   d e r   D ä m o n e n d u r c h   g r ä ß l i c h e   G e s i c h t e r , durch K ö p f e   v o n   U n g e h e u e r n , Gorgonenhäupter, Sphinxe war und ist etwas Gewöhnliches. Zum Teil sind diese Gepflogenheiten heute umgekehrt, indem da, wo die Dämonenfurcht nicht mehr zum lebendigen Bestandteil der Volksmentalität gehöit, a u s d e n s c h r e c k e n d e n F i g u r e n diejenigen von S c h u t z - g e i s t e r n geworden sind. Eine solche Verdrehung, d. i. Modernisierung, sind die bunten Püppchen (mascottes), die wir heute an den Hinterfenstern vieler Automobile sehen. Aber in die christlichen Kirchen sind die alten Abwehrmittel noch in ihrem ursprünglichen Sinne herübergenommen worden, und so sehen wir zu unserer Verwunderung manchmal in den Kirchen ein Gorgonenhaupt oder einen Löwenkopf, obwohl dieselben als medusisch-sphingide Figuren dort nichts zu tun hätten [46]). Gewiß kann man auch, falls man ein solches Abschreckungsmittel nicht zur Verfügung hat, dasselbe symbolisch bezeichnen: ein Medusenhaupt aus einem Tuch knoten, auch den Namen wirksam aussprechen. Der Priester zeigt dem Teufel, der einen Menschen besessen hält, das Kruzifix und nennt den Namen Jesu, vor dem jener entweicht. Den Namen Jesu zu nennen, ist immer eins der sichersten Mittel, um den Teufel und seinen Heerbann samt Hexen und allem unflätigen Gelichter abzuwehren. Es hilft auch dann, wenn man dem Teufel schon den kleinen Finger gegeben hat, wie jener Schneider bewies, der mit des Teufels Hilfe Butter gezaubert hatte und nun in das ihm vorgelegte Buch, das die Namen aller Teufelsjünger enthielt, statt des eigenen den Namen „Jesus" einschrieb [47]). Dadurch war dem Teufel sogar die Macht über alle Hexen und Zauberer genommen. Das Wort ist vor allem g e g e n d i e n e i d i g e n G e i s t e r gute Abwehr. Wie die Göttinnen Nemesis und Adrasteia durch Ausrufe wie „Adrasteia sei freundlich", oder „jeder Götter Neid sei fern" abgewehrt werden [48]) oder durch ein „Weiche von uns!", „procul a nobis" [49]), so kann man böse Geister noch immer vertreiben, indem man sie einfach hart abweist, gute, indem man ihnen schmeichelt oder etwas verspricht und gibt. Deshalb wird vielfach auf dem Lande den Holden, die zugleich Unholde sind (vgl. Goethes getreuer Eckart), das g u t e G e b ä c k abends vor die Tür gestellt. Auch der P f e r d e k o p f , der noch heute auf dem Dachgiebel der Bauernhäuser angebracht wird, ist teilweise den Neid der guten Geister abzuwehren bestimmt gewesen. Das zeigt die wenigstens früher im Norden übliche „N e i d - s t a n g e" (s. d.) mit dem Pferdekopf, bei deren Errichtung einst ein Pferdeopfer gebracht wurde [50]). Anders dürfte es sich mit dem an Stalltüren angebrachten Ziegenbockkopf oder seinen Hörnern allein verhalten, was wahrscheinlich nicht Rest eines früheren Opferbrauches ist. Der Zweck ist nach Höfler apotropäisch, nämlich das Fernhalten der Rindviehseuche [51]). Der Ursinn ergibt sich wohl daraus, daß der vollständige Akt in der Einstellung eines Z i e g e n b o c k e s (s. d.) in den Stall besteht, d. h. des von Fruchtbarkeit überquellenden männlichen Tieres als Reservoirs unversieglicher Jungkraft. Der Glaube, daß der Ziegenbock, der im Rahmen der alten Fruchtbarkeitsriten zur Arkanmedizin im Viehstall wurde, alle Krankheitsstoffe an sich ziehe, wie die Bauern heute sagen, entspringt dem Unverständnis der alten Idee.

Üble Dämonen werden gerne durch ü b e l r i e c h e n d e S t o f f e , vor allem durch starkwürzige Pflanzen (s. o. 3, Hexen) wie Thymian, Kümmel, Lauche, auch Baldrian und Tausendgüldenkraut verjagt. Nicht minder hilft M e n - s c h e n k o t (álfrak) gegen das Nahen elbischer Wesen [52]). L u t h e r empfahl gegen den Teufel, der die Milch (schon im Leib der Kuh) stiehlt, „Dr. Pommers (Bugenhagens) Kunst", daß man den Teufel „mit Dreck plaget und den oft in der Milch rühret. Denn als seinen (Bugenhagens) Kühen die Milch auch stohlen wurde, so streifte er flugs die Hosen ab und broket dem Teufel einen Wächter in einen Asch voller Milch und rührets um und sagt: „Nun fret Teufel!" Darauf ward ihm die Milch nimmer entzogen" [53]).

Auch helfen gewisse Produkte der neuen Kultur, mit der sich ein Dämon so wenig befreunden kann, daß er davor von dannen läuft: ein Zeichen dessen, wie solcher Dämonenglaube (vgl. den vorigen Abschnitt) im Aberglauben etwas Selbstkritik in sich trägt, da er ja die

Dämonen selbst für rückständig und eigentlich einer fern vergangenen Zeit angehörig erachtet, für Wesen, die genau genommen in unserer heutigen Welt keinen Platz mehr haben. So hilft vor allem hier S t a h l und Stahlgerät; um die Dämonen, welche am Sonnabend vor Weihnachten zueinander auf Besuch kommen und dabei die Gehöfte brandschatzen, fernzuhalten, schlägt man in Norwegen spätestens an diesem Tage eine Axt oder etwas anderes aus Stahl über jede Stalltüre [54]). In Schweden wirft man Stahl ins Badewasser, um den Nöck zu bannen [55]). Auf diese Verwendung des Stahles [56]) geht auch wohl die abwehrende Kraft des „carsprenn" der Landleute in der oberen Bretagne zurück [57]). Das ist zwar eine hölzerne Gabel, aber sie dient dem Reinigen der stählernen Pflugschar. Wenn sich die Korigans einem Menschen nähern, werden sie abgeschreckt, sobald sie merken, daß er seine Pflugforke in der Hand hält. In der Oberpfalz schlägt man mit Messern auf eine alte Pfanne oder Sense, um umgehende Geister zu vertreiben, wobei Brosamen und Zweige ins Feuer geworfen werden [58]). Gegen die Kindervertauschung seitens der Zwerge schützt man die Kinder in der ersten Woche oder den ersten neun Lebenstagen, in denen solche Auswechslung stattfinden kann (s. Wechselbalg), durch verschiedene Zaubermittel: Zettel mit Zauberformeln in die Wiege gelegt, Stahlgeräte, also vor allem Messer, am besten zwei kreuzweis gelegte, oder eine offene Schere; den Hausschlüssel, Trauring; besonders beliebt ist, in die Wiege einen rechten Hemdsärmel und einen linken Strumpf zu legen (d. h. eine antecipando vorgenommene Vertauschung, die so gründlich ist, daß sie nicht überboten werden kann und daher weiteren Austausch unmöglich macht) [59]).

Manche Abwehrbräuche gegen Geister, namentlich solche neueren Ursprungs, sind auf die U n b e h o l f e n h e i t u n d D u m m h e i t d e r D ä m o n e n berechnet. Wie der Volksglaube den Teufel als den leicht zu Prellenden kennt, so natürlich erst recht die anderen bösen Geister. Sie sind so zu ü b e r l i s t e n wie das Emu, das der Wilde fängt, nachdem er in sein Wasserloch einen Rauschtrank gemischt hat [60]), wie Salomo den Asmodi durch den in die Quelle geschütteten Wein trunken machte, der, um freizukommen, dem Könige das wichtige Geheimnis verriet. So kann man Geister trunken machen, indem man die Quelle ableitet und Wein oder Schnaps hineingießt. In den Ardennen kann man sich der Dämonen erwehren, wenn man Papier in kleine Stückchen zerreißt und auf den Weg wirft; sie unterhalten sich dann mit dem Aufsammeln und vergessen den Wanderer [61]). In diese Klasse der Überlistungsbräuche sind auch die Kleidervertauschungen einzurechnen, insoweit sie wirklich magische Abwehrbedeutung haben [62]). Wenn der Mann sich keine Weiberhaube aufsetzen darf, damit der Alp sich ihm nicht nähert, so setzt das voraus, daß letzterer dadurch getäuscht und die vermeintliche Frau plagen würde [63]).

[40]) B e t h *Religgesch.* 83. [41]) Ebd. 84. [42]) S t e m p l i n g e r *Aberglaube* 84. [43]) L i e b r e c h t *Zur Volksk.* 343 f. [44]) SAVk. 21 (1917), 97. [45]) ZfVk. 23 (1913), 255. [46]) S t e m p l i n g e r *Aberglaube* 88. [47]) S c h ö n w e r t h *Oberpfalz* 1, 370 f. [48]) S e l i g m a n n 2, 365. [49]) ZfVk. 8 (1898), 134; Hiob 21, 14. [50]) S i m r o c k *Mythologie* 357. 510. [51]) H ö f l e r *Organotherapie* 94. [52]) M e y e r *Germ. Myth.* 136 f. [53]) L u t h e r *Tischreden* II; L i e b r e c h t *Zur Volksk.* 353. [54]) Ebd. 311. [55]) M e y e r *Germ. Myth.* 137. [56]) M a n n h a r d t 1, 132. [57]) S é b i l l o t 1, 163. [58]) S c h ö n w e r t h *Oberpfalz* 2, 55. [59]) W u t t k e 359 Nr. 581. [60]) B. S p e n c e r and F. J. G i l l e n *The native tribes of Central Australia* 20. [61]) S é b i l l o t 1, 162 f. [62]) B e t h *Religgesch.* 87. [63]) W u t t k e 267 Nr. 419.

5. Neben den bisher angeführten A.n, die sich gegen bestimmte Subjekte, von denen Unheil und Bosheit zu befürchten ist, richten, gibt es solche A., welche sich anscheinend lediglich gegen d a s B ö s e s e l b s t wenden und dieses als das zu vertreibende Objekt ansehen. Schon das B a u o p f e r (s. d.), das so gern als Versöhnungs- und Besänftigungsopfer an einen Dämon, der dem Bauwerke schaden könnte, aufgefaßt wird, hat

ursprünglich keine Beziehung auf irgendwelchen Geist, sondern bedeutet das Erhalten eines frischen Lebens und seiner alles überdauernden Kraft in dem Fundament, welches hierdurch gegen alle bösen Einflüsse gesichert bleibt. Deshalb bringt auch ein eingemauertes Huhn dauernd gutes Wetter [64]); natürlich nicht deshalb, weil es einem in der Erde vorhandenen oder in die Mauer eingezogenen Wetterdämon als Geschenk dargebracht ist, sondern weil das eingemauerte Leben selbst darin erhalten wird. Daß Kinder hierfür bevorzugt werden, ist ebenfalls aus der animistischen Vorstellung zu erklären, daß das Jugendliche und Unbeschädigte die größte Gewähr des Fortbestandes in sich birgt. Burgen, Tore, Brücken, Mauern, Deiche, überhaupt Bauwerke [65]), von deren Sicherung sehr viel abhängt [66]), werden auf diese Weise gefeit [67]). Vielleicht werden wir mit diesem Brauche auch in die präanimistische Periode hinaufgeführt (s. Kinderopfer). Denn die Dschagga zeigen noch deutlich, daß es sich bei den lebendig begrabenen Kindern um deren wachsame Fortexistenz handelt. Stets wird ein Knabe und ein Mädchen am Landeingange, aber gesondert voneinander, an verschiedenen Stellen lebendig begraben, und jedes von ihnen heißt „Kind, das Land zu binden (oder zu festigen)", und man erwartet vor einem feindlichen Einfalle die Warnlaute der Kinder, ein Summen und Dröhnen in der Erde [68]). Es ist also das fortdauernde Leben und das gerade diesem jungen Leben einwohnende energetische Fluidum (s. Präanimismus).

Dieser Anschauung entsprechend wird auch durch Amulette (s. d.), denen an sich eine unsinnliche Kraft anhaftet, Krankheit, Seuche abgewehrt [69]); auch hier steht nicht die Kraft gegen den Dämon, sondern Kraft gegen Kraft. Solche Abwehrmittel begegnen uns noch in ganz primitiven Formen als die einfachsten hygienischen Maßnahmen, welche den Schutz der Ge-

sunden und noch nicht von einer Seuche ergriffenen Ortschaften zum Zwecke haben, aus welchem Grunde auch immer der hierfür benützte Stoff, das Gewebe, der Stock oder der Stein als Träger der erforderlichen Kraft gedacht sein mag [70]). Wenn auf den Molukken der Pockenstoff durch ein an einer Stange aufgezogenes Stück weißen Zeuges aufgefangen und tagelang in der See abgewaschen wird [71]), so ist das ganz dieselbe Maßnahme und Vorstellung, welche das Bei-sich-tragen von Friedhofserde in der Tasche zur Abwehr jeder Krankheit, oder das Bei-sich-tragen von bestimmten Kräutern zum gleichen Zwecke, oder das Trinken von Storchblut gegen Krankheit und für langes Leben [72]) und vieles ähnliche bedeuten [73]). Ein ganz primitiver Glaube an ein Böses schlechtweg, das an Dingen haftet, aber auch frei existiert und dem man durch Gegenstände, an denen die entgegengesetzte gute Kraft haftet, wehren kann, ist augenscheinlich die solchen Vorstellungen und Bräuchen zugrunde liegende Anschauung. Zu vergleichen ist z. B. der Arunkulta-Glaube der australischen Aranda [74]), zu dem ich deutsche Parallelen aufgezeigt habe [75]), sowie der irokesische Glaube an das Otkon [76]). Gewisse Arten von Krankheiten, sowie gewisse Todesfälle kommen von diesem an sich Bösen; das Berühren der Gegenstände, an denen es haftet, das bloße Vorübergehen an einer Örtlichkeit, wo es ursprunghaft weilt, hat das Übel im Gefolge. Innerhalb dieser Anschauung versteht sich auch am besten die Wirkung des magischen Kreises. Es gibt einen Kreis (im uneigentlichen und eigentlichen Sinne) (s. Kreis), der das Gute in sich faßt, und einen solchen, der das Böse enthält. Es läßt sich folglich ein Kreis des Guten ziehen, um damit das Böse auszuschließen, das über seine Peripherie nicht gelangen kann; dies ist der Sinn des Schutzkreises [77]). In einem von guten Menschen gebildeten Kreis hat der Böse keine Macht, heißt es dann auf der Stufe des Dämonenglaubens (s. Asyl und Besitzergreifung).

Das Austreiben des (neutrischen) Bösen

hat eine große Rolle namentlich auch im Ackerbauleben gespielt, und viele Erinnerungen daran sind durch die Variationen hindurch wohl erkennbar. Beim A u s - t r e i b e n d e r S ü n t e v ö g e l, S u n - n e n v ö g e l, S o m m e r v ö g e l denkt der heutige Westfale, wie aus den dabei gesungenen Versen hervorzugehen scheint, zunächst an die Schmetterlinge, bzw. genauer deren Raupen und Puppen. Am Peterstage (22. Februar) gehen die Kinder, Knittelverse singend, mit hölzernen Hämmern von Haus zu Haus und fordern die Sommervögel zum Abzuge auf, und die Bewohner der Häuser gehen unter Beklopfen durch alle Räume. Das Unterlassen dieser Zeremonie würde Ratten-, Mäuse- und Raupenplage zur Folge haben [78]). Man könnte geneigt sein, an einen alten Ritus des Winteraustreibens zu denken, wofür ja sicherlich der Zeitpunkt spricht. Indes sind doch Wort und Handlung zu speziell auf schädliche Tiere, unter denen in manchen Versen auch Schlangen und Molche genannt werden, zugespitzt, und diese erscheinen dem Landmann als die spezifischen Repräsentanten der ihm bös gegenüberstehenden Macht. Es ist gewiß unverkennbare Verwandtschaft mit der Zeremonie einer Frühjahrsreinigung vorhanden, aber doch nicht im Sinne einer Aufforderung an die Insekten, aus ihren Puppen herauszukriechen, da ja der Schluß des Liedes zu deutlich die Tiere in die Steingrube zum Verfaulen verweist. Nach allem erklärt sich eine Zeremonie wie diese am einfachsten als eine Maßnahme gegen die der Fruchtbarkeit feindliche böse Macht, die in jenen Tieren repräsentiert erscheint.

[64]) G r i m m Myth. 2, 1040. [65]) R o c h - h o l z Sagen 2, 93. [66]) S t r a c k e r j a n 1, 107 f. [67]) Lippert Christentum 457. [68]) Bruno G u t m a n n Das Recht der Dschagga (1926) 395. [69]) H o v o r k a u. K r o n f e l d 2, 296. [70]) B e t h Religion u. Magie² 151 ff.; L i p - p e r t Christentum 311. [71]) H o v o r k a u. K r o n f e l d 2, 298. [72]) W u t t k e 158. [73]) Ebd 117. [74]) B e t h Religion u. Magie² 300 f. [75]) Ebd 302 f.; M ü l l e n h o f f Sagen Nr. 364 u. 366. [76]) B e t h Religion u. Magie² 263 f. u. 377 f. [77]) K n u c h e l Umwandlung 10 u. 97. [78]) K u h n Westfalen 2, 119 ff ;

W o e s t e Mark 24; M o n t a n u s Volksfeste 21 f.; J a h n Opfergebräuche 94 ff.
                 K. Beth.

abwiegen (den Tag). Panzer [1]) überliefert: „In der Westenvorstadt in Eichstädt befindet sich eine Grotte, das Hohloch, und eine zweite, das Hexenloch genannt. In dem Hexenloch sitzt das D r u d e n w e i b l ganz nackt am Johannistag morgens auf einer Stange, nach andern auf einem Baumast, singt ein Gesänglein und w i e g t d e n T a g a b". Laistner [2]) bringt diese Sage in Verbindung mit dem Durchscheinen der Sonne durch Felsspalten und erinnert an die schweizerischen Martinslöcher [3]).

[1]) Beitrag 2, 201 Nr. 350. [2]) Nebelsagen 304 zu S. 167. [3]) Vgl. V e r n a l e k e n Alpensagen 80 Nr. 65; H e e r in Gemälde der Schweiz, Kt. Glarus 112; SchwId. 3, 1035.
                Bächtold-Stäubli.

abwischen. Wie man Blut, Schweiß, Eiter oder dergleichen äußerlich zutage tretende Dinge abwischt, so entfernt man auch Krankheiten. Die eigentliche Bedeutung des Brauches ist aber gänzlich verblaßt; an seiner Stelle finden wir heute andere Manipulationen, z. B. a b - s t r e i f e n, s t r e i c h e n, w a s c h e n usw.[1]). Erhalten hat er sich namentlich in den slawischen Gegenden Böhmens [2]). Wenn man etwas mit Papier abwischt, gibt es Verdruß ins Haus [3]).

[1]) W e i n r e i c h Heilungswunder 31. 54. 97, 2; ARw. 7, 106. [2]) G r o h m a n n 177 Nr. 1256 = H o v o r k a - K r o n f e l d 2, 53 f. [3]) Urquell 1 (1890), 48.   Bächtold-Stäubli.

abzählen s. z ä h l e n.

Achat. Griech. ἀχάτης, angeblich nach einem Flusse in Sizilien genannt, wohl aber auf ein semitisches Wort zurückgehend. Ein alter deutscher Name ist für den bekannten Stein nicht überliefert; erst im späten MA. tritt neben dem Lehnwort achate, agates die Bezeichnung agestein agatstein auf, womit man aber auch den Bernstein und Magnet bezeichnete [1]). Im Alpengebiet nennt man einen kugelförmigen A. mit eigenartigen Schichten wegen seiner Ähnlichkeit mit einem Augapfel „A u g e n - s t e i n". Er wird in Silber gefaßt und als Amulett an der Uhrkette getragen [2]). In den Adern und Wellenlinien des „bunten Steines" glaubte man im Altertum mythologische Gestalten, im MA. Heiligenbilder, Buchstaben, mathematische Figuren u. a. zu erkennen [3]). Die alten Angelsachsen schrieben dem A. besonders große Kräfte zu: er sollte seinen Träger vor Blitz und Zauber, das Haus gegen feindliche Geister schützen, die Wirkung von Giften vereiteln und, eingenommen, versteckte teuflische Krankheiten an den Tag bringen [4]). Aus dem Altertum übernahmen die mittelalterlichen Quellen eine Fülle von Wirkungen, die der zauberkräftige Stein haben sollte: als Amulett den Biß der Schlangen und Skorpione unschädlich machen; unter der Zunge getragen, stark abkühlen und den Durst löschen; die Augen stärken, fruchtbar und bei den Menschen angenehm machen; unter das Haupt gelegt vielerlei Traumbilder erzeugen; vor Gefangenschaft schützen und den Sieg verleihen (vgl. Siegstein); überhaupt vor jedem Unfall bewahren [5]).

[1]) P a u l y - W i s s o w a 1, 211 f.; S c h r a d e r *Reallex.* [2] 1, 211; H o o p s *Reallex.* 1, 7; B e r g m a n n 12. [2]) A n d r e e - E y s n 140. [3]) P l i n i u s *n. h.* 37 § 5 und § 140; B r ü c k m a n n 232; A t h. K i r c h e r *Mundus subterraneus* 2, 31; L i e b r e c h t *Gervasius* 110. [4]) F i s c h e r *Angelsachsen* 41. [5]) P l i n i u s *h. n.* 37 § 139; S c h a d e 1320; A g r i p p a v. N. 1, 114; hl. H i l d e g a r d 289 = M e y e r *Aberglaube* 57; L o n i c e r 57 = A l p e n b u r g *Tirol* 411; W i t z s c h e l *Thüringen* 2, 288 Nr. 135; M e g e n b e r g 372; D e M é l y 2, 177; H o v o r k a - K r o n f e l d 1, 4 f.; S c h i n d l e r *Aberglauben* 159; V o l m a r 206 f.; L i e b r e c h t *Gervasius* 110; K r o n f e l d *Krieg* 165; vgl. S e l i g m a n n 2, 28 (A. bei den Türken Amulett für Sieg).

Von den Verwendungen des A.s in der mittelalterlichen Heilkunde sagt Konrad von Megenberg, er vertreibe Epilepsie, Mondsucht und Wahnsinn, wenn man dem Kranken zehn Monate hindurch die Speisen mit Wasser zubereitet, in dem ein A. bei zunehmendem Monde drei Tage gelegen [6]).

[6]) M e g e n b e r g 372; vgl. hl. H i l d e g a r d 282.

Ein A. ist nach Schade (1387) auch der von Megenberg (387) genannte *lagapis* (lapis ἀγαπητός, der beliebte und beliebt machende Stein), vielleicht auch der von Megenberg (374) angeführte *absynthus*.

Von den genannten magischen Kräften des A.s weiß heute das Volk nichts mehr. In Schwaben soll er noch als Amulett gegen Zahnschmerzen getragen werden [7]). Beliebt ist er als Schmuck; als M o n a t s s t e i n wird er von den im Juni Geborenen getragen und bringt ihnen angeblich langes Leben, Reichtum, Gesundheit und Glück [8]). — Zu den Wirkungen des „Bluta.s" s. B l u t s t e i n , S c h r e c k s t e i n .

[7]) L a m m e r t 234. [8]) H o v o r k a - K r o n f e l d 1, 106; dafür der verwandte Calcedon s. Monatssteine und T h. K ö r n e r *Die Monatssteine* Str. 6.   Olbrich.

Achatius (Agatius, Acacius), hl., Hauptmann aus Kappadokien, 8. Mai, oder Anführer der 10 000 Märtyrer vom Berge Ararat, 22. Juni [1]). Zählt zu den 14 Nothelfern, fast nur in bayerischen Diözesen [2]). Reliquien des Heiligen sind in einem Rodel von Engelberg (Schweiz) aus dem 12. Jh. aufgeführt mit einem Hinweis auf seine Wunderkraft: Multum valet contra ignem [3]).

[1]) G ü n t e r *Legenden-Studien* 117. K ü n s t l e *Ikonographie der Heiligen* 25. [2]) N i e d *Heiligenverehrung* 79; G ü n t e r a. a. O. 123. [3]) S t ü c k e l b e r g *Reliquien* CVIII, Z. 36; H ö f l e r *Fastengebäcke* 18.   Wrede.

Achsel. Die A. bezeichnet beim aufrechten Menschen den höchsten Teil der oberen Gliedmaßen, gilt daher seit alten Zeiten als Maß [1]). Sie ist im Zauber bedeutsam; in Rußland mußte der Andersgläubige, der zur griechisch-kathol. Kirche übertrat, seine erste Taufe widerrufen, Vater und Mutter verschwören und dreimal über seine A. speien [2]). Dabei spielt rechts und links eine Rolle. Um die Zwerge sehen zu können, muß man in der Schweiz über die rechte A. schauen [3]); dagegen muß man in Pennsylvanien verschüttetes Salz über die linke A. werfen, besagt der Aberglaube deutscher Einwanderer [4]).

Der penetrante Schweißgeruch der A.-höhle ist, wie so oft bei scharfen Gerüchen zu bemerken ist, beim Zauber wirksam. Um Hunde oder andere Haustiere anhänglich zu machen, legt man sich in Schlesien, Böhmen, Voigtland, im Rheinland, in Tirol ein Stück Brot unter die A.höhle, läuft sich in Schweiß und gibt das Stück — in Niederbayern Haare [5]) — dem Tier zu fressen [6]). In Deutschböhmen reißt sich das verliebte Mädchen Haare aus der A.höhle, trocknet und pulverisiert sie und bäckt sie in einen Kuchen, den sie dem geliebten Mann zu essen gibt; dieser ist dann unlöslich an sie gefesselt [7]).
Die A.höhle ist der passende Platz, um den Teufelspakt darin zu verbergen [8]); wenn man während der Christnacht unter jede A. ein Ei steckt, dann in der Kirche die drei ersten Schritte rückwärts geht und durch die Eier hindurchschaut, erkennt man die Hexen, heißt es in der Oberpfalz [9]); ja in Österreich glaubt man: wenn man das siebente Ei einer schwarzen Henne sieben Tag lang ununterbrochen unter der linken A. trägt, brütet man ein kleines Teufelchen (Sparifankerl) aus, welches dem betreffenden Menschen zeitlebens alle Wünsche erfüllt, natürlich gegen Überlassung seiner Seele [10]). Die A.höhle ist ein beliebter Sitz von Dämonen (s. a. Schulter).

[1]) G r i m m *RA.* 1, 140; H ö f l e r *Krankheitsnamen* 1. [2]) ZfVk. 11 (1901), 436. [3]) R o c h h o l z *Sagen* 2, 162. [4]) F o g e l *Pennsylvania* 363. [5]) P o l l i n g e r *Landshut* 157. [6]) W u t t k e § 679. [7]) D e r s. § 552. [8]) C ä s a r. v. H e i s t e r b a c h 153. [9]) *Bavaria* 2, 241; W u t t k e § 375. [10]) V e r n a l e k e n *Mythen* 261 f.

Stemplinger.

Acht s. Z a h l e n B 8.

Achthundert, Achttausend, s. Z a h l e n B 800, 8000.

Achtundsiebzig s. Z a h l e n B 78.

Achtundzwanzig s. Z a h l e n B 28.

Achtzehn s. Z a h l e n B 18.

Achtzig s. Z a h l e n B 80.

Acker, Ackerbau.

1. Ackerdämonen u. Ackergottheiten. — 2. Umwandlung. — 3. Wortzauber. — 4. Ackergruß. — 5. Wasser. — 6. Feuer. — 7. Erde, Salz, Metall. — 8. Pflanzen — 9. Tiere. — 10. Der Mensch.

1. Der A.bau hat als eine nicht nur der ältesten, sondern auch konstantesten menschlichen Wirtschaftsformen eine Fülle altüberlieferter Glaubensvorstellungen erhalten. Die wesentliche Abhängigkeit von Naturgewalten hat eine große Zahl guter und böser A.g e i s t e r entstehen lassen, ursprünglich wohl umstilisiert aus Totendämonen [1]). Die guten Vegetationsdämonen haben sich alsdann mit fortschreitender mythologischer Entwicklung zu A. g o t t h e i t e n verdichtet: im alten Indien der Himmelsgott Djaus und die Mutter Erde Prithivi [2]), die zu einem festverbundenen Götterpaare Dyavaprithivi werden [3]), bei den Römern als Hauptackergottheiten Himmel und Erde in der Fassung Jupiter, Terra oder Tellus und Ceres, neben die, vermehrt um altitalische und griechische Gottheiten, von den Priestern ausgeklügelte Sondergottheiten treten, die die einzelnen Teilhandlungen des A.baus beschützen [4]), bei den Germanen Donar [5]), besonders Wodan [6]). Das Christentum setzte an Stelle solcher Gottheiten die A.heiligen [7]), aber immer noch wirken die vorchristlichen Götter fort: in Litauen wurde noch 1866 die Erdgöttin Zemyna in einem Liede angefleht, die Ä. zu segnen [8]), und heidnischer Opferkult hat sich bis heute in manchen Gebräuchen der Saat (s. d.), besonders aber der Ernte (s. d.), erhalten. Immer noch herrscht der dumpfe Glaube an unheimliche Dämonen, die nur in ihrem Walten, nicht in ihrem Wesen zu erkennen sind [9]), und auf die zum Schutz des A.s, den ja der Bauer fast als persönliches Wesen auffaßt [10]), magisch eingewirkt werden muß, sei es im Kreis der Hausgemeinde für den eigenen A.-besitz, sei es für die ganze Gemeinde kollektiv [11]).
Vgl. für den ganzen Artikel die wertvolle Arbeit von A. V. R a n t a s a l o *Der Ackerbau im Volksglauben der Finnen und Esten mit entsprechenden Gebräuchen der Germanen verglichen.* I—III: Sortavala 1919—1920. IV—V: Helsinki 1924—1925 (= FFC 30—33. 55. 62).

[1]) N a u m a n n *Gemeinschaft.*9. [2]) ZdVfV. 14, 11. [3]) Ebd. 14, 148. [4]) Ebd. 14, 12 f. [5]) G r i m m *Myth.* 1, 146 f.; E. H. M e y e r *Germ. Myth.* 214 f. [6]) Ebd. 254 f. [7]) B e r - n o u l l i *Heilige der Merowinger* 279. [8]) ZdVfV. 14, 15 = M a n n h a r d t 2, 250 ff. [9]) J o h n *Erzgebirge* 219; D e r s. *Westböhmen* 183; M a a c k *Lübeck* 17. [10]) M e y e r *Baden* 415. [11]) K n u c h e l *Umwandlung* 73.

2. Ein altes Schutzzaubermittel ist die U m w a n d l u n g. Wie bei den Germanen Nerthus in einem Wagen umgefahren wurde und es in Gallien Sitte war, Götterbilder, mit einem Tuche bedeckt, auf dem A. umzutragen [12]), was noch der Indiculus superstitionum verbietet (de simulacro quod per campos portant) [13]), so wurde noch im Jahre 1613 in einem Zauberprozeß der Angeklagte beschuldigt, oft vor Sonnenaufgang, besonders am Karfreitag, seine Felder schweigend umschritten zu haben [14]), so wird noch heute am Neujahrsmorgen der A. schweigend umwandelt [15]), oft unter Mitführung eines Heiltums [16]), am Dreifaltigkeitssonntag unter Abbeten eines Rosenkranzes [17]), in der Nacht zum Ostersonnabend unter Verrichtung einer Andacht vor drei im Felde stehenden Kreuzen [18]). Am Ostersonntag geht man beim „ums Korn singen" früh aufs Feld und singt Osterlieder [19]), nach Beendigung der gesamten Feldbestellung ziehen die Schulkinder mit dem Lehrer an der Spitze durch die Ä. und singen bestimmte Gesangbuchlieder [20]). Am Pfingstmontag umreiten Dorfrichter und Dorfgenossen auf schönen Pferden langsam und mit Andacht, singend und betend die Ä., um guten Saatenstand zu erlangen [21]). Die Dämonenvertreibung durch Umgehen wird abgelöst von der durch m a g i s c h e s J a g e n, wenn am Karfreitag und am Ostersonntag der A. vor Sonnenaufgang unter Peitschenknallen und Büchsenschießen in rasender Schnelligkeit umritten wird [22]).

[12]) P f a n n e n s c h m i d *Erntefeste* 364; M a n n h a r d t 574 ff. [13]) G r i m m *Myth.* 3, 404; S a u p e *Indiculus* 32. [14]) ZdVfV. 7, 190. [15]) S t r a c k e r j a n *Oldenburg* 2, 229 = K n u c h e l 75. [16]) J o h n *Westböhmen* 31. [17]) M e y e r *Baden* 505. [18]) D r e c h s l e r *Schlesien* 82. [19]) S a r t o r i *Sitte* 3, 162 = G u s i n d e *Schönwald* 39. [20]) ZdVfV. 7, 151.

[21]) V e r n a l e k e n *Mythen* 306. [22]) B a u m - g a r t e n *Jahr* 21 f.

3. In den meisten dieser kultischen Bräuche ist neben das Zaubermittel der Umwandlung schon das der W o r t - m a g i e getreten, negativ durch Beobachten kultischen Schweigens, positiv durch gesprochenen Zauber. Als letzteres gehört die Benediktion der Felder zu den kirchlichen Institutionen des MA.s [23]), und noch heute ist es in katholischen Ländern allgemein Brauch, an bestimmten Tagen unter Vorantritt des Geistlichen und unter Mitführung von Heiltümern Prozessionen und Bittgänge durch die Felder zu halten [24]). Auch der einzelne geht betend um seine Äcker, am Ostersonntag unter Abbeten des Rosenkranzes [25]), am Karsonnabend beim „Kranzeltragen" [26]), am 1. Mai unter Abbetung der heiligen fünf Wunden [27]). Mit nichtkirchlichen Zaubersegen umgeht man die Fluren gegen A.dämonen, z. B. den Bilwesschnitter [28]).

[23]) F r a n z *Benediktionen* 2, 15. [24]) P f a n - n e n s c h m i d *Erntefeste* 46 ff.; M a n n - h a r d t 1, 397 ff.; S e p p *Religion* 110 f.; L a c h m a n n *Ueberlingen* 443 ff.; B a u m - b e r g e r *St. Galler Land* 137; S c h ö n w e r t h *Oberpfalz* 1, 441; weitere Nachweise S a r t o r i *Sitte* 2, 70. [25]) P o l l i n g e r *Landshut* 212. [26]) S c h ö n w e r t h *Oberpfalz* 1, 434. [27]) M e y e r *Baden* 505. [28]) E i s e l *Sagenbuch* 209.

4. Schützender Wortzauber ist auch der A. g r u ß. Vorübergehende rufen den auf dem A. Arbeitenden statt des sonst üblichen Grußes die Bitte um göttliche Hilfe zu [29]). Solche Grußformeln sind „Glück to!", „Help ju de lewe Gottke!"[30]) oder „Gott helfe euch!", worauf als Gegengruß erfolgt: „Gott gebe es"![31]) Erntearbeiter grüßt man mit „Helf' Gott!" oder „Walt's Gott!" [32]) Wer während der Saat ohne Gruß am A. vorbeigeht, nimmt den Segen des Feldes mit sich [33]). Am Dreschfelde vorübergehende Männer müssen den Hut lüften, Frauen die Schürze wehen lassen [34]).

[29]) S a r t o r i *Sitte* 2, 77. [30]) *Urquell* 1, 184. [31]) D r e c h s l e r *Schlesien* 2, 49. [32]) ZVfVk. 7, 151. [33]) W l i s l o c k i *Magyaren* 151. [34]) S a r - t o r i *Sitte* 2, 78.

5. Aus vorchristlicher Zeit übernommenes und kirchlich umgedeutetes Schutz-

zaubermittel ist auch das W a s s e r. Gegen Wetter und Hagel besprengt man den A. mit „Ostertauf“, geweihtem Osterwasser [35]), oder trägt mit Weihwasser gefüllte Eierschalen aufs Feld [36]). Beim „Kreuzeltragen“ am Karsonnabend [37]) wie beim „ums Korn Gehen“ am Ostersonntag [38]) benetzt man die Saaten mit Karsamstagswasser. Beim Palmen am Maitage werden mit Weihwasser besprengte Weidenzweige in den A. gesteckt [39]). Zu Pfingsten wird die Sommerfrucht mit „Pfingsttauf“ gesegnet [40]). Auch am Fronleichnamstage sprengt man Weihwasser auf die Felder [41]). Ebenso erhalten Bäume am Maitag diese Segnung [42]). Mit Johannissegen, am Feste des Evangelisten geweihtem Wein, besprengt man die Ä. gegen Würmer und Unkraut [43]) (die in sehr vielen A.kultriten als spätere Substitute der ursprünglichen bösen A.geister auftreten), wie auch das am Ostertag in den Acker gesteckte Palmkreuz mit Johanniswein begossen wird [44]). Osterwasser, am Ostersonntag vor Sonnenaufgang aus fließendem Bach schweigend geschöpftes Wasser, gibt Gartensaaten gutes Gedeihen [45]).

[35]) M e y e r *Baden* 503; E b e r h a r d *Landwirtschaft* Nr. 3, 3. [36]) K u h n *Westfalen* 2, 147. [37]) S c h ö n w e r t h *Oberpfalz* 1, 434. [38]) P o l l i n g e r *Landshut* 212. [39]) K u h n *Westfalen* 2, 155. [40]) E b e r h a r d *Landwirtschaft* Nr. 3, 3. [41]) S c h r a m e k *Böhmerwald* 156. [42]) M e y e r *Baden* 99. [43]) H e y l 765. [44]) P a n z e r *Beitr.* 2, 534. [45]) H e c k - s c h e r *Hannoversche Volksk.* 1, § 77.

6. Zauberabwehrend wie das Wasser wirkt auch das F e u e r. Der in dem oben erwähnten Prozeß vom Jahre 1613 wegen Zauberei Angeklagte wird beschuldigt, im Frühling und Herbst, wenn er seine Felder zu bebauen beginne, auf ihnen ein kleines Feuer angezündet zu haben [46]). In englischen Landschaften werden am Dreikönigsabende auf dem eben zu sprießen beginnenden Winterweizen 12 kleine und ein großes Feuer angemacht, die man unter Lärmen und Trinken umringt: das wassailing oder Gut-Heil-Wünschen [47]). Auf Bergspitzen werden in der Neujahrsnacht Strohbündel ausgedroschener Garben angezün-

det [48]), zum Schluß der Fastnacht auf dem Felde Wein, Schnaps und Brot verbrannt [49]). Am Lichtmeßtage umtanzen die Kinder auf dem Acker angezündete Holz- und Strohhaufen mit dem Ruf: „Lank Flaß!“ [50]) Die Osterfeuer haben überall den Sinn der Dämonenvertreibung [51]): so weit sie leuchten, werden die Felder fruchtbar [52]). Dasselbe gilt vom Johannisfeuer [53]): der A., der das Sonnwendfeuer trägt, „freut sich neun Jahre darauf“ [54]). Auch in der Martins- und Michaelisnacht werden diese Zauberfeuer abgebrannt [55]). Enger noch ist die Berührung der Saat mit dem Feuer beim F a c k e l l a u f. Wie man schon beim Osterfeuer an in die Erde gegrabene Stecken oben mit Teer bestrichene Strohbüschel gebunden hatte [56]), so werden diese Feuer endlich ganz frei beweglich und als Fackeln über die Felder getragen. Man läuft mit ihnen am Dreikönigstage durch die Felder und um die Hofstätten [57]), im Jura am Sonntag Invocavit mit dem Ruf: „Plus de fruits que de feuilles“! [58]) Zu Ostern sollen diese Fackeln Menschen, Vieh und Feldfrüchte gegen die Hexen schützen [59]). Beim „Judassehen“ am „krummen Mittwoch“ dienen zu diesem Zwecke in Teer getauchte brennende Besen [60]). Auch angezündete Reisigbündel [61]), wie das brennende Strohrad [62]), sind solche mobilen Feuer. Die in diesen kultischen Feuern a n g e k o h l t e n H o l z s t ü c k e gelten ebenso als Schutzmittel des A.s. Im Jahre 1653 verbietet der Rat zu Nürnberg, solche Brände vom Johannisfeuer in die Ä. zu stecken [63]). Gräbt man sie in Leinsaatfelder, so wird der Flachs lang [64]). Kohlen vom Osterfeuer schützen den A. vor Hagel, Mißwachs und Ungeziefer [65]). Beim „Juden in den A. stecken“ werden im Feuer des „Judasverbrennens“ am Karsamstag morgen angekohlte Kreuzchen alle Büchsenschuß weit in den A. gesteckt, das angebrannte Ende nach oben [66]). Mit den am Karfreitag angebrannten Holzstäbchen wird auch A s c h e vom Osterfeuer aufs Feld geworfen [67]), ebenso wie die Asche der verbrannten menschengestaltigen letzten

Garbe (s. Ernte) [68]). Kirchlich g e -
w e i h t e K o h l e n werden im Früh-
jahre gegen die Hexen untergeackert [69]).
Wachs von K e r z e n , die in der Kirche
gebrannt haben, in den A. vergraben,
halten Hagel und Überschwemmung ab[70]),
ebenso wie man mit Osterlichtern zur
Hagelabwehr durch die Felder geht [71]).

[46]) ZdVfV. 7, 190. [47]) Ebd. 14, 270 =
M a n n h a r d t 1, 538. [48]) H a l t r i c h 283.
[49]) M e y e r *Baden* 209. [50]) S a r t o r i *Sitte* 3,
85 = K ü c k - S o h n r e y 69 f. [51]) Vgl. Osterfeuer. [52]) A n d r e e *Braunschweig* 337. [53]) Vgl.
Johannisfeuer. [54]) B a u m g a r t e n *Jahr*
27. [55]) B i r l i n g e r *Aus Schwaben* 2, 133.
[56]) S t r a c k e r j a n *Oldenburg* 2, 73.
[57]) M a n n h a r d t 1, 537. [58]) Ebd. 1, 536.
[59]) S t r a c k e r j a n *Oldenburg* 2, 73. 75. 90
= W u t t k e 70. [60]) D r e c h s l e r *Schlesien*
1, 78. [61]) W u t t k e 94, 417. [62]) ZfdMyth. 2,
105; vgl. Sonnwendfeuer. [63]) G r i m m *Myth.*
1, 515. [64]) S c h ö n w e r t h *Oberpfalz* 1, 441.
[65]) W u t t k e 71. [66]) S c h ö n w e r t h *Ober-*
pfalz 1, 434. [67]) H e y l 756; P a n z e r *Beitr.*
2, 79. 114. [68]) M a n n h a r d t *Forschungen* 332.
[69]) H e y l 108. [70]) W l i s l o c k i *Magyaren* 150.
[71]) E b e r h a r d *Landwirtschaft* Nr. 3, 4.

7. E r d e , von 7 Gräbern genommen,
nachts zwischen 11 und 12 Uhr auf den
A. gestreut, hält die Sperlinge von der
Saat ab[72]). Dasselbe bewirkt am Georgstag auf die Felder geworfene Graberde
und S a l z [73]). Geweihtes Salz, am Dreifaltigkeitssonntag gestreut, hält den Hagel ab[74]). Zauberabwehrend wirkt auch
das M e t a l l [74]). Am Neujahrstage werden im freien Felde Waffen gezeigt [75]).
Kommt die Hexe als Wirbelwind über den
ausgebreitet auf dem Felde liegenden
Hanf, so wirft man ein Dreikreuzmesser
auf sie [76]). Ein in die Felder gelegter Dreifuß oder ein krummes Messer schützt die
A.tiere vor Wölfen und andern Untie-
ren [77]). Der Metallzauber verbindet sich
mit dem Opferzauber, wenn bei der Ur-
barmachung neuen Landes oder der ersten
Bestellung neuerworbenen Besitzes die
Hälfte einer Silbermünze auf den A. geworfen, während die andere Hälfte sorgfältig verwahrt wird [78]).

[72]) H a l t r i c h *Siebenbürgen* 305. [73]) W l i s -
l o c k i *Magyaren* 48. [74]) M e y e r *Baden* 505.
[75]) ARw. 20, 364. [76]) M e y e r *Baden* 438.
[77]) W o l f *Beitr.* 1, 253. [78]) K r a u ß *Reli-*
giöser Brauch 166; ZdVfV. 8, 274.

8. Auch P f l a n z e n vermögen den
A. zu schützen. Holunderzweige, auf den
Flachsa. gesteckt, vertreiben die Mäuse[79]),
wie sie auch das Vieh schützen [80]). Am
Jakobitag in den A. gesteckte Stangen,
die oben mit einem Spalt, in den man
Knoblauch klemmt, versehen sind, wehren Unheil ab [81]). Pflöcke, vor Sonnenaufgang am Fastnachtmorgen geschnitten
und am Karfreitagmorgen in den A.
gerammt, schützen das Feld, soweit der
Schall reicht, vor Maus und Maulwurf [82]). Gegen den Bilmesschnitter werden an den vier A.ecken Kreuzchen der
Elsbeere eingegraben, die vor Sonnenaufgang ,am besten am Karfreitag und Ostersonntag, geschnitten sind [83]). Leinsaat
schützt man gegen ihn durch in die
A.ecken gesteckte Palmkätzchen [84]). In
katholischen Gegenden werden besonders
die kirchlich g e w e i h t e n ,,Palmen",
Weidenzweige, zu diesem Zwecke verwandt [85]), zumeist zu Ostern [86]) und
Palmsonntag [87]), doch auch am Maitag [88]). Am Johannisabend werden an
einem Elsenstecken geweihte Palmen,
Eiben und Weghalten in den Flachsa.
gesteckt [89]). Zweige vom Altar des
Fronleichnamsfestes dienen demselben
Zweck [90]). Oft läßt man solche Zweige
K r e u z e bilden [91]) und verbindet so
den Pflanzenzauber mit dem Zeichen-
zauber. Man formt liegende Kreuze, indem man zwei sich überschneidende
Zweige in den A. steckt [92]), oder stehende,
indem man einen Palmzweig oben spaltet
und einen Querarm [93]) oder je als halben
Querbalken einen Zweig des Lebens-
baums und einen Weidenzweig mit Kätzchen hineinlegt [94]). Ein solches Kreuz wird
auf jedes dritte Beet gesteckt [95]). Am
Maitag steckt man in jede A.ecke ein
Kreuz, das aus dem am Karsamstag geweihten ,,Osterbengel" gefertigt wird[96]).
Um Ungeziefer von den Kohlfeldern abzuhalten, steckt man um sie die P f i n g s t -
m a i e [97]). Auch am Antoniustag geseg-
netes B r o t wird aufs Flachsfeld gelegt [98]). Weihnachten werden die Tisch-
abfälle [99]) wie auch der B a c k o f e n -
w i s c h auf den A. getragen [100]). Georgi
werden alte B e s e n gegen die Hexen

in ·die Ä. gesteckt [101]). Damit die Feldfrucht gedeihe, muß der Bauer S t r o h
zum Winteraustreiben geben [102]).

[79]) K u h n *Westfalen* 2, 68. [80]) G r i m m
Myth. 3, 474. [81]) W l i s l o c k i *Magyaren* 48.
[82]) S c h ö n w e r t h *Oberpfalz* 1, 401. [83]) E i -
s e l *Sagenbuch* 209. [84]) S c h ö n w e r t h
Oberpfalz 1, 412. [85]) P f a n n e n s c h m i d
Erntefeste 528; M a n n h a r d t 1, 291;
S c h m i t z *Eifel* 1, 95; H ü s e r *Beiträge*
2, 34; B r o n n e r *Sitt' und Art* 145 f.; kommt
in Baden zu Ostern nicht vor: M e y e r *Baden*
96. [86]) M a n n h a r d t 1, 291; S a r t o r i
Sitte 3, 164; K u h n *Westfalen* 2, 144 f. 148.;
ZrwVk. 1906, 147; ZdVfV. 8, 339 f. [87]) B a u m -
g a r t e n *Jahr* 21. [88]) K u h n *Westfalen* 2, 155;
M e y e r *Baden* 505; M a n n h a r d t 1, 291.
[89]) P a n z e r *Beitrag* 2, 550. [90]) S c h r a m e k
Böhmerwald 78. [91]) P a n z e r *Beitrag* 2, 534;
P o l l i n g e r *Landshut* 212. [92]) K u h n *Westfalen* 2, 155. [93]) P o l l i n g e r *Landshut* 211.
[94]) M a n n h a r d t 1, 291. [95]) S c h ö n w e r t h
Oberpfalz 1, 434. [96]) M e y e r *Baden* 99.
[97]) ZdVfV. 7, 78. [98]) K u h n *Westfalen* 2, 111.
[99]) B a u m g a r t e n *Jahr* 9; S a r t o r i
Sitte 3, 35. [100]) B a u m g a r t e n *Jahr* 9.
[101]) Ebd. 24. [102]) W r e d e *Rhein. Volksk.* [2]
251.

9. Als t i e r i s c h e s S c h u t z z a u b e r -
m i t t e l dient, in starkem Maße von der
Kirche übernommen, das E i. Eier werden im A. vergraben [103]). Zu Ostern wirft
man Schalen von Eiern [104]), zuweilen
rotfarbige [105]), auf den A. Der Bauer geht
mit seinen Dienstboten um jeden A. und
legt neben das in jede Ecke gesteckte
Palmkreuz Stücke der Schalen eines geweihten Eis, während er in die Mitte
des Feldes neben Palmkreuz und Zweck,
einem Karfreitags angebrannten Holzkeil,
ein geweihtes rotes Hühnerei eingräbt [106]).
Besonders wirksam ist das am Gründonnerstag gelegte Ei, das Antlaßei [107]),
das am Ostersonntag am A.rand vergraben wird [108]). Die Burschen erhalten zu
Ostern von den Mädchen Eier, nachdem
sie gemeinsam „übers grüne Korn", d. h.
auf den Feldrainen hin gegangen sind [109]).
Wie man dem A. durch Eier die in diesen
in potenzierter Form enthaltene Wachs-
tumskraft zauberisch übermittelt, so geschieht ein gleiches durch T i e r k n o -
c h e n. Um den A. vor Mißwachs, Ungeziefer und Vögeln zu schützen, werden
Knochen von Schweinen oder Schafen
in ihn gesteckt [110]). Auf Pfähle gesteckte

Pferdeschädel, ein bis in germanische
Zeiten zurückreichendes Schutzzaubermittel [111]), finden sich noch heute am
Gartenzaun, wie im Felde [112]). Wenn
r o t e K o r a l l e n, in den A. gegraben, den Hagel abhalten [113]), so verbinden sich in ihnen der Tierleichenzauber
mit dem Farbenzauber, in dem ja besonders die das Blut ersetzende rote
Farbe eine Rolle spielt.

[103]) ZdVfV. 25, 218. [104]) P o l l i n g e r
Landshut 212. [105]) L e o p r e c h t i n g *Lechrain* 175. [106]) P a n z e r *Beitrag* 2, 534.
[107]) E. H. M e y e r *Germ. Myth.* 215 f.; vgl.
A n d r e e - E y s n *Volkskundliches* 107.
[108]) ZdVfV. 8, 339; P a n z e r *Beitrag* 2, 212.
354. [109]) S a r t o r i *Sitte* 3, 162. [110]) M a n n -
h a r d t 1, 400; D e r s. *Forschungen* 187 ff.;
D r e c h s l e r *Schlesien* 2,57. [111]) H e c k -
s c h e r 390. [112]) W l i s l o c k i *Magyaren* 26.
[113]) H e y l *Tirol* 795.

10. Wie ja schon durch die Umwandlung vermag der M e n s c h noch auf
andere Weise magisch auf den A. einzu-
wirken, indem er seinen Leib mit ihm in
nahe Berührung bringt. Die menschliche
Z e u g u n g s k r a f t überträgt man
durch Abhalten des „Brautlagers" auf die
Saaten: Burschen und Mädchen wälzen
sich zu Paaren auf dem A. [114]). Die k u l -
t i s c h e N a c k t h e i t wirkt als magisches Mittel, wenn man den A. nackt
umgeht, um die Saat vor Sperlingen zu
schützen [115]), wenn eine das Flachsfeld
nackt umgehende Jungfrau den Maulwurf abhält [116]), oder wenn ein in der
Georgsnacht den A. nackt umlaufendes
Weib den Hagel abwehrt, was ebenso mit
Wasserschaden geschieht, wenn ein Mann
dabei an den vier A.ecken sein Wasser
läßt [117]). Die W ö c h n e r i n hingegen
schadet dem A., einerseits, weil sie in
ihrem Zustand die Zeugungskraft verloren hat, andererseits, weil sie bei der
Geburt als einem Übergangsstadium den
Einflüssen böser Geister ausgesetzt ist
und deren Bosheitszauber auf den A.
übertragen kann. Der A. verdirbt, wenn
eine Wöchnerin darüber geht [118]); arbeitet sie auf ihm, so schlägt der Schauer
ein [119]). Auch eine L e i c h e darf nicht
über den A. geführt werden, da sie den
Erntesegen mitnimmt [120]). Ist jemand

gestorben, so muß man etwas Getreide auf den Acker streuen, sonst gedeiht die Saat nicht [121]). Andererseits wird das Stroh, auf dem die Leiche gelegen hat, aufs Feld geworfen, damit es schnell verfaule und mit ihm der Leichnam, der damit Ruhe hat [122]). Um das Getreide vor Vögeln und Mäusen zu schützen, muß man das Feld mit einem Löffel, mit dem ein Verstorbener zu Lebzeiten gegessen hat, dreimal umkreisen, wobei man in einem Bannspruch sagt, die das Feld plündernden Vögel und Mäuse sollten ebenso vergehen, wie der Tote, der mit dem Löffel einst gegessen hat [123]). Auch sonst ist unter gewissen Umständen die menschliche Berührung dem A. schädlich. An bestimmten Tagen darf man nicht ins Feld gehen, um nicht den Hagel anzuziehen [124]). Besonders darf man in der Osterwoche [125]) am Karfreitag und Karsonnabend [126]), wie am Himmelfahrtstag [127]) nicht auf dem A. arbeiten; Gründonnerstagsarbeit ist ihm dagegen günstig [128]). Bestimmte Arbeiten, wie das Spinnen, sind überhaupt auf freiem Felde verboten [129]). Wenn man sich auf dem A. die Hände wäscht, kommt Brand ins Getreide [130]).

[114]) L. v. S c h r ö d e r *Arische Religion* 2, 324 ff.; *Rigveda* 282 f.; A b t *Apuleius* 242; M a n n h a r d t 1, 480 ff.; D e r s. *Forschungen* 340 ff. [115]) H a l t r i c h *Siebenbürgen* 280. [116]) H e c k s c h e r *Hann. Vkde.* 1 § 66 f. [117]) W l i s l o c k i *Magyaren* 48. [118]) G r i m m *Myth.* 3, 435. [119]) H a r t m a n n 203. [120]) B o e c l e r *Ehsten* 69. [121]) *Urquell* 3, 52. [122]) W u t t k e 466. [123]) *Urquell* 3, 149. [124]) E b e r h a r d *Landwirtschaft* Nr. 3, 3. [125]) W o l f *Beiträge* 1, 228. [126]) G r i m m *Myth.* 3, 458; B a u m g a r t e n *Jahr* 21; F o g e l 198. [127]) F o g e l 248. [128]) B a r t s c h *Mecklenburg* 2, 258. [129]) G r i m m *Myth.* 3, 463. [130]) H a l t r i c h *Siebenbürgen* 306. Heckscher.

Ackermann s. K o r n d ä m o n.

Ackermonat s. M ä r z.

Ackersegen s. L a n d w i r t s c h a f t l i c h e S e g e n.

Ackerwinde s. W i n d e.

Adalbert, slaw. Voitech, Bischof von Prag, Apostel der Preußen, gest. als Märtyrer 997, besonders in den östlichen Bistümern verehrt, Kalendertag 23. April.

1. In Böhmen schrieb man seiner Fürbitte mehreren Quellen bzw. Brunnen, die in der Nähe ihm geweihter Kirchen oder Kapellen liegen, besondere Heilkraft zu [1]).

[1]) R e i n s b e r g *Festkalender* 190—194.

2. In Polnisch-Oberschlesien galt sein Tag als eine Art Lostag. Man glaubte, die Frösche müßten soviel Tage nach A(da)lberti verstummen, als sie vorher geschrien hätten, und führt dies auf eine Legende zurück, nach der der Heilige den Fröschen, als sie ihn durch ihr Quaken im Gebete störten, die Mäuler stopfte, so daß sie sie vor A(da)lberti nicht öffnen können [2]).

[2]) K ü h n a u *Sagen* 3, 298.

3. In Russisch-Polen führte man das Verschwinden der Schlangen aus der Gegend von Wielun auf den hl. A. zurück. Er habe einer Schlange auf den Kopf getreten, und sofort hätten alle Schlangen ihre Köpfe verloren, seien versteinert worden und für immer auf eine Meile im Umkreise verschwunden [3]).

[3]) K ü h n a u a. a. O.　　　　　　　Wrede.

Adam 1. Der biblische Urvater, in der Sage als Zwitter oder zweigeschlechtiges Urwesen gedacht [1]), oder aus den vier Elementen gebildet [2]), oder aus acht oder sieben Teilen geschaffen [3]), wie in zahlreichen slawischen, romanischen und germanischen Überlieferungen verbreitet ist, als deren Quelle eine verlorene griechische Fassung aus dem zu Anfang unserer Zeitrechnung in jüdisch-hellenistischen Kreisen entstandenen Henochbuch sich ausweist. Er verlor, wie die Gnostiker behaupteten, seine himmlische Natur, weil er sich in einem Spiegel beschaute und sich in sein eigenes Bild verliebte, also durch Autofaszination mittels Spiegels [4]). Ihm schrieb man bereits eine tiefere Kenntnis der geheimen Naturkräfte, der Sympathien und Antipathien, des Sternenlaufs und seiner Bedeutung zu, also die natürliche Magie [5]). Nach einer weitverbreiteten Kreuzholzlegende soll A. einen Apfel oder einen Ableger vom Baum der Erkenntnis aus dem Paradies mit sich genommen und eingepflanzt haben. Daraus sproß der Baum hervor, aus dessen Holz das Kreuz Christi gemacht wurde [6]). Weiterhin sind nach dem Volksglauben A. und Eva im Monde zu sehen [7]). Als A.s Nachkommen gelten u. a. die Saligen (s. d.) [8]).

[1]) H e l m *Religionsgesch.* 1, 330; ARw. 9, 172; ZdVfV 24 (1914), 97; S t e r n *Türkei* 2, 348. [2]) ZdVfV. 12 (1902), 351. [3]) Germania 7 (1862), 350 ff.; G o l t h e r *Mythologie* 517; ZdVfV. 19 (1909), 121; B o l l *Offenbarung Johannis* 62 ff.; ARw. 11, 477 ff. [4]) S e l i g m a n n *Zauberkraft* 284 [5]) S o l d a n - H e p p e 1, 294. [6]) H e y l *Tirol* 131 Nr. 22; M a n n h a r d t 1, 242; R a n k e *Volkssagen* 273. [7]) Urquell 4 (1893), 121; S e e f r i e d - G u l g o w s k i *Kaschubei* 169. [8]) H e y l *Tirol* 401 Nr. 90.

2. Der Tag A. und Eva, 24. Dez. Ißt man an diesem Tage einen Apfel, so bleibt einem das Gehäuse im Halse stecken [9]).

[9]) Rhein. Wb. 1, 55.

3. Der männliche Vorname, von den Juden aus religiösen Gründen gemieden, dagegen von den Christen von Anfang an gebraucht und in einzelnen Gegenden besonders verbreitet als Taufname [10]), vielfach wie Eva unehelichen Kindern beigelegt [11]). Anderseits nannte man Knaben A. und Mädchen Eva, um ihnen zum voraus ein langes Leben zu sichern [12]), oder man legte Neugeborenen diese Namen bei, wenn bereits mehrere Kinder nacheinander gestorben waren, ebenfalls, um ersteren ein langes Leben zu sichern [13]).

[10]) M a n n h a r d t 1, 242; S c h ö n w e r t h *Oberpfalz* 1, 165 Nr. 14. [11]) D r e c h s l e r *Schlesien* 1, 194. [12]) B i r l i n g e r *Aus Schwaben* 1, 392; M e y e r *Aberglaube* 228. [13]) B o e c l e r *Ehsten* 18; D r e c h s l e r *Schlesien* 1, 194; H ö h n *Geburt* Nr. 4, 274. Zum Ganzen vgl. ferner G r i m m *Myth.* 3, 435 Nr. 26; K e l l e r *Grab* 4, 249 u. 5, 384 ff.; F o g e l *Pennsylvania* 36 Nr. 34 u. 377 Nr. 2024.

5. Im Zauberspruch, um das Blut zu verstellen: ,,Durch A.s Blut kommt her der Tod (Paulus, Römerbrief V, 12). Ich gebiete dir Blut, stehe still im Namen Jesu Christi Blut, †††.'' Dreimal zu sprechen [14]).

[14]) L a m m e r t 192; ZdVfV. 24 (1914), 157.

6. A.stanz, ausgeführt am Pfingsttage von Nacktänzern bei dem Dorfe Wirchow in der Mark Brandenburg, infolgedessen die Tänzer zur Strafe in Stein verwandelt wurden [15]).

[15]) K u h n *Märkische Sagen* 251 f.

7. Im Kinderspiel, in Rätseln, Scherzfragen und Redensarten beliebt [16]).

[16]) E r k - B ö h m e 3, 874; F o n t a i n e *Luxemburg* 57; M e y e r *Baden* 176; Urquell 4 (1893), 232; Rhein. Wb. 1, 54 f.

8. A. = Mensch in geschriebenen Segensformeln für gebärende Frauen [17]).

[17]) F r a n z *Benediktionen* 2, 201.   Wrede.

Adam kommt im Zauber, freilich nicht deutsch, gelegentlich vor, so in den Geoponica 13, 8, 4 und 14, 4 [1]) zum Schutz des Taubenschlags, bei Marcellus 28, 72. 73 [2]) in einem Spiel mit dem Alphabet: adam bedam alam betur alam botum, in Geburtssegen [3]), wohl in der ursprünglichen Bedeutung ,,Mensch''.

[1]) H e i m *Incantamenta* 524. Das Mittel wird noch von T h i e r s 1, 361 erwähnt. [2]) H e i m a. a. O. 533. [3]) F r a n z *Benediktionen* 2, 201.   Jacoby.

Adam von Bremen.

Ausgaben: L a p p e n b e r g MG. SS. VII, 267—389; B e r n h a r d S c h m e i d l e r *Scr. rer. germ.* 10 [3] Hannover und Leipzig 1917 (mit wichtiger Einleitung). Deutsch von L a u r e n t, neu bearb. von W. W a t t e n - b a c h, GddV. [2] Bd. 44. Leipzig 1893. ｣Literatur s. W a t t e n b a c h *DGQ.* II [6], 78 ff.; H o o p s *Reallexikon* 1, 35—36.

1. A. v. B. stammt wahrscheinlich (n. Schmeidler) aus dem nördlichen Ostfranken zwischen Main und dem Oberlauf der Werra, und wurde wohl in Bamberg gebildet. Er kam 1067 nach Bremen, wo er 1069 eine Urkunde des Erzbischofs Adalbert als magister scolarum unterschreibt; später nennt er sich sanctae Bremensis ecclesiae canonicus. Sein Todesjahr ist unbekannt.

2. Er schrieb zwischen 1072 und ca. 1076 die dem Erzbischof Liemar von Bremen (1072—1101) gewidmeten Gesta Hammaburgensis ecclesiae pontificum in vier Büchern. Seine Darstellung beruht zum Teil auf der mündlichen Tradition der Bremer Kirche und vielen Gewährsmännern, unter denen König Svend Estridson von Dänemark zu nennen ist, teils auf einer außergewöhnlich

großen Zahl schriftlicher Quellen, die er gewissenhaft, aber nicht fehlerlos zitiert. Lebensbeschreibungen und Geschichtsschreiber, Traktate und Briefe, Urkunden und Kirchenschriftsteller liefern ihm das Material, antike Schriftsteller, vor allem Sallust und Vergil, geben das formale Vorbild.

Wichtig ist das Werk in erster Linie für Geschichte, Ethnographie, Mythologie und Bekehrung des germanischen Nordens; diesem dient das vierte Buch, die Descriptio insularum aquilonis ausschließlich. Von deutschen Stämmen berücksichtigt A. in stärkerem Maße nur die Sachsen, von deren Art und Bekehrung er in Buch I, cap. 3—15 berichtet. Die hier in cap. 7 f. enthaltene, der Translatio Alexandri sehr nahe stehende Schilderung des sächsischen Heidentums ist — mit Ausnahme der Erwähnung der echt sächsischen Irminsul — nichts weiter als eine Wiederholung der allgemeinen Angaben des Tacitus über das germanische Heidentum, Germania 9—11, also ohne Quellenwert. — Im Anhang auch einiges über britannisches, wohl keltisches, Heidentum.   Helm.

Adamas s. D i a m a n t.

Adamsapfel. Die vorstehende Knickung des Schildknorpels (Cartillago thyreoidea) am Kehlkopf heißt *Adamsbiß, Adamsapfel* (englisch: *Adams bit;* schwedisch: *Adams aplebit;* dänisch: *Adams äble,* holländisch: *Adamsbrok*); die Volkssage[1] erklärt, dem Adam sei beim Apfelbiß im Paradies ein Stück (der Griebs) in der Kehle stecken geblieben; daher rühre der Name.

[1] ZföVk. 5 63; vgl. Volkskunde 23. 196; s. weiter D ä h n h a r d t *Naturs.* 1, 208; H ö f l e r *Krankheitsnamen* 15.   Stemplinger.

Adamsbaum. 1. Ein sog. W e t t e r - b a u m, ein Wolkengebilde, das einem Baume gleicht. In der Ukermark heißt es, wenn der A. n a c h M i t t a g zu blühe, so gebe es g u t W e t t e r; wenn n a c h M i t t e r n a c h t z u , Regen. An einigen Orten sagt man: der A b r a - h a m s b a u m blüht, es wird r e g - n e n[1].

[1] K u h n u. S c h w a r t z 455 (412); M e y e r *Germ. Mythol.* 81; S c h w a r t z *Urspr. d. Mythol.* 130; *Poet. Naturansch.* 2, 22; Zum Abrahamsbaum: M e n z e l *Symbolik* 1, 17; L i e b r e c h t *Gervasius* 69. 125.

2. Eine Art V o r l ä u f e r d e s M a i - b a u m s. Am Sonntag nach Lichtmeß trug in Saulgau ein in Schafspelze eingehüllter Mann den A., an dessen zugespitzten und abgeschälten Ästchen Äpfel und andere eßbare Dinge staken, dreimal u m j e d e n B r u n n e n; dann w a r f man den A. i n d i e J u g e n d h i n - e i n[2].

[2] B i r l i n g e r *Volkst.* 2, 50 f.; M a n n - h a r d t 1, 246. 605; B e r t s c h *Weltanschauung* 419.   Sartori.

Adatiel heißt der Luftgeist, der Fausts Mantelfahrt vermittelte[1]. Der Name ist eine der zahlreichen Bildungen mit El = Gott. Der erste Bestandteil des Namens kann mit הדד „rasch sein" zusammenhängen; vgl. den Eigennamen חֲדַד Gen. 25, 15. I. Par. I, 30: Hadad, mit der Bedeutung: „Schärfe, Rascheit". Die Umschreibung des zweiten ד mit t ist ebenso nachweisbar in der Transskription des Gottesnamens „Hadad, Adad" in Βαράδατος und Ἄδατος[2]. Darnach würde der Name bedeuten: „Meine Raschheit, Schnelligkeit ist Gott."

[1] M a n n h a r d t *Zauberglaube* 175; K i e - s e w e t t e r *Faust* 274; [2] H a u c k s *Realencyclopädie* 7, 284. 290.   Jacoby.

Adebar s. S t o r c h.

Adel[1]. Krankheitsname: jaucheartiges Geschwür, Fingerwurm (panaritium) z. B. in der Grafschaft Ruppin[2].

[1] H ö f l e r *Krankheitsn.* 2; J ü h l i n g *Tiere* 301. [2] ZdVfV. 7, 53; P e t e r s *Aus pharmaz. Vorzeit* 1, 223.   Stemplinger.

Adelgras s. W e g e r i c h.

Adelgunde (Aldegunde), geb. um 630 unter König Dagobert (622—638), gründete, unterstützt von den hl. Bischöfen Amandus u. Autbertus, das Doppelkloster Malbodium (Maubeuge a. d. Sambre), als dessen Äbtissin sie am 30. Januar 685 (oder 694?) starb, begraben dort in der A.skirche.

1. Als sie 661 aus den Händen des Bischofs Autbertus das Nonnenkleid empfing, soll ihr der Hl. Geist in Gestalt einer Taube den Schleier umgelegt haben. Einst verwandelte sich Wasser, das sie gerade trinken wollte, in Wein. Auf ihr Gebet entsprang eine Quelle plötzlich aus der Erde, um ihren Durst zu stillen. Weitere Nachrichten über Wunder und gesteigerte Verehrung knüpfen sich an die Erhebung ihrer Gebeine i. J. 1161. Von ihrem Leichnam ging bei der Öffnung des Grabes (1161 u. 1439) ein überaus angenehmer Geruch aus. Sie gilt als Schutzpatronin gegen Krebs [1]).

[1]) Acta Sanctorum 30. Januar 2, 1035 ff.

2. Anscheinend in der Augsburger Kirche frühzeitig hochgeehrt und in einem handschriftlichen Kalendarium des Augsburger Domkapitels bereits im 12. Jh. auf den 30. Januar vermerkt, Schutzherrin der Kirche zu Anhausen (Augsburg) [2]).

[2]) BayHfte. 6 (1919), 145—149.

3. Auf dem Staffelberg links des Mains wurde ihr eine Kapelle geweiht, deren endgültige Stelle sie auf wunderbare Weise bezeichnete, ein beliebtes Legendenmotiv. Bausteine und Holz verschwanden nachts von der für die Kapelle zuerst vorgesehenen Stelle und fanden sich anderntags dort wieder, wo heute die Kapelle steht. Sand zum Mörtel fand man durch einen Raben, der mit dem Schnabel den Boden pickte, und dies erkannte man als ein Zeichen der Heiligen. Im Schwedenkrieg schützte sie das Heiligtum vor Raub und Plünderung, indem sie im schwarzen Schleier erschien und die räuberischen Schweden mit aufgehobenem Finger bedrohte. Während einer Zeit der Teuerung legte sie dem hungernden Meßner einen Kuchen auf den Kirchenstuhl; von diesem aß der Meßner alle Tage, ohne daß der Kuchen weniger ward [3]).

[3]) P a n z e r Beitrag 2, 193.   Wrede.

Adelheid (Adeleidis, Aleidis), Tochter des rheinfränkischen Grafen Megingoz von Geldern († 998) und der Gerbig von Hennegau, erste Äbtissin des 986 gegründeten Stiftes Vilich bei Beuel gegenüber Bonn, † 5. Febr. 1015 als Äbtissin von S. Maria im Kapitol in Köln, jedoch in Vilich beigesetzt, wo aber heute nur noch Teile ihrer Reliquien ruhen.

1. Nach einer Legende, die ohne Gegenstück ist, soll sie im Kloster Vilich Schwestern, die beim Chorgesang mit ihrer Stimme nicht den richtigen Ton trafen, durch einen Schlag für alle Zeit ihres Lebens eine helle reine Stimme verliehen, ebenso durch Schelten kranke Nonnen geheilt haben [1]).

[1]) M. G. SS. XV, 755 ff.

2. A.sbrünnchen, A.spützchen, auch Dollepötzche, Brunnen der hl. A. in Pützchen bei Beuel, nach der Legende zur Zeit großer Dürre auf ihr Gebet hin entquollen, später Heilbrunnen, aus dem man Wasser gegen Augenübel schöpft, früher am Johannistage [2]), jetzt besonders am 2. Sonntag im September, an dem zahlreiche Menschen zum Pützchensmarkt pilgern [3]). Ein A.brünnlein bei Kitzingen galt ähnlich als Heilquelle gegen das Fieber [4]). Mit einem wundertätigen Born, der hinter dem Altar eines Kirchleins zwischen Greitz und Reichenbach i. V. sprudelt, brachte man außer der hl. Apollonia auch die hl. A. in Verbindung [5]).

[2]) E. M. A r n d t Rhein- u. Ahrwanderungen 389. [3]) Rhein. Prov.-Blätter 1 (1835), 279; Rhein. Wb. 1, 59; S c h e l l Berg. Sagen [2] 412 Nr. 1054. [4]) L a m m e r t 260; hiernach offenbar auch bei H o v o r k a u. K r o n f e l d 2, 324. [5]) E i s e l Voigtland 255 Nr. 641.

3. A.stag, in Vilich „Dollendaach", Tag, an dem an die Kinder Dollenbrütche verteilt werden [6]). Eine ältere Überlieferung spricht vom sog. St. Alen-Brot, das in Vilich an einem der Pfingstfeiertage ausgeteilt wurde, sechs Jahre aufbewahrt werden konnte ohne zu verderben, und auch gern dem kranken Vieh gereicht wurde [7]).

[6]) Rhein. Wb. 1, 59. [7]) S t a d l e r Heiligenlexikon 1.

4. Früher besonders im Rheinland verbreiteter weiblicher Vorname, in Neckrufen, Kinderreimen und Rätseln beliebt.
    Wrede.

Adelinde (Adalinde), Äbtissin des adeligen Frauenstiftes in Buchau am Federsee in Württemberg, lebte Ende 9. Jh.

und erste Hälfte 10. Jh. Fest 28. Aug. [1])
Wurde nach der Sage Gattin Hattos, eines
Enkels des als Knabe nach Deutschland
gebrachten Bonosius von Tarent. Hatto
soll mit seiner jungen Gattin bei Wart-
hausen einen Kessel voll Gold und Silber
erhoben, die Kesselburg erbaut und drei
Söhne mit ihr gezeugt haben. Im Kampfe
gegen die Hunnen seien Hatto und die
drei Söhne gefallen, worauf die trauernde
Adelinde deren Gebeine in der Kirche zu
Buchau begraben, dort ein Kloster gestiftet und dieses als Äbtissin bis zu ihrem
Tode verwaltet habe. Wird in mehreren
Martyrologien gefeiert und auf Gemälden
(Buchau, Rathausgang und Kirche) dargestellt.

[1]) AA.SS. Boll. 28. Aug. VI, 492 ff. [2]) B i r -
l i n g e r Volksth. 1, 23. 500.   Wrede.

Ader. Eine auffallend hervortretende
A. ist ominös. So glaubt man in Norddeutschland (Schlesien [1]), Ostpreußen [2]),
Braunschweig [3]), Westfalen [4]), Mecklenburg [5])): wenn ein neugeborenes Kind
auf der Stirn oder über der Nase eine
streifenartige A. hat, so wird es nicht alt.
In Süddeutschland nennt man diese
A. „Totenbäumchen" (s. d.). Im nördlichen Island [6]) heißt es, die A. auf dem
Handrücken des Menschen bildeten stets
einen Buchstaben; der Buchstabe auf
dem linken Handrücken ist der Anfangsbuchstabe des Namens der zukünftigen
Frau oder des künftigen Mannes, welche
den gleichen A.zug haben.

[1]) D r e c h s l e r 1, 184. [2]) Urquell 1, 51.
[3]) A n d r e e Braunschweig 288. [4]) ZrheinVk.
10 (1913), 166. [5]) B a r t s c h Mecklenburg 2,
42 Nr. 54. [6]) ZdVfV. 8, 449.
                                    Stemplinger.

Ader, goldene [1]). Das spontane Bluten
der varices der Mastdarmvenen galt für
goldwertig, weil es das ärztliche Honorar
für den Gewohnheitsaderlaß ersparte [2]).
Doch dürfte die Bezeichnung eher von der
biblischen Erzählung herzuleiten sein, die
von den Philistern berichtet (1. Sam.
4 ff.): nach ihrem Sieg über die Israeliten
hätten sie die Bundeslade mit fortge-
schleppt; Gott aber habe sie dafür an
heimlichen Orten geschlagen; die Plage
aber wich erst von ihnen, als sie die Lade

zurückgaben und „fünf goldene Ärse"
opferten; d. h. die Philister wurden mit
Beulen (Hämorrhoiden) geschlagen und
weihten Abbildungen davon als Votive [3]).

In Westböhmen verordnet man, eine
Kröte zu Pulver zu verbrennen und dies
Pulver aufzustreuen [4]); in der Schweiz
ist von einem Hämorrhoidenring die
Rede aus Blei oder Zinn [5]); in Oldenburg
wird Glockenschmiere äußerlich dagegen
gebraucht [6]).

[1]) H ö f l e r Krankheitsn. 4; H o v o r k a -
K r o n f e l d 2, 136. 476; L a m m e r t 254.
[2]) J ü h l i n g 301. [3]) H o f f m a n n - R e d s -
l o b Allgemeines Volks-Bibellexikon (1853), 98.
[4]) H o v o r k a - K r o n f e l d 2, 139. [5]) SAVk.
21, 91. [6]) S t r a c k e r j a n 1, 79 Nr. 82.
                                    Stemplinger.

Aderlaß. Blutentziehungen durch Aderlaß, Schröpfen, Blutegel u. dgl. waren
schon den ältesten Völkern bekannt und
wurden zu allen Zeiten geübt.

Da nach primitiver Ansicht Blut gleich
Leben ist, so bedeutete ursprünglich das
Blutlassen nichts anderes als einen Ersatz
für das Menschenopfer. Deutlich erhellt
das aus dem Götterkult in Yukatan: man
durchbohrte sich die Ohren und Schultern, sammelte das Blut in einem
Schwamm und drückte diesen über den
Opferschalen aus, die vor den Götterbildern standen [1]).

Diese S e l b s t v e r w u n d u n g er-
hielt sich später nur mehr als Zeichen der
Trauer und als medizinischer A. Wir
haben aber auch diesen nur insofern zu
betrachten, als damit abergläubische
Bräuche verbunden sind. Nach antiker
Ansicht ist jeder Teil des menschlichen
Leibes einem bestimmten Sternbild zu-
geteilt z. B. der Kopf dem Widder, Hals
und Nacken dem Stier, den Zwillingen die
Schultern, dem Krebs die Brust, dem
Löwen die Seiten, der Jungfrau der
Unterleib, der Sonne die rechte, dem
Mars die linke Seite usw.[2]). In den
Volkskalendern waren bis in die jüngste
Zeit herein sog. A. m ä n n c h e n und
A. t a f e l n verzeichnet. Letztere muß-
ten im Fränkischen auf Antrag der medi-
zinischen Fakultät zu Würzburg seit
1769 wegbleiben [3]). Die A.männchen
bilden eine nackte Figur, an der für die

einzelnen Glieder die „Zeichen" angegeben sind, in denen es gut ist, sich zur
Ader zu lassen. Phlegmatischem Komplex
sind f e u r i g e Zeichen nützlich. So der
Widdermonat für den Kopf, der Schütz-
monat für die Hüften. Melancholischen
sind die l u f t i g e n Zeichen gut. So die
Wage für den Podex, der Wassermann
für die Waden und Schienbeine. Die
w ä s s e r i g e n Zeichen taugen den
Cholerikern. So der Krebs für die Lunge
und Brustadern, die Fische für die Fuß-
adern [4]). Außerdem sind bestimmtë A.-
tage vorgeschrieben, die „umb großer
Gefahr Leibes u. Lebens willen zu meiden
sind" [5]); so der 23. u. 29. Febr., 2. u.
24. Mai, 3. Juni, 3. und 25. Juli, 15. Aug.,
29. Sept., 3. u. 21. Nov. Ferner, wer sich
am Liebfrauentag (25. März), an Simon
und Juda (28. Okt.), am Andreastag
(30. Nov.) zur Ader läßt, der überlebt
das Jahr nicht.

Demgegenüber stehen sehr günstige
„Laßtage", so der Blasiustag (3. Febr.),
der Philipp-Jakobitag (1. Mai), der
Bartholomäitag (24. Aug.) als „erster
Herbsttag", der Martinitag (11. Nov.),
der alte Opfertag. Außerdem werden der
Valentinstag (14. Febr.), Stephanstag
(26. Dez.), der erste Freitag im Mai u. a.
zu den guten Laßtagen gezählt [6]). Der
Karfreitag gilt im Allgäu als ganz ausge-
zeichneter Tag zum Aderlassen für Mensch
und Vieh [7]). Die Zusammenhänge der
sog. „verworfenen" und guten Laßtage
mit dem übrigen Aberglauben sind leider
noch nicht erforscht.

Außerdem sind beim A. noch einige
Absonderlichkeiten zu verzeichnen. Wenn
man zum ersten Male sich zur Ader läßt,
heißt es in Bayern, soll man das Blut
unter einen Rosenstock schütten, dann
bekommt man rote Backen [8]). Der Analogiezauber ist offensichtlich. Ebenda
sagt man, beim Aderlassen müsse man das
Blut in fließendes Wasser schütten, sonst
eitere die Wunde [9]). Das entspricht dem
Brauche, nichts achtlos vom menschlichen Leib wegzuwerfen, damit es nicht
bösen Dämonen verfällt.

S. a. H o r o s k o p i e.

[1]) L i p p e r t *Kulturgesch.* 2, 328. [2]) S t e m p -
linger *Volksmedizin* (Tabelle) 108 f. [3]) L a m -
m e r t 199; z. B. Braunschweiger Kalender
von 1707; Hist. Kalender . . . auf das Jahr
Christi 1825 (Bern); eine A d e r l a ß t a f e l
in ZrheinVk. 10 (1913), 229 oder bei B a u m -
g a r t e n *Jahr u. s. Tage* 29, in den beliebten
Aderlaßbüchlein von A l. S e i t z (Marburg
1529), Dr. D i e r b a c h (1535), J o h. H e -
b e n s t r e i t (1559); in dem Auszug aus dem
Hauskalender von 1733 bei H o v o r k a -
K r o n f e l d 1, 6. [4]) S t e m p l i n g e r *Aberglaube* 109 und H o v o r k a - K r o n f e l d 1,
6; 2, 377; T r o e l s - L u n d *Gesundheit* 56.
[5]) ZföVk. 9 (1903), 234; L e o p r e c h t i n g
Lechrain 151; SAVk. 2, 168; S c h ö n w e r t h
Oberpfalz 3, 226; F i s c h e r *Angelsachsen* 24.
[6]) P o l l i n g e r *Landshut* 272. [7]) R e i s e r
2, 115. [8]) P a n z e r *Beitrag* 1, 257. [9]) G r i m m
Myth. 3, 473 Nr. 1022; W u t t k e 33.

Stemplinger.

Adler (aus *adel-ar* „Edel-Aar") [1]). In
weitaus den meisten Fällen versteht man
darunter den Stein- oder Golda. (Aquila
chrysaëtus *Linn.*) [2]), ganz vereinzelt auch
den Seea. (Haliaëtus *Savign.*) [3]). Auch
mit dem Geier (s. d.) mögen gelegentlich
Verwechslungen vorkommen.

[1]) K l u g e *Et. Wb.* [9] s. v. Adler; D e r s. in
ZfdPh. 24, 311. [2]) B r e h m *Tierleben* [4] 6, 355.
[3]) Ebd. 330.

Von der weiten und großen Bedeutung,
die dem A. im Orient und in der klassischen Antike zukam, hat sich wegen der
Seltenheit des A.s fast gar nichts in den
späteren Aberglauben hinübergerettet.
Die mittelalterlichen und frühneuzeit-
lichen Tierbücher (bis Conr. Gesner und
Aldrovandus) beruhen in den für uns
wichtigen Punkten fast ausschließlich
auf der Antike, besonders Aristoteles,
Älian, Plinius; es muß daher hier weiter
zurückgegriffen werden, als bei alltäglich
begegnenden Tieren [4]).

[4]) Reichen Stoff bieten: P a u l y - W i s s o -
w a Bd. 1 (im folgenden = PW.); K e l l e r
Tiere (= K.); W a l t h e r A r n d t *Die Vögel
in der Heilkunde der alten Kulturvölker* in Jour-
nal f. Ornithologie 73 (1925), 46 ff. 214 ff.
475 ff. = A.); A r i s t o t e l e s περὶ ζώων ἱ-
στορίαι (= A r i s t o t.); P l i n i u s *Naturalis
Historia* (= P l i n.), die Buch-, Kapitel- und
Abschnittzitate nach der dt. Übersetzung von
Külb (Stuttgart 1840); A e l i a n περὶ ζώων
(= A e l.); brauchbare Auszüge bei H. O. L e n z
Zoologie der alten Griechen und Römer. Gotha
1856; A l b e r t u s M a g n u s (13. Jh.)
De animalibus ed. Stadler. Münster 1916—20
(= A l b.), Zitate nach Buch- und Marginal-

zahlen; V i n c e n t i u s B e l l o v a c e n s i s (13. Jh.) *Speculum naturale.* Wiegendruck s. a. (= V i n c.B.), Zitate nach Buch u. Kapitel; K o n r. v. M e g e n b e r g (14. Jh.) *Buch der Natur*, hrsg. v. F. Pfeiffer 1861 (= M e g.); C o n r. G e s n e r *Vogelbuch*, deutsch von R. Heusslin. Zürich 1557 (= G e s n.); eine sehr stoffreiche Kompilation ist: U l y s s e s A l - d r o v a n d u s *Ornithologia.* Frankf. 1630.

1. A l l g e m e i n e s. Der A. ist der K ö n i g der Vögel [5]), was sich in manchen Sagen (s. u. 6) von seiner Königswahl spiegelt [6]). Von den andern Vögeln wird er als solcher anerkannt und gefürchtet [7]). Er ist daher auch das Tier von G ö t t e r n, besonders des höchsten Gottes Zeus und Jupiter [8]), ferner Indra, Wischnu, Agni [9]), Ormuzd [10]), Odin [11]); in Odins Saale ist ein A. schwebend angebracht [12]). Der A. weilt bei den Göttern [13]), er ist Waffenträger des Blitz- und Donnergottes [14]), trägt das Flammenbündel des Blitzes in seinen Fängen [15]) oder im Schnabel [16]), wird aber nie vom Blitz getroffen [17]); noch heute gilt in Brixen: Der A. und der Feigenbaum können vom Donner nicht getroffen werden [18]); dasselbe sagt ein schweiz. Rezeptbuch vom A.[19]). Sein Schnabel blinkt durch die Gewitterwolken [20]). Als Vogel Odins umflattert er die Walkyren [21]) und als B o t e des Gottes führt er dessen Befehle aus [22]). Aber auch die Götter selbst können A.g e s t a l t annehmen [23]) oder sind a.häuptig; Odin hat den Zunamen Arnhofdi (A.haupt) [24]). Seltener ist die A.gestalt mit Menschenhaupt (Syrien) [25]). A.gestaltig sind auch D ä m o n e n: Riesen [26]), besonders ein Windriese [27]) (über den A. als Windschaffer s. u. 4.), in Schlesien der Wassermann [28]), in einer österreich. Sage erscheint der Teufel in A.gestalt [29]), in Friesland die Hexen [30]). Über sagenhafte Verwandlungen in A. s. u. 4 [121—126].

Als Göttertier ist der A. selbst göttlich u. h e i l i g [31]); sogar der A. auf dem Signum der römischen Legion wird als Gottheit angesehen und verehrt [32]). Seine Göttlichkeit wird zuweilen mit seinem himmelstrebenden Fluge begründet [33]); hochfliegende Vögel gelten im alten Island überhaupt als „gute" [34]). Der A. wird da-

her auch mit dem S o n n e n k u l t in Verbindung gebracht [35]); anderseits ist er der Geleiter der S e e l e n ins Jenseits [36]) und figuriert als Seelenvogel oft auf Gräbern [37]). Christlich ist das Symbol der A u f e r s t e h u n g Christi [38]) und der W i e d e r g e b u r t durch die Taufe [39]). Als göttliches Tier ist er am G i e b e l der Tempel (freilich auch der Häuser und Zelte) angebracht [40]). In den Mysterien bedeutet der A. einen M y s t e n grad [41]).

Der König der Vögel ist Symbol der K ö n i g e und Kaiser [42]), Der A.kultus Napoleons I., dessen Sohn den Zunamen Aïglon erhielt, ist bekannt. Die Apotheose der Könige und namentlich der römischen Kaiser wird dargestellt durch einen A., der sie himmelwärts trägt [43]). Im Palast Karls d. Gr. war ein eherner A. angebracht [44]). Von dem Landgrafen von Thüringen wird gesagt: „der Düringe herre ist milte ûz kindes jugent, ob ime ein adelar ze allen zîten ist mit hôhen vlügen her gewesen" [45]), und B. Anhorn [46]) berichtet „von einem kunstreichen Meister zu Nürnberg, welcher einen schönen großen A., mit sonderbarem kunstlichem Uhrwerk also zubereitet, daß er bei dem Keiserlichen Einzug (Karls V.) daselbst in der Lufft geflogen" (vgl. u. 2 [72]). Könige und Tyrannen der Diadochenzeit ließen sich „A." benennen [47]); ebenso Geschlechter [48]). Daß auch bei den Germanen Männer, wenn auch nicht ausdrücklich Fürsten, nach dem A. benannt wurden, sei nur nebenbei erwähnt [49]). Auf dem königlichen Zepter steht ein A. [50]). Über weitere Verwendungen des A.s in der Kunst s. u. 9.

[5]) K. 239; PW. 374 [59]; C u m o n t *Etudes syriennes* 59 Anm. 1; V i n c. B. 16, 33; M e g. 166 (nach Augustinus); G e s n. II a. [6]) D ä h nh a r d t *Natursagen* 4, 160 ff. [7]) G e s n. II a. [8]) K. 238. 239. 433 Anm. 43; PW. 373 [55]; S i t t l *Der A. u. die Weltkugel als Attrib. d. Zeus*, in Jahrb. f. kl. Phil. Suppl. Bd. 14. [9]) G r i m m *Myth.* 3, 193; G u b e r n a t i s *Tiere* 479. 481; K u h n *Herabkunft* 29. 153; S i e c k e *Götterattr.* 183 A. 1; ARw. 22, 109; H a s t i n g s 2, 37 b. [10]) K. 432 Anm. 29. [11]) M e y e r *Germ. Myth.* 183. [12]) Ebd. 232; P a n z e r *Beitr.* 2, 459; Grimnirlied Str. 17. [13]) K. 238. [14]) Ebd. 239; PW. 374 [12]; U s e n e r *Kl. Schr.* 4, 466. 489. 491 ff. [15]) K. 239. 245; F e h r l e *Geopon.* 7. [16]) K. 245. [17]) PW. 374 [16],

F e h r l e *Geopon.* 7; F r a n z *Benediktionen*
2, 38 (n. P l i n. u. Geopon.); V i n c.B. 16, 32;
G e s n. V a; P l i n. (II, LVI) ist von M e -
g e n b e r g offenbar falsch verstanden worden,
wenn er (S. 94) sagt: „under den tieren s ê r t
der blitzen allermaist den Adlarn, under den
paumen allermaist den lorpaum". ¹⁸) H e y l
Tirol 797. ¹⁹) SAVk. 6, 60. ²⁰) PW. 374 ¹⁹
(n. Plin.). ²¹) M e y e r *Germ. Myth.* 177.
²²) K. 246; PW. 373 ⁶⁸; H o p f *Tierorakel* 11.
²³) PW. 374 ³⁷; S i t t l (s. o. 4); M e y e r
Germ. Myth. 152. 183. 232. ²⁴) K. 251; M e y e r
Germ. Myth. 230; K u h n *Herabkunft* 153.
²⁵) K. 446 A. 266. ²⁶) G r i m m *Myth.* 1, 526;
M e y e r *Germ. Myth.* 142. 151. 152. ²⁷) Im
Wafthrudnirlied Str. 37 wird Hräswelg („Lei-
chenschlinger") als Windriese in A.gestalt genannt. ²⁸) ZfVk. 11, 203. ²⁹) V e r n a l e k e n
Mythen 10. ³⁰) M ü l l e n h o f f *Sagen* 212.
³¹) K. 238; C l e m e n *Reste* 65 (mit weiterer
Lit.); Ägypten: K. 254; aegaeisch: H a s t i n g s
1, 145 b. ³²) K. 243. ³³) PW. 373 ⁴⁵ (Aristoteles); H o p f *Tierorakel* 11; G e s n. IV a:
fliegend auch gar hoch..., darum auss allen
vöglen allein der A. für einen göttlichen vogel
gehalten; im AT.: Flug gegen den Himmel:
Spr. 23, 5; 30, 18. 19; Hiob 9, 26; 39, 27;
Jerem. 4, 13. ³⁴) M e y e r *Germ. Myth.* 110.
³⁵) K. 254. 442; ARw. 16, 558; C u m o n t
Etudes syriennes 61 f. ³⁶) D i e t e r i c h *Mi-
thraslith.* 184; F r a z e r 5, 126; namentl. C u -
m o n t *Etudes syriennes* 62 f. 76 f. 87. ³⁷) ARw.
16, 558 (dagegen ARw. 20, 199); C u m o n t
38 ff. 50. 352. ³⁸) K r a u s *Real.-Enc. d. chr.
Alt.* 1, 21 a. ³⁹) Ebd. 1, 20 b; C a b r o l *Dict.
d'arch. chr.* 1, 1, 1036; K. 251. ⁴⁰) K. 274;
G r i m m *Myth.* 3, 181; P a n z e r *Beitr.* 2,
456 f. 460. 260. ⁴¹) D i e t e r i c h *Mithrasl.* 54.
151; ARw. 19, 553. ⁴²) K. 240 f.; PW. 374 ⁶²;
C u m o n t 35 ff. ⁴³) K. 241 (Alexander). 251.
252; PW. 275 ¹³; ausführl. C u m o n t 35 ff.
⁴⁴) G r i m m *Myth.* 1, 527. ⁴⁵) Minnesinger ed.
v. d. Hagen 2, 4 (II, 1 b). ⁴⁶) *Magiologia* 238.
⁴⁷) K. 242. ⁴⁸) Ebd. 248 f.; G e n n e p *Religions*
2, 19. ⁴⁹) W. W a c k e r n a g e l *Kl. Schr.* 3,
200; S c h ö n f e l d *Wörterb. d. altgerm. Pers.-
u. Völkernamen* 23. 26; F ö r s t e m a n n *Altd.
Namenb.*² 1, 135 ff. ⁵⁰) K. 240.

2. Aus der Göttlichkeit des A.s ergeben
sich von selbst seine d i v i n a t o r i -
s c h e n und a u g u r a l e n Eigenschaften: er ist Orakeltier und weis-
sagend⁵¹) bei den Völkern des Altertums⁵²)
wie bei den alten Germanen ⁵³) und den
Deutschen des Hochmittelalters ⁵⁴). Nach
der Eyrbyggja-Saga gilt ein A., der einen
Hund davonträgt als ʼfyrirburðr' (Vorzeichen) ⁵⁵). Besonders der Angang wurde
beobachtet ⁵⁶). Noch heute gilt in Ostpreußen A.begegnen als großer Glücks-
fall ⁵⁷). So in der Antike ⁵⁸). Den Schiffern

des alten Griechenland, wie Nordamerikas
gilt der Fluß a. (Pandion haliaëtus?) als
gutes Omen ⁵⁹). Glückbringend ist auch
der ein Hirschkalb oder eine Gans tragende A.⁶⁰), auf Kindersegen deutet ein
eine Henne tragender A.⁶¹). Dagegen verkündet der schlangentragende A. Unglück ⁶²). Krimhild träumt, daß ihr Falke
(Siegfried) von zwei A.n zerfleischt werde,
was von Ute als Tod gedeutet wird ⁶³).
Den Tod der Freier verkündet der wür-
gende A. in Penelopes Traum ⁶⁴). Als
Kaiser Wilhelms I. Leben 1879 durch
Attentäter in Gefahr war, soll ein von
Raben verfolgter Adler über Berlin gesehen worden sein ⁶⁵); in Frankreich ist
der Schrei der orfraie (Seea.) todkündend ⁶⁶). Nach Theophrast v. Eresus ⁶⁷)
gilt der kasuistische Aberglaube, daß es
Tod bedeute, wenn beim Ausgraben von
schwarzem Helleborus (Veratrum nigr.) —
man schaute dabei gegen Sonnenaufgang
und betete zu Apollo und Asklepios —
ein A. herfliege. Natürlich ist, wie bei
den meisten Augurien, die R i c h t u n g
d e s F l u g e s bedeutungsvoll: von
rechts: Glück, von links: Unglück ⁶⁸).
Noch Johann Hartlieb (1456) sagt: „es
sind lüt, die groß glauben haben an den
aren vnd mainent ye, wann er taschenhalb flieg, es sull bedeuten groß geluck
oder großen gewin" ⁶⁹). Namentlich im
Kriege ist der A.flug ominös. Meist zeigt
er den S i e g an, besonders von rechts
fliegend ⁷⁰), im Norden wenn hoch fliegend ⁷¹).

Als Kaiser Karl V. den Krieg gegen die
Neugläubigen begann, sah man einen A.,
der in der Luft über des Kaisers Heer
stand, auch kam aus dem Walde ein Wolf
gelaufen und lief zwischen der Spanier
Fußvolk. Daraus hat man auf Sieg geschlossen ⁷²). Am 30. Oktober 1593 zeigte
sich in Zittau ein riesiger zweiköpfiger A.
am Himmel, auf den glühende Pfeile
schossen, ohne ihn zu verletzen. Einen
Monat später kam die Nachricht von dem
Sieg Kaiser Rudolfs II. über die Türken ⁷³). Sogar der römische Legions-A. ist
vordeutend ⁷⁴). In der Gunnlaugssaga bedeuten zwei A. im Traum zwei Stürme ⁷⁵)
(vgl. u. 4 ¹²¹ ff.). Durch eine besondere

Sprache warnt der A. bei Gefahr (Kuhländchen) [76]). Verschiedene Traumdeutungen finden sich bei Artemidor [77]). In Spanien wird der Zwerga. (Eutolmaëtus pennatus *Gmel.*?) zum Ziehen von Glücksnummern in der Lotterie verwendet [78]).

[51]) H o p f *Tierorakel* 87 ff.; K. 245 ff. [52]) K. 245 ff. 262. 445 Anm. 250; PW. 373 [48]; S t a e h l i n *Mantik* (Register); G u b e r - n a t i s *Tiere* 491; H o p f 87 f. 89 f. (Griechen). 88. 90 f. (Römer). [53]) H o p f 89; K. 246; G r i m m *Myth.* 2, 948. [54]) H o p f 89: Michael Scotus, der Kanzler Friedrichs II.: 'volatus et cantus auguria considerantur'. [55]) M e y e r *Germ. Myth.* 110 ob. [56]) M ü l - l e n h o f f *Altert.* 4, 229; G r i m m *Myth.* 2, 946 (vom *mûs-ar*, wohl der Mäusebussard, Buteo buteo *Linn.*); S c h ö n b a c h *Berth.* v. *R.* 32 (ebenso). [57]) S t e m p l i n g e r *Abergl.* 46. [58]) PW. 1, 68. [59]) Ebd. 371 [67]; K. 262 (D i o n y s i u s *De avibus* II, 1). [60]) H o p f 88 (Homer). [61]) Ebd. 88 (Plin.). [62]) Ebd. 89; K ü s t e r *Schlange* 127 (Il. 12, 200 ff.). Auch sonst ist der A. zuweilen Unglücksvogel: C l e m e n *Reste* 65. [63]) Nib. Str. 13 f. [64]) Odyssee 19, 538 ff. [65]) S c h u - l e n b u r g *Wend. Volksk.* 167 A. 1. [66]) S é - b i l l o t *Folk-Lore* 3, 195. [67]) *Hist. plant.* IX, 8, 8 (K. 245. 437 Anm. 119). [68]) H o p f 88. 90; K. 246. 438 Anm. 131; P a n z e r *Beitrag* 2, 455. 456 (2 sich bekämpfende A.). 458; K ü s t e r *Schlange* 128 (Doppeldeutigkeit je nach dem Standpunkt der Troer u. der Hellenen). [69]) U l m *Hartlieb* 43; G r i m m *Myth.* 2, 946; 3, 429. [70]) PW. 374 [5]; K. 245. 241. 244. [71]) M e y e r *Germ. Myth.* 110 ob. [72]) W o l f *Dt. Märchen* 501 f. [73]) K ü h n a u *Sagen* 3, 450 f. [74]) K. 243. [75]) cap. 2. [76]) E n d e r s *Kuhl.* 78. [77]) *Oneirokritika* allg.: 4, 56, spez. 2, 20. [78]) H o p f 91 f. (nach B r e h m, in dessen 4. Aufl. jedoch die Notiz fehlt).

3. Mannigfach ist der b i o l o g i s c h e Aberglaube, doch wurzelt auch er zumeist in der antiken Zoologie und Symbolik und ist kaum je Volksglauben gewesen. Der A. erreicht ein hohes A l t e r und bleibt auch in diesem noch jugendlich [79]). Die Ursache seines Todes ist nicht Altersschwäche, sondern Hunger, weil sein O b e r s c h n a b e l zu sehr in die Länge wächst und sich verkrümmt [80]); das zwingt ihn zu t r i n k e n , der sonst nie Flüssiges genießt [81]); doch die Jungen trinken B l u t [82]). Den zu langen S c h n a - b e l zerschlägt er an einem Stein [83]), oder er wetzt ihn und die K l a u e n an einem Stein [84]); denn auch diese krümmen sich im Alter so ein, daß er keine Beute mehr

halten kann [85]); die F l ü g e l werden weiß und schwer [86]).

Nicht ganz sicher ist der Ursprung des Aberglaubens von der V e r j ü n g u n g des A.s. Psalm 102, 5 (jetzt 103, 5) sagt: renovabitur ut aquilae juventus tua, Jes. 40, 31: Qui autem sperant in Domino, mutabunt fortitudinem, assument pennas sicut aquilae, current et non laborabunt, ambulabunt et non deficient. Es fragt sich, ob nicht schon diese Äußerungen auf einem alten Aberglauben beruhen; jedenfalls haben sie Anlaß gegeben zu dem weiter ausgebildeten Glauben, daß, wenn dem A. im Alter die Augen schwach werden, er zu einer Quelle fliege und von dieser sich erhebe bis zur Sonne; dort verbrenne er seine Flügel und kläre seine Augen; auf die Erde gefallen, tauche er dreimal in der Quelle unter und sei verjüngt [87]). Nach Hieronymus [88]) berichtet der Physiologus [89]): „So der are alt wirdit, so fliugit er uf an den luft und brennit sine f e d e - r e n unt vellet danne in sin nest. so ziehet in sine iungen, unz (bis) er federen gewinnit als er e (vorher) hete." Von den verbrannten Flügeln des „Geiers" Sampâti spricht die indische Sage [90]). Das A.- weibchen legt 3 E i e r , die es 30 Tage lang bebrütet [91]). Anderwärts nirgends gefunden habe ich den Aberglauben aus Steinhöwels Äsop S. 244: „Darvon ist ensprungen, daz die a. nit iunge habent, ouch nit ayer legent zuo den zyten, so die hurnussel (Hornissen) synt" [92]). Die Bruthitze ist beim A. sehr groß, „als wenn man die eyer kochte", sagt Gesner II b, und III a: „Der A. ist also hitzig, daß er die eyer mit dem brüt gar verkochte, wenn er den allerkeltesten s t e i n Gagatem nit darzu legte, als Lucanus schreybt." Weiter unten (III b) berichtet er, daß die Eier in einen Fuchs- oder Hasenbalg gelegt und von der Sonne gebrütet würden, nach Albertus Magnus würden sie einem andern A. untergelegt [93]). Öfter wird berichtet, der A. ziehe nur 1 J u n g e s auf; die überzähligen würden aus dem Neste geworfen und von einem andern A. (Geier?) aufgezogen [94]). Seine Jungen zwingt er, in die Sonne zu schauen;

welches Junge das nicht vermag, wird
ausgestoßen [95]). Anderseits rühmt man
ihm vorsorgliche Liebe für seine Jungen
nach. Er schützt sie mit seinem Leib
gegen den Jäger [96]). Er lehrt sie auf seinem Rücken fliegen, eine Anschauung,
die schon im Pentateuch ausgesprochen [97])
und von den mittelalterlichen Tierbüchern
übernommen wird [98]). Nach Gesn. (III a)
überfliegen die Jungen die Alten oder
helfen ihnen im Flug, wenn sie schwerfällig werden (III b). Eine im MA. verbreitete Überlieferung ist, daß der A.
mit andern Vögeln seinen R a u b t e i l e,
sie selbst aber verzehre, wenn er dabei zu kurz komme [99]). Anderseits hat er
in der Tierwelt viele F e i n d e, die ihn
sogar überwältigen können, wie den Greif-
falken (Lämmergeier?) [100]), Schwan [101]),
Kranich, Storch, Reiher [102]), Krähe, Elster [103]). Besonders verfeindet ist er mit
dem Specht und dem Zaunkönig, weil
ihm der Specht die Eier zerbricht [104]) und
der Zaunkönig den Königstitel streitig
macht [105]). Von Tieren anderer Klassen
ist als erbittertster Feind des A.s die
Schlange zu nennen [106]). Über einen
Kampf mit einem Polypen berichtet Gesner [107]). Die Schildkröte, die sonst eine
Lieblingsnahrung des A.s ist [108]), und die
von ihm das Fliegen lernen will [109]), besiegt nach einem Zitat aus Achaios den
A.[110]). Eine Sage der Siebenbürger Szekler läßt eine Katze den A. überlisten [111]).
Die Pflanze Symphyton (Beinwurz) tötet
den A.[112]). Seine Wasser b e u t e zieht
der A. (Seea.?) mit den Federn ans
Ufer [113]). Wenn seine F e d e r n mit
denen anderer Vögel zusammengebracht
werden, zerstören sie diese [114]).

Der A. ist v i e l w i s s e n d [115]) und
spürt die Feinde von weitem [116]). Sein
s c h a r f e s A u g e , das ungeblendet
in die Sonne blicken kann und die Beute
aus schwindelnden Höhen erschaut, ist
sprichwörtlich [117]); nur in der Brutzeit
„sol der A. auss dem gschlächt schlahen
und übel schen, also das er dem raub nit
mag nachkommen, dannenhär er Exaetos
genannt wird" [118]). Unbekannt ist uns die
Herkunft des mittelalterlichen Aberglaubens, daß der rechte F u ß des A.s größer

sei, als der linke [119]); nach Albertus
Magnus [120]) ist beim kleinen Fischa. der
eine Fuß Schwimm-, der andere Greiffuß.
    [79]) K. 268; PW. 372 [50]; G e s n. IV b.
[80]) K. 267; PW. 372 [30] (Aristot., Antigonus,
Plin.); Physiologus: Fundgruben 1, 33; V i n c.
B. 16, 32. [81]) K. 267; PW. 372 [44]. [47]; G e s n.
II b. [82]) V i n c. B. 16, 35 (c. 33 dagegen all-
gemein: aquila sanguinem lambit); G e s n.
II b, nach Hiob 39, 30. [83]) Physiologus:
Fundgr. 1, 33 (nach Augustin); L a u c h e r t
Gesch. d. Physiologus 9 Anm. 3. [84]) V i n c. B.
16, 36; R o l l a n d Faune pop. 9, 11; A l b.
M a g n. Anim. 6, 46; G e s n. IV a. [85]) V i n c.
B. 16, 35. [86]) Ebd.; Physiologus ebd. [87]) L a u -
c h e r t Gesch. d. Physiologus 9 f.; PW. 372 [56];
H a s t i n g s 6, 116 a unten; S w a i n s o n
Folk-Lore of British Birds (1886) 134 (zitiert
Albertus Magnus; in der Stadlerschen Ausgabe
unauffindbar); R o l l a n d Faune pop. 9, 11
(mit weiterer Lit.); Physiologus: l.: W i l -
h e l m Denkm. dt. Prosa (Münchener Texte
H. 8) Abt. A 24; lat. Text ebd. Abt. B.
37; Die Hochzeit (12. Jh.) Vers. 580 ff.;
H u g o v. L a n g e n s t e i n Martina (Ende
13. Jh.) 107, 1 ff. (Dazu K ö h l e r Kl. Schr. 2,
135 f.); R o l l a n d Faune pop. 9, 9 f. (m.
weiterer Lit.); S é b i l l o t Folk-Lore 3, 174;
S w a i n s o n Folk-Lore of British Birds 134;
V i n c. B. 16, 36 (nach Physiologus u. Jorath
[unbekannt]); M e g e n b e r g B. d. Nat.
(Pfeiffer) 166 (nach Adelinus = Aldhelm, dieser
nach Augustin); K l a p p e r Erzählungen Nr.
208; G e s n. IV a; D e l r i o Disqu. mag. l. II,
qu. 23; und noch L a u r e m b e r g Scherz-
gedichte 1, V. 322 ff. [88]) In Isaiam 40, 27
(M i g n e Patr. lat. 24, 426 D f.). [89]) ed. Wil-
helm (s. o. Anm. 87) S. 25; L a u c h e r t
G. d. Ph. 9 A. 3; zur Ätzung durch die Jungen:
K. 268. 447 Anm. 294 (E n n o d i u s dictio 17).
Eine auffallende Parallele hiezu von dem großen
Vogel, dessen Gefieder von zwei andern erneuert
werden, und der nach einem Bad verjüngt ist,
in altkelt. Erzählungen, bei T e g e t h o f f
Märchen, Schwänke und Fabeln 1925 S. 53.
[90]) G u b e r n a t i s Tiere 483. [91]) A l b e r t.
M a g n. Anim. 6, 46 (nach Melissus). 47; V i n c.
B. 16, 35. 36 (nach Arist. u. Plin.). [92]) V i n c.
B. 16, 35. 36 (nach Arist. u. Plin.). [92]) D ä h n h a r d t Naturs. 4, 276; im Anschluß
an die Fabel von dem Käfer, A. und Zeus.
[93]) G e s n. III b. [94]) PW. 372 [39] (Aristot., der
diesen Vogel φήνη nennt. Beizufügen wäre noch
P l i n. X, 4, 2: ossifraga); K. 268; A l b e r t.
M a g n. Anim. 6, 46; V i n c.B. 16, 32 (n.
Ambrosius). 35; G e s n. II b. [95]) K. 268 (der
eine oriental. Fabel vermutet); PW. 371 [53]
(Aristot., Plin.); L a u c h e r t G. d. Ph. 10
Anm. (2 mal); I s i d o r Etym. XII, VII, 11;
nach ihm V i n c.B. 16, 35; M e g e n b e r g
B. d. Nr. 166; W e r n h e r v o m N i e d e r -
r h e i n 68 ff. (laut K. 268); H u g o v. L a n -
g e n s t e i n Martina 107, 19 ff. (dazu K ö h -
l e r Kl. Schr. 2, 135 f.). [96]) M e g e n b e r g
167 [23]; V i n c.B. 16, 35. [97]) Exodus 19, 4;

Deut. 32, 11. [98]) V i n c.B. 16, 35; M e g e n -
b e r g 167 [14. 21] (nach Gamaliel [?]); G e s n.
III b. [99]) K ö n i g R o t h e r (ed. Massmann)
V. 4979 ff.; H u g o v. L a n g e n s t e i n
Martina 107, 41 ff. (dazu K ö h l e r *Kl. Schr.*
2, 135); M e g e n b e r g 167 [5]; J. J. W e r n e r
Üb. 2 *Handschr.* (Diss. Zürich 1904) 176;
G e s n. III b (nach Albertus M. ?). [100]) M e -
g e n b e r g 167 [17]; V i n c.B. 16, 33. [101]) G e s n.
IV a (nach Albertus M. ?, zit. auch Aeneis 9);
P l i n. (X, 95, 1) sagt nur: „In Zwietracht
leben die Schwäne und die A." [102]) G e s n. IV a
(n. Aelian). [103]) A l b. M a g n. *Anim.* VIII, 13.
[104]) G e s n. IV a; P l i n. X, 17, 2: bei Nigidius
heißt ein Vogel, der die Eier der A. zerbricht,
Subis. [105]) Schon P l i n. X, 95, 1; K u h n
Herabkunft 109; R o l l a n d *Faune pop.* 2, 4;
S é b i l l o t *Folk-Lore* 3, 178; S w a i n s o n
Folk Lore of Br. Birds 36. 135; R e u s c h
Samland 39; W o e s t e *Mark* 39; namentlich
D ä h n h a r d t *Natursagen* 4, 161 ff. (deutsche
Sagen 166 ff.). [106]) Antikes (schon mykenisch)
s. bei K ü s t e r *Schlange* 52 f. 127 ff. (Kampf
der Luftregion mit der chthonischen); W e i n -
r e i c h *Heilungswunder* 163. 166; K. 247. 248;
Weiteres: G u b e r n a t i s *Tiere* 480; H a -
s t i n g s 2, 315 a; G r i m m *Myth.* 2, 665;
B u g g e *Studien* 498; H a h n *Griech. Mär-
chen* 2, 57; A l b. M a g n. *Anim.* VIII, 12;
V i n c.B. 16, 32; G e s n. IV a; Christl. Sym-
bolik: Kampf mit dem Teufel: K r a u s
Real-Encykl. 1, 21 a. [107]) IV b, nach
A e l i a n VII, 11. [108]) K. 257. 443 Anm. 209
bis 212; PW. 372 [65]; V i n c.B. 16, 34; G e s n.
IV b (nach Oppian); indisch: G u b e r n a t i s
Tiere 487; R o l l a n d *Faune pop.* 9, 7 [23]. Ein
nordamerikanisches Märchen erwähnt K.
K n o r t z *Die Vögel* (1913) 166 f. Über den
Tod des Aeschylos durch eine Schildkröte, die
ein A. auf seinen Kopf fallen ließ: K. 257 ff.;
V i n c.B. 16, 34. [109]) D ä h n h a r d t *Naturs.*
4, 269. [110]) D i o g e n e s L a ë r t i u s II, 133
aus „Omphale" (s. D ä h n h a r d t *Naturs.* 4,
90). [111]) Ebd. 4, 25. [112]) A e l i a n *nat. an.*
VI, 46. [113]) I s i d o r *Etym.* XII, V, 10; nach
ihm V i n c.B. u. G e s n. II b. [114]) PW. 68 [19].
373 [12] (Plin. Aelian); daher das griech. Sprichwort: Du willst A.federn mit andern Federn
mischen. K ö h l e r *Tierleben im Sprw.* 7;
A l b. M a g n. *Anim.* VIII, 27 bestätigt das
aus eigener Beobachtung; V i n c.B. 16, 33;
M e g e n b e r g 167 [10]; G e s n. II a; vgl.
noch R o l l a n d *Faune pop.* 2, 4; 9, 6;
S w a i n s o n *Folk-Lore of Brit. Birds* 135.
[115]) G e s n. III a; Gylfaginning cap. 16.
[116]) V i n c.B. 16, 35. [117]) K. 268. 433 Anm. 40;
PW. 371 [50]; S w a i n s o n *F. L. of Brit. Birds*
134; I s i d o r *Etym.* XII, VII, 10; V i n c.B).
16, 32; G e s n. II b. [118]) Ebd. (Quelle?).
[119]) V i n c.B. 16, 33; M e g e n b e r g 167 [13].
[120]) VII 31.

4. **M a g i s c h e   K r ä f t e** wohnen
dem A. inne. Verbreitet ist der Glaube,
daß er den **W i n d** schaffe. Ob schon

gewisse Stellen im griechischen Altertum
dahin zu deuten sind, lassen wir dahingestellt [121]); dagegen scheint bei den Germanen der A. zum Wind in Beziehung
gesetzt worden zu sein. Windriesen haben
A.gestalt [122]). Nach der jüngeren Edda
sitzt Hræsvelgr als A. an der Nordseite
des Himmels, und wenn er die Flügel
schwingt, erheben sich unter ihnen die
Winde [123]), und noch Heinrich v. Veldeke
singt: jârlanc ist reht, daz der ar winke
dem vil süezen winde [124]). Zwei A. im
Traume bedeuten zwei Stürme [125]). Bei
andern Völkern herrschen ähnliche Vorstellungen [126]). Anderseits schützt der A.
Heilige vor Sturm [127]). Über seine Im-
munität gegen den **B l i t z** s. o. I [17] ff.
Aber auch sonstige Kräfte gehen von ihm
aus: **S e i n   B i l d** auf einem Smaragd,
hält die Heuschrecken fern [128]), seine
F e d e r n vertreiben die Wanzen [129]);
nach einem siebenbürgischen Zigeunermärchen kann man dem menschenrau-
benden A.könig entfliegen, wenn man sich
eine Feder aus seinem linken Flügel verschafft [130]), nach einem sizilianischen
sich in einen A. verwandeln [131]). A.-
f l a u m auf dem Hut schärft die Augen
und gibt Mut beim Raufen (Tirol) [132]).
Wer **A. fleisch** ißt, kann zaubern
(Wales) [133]), ein alter König wird durch
A.fleisch geheilt (Kt. Wallis) [134]). Der
rechte **F l ü g e l** schützt vor Hagel
(antik) [135]), auf einer altägyptischen Gold-
platte wirkt er offenbar als Talisman [136]).
Die **A.kralle** wehrt auf Island die
Feuersbrunst ab [137]); ebenda kann man
mit ihr (nebst andern Zutaten) Augen-
täuschungen hervorrufen [138]). In Alpen-
gegenden (bes. Tirol) wird sie als Amulett
an der Uhrkette getragen [139]). **A. m i s t**
vertreibt die Schlangen (antik) [140]). Die
A.zunge verleiht nach indianischem
Aberglauben als Amulett übernatürliche
Kräfte [141]). Über den A.stein s. d.

[121]) P a n z e r *Beitr.* 2, 455 f. (Il. 12, 207 ff.;
Od. 2, 147 ff.). Die Etymologie ἀετός zu ἄημι
„wehen" (ebd.) ist wohl ebenso falsch wie die
des Festus *aquilo ventus a vehementissimo
volatu ad instar aquilae appellatur*; vgl.
G r i m m *Myth.* 1, 528. [122]) s. o. Nr. 1 Anm.
27; G r i m m *Myth.* 1, 526; P a n z e r *Beitr.*
2, 454. [123]) G r i m m *Myth.* 1, 527. [124]) Ebd.

125) M e y e r *Germ. Myth.* 112. 126) G r i m m *Myth.* 1, 527 f.; 3, 181. 127) S w a i n s o n *F. L. of Br. Birds* 135. 128) K. 436 A. 93; PW. 373 22 (Plin.). 129) PW. 373 11 (Galen). 130) W l i s - l o c k i *Zigeuner* 303. 131) G o n z e n b a c h *Siz. Märchen* 1, 35. 132) ZfVk. 8, 168; A l p e n - b u r g *Tirol* 384. 133) T h o m a s *Welsh Fairy Book* (1915) 191. 134) J e g e r l e h n e r *Sagen* 1, 142. 135) PW. 68 21. 373 20; F e h r l e *Geop.* 7. 136) S e l i g m a n n *Blick* 2, 112. 137) S l o e t *Dieren* 189 (nach M a u r e r *Isl. Volkssagen* 170). 138) ZfVk. 13, 275. 139) ZföVk. 13, 113. 140) PW. 373 24 (Geopon.). 141) F r a - z e r 8, 270.

5. **V o l k s m e d i z i n.** In einem Ruppiner Zauber s e g e n gegen die Flechte wird der A. genannt: „Der A. und die Flechte / Flogen beide zur Rechte; / Der A., der gewann 't, / die Flechte, die verschwand" [142]. Ein Teil der O s s i f r a g a (vielleicht Seea. oder Lämmergeier) „gebrennt und getrunken", wird gegen Fallsucht verwendet [143], an die Hüfte gehängt, heilt er den Krampf [144]. Der B a l g, über Magen und Bauch gelegt, befördert die Verdauung [145]. Das letzte D a r m stück der Ossifraga angebunden, ist gut gegen Darmgicht [146]. Die A.f e d e r (s. o. 3 Anm. 114. 129) stärkt das Gedächtnis [147]. Federn und ganze F l ü g e l von A.n legte man Gebärenden unter die Füße, um die Geburt zu erleichtern [148]. Bei den Bulgaren wird A.f e t t gegen Schwindsucht gebraucht [149], die F ü ß e im Altertum gegen Lendenweh oder Podagra [150]. Die A.g a l l e, die sehr scharf ist [151], macht klare, scharfsichtige Augen [152], heilt Aussatz u. a. Hautkrankheiten [153] und Fallsucht [154], A.h i r n die Gelbsucht [155], Schwindel [156] und Harnbeschwerden (Tirol) [157]; Augen mit A.hirn bestrichen, werden klar [158]. Ein A.k o p f ist gut gegen Kopfweh, und zwar muß, nach Galen, bei linksseitiger Migräne ein linker Schädelknochen und umgekehrt aufgebunden werden [159]. A.- k o t hilft gegen Verschiedenes [160], insbesondere Warzen [161], Brechreiz, Halskrankheiten [162], Magenkrankheiten und Dysenterie [163], Husten [164]) und fördert die Geburt [165]. In einem siebenbürgischen Zigeunermärchen verwandelt er Menschen zu Stein [166]. Die L e b e r heilt die Fallsucht [167]. Der M a g e n des A.s,

bzw. der Ossifraga, Blasenkrankheiten [168], Sehnenkrankheiten [169], schlechte Verdauung [170]; die A.z u n g e ist gut gegen Husten im alten Rom [171] wie in Bayern [172]; im Tirol und in Bayern trägt man sie auf sich, um ohne Atemnot steigen zu können [173].

142) ZfVk. 7, 72. 143) G e s n. X b (nach Plin. u. Dioscurides). 144) Ebd. 145) G e s n. V b; A [r n d t] (S. o. Anm. 4) 75 (Plin., Kyraniden). 146) G e s n. X b (nach Plin XXX, 20). 147) S l o e t *Dieren* 189 (nach M a u r e r *Isl. Volkssagen* 170). 148) G e s n. V b; A. 75 (Plin. Kyraniden). 149) S t r a u ß *Bulgaren* (1898) 388. 150) G e s n. VI a; V i n c.B. 16, 37; PW. 373 8 (Plin.) A. 74 (Kyran.). 75 (Plin.). 151) G e s n. I b. V b (n. Galen und Dioscurides). 152) G e s n. V b (n. Älian); PW. 373 2; H ö f l e r *Organother.* 218 (Plin. XXIX 38; Sextus Papyriensis XXIII; V i n c.B. 16, 37 (nach Äskulap, Plin.). 153) G e s n. X b. A. 68 (Kyran.). 154) G e s n. X b. 155) D e r s. V b (n. Plin.); PW. 373 41; A. 54 (Persien). 156) G e s n. V b (n. Kyran.). 157) ZfVk. 8, 168; A l p e n b u r g *Tirol* 384. 158) V i n c.B. 16, 37; G e s n. V b (n. Plin.). 159) D e r s. V b; A. 74. 160) G e s n. X b; der Glaube wird von Galen XII, 305 bekämpft (PW. 373 9). 161) G e s n. VI a; A. 68 (Kyran.). 162) G e s n. VI a; 163) A. 69 (Kyran.). 164) Ebd. 165) Ebd. 166) W l i s l o c k i *Zigeuner* 302. 167) G e s n. V b; A. 67 (Kyran.). 168) D e r s. X b (Plin.); A. 67 (Marcellus, Dioscurides); PW. 68 23. 169) A. 67 (Plin.). 170) PW. 373 7 (Marcellus). 171) G e s n. VI a (Galen). 172) H o v o r k a - K r o n f. 2, 25. 173) ZfVk. 8, 168; A l p e n b u r g *Tirol* 384. H o v.-K r. ebd.

6. Von dem Reichtum an A.- S a g e n und - M y t h e n, wie ihn der alte Orient, Griechenland und noch Rom aufweist, ist im mittelalterlichen und neuzeitlichen Okzident sozusagen nichts mehr vorhanden. Auch der Norden erscheint jenen gegenüber dürftig. Vereinzeltes wurde schon oben gestreift: die Königswahl des A.s (1 6. 3 105), der Götterbote (1 22), Götter (1 23), Dämonen (1 26. 27. 28), Teufel (1 29), Hexen (1 30), Menschen (4 10 a) in A.gestalt, der A. als Tier der Könige (1 45), das vordeutende Erscheinen des A.s (2 60. 61), in bezug auf Fürsten (2 65. 72. 73), A.träume in der Sage (2 63. 64), A. und Sturm (2 75; 4 122. 123); A. und Tiere (3 92. 105. 110. 111), A. in der Heiligenlegende (4 127), Teile des A.s (4 130. 134; 5 167). Im folgenden noch einige für den Aberglauben bedeutungsvolle

Züge. — Bei H e l g i s Geburt rauschen
die A. [174]), wie sich bei A l e x a n d e r s
Geburt 2 A. auf den Giebel des Palastes
setzen [175]). In Rhodus setzt sich ein A.
auf das Haus des T i b e r i u s [176]). In
dem babylonischen Mythus will E t a n a,
auf einem A. reitend, das geburtfördernde
Kraut bei der Himmelskönigin Ischtar
holen [177]); Fürsten werden durch A. g e -
s c h ü t z t oder den Verfolgern entführt [178]) (Gilgamesch [179]), Achämenes [180]),
Aristomenes) [181]); in der Apokalypse 12, 14
wurden dem Weibe, das geboren hat, die
Flügel des großen A.s verliehen, damit
es vor dem Drachen in die Wüste entfliehen kann [182]). Einen Hirten trägt ein
A. von einem Felsen ins Tal [183]), nach einer talmudischen Legende ein Gemsen-
junges [184]). Auch sonst tritt der A. als
Retter auf [185]). Sagen von z a h m e n
und treu-anhänglichen A.n begegnen
mehrfach [186]).

Auch von s c h a t t e n spendenden
und Kühlung wehenden A.n wird berichtet [187]). Wohltätern gegenüber erweisen sie sich als d a n k b a r [188]). Über
die Tötung des Ä s c h y l u s s. o. 3 [108],
über V e r w a n d l u n g e n in A. s. die
obigen Zitate [189]). Altnordisch ist der
Mythus von der Welt e s c h e und dem
daraufsitzenden vielwissenden A. [190]);
ebenso die Geschichte von L o k i, der
dem ochsenraubenden A. eine Stange in
den Leib stößt und von ihm wegge-
schleppt wird [191]); immerhin werden hiezu
entferntere Parallelen erwähnt [192]); ganz
auffallend sind dagegen die Übereinstimmungen in einem siebenbürgischen
Zigeunermärchen [193]). Spätere Geschichten
erzählen von A.s H o c h z e i t [194]), seiner
betrügerischen Werbung um die Eule [195]),
seinem S c h i e d s g e r i c h t zwischen
Eule und Fledermaus (Wales) [196]), dem
Raub eines P f l u g g e s p a n n s [197]);
den M ö n c h eines versunkenen Klosters zieht ein feuriger A., aus dem See
auftauchend, in diesen hinunter [198]), einen
E r e m i t e n führt er [199]), den Grün-
dungsort eines K l o s t e r s zeigt er
durch Umkreisung im Flug an [200]).
Eigentümlich ist die oldenburgische
Geschichte von dem reich gewordenen

Zimmergesellen, der an jeden S t a c h e l -
b e e r b u s c h einen goldenen A.
hängt [201]). Nur vorübergehend seien erwähnt die Sagen vom R a u b des Gany-
med [202]) und einer Jungfrau [203]), während
die Berichte von geraubten Kindern und
sogar halbwüchsigen Menschen zum Teil
verbürgt sind [204]). Z e u s wird von dem
A. geschützt und getränkt [205]). Die Sage
von dem leberfressenden A. (P r o m e -
t h e u s) scheint vereinzelte Parallelen zu
haben [206]). Das hübsche Märchen von dem
Raub des Schuhes der R h o d o p i s
bei Älian Var. hist. XIII, 32. A s t r o -
n o m i s c h e Mythen über das Sternbild des A.s s. bei Pauly-Wiss. 1, 374 [55].

[174]) M e y e r Germ. Myth. 112. [175]) K. 241.
[176]) G e s n. II a (n. Sueton). [177]) H a s t i n g s
2, 315 a; C u m o n t Etudes syr. 82 f.; E b e r t
1, 22. [178]) Ebd. [179]) C u m o n t 83. [180]) Ebd.
85 An. 4; PW. 1, 99. [181]) C u m o n t 83, A. 2;
G ü n t e r Leg. 56. [182]) C l e m e n Reste 65.
[183]) G ü n t e r Leg. 61. [184]) Ebd. 126. [185]) K.
255 f. [186]) Pyrrhus: G e s n. III b (n. Älian II,
40); Knabe: Ä l i a n VI, 29; dazu Ausg. v.
Jacobs Bd. 2, 224; Jungfrau: G e s n. III b
(n. P l i n. X, 18). [187]) G r i m m Myth. 2, 948
(R o l l a n d 21, 20); Wiener Oswald, Hs.D,
Vers 346 c; G ü n t e r Leg. 125; S w a i n -
s o n F. L. of Brit. Birds 135 ob.; H a h n
Griech. Märchen (1864) 1, 317; 2, 57. [188]) K.
272; PW. 373 [36]; M a r x Griech. Märchen v.
dankb. Tieren (1889) 29 ff.; H a h n Gr. Mär.
1, 317; Warnung vor Schlangengift: G e s n.
IV b (n. A e l i a n XVII, 37; dazu Jacobs in
s. Anm.); K ö h l e r Kl. Schr. 1, 560 f.;
G u b e r n a t i s Tiere 486 Anm. 1; G o n -
z e n b a c h Siz. Märchen 1, 34 f.; S é b i l l o t
Folk-Lore 3, 213. Außerdem K. 240. 251;
PW. 374 [43]; G u b e r n a t i s Tiere 492;
D ä h n h a r d t Naturs. 3, 431. [190]) Gylfaginning c. 16; G r i m m Myth. 2, 664; M e y e r
Germ. Myth. 112; B r a u n Sage 2, 282 (griech.
Parallele aus Nonn. 40, 443); H a h n Sagenwiss. Stud. 517; B u g g e Studien 498 ff.;
(christlich-antiker Einfluß); E i s l e r Weltenmantel 577 [3]. 580 A. 583. 590. [191]) Bragarœdur:
Edda, dtsch. v. Gering 353; H a h n Sagenwiss.
St. 143. [192]) A. Stiere jagend PW. 372 [19];
Ä l i a n II, 39 (dazu J a c o b s II, 83: „verdächtig"); G u b e r n a t i s Tiere 487 A. 2.
[193]) W l i s l o c k i Zigeuner 302. [194]) D ä h n -
h a r d t N. S. 3, 139. 177. [195]) E r k - B ö h m e
1, 528; ZfdA. 7, 333. [196]) D ä h n h a r d t 3,
270. [197]) R e i s e r Allgäu 1, 313. [198]) V e r -
n a l e k e n Alpens. 49. [199]) K l a p p e r Erzähl. 349. Der weisende A. von Gwernabwy:
T e g e t h o f f Märchen, Schwänke u. Fabeln
(1925) 88 f. [200]) G r i m m Myth. 2, 955 (n.
Flodoard, 10. Jh.); vgl. W. W a c k e r n a g e l

Kl. Schr. 3, 204. [201]) S t r a c k e r j a n 1,
228. [202]) K. 249; C u m o n t *Et. syr.* 85.
[203]) W l i s l o c k i *Zigeuner* 304. [204]) K. 249;
W a l l i s e r S a g e n 1, 181 f.; T s c h u d i
Tierleben [8] 289; B r e h m [4] 6, 358 (Adler).
322 ff. (Bartgeier). [205]) PW. 374 [24]; K u h n
Herabkunft 178 (176 ff. weitere Mythen).
[206]) K. 256. 443.

7. Aus dem dt. V o l k s b r a u c h
läßt sich erwähnen, daß bei Schlettstadt
die aufgerichtete W e i n l e s e t a n n e
einen goldpapierenen A. trägt [207]), und
in Nieder-Finow und Liepe die Knechte
am 2. Pfingsttage mit einem Gänseaar
(Haliaëtus albicilla) u m z i e h e n, der
am Himmelfahrtstage aus dem Neste genommen worden ist [208]).

[207]) M a n n h a r d t 1, 203. [208]) S a r t o r i
Sitte 3, 198 A. 24.

8. Ein R e c h t s b r a u c h graus-
samster Art ist das A.- (auch Eule-)
s c h n e i d e n des germ. Nordens, das
darin bestand, daß einem besiegten
Feinde in den Rücken Einschnitte in Gestalt eines A.s gemacht und flügelartig
aufgerissen wurden [209]).

[209]) G r i m m *RA.* 2, 271; v. d. H a g e n -
E d z a r d i *Altdt. u. altnord. Heldens.* 3, 330
A. 1. 371; G u b e r n a t i s *Tiere* 488 A. 1
(Parallelen in russ. Volksmärchen).

9. In K u n s t und H e r a l d i k ist
der A. als Götter- und Königstier ein
weitverbreitetes Motiv [210]). Er kommt
als Tempel-, Haus- und Gräberschmuck
vor [211]), außerdem auf Münzen [212], Wappen [213]), Zepter [214]), Helm[215]), Legions-
signa [216]), Schleuderbleien [217]) u. a. m.
Der D o p p e l a. ist altorientalischen
Ursprungs [218]).   Vgl. G e i e r.

[210]) Antik: K. 273 ff.; christl.: C a b r o l
Dict. d'arch. chrét. I, 1, 1037; K r a u s *Real-
Enc.* s. v. [211]) s. o. I [37. 40. 43]. [212]) K. 239.
241. 242. 243. 244 ff. 261 f. 264. 436 A. 92;
I m h o o f - B l u m e r u. K e l l e r *Tier- u.
Pflanzenbilder* 1889. (Register). [213]) K. 240 f.
244 ff. [214]) Ebd. 240. [215]) Ebd. 242. [216]) D a -
r e m b.- S a g l i o IV, 1310 ff.; K. 242;
G e n n e p *Religions* 2, 19. [217]) K. 244.
[218]) G o b l e t d ' A l v i e l l a *Migration d.
Symboles* 28 ff.; F r a z e r 5, 133 A. (Hettiter);
C u m o n t *Et. syr.* 116 u. Anm. 5; PW. 375 [11].
Hoffmann-Krayer.

Adlerfarn s. F a r n.

Adlerstein (Aëtit). Griech. ἀετίτης (von
ἀετός = Adler), mhd. athites; nhd. Adlerstein, an der Nordseeküste Gosarensteen
(Gänsea.), auch Krallenstein genannt,
weil die Adler ihn angeblich in ihren
Krallen zum Horst tragen, um diesem
Festigkeit zu verleihen und ihn und ihre
Jungen vor Gefahren zu beschützen (weitere Benennungen s. u.). Die Fabel von
dem A. und seinen Wirkungen stammt
aus dem Altertum und ist von dort in die
naturwissenschaftlichen Werke des MA.s
und aus diesen in das Volk gedrungen.
Die A.e sind runde oder ovale Gebilde aus
Braun- oder Toneisenstein von der Größe
einer Nuß bis zu der eines Kindskopfes.
Im Innern haben sie einen Hohlraum, in
dem abgelöste Steinchen eingeschlossen
sind; wenn man den Stein schüttelt,
klappern sie. Man nennt den Stein deshalb auch „Klapperstein" [1]). Da der ein-
geschlossene und bewegliche Kern an die
Leibesfrucht einer schwangeren Frau erinnert, bestand von jeher der Aberglaube,
der A. sei als Amulett (similia similibus)
gebärenden Frauen dienlich. Plinius (n.
h. 10 § 12) nennt ihn lapis praegnans
(Schwangeren-Stein), und ihm folgend
berichten antike und mittelalterliche
Schriftsteller, der A. besitze die magische
Kraft, das keimende Leben im Mutterleibe zu schützen, vor einer Frühgeburt
zu bewahren und der Kreißenden die
Wehen zu erleichtern. Zu diesem Zwecke
sollte er inwendig an die linke Lende der
Gebärenden gelegt, zum Schutz gegen
Fehlgeburt aber von der Frau als Amulett
getragen werden [2]). Einige Beispiele sollen
die große Bedeutung zeigen, die der A.
als geburtserleichterndes Mittel früher
hatte. Ibn al-Beitar berichtet (nach
Aristoteles):

Dieses (scil. der A.) ist ein Stein, von Indien
herstammend, der, wenn er bewegt wird, den
Ton eines andern Steines, der sich in seinem
Bauch bewegt, von sich gibt und der gr. Aetites
genannt wird, welches einen die Geburt erleich-
ternden Stein bedeutet. Die Menschen verfielen
auf die Eigenschaft dieses Steines durch die
Adler, und zwar weil zu dem Weibchen dieses
Vogels, wenn es Eier legt und dieses Geschäft
mit Beschwerden verbunden ist, das Männchen
mit diesem Stein herbeikommt, denselben unter
das Weibchen legt, worauf das Eierlegen erleichtert wird und jeder Schmerz verschwindet.
Ebenso wirkt dieser Stein bei den Weibern und

den übrigen weiblichen Tieren, wenn er unter sie gelegt wird, und erleichtert ihre Geburten" [3]).

Ähnliche Auskunft gibt das Vogelbuch des Dionysius [4]:

„Cum parturiunt (sc. aquilae), lapidem nidis imponunt, ut tempestive pariant, neque, per vim pulso fetu immaturo, abortiant. Non constat autem de hoc lapide: sunt qui de montibus Caucasiis, alii ab Oceani littore peti tradunt, colore candidissimo, spiritu gravidum, qui etiam ex agitatione sonum edit. Feminae praegnanti alligatus abortum amolietur; contacta aqua in lebete fervente ignis vim penitus domabit."

Vincentius Bellov. berichtet über ihn in seinem „Speculum naturale":

„In nido gemmam ponit, ut pullos a serpentibus defendat" (l. XVI, cap. XXXIII); „Jorath (?) aquila de pullorum suorum cibo solicita ponit amatistin in nido suo: et ab eis venenum fugat." (l. XVI, cap. XXXV). „Dicunt et alii philosophi quod duos lapides pretiosos nomine indes in suo nido collocat, sine quibus parere non potest" (ib.). Über den „ethites quem aliqui dixere gagitem" s. ebd. cap. XXXIV.

Volmar „besingt" den A. in seinem „Steinbuch" (13. Jh.) [5]:

„Ein stein ist etite genant, / des kraft ist mir wol bekant. / der ist dicke und roter var. / den hat niwan der adelar / hohe uf sime neste. / swa man den stein weste, / da möhte man in gerne suochen. / man hat uns an den buochen / von dem steine vil geseit. / swer in an der linken hant treit / der ist iemer riche, / und sag iu waerliche / daz im der stein vil sere frumet, / swa er ze strite kummet: / so nement die viende fluht, / und büezet ouch die vallnde suht. / und ob er denne weiz den man, / daz er zwifelt dar an / ob er im vriunt oder vient si, / daz beseh er da bi, / daz im doch nit mac geschaden: / er sol in zuo sime tische laden / und sol des niht vergezzen, / er lege im in daz ezzen / den stein, daz er es nicht enweiz, / die wile die spise si heiz / ob er denn sin friunt ist niht / als er sich hin zim versiht, / swaz er sin nimt in den munt, / daz kumt im niemer für den slunt / als groz als kleine gruz / und muoz ez zehent spien uz: / so man den stein dan genimet, / so izzet er swes im gezimet."

Conrad Gesner widmet dem A. in seinem „Vogelbuch" (Zürich 1557), Fol. VI a bis VII a ein ganzes Kapitel, in welchem er u. a. die volksmedizinische Seite behandelt. Fol. III a schreibt er:

„Der Adler ist also hitzig, daß er die Eier mit dem brüt gar verkochte, wenn er den allerkeltesten stein Gagatem nit darzulegte / als Lucanus schreibt. Etliche meinend auch, daß der stein Aetites die hitz der eyeren und des Adlers miltere: die andern, daß er die neere und

läblich mache: etliche daß sy nit brechind welches gantz falsch ist / dan sy ee von dem stein dan von jnen selbs aneinanderen gestossen zerbrochen wurdend / sagt Albertus. Der Adler und Storck legend allzeyt einen stein in jr näst / der Adler den Aetiten / der Storck den Lychniten / damit die eyer fürkommind / vnd die schlangen jnen nit nahind. Es sagend andere natürliche meister / daß der Adler zwen edel stein in sein näst lege / mit namen Indes / on welche er nit möge gebären. Es ist auch gwüss, dass etliche vögel zwüschend jre eyer stein legend / als die krench. Plinius sagt, man find in des Adlers näst zwen stein Aetites / das weyblin vnd das männlin / vnd on dies mögind die Adler nit gebären. So sy aber geschleufft (ausschlüpfen gemacht) habend / so legend sy den stein Achaten vnder / der die jungen vor gifft beware: wiewol der stein Gagates mehr den schlangen widerig ist dan der so Achates genennt wirt.

Auch im französischen Glauben spielte der A. eine sehr große Rolle. Bei Godefroy (III, 366) findet sich folgende Stelle:

„De la pierre d'aigle qui a nom indiose, l'aigle va en criant por cele pierre, ne ne puet (so!) ponre ne eschepir (faire éclore) devant que elle ait cele pierre."

und Rolland, Faune populaire (IX, 8 f.), gibt aus Werken des 16. u. 17. Jhs. mehrere weitere Belege an [6]).

Aber auch in anderer Hinsicht war der A. heilsam. Zahler erwähnt, daß man den Leibbruch der Kinder in Kürze zu heilen glaubte, wenn man einen A. darauf festband [7]). Unter den vielen fabelhaften Wirkungen des Aëtit, die Schade aus mittelalterlichen Quellen zusammenträgt, findet sich, daß er seinem Träger den Sieg verleiht [8]) (s. Siegstein). In der Oberpfalz hing man früher A.e an den Betthimmel oder an das Haustor gegen Behexung der Bewohner, in den Stall zu Häupten der Pferde als Schutz gegen Krankheiten (vgl. Drudenstein) [9]). Der Glaube an die magische Kraft des A.s war im MA. weit verbreitet, erhielt sich bis ins 18. Jh. und soll auf Rügen und in Oldenburg noch bestehen [10]).

Auch in der Volksheilkunde fand gestoßener A. vielfache Verwendung, z. B. bei Entbindungen, gegen Vergiftungen, Epilepsie, Kopfweh, Augenflüsse usw [11]). In der altrömischen Medizin wurde er verwendet, um das Fallen der Epileptiker zu verhüten, Wassersucht zu beseitigen,

die Heilung von Knochenbrüchen zu be-
günstigen; er verhütet Empfängnis, vermehrt die Milch der Stillenden, ja es gelingt mit seiner Hilfe sogar Diebstähle zu
entdecken, da Diebe Brot, in dem ein
Aëtites, nicht hinunterschlucken können (Dioscorides, Plinius, Galen, Aelian,
Sextus, Kyranides). Je nach dem Inhalt,
ob hart oder tonig weich, unterschied man
männliche und weibliche A.e; daneben
wurden afrikanische, cyprische und ta-
phiusische verschieden bewertet [12]).

[1]) P a u l y - W i s s o w a 1, 704 f.; P l i n.
n. h. 36 § 149; W e i n r e i c h *Heilungswunder*
18; K e l l e r *Tiere* 269; A n d r e e *Par-*
allelen 2, 33; L o n i c e r 35; Z e d l e r s. v.
Klapperstein 5, 691 und Adlerstein 1, 525;
S e l i g m a n n 2, 28; W o l f *Beiträge* 1, 249;
S t r a c k e r j a n *Oldenburg* 2, 178 Nr. 412;
L a m m e r t 31; K ü h n a u *Sagen* 2, 132;
H o v o r k a - K r o n f e l d 2, 564; Q u e n-
s t e d t 625; B e r g m a n n 13; A m e r s-
b a c h *Grimmelshausen* 2, 63; Abbildungen
bei S e l i g m a n n 1, 249 und G e s n e r
d. f. l. 10. [2]) P l i n. *n. h.* 30 § 130; M e g e n-
b e r g *Buch der Natur* 445; A g r i p p a v. N.
1, 92; M a r b o d c. 27; M ä n n l i n g *Curio-*
sitäten 175 (= M e y e r *Aberglaube* 59 und
101); L o n i c e r 60; S c h a d e s. v. aetit
1333 f.; G r i m m *DWb.* 5, 477; H o v o r k a-
K r o n f e l d 2, 543; L a m m e r t 169;
S t a r i c i u s *Heldenschatz* (1706), 479 f.;
Z a h l e r *Simmenthal* 83 f.; B i r l i n g e r
Aus Schwaben 1, 390; A n d r e e - E y s n
140; D r e c h s l e r *Schlesien* 1, 182; ZföVk.
13 (1907), 107 (nach R u e f f s *Hebammenbuch*)
HessBl. 5, 133 f. = S a r t o r i 1, 23. Über
ähnlichen Aberglauben bei anderen Völkern
vgl. D a r e m b e r g et S a g l i o 2, 2,
1461 f.; S c h a d e 1335; H o v o r k a-
K r o n f e l d 1, 8; A n d r e e - E y s n a. a. O
[3]) A r n d t in Journal f. Ornithologie 73
(1925), 58. [4]) Paraphrasis librorum Dionysii de
avibus (παράφρασις τῶν Διονυσίου ὀρνιθιακῶν)
(lat. Übers.) lib. I, c. III. In: Poetae bucolici
et didactici, ed. Ameis, Lehrs. usw. (Paris 1851).
[5]) Ed. Lambel Vers 373 ff. Dazu Anm. S. 56.
[6]) P o m e t *Histoire des Drogues* 1694; Olivier
de S e r r e s *Théâtre d'agriculture* (1600) 849;
D a r i o t *Prép. des médicaments* (1589), 54.
[7]) Z a h l e r a.a.O. 84. [8]) S c h a d e a. a. O.
[9]) P a n z e r *Beitrag* 2, 429. [10]) B r ü c k-
m a n n 375. [11]) Z e d l e r s. v. Klapperstein
a. a. O.; H o v o r k a - K r o n f e l d 1, 8;
Z a h l e r a. a. O. 83 f.; L o n i c e r 60 (gegen
Fallsucht), vgl. SAVk. 15 (1911), 91. [12]) K e l-
l e r *Tiere* 269; A r n d t in Journal f. Ornithologie 73 (1925), 58.
Weitere Literatur: Ephemerides naturae
curiosorum 1690, p. 136—138; Revue des Soc.
sav. 1872, 432; L a b o r d e *Emaux* 2 (1853),
B ä c h t o l d - S t ä u b l i, Aberglaube I.

440; D e V i l l a m o n t *Voyages* 1602, 217;
G. L a u r e m b e r g i u s *Descriptio aetitis.*
Rostock 1627.   Olbrich.
Mit Nachträgen von Hoffmann-Krayer.

Adolfmonat s. A u g u s t.

·Adonai, hebräische Bezeichnung Gottes,
zumal in späterer Zeit, als Ersatz für den
nicht mehr ausgesprochenen Namen Jahwe [1]); eigentlich „mein Herr". Adon ist
ein ähnliches Gottesepitheton wie Baal
und Mari und speziell phönizisch und
hebräisch [2]). Die hellenistischen Zauberpapyri verwenden das Wort oft in ihren
Anrufungen [3]). Es ist dann auch in die
Zauberformeln der späteren Zeit übergegangen und findet sich nicht selten
bis in unsere Tage [4]). Jüdische Formeln
und Kabbala haben dabei miteingewirkt.

[1]) G. D a l m a n *Der Gottesname Adonaj*
und seine Geschichte (1889); D e r s. *Die Worte*
Jesu (1898), 149 f.; RGG. 1, 156. [2]) G r a f
B a u d i s s i n *Adonis und Esmun* (1911),
65 ff.; F r a z e r *Golden Bough* 12, 149.
[3]) A b t *Apuleius* 180; W e s s e l y 1, 155
(Reg.); 2, 79 (Reg.). [4]) P r a d e l *Gebete* 20, 10.
46 f.; A g r i p p a v o n N e t t e s h e i m 3,
56. 57; SAVk. 15 (1911), 179; T y l o r in
Encyclopedia Brittanica 15, 202; H o r s t
Zauberbibliothek 2, 132; T h i e r s 1, 359. 413;
H e i m *Incantamenta* 523. 552; Turiner gnost.
Traktat f. 9 in R o s s i *Cinque manoscritti*,
Memor. Accad. Tor. ser. 2, 43; Ons Hémecht.
Festschrift 9; F r a n z *Benediktionen* 1, 409.
430; 2, 169. 497.   Jacoby.

Adoption. 1. Eltern- und Kindesverhält-
nis wird nicht immer nur durch leibliche
Abstammung vermittelt. Auch künstlich kann zwischen einem Mann oder einer
Frau und einem Kind dieses Verwandtschaftsverhältnis hergestellt werden. Der
meist verbreitete Brauch ist die Form der
Adoption durch N a c h a h m u n g d e r
l e i b l i c h e n G e b u r t, welche im
MA. auch von Männern geübt wurde. Als
der Fürst von Edessa Balduin adoptierte,
preßte er ihn an seinen nackten Leib [1]).
Ursprünglich scheint diese Adoptionsart
meist von Frauen geübt worden zu sein.
Als Hera den Herakles auf Wunsch des
Zeus adoptieren sollte, ließ sie sich auf ihr
Ehelager nieder, nahm ihn an ihren Körper und ließ ihn durch ihre Kleider zu
Boden gleiten [2]). Die bosnische Türkin
stopft den Adoptivsohn ihres Mannes
durch ihre weiten Pluderhosen [3]). Die

Bulgarin zieht ihn umgekehrt von unten nach oben durch ihre Kleider [4]). In modifizierter Form wird von Maria Cantacucena berichtet, daß sie ihr Obergewand ausbreitete und damit die Adoptivkinder umschloß [5]). Bei Südseestämmen läßt sich eine Frau auf einem erhöhten Stuhle nieder, und das Adoptivkind kriecht von rückwärts durch ihre Füße durch. Rahel, welche den Sohn ihrer Magd adoptieren will, läßt diese „auf ihrem Schoße" gebären [6]). Im alten Rom finden denn auch die Adoptionen vor dem ehelichen Lager statt, seit Nerva im Tempel des Jupiter [7]). Und die Arrogationsformel betont, daß das Adoptivkind, als von diesem Vater und seiner Ehefrau geboren, zu gelten habe [8]).

[1]) D u c a n g e *Des adoptions d'honneur en fils*; G r i m m *RA.* 1, 219. 638; L i e b r e c h t *Zur Volkskunde* 432; ZfVk. 20, 140 ff. [2]) D i o d o r 4, 39. [3]) C i s z e w s k i *Künstliche Verwandtschaft* 103. [4]) D e r s. l. c. 104. [5]) ZdVfVk. 20 (1910), 146. [6]) 1. Mos. 30, 3, 6. [7]) P l i n i u s *in panegyr.* 8. [8]) G e l l i u s 5, 19.

2. Adoption durch das S c h u h s t e i g e n. Nach altnordischem Brauch schlachtet der Vater einen dreijährigen Ochsen, von dessen rechtem Fuß die Haut abgezogen wird. In den daraus verfertigten Schuh steigt zunächst der Vater, hierauf die Erben und Freunde [9]). Der Schuh spielt eine Rolle im Hochzeitszeremoniell [10]) der Südslawen und auch beim Zeremoniell anläßlich der Weigerung eines berufenen Erben, die Leviratsehe zu vollziehen im A T. [11]). Es kann sich hier um einen Fruchtbarkeitsritus handeln, aber auch um ein Symbol für künftige Identität untereinander und mit dem Opfertier.

[9]) W e i n h o l d *Altnordisches Leben* 290; ZdVfVk. 4 (1894), 166. [10]) C i s z e w s k i *Künstliche Verwandtschaft* 108. [11]) 5. Mos. 25, 3.

3. K n i e s e t z u n g ist ebenfalls ein sowohl bei der A. [12]) wie bei der Verlobung vorkommendes Symbol [13]). Der Dänenkönig Harald hatte den Eirikssohn Harald durch Kniesetzung zum Pflegesohn angenommen. Harald Harfagr, der Gründer der dänischen Alleinherrschaft in Norwegen, ließ den Sohn einer Magd dem englischen König Aethelstan aufs Knie setzen und behauptete, hiedurch sei auch

ohne Willen des Königs eine A. zustande gekommen.

Auch Handauflegung dient gelegentlich zur Bezeichnung der A. [14]), ebenso Zusammenbinden mit einem Gürtel [15]). Bisweilen wird auch nur eine feierliche Erklärung abgegeben [16]). Die Goten kannten auch A. durch das Schwert, Langobarden und Franken durch Bart und Haar [17]). In Rom gab es auch eine testamentarische A., welche weder Vermögens- noch Sippenrechte übertrug, wohl aber für die Übertragung politischer Macht, des Kaisertums, sehr gerne verwendet wurde.

[12]) G r i m m *RA.* 1, 598. [13]) ZdVfVk. 4 (1894), 166. [14]) 1. Mos. 48, 14. [15]) K r a u s s *Sitte u. Brauch* 599 f. [16]) Ebd. [17]) G r i m m *RA.* 1, 638 ff.

4. Der Adoptierte ist ein „Wunschkind", altn. öskabarn, „Wahlkind". Er wird in das Haus aufgenommen, um die Fortsetzung des Geschlechts oder des Totenkultes zu sichern, oder auch um einem Alleinstehenden die Wirtschaft zu führen, bisweilen auch, weil man sich davon einen günstigen Einfluß auf die Fruchtbarkeit der Adoptiveltern verspricht [18]), aber auch, um jemandem ein Erbteil zuwenden zu können [19]). Nach älterem römischem Rechte konnte nur ein Mann die A. vollziehen. Der Adoptierte galt als mutterlos [20]). Bei primitiven Völkern entschließen sich im allgemeinen Eltern sehr schwer, eines ihrer Kinder in eine andere Sippe adoptieren zu lassen; doch sind die Übergänge zwischen Pflege-, Pfand- und Adoptivkindern fließend [21]).

[18]) H a r t l a n d *Primitive Paternity* 1, 147 ff. [19]) 1. Mose 48, 19. [20]) B a c h o f e n *Mutterrecht* 261. [21]) G u t m a n n *Das Recht der Dschagga* 228 ff. Vgl. weiter P l o s s *Kind* 2, 674 ff.   M. Beth.

Adrian, hl., aus vornehmer römischer Familie, Kriegsoberster im Heere des Galerius Maximianus in der letzten großen Christenverfolgung (303), 8. Sept. [1]).

1. Seit dem 12. Jh. in Nordfrankreich und Flandern Schutzpatron gegen den plötzlichen Tod, ebenda neben dem hl. Georg bei Soldaten und Söldnern als Beschützer beliebt. Seit dem Ende des 14. Jhs. auch als Pestheiliger angerufen.

[1]) AA.SS. Boll. 8. Sept. 3, 219 ff. 209 ff.

2. Abgebildet als Krieger mit Palme und Schwert oder als Ritter, einen Amboß neben sich, auf dem man ihm nach der Legende die Gliedmaßen zerschmetterte, deshalb von den Schmieden zum Patron erwählt (naive Bildexegese), ähnlich von den Scharfrichtern und Kerkerwärtern, für letztere auch mit einem Schlüssel in der Hand dargestellt.

3. Auf einem Flugblatt des 16. Jhs. mit sog. Bauernregeln in Verbindung mit einem Speisegebot gebracht: „iß pfanzelten (= Pfannkuchen) Adriani", von Höfler (Fastengebäcke 85) auf einen Volksbrauch bezogen, „beim Umzuge der Erdgöttin diese mit heißen und fetten Speisen zu feiern", ebenda als Adrianstag (4. März) gekennzeichnet [2]).

[2]) Künstle *Ikonographie der Heiligen* (1926) 31—32; Baeßler *Legenden* 168; Bartels *Bauer* 46.   Wrede.

Advent. 1. Der A. beginnt mit dem ersten Sonntag nach dem 26. November, dauert bis Weihnachten und schließt vier Sonntage ein. Er wird als Vorbereitung auf das Weihnachtsfest erst im 6. Jh. (in Gallien) erwähnt, doch war eine Art Rüstezeit schon früher vorhanden. Sie bestand in Fasten, das am Martinstage begann und dreimal wöchentlich bis Weihnachten geübt wurde. In Deutschland wurde die Feier der A.szeit mit Fasten und andern Übungen zuerst auf der Kirchenversammlung zu Aachen (836), dann auf der Synode zu Erfurt (1. Juli 932) eingeschärft. 1022 verfügte die Synode zu Seligenstadt, daß alle Gläubigen 14 Tage vor Christi Geburt fasten sollten, und daß von Beginn des A.s bis zur Oktav von Epiphanias niemand heiraten dürfe. Mit dem ersten A.ssonntag beginnt bei Katholiken und Protestanten das Kirchenjahr.

Anfänglich galt der A. der Buße und Abtötung; daher das Fasten. Später sah man in der A.szeit auch eine Erinnerung an das alte Testament oder an die Zeit vor Christus. Daß in ihr keine feierlichen Hochzeiten noch sonst öffentliche Lustbarkeiten gehalten werden durften, blieb auch bei den Protestanten noch lange Sitte. Frauen und Mädchen kamen in schwarzer Kleidung zur Kirche, und in manchen Kirchen pflegen Altar und Kanzel noch jetzt schwarz behangen zu sein. Allmählich traten Milderungen ein, und die fröhliche Weihnachtszeit sandte ihren Glanz mehr und mehr auch in die A.zeit, so daß diese im Glauben und Brauch ein merkwürdiges Doppelgesicht trägt [1]).

[1]) Pfannenschmid *Erntefeste* 517 ff.; Kellner *Heortologie* [3] 120 ff.

2. Zu den kirchlichen A.s - Vorschriften und - Sitten stehen folgende Volksmeinungen und - bräuche in Beziehung:

a) Der Besuch der Roratemessen oder „goldenen Ämter", die am A.ssonntage in aller Frühe beginnen, gilt wegen der damit verbundenen Beschwerden bei Frost und tiefem Schnee als besonders verdienstlich [2]).

b) Hier und da (z. B. in Mittelschlesien) gehen die Frauen beider Bekenntnisse noch heute in der A.szeit schwarz oder dunkel gekleidet in die Kirche [3]).

c) Daß keine Hochzeiten gefeiert werden dürfen, drückt man in Gossensaß mit den Worten aus: „Die Kathrein (25. Nov.) stellt das G'spil (die Hochzeitsmusik) ein"; oder: „A. ist da, die Diandln sein in den Rauch gehängt"[4]). Auch anderswo gilt die A.szeit noch als „geschlossen"[5]).

d) In früheren Zeiten wirkten die Hirten mit bei der Darstellung der Geburtsgeschichte Christi in den Kirchen, stimmten in der Mitternachtsmesse an der Krippe auf ihren Hörnern und Pfeifen ein Weihnachtslied an und bliesen auch auf bestimmten Plätzen. Davon hat sich im nördlichen Westfalen noch die Sitte des A.sblasens erhalten. Vom ersten A.ssonntage an blasen die Burschen jeden Abend im Freien ihr Mittwinterhorn, hier und da auch noch auf dem Wege zur Weihnachts-Uchte (frühmorgens) [6]). Wahrscheinlich aber liegt eine Wurzel dieses Brauches auch in der Absicht, die bösen Geister dieser finstern Jahreszeit zu vertreiben. Dasselbe gilt vielleicht von dem sog. „Feldgeschrei", das in Ehrenfriedersdorf die Musikanten während der A.szeit wöchentlich dreimal vom Kirchturm in die Nacht hinausblasen[7]).

7*

²) S c h r a m e k *Böhmerwald* 175; H ö r -
m a n n *Volksleben* 204; M e y e r *Baden* 487;
vgl. *Volkskunde* 19, 140 ff. ³) ZfVk. 4, 86.
⁴) Ebd. 4, 131. ⁵) *Alemannia* 27, 241; H ö h n
Hochzeit 2, 1 f. ⁶) S a r t o r i *Sitte u. Brauch*
3, 14 Anm. 19; S t r a c k e r j a n 2, 33.
⁷) J o h n *Erzgeb.* 139.

3. In der A.szeit treiben G e i s t e r
aller Art mit besonderer Lebhaftigkeit
ihr Wesen. Am Lechrain schon von Allerheiligenabend an⁸). Im Elsaß ist Geister-
kirche⁹). Die H e x e n halten ihren
Sabbat¹⁰), und man räuchert gegen sie
den Stall aus¹¹). Das H o l z f r ä u l e i n
kommt zu den Leuten in die Stube¹²), das
F i l z m o o s w e i b l e zeigt sich im
Freien¹³). In einer Mühle bei Tiefenbach
sieht man s c h w a r z e M ä n n e r mit
glänzenden Kugeln werfen¹⁴). In Sulz
zeigt sich ein R e i t e r auf weißem
Schimmel mit dem Kopf unter dem
Arm¹⁵); ebenso der „A.s r e i t e r" in
Schmalkalden¹⁶); in Würzburg ein be-
trügerischer K a u f m a n n¹⁷), im Stein-
felder Walde ruft der H u i m a n n¹⁸).
So gehen ferner um: I r r l i c h t e r und
f e u r i g e M ä n n e r¹⁹), der w i l d e
J ä g e r in seinen verschiedenen Ge-
stalten²⁰), K o b o l d e im Walde²¹),
die „A.s m ä n n c h e n" im Stalle²²),
w e i ß e F r a u e n²³), gespenstische
T i e r e, namentlich H u n d e²⁴), und
L e i c h e n z ü g e²⁵). An schwäbischen
Orten zeigt sich ein weißes „S ä u l e"²⁶).
Das „A.s s c h w e i n" in der Zehnt-
scheuer von Hugstetten bei Freiburg bedeutet Glück²⁷). Man hört M u s i k²⁸)
und B e t e n in der Luft²⁹). Besonders
die D o n n e r s t a g s n ä c h t e der
A.szeit sind „verworfene", „scheuliche",
„ungeheure" Nächte³⁰).

⁸) L e o p r e c h t i n g 32. ⁹) S t ö b e r
Elsaß 1, 33. ¹⁰) M e y e r *Baden* 556. ¹¹) Ebd.
396. ¹²) S c h ö n w e r t h *Oberpfalz* 2, 359.
¹³) R e i s e r *Allgäu* 1, 115. ¹⁴) S c h ö n -
w e r t h 3, 145. ¹⁵) M e i e r *Schwaben* 107.
¹⁶) W i t z s c h e l *Thür.* 2, 156. ¹⁷) S c h ö p p -
n e r *Sagen* 2, 260. ¹⁸) Ebd. 3, 44. ¹⁹) G r i m m
Sagen Nr. 277; M e i e r *Schwaben* 31; D r e c h s -
l e r 1, 315; K ü h n a u *Sagen* 1, 394. 422.
²⁰) M e i e r *Schwaben* 117. 119. 120; B i n d e -
w a l d *Sagenbuch* 35. 39. 40. 43. 49; B o h n e n -
b e r g e r 3. 7; K ü h n a u *Sagen* 2, 489;
V o g t *Weihnachtsspiele* 113 f. ²¹) L e o -
p r e c h t i n g *Lechrain* 32; P a n z e r *Beitr.*
2, 81. ²²) K n o o p *Posen* 74. ²³) M e i e r

Schwaben 26; B i n d e w a l d 23; P r ö h l e
Harzsagen 252; K ü h n a u *Sagen* 1, 83. 92.
²⁴) ZfdMyth. 1, 35; M e i e r *Schwaben* 1, 31;
K ü h n a u 3, 442; G r o h m a n n *Sagen* 252.
²⁵) K ü h n a u 1, 222. ²⁶) M e i e r *Schwaben*
225. ²⁷) M e y e r *Baden* 489; vgl. auch die
„Adventskräm" oder „Adventssâ" bei d.
Siebenbürger Sachsen; S i m r o c k *Myth.*²
560; J a h n *Opfergebr.* 265; M e y e r *Germ.
Myth.* 102. ²⁸) K ü h n a u 1, 40. ²⁹) B a a d e r
NSagen 65. ³⁰) M e y e r *Baden* 196; ders.
Germ. Myth. 140.

4. In die A.szeit fallen allerlei U m -
z ü g e und B e t t e l g ä n g e, meist
von Armen und Kindern ausgeführt³¹).
Sie k l o p f e n dabei oft an die Türen und
Fenster oder w e r f e n Erbsen, Bohnen
und kleine Steine dagegen (s. Klopfnächte). Aber auch andere Gestalten,
S c h i m m e l und S c h i m m e l r e i t e r,
B ä r, S t o r c h, J u d e, Z i g e u n e r,
H e x e n u. dgl., im Salzburgischen die
„s c h i a c h e n P e r c h t e n", wandern
von Haus zu Haus und machen in den
Stuben ihre Späße oder toben und lärmen auf den Feldern umher zur Freude
des Bauern, der sich davon ein gutes
Erntejahr verspricht³²). Durch all diese
dämonisch sich geberdenden Wesen sollen feindliche Mächte vertrieben und
zugleich die Fruchtbarkeit gefördert werden. Im Salzburgischen wird in der A.s-
zeit ein Madonnenbild, Mariä Heimsuchung darstellend, jede Nacht in ein
anderes Gehöft getragen. Wohin es
kommt, bringt es Segen³³). Manchmal
ziehen „Sommer und Winter" um³⁴). Der
gleiche Gegensatz kommt auch in den
christlichen A.spielen zum Vorschein, die
von Haus zu Haus aufgeführt wurden³⁵).
Da tritt neben das lichte Christkind der
wilde Ruprecht oder Ruklâs, oder wie er
sonst heißt.

³¹) S a r t o r i 3, 11 ff. ³²) ebd. 3, 13 f.;
L e m k e *Ostpr.* 1, 28 ff.; H a n d e l m a n n
15 f. ³³) ZfVk. 9, 154 ff.; A n d r e e - E y s n
Volkskundliches 73 ff. ³⁴) S a r t o r i 3, 13,
Anm. 14. ³⁵) V o g t *Weihnachtsspiele* 88 ff.

5. S o n s t i g e r A b e r g l a u b e.
Man schüttelt die B ä u m e, damit sie
viel Obst bringen³⁶); man wäscht sich
die S o m m e r s p r o s s e n mit A.-
wasser weg³⁷). Die W ü n s c h e l r u t e
muß am ersten A. um Mitternacht auf
der Landesgrenze gebrochen werden³⁸).

S c h ä t z e kann man nur in der A.zeit heben [39]). E r b s e n und L i n s e n dürfen nicht gegessen werden, sonst gibt es Schwären im künftigen Jahre [40]). K i n d e r , die im A. auf die Welt kommen, werden geistersichtig [4]).

[36]) T e t z n e r *Slaven* 380 (Polaben). [37]) M e y e r *Baden* 548. [38]) L y n k e r *Sagen* 104. [39]) K ü h n a u *Sagen* 3, 628. [40]) W i t z - s c h e l *Thür.* 2, 156 (8). [41]) W o l f *Beitr.* 1, 230; R e i s e r 2, 230.

6. Der A. als Jahresbeginn ist auch f ü r d i e Z u k u n f t maßgebend. Der T r a u m am ersten A.sonntag geht in Erfüllung [42]). Was man in den Nächten der vier A.sonntage träumt, geht in den vier Vierteljahren des künftigen Jahres in Erfüllung [43]). Man übt B l e i g i e ß e n und S c h u h w e r f e n [44]). Der F l a c h s wird so lang wie die Eiszapfen an A. [45]). Die W i t t e r u n g der A.sonntage ist das Vorzeichen der Witterung für den ganzen Winter [46]). Wenn der „D r e i - w o c h e n w i n d" recht geht, gibt es viel Obst, denn da paaren sich die Bäu- me [47]). Wenn's auf den ersten A. auf dem Boden r u m p e l t , so s t i r b t bald der Hausvater [48]). Wer in der Neujahrs- nacht beim Aufschlagen des G e s a n g - b u c h e s ein A.s l i e d findet, darf auf Familienzuwachs rechnen [49]).

Viel Brauch und Glaube hat sich an e i n z e l n e T a g e der A.szeit ange- knüpft. Vgl. also A n d r e a s -, B a r - b a r a -, N i k o l a u s -, L u c i e n -, T h o m a s t a g , K l o p f n ä c h t e .

[42]) D r e c h s l e r 1, 17. [43]) Ebd. 2, 202. [44]) H e c k s c h e r 358. 359. [45]) E b e r h a r d *Landwirtschaft* 9. [46]) W i t z s c h e l 2, 136 (5). [47]) E n g e l i e n u. L a h n 238 (37). [48]) W o l f *Beitr.* 1, 230; vgl. D r e c h s l e r 1, 17. [49]) J o h n *Erzgeb.* 117.   Sartori.

Adventsmonat s. D e z e m b e r .

Adventsmütterchen s. W e i h n a c h t s - u m z ü g e .

Advokat. Derb und deutlich äußert das Volk seine Meinung über die Advokaten, die es als geldgierig und rechtsverdrehe- risch bezeichnet [1]). Im Himmel ist keiner von ihnen zu finden, wie St. Petrus in einem Tiroler Schwank [2]) bedauernd dem Müller antworten muß, der von ihm einen

Advokaten heischt; aber in der Hölle wird ihnen ein sicherer Platz bereitet. Diese Anschauung, die einen grimmigen Humor verrät, ist so feststehend, daß sie sogar in abergläubischen Formeln wiederkehrt, die auf dem Lande zur Eingewöhnung von Haustieren (Schweinen, Tauben, Hüh- nern) an einen neuen Platz gesprochen wurden. Ein solcher Spruch für die Tauben lautete in Bayern: „Flieg' aussi, flieg' eini, Flieg' ein in dein G'stell, Wie der A. in die Höll'" [3]).

Die Volkssage läßt schlechte A.en nach ihrem Tode die Sünden in der Hölle ab- büßen oder als Spukgeister auf Erden wandeln [4]). Eine bayrische Sage erzählt, daß die Seele eines gewissenlosen A.en in Vogelgestalt (Seelenvogel) vom Teufel geholt wurde [5]). Von dem sächsischen Plagegeist Katzenveit, dessen Streiche an Rübezahl erinnern, wird ein geldgie- riger A. derb verdroschen und seines zusammengewucherten Reichtums be- raubt [6]). Der Teufel verschmäht es nicht, in Gestalt eines Advokaten vor Gericht zu erscheinen, um sich eine sündige Men- schenseele zu sichern [7]).

In scherzhafter Weise wird der A. auch mit dem Wetter in Verbindung gebracht. Ein Quatemberlostag heißt im Anhalti- schen „Avkat" [8]), und in Oldenburg sagt man, wenn es bei Sonnenschein regnet, „dann kriggt de Düwel 'n A.enseel'" [9]). Es ist dies eine der zahlreichen im Volke umlaufenden humoristischen Erklärungen dieser meteorologischen Erscheinung.

[1]) Dieselbe Ansicht bekunden auch zahl- reiche Sprichwörter, vgl. z. B. W a n d e r *Sprichwörter-Lexikon* 1 (1867), 32 ff.; Schweiz- Id. 1, 89; F i s c h e r *Schwäb. Wb.* 1, 106; M e y e r *Baden* 544; M e n s i n g *Schleswig- Holst. Wb.* 1, 71. [2]) ZfVk. 9, 374. [3]) Bavaria 3, 345; K ö h l e r *Voigtland* 428. [4]) Z i n g e r l e *Sagen* 252 Nr. 443; C o r r e v o n *Gespenster- gesch.* 53 ff.; K u n z e *Suhler Sagen* 34. [5]) Bavaria 1, 312. [6]) K ö h l e r *Voigtland* 518. [7]) G r i m m *Sagen* 160 Nr. 210 und K u h n *Märk. Sagen* 258. [8]) Mitteil. Anhalt. Gesch. 14, 16. [9]) S t r a c k e r j a n *Oldenburg* 1, 330.   Schömer.

Aeiei, Zauberwort in der Formel gegen Krämpfe bei Pferden [1]): + AEIEI + ANA + AZAL + MALTE +. Hebräisch?

[1]) G r o h m a n n 128.   Jacoby.

Aeromantie. (ἀεροµαντεία, aeromantia, bisweilen finden sich daneben die Formen aerimantia, arimancia, aremancia u. ä.) Weissagung aus der Luft.

1. **A l t e r t u m.** In der von Varro (116 bis 27 v. Chr.) ¹) überlieferten Einteilung der Divinationsarten nach den vier Elementen, die für die ganze spätere Divinationsliteratur die Grundlage bildet, steht die A. neben der Geo-, Pyro- und Hydromantie. Näheres über Wesen und Ausführung gibt Varro nicht an, denn die im Anschluß an das Varrozitat bei Servius gegebene Erklärung, die die A. mit der Vogelschau gleichsetzt, geht, wie Servius ausdrücklich hervorhebt, nicht auf Varro zurück. So erklärt sich die große Unsicherheit und Verschiedenheit späterer Deutungen. Tzetzes ²), der die Bezeichnung aeroskopia ³) gebraucht, sieht in ihr die Beobachtung der in der Luft, d. i. am Himmel und in den Wolken sich zeigenden Farben sowie der Finsternisse, Nebensonnen, Regenbogen, Kometen u. dgl.; Augurium und Beobachtung des Himmels und der Wolken werden, ohne Nennung der A., in einem Aristophanesscholion ⁴) zusammengefaßt.

¹) I s i d o r *Etym.* VIII, 9, 13; S e r v. *Aen.* III, 359. ²) Exeg. Iliad. ed. Hermann 107, 17; 111, 7. ³) Vgl. Schol. Iliad. I, 63 (Nikanor). ⁴) Nubes v. 332.

2. **M i t t e l a l t e r.** Da die mittelalterliche Behandlung der Divinationen in der Hauptsache auf das Altertum zurückgeht, herrscht auch hier in Beziehung auf die A. eine gewisse Unsicherheit, die noch dadurch verstärkt wird, daß bei der A. die Beteiligung dämonischer Mächte schwieriger einzusetzen war, als bei den anderen „elementarischen" Divinationsarten Varros. In den meisten Fällen wird sie neben diesen und der Nekromantie ohne weitere Erklärung aufgeführt ⁵). In den listenartigen Aufzählungen, die die spätere Zeit so liebt (s. Divination), wird die A. entweder einfach registriert ⁶) oder bezeichnenderweise auch fortgelassen, so in dem Weissagungskapitel 26 des „Ackermanns aus Böhmen" ⁷) und in dem Traktat des Nicolaus Magni „De superstitionibus" ⁸). Hartlieb im „Buch aller

verbotenen Kunst" führt sie ebenfalls in jenem Zusammenhang auf ⁹), bezieht sie aber dann in seiner ausführlichen Beschreibung ¹⁰), ausgehend von der Erklärung „gät zu mit dem luft, auch was darynn swebt und lebt", zunächst auf die Vogelschau, ja überhaupt auf den Angangsaberglauben ganz allgemein, was natürlich falsch ist. Erst später ¹¹) ist die Rede von abergläubischer Beobachtung der Windrichtungen bei Jagden und ähnlichen Gelegenheiten. In den folgenden Kapiteln verbreitet er sich über Gebräuche und Vorstellungen, in denen die Luft eine sekundäre Rolle spielt und die z. T. mit Mantik gar nichts zu tun haben. Man merkt die Verlegenheit des Verfassers, die überlieferte Kategorie der A. mit Einzelbegriffen zu füllen, wenn er z. B. unter diesem Stichwort das Niesen („das nyesen komt von warmen luft") und die Rachepuppen behandelt („hencken das jn die lüft, vnd so der wind das rürt, so mainent sy . .") Nur in den Schlußkapiteln ¹²) kommt er, mit Abschweifungen auf das astrologische Gebiet, auf die mantischen Beobachtungen von Himmels- und atmosphärischen Erscheinungen zu sprechen. Diese werden in den späteren Definitionen der A. in erster Linie genannt, so in M. Behaims Meistergesang gegen Ketzer und Zauberer ¹³). Die Mitwirkung des Teufels und der Dämonen wird in verschiedener Weise eingeführt, aktiv z. B. in dem hsl. Traktat des Joh. Vincentius Adversus magicas artes ¹⁴) (um 1475: teuflische Stimmen in der Luft), in G. Reischs Margarita Phylosophica ¹⁵) (1504: teuflische Erscheinungen in der Luft), passiv „ex aëre coniurato" bei Georg Pictorius ¹⁶). Nach ihm bedeutet Wind aus Osten Glück, aus Westen Unglück, aus Süden Unsicherheit, aus Norden Geheimnis u. a. m. Auch die Deutung der Erscheinungen des Stein- und Eisenregens, wie sie unter den römischen Prodigien aufgeführt werden, sei Aufgabe der A. Ein Taschenspielerkunststück ist die von Pictorius nach Cardanus ¹⁷) beschriebene Form der A., bei der es sich darum handelt, hinter einem vor das Gesicht gehaltenen Tuch in ein mit Wasser gefülltes Gefäß Worte hineinzusprechen, das Wasser dadurch in Blasen zu verwandeln und allmählich auszuleeren u. dgl. Diesen Trick läßt Delrio [18]) als einzige Erklärung der A. gelten, da die Beobachtung der atmosphärischen Erscheinungen zum Augurium, der Himmelserscheinungen zur Astrologie, der Luftphantome u. dgl. zur Teratologie gehöre. Übrigens bespricht Cardanus [19]), ohne die A. zu nennen, an anderer Stelle [20]) die Vorbedeutungen in der Luft. Auch nach Agrippa von Nettesheim [21]) benutzt die A. die verschiedenen Erscheinungen der Luft, Winde, Regenbogen, Hof um Sonne und Mond, Nebel und Wolken, Bilder in den Wolken und Erscheinungen in der Luft; ähnlich der Anonymus in Agrippas Werken [22]).

Bei dieser Unbestimmtheit der Quellen kann es nicht wundernehmen, daß die modernen Erklärer sich z. T. auf allgemeine Wendungen oder auf Wiedergabe der alten Erklärungsversuche, besonders des Agrippa, beschränken [23]).

[5]) So z. B. bei Hrabanus Maurus, M i g n e P. L. 110, 1098 b; Burchard von Worms ebd. 140, 840 b; Ivo von Chartres ebd. 161, 761 a. 1318 b; Hugo von St. Victor ebd. 176, 810 b; Decretum Gratiani, Corp. iur. canon. ed. Friedberg 1, 1024; T h o m a s A q u. *Summa Theol. Sec. Sec. qu.* 95 art. III, Opera Rom 1897 Bd. 9, 315; näheres bei Divination. [6]) Z. B. Zürcher Hs. v. J. 1393 bei G r i m m *Myth.* 3, 411; J o h. C a m e r a - r i u s *De generibus divinationum* (1575) 9; R a b e l a i s *Garg.* 3 cap. 25, Uebers. von Gelbcke 1, 398, vgl. G e r h a r d t *Franz. Nov.* 169. Den Titel Aeromanticus legt sich neben vielen anderen der historische Faust in seinem Brief an Trithemius 1507 bei, vgl. W i t t - k o w s k i in Zs. f. Geschichtswiss. N. F. 1, 343; B. H. van 't H o o f t *Das holl. Volksbuch vom Dr. Faust* (1926), 4. [7]) B u r d a c h in seiner Ausgabe 1917, 346 Anm. 1. [8]) F r a n z *Nik. de Jawer* 179. [9]) ed. D. U l m Halle 1914, 35 f. cap. 53. [10]) cap. 67 ff. U l m 43 f.; vgl. G r i m m *Myth.* 3, 429. [11]) cap. 69/70. [12]) cap. 71—79. [13]) H a n s e n *Hexenwahn* 207. [14]) Ebd. 231. [15]) Straßburg 1504, VII, 2, 2, 171 v. [16]) *De speciebus Magiae* 1559 cap. X, 61, wiederholt bei A g r i p p a *Op.* ed. Bering 2, 483, Deutsche Ausg. Berlin 1916, 4, 169. Ähnliches bei C a r d a n u s *De Sapientia* IV, Op. Lugd. 1663, 1, 566 a. [17]) a. a. O. [18]) *Disquisit. Mag.* IV cap. 2 qu. 6. Mainz 1603, 2, 171. [19]) Ebd. 196 ff. [20]) *Rer. var.* XIV cap. 70, Basel 1557. 937 und XV cap. 88, 1044 ff. [21]) *De occ. philos.* I cap. 57. Ed. Be-

ring. 1, 89 Dt. Ausg. 1916 1, 274. [22]) *Op. Ber.* 1, 690. Dt. Ausg. 5, 358. [23]) S c h i n d - l e r *Aberglaube* 213; F r e u d e n b e r g *Wahrsagekunst* 36.

3. G e g e n w a r t. Was in dem heutigen deutschen Glauben an die Vorbedeutungen atmosphärischer Erscheinungen antikes Gut ist, läßt sich kaum feststellen, wenn auch kein Zweifel darüber bestehen kann, daß viele unserer Bauernwetterregeln auf die griechisch-römische Antike und sogar auf altindische und assyrisch-babylonische Vorbilder zurückgehen [24]). s. L u f t, L u f t s p i e g e - l u n g, R e g e n b o g e n, W e t t e r - r e g e l, W i n d, W o l k e.

[24]) A. Y e r m o l o f f *Der landwirtschaftl. Volkskalender* (1905); G. H e l l m a n n *Die Anfänge der Meteorologie* in Meteorol. Zs. 25 (1908), 481; J. P a f f r a t h in Stimmen aus Maria Laach 88 (1915), 493; SAVk. 26, 1 ff. für die tatsächliche Bedeutung s. H. K a - s e r e r *Bauernregeln und Lostage in kritischer Beleuchtung.* Wien 1926.   Boehm.

Aëtit s. A d l e r s t e i n.

Afa, Afra, nostra [1]), Zauberworte, um eine Flinte versagen zu lassen. Klangworte wie abia usw., apra usw.

[1]) Mitteil. Anhalt. Gesch. 14, 9.   Jacoby.

Afel. Unter A. versteht das Volk jede Entzündung einer Wunde und Verletzung überhaupt, also Hautabschürfung, schmerzhafte Hautröte, Rotlauf, Entzündung, Brand; äfeln heißt dann wundreiben; äflich ist bei Paracelsus soviel wie hitzig, febrisch. Gegen diese „Wundsucht" hilft das A.kraut (Chelidonium maius) [1]).

[1]) H ö f l e r *Krankheitsn.* 128 (unter Ab-Fell); DWB. 1, 181.   Stemplinger.

Affe [1]). Der Volksglaube sagt, A.n seien von Gott verwünschte Menschen [2]); Hans Folz erzählt in seinem Spruch „von wannen die A.n kommen", ein Schmied habe in Nachahmung der Verjüngungskur St. Peters bei seiner Schwiegermutter die gleiche Prozedur versucht, aber diese sei zum maulrümpfigen, stumpfnasigen A.n geworden. Seine Frau und Schwägerin hätten in schwangerem Zustand zugesehen und hätten beide Affen geboren, die man später in die Wälder trieb [3]).

In deutschen Volkssagen erscheinen Geister öfter in A.ngestalt [4]), insbesondere der Teufel [5]), den schon Wier [6]) einen A.n Gottes nennt.

Nach Schweizerlegenden kommen Junggesellen nach dem Tod in den „A.nwald" [7]), d. h. sie sind verwünscht.

Während aber in der Antike [8]) der A. in Volksmedizin u. Zauber eine bedeutende Rolle spielt, findet sich davon im deutschen Aberglauben nichts; etwaige Hinweise bei Gesner u. a. sind nur Zitate aus Plinius, Aelian u. a.[9]).

[1]) C a r u s *Zoologie* 46. 129. 199; G u b e r - n a t i s *Ticre* 414; H o o p s *Reallex.* 1, 40; H o p f *Tierorakel* 52; K e l l e r *Tiere* 1; L i p p e r t *Kulturgesch.* 1, 633; M a r z e l l *Pflanzennamen* 211; P e t e r s *Aus pharmaz. Vorzeit* 1, 96. 289; R e u t e r s k i ö l d *Speisesakrament* 50. 56; S c h r a d e r *Reallex.* 19; S t a e h l i n *Mantik* 228; K r e s s n e r in Arch. f. d. Stud. neu. Spr. 55, 264. [2]) R o c h - h o l z *Schweizersagen* 1, 364; SAVk. 8, 300; L ü t o l f *Sagen* 349; A r g o v i a 17, 67. [3]) ZfdA. 8, 537. [4]) E i s e l *Voigtland* 128 Nr. 332; Q u i t z m a n n *Baiwaren* 177. [5]) H e y l *Tirol* 279 Nr. 96; K l i n g n e r *Luther* 27; ZfVk. 6, 441. Im Orient allg. s. L i t t m a n n *1001 Nacht in der arab. Lit.* 6 (euphem. „Glückbringer"). [6]) W i e r u s *De praestig. daemon.* (Frankf. 1586), 86. [7]) SAVk. 2, 56. [8]) P a u l y - W i s s o w a 1, 707. [9]) J ü h l i n g *Tiere* 1.

Stemplinger

Afra, hl., von heidnischen Eltern, die von der Insel Cypern auswanderten, in Augsburg geboren, 5. August [1]).

1. Von ihrer Mutter Hilaria dem Dienste der Venus geweiht, eine Legende, mit der die Verehrung der Venus in Augsburg zusammenhängen dürfte.

[1]) AA.SS. Boll. 5. Aug. 2, 55 ff.

2. Erduldete i. J. 304 während der Diokletianischen Christenverfolgung auf einer Lechinsel bei Augsburg bei unversehrtem Leibe den Feuertod, an den die kirchliche Überlieferung die Entstehung der ältesten Augsburger Christengemeinde knüpft (ein Relief im Kloster Nonnberg bei Salzburg zeigt dieses Martyrium). Über ihrer Grabstätte erhob sich bald eine Kapelle, die eine vielbesuchte Wallfahrtsstätte wurde, später erhöht in ihrer Bedeutung durch das daneben errichtete Ulrichsgrab.

3. Auf einem Glasgemälde im Querschiff des Freiburger Münsters trägt die mit Namen genannte Heilige Salbenbüchse und Palme.

4. Kräuter in den St. Afraturm in Augsburg gelegt, sind geschützt vor allem Ungeziefer; Apotheker mach(t)en sich das zunutze [2]).

[2]) B a e ß l e r *Legenden* (1864), 200; B e i s - s e l *Verehrung der Heiligen* 1, 5; S c h ö n - b a c h *Berthold v. R.* 10. 12. 153; ZdVfVk. 11 (1901), 229; ARw. 19, 419; B i r l i n g e r *Aus Schw.* 1, 410. Wrede.

Agat s. A c h a t , B e r n s t e i n.

Agathe, hl. 1. Märtyrerin unter Decius. Sie wurde u. a. auf glühende Kohlen gelegt und ihr eine Brust abgeschnitten. Sie ist Schutzpatronin von C a t a n i a auf Sizilien, wo sie 251 gestorben sein soll. Ihr Festtag ist der 5. F e b r u a r [1]). Sie heilte Kranke und Besessene, befreite Catania von Pest und Hungersnot und beschwichtigte öfters durch ihren Schleier die Flammen und Lavaausbrüche des Ätna. Vor ihr wurde auf Sizilien eine andere „Gute", die Bona Dea, als Heil- und Segensgöttin verehrt, von der wohl einige Züge auf sie übergegangen sind [1a]). In D e u t s c h - l a n d wird A. namentlich im schwäbisch - alemannischen Gebiete verehrt. Brot und Lichter sind ihre Opferspenden. In Lenzkirch wurden abends für jeden Anwesenden und auch für die verstorbenen Angehörigen auf dem „A.brett" Wachskerzen angezündet. Wessen Kerze zuerst herunterbrannte, der mußte zuerst sterben. Von der Asche wurde etwas in den Stall und auf den Fruchtspeicher gebracht und unter das Getreide gemengt [2]). Anderswo wurde das abgetropfte Wachs zu Kreuzchen geknetet und dem Hirtenbuben in den Hosensaum eingenäht [3]). In Westfalen läßt man noch auf einzelnen Höfen in allen Ställen Lichter brennen [4]). Hier opfert man der A. auch Flachs [5]). Im Kr. Meschede wird auf A. ein Faden ums Haus gespannt und dann als Docht für Kerzen verwandt; diese zündet man an und läßt sie den ganzen Tag brennen [6]).

[1]) AA.SS. Boll. 5. Febr. 1, 615 ff. 637 ff. [1a]) N o r k *Festkal.* 153 ff.; T r e d e *Heidentum* 3, 53 ff. 379 ff. 392 f.; E i s l e r *Weltenmantel* 1, 132 ff. 145 ff.; M e y e r *Baden* 496 f.; H ö f l e r *Fastnacht* 16 f. [2]) M e y e r *Baden*

497. 499. ³) Ebd. 138. ⁴) H ü s e r *Beitr.* 2, 24.
⁵) ZfrwVk. 7, 32. 33. 41. ⁶) H ü s e r *Progr.* v.
Brilon 1893, 9.

2. A. ist vor allem Patronin in F e u e r s -
g e f a h r. Ihre Fürbitte schützt vor
zeitlichem und ewigem Feuer ⁷). Als
„Feuermagd" verehrt man sie namentlich in Glashütten und Hammerwerken ⁸).
„A.nzettel" werden gegen Feuersbrunst
in den Häusern aufbewahrt oder an den
Türen angebracht (s. A.nzettel) oder
Sprüche an die Haustüren geschrieben.
Viele Häuser sind auch mit dem Bilde
der hl. A. geschmückt ⁹).

⁷) M e y e r *Baden* 499 f.; Z i n g e r l e *Tirol*
132 (1182); M a n z *Sargans* 50 f.; S t o l l
Zauberglauben 71; L a i s t n e r *Nebelsagen*
240. ⁸) M e y e r *Baden* 500. ⁹) S a r t o r i
Westfalen 22; L a i s t n e r *Nebels.* 236 f.

3. Die Befreierin Catanias von Pest und
Hungersnot ist auch B r o t h e i l i g e ¹⁰).
Am Vorabend des 5. Februar geht der
Geistliche in die Bäckereien und weiht
das Brot ¹¹), oder es wird am Tage. der
Heiligen in der Kirche geweiht. Man
ißt davon und gibt es dem Vieh beim
erstmaligen Austrieb, beim Kalben, und
wenn man ein neugekauftes Stück in
den Stall bringt ¹²). Manche magischen
Eigenschaften, die auch dem Brote i. a.
zugeschrieben werden, sind auf das
A.nbrot im besonderen übertragen worden. Es schützt die Äcker vor Ungeziefer und Kornbrand ¹³) und dient zur
Erkundung des Schicksals der Saaten ¹⁴).
Es wird ins Butterfaß gelegt, wenn es
lange keine Butter geben will ¹⁵). Es
schimmelt nicht ¹⁶); wenn es das doch
tut, so muß eines aus dem Hause sterben ¹⁷). Ins Wasser geworfen, zeigt es die
Stelle, wo ein Ertrunkener liegt, indem
es über ihm stillsteht ¹⁸). Es ist (wie das
Hausbrot überhaupt) ein Mittel gegen
Heimweh ¹⁹) und wird Kindern, die in
die Fremde gehen, mitgegeben, damit
ihnen nichts Böses widerfahre ²⁰), auch
neueintretenden Dienstboten als Ein-
standsbrot ²¹). Es schützt gegen böse
Geister und Hexen ²²) und gegen die verschiedensten Krankheiten und Gebrechen ²³). S. a. unten § 4. 5.
Am A.tag läßt man auch Mehl und
Korn segnen, die als Schutzmittel gegen

„hitzige Krankheiten" aufbewahrt werden ²⁴). Manche holen sich aus dem
Walde ein „A. h ö l z e l", das Wunden
zu heilen vermag ²⁵). Auch F r ü c h t e
werden geweiht ²⁶), und die Bauern
schlagen am Vorabend ihre Bäume, um
viel Obst zu erhalten ²⁷).

¹⁰) S t a u b *Brot* 55. 112 ff. ¹¹) S t o l l
Zauberglauben 71; H ö f l e r *Fastnacht* 17.
¹²) S a r t o r i 3, 87; M a n z *Sargans* 50.
¹³) B i r l i n g e r *A.Schw.* 1, 421; M e y e r
Baden 500; J a h n *Opfergebr.* 75. ¹⁴) ZfVk.
15, 319; H ö f l e r *Fastnacht* 18. ¹⁵) M e y e r
Baden 500. ¹⁶) Ebd. 497; M a n z *Sargans* 50.
¹⁷) M e y e r *Baden* 498. 577; H ö h n *Tod* 313.
¹⁸) R e i s e r *Allgäu* 2, 45; M e y e r *Baden*
507; W o l f *Beitr.* 1, 236; M a n z 50; H ö f -
l e r 17 f. ¹⁹) M a n z 50; ZfVk. 15, 319; S t o l l
Zauberglauben 70; M e y e r *Baden* 500; Alemannia 25, 45. ²⁰) S t o l l 58. ²¹) H ö f l e r
17. ²²) M a n z 50; B i r l i n g e r *A.Schw.* 1,
421. ²³) M e y e r *Baden* 500; B i r l i n g e r
1, 424. 425. 426; SAVk. 15, 91. ²⁴) H ö f l e r
16. ²⁵) S a r t o r i 3, 88. ²⁶) F r a n z *Benediktionen* 1, 772. ²⁷) S é b i l l o t *Folk-Lore* 3,
378 (Bigorre).

4. Als Mittel gegen F e u e r und
B r a n d wird das A.nbrot zuerst von
Geiler von Kaisersberg (1516) erwähnt ²⁸).
Es wird in die Flammen geworfen ²⁹). In
manchen Gegenden ist die Erinnerung
daran in Abzählreimen erhalten geblie-
ben ³⁰). A.nbrot ist auch gut, „wenn man
Unglück leidet in Schmelzöfen" ³¹).

²⁸) ZfVk. 15, 319. ²⁹) S t o l l *Zauberglauben*
71; M a n z *Sargans* 50; D r e c h s l e r 2,
139; B r u n n e r *Ostdtsche Volksk.* 246.
³⁰) R o c h h o l z *Sagen* 1, 338; ZfVk. 21, 124;
ZfrwVk. 8, 58. ³¹) B i r l i n g e r *A.Schw.* 1,
421.

5. Im Hinblick auf ihr Martyrium wird
A. bei B r u s t s c h m e r z e n der Frauen
zu Hilfe gerufen ³²). Im bayrischen Isar-
lande gibt man den Brustkrebskranken
A.nbrot ³³). Bei Weizen (Baden) wallfahrten am A.ntage unfruchtbare Frauen ³⁴).

³²) ZfVk. 8, 399 (Bayern); B i r l i n g e r
A.Schw. 1, 45; F o n t a i n e *Luxemb.* 107;
S é b i l l o t 4, 135. ³³) H ö f l e r *Fastnacht*
17. ³⁴) M e y e r *Baden* 500.

6. S o n s t i g e s : Wer am A.ntage
W e i h w a s s e r   t r i n k t, den sticht
keine Schlange ³⁵). Wenn der A.ntag schön
ist, kriegt der Faule auch noch eine
Streu ³⁶). Die Tschechen sagen: St.A.
bringt den meisten Schnee ³⁷). Man sperrt

an diesem Tage die Gänse ein, damit sie nicht in andere Ställe gehen [38]).

[35]) G r o h m a n n 52. 82. [36]) P o l l i n g e r *Landshut* 230. [37]) R e i n s b e r g *Böhmen* 44. [38]) M e y e r *Baden* 500.   Sartori.

Agathenzettel.

Die Vita der Hl. Agatha berichtet, daß ein Engel, wie man annahm der der Märtyrerin, an ihrem Grabe zu Häupten der Heiligen eine Marmortafel niedersetzte, auf der die Worte standen: „Mens Sancta, Spontaneus Honor Dei Et Patriae Liberatio" [1]), auch wohl nur M. S. S. H. D. E. P. L. [2]). Diese Tafel bzw. Inschrift hatte die Eigenschaft, Brände zu löschen [3]). Bereits S. Willibald [4]) erzählt in seinem Hodoeporicon (8. Jh.), daß man in Catania auf Sizilien die Ausbrüche des Ätna mit dem Schleier der Hl. A. unschädlich mache. Die Legende gab Anlaß dazu, im späteren MA. geweihte Lichtmeßkerzen mit den Worten der Inschrift zu beschreiben und sie gegen Brandgefahr zu benutzen [5]). Später fertigte man auch Zettel mit der Inschrift und dem Zusatz: „Ignis a laesura protege nos, o Agatha pia", die dem gleichen Zweck aber auch gegen andere Nöte wie das Schrätele usw. dienten [6]). Es gab dazu besondere Benediktionsformeln [7]). Die Heilige wird auf den Zetteln auch mit der brennenden Kerze in der Hand abgebildet [8]).

[1]) AA. SS. Boll. Febr. 1, 595 ff. 609. 618. 620. 623. 628; D u r a n t *Rationale* (Straßburg 1487) lib. 7 fol. 234. [2]) AA. SS. 634 Nr. 32. [3]) ebd. 634 Nr. 31. [4]) T o b l e r - M o l i n i e r *Itinera Hierosolymitana* 1 (1879), 2. 256; Acta S. a. a. O. 618. 620. 630. [5]) *Der Sele trost* (1483) Bl. 9 b; vgl. G e f f c k e n *Der Bildercatechismus des 15. Jahrhunderts* 1 (1855), 56; H e n r. d e G o r c h e n *Tractatus de superstitiosis quibusdam casibus* (c. 1425) vgl. H a n s e n *Hexenwahn* 87. [6]) M e i e r *Schwaben* 384; B i r l i n g e r *Volkstüml.* 1, 305 Nr. 488; M e y e r *Baden* 497 ff.; D e r s. *Volkskunde* 255; JbElsaß - Lothr. 9, 45 ff.; R e i n s b e r g *Böhmen* 40 f.; B r o n n e r *Sitt' u. Art* 70 f.; F o n t a i n e *Luxemburg* 108; S a r t o r i *Sitte u. Brauch* 3, 87; H o f f m a n n - K r a y e r 124; L a m b s *Über den Aberglauben im Elsaß* (1880), 80; S t a u b *Brot* 113 f.; *Alemannia* 2 (1874), 145; DG. 15, 172; H ö f l e r *Fastnacht* 16; S c h i l d *D'r Fenner-Joggeli* (1885), 215; E b e r h a r d *Landwirtschaft* 13; SAVk. 17 (1913), 227; auch auf alten gedruckten Haussegen („glückliches Hauskreuz"). [7]) F r a n z *Benediktionen* 1, 272 nach C i l i a *Thesaurus*

locupletissimus continens . . . benedictiones etc. (1750), 51 ff. [8]) ZfrwVk. 7 (1910), 3 f.
                               Jacoby.

Ägidius,

hl., angeblich in Athen geboren, lebte zuletzt in einer Einöde bei Arles als Einsiedler, gest. um 725, Fest am 1. Sept. Patron zahlreicher Kirchen und Kapellen in Deutschland, Frankreich, Ungarn und Polen [1]).

1. Aus dem reichen Legendenkranz seiner Vita ist das vielverbreitete Motiv der Hirschkuh als Ernährerin hervorzuheben. Eine solche spendete ihm während seines Einsiedlerlebens die Milch, und weil er Gott bat, er möge ihm die Hirschkuh erhalten, wurde er im ausgehenden MA. zum Patron der stillenden Mütter. Die einstmals vom westgotischen König Wamba und seinem Jagdgefolge verfolgte Hirschkuh führte den König zur Höhle des Heiligen. Ägidius wurde dabei von einem Pfeile, der seiner Hirschkuh galt, getroffen; daher wurde er auch als Viehpatron verehrt. An seinem Feste fand in einigen spanischen Diözesen die Weihe des Fenchels, eines Heilmittels bei Erkrankungen des Viehes, mittels besonderer Formel statt [2]).

[1]) AA.SS. Boll. 1. Sept. 1, 299 ff. [2]) K ü n s t l e *Ikonographie der Heiligen* 33; G ü n t e r *Legenden-Studien* 39; AA.SS. 1. Sept. 1, 301; F r a n z *Benedikitonen* 1, 417.

2. Wegen der Hilfe, die er seelisch bedrängten Sündern, nach der Legende besonders Karl Martell, angedeihen ließ, gilt er als Zuflucht der Sünder und wurde wohl deshalb in die Gruppe der 14 Nothelfer aufgenommen [3]).

[3]) G ü n t e r a. a. O. 121, 123; N i e d *Heiligenverehrung* 66.

3. In der Nähe von Köln angeblich angerufen für Kinder, die viel weinen, daher auch Krieschgilles genannt, im Elsaß gegen Ohrenleiden [4]).

[4]) Rhein.Wb. 1, 79; Hess.Bl. 3, 165.

4. Sein Tag, Ägidius t a g 1. Sept., ist ein besonders bedeutsamer Lostag. Weit verbreitet ist bei den Bauern die Vorstellung oder wenigstens die Redensart, daß Ä. den Herbst macht und dessen Länge und Güte und Windrichtung bestimmt. Im Böhmerwald gilt der Ä.tag als erster

Herbsttag. Ist es an ihm schön, so folgt ein langer und schöner Herbst. Vielfach heißt es, Ä. halte das Wetter vier Wochen fest. Regnet es am Ägidiustage, so folgt vier Wochen hindurch Regenwetter, andernfalls ist es vier Wochen schön. Dementsprechend lauten die Arbeitsgebote und Verhaltungsmaßnahmen für die Bauern. In mehreren Überlieferungen und Redensarten wird statt des Ä. der an diesem Tage auf die Brunst gehende Hirsch entsprechend eingesetzt, z. B.: Wenn de Hirsch natt (naß) up de Brunst geit, gift et natt wedder; geit hei dröge up de Brunst, gift et dröget Wedder [5].

[5]) S c h r a m e k *Böhmerwald* 160; P o l l i n g e r *Landshut* 231; R e i t e r e r *Ennstalerisch* 57; ZfrwVk. 11 (1914), 271 (Untere Wupper); J o h n *Westböhmen* 92, 256; B i r l i n g e r *Aus Schwaben* 1, 388; D r e c h s l e r *Schlesien* 1, 151; B a r t s c h *Mecklenburg* 2, 295; E b e r h a r d *Landwirtschaft* Nr. 3, 11; Ebd. 2; ZdVfVk. 4 (1894), 405; L e o p r e c h t i n g *Lechrain* 193; A n d r e e *Braunschweig* 412; L e o p r e c h t i n g a.a.O.; Urquell 6 (1896), 16; ZfrwVk. 2 (1905), 300; ZdVfVk. 24 (1914), 59; vgl. auch Schweiz. Id. 1, 131.   Wrede.

Agla, hebräisch אג"לא, abgekürzt aus אַתָּה גִבּוֹר לְעוֹלָם אֲדֹנָי „du bist gewaltig für ewiglich, Herr". Der Satz ist liturgischen Ursprungs und stammt aus dem jüdischen Gebet Schemoneh esreh nach der babyl. Rezension [1]. Schon im 10. Jahrh. finden wir es wohl als Ogla in einer Formel für ein Gottesurteil [2]; es wird dann als Aufschrift auf Schutz- und Schwertbriefen vom Frater Rudolfus erwähnt [3] (er verwechselt allerdings das Wort mit עֶגְלָה „egla", denn er erklärt „agla, quod interpretatur vitulus") und weiter vorzüglich als Brunstzauber gegen Feuersgefahr verwendet (sogar amtlich anempfohlen) [4], aber auch sonst gebraucht [5]. Aus A. entstellt sind wohl Formen wie: + Aiglo + Kauter + Geanathan [6] (zu Kauter vgl. cauterius „Wallach"; es handelt sich um einen Pferdezauber), Aglati, Aglata [7] (in einer Beschwörung), Amen + Aglodt + Beder + [8] (in einem Gichtsegen), 'Agēlāheh (in einer äthiop. Beschwörungsformel) [9].

[1]) B u x t o r f *Lexicon Chaldaicum* usw. ed. Fischer (1879), 134; D a l m a n *Worte Jesu* 1 (1898), 301; S t a e r k *Altjüdische liturgische*

Gebete (1910), 15; F r a n z *Benediktionen* 2, 65. [2]) Z e u m e r *Formulae* 643; F r a n z a.a.O. 1, 294; 2, 397. 569. [3]) MschlesVk. 17 (1915), 55. 225. 18 (1916), 275. [4]) N o r k *Sitten u. Gebräuche der Deutschen* in Scheibles Kloster 12, 510. [5]) Ons H é m e c h t Festschrift 9; SchwVk. 10, 13; J o h n *Westböhmen* 274; K ö h l e r *Voigtland* 409; A v é - L a l l e m e n t *Bockreiter* 57; MschlesVk. 19 (1917), 263; S c h i n d l e r *Aberglaube* 121; N i d e r b e r g e r *Unterwalden* 3, 600; (K e l l e r) *Grab des Aberglaubens* 4, 201; V e r n a l e k e n *Alpensagen* 416; S t a r i c i u s *Heldenschatz* (1679), 32 f.; S é b i l l o t *Folk-Lore de France* 3, 133 (Abgla); A g r i p p a v o n N e t t e s h e i m 4, 121. 123; T h i e r s 1, 412; H o r s t *Zauberbibliothek* 2, 132; Hess. Bl. 20 (1921), 2. [6]) Alemannia 2 (1874), 138; S e l i g m a n n *Blick* 1, 206. [7]) T h i e r s 1, 166. 168. [8]) S e y f a r t h *Sachsen* 141. [9]) W o r r e l l *Studien z. abessin. Zauberwesen* (1909), 22.   Jacoby.

Agnes I. hl., gewöhnlich mit einem Lamm, am Boden zu ihren Füßen oder in ihren Armen, dargestellt [1]), eine der beliebtesten Heiligen auch im dt. Volk der Vergangenheit, Fest 21. Jan., Nachfeier 28. Jan. [2]).

1. Erlitt aus Liebe zur Jungfräulichkeit 304 (unter Diokletian) in ihrem 13. Lebensjahr den Märtyrertod, daher verehrt als das Vorbild der christlichen Jungfrauen und vorzüglich der fleckenlosen Unschuld, auch Patronin der Kinder. In neuerer Zeit wurden vielfach Heime für Arbeiterinnen unter Anrufung der hl. A. eingeweiht [3]). Im Rheinland wird der Name gern spöttisch auf Frömmlerinnen unter den Mädchen übertragen [4]).

[1]) K ü n s t l e *Ikonographie der Heiligen* 39—42. [2]) AA. SS. Boll. 21. Jan. II, 351 ff. [3]) S a m s o n *Kirchenpatrone* 106. [4]) Rhein. Wb. 1, 80.

2. Heiratslustige Mädchen glaubten früher, in der Nacht zum A. t a g ihren zukünftigen Gatten im Traume erblicken zu können, nachdem sie vorher gefastet und anderes erfüllt hatten [5]). Dieses Eheorakel steht in merkbarem Widerspruch zu der Heiligen selbst.

[5]) N o r k *Festkalender* 115/16; F o g e l *Pennsylvania* 59 Nr. 179.

3. Der Kalendertag (21. Jan.) als Beginn und Fristtag: An ihm erscheinen nach dem Volksglauben die ersten Lerchen, und die Bienen schwärmen aus. Nach dem Glauben der Wipp- u. Eisak-

taler sowie der Etschländer heiraten an diesem Tage die Vögel. Die Hühner legen fleißig, wenn man sie am A.tag mit den ersten Küchlein, die aus der Pfanne kommen, füttert (Steinbach, Bühl). Neujahrswünsche werden bis zum A. noch rechtzeitig dargebracht [6]).

[6]) A l b e r s *Das Jahr* 69; H ö f l e r *Fastengebäck* 11; H ö r m a n n *Tiroler Volksleben* 39; M e y e r *Baden* 411; W r e d e *Rhein. Volksk.*[2] 238; Rhein.Wb. 1, 80.

4. An einigen Orten Belgiens herrschte früher der Brauch, daß die Männer an diesem Tage, dem Neetendag, die Frauen und Mädchen beschenkten [7]).

[7]) R e i n s b e r g - D ü r i n g s f e l d *Das festliche Jahr* [2] 40.   Wrede.

Agnes II. Sehr zu unterscheiden von der hl. A. ist die mythische A. bei Sievering (Wien), die Braut des wilden Jägers Karl und mit diesem Gegenstand eines bunten Mythenkreises, der auf Wodan zurückführt [1]).

[1]) V e r n a l e k e n *Mythen* 6 ff. 16. 19. 22; L a i s t n e r *Nebelsagen* 167. 304.   Wrede.

Agnus Dei. Allgemein das L a m m G o t t e s als Symbol Christi, im besonderen aber seine Ausformung i n k i r c h l i c h g e w e i h t e m W a c h s a l s A m u l e t t. Seit wann die A. D. in dieser Form hergestellt und gebraucht worden sind, ist nicht zu ermitteln; sie scheinen in Rom aber schon im 8. Jh. bekannt gewesen zu sein und sind vielleicht dem Bedürfnis entsprungen, den bei der Austeilung der zerstückelten Osterkerze nicht bedachten Gläubigen die dem Wachs beigelegten Segnungen in anderer, ähnlicher Weise zukommen zu lassen [1]). So weihte man neben der Osterkerze größere Mengen von Wachs, das, in kleine Stücke gebracht, mit einer Prägung in Form des A. D. versehen oder plastisch zu diesem Bilde ausgeformt wurde. Sie erhielten dadurch die gleiche Bedeutung wie die als Symbol Christi aufgefaßte Osterkerze (s. d.). „Agnus dei soliti sunt benedici a summo pontifice primo anno pontificatus et deinde septimo quoque, dum vivit". Diese Anweisung des Bischofs und Zeremoniars Patrizi Piccolomini († 1496) [2]) kennzeichnet einen Abschluß in der Ent-

wicklung der äußeren Weihehandlung, wie er sich um das Jahr 1400 herausgebildet hat: die Weihe und Verteilung der A. D. wird nicht mehr alljährlich und nicht mehr von den geistlichen Beamten der Kurie vorgenommen, sondern von den Päpsten selbst im 1., 7., 14. usw. Jahr ihres Pontifikats. Dadurch steigert sich das Ansehen der A. D. erheblich, und die Nachfrage wächst ins Ungeheure. Mancherlei Mißstände, vor allem die Tatsache, daß die A. D. zum Handelsobjekt werden, veranlassen die Päpste wiederholt zur Herausgabe regelnder und einschränkender Verfügungen. Unter ihnen findet sich auch ein Erlaß Sixtus' IV. von 1471, der Anfertigung, Weihe und Vertrieb der „cereae formae innocentissimi agni imagine figuratae, quas Agnus Dei communis usus appellat" [3]), dem Papste und den von ihm Beauftragten vorbehält und allen andern Personen streng untersagt. Trotzdem werden auch weiterhin außerhalb Roms A. D. angefertigt, so z. B. in Einsiedeln mit Genehmigung des Stiftes, noch um die Mitte des 17. Jhs. Doch haben diese mit den römischen nur den Namen und die medaillenartige Form gemeinsam; es ist ihnen nicht das Lamm Gottes eingeprägt, sondern ein Kruzifix, das Herz Jesu, ein Bild der Maria oder Ähnliches [4]). Vorher hatte man schon in Rom angefangen, auch den Revers durch biblische Szenen aus den Weihegebeten, später durch Heiligen- oder auch Papstbilder auszugestalten. Diese Sitte hat sich bis in die Gegenwart erhalten. Heute zeigt das A. D. auf dem Avers das Lamm Gottes mit der Umschrift „Ecce Agn(us) Dei Qui tol(lit) Pec(cata) Mun(di)" und darunter das päpstliche Wappen sowie Namen und Regierungsjahr des Papstes, auf dem Revers ein Heiligenbild mit der entsprechenden Bezeichnung, z. B. „S. Franc. De Paula, Conf. Ord. M. F." [5]). Die im 16. Jh. aufgekommene Bemalung der A. D. wurde schon 1572 durch Gregor XIII. verboten, während die Fassung in Kapseln aus Edelmetall oder Holz erlaubt blieb. Eine Sonderstellung nimmt das A. D. von dem Englischen Fräulein in Altötting ein; es enthält in einer um den Hals oder an der Uhrkette getragenen Kapsel ein vom Papst geweihtes Stückchen Wachs, darunter ein Spruchband mit „Agnus Dei" und „St. Notburga", sowie ein Miniaturbild der Mutter Gottes von Altötting [6]).

Der Vorgang der Weihe vollzog sich, seitdem die Päpste sie vornahmen, in der Weise, daß der Papst zunächst das Wasser weihte, in das er darauf Balsam und Chrisam unter Hersagung kurzer Formeln hineingoß. Darauf weihte er durch drei Gebete die vor ihm in Behältern liegenden A. D., die nun in das Wasser getaucht und zum Abtrocknen auf Tücher gelegt wurden. Den Schluß der Weihehandlung bildeten wiederum zwei Gebete des Papstes [7]). Die Weiheformeln waren im Gegensatz zu den bei der Kerzenweihe an Lichtmeß gebräuchlichen recht lang und schwerfällig, und auch spätere Kürzungen haben nur sprachliche Verbesserungen gebracht und dogmatisch bedenkliche Stellen ausgemerzt. Die Länge erklärt sich vor allem aus dem Bestreben, d i e s e g e n s r e i c h e n W i r k u n g e n der A. D. nicht, wie bei der Kerzenweihe, in einer allgemeinen Bitte summarisch anzugeben, sondern im einzelnen aufzuführen. Außer den amtlichen Formeln erscheinen, zuerst in Handschriften des 15. Jhs., auch mehr oder weniger volkstümliche Verse, in denen diese Wirkungen geschildert werden; so heißt es in einer längeren deutschen Fassung aus der zweiten Hälfte des 15. Jhs.:

„. . . . . ders hatt und eret,
Sein sundt, gotz gnad jn meret
Alsz das rosenvarb cristi pluet,
Vor gehen tod ist er pehuet,
Vor veinten sigtigen und unsichtigen,
Vor allem geburm und uncziver giftigen,
Und allem hagel, tonerschlag und scheuer,
Auch ungestüm des wassers und feuer.
Ausz diser nott es hilft gar czall (= schnell),
Der es hoch wirdigt mit indacht,
Dieb mayneidschwirer und falsch tzungen
Von disem gotz lamp werden getwungen,
Das sy niht schedlich mugen wessen.
An der frauen gepurdt thue ich lessen (= lö-
                    schen, beendigen),
Welche es hat, der nit misselinget;
Vor greulichen gesicht iren muet ringet
                    (= erleichtern).
Noch hat es bestiger tugent vil
Die ich nit aller czelen will . . . ." [8]).

In diesen Versen ist alles ausgedrückt, was man sich von den A. D. erhoffte: neben der Fähigkeit, unmittelbar auftretende Nöte, so Wasserflut [9]) und Feuersbrunst, zu wenden, vor allen Dingen eine apotropäische Kraft gegen die Nachstellungen der Dämonen und bösen Menschen. Und in dieser letzteren Bedeutung hat sich das Ansehen und der Gebrauch der A. D. in Deutschland trotz der schon mit Luther einsetzenden protestantischen Polemik [10]) erhalten. Eine besondere Rolle spielen sie in den H e x e n p r o z e s s e n. Häufig bekunden die der Zauberei Verdächtigen, daß der Teufel bei seinem ersten Besuche verlangt habe, das am Halse oder sonstwie getragene A. D. fortzunehmen, damit ihm der Zutritt freigemacht werde [11]). Andrerseits hängten die Jesuiten den verstockten Hexen wiederum ein A. D. um und sorgten durch Beaufsichtigung dafür, daß sie sich dessen während ihrer Kerkerhaft nicht entledigten oder es durch teuflische Amulette ersetzten; man wollte so die Verbindung mit dem Bösen unterbrechen und besonders bei der peinlichen Befragung die vom Teufel verliehene Unempfindlichkeit gegen Schmerzen aufheben [12]).

Im volkstümlichen deutschen B r a u c h d e r G e g e n w a r t tritt das A. D. hauptsächlich noch in zwei Formen auf: entweder wird es zum Schutz der eigenen Person vor den genannten Gefahren am Halse getragen [13]), oder zum Schutze von Haus und Hof gegen Blitz und Hagel wie die Wettersegen und andere abwehrkräftige Dinge in der Wohnung aufbewahrt; in der Umgebung des Chiemsees sieht man sie zu dem gleichen Zwecke als Beschirmer der umliegenden Äcker auch in Feldkapellen [14]).

[1]) Zur Geschichte der A. D. und ihrer Weihe vgl. außer K r a u ß *Real-Encyclopädie der christlichen Altertümer* Freiburg i. B. 1 (1882), 29, vor allem die erschöpfenden Ausführungen von F r a n z *Benediktionen* 1, 553 ff. Hier findet sich auch die einschlägige Literatur verzeichnet, zu deren Ergänzung noch heranzuziehen ist: M e y e r *Aberglaube* 258; S e l i g m a n n *Blick* 2, 337; *Alemannia* 10, 157 ff.; N o r k *Sitten* 534. [2]) F r a n z *Benediktionen* 1, 557. [3]) H a n s e n *Hexenwahn* 21, wo im Gegensatz

zu F r a n z: 1478. ⁴) SAVk. 22, 190. ⁵) F r a n z
Benediktionen 1, 575; A n d r e e - E y s n
Volkskundliches 106. ⁶) P o l l i n g e r *Landshut* 274. ⁷) Vgl. die ausführliche Darstellung
in Alemannia 10, 155 f. nach der Übersetzung
von H. B a r b i e r d e M o n t a u l t *Von
der Andacht zu den Agnus Dei.* Aachen 1871.
⁰) F r a n z *Benediktionen* 1, 573; hier auch
andere, lateinische Formeln und Verse. Vgl.
A n d r e e - E y s n *Volkskundliches* 106 f.
⁹) Zur Beschwichtigung in das stürmische Meer
geworfen (1583): Z. f. schweiz. Kirchengesch.
12, 72. ¹⁰) F r a n z *Benediktionen* 1, 574;
Alemannia 10, 162. ¹¹) B i r l i n g e r *Aus
Schwaben* 1, 173; Alemannia 10, 158 ff.; Hess.
Bl. 10, 40 ff. ¹²) S o l d a n - H e p p e 1, 97;
Alemannia 10, 158. ¹³) Vgl. Alemannia 10, 161;
W r e d e *Rhein. Volkskunde* 82. ¹⁴) A n d r e e -
E y s n *Volkskundliches* 106. Freudenthal.

Ägomantie. Weissagung durch Ziegen (αἴξ = Ziege).

Der Name ist eine vermutlich aus dem
16. Jh. stammende Neubildung ¹) zur Bezeichnung einer von Tertullian ²) und Clemens von Alexandria ³) erwähnten Form
der Weissagung durch Ziegen. Wie diese
bewerkstelligt wurde, wird nicht überliefert; ausgeübt wurde sie durch herumziehende „Magier", die die Ziegen (ebenso
wie Raben: Clemens) irgendwie zum Weissagen abrichteten. Das Altertum schrieb
der Ziege, wie vielen anderen Tieren, die
Fähigkeit zu, Hungersnöte, Erdbeben,
Wetter, Ernteausfall usw. vorauszuahnen ⁴), im Kultus und Mythus des delphischen Orakels spielt die Ziege eine gewisse
Rolle; Ziegen führten zur Entdeckung des
bekannten Erdschlundes, durch dessen
Ausdünstung sie selbst in einen ekstatischen Zustand versetzt wurden ⁵). Einen
Ziegenkopf benutzten angeblich die Langobarden zur Weissagung ⁶). Vgl. K e -
p h a l o m a n t i e.

¹) B u l e n g e r u s *Opusc.* (1621) 215; F a -
b r i c i u s *Bibliogr. antiqu.*³ (1760) 593. ²) *Apo-
loget* 23. ³) *Protr.* 2, 11, 6 P = E u s e b. *Praep.
ev.* 2, 3 p. 135, 11 G. ⁴) A e l i a n. *Hist. an.*
6, 16. ⁵) D i o d o r 16, 26; R o s c h e r *Neue
Omphalosstudien* (1915) 32 f. ⁶) S t. G r e g o r
bei B u l e n g e r u s a. a. O. Boehm.

Agrimonia s. O d e r m e n n i g.

Agrippa von Nettesheim.

1. Biographisches. — 2. Werke. — 3. Art
seines Wissens. — 4. A. und die Magie. —
5. A.s Nachwirkung.

1. Heinrich Cornelius Agrippa von
Nettesheim ¹), geb. 1487 zu Köln, gest.
1535 zu Grenoble, Dr. der Medizin und
beider Rechte, Theologe und Humanist.
Ein Mann von unstetem Geist, begegnet
er uns als Schüler (Köln, Paris, Würzburg),
Lehrer (Vorlesungen zu Dôle in Burgund
1508 über Reuchlins Schrift *De verbo
mirifico*, zu Köln 1510 über theologische
Fragen, zu Pavia 1515 über Hermes
Trismegistos) und Gelehrter, als Abenteurer und Gefangener, als Kriegsmann
(1512 kaiserlicher Hauptmann und Ritter, 1524 in französischem Kriegsdienst),
als Arzt (1523 zu Freiburg in der Schweiz,
1524 zu Lyon Leibarzt der Königin-
Witwe von Frankreich) und Beamter
(1511 Kaiserlicher Rat, 1518 Syndikus
zu Metz, 1529 Kaiserlicher Archivar und
Historiograph bei der Statthalterin der
Niederlande, Margarethe von Österreich)
in fortwährendem Ortswechsel wiederholt in den verschiedensten Ländern:
Deutschland, Frankreich, Spanien, Italien, Burgund, Schweiz, England, Niederlande. Daß er in der Fremde starb, ist
der natürliche Abschluß seines bewegten
Lebens.

¹) D e l f f in *ADB.* 1, 156—158 und die Einleitung zur deutschen Ausgabe von A.s Magie
(Anm. 2).

2. Von seinen Werken ²) sind außer
zahlreichen Briefen und einigen theologischen Schriften (darunter *De triplici
ratione cognoscendi deum* 1515) vor allem
zwei wichtig: *De vanitate et incertitudine
scientiarum* ³) und das Hauptwerk *De
occulta philosophia sive de magia* in drei
Büchern ⁴).

²) Henrici Cornelii A g r i p p a e a b N e t -
t e s h e y m, armatae militiae equitis aurati, et
juris utriusque et medicinae doctoris *Opera in
duos tomos concinne digesta,* Lugduni, per Be-
ringos fratres s. a. (1580). ³) Zuerst 1532; *Opera*
II, 1—247; deutsch von Sebastian F r a n c k
unter dem Titel *Was von Künsten und menschlicher Weyshait zu halten sei.* Ulm o. J. ⁴) *Opera*
I, 1—404; deutsch: *Heinrich Cornelius Agrippas
von Nettesheim Magische Werke samt den geheimnisvollen Schriften des Petrus von Abano,
Pictorius von Villingen, Gerhard von Cremona,
Abt Tritheim von Sponheim, dem Buche Arbatel,
der sogenannten Heil.-Geist-Kunst und verschiedenen anderen. Zum ersten Male vollständig
ins Deutsche übersetzt. Vollständig in fünf Teilen*

mit einer Menge Abbildungen. Anastatischer Neudruck, Berlin (Herm. Barsdorf) 1916 (= Geheime Wissenschaften hrsg. von A. v. d. Linden, Bd. 10—14).

3. A. ist ein glänzender Kompilator, aber ohne Originalität und auch ohne starke und festwurzelnde Überzeugungen. Selbst auf religiösem Gebiet ist seine Stellung verschwommen: er schreibt mystisch als ein Außenstehender, er bleibt Katholik und äußert sich anerkennend über die Reformation; ebenso polemisiert er gegen das weltliche Wissen des Humanismus und macht die humanistischen Studien zu einer der Grundlagen seines Systems der Magie.

4. Mit den magischen Wissenschaften hat er früh Fühlung genommen. Das Problem des Steins der Weisen beschäftigt schon den Jüngling: Mit zwanzig Jahren gründet er von Paris aus eine sich rasch auch nach Deutschland verbreitende Gesellschaft zu Studium und Anwendung der geheimen Wissenschaften, und — nach seinen eigenen Worten — kaum ins Jünglingsalter eingetreten schreibt er sein Hauptwerk ,,De occulta philosophia''. Um 1510 hat er es dem Abt Tritheim zu Würzburg zur Verbesserung übersandt. Aber erst viel später, als gegen seinen Willen das Werk in verstümmelten und fehlerhaften Abschriften verbreitet wurde, entschloß er sich, es in authentischer Gestalt, neu bearbeitet und mit Besserungen, herauszugeben, obwohl er, wie er sagt, nicht mehr auf demselben Standpunkt stehe und manches schon in der Schrift De vanitate zurückgenommen habe: man möge das Werk also nicht nach der Zeit der Veröffentlichung, sondern als das weit zurückliegende Werk eines Jünglings beurteilen.

Zweck des Werkes war ihm nicht eine Darstellung des landläufigen Aberglaubens. Gegen diesen nimmt er zum Teil Stellung in seinem Widerspruch gegen Hexenwahn und Hexenverfolgung, den er als Syndikus zu Metz auch praktisch betätigte [5]). Wie wenig er aber im übrigen sich um die Dinge seiner Zeit bemüht, kann etwa Buch 1, cap. 72 ,,von der wunderbaren Gewalt der Zauberformeln''

zeigen, wo von Apuleius, Lucan, Virgil, Ovid, Tibull, Cato, Salomo und Celsus die Rede ist, mit keinem Wort aber der lebenden Zauberformeln gedacht wird. Das positive Ziel des Werkes war eben dies, die auf antiker und kabbalistischer Grundlage erwachsene alte Magie möglichst rein unter umfassender Benutzung der alten Quellen darzustellen. Diese Magie beruht, nach A., auf den in drei Welten, der elementarischen, himmlischen und geistigen, wirkenden Kräften, die durch die Wissenschaften der Physik, Mathematik und Theologie erkannt werden. Der Magier verbindet die Kräfte der natürlichen Welt nach den Regeln der Astrologen und Mathematiker mit den Kräften der höheren himmlischen Welt; er verstärkt und befestigt dann alles vermittelst heiliger und religiöser Zeremonien. Die richtige Erkenntnis schenkt ihm die Macht, die Kräfte zu beherrschen. Deshalb gibt A. in Buch 1 ein Weltbild, handelt in Buch 2 von den Zahlen und geometrischen Figuren als Grundlage der Gestirnbeobachtung, in Buch 3 von der Bedeutung der Religion für die Magie [6]). All das wird in vorsichtiger Form vorgetragen. Wie er schon am Ende des ersten Kapitels den Leser bittet, er möge dem Vorgetragenen nur insofern Beistimmung geben, als es von der Kirche nicht verworfen werde, so sagt er im Schlußwort: niemand möge zürnen, wenn ich die Wahrheit dieser Wissenschaft in Rätsel gehüllt und an vielen Orten zerstreut vorgetragen habe; denn nicht für die Weisen , sondern für die Gottlosen habe ich dieselbe verborgen und in eine solche Redeweise eingekleidet, daß sie zwar den Unverständigen verschlossen bleiben soll, den Weisen aber leicht zugänglich gemacht ist.

[5]) Soldan-Heppe 2, 1f. [6]) Kiesewetter *Occultismus.*

Ein viertes Buch *de ceremoniis magicis* [7]) schließt sich in den Ausgaben an mit allerhand praktischen Anweisungen zur Anwendung der Magie: Berechnung von Geisternamen, Anfertigung magischer Mittel, Geister- und Totenbeschwörung. Da das Schlußwort von Buch 3 deutlich den Abschluß des Werkes zeigt und A.s Schüler Joh. Weier (s. d.) erklärt, dieses sogenannte vierte Buch sei erst 1562 entstanden, muß es trotz Kiesewetter als unecht bezeichnet werden.

[7]) K i e s e w e t t e r *Faust* [2] 2, 105 ff.

Von A. wurde geglaubt [8]), er sei selbst ein großer Zauberer, sein Hund sei ein in seinen Diensten stehender böser Geist gewesen und nach seinem Tode verschwunden.

[8]) M e y e r *Aberglaube* 334.

5. Der Einfluß A.s ist wohl nicht gering gewesen (vgl. oben Francks Verdeutschung), aber bei dem kompilatorischen Charakter seiner Werke auch gerade für sein Hauptwerk schwer exakt nachzuweisen. Doch ist wichtig, daß ein Mann wie Seb. Franck sich seines einen Werkes angenommen hat und daß A.s Kampf gegen die Hexenprozesse von Joh. Weier fortgeführt wurde [9]).

[9]) K i e s e w e t t e r *Occultismus.*   Helm.

Agtstein s. A c h a t , A m b r a , B e r n - s t e i n .

Ägypten. Ä. gilt dem MA. als eines der Länder, in denen vor anderen die Zauberei gepflegt wird. Die Auffassung geht auf 2. Mos. cap. 7 u. 8 zurück. Seit Hieronymus deutet die mittelalterliche Theologie den Namen als Finsternis; nach Ä. zurückkehren heißt ins Heidentum zurückfallen, so im Aberglaubenverzeichnis des Bruder Rudolf (s. d.) Nr. 53 [1]). Die als Heiden zu denkenden heiligen drei Könige erscheinen manchmal als ägyptische Magier, bei Joh. Hartlieb [2]) und öfter. Entsprechend werden auch jetzt noch manche Segen (Feuersegen u. a.) und Zaubersammlungen als ägyptisch bezeichnet; vgl. die dem Albertus Magnus u. a. zugeschriebenen ägyptischen Geheimnisse, Traumbücher usw. S. das folgende.

[1]) MschlesVk. 17, 38.   [2]) U l m *Hartlieb* LVI.   Helm.

Ägyptische Geheimnisse s. G e h e i m - n i s s e , ä g y p t i s c h e .

Ägyptische Tage. Die *dies aegyptiaci* sind in Rom entstanden und zwar nicht

vor der Kaiserzeit, weil sie die von Augustus eingesetzten *dies senatus legitimi* voraussetzen [1]), wie schon aus der bloßen Gegenüberstellung ersichtlich ist.

	Dies senatus legitimi	Dies aegyptiaci
Jänner	1. 9. 23	2. 6. 16
Februar	3. 13	7. 25
März	3. 14	3. 24
April	1. 13	3. 21
Mai	1. 15	3. 21
Juni	3. 13	7. 20
Juli	1. 17	6. 18
August	3. 15	6. 21
September	1. 13	2. 19
Oktober	3. 15	3. 20
November	1. 12	2. 24
Dezember	3. 13	4. 14

Während die *dies senatus legitimi* sich nach den Kalenden und Iden richteten, weshalb sie auch auf die erste Monatshälfte fielen, sind die *dies aegyptiaci*, von welchen ebenfalls auf jeden Monat zwei Tage und auf den Jänner drei Tage entfallen, deutlich nach jenen *dies senatus legitimi* angesetzt, wobei ein nicht näher bestimmbarer Gesichtspunkt maßgebend war. Zwei Tage stimmen überein und in sechs Fällen handelt es sich bei den *dies aegyptiaci* um Nachtage zu den entsprechenden *dies senatus legitimi*. Solche gelten im Volksglauben oft als Unglückstage, wie der Montag (s. d.) bei uns. Bei den Römern waren die Tage nach den Kalenden, Nonen und Iden (*dies postridiani* oder *atri*) *dies religiosi* [2]). Abzuweisen ist die Behauptung, daß die ä. T. auf die Julianischen *fasti* zurückgehen [3]).

Die ä. T. werden zuerst im Kalender des Philocalus und in handschriftlichen Listen der späteren Kaiserzeit vermerkt [4]) und wurden bald auch in der christlichen Bevölkerung stark beachtet. Sonst hätte sich Augustinus [5]) nicht genötigt gesehen, gegen diesen Aberglauben einzuschreiten. Freilich dürfte man schon frühzeitig den Namen ä. T. für Unglückstage überhaupt verwendet haben. Auch von den Theologen des MA.s wurde der Glaube an die *dies aegyptiaci* bekämpft, so von Wilhelm von Paris [6]), vom Magister Nikolaus Jauer [7]), vom Bußprediger San Bernardino da Siena, der sie nach dem italienischen *oziaco* auch *dies oziagi* nennt [8]).

Das MA. hat aber andrerseits den Aberglauben auch wesentlich gefördert, indem man zum leichteren Behalten der ä. T., ähnlich wie die Verse der Cisio Janus (s. Kalender) zum Einprägen der Festtage dienten, eigene Merkverse in Form von Hexametern schuf. Diese lauten nach Durandus [9]):

Augurior decies, audito lumine clangor :
Liquit olens abies, coluit colus, excute gallum.

Jedem dieser Wörter entspricht der Reihe nach ein Monat. Der Anfangsbuchstabe der ersten Silbe eines jeden Wortes bezeichnet durch die Stelle, die er im Alphabet einnimmt, den ersten ä. T. des Monats, wobei vom ersten Monatstag weg gezählt wird; der Anfangsbuchstabe der zweiten Silbe bezeichnet den zweiten ä. T., wobei man aber vom letzten Tag des Monats zurückrechnet. — Da *augurior* den Jänner vertritt und a der erste Buchstabe im Alphabet ist, so ist der 1. Jänner ein ä. T. usw.

Nach diesen Merkversen sind ä. T.:

Jänner	1. 25	Juli	13. 22
Februar	4. 26	August	1. 30
März	1. 28	September	3. 21
April	10. 20	Oktober	3. 22
Mai	3. 25	November	5. 28
Juni	10. 16	Dezember	7. 21

Auch für jeden Monat gab es solche Merkverse, so für den Jänner: *Jani prima dies et septima fine minatur* [10]).

Diese ä. T. weichen wesentlich von den römischen ab, was vielleicht der Erfinder der Merkverse selbst verursacht hat. Doch ist die allgemeine Anordnung — je zwei im Monat und auf den Anfang und das Ende des Monats verteilt — die gleiche. Diese neuen ä. T. haben sich dort, wo schriftliche Überlieferung in Betracht kommt, und in gelehrten Kreisen im großen ganzen unverändert erhalten. Mit einigen Abweichungen werden sie auch bei Maennling [11]) aufgezählt. Bei der mündlichen Überlieferung mußten sie, zumal dann, wenn die grundlegenden Merkverse in Vergessenheit gerieten, stark verändert werden. Eine solche Umbildung sind die v e r w o r f e n e n T a g e (s. d.) im engeren Sinne, die aber noch immer ihre Herkunft von den ä. T. erkennen lassen.

Zum N a m e n bemerkt Durandus [12]), daß diese Tage so heißen, weil sie von einem ägyptischen Astrologen festgestellt wurden, nach andern aber, weil Gott an diesen Tagen die Ägypter mit seinen Plagen heimgesucht habe, was auch sonst zur Erklärung angeführt wird [13]). In Wirklichkeit dürften die Römer diesen Namen deshalb gewählt haben, weil sie als die Quelle jeder Art von Mathematik und so auch des Zahlenglaubens die Ägypter betrachteten [14]).

Schon früh liebte man es, bei jedem ä. T. auch seine u n g l ü c k l i c h s t e S t u n d e (s. d.) zu vermerken [15]). Wer in dieser erkrankte, mußte sterben [16]).

[1]) M o m m s e n *CIL.* I [2], 296 f. [2]) E m i l A u s t *Die Religion der Römer* (Darstellungen a. d. Gebiete der nichtchristl. Religgesch. 13. Bd. Münster 1899) 56; W i s s o w a *Religion* 444. [3]) C. W a c h s m u t h *Joannis Laurentii Lydi liber de ostentis* (Leipzig 1863) XXXVII. [4]) W i s s o w a *Religion* 443 [8]. [5]) F r i e d b e r g *corp. jur. canon.* 1, 1021, 1045. [6]) ZfVk. 11 (1901), 276, 278. [7]) F r a n z *Nik. de Jawer* 189. [8]) ZfVk. 22 (1912), 117 [2]. 125. 128 Anm. = Z a c h a r i a e *Kl. Schr.* 344. 353. 357. [9]) *Rationale divin.* (Ausgabe 1672) lib. 8, cap. 4, p. 474 f. Statt *liquit* ist wohl *liquet* zu lesen. [10]) Mitteil. der antiquar. Ges. in Zürich 12 (1858 bis 1860), 27. Hier S. 26 steht in den Jahresmerkversen *decios* statt *decies* und *liquens* statt *liquit*. [11]) M a e n n l i n g 188 = S c h u l t z *Alltagsleben* 238. [12]) *Rationale divin.* a. a. O. — [13]) ZföVk. 9 (1903), 141. [14]) M o m m s e n a. a. O. [15]) Mitteil. der antiquar. Ges. in Zürich a. a. O. 27. [16]) Alemannia 23 (1895), 50.

Jungbauer.

Ahasver s. J u d e , e w i g e r .

Ahlkirsche s. T r a u b e n k i r s c h e .

Ahnenglaube. Sage und Brauch in unserm Volksleben geben uns Kunde von den Kollektivvorstellungen, die die Sippe beherrschen, d. h. die Gemeinschaft der Lebenden u n d Toten, die alle das Blut des Urahnen in sich fühlen und wissen. Die n e u e n Beziehungen, die sich zwischen beiden durch den Tod ergeben, d. h. durch den Riß, der das Individuum von seiner sozialen Gruppe trennt, sind beherrscht durch Trauer, Mitleid, Furcht und Verehrung, d. h. durch eine Fülle von Empfindungen, die gleichzeitig aus einer innigen Anteilnahme und einer numinosen Scheu entspringen. Da Ahnenkult

und Ahnenverehrung heidnische Ange-
legenheiten sind, liefert die Hauptzeugnisse auf germanischem Gebiet die altnordische Literatur.

Die Krankheit, die im Glauben der
Kaffern von den Geistern der Vorfahren
verursacht wird [1]), die Sitte, daß in
Tongking am Vorabend des Ahnenfestes
die verstorbenen Verwandten durch
einen auf dem Hof aufgepflanzten Bam-
bus zum Mahle eingeladen werden [2]),
der Brauch, daß man vor Kirchweih-
festen im Alemannischen die Gräber der
Ahnen aufsucht [3]) und in der Gegend von
Saarlouis sogar die verstorbenen Verwandten an ihren Gräbern zur Hochzeit
einlädt, daß das Hochzeitspaar in Thüringen noch heute die Gräber der Vorfahren zu seinem Feste schmückt, der
Schutz, den die Ahnfrau dem Thorstein
infolge ihrer magischen Bindung mit ihm
zuteil werden läßt [4]), sind Beweise für die
Gefühle und Empfindungen, die den
toten Ahnen entgegengebracht werden.
Sie sind die Grundlage des Ahnenkults
und der Ahnenverehrung, wie wir sie aus
Caesar, Tacitus, Ammianus Marcellinus,
Jordanes, Saxo Grammaticus und Adam
von Bremen kennen. Sie zeigen uns
auch zugleich das Ineinandergreifen von
Ahnenglauben und Schutzgeisterglau-
ben [5]).

Die Sagen haben alle diese Vorstellungen, die uns, wie alle Völker der
Erde, in den Anfängen der Entwicklung
beherrschten, in schier unfaßbarer Treue
Jahrhunderte hindurch festgehalten, und
an Hand neuerer volkskundlicher Forschung erkennen wir, wie tief in Sitte,
Brauch und Sprache wir noch in ihnen
befangen sind.

Die Feindseligkeit der Ahnengeister
der Kaffern, die durch Zauber beigelegt
wird, die Feindseligkeit toter Ahnen [6]), die
man durch Kult und Opfergaben besänftigt, beruht oft genug auf einer magischen Schuld des Lebenden. Der Tote [7])
wie der Gott [8]), dem man sich geweiht
und in dessen Dienst man sich und sein
Leben gestellt hat (denn die Vorstellung
vom Götterkult geht oft in die vom
Ahnenglauben über), verlangt seinen

Kult [9]), sonst wird er gefährlich und
rächt sich. So ist die Welt der Toten dem
Lebenden besonders gefahrvoll und ver-
strickt ihn durch eine Unkenntnis der Gesetze jener Welt oder durch ein uner-
fülltes Versprechen ohne sein Wissen in
eine magische Schuld dem Toten gegenüber. Hierfür bieten der Volksglaube sowohl als auch die altnordische Überlieferung unzählige Belege.

So wissen wir aus Jordanes [10]), daß die
Goten ihren Kriegsgott mit der Opferung
der Kriegsgefangenen verehrten, in der
Meinung, ihn durch Menschenblut ver-
söhnen zu müssen. Die Erstlinge der
Beute wurden ihm gelobt und an den
Bäumen aufgehängt, überhaupt ver-
ehrten sie ihn so „a l s e r w i e s e n s i e
g ö t t l i c h e V e r e h r u n g i h r e m
S t a m m e s v a t e r". Sie feierten die
Taten ihrer Vorfahren mit Gesang und
Zitherspiel, und ihre Namen standen bei
ihnen in so hohem Ansehen, wie im Alter-
tum kaum die der Heroen.

Die Wiederkehr des Toten zu verhindern und ihn seinem Totenreich ungestört
zuzuführen, ist Pflicht der Hinterbliebenen, und der Abwehr dieses Wiederkom-
mens dienen die Totenhilfen [11]), das Mitgeben der neben dem Toten aufgestellten
Wachsrodel in Friesland, wie überhaupt
die Grabbeigaben, die wir aus altgermanischen Gräberfunden kennen, ihr dienen
fernerhin auch die Rehbretter draußen in
Wald und Feld, die teilweise im rohen
Umriß eine menschliche Gestalt aufweisen [12]), das *hylja hræ*, d. i. Erde auf
den Toten legen. Vielleicht hat man
auch aus Abwehrmaßnahmen heraus die
Toten fern von den Wohnstätten, in Wäldern, Heiden und auf einsamen Hügeln
bestattet [13]), denn die primitive Sitte verlangte die Bestattung der Toten im Haus,
im Gehöft [14]). Gräber, Hügel, auf denen
man *hauga-eldr* (Hügelfeuer) brennen
sieht, müssen von den Angehörigen insonderheit gepflegt werden, in ihnen liegt
der Tote unverwest und ist zumeist ein
Wiedergänger [15]). In der Grettissaga sieht
Grettir auf einem Hügel ein starkes Feuer
aufleuchten. Der Hügel ist das Grab Kars
des Alten. Dort sitzt der Alte auf einem

Stuhl, umgeben von seinen Schätzen. Grettir ringt schwer mit ihm, trennt ihm den Kopf vom Rumpf und setzt den Kopf ans Ende des Rückens. Nur so kann er den Toten zur Ruhe zwingen und bringen — oder der Tote wird in ein anderes Grab gelegt, und wenn er auch da nicht zur Ruhe kommt, wird er verbrannt [16]), oder die Leiche wird, wie auf Grönland, gepfählt [17]).

Dem Ahnen schulden Sippe wie Blutsbruder die Totenpflege, die Totenklage oder das Preislied, das Totenopfer bei der Leichenwache und die Blutrache als oberste Pflicht. Der alte Odd auf Island bittet seine Freunde, ihn auf der Höhe des Skaneyberges zu bestatten; von dort will er über das ganze Stromland hinschauen [18]); Hrapp bittet seine Frau, ihn nach dem Tod beim Tor des Heizhauses zu begraben und ihn stehend beizusetzen, damit er genauer seinen Hof überblicken könne [19]). Asmund läßt dem toten Blutsbruder den Grabhügel aufwerfen, gibt ihm sein Roß mit Sattel, Zaum und aller Waffenrüstung, dazu seinen Falken und Hund mit und steigt, wie er versprochen, mit dem Toten selbst hinein. Der saß unten in voller Rüstung auf seinem Stuhl. Auch Asmund ließ sich seinen Stuhl in den Hügel bringen und setzte sich darauf. So ward der Hügel geschlossen. In der ersten Nacht stand der Tote vom Stuhl auf, erschlug den Falken samt dem Hunde und aß beides. In der zweiten erschlug er das Roß, zerlegte es und verzehrte auch dieses, wobei er Asmund zu Gaste lud. In der dritten war Asmund eingeschlafen und erwachte davon, daß ihm der Tote seine beiden Ohren abriß. Da ergriff Asmund das Schwert, schlug ihm den Kopf ab, verbrannte ihn zu Asche und verhalf ihm so zur Grabesruhe [20]), weil er als Blutsbruder dieselbe Pflicht hatte wie sonst die Sippe.

Die Vorstellung vom Herdfeuer als dem Sitz der Manen ist noch im Volksglauben lebendig, wenn man ihnen Brosamen oder etwas Schmalz ins Feuer wirft [21]), oder wenn man die Hausschlange (die Hausotter, das Heimchen, die Unke), die von den Langobarden des 7. Jhs. als Ahnen-

oder Hausgeist in Gestalt von goldnen Schlangenbildern [22]) verehrt wurde, im Herdwinkel [23]) mit Milch füttert, eben weil man sie für den Ahn hält, sich nicht in magische Schuld verstricken und sich seine Feindschaft zuziehen, sondern ihn sich durch Dienstbezeugung gewinnen will. Die dt. Sagen nennen auch die Kobolde, die Haus- und Schutzgeister, gelegentlich „Ahnen" [24]), denn für die primitive Vorstellungswelt bedarf das Erscheinen des Verstorbenen in veränderter Gestalt so wenig der Erklärung, wie die Vermenschlichung der Tiere im Märchen für das Kind der Erläuterung, bedarf. Der Tod ist vielfach, und ganz natürlich für ihr Empfinden, nur mit einer andern Erscheinungsform des Ahnen verbunden, und die Sagen, in denen die Ahnfrau als weißer Geier erscheint [25]), die Ahnherrn als schwarze Rosse [26]), ertrunkene Ahnen sich als Seehunde [27]) zeigen, sind lebendige Zeugnisse dafür.

Für die weiße Ahnfrau, die so oft todverkündend in den Sagen erscheint [28]), verweise ich auf den Fylgjenglauben (s. d.). Die Totengedächtnisfeste werden in Form des Erbbiers in heidnischer Zeit zu bestimmter, jeweils von der Sippe, d. h. dem Erben, festgesetzter Frist vor dem leeren Hochsitz des toten Ahnherrn gefeiert. Erst nach erfüllter Totenpflicht, auch erst nach Erfüllung der Blutrache besteigt der Erbe nach dem Minnetrunk den Hochsitz [29]).

Die Pfeiler dieser Hochsitze, die meist geschnitzt sind und Bilder tragen, wie wir sie in Wachsmaskenform im römischen Atrium wiederfinden, sind mit den heiligen Holzbildern, den Gesichtsurnen [30]), den Rehbrettern mit ihren Abbildungen, den Stangen auf den langobardischen Gräbern [31]) und den Neidstangen aus der Wikingzeit [32]) zweifellos ursprünglich Kultzeichen [33]). Thorgerd Hölgabrud und ihre Schwester Irpa [34]), zwei lebensgroße Frauenbilder, zu beiden Seiten des Thorbildes im Gotteshaus aufgestellt, sind Ahnfrauen des Drontheimschen Jarlsgeschlechts. Sie erinnern an Kap. 25 des dt. Indiculus superstitionum: „*De eo, quod sibi sanctos fingunt quoslibet mortuos.*" [35]).

8*

Das Ineinandergehen von Ahnen- und Herrscherkult und ihr Aufgehn im Götterkult, wie wir es aus Altbabylonien und Griechenland kennen [36]), gilt auch für germanische Verhältnisse.

Menschen, die man bei Lebzeiten hochgeschätzt hatte, deren Kriegstaten für Land und Volk bedeutsam waren, werden auch nach dem Tode und da erst recht verehrt. Die numinose Scheu verklärt sie desto mehr, je mehr man von ihnen in ihrer neuen unbekannten Erscheinungsform in der andern Welt Hilfe und Beistand erwartet.

Als König Ivar, der Sohn Ragnar Lodbroks, in England starb, gebot er, ihn dort zu bestatten, wo das Land feindlichen Angriffen ausgesetzt sei. So, sagte er, würden die Feinde nicht siegen können. Und in der Tat — dem war so —, bis Wilhelm der Bastard Ivars Hügel ausgrub. Er fand ihn unverwest und verbrannte ihn; dann erst konnte sein Sieg gelingen [37]).

Nach Jordanes verehrten die Goten ihre Vorfahren mit einem Kult, wie er Göttern und Helden zukam (s. o.). Hákonarmál und Eiriksmál sind Preislieder auf apotheosierte Könige. Die Schweden verehrten vergötterte Menschen, denen sie wegen ihrer großen Taten Unsterblichkeit verliehen [38]); den König Erich von Schweden haben die Götter in ihr Kollegium aufgenommen [39]). König Gudmund [40]) wurden nach seinem Tode Opfer dargebracht, und die Leute nannten ihn ihren Schutzgott. Dasselbe berichtet Saxo Grammaticus von Haldan, der öffentlich vom Volk geehrt wurde und dem Opferkuchen dargebracht wurden [41]). Dem König Olaf sind Fruchtbarkeitsopfer bezeugt [42]); als er zu Geirstad starb, wurde auf seinem Grabhügel um Fruchtbarkeit geopfert, und er wurde Alf von Geirstad genannt [43]).

König Halfdans Glieder wurden an verschiedene Hügel zum Segen der Umgegend gegeben, und ihnen wurde göttliche Verehrung zuteil [44]). Ammianus Marcellinus berichtet von den Westgoten, daß sie die Taten der A h n e n, d. h. d e r G ö t t e r, preisen und Adam von Bremen [46]) schreibt, daß die Germanen auch Götter verehrten, die sie sich aus Menschen gemacht hatten und denen sie Unsterblichkeit verliehen.

Thorolf [47]), Thorsteins Sohn, läßt seinen Großvater Grim, den ersten Besiedler der Färöer, nach seinem Tode mit Opfern verehren, und auch Aud, die Tochter Ketil Flachnases und Ahnfrau des großen Geschlechts der Lachswassertäler, wird nach ihrem Tode mit Tempel, Opfer und Gebet verehrt [48]); Bard Snœfellsáss wird für einen Schutzgott gehalten, weil er dem einen Glück auf dem Meere, dem andern Sieg, dem dritten Schutz gewährte [49]).

Die magische Verbundenheit ist besonders stark zwischen der Ahnfrau und ihrem Geschlecht und Wohnsitz, wie überhaupt bei Menschen, die sich von der Stätte ihres Wirkens nur schwer lösen können. So erscheint die Ahnfrau [50]), die am Wohl und Wehe ihrer Sippe teilnimmt und durch dies Verbundensein nicht zur Ruhe kommt, bei jeder Schicksalsänderung, so kommt die Ahnfrau des Glum [51]) beim Tode seines Großvaters Vigfuss zu ihm, dem Enkel. So warnt die Ahnfrau den Thorstein vor dem Ritt zum Thing [52]). So beugt sich in der Volkssage die Ahnfrau über die kleine Tochter [53]), so warnt die Ahnfrau Signy vor der Heirat mit Siggeir [54]), so kommt die Ahnfrau des Hallfred zum jungen Hallfred [55]), und so gibt die Mutter Joreid noch nach ihrem Tod ihrem Sohn Thorstein Ratschläge [56]).

Diese Verbundenheit mit dem Ahnengeist, der Kraft und Macht des Geschlechts verbürgt [57]), geht Hand in Hand mit der persönlich nahen Verbindung zwischen Mensch und Schutzgott, der genau so zum Schutzgeist wird wie der Ahnengeist. Wie wir im Jarlstempel die Statuen von Thor und den Ahnen in gleichem Kultanrecht nebeneinander stehen sahen, so sehen wir auch den H e i l i g e n b e r g des Thorolf Mosterbart [58]), in den er mit all seinen Verwandten einzugehen hoffte und dem er große Verehrung zollte, d. i. einen steinigen Hügel, bei dem auf seiner Fahrt nach Island die Hochsitzpfeiler angetrieben wurden, und der bei der Besitznahme des Landes mit Feuer umgangen wurde, genau die gleiche wichtige Rolle

spielen wie den Thorstempel. Diesen hatte
man dem Familiengott Thor gebaut, der
der Schutzgott der Sippe war, in dessen
Dienste sich die Familie ebenso gestellt
hatte, wie der Gott sich ihr dankbar und
schützend erwies und ihr zu Walhall-
freuden verhalf. Das erkennen wir aus
Kap. 11 der Eyrbyggjasaga, wo geschildert wird, wie der Schafhirte den Hügel
offen sieht, darin am Feuer Lärm und
fröhlichen Hörnerklang vernimmt und
gleichzeitig hört, wie die Ahnen dem ertrunkenen Thorstein Dorschbeisser und
seinen Gefährten ihren Gruß entbieten
und ihm versichern, er werde auf dem
Hochsitz seinem Vater Thorolf Mosterbart gegenübersitzen. Hier gehen Ahnen-
und Götterkult so ineinander über, daß
Thorstein, der dem Gott geweihte Sohn
Thorolfs, dem Gott die gleiche Verehrung
zollt wie seinem Vater und den Ahnen,
die dann im Jenseits ihm sowie dem Vater
ihre Kultbemühungen in gleicher Weise
danken.

So bitten auch Glums Ahnen dessen
Götterfreund Freyr um Hilfe für ihren
Erben, der ins Unglück gekommen ist [59].

So gibt es auch in unserm dt. Volksglauben Gebräuche [60], die, wie das dreimalige Umwandeln des Herdfeuers bei
der Hochzeit, ähnlich wie oben in der
Eyrbyggjasaga, dessen uralte Heiligkeit,
die den Ahnen und Manen heilige Kultstätte, bezeugen; und Sagen, wo auch wie
dort ein Berg sich dem Grafen Günther
öffnet und ihm daraus ein prächtiges
Methorn zum Trunk dargeboten wird [61].
Zeugnisse dafür, daß die Ahnen nach
Helgafell (Heiligenberg) kommen, stellt
Grimm zusammen [62], wie es auch in
Deutschland Berge gibt, die „Großvater" heißen im Volksmund [63].

Wie weit der Glaube an ein Wiederauf-
leben des Toten in einem andern Menschen den Germanen vertraut war, ist
nicht ganz klar. Helgi und Sigrun werden wiedergeboren als Helgi Hadding-
jaskati und Kara [64]. Der Sammler der
Eddalieder sagt: „Das war in alter Zeit
Glaube, daß Menschen wiedergeboren
werden könnten, jetzt heißt es aber alter
Weiber Wahn" [65]. Olaf der Heilige, der

nach dem Glauben seiner Zeitgenossen
der wiedergeborene Geirstada-alf sein soll,
bestreitet als Christ einen solchen Glauben (s. o.) — aber Starkad der Alte erzählt, er sei ein wiedergeborener Riese,
nämlich sein G r o ß v a t e r S t a r -
k a d [66]. „Wir kommen wieder", sagten
die Leute im Sätterdal, wenn der Tod sie
abrief. Und Appian [67] berichtet von
den Germanen des Ariovist, sie seien
Verächter des Todes gewesen infolge
ihrer Hoffnung auf eine Wiedergeburt.
Die Tatsache, daß Enkel ahd. eninchilî
„der kleine Großvater", heißt [68], spricht
für die Annahme einer solchen Vorstellung im germanischen Heidentum.

[1] L e v y - B r ü h l Das Denken der Naturvölker 244. [2] ZfVk. 17 (1907), 382. [3] M e y e r
Baden 236. [4] Vatnsdœlasaga c. 36. [5] Die
aettarfylgja, der Familienschutzgeist, der auf
Nachkommen übergeht M e y e r Germ. Myth.
67. [6] Olafssaga Tryggvasonar c. 215. [7] Fornaldarsögur 2, 85; Egilssaga c. 44. [8] Floamanna-
saga c. 20, Thor rächt sich an Thorgils für
dessen Treubruch. [9] M e y e r Germ. Myth.
167. [10] J o r d a n e s De rebus Geticis cap. V.
[11] Njalssaga c. 154; Eyrbyggjasaga c. 33;
Egilssaga c. 61. [12] M e y e r Baden 70.
[13] R i e h l Land und Leute 254; G r i m m
Sagen Nr. 181; H ö f l e r Wald- und Baumkult
passim. [14] P a u l y - W i s s o w a 10, 2144.
[15] Grettissaga c. 18. [16] Eyrbyggjasaga 34, 63.
[17] Thorfinnssaga Karlsefnis 5. [18] Hönsna-
Thorissaga c. 17. [19] Laxdœlasaga c. 17.
[20] Fornaldarsögur III, 365. [21] Germania 11,
20. [22] J a h n Opfergebräuche 292. [23] Ahnenkult, Hausgeister s. K ü h n a u Brot 41 ff.
[24] G r i m m Sagen Nr. 71. [25] J u n g b a u e r
Böhmerwaldsagen 98. [26] L ü t o l f Sagen 44,
472; W a i b e l u. F l a m m 2, 339 (Ahnen als
Pferde schleppen Baumstämme). [27] M e y e r
Germ. Myth. 66. [28] K e l l e r Grab des Aberglaubens 3, 59; B i n d e w a l d Sagenbuch
60 f.; E i s e l Voigtland 99 ff.; M e i c h e Sagenbuch 167 Nr. 225, 125 Nr. 164; S o m m e r
Sagenbuch 23 Nr. 17; B a a d e r Volkssagen 85;
K u h n Westfalen 1, 129 Nr. 261. [29] Edda, At-
lamal Str. 75; Fornmannasögur 1, 161. 280;
K. M a u r e r Bekehrung des isl.-norw. Stammes zum Christentum 2, 428. [30] H ö f l e r
Wald- und Baumkult 39. [31] P a u l u s D i a -
c o n u s Historia Langobardorum 5, 34. [32] Egilssaga c. 57. [33] H e l m Religionsgesch. 1, 220.
[34] Njálssaga c. 88. [35] Vgl. häuslichen Ahnenkult in Griechenland bei R o h d e Psyche 1, 254;
S a m t e r Familienfeste 10 f.; P f i s t e r Reliquienkult, passim; die Ausstellung von imagines
in den Häusern der röm. Nobilität bei P a u l y -
W i s s o w a 10, 2144 findet ihre Entsprechung
in China, wo die Ahnenbilder die Verstorbenen

repräsentieren. Zu Beginn des Kults werden die Ahnen gebeten, in den Bildern Platz zu nehmen, B a s t i a n Verhandl. d. Berl. Ges. f. Anthropol. 24 (1892), 105 f.; D e G r o o t Annales du Musée Guimet XI, 19; H o v o r k a - K r o n f e l d I, 180 f. [36]) E b e r t *Reallexikon* I, 77; 7, 125. [37]) Ragnarssaga Lodbróks, 19. [38]) A d a m v o n B r e m e n IV, 26. [39]) Vita Anscarii cap. 26. [40]) Hervararsaga c. 1; M a u - r e r *Bekehrung* 2, 77. [41]) S a x o Grammaticus ed. Holder 220. [42]) G o l t h e r *Mythologie* 34; M o g k *Mythologie* 385. [43]) Fornmannasögur 4, 27; 10, 212; Flateyjarbók II, 7. [44]) Halfdanssaga c. 9; Fagrskinna c. 4. [45]) A m m i a n u s M a r c e l l i n u s XXXI, 7, 11. [46]) A d a m v o n B r e m e n IV, 26. [47]) Islendingasögur I, 47. [48]) Laxdœlasaga c. 5, c. 7; Landnámabók II, 12. 16. 19. [49]) Bardarsaga c. 6. [50]) G r i l l - p a r z e r *Die Ahnfrau*; S c h e l l *Bergische Sagen* 110 Nr. 62; K ü h n a u *Sagen* 1, 73; 1, 607, 608; B e c h s t e i n *Thür. Sagenbuch* 1, 247 f. [51]) Vígaglúmssaga c. 9. [52]) Vatnsdœlasaga c. 36. [53]) K ü h n a u *Sagen* 1, 607; vgl. B a r t s c h *Mecklenburg* 1, 152, M ü l l e n - h o f f *Sagen* 180 Nr. 247. [54]) Völsungasaga c. 4. [55]) Hallfredarsaga, Fornsögur 114. [56]) Thorsteinssaga Siduhallsson c. 7. [57]) Vatnsdœlasaga c. 30. [58]) Eyrbyggjasaga c. 4. [59]) Glumssaga c. 26. [60]) K u h n u. S c h w a r t z 443 Nr. 279; G o l d m a n n *Andelang* 44 ff. [61]) K u h n u. S c h w a r t z 280 Nr. 314. [62]) G r i m m *Myth.* 2, 682 ff. [63]) ZfdA. 1 (1841), 26. [64]) Edda, Helgakviða Hundingsbana II, 50. [65]) Edda, Helgakviða Hjörvardssonar 43. [66]) Fornaldarsögur 3, 56. [67]) *Historia Rom.* I, lib. IV De rebus Gallicis. [68]) K l u g e *Etym.Wb.* sub Enkel.

I. Naumann.

Ähnlichkeit s. A n a l o g i e z a u b e r und S i m i l i a s i m i l i b u s.

Ahnung s. V o r a h n u n g.

Ahorn (Acer-Arten). 1. B o t a n i - s c h e s. Die drei häufigsten in Mitteleuropa vorkommenden A.-Arten sind der B e r g - A. (A. pseudoplatanus), der S p i t z - A. (A. platanoides) und der F e l d - A. (Maßholder; A. campestre) [1]). Im Volksglauben werden diese Arten meist nicht näher unterschieden.

[1]) M a r z e l l *Kräuterb.* 99 f.

2. Auf alten K u l t weist der Bericht von einem großen Berg-A. beim Hofe Moseid (Vennersland) hin, neben dem die Bewohner alle Jahre Bier ausgießen [2]). Personifiziert erscheint der Baum, wenn aus seinem Holz Blut fließt, z. B. bei einem A. am Millstätter See in Kärnten [3]) und bei einem A. bei der St. Annaquelle in Disentis (Schweiz) [4]).

[2]) ZfVk. 8, 142. [3]) M a n n h a r d t 1, 38; G r a b e r *Kärnten* (1914), 16. [4]) W e t t - s t e i n *Disentis* 157.

3. Der A. gilt als a n t i d ä m o n i s c h. Zapfen von A.holz in die Türen und Schwellen geschlagen, verhindern, daß die Hexe in den Stall kommt [5]); das gleiche glaubt man in Westpreußen von den an Johanni (24. Juni) gepflückten A.zweigen [6]). In der westpreußischen Kaschubei werden an Johanni Zweige an die Türen und Fenster gesteckt gegen Hexen und Zigeuner. Auch das Einschlagen des Blitzes sollen diese Zweige verhindern. Die Kartoffeläcker werden ebenfalls mit A.zweigen umsteckt [7]). A.- sträußchen steckte man im Ravensbergischen in die Flachsfelder, angeblich um die Maulwürfe (s. d.) zu vertreiben [8]). Im Elsaß verhindern A.zweige, daß Fledermäuse in die Häuser kommen [9]). Wer nachts ausgeht, soll geweihte A.zweige zu sich stecken (Dalmatien) [10]).

[5]) B a r t s c h *Mecklenburg* 2, 38. [6]) T r e i - c h e l *Volkstüml.* IV, 2. [7]) Das Land 18, 519. [8]) 25. Bericht hist. Ver. Ravensberg 1911, 18; vgl. auch E. H. M e y e r *Deutsche Volkskunde* 1898, 228. [9]) G u b e r n a t i s *Myth. des plantes* 2, 129 (nach R o l l a n d *Faune pop.*). [10]) Wiss. Mitt. Bosn. Herz. 4, 594.

4. Kühe, die mit M a ß h o l d e r - z w e i g e n g e s c h l a g e n werden, geben b l u t i g e Milch (Westfalen) [11]). Im Dep. Finistère glaubt man, daß Tiere, die man nur leicht mit einer Maßholderrute berührt, zugrunde gehen [12]) (s. H a - s e l). In der Antike galt der A. als ein „unglücklicher" Baum [13]).

[11]) W a g e n f e l d *Pflanzen* 229. [12]) S é b i l - l o t *Folk-Lore* 3, 387. [13]) M u r r *Pflanzenwelt* 25.

5. In der V o l k s m e d i z i n werden die an Johannis gepflückten A.blätter getrocknet und später in kochendem Wasser erweicht; sie gelten als heilkräftig bei allen Wunden [14]). Im Gouv. Smolensk bestreicht man gegen Kopfweh das Haupt mit den an Johannis gebrochenen Maßholderzweigen [15]). A.wurzel dient zur Beförderung der Menstruation [16]).

[14]) F r i s c h b i e r *Naturkunde* 320. [15]) Y e r - m o l o f f *Volkskalender* 295. [16]) S t o l l *Zauberglaube* 107.

6. Wenn die A.blätter recht fett sind, so gibt es eine gute Ernte (Oberbayern)[17].

[17]) M a r z e l l *Bayr. Volksbot.* 126.   Marzell.

Ähre s. G e t r e i d e.

Ährenkönigin, -mutter s. K o r n - d ä m o n e n.

Ährenschnitt s. B i l w i s.

Akelei (Aquilegia vulgaris). 1. B o t a - n i s c h e s. Die zu den Hahnenfußge- wächsen gehörige A. besitzt doppelt drei- zählige, gekerbte Blätter. Sie ist an den fünf großen, in einen hakig gekrümmten Sporn ausgezogenen, blauen oder violetten Honigblättern leicht zu erkennen. Die A. ist auf Waldwiesen und in Laubwäldern meist nicht selten[1]). Die A. wird seit alters in Gärten als Zierpflanze gezogen, als Heilkraut ist sie heutzutage ver- gessen[2]).

[1]) M a r z e l l *Kräuterbuch* 472. [2]) K r o n - f e l d *Zur Geschichte der Akelei*, in: Wien. Med. Wochenschr. 1914, Nr. 29.

2. Ein aus der A. bereiteter Trank sollte gegen „Nestelknüpfen" wirksam sein. „So einem Mann seine Krafft genommen / und durch Zauberey oder andere Hexen- kunst zu den ehelichen Wercken unver- möglich worden were / der trinck stätig von dieser Wurtzel und dem Samen / er genieset / und kompt wieder zurecht"[3]). Auch Matthioli[4]) empfiehlt das Mittel dem Bräutigam, der durch Zauberei zu den ehelichen Werken ungeschickt ge- worden ist. Zu diesem Zweck sollte das membrum virile mit dem Absud der A. gewaschen werden[5]). Vielleicht sollte die A. wegen ihrer auffälligen Blütenform (vgl. Löwenmaul) zauberwidrig wirken? Das Mittel geht wohl mehr auf die gelehrt literarische[6]) Überlieferung als auf einen deutschen Volksaberglauben zurück.

[3]) T a b e r n a e m o n t a n u s *Kräuterbuch* 1613, 100. [4]) Ebd. 1563, 248. [5]) S c h r o e d e r *Med.-Chym. Apotheke* 1693, 877. [6]) Vgl. S e - l i g m a n n *Blick* 1, 386 f.   Marzell.

Al palot elsna, Zauberworte im Liebes- zauber. Zur Entdeckung der Untreue eines Mädchens[1]). Auch Al Galal Eismu[2]).

[1]) Urquell 3 (1892), 3; O h r t *Trylleformler* 2, 87. [2]) O h r t a. a. O. 2, 87.   Jacoby.

Alabaster. Griech. ἀλάβαστρος, vermutlich aus arab. Al-Basra, Stein aus Basra[1]). Konrad von Megenberg sagt: „Nicanor oder Alabastrum . . . dieser Stein verleiht den Sieg und erhält die Freundschaft unter den Menschen (vielleicht eine Ver- wechslung mit einem anderen Stein?) . . . er ist weiß und sehr kalter Art, man kann deshalb Salben lange in ihm aufheben"[2]). Solche pyxides unguentariae aus Ala- baster waren in den Apotheken seit alters im Gebrauch[3]). Man bereitete auch, wie bereits im Altertum, Alabastersalben, die gegen alle Schmerzen des Hauptes, auch bei heftigem Fieber und gegen die Schlaf- losigkeit dienlich sein sollten[4]). In Böh- men heilt man an den Fraisen (krampf- haften Zuckungen) leidende Kinder, in- dem man ihnen geriebenen A. mit Wasser eingibt[5]).

[1]) 'S c h r a d e r *Reallexikon*[2] 1, 397; P a u - l y - W i s s o w a 1, 1271 f. [2]) M e g e n b e r g *B. d. N.* 389; vgl. S c h a d e s. v. Nikomar (νίκη Sieg) 1399; P l i n. *n. h.* 36 § 60. [3]) G e s - n e r *d. f. l.* 97 (aus Agricola); Abbildung. eb. 112. [4]) P l i n. 36 § 61 u. 37 § 143; Z e d l e r s. v. Alabastrites Bd. 1, 898. [5]) W u t t k e 369 § 542 = G r o h m a n n 175.   Olbrich.

Alan, Zauberwort in der Formel zum Schutz für Schweine[1]): „alan tabalim fugan, ab omni malo, exaudita est oracio tua", vgl. „alan fugan, saladdiel". Die Erklärung von Franz ist, wenn auch die Worte vielleicht hebräisch sein sollen, sehr fraglich.

[1]) F r a n z *Benediktionen* 2, 139; H a t - t e m e r *Denkm. d. Mittelalters* 1 (1844), 410; v. S c h e f f e l *Ekkehard* Anm. 214.   Jacoby.

Alant (Inula helenium). 1. B o t a - n i s c h e s. Korbblütler mit großen gel- ben Blütenköpfen, die in rispigen Dolden angeordnet sind. Die aus Vorderasien stammende Pflanze wird vielfach in Gär- ten (besonders auf dem Lande) zu Heil- zwecken gezogen[1]). In der Antike und im MA. war der A. eine häufig verwendete Heilpflanze[2]).

[1]) M a r z e l l *Kräuterb.* 166 f. [2]) M a r z e l l *Heilpflanzen* 202 ff.

2. Der A. gilt besonders bei den Slawen als A b w e h r - und Z a u b e r m i t - t e l[3]). In Steiermark räuchert man am Christabend mit A.[4]). Im Sauerland spielt

der „Olantskopp" eine Hauptrolle im
Kräuterbund an Mariae Himmelfahrt;
für jede Kuh im Stall wird ein „Olantskopp" in den Kräuterbund gesteckt [5]).
Als Pflanze des Abwehrzaubers ist der A.
auch ein altes P e s t m i t t e l. Bei den
Wenden hat der „schwarze Tod" selbst
die Heilkraft des A. verkündet [6]). Bei den
Angelsachsen wurde der A. mit einer Beschwörung ausgegraben [7]).

[3]) B e z z e n b e r g e r *Litauische Forsch.*
75; G r o h m a n n 138; ZföVk. 6, 170; Wiss.
Mitt. Bosn.-Herz. 4, 447; K r a u ß *Sitte u.
Brauch* 176. [4]) U n g e r u. K h u l l *Steir.
Wortsch.* 15. [5]) Orig. Mitt. von H e n n e -
m a n n 1923; vgl. M o n t a n u s *Volksfeste*
140; ZfrwVk. 5, 34. [6]) S c h u l e n b u r g
Wend. Volkst. 162; vgl. Bibernelle. [7]) F i s c h e r
Angelsachsen 33; P a y n e *Engl. Med. in
Anglo-Saxon Times* 1904, 117 f.; H o o p s
Pflanzennamen 53; FL. 4, 506.   Marzell.

Alaun. Lat. alumen; mhd. alûn; griech.
στυπτηρία (γῆ) = zusammenziehende Erde[1]).
Der Ruf der Stypteriaerde als Adstrin-
gens, als antikonzeptionelles und bei
Augenleiden wirksames Mittel war im
Altertum weit verbreitet; der natürliche
A. (Alumen Romanum) wurde im MA. zu
medizinischen Zwecken, hauptsächlich
zusammenziehender und ätzender Art
verwandt, z. B. bei Blutungen, Fisteln,
Krebs, Kehlenblattern u. a.[2]). Auch die
Volksmedizin machte von dem A. vielfach
Gebrauch. Das meiste davon, namentlich
die Verwendung als blutstillendes und
ätzendes Mittel, ist auch in der wissenschaftlichen Medizin gebräuchlich [3]). In
das Gebiet des Aberglaubens aber fällt
die Anwendung des A.s als Amulett: als
Vorbeugungsmittel gegen die Rose trug
man stets ein Stück A. bei sich, gegen
Gesichtsrose legte man ein Säckchen mit
A. um den Hals oder nähte A. in den
Saum eines Unterrockes, den man täglich anhatte [4]). In der Türkei, Persien
und Ägypten wird der A. als Abwehrmittel gegen Bezauberung und Geister
getragen [5]).

[1]) S c h r a d e r *Reallexikon*[2] 1, 39; K l u g e
Etym. Wörterb., s. v.; B e r g m a n n 15.
[2]) P a u l y - W i s s o w a 1, 1296 f.; P l i n i u s
n. h. 35 § 185; ZdVfVk. 26 (1916), 105; L o n i -
c e r 53; P a r a c e l s u s 200; P e t e r s
Pharmazeutik 2, 134 ff.; H ö f l e r *Organotherapie* 202. [3]) H o v o r k a - K r o n f e l d 1, 10;

2, 392 u. 267; L a m m e r t 229; G. S c h m i d t
Mieser Kräuterbuch 44. 82; ZföVk. 4 (1898)
217; B a r t s c h *Mecklenburg* 2, 22. [4]) Urquell 3 (1892), 71; ZrwVk. 1 (1904), 102.
[5]) S e l i g m a n n 1, 280 u. 262 f.; 2, 31 f.;
S t e r n *Türkei* 2, 378; S a m t e r *Geburt*
161 [6].   Olbrich.

Alb, Alf s. A l p , E l b e n , E l f e n.

Alban, hl., 406 bei der Zerstörung von
Mainz getötet, dargestellt, wie er sein
Haupt auf der Hand trägt, das er der
Legende gemäß nach seiner Enthauptung
selbst zur Begräbnisstätte getragen haben
soll, einst vielverehrter Heiliger der
Mainzer Kirche, auch in Basel und sonst
in Deutschland, Fest 21. Juni [1]).

1. Im bayrischen Volk als Patron gegen
Ungewitter, Kopf- und Halsschmerzen,
Leibschaden, Harn und Gries, Epilepsie
angerufen; bemerkenswert ist dabei die
starke Mischung der verschiedenartigsten
Übel[2]). Hierhin gehört ein Bild des hl. A.
in der A.kapelle in Taubenbach, unter dem
geschrieben steht: „Durch A.s Fürbitte
wird geheilt Fraiß, Kopfweh und Glieder-
sucht." Ebenda wurden dem Heiligen
Tonköpfe geopfert, einfach „Köpfe" genannt, wohl als Votive oder Weihegaben
für Befreiung von einem Kopfübel. Ein
weiteres Bild (Votivbild) in der Kapelle
zeigt einen Mann mit drei Gesichtern, von
denen er durch Fürbitte des hl. A. geheilt worden sein soll [3]).

[1]) AA. SS. Boll. 21. Juni IV, 88; B e i ß e l
Verehrung der Heiligen 1, 4; ARw. 3, 245.
[2]) ZdVfVk. 1 (1891), 297. [3]) H o v o r k a -
K r o n f e l d 1, 335.

2. Als Taufname war A. in Oberösterreich nicht beliebt. Man sagte dort, er
locke die Kleinen an sich, diese stürben
frühzeitig. Um dies zu verhüten, taufte
man nicht leicht auf seinen Namen und
opferte ihm die Erstlingskleider der Säuglinge [4]). Ähnlich wurden ihm in Atten-
hausen (Schwaben) Kinderkleider geopfert [5]).

[4]) ZdVfVk. 7 (1897), 100 f. [5]) B i r l i n g e r
Aus Schwaben 2, 242.

3. Am A.stage ritten früher die Bauern
aus der Umgegend von Aitrang (Allgäu)
auf ihren Pferden dreimal um das Wall-
fahrtskirchlein zu St. A. [6]).

[6]) R e i s e r *Allgäu* 1, 395.   Wrede.

Alber s. B e r g g e i s t e r , Z w e r g e.

Alberich s. Z w e r g e.

Albertus. Sizilianischer Karmeliter-
mönch [1]), gest. 1306. Mit ihm ist die Vorstellung des A.wassers verbunden, das
gegen Fieber und in Geburtsnöten hilft
und dessen Weiheformel auch in Deutschland bekannt ist [2]).

[1]) Vita in den AA. SS. August 2, 215—237.
[2]) A. F r a n z Benedictionen 1, 211 f.; 2, 196 f.
474. 479.   Helm.

Albertus Magnus.

J. S i g h a r t *Albertus Magnus. Sein Leben
und seine Wissenschaft.* Regensburg 1857.
B a c h *Des Albertus Magnus Verhältnis zu der
Erkenntnislehre der Griechen, Lateiner, Araber
und Juden.* Wien 1881. Georg von H e r t-
l i n g *Albertus Magnus. Beiträge zu seiner
Würdigung.* Festschrift. Köln 1880; 2. Aufl.
Münster 1914; derselbe *ADB.* 1, 156—158;
A. S c h n e i d e r *Albertus Magnus. Sein Leben
und seine wissenschaftl. Bedeutung.* Rektorats-
rede. Köln (1927).

1. Albert, Graf von Bollstatt, der große
Scholastiker, auch Doctor universalis genannt, geb. zu Lauingen in Schwaben
zwischen 1193 und 1206. Seit 1222 Dominikanermönch und im Auftrag des
Ordens vielfach als Lehrer und Prediger
in Italien, Frankreich und Deutschland
wirkend; 1248—54, 58—59 und von
1267 an mit kurzen Unterbrechungen bis
zu seinem Tode in Köln; 1254 Domini-
kanerprovinzial für Deutschland, vorübergehend (1260—62) Bischof von Regensburg; gest. 1280 zu Köln, hier und in
Regensburg kirchlich verehrt, 1622 selig
gesprochen.

2. Ein guter Teil der zahlreichen wissenschaftlichen W e r k e [1]) Alberts ist zu
charakterisieren als eine Art von „Para-
phrasen" von philosophischen und naturwissenschaftlichen Werken des Aristoteles [2]). In anderen Schriften behandelt
A. naturphilosophische Probleme seiner
Meinung nach im Sinne des Aristoteles, in
Wirklichkeit vielfach von ihm abweichend nach anderen Quellen [3]). Der dritte
Teil seiner Werke enthält Kommentare
zu biblischen und dogmatischen Schriften. Ein Zug zur Mystik ist bei ihm unverkennbar.

[1]) Außer älteren und neueren Einzelausgaben
die nicht ausreichende Gesamtausgabe *Opera
omnia* ed. R. J a m m y , 21 Bde., Leiden 1651.
Krit. Ausgaben eines Teiles der naturwissenschaftlichen Werke; *A. Magni de vegetabilibus
libri VII, historiae naturalis pars XVIII*
hrsg. von E r n s t M e y e r u. K a r l J e s-
s e n , Berlin 1867; A l b e r t u s M a g n u s
De animalibus libri XXVI. Nach der Cölner
Urschrift, hrsg. von H e r m a n n S t a d l e r.
Münster i. W. 1916—1920 (= Beitr. z. Geschichte der Philosophie des MA. Texte u.
Untersuchungen Bd. XV—XVI). [2]) H e r t-
l i n g a. a. O. 52 ff. [3]) a. a. O. 84 f.

3. Vereinigung von Philosophie und
Theologie ist der Inhalt von A.s Lebenswerk. Dabei liegt seine Hauptbedeutung
auf den Schriften weltlichen Wissens [4]).
Gegenüber der Magie beobachtet er vor-
sichtige Zurückhaltung. Er glaubt, daß
viele Fälle auf bewußter Täuschung beruhen; alle Zauberer benutzen sie, und das
Volk hält dann das für notwendig, was
lediglich Zufall ist (*parum literati putant
necessarium esse quod contingens est*).
Andererseits steht die Existenz der magischen Kunst für ihn ebenso fest wie
der ganzen Theologie seiner Zeit, und er
gibt zahlreiche Beispiele dafür [5]). So bespricht er im Anschluß an Petrus Lombardus den Impotenzzauber, er glaubt
an Succubus und Incubus, weiß von
Besprechungen aller Art, vom zauberischen Gewinnen und Gebrauchen heilkräftiger Pflanzen, glaubt an Verwandlungen und Entrückungen, an Unglückstage und vieles andere.

[4]) Vgl. auch K o p p *Beitr.* 64—85. [5]) H a n-
s e n *Zauberwahn* 153 und passim.

4. Die Gestalt des A. M. ist schon frühe
vom S a g e n werk umrankt worden, wobei
er als Meister in allerhand Zauberkünsten
erscheint [6]). Schon in einer zeitgenössischen Vision tritt er in der Peterskirche
in Rom als Schlangenbeschwörer auf [7]).
Wenig jünger ist die Sage von der zauberischen Entführung der Königstochter
von Frankreich, wovon noch ein Meistergesang des 16. Jhs. zu erzählen weiß [8]).
Dem 15. Jh. gehört die Überlieferung der
sicher älteren Sage an, daß er bei einem
Besuch König Wilhelms von Holland
mitten im Winter einen blühenden Garten
hervorgezaubert habe [9]). Die Sage erzählt

ferner von A.s Ritt nach Rom auf dem Rücken des Teufels [10]), vom Emporklettern an einem in die Luft geworfenen Knäuel [11]), von seinem Zauberbecher, mit dem er Kranke heilt [12]), dem Zaubersack [13]), der Erschaffung eines künstlichen Menschen [14]), von den Vögeln, die ihm dienen in der Geschichte von der buhlerischen Königin [15]).

[6]) S i g h a r t a. a. O. 67—75. [7]) M e y e r *Abergl.* 155. [8]) B o l t e - P o l i v k a 2, 538 f. [9]) G r i m m *DS.* Nr. 489. [10]) S i g h a r t 74. [11]) B o l t e - P o l i v k a 2, 539 f. [12]) S i g h a r t 74. 267. [13]) Ebd. 73 f.; B o l t e - P o l i v k a 1, 361. [14]) S i g h a r t 71. [15]) Ebd. 72.

5. Dementsprechend finden sich unter den vielen Werken, die man ihm mit Unrecht zugeschrieben hat [16]), auch in alter und neuer Zeit einige vielverbreitete Zauberbücher (s. d.). Solche sind: Liber aggregationum sive secretorum de virtutibus lapidum et animalium, De mirabilibus mundi und als das wichtigste: A. M. bewährte und approbierte sympathetische und natürliche Ägyptische Geheimnisse (s. d.) für Menschen und Vieh [17]).

[16]) Ein Verzeichnis der unechten Werke des A. bei S i g h a r t 297 f. [17]) Gedruckt Braband 1816. 1839 u. ö.; vgl. Albr. D i e t e r i c h *Kl. Schr.* 198 ff. (= BlhVk. 2, 5 ff.).   Helm.

Albinus, Bischof von Angers, gest. 549, Fest 1. März oder A., Märtyrer, dessen Reliquien um 984 von der Kaiserin Theophana von Rom mitgebracht und der Abtei S. Pantaleon in Köln geschenkt wurden, Fest 22. Juni, vielfach mit dem hl. Albanus, Protomartyr von England (22. Juni) verwechselt [1]).

1. Albinmonat bei Fischart = März [2]).

[1]) AA. SS. Boll. 1. März 1, 57 ff.; K o r t h *Die Kirchenpatrone im Erzbistum Köln* 9; S a m s o n *Kirchenpatrone* 108; G ü n t e r *Legenden-Studien* 77; N i e d *Heiligenverehrung* 65. [2]) F i s c h a r t *Aller Practick Großmutter.*

2. Unter den schwäbisch-alemannischen Volksheiligen wird auch A. genannt, so in der Kirchbierlinger Gegend, wo übrigens von einigen der hl. Alban unter ihm gemeint ist. „Ununterrichtete Bauersleute kommen nicht selten und wollen Messen haben zu St. Albin fürs Roß. St. Albin vertritt hier St. Leart (Leonhard, einen der größten Volksheiligen Süddeutschlands) und St. Blasius" [3]).

[3]) B i r l i n g e r *Aus Schwaben* 1, 54—55.

3. Als Helfer gegen Krankheiten des Hornviehes in Luxemburg angerufen [4]).

[4]) F o n t a i n e *Luxemburg* 109.   Wrede.

Alchemie.

1. Name. — 2. Entstehung. — 3. A. als mystische Wissenschaft. — 4. Ziel alchemistischer Arbeit. — 5. Geschichte der A. — 6. A. u. Aberglaube. — 7. Alchemistenverspottung. — 8. Neue Literatur.

1. N a m e. Er ist entstanden aus dem arabischen Artikel *al* und dem Wort *chemeia*. In früherer Zeit bestanden zwei verschiedene Schreibweisen nebeneinander: A l c h e m i e u n d A l c h y m i e. Alchymie stellt die spätere dar [1]) und soll von dem griechischen *chymós* = Saft, Brühe gebildet sein. Demnach wäre A. die Kunst, mit Auflösungen und Flüssigkeiten zu arbeiten, eine Erklärung, die jetzt allgemein als erledigt gilt [2]). Neuerdings ist vergeblich versucht worden, das Wort von *chȳma* = Metallguß herzuleiten [3]). Fast allgemeine Zustimmung findet jetzt die Ableitung von *chemeia*, einem aus dem Griechischen schlechthin unerklärlichen Fremdwort. Es stammt vielmehr aus dem Ägyptischen. Nach Plutarch [4]) wird das schwarzerdige Ägypten von seinen Priestern als chemia bezeichnet, dem auch der hieroglyphische Name Ägyptens „Keme" = das Schwarze, das Schwarzerdige entspricht. Von der Bedeutung chemie = schwarz ausgehend, ist demnach c h e m e i a d i e B e s c h ä f t i g u n g m i t d e m „S c h w a r z e n", welches nichts anderes als das „schwarze Präparat" [5]) sein kann. Als grundlegender Prozeß der Metallverwandlung galt bei den alten Alchimisten die *mélansis, melánosis* = Schwärzung; deswegen wurde das Schwarzblei, das unter den Metallen der Schwärze am nächsten stand, als Urmaterie angesehen. So ist das „Schwarze" das den Ausgang bildende Gemischte; die „schwarze Kunst" bestand darin, sowohl dieses Schwarze zusammenzumischen, als auch die eigenartigen Stoffe daraus zu isolieren. Von ihrem Urprodukte und Ursprungslande erhielt die Kunst ihren Na-

men [6]). Über die Herleitung des Wortes
chemeia dachten indessen die Alten anders.
Sie leiteten den Namen der Wissenschaft
vom Verkünder derselben ab. Ein solcher
wird schon bei Zosimus (4. Jh.) unter dem
durchsichtigen Namen Chemes (Chimes,
Chymes) angeführt und von den nachfolgenden Autoren als Prophet und Offen-
barer hoch gefeiert. Damit wird der Sachverhalt umgekehrt. Zuerst war die Wissenschaft vorhanden. Von ihr aus erst
wurde der notwendig werdende Name des
héros epónymos gebildet [7]).

[1]) G. H o f f m a n n in L a d e n b u r g s *Handwörterbuch der Chemie* 1, 530. [2]) H. K o p p
Beiträge (1869), 65 ff. [3]) H. D i e l s *Antike
Technik* (1914), 108 ff.; E. v. L i p p m a n n
Entstehung und Ausbreitung der A. Berlin (1919),
296. [4]) *De Iside et Osiride* 33. [5]) L i p p m a n n
302. [6]) E. F ä r b e r *Die geschichtliche Entwicklung der Chemie*. Berlin (1921), 23. [7]) L i p p-
m a n n 293.

2. **E n t s t e h u n g.** Als Vorläuferin
der A. ist eine in Ägypten in jahrhun-
dertelangem Werdegang zur Blüte gelangte Tempelwerkstattkunst (*hierá, theía
téchnē*), ursprünglich von Techniten ausgeübt, anzusehen. Ihre Fertigkeiten bestanden darin, kostbare Metalle, Edelsteine und Farbstoffe für die Bedürfnisse
des Kultus zu bearbeiten, aber auch infolge der starken Nachfrage solche Stoffe
durch minderwertige, täuschende Nach-
ahmungen zu ersetzen [8]). Der unrichtigen
Beobachtung eines technischen Vorganges
konnte leicht eine bisher unbekannte Me-
tallabscheidung als Neuhervorbringung
eines Metalls gelten; auch konnte eine
an den Metallen auftretende Färbung für
eine Metallverwandlung gehalten werden.
Wurden nun, um den Bedürfnissen der
synkretistischen Geisteswelt vom 1. Jahrhundert v. Chr. an entgegenzukommen,
die technisch so erzielten Resultate mit
Geheimtuerei umhüllt, so war die A. als
Geheimwissenschaft fertig. Den notwendigen philosophischen Unterbau hatten
dann nur noch Platos und Aristoteles'
Lehren von den Verwandlungen der Materie zu liefern, die in abgeänderter und
verzerrter Form der damaligen Zeit geläufig waren. Es scheint, daß die ägyp-
tisch-hellenistischen Priester, bei denen

sich die Kenntnis der technischen Arbeitsmethode mit der Philosophie vereinigt
fand, als geistige Väter der A. anzusehen
sind; dieses esoterische Wissen verstanden
sie trotz aller äußeren Umstände streng
unter sich zu wahren. So kommt es, daß
noch später Alchemisten sich als Priester
und Mysten der geheimen, göttlichen, heiligen Kunst bezeichnen und sie als Weisheit altägyptischer Priester ausgeben.

[8]) L i p p m a n n 275 ff.

3. **A. a l s m y s t i s c h e W i s s e n-
s c h a f t.** Die Bezeichnungen Myste und
Adept, die sich die Alchemisten beilegten,
weisen auf die religiösen Mysterienver-
bände hin. Das Wissen gilt nur für einen
kleinen Kreis Eingeweihter, in welchem
es der Meister dem würdigen und zu-
verlässigen Schüler weiterüberliefert. Bei
der Aufnahme als Adept scheint ein ähnliches Zeremoniell wie bei den Mysterien
gebräuchlich gewesen zu sein. Der Novize
hatte den Eid [9]) zu leisten, das ihm teil-
zuwerdende Wissen keinem Uneingeweih-
ten mitzuteilen [10]). Der Meister seinerseits
hatte später zu versichern, alles übernommene Wissen restlos mitgeteilt zu
haben [11]). Für die Aufnahme wurden
auch sittliche Qualitäten wie Reinheit,
Wahrhaftigkeit, Neidlosigkeit gefordert.
Die Alchemistensprache war selbst dunkel
und versteckt [12]), handelte es sich doch
um die Offenbarung verborgener Worte[13]).
Der Sinn mußte entweder durch einen
Mystagogen [14]) oder durch Offenbarungs-
visionen erschlossen werden. Solche Visionen beginnen bei dem im 4. Jh. n. Chr.
lebenden Zosimus und reichen in ununterbrochener Kette durch das MA. hindurch
bis in die Neuzeit[15]). Außer der Sprache
waren auch die Zeichen und Symbole der
alchemistischen Traktate voller Geheimnisse. So erhält das vieldeutige „göttliche
Wasser", ein Sammelname für alle ver-
wandelnden Präparate „des weißenden,
wandelbaren, beweglichen, giftigen Queck-
silbergeistes", die Schlange, die ihren
Schweif verschlingt (*drácon uroбóros*) [16])
als Symbol. Für die Namen der Metalle
finden sich schon in den ältesten Handschriften die Zeichen für die sieben Pla-

neten eingesetzt [17]). Abkürzungen für
Maße und Gewichte sind sehr gebräuchlich. Manches ist nicht zu enträtseln, da
es vermutlich auf Abkürzungen griechischer oder ägyptischer Worte zurückgeht. Einzelne Geheimlehren scheinen in
Rätsel eingekleidet worden zu sein, deren
bekanntestes dem Agathodaimon zugeschrieben wird [18]). Sehr beliebt war auch
die allegoristische Darstellung alchemistischer Vorgänge, wofür als bekanntestes
Beispiel die Osterspaziergangsstelle im
Faust anzuführen ist.

⁹) K o p p *Beiträge* 520 ff. ¹⁰) B e r t h e l o t
Collection des anciens alchemistes grecs. Texte
grec. Paris (1887), 112, 17. ¹¹) D e r s. 27, 5 ff.
¹²) 114, 3. ¹³) 112, 5. ¹⁴) 114, 1; 13. ¹⁵) K a r l e
Der Alchemistentraum des Zosimus (Diss.) Freiburg (1925), 33 ff. 62 ff. ¹⁶) L i p p m a n n
305; H. S i l b e r e r *Probleme der Mystik und
ihre Symbolik.* Wien-Leipzig (1914), 76 ff.; Fr.
C a r t e r *The Dragon of the Alchemists.* London
(1926). ¹⁷) B e r t h e l o t *Introduction à l'étude
de la chimie des anciens au moyen-âge.* Paris
(1889) 104 ff.; L i p p m a n n 347 ff.; R.
M e y e r *Vorlesungen über die Geschichte der
Chemie.* Leipzig (1922), 22. ¹⁸) K o p p 506 ff.

4. D a s Z i e l a l c h e m i s t i s c h e r
A r b e i t. Die Alchemisten sahen ihre
Aufgabe nicht allein darin, täuschende
Legierungen herzustellen oder die äußere
Veredelung eines niederen Metalles in ein
nächst höheres bis zur scheinbaren Gold-
gewinnung, sogar unter Vermehrung des
Gewichtes, fortzusetzen, sondern auch in
der Zerlegung der niederen Metalle in
ihre form- und eigenschaftslose Urmaterie,
welche als Schwärze, schwarze Brühe,
schwarze Asche bezeichnet wird. Aus dieser mußte sich durch gewisse Zusätze
das „große Mysterium", die Bildung un-
verfälschter, edler Metalle erreichen lassen. Diese Ansicht schließt sich an die
Neuschaffungen im Kosmos oder an die
Neuentwicklung im Pflanzen- und Tier-
reiche an. Dazu war noch ein besonderes
Elixier notwendig, das „Stein der Weisen"
(s. d.) genannt wird [19]). Die Goldmacher-
kunst (s. d.) und die Herstellung des Steines der Weisen sind daher sowohl theoretisch wie praktisch mit der allgemeinen A.
unlöslich verknüpft. Diese allgemeine A.
umfaßte eigentlich das Gesamtgebiet der
heutigen Chemie. Sie enthält in ihrem

Schoße in gleicher Weise wie ihre Schwe-
sterdisziplin, die Astrologie [20]), die Keime
zu der exakten Wissenschaft, aber im Dunkel, das sie umgab, konnten sie erst mit
Beginn der Neuzeit zur Entwicklung gelangen [21]). So mußten die empirischen Beobachtungen, die sich beim Filtrieren,
Destillieren, Sublimieren und Schmelzen
ergaben, im Wust magischer Geheim-
krämerei unfruchtbar bleiben, da die Hypothesen der theoretischen A. verdarben,
was die praktische Experimentiererei erreicht hatte.

¹⁹) H. B a u e r *Geschichte der Chemie* ³ (Berlin
1921), 23; M e y e r *Aberglaube* 41. ²⁰) Ebd. 41;
B o l l *Sternglaube* 34. ²¹) D i e t e r i c h *Kl.
Schr.* 514.

5. G e s c h i c h t e d e r A. a) A l t e r-
t u m. Die alten Schriftsteller erwähnen die
alchemistische Tätigkeit [22]) erst in verhältnismäßig später Zeit. Dunkle Andeutungen hat man zwar schon bei Manilius
und Firmicus Maternus sehen wollen.
Aber eine unzweideutige Bezeichnung findet sich erst von der 2. Hälfte des 4. Jhs.
an. Der syrische Kirchenschriftsteller
Ephräm sagt in einem Hymnus: „Daß
die Schätze der Menschheit in gleicher
Weise durch Tugendhafte wie durch Gold-
macher vermehrt werden" [23]). Um 500
setzt der Rhetor Aeneas von Gaza die Auferstehung mit den verklärten Leibern in
einen Vergleich mit der Verwandlung gemeinen Metalles zu Gold [24]). Wiewohl die
Sache klar erwähnt ist, der besondere
Name für die alchemistische Tätigkeit
fehlt. Die älteste Bezeichnung [25]) des Wortes Chemie scheint sich bei dem byzantinischen Lexikographen Suidas (10. Jh.)
zu finden, der unter dem Stichwort *Chemeia* erwähnt, Kaiser Diokletian habe anläßlich des alexandrinischen Aufstandes
(296) die von den Alten über die Chemie
des Silbers und Goldes verfaßten Bücher
aufsuchen und verbrennen lassen [26]). Unter Chemie scheint zu Diokletians Zeiten
die den verwerflichsten Zwecken (Münz-
fälschung) dienende Kunst der Verferti-
gung von Silber und Gold verstanden worden zu sein [27]).

Als älteste Dokumente, die eigentlich
zur Vorgeschichte der A. zu rechnen sind,

besitzen wir den Leidener Papyrus X und den Stockholmer, Sammlungen kurzer, technischer Rezepte über die Gewinnung und Fälschung der Metalle, über Perlen und Edelsteine und Purpurfärben. Durch ihre nüchterne Form unterscheiden sie sich von der ganzen späteren alchemistischen Literatur, die erfüllt ist von mystischem und magischem Beiwerk, von zauberischem und abergläubischem Wesen. Als Erstling dieser Art stellt sich das Werk Pseudodemokrits [28]) (1. Jh. v. Chr.) dar. Es war leicht, diese Schrift dem Philosophen aus Abdera († 350 v. Chr.) anzufügen, da dieser auf seinen Reisen in Ägypten von den ägyptischen Priestern in Memphis in ihre Geheimnisse eingeweiht worden war. Der späteren Zeit genügte diese Initiation nicht mehr. Demokrit mußte seine Lehre vom berühmten persischen Magier Ostanes, der seltsamerweise als Perser ägyptischer Oberpriester gewesen sein soll, empfangen haben. Auch die bekannte Vielseitigkeit der Schriftstellerei Demokrits gestattete mühelos eine Erweiterung durch ein pseudepigraphisches Werk, das sich „Physica et Mystica" betitelt. Doch läßt sich hinter der Schrift eine Persönlichkeit mit festen alchemistischen Anschauungen verspüren. Als Demokrits Mitschüler bei Ostanes werden außerdem der Ägypter Pammenes und die jüdische Maria genannt, deren Werke noch in kleinen Stücken bei den späteren Alchemisten erhalten sind. Auch Komarius gehört zu dieser Schule; seine Schülerin war Kleopatra, die ein Werk über das „Goldmachen" verfaßte. Eine Reihe apokrypher und pseudepigraphischer Autoren füllt die Lücke zwischen 100—300 n. Chr. aus. Sie tragen alle die Namen berühmter Offenbarungsträger und Weiser, wie Hermes [29]), Agathodaimon, Isis, Chimes, Ostanes, Petesis, Jamblichos, Moses und Johannes. Hermes galt den hellenistischen Schriftstellern als Ägypter und wurde den altägyptischen Göttern Pthah, Thot, Chnum gleichgesetzt [30]). In ihm sah die hellenistische Zeit die Personifikation des Wissens, der Wissenschaft, des in allen Künsten, namentlich aber in den Geheimkünsten (hermetischen) erfahrenen und

schöpferischen Geistes, den Hüter und Bewahrer aller alten Erbweisheit [31]). Der Alchemist Johannes, ein Hermesschüler und Erzpriester von Euagia, wurde ungefähr um 1200 mit Johannes Evangelista gleichgesetzt. So kommt es, daß der Augustinermönch Adam de St. Victor in einem Hymnus vom Heiligen sagt: „Inexhaustum fert thesaurum / Qui ex virgis fecit aurum, / Gemmas ex lapidibus" [32]). Mit Africanus (3. Jh.) gewinnt die Tradition wieder festen Boden. Als bedeutendster Alchemist dieser Zeit (3./4. Jh.) gilt Zosimus aus Panopolis. Seine Visionen [33]) stehen im engsten Zusammenhang mit der hermetischen Literatur. Die Zahl seiner Schriften ist nicht gering. Doch sind diese z. T. nur aus späteren Kommentatoren rekonstruierbar. Seinen Werken nach scheint Zosimus noch praktisch die A. ausgeübt zu haben. Von seinen Nachfolgern ist dies nicht mehr zu berichten; ihre Arbeit bestand lediglich in der theoretischen Ausgestaltung und Ausschmückung alchemistischer Vorgänge, auch im Kommentieren der früheren Alchemisten. Dem 4. Jh. gehören außerdem Pelagius, Pibpechius, Heliodor [34]), der ein alchemistisches Lehrgedicht verfaßte, und der Demokritkommentator Synesius an. Mit Olympiodor beginnt im 5. Jh. die Reihe der byzantinischen Alchemisten, aus denen Stephanus von Alexandrien (7. Jh.) hervorragt [35]). Ihre Namen sind: der Christ Pappus, Cosmas (7. Jh.), die Jambendichter Theophrast, Hierotheus und Archelausos [36]), Salmanas (9./10. Jh.), Psellos (11. Jh.) und Nikephoros (13. Jh.). Die Schriften der Alchemisten sind in einer Handschrift des 11. Jh., die sich in Venedig befindet (Marcianus M.), überliefert. Von ihr hängen die Pariser und auch die anderen zahlreichen Handschriften ab [37]).

b) **Mittelalter.** Mit Stephanus schließt die alexandrinische Periode der steril gewordenen A. ab infolge der Eroberung durch die Araber. Neben Astrologie und Medizin reizte besonders A. als praktische Wissenschaft die Wißbegier der Araber. Zu Anfang des 8. Jhs. wurde die A. von den Arabern sehr eifrig betrieben.

Sie hielten sich griechische Laboranten und übersetzten die griechischen Traktate in ihre Sprache. Die griechischen Ausdrücke blieben zuweilen unverändert stehen, es wurde meist nur der arabische Artikel *al* vorgesetzt (*alchemie*)[38]). Der Übersetzung ins Arabische verdanken wir einige alchemistische Werke, die in ihrer griechischen Fassung uns nicht mehr erhalten sind. Dazu gehört das Buch des Krates[39]) und die Schrift des Ostanes[40]). Zu den wichtigsten arabischen Schriftstellern über A. gehört Dschabir oder Geber (9. Jh.), von dessen Leben nichts Sicheres, aber dafür um so mehr Mythisches berichtet wird. Von zahlreichen, ihm zugeschriebenen Schriften[41]), welche eine Fülle chemischer Beobachtungen enthalten, stellte jedoch die neueste Forschung fest, daß sie gar nicht von ihm herrühren, sondern einer viel späteren Zeit angehören. Die im Abendland nach 1300 entstandenen lateinischen „Übersetzungen" stellen Kompilationen dar, die man jetzt einem „Pseudo-Geber" zuschreibt. Obschon der arabische Gelehrte Abi Sina, Avicenna genannt (980—1037), als ausgesprochener Gegner der A.[42]) bezeichnet wird, wurden trotzdem im MA. seinem Namen alchemistische Abhandlungen untergeschoben[43]).

Von den Arabern aus Spanien fand die A. ihren Weg über Frankreich (Paris) und Italien (Salerno und Bologna) nach Deutschland. Als einer der frühesten Alchemisten wird Albert von Bollstatt, geb. 1193 zu Lauingen, Albertus Magnus genannt, erwähnt. Seine vielseitige Gelehrsamkeit beschäftigte sich auch mit den Metallen. Der ihm zugeschriebene „Liber de Alchemia" ist jedoch nicht von ihm. Die scholastische Spekulation über die materia prima machte Alberts Schüler Thomas von Aquino mit der theoretischen A. näher bekannt. Roger Bacon in England schrieb ein „Speculum Alchemiae". Unter Alchemia speculativa verstand er die Kunst, Metalle zu verwandeln vermöge gewisser Umänderungen der in ihnen enthaltenen Elemente. Ins 13. Jh. gehören noch Arnaldus von Villanova und Raymundus Lull, denen verschiedene alche-

mistische Abhandlungen zugeschrieben werden. Vom 13. Jh. an mehrt sich die Zahl der Alchemisten stark. Die Klöster und unter ihnen hauptsächlich die Benediktinerklöster nehmen sich eifrig der A. an. In Maulbronn erinnert der Faustturm an die alchemistische Tätigkeit des Dr. Faustus im dortigen Kloster. In England taten sich Georg von Ripley und Thomas Norton als Adepten hervor[44]). Am Ausgang des MA.s ist in Deutschland der Benediktinermönch Basilius Valentinus wegen seines alchemistischen Wissens zu großem Ansehen gelangt. Der verschiedenartigen Abhandlungen halber wird ihm ein „Pseudobasilius" entgegengestellt[45]). Im allgemeinen reicht die Weisheit der mittelalterlichen Alchemisten über die hellenistischen Grundlagen der A. nicht hinaus.

c) **N e u z e i t.** Einen starken Aufschwung nimmt die A. mit dem Beginn der Renaissance. Neue Gedanken führt ihr Theophrastus Paracelsus von Hohenheim[46]) zu. Den beiden Aufgaben der A., Goldmachen und Herstellung des Steines der Weisen, weist er als dritte die Erzeugung des chemischen Menschen (Homunculus) zu[47]). Unter dem Einfluß des Paracelsus und der Paracelsisten beginnt sich in der Folgezeit die Iatrochemie von der A. loszulösen. Auch die technischen Fortschritte auf dem Gebiete der Keramik und Färberei schmälern den Bereich der A. und kristallisieren langsam die exakte Wissenschaft, die Chemie, heraus. Nichtsdestoweniger blüht im 16. Jh. die allgemeine Wahnvorstellung, dem Geldbedarf durch alchemistische Goldherstellung abhelfen zu können. Jedes Kloster und jeder Fürstenhof hat seine Adepten, der Kaiser hält Leibalchemisten. Da aber die Einzelforschung immer noch nicht zum ersehnten Ziele führte, glaubte man im 17. Jh. durch den Zusammenschluß zu alchemistischen Gesellschaften die Sache am besten zu fördern[48]). Schon 1539 bildete sich in Paris ein Hermetischer Verein. Zu Beginn des 17. Jh. entstand die Gesellschaft der „Rosenkreuzer"[49]). Noch an der Wende des 18. Jh.s gab es eine Hermetische Gesellschaft, die durch Kortum, den Dichter der Jobsiade, weithin bekannt wurde [50]). Doch konnten sich die Vereine trotz allem romantisch-mystischen Zauber nicht halten. Zu stark erhob sich die Stimme der Alchemiegegner und -verächter.

[22]) L i p p m a n n 282 ff. [23]) B e r t h e l o t *La Chimie au moyen-âge* Paris I (1893), Vor. 5. [24]) K o p p *Beiträge* 35 ff. [25]) R i e ß bei P a u l y - W i s s o w a I, 1338. [26]) K o p p 83 ff. [27]) L i p p m a n n 293. [28]) D e r s. 27 ff. 327 ff.; I. H a m m e r - J e n s e n *Die älteste Alchymie.* Kopenhagen (1921), 80 ff. [29]) H. S c h e l e n z *Geschichte der Pharmazie.* Berlin (1904), 218 ff. [30]) K i e s e w e t t e r *Geheimwissenschaften.* Leipzig (1895), 7; E i s l e r *Weltenmantel* 2, 328 A 1. [31]) L i p p m a n n 53 ff. 56. [32]) A d a m d e S t. V i k t o r (ed. Gautier) Paris (1894); L i p p m a n n 72. [33]) R e i t z e n s t e i n *Poimandres* (1904), 9 ff. 368 ff. [34]) G o l d s c h m i d t *Heliodori carmina* IV = RVV. XIX, 2. [35]) R e i t z e n - s t e i n *Zur Geschichte der A. und des Mystizismus* = Gött. gel. Nachr. (1919), I ff. [36]) G o l d - s c h m i d t a. a. O. [37]) K o p p 257 ff.; B e r - t h e l o t *Introduction* 173 ff.; *Catalogue des manuscrits alchimiques grecs* I. *Les Parisini* (L e b è g u e) III. *les manuscrits des îles britanniques* (S i n g e r) Brüssel (1924). [38]) S c h m i e - d e r *Geschichte der A.* Halle (1839), 85 f. [39]) B e r t h e l o t *Moyen-âge* 3, 45 ff.; R e i t z e n - s t e i n in *Festschrift für Andreas* (1916), 34 ff. [40]) B e r t h e l o t 3, 116 ff. [41]) D e r s. 3, 31 ff. [42]) L i p p m a n n 405. [43]) K i e s e w e t t e r 33; L i p p m a n n 485. [44]) S c h e l e n z 232. [45]) M e y e r *Vorlesungen* 18; K i e s e w e t t e r 52 ff. [46]) F r e u d e n b e r g *Paracelsus und Fludd* (Geh. Wiss. 17), 193 ff. [47]) S t e m p - l i n g e r *Volksmedizin* 122. [48]) H. W. S c h ä f e r *Die A.* Progr. Flensburg (1887), 29 f. [49]) S i l - b e r e r 110 ff. [50]) S c h e l e n z 265.

6. A. u n d A b e r g l a u b e. Die Allgemeinheit freilich konnte sich von dem mystischen und magischen Aberglauben, ohne den ihr die „schwarze Kunst" unmöglich schien, nicht losmachen. Noch Luther weiß sehr wohl, daß es bei der eigentlichen A. nicht so ganz mit rechten Dingen zugeht. Daher sein Sprüchlein: „Hüte dich für der Alchymisten Süple"[51]) ! Er erzählt auch von einem Küster, der die A. erlernen wollte und nachher vom Teufel geholt wurde [52]). Daß der Alchemist mit dem „Schwarzen" im Bunde steht, gilt ihm als ausgemachte Sache: „Natürlich mit des Teufels Beistand kann ein Alchemist wohl Gold kochen" [53]). Das hindert ihn aber nicht, ein andermal zu sagen: „Das sie mit der Alchymei fürgeben, ist großer ständiger Betrug. Man weiß wohl, daß die Alchymei nichts ist und kein Gold machen kann ohne Sophistereien" [54]). Nach der Meinung des Volkes machten die Alchemisten in ihrer Retorte auch schönes Wetter und künstlich kleine Kinder [55]).

[51]) K l i n g n e r *Luther* 110. [52]) D e r s. a. a. O.; auch E i s e l *Voigtland* 212 Nr. 555. [53]) K l i n g n e r a. a. O. [54]) D e r s. 111. [55]) G e r h a r d t *Franz. Novelle* 138.

7. A l c h e m i s t e n v e r s p o t t u n g. Solche Anschauungen mußten den Spott der Gegner geradezu herausfordern. Die Spottschrift des Joh. Val. Andreae (1586 bis 1654) „Chymische Hochzeit Christiani Rosenkreuz" führte, weil ihre Ironie mißverstanden wurde, zur Gründung zahlreicher Rosenkreuzvereine [56]). Eine wirksame Verhöhnung stellt die Schrift des Benediktus Figulus dar, betitelt „Paradisus aureolus hermeticus, Pandora magnalium" (1600), die mit derbem Witz die Darstellung des Goldes aus tierischen Stoffen geißelte und, um die Vorstellungen zu übertrumpfen, die Goldbereitung aus Juden lehrte. In gleicher Bahn bewegt sich die Schrift des Pfarrers Joh. Clajus aus Herzberg: „Alkumistica, das ist die wahre Goldkunst, aus Mist durch seine Operation und Prozeß zu gut Goldt zu machen, Wider die Betrieglichen Alchymisten usw." [57]). Die Verbote [58]), die gegen die Alchemisten erlassen wurden, richteten sich hauptsächlich gegen das Goldmachen.

[56]) S c h e l e n z 246. [57]) D e r s. 248. [58]) P e t e r s *Pharmazeutik* I, 266.

N e u e L i t e r a t u r s e i t L i p p m a n n (1919). Bei L i p p m a n n nicht zitiert: I. F e r g u s o n *A Catalogue of the Alchemicae, Chemicae and Pharmaceuticae Books in the Collection of the late James Young of Kelly and Jurris* I. II. Glasgow (1906); J. H a m m e r - J e n s e n *Die älteste Alchymie.* Kopenhagen (1921); J. E. M e r c e r *Alchemy, its Science and Romance.* New-York (1921); H. St. R e d - g r o v e *Alchemy ancient and modern* [2]. London (1922); R. W. C o u n c e l l *Apologia alchymiae. A restatement of Alchemy.* London (1925); A. E. W a i t e *The secret tradition in Alchemy.* London (1926).   *Karle.*

Alchemilla s. F r a u e n m a n t e l.
Aldegunde s. A d e l g u n d e.

Alectorius s. H a h n e n s t e i n.

Alektryomantie. Hahnweissagung, griech. ἀλεκτρυομαντεία, ἀλεκτορομαντεία.

1. A l t e r t u m. Neben der mehrfach belegten apotropäischen Bedeutung wurde dem Hahn bei den Griechen und Römern auch zukunftkündende Kraft zugeschrieben, beides vielleicht ein Rest indogermanischer Vorstellung vom Hahn als dem Vogel des dämonenfeindlichen und allwissenden Sonnengottes [1]. Man schloß aus seinem Verhalten auf Wetteränderungen [2], sein unzeitiges Krähen galt als böses Omen [3], dagegen wurde es als glückverheißendes Vorzeichen gedeutet, als dem Kaiser Vitellius ein Hahn auf Kopf und Schultern flog [4]. Bei der offiziellen römischen Auguralmethode, der Beobachtung der signa ex tripudiis (Verhalten beim Fressen), scheint es sich in erster Linie um junge Hühner (pulli)gehandelt zu haben [5]. Weissagende Hähne wurden angeblich auch in Syrien in einem nicht näher bezeichneten Tempel gehalten [6]. Aus Syrien stammte wohl auch die Weissageform, die man als A. im engeren Sinne bezeichnen darf, und über die von mehreren Autoren des ausgehenden Altertums ausführlich berichtet wird [7]: Um festzustellen, wer der voraussichtliche Nachfolger des Kaisers Valens (364 bis 378) sein werde, veranstalteten die Sophisten Libanios und Iamblichos, beide Syrer, folgendes: Sie schrieben die 24 Buchstaben des Alphabets in den Sand, legten auf jeden ein Getreidekorn, setzten unter Beschwörungen einen Hahn davor und beobachteten, in welcher Reihenfolge er die Körner aufpickte. Die ersten 4 Körner ergaben ΘΕΟΔ, worauf der Kaiser angeblich zahlreiche Träger von so beginnenden Namen (Theodoros, Theodosios, Theodotos u. a.) ermorden ließ, die Veranstalter der A. aber verhaftete, von denen sich Libanios mit Gift tötete; in der Tat wurde später Theodosios Kaiser [8]. Nach den Worten des Zonaras handelte es sich um eine öfters geübte Weissagemethode, Kedrenos verfaßte angeblich eine Schrift darüber. Freilich bieten die Zauberpapyri keinen Beleg [9]. Zu einem Ringpendelzauber, wie er von zwei anderen wißbegierigen Höflingen ebenfalls zur Feststellung von Valens' Nachfolger veranstaltet wurde [10]), diente wahrscheinlich eine in Pergamon gefundene bronzene Zauberscheibe mit 24 Feldern, die Vokalkombinationen und Zaubercharaktere tragen [11].

2. M i t t e l a l t e r u n d N e u z e i t. Die oben beschriebene Spezialform der A. wird im eigentlichen MA. nicht erwähnt, die späteren Schriften über Divinationen usw. begnügen sich mit einer Wiederholung der Darstellung des Zonaras [12], von einer wirklich noch bestehenden Ausübung ist nirgends die Rede. Parodiert ist der antike Bericht in Rabelais' Gargantua, wo die von dem „coq vierge" des Herrn Trippa (Agrippa?) aufgepickten Körner die Buchstaben COQU SERA ergeben [13]. Der Glaube an die prophetische Gabe des Hahnes war jedoch im MA. sicher ebenso lebendig wie der an die apotropäische; so lautet eine Beichtfrage aus dem Augsburger „Spiegel des Sünders" (1470) „hastu gelaubt an der hanen oder hennen kreen?" [14]. Das Fortleben dieser Vorstellungen beweisen vor allem die zahlreichen abergläubischen Gebräuche und Meinungen der Neuzeit. Der A. in engerem Sinne ziemlich nahe kommt ein für Breslau belegter Brauch, wonach am Andreasabend jedes Mädchen ein Häufchen Körner vor sich auf den Tisch legt. Darauf wird ein Hahn auf den Tisch gesetzt; das Mädchen, von deren Körnern er pickt, wird sich in dem nächsten Jahre verheiraten [15]. Damit verwandt ist die Sitte schwäbischer Mädchen, am Donnerstag nach Weihnachten eine schwarze Henne in ihren Kreis zu setzen und einzuschläfern; auf welche sie zuerst beim Erwachen zugeht, die heiratet zuerst [16] (vgl. das ähnliche Orakel mit einem Gänserich, dem die Augen verbunden sind) [17]. Auch die wetterkündende Bedeutung des Hahnenschreis [18] und das üble Omen des unzeitigen Krähens [19] ist für die Neuzeit belegt, ersteres sogar außerordentlich reichlich. Tod kündet es, wenn der Hahn in ein Haus hineinkräht [20] oder Hahn und Hühner Stroh schleppen.

Mehr dem Charakter eines Orakels nähert sich der Diebermittlungsbrauch, eine Henne mit Ruß zu bestreichen und sie durch die Diebstahlverdächtigen betasten zu lassen; wer keine schwarzen Hände bekam, war der Dieb [21]. Am stärksten ist der Orakelcharakter betont in dem weitverbreiteten Brauch, daß an bestimmten Lostagen, besonders am Andreas-, Weihnachts- und Silvesterabend, die Mädchen an den Hühnerstall klopfen oder die Hühner sonstwie aufstören, wobei dann der Spruch gilt: „Gackert der Hahn, kriegt s' en Mann, gackert die Henn', wer weiß wenn!" oder ähnlich [22]. Auch beim Heiratsorakel des Zaunrütteins (s. d.) ist das Krähen eines Hahnes vorbedeutend [23]. Zu divinatorischen Zwecken wurde bisweilen auch der Hahnenkampf veranstaltet [24].

Vgl. noch H a h n , H a h n e n k a m p f , H a h n e n k r ä h e n , H u h n , V o g e l - o r a k e l , W e t t e r v o r z e i c h e n .

[1] B a e t h g e n De vi ac significatione galli. Diss. Gött. 1887, 12 f.; H o p f Tierorakel 163; L o r e n t z Kulturgesch. Beiträge. Progr. Wurzen 1904, 11 f.; F e h r l e in SAVk. 16, 69; S t e m p l i n g e r Aberglaube 56; H o p f n e r Griech.-ägypt. Offenbarungszauber I (1921), § 459. Ältere Literatur s. F a b r i c i u s Bibliogr. antiqu.³ (1760), 593, darunter die weitschweifige Monographie von Joh. P r a e t o r i u s Alectryomantia. Frankf. a. M. und Leipzig 1681. [2] A e l i a n Hist. an. 7, 7; R o s c h e r Hermes der Windgott 161. [3] P e t r o n. Sat. 74, 1; C l e m e n s Al. Strom. 7, 4, 24; vgl. L e w y in ZfVk. 3, 30. [4] S u e t o n Vit. 9. [5] W i s s o w a Rel. 532; eine besondere Pullomantie verzeichnet F a b r i c i u s Bibliogr. antiq. 609. [6] P l u t a r c h De diis. Syr. 48. [7] Z o n a r a s 13, 16; K e d r e n o s ed. Bonn. 1, 548; vgl. Z o s i m o s 4, 13; T z e t z e s Chil. 13 hist. 474, 193. [8] B o u c h é - L e c l e r q Hist. de la divin. 1, 145: R i e ß b. P a u l y - W i s s o w a 1, 1363; H o p f n e r Offenbarungszauber 2 § 301; d e r s. b. P a u l y - W i s s o w a Suppl. 4, 12; D o r n s e i f f Alphabet² 154. [9] H o p f n e r Offbz. 2 § 301. [10] Ebd. I § 305. [11] W ü n s c h Ant. Zaubergerät 48. [12] z. B. D e l r i o Disquis. Mag. (1603) 185; B u l e n g e r u s Opusc. (1621) 225. [13] Gargantua 3, cap. 25, Dt. Ausg. v. Gelbke 1, 400; G e r h a r d t Franz. Novelle 111. [14] H a s a k Der christl. Glaube beim Schluß des MA. (1878) 47. Die von Delrio 187 erwähnte Ornithomantie hat mit A. nichts zu tun; es handelt sich dabei um die noch heute von herumziehenden Wahrsagern betriebene Methode, durch abgerichtete

Vögel Zettel mit Prophezeiungen aus einem Kasten holen zu lassen. [15] D r e c h s l e r Schlesien 1, 11. [16] S t e m p l i n g e r Aberglaube 56. [17] G r i m m Myth. 3, 464; W u t t k e § 242; W i t z s c h e l Thüringen 2, 155. 177; L e h m a n n Sudetendeutsche Vk. 125. 127. [18] z. B. P r a e t o r i u s Alectr. 47; D r e c h s l e r Schlesien 2, 199; F e h r l e in SAVk. 16, 69; S c h e l l in ZfrwVk. 11, 264. [19] D r e c h s l e r Schlesien 2, 90. [20] Ebd. [21] S t e m p l i n g e r Aberglaube 56; ein anderes Mittel, einen Dieb durch Krähen eines Hahnes festzustellen, bei C a r d a n u s Opera I (Lugd. 1663), 567 b und P r a e t o r i u s Alectr. 18; doch handelt es sich in beiden Fällen vielleicht weniger um ein ernstgemeintes Orakel als um einen Scherz oder ein Schwankmotiv. [22] W i t z s c h e l Thüringen 1, 179; W u t t k e § 341; A n d r e e Braunschweig 329; D r e c h s l e r Schlesien 1, 11; P r ü m e r in ZfrwVk. 3, 82; F e h r l e in SAVk. 16, 69; L e h m a n n Sudetendt. Vk. 133; K l a p p e r Schles. Vk. 251; B a u m g a r t e n in: Heimatgaue 1926, 7; Z e l e n i n Russische Volksk. (1927) 378. [23] D r e c h s l e r Schlesien 1, 10. [24] Ebd. 2, 90. Boehm.

Aleuromantie. Weissagung durch M e h l (s. d.) (von ἄλευρον feines Mehl, besonders Weizenmehl).

1. A l t e r t u m . Die A. wird zuerst von Clemens Alexandrinus (2. Jh. n. Chr.) erwähnt, der diese und andere niedere Weissagungsformen in spöttischer Tendenz neben den großen anerkannten Orakeln aufzählt [1]. In gleichem Sinne oder mit wörtlicher Entlehnung sprechen sich spätere Kirchenschriftsteller aus [2], und zwar ist immer von ἀλευρομάντεις (einmal ἀλευρομαντεῖα), nie von ἀλευρομαντεία die Rede, was auf eine gewerbsmäßige Ausübung durch herumziehende Winkelpropheten deutet, wie denn auch Pollux (2. Jh. n. Chr.) unter den ἀγύρται sowohl Aleuro- wie Alphito- und Krithomanteis nennt [3]. Nach Hesych s. v. [4] führte Apollon sogar den Beinamen Aleuromantis; vielleicht liegt hier ein gewolltes oder ungewolltes Mißverständnis vor. Über die Ausführung der A. machen die antiken Gewährsmänner keinerlei Angaben, ebenso fehlt jede Anweisung in den Zauberpapyri. Einen nicht zu unterschätzenden Hinweis bietet unter diesen Umständen eine Weissagungsmethode aus dem heutigen Sizilien (Belpasso) [5]: Hier wird am Johannistag von den Mäd-

9

chen abgewandten Gesichtes Mehl durch ein Sieb geschüttelt und aus den unter dem Sieb sich bildenden Figuren auf den Beruf des zukünftigen Gatten geschlossen, eine Verbindung von A. und Koskinomantie (s. d.), die angesichts des vielfach zu beobachtenden Fortlebens antiker Vorstellungen und Gebräuche auf sizilischem Boden vielleicht unmittelbar auf die Antike zurückgeht. Solche Mehlfiguren konnte man auch erzielen, indem man Mehl in Wasser warf und sich setzen ließ, ähnlich wie es beim Prophezeien aus Kaffeegrund geschieht; im Museum für Volkskunde zu Antwerpen werden denn auch beide Methoden als heute noch nebeneinander bestehend veranschaulicht [6]. Auch bei einem in China geübten Mehlorakel spielen derartige Figuren eine ausschlaggebende Rolle: hier muß der Befragende eine mit feinem Mehl bestreute Platte frei in der Hand halten; durch das unwillkürliche Zittern derselben entstehen auf der Platte jene Figuren [7]. Hinter dieser Erklärung der A. müssen andere Vermutungen zurücktreten, wenn sie auch nicht völlig von der Hand zu weisen sind, so z. B., daß man Mehl ins Feuer warf und die Art des Verbrennens beobachtete, wie — freilich in anderer Absicht — das Mädchen beim Liebeszauber in Theokrits Idyll Gerstenschrot und Kleie ins Feuer wirft [8]. Ganz unwahrscheinlich ist die Vermutung von Ganszyniec [9]), daß der Mehlprophet aus der Qualität des Mehles, den ihm anhaftenden Unreinigkeiten, Würmern usw. weissagte. Über die zur Erklärung von Hesekiel 13, 19 herangezogene syrische Weissagung vermittelst Gerstenmehl und Dattelkernen [10]) ist im einzelnen zu wenig bekannt, um sie zur Erklärung der A. heranziehen zu können.

2. **Mittelalter und Neuzeit.** Die spätere Zeit bringt über die Praxis der A. nichts bei; man begnügte sich, sie, meist eng verbunden mit der Alphito- und Krithomantie, neben den anderen Divinationen zu registrieren und die antiken Fundstellen anzugeben [11]). Rabelais [12]) verbindet sogar die A. und die Krithomantie, die er unter den Künsten des Monsieur Trippa (Agrippa?) aufführt, gewissermaßen organisch (meslant du froment avec de la farine). In der Neuzeit wird Mehl ebenfalls in Orakelgebräuchen verwendet: im Harz errichten die Mädchen am Andreasabend spitze Mehlhäufchen; wessen Häufchen über Nacht einfällt, dem ist in dem nächsten Jahre der Tod bestimmt [13]). Bei dem Fehlen von Angaben über die antike A. ist nicht festzustellen, ob hier etwa ein Nachleben antiken Brauches vorliegt, wahrscheinlich ist es nicht.

Vgl. noch A l p h i t o m a n t i e, K r i t h o m a n t i e, M e h l, K l e i e.

[1]) *Protr.* cap. 2, 10 f. Pott. p. 11 Stählin. [2]) E u s e b i u s *Praep. evang.* 2, 3, 3; 5, 25, 3; J o h a n n e s C h r y s o s t. *in Jerem.* 1, 15 E; T h e o d o r e t. *Disp.* 10, 590, 242 Raeder, vgl. S u i d a s s. v. προφητεία. [3]) *Onom.* 7, 188. [4]) Vgl. *Etym. Magn.* s. v.; *Anecd. Bekk.* 382 (1193). [5]) P i t r è *Usi e costumi* (1887) 14, 3. [6]) A n d r e e in ZfVk. 17, 160; U n g n a d *Deutung der Zukunft* 18 (Keilschrifttext). [7]) H o p f n e r *Offenbarungszauber* 2 § 320. [8]) T h e o k r i t *Id.* 2, 18. 33, nachgeahmt von V e r g. *ecl.* 8, 82. [9]) P a u l y - W i s s o w a Suppl. 3, 78. [10]) Robertson S m i t h in Journ. of Philol. 13, 284 f. [11]) Z. B. C a m e r a r i u s *De generibus divinationum* (1575) 10; D e l r i o *Disquisit. Magicae* (1603), 176; B u l e n g e r u s *Opusc.* (1621) 222; F a b r i c i u s *Bibliogr. antiqu.*[3] (1760) 593. [12]) *Gargantua* 3, cap. 25, Deutsche Ausg. v. Gelbke 1, 398; G e r h a r d t *Franz. Novelle* 109. [13]) W u t t k e § 330. Boehm.

Alex, ob zu Alexander oder dem selteneren Vornamen Alexius gehörig, zweifelhaft bei der Bezeichnung für merkwürdige Gestalten.

1. „Bruder A." hieß die Strohpuppe, die als Symbol der Fastnacht in Ottobeuren am Aschermittwoch auf einem über die Straße gespannten Seile hin und her gezerrt wurde, bis sie herabfiel, dann im Orte umhergefahren und zuletzt in die Günz geworfen wurde [1]). Im Rheinischen spielt noch heute eine ähnliche Rolle bei der Kirmes der Zachäus (s. d.), genannt nach jener biblischen Person, die im Evangelium am Kirchweihfeste erwähnt wird.

[1]) R e i s e r *Allgäu* 2, 91.

2. Ein in der Kirche zu Horka (Schles. Lausitz) befindliches altes, roh aus Holz geschnitztes Heiligenbild, A. genannt, für viele Gegenstand der Furcht und des

Schreckens und in mancherlei Volkssagen [2]) erwähnt.

[2]) K ü h n a u *Sagen* 3, 400.   Wrede.

Alexander, Name für mehrere hl. Märtyrer, unter denen Papst A. I., gemartert um 132 (Fest 3. Mai) [1]), und A., einer der sieben, unter Antoninus Pius hingeschlachteten Söhne der hl. Felicitas (Fest 10. Juli), hervorstechen. Auf ersteren wurde schon früh, freilich irrig, der sonst uralte kirchliche Brauch zurückgeführt, Wasser mit gesegnetem Salz zu weihen [2]). Der Leib des an zweiter Stelle genannten hl. A. wurde 851 nach Wildeshausen (Bistum Münster) übertragen, von wo mehrere Kirchen das Patrozinium des hl. A. annahmen [3]). Dort mußten einige Bauern aus der Gemeinde Visbeck alljährlich dem Prediger an der Hauptkirche zu Wildeshausen Roggen liefern, wofür ihnen der Prediger den Sarg des hl. A. zeigte, sowie einen Scheffel Walnüsse und eine Tonne Bier spendete. Auf dem Stadtsiegel von Wildeshausen war ehedem der Kopf A.s angebracht, ebenso am Hunteund Delmenhorster Tor, die nicht mehr dastehen [4]).

[1]) AA. SS. Boll. 3. Mai I, 371 ff. VII, 556. K ü n s t l e *Ikonographie* 46. [2]) F r a n z *Benediktionen* 1, 82. [3]) S a m s o n *Kirchenpatrone* 109. 184. [4]) S t r a c k e r j a n *Oldenburg* 2, 299.   Wrede.

Alexius, Bekenner, aus vornehmem römischem Geschlecht, verließ der Legende gemäß an seinem Hochzeitstage Braut und Heimat, weilte lange Jahre als Pilger und Bettler in der Fremde, kehrte zurück und lebte dann unerkannt unter einer Treppe des elterlichen Hauses als Bettler, Fest 17. Juli [1]).

1. Die äußerst romanhafte Legende war im MA. sehr beliebt und wurde öfter dichterisch bearbeitet; den besten Text der mhd. A.legende gestaltete Konrad von Würzburg [2]). Dem Volk wurde das Motiv geläufig durch Lieder, genauer Balladen, vom wiederkehrenden Freier oder Gatten [3]). Als Volksschauspiel im Böhmerwald mehrfach bearbeitet [4]).

[1]) AA. SS. Boll. 17. Juli IV, 254 ff.; K ü n s t l e *Ikonographie der Heiligen* 47—49; N i e d *Heiligenverehrung* 56. [2]) ZfdA. 3 (1843), 534 ff. Vgl. jetzt die neue Ausgabe von P a u l G e -

r e k e *Altd. Textbibl.* Nr. 20 (1926). [3]) H a u f - f e n *Die deutsche Sprachinsel Gottschee* 221, 268—271. 397, 415. [4]) *Volksschauspiele aus dem Böhmerwald.* Gesammelt, wissenschaftlich untersucht u. herausgeg. von J. J. A m m a n, 2. Teil.

2. Schutzpatron der Begarden bzw. Alexianerbrüder und der Bettler.

3. Am A.tag gilt als Bauernregel: Wenn's an Alexi regnet, schlägt's Korn auf [5]).

[5]) B i r l i n g e r *Aus Schwaben* 1, 388; F i s c h e r *Wb.* 1, 130.   Wrede.

Alf s. A l p , E l b e n , E l f e n.

Alfmedi im Segen [1]): „Die heiligen drei Könige gingen über das Feld, do mutten (begegneten) ihnen A., Alfinne" d. i. Elfenmädchen, Elfinnen; s. A l p. Delrio [2]) erwähnt „den Alvinnen Berch" im Brabant und erklärt [3]): Germani inferiores vocant (die Lamien) Alven et Alvinnen; Gotthi (d. i. die Gothen = Schweden) Elvas".

[1]) W o l f *Beiträge* 1, 254. [2]) *Disquisitiones magicae* (Köln 1679), 309. [3]) a. a. O. 319.   Jacoby.

Alfrauen [wohl = Alf-Frauen; vgl. siebenb. Alf = Alp; Siebenb.-sächs. Wb. 1, 80], kärntnerische Berggeister, die in den Felsen wehklagen. Dargebrachte Speise belohnen sie, indem sie die Schüssel mit Gold und Silber füllen; Betrug in diesem Punkte rächen sie furchtbar.

G r a b e r *Kärnten* Nr. 39 = V e r n a l e k e n *Alpensagen* Nr. 156.   H. Naumann.

Aligell, Zauberwort auf Amulett gegen Totschlag [1]): × 3 P N Aligell d. i. crux 3 pater noster A., vgl. Balligel [2]), wohl entstellt aus Belial; auch allia (alligens), Heiligenname in einem Augensegen [3])?

[1]) SAVk. 19, 219. [2]) B a n g *Hekseformularer og Magiske Opskrifter* (1902), 648, vgl. 647. [3]) F r a n z *Benediktionen* 2, 491.   Jacoby.

Alivia, Zauberwort: Alivia + zorobamur + usw.[1]), vgl. Alluviam. Zalabandum usw.[2]); unverständlich.

[1]) *Alemannia* 10 (1882), 278. [2]) Ons Hémecht, Festschr. 28.   Jacoby.

Alke (âlke). Name eines im „Alkenkrug", einem Wassertümpel bei Alfhausen (Kr. Bersenbrück, Westf.) hausenden Spukgeistes. Den Spötter, der ihm zuruft: „âlke kumm, geist du met?" verfolgt A. in Gestalt eines feurigen Rades, Wiesbaums oder Drachen. A. gilt als der Geist eines Krugwirts gleichen Namens, der wegen seiner Gottlosigkeit mit seinem Krug versunken ist [1]). — A. heißt aber auch, ebenfalls in Westfalen, der Hund des Wilden Jägers, den dieser in dem von ihm durchzogenen Hof zurückläßt und nach einem Jahr mit dem Rufe: „âlke, wiltu met?" wieder mitnimmt [2]). Im Emslande sind die Aulken Zwerge [3]). — Der Name A. (auch Aulke) ist wohl kaum, wie Ad. Kuhn wollte [4]), als Koseform von alt, sondern eher mit Laistner [5]) und E. H. Meyer [6]) aus alveke = Elbchen abzuleiten. — Der Sage von der gottlosen Krügerin A.[7]) liegt eine volksetymologische Deutung des Namens (A. = Koseform von Adelheid) zugrunde. Vgl. H u l k a n.

[1]) K u h n u. S c h w a r t z Nr. 357; K u h n *Westf.* I Nr. 33 b; M a n n h a r d t 2, 110 [3]. [2]) K u h n *Westf.* I, I (u. Anm.) u. 8. [3]) Nds. 13, 393; vgl. auch JbNdSpr. 33, 45 f. [4]) K u h n u. S c h w a r t z Anm. zu Nr. 152; K u h n *Westf.* I Nr. 7 Anm.; D e r s. *Mythol. Stud.* 2, 21. [5]) Germania 26, 190. [6]) E. H. M e y e r *Germ. Myth.* 120. [7]) Mitt. des hist. Ver. zu Osnabrück 2 (1850), 399 = K u h n u. S c h w a r t z 485; K u h n *Westf.* I Nr. 33 a.   Ranke.

Allbeseelung s. A n i m a t i s m u s.

Allerheiligen.

Ein Fest für sämtliche heiligen Märtyrer am 1. N o v e m b e r ist in Deutschland unter Ludwig dem Frommen (835) eingeführt worden. In Britannien wurde es schon im 8. Jh. am 1. November (Beginn des keltischen Jahres?) gefeiert [1]). Auf keltischem Gebiete war das Anzünden großer F e u e r üblich [2]). In der Hoch-Bretagne sagt man, daß das am letzten Oktober g e s ä e t e G e t r e i d e das beste Mehl gebe, weil alle Heiligen dann die Felder segnen [3]). Dagegen soll man in Oldenburg am A.tage nicht säen und kein Land bestellen [4]). Auch in Deutschland bezeichnet der Tag S o m m e r e n d e (den „Altweibersommer", s. d.) [5]) und W i n t e r b e g i n n [6]). Man kann am A.tage erfahren, was für ein Winter werden [7]) und wie sich die Z u k u n f t — namentlich in Liebesangelegenheiten — gestalten wird [8]). Im Ösling teilen die Mädchen unter ihre Bevor

zugten N ü s s e aus [9]), und in Northumberland werfen junge Leute ein paar Nüsse ins Feuer; liegen sie still und brennen sie zusammen, so weissagt das eine glückliche Ehe, fahren sie aber krachend voneinander, eine unglückliche [10]). Wenn an diesem Tage die Sonne scheint, sterben viele K i n d b e t t e r i n n e n (Isartal) [11]). Die an A. (wie die am Christtag und in den Zwölften) G e b o r e n e n können Geister sehen [12]). Bei Gloggnitz (Niederösterreich) pflegt sich am A.abend das Volk an einem kanzelähnlichen F e l s e n zu versammeln und zu beten. In der Nacht fängt der Stein dann mit Windesschnelle an sich zu drehen. In ihm liegt ein S c h a t z verborgen [13]). — I. ü. s. A l l e r s e e l e n.

[1]) F r a z e r 6, 83; 10, 224 f.; K e l l n e r *Heortologie* 240 ff. [2]) F r a z e r 10, 245 f.; L e B r a z *Légende* 2, 68 f.; S a r t o r i *Sitte u. Br.* 3, 262 Anm. 14. [3]) S é b i l l o t *Folk-Lore* 3, 454. [4]) S t r a c k e r j a n 2, 94. [5]) L e o p r e c h t i n g *Lechrain* 200; D r e c h s l e r 1, 153; W r e d e *Eifler Volksk.* 225. In Westfalen sagt man: De allerhilligensuumer dûert 3 stunnen, 3 dâge àder 3 weken: W o e s t e *Wb.* 5. [6]) S t r a c k e r j a n 2, 94; J o h n *Westb.* 237; W r e d e *Eifler Volksk.* 226; M e n s i n g *Schlesw.-Holst. Wb.* 1, 105; Vgl. S a r t o r i 3, 264 (Kelten). [7]) Ebd. Anm. 26. [8]) Ebd. Anm. 27; F r a z e r 10, 240 ff.; V e r n a l e k e n *Alpensag.* 124; J o h n *Westb.* 97. [9]) F o n t a i n e *Luxemb.* 75. [10]) G r i m m *Myth.* 3, 476 (1105). [11]) ZfVk. 21, 256. [12]) H ö h n *Geburt* 261. [13]) V e r n a l e k e n *Alpensag.* 123. Das Gold, das in einem Tumulus von Finistère eingegraben ist, steigt am Allerheiligentage bis dicht an die Oberfläche: S é b i l l o t 3, 44.   Sartori.

Allerheiligenmonat s. N o v e m b e r.

Allermannsharnisch

(Neunhemderwurz, Siegwurz; Allium Victorialis).

1. B o t a n i s c h e s. Liliengewächs (Lauchart) mit netzfaserigen Zwiebelhüllen, lanzettlichen Blättern und weißlichen bis grünlichgelben, sechszähligen Blütensternen. Der A. wächst in den Alpen und Voralpen, hin und wieder auch in den Vogesen, im Schwarzwald und im Riesengebirge. In Nordtirol ist besonders der im „Teufelswurzgarten" (Kaisergebirg) wachsende A. bekannt [1]). Auch andere zauberabwehrende Pflanzen, wie die echte Siegwurz (Gladiolus communis)

oder in St. Gallen die Meisterwurz (Imperatoria ostruthium) [2]) führen die Bezeichnung A. Ebenso wird der A. manchmal mit dem Alraun (s. d.) zusammengeworfen [3]). Die „Glücksalraune", die zu Beginn des 20. Jhs. im Kaufhaus Wertheim zu Berlin (!) für 1,50 Mark das Stück verkauft wurden, enthielten die Faserhüllen des A.s [4]). In den Apotheken, wo früher der A. als Victorialis longa oder V. mas (im Gegensatz zur Siegwurz, der V. rotunda oder femina) offizinell war, wird der A. ab und zu von abergläubischen Leuten verlangt.

[1]) A l p e n b u r g *Tirol* 406. [2]) M a n z *Sargans* 70. [3]) Vgl. V o n b u n *Beiträge* 132. [4]) Verh. Bot. Ver. Prov. Brandenburg 48 (1906), III.

2. Wegen der vielen Zwiebelhüllen („Neunhemderwurz"), in denen man die „Signatur" eines undurchdringlichen Panzers erblickte, gilt der A. seit alters als zauberisches Mittel, um sich h i e b - u n d s t i c h f e s t zu machen. „Etlich meynen / so yemant dißes kreutlin an halß trag / sampt der langen Sigwurtz / Victorialis genennt / daß er nit wund solt werden im kryeg / und alle sein feind überwinden", sagt B r u n f e l s [5]). Im 17. Jh. äußert sich die medizinische Fakultät der Universität Leipzig, daß sich niemand weder mit dem Alraun noch mit der Siegwurz festmachen könne [6]). Auch die Chemnitzer Rockenphilosophie kennt den A. als Mittel, um sich unverwundbar zu machen [7]). Im Weltkrieg lebte der Glaube an die „festmachenden" Eigenschaften des A. wieder auf [8]). Mit dem Glauben an die unverwundbar machenden A. hängt es wohl zusammen, daß er vor allem bei heftigen B l u t u n g e n (auch Nasenbluten) gute Dienste leisten soll, indem die Zwiebelhäute auf die Wunde gelegt werden oder die Zwiebel fest in der Hand gehalten wird [9]). Die einmal gebrauchte Wurzel, die einem anderen zum Gebrauch weitergegeben wird, verliert ihre Wirksamkeit [10]).

[5]) *Kreuterbuch* 1532, 240. [6]) F r o m a n n *De fascinatione* 813. [7]) G r i m m *Myth.* 3, 447 Nr. 387. [8]) M a n z *Sargans* 147. [9]) W a r t m a n n *St. Gallen* 11; R h i n e r *Waldstätten* 3; SAVk. 17, 64; D a l l a T o r r e *Tirol* 10. [10]) S t o l l *Zauberglauben* 95.

3. Nach der Signatur der schützenden Zwiebelhüllen und als stark riechende Lauchart (s. Knoblauch) gilt der A. ganz allgemein als H e x e n u n d a l l e n b ö s e n Z a u b e r v e r t r e i b e n d [11]). In früheren Jahrhunderten sollte der A. vor allem die „Erzknappen" (Bergleute) vor den bösen Berggeistern bewahren [12]). In der Schweiz vertreibt er das „Doggeli" (Alp) [13]): die Zwiebel wird in ein Loch über der Stalltür [14]) oder auch in die Türschwelle verbohrt [15]) oder in die Kästen und Kommoden gelegt [16]). A. wird von den Kapuzinern gegeben, wenn der Käse nicht geraten will [17]). In Tirol [18]) gibt man den „vermeinten" Tieren A., in Altaussee wird er in einem Säckchen gegen das Verschreien getragen [19]). Stupp von A. hilft gegen Milchzauber bei Kühen [20]). Auch in Siebenbürgen mischt man den A. unter das Pulver, mit dem man das berufene Vieh räuchert [21]), im Vogtland wird der A. dem behexten Vieh gereicht [22]). Der verhexten Kuh bindet man in Dänemark für 2 Schillinge A. an das Horn [23]). Den Kindern wird ein „Mannli und Wibli" (d. h. zwei aneinander gewachsene Zwiebeln) des A.es an den Hals gehängt oder unter das Kopfkissen gelegt, dadurch werden die bösen Geister vertrieben [24]). Wenn die Kinder nicht saugen wollen (infolge von Verzauberung), so reibt man ihnen den Mund und der Mutter die Brustwarze mit „Neunhemlern" ein [25]).

[11]) S e l i g m a n n 2, 70. [12]) S c h r o e d e r *Apotheke* 1685, 1093; T a b e r n a e m o n t a n u s *Kreuterbuch* 2 (1731), 875. [13]) ZfdMyth. 4, 175; vgl. auch SAVk. 8, 146. [14]) W a r t m a n n *St. Gallen* 11. [15]) Schw. Id. 4, 1507; ebenso im Elsaß: M a r t i n u. L i e n h a r t *Wb.* 1, 338. [16]) U l r i c h *Volksbotanik* 7. [17]) SAVk. 15, 13. [18]) A l p e n b u r g *Tirol* 406. [19]) A d r i a n *Altaussee* 406 [20]) U n g e r u. K h u l l *Steir. Wb.* 15. [21]) S c h u l l e r u s *Pflanzen* 1916, 98. [22]) K ö h l e r *Voigtland* 355. [23]) F e i l b e r g *Ordbog* 4, 9. [24]) W a r t m a n n *St. Gallen* 11; vgl. M a n z *Sargans* 56. [25]) Z a h l e r *Simmental* 191.

4. In der Greifswalder Gegend wird der A. von Eheleuten als Mittel gegen U n f r u c h t b a r k e i t getragen [26]). Zur E r l e i c h t e r u n g d e r G e b u r t gibt man zwei aneinander gewachsene Zwiebelschalen des A.es der Gebärenden in

[69]) **K e l l e r** *Erzählungen* 320, 36; **G r i m m**
Myth. 3, 466 Nr. 878; **K ü h n a u** *Sagen* 3,
121; **V o n b u n** *Beiträge* 42; **S t r a c k e r -
j a n** 1, 475. [70]) **B i r l i n g e r** *Volksth.* 1, 305.
[71]) **G r a b e r** *Kärnten* 160. [72]) **V e r n a l e k e n**
Mythen 270. [73]) **K ü h n a u** *Sagen* 3, XXXIII.
[74]) **V e r n a l e k e n** *Mythen* 268. [75]) ZfVk. 1,
216. [76]) **W i t t s t o c k** *Siebenbürgen* 68.
[77]) **D r e c h s l e r** 2, 173. [78]) **K ü h n a u** *Sagen* 3, 131. 134. 110 f. [79]) **H a u p t** *Lausitz* 73
Nr. 68. [80]) **S t o l l** *Zaubergl.* 160. [81]) **W r e d e**
Rhein. Volksk. 133. [82]) **H ö h n** *Volksheilk.* 1,
136. [83]) **M a n n h a r d t** 1, 121; ders. *Germ. Mythen* 259; [84]) **S e y f a r t h** *Sachsen* 6. [85]) **V o n -
b u n** *Sagen* [2] 76. [86]) **K u h n** *Westfalen* 2,
21 Nr. 57. [87]) **R e i t e r e r** *Ennstalerisch* 40.
[88]) **G r a b e r** *Kärnten* 160 Nr. 204. [89]) **M e y e r**
Rendsborg 98. [90]) **K ü h n a u** *Sagen* 3, 121 f.
[91]) **S t r a c k e r j a n** 1, 473. [92]) **M a n z** *Sargans* 105. [93]) **G r a b e r** *Kärnten* 160. [94]) **Z a h -
l e r** *Simmental* 32. [95]) ZfVk. 4, 304. [96]) Ebd. 4,
304; **B i r l i n g e r** *Volksth.* 1, 305. [97]) **S e y -
f a r t h** *Sachsen* 9. [98]) **M e y e r** *Baden* 551.
[99]) **K n o o p** *Hinterpommern* 26 Nr. 46.
[100]) **S t r a c k e r j a n** 1, 474. [101]) **G a n d e r**
Niederlausitz Nr. 78, 1. [102]) **K ü h n a u** *Sagen*
3, 106. [103]) **W o l f** *Sagen* 59 Nr. 93. [104]) **H e y l**
Tirol 289 Nr. 107; **S c h ö n w e r t h** *Oberpfalz* 1, 214; *Altbayern* 116; **B i r l i n g e r**
Volksth. 1, 304; **W u c k e** *Werra* Nr. 640, 776;
S e e f r i e d - G u l g o w s k i 188; **W u t t k e**
274 § 404. [105]) **W o l f** *Sagen* 58 Nr. 91;
D r e c h s l e r 2, 173. [106]) **W u t t k e** 273
§ 402. [107]) **S e y f a r t h** *Sachsen* 8; **Z a h l e r**
Simmenthal 33; **H i g e l i n** 105. [108]) **D r e c h s -
l e r** 2, 173. [109]) Ebd. [110]) *Urquell* 2, 189;
J a h n *Pommern* 377 Nr. 480; **K n o o p**
Hinterpommern 83; **S e e f r i e d - G u l -
g o w s k i** 188; **T o e p p e n** *Masuren* 29.
[111]) Ebd.; vgl. **L a i s t n e r** *Sphinx* 1, 133;
2, 7 [112]) **D r e c h s l e r** 2, 173. [113]) **G r o h -
m a n n** 26 Nr. 126. [114]) **W o l f** *Sagen* 60 Nr 94.
[115]) **G r i m m** *Myth.* 1, 382; Ders. *Sagen* Nr. 81;
M a n z *Sargans* 105; **M e i c h e** *Sagen* 286
Nr. 375; **H a u p t** *Lausitz* 73 Nr. 68. [116]) **R o c h -
h o l z** *Sagen* 1, 347; vgl. **G ü n t e r t** *Kalypso*
225. [117]) **G r i m m** *Sagen* Nr. 249; **K ü h n a u**
Sagen 3 124. [118]) **T e m m e** *Altmark* 81;
K u h n *Märk. Sagen* 48, 374 u. VIII; ZfrwVk.
17, 48; **S a r t o r i** *Westfalen* 64; **B a r t s c h**
Mecklenburg 1, 197; **K n o o p** *Posen* 62
Nr. 86. [119]) **R i e g l e r** in *Arch. f. d. Stud.
d. n. Spr.* 1926, 109 f. [120]) **L a i s t n e r** *Sphinx*
1, 62 f. [121]) **P f i s t e r** *Hessen* 94. [122]) **K n o o p**
Posen 64 Nr. 90. [123]) **K ü h n a u** *Sagen* 3,
118 f. [124]) **T o e p p e n** *Masuren* 30. [125]) **K o h l -
r u s c h** 317. [126]) **V o n b u n** *Sagen* 22.

5. W e r i s t d e r A.? Nur noch verhältnismäßig selten und fast nur im S.W.
gilt der A. als **s e l b s t ä n d i g e r
D ä m o n**, nach Art der Zwerge und
Kobolde (Schweiz und Steiermark) [127])
oder als Dorfgespenst (Elsaß) [128]); auch

der Teufel (s. incubus) [129]) und die Habergeiß (s. d.) [130]) können den A.druck verursachen. — Gelegentlich ist der A., wie
im altgermanischen Wiedergängerglau-
ben [131]), der **G e i s t e i n e s V e r -
s t o r b e n e n** [132]) (man befreit sich vom
A.druck, indem man hl. Messen für den
Toten lesen läßt) [133]); nach mittelalterlichem Glauben entsteht der A. aus
„unzeitigen" Kindern, d. h. Frühgeburten) [134]). — Die heute herrschende Vorstellung ist durchaus, daß der A.druck
von einem **l e b e n d e n M e n s c h e n**
weiblichen (allgemein) oder männlichen
(mehr in N.- u. M.-Deutschland) [135]) Geschlechts herrühre, der entweder seine
Seele, seinen „Geist" als A. aussendet
oder, nach präanimistischer Denkweise [136]),
leibhaftig und dann meist in verwandelter
Gestalt, als A. über den Schläfer kommt.
Im ersteren Falle schlüpft die Seele dem
A.sender in einer der in Abs. 4 genannten
Gestalten des Seelenglaubens aus dem
Munde (allgemein), oder als Schmetterling aus seinen (zusammengewachsenen)
Augenbrauen [137]) und begibt sich auf die
A.fahrt; bis zu ihrer Rückkehr liegt sein
Leib leblos, wie in tiefem Schlaf; man
darf ihn nicht anstoßen oder bewegen,
sonst könnte die Seele den Rückweg nicht
finden und der Mensch müßte sterben
(allg.); ebenso versperren drei auf den
Leib des A.senders gezeichnete Kreuze
ihr den Rückweg [138]); ein beliebtes Sagenmotiv erzählt, daß die als A. gefangene
Seele erst nach einigen Tagen freigelassen
wird und wieder in ihren Leib schlüpft,
der eben als tot beerdigt werden soll und
nun wieder erwacht [139]). Eine Vermischung dieser Vorstellung mit der vom
selbständigen A.dämon ist es, wenn man
in Schlesien den vom A. „besessenen"
Menschen dadurch von seinem A.tum
erlösen kann, daß man dem aus seinem
Mund entwichenen Mäuschen durch ein
über seinen Kopf geworfenes Tuch den
Rückweg versperrt [140]). — Nach der prä-
animistischen Denkweise muß der (in
verwandelter Gestalt) gefangene A. am
Morgen in seiner wahren Menschengestalt (meistens nackt) erscheinen, oder
es zeigen sich die Spuren der dem A.

angetanen Mißhandlung am andern Tage am Leibe des Menschen [141]. — Man erkennt einen solchen „alpenden" Menschen an den zusammengewachsenen Augenbrauen (Rätzel) [142], am starren, kalten Blick [143], dem mageren und blassen Aussehen [144], den platten Füßen [145], blauen Lippen und doppelter Zahnreihe [146]); solche Menschen schlafen besonders leicht ein (hysterische Bewußtseinsstörung?) [147]; wer sich auf zwei Schemel setzt, ist ein A. [148]); der A. läßt sich nicht ins Auge sehen, denn man sähe sich darin verkehrt wie im Auge der Hexe [149]); man erkennt, wer Trude (oder Hexe) ist, wenn man in der Christmesse auf einen aus neunerlei Holz gefertigten Schemel kniet [150]. — In Schlesien schreibt man auch den von den Fenixmänneln gebrachten Wechselbälgen (s. d.) das A.tum zu [151]. — Dem über Norddeutschland (und in Dänemark) verbreiteten Sagentypus von der in einem Kahn, Mulde, Siebrand übers Wasser oder durch die Luft von weither, aus „Engelland", kommenden Mahrt [152] scheinen alte Vorstellungen vom Totenreich jenseits des Wassers zugrunde zu liegen; dem heutigen Volksglauben ist auch die „Mahrt aus Engelland" nicht mehr ein totes, sondern ein lebendes menschliches (oder dämonisches?) Wesen.

[127] SAVk. 25, 135 [1]; L ü t o l f Sagen 50 f.; R o c h h o l z Sagen 1, 348; K o h l r u s c h Sagen 11 f.; H e r z o g Schweizersagen 2, 141 f.; V o n b u n Sagen [2] 78; K r a i n z Nr. 310. [128] S t ö b e r Elsaß 1, 37 Nr. 54. [129] S t e m p l i n g e r Abergl. 62; S c h i n d l e r Abergl. 283. 308; H a n s e n Hexenwahn 696 s. v. incubus; H e r t z Elsaß 74; M e n s i n g Wb. 1, 954. [130] K r a i n z Nr. 253. [131] WS. 2, 161. [132] SAVk. 10, 3; M e y e r Baden 550; K ü h n a u Sagen 1, 179 f.; 3, 109; MschlesVk. 11, 77 f. (1591), 83; G r o h m a n n Abergl. 191; M ü l l e n h o f f Sagen [2] 192 Nr. 286. [133] S e e f r i e d - G u l g o w s k i 188. [134] H a n s e n Hexenwahn 208; vgl. S c h m e l l e r Bayr. Wb. 1, 64. [135] Beispiele aus dt. u. skandinav. Überlieferung: WS. 2, 182; dazu ZfVk. 1, 71; ZfrwVk. 3, 208; S c h e l l Bergische Sagen 215 Nr. 179. [136] N a u m a n n Gemeinschaftskultur 50 f. [137] G r i m m Sagen Nr. 81. [138] W u c k e Werra Nr. 206. [139] z. B. R a n k e Sagen [2] 14 f. (= W o l f Sagen Nr. 95); S c h a m b a c h u. M ü l l e r Nr. 245 u. Anm.; S o m m e r Sagen 46 Nr. 40.

[140] K ü h n a u Sagen 3, 115. [141] L a i s t n e r Sphinx 1, 55 f. 171 f.; 2, 1 ff.; Z a h l e r Simmenthal 33. [142] H e r t z Elsaß 73; S c h a m b a c h u. M ü l l e r 366 zu Nr. 245. [143] A l p e n b u r g Tirol 267; S e y f a r t h Sachsen 7. [144] V e r n a l e k e n Mythen 268. [145] G r a b e r Kärnten 160; D r e c h s l e r 2, 175. [146] D r e c h s l e r 2, 175. [147] K ü h n a u 3, 116 Nr. 1477 Anm., vgl. 112 Nr. 1467. [148] D r e c h s l e r 2, 175. [149] Ebd. [150] W e i n h o l d Neunzahl 23 f. [151] K ü h n a u Sagen 2, 153. 154. 162; vgl. S c h m e l l e r BayWb. 1, 64. [152] M a n n h a r d t Germ. Mythen 344 ff.; ZfVk. 7, 283.

6. W a r u m d r ü c k t d e r A.? „Wenn ein junger Mann stark an seine Liebste denkt, kommt sie in der folgenden Nacht als Mahrt zu ihm" [153]. Blickt hinter dieser Formulierung die Subjektivität des A.erlebnisses noch wie hinter Schleiern hervor, so kennt der dt. Volksglaube im allgemeinen den Wirkungszusammenhang zwischen den Phantasien des A.träumers und seinem Traum nicht. Wer drücken geht, tut dies nach der herrschenden Vorstellung zwar nicht freiwillig, aber auch nicht durch den Träumer gerufen, sondern entweder eigener Liebessehnsucht [154], oder noch öfter einem krankhaften Drange folgend, der meist schon seit der Geburt oder seit frühester Kindheit in ihm liegt. Denn das „Schrattweisgehn" ist ein von der Mutter ererbter Zwang [155]. „Von 7 Knaben oder 7 Mädchen ist eines ein Nachtmar, weiß aber selber nichts davon" [156]. Zum A. wird ein Kind, das mit Zähnen zur Welt kommt (gibt man ihm als Erstes Fleisch [d. h. die Mutterbrust] in den Mund, so geht es als A. auf Menschen, falls Holz, auf Bäume) [157]; zum A. werden ferner Kinder, die Sonntags [158] oder zur „Scheechzeit" (in der Gespensterstunde) [159], in unglückseliger Stunde oder unter einem bösen Stern [160] oder 3 Tage vor St. Galli (16. Okt.) geboren sind [161]); ferner solche, bei deren Geburt die Mutter in den Wehen den Teufel anrief oder die Wehmutter einen Zauber anwandte [162], oder die einen A. zum Paten hatten [163]), bei deren Taufe einer der Paten an den A. gedacht [164] oder dem Täufling angewünscht hat, Mahr zu werden [165]), oder bei Verkündung des Taufnamens leise „Mahr" gesagt [166]), oder

sonst ein Versehen gemacht [167]), z. B. das Kind auf der Fahrt zur Kirche vor der ersten Grenze auf den andern Arm umgebettet [168]), oder mit dem Kind nicht an der Kirchentür gewartet hat, bis der Priester ihn hereinrief [169]), oder bei deren Taufe ein Fremder durchs Schlüsselloch der Sakristei zugeschaut hat [170]); ebenso Kinder, die der Geistliche anstatt im Namen des Vaters und des Sohnes im Namen „des Mahrtes und des Mondes" getauft hat [171]) (man kann solche Menschen dadurch vom A.tum befreien, daß man sie nochmals tauft) [172]); oder Kinder, deren Mutter vor Ablauf der 6 Wochen unausgesegnet zur Kirche gegangen ist [173]), oder die (nach dem Tode eines spätergeborenen) von der Mutter noch einmal an die Brust gelegt [174]), also gewissermaßen zu unnatürlicher Sauglust erzogen wurden. — Aus allen diesen Bestimmungen spricht die Auffassung des A.tums nicht als einer Bosheit oder Schuld, sondern als eines Verhängnisses oder einer Krankheit, etwa ähnlich der Mondsucht (s. d.), die im Volksglauben dem A.tum nahesteht: Mondsüchtige heißen Klettermahrten [175]), man darf die Nachtmahrt während ihrer Wanderung nicht beim Namen rufen, sonst „kann sie Arme und Beine brechen" [176]). Die Krankheit kann schwinden, wenn der Mensch zum zweitenmal getauft (s. oben) oder wenn ihm erlaubt wird, als A. das beste Pferd, die beste Kuh im Stalle, einen Hund, eine Henne oder sonst etwas Lebendes, das ihm freiwillig geschenkt ist, zu Tode zu drücken [177]). Im allgemeinen wird die Mahrt oder Drude von der aus Bosheit schädigenden Hexe unterschieden und mit einem aus Grauen und Mitleid gemischten Gefühl betrachtet [178]); doch ist die Grenze zwischen A. und Hexe fließend [179]): „aus jungen Truden werden alte Hexen" [180]); A.drükken nur beim Menschen, „beim Vieh ists die Hexe" [181]). Jedenfalls erscheint A.tum eines Mädchens als ausreichender Grund, ein Verhältnis mit ihr zu lösen [182]).

[153]) H a a s *Usedom* 23 Nr. 38; vgl. F r o - b e n i u s *Atlantis* I, 107. [154]) z. B. S c h e l l *Bergische Sagen* 52 Nr. 80, 215 Nr. 179; K u h n u. S c h w a r t z 419 Nr. 196; G a n - d e r *Niederlausitz* Nr. 78; K n o o p *Hinter-*

pommern 27; E n g e l i e n u. L a h n 124; skandinavisch: WS. 2, 172. [155]) B i r l i n g e r *Volksthüml.* I, 305, vgl. P l e n z a t *Sagen u. Sitten* 52. [156]) K u h n u. S c h w a r t z 420 Nr. 198; vgl. M ü l l e n h o f f *Sagen*² 259 Nr. 387; B a r t s c h *Mecklenburg* 2, 41; S t r a c k e r j a n I, 465 Nr. 251. [157]) ZföVk. 10, 142; G r o h m a n n *Abergl.* 25 Nr. 122. [158]) K u h n u. S c h w a r t z 419 Nr. 194. [159]) S e y f a r t h *Sachsen* 7. [160]) A l p e n - b u r g *Tirol* 267; K ü h n a u *Sagen* 3, 125. [161]) S t r a c k e r j a n I, 249 a. [162]) A l p e n - b u r g *Tirol* 267. [163]) K ü h n a u *Sagen* 3, 110; S e e f r i e d - G u l g o w s k i 188. [164]) Ebd. 122. 188. [165]) Ebd. [166]) F r i s c h b i e r *Preuß.Wb.* I, 465 Nr. 251. [167]) K u h n u. S c h w a r t z I; K u h n *Westf.* 2, 22 Nr. 59. [168]) P l e n - z a t *Sagen u. Sitten* 52. [169]) K ü h n a u *Sagen* 3, 146; D r e c h s l e r I, 195. [170]) E n g e - l i e n u. L a h n 248. [171]) J a h n *Pommern* Nr. 480. [172]) N.O.-deutsch: M a n n h a r d t *Germ. Mythen* 633 u. Anm.; S e e f r i e d - G u l g o w s k i 189; H a a s *Usedom* 22 Nr. 36; T o e p p e n *Masuren* 30. [173]) K ü h n - a u *Sagen* 3, 146 f. [174]) S t r a c k e r j a n I, 465 Nr. 251; K ü h n a u *Sagen* 3, 146; G r o h - m a n n *Abergl.* 110. [175]) S o m m e r *Sagen* 46; vgl. K u h n *Westf.* 2, 22 Nr. 59. [176]) K u h n Ebd. Nr. 58. [177]) L a i s t n e r *Sphinx* I, 105; vgl. z. B. A l p e n b u r g *Tirol* 268; Z i n g e r l e *Sagen* 481 Nr. 818 und 819; K u o n i *St. Galler Sagen* 180; M a n z *Sargans* 113; B i r l i n g e r *Aus Schwaben* I, 130; K ü n z i g *Bad. Sagen* 55 Nr. 161; V o n b u n *Sagen*² 23. 77 f.; R e i - s e r *Allgäu* I, 198; G r o h m a n n *Abergl.* 23. [178]) z. B. ZfVk. 3, 393; B i r l i n g e r *Volks- thüml.* I, 305; S t r a c k e r j a n I, 465; S e e f r i e d - G u l g o w s k i 188. [179]) z. B. SAVk. 2, 272 u. 275; H ö h n *Volksheilk.* I, 136; M e y e r *Baden* 550 f.; A l p e n b u r g *Tirol* 266; ZföVk. 6, 124; ZfrwVk 17, 48; MschlesVk. 13, 84; K r a u ß *Volkforschungen* 147 f. [180]) L e o p r e c h t i n g 9. [181]) *Alemannia* 25, 34; SAVk. 8, 305. [182]) B. S c h e l l *Berg. Sagen* 52 Nr. 80; W u c k e³ 368 Nr. 640; ZfVk. 7, 104; K ü h n a u *Sagen* 112 Nr. 1467.

7. T ä t i g k e i t e n d e s A.s. Die Haupttätigkeit des A.s ist das „D r ü k - k e n" oder „Treten", vgl. schon anord. *mara traḍ han* [183]), mhd. *mich drucket der alp* [184]). Hierzu kommt er nachts („nur zwischen 12 und 1") [185]) durchs Schlüsselloch, durch ein Astloch in Tür oder Wand („nur durch ein Loch, das mit einem Harkenbohrer gemacht ist") [186]), durchs Hühnerloch [187]), durch den Rauchfang [188]) oder sonst auf geheimnisvolle Weise (aber nie durch das geöffnete Fenster, die geöffnete Tür!) in die Schlafkammer; sein Kommen kündigt sich durch Rauschen und Klingeln an [189]), man hört ihn wie das Knabbern einer Maus oder den leisen Tritt einer Katze [190]). Wacht sein Opfer noch, so bewirkt er durch Blick oder Anhauch, daß es einschläft [191]). Dann stürzt er mit einem Satz auf die Brust des Schläfers, oder kriecht ihm langsam von den Füßen herauf zur Brust, die er mit seinem schweren Gewicht drückt, zum Hals, den er würgt, oder bis zum Mund, in den er seinen Finger [192]) oder seine haarige Zunge [193]) steckt, um den Schläfer zu erwürgen; er tastet ihm mit den Fingern in den Mund [194]) und nach den Zähnen, um sie zu zählen [195]), bläst ihm in den Mund [196]) oder „verschluckt seinen Atem" [197]); er kneift ihn ins Bein [198]), zerkratzt sein Gesicht [199]) und pißt ihm auf die Hand (Sommersprossen) [200]). Das Drücken wird zum Reiten, wobei der A. sein Opfer (durch Überwerfen eines Halfters, vgl. ostpreuß. *mârzaum*) [201]) in ein Pferd verwandelt und die ganze Nacht tummelt: mhd. *der alp zoumet dich, dich hāt geriten der mar* [202]). Der A. drückt auch kleine Kinder, die dann wimmern und verwirrt aus dem Schlaf auffahren (pavor nocturnus) [203]). — Aber der A. drückt nicht nur, er s a u g t auch, bes. an Kindern [204]), daß ihre Brüste schwellen und Milch geben [205]), aber auch an Männern [206]) und Frauen, bes. Wöchnerinnen, deren Brüste dadurch unverhältnismäßig groß werden [207]). Auf slawischem Gebiet berührt sich der saugende A. mit dem Vampyr (s. d.), indem er seinem Opfer das Blut aussaugt, er beißt es dazu in Arm und Beine [208]). — Der A. drückt, reitet und saugt auch T i e r e , bes. Pferde (allg.), ihre Mähnen flicht er dabei zum Alp-, Mâr-, Druden-, Doggeli-, Schretteles- oder „Weichselzopf" (s. d.), einem unauflösbaren Gewirr, das ihm bei seinem Ritt als Zügel und Steigbügel dient [209]) und das man mit geweihter Kerze ausbrennen oder mit einem Kreuzschnitt ausschneiden und verbrennen muß [210]); das vom A. gerittene Pferd ist am andern Morgen mit Schweiß bedeckt und keucht wie nach anstrengendem Ritt [211]); ähnlich reitet und quält der A. Kühe (allg.) [212]), denen er die Euter an-

zieht [213]) und die Seile verflicht, mit denen sie im Stall angebunden sind [214]), Ziegen [215]), Schweine [216]), Kaninchen [217]) (die von ihm breit- und totgedrückt werden) [218]), Gänse [219]) und Hühner [220]) (darum „Hennenteufel") [221]). — Der A. muß aber auch H o l z , Balken, Bäume (bes. Birken und Eschen) und Büsche drücken oder reiten [222]), die dann beständig zittern und schließlich eingehn [223]); zwischen dem gedrückten Baum und dem Leben des A.s besteht dabei ein geheimnisvoller Zusammenhang: wird der Baum gefällt, so muß der alpende Mensch sterben [224]). — Wie die H e x e fährt auch der A. (im rollenden Siebrand [225] oder als rollendes Rad) [226]) im Wirbelwind [227]), der darum Drudenwind genannt wird und den man anschreit: „Truht, Truht, Saudreck!" [228]). Wo der A. bei solcher Fahrt auf Bäumen rastet, oder als Folge seines Drückens, entsteht das „A.-nest", „Mahrennest", der „Drudenbusch", „Drudenpflätsche", „Marentakken" [229]), eine krankhafte Verwirrung der Zweige, bzw. die Mistel (s. d.) [230]). Wer von Tau- oder Regentropfen aus solchem A.nest getroffen wird, den drückt in der Nacht der A. [231]). — Wie die Hexe schießt der A. plötzlich auftauchende Krankheiten, sein Geschoß ist der Belemnit (s. d.), der darum A.schoß [232]), Drudenstein, Schrattenstein, Mahrenzitze u. ä. heißt [233]) und zur A.abwehr dient; aber auch der Tritt in die „Trudentrappe" bringt plötzliche Lähmung [234]). Besonders geistige Störungen, Verblödung werden, z. T. mit Recht (s. oben Abs. I), auf den A. zurückgeführt; ein törichter, linkischer, schwachsinniger Mensch heißt daher Alp, Elwe, Trottl (s. Drude) [235]), Alpschuß [236]), Alpschwanz [237]) oder Elbentrötsch (s. d.). — Wie der K o b o l d klopft oder schmiedet das Doggeli [238]) und das Schratelmannel (Kärnten) [239]) in den Wänden der Schlafkammer; wie der Kobold setzt sich der A. auf Gegenstände, die nicht zu finden sind [240]). — Der dem klassischen Altertum geläufige Glaube, daß der A. mit dem von ihm heimgesuchten Weibe buhle und K i n d e r z e u g e [241]), bildete (von dort übernommen?) [242]) im dt. MA. und bis ins 18. Jh. ein vielbesprochenes Kapitel des Hexen- und Teufelsglaubens [243]) (s. auch incubus und succubus), scheint aber heute fast erloschen [244]). Als Frucht von A. und Weib gilt gelegentlich das „Alperkalb", eine Miß- und Frühgeburt [245]). — Die Sagen von der gefangenen, geheirateten, zuletzt wieder entfliehenden Mahrt („Mahrtenehe") [246]) sind zwar aus (A.-)Traumphantasien erwachsen, verlegen aber die Vereinigung nicht in den A.traum selber, gehören also für den Volksglauben nicht hierher (in der Schweiz holt die Hebamme die kleinen Kinder unterm „Doggelistein" hervor) [247]). — Dagegen wird der Wechselbalg (s. d.) gelegentlich (und ursprünglich?) [248]) vom A. gebracht [249]). — Im Hühnerstall bewirkt der A. dementsprechend das „Drudenei", ein ungewöhnlich kleines Ei, das nach dem Volksglauben von der Trud kommt, die das größere dafür weggenommen hat; ein solches Ei wirft man (rücklings) über das Hausdach: wenn es platzt, zerspringt die Trud [250]).

[183]) *Ynglingasaga* Kap. 13; vgl. WS. 2, 173. [184]) ZfdA. 8, 514 v. 138. [185]) Stoll *Zaubergl.* 160 f. [186]) Müllenhoff *Sagen* [2] 260. [187]) Künzig *Bad. Sagen* 55 Nr. 162. [188]) Hillner *Siebenbürgen* 24 [86]; vgl. Maass *Mistral* 26. [189]) Schell *Berg. Sagen* 40 Nr. 53. [190]) Kuhn u. Schwartz 418 Nr. 188. [191]) Drechsler 2, 173. [192]) Kühnau *Sagen* 1, 183. [193]) Veckenstedt *Wend. Sagen* 132 Nr. 5; Toeppen *Masuren* 29, vgl. Laistner *Sphinx* 1, 41 f. [194]) Kühnau *Sagen* 3, 146. [195]) ZfVk. 2, 5. [196]) Strackerjan 1, 464. [197]) Temme *Altmark* 81. [198]) Stoll *Zaubergl.* 160. [199]) ZfrwVk. 4, 275. [200]) Drechsler 2, 174. [201]) Frischbier *Ostpr.Wb.* 2, 53. [202]) *Ges.-Abenteuer* 3, 60, 46; 61, 75; Grimm *Myth.* 1, 384; Laistner *Sphinx* 1, 171; Mackensen *Ndd. Sagen* 48 Nr. 68; Strackerjan 1, 471, 467. [203]) Roscher *Ephialtes* 11 [14]; Höfler *Krankheitsnamen* 11 b. [204]) z. B. Cysat 48; SAVk. 8, 305; 24, 61; Vonbun *Sagen* [2] 76; Meyer *Baden* 42. [205]) Meier *Schwaben* 1, 173; Zingerle *Sagen* 113 Nr. 184. [206]) Meier *Schwaben* 1, 172; Kühnau *Sagen* 3, 126. [207]) Laistner *Sphinx* 1, 70; Zahler *Simmenthal* 33; Meier *Schwaben* 1, 173. [208]) Drechsler *Abergl.* 24 f.; vgl. Krauß *Volkforschungen* 147; Tylor *Cultur* 2, 193. [209]) Meyer *Rendsborg* 98. [210]) Strackerjan 1, 467 b. [211]) Höfler *Krankheitsnamen* 12 b XIII u. 243 a. [212]) Vgl. *Leg. aurea* (= Wolf *Beiträge* 2, 272). [213]) Lütolf *Sagen* 512. [214]) SAVk. 15,

12. [215]) Vonbun *Sagen* [2] 76. [216]) SAVk. 24, 65; Alpenburg *Tirol* 369; Schmeller *BayrWb.* 1, 64. [217]) Alpenburg *Tirol* 369. [218]) Meiche *Sagen* 286 Nr. 373. [219]) Seyfarth *Sachsen* 7. [220]) Alpenburg *Tirol* 369. [221]) Jecklin *Volkstüml.* 537 f. [222]) Laistner *Sphinx* 1, 99; Kühnau *Sagen* 3, 125. 145; Drechsler 2, 175; Panzer *Beitrag* 1, 88; Alpenburg *Tirol* 267; Zingerle *Sagen* 481 Nr. 817; Vernaleken *Mythen* 272. [223]) ZfdMyth. 2, 140; Strackerjan 1, 479 Nr. 252; Urquell 3, 219; Kühnau *Sagen* 3, 143. [224]) Kühnau *Sagen* 3, 138. 139 f. 144; Laistner *Sphinx* 1, 99. [225]) Knoop *Pommern* 62 Nr. 85. [226]) Haas *Pommern* 19 Nr. 55. [227]) Mannhardt *Germ. Mythen* 45 f.; ZfdMyth. 2, 141; Alpenburg *Tirol* 269; Hillner *Siebenbürgen* 24 [86]; Strackerjan 1, 378 f. [228]) Panzer *Beitrag* 2, 164 u. 209. [229]) Wolf *Niederländ. Sagen* 689. [230]) Meyer *Germ. Myth.* 121; Wolf *Beiträge* 2, 271; Urquell 3, 219; Müller *Siebenbürgen* 142. [231]) Kuhn u. Schwartz 419 Nr. 192; ZfVk. 19, 403. [232]) Zedler 1, 1040 s. v. [233]) Schmeller *BayrWb.* 2, 479 (vom Jahr 1618); Mannhardt *Germ. Mythen* 79; Meyer *Germ. Mythol.* 119. [234]) Müller *Siebenbürgen* 134. [235]) Hertz *Ges. Abh.* 485; ZfdPh. 3, 331. [236]) Pfister *Hessen* 94. [237]) Kühnau *Sagen* 3, 106 Anm. [238]) Cysat 48; SAVk. 19, 47. [239]) Grimm *Myth.* 3, 138. [240]) SAVk. 133; ZfVk. 7, 253. [241]) Roscher *Ephialtes* 34 ff. [242]) Aber vgl. Jordanes *De reb. gest. Got.* Cap. 24. [243]) Soldan-Heppe 1 [2], 181; Roskoff *Teufel* 1, 321; 2, 232. 251; Wolf *Beiträge* 2, 265 f.; Franz Nik. de Jawer 175; Vintler *Pluemen* v. 1797; Meyer *Aberglaube* 266; Prätorius *Weltbeschreibung* 1, 415 ff.; Bräuner *Curiositäten* 15; Höfler *Mediz. Abergl.* (= Zentralbl. f. Anthropol. usw. 1900 Heft 3). [244]) ZföVk. 6, 123 (Huß *Vom Abergl.*). [245]) ZfVk. 6, 54. [246]) Laistner *Sphinx* 1, 108 ff.; Tegethoff *Amor u. Psyche* 71. [247]) SAVk. 11, 10. [248]) Laistner *Sphinx* 1, 65 ff. [249]) Prätorius *Weltbeschreibung* 1, 42; Kühnau *Sagen* 3, 109. 147—149; Hillner *Siebenbürgen* 24; Müller *Siebenbürgen* 40; John *Westböhmen* 107; Manz *Sargans* 106; ZföVk. 6, 123 f. [250]) Schmeller *BayrWb.* 1, 649; Schönwerth *Oberpfalz* 1, 347 Nr. 3; DG. 13, 205.

8. Gegenmittel. Die Lebendigkeit des A.glaubens erhellt am besten aus den fast zahllosen und sehr verschiedenartigen Angaben von Mitteln, den A. fernzuhalten, zu vertreiben oder seiner habhaft zu werden. Diese Mittel sind nur zum kleinsten Teil natürlicher Art wie der Rat, spät (d. h. möglichst lang nach

der letzten Mahlzeit) schlafen zu gehn [251]), oder, vom A. befallen, eine plötzliche Bewegung zu machen [252]) oder sich auf die (rechte) Seite zu drehen [253]) („dann sieht man den A. in seiner wahren Menschengestalt vorm Bett stehn") [254]); die Mehrzahl ist magisch, zum mindesten ins Magische ausgebaut oder (wie das zuletzt angeführte) mit einer magischen Erklärung versehen. Wir unterscheiden Mittel der A.abwehr, der A.vertreibung und des A.fangs, ohne diese Einteilung durchaus innezuhalten, da das gleiche Mittel gelegentlich verschiedenen Zwecken dient.

Den A. von Haus, Stall, Schlafkammer, Bett, Wiege oder vom Menschen selber **fernzuhalten**, dient allgemein das magische Zeichen des Penta- oder Hexagramms (s. Drudenfuß), an Tür, Bett, Wiege usw. gemalt oder geschnitzt, evtl. durch die Buchstaben C + M + B verstärkt [255]), oder aus geweihtem Wachs gefertigt und auf dem Herzen getragen [256]). Gleiche apotropäische Wirkung hat in Tirol das „leicht aus 5 schmalen, ineinander geschobenen Spänen von geweihtem Palmholz zu fertigende" „Schrattlgatterl" [257]).

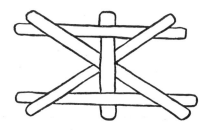

Schrattlgatterl. Nach A l p e n b u r g *Tirol* 369.

Man haut zur A.abwehr auch das Kreuzzeichen in den oberen Türsturz [258]) oder schreibt die Namen Enoch und Elias mit Dreikönigskreide an die Kammertür, oder mit Rotstift auf einen Zettel (E + u. + E +), den man dem Kind aufs Herz legt [259]), bringt geweihte Palmen [260]), Zweige von der Stechpalme (Schrattlbaum), mit Palmweiden zusammengeflochten [261]), oder einen hölzernen Kochlöffel [262]) außen an die Tür an, stellt

Besen (zwei gekreuzte) [263]) umgekehrt hinter die Tür [264]) oder in die Stubenecke [265]), legt einen Besen auch in die Wiege [266]) und Stechpalmzweige in die Hühnersteige [267]). — Andre durch ihre allgemeine magische Kraft dauernd wirkende Abwehrmittel gegen den A. sind z. B. Weihwasser [268]), Brot [269]), bes. Agathenbrot (s. d.) [270]), Allermannsharnisch (s. d.) [271]), die Mistel (Marentakken oder Alfranke) [272]) und der Donnerstein (A.schoß) [273]), ein Strohband unters Kopfkissen gelegt (vgl. den A.fang [274]), ferner das Horn von einem schwarzen Bock [275]) (der auch selber, im Stall gehalten, diesen vor dem A. [und vor den Hexen] schützt) [276]), der Zahn von einem Wolf [277]), ein Wolfs- oder Eselsfell als Zudecke [278]), ein Pferdeschädel zu unterst in die Krippe gelegt [279]) (von W. v. Unwerth als Rest eines alten Pferdeopfers gedeutet) [280]). — Das Schlüsselloch oder andre Löcher, durch die der A. kommen könnte, sichert man, indem man sie (mit geweihtem Werg) [281]) verstopft [282]) oder einen Schlüssel mit Kreuzzeichen hineinsteckt [283]), etwas Heiliges, Bibel oder Gesangbuch, davorlegt [284]), oder ein Kleidungsstück davorhängt [285]); man bohrt aber auch eigens ein Loch in die Türschwelle oder unten in die Tür, füllt es mit geweihtem Wachs und verpflöckt es [286]) (s. verpflöcken), oder verstopft es mit Schweinsborsten [287]) (um Pferde vor dem A. zu schützen, legt man Haare von dem Pferde in ein zu diesem Zweck gebohrtes Loch und schlägt einen Pflock hinein) [288]), oder man läßt das Loch zwar offen, stellt aber einen Kübel voll Wasser an die Tür, so daß der A. hineinfällt und ertrinkt [289]). — Eine ähnliche Überraschung bereitet man dem A. in Stall und Stube durch Messer oder andre scharfe oder spitze Gegenstände aus Stahl, an denen er sich verletzen soll, oder die er scheut, weil Stahl alles Ungerade vertreibt (s. Stahl): man steckt dazu ein oder zwei Messer mit der Schneide nach außen in den Eckpfeiler des Stalls [290]), oder mit der Schneide nach oben, am besten kreuzweis, ins Kopfstück der Bettlade [291]) oder in die Wand über der Bettstatt [292]), in die

Tür [293]) oder in die Türschwelle [294]), legt
sie mit der Spitze gegen die Tür gerichtet
vors Bett [295]), unters Bett [296]), unters
Kopfkissen [297]), oder (ein Messer, das
vom Paten geschenkt sein muß) [298]) in die
Wiege [299]). Ein solches „Truden''- [300]),
„Doggeli''- oder „Schrättelimesser'' muß
besonderer Art sein: ohne Feder und mit
breitem Rücken [301]), mit 3 Kreuzzeichen
versehen [302]). Man hängt zwei Degen
kreuzweis in die Stube oder legt sie in die
Wiege [303]), legt einen Säbel aufs Bett [304]),
eine Scheere ins Bettstroh [305]), Seiten-
gewehr und Scheide kreuzweis aufs
Bett [306]), ein Beil mit der Schneide nach
oben ins Bett (der Gebärenden) [307]) oder
mit der Schneide nach der Wand unters
Bett [308]); man hängt Sensen mit der
Schneide nach oben im Stall auf [309]),
desgleichen in den Rauchfang [310]) oder
hängt dem Kind, bzw. Tier, einen Feuerstahl um den Hals [311]). — Im Stall bringt
man an der Decke überm Pferdestand
Spiegel (s. d.) an [212]), ebenso in der Schlafkammer: 3 solche „Trudenspiegel'', vor
denen geweihte Kerzen brennen müssen,
erschrecken die Trude so, daß sie sofort
verschwindet [313]). An die Wiege hängt
man den „Drutenstein'', einen kleinen,
runden Stein mit einem Loch [314]), oder
einen Spinnwirtel, dessen Klappern das
Doggi vertreibt [315]), oder an dem es die
Nacht über spinnen muß [316]); oder man
spaltet ein doppelt angespitztes Holz zur
Hälfte, klemmt ein Bündlein Reiste hinein
und steckt's in die Wand: dann muß das
Doggi daran spinnen [317]); man macht eine
Puppe aus Stroh und Lumpen und legt
sie in die Wiege (um den A. zu täuschen)
oder bringt sie über der Tür an: wenn der
A. kommt, spielt er mit ihr [318]). — Abends
ißt man angerauchte Speisen, bes. angerauchte Milch [319]), nicht zu viel (von
der Milch an Allerheiligen) [320]) oder umgekehrt tüchtig (vom Festessen am Berch-
tentag) *(ezzet vaste, daz iuch Berhte*
[Stempe] niht trete) [321]), läßt das Abendessen auf dem Tische stehn („denn wenn
über Nacht der A. oder die Mahr kommt
und einen gedeckten Tisch findet, so
drückt er die Menschen nicht im Bett
und das Vieh nicht im Stall'') [322]) oder

stellt Öl auf den Tisch [323]), beides wohl
als Opfer an den A. gedacht. Man läßt
einen Topf am Feuer sieden [324]); man
rückt den Stuhl, auf dem man zuletzt gesessen hat [325]). Vorm Schlafengehn kreuzt
man Arme und Beine [326]); beim Ent-
kleiden stellt man die Schuhe, bzw. Pan-
toffeln, verkehrt vors Bett (allgemein) [327]),
oder so, daß die Spitzen sich berühren [328]);
dann meint der A., der Mensch sei schon
wieder aus dem Bett gestiegen [329]), oder
altertümlicher: dann kann der A. nicht
in die Schuhe treten (und darum nicht
ins Bett gelangen) [330]); man hängt einen
hölzernen Stiefel über das Bett [331]) oder
setzt einen Strauchbesen davor, auf den
der A. sich niederläßt [332]). — Die Kindbetterin zieht ein altes Hemd ihres
Mannes an [333]), oder man legt ihr des
Mannes Hose aufs Kindbett [334]) oder
unter den Kopf [335]); der Mann schmiert
sich Kot auf die Brustwarzen [336]), dem
Kind legt man die schmutzigen Windeln
auf die Brust [337]) oder reibt seine Brüst-
chen mit Hühnermist und Tabakssaft [338])
oder mit Steinöl ein [339]). — Beim Schlafengehn [340]) (oder vor Betzeitläuten) [341])
spricht man den M a h r t - oder T r u -
d e n s e g e n (s. A.drucksegen), der dem
A. Aufgaben stellt, die er vor Tagesan-
bruch nicht lösen kann (s. Aufgabe), oder
sagt: „Doggeli, wenn du chunst, so
bätt'' [342]), steigt rücklings ins Bett [343]),
legt sich auf den Bauch (!) [344]) oder zum
mindesten nicht auf den Rücken [345]), oder
schützt sich, indem man einen ungebleich-
ten Garnfaden mit 3 Knoten [346]), ein
Kreuzchen aus Eichenholz, durch dessen
4 Enden und Mitte 5 spitze Stahlstifte
(die fünf Wunden Christi bedeutend) geschlagen sind [347]), eine Hechel [348]) oder
ein Messer [349]), mit der Spitze, bzw.
Schneide, nach oben sich auf die Brust
legt (zwischen die gefalteten Hände
nimmt) [359]); oder man legt auch einen
Holzklotz ins Bett, sich selber aber
unter das Bett: der A., über die List erzürnt, kommt nicht wieder [351]).

[251]) B i r l i n g e r *Aus Schwaben* I, 129 f.;
vgl. R o c h h o l z *Sagen* 2, 55. [252]) M e y e r
Baden 551. [253]) Ebd.; M e y e r *Rendsborg* 98;
K ü h n a u *Sagen* 3, 128 [1]; G r o h m a n n

Abergl. 24 Nr. 114. [254]) G a n d e r *Niederlausitz* Nr. 78, 1. [255]) ZfrwVk. 1905, 182.
[256]) A l p e n b u r g *Tirol* 268. [257]) Ebd. 369;
ZfVk. 23, 119; H ö f l e r *Waldkult* 134;
B r o n n e r *Sitt u. Art.* 148; A n d r e e -
E y s n *Volkskundliches* 114. [258]) M a n z *Sargans* 105. [259]) B i r l i n g e r *Aus Schwaben* 1,
129. [260]) D e r s. *Volkstüml.* 1, 305. [261]) H o -
v o r k a u. K r o n f e l d 1, 402. [262]) J o h n
Westböhmen 105. [263]) B i r l i n g e r *Volkst.* 1,
305. [264]) M a n z *Sargans* 112. [265]) D r e c h s -
l e r 2, 177. [266]) H i l l n e r *Siebenbürgen* 24.
[267]) H o v o r k a u. K r o n f e l d 1, 402.
[268]) P f i s t e r *Hessen* 94; K ü h n a u *Sagen*
3, 116. [269]) H i l l n e r *Siebenb.* 24. [270]) K o h l -
r u s c h *Sagen* 280 f. [271]) W u t t k e 101
§ 127. [272]) V e r n a l e k e n *Mythen* 271.
[273]) M ü l l e n h o f f² 260. [274]) G a n d e r
Niederlausitz Nr. 78, 1. [27]) A l p e n b u r g
Tirol 268. [276]) M a n z *Sargans* 113; M e y e r
Baden 371; F i s c h e r *Schwäb.Wb.* 1, 1242.
[277]) Z e d l e r *s. v. Alp.* 1, 1328. [278]) Ebd.
[279]) P r ä t o r i u s *Weltbeschr.* 1, 162 f.
[280]) WS. 2, 174. [281]) A l p e n b u r g *Tirol*
268. [282]) S c h e l l *Berg. Sagen* 441 Nr. 39;
ZfVk. 3, 393. [283]) W o l f *Beitr.* 3, 274.
[284]) S t r a c k e r j a n 1, 472. [285]) ZfdMyth. 1,
33. [286]) M a n z *Sargans* 106. [287]) G r i m m
Myth. 3, 466 Nr. 878; [288]) *Urquell* 2, 120.
[289]) SAVk. 10, 3. [290]) Ebd. 24, 65. [291]) Ebd. 10,
3; 21, 193. [292]) L ü t o l f *Sagen* 7; SAVk. 7,
140. [293]) SAVk. 2, 272. [294]) B i r l i n g e r
Volkst. 1, 305. [295]) SAVk. 10, 3. [296]) L ü t o l f
Sagen 118. [297]) ZfVk. 1, 190; V e r n a l e k e n
Alpensagen 395 Nr. 57. [298]) Z a h l e r *Simmen-
thal* 45. [299]) H i l l n e r *Siebenbürgen* 24 ³⁶; vgl.
ferner z. B. L i e b r e c h t *Gervasius* 99;
J a h n *Pommern* 467; ZfrwVk. 10, 219;
S c h ö n w e r t h *Oberpfalz* 1, 214; R a p p o l t
Kärnten 74; G r a b e r *Kärnten* 204; S é b i l l o t
Folk-Lore 1, 141. [300]) ZfVk. 20, 239; H o -
v o r k a u. K r o n f e l d 1, 423; A n d r e e -
E y s n *Volkskundl.* 136. [301]) L ü t o l f *Sagen*
512. [302]) K o h l r u s c h *Sagen* 280; M e y e r
Baden 551. [303]) S t ö b e r *Elsaß* 37 Nr. 54.
[304]) M e y e r *Baden* 551; K ü n z i g *Bad.
Sagen* 56 Nr. 164. [305]) B a r t s c h *Mecklenb.*
2, 3. [306]) G a n d e r *Niederlausitz* Nr. 78, 1.
[307]) ZfrwVk. 1905, 178. [308]) G a n d e r *Niederlausitz* Nr. 78. [309]) L ü t o l f *Sagen* 512;
M a n z *Sargans* 112. [310]) H i l l n e r *Siebenb.*
24 ³⁶. [311]) V o n b u n *Sagen*² 76 f. [312]) R e i s e r
Allgäu 2, 440; M a n z *Sargans* 113; vgl. S e -
l i g m a n n *Blick* 1, 178. [313]) ZföVk. 7, 180.
[314]) P a n z e r *Beitr.* 2, 164. 428 f. [315]) C y -
s a t 48. [316]) L ü t o l f *Sagen* 116 f. [317]) SAVk.
19, 41. [318]) K ü h n a u 3, 132, 113. [319]) G r o h -
m a n n *Abergl.* 26 Nr. 129. [320]) J o h n *Westböhmen* 97. [321]) G o l t h e r *D. Myth.* 493;
vgl. ZfVk. 14, 264. [322]) T e t t a u u. T e m m e
286. [323]) G a n d e r *Niederlausitz* Nr. 78.
[324]) J o h n *Huß* 31 (= ZfdMyth. 311 Nr. 22).
[325]) G r i m m *Myth.* 3, 438 Nr. 125 (aus d.
Rockenphilosophie = D. alten Weiber Philosophey: ZfdMyth. 3, 310 Nr. 15); W o l f

Beitr. 2, 274; J o h n *Huß* 31 (= J o h n
Westböhmen 267). [326]) K u h n u. S c h w a r t z
419 Nr. 189. [327]) Reiche Literatur: ZfVk. 4,
304; skandinavisch: WS. 2, 175; Wallonisch:
S é b i l l o t *Folk-Lore* 1, 141. [328]) ZfVk. 1, 190.
[329]) ZfVk 1, 71; 2, 393; S e e f r i e d - G u l -
g o w s k i 190. [330]) M e y e r *Rendsborg* 97
Nr. 106; WS. 2, 173; S é b i l l o t *Folk-Lore*
1, 141. [331]) Z i n g e r l e *Sagen* 113 Nr. 184.
[332]) T e t t a u u. T e m m e 275. [333]) R e i s e r
Allgäu 2, 229. [334]) D r e c h s l e r 1, 187.
[335]) S c h r a m e k *Böhmerwald* 184. [336]) W o l f
Beitr. 1, 227. [337]) ZfrwVk. 1905, 181; G r o h -
m a n n *Abergl.* 26 Nr. 128. [338]) K ü h n a u
Sagen 3, 135 f. [339]) L a m m e r t 118.
[340]) ZfrwVk. 1905, 281. [341]) M e y e r *Baden*
551. [342]) SAVk. 15, 12. [343]) B a r t s c h *Mecklenburg* 2, 3; M e y e r *Rendsborg* 97 Nr. 106.
[344]) W u t t k e 285 § 419. [345]) J o h n *Westböhmen* 267. [346]) S c h r a m e k *Böhmerwald*
259. [347]) SAVk. 8, 313. [348]) K u o n i *St. Galler
Sagen* 70; L ü t o l f *Sagen* 117; M a n z *Sargans*
112; V o n b u n *Sagen*² 79; G r i m m *Sagen*
Nr. 80; ZfVk. 3, 393; S t r a c k e r j a n 1,
473; J a h n *Pommern* Nr. 469; B a r t s c h
Mecklenburg 1 Nr. 251; L a i s t n e r *Sphinx*
1, 108. [349]) K o h l r u s c h *Sagen* 318; W o l f
Niederl. Sagen 344. [350]) G r a b e r *Kärnten* 160.
[351]) K n o o p *Posen* 62 Nr. 87, vgl. 65 Nr. 92.

Ist trotz aller Vorsichtsmaßnahmen der
A. über einen Schläfer gekommen, so gilt
es, den Unhold zu v e r t r e i b e n und
ihm womöglich das Wiederkommen zu
verleiden. Zu diesem Zweck müssen etwa
Anwesende den Befallenen anrufen [352]),
und zwar bei seinem Taufnamen [353])
(denn das ist der Name seines Schutzheiligen) [354]), oder eine Schüssel mit
Wasser über ihn gießen [355]). Oder der Befallene selbst muß, sobald er dazu imstande ist, sich bewegen, sich auf die Seite
drehen (s. oben); die kleinste Bewegung
genügt: die Daumen einziehen [356]), den
Bettzipfel um den Finger wickeln [357]), mit
der großen Zehe wackeln [358]) oder dreimal
gegen das Fußbrett drücken [359]), mit der
Zunge dreimal am Gaumen ein Kreuz
schlagen [360]); er muß einen Schrei [361]) oder
Fluch [362]) ausstoßen, beten [363]), die Namen
Jesus [364]), Jesus Maria und Joseph [365])
aussprechen, den Namen von Vater und
Mutter [366]) oder den Taufnamen des
Bruders [367]), oder, falls er vermutet, wer
der A. ist, diesen beim Namen rufen [368]),
andernfalls ruft er aufs geratewohl verschiedene Frauennamen, bis er den richtigen trifft (polnisch) [369]); denn „kennt

man den Namen eines Doggi (oder eines Fänken), so hat man es in seiner Gewalt"[370]). — In dem Augenblick, in dem der A. entweicht, muß man ihm nachrufen und ihn auf den andern Morgen (oder den nächsten Sonntag)[371] einladen, indem man ihm eine Brotschnitte[372]), das „Kleinbrötchen" (das aus dem Rest des Teiges gebackene Brot)[373]) oder sonst etwas zu essen oder zu trinken[374] oder „die 3 weißen Gaben" (Salz, Mehl, Ei)[375]) verspricht oder ihn auffordert, etwas zu entleihen[376]) („was wir nicht haben")[377]) oder Feuer zu holen[378]); der A. muß sich am andern Morgen in seiner wahren Gestalt einfinden, ist also erkannt und kann (mit Besen) hinausgehauen werden, oder er nimmt das Versprochene (das mit der linken Hand gereicht werden muß)[379]) in Empfang und kommt nicht wieder. — Oder der vom A. Befallene muß, sobald der Druck nachläßt, sein Wasser lassen (ursprünglich wohl natürliches A.-prohibitiv)[380]), und zwar in ein neues Gefäß, und dieses fest verschließen; dann kommt der A. am andern Tag in seiner wahren Gestalt und bittet, das Gefäß zu öffnen; denn solang es verschlossen ist, kann er selbst sein Wasser nicht lassen und muß, wenn man ihm seine Bitte abschlägt, elend zugrunde gehn[381]).

[352]) K u h n *Westf.* 2, 21 Nr. 57. [353]) z. B. L ü t o l f *Sagen* 557 Nr. 580; SAVk. 2, 272; 8, 150; 15, 12; 21, 193; A l p e n b u r g *Tirol* 267; M e i e r *Schwaben* 1, 170 f. Nr. 193; S c h ö n w e r t h *Oberpfalz* 1, 213. 223. 227; S e y f a r t h *Sachsen* 9; G a n d e r *Niederlausitz* Nr. 78; E n g e l i e n u. L a h n 124; K u h n *Märk. Sagen* 185; B a r t s c h *Mecklenburg* 1, 97 f.; K n o o p *Hinterpommern* 27. [354]) D r e c h s l e r 2, 174; vgl. K ü h n a u *Sagen* 3, 117 Nr. 1478. [355]) *Urquell* 1, 69. [356]) A l p e n - b u r g *Tirol* 267; G r i m m *Sagen* Nr. 81; K n o o p *Posen* 63 Nr. 89. [357]) K ü h n a u *Sagen* 3, 117 f. [358]) G a n d e r *Niederlausitz* Nr. 78; vgl. G r o h m a n n *Abergl.* 25 Nr. 121; P l e n - z a t *Sage u. Sitte* 52; T o e p p e n *Masuren* 29; M a i l l y *Friaul* 14. [359]) V e c k e n s t e d t *Wend. Sagen* 131. [360]) G r o h m a n n *Abergl.* 24 Nr. 114. [361]) S t o l l *Zaubergl.* 160. 161. [362]) B i r l i n g e r *Volkstüml.* 1, 481; M a n z *Sargans* 111. [363]) *Alemannia* 25, 34. [364]) ZfVk. 2, 5. [365]) M a n z *Sargans* 111; D r e c h s l e r 2, 173. [366]) K u h n *Westf.* 2, 18 Nr. 52; ZfVk. 1, 190. [367]) ZfVk. 1, 190. [368]) K u h n u. S c h w a r t z 419 f. Nr. 195. 196; S c h ö n - w e r t h *Oberpfalz* 1, 212. 217; G r o h m a n n

Abergl. 26 Nr. 126. [369]) D r e c h s l e r 2, 174. [370]) B ü h l e r *Davos* 1, 365 Nr. 28. [371]) M e y e r *Baden* 551. [372]) *Urquell* 2, 120. [373]) K ü h n a u *Sagen* 3, 110 f. 113 f. 117. 120 f. 125. 132. 139; G a n d e r *Niederlausitz* Nr. 78, 1; L a u b e *Teplitz* 59. [374]) *Urquell* 1, 69; S t r a c k e r - j a n 1, 474; K u h n u. S c h w a r t z 419 Nr. 194; S e y f a r t h *Sachsen* 9; G a n d e r *Niederlausitz* Nr. 78, 3; K ü h n a u *Sagen* 2, 153; 3, 105 f. 114; M e y e r *Baden* 551. [375]) A l p e n b u r g *Tirol* 267; vgl. S t r a k - k e r j a n 1, 359 § 238 d; ZfVk. 8, 396; Z i n - g e r l e *Tirol* 70 Nr. 593; L a i s t n e r *Sphinx* 1, 184; *Salz* auch V e r n a l e k e n *Mythen* 270. [376]) P r ä t o r i u s *Weltbeschr.* 2, 160 = G r i m m *Sagen* Nr. 81; B i r l i n g e r *Volkstüml.* 1, 304. [377]) M e y e r *Baden* 551. [378]) R e i s e r *Allgäu* 1, 198. [379]) A l p e n - b u r g *Tirol* 302. [380]) Vgl. M a i l l y *Friaul* 14 Nr. 16. [381]) S c h e l l *Berg. Sagen* 41 Nr. 53; 165 Nr. 62; L ü t o l f *Sagen* 118; M a n z *Sargans* 110; SAVk. 21; 193; S t o l l *Zaubergl.* 161; K u o n i *St. Gallen* 178; M e y e r *Baden* 551; L e o p r e c h t i n g 12; vgl. W o l f *Beiträge* 1, 238 Nr. 443.

Um den A. zu f a n g e n, verstopft man (meistens ein Kamerad des Befallenen), sobald er im Zimmer ist, das Loch, durch das er kam, so daß er nicht mehr zurück kann (allgemein)[382]). Oder der Befallene muß den entweichenden A. trotz aller Fluchtversuche und Verwandlungen (s. oben Abs. 4) festhalten; das geschieht am besten mit (Er-) Handschuhen[383]), oder nachdem man sich die Hände mit grüner Seife eingeschmiert hat[384]), oder mit einem Strohseil, das sich der Schläfer vorher unter den Leib gelegt hat, und dessen Enden er in den Händen hält[385]), oder mit einem Tuch, das man vorher über den Schläfer gebreitet hat[386]), oder indem man das Ergriffene an der Wand festnagelt[387]); man fängt den A. auch, indem man den Brotlaib in der Schublade umdreht (dann kann die Trude nicht aus dem Zimmer)[388]), oder indem man rechtzeitig ein Kopfkissen mitten ins Zimmer wirft, auf das der A. nun gebannt ist[389]); „weil man aber in den meisten Fällen durch den Schrecken über das Erscheinen der Drud wie gefesselt ist, so gelingt dieses Mittel nie"[390]). — Ist der A. gefangen, so erscheint er während der Nacht zunächst als Strohhalm, Nadel oder dgl. (s. Abs. 4); man kann ihn in dieser Gestalt mißhandeln (anbrennen, zum Ring biegen, peitschen, zerschneiden usw.) und dann freilassen; die Spuren der Mißhandlung zeigen sich andern Tags am Leibe des „alpenden" Menschen, der nun nicht mehr wiederkommt (allgemein)[391], (ähnlich verfährt man auch mit der aus dem „Weichselzopf" geschnittenen Haarsträhne: man klopft sie zwischen zwei Feldsteinen und klopft damit „die Mahr tot")[392]). Man kann den gefangenen A. aber auch auf ein anderes Ding verweisen, auf einen Baum[393]), auf „den höchsten Mastbaum in der See"[394]) oder auf ein Tier, das einem gehört: erlaubt man dem A., dies Tier totzudrücken, so ist er von seinem A.tum erlöst (s. oben Anm. 177). — Bleibt der A. bis zum hellen Morgen gefangen, so erscheint er in seiner wahren Gestalt, meistens als nacktes Mädchen, das nun als Magd oder auch als Gattin bei dem A.fänger bleibt, bis endlich das verstopfte Loch frei wird; dann, oder auf ein Scheltwort des Gatten oder dgl., entflieht die A.frau[395]). Mit diesem Motiv von der „Mahrtenehe" sind wir aus dem Bereich des lebendigen A.glaubens bereits in das der episch ausgestalteten Volkssagen übergetreten.

[382]) L a i s t n e r *Sphinx* I, 110 f.; R a n k e *Sagen* [2] 17 f. [383]) K u h n u. S c h w a r t z 419 Nr. 188; vgl. K u h n *Märk. Sagen* 374. [384]) *ZfdMyth.* 2, 140. [385]) S e y f a r t h *Sachsen* 8. [386]) W o l f *Sagen* 9; S c h e l l *Berg. Sagen* [2] 366 Nr. 948. [387]) L a i s t n e r *Sphinx* I, 55 f. [388]) G r i m m *Myth.* 3, 459 Nr. 720. [389]) *ZfrwVk* 4, 275; R e i s e r *Allgäu* I, 198; S c h ö n w e r t h I, 212. [390]) V e r n a l e k e n *Mythen* 269 f. [391]) Vgl. oben Anm. 141. [392]) *ZfVk* I, 71; vgl. F r i s c h b i e r *Preuß. Wb.* 2, 54. [393]) *ZdfMyth.* 2, 140. [394]) S t r a k k e r j a n I, 473. [395]) Literatur bei K u h n *Westf.* I, 218; L a i s t n e r *Sphinx* I, 108 f. T e g e t h o f f *Amor u. Psyche* 71 f. Ranke.

Alpauffahrt, -abfahrt s. A u s t r i e b.

Alp (druck) segen. Je nach dem besprochenen Übel zerfallen diese in zwei Gruppen.

1. Das Leiden (die Bezauberung) ist a l l g e m e i n e r e r Art und wird gewöhnlich recht unbestimmt geschildert. Schon um 800 beschwört ein lateinischer Exorzismus (aus England) den Alp und zwar als teuflischen Geist: „*Adiuro te, satanae diabulus, a e l f a e … ut refu-*

giatur ab homine illo" [1]). — Gewöhnlich treten in dieser Gruppe m ä n n l i c h e und w e i b l i c h e Dämonen zusammen auf, so in einigen l a t e i n i s c h e n Beispielen dieser Art seit dem 15. Jh., z. B. „*… adiuro vos e l u o s e t e l u a s … vt non noceatis huic famulo dei N"* [2]) (es ist von „*morbi corporis et anime"* die Rede). In den d e u t s c h e n Varianten[3]) wollen Alp und Elbin (oder die Elben) gewöhnlich Bein brechen, Fleisch und Blut saugen, ganz wie in anderen Segen der Wurm oder andere Dämonen. Neben den bloß beschwörenden Formen (die sich mit einigen Verdrehungen auch als Schadenzauber finden), kommen im Deutschen e p i s c h e vor, nach dem Muster des Begegnungsschemas (s. Segen § 5). In der ältesten epischen Variante aus dem 15. Jh.[4]) sind die Namen in *a f e l v n d ä f l i n* verkehrt (und auf *a f e l*, Hautröte, Wundsucht, bezogen[5]) s. d.); diese begegnen mit ihren Kindern der „*fraw sand Amarey"* (oder *Santa Marei*), sie wollen „*vel reissen vnd pain prechen vnd plut lapffen"*; die Heilige gebietet ihnen übers Meer in einen „*äfligen"* Brunnen zu fahren. — Mitunter will der Alp den Kühen zusetzen; „*ick wilt, segt de Elhorn* (sic, hier doch wohl die Elbin), *to der kööen hus … ick will se milk und botter nehmen"*, Prozeß vom J. 1608[6]), ähnlich auch lateinisch[7]).

[1]) F r a n z *Benediktionen* 2, 578 Anm. 3. [2]) O h r t *Danmarks Trylleformler* 2 Nr. 1259. [3]) z. B. G r i m m *Myth.* 3, 502 f. Nr. XXXVIII; 504 Nr. XLII; D i e h l *Zeitschr. f. Kulturgeschichte* 8, 299; *Alemannia* 17, 245; *ZfVk.* 11, 83; E d. J a c o b s *Der Brocken u. sein Gebiet* 345 f. [4]) *ZfVk.* I, 173. [5]) Vgl. H ö f l e r *Krankheitsnamen* 128. [6]) *Zeitschr. der Gesellsch. f. schlesw.-holst. Geschichte* 45, 121. [7]) H y l t é n - C a v a l l i u s *Wärend* S. XIV.

2. Das besprochene Übel ist der n ä c h t l i c h e A l p d r u c k (*pavor nocturnus* u. dgl.). Keine lateinischen Belege; der älteste deutsche um 1300[8]) (?), wo *alb unde elbelin* mit der drückenden und reitenden *mare* zusammen (und wohl auch in derselben Bedeutung) stehen. Die übrigen Aufzeichnungen, alle in Versform, stammen aus späterer Zeit und sind sich recht ähnlich, z. T. wohl dem Romanus-

büchlein entlehnt, oft jedoch den Mundarten angepaßt, also sehr populär. Der Alp ist hier in der Regel bloß einer, und zwar m ä n n l i c h. Besonders viele Aufzeichnungen liegen aus östlichem Gebiete (Schlesien, Böhmen) vor [9]. Eine recht typische Form ist diese: ,,Alp, Alp, du bist geboren wie ein Kalb, alle Wasser sollst du waten, alle Bäumc mußt du blaten (alle Berge mußt du steigen), alle Kirchen mußt du meiden, und ob du das wirst thun, derweile werd ich gut ruhn'' [10]). Dem Alp wird also eine innerhalb dieser Nacht unerfüllbare B e d i n g u n g gestellt (s. Aufgabe, Segen § 3). Statt als Alp wird in diesen u. ä. Sprüchen der Dämon auch als *Mahrte*, *Nachtmahr* oder *Trude*, *Trottenkopf*, *Bettzaierle* [11]) angeredet. Dem Trottenkopf wird auch der Zugang zu den Pferden und Kühen verboten.

Eine tschechische und eine flämische Aufzeichnung [12]) gehen auf den deutschen Vers zurück.

[8]) H ä l s i g *Zauberspruch* 25. [9]) z. B. Romanusbüchlein 7; K ü h n a u *Sagen* 3, 107 ff. 131 ff.; G r o h m a n n 23 Nr. 113 f.; ZfVk. 6, 213 f. [10]) G r o h m a n n 23 Nr. 113. [11]) ZfVk. 6, 213 ff.; 10, 64; K u h n *Westfalen* 2, 191 Nr. 541; Hovorka u. K r o n f e l d 1, 424; MschlesVk. 2 (1897), H. 3, 25; 3 (1899), H. 6, 32; Hess.Bl. 8, 50 Nr. 1; S e y f a r t h *Sachsen* 9 Anm. 8; ZfdMyth. 4, 114; ARw. 12, 579; Hess.Bl. 8, 96. [12]) G r o h m a n n 26 Nr. 130; G r i m m *Myth.* 2, 1041; M a n n h a r d t *Germ. Mythen* 45; Volkskunde 26, 27; W r e d e *Rhein. Volksk.* 96 f.   Ohrt.

Alpenrose (Almrausch, Donnerrösl; Rhododendron-Arten).

1. Alpine Heidekrautgewächse mit holzigem Stengel, lederartigen Blättern und glockig-trichterförmigen roten Blüten. Die bei uns vorkommenden Arten, die behaarte (Rh. hirsutum) und die rostbraune A. (Rh. ferrugineum), werden im Aberglauben nicht weiter unterschieden [1]).

[1]) M a r z e l l *Kräuterb.* 503 f.

2. Nach dem Volksglauben zieht die A. (wie viele andere rotblühende Pflanzen) das Gewitter (den Blitz) an [2]), anderseits gilt sie aber in Nordtirol als blitzabwehrend [3]). Wenn die A. als Brennholz verwendet wird, dann brennt alles an (vgl. Seidelbast), und man muß die Feuerstätte verändern [4]). Ein ,,Dorrosen-

kranz'' (Donnerrose = A.) verdorrt auf dem Haupt einer Jungfrau, bleibt aber frisch auf dem einer Gefallenen [5]). Besonderes Ansehen genießen die weißblühenden A.n (vgl. die w e i ß e Wegwarte), sie zeigen Schätze [6]) oder Goldadern an [7]).

[2]) ZfdMyth. 1, 75; Z i n g e r l e *Sagen* 162. [3]) ZfdMyth. 3, 338. [4]) Schweizer Aberglaube des 18. Jhs.: SchwVk. 1, 5. [5]) U n g e r und K h u l l *SteirWb.* 162. [6]) Z i n g e r l e *Sitten* 1857, 60. [7]) A n d r e e - E y s n *Volkskundl.* 207.   Marzell.

Alperkalb s. A l p 7.

Alpgeister, Almgeister. Von A.n, die im Herbst die Alphütten nach Abzug der Sennen beziehen und bis zu deren Rückkehr im Frühjahr bewohnen, im Sommer in Wäldern und Tobeln hausen, gelegentlich aber auch die Hütten heimsuchen, weiß der Volksglaube im ganzen Alpengebiet [1]). Sie heißen auch Alm-, Alpenbütze (und werden dann gern nach der Alpe benannt, auf der sie hausen: Hüttlabutz, Novabutz usw.) [2]), Alperer [3]), Käsmanndeln [4]), Kasermanndln (Tirol) [5]); auch das Alpmueterli (s. d.) gehört zu ihnen.

In den A.n verkörpert sich das Grauen vor den in der Bergeinsamkeit leerstehenden menschlichen Behausungen. Sie erscheinen, einzeln oder in Scharen, seltener in tierischer (als Katze [6]), als Roß oder Stier mit feurigen Augen [7]), als ,,Almtier'' [8]), ,,in Geißen verwandelt'') [9]) als in menschlicher Gestalt, nur selten zwerghaft [10]), meist von etwa menschlichem, manchmal auch von riesigem Maß [11]); das Kasermanndl hat gelegentlich nur ein Auge mitten auf der Stirn [12]).

Die A. treiben wie Kobolde die Verrichtungen der Sennen [13]): man hört sie in den Hütten die Kühe melken, buttern, käsen, mit dem Milchgeschirr klappern [14]), ihr gespenstisches Vieh austreiben, draußen die Schweine locken [15]) und wie Naturdämonen pfeifen, johlen und lärmen [16]). — Gegen die Menschen sind die A., solange man sie nicht reizt, im allgemeinen freundlich, können aber auch aufhocken [17]), verblenden [18]), Kinder auswechseln [19]), und Neckerei, Unfug

oder Bosheit grausam bestrafen [20]). —
Sie scheuen Stahl und Stein, Hund und
Geiß [21]). — Beziehungen der A. zum
N a c h t v o l k und Totenzug ergeben
sich z. B., wenn die abziehenden Kaser-
manndeln dem Begegnenden das Beil in
den Rücken schlagen oder ein Auge zu-
streichen [22]), oder wenn die von den A.n
nachts verspeiste Kuh am andern Morgen
unversehrt erscheint; s. W i e d e r b e -
l e b u n g ; T h o r s B ö c k e .

Die A. gelten gelegentlich als Seelen
gottloser Hirten oder Sennen [23]) und
können dann erlöst werden [24]); meist
erscheinen sie als selbständige Gespenster.
Im Walsertal hält man sie für gefallene
Engel, die beim Höllensturz an den Berg-
schroffen hängen geblieben sind [25]). —
Weit verbreitet ist die Erzählung von
der von Sennen geschnitzten und getauften Holzpuppe, die zum A. wurde
und die gottlosen Spötter bestrafte [26]).
s. B e r g g e i s t e r .

¹) Auch in Frankreich: S é b i l l o t *Folk-
Lore* I, 230 f.   ²) V o n b u n *Sagen* ² 59 und
83 ff.; R e i s e r *Allgäu* I, 342; D ö r l e r
Innsbruck 21.   ³) Z i n g e r l e *Sagen* ² 409, 410;
ZfdMyth. 2, 61; A l p e n b u r g *Tirol* 143.
⁴) V e r n a l e k e n *Alpensagen* 195 ff.   ⁵) z. B.
Z i n g e r l e *Sagen* ² Nr. 141. 142; H e y l
Tirol 73. 441. 612; A l p e n b u r g *Tirol* 133,
140 ff.; D ö r l e r *Innsbruck* 17.   ⁶) R e i s e r
Allgäu I, 343; V o n b u n *Sagen* ² 86.   ⁷) M a n n -
h a r d t 2, 105; Z i n g e r l e *Sagen* ² Nr. 414.
⁸) Ebd. Nr. 404; *Urquell* 3, 244.   ⁹) D ö r l e r
Innsbruck Nr. 25, 1.   ¹⁰) V e r n a l e k e n *Alpensagen* 195.   ¹¹) J e c k l i n *Volkstüml.* I, 37.
¹²) M a n n h a r d t 2, 105.   ¹³) Ebd. 104.
¹⁴) *Urquell* 3, 244; V o n b u n *Sagen* ² 83 ff.;
R e i s e r *Allgäu* I, 346.   ¹⁵) V o n b u n *Sagen* ²
87; H a u s e r *Paznaun* 33.   ¹⁶) R e i s e r *All-
gäu* I, 63, 344; M a n n h a r d t 2, 104.
¹⁷) R e i s e r *Allgäu* I, 62.   ¹⁸) Ebd.   ¹⁹) H e y l
Tirol 357 Nr. 30.   ²⁰) Z i n g e r l e *Sagen* ² 235 ff.
Nr. 404—409 u. 636 zu Nr. 404.   ²¹) V o n b u n
Sagen ² 65; Z i n g e r l e *Sagen* ² 411; D ö r l e r
Innsbruck 18; H a u s e r *Paznaun* 44.   ²²) D ö r -
l e r *Innsbruck* 25, 2—4.   ²³) z. B. R e i s e r
Allgäu I, 63. 342; A l p e n b u r g *Tirol* 141 f.;
Z i n g e r l e *Sagen* ² 208 Nr. 354; D ö r l e r
Innsbruck 23.   ²⁴) J e c k l i n *Volkstüml.* I, 37;
D ö r l e r *Innsbruck* 23. 25, 3; H a u s e r *Paz-
naun* 31 ff.; R e i s e r *Allgäu* I, 346.   ²⁵) V o n -
b u n *Sagen* ² 60; vgl. S i n g e r *Zu Wolframs
Parz.* (Abhandlungen zur Germ. Philol. Halle
1898) 361 f.   ²⁶) z. B. Z i n g e r l e *Sagen* ² Nr. 407
u. Anm.; H a u s e r *Paznaun* 48; V e r n a -
l e k e n *Alpensagen* 203; vgl. J e c k l i n *Volkstüml.* I, 7; L ü t o l f *Sagen* 119 ff.   Ranke.

Alpgeschrei. Klagendes Geschrei unbekannter Herkunft („wehliches Kinder-
geschrei") in einigen Bergen der Schweiz,
das als Vorzeichen von schlechtem Wetter
oder Unglück gedeutet wird ¹). Vgl.
K l a g e , W e h k l a g e .

¹) L ü t o l f *Sagen* 108. 130.   Ranke.

Alpha et O(mega), der aus Off. 1, 8. 11.
21, 6. 22, 13 bekannte Gottesname, der
in der christlichen Kunst ¹), aber auch im
Zauber eine große Rolle spielt; er bezeichnet die Gottheit als die allumfas-
sende (α und ω, der erste und letzte Buchstabe des Alphabets), den Aion ²). Beispiele im Zauber sind nicht selten und
weit verbreitet ³).

¹) H a u c k *RE.* I, 1 ff.; RGG. 1¹, 1; 1², 228.
²) R e i t z e n s t e i n *Poimandres* 286; D o r n -
s e i f f *Alphabet* 122 ff.   ³) H e i m *Incantamenta* 543. 551; H e e g *Hermetica* 34. 36; Ons
Hémecht, Festschrift 9; HessBl. 20 (1921), 3. 8.
B a n g *Hekseformularer* 650 (halfa + asio
= alfa et o); W o r r e l l *Studien zum abes-
sinischen Zauberwesen* (1909), 22. 33; E r m a n -
K r e b s *Aus den Papyrus der kgl. Museen*
(Berlin (1899), 262 (A. O. Chr. Ch. Ch.); F r a n z
Benediktionen 1, 351. 430; 2, 95. 482. 483. 508.
587; SAVk. 27 (1926), 85. K i e s e w e t t e r
Faust 403. 406. 448. 464.   Jacoby.

Alphabet s. A B C.

Alphitomantie. Weissagung durch Grau-
pen (von ἄλφιτα = Gerstengraupen).

Die erste Erwähnung der A. findet sich
bei Aelian (2. Jh. n. Chr.), wo sie neben
der Koskino- und Tryomantie genannt
wird ¹). Die späteren Quellen ²) fließen
für die A. ein wenig reichlicher, als für
die mit ihr aufs engste verwandte Aleuro-
und Krithomantie, doch fehlt auch hier
jegliche Angabe über die Ausführung, so
daß wir auf die bei der Aleuromantie angeführten Vermutungen angewiesen sind;
auch hier deutet die Bevorzugung der
Bezeichnung ἀλφιτόμαντις auf gewerbs-
mäßigen Betrieb. Ebenso ist, was das
MA. und die Neuzeit betrifft, auf das zur
Aleuromantie Gesagte zu verweisen. Auch
die A. wird von Rabelais ³) unter den
Künsten des Monsieur Trippa genannt
mit dem Zusatz: designée par Theocrite
en sa Pharmaceutrie (2, 18).

Vgl. noch A l e u r o m a n t i e , K r i -
t h o m a n t i e , M e h l , K l e i e .

[1] *De nat. anim.* 8, 5.   [2] P o l l u x *Onom.*
7, 188; H e s y c h s. v. ἀλφιτόμαντις und ἀλφιτο-
σκόπος; A n e k d. B e k k. 52; E u s e b i o s in
Jes. 6, 198; J a m b l i c h o s *De myst.* 3, 17;
J o s e p h o s *Hypomn.* ed. A. Fabricius (1741)
cap. 144.   [3] *Gargantua* 3 cap. 25, Deutsche
Ausg. v. Gelbke 1, 398; G e r h a r d t *Franz.
Novelle* 109.   Boehm.

Alpmutter, Alpmueterli. Weiblicher
Alpgeist (s. d.), der die Alphütten [1], aber
auch die Bauernhöfe [2] heimsucht. Die
A. wird beschrieben als altes buckliges
Weib, umgeben von dienenden Kobolden in Tiergestalt, deren einer auf
ihren Befehl Schmalz „chotzt" [1]; ihr
Erscheinen zeigt schlechtes Wetter an [2].
Ein „Alpmutterloch" kennt man auch
im Allgäu [3]. Von Singer wird die A. wohl
zu Unrecht mit der Kornmutter (s. d.)
zusammengestellt [4].

[1] V o n b u n *Beiträge* 30 f.; ders. *Sagen*
85 = J e c k l i n *Volkstüml.* 345 und 535.
[2] K u o n i *St.Galler Sagen* 167 f., vgl. 140 f.;
SchweizId. 4, 591.   [3] R e i s e r *Allgäu* 1, 137.
[4] S i n g e r *Schweiz. Märchen* 1, 23.   Ranke.

Alpranke s. M i s t e l.

Alprücken s. V i e h r ü c k e n.

Alprute oder Donnerbesen ist ein strup-
piges, verwirrtes, nestartiges Gewächs auf
Baumästen, dessen Erzeugung der Aberglaube dem Blitz zuschreibt [1]. In Westfalen heißt es auch „Alfloddern"; unter
ihnen darf man nicht durchgehen, sonst
bekommt man einen schlimmen Kopf [2].
Wenn man eine solche A. von Erle oder
Esche beim Schlafen unter den Kopf
legt, bekommt man das Alpdrücken
nicht [3]. In Nordthüringen stellt man
sich eine A. her, indem man aus der
Saalweide einen Stock schneidet, an
welchem man oben an der Spitze drei
Ästchen hat stehen lassen, die also eine
Gabel bilden. Mit dieser A. berührt man
krankes Vieh und spricht dazu: „Im Namen des Vaters usw." Wenn man dies
dreimal getan hat, wird das Vieh wieder
gesund [4].

[1] G r i m m *Myth.* 1, 153; vgl. ebd. 1, 156;
S e y f a r t h *Sachsen* 8; M e y e r *Germ.
Myth.* 121; S c h w a r t z *Volksglaube* 102 f.;
L a i s t n e r *Nebelsagen* 328 f.   [2] K u h n
Westfalen 2, 55 Nr. 158; K u h n u. S c h w a r t z
419 Nr. 192.   [3] S e y f a r t h *Sachsen* 8.
[4] ZfVk. 10 (1900), 213.   Bächtold-Stäubli.

Alpsegen. 1. Kurze Zeit vor oder nach
dem Alpaufzuge wird die Alp von Geistlichen ausgesegnet, um Gefahr und Krankheit zu bannen [1].

[1] S a r t o r i 2, 149; N i e d e r b e r g e r
Unterwalden 3, 377; R e i s e r *Allgäu* 2, 379 f.;
ZfVk. 12 (1902), 13; SchweizId. 7, 451 f., wo
aber Alpsegen (= „Alpsegnung") mit dem Betruf zusammengeworfen wird.

2. A. wird auch oft der Segen genannt,
den der Senn allabendlich über die Alp
ausruft. In der Schweiz hat dieser bei
den Älplern den Namen „Betruf." (s. d.)
                       Stübe.

Alpuntergang s. U n t e r g a n g.

Alraun.

1. Name. — 2. Botanisches. Die Mandragora-
pflanze als Alraun. — 3. Der A.glaube im Altertum. — 4. Der A. im MA. — 5. Aussehen und
Herstellung. Der Handel mit A.n. Der A. in
Hexenprozessen. 6. Gewinnung des A.s. —
7. Eigenschaften des A.s — 8. Der A.glaube
in der alten Literaturgeschichte. — 9. Der A.-
glaube bei nichtdeutschen Völkern. — 10. Herkunft und Deutung des A.glaubens. — 11. Literatur.

1. N a m e. Nach K l u g e [1] ist A.
(ahd. alrûna) „ein uralter Name für altgermanische mythische Wesen, die im
geheimen wirken; ahd. alaruna könnte
Eigenname (wie Gudrun) für weibliche
Kobolde sein". Etymologisch soll das
Wort zu got. runa „Geheimnis", ahd.
rûnên „heimlich und leise reden" (raunen), anord. run „Geheimnis, Rune" gehören. Im besonderen bezeichnet A. die
aus den fleischigen Wurzeln gewisser
Pflanzen geschnitzten menschenähnlichen
Gestalten, die zu zauberischen Zwecken
verwendet wurden.

[1] *EtWb.*⁹ 12; vgl. auch Mod. Lang. Notes 34
(1919), Heft 1.

2. B o t a n i s c h e s. Die A.pflanze
des Altertums (und auch heute noch in
Kleinasien) ist die M a n d r a g o r a.
Diese zu den Nachtschattengewächsen
(Solanazeen) gehörige Gattung kommt in
drei Arten im Mittelmeergebiet vor, besonders in Italien, Griechenland und
Kleinasien; in Deutschland wachsen
keine Mandragora-Arten. Die häufigste
ist die M. officinarum L. Sie besitzt eine
grünlichgelbe Blüte, kugelige Beeren und
eine oft tief gespaltene Wurzel, die einer

primitiven Phantasie Anlaß zum Vergleich mit zwei menschlichen Beinen geben kann. Die Mandragora ist gleich vielen anderen Nachtschattengewächsen (z. B. Tollkirsche, Bilsenkraut, Stechapfel) sehr giftig, da sie verschiedene Solanazeen-Alkaloide enthält [2]). Beide Eigenschaften, menschenähnliche Gestalt der Wurzel und Giftigkeit, waren jedenfalls die Ursache für die Rolle der Mandragora im Zauberglauben. Die Solanazeen-Alkaloide verursachen Aufregungszustände (Schwindel, Unruhe, veitstanzähnliche Bewegungen, Tobsucht usw.), denen das paralytische Stadium mit Schlaftrunkenheit folgt [3]). Diese physiologischen Wirkungen mußten die Pflanze dem Primitiven als wunderbar erscheinen lassen. Auch andere Solanazeen wie die Tollkirsche, die Skopolie (Scopolia carniolica), ferner die ebenfalls giftige Zaunrübe (s. d.) werden da, wo die echte Mandragora fehlt, als Ersatz dafür gebraucht. Schließlich treten dann auch nichtgiftige Pflanzen, wie das Knabenkraut und die Schwertlilie, lediglich wegen der Gestalt der Wurzelknollen, bzw. des Wurzelstockes, als Mandragora-Ersatz auf.

[2]) M. W e n t z e l *Über die chemischen Bestandteile der Mandragorawurzel*. Diss. Berlin 1900; W e h m e r *Pflanzenstoffe* 1911, 688.
[3]) S c h m i e d e b e r g *Pharmakologie* [6] 1909, 171 f.; vgl. auch F ü h n e r *Solanazeen als Berauschungsmittel* in Arch. exper. Pathol. und Pharmakol. 111 (1925), 281—294.

3. D e r A.g l a u b e i m A l t e r t u m. Im alten Ä g y p t e n war die Mandragora sicher bekannt, wie aus Darstellungen auf einer Grabwand der XVIII. Dynastie hervorgeht; ob aber die Wurzel in der Zauberei eine Rolle spielte, steht nicht fest [4]). Die in der Genesis vorkommende Pflanze *dudaim*, der aphrodisische Wirkung zugeschrieben wird, deutet man vielfach als die Mandragora [5]), jedenfalls läßt sich die Mandragorafabel auch bei den Juden nachweisen [6]). Welche Pflanze botanisch unter Mandragora (der Name soll vom pers. mardom ghiah = Manneskraut oder mehr-e-giah = Liebeskraut kommen [7]); die Ableitung von μάνδρα = Stall und ἀγείρω = sammle dürfte ins Gebiet der gelehrten „Volksetymo-

logie" zu weisen sein) zu verstehen sei, war offenbar den botanischen und medizinischen Schriftstellern der griechischen Antike schon nicht mehr klar, woraus man wohl schließen darf, daß der A.-glaube seine eigentliche Heimat nicht in Griechenland hat. Die Mandragora (ὁ μανδραγόρας) des T h e o p h r a s t [8]) soll die Tollkirsche sein. Er sagt von ihr, daß sie als schlafmachendes Mittel und zu Liebestränken gebraucht werde. Beim Ausgraben der Mandragora solle man die Pflanze dreimal mit einem Schwerte umschreiben und sie graben mit dem Antlitze gegen Westen. Ein anderer aber solle dabei im Kreise umhertanzen und viel vom Liebeswerk (aphrodisische Wirkung!) sprechen. Theophrast betrachtet übrigens das Ganze als eine betrügerische Fabel der Wurzelgräber. D i o s k u r i d e s [9]) handelt ausführlich über die Mandragora, schildert ihr Aussehen und ihre physiologische Wirkung, schreibt aber nichts von zauberischen Eigenschaften. Jedoch weist das Synonym der Pflanze, Κιρκαία (= Kraut der Kirke), und die Abbildungen in den alten Handschriften auf die zauberische Verwendung der Pflanze hin. P l i n i u s [10]) gibt die Grabevorschrift des Theophrast wieder. Die Hauptquelle jedoch für den mittelalterlichen A.glauben ist eine Stelle aus der Geschichte des jüdischen Krieges von F l a v i u s J o s e p h u s (geb. 37 n. Chr.). Er schreibt [11]): „Das Tal, welches die Stadt Machärus auf der Nordseite einschließt, heißt *Baara* und erzeugt eine wunderbare Wurzel gleichen Namens. Sie ist flammend rot und wirft des Abends rote Strahlen aus; sie auszureißen ist sehr schwer, denn dem Nahenden entzieht sie sich und hält nur dann still, wenn man Urin und Blutfluß (Menstrualblut) daraufgießt. Auch dann ist bei jeder Berührung der Tod gewiß, es trage denn einer die ganze Wurzel in der Hand davon. Doch bekommt man sie auf andere Weise und zwar so. Man umgräbt sie rings so, daß nur noch ein kleiner Rest der Wurzel unsichtbar ist: dann bindet man einen Hund daran, und wenn dieser dem Anbinder schnell folgen will, so reißt er die Wurzel aus, stirbt aber auf der Stelle als ein stellvertretendes Opfer dessen, der die Pflanze nehmen will. Hat man sie einmal, so ist keine Gefahr mehr. Man gibt sich aber soviel Mühe um sie wegen folgender Eigenschaften: Die Dämonen, d. h. böse Geister schlechter Menschen, welche in die Lebenden hineinfahren und sie töten, wenn nicht schnell Hilfe geleistet wird, werden von dieser Pflanze ausgetrieben, sobald man sie dem Kranken auch nur nahebringt." Ganz ähnlich wie Flavius Josephus das Ausgraben der Wurzel baara(s) schildert, beschreibt A e l i a n [12]) das der Pflanze κυνοσπαστος und ἀγλαοφωτίς.

[4]) K e i m e r *Die Gartenpflanzen im alten Ägypten* 1 (1924), 20; vgl. dagegen H e i d e *Alrunen i det gamle Aegypten* in Tidskr. for hist. Bot. 1 (1918/19), 9—22. [5]) F r a z e r *Jacob and the Mandrakes*. In Proceed. Brit. Acad. 8 (1917); D e r s. *Folklore in the Old Testam.* 2 (1918), 372—379; ARw. 13, 77. [6]) L o e w *Flora d. Juden* 3 (1924), 363 ff. [7]) ZfEthn. 23 (737). [8]) *Hist. plant.* VI, 2, 9; IX, 8, 8 und 9, 1; es ist jedoch zu beachten, daß das 9. Buch des Theophrast höchst wahrscheinlich unecht und späteren Datums ist! [9]) *Mat. med.* 4, 75. [10]) *Nat. hist.* 25, 148. [11]) *Bellum judaicum* VII, 6, 3; Werke übers. von C o t t a und G f ö r e r, Philadelphia 1838, 762. [12]) *Hist. anim.* 14, 27.

4. Der A. im Mittelalter. Auf die obige Schilderung des Flavius Josephus und des Aelian beziehen sich die meisten mittelalterlichen bildlichen Darstellungen des Grabens der Zauberwurzel, besonders in medizinischen Handschriften, z. B. in Dioskurides-Handschriften (vgl. oben) und vor allem in denen des (Pseudo-)Apuleius (4./5. Jh.) [13]). Ausführlich schreibt die hl. H i l d e g a r d [14]), die 1179 als Äbtissin auf dem Rupertsberge bei Bingen starb, über die Mandragora. Wegen ihrer Menschenähnlichkeit wohne der Pflanze der Teufel mehr inne als anderen Kräutern. Wenn man sie aus der Erde gezogen, solle man sie baldigst in Quellwasser (queckborn) einen Tag und eine Nacht legen, so werde alles Böse aus ihr getrieben. Wenn man aber die Mandragora nicht in der beschriebenen Weise wasche, dann könne man sie zu zauberischen Zwecken verwenden. Wenn ein Mann infolge magischer Einflüsse oder

aus Begierlichkeit des Körpers unenthaltsam sei, dann solle er einen „weiblichen" A. (s. unten), der in Quellwasser gereinigt ist, zwischen Brust und Nabel anbinden, sodann die Frucht (Wurzel?) in zwei Teile spalten und über die Lenden binden; ferner die linke Hand dieser Gestalt (des A. s?) zerreiben, mit etwas Kampfer mischen und so essen, dann werde er geheilt werden .... Wenn ein Mensch von Natur aus melancholisch sei, dann solle er die Mandragora nehmen, sie gewaschen, wie oben beschrieben, ins Bett legen, bis das Kraut von seinem Schweiß warm werde, und sprechen: „Gott, der du den Menschen aus Erde ohne Schmerzen geschaffen, jetzt lege ich dies in diese Erde, die niemals gesündigt, neben mich, damit auch mein irdischer Leib den Frieden fühle, wie du ihn geschaffen." Habe man keine Mandragora, so schließt Hildegard, so genügten auch Buchentriebe. A l b e r t u s M a g n u s [15]) und K o n r a d v o n M e g e n b e r g [16]) beschränken sich auf die Bemerkung, daß die Wurzel der Mandragora menschenähnlich sei, und bringen weiter nichts Abergläubisches. Dagegen berichten die Kräuterbücher des 16. Jhs. [17]) mehr oder minder ausführlich über den A.aberglauben, von der Herstellung der A.e, den Fälschungen usw.

[13]) Vgl. z. B. P a y n e *Anglosax. Medic.* 1904, 72 f. [14]) *Physika* 1, 56; der lateinische Text ausführlich wiedergegeben von K i l l e r m a n n in Natw. Wochenschr. N. F. 16 (1917), 141. [15]) *De Veget.* ed. Meyer u. Jessen 1867, VII, 2, cap. 12, 379. [16]) *Buch der Natur* ed. Franz Pfeiffer 406. [17]) Z. B. F u c h s *Kreuterbuch* 1543, cap. 201; B o c k *Kreuterbuch* 1551, 336 r; M a t t h i o l i *Kreuterbuch*, Prag 1563; vgl. auch M a r z e l l *Pflanzenwelt* 95 f.

5. A u s s e h e n , H e r s t e l l u n g d e r A.e und H a n d e l m i t A.e n. Wenn auch ab und zu durch Reisende echt orientalische A.figuren nach Deutschland gekommen sein mögen, so wurden doch sicher die meisten der in Deutschland gebrauchten A.e aus den Wurzeln einheimischer Pflanzen hergestellt. Es fanden z. B. Verwendung die Wurzeln der Zaunrübe, des Enzians, der Tormentille (Blutwurz) oder auch des Wegeriches [18]). Die im Abendlande verfertigten A.e unterscheiden sich von den orientalischen dadurch, daß sie bekleidet sind. Ihre Form war sehr verschieden, gewöhnlich waren sie nicht mehr als handbreit, es soll aber auch solche von einigen Fuß Länge gegeben haben [19]). Auch männliche und weibliche A.e wurden unterschieden. In Museen und wohl auch im Privatbesitz sind noch vielfach solche A.-figuren erhalten, z. B. in der einstigen K. K. Bibliothek zu Wien, wo sie seit 1680 aufbewahrt werden [20]). Auch das märkische Museum in Berlin [21]) und das pflanzenphysiologische Institut in München besitzen solche A.e. Es wurde ein schwunghafter Handel damit getrieben. So wurde 1690 ein gewisser Hartmann Hanß beschuldigt, auf dem Zurzacher Markt (Schweiz) versucht zu haben, eine „allraune" zu verkaufen und sie um 100 Taler feilgeboten zu haben [22]). Die „A.-krämer" waren neben anderen Gauklern eine bekannte Erscheinung auf Märkten [23]). 1540 wurden in Cölln bei Meißen A.e das Stück bis zu 10 Taler verkauft [24]). Zu Anfang dieses Jahrhunderts verkaufte das Warenhaus Wertheim in Berlin „Glücksa.ne" (s.Allermannsharnisch), das Stück für 2,25 Mark. Sie bestanden aus Stücken vom Allermannsharnisch und der Siegwurz (Gladiolus communis), die in einem kleinen Medaillon eingeschlossen waren. Dem Medaillon war ein kleiner, bedruckter Zettel beigegeben, auf dem vermerkt war, daß der Glücksa. Reichtum und Gesundheit verschaffe, die Liebe einer Person erwerbe, wider Inkubus und Sukkubus schütze, Schätze finden und Prozesse gewinnen lasse [25]). Anfangs der 90er Jahre des vorigen Jahrhunderts wurden in Goldap (Ostpreußen) Wurzelstöcke der „Glückswurzel" (von der gelben Schwertlilie, Iris pseudacorus, stammen) für 10—50 Pfennig das Stück verkauft. Diese „Wurzeln", die bis nach Berlin Absatz fanden, sollten Reichtum und Kindersegen verschaffen [26]), was beweist, daß auch heute noch der A.glaube nicht ganz verschwunden ist. Schließlich spielt der A. auch in Hexenprozessen nicht selten eine Rolle [27]).

[18]) ZföVk. 6, 125. [19]) ZfEthn. 23 (738). [20]) Vgl. Perger in den Ber. u. Mitt. des Altertumsver. zu Wien 5 (1861), 259 ff. [21]) ZfVk. 13, 126. [22]) SAVk. 16, 102. [23]) Praetorius Von der Zauberei ... gründlicher Bericht 1613, 52. [24]) Ztschr. f. Kulturgesch. 5 (1898), 338. [25]) Trojan Aus d. Reiche der Flora 1910, 159. [26]) ZfEthn. 23, 745 f. [27]) Z. B. Soldan-Heppe 1, 29. 531; Hansen Hexenwahn 231; ZfdMyth. 2, 70; SAVk. 24, 127.

6. **Gewinnung des A.s.** Die Gewinnung des A.s (mit Hilfe des schwarzen Hundes usw.) wird im deutschen Volksaberglauben öfters so geschildert [28]), wie wir sie bei Flavius Josephus und Aelian (s. o.) kennen lernten. Das A.männchen wächst besonders auf dem Falkenberg bei Neukirch und in der Muskauer Heide (Lausitz). Man gräbt es in der Mitternachtsstunde der Johannisnacht (vgl. Farn) aus, wobei es einen Schrei ausstößt, durch den man sich aber nicht schrecken lassen darf [29]). Hier spielt deutlich der Volksglaube vom „Johannishändchen" (vgl. Knabenkraut) mit herein. Der A. heißt auch Galgenmännlein. Es entsteht aus dem Harne oder dem Sperma eines gehängten Diebes unter dem Galgen. Beim Ausgraben schreit der A. so entsetzlich, daß der Ausgräber, an dessen Ohr dieser Schrei dringt, sterben muß. Um den A. zu erlangen, muß man am Freitag vor Sonnenaufgang, nachdem man die Ohren mit Baumwolle, Pech oder Wachs verstopft hat, mit einem schwarzen Hund hinausgehen, drei Kreuze über den A. machen und den Hund mit dem Schwanz an die Wurzel des A.s binden. Dann hält man dem Hund ein Stück Brot vor und läuft eiligst davon. Der Hund, gierig nach dem Bissen, schnappt danach und zieht so die Wurzel aus dem Boden, fällt aber auf den Schrei des A.s hin tot zu Boden [30]). Auch Thurneyssers Reim [31]):

„der grabt Alrauna undrem Gricht
Loufft weck das ers hör schreien nicht"

spielt gleichfalls auf den Aberglauben an.

In einem Rottenburger (Württemberg) Hexenprozeß v. J. 1650 soll der Angeschuldigte behauptet haben, um sich jederzeit Geld zu verschaffen müsse man sich im Walde nackt ausziehen, seinen

Samen (der A. entsteht auch aus dem
Sperma des Gehenkten!) in ein kleines
Geschirr lassen und dieses in der Erde
verbergen. Daraus entstehe dann ein
Ding, das jederzeit Geld verschaffe [32].
Noch im Jahre 1820 soll unter dem Hoch-
gericht auf dem Leinberg bei Göttingen
das „Alruneken" mit Hilfe des schwarzen
Hundes gewonnen worden sein [33]. Sonst
heißt es noch, daß der A. unter einer
dreigipfeligen Haselstaude gegraben werden müsse, oder daß man ihn unter
einer „weissen" Haselstaude finde, auf
der Mistel wächst [34]. Vgl. dazu H a s e l-
w u r m.

[28]) z. B. D r e c h s l e r *Schlesien* 2, 212.
[29]) K ü h n a u *Sagen* 2, 45. [30]) G r i m m,
Myth. 2, 953. 1005 ff.; *Sagen* 75 Nr. 83, 484;
G r o h m a n n 88; MnböhmExc. 25, 355.
[31]) *Archidoxa* 1575, 49 v. [32]) B i r l i n g e r
Aus Schwaben 1, 162; hier zeigt sich eine deutliche Beziehung zum zauberischen „Farn-
samen", s. Farn. [33]) Korrespondenzbl. d.
Deutsch. Ges. f. Anthropol. 40 (1909), 52.
[34]) Appenzell: SAVk. 10, 127; vgl. ZfVk. 11,
12; L ü t o l f *Sagen* 192.

7. E i g e n s c h a f t e n   u n d   W i r-
k u n g e n   d e s   A.s. Der A. gilt als
G l ü c k   u n d   R e i c h t u m bringend:
Ein Geldstück, das man zu ihm legt, hat
sich bis zum nächsten Morgen verdoppelt, der Wohlstand mehrt sich [35]. Das
Geld trägt der A. durch den Schornstein
ins Haus [36]. Von einem, der schnell reich
geworden ist, sagte man in der Gegend
von Dortmund: „De hat'n Arun" [37], und
in Wien heißt es von einem, der Glück
im Spiel hat: „Der muß a Oraunl im
Sack haben" [38]. Häufig erscheint der A.
als aphrodisisches Mittel [39], was vielleicht auf einen Import aus dem Orient
deutet (vgl. auch oben die Stelle aus Theophrast). Heute gelten ja in Kleinasien die
geschnitzten Mandragorawurzeln als un-
fehlbare Aphrodisiaka [40]. Im Bergischen
müssen Schwangere den A. bei sich tragen, das erleichtert die Geburt [41]. Der
A. ist ferner der H a u s g e i s t (Spiritus
familiaris) (s. d.). In der althessischen
Familie der Freiherrn von Riedesel bewahrte man eine Puppe, die in einem
gläsernen Kästchen lag und die man
jeden Tag aufmerksam beobachtete. Was
nämlich einem Familienmitglied geschah,

das ereignete sich vorher, oder doch gleichzeitig, an der Puppe. Stürzte z. B. eines
und brach sich Arm oder Bein, so lag auch
der A. mit gebrochenen Gliedern da [42].
Der A. erscheint auch als der Satan, mit
dem man ein Bündnis geschlossen hat [43],
oder als der „Geist in der Flasche",
übrigens ein Motiv orientalischen Ursprungs [44]. In Niedcrösterreich spricht
das Volk auch von „Uraundeln" und
„Tragerln", die teils gute, teils böse Wirkung haben. Als böse Geschöpfe quälen
sie das Vieh, machen es krank und verursachen, daß die Kühe keine Milch
geben, andrerseits teilen sie aber ihrem
Besitzer die größten Geheimnisse mit.
Sie müssen in einer Flasche oder in einer
Schachtel an einem geheimen Orte aufbewahrt werden [45]. Auch als Kröte [46],
als geflügeltes Tier (Drache), das alle Tage
ein Goldei legt [47], als wunderliches Tier,
das nachts mit rollenden Augen herum-
läuft [48], wird der A. geschildert. Wer als
Besitzer eines A.s starb, dem mußte man
Brot und Geld ins Grab mitgeben [49]. Der
Besitzer des A.s war dem Teufel verfallen.
Diesem Schicksal konnte er nur durch
Verschenken des A.s entrinnen. Kam aber
die Wurzel auf diese Weise in die dritte
Hand, so konnte man sie nicht mehr los
werden, sie kehrte immer in die Hand des
Besitzers zurück [50].

[35]) G r i m m *Sagen* 75; S t r a c k e r j a n
Oldenburg [2] 1, 484. [36]) S t r a c k e r j a n a.a.
O. [37]) K u h n *Westfalen* 2, 27. [38]) H o v o r-
k a - K r o n f e l d 1, 17. [39]) Vgl. auch M a c-
c h i a v e l l i s Komödie „*La Mandragola*".
[40]) ZfEthn. 23 (728). [41]) L e i t h a e u s e r
Berg. Pflanzennamen 1912, 6; vgl. auch L a m-
m e r t 150. [42]) W o l f *Sagen* 58. [43]) Oder
man muß, um den A. zu bekommen, ein Bündnis
mit dem Teufel schließen: S t r a c k e r j a n
Oldenburg [2] 1, 484. [44]) S t a r c k *Alraun* 60.
[45]) V e r n a l e k e n *Mythen* 258. [46]) L ü-
t o l f *Sagen* 192 f.; H e r z o g *Schweizersagen*
2, 78 f. [47]) z. B. V e r n a l e k e n *Mythen* 260;
R o c h h o l z *Sagen* 2, 43. [48]) R o c h h o l z
a. a. O. 2, 42. [49]) M e y e r *Aberglaube* 64.
[50]) M a n z *Sargans* 99.

8. Der A.glaube ist in der d e u t s c h e n
L i t e r a t u r vielfach verwertet worden. H a n s   S a c h s spricht von ge-
fälschten A.en, die ein Krämer verkaufte [51]. G r i m m e l s h a u s e n
schreibt an verschiedenen Orten über das

Galgenmännlein [52]). Im 19. Jh. benutzte A c h i m   v o n   A r n i m [53]) und D e l a M o t t e   F o u q u é [54]) das A.motiv als novellistischen Stoff. G o e t h e läßt im „Faust" [55]) den Mephisto sprechen:

„Da stehen sie umher und staunen,
Vertrauen nicht dem hohen Fund,
Der eine faselt von Alraunen,
Der andre von dem schwarzen Hund."

Schließlich hat in neuester Zeit der Schriftsteller H a n s   H e i n z   E w e r s in seinem grotesken Roman „Die Alraune" (1911) den alten Sagenstoff wieder aufleben lassen.

[51]) Ausg. v. A. K e l l e r (Tübingen) 9, 16. [52]) A m e r s b a c h 2, 51 ff.; S c h l o s s e r *Galgenmännlein* 54 f.; S t a r c k *Alraun* 53. [53]) In „Isabella von Ägypten". [54]) „Mandragora", eine Novelle. 1827. [55]) 2. Teil 4977 ff.

9. Auch in n i c h t d e u t s c h e n Ländern ist der A.- bzw. Mandragoraglaube noch vielfach lebendig. Es gilt dies vor allem für den Orient, der ja wohl die Heimat des Mandragorakultes [56]) ist. Bei den Chinesen hat L a u f f e r [57]) den Mandragoraglauben nachgewiesen. In Griechenland werden der M. noch heute Zauberkräfte zugeschrieben [58]). Eine armenische Überlieferung kennt das Motiv der mit Hilfe des Hundes aus der Erde gezogenen Zauberpflanze [59]). Als Adamowa golowa (Adamshaupt) [60]) und als „pevenka trava" (= das Kraut, das schreit [beim Herausziehen aus der Erde]) [61]) ist der A. bei den Russen bekannt. Bei den Südrussen gilt die Pflanze „perestupeny" (Zaunrübe, s. d.) als geheimnisvolle Wurzel. Sie entsteht aus den ungetauft ermordeten Kindern. Wer die Pflanze schneidet oder sie ausreißt, den lähmt sie und nimmt ihm den Verstand. Durch Opferung eines Stückes Brot, geweihter Butter und eines Kreuzers kann man die Pflanze versöhnen [62]). Bei den Tschechen wird die A.wurzel (mužiček) ebenfalls zu abergläubischen Zwecken ausgegraben [63]). Auch „hospodáriček" (Hausväterchen) heißt sie dort [64]). Bei den Litauern zeigt die mit der Mandragora verwandte Scopoliawurzel in ihrer Verwendung manche sonst dem A. eigene Züge [65]). Bei den Rumänen in Galizien ist „matraguna" (aus mandragora) ge-

radezu Kollektivname für Hexentrank geworden [66]). Im besonderen ist „matraguna" im Rumänischen die Bezeichnung für die Tollkirsche (Atropa belladonna). Die italienische Bevölkerung in den Abruzzen kennt ebenfalls das Graben der Mandragora mit Hilfe des schwarzen Hundes [67]), desgleichen ist der Glaube an den A. bei den Franzosen nachgewiesen[68]). Nach verschiedenen Stellen bei S h a k e s p e a r e [69]) muß die Mandragora (Mandrake) auch in England recht bekannt gewesen sein [70]). Auf Island ist die „thjofarót" (Diebswurzel), die unter einem Galgen gewachsen ist und vermittels des Hundes herausgezogen wird, deutlich das Galgenmännchen [71]). In Skandinavien ist die Zauberwurzel „alrune" ebenfalls wohlbekannt [72]). Schließlich spielt auch die holländische Benennung „pisdiefje" für den A. auf die Gewinnung des Galgenmännleins an [73]).

[56]) ZfEthn. 23 (726 ff.); S t e r n *Türkei* 1, 316 ff. [57]) *La Mandragore*. In: T'oung-pao. 2e Série Vol. XVIII (1917), 1—30. [58]) H e l d r e i c h *Nutzpflanzen* 1862, 36; ZfVk. 15, 391. [59]) R o l l a n d *Flore pop.* 8, 124. [60]) P a l l a s *Reise durch versch. Provinzen des russ. Reiches* 1 (1776), 33. [61]) G u b e r n a t i s *Myth. des plant.* 1, 123. [62]) ZföVk. 2, 352 ff. [63]) H o v o r k a - K r o n f e l d 1, 286. [64]) G r o h m a n n 19. [65]) H. F ü h n e r *Skopoliawurzel als Gift und Heilmittel bei den Litauern und Letten*. In: Therap. Monatshefte 33 (1919), 221—227. [66]) H o e l z l *Galizien* 158; vgl. auch H o v o r k a - K r o n f e l d 1, 287. [67]) *Atrad pop.* 8 (1889), 213. [68]) R o l l a n d *Flore pop.* 8, 126. [69]) A c k e r m a n n *Shakespeare* 34; H e r r i g s Archiv 142, Heft 3/4; BayHfte 1, 199; S c h e l e n z *Shakespeare* 1 (1914), 213 f. 233 ff. [70]) Vgl. auch die altenglische Apuleius-Übersetzung bei C o c k a y n e *Leechdoms* 1 (1864), 245. [71]) M a u r e r *Isländ. Volkssag.* 1860, 178. [72]) F e i l b e r g *Ordbog* 4, 10. 359. F a l k u. T o r p *Norw.-Dän. Wb.* 1911, 151 f.; R e i c h b o r n - K j e n n e r u d *Laegeurter* 82 f. [73]) *Volkskunde* 20, 46—48; A n d e l *Volksgeneeskunst* 50 ff.

10. H e r k u n f t   u n d   D e u t u n g d e s A.g l a u b e n s. Zusammenfassend läßt sich sagen, daß der A.-Mandragoraglaube orientalischen Ursprungs ist, daß er auf verschiedenen Wegen (von Südosten und von Süden her), und zwar hauptsächlich durch die gelehrt-magische Literatur, nach Mitteleuropa kam und

sich da mit schon vorhandenen Anschauungen über gewisse Zauberpflanzen (s. Farn [74]), Irrwurz [75]), Knabenkraut, Springwurz) vermischte. Ebenso wurden auf germanischem Gebiet Anschauungen über den Hauskobold, der Reichtum verschafft, gepflegt werden muß usw. [76]), mit dem A.-Mandragorakult vermengt. Wirklich volkstümlich waren die Sagen vom Graben des A., vom Galgenmännlein usw. in Deutschland wohl nicht. Inwieweit indogermanische Vorstellungen über die Blitz-, Soma- und Totenpflanze bei der Entstehung des A.-glaubens mitgewirkt haben [77]), wird sich schwer feststellen lassen: einstweilen handelt es sich hier um nicht beweisbare mythologische Spekulationen.

[74]) Z. B. M e y e r *Aberglaube* 212. [75]) Urquell 1, 110. [76]) Vgl. z. B. K u h n u. S c h w a r t z 423. 521; M ü l l e n h o f f *Sagen* 321 ff. [77]) Vgl. K u h n *Herabkunft* 260 ff. und darauf fußend S c h l o s s e r *Galgenmännlein* 103 ff.

11. Die L i t e r a t u r über den A.-aberglauben ist außerordentlich reich. Viele Schriften sind aber nur Zusammenfassungen früherer und bringen nichts Neues. Am besten unterrichtet A. T. S t a r c k [78]). Sehr wichtiges und kritisch gesichtetes Material bringen v. L u - s c h a n, A s c h e r s o n und B e y e r [79]). C h. B. R a n d o l p h [80]) geht vor allem auf die medizinische Verwendung der Mandragora und den damit verbundenen Zauberglauben ein. Reichen, aber unkritisch verarbeiteten Stoff bringt A. S c h l o s s e r s Dissertation [81]). Kürzer gefaßt sind die guten Darstellungen von A. v. P e r g e r [82]). E. v. L i p p m a n n [83]) und S. K i l l e r m a n n [84]). Sehr bemerkenswertes Material über einzelne Züge des A.-glaubens verzeichnet W. H e r t z [85]). Genaue bibliographische Angaben macht J. G. T h. G r a e s s e [86]). Ältere Darstellungen und Berichte wie von S c h m i d e l [87]), T h o m a s i u s [88]), J. S. S c h m i d [89]), J. P r a e t o r i u s [90]), F r o m m a n n [91]), R o t h [92]), K e y ß l e r [93]), B r ä u n e r [94]), T h a r s a n d e r [95]), H o r s t [96]), S c h e i b l e [97]), bringen z. T. sehr bemerkenswertes kulturgeschichtliches Material über den A.glauben.

[78]) *Der Alraun. Ein Beitrag zur Pflanzensagenkunde.* Baltimore 1917. VIII, 85 S. [79]) Verhandl. d. Berl. anthropol. Gesellsch. Sitzung v. 17. Okt. 1891 in ZfEthn. 23 (726)—(746). [80]) *The Mandragora of the Ancients in Folk-Lore and Medicine.* In Proceed. of the Americ. Acad. of Arts and Sciences. XL (1905), 487—537, vgl. die Besprechung in ZfVk. 18, 343. [81]) *Die Sage vom Galgenmännlein im Volksglauben und in der Literatur.* Münster i. W. 1912. 139 S. [82]) Ber. u. Mitt. des Altert.-Ver. zu Wien 5 (1861), 259—269. [83]) *Über einen naturwissenschaftlichen Aberglauben.* In Abhandl. der naturforsch. Gesellsch. zu Halle XX (1894), 259—270. [84]) *Der Alraun [Mandragora].* In Naturwissensch. Wochenschr. N. F. 16 (1917), 137—144; mit wichtigen Abbildungen. [85]) *Abhandl.* 259. 273 ff. [86]) *Beitr. z. Literatur und Sage des Mittelalters* 1850, 45—60. [87]) *Dissertatio de Mandragora* 1655. [88]) *De Mandragora* 1653 und 1669. [89]) *De alrunis Germanorum.* Halle 1739. [89]) *Saturnalia.* Lipsiae 1663, 154 ff.; *Anthropodemus Plutonicus* 2, 172 ff. [91]) *De fascinatione* 1675, 666—677. [92]) *De imagunculis Germanorum magicis quos Alrunas vocant* 1737. [93]) *Antiq. sel. Germaniae septentr.* 1720, 504—520. [94]) *Curiositäten* 1737, 225 ff. [95]) *Schauplatz vieler ungereimter Meinungen* 1735, 1, 556 bis 571. [96]) *Zauberbibliothek* 5 (1825), 321—345; 6 (1826), 277—310. [97]) *Kloster* 6 (1847), 180 ff.

           Marzell.

alt, Alter, altern. 1. Das gesunde Volk kennt keine Verneinung des Lebens, also keinen Pessimismus als System, es will leben und alt werden. Gewisse Vorzeichen bekunden, ob ein Kind alt wird oder jung sterben muß [1]): Neugeborene Kinder, die mit den Augen nach dem Himmel schauen, werden selten alt; die Mutter hat genau in acht zu nehmen, wie viel Wochen ihr Kind bei diesem Anlasse alt ist [2]). Man soll die Kinder nicht A l t m ä n n c h e n (s. Altvater) oder A l t w e i b c h e n nennen, sonst altern sie [3]). Die Kräfte Altgewordener erhalten sich, indem die Alten junge, kräftig gedeihende Kinder bei sich schlafen lassen, den Kindern aber schadet es. Das Alter zehrt von den Kräften der Jugend. Greise werden verjüngt, wenn sie sich mit jungen Mädchen verheiraten, die Jugend aber altert [4]). — Die Kinder der Wasserfrau altern nicht [5]). Unter den Wassern liegt nach irischem Glauben ein von Elfen bewohntes Land, ,,das Land der Jugend", weil darin niemand altert. Dort scheint die Sonne, die Wiesen grünen, die Bäume blühen. Leute, die viele Jahre dort zubrachten, glaubten, nur einen Augenblick dort gewesen zu sein [6]). Der Gedanke des Nichtalterns durch Gemeinschaft mit Geistern oder Toten kehrt wieder in der Erzählung vom Kuhlenmaker, dem Totengräber, der lange Jahre unter den Toten weilt, und als er zu den Seinen zurückkehren will, des Glaubens ist, nur wenige Stunden unter der Erde geweilt zu haben. Er nimmt das hl. Abendmahl, sinkt zusammen und stirbt [7]).

[1]) SAVk. 2, 218. [2]) Wuttke § 605; Lammert 118. [3]) Grimm *Myth.* 3, 435 u. 443; DWb. I, 273; John *Erzgeb.* 57; Pollinger *Landshut* 277. [4]) Mitt. Anhalt. Gesch. 14, 22; Fogel *Pennsylvania* 43 Nr. 85; Lammert 245; Stern *Türkei* 2, 250; SchwVk. 10, 4; Niederberger *Unterwalden* 1, 79. [5]) Schönwerth *Oberpfalz* 2, 212 f. [6]) Mannhardt *Germ. Mythen* 457. [7]) Müllenhoff *Sagen* (1921) Nr. 269.

2. Das Alter der Geister ist im Verhältnis zu der Lebensdauer der Menschen verschieden. Die Zwerge sind mit 3 Jahren ausgewachsen und mit 7 Jahren Greise. Der Wechselbalg (s. d.) kann von sich sagen, daß er älter sei als der Westerwald. Noch älter ist das wilde Weiblein in Oberpurstein [8]). Die Idee der Vergeltung wird wirksam, wenn die Herren einer Burg verzaubert waren, sobald sie ein gewisses Alter erreicht hatten [9]), oder wenn ein Zauberer im Karfunkelschloß auf lange Zeit verwünscht ist [10]). Greise dürfen ihr Alter nicht sagen, sonst müssen sie bald sterben [11]). In der deutschen Sage verlangt der Kobold zuweilen, daß sein Alter erraten werde [12]), und der Teufel verrät sein Alter selbst, da er den Bauer, listig versteckt, in einem Baume des Waldes rufen hört und spricht: Hunderttausend Jahre bin ich alt, und nie hörte ich den Kuckuck zu dieser Jahreszeit.

[8]) Heyl *Tirol* 606. [9]) Ebd. 461 Nr. 20. [10]) Ebd. 459 Nr. 19. [11]) Seligmann 2, 260 u. 263; Strackerjan 1, 48; Urquell 6 (1896), 11. [12]) Bolte-Polivka I, 497.
Boette.

Altar. Er findet sich fast bei allen heidnischen Völkern [1]), im Judentum [2]) wie im Christentum [3]). Auf die Form des christlichen A. wirkte beeinflussend Abendmahlstisch und Märtyrergrab. Auch soll er Abbild sein des himmlischen As, unter dem die Seelen der Märtyrer sind (Apoc.

Joh. 6, 9). Seit dem 4. Jh. besteht der A. aus Stein, wird feierlich konsekriert, mit Weihwasser und Chrisam gesalbt, sowie mit Reliquien ausgestattet. Daneben gibt es auch noch bewegliche A. für die Reise oder für den Krieg (F e l d a.) [4]). Die sog. „H a u s a c h e n" dienen lediglich der privaten Andacht [5]). Infolge seiner Bedeutung im Kultus und seiner hohen Weihe gilt der A. als heilig und unverletzlich. Daher rührt der Glaube, daß solche, die frevelhafterweise daraufsteigen, dort festgehalten werden, bis sie Gebet oder Zauberspruch löst [6]) — der A. ist eben „tabu" [7]).

Andererseits ist der A. wieder in so hohem Maße wunderkräftig, daß sogar schon seine Nähe besondere Wirkungen ausstrahlt. Das Gewand, in dem man vor den A. tritt, schützt gegen böse Mächte [8]). Beißt man, hinter dem A. stehend, in eine Semmel, so vergeht das Zahnweh [9]); wirft man die Nabelschnur hinter (oder unter) den A., so hilft das gegen Bauchweh [10]) des Kindes, oder das Kind lernt dadurch gut laufen und wird fromm [11]). Wasser, unter den A. gestellt, wird wunderkräftig [12]). Sand, der davor liegt, befreit von Behexung [13]). Wenn ein Paar vor dem A. steht, so stirbt der zuerst, unter dessen Füssen der Boden feucht wird [14]). Fromme Priester können die Seelen Abgeschiedener auf dem Altar beschwören und ihr Schicksal erfahren [15]). Auch beim Losorakel spielte der A. eine Rolle [16]). Schlupfaltäre befreien von Krankheiten [17]). Besondere Kraft besitzt natürlich Materie, die dem A. selbst entnommen ist oder auch bloß die Berührung desselben. So war es schon in der Antike, wie uns Wunderinschriften aus dem Asklepiostempel auf der Tiberinsel zu Rom berichten [18]). Diese Anschauungen gingen auch in das Christentum über [19]). Abschabsel vom Holz oder Stein des A.s schützt gegen Zahnweh, Epilepsie und andere Übel [20]).

Am meisten geübt wird jedoch der „U m g a n g" (s. d.) des A.s. Diese Sitte ist uns wiederum schon aus griechischrömischem Kult bekannt [21]). Aus diesem ging sie ins Christentum über. Man findet sie auch bei Neugriechen und Slaven. In Frankreich wendet man diesen Ritus hauptsächlich gegen Kinderkrankheiten an [22]). Auf deutschem Gebiet ist der A.-umgang nach der Taufe eines Kindes weit verbreitet; meist wird dabei noch „geopfert" [23]). Diese Sitte ist bereits verwischt, wo man mit dem Neugetauften nur an den Stufen des A.s niederkniet [24]). Dieser Umgang soll, ganz wie in der Antike, Reinigung des Umwandelnden und Bindung der Dämonen bewirken [25]). Als Reinigungsritus ist es wohl auch anzusprechen, wenn Leidtragende während des Totengottesdienstes um den A. gehen und danach von den Anwesenden mit „Glück ins Leid" begrüßt werden [26]). Als Fruchtbarkeitsritus wird der Umgang von Frauen gemacht, welche schwanger werden wollen [27]). Auch zu Heilzwecken ist der Umgang bezeugt [28]), manchmal findet er an bestimmten Heiligenfesten statt. Die Kraft des A. geht ferner auch auf die ihn umhüllenden Tücher über, man deckte solche über Besessene und Epileptiker, um sie zu heilen [30]).

Eine besondere Rolle spielt die A.-kerze [31]) (s. a. Kerze), die gern als Lichtorakel verwendet wird. Ihr Erlöschen zeigt einen Sterbefall an, und zwar stirbt eines von der Seite der Kirche, auf der sie erlosch [32]). Mancherorts zeigt das Erlöschen aber den Tod des Pfarrers oder Küsters an [33]). Solange nach einem Seelenamt der Docht der ausgelöschten Kerze glimmt, steigen arme Seelen „aus dem Fegfeuer" [34]). Das Wachs der Kerzen heilt Nabelbrüche und Zahnschmerzen [35]) oder dient sonst als Zaubermittel [36]). Auch beim „Mord- und Diebesbestrafungszauber" spielt die A.-kerze eine Rolle [37]). Der A. kommt auch in Sagen vor (goldener A. usw.) [38]).

[1]) Pauly-Wissowa 1, 2, 1640 ff.; RGG [2] 1, 229 ff. [2]) Marti Altes Testament 86. [3]) Fr. Wieland Mensa und Confessio. München 1906; Jos. Braun, S. J. Der christliche Altar in seiner geschichtl. Entwicklung. 2 Bde. 1924. [4]) Kronfeld Krieg 143. [5]) Meyer Baden 353. [6]) Knoop Hinterpommern 129; Bartsch Mecklenburg 1, 362. [7]) Pfister Reliquienkult 2, 477 u. 531. [8]) Bohnenberger Nr. 1, 24. [9]) Seyfarth Sachsen 270. [10]) Meyer Baden 26.

[11]) Drechsler Schlesien 1, 183; Bartsch l. c. 2, 45. [12]) Franz Benediktionen 1, 80. [13]) Seligmann 1, 281. [14]) Wolf Beiträge 1, 211. [15]) Strackerjan 1, 220; 2, 9 Nr. 265. [16]) Stemplinger Abergl. 51. [17]) Pollinger Landshut 277; Panzer Beitrag 2, 432. [18]) Weinreich Heilungswunder 63. 64 Anm. 2. [19]) Günter Legendenstudien. Köln 1906, 144; Lucius Heiligenkult 402. 407 Anm. 5. 466. [20]) Reiser Allgäu 2, 153; Wuttke 355 § 532; Heyl Tirol 292 Nr. 110. [21]) Mannhardt Myth. Forschungen 138 f.; Goldmann Einführung 100 f. [22]) Knuchel 8. 9. 20. 59; Sébillot Folk-Lore 2, 278; 4, 152; RTrp. 21, 165 [23]) Meyer Baden 28. 393; Jensen Nordfries. Inseln 235 f.; Knuchel 8. [24]) Meyer l. c. 28. [25]) Knuchel 9. [26]) Meyer l. c. 595. [27]) RTrp. 21, 164 f. [28]) ZfVk. 14, 117; 17, 97. [29]) Meyer l. c. 497. [30]) Stemplinger l. c. 41. [31]) Albers Das Jahr 187. [32]) Wuttke 213 § 301; Bartsch l. c. 2, 56; ZfVk. 15, 438. [33]) Grimm Mythol. 3, 439 Nr. 150 und 473 Nr. 1038; ZfVk. 15, 347; 2, 208; Wuttke 215 § 301. [34]) Birlinger Volkst. 1, 284. [35]) Wuttke 142 § 195; Drechsler Schlesien 2, 244. [36]) Köhler Voigtland 419. [37]) Drechsler l. c. 2, 260 und 244. [38]) Meiche Sagen 476 Nr. 617; 572 Nr. 711; Schell Bergische Sagen 497 Nr. 7; Kühnau Sagen 2, 625; Kuhn und Schwartz 141, 486.   Schneider.

Alte, der; Alte, die; alte Leute.

1. Allgemeines. — 2. Alte Weiber als Unglücksbringer. — 3. Der Alte, die Alte als Personifikation des Winters. — 4. Dämonische Gestalten. — 5. Mythos oder sprachliches Symbol? — 6. Verweise.

1. Die a. L. erfreuen sich bei den meisten Naturvölkern einer so bevorzugten und einflußreichen Stellung [1]), daß die geringschätzige Art, mit der sie in unserm Volksleben oft behandelt und angesehen werden, unverständlich wäre, wollte man nicht dieses berücksichtigen: als „alt" gelten den Naturvölkern alle Personen zwischen 35 und 60 Jahren [2]); das gebrechliche und untätige Alter, das meist nach diesem Zeitpunkt beginnt, genießt durchaus keine Hochschätzung, und Tötung und Aussetzung der für das Staats- und Volksleben unnützen und hinderlich scheinenden Greise ist keine Seltenheit. Von hier aus versteht sich das tiefe Mißtrauen, das das Volk bei uns den Alten entgegenbringt und das sich in einer Reihe abergläubischer und symbolisierender Meinungen kundtut.

[1]) E b e r t *Reallex.* I, 112; S c h r a d e r *Reallex.* I [2], 43 ff. [2]) E b e r t *Reallex.* I, 114.

2. Die Abneigung gegen die a.n L. beruht zum großen Teil auf ihrem häßlichen und verrunzelten Aussehen. Kinder soll man nicht „Altmännchen" nennen, sonst „verbutschen" sie und bekommen Runzeln an der Stirn [3]); auch lasse man Kinder nicht bei Alten schlafen, weil diese sich an dem jungen Leben stärken und dadurch die Kinder siechen machen [4]). Zwar gelten die a.n L. allgemein als klug [5]); aber ihre Klugheit, besonders die der alten Weiber, hat etwas Unheimliches und Übernatürliches. Sie richtet sich auch vorzugsweise auf geheimnisvolle Dinge, die andern Menschen verschlossen sind; alte Weiber als Traumdeuterinnen sind uns in Deutschland seit dem 14. Jh. [6]), als Wahrsagerinnen aus nicht viel späterer Zeit [7]) bezeugt. Daher sind denn auch die alten Weiber nicht nur ganz allgemein als Kräutersammlerinnen berühmt [8]); sie sind auch die prädestinierten Hexen [9]) und verstehen sich aufs „Brauchen" [10]). Auch der Alp erscheint gelegentlich in Gestalt eines alten Weibes [11]). So sieht man sie als unheilbringend an; begegnet man morgens [12]) oder auf der Freite [13]) einem alten Weibe, so hat man Unglück; ein altes Weib darf nicht als erste ein neues Haus betreten [14]) und wird ängstlich von der Wochenstube ferngehalten [15]). Kommt beim Liebesorakel des Harzer Mädchens in der Andreasnacht zuerst ein altes Weib, so wird das Mädchen noch ein Jahr ledig gehen [16]). Flachs soll man in Ellwangen (am 13. Juni) säen, ehe die alten Weiber aufstehen, sonst nimmt ihn der Altweiberwind fort [17]).

[3]) DWb. I, 273. [4]) SAVk. 10, 4; mir auch aus dem übrigen Deutschland (Berlin, Ostpreußen, Baden) bekannt. [5]) RheinWb. I, 136 ff. [6]) In einer schles. Hs. aus der Mitte des 14. Jhs. findet sich die Stelle: *quod vetularum esset obseruare sompnia*; vgl. K l a p p e r *Erzählungen* 241. [7]) L o r i c h i u s berichtet 1593, daß alte Weiber aus Fastnachtsfeuern zu wahrsagen pflegten. Vgl. *Opfergebräuche* 91. [8]) Vgl. z. B. M u l l e n h o f f *Sagen* (1921), 238 Nr. 352. [9]) Vgl. z. B. ebd. 229 f. Nr. 338; 230 Nr. 339; 235 Nr. 347; 239 Nr. 354; 240 Nr. 356; 246 Nr. 368; 247 Nr. 370; RheinWb. I, 140; K r a u ß *Relig. Brauch* 112; M e i s i n g e r *RappenauWb.* 52. [10]) M e i -

s i n g e r *RappenauWb.* 52. [11]) M a c k e n s e n *Niedersächsische Sagen* (1925), 49 Nr. 68. [12]) RheinWb. I, 139; F i n d e r *Vierlande* 2, 249; L e h m a n n *SudetenVk.* 106; W u t t k e [3] S. 208. [13]) H e s e m a n n *Ravensberg* (Diss. 1909) S. 67. [14]) W u t t k e [3] S. 209. [15]) W r e d e *EifelerVk.* [2] 138. [16]) W u t t k e S. 254. [17]) E b e r h a r d *Landwirtschaft* Nr. 3, 3.

3. Als deutliche Personifikation des W i n t e r s erscheinen der A. und die A. in einigen Frühjahrs- und besonders Fastnachtsbräuchen, die darauf hinauslaufen, das Ende der winterlichen, den Beginn der sommerlichen Herrschaft anzuzeigen. In einigen Gegenden wird das alte Weib (die Strohhexe, des Winters Großmutter) als Strohpuppe an einem Tag der Fastenzeit verbrannt (Hessen, Schweiz, Schwaben [18]), Welschtirol) [19]); diese Gestalt, sei sie nun als Weib oder Mann gedacht, als Tod zu bezeichnen, scheint (nach Usener) zunächst slavische Besonderheit [20]). Einige Fastnachtsbräuche zeigen deutliche Anklänge an die alte Sitte; so jener aus Groß-Badegast [21]) und Porst [22]) (Anhalt), der die Mädchen des Dorfes eine als alten Mann gedachte Strohpuppe um die Wette in eine Grube karren läßt, ein Brauch, der ganz ähnlich in Burg b. Halle wiederkehrt, nur daß es hier die Burschen zu Pfingsten versuchen, mit verbundenen Augen „den alten Mann ins Loch zu karren" [23]). In ganz ähnlicher Weise bildet im alemannischen Gebiet „den Alten verlochen" einen Teil eines Frühlingsfestes [24]). Anderwärts — wiederum zunächst in slavisch oder romanisch beeinflußten Gebieten — wird die A. (der Tod als Strohweib, der A. usw.) ersäuft [25]); romanische Eigentümlichkeit ist es, die A. zu zersägen, eine Sitte, die in Italien, Südtirol, Südschweiz, Portugal und Spanien, in Kärnten, Krain und bei den Zigeunern teils in vollem Umfange, teils rudimentär geübt wird [26]). Hermann Usener hat über diese und verwandte Bräuche ausführlich und, wie es scheint, abschließend gehandelt [27]); nach seinen Ausführungen ist es wahrscheinlich, daß diese Sitten auf römische Tradition (Ersäufen der Anna Perenna an den Iden des März) zurückgehen, eine Beobachtung, die gut zum Verbreitungs-

gebiet der Bräuche stimmt. Als ursprünglich deutsch können diese Anschauungen
von einem als altes Weib oder alter Mann
gedachten Winter demnach wohl nicht
gelten; wären sie germanisch, so hätten
wir mehr Belege aus den skandinavischen
und norddeutschen Ländern. Vielmehr
treten sie in größerer Dichte und stärke-
rer Durchbildung nur da in deutschem
Sprachgebiet auf, wo römischer oder
slavischer Einfluß wirksam war oder ist;
das sollte zu denken geben. Auch die
Tatsache, daß der Winter zuweilen (in
Südtirol [28]), lausitzisch-wendisch [29]), als
altes Paar gedacht wird, ist geeignet
Useners Ansicht zu stützen (vgl. Mars
und Anna Perenna) [30]). Bei den Wenden [31]) und in England [32]) taucht der A.,
die A. oder das alte Paar auch in Weih-
nachts- und Neujahrsumzügen auf, in
denen die Figuren anscheinend das alte
Jahr symbolisieren sollen. Vgl. im übrigen
den Artikel T o d a u s t r a g e n.

[18]) J a h n *Opfergebräuche* 91 ff. [19]) S c h n e l -
l e r *Welschtirol* 234 f. [20]) H. U s e n e r *Kleine
Schriften* 4 (1913), 100. [21]) ZfVk. 7, 91.
[22]) Ebd. [23]) M a n n e r *Sagen* 152. [24]) Schweiz
Id. 1, 295. [25]) U s e n e r *Kl. Schr.* 4, 100 ff.
[26]) SAVk. 2, 145; S a r t o r i *Sitte und
Brauch* 3, 81; M a n n h a r d t *Germ. Mythen*
510; W l i s l o c k i *Zigeuner* 145; G r i m m
Mythologie 1, 505; U s e n e r *Kl. Schr.* 4,
102 ff.; dazu L i e b r e c h t *Zur Volkskunde*
409. [27]) U s e n e r a. a. O. 4, 100 ff. [28]) J ö r -
g e r *Vals* 61; M a n n h a r d t 1, 427.
[29]) M a n n h a r d t 1, 427; S c h u l e n b u r g
Wend. Volkstum 128. [30]) Vgl. ferner hierzu:
P r e l l e r *Röm. Myth.* 1, 345; R e i c h *Mimus* 245. 593. 649. 875; S c h r ö d e r *Rigveda*
90. 169 f., 440. [31]) S c h u l e n b u r g 137;
S a r t o r i *Sitte und Brauch* 3, 81. [32]) S c h r ö -
d e r *Rigveda* 440 f.

4. Hinter manchen Gestalten des Volksglaubens, die als der oder die A. bezeichnet werden, mögen ältere mythologische
Ideen stehen. Wenn zwar am Rhein der
Schneefall als ein Staubwirbel aufgefaßt
wird, der entsteht, wenn *de al weiwer* im
Himmel ihre Röcke ausschütteln [33]), so
kann dies sehr wohl ein recht junger
mythologischer Gedanke sein; bedenk-
licher muß es uns schon stimmen, wenn
im niederdeutschen und friesischen
Sprachbezirk der Teufel als *de lütje öle* [34]),
de uald, de uald knecht [35]) bezeichnet

wird. Es ist nicht unmöglich, daß wir hier
Rudimente einer alten Gewittergottheit
vor uns haben; in Schweden heißt es
heute noch bei Gewittern: „*Goldgubben
åker*" = der gute A. fährt [36]). Die Zeugnisse sind zu dürftig, als daß es erlaubt ist,
weitere Schlüsse zu ziehen, wie das oft
und gern geschehen ist (Verselbigung des
Alten mit Donar usw.); die Möglichkeit
von Beziehungen zum altgerm. Kult
kann nicht geleugnet werden, wie diese
Beziehungen aber aussehen, ist durchaus
nicht zu erkennen. Auch am Rhein wird
der Wind Kindern gegenüber als *der al
van ze johren* personifiziert [37]); diese Gestalt gilt heute nur noch als Kinderschreck, und wesentliche Beziehungen
nach rückwärts lassen sich auch hier
nicht aufzeigen. Daß die Modocindianer
den Wirbelwind u. a. auch *Kennitch*
= „den Alten" nennen [38]), kann höchstens als Parallele, nicht als Beweis
gelten. — Am Rhein wird die Sonne *de al*
= „die Alte" genannt [39]), ohne daß diese
Personifikation als alt erwiesen werden
könnte. — Dämonische Gestalten von
nur lokaler Bedeutung sind die „Alten",
die auf der Löffelspitz und dem Greiner
(Tirol) hausen: uralte Männer riesischen
Charakters, mit weißen Haaren und
Bärten, zur Bauerntracht Wetterhut und
grüne Strümpfe tragend, die Wetter
machen und sich beliebig verwandeln
können. Mit Vorliebe rauchen sie stinki-
gen Bauerntabak, und ihre Freßlust ist
bekannt; so läßt man ihnen beim Herbst-
abzug von der Alm Butter, Käse und
Brot zurück [40]). — In einer niedersächsischen Sage [41]) bringt ein nicht näher be-
zeichneter und beachteter *oler, swaker
mann* es fertig, einen Glockenstein, den
10 andere Männer nicht bewegen konnten,
mit einer Hand vom Platze zu bringen;
möglicherweise verbirgt sich auch hinter
ihm, uns heute unerkennbar, eine dämonische Figur. — Ein altes Weib, das bei
Mondschein im Monde spinnt und den,
der sie anruft, in den Tod hetzt, ist aus
Wiederau bei Rochlitz bekannt [42]).

[33]) RheinWb. 1, 140, 143. [34]) A n d r e e
Braunschweig [2] 396. [35]) M ü l l e n h o f f *Sagen*
(1921) 282 f. Nr. 415; M a n n h a r d t *Germ.*

Mythen 143. [36]) M a n n h a r d t *Germ. Mythen* 233; ZfdMyth. 2 (1854), 304. [37]) RheinWb. 1, 143. [38]) Urquell 2 (1891), 2. [39]) RheinWb. 1, 143. [40]) A l p e n b u r g *Tirol* 104. [41]) M a c k e n s e n *Niedersächsische Sagen* (1925), 194 f. Nr. 262. [42]) W i l k e *Religion der Indogermanen* (1923), 148.

5. Es ist nicht ausgeschlossen, daß hinter mancher Redensart, die „den alten Mann" oder „das alte Weib" anführt, ältere mythische Tatsachen stehen. Ich führe hier einiges an, ohne mehr als Möglichkeiten andeuten zu wollen. Ein abgebauter Stollen heißt ganz allgemein bergmännisch *alter mann*; stoßen die Bergleute auf ein solches Feld, so heißt es: „Wir haben *'nen alten mann erschlahn!*" und: „*Der alte ist schon an dem orte gewesen!* [43])" Möglicherweise dürfen wir in diesen Ausdrücken Erinnerungen an einen Berggeist wiederfinden. — Manche Tiere heißen im Volksmund „der Alte", so der Bär in Schweden (den gamle) und Siebenbürgen („der alte kluge Mann") [44]), ein großer, schwer zu fangender Fisch in Basel, Zürich und im Elsaß („du hast den Alten gefangen" = dein Meisterstück gemacht) [45]), der (getötete) Hühnerhabicht in Siebenbürgen, mit dem die Kinder von Haus zu Haus ziehen und dazu singen: „Wir bringen euch den alten Mann!" [46]). Mythische Beziehungen sind hier überall möglich, ohne daß sie auch nur wahrscheinlich gemacht werden könnten. In der Rappenau heißt ein Wurm im Obst Altvater [47]) (s. d.). Als Gebäcknamen ist sowohl *altes weib* wie *alter mann* in Holland [48]), Baden [49]) und der Schweiz [50]) bekannt. Beim hochzeitlichen Altweibertanz [51]), sowie bei der rhein. Altweiberfastnacht [52]) sind abergläubische Gebräuche nicht zu beobachten.

Seltsam bleibt ein ziemlich verbreiteter Segen gegen das Fieber, in der „die Alte" vom Teufel geholt werden muß, wenn die erkrankte Person genesen soll [53]). „Die Alte" steht hier in irgendeiner nicht näher erkennbaren Beziehung zum Fieber, das so mit ihr verbunden ist, daß es mit jener verschwindet. Augenscheinlich sind die uns vorliegenden Fassungen so verstümmelt, daß alle intensiveren Deutungsversuche über den Wert von Hypothesen nicht herauskommen können.

[43]) RheinWb. 1, 413; DWb. 1, 264. [44]) M e y e r *Germ. Mythol.* 104. [45]) SchweizId. 1, 295; ElsässWb. 1, 34. [46]) Siebenbürg.-Sächs.Wb. 1, 88. [47]) M e i s i n g e r *RappenauWb.* 2, 9. [48]) Dijkstraa 1, 31. [49]) BadWb. 1, 36. [50]) SchweizId. 1, 293. [51]) W r e d e *Rhein. Volkskunde* [2] 134; A n d r e e *Braunschweig* [2] 310. [52]) W r e d e *Rhein. Volkskunde* [2] 134; B e c k e r *Pfalz* 302. [53]) Gesammelt bei W u t t k e 169 § 227; H o v o r k a - K r o n f e l d 2, 325.

6. Über „die Alten" = Zwerge s. Z w e r g; über „den Alten" oder „die Alte" im Erntebrauch s. K o r n d ä - m o n e n.   Mackensen.

Alte Jungfer, Junggeselle.

1. Allgemeine Grundlagen. — 2. Straforte. — 3. Fastnachtsspiele. — 4. Verspottung der Unfruchtbarkeit. — 5. Strafarbeiten. — 6. Verwandlungen. — 7. Junggesellen. — 8. Vereinzeltes.

1. A. J.n, d. h. Jungfrauen höheren Alters, sind bei den Naturvölkern so gut wie unbekannt [1]); auch außerehelicher Geschlechtsverkehr wird im allgemeinen nicht als unmoralisch angesehen, selbst wenn er Folgen hat — im Gegenteil wird dies sogar oft begrüßt und als Empfehlung für das Mädchen, das somit eine gewisse Befähigung nachgewiesen hat, betrachtet [2]). Sterilität bedeutet für den auf sein Zweckdasein eingestellten Volksmenschen einen Fluch, und wo sich die a. J.n nicht, wie im germanischen Altertum und im MA., in den Schutz des Kultes oder der Kirche flüchten konnten, waren und sind sie überall dem Spott und der Verachtung des Volkes ausgesetzt. Diese setzen sofort ein, nachdem die Heiratsgrenze um ein paar Jahre überschritten ist: auf Korea gelten Mädchen mit 20 Jahren schon als a. J. und kommen ins Gerede der Leute [3]); bei uns ist es gewöhnlich das 25.—30. Lebensjahr, das als äußerste Grenze im Volksleben betrachtet wird. In zahllosen, z. T. den a. J. selbst in den Mund gelegten, Spottliedern wird die Heiratsgier der Mädchen besungen, die diese Grenze überschritten haben [4]); sie werden mit wenig schmeichelhaften Namen belegt, die zumeist auf ihre Unfruchtbarkeit und ihr unnützes Leben

zielen („altes Scheit": Innsbruck, „*vieille guenille* = Lumpen: Normandie [5]), „alte Schachtel", „Alteisen": allgemein, „Altwis" = alte Wiese, die nur einmal im Jahre gemäht werden kann: Bayern [6]), „Tschabab" = nichts mehr wert: Schweiz) [7], oder an ihre Unansehnlichkeit („Vogelscheuche") [8]) erinnern [9]); man ruft ihnen nach:

„Jumfere Maijer,
Hett Hüener und kaini Aijer,
Hett Räbe und kai Wi —
Wär möcht au Jumpfere Maijer si" [10])!

Ein im Rheinischen übliches Lied gibt den Rat, sie als etwas völlig Unbrauchbares in eine Kanone zu laden und nach Amsterdam zu schießen, und eine in der gleichen Gegend übliche Redensart besagt, wo eine a. J. wohne, da sei auch der Teufel nicht weit [11]). In Schlesien heißt es, sie werde heiraten, wenn der Sommersonntag auf Montag fällt [12]); im Oberinntal läuft zu Fasching ein verkleideter Barbier den a. J. nach, um ihnen mit hölzernem Rahmmesser den Bart abzuscheren [13]): es ist vielleicht nicht zufällig, daß es in den beiden letzten Belegen Frühlingsfeiern mit starker Tendenz zum Fruchtbarkeitszauber sind, die mit den a. J. in Beziehung gebracht werden (vgl. Abschnitt 3). Daß all diese Neckereien nicht allzu böse gemeint sind, zeigt schon der in Deutschland ehemals weitverbreitete Brauch, den a. J. als Ersatz für ihre nie erlebte Hochzeit beim Begräbnis den Brautschmuck zu gewähren; es ist vielmehr das Ungewöhnliche, Unverständliche ihres Lebens, das die a. J. außerhalb der übrigen Gemeinschaft stehen läßt und sie eben als Außenstehende zur Zielscheibe des Spottes und der meist mythisch arbeitenden Phantasie des Volkes macht.

[1]) Ploß *Weib* 2, 65. [2]) Fehlinger *Geschlechtsleben der Naturvölker* 17 f. Einen ähnlichen Grund mag es haben, wenn man sich — nicht nur im Bergischen — vor dem Rückgang einer Verlobung fürchtet, weil die Mädchen leicht a. J. werden: Schell *Berg. Volksk.* 114 Vgl. zum folgenden auch *Ortnît* 171, wo eine kinderlose Witwe Landes verwiesen wird: A. Dexel *Über gesellschaftliche Anschauungen, wie sie in den mhd. höfischen und Volksepen hervortreten* (phil. Diss. 1909), 31. [3]) Bu-

schan *Sitten der Völker* 2 (1915), 4. [4]) Vgl. z. B. Hesemann *Ravensberg* 68; SAVk. 2, 29; 7, 79; 19, 127 f.; Lehmann *SudetenVk.* 85; E. K. Blümml *Schottkys Volksliedernachlaß* 15 Nr. XIX, 80; Andree *Braunschweig* [2] 297; v. Reinsberg *Meran* 58. [5]) Reinsberg ebd. 58. [6]) Schmeller I [2], 868. [7]) SchweizId. 1, 32. [8]) Knortz *Volkskundl. Streifzüge* 411. [9]) In Lothringen bedeutet das bloße *juffer* „alte Jungfer": M. F. Follmann *Wörterbuch der deutschlothr. Mundarten* (1909), 269. [10]) z. B. G. A. Seiler *Die Basler Mundart* (1879), 182; Züricher *Kinderlieder* Nr. 4582 ff. [11]) Rhein Wb. 1, 139. [12]) Drechsler *Schlesien* 1, 282. [13]) Hörmann *Volksleben* 11.

2. Ihrer Unfruchtbarkeit und der allgemeinen Abneigung gegen diese entsprechend, hat man denn den a. J. auch besonders einsame und unfruchtbare Örtlichkeiten zum Aufenthalt nach dem Tode angewiesen. Diese Absonderung auch nach dem Tode scheint recht weit verbreitet [14]). Bei den Parsen mußten die a. J. bis zur Auferstehung in der Hölle bleiben [15]); ähnliches scheint auch im Alemannischen (Luzern) angenommen worden zu sein, wie die bei der Hochzeit einer a. J. übliche Redensart beweist: „S'ischt e Seel us (d)em Fegfür erlöst worde!" [16]). Oder man gibt ihnen (in Ostpreußen) leer stehende Speicher oder einsame Wälder zum Aufenthaltsort [17]); auf den Färöern kommen die a. J. auf die *Skálebänk* [18]). Mädchen, die als Bräute sterben, müssen auf Kreuzwegen so lange tanzen, bis die Verlobten nachsterben [19]), und am Lichtmeßtage stehen die a. J. auf der Traunbrücke und rufen:

„Zeit, Zeit, Überzeit,
wia mei liaba Vada schreit" [20])!

Gelegentlich findet man sie auch auf kahle Bergspitzen verbannt: der Breitenund Röthelstein im Voigtland [21]), in Bayern die Einöde des Pfötschengartens [22]), der Gletscher des Rottals (unterhalb der Jungfrau im Berner Oberland) [23]) sind so als Aufenthaltsorte gestorbener a. J. bekannt. Vornehmlich aber sind es Sümpfe, Moore und Wassergegenden, an denen sie hausen müssen, sie, die ebenso unfruchtbar sind wie jene; schon Pomponius Mela erzählt von 9 zur ewigen Jungfrauschaft verdammten Jungfrauen, die auf der sumpfigen Insel Sena im

Atlant. Ozean lebten [24]). Für Ostpreussen gilt die Zählau, ein großer Bruch bei Friedberg, in erster Linie als Altjungfernort (*auf die Zählau kommen* = nicht heiraten) [25]); in Sachsen ist es der Altjungfernteich bei Grimma, der die Seelen der a. J. aufnimmt [26]); in Bayern sitzen sie im sumpfigen Haidweiher bei Amberg, strecken ihre dürftigen Arme über das Wasser und rufen: „Einen Mann! Einen Mann!" [27]). Für Luxemburg spielt der Wawerner Weiher [28]), für die Schweiz das Wangener Ried [29]) und das Giritzenmoos [30]), für Tirol das Sterzinger Moos [31]), das auch in Kärnten bekannt ist [32]), und das Plausermoos, für den Pinzgau das Brugger Moos [33]), für Appenzell das Hühnermoos [34]) die gleiche Rolle. Am bekanntesten unter diesen allen sind das Sterzinger- und das Giritzenmoos (obd. *moos* = Moor, Sumpf), jenes ein ehemaliger Seeboden, der sich an der tiefsten Stelle des Sterzinger Talbeckens $1/_{12}$ Quadratmeile weit erstreckt, dieses örtlich nicht gebunden, ein mythischer Strafort, den man sich kahl, nur mit Disteln, Stauden und verkrüppelten Bäumen bestanden denkt [35]) und den man entweder 7 Meilen hinter der Hölle [36]) oder in unmittelbarer Nähe des Dorfes ansetzt. Giritz ist = Kiebitz, *Giritzenmoos* bedeutet also „Kiebitzbruch" (pfälz. *Kiwitzenwêd* als Altjungfernort); der Kiebitz gilt ganz allgemein für den Gesellen des Kuckucks; euphemistisch kommt „Kiebitz" auch für „Teufel" vor [37]). Als Republikaner unter den Vögeln [38]) wird er als Einsiedler und zanksüchtig angesehen; auch im Harz gilt ein Kiebitzbruch als geeignetster Strafort für eine besonders unbeliebte Person [39]).

[14]) Vgl. B a s t i a n *Verbleibsorte der abgeschiedenen Seelen* (1893), 21. [15]) H e r t z *Abhandlungen* 214 = P l o ß *Weib* 2, 645. [16]) SAVk. 2, 56; vgl. tirolisch: „Von 10 Jungfrauen fahren 9 zum Teufel!": Z i n g e r l e *Tirol* 59 Nr. 512 = S a r t o r i *Sitte und Brauch* 1, 121 f. [17]) R e i n s b e r g *Meran* 59. [18]) Ebd. 59 f. Ein Statut einer Kilbigesellschaft vom Anfang des 19. Jhs. werden den a. J.n die *Schiffig* (?) oder gar der *Nobiskratten* verheißen: SAVk. 19, 184. [19]) N a u m a n n *Gemeinschaftskultur* 39. [20]) B a u m g a r t e n *Jahr u. s. Tage* (1866), 17. [21]) K ö h l e r *Voigtland*

519. [22]) Q u i t z m a n n *Baiwaren* 123. [23]) T o b l e r Zeitschrift f. Völkerpsych. 14, 69 = *Kl. Schr.* 136. [24]) III, 48; vgl. B e c k e r *Frauenrechtliches* 74. [25]) R e i n s b e r g *Meran* 59. [26]) M e i c h e *Sagenbuch* 153 Nr. 205. [27]) Q u i t z m a n n *Baiwaren* 135. [28]) F o n t a i n e *Luxemburg* 25. [29]) SchweizId. 4, 471. [30]) R e i n s b e r g *Meran* 60; T o b l e r Zeitschrift für Völkerpsych. 14, 78 ff. = *Kl. Schr.* 137 ff.; R o c h h o l z *Schweizersagen* 2, 44. [31]) Q u i t z m a n n *Baiwaren* 123; ZfdMyth. 2 (1854), 360. [32]) H ö r m a n n *Volksleben* 24, wo auch ein neapolitanisches Volkslied erwähnt wird, das gleichen Inhalt wie das Sterzingermooslied hat. [33]) R e i n s b e r g *Meran* 60. [34]) Ebd. [35]) SchweizId. 4, 470; das wird nun in buntester Weise ausgemalt: es gibt dort nur rotes Flöschwasser, statt Blumen Binsen, als Obst *näspli* und *brambéri*, Bremsen plagen die Bewohner usw. Sal. Landolt hat ein Gemälde vom Giritzenmoos gemalt. [36]) SchwVk. 3, 73; vgl. oben das zu Anm. 16 Gesagte! [37]) DWb. 5, 657. [38]) Vgl. das bekannte Fabelmärchen von der Königswahl der Vögel (s. a. Adler): G r i m m *Märchen* Nr. 117; ferner A n d r e e *Braunschweig* [2] 645, wo der gleiche Glaube für den ganzen Norden von Oldenburg bezeugt ist. [39]) T o b l e r Zeitschr. f. Völkerpsych. 14, 73 = P r ö h l e *Unterharz* Nr. 125 = R o c h h o l z *Schweizersagen* 2, 47. Vgl. im übrigen den Artikel K i e b i t z.

3. An die Volkssage vom Sterzinger- und Giritzenmoos knüpfen sich nun Fastnachtsbräuche, die ihrerseits wohl sehr zum Fortbestande jener älteren abergläubischen Ideen beigetragen haben. In Sterzing werden die a. J. — d. h. die jungen Burschen des Orts in der Maske der a. J. — auf einen Wagen geladen, um unter Gesang „aufs Moos" gefahren zu werden, wo sie der Verwalter desselben in Empfang nehmen wird. Das Spiel endet mit einem Tanz im Wirtshaus [40]). Ganz ähnlich ist das Grättziehen, wie es im All- und Vinschgau geübt wird; auch hier wurden die als „alte Madeln" verkleideten Burschen auf einem großen Karren (*grätt*) ins Moos gefahren; die Burschen, die den Wagen zogen, waren als „Schemen" maskiert; eine Hauptrolle spielte das Krautweibele, das die Umstehenden mit stinkigem Kraut zu bewerfen hatte [41]). An vielen schweizerischen Orten wird statt dessen die Giritzenmoosfahrt aufgeführt; die einzelnen Spiele, die unter sich sehr verschieden sind, stimmen in diesen Punkten untereinander und mit den Tiroler Spielen überein: Vermummung

von Burschen als a. J. (oder auch wirkliche ledige Mädchen über 24 Jahre als Spielerinnen), die gezwungen werden, auf einem Wagen Platz zu nehmen, um ins Giritzenmoos gefahren zu werden [42]). Im Fricktal (Aargau) wird der Wagen beim ersten Graben umgeworfen, die ganze Gesellschaft zieht ins Wirtshaus, wo den Mädchen Wein in die Schürze gegossen und dann mit ihnen getanzt wird. Im Rottal (Luzern) wird der Wagen vom Tod, in Luzern vom Giritzenvater geführt. Gelegentlich (Fricktal, Luzern) wird auch Gericht über die a. J. abgehalten, ihre Sünden werden ihnen vorgehalten und sie werden — leibhaftig oder die vermummten Burschen — abends versteigert. Auch die jungen Burschen werden gelegentlich durchgehechelt. Im Muotatal (Schwyz) sollen in früheren Zeiten die ledigen Mädchen, als Kühe verkleidet und benannt, mitgespielt haben; ähnlich war das Salzburger Kuhtreiben [43]). Anscheinend auf Veranlassung der Geistlichkeit ist das Giritzenspiel an einigen Orten heute durch ein Kampfspiel zwischen Bacchus und einem Bußprediger ersetzt, dem der Name ,,Moosfahrt" seltsam ansteht [44]).

Schon die kritische Sichtung dieser Belege kann uns auf den eigentlichen Kern dieser Fastnachtsbräuche führen. Die große Rolle, die das Krautweibel im Vinschgau spielt, muß uns bedenklich stimmen; wesentlicher noch ist wohl die Tatsache, daß im Fricktal den Mädchen nach der Moosfahrt und vor dem Tanz Wein in den Schoß gegossen wird; auch die beim Spiel beteiligten Schemen weisen auf die Grundgedanken des Brauches. Die vermummten Burschen sind zweifellos Substitute der wirklichen a. J., die sich begreiflicherweise nicht überall gutwillig zu den oft derben Späßen der Burschen bei Umfahrt und Versteigerung hergeben. Das Giritzengericht erinnert sehr stark an das Mailehen und wird wohl nur eine etwas modifizierte Form desselben darstellen, also ursprünglich nichts mit der Moosfahrt zu tun haben. Sehr eigentümlich endlich ist das alte Zeugnis aus dem Muotatal, das von der Kuhver-

mummung der Jungfern redet; auch hier liegen die Beziehungen zu Fruchtbarkeitsbräuchen auf der Hand. Wir erhalten also etwa dieses Grundschema der ursprünglichen Moosfahrt: Umfahrt der ledigen Mädchen auf einem Wagen, die mit irgendeinem Fruchtbarkeitszauber (Krautweibele, Schemen, Wein in die Schürze, Kuhvermummung) in Verbindung steht.

Hierzu stellen wir einige historische Zeugnisse, die eine deutlichere Sprache reden: Pfeiffer erzählt uns in seiner *Leipziger Chronik* (II 53) um 1500: *mos erat antiquitus Lipsiae, ut . . .* (zur Fastnachtszeit) *personati iuvenes per vicos oppidi aratrum circumducerent, puellas obvias per lasciviam ad illius jugum accedere etiam repugnantes cogerent, hoc veluti ludicro poenam expetentes ab iis, quae innuptae ad eum usque diem mansissent.* Den gleichen Brauch berichtet Hans Sachs von Regensburg (hsg. Keller V 179), Wiedemann in seiner *Chronik von Hof* [45]) und Sebastian Frank in seinem *Weltbuch* (S. 51 a) vom Rhein, Franken ,,*vnd etlichen andern orten".* Bei diesen Pflugumzügen zu Fastnacht handelt es sich ganz deutlich um Fruchtbarkeitsriten; die Verwandtschaft mit unserm Moosfahren liegt auf der Hand. Sehr ähnlich ist das Blockziehen, wie es noch heute im Gailtal (Dellach) geübt wird: wenn ein Jahr lang kein Mädchen geheiratet hat, müssen alle Mädchen unter Führung eines als Narr verkleideten Burschen einen Baumstamm, auf dem ein riesiger Strohmann sitzt (,,der Bräutigam der sitzengebliebenen Mädchen!"), auf einem Schlitten durchs Dorf ziehen; ein fast gleicher Brauch ist in Tirol bekannt [46]). Eine recht ähnliche Sitte wird in Luxemburg geübt, wo die a. J. am Aschermittwoch ,,auf den Wawerweiher geführt" werden, ebenfalls in Form eines Umzuges mit Wagen [47]). Eine dürftige Erinnerung an solchen Fruchtbarkeitszauber zum Besten der a. J. endlich finden wir in der Pfalz, wo am Sonntag Lätare der Hansl Fingerhut in dem nach ihm genannten Spiele sagt:

,,Ich hab' schon lang' im Bruch gesessen
und hab' mit den Kiebitzen gefressen,
die machen: quä" [48])!

Von saarländischen Fastnachtsspielen, in denen verkleidete Burschen (bis ins 20. Jh. herein) die verklagten Weiber darstellten, wissen wir zu wenig, als daß wir sie mit Bestimmtheit hierher stellen könnten [49]).

[40]) ZfVk. 10 (1900), 83; H ö r m a n n *Volksleben* 18 ff. [41]) R e i n s b e r g *Festjahr* 65 f.; ZfdMythol. 2 (1854), 360; H ö r m a n n *Volksleben* 11 f. [42]) T o b l e r in Zeitschr. f. Völkerpsych. 14, 78 f.; SAVk. 11, 265 f.; 1, 139 ff.; 3, 123 ff.; 4, 471; 7, 295 ff.; 9, 131; 8, 89; ZfdPhil. 18, 473 ff.; L ü t o l f *Sagen* 172. 566. 177; E s t e r m a n n *Rickenbach* 194; H o f f m a n n - K r a y e r 131, 59, 132; L a i s t n e r *Nebelsagen* 230 f.; S é b i l l o t *Haute-Bretagne* 89; S t a u b e r *Zürich* 2, 145. [43]) T o b l e r in Zeitschr. f. Völkerpsych. 14, 83. [44]) SchweizId. 1, 1035; H e r z o g *Volksfeste* 224 f. [45]) Sächs. Provinzbl. 8, 347. Vgl. im übrigen den Artikel P f l u g z i e h e n. [46]) F r a n z i s c i *Kärnten* 119 f. Vgl. im übrigen den Artikel B l o c k z i e h e n. [47]) F o n t a i n e *Luxemburg* 25. [48]) B e c k e r *Frauenrechtliches* 54. [49]) F o x *Saarland* 408.

4. An diese Fastnachtsbräuche schließt sich oft noch eine besondere Verspottung der a. J., die darin besteht, daß man ihnen etwas schenkt, was sie ganz besonders auf ihre Unfruchtbarkeit hinweist. So nagelt man ihnen einen Strohmann an die Haustür (Uri, Luzern) [50]), hängt ihn vors Fenster (Neuvorpommern, Rügen) [51]) oder stellt den „Dottermann" aufs Dach (Westböhmen) [52]), an die Dachrinne (Mülhausen, Sarganserland) [53]), einen Tannenbusch aufs Haus (Schweiz) [54]), malt ein Pfingstmannli an ihr Haus (Rüthi, Kanton St. Gallen) [55]) oder schenkt ihnen vorjähriges Moos (Schweiz) [56]). Ähnlich ist der Brauch der südslavischen Burschen, ihren a. J. zu Aschermittwoch Röhricht an die Haustüren zu hängen [57]).

[50]) R e i n s b e r g *Festjahr* 65 f. [51]) Anthropophyteia 7, 210. [52]) J o h n *Westböhmen* 74. [53]) S a r t o r i *Sitte und Brauch* 3, 65; SAVk. 1, 153. [54]) SAVk. 6, 116. [55]) SAVk. 8, 166. [56]) SchweizId. 4, 471. [57]) P l o ß *Weib* 2, 645.

5. An den Orten, an die sie nach dem Tode verbannt sind, müssen nun die a. J. eine Reihe von Arbeiten erledigen, die ebenso zwecklos sind, wie — nach der Anschauung des Volkes — ihr Leben war. Der Volkswitz ist hier unerschöpflich gewesen, sich neue unsinnige Arbeiten auszudenken. Im Sterzinger Moos sitzen sie

unter Aufsicht einer Vorbeterin, die ruft: „Mi reut's, daß i net g'heirat' hab!", worauf alle antworten: „Mi aa! Mi aa!", und stößeln Leinsamen auf oder säubern Bachscheiter [58]); sie müssen das Moos nach Fingerspannen ausmessen [59]), Kleie auseinander lesen [60]), Schnee reitern, Felsen abreiben, in Thüringen: die Löwenburg scheuern, Brücken abreiben, Schneeflocken zupfen, Kiebitzen oder Fröschen Gamaschen stricken, in Hohenstein: Frösche mit langen Peitschen über den Hag treiben, in Schlesien: Flederwische verkaufen [61]), den Knopf des Patschkauer Kirchturms scheuern [62]), in Straßburg: die Zitadelle einbändeln helfen, in Wien: den Stephansturm abreiben, in Frankfurt a. M. und Basel: den Pfarr- (Münster) turm bohnen (wischen) [63]); im Böhmerwald: Federn sieben [64]), Schnee rieseln [65]), in Breslau: die Magdalenenbrücke kehren [66]), in Österreich: alte Karten scheuern [67]), in Nürnberg: den weißen Turm mit den Bärten von Junggesellen fegen [68]), in der Oberpfalz: Kiebitze hüten [69]); oft sind ihre Aufgaben auch geradezu unästhetisch, freilich wiederum mit deutlicher Beziehung auf das Sexuelle: so müssen sie in Tirol Hosenlätze dreschen, kauen (Solothurn) [70]) oder plätzen (flicken) [71]). In Frankreich frisieren sie die hl. Katharina, in Belgien helfen sie der hl. Anna bei der Garderobe, in England führen sie Affen zur Hölle oder flechten das Haar der hl. Katharina [72]). Oder sie müssen aus abgenutzten Sonnen Sterne zuschneiden [73]), einen Berg durchsägen helfen (Lausitz) [74]) oder schmutzige Ziegen aufschwänzen (ostpreuß.) [75]), Frösche nach Jerusalem treiben [76]) und was solcher Strafen, die mit jeder Generation wechseln können, mehr sind. Bei Moscherosch heißt es, sie müßten in der Hölle Schwefel und Zunder feilhalten [77]); Gryphius kennt bereits den Handel mit Flederwischen, der eine schlesische Eigentümlichkeit zu sein scheint [78]). Mit diesen Strafen verglichen gewinnt die Hypothese an Wahrscheinlichkeit, daß auch die Danaiden ursprünglich als a. J. ihre Strafe im Hades erlitten haben [79]); daß zwischen den deutschen und griechischen

Altjungfernstrafen direkte Beziehungen
bestehen (insofern nämlich diese jene
historisch veranlaßt hätten), halte ich
nicht für wahrscheinlich.

[58]) H ö r m a n n *Volksleben* 18. [59]) A l p e n -
b u r g *Tirol* 350 f. [60]) K u o n i *St. Galler Sagen*
87; F r i e d l i *Bärndütsch* 6, 334. [61]) B e c k e r
Frauenrechtliches 50 f.; z. T. = *Urquell* 3
(1892) 165; D r e c h s l e r *Schlesien* 1, 282.
[62]) D r e c h s l e r *Schlesien* 2, 31; K ü h n a u
Sagen 3, 47. [63]) ZfdMyth. 1, 405; A. A s k e -
n a s y *Die Frankfurter Mundart* (1904), 31,
wo ein Bild vom Jahre 1801 drei a. J.n zeigt,
die den Pfarrturm bohnen. In Frankfurt
mußten die a. J.n auch „de Pingstwääd plä-
stern" = die Pfingstweide (ehem. Hammel-
trift) pflastern. Ebd. 30. [64]) S c h r a m e k
Böhmerwald 249. [65]) J o h n *Westböhmen* 237.
[66]) K ü h n a u *Sagen* 3, 46 f. [67]) ZföVk. 13 (1907),
133. [68]) P l o ß *Weib* 2, 784. [69]) S c h ö n -
w e r t h *Oberpfalz* 2, 175. [70]) T o b l e r Zeitschr.
f. Völkerpsych. 14, 81. [71]) SchweizId. 4, 471.
[72]) R e i n s b e r g *Meran* 58. [73]) M a n n h a r d t
Germ. Mythen 378 = M ü l l e n h o f f *Sagen*
359 Nr. 482 = Ausgabe 1921 378 Nr. 558.
[74]) H a u p t *Lausitz* 1, 220. [75]) R e i n s b e r g
Meran 59. [76]) F e h r l e *Volksfeste* 91. [77]) Ausgabe 1642, 6. Gedicht, 389. [78]) 1 (1662), 953.
[79]) W a s e r ARw. 2, 61; d e r s. SAVk. 2, 55 ff.;
B e c k e r *Frauenrechtliches* 73.

6. Religionspsychologisch älter als die
Verbannung der a. J. an Straforte und
ihre Beschäftigung mit unnötigen Arbeiten ist es wohl, wenn sie nach dem
Tode Verwandlungen durchzumachen haben. So werden a. J. allenthalben als Wiedergänger [80]) (bei den Wadschagga als
böse Geister [81]), bei den Serben als
Vilen) [82]) sehr gefürchtet. Ihre Verbannung aufs Giritzenmoos, wo sie Giritze
(Kiebitze) hüten müssen, ist wohl jüngere
Umbildung einer älteren Anschauung,
nach der sie selbst zu Kiebitzen verwandelt im Sumpf leben müssen. Darauf
deuten noch gelegentliche Anspielungen:
in Luxemburg müssen sie nach dem
Tode „Pivitsch!" rufen [83]); andernorts
werden die an den Straforten umherflie-
genden Kiebitze noch geradezu als a. J.
aufgefaßt [84]). In Esthland glaubt man in
leicht durchschaubarer Symbolik, die
B r a c h vögel seien a. J. [85]), in Wollbach
(Baden) läßt man sie in Bremsen, in
Pforzheim in Eidechsen verwandelt werden; der griechische Glaube sah in einer
Art Grille oder Heuschrecke (μάντις,

γραῦς, σέρ(ι)φος, νύμφη), deren Blick jedem
Schaden brachte, a. J.[86]). Im südlichen
Ostdeutschland (Sachsen, Böhmen, Mähren) hält man die Unken für verwandelte
a. J.[87]).

[80]) N a u m a n n *Gemeinschaftskultur* 38;
F e h r l e *Keuschheit* 20. [81]) N a u m a n n
Gemeinschaftskultur 39. [82]) H a b e r l a n d
Globus 34, 205 ff. [83]) *Traditionisme* 1906, 74.
[84]) V e r n a l e k e n *Alpensagen* 396 f.; W u t t -
k e [3] 56; A c k e r m a n n *Shakespeare* 40.
[85]) T o b l e r in: Zeitschr. f. Völkerpsych. 14,
73. [86]) Ebd. [87]) G r o h m a n n *Aberglaube* 83;
M e i c h e *Sagen* 153 Nr. 205.

7. Die J u n g g e s e l l e n (Hagestolze)
sind, obwohl auch sie nicht gerade gern
gesehen werden [88]), doch weit weniger
dem allgemeinen Spott ausgesetzt als die
a. J. Zwar setzt man auch für sie Straforte (Tirol: Floiten und Stilup, Seiten-
täler des hintern Zillertales [89]), Roßkopf,
Petereck, Wipptal [90]), Solothurn: Affen-
wald, Wallis: Auendakluft bei Gex [91]),
ferner: Bruch bei Fischhausen [92]) usw.)
und Strafarbeiten an (Stubben roden,
Wolken schieben, Felsen abreiben, Stein-
böcke — die es in der Gegend nicht gibt
— einsalzen, Nebel schichten, einer winzigen Ameisensorte Ringe durch die Nase
ziehen, Linsen aufklaftern [93]), sich mit
den Gaubitzeln = Kiebitzen unterhalten), a. J. oder Kühe (vgl. den 3. Abschnitt) auf den Hintern klatschen [94]),
in durchlöcherten Körben aus der Rhone
Sand zu Berge tragen [95]), schwarzen
Gänsekot zu weißem Wachs kauen [96]),
Schnee sieben, sich mit dem Stiefelknecht
verheiraten [97]) usw.), aber all diese Dinge
stellen sich doch deutlich als Nachahmun-
gen zu den Altjungfernstrafen und -orten
dar und haben daher keinen primären
Wert. Am deutlichsten läßt sich das
Verhältnis bei den Spottliedern beobachten, die auf Junggesellen gesungen
werden (z. B. das Tiroler Peterecklied [98]);
diese sind offensichtliche Nachbildungen
der Altjungfernlieder, die am gleichen
Ort, etwa bei Fastnachtsspielen, gesungen werden.

[88]) S c h r a d e r *Reallexikon* 1 [2], 548; B e k -
k e r *Pfalz* 226; U s e n e r *Kl. Schr.* 4, 297.
[89]) H ö r m a n n *Volksleben* 22. [90]) R e i n s -
b e r g *Meran* 61; Q u i t z m a n n *Baiwaren*
123; A l p e n b u r g *Tirol* 350 f. [91]) T o b l e r

Zeitschr. f. Völkerpsych. 14, 69; SAVk. 1, 220.
[92]) R e i n s b e r g *Meran* 61. [93]) Ebd. [94]) H ö r -
m a n n *Volksleben* 22. [95]) T o b l e r Zeitschr.
f. Völkerpsych. 14, 69. [96]) A l p e n b u r g *Tirol*
350 f. [97]) D r e c h s l e r *Schlesien* 1, 282 f.
[98]) H ö r m a n n *Volksleben* 23 f.

8. In den übrigen Verspottungen der
a. J. findet sich nur vereinzelt Abergläubisches. Eine märkische Sage erzählt, daß
eine a. J. abseits, an abgesonderter Stelle
auf dem Friedhof, begraben sei [99]); als
außerhalb der Gemeinschaft Stehende
(vgl. Abschnitt 1) und als daher gefährliche Tote (vgl. Abschnitt 6) dürfen sie
auch im Tode nicht an der Gemeinschaft
teilnehmen. Wie der alten Weiber, so bedeutet auch der a. J. Angang Unglück,
bes. zu Neujahr (tirol.) [100]). Ganz vereinzelt glaubt man auch an eine Feindschaft zwischen Mäusen und a. J. (wo
viel Mäuse, da wenig a. J. und umgekehrt) [101]), eine Ansicht, die vielleicht
auf die Katzenliebhaberei der a. J. zurückzuführen ist.

[99]) E n g e l i e n - L a h n 1, 81. [100]) ZdMyth.
2 (1884), 421. [101]) MschlesVk. 9 (1902), 9 f.
                        Mackensen.

Älterlein. Die Atrophie der Kinder
nennt man: Ä., Elterlein. ,,Wenn das Kind
nicht zunimmt, so hat es das E." [1]). Diese
Erscheinung, wenn die Kinder ein greisenhaftes Aussehen und eine runzelige, per-
gamentartige Haut im Gesicht und auf
der Stirne haben, heißt in Oberösterreich
'*sGölta* (das Gealtetsein) [2]). In der Oberpfalz und im Egerland sagt man, solche
Kinder haben den ,,A l t v a t e r" [3])
(s. d.), oder anderswo heißt es, sie haben
den ,,A l t m a n n", das ,,A l t m ä n n -
c h e n"; in den Niederlanden legte man
solche Patienten unter den hl. Lindenbaum; das von den Blättern fallende Naß
sollte die Krankheit beseitigen [4]). Anderswo glaubte man durch A b b a c k e n (s.
d. II), das Leiden heben zu können, das
nicht selten ,,beschrieen" schien [5]).

[1]) N e m n i c h unter d. W. und H ö f -
l e r *Krankheitsnamen* 9. [2]) ZföVk. 9, 211.
[3]) S c h ö n w e r t h 1, 187 Nr. 13; G r ü n e r
Egerland 36; J o h n *Oberlohma* 131, 160.
[4]) Urquell N.F. 1, 34 f. [5]) S c h ö n w e r t h
a. a. O.   Stemplinger.

Alter Mann. Man wird bei Untersuchung des gesamten Materials zur An-

setzung einer Figur gelangen, die man
den n u m i n o s e n A l t e n benennen
kann. Sie liegt auch den Vorstellungen
Altvater 1 und 2 letzten Endes zugrunde.
Eine Hildesheimer Sage vom steinalten
Mann am Eichbaum mit Donnerwetter
und Feuerstrahl scheint von ihren Nach-
erzählern willkürlich stark nach Donar
stilisiert [1]). Man muß sich hüten, unmittelbar an verblaßte heidnische Göttergestalten zu denken, vielmehr wird der numinose Alte auch jenen zuweilen zugrunde
liegen. Die auch aus Deutschland belegte Wandersage vom alten einkehrenden
Bettler mit Lohn und Strafe für Gewäh-
rung oder Verweigerung der Gastfreund-
schaft [2]) ist in erster Linie eine Bettler-
sage; ihn numinoser erscheinen zu lassen,
gesellt sich das Alter hinzu. Ein a. M.
bringt glücklichen Angang [3]) oder ist bei
Antritt der Jagd (durch bösen Blick) von
numinoser Bedeutung [4]). In Böhmen geht
vor der wilden Jagd ein Greis her und
warnt die Leute vor Gefahr [5]). Ein a. M.
in Stülphosen erschien im Kanton Baselland als Spukgestalt [6]); s. a. E c k a r t.

[1]) M a n n h a r d t in ZfdMyth. 2 (1854), 305
nach S e i f a r t *Sagen aus Hildesheim* 9.
[2]) W o l f *Beiträge* 2, 41 ff.; Z i n g e r l e
Sagen 1, 106. [3]) S c h ö n w e r t h *Oberpfalz* 3,
274. [4]) S e l i g m a n n *Blick* 1, 232. [5]) G r o h -
m a n n *Sagen* 79. [6]) L e n g g e n h a g e r
Sagen 53.   H. Naumann.

Altersklassen s. B u r s c h e n s c h a f t.

Altersstufen s. J a h r.

alterwicken s. w i c k e n.

Altes Weib. I. A n g a n g (s. d.). Der
Aberglaube vom Angang hat durch das
ganze MA. die tiefsten Wurzeln geschlagen.
Worauf ein Mensch frühmorgens beim
ersten Ausgang stieß, das bezeichnete
ihm Heil oder Unheil, es konnte Mensch,
Tier oder Sache sein [1]). Im allgemeinen
gilt die Begegnung alter Leute für ein
übles Vorzeichen, die Begegnung junger
dagegen für ein glückliches [2]). Wer irgend
etwas Wichtiges vorhatte, stand davon
ab, wenn ihm alte Leute begegnet
waren [3]). Dem gesunden, strebenden Menschen ist alles Ungesunde und Verwel-
kende, Kranke, Krüppel und alte Weiber,
auf die mit der Zeit der ganze Zauber

herabsank [4]), widerwärtig und unheimlich [5]). Man kann in diesem Angstglauben eine dreifache Steigerung unterscheiden: 1. Die Begegnung alter Weiber wird überhaupt als unheilverkündend angesehen [6]). Einem Fischer darf kein altes Weib begegnen, sonst fängt er nichts [7]). Ein Jäger kehrt wieder um, oder schlägt einen Seitenweg ein, oder spuckt aus, wenn ihm beim Aufbruch zur Jagd eine alte Frau aufgestoßen ist. Es gibt eine Reihe von Mitteln, durch die der üble Angang unwirksam gemacht wird [8]). Grimm erwähnt das Beschreien [9]). 2. Schlimmer als sonst wirkt die Begegnung alter Weiber am frühen Morgen [10]). Der Glaube, daß man alsdann kein Glück habe, zum mindesten nicht für den ganzen Tag, ist allgemein [11]). Wenn sich vor der Marktbude eines Krämers zuerst ein a. W. einstellt, so hat der Verkäufer am ganzen Tag kein Glück [12]). Ein junger Bursch, der frühmorgens zur Verlobung ausgegangen ist, dreht wieder um, falls die erste Begegnende eine alte Frau war [13]). 3. Am schlimmsten wirkt die Begegnung alter Weiber am Neujahrsmorgen [14]). Wem dann eine Alte das Neujahr abgewonnen hat, der kann sich vor Schaden noch bewahren, indem er spricht: Euch ebensoviel [15]).

¹) G r i m m *Myth.* 2, 937; H e l m *Relig.-gesch.* 1, 121. ²) M ü l l e r *Isergeb.* 9; SAVk. 19, 21. ³) *Urquell* 1 (1890), 65. ⁴) G r i m m *Myth.* 2, 1028 f.; S t e m p l i n g e r *Abergl.* 95. ⁵) P a n z e r *Beitrag* 2, 302. ⁶) *Rogasener FamBl.* 1 (1897), 23; S c h ö n w e r t h *Oberpfalz* 3, 293. 1, 405. ⁷) F o g e l *Pennsylvania* 265; S a r t o r i 2, 102. ⁸) S t r a c k e r - j a n 1, 29; D r e c h s l e r *Schlesien* 2, 194. ⁹) G r i m m *Myth.* 2, 940. ¹⁰) W u t t k e § 288; D i r k s e n *Meiderich* 49 Nr. 7; ZföVk. 13 (1907), 134. ¹¹) G r o h m a n n *Abergl.* 220; S t o l l *Zauberglauben* 187; G r i m m *Myth.* 3, 441 Nr. 380; Schw.Vk. 4, 42 (Baselland). ¹²) R e i s e r *Allgäu* 2, 427; B a r t s c h *Mecklenburg* 2, 313. ¹³) J e n s e n *Nordfries. Inseln* 290. ¹⁴) V e r n a l e k e n *Mythen* 352; R e i s e r *Allgäu* 2, 23; S a r t o r i *Sitte und Brauch* 3, 64; ZdVfVk. 8, 400; S t r a c k e r j a n 1, 29. ¹⁵) G r i m m *Myth.* 3, 471 Nr. 976.

2. In der Ablenkungsformel: „Euch ebensoviel" bezeugt sich die Furcht des Gegrüßten, daß die alte Frau Zauberkräfte habe und sie zum Unheil des Nächsten anwende. Alte Weiber sind H e - x e n [16]), im wilden Heer reiten sie mit, sie können die verschiedensten Gestalten annehmen, als Katzen gehen sie um [17]), den ungetreuen Liebhaber wissen sie durch einen ausgesandten Bock zurückzuholen. Die Verwandtschaft mit Geistern [18]) und Gespenstern [19]), die man alten Leuten gern zutraut, wird in besonderer Weise den alten Weibern zuerkannt. Unordentliches Wesen, wirres Haar, stechender Blick erhöhen den üblen Eindruck [20]). In den Beschwörungsformeln spielen die alten Weiber eine Rolle [21]). Die Pest wird gedacht als eine bleiche, dürre Alte [22]). Das Sprichwort: „Lange Nase, spitzes Kinn, sitzt gewiß der Teufel drin", ist gang und gäbe. Eine Reihe von Volkserzählungen hat am Ende die Lehre: Wo der Teufel nicht hinmag, da schickt er ein a. W. hin [23]). — So gelten alte Weiber vielfach als die Verkörperung alles Bösen [24]). In ihnen können sich sogar kinderraubende Dämonen verbergen [25]), und die Wöchnerin hat es oft nicht gern, wenn sich alte Weiber über die Wiege ihres Kindes beugen [26]). Kinder wissen zu berichten, daß sie beim Beerensammeln im Walde eine beerensuchende Alte erblickt haben, die plötzlich verschwunden war [27]). Aus härteren Zeiten ist bei uns der Brauch geblieben, drohendes Unheil auf alte Frauen abzuladen. Deshalb wird eine alte Frau als erste Person in die Wohnung der Neuvermählten geschickt. Das drohende Unheil trifft die Alte [28]).

¹⁶) G r i m m *Myth.* 2, 902 u. 1, 223. ¹⁷) S é - b i l l o t *Folk-Lore* 3, 122 f. ¹⁸) *Urquell* 2 (1891), 149. ¹⁹) C o r r e v o n *Gespenstergesch.* 6 f. ²⁰) K r a u ß *Relig. Brauch* 12; ZdVfVk. 22 (1912), 132. ²¹) M e i e r *Schwaben* 2, 519. ²²) G r i m m *Myth.* 2, 994. ²³) K ü h n a u *Sagen* 2, 577 f.; S c h ö n w e r t h *Oberpfalz* 3, 86 f.; L ü t o l f *Sagen* 187 f.; *Bavaria* 2, 232. ²⁴) S c h ö n w e r t h *Oberpfalz* 1, 114 Nr. 78. ²⁵) R a d e r m a c h e r *Beitr.* 93. ²⁶) M e y e r *Baden* 36; B a u m g a r t e n *Aus der Heimat* 3, 27. ²⁷) K ü h n a u *Sagen* 1, 468; M e i c h e *Sagen* 347 Nr. 458; S e p p *Sagen* 606 Nr. 165. ²⁸) S e l i g m a n n 2, 292.

3. Weil alte Frauen Zauberkraft haben [29]), so werden sie oft zu B e s c h w ö - r u n g e n gebraucht [30]). Ein verschrienes

Kind wird von einem alten Weibe als Büßerin geheilt[31]). — Eine „kluge Frau" macht ein Kind gesund, es wird aber wieder krank, da es dem bösen alten Weibe aufs Neue begegnet[32]). Der böse Blick ist manchen a.n W.n eigen[33]). Ein Gutsbesitzer will hartherzig einen Schuldner auspfänden lassen. Die alte Frau im Hause des Schuldners weiß es so einzurichten, daß sie den Mann sieht, worauf dieser dann sofort ruft: Meine Beine sind gebrochen[34]).

[29]) G r i m m *Myth.* 2, 868; ZfdMyth. 3, 309. [30]) H o v o r k a u. K r o n f e l d 2, 58; H a l t r i c h *Siebenb. Sachsen* 276; G r i m m *Myth.* 2, 868; K u h n u. S c h w a r t z 451 Nr. 386; F r a n z *Nikol. Jawer* 155 f. [31]) G r ü n e r *Egerland* 36. [32]) S t r a c k e r j a n 1, 373. [33]) ZdVfVk. 2 (1901), 320. [34]) Ebd. 11, 318; S e l i g m a n n 1, 248.   Boette.

Ältester

Ältester (s. a. J ü n g s t e r). Der Begriff vom Ältesten schließt ein gewisses Vorrecht vor dem Jüngeren in sich. Der Älteste schneidet, wenn die Ernte begonnen wird, die ersten Halme und macht von Ähren, Buchsbaum und künstlichen Blumen einen Strauß, der dem Gutsherrn überbracht wird[1]). — Wenn das älteste Kind im Hause das Kalb anbindet, so kann keine Hexe Schaden tun[2]). Bei mystischen Krankenheilungen, also zu dem „Betreten der Kranken", wird der älteste Sohn oder die älteste Tochter herbeigeholt, zu Beschwörungsformeln das älteste Kind[3]). Der älteste Sohn erscheint so geweiht, daß sein Name wie ein Tabu wirkt[4]). Dem ältesten Sohne im Hause stehen gewisse Vorrechte zu, weil er die Erstgeburt ist, die erste Äußerung von der Kraft der Eltern. Die Verbindung mit den Vorfahren wird durch den ältesten Sohn erhalten, er wird nach dem Großvater genannt, wie die Tochter nach der Großmutter[5]). An den Rechten des Ältesten soll nichts gekürzt werden. Es bringt, wie das Volk urteilt, dem Hof keinen Segen. Die zärtliche Sorge um das Wohlergehen des ältesten und jüngsten (s. d.) Kindes äußert sich in der Vorschrift, nichts auf dem Tische liegen zu lassen, sonst kann das älteste oder jüngste Kind im Hause nicht schlafen[6]).

[1]) M a n n h a r d t 1, 204. [2]) G r i m m *Myth.* 3, 456 Nr. 439. [3]) H o v o r k a und K r o n f e l d 2, 288. [4]) F r a z e r 12, 255 f. [5]) H ö h n *Geburt* Nr. 4, 274. [6]) G r i m m *Myth.* 3, 437 Nr. 91.   Boette.

Althe

Althe s. E i b i s c h.

Altmütter

Altmütter heißen in Böhmen „noch heute" die Wolken; erhebt sich ein Gewitter, so sagt man: „die A. erheben sich"[1]). Im böhm. Märchen heißen die 3 weissen Schicksalsfrauen A.chen[2]). — Den hessischen Flurnamen Ellermutter im Stammheimer Walde hat wohl nur Weigand fälschlich als Ältermutter gedeutet[3]).

[1]) G r o h m a n n *Sagen* 87. [2]) D e r s. a. a. O. 3. [3]) ZfdMyth. 1 (1853), 3.   H. Naumann.

Alto

Alto, schottischer Edelmann, Mitte 8. Jh.s nach Bayern gewandert, gest. 760, Fest 9. Febr.

1. Er stiftete zwischen München und Augsburg ein Kloster, Altomünster genannt, bei dem sich ein gleichnamiger Markt entwickelte. Unter den Reliquien des Heiligen gilt als Hauptstück die Hirnschale in moderner Silberfassung; aus dieser wurde an seinem Feste den Gläubigen Wein gereicht[1]).

2. In Altomünster ein von ihm geweihter Brunnen, dem keine Frauensperson sich nahen darf[2]).

[1]) *Bavaria* 1, 308; ZfVk. 22 (1912), 12. [2]) H ö f l e r *Waldkult* 70, 13.   Wrede.

Altvater

Altvater. 1. A., *Älterlein* (s. d.), *Altmännchen*, ndl. *de oude man*, nordfranz. *le petit vieillard*, heißt eine K i n d e r k r a n k h e i t und nach primitiver Denkart kollektivistisch auch zugleich das Kraut, das dagegen gewachsen ist, desgleichen die vermeintliche Ursache der Krankheit, der Bilwis. Unter dem Namen A. ist ein hexenvertreibendes Kraut bezeugt aus Freystadt in der Oberpfalz[1]); anderwärts heißt es *Altmann-* oder *Greiskraut* (daraus fälschlich *Kreuzkraut*), *Erigeron acre, Senecio, senex vulgaris* oder *Berufs-, Beschreikraut*, engl. *oldmans woozard* (*Clematis vitalba*); auch wird das *A.-mark* (s. 2.), *Sterca montana*, als Heilmittel gebraucht[2]). Die Krankheit hat ihren Namen von dem greisenhaft-abgezehrten Aussehn des Kindes und von der Vorstellung, daß dies Kind nicht mehr das rechte Kind sei, sondern ein von Unterirdischen (Bilwissen), die selbst als alte Männchen gedacht sind, eingetauschter Wechselbalg, mindestens aber, daß es durch deren Machenschaft und Zauber, womöglich schon vor der Geburt, selbst zum Altmännchen, A. geworden sei [3]). A. ist also ein sehr interessanter Kollektivbegriff, und wir befinden uns mit diesem Kapitel nach Denkart und Glauben auf dem Boden der primitivsten Gemeinschaftsmedizin.

[1]) SAVk. 23 (1921), 171. [2]) Urquell N. F. 1 (1897), 33. [3]) S t r a c k e r j a n Oldenburg 1, 497. 498; Urquell a. a. O.

2. A. ist der Name eines B e r g g e i s t e s oder des Obersten der Berggeister in weißer Gestalt, mit großem weißen oder grauen Bart [4]); er bestraft in mährischer Sage den habsüchtigen Schäfer, den er vorher in seine Schatzkammer geführt hat [5]). Oft erscheint diese Figur in Mehrzahl [6]), besonders in Dreizahl [7]); drei A. sitzen in einem verwunschenen, nicht wiederaufzufindenden Gemach auf der Kynsburg (Kreis Waldenburg) in langen Kleidern, mit weißen Bärten, an einem Tisch, auf dem ein großes Buch liegt [8]). Manchmal erinnert der Aspekt des A.s an den Kaiser im Berg [9]). Lowags [10]) A.-sagen sind stark verfälscht, sie lassen ihn mit seinen Gnomen meist als deus ex machina auftreten. Die mährische Sage endet: „Seitdem steht da, wo die schöne Wiese lag, ein hoher Berg, welcher der A. genannt wird." Ein großer Felsblock bei Kalmbach im Schwarzwald (im Walde bei Calw) heißt A. [11]), der zu Unrecht früher mit Donar in Verbindung gebracht wurde. Es besteht also eine Beziehung zwischen dem Namen des Berggeistes und dem Bergnamen A. Den Bergnamen A. bezog auf Donar als Herrn des ihm geheiligten Berges zuerst J. Grimm [12]). Aber Regell [13]) wies nach Veith Vater als Bergmannswort nach: „die Stelle, wo ein nutzbares Mineral in seiner natürlichen Lagerstätte neu aufgedeckt wird." Dies Etymon sei auch für den mährischen A. anzusetzen. Der nicht mehr verstandene Name hätte den Anlaß zur Sagenbildung als Deutungsversuch ergeben. „Aus der Verbindung mit dem Glauben an vergrabene Schätze . . erwuchs dann sehr natürlich (!) die Erzählung von den Schätze hütenden (!) drei (!) A.n." Unsere Ausrufungszeichen deuten die Sprünge dieser Erklärungsweise an. Die Vorstellung des numinosen Alten liegt jedenfalls noch dahinter; ihre Herbeiziehung mag der mißverstandene Terminus vielleicht veranlaßt haben.

[4]) E. H. M e y e r Germ. Myth. 243; G r a b e r Kärnten 99 Nr. 118, 5; K u h n Westfalen 1, 69 ff. Nr. 57 ff. [5]) K ü h n a u Sagen (nach Büsching) 3, 663; 2, 407. [6]) B i n d e w a l d Sagenbuch 1 ff., 10. [7]) Ebd. 10, 137. [8]) K ü h n a u Sagen 1, 539. [9]) E. H. M e y e r Germ. Myth. 243; G r a b e r , K u h n a. a. O. [10]) Vgl. K ü h n a u Sagen 2, 407. [11]) M e i e r Schwaben 1, XIX, 97; S e p p Altbayr. Sagenschatz 81. [12]) Mythol. 1, 140. [13]) Beiträge zur Volkskunde, Festschrift für Weinhold, 1896, 139; V e i t h Deutsches Bergwörterbuch 1871.

3. A. v ä t e r c h e n hießen bis zum 14. Jhdt. die Hausgötter in Böhmen [14]).

[14]) G r o h m a n n Aberglaube 16 f.

H. Naumann.

Altweibermühle s. V e r j ü n g u n g.

Altweibersommer.

A. Entstehung des A.s. 1. Terminbezeichnungen. — 2. Flugsommer. — 3. Gespinste. — 4. Kleiderfetzen. — 5. Altweibersommer. — 6. Vereinzeltes. — B. Abergläubisches.

A. 1. Die von winzigen jungen Spinnen herrührenden Fäden, die an sonnigen und warmen Frühlings- und besonders Herbsttagen durch die Luft fliegen, werden, da ihre eigentliche Herkunft zumeist unbekannt ist, vom Volke verschieden ausgedeutet. Eine große Reihe von Bezeichnungen deutet lediglich auf die Zeit hin, in der diese Spinnweben beobachtet werden; die hierher gehörigen Namen [Nachsommer [1]); Sommerfäden [2]); Sonnenfäden [3]); Herbstfäden [3]) [4]); Spätsommer, ungar. utónyár = Nachsommer [4]); franz. St. Mauritiussommer (22. IX.) [4]); tschech. St. Wenzelssommer (28. IX.) [4]); vlämisch, ungarisch Michelssommer (29. IX.) [4]); schwed. Brittasommer (8. X.) [4]); franz. Dionysiussommer (9. X.) [4]); lombard. Sommer der hl. Theresia (15. X.) [4]); brandenb. [4]), tirol. [5]) Gallussommer (16. X.); griech., russ. Demetriussommer (26. X.) [4]); deutsch Allerheiligensommer [4]) [6]) = schwed. Allerheiligenruhe [4]) (1. XI.)]

entbehren jedes abergläubischen Inhalts und sind als Terminbezeichnungen aufzufassen.

¹) G r i m m *Mythologie* 2, 654. ²) L a u f - f e r *Niederdeutsche Volksk.*² 74. ³) BadWb. 1, 38 f. ⁴) A. L e h m a n n *Altweibersommer* (phil. Diss. Berlin 1911 = Landwirtschaftl. Jb. 1911), 3, 10. ⁵) K l u g e *Etym. Wb.* ¹⁰ 14. ⁶) RheinWb. 1, 151.

2. Verhältnismäßig nahe lag der Gedanke, die fliegenden Fäden als geflügelte Boten des Sommers, wenn sie im Frühling, als seinen Scheidegruß zu empfinden, wenn sie im Winter erschienen. Darauf deuten Namen wie fliegender Sommer, Flugsommer, Sommerflug ⁷), dän. flyvende sommer ⁸), tschech. babj leto ljta („der Weibersommer fliegt umher") ⁸), Herbstflug ⁹), ziehendes Sommergewebe ⁹). Man meint, die im Frühling bemerkten Fäden bringen den Sommer, mit den Herbstfäden fliege der Sommer hinweg ¹⁰). Für Deutschland ist dieser Glaube, soweit ich sehe, 1739 zuerst bezeugt ¹¹); in der Literatur des 18. und 19 Jh.s findet er sich häufig, bes. bei Jean Paul ¹²).

⁷) G r i m m *Mythologie* 2, 654; L a u f f e r *Niederdeutsche Volksk.*² 74; P. H e r r m a n n *Deutsche Mythologie* (1898) 99. ⁸) A. L e h - m a n n *Altweibersommer* 6. ⁹) Ebd. 10. ¹⁰) Ebd. 6. ¹¹) K i r s c h *Cornu copiae* 2, 299: „Der im Herbst fliegende Sommer". ¹²) Z. B. 1795 *Fixlein* 182 u. ö.

3. Wesentlich länger bezeugt als diese Anschauung ist, wenigstens für deutsche Verhältnisse, eine andere, die in den Fäden Gespinste erblickt. In vielen Fällen begnügt man sich mit dieser Erkenntnis, ohne weiter nach dem Urheber der Gespinste zu fragen; Bezeichnungen solcher Art sind: Graswebe ¹³), Herbstgarn ¹⁴), schweiz. Spinnwubbele ¹⁵), frz. filandres, engl. floating cobwebs ¹⁶), Feldwebe, Sommerseide (Altmark), Herbstgewebe, tschech. Spinnwebensommer ¹⁷). Meist jedoch arbeitet die Phantasie des Volkes weiter; man fragt nach der Spinnerin und findet diese in der J u n g f r a u M a r i a , die mit den 11 000 Jungfrauen im Herbst umzieht und das Land mit Seide überspinnt (Altmühltal, dafür im Donautal: Mutter Gnut mit den 11 000 Jungfrauen, in Passau: die Madonna mit

den Elben) ¹⁸). Daher denn auch die Bezeichnungen: Marienfäden, Mariensommer ¹⁹), Mariengarn ²⁰), westf. Unser laiwe Fruen Suemer ²¹), Unser lieben Frauen Gespinst (bayr.), Muttergottesgespinst, Marienseide ²²), Liebfrauenfäden, Frauensommer, Garn der hl. Jungfrau, Unserer lieben Frauen Sommer, frz. fils de la Vierge, holl. Mariendraadjes, poln. lato swieto marcinskie (= Mariensommer), ital. filamenti della Madonna ²³). Wenn man mit G r i m m ²⁴) geneigt ist, die Stelle des *Indiculus: de petendo quod boni vocant sanctae Mariae* durch Konjektur (*pendulo* statt *petendo*) auf unsern Glauben zu beziehen, würde dieser auf ein beträchtliches Alter zurückblicken; für das 17. Jh. wird er durch drei über den Gegenstand angefertigte Dissertationen (*De filamentis D. Virginis* 1665 Halle, 1666 Wittenberg, 1671 Jena) deutlich bezeugt ²⁵). Kein Zweifel jedoch kann darüber bestehen, daß Maria hier wie in vielen andern Fällen die Nachfolge älterer mythol. Gestalten angetreten hat, die sich gelegentlich im Volksbewußtsein erhalten haben. So wird die M o n d - s p i n n e r i n ²⁶) für die Fäden des A.s verantwortlich gemacht (Altmark ²⁷), Oberpfalz ²⁸), südslav.) ²⁹), oder F r a u H o l l e ist es, die als Spinnerin, den Fleiß der Mädchen prüfend, durch das Land geht (schles.) ³⁰); auch die Z w e r g e sollen daran schuld sein ³¹) (bes. nd.³²), vgl. schwed. dvärgsnät = Zwergnetz für Spinngewebe). In Niederdeutschland, und zwar, wie es scheint, über das ganze Gebiet hin, sind es die M e t t e n (Metken, Mättchen), die die Fäden spinnen ³³) (daher *metjensamer*, falsch verhochdeutscht als *mädchensommer*), mythische Weiber, die auch im Wasser sitzen und mit langen Armen die Kinder zu sich herabziehen ³⁴). Der Name *metje, metke* gehört wohl zu *Matthias*; ursprünglich würde *metkensamer* also = Matthiassommer sein und sich zu den unter 1. aufgeführten Bezeichnungen stellen, die sich vom Termin des Erscheinens der Fäden herleiten; die Mythologisierung dieser Personen wäre also, freilich nach älteren Vorbildern, erst in verhältnismäßig später

Zeit erfolgt. Eine Identifizierung der Metten mit den altgerm. Schicksalsgöttinnen ist jedenfalls abzulehnen. Diese scheinen sich nur in Schweden als Urheberinnen des Altweibersommers im Gedächtnis des Volkes erhalten zu haben [35]); das ital. Sprichwort *ve' quant' hanno filato questa notte le tre Marie* [36]), mit dem die Fäden im Frühling begrüßt werden, beruht wohl auf jüngerer legendärer Bildung.

[13]) G r i m m *Mythologie* 2, 654; L a u f f e r *Niederdeutsche Volksk.*[2] 74. [14]) BadWb. 1, 38 f. [15]) F r i e d l i *Bärndütsch* 6, 694. [16]) L e h m a n n *Altweibersommer* 9. [17]) Ebd. 10. [18]) M a n n h a r d t *Germ. Mythen* 640. [19]) G r i m m *Mythologie* 1, 390; W u t t k e 28 § 27. [20]) W u t t k e 28 § 27. [21]) M a n n h a r d t *Germ. Mythen* 639 f. [22]) K l u g e *EtymWb.*[10] 14. [23]) L e h m a n n *Altweibersommer* 10. [24]) *Mythologie* 3, 234. [25]) L e h m a n n *Altweibersommer* 7. Die Diss. von 1665 ist von P r ä t o r i u s (*Sacra filamenta Divæ virginis*), die von 1671 von M a d e w e i s. [26]) Über die Beziehungen des Mondes zum Spinnen s. W i l k e *Religion der Indogermanen* (1923) 148. [27]) M a n n h a r d t *Germ. Mythen* 640. [28]) S c h ö n w e r t h *Oberpfalz* 2, 69. [29]) K r a u ß *Relig. Brauch* 13. [30]) K l a p p e r *Schlesien* 221. [31]) Bei den Zwergen sitzt eine Alte und spinnt: M a n n h a r d t *Germ. Mythen* 304 [1]. [32]) G r i m m *Mythologie* 1, 390; L a u f f e r *Niederdeutsche Volksk.*[2] 74. [33]) M e y e r *Germ. Myth.* 169; G r i m m *Myth.* 3, 234; 2, 654; L a u f f e r *Niederdeutsche Volksk.*[2] 74; M a n n h a r d t *Germ. Mythen* 639 f.; M ü l l e n h o f f *Sagen* (1921), 378 Nr. 556; L e h m a n n *Altweibersommer* 11. Das Wort entspricht völlig einem *metke, metje* = Made, mit dem es die Volksetymologie auch zusammenbringt; so kommt es, daß in Bremen und Hamburg *slammetje* = Regenwurm auch den Flugsommer bedeuten kann. [34]) H e c k s c h e r 338; S t r a c k e r j a n 1, 419; M e y e r *Germ. Myth.* 130. Das Wort *mette* = Altweibersommer findet sich bei Klopstock, Voß, Annette v. Droste u. a. [35]) R o c h h o l z *Schweizersagen* 1, 356. [36]) G r i m m *Myth.* 3, 234.

4. Auf beträchtliches Alter läßt die Anschauung schließen, die die Spinnweben des A.s von einem göttlichen Wesen herrühren läßt und sie als Fetzen oder Fäden vom Gewand der Göttin betrachtet. Nach einer Krakauer Sage stammten sie von den Heidengöttern *Lel* und *Polel*, die sich auf dem Felde jagen und dabei ihre Gewänder zerreißen [37]). Die gleiche Vorstellung scheint aus der Vermutung zu spre-

chen, daß sich die Fäden bei der Verfolgung „des alten Weibes" losgelöst hätten [38]). Auch dieser Glaube hat sich wiederum an die Jungfrau Maria angeschlossen: aus dem Mantel, den sie bei ihrer Himmelfahrt trug, sollen die Fäden stammen [39]). Engl. *gossamer*, auch einfach *samar, simar* = (Gottes) Schleppkleid scheint auf den gleichen Aberglauben zu deuten [40]); die Bezeichnung *capillitium Veneris*, die für den A. in der Humanistenzeit auftaucht [41]), möchte ich angesichts dieser Parallelen als gelehrte Übersetzung einer hierher gehörigen volkstümlichen Vorstellung auffassen.

[37]) G r i m m *Myth.* 2, 654. [38]) L i e b r e c h t *Gervasius* 188. [39]) W u t t k e 198 § 267 u. ö. [40]) M a n n h a r d t *Germ. Myth.* 639 f.; G r i m m *Myth.* 2, 654. Es geht aber nicht an, das Wort *sommer* in Zusammensetzungen wie *mariensommer* u. ä. als volksetym. Umdeutung von *samar* = Schleppe aufzufassen. [41]) L e h m a n n *Altweibersommer* 7.

5. Die Bezeichnung A. endlich, heute die gebräuchlichste, ist recht jung (zuerst bei Campe 1807 gebucht) [42]) und wird daher wohl mit den eben erwähnten myth. Vorstellungen (Verfolgung des „alten Weibes") nichts zu tun haben. Sie faßt vielmehr die Spätsommererscheinung als Nachblüte des Sommers auf und vergleicht sie sentimentalisch mit gealterten Frauen, vgl. rhein.: *die alte jungfer kömmt en den aulwiwersommer* (Rhein.Wb. 1, 151); hierher gehören auch Benennungen wie schweiz. Witwensömmerle [43]), bayr. Änlsommer [44]). Es ist möglich, daß sie durch Beeinflussung von Osten her in Deutschland Eingang gefunden hat; vgl. tschech. *babj leto*, böhm. *babi leto, babske leto, babj*, poln. *babckie lato, babie lato*, russ. *babje leto*, ungar. *ven asszonyok nyara* = A.[45]).

[42]) K l u g e *EtymWb.*[10] 14. [43]) L e h m a n n *Altweibersommer* 10; SchweizId. 7, 980. [44]) S c h m e l l e r *BayrWb.* 1, 85. [45]) L e h m a n n *Altweibersommer* 11.

6. Nur vereinzelt findet sich die Auffassung der Sommerfäden als Engelshaar (Vierlande) [46]). Der Inder bezeichnet sie als *Maruddhvag'a* = Fahne des Marots [47]). Die franz. Benennung *filets de saint Martin* [48]) mischt Vorstellungen, wie sie unter

4. besprochen wurden, mit einer Terminbezeichnung. In Böhmen heißt die Erscheinung wlác'ka = Egge [49]).

[46]) F i n d e r *Vierlande* 2, 231. [47]) W o l f *Beitr.* I, 53. [48]) ZfdA. 5, 490. [49]) G r i m m *Myth.* 2, 654.

B. Ganz allgemein ist die Vorstellung, daß die fliegenden Fäden dem Menschen, an dessen Kleider sie sich heften, Glück bringen [50]); wer sie mit sich herumträgt, wird berühmt (Schweiz) [51]); kranke Augen soll man mit dem Tau, der an ihnen hängt, bestreichen [52]). Andernorts hält man sie für giftig und gibt acht, daß sie das Vieh nicht zugleich mit dem Grummet frißt [53]). Daß sie zu Zauberzwecken benutzt wurden, läßt eine Notiz aus Schlesien vermuten [54]). Im übrigen dienen sie als günstige Wetterboten: Aldewiwersommer — Herwst drög (rhein.) [55]), die auf einen guten Herbst schließen lassen [56]).

[50]) D r e c h s l e r *Schlesien* 2, 193; W o l f *Beiträge* 2, 237; W u t t k e 198; H e r r m a n n *Deutsche Mythologie* (1898) 99. [51]) F r i e d l i *Bärndütsch* 6, 694. [52]) Aus Czarnikau: ZdVfVk. 22 (1912) 91. [53]) L e h m a n n *Altweibersommer* 9. [54]) K ü h n a u *Sagen* 3, 19. [55]) RheinWb. I, 151. [56]) Auch russisch: L e h m a n n *Altweibersommer* 7.
Mackensen.

Alviß s. Z w e r g.

Amacha borum,

Schwindeformel[1]), d. h. Zauberwort, bei dem links und rechts immer je ein Buchstabe weggelassen wird; die dadurch entstehenden verkürzten Worte werden stets unter das vorhergehende gesetzt, bis nur noch ein Buchstabe, hier ein a, übrig bleibt. Solche Schwindeformeln sind schon aus dem antiken Zauberbrauch bekannt und werden dort κλῖμαξ genannt [2]).

[1]) K ö h l e r *Voigtland* 410. 411; S e y f a r t h *Sachsen* 172. [2]) Pap. Berl. I, 13 ff. Parthey 120; D o r n s e i f f *Alphabet* 58 f. 63 ff.

Die Formel wird gegen Zahnschmerzen und Fieber gebracht. Verbirgt sich hinter amacha הַמַּכָּה „o Wunde, Krankheit" und hinter borum בְּרִי „Gesundheit", vgl. als Mittel gegen Nasenbluten die Aufschrift: Boris, Borus[3]).

[3]) T h i e r s I, 365.   Jacoby.

Amalberga,

hl., Name zweier, in den Niederlanden vielverehrter Heiligen, einer älteren um 690 gestorbenen Verwandten Pipins von Landen, und einer jüngeren, 740 in Flandern aus fürstlichem Geschlecht geborenen und 772 als Klosterfrau verstorbenen; Fest 10. Juli [1]). Unter den Amalbergasagen spielen die vom gebrochenen oder ausgerissenen Arm, von einem Stör, auf dessen Rücken die Heilige bis gegen Temsche getragen wird, und von der wunderbaren Erweckung einer heilkräftigen Quelle eine Rolle, besonders letztere, in der es heißt, daß A. aus dem Brünnlein eines Geizigen mittels eines Siebes mit vielen Löchern Wasser geschöpft und an der Stelle der neuen Quelle ausgegossen habe, worauf das Brünnlein des Geizigen versiegt sei [2]).

[1]) K ü n s t l e *Ikonographie der Heiligen* 50—51. [2]) W o l f *Niederländische Sagen* 166. 659. 679. 707; D e r s. *Beiträge* I, 186; 2, 90; L a i s t n e r *Nebelsagen* 204. 347.   Wrede.

Amara,

Zauberwort in Formeln wie: Amara Tonta Tyra post hos usw.[1]), vgl. amara + thauta + thirin usw.[2]), amara + tauta + Cyri usw.[3]), vielleicht auch: amatha + anathola + yo usw.[4]), ferner unter hebr. Gottesnamen [5]): Tetragrammaton, Adonai, Agla, Sabaoth, Ladi, A., Eli usw. Schon in den hellen. Zauberpapyri kommt ein solches Wort αμαρα [6]) vor (Name?), auch άμαρω [7]) und im Palindrom λιγεταραμαι αμαρα ταγελ [8]), hier vielleicht ארמי, vgl. αραμει Ιαω = אֲרָמִי יְהוּ [9]); die Form mit ω weist vielleicht auf eine aramaisierende, verdumpfte Aussprache des ה, hin, und das Wort wäre dann semitisch. Dafür spricht auch das A. unter den hebr. Gottesnamen. Ein Engel ʼΑμαριήλ [10]) = אֲמַרְאֵל kommt im Henochbuch vor, vgl. dazu den Eigennamen ʼΑμαρία(ς) = אֲמַרְיָה „Gott hat gesprochen" und ʼΑμφι bzw. ʼΑμαρι = אִמְרִי „mein Wort" oder ähnlich im A. T. Im griechischen Schatzzauber des MA.s wird τὸ μυριώνυμον ὄνομα ʼΑμαριθ κτλ genannt [11]), was wie eine Femininbildung auf ־ית aussieht [12]): אָמְרִית. Man könnte demnach in A. eine Form von אָמַר suchen und den Anfang der Formel, die gegen Besessenheit und Irrsinn wirken soll, umschreiben:

12*

אָמְרָה מְצוּתָא תִּירָא „Sprich, Irrgeist (vgl. wer behaft ist mit dem posen veint, so spreche ym ain priester dise wort in daz ore, so meldet er sich, wes man in fragt), du sollst dich fürchten (im folgenden ist wohl zu lesen: post hoc . . .; Elypolis, d. i. wohl Heliopolis, dürfte vielleicht auf Jes. 19, 18. Jer. 43, 13 zurückweisen).

[1]) ZdVfVk. 1 (1891), 139 (15. Jh.); H e i m *Incantamenta* 538 A. 2. [2]) Aufruf 8. [3]) Ebd. 14. [4]) Ebd. 8. [5]) H o r s t *Zauberbibliothek* 2, 132. [6]) W e s s e l y 1, 65 Z. 827; D i e t e r i c h *Mithrasliturgie* 218 f. [7]) W e s s e l y 1, 107 Z. 2516; R. W ü n s c h *Aus einem griech. Zauberpapyrus* (1911), 10. [8]) W e s s e l y 1, 89, Z. 1793. [9]) Ebd. 1, 49, Z. 204. [10]) Das Buch Henoch ed. Flemming-Radermacher (1901), 24 nach Syncellus. [11]) Byzant. = Neugriech. Jahrbücher hrsg. von N. Bees 3 (1922), 277. [12]) S t r a c k - S i e g f r i e d *Lehrbuch d. neuhebr. Sprache* (1884), 50 § 64 b. Jacoby.

Amazapta s. A n a n i s a p t a.

Amboß. An Samstagen vor Feierabend [1]) oder jeden Abend [2]) fällt der Schmied einen [1]) oder drei [2]) gewaltige Schläge auf den leeren A. Innerhalb eines geschlossenen Gebietes vom nördlichen Abhang der Alpen bis zur Donau [3]), darüber hinaus nur in Böhmen [4]), ist der Brauch mit der Vorstellung vom gefesselten Luzifer verbunden, der seine Kette, die durch die Schläge wieder fest wird, durchzufeilen sucht. Sonst sind Brauch und Sage verbreitet bei den Slaven [5]) und südlich des Kaukasus, wo der Brauch seit dem 5. Jh. n. Chr. bekannt ist, aber nur an bestimmten Festtagen geübt wird.

Wahrscheinlich ist der Brauch älter als die Legende [6]). Vergleicht man die Behandlung anderer Werkzeuge nach Abschluß der Arbeit, besonders die dänische Sitte, den Hammer auf den A. zu legen, damit die Kobolde kein Unheil damit anrichten, so scheint der ursprüngliche Sinn der Schläge Abwehr gegen böse Mächte zu sein. Dafür sprechen auch die verschiedenen Zeitpunkte: Ende des Tagewerkes, Ende der Woche, Anfang der Woche (Westschweiz), Festtage: Jakobitag (Bayern), Michaelstag (Böhmen) [7]). Vgl. H a m m e r , K e t t e , S a m s - t a g , S c h m i e d.

[1]) H e y l *Tirol* 766 Nr. 73. [2]) R o s e g g e r *Steiermark* 67. [3]) ZfdMyth. 4, 413 Nr. 15 (Kärnten); Z i n g e r l e *Sagen* (1859), 290 Nr. 516; A l p e n b u r g *Tirol* 252; M a n n - h a r d t *Germ. Mythen* 87 (Salzburg); P a n - z e r *Beitrag* 2, 56 Nr. 69 = S e p p *Sagen* 607; v. d. L e y e n in Volkskunst u. Volkskunde (1907), 65 (Bayern); Q u i t z m a n n 100; R o c h h o l z *Glaube* 2, 58; S é b i l l o t *Métiers* 16 (Westschweiz); B ä c h t o l d - S t ä u b l i in SchwVk. 14 (1924), 9 ff. Den Schmiedebrauch erzählt dem Hörensagen nach eine Sage: J a h n *Pommern* 298 Nr. 378; O l r i k *Ragnarök* 234 ff. [4]) G r o h m a n n 27 Nr. 133. [5]) S c h n e e w e i ß 116, Anm. 1. [6]) Ein anderer außerdeutscher Zweig der Legende läßt Gott jährlich die Kette erneuern: O l r i k *Ragnarök* 241 ff. [7]) Ebd. 240. Weiser.

Ambra. Arab. ambar, griech. ἄμβαρ, lat. ambar, mhd. amber, amer, franz. ambré, ital. ambra [1]).

Aus dem Amber stellte man früher eine wohlriechende Essenz her, auch schrieb man dieser Spezerei unbekannter Herkunft große Heilkräfte, besonders eine Haupt, Herz und Magen stärkende Wirkung zu [2]). Lange Zeit war man im Ungewissen, ob diese auf dem Meere schwimmende, wohlriechende Masse vom Pflanzen- oder Tierreich stamme [3]), bis sie als ein Erzeugnis des Pottfisches festgestellt wurde. Von dem grauen Amber unterschied man den hellgelben (amber citrius), den Zedler succinum nennt. Es ist der Agtstein, unser Bernstein [4]). Grimm weist darauf hin, daß der Amber mit Unrecht mit dem Bernstein verglichen werde [5]). Die zahnenden Kindern umgehängten A.perlen bestehen aus Veilchenwurzeln [6]).

[1]) S c h a d e s. v. [2]) Z e d l e r 1, 1691 ff.; vgl. S e l i g m a n n 2, 54. [3]) B e r g m a n n 18 f. [4]) Z e d l e r a. a. O. u. 3, 1394. [5]) G r i m m *DWb.* 1, 277. [6]) M o s t *Enzyklopädie* 13. Olbrich.

Ambrosius, hl., Bischof von Mailand, einer der vier großen abendländischen Kirchenlehrer, gest. 397, Fest 7. Dez.[1]). Vielfach als Bienenpatron aufgeführt, weil nach der Legende Bienen einst auf die Lippen des Kindes Honig niederlegten und in seinem Munde eine Weile ein- und ausflogen, um sich dann so hoch in die Lüfte zu erheben, daß keines Menschen Auge sie sehen konnte. Trotz dieser anmutigen Erzählung hat es A. bei

Imkern nicht zur Volkstümlichkeit bringen können. Das Volk wandte sich für seine Bienen an beliebtere, weil viel bekanntere Tierpatrone, in Bayern an den hl. Leonhard, an dessen Verehrungsstätten sich Bienen aus Wachs und Eisenblech oder Bienenkörbe aus Eisenblech als Weihegaben finden. Dem hl. A. werden die Hymnen „Squalent arva soli pulvere multo" und „Obduxere polum nubila coeli" zugeschrieben, die in Zeiten der Dürre, bzw. anhaltenden Regens, zur Erflehung guter Witterung gebräuchlich waren [2]). Der Todestag des Heiligen, der 4. April, heißt der Brosientag, an dem früher ein Schulbischof unter den Kindern ernannt und ein Kinderfest gefeiert wurde [3]).

[1]) K ü n s t l e *Ikonographie der Heiligen* 53 bis 56; N i e d *Heiligenverehrung* 59. [2]) F r a n z *Benediktionen* 2, 137 und 8. [3]) N i e d a. a. O.
Wrede.

Amecht (auch Amicht) (das), ein Erntefeuer in Luxemburg, das nach der Erntezeit auf den Kirchweihsonntag fiel. Es wurden Feuer angezündet und dabei in einem Korbe eine Katze lebendig verbrannt. Das Wort stammt vom ahd. *ambaht*, mhd. *ambet*, nhd. *Amt*, und bezeichnete ursprünglich eine Art Wald- und Feldgericht, auch Sittengericht.

N. G r e d t *Das Amecht, eine mythologische Studie.* Progr. d. Athenaeums zu Luxemburg 1870—71, 45—63; Joh. E n g l i n g *Die früher hierlands üblichen „Amichter".* Publications de la Section historique de l'Institut 25 (1869/70), 299—302; Jos. K a l b e r s c h *Gebrauch und Mißbrauch geistiger Getränke, oder Wein und Branntwein im Mittelalter und in unserer Zeit* 2 (1854), 179—183; Dom. Const. M ü n c h e n s *Versuch einer kurz gefaßten Statistisch-Bürgerlichen Geschichte des Herzogtums Lützelburg* (geschr. 1814—1818), herausgeg. von Martin Blum. Luxemburg 1898, 313—314; J a h n *Opfergebräuche* 231. 242 ff.; P f a n n e n - s c h m i d *Erntefeste* 593 ff.; L a F o n - t a i n e *Luxemburg* 83 ff. Bächtold-Stäubli.

Ameise [1]). Über die H e r k u n f t der A. gibt es verschiedene Legenden [2]). Nach der hl. Hildegard entstehen sie aus der Feuchtigkeit, welche die Gewürze hervorbringen [3]; die oberpfälzische Volkssage weiß, daß St. Petrus sie erschuf [4]). In Basel, der Ostschweiz und Altbayern sagt man den Kindern, aus den in den Honig gefallenen Ranftbrosamen entstünden A.n.

Kannte schon die Antike eine Menge von V e r w a n d l u n g s s a g e n der A.[5]), so weiß auch unser Volk von Riesen [6]), die in A. verwandelt wurden, von Verstorbenen, die zu bestimmten Zeiten in A.ngestalt die Familienstätten aufsuchen [7]), von Gottlosen, die in A. verzaubert wurden [8]). Damit hängt die Ansicht zusammen, daß A. durch den Klang geweihter Glocken vertrieben werden [9]).

Wie die Antike [10]) weiß auch unser Aberglaube viel von der m a n t i s c h e n Bedeutung der A. zu erzählen [11]). Ein rascher Todesfall trifft ein, wenn plötzlich (schwarze) A.n im Haus erscheinen [12]). Sie prophezeien auch das Wetter. Sind die A.n im Herbst oben im Bau, so wird der Winter mild, sonst ist Kälte zu erwarten [13]); tragen sie ihre Larven an die Oberfläche des Baues, gibt es schönes Wetter [14]); fliegende A.n, die um den Laurentiustag herum erscheinen, bedeuten heftigen Sturm oder starke Gewitter [15]).

Will man wissen, ob ein Neugeborenes lang leben wird, legt man vor Sonnenaufgang ein Stück von der Nachgeburt in einen A.nhaufen; schleppen es die A.n bis Sonnenuntergang fort, ist ein langes Leben sicher [16]). Findet man am Johannismorgen unter einem Stück Rasen rote A.n, so bedeutet dies Glück [17]). A.n im Geldkasten verheißen Geld [18]), drum steckt man sie sogar hinein [19]).

A.n werden im Z a u b e r vielfach gebraucht. A.neier oder der Stein, den man in einem A.nhaufen findet, machen unsichtbar [20]); in A.nhaufen gelegte Zaubermittel erlangen besondere Kraft [21]); so verleiht eine Flasche mit Wein, die man lange Zeit in einem A.nhaufen lagern läßt, riesenhafte Stärke [22]); der Geruch von A.n stärkt das Gedächtnis [23]); beim Liebeszauber legt man einen Zettel mit dem Namen der geliebten Person oder einen Frosch in einen A.nhaufen, und jener ist die Liebe angetan [24]). Ähnliches gilt beim Schußzauber [25]). In manchen A.nhaufen kann man ein Ei finden (Pechkugel); welches Vieh man damit be-

streicht, das findet auf dem Markt sofort
einen Käufer [26]). Schwarze A.n gelten
auch als Schatzwächter [27]).

Am meisten aber werden seit der Antike [28]) die A.n zu **H e i l z w e c k e n**
gebraucht. A.n essen schützt vor Fieber [29])
und hilft gegen den „Satt" [30]). A.n e i e r
nützen bei schlechtem Gehör [31]), Kopfgrind [32]), Wassersucht [33]), Augenleiden [34]),
Kolik [34]); unter das Bett des Kranken
gestellt, vertreiben sie Fieber [35]). Der
S a f t getöteter A.n ist gut bei Trief-
augen [36]), „verwachsenen" Ohren [37]), englischer Krankheit [38]), Schwindel [39]) und
„Ritzigkeit" der Pferde [40]). Das **P e c h**
aus A.nhaufen ist nützlich gegen alte
Schäden [41]). Am wirksamsten bei Gicht
und allen rheumatischen Schmerzen ist
der A.n **g e i s t** aus gebrühten lebenden A.n [42]).

Eigentümlich ist schließlich noch das
Verfahren, mit Hilfe eines Zwischen-
trägers Krankheiten in einen A.nhaufen
zu vergraben und so auf diese Tiere zu
übertragen (s. Ü b e r t r a g e n).

[1]) B a u m g a r t e n *Aus der Heimat* 1,
108; C a r u s *Zoologie* 136; F r a z e r 3,
105. 12, 161; D e r s. *Totemism* 4, 325;
G u b e r n a t i s *Tiere* 371; H o p f *Tier-
orakel* 38. 208; H o v o r k a - K r o n f e l d
1, 18; L a i s t n e r *Nebelsagen* 229. 237;
L i e b r e c h t *Gervasius* 73; L ü t o l f *Sagen*
359; M a r z e l l *Pflanzennamen* 211; P a u l y -
W i s s o w a 1, 2, 1820; P r a e t o r i u s
Delic. pruss. 187; S a r t o r i *Westfalen* 48;
S c h e f t e l o w i t z *Schlingenmotiv* 37; S c h r a-
d e r *Reallex.* 39; V o n b u n *Beitr.* 114;
S l o e t *Dieren* 430 ff. [2]) R e u s c h *Samland*
Nr. 36. [3]) H o v o r k a - K r o n f e l d 1, 18.
[4]) S c h ö n w e r t h *Oberpfalz* 3, 307. [5]) P a u l y -
W i s s o w a 1, 2, 1821. [6]) H a u p t *Lausitz* 1, 82;
K ü h n a u *Sagen* 2, 511 f.; M e i c h e *Sagen* 586
Nr. 729; G r ä s s e *Sachsen* 529. [7]) ZdVfK.
20, 127. [8]) M e i c h e *Sagenbuch* 586 Nr. 729.
[9]) H e y l *Tirol* 651 Nr. 120. [10]) P a u l y - W i s-
s o w a 2, 1821. [11]) A g r i p p a v. N e t t e s-
h e i m 1, 255; F r a n z i s c i *Kärnten* 48;
G r i m m *Mythol.* 2, 951. [12]) H ö h n *Tod* 308;
H o p f *Tierorakel* 211; M e s s i k o m m e r 1,
191; SAVk. 2, 217. [13]) B a r t s c h *Mecklenburg*
2, 206. [14]) S c h r a m e k *Böhmerwald* 250.
[15]) ZfdMyth. 3, 274; L y n k e r *Sagen* 133.
[16]) Urquell 3, 147. [17]) D r e c h s l e r *Schlesien*
1, 144; 2, 219; H o p f *Tierorakel* 211.
[18]) J o h n *Erzgebirge* 240. [19]) K ö h l e r *Voigtland* 646; W u t t k e § 149. 633. [20]) K l i n g -
n e r *Luther* 117; W e i n h o l d *Neunzahl*
19. [21]) S t r a c k e r j a n 2, 176 Nr. 409;

B a r t s c h *Mecklenburg* 2, 320; W u t t k e
§ 149. [22]) B a r t s c h *Mecklenburg* 2, 352;
D r e c h s l e r *Schlesien* 2, 265; J o h n
Westböhmen 319; S t r a c k e r j a n *Oldenburg* 1, 114; W u t t k e § 149. 455; ZdVfK. 8,
176. [23]) SAVk. 21 (1917), 59. [24]) H o v o r k a -
K r o n f e l d 2, 175; ZrheinVk. 1, 61.
[25]) B a u m g a r t e n *Aus der Heimat* 2, 94.
[26]) B a r t s c h *Mecklenburg* 2, 351; G r i m m
Mythol. 3, 441 Nr. 199; J o h n *Erzgeb.* 205;
L e o p r e c h t i n g 91; M e y e r *Abergl.*
227; P f i s t e r *Hessen* 167; W u t t k e
§ 149. 710; ZföVk. 4, 308; SAVk. 25, 155.
[27]) K n o o p *Schatzsagen* 22 Nr. 42; L a c h-
m a n n *Überlingen* 401; M e i c h e *Sagenbuch*
303 Nr. 393. [28]) P a u l y - W i s s o w a 1, 2,
1821. [29]) H o v o r k a - K r o n f e l d 1, 152.
[30]) ZdVfK. 8, 177. [31]) J ü h l i n g 85. 86. 341;
ZdVfK. 8, 170. [32]) J ü h l i n g 84. [33]) Ebd. 85.
[34]) Ebd. 86. [35]) L e o p r e c h t i n g *Lechrain*
91; M e y e r *Baden* 572; P a n z e r *Beitr.* 2,
207; W u t t k e § 149. 494; ZdVfK. 8, 176.
[36]) ZdVfK. 8, 177. [37]) Ebd. [38]) ZrheinVk. 1,
203. [39]) B a r t s c h *Mecklenburg* 2, 425.
[40]) ZdVfK. 8, 176. [41]) J ü h l i n g 86; ZdVfK.
8, 176. [42]) H e l l w i g *Abergl.* 134, 12; H ö h n
Volksheilk. 1, 128. 142; H o v o r k a - K r o n-
f e l d 1, 18; 2, 237. 245. 284; J ü h l i n g 84.
85. 87. 88; L a m m e r t 157. 226. 269; M a n z
Sargans 82; R o s e g g e r *Steiermark* 69;
S t o l l *Zaubergl.* 97; Z a h l e r *Simmental* 69;
SAVk. 2, 258; ZföVk. 9, 241; 13, 131; ZfrwVk.
1, 198; 3, 186; 4, 293; Urquell 3, 69.

Stemplinger.

Ameisenei s. W e i h r a u c h s t e i n.

Amen. Das hebräische Wort A. wird
als Adverbium im Alten Testament im
Sinne von „Ja, also geschehe es" gebraucht und zwar immer zur Bekräftigung der Worte a n d e r e r, nicht
der e i g e n e n Rede. So wurde es auch
am Schluß eines Gebetes von der jüdischen und altchristlichen G e m e i n d e
als Zustimmungsformel gesprochen. Später hat im christlichen Gottesdienst das
A.sagen der P r i e s t e r übernommen[1]).
Aus dem jüdischen Gottesdienst also
stammend hat A. als fremdsprachiges
Wort auch die Bedeutung der vielen
ὀνόματα ἄσημα und βάρβαρα angenommen, die
als Zauberworte eine Rolle spielen[2]). Im
Griechischen hat das Wort 'Αμήν die
Psephos 99, d. h. der Wert der als Zahl-
zeichen dienenden griechischen Buchstaben von A. ergibt zusammengezählt
99. Daher wird A. in griechischen und
koptischen Schriften gelegentlich durch
die Zahl 99 ersetzt[3]). — Bei Zauber-

sprüchen und Gebeten, die als Zauber-spruch dienen, wird zum Schluß öfters das A. gesprochen. Häufig aber findet sich auch das **Verbot**, bei dieser Ge-legenheit A. zu sagen. Schlesien: In den Zwölfnächten werden schadenbringende Gegenstände geweiht im Namen des Dreieinigen, ohne A., ebenso heilbrin-gende Gegenstände am Johannisabend [4]). In gleicher Weise bei Beschwörungs-formeln aus Ostpreußen [5]), Böhmen [6]), Preußen [7]) und sonst [8]). Angerburg: Kommt man mit dem Vieh zum ersten-mal auf dem Felde an, so muß man nieder-knien und das Vaterunser ohne A. beten; diese Handlung schützt gegen den Wolf [9]). Oder es wird vorgeschrieben, erst nach dreimaligem Sagen des Spruchs das A. zu sprechen [10]), oder es wird dreimaliges A.sagen befohlen [11]). Zu einem Spruch gegen die Rose heißt es: Dreimal wird A. gesagt, bei jedem A. läßt man einen hör-baren Wind fahren, der ungefähr klingt wie „Wat" [12]).

So hat auch das A. als heiliges Wort übelabwehrende und zauberlösende Be-deutung. Eine Sage aus Oberschlesien erzählt vom Teufel, der durch einen mächtigen Felsblock eine Kirche zer-schmettern wollte: Aber noch ehe er sein Vorhaben ausführen konnte, sagte auf das Krähen des Hahnes der Geistliche „Amen" in der Kirche und entkräftete dadurch den Satan, so daß er den Stein von sich werfen mußte [13]). Unerklärt ist der Gichtspruch aus Neu-Ruppin [14]): „Die A. und die Gicht, / Die gingen beide zu Gericht; / Die A. die gewann, / Die Gicht verschwand". In Varianten dieses Spruches heißt es auch: „Der Schlag-fluß, die Vormundschaft und die Gicht" oder „Der Heidmann und die Gicht" oder „Jesus Christus und die Gicht".

[1]) G l a u e in Ztschr. f. Kgesch. 44 (1925), 184 ff. und RGG² 1, 293. [2]) D o r n s e i f f *Alphabet* 35 f.; D i e t e r i c h *Kl. Schr.* 488. [3]) D o r n s e i f f 112. 131; Phil. Wochenschr. 1926, 1427. [4]) D r e c h s l e r 1, 18. 143. [5]) F r i s c h b i e r *Hexenspr.* 26. 128; H o v o r k a u. K r o n f e l d 2, 128. [6]) H o v o r k a u. K r o n f e l d 2, 54; G r o h-m a n n 164. [7]) ZfVk. 7 (1897) 65. [8]) K u h n *Westfalen* 2, 204 Nr. 580; 206 Nr. 587; B a u m-g a r t e n *Aus der Heimat* 2, 84; W e i n-

k o p f *Naturgesch. auf dem Dorfe* 1926, 36. 115. [9]) F r i s c h b i e r 151. [10]) G r o h m a n n 129; F r i s c h b i e r 26. [11]) K u h n 2, 211 Nr. 599; H o v o r k a u. K r o n f e l d 2, 406. [12]) B a r t s c h *Mecklenburg* 2, 418. [13]) K ü h-n a u *Sagen* 2, 628 f.; s. auch K n u c h e l *Umwandlung* 86; L ö w i s o f M e n a r *Balten* 46 f.; Mitteil. Anhalt. Gesch. 18; über arabische Amenformeln: G o l d z i h e r Riv. degli Studi Orientali 1, 207. [14]) ZfVk. 7 (1897), 166.

Pfister.

Amethyst. Griech. ἀμεθύστης, nicht, wie meistens angenommen wird, ἀ-privativum und μεθύω = trunken sein, sondern wahr-scheinlich verderbt aus ἀμέθυσος weinfar-ben, wenn nicht entstanden aus arab. gamast. Demnach kann die dem Stein zugeschriebene Wirkung gegen Trunken-heit erst aus der irrtümlichen Ableitung von μεθύω entstanden sein. Mhd. ametiste aus gr.-lat. amethysta, 1561 als A. zu-erst verzeichnet [1]).

Aus dem Altertum übernahm das MA. den Aberglauben, daß der A. als Amulett gegen Gift, giftige Schlangen, vor allem aber gegen Trunkenheit schütze [2]). Seine Wirkung gegen das Trunkenwerden er-klärte man sich dadurch, daß er die Dünste nicht in den Kopf steigen lasse. Wer nicht trunken werden wollte, trug den A. im Fingerring oder legte ihn auf den Nabel oder nahm ihn in zerriebenem Zustande ein [3]). Von den Tugenden des A. rühmt Konrad v. Megenberg: „macht den Menschen wächig (wacker) und ver-treibt die bösen Gedanken, bringt gute Vernunft, macht ihn mild und sanft" [4]). Nach dem Buche „Adeliches Weydwerk" (1661) trugen Jäger und Weidmänner gern einen A. bei sich, weil sie glaubten, er bringe gut Glück zum Jagen und Streiten [5]). Ähnliches berichtet John aus Westböhmen [6]). Auch im Kriege wurde der A., im Ringe, getragen, als Schutz-mittel geschätzt [7]).

Im Altertum wurde dem A. die Kraft zugeschrieben, Regen- und Gewitter-wolken zu vertreiben [8]).

Von all diesen fabelhaften Wirkungen des A. ist heute kaum noch etwas be-kannt. Doch führt ihn Mörike in seinem „Stuttgarter Hutzelmännlein" noch an: „Er (der Bauren-Schweiger, von „ge-schweigen, stillen") war gemacht aus einem großen A., des Name besagen will: Wider den Trunk, weil er den schweren Dunst des Weines geschwinde aus dem Kopf vertreibet, ja schon von Anbeginn dawider tut, daß einen guten Zecher das Selige berühre; darum ihn auch weltliche und geistliche Herren sonst häufig pflegten am Finger zu tragen".

Der A. gehört seit jeher zu den Monatssteinen und wird als solcher noch heute von den im Februar Geborenen gern als glückbringender Stein gekauft [9].

[1] S c h r a d e r *Reallexikon* [2] 1, 211; P a u l y - W i s s o w a 1, 1828 f.; K l u g e *Etym. Wörterb.*, s. v.; vgl. B r ü c k m a n n 136 und B e r g m a n n 19. [2] R u s k a *Aristoteles* 86; P l i n. *n. h.* 37, § 124; V o l m a r 5, 219 f.; S c h a d e s. v. 1321 f.; M e y e r *Aberglaube* 57; H o v o r k a - K r o n f e l d 1, 106; F r a z e r 1, 65. [3] J a c o b u s S c h o p p e r u s „*Das biblische Edelgesteinbüchlein*" (1614), 171; vgl. Z e d l e r s. v. 1, 1728. [4] M e g e n b e r g *B.d.N.* 371 f., vgl. S c h a d e a. a. O. und Z e d l e r a. a. O.; L o n i c e r 59. [5] *Alemannia* 7 (1879), 82; G r ä s s e *Jägerbrevier* 1, 106 Nr. 14 u. 121. [6] J o h n *Westböhmen* 324. [7] K r o n f e l d *Krieg* 41. [8] A n d r i a n *Wetterzauberei* 86; P l i n. a. a. O.; M e y e r *Aberglauben* 57; vgl. F r a z e r 1, 345 (Wetterzauber am Obernil). [9] H o v o r k a - K r o n f e l d 2, 883; vgl. Monatsstein und T h. K ö r n e r „*Die Monatssteine*", Str. 2.

Olbrich.

Amiant s. A s b e s t.

Ammal s. M u t t e r m a l.

Ammer. Von der G o l d a m m e r (*Emberiza citrinella* Amritze, Ammerling, Amring, Emmerling, Galammer, Gelbauch, Gelartsche, Gelmöschen, Goldítsche, Gelbgänschen, Leckschit) [1] sagt man, sie zeige baldigen Schnee an, wenn sie in Scharen zieht [2] oder sich auf dem Misthaufen niederläßt [3]. Wenn man eine G. in die Erde picken sieht, so wird eine große Hitze eintreten, wie sie in der Hölle herrscht. Die Felder werden verdorren, und deswegen trägt die G. ihre Nahrung in die Erde, um dann, wenn alles vertrocknet ist, Nahrung zu haben [4].

Ihr Ruf wird so ausgedeutet, daß sie im Winter den Bauer um Unterkunft oder Nahrung bitte, im Sommer ihn verachte, oder im Winter zu ihm sage: „Herr Vetter, Herr Vetter", im Sommer: „edel edel edel bin ich". Daneben gibt es auch andere Stimmendeutungen [5].

In Böhmen glaubt man, daß die G. deshalb von den Landleuten verfolgt werde, weil sie am 1. Mai drei Tropfen von des Teufels Blut erhalte [6].

G.n ziehen Gelbsucht an [7].

[1] Österreichische Namen s. ZfVk. 12, 459; pommersche: BlpomVk. 5, 30; schlesische: MschlesVk. H. 19, 86. Weiteres ZfVk. 1, 285. [2] Ebd.; B a r t s c h *Meckl.* 2,212. [3] S c h ö n w e r t h *Oberpf.* 2, 136. [4] Veckenstedt Ztschr. 3, 394. [5] ZfVk. 23, 189; 10, 222; 12, 459; 13, 93; ZfdMyth. 3, 178; Urquell 5, 53; ZföVk. Suppl. 1, 43; R o c h h o l z *Kinderl.* 75; M ü l l e n h o f f *Natur* 48. [6] G r o h m a n n *Aberglaube* 73 Nr. 518. [7] MschlesVk. H. 19, 86.

Hoffmann-Krayer.

Ammonit. Griech. ἀμμονίτης = Ammonshorn; bei Zedler: Ammonshörnlein. Die bei Plinius bezeugte lateinische Benennung Ammonis cornu bezieht sich auf die ebenso gewundenen Widderhörner des Jupiter Ammon [1].

A.en sind Schalen ausgestorbener Kephalopoden. Ihre versteinerten Gehäuse sind scheibenförmig, in einer Ebene spiralig eingerollt, im Innern in Kammern geteilt. Diese seltsame Gestalt, zusammen mit den mannigfach gewundenen Linien, in denen die Scheidewände mit den Kammerwänden verwachsen sind, erregten des Volkes Staunen und gaben Anlaß zu mancherlei Deutungen. Als deutsche Benennungen führt Abel an *Ziehorn, Scherhorn, Drachenstein* [2]. Auch Gesner scheint den auf den Schweizerbergen oft gefundenen, gewundenen Stein für die Versteinerung einer Schlange zu halten [3]. In Bayern nennt man den A. *Sonnenstein*, in Schwaben *Sonnenstein, Sonne, Mond*. Man glaubte, auf dem A. ein rundes, strahlendes Gesicht zu erblicken und meinte, die Sonne habe ihr Bild darauf eingebrannt oder ein Riese habe seinen Kopf (gemeint ist wohl Gesicht) darauf gestoßen [4]. Veranlassung zu diesem schnurrigen Glauben gab außer der Scheibengestalt wohl die Auffindung von A.en, die ihre prächtige Perlmutterfarbe noch hatten (Mond) oder, von Schwefelkies durchzogen, goldartig glänzten (Sonne). Darauf bezieht sich auch das

„goldgelbe Auge" (der Steinkern), das in Schwaben zu der Benennung „Goldmucken" führte, und das als „goldfarbiger Edelstein" beschriebene cornu Ammonis des Plinius [5]). Wahrscheinlich wegen seiner gewundenen Linien glaubt man in der Oberpfalz, der A. sei die Spur, die der Teufel oder die Hexen beim Tanzen zurücklassen [6]). In Schwaben verführte der goldige Glanz des A.en zu dem Glauben, diese Versteinerungen enthielten Gold, weshalb man sie oft zerschlägt [7]). Die in Baden hier und da eingemauerten A.en sollen vermutlich ebenso wie Belemnit, Donnerkeil und Echenit die Gebäude vor Blitzschlag schützen [8]). Wie diese legte man auch den A. in den Melkeimer der Kühe zum Schutze gegen Hexen [9]). In der Volksheilkunde galt der A. als gutes Mittel gegen Rheumatismus [10]).

¹) K l u g e Etym. Wörterb., s. v. ²) A b e l Fossilien 115 (der auch erwähnt, daß die Wolgarussen den Ammonit „Goldrad" nennen); G e s n e r d. f. l. 47 u. 159 (Beschreibung nach Plin. und Agricola); Z e d l e r 6, 1385 (Drachenstein); G r i m m DWb. 2, 1325 (Drachenstein). ³) G e s n e r d. f. l. 167. — In Irland hält man die Ammoniten für Schlangen, die der hl. Patrik in Stein verwandelte; Engländer holen sie aus Irland, um sie als Schutz ihrer Gärten gegen giftige Würmer zu benutzen (T y l o r Cultur 1, 366). ⁴) S e p p Sagen 104; M e i e r Schwaben 1, 254 Nr. 283; vgl. S i m - r o c k Myth. 552. ⁵) M e i e r a. a. O.; B r ü c k m a n n 370; P l i n. h. n. 37 § 167. ⁶) S c h ö n w e r t h Oberpfalz 3, 44. ⁷) M e i e r a. a. O. 254; S e p p a. a. O. ⁸) M e y e r Baden 361. ⁹) A b e l a. a. O. ¹⁰) L a m m e r t 269 u. 399; H o v o r k a - K r o n f e l d 2, 283.

Olbrich.

Amniomantie. Weissagung durch die innere Embryonalhülle (ἄμνιον).

Der Name ist nicht antik, sondern eine der zahlreichen gelehrten Neubildungen der Divinationsliteratur des 16. und 17. Jhs. Er taucht anscheinend zuerst bei Delrio ¹) auf und wird in der Folgezeit mehrfach erwähnt ²). Daß man schon im Altertum der bisweilen dem neugeborenen Kinde noch anhaftenden Hülle besondere Bedeutung beimaß, zeigt eine Notiz über den Sohn des Kaisers Macrinus (217—218 n. Chr.), Antoninus, dem bei der Geburt das Amnion in Gestalt einer Stirnbinde an-

haftete, weswegen er Diadematus, später Diadumenos benannt wurde ³). Offenbar sah man darin ein günstiges Omen für die Nachfolge in der Regierung (das Diadem entspricht im Altertum der Krone). Der römische Historiker fügt hinzu, daß die Hebammen solche Hüllen verkauften, da sie vor Gericht Glück brächten. Möglicherweise wurde, wie im deutschen Aberglauben, das Geborenwerden mit solcher Haube allgemein als glückliches Vorzeichen gedeutet; doch weissagten die Frauen im MA. auch aus der Farbe des Amnions die Zukunft des Kindes, wobei rötliche Färbung als Glück, schwärzliche als Unglück vorbedeutend ausgelegt wurde; zur Abwehr des Unheils mischte man Stückchen der Haut in den Trank des Kindes ⁴). Ob sich hinter den „detestanda", die mit dem Amnion nach Angabe des Zisterziensers Rudolfus (1250) getrieben wurden ⁵), auch Divinationsgebräuche verbergen, ist ungewiß. Für den deutschen Aberglauben s. G l ü c k s h a u b e.

¹) Disqu. Mag. 2 (1603), 177. ²) B u l e n - g e r u s Opusc. (1621) 220; F a b r i c i u s Bibliogr. antiqu.³ (1760) 593. ³) A e l i u s L a m p r i d i u s Scriptores Hist. Aug. 4, 1, 197 ed. Peter; vgl. B u l e n g e r u s a. a. O.; R o s c h e r Omphalos 16. ⁴) L e m n i u s De occultis naturae miraculis (1573) 178 (die hier zitierte Stelle des J o v i u s findet sich Opera 2 (Basel 1578), 298 im Leben des Fernando d'Avalos von Pescara); D e l r i o a. a. O.; B u l e n g e r u s a. a. O.; Z e d l e r Universal-Lex. 1, 1761. ⁵) K l a p p e r in MschlesVk. 17, 30; vgl. a. G. Fr. P i c o d e l l a M i r a n d o l a De rerum praenotione (1507) VII 7. — Allg.: P l o ß Das Kind³ 1, 54 ff.

Boehm.

Amor, hl.,

angeblich ein Schüler Pirmins und Stifter des Klosters Amorbach am Main, Patron der Kirche zu Amorsbrunn, Fest 17. August ¹). Aus dem Brunnen der dem Heiligen geweihten Kapelle bei Amorbach pflegten (und pflegen?) unfruchtbare Frauen zu trinken, um Kindersegen zu erlangen ²). Elisabeth, Gemahlin Karls VI., und deren Tochter Maria Theresia sollen sich des Wassers mit Erfolg bedient haben; letztere habe sich Amorwasser nach Wien kommen lassen ³). Offenbar geht dieser Brauch auf eine naive Exegese des Namens Amor zurück.

[1] K ü n s t l e *Ikonographie* 56; P o t t -
h a s t *Wegweiser* 2, 1161. [2] L a m m e r t
25; nach diesem M e y e r *Abergl.* 98 und
H o v o r k a - K r o n f e l d 1, 361. [3] L a m -
m e r t 25 Anm. 1.   Wrede.

Ampfer (Rumex-Arten). 1. B o t a n i -
s c h e s.

Gattung der Knöterichgewächse
(Polygonazeen) mit grünen, unscheinbaren, in traubigen oder rispigen Ständen
angeordneten Blüten. Am bekanntesten
ist der überall auf Wiesen wachsende
S a u e r - A. (R. acetosa), dessen Blätter,
eine alte Sammelnahrung, häufig von den
Kindern gegessen werden [1]). Auch einige
großblättrige A.arten wie der Grind-
(R. obtusifolius), der Kraus- (R. crispus)
und der Knäuel-A. (R. conglomeratus) [2])
spielen im Volksaberglauben eine Rolle.

[1] M a r z e l l *Pflanzenwelt* 54 f. [2] D e r s.
Kräuterb. 355 f.

2. V o l k s m e d i z i n i s c h e s. Vielerorts, z. B. im Bergischen [3]), in Oberbayern [4]), in der Schweiz [5]), glaubt man,
daß der Genuß des Sauer-A.s, besonders
mit Blüten und Früchten, Läuse ver-
ursache [6]). Vielleicht hängt dies damit
zusammen, daß in Hungerzeiten, wo
wegen der schlechten Ernährung Parasiten häufig auftraten, Sauer-A. gegessen wurde [7]), oder man verglich die
zahlreichen kleinen Früchte des A.s mit
Läusen (Signaturlehre). Die Samen des
Sauer-A.s, als Amulett getragen, sollen,
besonders wenn sie von einem unschuldigen Knaben oder einer Jungfrau gepflückt wurden, gegen nächtlichen Sa-
menfluß (Pollutionen) dienlich sein [8]).
Hier dürfte es sich kaum um einen „germanischen" Aberglauben handeln, sondern eher um eine alte medizinische Schul-
meinung. Vielleicht bestehen hier Beziehungen zu dem früher in Klostergärten
gezogenen „Mönchsrhabarber", einer A.-
art (Rumex Patientia). Gegen die „Maden
des Viehs" wird das kranke Tier mit zusammengefalteten Sauer-A.blättern unter
Hersagen einer Besegnung bestrichen [9]).
Räucherungen mit den abgestreiften
Samen des Kraus-A.s gelten als heilsam
gegen das „hilge Wark" (Rotlauf) [10]).
Im bayrischen Schwaben gibt man die
Samen des Kraus-A.s in die „Weihsange"

(Kräuterwisch an Mariä Himmelfahrt,
15. August) und läßt sie mitweihen. Die
Samen werden dann gegen Durchfall des
Viehes teils in Gestalt einer Räucherung
verwendet, teils werden sie unter das
Futter gestreut [11]). Der beim Schneiden
des Getreides gefundene A. wird in die
Garbe zum Schutz des Rindviehs vor
Krankheit gebunden [12]).

[3] L e i t h a e u s e r *Berg. Pflanzennamen* 6.
[4] Orig.-Mitt. von Stock 1907. [5] SAVk. 8, 153;
W a r t m a n n *St. Gallen* 67; U l r i c h *Volks-*
botanik 38; R o c h h o l z *Kinderlied* 317.
[6] Ebenso in den Vereinigten Staaten von Amerika: B e r g e n *Animal and Plant Lore* 120.
[7] Vgl. H ö f l e r *Botanik* 27; B r o c k m a n n -
J e r o s c h *Surampfele und Surchrut* 1921, 6.
[8] S t a r i c i u s *Heldenschatz* 1689, 30; M o s t
Sympathie 160; L a m m e r t 154; H ö h n
Volksheilkunde 1, 118; vgl. auch H ö f l e r
Botanik 28. [9] Osthavelland: ZfVk. 8, 309.
[10] S c h a m b a c h *Wb.* 79. [11] N e i d h a r t
Schwaben 48. [12] Kt. Zürich: SchweizId. 1, 240.

3. Wenn die Jäterin oder Schnitterin
bei ihrer Arbeit auf einen A. stößt, dann
wird dessen Wurzel ausgegraben. Wohin
die Wurzel zeigt (die Pfahlwurzeln des
A.s sind nicht selten etwas gebogen), aus
dieser Richtung kommt der Zukünftige [13]).

[13] Oberbayern: M a r z e l l *Bayr. Volksbot.*
64; Aargau: SchweizId. 4, 1091; vgl. auch
B a u m g a r t e n *Aus der Heimat* 1862, 134;
G r i m m *Myth.* 3, 372.   Marzell.

Amputation s. G l i e d.

Amsel (Turdus merula). 1. B i o l o g i -
s c h e r A b e r g l a u b e.

Konr. v. Megen-
berg berichtet von einer w e i ß e n A.
im Besitze des Dompropstes von Regensburg, deren weiße Farbe er damit zu erklären sucht, „daz der selb vogel von
ainem kalten sâmen komen was und daz
sein vater ain kalt dinch gezzen het,
oder in der pruot ist ain kaltes dinch zuo
dem ai gevallen, wan (denn) in dem nest
wâren zwuo swarz A.n und zwuo weiz und
ain swarzen, diu het ainen weizen zagel"
(Schwanz) [1]).

[1] *Buch d. Natur* ed. Pfeiffer 206.

2. M a g i s c h e K r ä f t e wohnen
der A. inne: In ein Haus, wo sie weilt,
schlägt der B l i t z nicht ein [2]). Streut
man ihr im Winter Futter, so bringt sie
G l ü c k und verhindert F i e b e r [3]).
Wird eine F e d e r aus dem rechten

Flügel an einem roten Faden aufgehängt, so können die Hausbewohner k e i n e n S c h l a f finden (Tirol) [4]). Ein A.-h e r z , unter das Kopfkissen gelegt, bewirkt, daß der Schlafende auf Fragen a n t w o r t e n muß [5]).

[2]) M o n t a n u s *Volksfeste* 177. [3]) Ebd. 178. [4]) A l p e n b u r g *Tirol* 378 = ZfVk. 8, 169 = Propyläen (München) 9 (1912), 571 (n. „M i z a l d *Arcana* 2, 74 [1592]"). [5]) Ebd. 572.

3. V o l k s m e d i z i n [6]). A. f l e i s c h wird gegen Bauchweh, rote Ruhr, „hinder sich starrenden Hals" (steifen Nacken?), Hüftweh [7]) und Melancholie [8]) verwendet, A.k o t im MA. gegen Hautkrankheiten [9]). „Bindet man die Beine eines Menschen mit einem A.kopf zusammen, so wird der Mensch kühn und fürchtet den Tod nicht; legt man sie [!] unter den linken Arm, so kommt man hin, wohin man will und sonder Gefahr wieder heim. Gibt man sie [!] einem Hunde mit einem Wieselherzen zusammen zu fressen, so gibt er fortan keinen Laut mehr von sich, sollte man ihn sogar töten" [10]).

[6]) Verschiedenes aus dem Altertum: Journal f. Ornithologie 73 (1925), 61 (stuhlanhaltend; gegen Kolik). 62 (gegen Ischias). [7]) G e s n e r *Vogelbuch* XVIII a. [8]) Propyläen 9, 572 (n. „M i z a l d *Centur.* II, 14"). [9]) V i n c e n - t i u s B e l l o v. *Speculum naturale* XVI, 107. [10]) G r ä s s e *Jägerhörnlein* 132 (ohne Quellen- und Ortsangabe; in ihrer Unklarheit höchst zweifelhaft).

4 O r a k e l. Einen harten W i n t e r kündigt sie an, wenn sie hoch baut [11]), baldigen S c h n e e , wenn sie 3 Tage hintereinander an derselben Stelle erscheint [12]), R e g e n , wenn sie anhaltend singt [13]). Singt eine A. vor März, so wird das K o r n t e u e r [14]). Ihr Angang bedeutet U n g l ü c k [15]); singt sie auf dem Hauszaun: T o d eines Hausbewohners [16]).

[11]) BlpomVk. 9, 174; vgl. S é b i l l o t *Folk-Lore* 3, 202. [12]) M ü l l e r *Isergebirge* 16. [13]) F o g e l *Pennsylv.* 227; vgl. S w a i n s o n *Folk-Lore of British Birds* 7; S é b i l l o t *F.-L.* 3, 202. [14]) M o n t a n u s *Vfeste* 177. [15]) G r i m m *Myth.* 3, 323 (n. „W i r s u n g *Cal.* J 2 b"); in Frankreich Glück: S é b i l - l o t *F.-L.* 3, 191. [16]) W u t t k e § 281 („Süd - Deutschland") = R o c h h o l z *Glaube* 1, 153.

5. G e s p e n s t i s c h e T ö n e werden in Schlesien als Amselgesang bezeichnet (Aberglaube?) [17]).

[17]) K ü h n a u *Sagen* 1, 454; D r e c h s - l e r *Schlesien* 2, 228.   Hoffmann-Krayer.

Amtmann. Schwer und hart mag oft die Hand des zehent- und robotfordernden A.s den armen Bauer gedrückt haben, und nicht ohne Schärfe wird seiner in Sage und Sprichwort gedacht. „Amtmänner kommen schwer in den Himmel", lautet ein altes Sprichwort, und eine oberösterr. Sage berichtet, daß die Teufel einander vom Tode eines A.s Botschaft sagen [1]). Nach anderen Überlieferungen finden schlechte und meineidige Amtmänner keine Ruhe im Grabe, sondern sind zum Umgehen [2]) als Irrwisch [3]), wilder Jäger [4]) verdammt. Ein ungerechter A. wird um Mitternacht in einer Kutsche von Gespenstern über die Heide gehetzt [5]).

[1]) B a u m g a r t e n *Aus der Heimat* 2, 105. [2]) B i r l i n g e r *Aus Schwaben* 1, 208 Nr. 201; R o c h h o l z *Sagen* 2, 97 Nr. 329 u. 121 Nr. 348. [3]) L y n k e r *Sagen*[1] 114 Nr. 175. [4]) K ö h l e r *Voigtland* 511 Nr. 101. [5]) M o n - t a n u s *Vorzeit* 2, 512 Anm.   Schömer.

Amulett. 1. E t y m o l o g i e u n d S p r a c h g e b r a u c h. Das Wort A. kommt vom lateinischen *āmulētum*, das uns zuerst durch Varro, dann durch Plinius bezeugt ist, im übrigen aber in der römischen Literatur nicht allzu oft begegnet. Die alte Erklärung [1]), wonach das Wort vom arabischen *hamalet* kommt, ist abzulehnen, zumal *hamalet* nicht Anhängsel, sondern Obliegenheit bedeutet [2]). Auch der vielfach angenommene Zusammenhang von *amuletum* mit *āmōliri* ist ganz unsicher. R. W ü n s c h [3]) stellt es mit ἄμυλον, Stärkemehl, zusammen. Zu untersuchen wäre, ob es zu μῶλυ gehört, dem Namen des aus der Odyssee bekannten schützenden Zauberkrautes, über dessen Etymologie G ü n t e r t [4]) gehandelt hat, freilich ohne Berücksichtigung von *amuletum*. Von andern antiken Namen, die bei K r o p a t s c h e k [5]) aufgezählt sind, begegnen in lateinischen Schriften des MA.s *ligamentum, ligatura, phylacterium*, während *amuletum* so gut wie nicht hier vorkommt. Im Althochdeutschen hieß das A. *zoubar* (Zauber), im Altnordischen entsprechend *taufr*; in althochdeutschen Glossen wird *phylacterium* mit *pleh*, *plehhir* übersetzt, weil die A. vielfach aus Blech bestanden. Ein späterer deutscher Name ist *Angehenke* (s. d.) [6]). Im 16. und 17. Jh. werden diejenigen, die A. oder Schutzbriefe im Krieg bei sich trugen, *Pessulanten* oder *Charakteristiker* genannt [7]). Heutzutage gebraucht man etwa in Schwaben [8]) die Wörter *Bändele* und *Bändelesmacher*, im Badischen [9]) *Mamlette* und *Ammenetli*, in der Schweiz [10]) *Bündeli*, in der Oberpfalz [11]) *Büscherl*, in der Landshuter Gegend [12]) *Amadedl*. Das Wort A. selbst tritt in der deutschen Sprache erst zu Anfang des 18. Jhs. vereinzelt auf, im Französischen Ende des 16. Jhs.

[1]) Von v. H a m m e r 1814 aufgestellt, übernommen u. a. von S e l i g m a n n *Blick* 2, 3; S e y f a r t h *Sachsen* 250.   [2]) G i l d e - m e i s t e r ZDMG. 38, 140 f.   [3]) Glotta 2, 219 ff. [4]) *Göttersprache* 93 f. [5]) *De amuletorum apud antiquos usu.* Diss. 1907, 9. [6]) G r i m m *Myth.* 2, 982; 3, 466 Nr. 869 f. [7]) F o x *Saarl. Volksk.* 1927, 464 f. [8]) H ö h n *Volksheilkunde* 1, 143. [9]) M e y e r *Baden* 38. [10]) SAVk. 21 (1917), 47; SchweizId. 4, 1364 f. [11]) W u t t k e 182 § 247. [12]) P o l l i n g e r *Landshut* 274.

2. B e g r i f f s b e s t i m m u n g   u n d Z w e c k. A. ist ein kleinerer, krafterfüllter (orendistischer) Gegenstand, dessen Kraft sich dort wirksam zeigt, wo er angehängt oder befestigt wird [13]). Vom Talisman (s. d.) unterscheidet sich das A. höchstens dadurch, daß das Wort Talisman gelegentlich auch auf größere Gegenstände wie Bildsäulen angewandt wird. Zum Wesen des A. aber gehört seine leichte Tragbarkeit und Anhängbarkeit. Das A. kann einem vierfachen Zweck dienen, denselben 4 Zwecken [14]), deren Erreichung allgemein im Gebiet der Religion wie in dem der Zauberei durch Kult- bzw. Zauberhandlungen hervorgerufen werden kann. Das A. kann also 1. a p o t r o p ä i s c h wirken, d. h. es kann böse Geister, Einflüsse usw. abwehren (s. d.). Es kann 2. Z w a n g s h a n d - l u n g e n ausüben, insbesondere zu Analogiezauber (s. d.) gebraucht werden. Ferner kann es 3. die Kraft des Trägers

stärken, d. h. die Kraft des A. wird der Kraft des Trägers zugefügt, beide werden vereinigt (s a k r a m e n t a l e Wirkung). Und 4. kann durch das A. die Kraft göttlicher Wesen gestärkt, diese erfreut werden (e u e r g e t i s c h e Wirkung).

[13]) P a u l y - W i s s o w a 11, 2156 f. 2169; Suppl. 4, 337 f.; Die Völkerkunde 1926, 42 f. [14]) P a u l y - W i s s o w a 11, 2108. 2151. 2164; Suppl. 4, 331; BlBayVk. 10 (1925) 65 f.

3. U r s p r u n g   d e s   A. g l a u b e n s. Der Ursprung der Kleidung, den man gelegentlich entweder in einem physischen (Schutz gegen Witterung) oder in einem psychologisch-moralischen (Schamgefühl) oder in einem ästhetisch-sexuellen Grund (Wirkung auf das andere Geschlecht) suchte, ist wahrscheinlich, der des Schmuckes (s. d.) sicher in einem mystisch-magischen Grund zu sehen. Man schmückte sich mit Teilen der Jagdbeute (Felle, Krallen, Zähne, Federn) oder erschlagener Menschen (Skalp, Stück des trepanierten Schädels), um sich die Kraft und Eigenschaften dieser Menschen und Tiere anzueignen. Man hängte sich Teile von Pflanzen (Blätterschmuck, Kränze) und bunte, glänzende Steine usw. an, um die darin vermuteten Kräfte sich zuzufügen. Man bemalte und tätowierte (s. d.) seinen Körper, um seine eigene Kraft zu stärken. Das sind alles zugleich primitive Formen des A., die aber auch bei Kulturvölkern vorkommen; der primitive Schmuck wirkt also als A. Einem Forschungsreisenden [15]) wurde ein Halsschmuck geschenkt, der aus dem Schwanzhaar eines Elefanten bestand, an dem die Kralle eines Leoparden und eines Adlers, der Zahn eines Seefisches und eines Krokodils hing (zugleich Beispiel eines Komposit-A.; s. u. § 5.). Haar und Krallen sollten auf der Jagd schützen, im Wald und Gras scharfsichtig und behende machen; die Zähne sollten vor den Gefahren des Wassers behüten. Oder: Herakles wickelte nach griechischer Sage [16]) den kleinen Aias in das Fell des unverwundbaren Löwen von Nemea, wodurch sich die Unverwundbarkeit auf den Kleinen übertrug. So ist die ursprüngliche Bedeutung des Schmucks und des

Amulett

A. die Zufügung von Kraft auf den Träger, also die s a k r a m e n t a l e Bedeutung. Von diesem orendistischen Glauben aus, der sich im Gebrauch des A. bereits in der Steinzeit nachweisen läßt, konnten sich die übrigen Formen des A.- Gebrauchs entwickeln.

[15]) P e s c h u ë l - L o e s c h e *Loango-Expedition* 3, 2, 352. [16]) Berl. phil. Wochenschr. 1912, 1028 ff.; P a u l y - W i s s o w a 11, 2158.

4. V e r b r e i t u n g u n d G e - s c h i c h t e; V e r g l e i c h e n d e s M a t e r i a l. Der Gebrauch von A.n ist eine der einfachsten Formen im Bereich der orendistischen Vorstellungen und daher überall bei Natur- und Kulturvölkern verbreitet und von den prähistorischen Zeiten bis zur Gegenwart zu verfolgen. Auf das Wesentliche gesehen, gibt es in dem Vergleichsmaterial, das andere Völker bieten, nichts, was nicht auch im deutschen Volksglauben vorkäme. Einzelheiten unten. Es sei vorerst allgemein hingewiesen auf verschiedene primitive Völker [17]), ferner auf die Inder [18]), Assyrer und Babylonier [19]), Ägypter [20]), Israeliten [21]), Griechen und Römer [22]), Zigeuner [23]), Chinesen [24]), Japaner [25]), ferner auf die Italiener [26]) und auf die Prähistorie [27]). So hat also das sich verbreitende Christentum überall den Gebrauch von A. vorgefunden, und es hat seinerseits auch hier christlichen Ersatz zu bieten gesucht, was um so leichter geschehen konnte, als auch dem N. T. orendistische Vorstellungen nicht fremd waren [28]). Insbesondere die Reliquien (s. d.) im weitesten Sinn, sowie die Heiligenbilder (s. d.), Skapuliere (s. d.) und sonstige geweihte Gegenstände wurden schon früh im Sinne von A. verwendet; dabei ist zu beachten, daß der christliche Reliquienkult von Anfang an im allgemeinen sehr viel mehr orendistisch war als der antike. Der Gebrauch von Reliquienpartikeln als A. ist nicht antik, sondern geht auf orientalischen Einfluß zurück [29]). Auch geschriebene A. mit Stellen aus dem A. und N. T. waren bei den Christen im Gebrauch [30]); s. a. Bibelamulett. Die katholische Kirche hat dabei von jeher den Unterschied zwischen eigentlichen A., die

vom christlichen Standpunkt aus nicht erlaubt waren, und den kirchlich gebilligten Heiltümern gemacht, erstere als Zaubermittel und Aberglaube verboten, den Gebrauch letzterer als religiös empfohlen. Dieser Kampf gegen die magischen A. zieht sich durch alle Jahrhunderte hin [31]). Es ist derselbe Kampf, in welchem z. B. die Christen der ersten Jahrhunderte die heidnischen Wundertaten im Gegensatz zu den Taten Christi als Zauberei bezeichneten, während die Heiden umgekehrt Christus und die Apostel als Zauberer hinstellten [32]). Jener Unterschied wird demgemäß auch von der katholischen Religionswissenschaft vertreten [33]), während der Volksglaube der katholischen Bevölkerung eine solche Unterscheidung im praktischen Gebrauch kaum, sondern nur in der Theorie [34]) macht. Aber selbst hohe katholische Geistliche wie der 1749 verstorbene Fürstbischof Anselm Franz von Würzburg trugen gelegentlich magische A. [35]). Der Protestantismus kennt keine A.-ähnlichen heiligen Gegenstände; doch finden sich A. selbstverständlich auch bei der protestantischen Bevölkerung, sogar oft A., die von katholischen Priestern oder Mönchen geweiht sind [36]). — Wie in den Ländern des Mittelmeergebiets, so hatte das Christentum auch in Deutschland gegen den nichtkirchlichen Gebrauch der A. zu kämpfen, da auch den Germanen der Gebrauch etwa von Runenzeichen und Bildern als A. nicht unbekannt war [37]). Dazu kam im abendländischen MA. auch der Einfluß der antiken Kultur und ihrer Ausläufer, der den Glauben an A. förderte und in zahlreichen Schriften einen Niederschlag fand. Die Vorschriften für Verwendung und Herstellung von A. wurden zu einer Pseudo-Wissenschaft, wie sie uns etwa bei Arnold von Villanova [38]) im 13. Jh. und später bei Agrippa von Nettesheim [39]) entgegentritt. Dieser okkulten Literatur des MAs. läßt sich etwa die moderne Schrift von Laarss [40]) zur Seite stellen. Insbesondere im 16. und 17. Jh. ist dann eine bedeutende Zunahme des A.glaubens festzustellen [41]). A. wurden fabrikmäßig hergestellt, so etwa von Leonhard Thurneysser [42]) aus Basel im 16. Jh., so wie auch heute noch viele „Braucher" und Wunderdoktoren A. anfertigen [43]) und besonders auch während des Weltkriegs in den Handel gebracht haben [44]); denn insbesondere Leute, die im Besitze magischer Kenntnisse und Kräfte [45]) gelten, vermögen A. herzustellen, bei uns der Braucher, oft auch, besonders im MA., Geistliche und Mönche [46]), bei den Mohammedanern Scheiks, Derwische und besonders Europäer [47]); von letzteren auch sonst den Eingeborenen gegebene medizinische Rezepte werden von diesen oft als A. um den Hals gehängt [48]). Im wesentlichen ist die mittelalterliche Verwendung der A. nicht verschieden von der der Jetztzeit, so daß sich aus den von Schindler und Meyer verwendeten und genannten Quellenschriften zahlreiche Parallelen zu dem heutigen Volksglauben anführen lassen. Daher kommt es auch, daß sogar mancher antike Brauch im A.wesen noch im heutigen Volksglauben weiterlebt [49]).

[17]) B a r t e l s *Medizin* 225 ff.; S c h u r t z AAnthr. 22 (1894), 57 ff.; S t u m m e ZfEthn. 1911, 91 ff.; B e l l u c c i *Parallèles ethnographiques* 1915 (mit vielen Abb.); G r a e b n e r *Weltbild der Primitiven* 1924. [18]) O l d e n b e r g *Religion des Veda* [4] 1923. [19]) H a s t i n g s 3, 409 ff. In diesem Artikel *Charms and amulets* findet sich Material für fast alle Völker, ebenso in den Werken von S e l i g m a n n , insbesondere in dem im Druck befindlichen *Die magischen Heil- und Schutzmittel*. [20]) W i e d e m a n n *Die Amulette der alten Ägypter* (DAO. 12, 1, 1910); ARw. 8, Beih. 23 ff.; 21, 481 ff.; Z.f.Äg. 43 (1907); 45 (1909). [21]) H a s t i n g s 3, 451 ff. [22]) P a u l y - W i s s o w a 1, 1984 ff.; 3, 1048 ff.; 6, 2009 ff.; 11, 2156. 2169; K r o p a t s c h e k a.a.O.; v a n H o o r n *De vita atque cultu puerorum*. Diss. Amsterdam 1909, 22 ff.; S t e m p l i n g e r *Sympathieglaube* 1919; s. auch u. Anm. 58; F a h n e y *De Pseudo-Theodori additamentis*. Diss. Münster 1913. [23]) Globus 59, 257. [24]) ARw 18, 457 f. [25]) C h a n t e p i e *Lehrbuch* [4] 1, 309 ff. [26]) B a y o n *Amulettes d'Italie* RTrp. 5, 219; B e l l u c c i *Catalogo dei Amuleti italiani contemporanei* 1898. [27]) W i l k e *Rel. der Indogermanen*; S c h r a d e r - N e h r i n g 1, 47 f.; E b e r t *Reallexikon* 1, 158 ff. [28]) P a u l y - W i s s o w a 11, 2116. 2158. [29]) P f i s t e r *Reliquienkult* 2, 607 ff. [30]) *Papyri Jandanae* ed. K a l b f l e i s c h 1, 1912; E i t r e m und F r i d r i c h s e n *Ein christliches A. auf Papyrus* 1921. Antike Gegenstücke bei H e i m *Incantamenta*. [31]) H e r z o g -

Hauck 1, 467 ff. [32]) P a u l y - W i s s o w a Suppl. 4, 325. 342 f. [33]) W u n d e r l e *Religion und Magie* 1926, 10 f.; G r a b i n s k i *Mystik* 84. [34]) Sage vom teuflischen A., das man durch kirchliche Hilfe wieder los wird: M e i c h e *Sagen* 560 Nr. 695. [35]) L a m m e r t 274. [36]) SAVk. 21 (1917), 47. [37]) H o o p s *Reallexikon* 1, 80 ff.; H e l m *Religgesch.* 1, 164 ff. [38]) L e h m a n n *Aberglaube* [3] 192 ff. [39]) A g r i p p a v. N e t t e s h e i m 1, 209 ff.; 5, 286 ff. [40]) *Das Geheimnis der Amulette und Talismane. Herstellung derselben nach alten Autoren auf magisch-astrologische Weise* 1919. [41]) S c h i n d l e r *Aberglaube* 123 ff.; M e y e r *Aberglaube* 255 ff. [42]) S c h i n d l e r 127; M e y e r *Abergl.* 31. [43]) M e y e r *Baden* 565; ZfrwVk. 7 (1910), 64. [44]) H e l l w i g *Weltkrieg* 51 f. [45]) P f i s t e r *Schwaben* 26 ff. [46]) S c h i n d l e r 128 f.; H o v o r k a u. K r o n f e l d 1, 22. [47]) S e l i g m a n n *Blick* 2, 302. [48]) Ebd. 2, 303. [49]) S t e m p l i n g e r *Aberglaube*; D e r s. *Volksmedizin*.

5. S t o f f d e r A. Da das Wesentliche des A.s die in ihm wohnende Kraft ist, kann als A. alles dienen, dem nach dem Glauben des Trägers eine solche Kraft innewohnt: und das ist nahezu alles. Also Teile von Menschen (Haare, Nägel, Knochen, Menstrualblut, Nabelschnur, Nachgeburt) oder Nachbildungen von Körperteilen wie Phallos und Vulva und die sog. Feige oder etwa die Zunge des Nepomuk [50]) und das Auge; ferner Tiere [51]), Pflanzen [52]), Steine [53]), Metalle [54]) (s. Einzelartikel). Ferner Münzen und besonders die Brakteaten [55]), prähistorische Steingeräte [56]), Donnerkeile [57]), Faden und Knoten [58]). Besonders zu erwähnen sind noch die geschriebenen A., die heute wie im Altertum zahlreich vertreten sind: Himmelsbriefe (s. d.), Gichtzettel, magische Quadrate (s. d.) usw. Ihre Verwendung beruht auf dem Glauben an die magische Kraft des Buchstabens, der Zahl, des Wortes, Namens oder Spruchs, die durch das Aufschreiben auf das Papier übertragen wird und so auch dieses zu einem orendistischen Gegenstand macht; s. auch Bibelamulett, Gebet, Zauberspruch. Auch sinnlose, unverständliche, fremdsprachige Worte spielen dabei eine Rolle. Da häufig die Kraft des Zauberspruchs durch die in ihm erzählte Geschichte gegeben wird, kann man ein A. auch dadurch herstellen, daß man auf einem Gegenstand die Geschichte bildlich darstellt, deren Verwirklichung man

durch einen Analogiezauber (s. d.) erhofft. Auch andere geweihte Bilder können als A. gebraucht werden. Neben solchen Bild-A. gibt es auch andere, die ein orendistisches Zeichen wie Doppelaxt, Kreuz, Trudenfuß, Pentagramm, Hörner, den kreuzartigen Buchstaben T (Tau) u. a. m. enthalten, wie uns solche seit der altkretischen Kultur bekannt sind; s. Bild, Tätowieren. Aber auch Gebet- und Zauberbücher (s. d.), die Bibel (s. d.) u. a. heilige und orendistische Bücher können als A. dienen. Als besonders erwähnenswert nenne ich noch das K o m p o s i t - A., das aus vielen Bestandteilen besteht und ebenfalls seit der prähistorischen Zeit allgemein verbreitet ist. Ein solches wurde in einem Brandgrab (Bronzezeit) auf Seeland bei Lyngby gefunden: Ledertasche, darin Schwanz einer Natter, eine kleine Konchylie aus dem Mittelmeer, ein kleines zugeschnittenes Stück Holz, Bruchstück einer Bernsteinperle, Stück eines roten Steines, Feuersteinsplitter, Falkenklaue, ein Lederfutteral mit Unterkiefer eines Eichhorns und einige in ein Stück Blase eingehüllte Steinchen [59]). Ähnliche Komposit-A. kennen wir aus dem Kongo-Gebiet [60]), aus der Türkei [61]), aus dem Germanischen Museum in Nürnberg [62]) und sonst [63]). Weshalb ein einzelner Stoff als wirksam galt, ist oft schwer zu sagen [64]).

[50]) A n d r e e - E y s n *Volkskundliches* 127 f. [51]) Z a h l e r *Simmenthal* 40; F a h n e y 55 ff. J ü h l i n g *Tiere*; A n d r e e - E y s n 142 ff. Auch Nachbildungen von Tieren wie die ägypt. Skarabäen. [52]) F a h n e y 47 ff.; M a r z e l l s *Arbeiten*; K r o p a t s c h e k 41 ff. [53]) M e y e r *Aberglaube* 55 ff.; F ü h n e r *Lithotherapie* 1903; A n d r e e - E y s n 139 ff. [54]) Z. B. Eisen, daher eiserne Ringe; P a u l y - W i s - s o w a 1 A, 807 ff.; A n d r e e - E y s n 136 f.; G o l d z i h e r ARw. 10 (1907), 41 ff.; P f i s t e r *Schwaben* 64 ff.; H ö f l e r *Volksmed.* 174 ff. [55]) H o o p s *Reallexikon* 1, 81. 307; A n d r e e - E y s n *Volkskundliches* 126 f. [56]) ZfVk. 13 (1903), 312. [57]) S. d.; F o x *Saarl. Volksk.* 291. [58]) W o l t e r s und B i s s i n g ARw. 8 Beih. 1 ff.; S c h e f t e l o w i t z *Schlingonmotiv*, P l e y *De lanae usu* 91 ff.; H e c k e n b a c h *De nuditate* 106 ff. [59]) S c h r a - d e r - N e h r i n g 1, 47; H e l m *Religionsgesch.* 1, 165 ff. [60]) S ö d e r b l o m *Werden des Gottesglaubens* 77 ff.; P a u l y - W i s s o w a 11, 2187 f. [61]) S e l i g m a n n *Blick* 2, 100.

[62]) K r o n f e l d *Krieg* 44. [63]) S e l i g m a n n *Blick* 2, 96 f.; S e y f a r t h *Sachsen* 139; K r o p a t s c h e k 69 f.; S c h ö n w e r t h *Oberpfalz* 3, 256; A n d r e e - E y s n 144 f. [64]) Vermutungen bei N e t o l i t z k y *Pharmazeut. Nachr.* 1926, H. 11.

6. V e r w e n d u n g d e s A. Der vierfache Zweck, dem die A. dienen können, läßt sich bei Betrachtung der vielfachen praktischen Verwendung oft nicht scharf auseinanderhalten. Der wichtigste Zweck ist im heutigen Volksglauben der apotropäische. Wenn A. oder andere orendistische oder geweihte Gegenstände (z. B. Palmen oder Weihbüschel) in die Bettzipfel, insbesondere des Brautbettes, eingenäht werden [65]), so soll damit Glück und Fruchtbarkeit in der Ehe erzielt, d. h. die Kraft des A. dem Ehebett zugefügt werden (sakramentaler Zweck). Am Bett der Wöchnerin [66]) befestigt oder am Körper der Schwangeren und Wöchnerin [67]) getragen, oder am Bett des Säuglings [68]) oder des Kranken [69]) angebracht, soll das A. die drohenden Dämonen, Hexen oder Krankheiten abwehren (apotropäischer Zweck). Wenn Brautleute beim Kirchgang A., Rosmarin, Salz, Kornähren u. a. tragen [70]), so kann das abwehrende und stärkende Bedeutung haben, ebenso wenn Soldaten im Krieg A. tragen [71]). Vielfach führt man sein ganzes Leben lang ein A. bei sich, oft auch nur bei besonderen Gelegenheiten, bei Geburt, Hochzeit und Krankheit. Insbesondere in Krankheitsfällen wurden zu jeder Zeit A. empfohlen [72]). Sie helfen aber auch gegen Wetter und Blitz [73]), gegen den bösen Blick [74]) und werden auch den Toten mit ins Grab gegeben [75]). Als I n d i k a t i o n s - A. zeigen sie schon durch gewisse charakteristische Veränderungen an, wenn der böse Blick auf sie fällt, und warnen so den Träger [76]). Bei Zauberhandlungen wehren sie böse Einflüsse ab [77]), Bergleute tragen sie zum Schutz [78]). Ebenso helfen A. auch den Tieren. Um einer Sau die Geburt zu erleichtern, hing eine katholische Frau dem Tier ihr in der Kirche geweihtes A. um, das einst in schwerer Stunde ihr selbst gegeben war [79]). Auch sonst werden Tiere mit A. geschmückt [80]). Schließlich

kann man A. und A.artige Gegenstände auch an Häusern, Ställen, Türen usw. anbringen oder dort die entsprechenden Zeichen, Bilder, Buchstaben, Worte direkt aufmalen oder einschneiden [81]).

Meist wirkt so das A. apotropäisch; doch ist auch die s a k r a m e n t a l e Bedeutung nicht ganz verschwunden, wofür schon einzelne Beispiele angeführt sind. Sie zeigt sich besonders in dem Brauch, das A. zu e s s e n. Entweder wird es in Wasser getaucht und dann das Wasser, das jetzt die Kraft des A. enthält, getrunken, oder das A. wird pulverisiert eingenommen, oder besonders hierzu bestimmte „Eßzettel" werden verschluckt [82]). Auch durch K ü s s e n des A. kann man sich dessen Kraft aneignen [83]). Auch aus der allgemeinen Anschauung, daß das A. berühmt, reich, stark, klug, beliebt macht [84]), kann man auf den Glauben an die kraftzuführende Eigenschaft des A. schließen. Um Zauberkraft zu erhalten, trägt es der Zauberer wie der Schamane [85]). Der e u e r g e t i - s c h e Gebrauch des A. läßt sich nur da nachweisen, wo Götterbilder und Fetische existieren, deren Kraft durch Anhängen von A. verstärkt wird, wie z. B. beim ägyptischen Horus. Analogiezauber (s. d.) bewirken A., auf denen durch Wort oder Bild das dargestellt ist, dessen wirkliche Erfüllung man von ihm erwartet. Ebenso glaubt man an eine magische Wirkung, wenn man im Erzgebirge und sonst dem Säugling den einer lebendigen Maus abgebissenen Kopf anhängt, um ihm das Zahnen zu erleichtern [86]).

[65]) B i r l i n g e r *Aus Schwaben* I, 396. [66]) G r ü n e r *Egerland* 35. [67]) H ö h n *Geburt* 260; P o l l i n g e r *Landshut* 239. [68]) G r ü - n e r 36; M e y e r *Baden* 26; S a r t o r i *Sitte und Brauch* I, 27; Egerl. 4 (1900), 6; J o h n *Westböhmen* 107; P o l l i n g e r 239. [69]) M a n z *Sargans* 80. [70]) S a r t o r i *Sitte und Brauch* I, 82. [71]) K r o n f e l d *Krieg*; H e l l w i g *Weltkrieg*; S a r t o r i 2, 169; M e y e r *Aberglaube* 277; ZfVk. 14 (1904), 126; F o x *Saarl. Volksk.* 240; 464 f. [72]) H o v o r - k a und K r o n f e l d I, 19 ff. mit Abb.; K r o p a t s c h e k 14 ff.; A n d r e e - E y s n *Volkskundliches* 63 ff.; H ö f l e r *Volksmedizin* 38 ff. [73]) S a r t o r i 2, 14; A n d r e e - E y s n 122 f. [74]) S e l i g m a n n *Blick*; D e r s. *Zauberkraft*. [75]) K e e s *Totenglauben u. Jenseitsvor-*

stellungen der alten Ägypter 1926, 249; E b e r t *Reallexikon* I, 158 ff.; K r o p a t s c h e k 16 f; M e y e r *Aberglaube* 256. [76]) S e l i g m a n n *Blick* I, 266; *Zauberkraft* 446. [77]) K r o - p a t s c h e k 12; F a h z *Doctrina magica* 35. [78]) D r e c h s l e r 2, 170. [79]) M a a c k *Lübeck* 27. [80]) Z i n g e r l e *Tirol* 223; Z e l e - n i n *Russ. Volksk.* 64. [81]) S a r t o r i 2, 19; M e y e r *D. Volksk.* 69 ff.; A n d r e e *Votive* 52; A n d r e e - E y s n 63 ff. 99 ff. 123. [82]) ZfVk. 8 (1898), 248 f.; A n d r e e - E y s n 120 ff.; P a u l y - W i s s o w a 11, 2156. 2171 ff.; P f i s t e r *Schwaben* 33 f. 36; K r o - p a t s c h e k 19. [83]) K r o p a t s c h e k 19; P a u l y - W i s s o w a 11, 2158 f. [84]) K r o - p a t s c h e k 16 ff.; M e i c h e *Sagen* 560 Nr. 695; ZfVk. 10 (1900), 288 f.; L a m m e r t 151. [85]) N i o r a d z e *Der Schamanismus bei den sibir. Völkern* 1925, 60 ff. [86]) S e y f a r t h *Sachsen* 298; L a m m e r t 126 f., wo noch andre Mittel angegeben sind.

7. D i e K r a f t d e s A. Die Kraft, die in dem A. wirkt, kommt ihm entweder an sich zu durch das Material, aus dem es besteht, oder durch die magischen Zeichen, Worte und Bilder, die es trägt, oder auch sie ist ihm vom Zauberer oder vom Priester durch eine magische Handlung oder Weihung verliehen worden, oder sie ist durch Berührung mit geweihten Gegenständen (Heiligenbilder, Reliquien) in das A. übergegangen. Letztere A. sind sog. „angerührte" Gegenstände [87]). Sie beruhen auf dem allgemeinen Glauben, wonach man auch künstliche Reliquien durch Berührung mit wirklichen Reliquien [88]) oder, wie in Polynesien, A. aus roten Federn herstellen kann, die man mit einem Götterbild in Berührung gebracht hat [89]). Da das A. ein orendistischer Gegenstand ist, ist es auch tabu; daher findet man gelegentlich das Verbot, ein A. zu öffnen [90]) oder es anzuhauchen [91]).

Eine umfassende Darstellung des A.- wesens fehlt noch; eine listenartige Sammlung aller A.typen wäre wünschenswert.

[87]) A n d r e e - E y s n 117. [88]) P f i s t e r *Reliquienkult* 2, 431 f.; 533 f. [89]) V i s s c h e r *Naturvölker* I, 241 ff. [90]) M e y e r *Baden* 565; H o v o r k a - K r o n f e l d I, 22; A n d r e e - E y s n 125; ZfrwVk. 7 (1910), 64. [91]) B i r - l i n g e r *Aus Schwaben* I, 397.   Pfister.

Anaël, ein Großfürst der Hölle unter dem Planeten Venus, dessen Regent Haniel heißt, ein Thronengel Jehovas; er erscheint Freitags als schöne Jungfrau [1]).

Beim Schatzheben wurde „das 7. Sigillum Anaël" gebraucht, ein Stein mit Engelnamen, darunter der letzte A.[2]). Der Name ist der gleiche wie der Num. 34, 23. 1. Chron. 7, 39 genannte Eigenname חַנִיאֵל, auch nabatäisch חנאל „mein Erbarmen ist Gott", griech. 'Aνιήλ und 'Aννήλ, Vulgata: Hanniel und Haniel. Als Engelname in jüdischen Zaubertexten [3]), ebenso in griechischen des MA.s [4]) als 'Aνήλ und 'Aνιήλ, in koptischen Amuletten [5]), als Stundenengel der 7. Stunde des Freitags 'Aνιέλ [6]) und als Engel der Aphrodite [7]). Aus solchen Verzeichnissen ist der Name wohl auch in Fausts Höllenzwang übergegangen.

[1]) K i e s e w e t t e r *Faust* 161. [2]) Handschr. aus dem 17. Jh. [3]) S t ü b e *Jüdisch-Babylonische Zaubertexte* (1895), 23 ff.; R e i t z e n - s t e i n *Poimandres* 292; MjdVk. 19 (1906), 117. [4]) R e i t z e n s t e i n a. a. O. 301. [5]) E r m a n - K r e b s *Aus den Papyri der königl. Museen* (Berlin 1899), 262; Ägyptische Urkunden a. d. kgl. Museen Berlin. Kopt. Urk. 1 (1902), 23 Nr. 24. [6]) H e e g *Hermetica* 19 Z. 12. [7]) D e r s. a. a. O. 40 Z. 33. Jacoby.

Analogiezauber. I. B e g r i f f s b e - s t i m m u n g. Unter A. soll hier der Zauber verstanden werden, bei welchem durch eine vom Subjekt, etwa dem Zauberer, vorgenommene D a r s t e l l u n g die tatsächliche Erreichung des Dargestellten beabsichtigt wird, wobei Darstellung und erwartete Wirklichkeit in ihrer Erscheinung parallel miteinander gehen und in einem magischen Zusammenhang stehend gedacht werden. Eine solche Darstellung kann, wie jede Darstellung, durch v i e r e r l e i M i t t e l oder Ausdrucksmöglichkeiten geschehen: A. Durch das gesprochene Wort, durch eine Erzählung; B. durch das geschriebene Wort, d. h. die Erzählung wird aufgeschrieben; C. durch bildliche Darstellung, Bild, Zeichnung usw.; D. durch eine mimische Handlung. Danach kann man also je nach dem Mittel der Darstellung v i e r A r t e n v o n A. unterscheiden: Analogie-Wortzauber, Analogie - Schriftzauber, Analogie - Bildzauber, Analogie-Handlungszauber. Das Wesentliche am A. ist also die begriffliche (mündliche oder schriftliche) oder bildliche oder mimische D a r s t e l l u n g, ausge-

führt durch das Subjekt, das einen der Darstellung analogen wirklichen Vorgang zu bewirken sucht. Wo eine solche Darstellung fehlt, möchte ich von einem eigentlichen A. nicht reden, zum Unterschied von andern Forschern, die den Begriff A. weiter fassen. Der Zauber- und Heilbrauch, z. B. similia similibus, bei welchem eine Krankheit durch ein Heilmittel geheilt oder eine andere Wirkung durch ein Mittel hervorgebracht wird, das durch irgendeine Eigenschaft in Beziehung zur Krankheit oder zur beabsichtigten Wirkung steht (etwa: Donnerkeil hilft gegen Blitz; gelbes Johanniskraut heilt Gelbsucht; Auge einer Katze heilt kranke Augen; Körner des Stechapfels gegen Seitenstechen angewandt; Ähnliches z. B. von Paracelsus [1]) empfohlen), fällt nicht unter den Begriff A. in unserem Sinne und wird unter dem Stichwort Similia similibus besprochen. Dieser Gedankengang begegnet auch beim Gebrauch von Amuletten: Der Eskimo näht ein Stückchen des Herdsteins in die Kleider und hofft dadurch auf langes Leben und Stärke im Unglück, da es Generationen hindurch dem Feuer widerstanden hat, und seine Frau trägt den Kopf eines Vogels bei sich, der kleine Eier legt, um nicht zu große Kinder zu gebären [2]). Ebensowenig ist A. im engeren Sinn die in vielen Berichten mit dem Motiv ὁ τρώσας καὶ ἰάσεται wiederkehrende Erscheinung, wobei das, was den Schaden verursacht hat, ihn auch heilt. Und ebenso hat nur entfernte Verwandtschaft mit dem A. die geglaubte magische Verbindung einer u n a b h ä n g i g vom Zauberer oder wünschenden Subjekt vorhandenen Erscheinung mit dem Erstrebten, da hier die zum Begriff des A. notwendige, vom Subjekt selbst vorgenommene Darstellung fehlt; also etwa: Warzen soll man bei abnehmendem Mond (s. d.) besprechen, damit sie abnehmen [3]), oder Bohnen soll man stecken, wenn viele Leute zum Markte gehen, damit es viele Bohnen werden [4]). Sowie aber eine solche Erscheinung vom Zauberer auch nur begrifflich dargestellt wird, ist es ein A., wenn etwa im Zauberspruch vom

Abnehmen des Mondes e r z ä h l t wird[5]). Also die irgendwie (auf eine der vier genannten Weisen) gegebene Darstellung gehört notwendig zum A., wie wir ihn hier fassen. Eine weitere Erscheinung, die man ebenfalls gelegentlich unter A. begreift, s. unter Etymologie; anderes unter Sympathie. Auch Weissagungen und Deutungen von Zeichen beruhen häufig auf der Schlußfolgerung aus ähnlichen Erscheinungen. Beispiele: Weibspersonen, die beim Waschen nasse Schürzen bekommen, kriegen einst einen Säufer zum Mann[6]). Wenn das Herzle(in) der Pflanze weiß ist, stirbt jemand im Haus[7]). Wenn das Feuer im Ofen pratzelt, entsteht Zank im Haus[8]) u. a. m.

[1]) Bavaria 1, 462; R e u s c h e l *Volksk.* 2, 16 f.; S c h ö n w e r t h *Oberpfalz* 1, 152 Nr. 2. [2]) ARw. 14, 220. [3]) G r i m m *Myth.* 2, 595 f. [4]) E b e r h a r d t *Landwirtschaft* 3, 2; ähnliches bei G r i m m *Myth.* 3, 461 Nr. 762. [5]) S e y - f a r t h *Sachsen* 95 ff. [6]) P a n z e r *Beitrag* 1, 267 Nr. 184. [7]) H ö h n *Tod* 309. [8]) P a n z e r 1, 264 Nr. 134.

2. M i t t e l d e s A.s; B e i s p i e l e[9]). Diese vier Arten des A. sollen zunächst durch Beispiele belegt werden, eine Auswahl aus dem ungeheuern Material, das alle Zeiten und alle Völker bieten.

A. und B. A n a l o g i e - W o r t - u. S c h r i f t z a u b e r. Der durch das ge- s p r o c h e n e W o r t, eine Erzählung (Historiola nach Heim[10]) benannt), hervorgerufene A.: Es wird eine Geschichte im Zauberspruch erzählt, und analog soll das Gewünschte geschehen. Belege hierzu bieten die Zaubersprüche in Masse. S c h r e i b t man diese Geschichte oder diesen Zauberspruch auf, so hat man ein Amulett oder einen wunderkräftigen Zettel, der das gleiche hervorruft. Im 2. Merseburger Zauberspruch (s. d.) wird erzählt, wie Balders Fohlen seinen Fuß verrenkte und dann geheilt wird: so hilft auch der Spruch mit dieser Erzählung gegen ähnlichen Schaden. Dieser Spruch war in unendlich vielen Abwandlungen im Gebrauch[11]). Oder der sog. Jordansegen[12]), der in einfachster Form etwa lautet: Blut, steh' still, wie das Wasser im Jordan still stand; es ist eine Sympathie (s. d.) zwischen Gleichnis und

Wirklichkeit. Solche einfachen Gleichnisse begegnen oft in Zaubersprüchen, z. B. „Blatter fall' aus dem Aug' / Wie der Regen aus der Trauf'"[13]). Oder: In der Ilias wird geschildert, wie der verwundete Diomedes von Athena geheilt wird; Dunkelheit hat schon seine Augen umfangen. Da erfüllt ihn die Göttin mit neuem Leben und sagt zu ihm: „Auch das Dunkel nahm ich den Augen dir, welches sie deckte, daß du wohl erkennest den Gott und den sterblichen Menschen." Diese Verse werden in späterer Zeit als Zauberspruch für Augenkranke benützt[14]). In vielen Fällen wird die Erzählung des Zauberspruchs dem Mythus oder der religiösen Legende entnommen, etwa aus dem homerischen Epos oder dem Alten oder Neuen Testament[15]). So sind auch die ägyptischen Mythen von Anubis[16]), der von einem Skorpion gestochen und von Isis geheilt wird, und von Horus[17]), den Thot heilt, im Zaubersegen verwendet worden. Oder: Will die Bauersfrau in Bretten (Baden) viele junge Hühnchen und wenig Hähnchen bekommen, so sagt sie zur Henne, die sie auf die Eier setzt: „Es geht a Hochzich in d'Kerch, 'senn lauter Weibsleut un numma a Mann"[18]). Oder um einer Kuh das geschwollene Euter zu heilen: „De Hisch un Hasch / die geh'n über'n Bach / un nemme de Kuh / 's g'schwollene Euter ab"[19]). In jeder Sammlung von Zauberformeln (s. d.) finden sich solche Beispiele[20]). Erwähnt sei noch der Gichtzettel[21]), in dessen Text die Geschichte von Gicht und Gichtin erzählt wird, die über Land gehen und dabei Christus begegnen; er frägt sie, wohin sie gehen wollen; sie antworten: zu den Menschen. Christus verbietet ihnen das und bannt sie in den wilden Wald. „Das sei dir, N. N., zu Buß gezählt. Im Namen usw."

[9]) Die Völkerkunde 1926, 42 ff. [10]) *Incantamenta* 495 ff. [11]) E b e r m a n n *Blutsegen* 1 ff. [12]) D e r s. 24 ff.; G r i m m *Myth.* 3, 508. [13]) S e y f a r t h *Sachsen* 76 f.; G a n z - l i n *Sächs. Zauberformeln* 8. [14]) L u k i a n *Cha- ron* 7; H e i m *Incantamenta* 495 ff. [15]) S e y - f a r t h *Sachsen* 130 ff. [16]) R e i t z e n s t e i n ARw. 8, 167 ff.; A b t *Apuleius* 278. [17]) P a u l y - W i s s o w a 8, 2447. [18]) F e h r l e *Baden* 1,

64. [19]) D e r s. 1, 65. [20]) A b t 155 f.; P r a -
d e l *Gebete* 86; T a m b o r n i n o *De antiquor.*
daemonismo 79. 101; S e y f a r t h *Sachsen*
101 ff.; G a n z l i n a. a. O. 9 f.; F r a z e r
7, 104 ff. [21]) Die Völkerkunde 1926, 38 ff.; ganz
ähnliche Sprüche: P a n z e r *Beitrag* 2, 305;
H o v o r k a u. K r o n f e l d 1, 455; 2, 700;
H ö f l e r *Volksmedizin* 31 f.; SchwVk. 1916,
98 f.

C. D e r A n a l o g i e b i l d z a u b e r.
Man braucht eine Geschichte nicht durch
Worte zu erzählen oder durch Buchstaben
aufzuzeichnen, sondern kann sie auch
durch ein gezeichnetes, gemaltes, geschnitztes usw., mehr oder minder deutlich ausgeführtes oder auch nur andeu-
tendes B i l d darstellen. Durch ein
solches Bild erhält der damit versehene
Gegenstand, auch wenn es nur ein Stück
Papier ist, die Kraft eines Amuletts oder
Fetischs, vorausgesetzt, daß das Bild eine
wirkende Kraft enthält. Ein solches Bild
kann lediglich K r a f t z u f ü g e n d, d. h.
heiligend, weihend, sakramental, kräftigend wirken (z. B. in Altkreta das Bild der
Doppelaxt, bei den Germanen der Hammer), oder es kann a p o t r o p ä i s c h
wirken (z. B. abgebildete Hörner, schreck-
hafte Masken) — über diese beiden Erscheinungen s. u. Bild u. Bildzauber —
oder es kann einen A. hervorrufen: dies
letztere, wenn das Bild einen Vorgang
darstellt, der analog dem gewünschten
ist. Diesem Zweck verdankt wahrscheinlich ein Teil der aus der Steinzeit stammenden, an die Höhlenwände in Süd-
frankreich und Spanien gemalten Bilder
ihr Dasein, insbesondere soweit sie Jagd-
szenen darstellen, und dasselbe ist bei
den Buschmannzeichnungen neuerer Datums der Fall [22]): Wie aus Südafrika
auf dem Bild das Tier vom Jäger erlegt
wird, so soll auch in Wirklichkeit ihm das
Jagdglück hold sein. So ist auch die in
der hellenistischen und römischen Kunst
öfters sich findende Darstellung zu erklären: Horus, der auf den Köpfen zweier
Krokodile steht oder mit der Lanze ein
Krokodil erlegt [23]). Auch die Darstellung
des heiligen Georg, der mit dem Drachen
kämpft, ist hier zu nennen, eine Legende,
die doch wohl irgendwie mit dem Mythus
von Horus zusammenhängt [24]). Derartige

Bilder, ursprünglich als A. gedacht, können dann auch als apotropäisch wirkende
Talismane (s. d.) aufgestellt werden, auf
jeden Fall sind sie, eben durch die bildliche Darstellung, orendistische Gegenstände. Hierher gehören auch die spätantiken Amulette [25]), die etwa Salomon
oder einen Engel darstellen, der eine weibliche Gestalt mit einem Speer durchbohrt;
dabei die Inschrift, etwa: φεῦγε, μεμισημένη,
Σαλομῶν σε διώκει. — Moderner Jagdzauber
aus Schwaben [26]): „Bei dem Bannen des
Wildes verfährt man also: Man macht aus
Silber, Kupfer oder Zinn das Bild eines
Mannes, der in der rechten Hand einen
gespannten Bogen hält, worauf ein Pfeil
liegt; im Gießen und Stechen spricht
man: Durch dieses Bild binde ich alles
Wild im Walde, Hirsche, Rehe, Hasen,
Füchse usw. Wenn nun der dritte Grad
des Löwen aufsteigt, so steche man auf
ein gleiches Metall alle Arten Wild, und
bei der Arbeit spreche man: Durch dieses
Bild binde ich alles Wild usw. Hierauf
werden beide Bilder so zusammengelegt,
daß die Seiten, worauf gestochen, zusammenstoßen, und dann festgebunden
und in ein grünseidenes Tuch gewickelt
und bei sich getragen. Man darf aber zu
keiner andern Zeit auf die Jagd gehen, als
wenn der Mond im Widder, Löwen oder
Schützen ist." Als A. sollte wohl auch das
Bild dienen (den Kopf eines Gendarmen
darstellend, umgeben von vier Messern,
die auf ihn zugerichtet sind), das Zigeuner
einige Tage vor der von ihnen ausgeführ-
ten Ermordung des Betreffenden auf eine
halbverfallene Mauer zeichneten [27]). Altgermanische und altgriechische Amulette
stellen einen durch einen Vogel oder einen
Menschen gefangenen Fisch dar und dienten als Fischfangzauber [28]). Eine Art von
Analogiebildzauber stellen auch diejenigen Zauberzettel dar, die ein Zauberwort
durch Weglassen immer des letzten Buchstabens so oft wiederholen, bis nur e i n
B u c h s t a b e noch übrig bleibt; z. B.

     Abraham Julita
     Abraham Julit
     Abraham Juli

usw. Wie das Wort abnimmt, so soll das
Fieber zurückgehen. Der A. wird hier

noch verstärkt durch das beigezeichnete Bild des Krebses, des rückwärts gehenden Tieres [29]). S. auch Artikel Tätowieren. Nicht zu verwechseln mit diesem A.-bildzauber ist der gleich zu besprechende A., der durch B e h a n d l u n g eines Bildes ausgeübt wird, wobei also das Bild in einer Zauberhandlung das Medium darstellt.

[22]) R. R. S c h m i d t *Die Kunst der Eiszeit* 1923; K ü h n *Kunst der Primitiven* 1, 923; v. S y d o w *Kunst der Naturvölker und der Vorzeit* 1923; H ö r n e s *Urgesch. der bildenden Kunst* [3] 1925; M a i n a g e *Les religions de la préhistoire* 1921; E b e r t *Reallexikon* 7, 142 ff.; L e h m a n n *Aberglaube* [3] 29 f.; ZfEthn. 58 (1926), 58 ff. [23]) *Bilderatlas zur Rel.gesch.* Lief. 2—4, Abb. 126; R o s c h e r *Myth. Lex.* I, 2750. [24]) Berl. phil. Woch. 1914, 1492. [25]) Rev. des ét. gr. 4, 287 ff.; 5, 74 ff.; P a u l y - W i s s o w a 4, 2376; H e i m *Incantamenta* 480 f.; R o s c h e r *Lex.* 3, 2027 f.; E i t r e m *Videnskapsselskapets Forhandlinger* 1921, 17 ff. [26]) B i r l i n g e r *Aus Schwaben* 1, 484. [27]) G r o ß *Handbuch* 1, 416 f. [28]) S c h e f t e l o w i t z ARw. 14, 372. 391. [29]) F e h r l e *Zauber* 61 f.; S e y f a r t h *Sachsen* 169 f.

D. D e r A n a l o g i e h a n d l u n g s - z a u b e r. Durch eine mimische Darstellung oder Handlung wird das parallel damit Gehende, was wirklich sich ereignen soll, hervorgerufen. Bei dieser Gruppe können wir wieder zwei Arten unterscheiden: Entweder ist die Darstellung eine einfache parallele, mehr oder minder deutliche oder auch nur einige wesentliche Punkte hervorhebende Nachahmung, oder aber durch ein Medium kommt eine Verbindung zwischen mimischer Darstellung und Wirklichkeit zustande; das Medium gehört der Wirklichkeit an und wird in der Darstellung benützt; es kann sich dabei um ein Bild, um ein Kleidungsstück, Teil einer Person, um Namen oder auch nur Schatten handeln. — B e i - s p i e l e für die einfache parallele Darstellung. Hier handelt es sich um Körperbewegungen, Tänze, mimische Handlungen: Hierher gehören die Jagd- und Fischtänze der Primitiven, Büffeltänze der Indianer, Känguruhtänze in Australien u. a. m., der Regenzauber in einem altmexikanischen Fest [30]). In ersterem Falle ahmen die Indianer, als Büffel verkleidet (s. Maske), die Bewegungen dieser

Tiere nach, und andere Indianer schießen mit stumpfen Pfeilen auf sie. Also, was auf den prähistorischen Höhlenbildern und nach der schwäbischen Vorschrift b i l d l i c h dargestellt wird, wird hier mimisch vorgeführt: immer zum gleichen Zweck des A. Auch die alten Griechen kannten solche δρώμενα [31]), die auch zu beachten sind, wenn man nach der Entstehung des griechischen Dramas frägt [32]). Etwa der Regenzauber in Arkadien, wobei bei anhaltender Dürre die Oberfläche einer Quelle unter Gebeten vom Priester mit einem Eichenzweig gerührt wurde [33]), oder in Rom das Fest der Robigalia [34]), bei dem eine Hündin getötet wurde: Wie sie getötet wird, so soll der schädigende Rost des Getreides vernichtet werden. Ähnlicher A. auch bei den Hethitern und sonst nachgewiesen [35]). Auch von deutschen Gebräuchen gehören unzählige hierher: die Begattung auf dem Feld (Heilige Hochzeit, Fruchtbarkeitszauber) [36]); das Feuerrad, das, an Fastnacht angezündet, den Berg herabgerollt wird [37]) (Sonnenzauber; er wird auf den schwedischen Felszeichnungen der Bronzezeit [38]) durch eine b i l d l i c h e Darstellung bewirkt); der Brauch mit dem Pfingstlümmel (s. d.) und andere Arten des Regenzaubers (s. d. u. Anm. 33); das Werfen des süßen Rahms in den Nidelnächten (s. d.) u. a. m. Noch ein paar Einzelheiten: Beim Säen des Flachses soll man den Beutel oder das Säetuch recht hoch in die Luft werfen, damit der Flachs hoch wächst [39]). In Anhalt steckt man, bevor man mit der Aussaat beginnt, einen möglichst langen Holunderstock in alle vier Ecken des Flachsfeldes, umtanzt ihn und ruft: So lang sollst du werden [40]). In Württemberg soll sein Wachsen dadurch gefördert werden, daß man an Fastnacht das Spinnrad hoch oben unter das Dach schiebt [41]) oder daß man mit entsprechenden Liedern (z. B. Flix, Flax, daß mein Flachs über vier Ela wachs) möglichst hoch durch das Johannisfeuer springt [42]). In Schlesien sollen die Kleidungsstücke, die das Kind bei der Taufe getragen hat, an einer hochgelegenen Stelle im Hause aufbewahrt werden, damit das Kind später im Leben zu einer hohen Lebensstellung gelangt [43]). Aus Böhmen, wenn ein Bursche ein Mädchen verläßt und eine andere heiratet: Dann nimmt wohl die Verlassene, während der Bursche mit der andern in der Kirche bei der Trauung ist, einen Hund, eine Katze und eine Henne und sperrt alle drei in eine Stube ein. Das neue Ehepaar wird sich dann ebenso zanken, wie sich Hund, Katze und Henne in der Stube während ihrer Trauung raufen [44]). Auch in kleineren Handlungen tritt dieser A. oft zutage: Wird im Tale der Kleinen Vils der Gevatter zur Taufe gebeten, so zieht er eiligst den Gevatterrock an; dies muß schnell geschehen, damit der Neugeborene recht flink werde [45]). Oder: Wird die Aussteuer der Braut in das neue Heim gefahren, so darf der Knecht, der den Wagen fährt, nicht mit der Peitsche schnalzen, da sonst die Braut im Ehestand Hiebe bekäme [46]). Vor allem auch im Heilzauber spielt die analoge Handlung eine Rolle: Um einen Beinbruch zu heilen, umwickelt man ein vorher zerbrochenes Stuhlbein und stellt den Stuhl in die Ecke [47]).

Oft wird auch ohne Willen des Handelnden ein A. durch eine Handlung oder einen Vorgang hervorgerufen: Wenn man eine Weide zum Holzbinden in einem Stalle dreht, darin Hühner, Gänse, Enten brüten, bekommen die Jungen krumme Hälse [48]). Wenn beim erstmaligen Baden des Kindes die Badewanne rinnt, wird das Kind ein Bettnässer [49]).

[30]) P r e u ß in Globus 86, 378. 388 f.; S c h r ö t e r *Anfänge der Kunst.* Diss. 1914; B e r t h o l e t NGG, Geschäftl. Mittei. 1926/27, 5 f. [31]) P a u l y - W i s s o w a 11, 2142. 2164 ff. [32]) D i e t e r i c h ARw. 11, 163 ff.; vergleichendes Material bei W i n t e r s t e i n *Der Ursprung der Tragoedie* (Imago-Bücher 8) 1925. [33]) P a u l y - W i s s o w a 7, 2208. 2210; 9, 2135; P f i s t e r *Schwaben* 85 ff.; ARw. 13, 34; F r a n z *Benediktionen* 2, 17 ff.; G e s e m a n n *Regenzauber* 63. [34]) P a u l y - W i s s o w a I, A 949 ff. [35]) F r i e d r i c h *Aus dem hethit. Schrifttum* 1925; E h e l o l f BSB. 1925, 267; L e s k y ARw. 24, 73. [36]) P a u l y - W i s s o w a 11, 2168 f.; D i e t e r i c h *Mutter Erde* 92 ff.; H ö f l e r *Hochzeit* 59 f. [37]) P f i s t e r *Schwaben* 84 f.; anderer Sonnenzauber: ARw. 11, 150 f. [38]) *Bilderatlas* Lief. 1, Abb. 10.

[39]) A n d r e e *Braunschweig* 226; S a r t o r i *Sitte u. Brauch* 2, 57. 109 f.; G r i m m *Myth.* 3, 475 Nr. 1078; s. auch 3, 448 Nr. 432. [40]) K n u c h e l *Umwandlung* 77. [41]) E b e r h a r d t *Landwirtschaft* 5. [42]) P f i s t e r *Schwaben* 83; M a r z e l l *Volksleben* 66 f. [43]) D r e c h s l e r *Schlesien* I, 198. [44]) G r o h m a n n 211. [45]) P o l l i n g e r *Landshut* 240. [46]) D e r s. 253. [47]) S e y f a r t h *Sachsen* 176 ff. [48]) G r i m m *Myth.* 3, 446 Nr. 373. [49]) P o l l i n g e r 243; W e t t s t e i n *Disentis* 172.

Die zweite Art des Analogie h a n d l u n g s zaubers ist die mimische Darstellung, bei der man sich eines Mediums bedient, das eine Verbindung mit der Wirklichkeit herstellt. Dies Medium kann etwa ein B i l d sein, das eine Person darstellt. Mit dem Bild werden Handlungen vorgenommen, durch die man analog die Person selbst beeinflußt. Dieser Bildzauber (s. d. und den Art. Atzmann) wird vor allem zum Liebes- und Schadenzauber gebraucht. Aber auch ein Kleidungsstück der betr. Person, ein Stück ihres Eigentums, ein Teil ihres Körpers (Haare, Nägel, Schweiß in einem Lappen) kann als Objekt dienen, mit dem, ebenfalls zu beiden Zwecken, die Zauberhandlung vorgenommen wird. Der Zauberer in Australien tötet dadurch einen Menschen, daß er ein Stückchen seiner Kleidung mit Leichenfett am Feuer röstet [50]). Nach deutschem Aberglauben bearbeitet man den Rock eines Menschen mit Haselruten und glaubt, daß die betreffende Person unsichtbare Hiebe verspürt. Es braucht nicht einmal der Rock jenes Menschen selbst zu sein; es genügt ein beliebiger Rock, über welchen man den N a m e n des betr. Menschen ausspricht [51]). Damit im Zusammenhang steht auch der verbreitete Glaube, daß, wenn das Kleidungsstück eines Lebenden in einen Sarg mit eingeschlossen wird, er dahinsiecht, so wie das Stück im Grabe verfault [52]). Der Glaube, daß man mit Haaren, Nägeln usw. einen A. ausführen kann, ist seit Apuleius in mancher Erzählung, auch humoristisch, verwertet [53]). Schließlich kann man auch mit dem Namen (s. d.) einer Person, auch mit ihrem Schatten (s. d.), einen A. ausführen. Auch das Tritt- oder Stapfenstechen, d. h. das Zaubern mit der Fußspur (s. d.), gehört hierher. Oder: Hat eine Hexe durch ihre Künste einer Kuh die Milch ausgemolken, so muß man bald hernach die Kuh noch einmal melken. Diese Milch setzt man aufs Feuer und schlägt dann mit einem Stock drein, bis das letzte Tröpflein aus dem Gefäß weg ist; je mehr man zuhaut, desto besser. Jeden Schlag bekommt die Hexe vom Teufel auf den Rücken [54]).

[50]) C h a n t e p i e [4] 1, 155. [51]) W r e d e *Eifler Volksk.* 95; F e h r l e *Zauber* 65; G r o ß *Handbuch* 1, 541; s. Art. Prügeln. [52]) W u t t k e 186, 255. [53]) A p u l. *met.* 3, 16 ff.; P f i s t e r *Schwaben* 44 f.; B a r t s c h *Mecklenburg* 2, 352; W e s s e l s k i *Märchen* 196, wo weitere Nachweise. [54]) W o l f *Niederländische Sagen* 370 f.

3. Z w e c k. Der Zweck des A. kann nach vorstehenden Beispielen ein mannigfaltiger sein. Er kann sich an Personen richten als Liebes-, Heil- und Schadenzauber, gegen Tiere als Jagdzauber, und schließlich kann er Fruchtbarkeits-, Wachstums- und Wetterzauber sein; s. die Einzelartikel.

Zur Erklärung s. noch W. S t e r n *Die Analogie im volkstümlichen Denken* 1893; D i e t e r i c h *Mutter Erde* 99; P r e u ß ARw. 9, 97; 13, 416. 434; B o h n e n - b e r g e r 106 ff. (S.-A. 16 ff.).   Pfister.

Ananisapta, auch Ananizapta und Amazapta, alte Pestabwehrformel, die im Ausgang des MA.s auftritt und gewöhnlich als Akrostichon erklärt wird: „**A**ntidotum **N**azareni **a**uferat **n**ecem **i**ntoxicationis, **s**anctificet **a**limenta **p**oculaque **t**rinitas. **A**men" [1]). Nach Bergner [2]) ist das Wort ein Notarikon wie Agla, dessen Deutung noch ausstehe. Ein Versuch, das Wort auf Mt. 27, 46; Mk. 15, 34: „asabthani" zurückzuführen [3]), scheitert an der Überlieferung; das aram. שְׁבַקְתַּנִי wird griech. σαβαχϑενεί, von der Vulg. sabacthani (nur in vereinzelten Lesarten ζαφϑανεί, zapthani u. ä.) umschrieben [4]) und somit dem A. wenig entsprechend. Auch die von Seligmann [5]) gegebene Erklärung עֲנֵי זַבְד אֵל „erhöre mich, Zabd (Engel) Gottes", hat eine Reihe Bedenken. Delrio u. a. [6]) denken an Anani-divinatio, aber die Wörterbücher verzeichnen kein solches Wort und עֲנָן, aram. עֲנָנָא müßte doch wohl mit

O-laut transskribiert werden, wie von Theodotion zu Jes. 57, 3: υἱοὶ ὡνενά (עֹנְנָה). Am wahrscheinlichsten ist noch die akrostichische Deutung, vgl. auch den nicht lange danach auftretenden Zacharias- und den Benedictussegen [7]).

[1]) HessBl. 20 (1921), 1 ff.; 21 (1922), 56 f.; D o r n s e i f f *Alphabet* 179. [2]) H. B e r g n e r *Grundriß d. kirchl. Kunstaltertümer* (1900), 353. [3]) HessBl. 21 (1922), 56 f. [4]) D a l m a n *Gramm. d. jüd.-paläst. Aramäisch* (1905), 365; T i s c h e n d o r f *Novum Testamentum Graece* I (1869), 202. [5]) HessBl. 20 (1921), 12. [6]) a. a. O. 9. [7]) Vgl. noch J. W o l f f *Scrutinium amuletorum medicum* (Leipzig u. Jena 1690), 371 mit Literatur aus den Schriften über die Pest.   Jacoby.

Anasages, Zauberwort zur Heilung von Zahnschmerz [1]).

[1]) T h i e r s 1, 361.   Jacoby.

Anastasia, hl., Märtyrin, genoß hohe Verehrung in den römischen Donauprovinzen, Fest 25. Dez.[1]). Von der Hirnschale der Heiligen ruht ein Stück seit 1053 in Benediktbeuren (Bayern). Kopfleidenden wird diese Reliquie aufs Haupt gesetzt, um sie zu heilen [2]). Ähnliche Heilkraft maß man den Anastasiahäublein bei, Häubchen von schwarzem Taft, die während einer Messe zuerst der Hirnschale der Heiligen aufgesetzt wurden [3]). Außerdem sollen Anastasiazettel heilbringend wirken [4]).

[1]) K ü n s t l e *Ikonographie* 56—57. [2]) A n - d r e e - E y s n *Volkskundl.* 120. [3]) S c h m e l - l e r *Bay.Wb.* 1 (1872), 86, nach dieser Quelle (1. Ausg. 1, 64) L a m m e r t 26, ebenso wohl ZdVfVk. 1 (1891), 295. [4]) A n d r e e - E y s n a. a. O.   Wrede.

Anastasiushaupt. Auf Pestschutzbriefen (s. Breve) kommt neben andern Heiligenbildern nicht selten das anscheinend gewaltsam vom Körper abgetrennte Haupt des hl. Märtyrers Anastasius, des Persers, vor, das noch überdies eine deutliche Hiebwunde an der Stirn trägt [1]). Das Bild scheint in der Legende begründet, nach der Anastasius mit einer Axt erschlagen und enthauptet worden ist [2]). Aus diesem Grunde ist er auch Patron gegen Kopfweh [3]).

[1]) Abbildung s. A n d r e e - E y s n *Volkskundliches* 68. [2]) AA. SS. Boll. (22.) Jan. 3, 35 ff. [3]) K e r l e r *Patronate der Heiligen* (1905) 206.   Hoffmann-Krayer.

anbauen. Das Fieber wird „gewendet" oder „angebaut", indem man Leinsamen unter Hersagen eines Segens auf dem Acker anbaut: wie der Same aufgeht, muß das Fieber weichen [1]). Vgl. F i e b e r , (Krankheit) ü b e r t r a g e n .

[1]) H ö f e r *Wb. der . . . in Österreich üblichen Mundart* 3 (Linz 1815), 131 = G r i m m *Myth.* 2, 981 f.   Bächtold-Stäubli.

anbinden. Heilkräftige Mittel werden angebunden, umgeknüpft, um den Arm, Hals, Leib getragen. Die lateinischen Quellen des MA.s nennen dies l i g a - m e n t a , l i g a t u r a e , p h y l a c - t e r i a [1]). Der neuere Name ist „Angehenke" [2]), vgl. Angebinde (s. d.) [3]). In Schlesien wird a. im Sinne von „stellen" (s. bannen) gebraucht [4]).
S. A m u l e t t , A n g e h e n k e , B ü n d e l c h e n , E i n b u n d .

[1]) G r i m m *Myth.* 2, 982. 1003 f.; 3, 345. [2]) Ebd. 2, 982; 3, 466 Nr. 869. 870 (aus E t t - n e r s *Hebamme* 859 u. 862). [3]) *DWb.* 1, 338. [4]) K ü h n a u *Sagen* 3, 189 Nr. 1561; 3, 224 Nr. 1586.   Bächtold-Stäubli.

anblasen s. b l a s e n .

Anblick. Ausdruck für den bösen Blick bei den Wenden im Spreewald.

S c h u l e n b u r g *Wend. Volkstum* 100. 106. 107. 202.   Seligmann.

Anblicks- oder Angesichtskörner, d. s. Päonienkörner. Sie schützen bei den Wenden die Menschen vor dem bösen Blick, epileptischen Krämpfen und plötzlichem Unwohlsein, das Vieh vor dem Igel.

V e c k e n s t e d t *Wend. Sagen* 470, § 20—22; ZfEthn. 1877, 450; S e l i g m a n n *Blick* 2, 79.   Seligmann.

Andorn (Gottvergeß, Berghopfen, weißer Dorant, Mariennessel; Marrubium vulgare).

1. B o t a n i s c h e s . Lippenblütler (Labiate) mit gegenständigen, filzig behaarten Blättern und weißen Blüten, deren Kelchzipfel zottig behaart sind. Hin und wieder auf Schutt und an Dorfstraßen [1]).

[1]) M a r z e l l *Kräuterbuch* 332 f.

2. Der A. wird manchmal dem geheimnisvollen Dorant (s. d.), dem bekannten hexenwidrigen Mittel, gleichgesetzt [2]).

Auch der bereits in den ahd. Glossen belegte Name „Gottvergeß" ('gotvirgeze', 'gotvergeze') weist auf abergläubische Beziehungen. Als h e x e n v e r t r e i - b e n d erweist sich der A., wenn er, nachts zwischen 11 und 12 Uhr auf einem Friedhof gepflückt, zum Scheuern der Milchgefäße benutzt wird, damit die Butter zusammengeht [3]), oder wenn er dem freßunlustigen Vieh an den Hals gehängt wird [4]). Der A. muß in der Johannisnacht geholt werden [5]). Unter die Bienenstöcke gelegt, soll er die Bienen zum Brüten reizen [6]). In der Sympathiemedizin scheint der A. früher öfter gebraucht worden zu sein [7]).

[2]) SAVk. 23, 167. 171 f. [3]) Anhalt: W i r t h *Pflanzen* 32. [4]) W i l d e *Pfalz* 4. [5]) Prov. Sachsen: Veckenstedts Zs. 3, 308. [6]) Urquell 5, 22. [7]) HessBl. 5, 166; S é b i l l o t *Folk-Lore* 3, 497; ZfVk. 21, 153.   Marzell.

Andreas, hl. Der erstberufene Apostel, im Range nur dem Petrus und dem Paulus nachstehend. Sein Attribut ist das schief gestellte Kreuz (s. A.kreuz).

1. Mit dem A.t a g e (30. Nov.), der fast mit dem Beginn des Kirchenjahres zusammenfällt und daher manche Neujahrsbräuche an sich gezogen hat, beginnt eine aller Art von W e i s s a g u n g offene Zeit. Was einem in der A.nacht t r ä u m t , geht in Erfüllung [1]). Der Bursche, der am A.tage einem Mädchen zuerst b e g e g n e t , wird ihr Mann [2]). Die A.nacht ist eine der sog. L o s - nächte. Vor allem suchen heiratslustige Mädchen den z u k ü n f t i g e n L i e b h a b e r zu Gesichte zu bekommen, sei es im Traume oder in einer Spukgestalt, oder wenigstens irgendeinen Anhaltspunkt für seine Herkunft und Art zu gewinnen [3]). Die dazu angewendeten Mittel sind fast zahllos, wiederholen sich übrigens zum großen Teile auch zu anderer Zeit und Gelegenheit, namentlich zu N e u j a h r . Die häufigsten sind folgende: Das Mädchen kniet am Abend vor ihr B e t t und bittet den hl. A. in einem herkömmlichen Spruche, ihr im T r a u m den künftigen Liebsten zu zeigen [4]). Oder es setzt sich dazu auf den Bettrand [5]) oder steigt rückwärts oder mit dem linken

Fuße zuerst ins Bett [6]), s p r i n g t darauf herum [7]), t r i t t gegen die Bettlade [8]) und s c h ü t t e l t sie [9]). G e s c h ü t - t e l t wird auch der Zipfel der Bett- decke [10]), der Z a u n [11]), im besonderen der Gartenzaun (der erste, der vorbei- geht, ist der Zukünftige) [12]) oder ein Erb- zaun (ein bellender Hund zeigt dann die Richtung an, woher der Ersehnte kommt) [13]); ferner die Wäschestange [14]) oder ein Baum [15]). Auch wickeln die Mäd- chen bunte Bänder um Zaunpflöcke, sehen am andern Morgen zu, wie der Zaun beschaffen ist und entnehmen dar- aus die Art ihres Bräutigams [16]). Das Mädchen legt auch ein S i l b e r s t ü c k vors Bett, tritt mit dem Fuße darauf und betet, daß ihr der Zukünftige im Traume erscheine [17]). Zu gleichem Zwecke streut es G e t r e i d e oder L e i n s a a t unter das Kopfkissen [18]) oder in alle vier Winkel der Kammer [19]). Oder es legt Z e t t e l und S p r ü c h e unter den Kopf [20]) oder einen S p i e g e l [21]); oder es sieht in den Spiegel [22]) oder durch ein A s t l o c h [23]). Auch setzt es sich an den H e r d und sagt ein Vaterunser rück- wärts her [24]) oder sieht nackt in den S c h o r n s t e i n [25]). (N a c k t h e i t ist überhaupt bei vielen dieser Handlungen Vorschrift [26]).) Verbreiteter Brauch ist, daß das Mädchen (nackt, mit einem neuen Besen) die Stube f e g t [27]) oder den T i s c h d e c k t und mit Speisen besetzt [28]). Allerlei Schlüsse kann man auch aus dem B l e i g i e ß e n zie- hen [29]), sowie aus dem ins W a s s e r geschütteten Weißen eines E i e s [30]), aus schwimmenden S c h ä l c h e n und L i c h t e r n [31]) oder P a p i e r p f e n - n i g e n [32]). Im klaren Wasserspiegel, selbst im Wasserglase, kann man den Freier schauen [33]). Das G r e i f e n von Gegenständen aus dem Wasser gibt man- chen Hinweis [34]), desgleichen das S c h e i - t e r g r e i f e n [35]) und das Greifen in den S c h a f s t a l l [36]). Nicht minder be- deutsam ist das H o r c h e n auf das Echo [37]), auf die Reden im Nachbar- hause [38]), auf die Stimmen im Hühner- stall nach dem Anklopfen [39]) oder auf die Antwort der Kuh [40]). Auch K r e u z -

w e g e laden zum Horchengehen ein [41]), und selbst auf das f r i s c h e G r ü n legt das Mädchen sein Ohr und lauscht, ob nichts zu hören sei [42]). Das Körner- picken des H a h n e s [43]) und der sich der Glücklichen zuwendende G ä n s e - r i c h [44]) verheißen Heirat. Das Mädchen schreibt auch die 24 B u c h s t a b e n mit Kreide an die Tür und greift mit ver- bundenen Augen danach. Der getroffene ist der Anfangsbuchstabe des Namens des künftigen Geliebten [45]). So werden auch auf zwölf Zettel die N a m e n be- gehrenswerter Freier geschrieben und unter dem Zwölfuhrläuten zum Fenster hinausgeworfen bis auf einen, den das Mädchen unter das Kopfkissen legt; am andern Morgen weiß sie ihren Zukünf- tigen [46]). In verschiedener Art kommt das W e r f e n zur Anwendung, nament- lich des S c h u h e s [47]), eines Stroh- kranzes oder Holzspanes auf einen Baum [48]), oder einer heil gebliebenen Apfelschale, die den Namensanfang des künftigen Liebhabers ergibt [49]). Das Es- sen eines A p f e l s bewirkt dessen Er- scheinen [50]); auch das Essen eines H e - r i n g s [51]). Die Mädchen tun auch S t r u m p f - oder K o p f b ä n d e r in eine Mulde, schwingen sie, und die, deren Band zuerst h e r a u s s p r i n g t, hei- ratet zuerst [52]). Aus den in Wasser ge- stellten Apfel- oder Hollerzweigen, die zu Weihnachten b l ü h e n, schließt man auf die Zeit der Hochzeit [53]). Wenn ein Mädchen am A.morgen an einem Gewäs- ser eine K n o s p e an einem Strauche entdeckt, wird es bald heiraten [54]). Im Emmental backen die Mädchen B r ö t - c h e n, zu denen sie das Mehl aus drei Häusern z u s a m m e n g e b e t t e l t ha- ben. Im Traum erscheint dann der Zu- künftige [55]). Im Sarganserland zwingt das Mädchen den künftigen Freier zu einem Stelldichein, wenn es „G s c h i r r b l ä t z" siedet und immer darin herumstochert [56]). Alle diese Mittel und noch manche andere gehen untereinander verschiedenartige Verbindungen ein und sind oft noch mit allen möglichen Einzelbestimmungen be- lastet und in ihrer Ausführung erschwert. Obrigkeit und Kirche verurteilen diese

„schädliche superstitiones", auch wenn sie nicht unter Anrufung des Teufels geschehen [57]), der sich mitunter hineingemischt haben soll [58]). Die Frauen überwiegen in der Anwendung dieser Wahrsagungsmittel. Doch werden sie auch von den Männern nicht verschmäht [59]). So sagt Logau: „Wann St. A.-Abend kümt, pflegt jeder, der sich will beweiben, Auch die, die sich bemannen wil, ein hitziges Gebet zu treiben" [60]).

[1]) Schramek Böhmerwald 113. [2]) Hoffmann-Krayer 96. [3]) Urquell N.F. 1, 69 ff.; Sartori Sitte u. Brauch 3, 10 f.; Drechsler 1, 3 f. [4]) Urquell 1, 70; Reiser Allgäu 2, 177; ZfdMyth. 1, 87 (Oberharz); Strackerjan 1, 108; Frischbier Hexenspr. 162. [5]) Messikommer 1, 157 f. [6]) SchwVk. 1, 14; 10, 28; Hoffmann-Krayer 97; Vernaleken Alpensagen 337; John Erzgeb. 143 f. [7]) Reinsberg Böhmen 517. [8]) Meier Schwaben 2, 455; Birlinger Volksth. 1, 342 f.; SchwVk. 1, 86; Vernaleken Alpensag. 337; ZfVk. 5, 415. 8, 398.; Frischbier 162; Köhler Voigtland 383; John Westböhmen 5; Schramek Böhmerwald 113; Urquell 1, 100 (Isergebirge). [9]) Meyer Baden 167. [10]) ebd. 167; Birlinger Volksth. 2, 444; John Westböhmen 3. [11]) Lehmann Sudetendeutsche 127. [12]) Manz Sargans 140; Urquell 1, 100. [13]) Nork Festkalender 750; Köhler Voigtl. 400; Wolf Beitr. 1, 121 (Oberharz); Urquell N. F. 1, 71 (Harz). Bloßes Hundebellen: Grimm Myth. 3, 470 (964). [14]) Köhler Voigtl. 382. 572; John Erzgeb. 142. [15]) John Erzgeb. 141. [16]) Hovorka-Kronfeld 2, 176. [17]) Reiser Allgäu 2, 177. [18]) Frischbier Hexenspr. 162. [19]) Haupt Lausitz 1, 200; Reinsberg Böhmen 517 (auf den Fußboden). [20]) Meyer Baden 167; Urquell N.F. 1, 73 f. (Polen). [21]) Stoll Zauberglauben 152. [22]) Lauffer Niederd. Volksk. 115. [23]) Reinsberg Böhmen 517. [24]) Urquell N.F. 1, 79. [25]) Schambach-Müller 238. [26]) Weinhold Ritus 6 f.; Reuschel Volksk. 2, 21; Sartori S. u. Br. 3, 10, A 2. [27]) Meier Schwaben 2, 455; Birlinger Volksth. 1, 341; SAVk. 2, 216; SchwVk. 10, 28; Hoffmann-Krayer 96; Manz Sargans 140; Stoll Zaubergl. 152 f.; Meyer Baden 168. [28]) Schönwerth Oberpfalz 1, 140 f.; Wolf Beitr. 1, 121 f.; Drechsler 1, 13; Urquell N.F. 1, 73 f.; Köhler Voigtl. 383; SAVk. 13, 3; 25, 144; Manz Sargans 140; Grimm Sagen² 149 (115); Mitt. Anhalt. Gesch. 14, 17 f. [29]) Hörmann Volksleben 204; Birlinger Volksth. 1, 341; Schramek Böhmerwald 111; John Westb. 2. [30]) Meier Schwaben 2, 454 f.; Meyer Baden 166. [31]) Urquell N.F. 1, 73; Schramek 112.

[32]) John Erzgeb. 141. [33]) ZföVk. 3, 9; Messikommer 1, 158; Hoffmann-Krayer 96; Stoll Zaubergl. 178 f. [34]) Köhler Voigtl. 400; aus Töpfen: John Westb. 2; Schramek 112. [35]) ZfVk. 9, 442; Schulenburg Wend. Volkst. 126; Reinsberg Böhmen 515 f.; SAVk. 15, 3; Kapff Festgebr. 5. [36]) SAVk. 15, 3; Hoffmann-Krayer 96. [37]) Wuttke 367 (Ostpreußen). [38]) Köhler Voigtl. 383; Reinsberg Böhmen 516. [39]) Drechsler 1, 11; John Erzgeb. 142. [40]) John Erzgeb. 142. [41]) Drechsler 1, 11; Köhler Voigtl. 383. [42]) Brunner Ostd. Vk. 160. [43]) Drechsler 1, 11. [44]) Meyer Abergl. 215. [45]) Wuttke 333. Ähnlich das „Stippeln" in Ostpreußen: Brunner Ostd. Vk. 159. [46]) John Erzgeb. 142; vgl. Schramek Böhmerwald 112. [47]) Messikommer 1, 158; Hoffmann-Krayer 97; Manz Sargans 140; John Westb. 2 f. [48]) John Erzgeb. 140; Lehmann Sudetendeutsche 128. [49]) Manz 140; Vernaleken Alpensag. 337 f.; Sébillot Folk-Lore 3, 398. [50]) Urquell N.F. 1, 71 f. (Elsaß); Birlinger Volksth. 1, 341; Wuttke Sächs. Vk. 371. [51]) Köhler Voigtl. 380; Brunner Ostd. Vk. 160. [52]) Schulenburg Wend. Volkst. 126. [53]) Mitt. Anhalt. Gesch. 14, 17 f. [54]) Reinsberg Böhmen 519 [55]) SAVk. 15, 3. [56]) Manz Sargans 140. [57]) Panzer Beitr. 2, 271. 273. [58]) Meyer Baden 169. [59]) Meyer Baden 168; Birlinger A.Schw. 1, 380. In Schlesien tun sich Mädchen und Burschen zusammen: Lehmann Sudetendeutsche 128. [60]) Drechsler 1, 3.

2. A. gilt überhaupt als Heiratsvermittler und wird daher von den Mädchen um einen Mann angefleht [61]). Um einen Freier zu bekommen, schneidet das Mädchen sich am A.abend von dem „Gesichte" am Bíenenstock ein Spänchen Holz ab und trägt dies immer bei sich [62]). In der ermländischen Kathedrale küßt es zu gleichem Zwecke die am A.tage ausgestellte Statue des Heiligen [63]). Durch Kranzbinden wird auch die Treue des Schatzes erforscht [64]). Endlich wird A. im südlichen Baden auch um Kindersegen angefleht [65]), und das Kloster Arnsburg hatte die Verpflichtung, den Frauen von Münzenberg, die guter Hoffnung waren, jährlich am A.tage einen mit Weizen gemästeten Eber zu liefern [66]).

Zur Erklärung der Bedeutung des hl. A. für Ehe, Liebe und weibliche Fruchtbarkeit führt man verschiedene Gründe an: eine Beziehung zum Gotte Frô, zum Gleichnis von den 10 Jung-

haarigen gesehen hat, trachtet danach, hinterher einen Schimmel zu erblicken [95]). Der Jäger, dem eine alte Frau begegnet ist, legt sich zu Boden und läßt sie über sich wegschreiten [96]), oder er geht zurück, umschreitet einmal sein Haus und verrichtet seine Notdurft [97]), oder er kehrt um, sieht in der Küche zum Rauchfang empor und dreht sich um oder setzt sich im Zimmer einen Augenblick nieder [98]). In bestimmten Fällen muß man, um sich die Erfüllung eines g. A.s zu sichern, gewisse Handlungen vornehmen, so sich wälzen oder auf die Tasche klopfen, z. B. beim ersten Erblicken von Kuckuck, Schwalbe und Bachstelze [99]).

[70]) G r i m m *Myth.* 2, 940 ff.; 3, 323; F o g e l *Pennsylvania* 98 nr. 401; K l a p p e r MschlesVk. 21, 87; D e r s. *Schles.Volksk.* 257; S a r t o r i *Sitte u. Brauch* 2, 164; W i t z s c h e l *Thüringen* 2, 277; ZrwVk. 11, 257, vgl. A n d r e e *Parallelen* 2, 42; B o e c l e r *Ehsten* 71; T h i e r s *Traité* 1, 208. [71]) S c h ö n w e r t h *Oberpfalz* 3, 275. [72]) W u t t k e 204 § 280. [73]) G r i m m *Myth.* 2, 940; 9, 323; F o g e l *Pennsylvania* 112 nr. 486; S a r t o r i *Sitte u. Brauch* 1, 162; vgl. B o e c l e r *Ehsten* 71; H a r o u *La mer* 413; S é b i l l o t *Folk-Lore* 3, 99. [74]) S c h ö n w e r t h *Oberpfalz* 3, 275. [75]) G r i m m *Myth.* 2, 939. [76]) G r o h m a n n 230. [77]) Kronauer Amt mdl. Mitt. [78]) G r i m m *Myth.* 2, 938 (MA.). [79]) ZfVk. 5, 97. [80]) W i t z s c h e l *Thüringen* 2, 278. [81]) Zahllose Belege; bereits im Altertum, s. L u k i a n. *Eunuch.* c. 6 und im MA. M e y e r *Aberglaube* 227. [82]) D r e c h s l e r *Schlesien* 2, 194; J o h n *Westböhmen* 251. [83]) W u t t k e 208 § 288; 288 § 422 u. ö. [84]) D r e c h s l e r *Schlesien* 2, 230 (schreiende Elster mit einem Besen); W u t t k e 200 § 270. [85]) D ä h n h a r d t *Volkst.* 2, 89; W u t t k e 200 § 270 (Schweineherde. Von links kommender Hase; dabei muß man wegsehen). [86]) D r e c h s l e r *Schlesien* 2, 193. 227 (dreimal), 234 (auf einen Stein und wirft diesen über die Stelle); MschlesVk. 2, 64 (dreimal auf die Übergangsstelle); H a l t r i c h *Siebenb. Sachsen* 317 (dabei eine Nadel und etwas Heu fallen lassen); S c h ö n w e r t h *Oberpfalz* 3, 273; vgl. B o e c l e r *Ehsten* (dreimal, dabei fluchen). [87]) B r ä u n e r *Curiositäten* 489; B r o n n e r *Sitt u. Art* 159; D r e c h s l e r *Schlesien* 2, 234; L a u b e *Teplitz* 50 (dabei ausspeien); S c h ö n w e r t h *Oberpfalz* 3, 274. [88]) D r e c h s l e r *Schlesien* 2, 234; W u t t k e 200 § 270; ZfdMyth. 3, 310 (a. 1612). [89]) G r i m m *Myth.* 2, 942. [90]) W o l f *Beiträge* 1, 257, doch ist hier vielleicht mehr ein Mittel gegen Räuber gemeint; s. J o h n *Erzgebirge* 34. [91]) D r e c h s l e r *Schlesien* 2, 234; MschlesVk. 2, 65; vgl. T h e o p h r a s t *Char.* 16. [92]) G r i m m *Myth.* 3, 456 nr. 643 (a. 1787). [93]) D r e c h s l e r *Schlesien* 2, 234 (Schweine).

118 (Schweine, 3 Knickse, 3 Verbeugungen und Berührung von Eisen), vgl. die Sitte, dem Wiesel Schmeicheleien zu sagen: S é b i l l o t *Folk-Lore* 3, 24, dort weitere Entsprechungen aus franz. Aberglauben. [94]) G r i m m *Myth.* 3, 471 nr. 976. [95]) F o g e l *Pennsylvania* 104 nr. 435. [96]) G r i m m *Myth.* 2, 941. [97]) D r e c h s l e r *Schlesien* 2, 201. [98]) J o h n *Westböhmen* 251. [99]) D r e c h s l e r *Schlesien* 2, 193. 227. 228.

Die Objekte des A.s

A. M e n s c h e n. 1. Nähere Bestimmungen allgemeiner Art. Der A. eines **g u t e n** oder eines **s c h l e c h t e n** Menschen am Neujahrstage ist vorbedeutend für den Charakter des ganzen Jahres [100]), besonders g. ist, zumal für Jäger, ein **s c h ö n e s Mädchen** [101]), g. sind **f r ö h l i c h e Männer** [102]), ug. **z o r n i g e** [103]). **J u n g e** [104]) Menschen gelten fast ausnahmslos als g., **a l t e** [105]) als ug., **u n v e r h e i r a t e t e** [106]) Personen und **s c h w a n g e r e** [107]) Frauen als g. Die sorgfältige oder nachlässige **K l e i d u n g** des ersten zu Neujahr begegnenden Mannes ist maßgebend für den Verlauf des ganzen Jahres [108]), ein Begegnender in Trauerkleidung ist g., wenn man auf dem Wege zum Trauerhause ist [109]), eine Person in **b l a u e m Kleid** galt im 17. Jh. als ug. [110]). **R o t h a a r i g e** sind ug. [111]), Männer mit dem **V o r n a m e n** Johannes g. [112]). Wichtig ist darauf zu achten, was der Begegnende **t r ä g t** [113]): Wasser [114]) oder leere Gefäße [115]) oder gar nichts [116]) Tragende, besonders wenn es Frauen sind, sind ug., ebenso Kranzträger [117]); Leute mit vollen Gefäßen dagegen g. [118]). **G e h e n d e** sind ug., **R e i t e n d e** im allgemeinen g. [119]), **P f l ü g e n d e** g. [120]), **G r a b e n d e** ug. [121]), **S ä e n d e** g. [122]). Menschen, die mit einer **K r a n k h e i t** oder körperlichen Gebrechen behaftet sind, gelten im allgemeinen als ug. [123]), doch kommt auch die gegenteilige Ansicht vor. Krüppel [124]), Hinkende [125]), Blinde oder Einäugige [126]) werden als ug., Schielende [127]) und Bucklige [128]) bald als g. bald als ug. gedeutet; Aussätzige [129]) galten im MA. als g. **G e l i e b t e P e r s o n e n** sind g., ebenso Hausgenossen und Freunde, besonders wenn man sie nicht gleich erkennt [130]), Verwandte dagegen für einen Brautzug ug.[131]). Ein Taufzug [132]) ist g., ein Leichenzug [133]) ug., besonders für einen Taufoder Brautzug sowie für Soldaten [134]). Bisweilen gilt ein Leichenzug mit einem leeren Leichenwagen als ug., mit einem gefüllten als g.[135]).

[100]) S a r t o r i *Sitte u. Brauch* 3, 64. [101]) A n d r e e *Parallelen* 1, 9; SAVk. 24, 64; häßliche ug. in England: W o l f *Beiträge* 1, 246. [102]) G r i m m *Myth.* 3, 323. [103]) *Urquell* 4, 160. [104]) G r i m m *Myth.* 3, 473 nr. 1015 (a. 1791); 3, 323; A n d r e e *Braunschweig* 402; B a r t s c h *Mecklenburg* 2, 128; G r o h m a n n 220; J o h n *Westböhmen* 27; M e y e r *Baden* 515; S a r t o r i *Sitte u. Brauch* 3, 64; S t r a c k e r j a n *Oldenburg* 2, 204; V e r n a l e k e n *Alpensagen* 343; W u t t k e 208 § 288; SAVk. 15, 10; 23, 206; 24, 66; Mschles-Vk. 2, 64; Unoth 1, 182 nr. 44; *Urquell* 1, 46; ZrwVk. 3, 65; 12, 58; ZfVk. 8, 400; 20, 382. Vereinzelt nur ist ein junger Mann für Milchfrauen ug.: D ä h n h a r d t *Volkst.* 2, 86; bei „Mädchen" W u t t k e *Sächs. Vk.* 300 handelt es sich vermutlich um Jungfrauen im engeren Sinne; deren A. bekanntlich ug. (s. u.). [105]) Vgl. das unten zu „Mann" und „Frau" Angeführte. [106]) Unoth 1, 182 nr. 44/45. [107]) H i l l n e r *Siebenbürgen* 13; J o h n *Westböhmen* 27; S a r t o r i *Sitte u. Brauch* 3, 64. [108]) D r e c h s l e r *Schlesien* 1, 47. [109]) J o h n *Erzgebirge* 115. [110]) A m e r s b a c h *Grimmelshausen* 2, 75. [111]) F o g e l *Pennsylvania* 104 nr. 435; W u n d e r l i c h *Rote Farbe* 66; G r i m m *Myth.* 3, 323 (engl.). [112]) G r i m m ebd. [113]) Traktat des hl. Eligius, M i g n e *Patrol. Lat.* 87 col. 530; B o e s e *Superst. Arelat.* 64: nullus . . observet . . quid . . portantem viderit, vgl. C r a m e r *Anekd.* 4, 241: τόδε βαστάζων ἢ τόδε; G r i m m *Myth.* 2, 938; 3, 403. [114]) G r i m m *Myth.* 2, 942; 3, 443 nr. 257; M e y e r *Aberglaube* 227. [115]) G r o h m a n n 225; H a l t r i c h *Siebenb. Sachsen* 316; J o h n *Erzgebirge* 34; Z a c h a r i a e in ZfVk. 15, 77; *Urquell* 4, 116. 273. [116]) K ö h l e r *Voigtland* 393. [117]) ZrwVk. 11, 218 (man muß links vorbeigehen, um kein Unglück zu haben). [118]) S. Anm. 113 (genau so bei den Kols in Ostindien: A n d r e e *Parallelen* 1, 10). [119]) G r i m m *Myth.* 941 f.; ZfVk. 20, 382 vgl. 12, 384 (Bokhara); 27, 2 (Schottland); nur für einen Leichenzug ist ein Reiter ug.: W u t t k e 469 § 746. [120]) G r i m m *Myth.* 3, 475 nr. 1086 (a. 1791); auch der pflügende Ochse ist g.: ZrwVk. 11, 258. [121]) ZfVk. 27, 2 (Schottland). [122]) W u t t k e 208 § 288 (entgegenkommend). [123]) ZfVk. 8, 400; G r i m m *Myth.* 2, 941. [124]) G r i m m 2, 938 (MA.). [125]) Ebd. 2, 940; 3, 323; B i r l i n g e r *Aus Schwaben* 1, 376 (Zimmernsche Chronik); auch in der Antike: L u k i a n *Pseudol.* 17 (τοὺς χωλοὺς τῷ δεξιῷ ἐκτρεπόμεθα). [126]) G r i m m *Myth.* 2, 938 (Antike und MA.); W u t t k e *Sächs. Volksk.* 300. [127]) F o g e l *Pennsylvania* 107 nr. 455—457. [128]) G r i m m

Myth. 2, 938. 942 (MA.); W u t t k e *Sächs. Volksk.* 300; ZrwVk. 11, 255 (Ein Buckel zur Rechten gibt was zu fechten, Ein Buckel zur Linken gibt was zu winken) 11, 268; vgl. RTrp. 27, 144 (1 oder 2 bucklige Frauen = ug., eine 3. hebt die Wirkung auf; ein buckl. Mann = g. Antwerpen). [129]) G r i m m *Myth.* 2, 938. 942. Im Altertum Epilektiker und Eunuch ug: T h e o p h r a s t *Char.* 16; L u k i a n *Eunuch* 6; *Pseudol.* 17; s. G r i m m *Myth.* 3, 323; vgl. ZfVk. 17, 453 (Perrault, 17. Jh. französ.); L i e b r e c h t *Zur Volksk.* 359 (Molukken). [130]) G r i m m *Myth.* 2, 942; *Urquell* 3, 247; F o g e l *Pennsylvania* 99 nr. 405 (im norwegischen Abergl. dagegen ist das Nichterkennen sich begegnender Freunde ug.: L i e b r e c h t *Zur Volksk.* 327. [131]) W u t t k e 210 § 291. [132]) ZfVk. 6, 254. [133]) A m e r s b a c h *Grimmelshausen* 2, 75; B a r t s c h *Mecklenburg* 2, 97; J o h n *Erzgebirge* 33; M e y e r *Baden* 593; S t r a c k e r j a n *Oldenburg* 1, 32. [134]) H ö h n *Geburt* nr. 4, 270; SAVk. 12, 214; ZrwVk. 5, 118; mdl. Mitt. [135]) F o g e l *Pennsylvania* 101 nr. 415.

2. Besonderheiten in Geschlecht, Nationalität, Beruf. Für das G e s c h l e c h t des Objekts gilt im allgemeinen die Regel: M ä n n e r g., F r a u e n ug.[136]). Eine Ausnahme von der ug. Bedeutung der Frau tritt nur ein, wenn es sich um eine Braut [137]) oder eine junge Person handelt (s. o.); beim Mann wird die g. Bedeutung durch Jugend verstärkt, daher gelten Knaben [138]) als besonders g. Andrerseits macht das Alter auch den A. des Mannes ug.[139]), und kein Aberglaube ist wohl verbreiteter als der von dem üblen A. eines alten Weibes [140]). Während Jungfrauen [141] im Altertum und MA., vielleicht auch in neuerer Zeit als ug. gelten, ist der A. einer Hure [142]) allgemein g. Über die Bedeutung des A. von Mann oder Frau für das Geschlecht des nächsten Kindes, des nächsten Toten usw. s. o. Sp. 415. Ähnlich entscheidet sich für Hochzeitsreisende nach dem ersten A., wer von beiden zuerst sterben wird [143]).

Auch die N a t i o n a l i t ä t des Objekts ist von Bedeutung, ohne daß man ein einheitliches Prinzip für die Ausdeutung feststellen könnte. Juden sind teils g.[144]), teils ug.[145]), Zigeuner g.[146]), in Siebenbürgen gilt der A. eines walachischen Popen den Deutschen als ug.[147]).

Von den B e r u f e n, denen die A.person angehört, gelten als g.: Essenkehrer [148]), Jäger [149]), Krankenschwester [150]), Sämann [151]), Schäfer [152]), als ug.: Arzt [153]), Gerichtspersonen [154]), Mönche und Priester [155]); schwankend ist die Wertung beim Bettler [156]) und Krieger oder Soldaten [157]).

[136]) **Männer**: B a r t s c h *Mecklenburg* 2, 128; 2,45 (für Wöchnerin beim 1. Kirchgang, vgl. W o l f *Beiträge* 1, 212); F o g e l *Pennsylvania* 98 nr. 399 (Neujahr). 108 nr. 459; H ö h n *Geburt* Nr. 4, 270 (für Taufzug); L i e b r e c h t *Zur Volksk.* 323; M e y e r *Baden* 515; S a rt o r i *Sitte u. Brauch* 3, 64; S c h ö n w e r t h *Oberpfalz* 1, 168; S t a u b e r *Zürich* 2, 127 (Neujahr); W r e d e *Rhein. Volksk.*² 120; SAVk. 21, 201; 2, 211 (3 Männer); Urquell 1,65. Vgl. B o e c l e r *Ehsten* 71; ZfVk. 4, 318 (Magyaren). 27, 2 (Schotten). — F r a u e n: G r i m m *Myth.* 2, 938. 941 f. (mit unbedecktem Kopf, vgl. dagegen T h i e r s *Traité* 1, 209 mit aufgelösten Haaren, vgl. L i e b r e c h t *Zur Volksk.* 323: ohne Schürze); 3, 323; 3, 439 (spinnend, vgl. P o t t e r *Antiqu. of Greece* 1 (Ausg. v. 1818), 397; ZfdMyth. 3, 315); F og e l 108 nr. 459; 98 nr. 399 (Neujahr); 112 nr. 486 (für Fischer); H ö h n *Geburt* Nr. 4, 270 (für Taufzug); mdl. a. d. Kronauer Amt (für Sämann); S t a u b e r *Zürich* 2, 127 (Neujahr); V e r n a l e k e n *Alpensagen* 345 (dgl.); W r e d e *Rhein. Volksk.*² 120; Alemannia 25, 52; SAVk. 21, 201. Vgl. B o e c l e r *Ehsten* 71; G r i m m *Myth.* 2, 941 (Samogitien, Schweden); H a r o u *La mer* 413 (Frankreich); ZfVk. 4, 306. 318 (Montag, Neujahr, Schweden). 3, 135 (Juden, mittelalterlich, zwischen Freunden durchlaufend). Bei K ö h l e r *Voigtland* 393 gilt eine etwas tragende Frau als g., eine mit leeren Händen als ug. (s. o. Sp. 420). [137]) D ä h nh a r d t *Volkst.* 2, 89. [138]) H o f f m a n nK r a y e r 118; M a n z *Sargans* 123; S a rt o r i *Sitte u. Brauch* 3, 64 (Neujahr); K l a pp e r *MschlesVk.* 21, 87 (14./15. Jh., als erster Käufer); M e y e r *Baden* 515; S c h ö nw e r t h *Oberpfalz* 3, 274; 1, 168 (für Taufzug); W u t t k e 208 § 288. g. galt im Altertum ein Knabe, wenn er zwischen zwei Freunden hindurchlief: A u g u s t i n *de doctr. christ.* 2, 20, vgl. K l a p p e r *MschlesVk.* 21, 85. Den Namen des Zukünftigen kündend: W o l f *Beiträge* 1, 210. [139]) V e r n a l e k e n *Alpensagen* 343; W u t t k e 208 § 288; SAVk. 15, 10; ZfVk. 8, 400 vgl. 4, 318 (Magyaren) und L i e b r e c h t *Zur Volksk.* 359 (Molukken). Nur nach S c h ö n w e r t h *Oberpfalz* 3, 274 gilt der A. eines Greises als g. [140]) G r i m m *Myth.* 2, 940 f.; 3, 323 (mhd.); 471 nr. 976; 473 nr. 1015 (a. 1791); B a r t s c h *Mecklenburg* 2, 128; B i r l i n g e r *Aus Schwaben* 1, 376 (Zimmernsche Chronik); B r o n n e r *Sitt u. Art* 159; D r e c h s l e r *Schlesien* 2, 201 (für Jäger); F o g e l *Pennsylvania* 111 nr. 482; H e s e m a n n *Ravensberg* 67 (für Freiersleute); J o h n *Erzgebirge* 34; *Westböhmen* 251 (für

Jäger); K l a p p e r *MschlesVk.* 2, 64; 21, 88 (Hss. 14./15. Jh.); M e i e r *Schwaben* 2, 500; M e y e r *Baden* 515; S c h ö n w e r t h *Oberpfalz* 1, 168 (für Taufzug); 3, 273; S c h ul e n b u r g *Wend. Volksthum* 124; S c h u l t z *Alltagsleben* 241; V e r n a l e k e n *Alpensagen* 343; W i t z s c h e l *Thüringen* 2, 277; W u t t k e *Sächs. Volksk.* 300; W u t t k e 208 § 288; SAVk. 12, 214; 15, 10; 19, 44; 21, 81; 24, 64; Urquell 1, 65; 3, 39; ZföVk. 6, 109; ZrwVk. 11, 255; 12, 58; ZfVk. 4, 326; 8, 400; 20, 382. (Die Belege ließen sich nach Belieben vervielfachen; auf außerdeutsche Entsprechungen kann nicht eingegangen werden.) [141]) G r i m m *Myth.* 2, 938. 941; S t e m pl i n g e r *Aberglaube* 44; T h i e r s *Traité* 1, 209; W u t t k e *SächsVk.* 300. [142]) G r i m m *Myth.* 2, 938. 941 (Antike u. MA.); S t e m pl i n g e r *Aberglaube* 44 (dgl.); M e y e r *Aberglaube* 135 (MA.); K l a p p e r *MschlesVk.* 21, 87 (14./15. Jh.); S c h ö n w e r t h *Oberpfalz* 3, 274; W u t t k e *Sächs.Vk.* 300; vgl. T h i e r s *Traité* 1, 208. Dagegen galt in der Antike der A. eines Kinäden als ug., s. L u k i a n *Pseudol.* 17; G r i m m *Myth.* 3, 323. [143]) SAVk. 7, 132. [144]) J o h n *Westböhmen* 251; vgl. ZfVk. 4, 318 (Magyaren). [145]) K l a pp e r *MschlesVk.* 21, 88; D e r s. *SchlesVk.* 257 (14./15. Jh.); W u t t k e 208 § 288. [146]) H a l tr i c h *Siebenb. Sachsen* 317; ZfVk. 4, 318 (Magyaren). [147]) H i l l n e r *Siebenbürgen* 38 u. H a l t r i c h a. a. O. In der Antike galt der A. eines Mohren als ug.: S t e m p l i n g e r *Aberglaube* 45 (nach T h e o p h r a s t *Char.* 16). [148]) J o h n *Erzgebirge* 38. [149]) M e y e r *Baden* 515. [150]) ZrwVk. 11, 268. [151]) W u t t k e 208 § 288 (entgegenkommend). [152]) M e y e r *Baden* 515. [153]) W u t t k e 208 § 288 (kündet Krankheit); in Indien auch der Barbier: Z ac h a r i a e in ZfVk. 15, 76. [154]) W u t t k e ebd. (Neujahr; kündet Gefängnis). [155]) G r i m m *Myth.* 2, 938. 941 f.; 3, 323 (MA. und neuere Zeit); C a s p a r i *Homilia* 8 § 11 (MA.); H as a k *Christl. Glaube* 105 (a. 1483); 192 (a. 1495); K l a p p e r *MschlesVk.* 21, 87; D e r s. *SchlesVk.* 257 (14./15. Jh.); W u t t k e *SächsVk.* 299; vgl. T h i e r s *Traité* 1, 209; G e r h a r d t *Franz. Novelle* 64 f. und Anm. [156]) ug.: G r i m m 2, 940 f.; 3, 323; A m e r s b a c h *Grimmelshausen* 2, 75. g.: S a r t o r i *Sitte u. Brauch* 1, 170, vgl. ZfVk. 12, 383 (Indien). [157]) g.: G r i m m *Myth.* 2, 939 ff. (Edda); ug.: W u t t k e 208 § 288 (kündet Gefängnis).

B. T i e r e. 1. Säugetiere. Von den H a u s t i e r e n gilt als vorwiegend g. nur das Pferd [158]), als vorwiegend ug. angesehen werden Katze [159]) und Ziege [160]), im MA. auch Esel [161]) und Maultier [162]), für die aus neuerem Aberglauben keine sicheren Zeugnisse vorliegen. Schwankend ist die Bewertung bei Hund [163]), Rind [164]), Schaf [165]) und Schwein [166]).

Etwas reichhaltiger ist die Liste der für den A. in Betracht kommenden, i n d e r F r e i h e i t l e b e n d e n S ä u g e - t i e r e , was erklärlich ist, da bei ihnen eher von einem zufälligen Begegnen die Rede ist als bei den Haustieren. Für manche freilich liegen nur Zeugnisse aus dem älteren Aberglauben vor, da sie in heutiger Zeit in Deutschland kaum noch wild vorkommen. Wie bei den Haustieren wird auch der A. der wild lebenden Tiere ziemlich selten als g. gedeutet, so beim Bär [167]), Eber [168]), Eichhörnchen [169]), Hirsch [170]), Wolf [171]); größer ist die Anzahl der ug. Wertungen: Fledermaus [172]), Gemse [173]), Hase [174]), Fuchs [175]), Maulwurf [176]), Maus [177]), Wiesel [178]). Doch schwankt die Stellung des Volkes gegenüber diesen A. stark, wie, abgesehen von Abweichungen im deutschen Aberglauben, besonders Vergleiche mit dem fremder Völker beweisen. Ohne Zweifel sprechen hier religiöse und kulturgeschichtliche Bedingtheiten mit.

[158]) G r i m m *Myth.* 2, 938 (MA.); W r e d e *RheinVk.*² 120 (besonders Schimmel); ZrwVk. 11, 258 (bes. wiehernd); ZfVk. 12, 383. 388 (Schimmel Ehe kündend). Vgl. S é b i l l o t *Folk-Lore* 3, 98; Archivio delle trad. pop. 18, 126; 15, 20 (Schimmel für Nüchterne ug.). Über die apotropäische Bedeutung des Schimmels beim A. eines Rothaarigen s. o. Sp. 420, Anm. 111. Als ug. (todkündend) gilt der A. des Schimmels in Böhmen: W u t t k e 199 § 269, wohl weil man Schimmel als Leichenwagenpferde benutzte, sonst der Rappe: G r i m m *Myth.* 3, 323. Nicht zum A.glauben gehört das Pferdeorakel (s. d.). [159]) G r i m m *Myth.* 2, 940; 3, 456 nr. 643 (über Verwandlung von Hexen in Katzen 2, 918 f.); B r o n n e r *Sitt u. Art* 159; D r e c h s l e r *Schlesien* 2, 227; F o g e l *Pennsylvania* 98 nr. 400. 401 (für Jäger); H o p f *Tierorakel* 53; H o o p s *Reallexikon* 1, 7; L e o p r e c h t i n g *Lechrain* 89; W u t t k e *Sächs. Vk.* 299; ZrwVk. 11, 258; ZfVk. 20, 382; MschlesVk. 2, 65; 5, 9. Besonders ug. ist der A. einer schwarzen Katze: J o h n *Westböhmen* 251; D r e c h s l e r *Schlesien* 2, 193; W i t z s c h e l *Thüringen* 2, 284; W u t t k e 200 § 271, vgl. W o l f *Beiträge* 1, 246 (engl.); S é b i l l o t *Folk-Lore* 3, 98 f. Eine schwarze K. nachts zu treffen, ist ug., eine weiße g.: F o g e l *Pennsylvania* 99 nr. 402, eine vorbeigehende ist g.: ebd. 101 nr. 417. Schlechtweg g.: K l a p p e r MschlesVk. 21, 87 (14./15. Jh., vgl. G r i m m *Myth.* 3, 324); A. Brief kündend: ZrwVk. 12, 58. [160]) G r i m m *Myth.* 2, 938 (MA.); ZrwVk. 11, 258; L e o p r e c h t i n g *Lechrain* 89

(schwarzer Bock); vgl. T h i e r s *Traité* 1, 269 = W o l f *Beiträge* 1, 252; S é b i l l o t *Folk-Lore* 3, 29. [161]) G r i m m *Myth.* 2, 938 (MA.); A m e r s b a c h *Grimmelshausen* 2, 75. Antike: H e r m i p p o s b. Joseph. c. Ap. 1, 22 (FHG 3, 41); vgl. G e o r g e a k i s - P i n a u d *Folkl. de Lesbos* 302. [162]) G r i m m *Myth.* 2, 938 (MA.) [163]) ug.: G r i m m *Myth.* 2, 940; A u g u s t i n. *de doctr. christ.* 2, 20 (zwischen zwei Freunden hindurchlaufend); vgl. K l a p p e r MschlesVk. 21, 85 (14./15. Jahrh.); W u t t k e 199 § 268); B r o n n e r *Sitt u. Art* 159; F o g e l *Pennsylvania* 101 nr. 417 (vorbeilaufend); Antike: T e r e n t i u s *Phorm.* 4, 4, 30; P l a u t u s *Cas.* 5, 4, 4; H o r a z *carm.* 3, 27, 2; MA. Juden: ZfVk. 3, 135; 23, 384. Babylonien: U n g n a d *Deutung der Zukunft* 29; England: W o l f *Beiträge* 1, 246. — g.: W u t t k e 199 § 268; ZrwVk. 11, 258 (bes. kleiner H.); vgl. S é b i l l o t *Folk-Lore* 3, 99; Archivio delle trad. pop. 15, 24. [164]) g.: G r i m m *Myth.* 2, 938 (MA.); ZrwVk. 11, 258 (pflügender Ochse). ug.: F r a n z *Nik. de Jawor* 189 (MA. Ochse); ZrwVk. 4, 261; 11, 258 (Kuh); ZfVk. 11, 278 (15. Jh. Stier); D r e c h s l e r *Schlesien* 2, 193 (schwarze Kuh). [165]) g.: G r i m m *Myth.* 2, 938 (MA.). 944; 3, 466 nr. 882; B a r t s c h *Mecklenburg* 2, 128 (Herde); G r o h m a n n 220 (Herde); K l a p p e r MschlesVk. 21, 88 (14./15. Jh.) (entgegenkommend); S c h ö n w e r t h *Oberpfalz* 3, 274; W i t z s c h e l *Thüringen* 2, 284; W r e d e *Rhein.Vk.*² 120; SAVk. 24, 64; ZrwVk. 12, 58; Unoth 1, 186 nr. 15 (Herde). — ug.: F r a n z *Nik. de Jawor* 189; H o v o r k a u. K r o n f e l d 1, 30; ZfVk. 11, 278 (15. Jh.). — Oft wird der A. von Schafen verschieden beurteilt, je nachdem sie von l. nach r. oder von r. nach l. über den Weg laufen: l. g.. — r. ug.: G r i m m *Myth.* 2, 944; 3, 466 nr. 882; D r e c h s l e r *Schlesien* 2, 117. 193 (mit Vers); W u t t k e *SächsVk.* 299; ZrwVk. 12, 58 (Vers); Urquell 3, 107. — r. g.: — l. ug.: ZrwVk. 11, 258; Urquell 3, 107. Vgl. S é b i l l o t *Folk-Lore* 3, 99 (wenn ein Mädchen 9 Hammel kommen sieht, wird sie den ersten jungen Mann heiraten, der ihr hinterher die Hand gibt); FL. 20, 72 (ug., wenn man Lämmer blöken hört, bevor man sie zum ersten Male sieht). [166]) Abweichend von dem verschieden erklärten, vielleicht aus der Spielersprache stammenden Ausdruck »Schwein haben« wird der A. des Schweines meist als ug. gedeutet. g.: H o v o r k a u. K r o n f e l d 1, 30; W u t t k e *SächsVk.* 299 (Chemn. Rockenphilos.); ZrwVk. 11, 258 (nach Montanus); 5, 119 (Herde, für Hochzeitszug, vgl. B o e c l e r *Ehsten* 71; A n d r e e *Parallelen* 1, 9. Durch drei Verbeugungen kann man den ug. A. abwenden oder g. machen: D r e c h s l e r *Schlesien* 2, 235; MschlesVk. 2, 64. Bisweilen gilt nur der A. einer trächtigen Sau oder einer Sau mit Ferkeln als g.: A n d r e e a. a. O.; S i m r o c k *Myth.* 541; vgl. die bekannte römische Sage von der Sau des Aeneas, V e r g i l *Aen*

3, 389 ff.; **V a r r o** *de ling. Lat.* 5, 144; **D i o n y s. H a l i c.** 1, 56 f. — ug.: **G r i m m** *Myth.* 2, 944; 3, 466 nr. 882; **B a r t s c h** *Mecklenburg* 2, 128 (Herde); **D r e c h s l e r** *Schlesien* 2, 118; **G r o h m a n n** 220; **K l a p p e r** Mschles.Vk. 21, 88 (14./15. Jh.); **M e i e r** *Schwaben* 2, 500; **W i t z s c h e l** *Thüringen* 2, 284; **W r e d e** *RheinVk.*² 119; **W u t t k e** *SächsVk.* 299; **W u t t k e** 200 § 272 (bes. Herde); ZrwVk. 12, 58; Unoth 1, 186 nr. 115. Vgl. **S é b i l l o t** *Folk-Lore* 3, 98 (on sera „regrogné"). Bisweilen wird, wie beim Schaf, rechte und linke Seite des A. verschieden bewertet, und zwar gilt l. als g., r. als ug.: **D r e c h s l e r** *Schlesien* 2, 118. 193 (Vers). [167] **G r i m m** *Myth.* 2, 943 (norw.); 3, 438 nr. 128 (Chemn. Rockenphilos.). [168] **G r i m m** *Myth.* 2, 943; 3, 438 nr. 128; ZfdMyth. 3, 310 (a. 1612); dagegen ug. **T h i e r s** *Traité* 1, 209. [169] ZrwVk. 11, 258; dagegen ug. **G r i m m** *Myth.* 2, 940 (schwed.); **B o e c l e r** *Ehsten* 140. [170] **G r i m m** *Myth.* 2, 943; 3, 438 nr. 128; dagegen ug. **T h i e r s** a. a. O.; ZfVk. 3, 135 (MA. Juden); **H o v o r k a** u. **K r o n f e l d** 1, 32 (Dayaks). [171] **G r i m m** *Myth.* 2, 938 ff. 943; 3, 438 nr. 128 (altnordisch, MA. Neuzeit); ZfVk. 12, 9 (MA.); **K l a p p e r** MschlesVk. 21, 87 (14./15. Jh.); **H a s a k** *Christl. Glaube* 105. 192 (a. 1483. 1495); ZfVk. 11, 278 (15. Jh.); ZfdMyth. 3, 310 (a. 1612); **C a m e r a r i u s** b. **W o l f** *Beiträge* 1, 231; **W u t t k e** 200 § 271. — ug.: **A m e r s b a c h** *Grimmelshausen* 2, 75, vgl. **T h i e r s** *Traité* 1, 209 = **W o l f** *Beiträge* 1, 252, dagegen g. im heutigen Frankreich: **S é b i l l o t** *Folk-Lore* 3, 22. Schwankende Wertung bei den Römern: **H o p f** *Tierorakel* 60. [172] **W l i s l o c k i** *Sieb. Volksgl.* 162. 176; **D e r s.** *Zigeuner* 114. 115; **D e r s.** *Magyaren* 71. [173] **W u t t k e** 201 § 272 (doch nur weiße, todkündend). [174] **G r i m m** *Myth.* 2, 938—944; 3, 323. 492 nr. 9 (Antike, MA., Neuzeit, Schweden, Litauen, Preußen); **A u g u s t i n.** *de doctr. Christ.* 2, 20 (zwischen zwei Freunden hindurchlaufend); **M e y e r** *Aberglaube* 143; ZfVk. 12, 9 (MA.); **K l a p p e r** MschlesVk. 21, 85 (14./15. Jh.); **H a s a k** *Christl. Glaube* 105. 192 (a. 1483. 1495); ZfVk. 11, 278 (15. Jh.); **B i r l i n g e r** *Aus Schwaben* 1, 376 (15. Jh. u. Zimmernsche Chronik); **C a m e r a r i u s** b. **W o l f** *Beiträge* 1, 231; **A m e r s b a c h** *Grimmelshausen* 2, 75; **B r ä u n e r** *Curiositäten* 489; **M ä n n l i n g** b. **S c h u l t z** *Alltagsleben* 241; **B r o n n e r** *Sitt u. Art* 159; **D r e c h s l e r** *Schlesien* 2, 193. 234; **H e s e m a n n** *Ravensberg* 67; **H ö f l e r** *Organotherapie* 58; **J o h n** *Westböhmen* 251; **L e o p r e c h t i n g** *Lechrain* 88 (mit apotropäischem Vers); **M e y e r** *Baden* 514; **S c h ö n w e r t h** *Oberpfalz* 3, 274 f. (Brand kündend); **W i t z s c h e l** *Thüringen* 2, 277; **W u t t k e** *SächsVk.* 299; **W u t t k e** 200 § 270 (bes. von l. kommend); Unoth 1, 184 nr. 82; ZföVk. 13, 134; ZrwVk. 11, 258; 12, 58; ZfVk. 4, 326; 20, 382; 23, 17 (Kindervers). Vgl. **B o e c l e r** *Ehsten* 71; **T h i e r s** *Traité* 1, 209; **S é b i l l o t** *Folk-Lore* 3, 23. 26; Archivio delle

trad. pop. 15, 136 (Siena, 15. Jh.); **G e o r g e a k i s - P i n a u d** *Folklore de Lesbos* 339; **L i e b r e c h t** *Zur Volksk.* 314 (Norwegen); ZfVk. 8, 246 (Südslaven). Verschiedene Wertung je nach Art des A.: **D r e c h s l e r** *Schlesien* 2, 234 (nicht ug., wenn man dreimal ausspuckt, wenn der H. von links nach rechts kreuzt oder wenn er auf einen zukommt); **F o g e l** *Pennsylvania* 108 nr. 464; 110 nr. 475 (ug. wenn er über den Weg springt, g. wenn er voranläuft). Unsicherheit in der Deutung auch in der Antike: **G r i m m** *Myth.* 2, 944. [175] **G r i m m** *Myth.* 2, 940 f.; 3, 492 nr. 9 (auch Preußen); auch im alten Rom und in Frankreich: **H o r a z** *carm.* 3, 27, 4; **S é b i l l o t** *Folk-Lore* 3, 23 f. Bisweilen auch g.: **W u t t k e** 200 § 271 (Ostpreußen); **G r i m m** *Myth.* 2, 944. [176] **L e o p r e c h t i n g** *Lechrain* 89; vgl. **S é b i l l o t** *Folk-Lore* 3, 23. [177] **G r i m m** *Myth.* 2, 949; **K l a p p e r** MschlesVk. 21, 88 (14./15. Jh.); **W u t t k e** 201 § 273 (bes. vor die Füße laufend). [178] **H ö f l e r** *Organotherapie* 78. Auch in der Antike: **G r i m m** *Myth.* 944. 1081; 3, 324; Frankreich: **S é b i l l o t** a. a. O. 3, 24 f.; **R o l l a n d** *Faune pop.* 1, 53; 7, 123; ZfVk. 174, 53 (Perrault); 3, 135 (MA. Juden). g.: **B o e c l e r** *Ehsten* 138.

2. Vögel. Für die Griechen und Römer waren die Vögel die wichtigsten irdischen Künder der Zukunft; es ist zwar drastisch ausgedrückt, entspricht aber im Grunde den Tatsachen, wenn in den „Vögeln" des Aristophanes der Chorführervogel sagt: „Wir sind euch der wahre Orakelapollon" [179]). Die Worte für „Vogel" (ὄρνις, οἰωνός, *avis*) sind im Griechischen wie im Lateinischen zur weiteren Bedeutung „Vorzeichen" gekommen, der οἰωνιστής wie der *augur* ist vielfach der Prophet schlechthin, die „Vogelschau" *auspicium* hat nicht nur dieselbe Bedeutungserweiterung wie *avis* und *augurium* erfahren, sondern ist zu einem wichtigen staatsrechtlichen Begriff geworden. Die einfache Beobachtung des zufälligen A. hat sich bei den Völkern, besonders bei den Römern, zu einer verwickelten, kunstmäßigen Disziplin ausgebildet und als solche sich eine eigene Fachliteratur geschaffen. Das Althochdeutsche übersetzt *augurium* mit *fogalrarta*, *auspicium* mit *fogilrartôd* [180]), doch von einer entsprechenden Ausdehnung des Glaubens an die Vogelweissagung kann bei den Germanen keine Rede sein [181]). Die Polemik der christlichen Bekehrer gegen die Beobachtung des Fluges und der Stimmen der Vögel [182]) geht oft zweifellos, wie bei vielen anderen

Formen des Aberglaubens, von den heidnisch-antiken Vorstellungen aus, trotz der Angabe des Tacitus (s. o. Sp. 410). War schon in der Antike die Auswahl der prophezeienden Vögel beschränkt, so ist, wie die folgende Übersicht zeigt, ihre Anzahl im Deutschen ziemlich klein, zumal wenn man sich auf den eigentlichen A. beschränkt und besonders von den Wetterankündigungen durch Vogelgeschrei absieht, die häufig auftreten.

Noch spärlicher als bei den Säugetieren ist die Ausbeute bei dem **H a u s - g e f l ü g e l**. An erster Stelle sind hier zu nennen Hahn und Huhn [183]), während für Eule [184]), Gans [185]) und Taube [186]) nur ganz wenige Zeugnisse vorliegen, die sich noch dazu bei der Ente ausschließlich und bei der Gans z. T. auf die wilde Form beziehen.

Die etwas reichlicher fließenden Zeugnisse für die **i n F r e i h e i t l e b e n - d e n** Vögel geben wir in alphabetischer Folge: Adler [187]), Amsel[188]), Bachstelze [189]), Dohle [190]), Elster [191]), Eulen [192]), Falke [193]), Kiebitz [194]), Krähe [195]), Kuckuck [196]), Martinsvogel [197]), Mäusebussard [198]), Rabe [199]), Rebhuhn [200]), Rotkehlchen[201]), Rotschwänzchen [202]), Schnepfe [203]), Schwalbe [204]), Schwan [205]), Specht [206]), Sperling [207]), Star [208]), Storch [209]).

[179]) *Aves* 724. [180]) G r i m m *Myth.* 3, 324. [181]) Über Vogelwahrsagung bei den Germanen im allgemeinen s. G r i m m *Myth.* 2, 945; 3, 324. [182]) G r i m m *Myth.* 3, 403; C a s p a r i *Homilia* 7/8 § 9/11; B o e s e *Superstit. Arelat.* 47 f.; K l a p p e r MschlesVk. 21, 75. 79. [183]) Hahn ug.: D r e c h s l e r *Schlesien* 2, 90 (über den Weg laufend); L e o p r e c h t i n g *Lechrain* 89 (schwarzer); W u t t k e 202 § 276 (g. und ug., in das Haus hineinkrähend oder ins Fenster hineinsehend); sehr verbreitet, aber nicht eigentlich zum A. gehörend, ist das ug. Omen des unzeitigen Krähens: K l a p p e r MschlesVk. 21, 88 (14./15. Jh.); G r i m m *Myth.* 2, 949; W u t t k e a. a. O. — Huhn: ug.: ZrwVk. 11, 258; G r i m m *Myth.* 2, 947 (Frankr., kahles und gerupftes); W o l f *Beiträge* 1, 246 (Engld. roughfooted hen); ZfVk. 27, 2 (Schottld., Kopf unter den Flügeln). Allgemein ug. krähende Henne: G r i m m *Myth.* 2, 949; K l a p p e r MschlesVk. 21, 88; W u t t k e a. a. O. [184]) ug. B r ä u n e r *Curiositäten* 489 (über den Weg fliegend); ZfVk. 27, 2 (Schottld., Kopf unter den Flügeln). [185]) ug.: F o g e l *Pennsylvania* 101 nr. 420; B r ä u n e r a. a. O. (wilde, über den Weg

fliegend). [186]) g.: G r i m m *Myth.* 2, 938 (Petrus v. Blois ep. 65); G r o h m a n n nr. 916; W u t t k e 203 § 277. [187]) g., wenn er „taschenhalb" (d. h. von rechts) kommt: H a r t - l i e b c. 67, ed. U l m 43; bei G r i m m *Myth.* 2, 946; Raubvögel überhaupt g.: S i m - r o c k *Myth.* 541; ZrwVk. 11, 258; W u t t k e 201 § 274. [188]) ug.: G r i m m *Myth.* 3, 323; H o p f *Tierorakel* 135. [189]) g.: D r e c h s l e r *Schlesien* 2, 193. 228 (Geldgewinn kündend, dreimal auf die Tasche schlagen); ZrwVk. 12, 58; G r i m m *Myth.* 3, 475 nr. 1087 (a. 1791, 2 Stück, für Ledige); W u t t k e 203 § 278. [190]) ug.: D r e c h s l e r *Schlesien* 2, 230, vgl. B o e c l e r *Ehsten* 67; U n g n a d *Deutung der Zukunft* 29 (Babylonien, von rechts nach links oder voranfliegend g.). [191]) ug.: B r o n - n e r *Sitt u. Art* 159; L e o p r e c h t i n g *Lechrain* 89; S c h ö n w e r t h *Oberpfalz* 3, 275 (bedeutet vor allem Kommen des Bettelvogtes, daher „Schergen - Elster" genannt; W i t z s c h e l *Thüringen* 2, 277; W u t t k e 202 § 275 (über den Weg laufend); SAVk. 21, 201; ZrwVk. 11, 258. — Von vorn gesehen g.; von hinten ug.: G r i m m *Myth.* 2, 947; zwei g., eine ug.: D r e c h s l e r *Schlesien* 2, 230, vgl. G r i m m *Myth.* 3, 326 (Pies en nombre impair — signe de malheur); ug., wenn man sie hört, ohne sie zu sehen, g., wenn man sie sieht: W u t t k e 202 § 275. [192]) Gemeint ist wohl in den meisten Fällen das Käuzchen. ug.: G r i m m *Myth.* 2, 939. 950; 3, 327. 485 (Frankr.); vgl. ZfVk. 17, 453; R o l l a n d *Faune pop.* 2, 46; K l a p p e r MschlesVk. 21, 88 (14./15. Jh.); D r e c h s l e r *Schlesien* 2, 231; ZrwVk. 11, 258. [193]) Von der G r i m m *Myth.* 2, 938. 946 nach J o h a n n e s v. S a l i s b u r y *Polycrat.* 1, 13 als g. genannte *albanellus* ist nach H o p f *Tierorakel* 92 identisch mit dem Baumfalken. [194]) ug.: D r e c h s - l e r *Schlesien* 2, 231. [195]) Was J o h a n n e s v. S a l i s b. *Polycrat.* 1, 13, G r i m m *Myth.* 2, 938 von der Krähe im allgemeinen sagt, ist für die verschiedenen beim A. zu beobachtenden Besonderheiten (s. o. Sp. 415) so vortrefflich ausgeführt, daß wir die Stelle im Wortlaut anführen: *quid cornix loquatur, diligenter ausculta, situmque eius sedentis aut volantis nullo modo contemnas. refert enim plurimum, a dextris sit an a sinistra, qua positione respiciat cubitum gradientis, loquax sit an clamosa an silens omnino, praecedat an sequatur, transeuntis exspectet adventum an fugiat quove discedat.* Wie G r i m m *Myth.* 2, 947 notiert, beobachtete Olaf Tryggvason, obgleich Christ, ob die K. auf dem rechten oder linken Fuß stand und weissagte sich daraus Gutes oder Böses; seine Feinde nannten ihn daher *krákubein.* Der A. der Kr. ist sonst fast immer ug.: G r i m m *Myth.* 2, 946; D r e c h s l e r *Schlesien* 2, 230; S c h ö n - w e r t h *Oberpfalz* 3, 274; W u t t k e 201 § 274; Unoth 1, 183 nr. 66. Auch in Italien: Archivio delle trad. pop. 15, 16 (Siena, 15. Jh.); B a s t a n z i *Superst. delle Alpi Venete* 196. — Von links nach rechts fliegend g.: G r i m m

2, 946; 3, 408 (Burchard v. Worms); K l a p -
p e r MschlesVk. 21, 87 (14./15. Jh.). — g.:
L e o p r e c h t i n g *Lechrain* 89. [196]) Die Zeugnisse beziehen sich ausnahmslos auf den Ruf,
offenbar weil der K. sehr scheu und daher nur
selten sichtbar ist. Er ist, beim Ausgehen gehört, g., für einen Dieb ug.: W u t t k e 204
§ 280. Zum erstenmal gehört, bedeutet er Geld:
D r e c h s l e r *Schlesien* 2, 193, 228 (3 mal auf
die Tasche klopfen); ZrwVk. 11, 258. Öfters ist
der Ruf von rechts g., von links ug.: G r i m m
Myth. 2, 945. 563; K l a p p e r MschlesVk. 21,
88 (14./15. Jh.). Das Kuckuckorakel (Zahl der
Lebensjahre, Kinder usw.) gehört nicht mehr
zum A. [197]) g.: G r i m m *Myth.* 2, 938. 946;
3, 326 (nach Johannes v. Salisbury u. Späteren).
Nach G r i m m eine Falkenart (albanellus?),
nach H o p f *Orakeltiere* 146 der Buntspecht.
[198]) g.: G r i m m *Myth.* 2, 939. 946; 3, 325
(Burchard v. Worms, Berthold v. Regensburg:
mûsar); K l a p p e r MschlesVk. 21, 87
(14./15. Jh.). [199]) Von H o p f *Tierorakel* 110
mit Recht als der deutsche Orakelvogel χατ'
ἐξοχήν bezeichnet, bei den Römern rechts g.,
links ug.: C i c e r o *de div.* 1, 12; 1, 85;
P l a u t u s *Aul.* 4, 3, 1 (dagegen links g.
Corrector Burchardi b. F r i e d b e r g *Bußbücher* 93; G e r h a r d t *Franz. Novelle* 73;
W u t t k e 201 § 274). S. ferner Jahrb. d. V.
f. Volksk. u. Linguistik in Prag 1893; D u h n
ARw. 12, 167. g.: G r i m m *Myth.* 2, 938. 940
(Edda, Kriegern folgend); L e o p r e c h t i n g
Lechrain 89; ZrwVk. 11, 258. — ug.: B r o n n e r
Sitt u. Art 159; D r e c h s l e r *Schlesien* 2, 218;
H ö f l e r *Organotherapie* 124; K l a p p e r
MschlesVk. 21, 88; S c h ö n w e r t h *Oberpfalz* 3, 274; W u t t k e 201 § 274; Unoth 1,
183 nr. 66. [200]) ug: W u t t k e 205 § 281; J o h n
Oberlohma 164 (übers Haus fliegend, Feuer kündend); vgl. Archivio delle trad. pop. 15, 136 (Siena, 15. Jh.). [201]) g.: G r o h m a n n nr. 916;
D r e c h s l e r *Schlesien* 2, 227. [202]) ug: D r e c h s -
l e r a. a. O.; ZrwVk. 11, 258 (Brand kündend).
[203]) ug.: G r o h m a n n Nr. 916; W u t t k e 205
§ 281. [204]) g.: G r i m m *Myth.* 3, 475 nr. 1086
(a. 1791. Erste im Frühjahr); D r e c h s l e r
Schlesien 2, 227 (dgl., sich wälzen); G r o h -
m a n n Nr. 916; L e o p r e c h t i n g *Lechrain*
89. — fliegend g., sitzend ug.: ZrwVk. 11, 258;
W u t t k e 203 § 278 (außerdem: bei Ersterscheinen im Frühjahr einzelne = Heirat,
mehrere = Ledigbleiben oder auch umgekehrt.
Junggesell muß unter seinem Fuß nachsehen,
ob darunter ein Haar liegt; dies zeigt Haarfarbe
der Zukünftigen). In der Antike meist ug.:
H o p f *Tierorakel* 136. [205]) G r i m m *Myth.* 2,
938 (Johann von Salisb.): — g. für Schiffer, vgl.
H o p f *Tierorakel* 176. [206]) Von rechts g.:
G r i m m *Myth.* 2, 947 (MA.). [207]) C a s p a r i
7 § 9 (MA. nichts über g. oder ug.). [208]) ug:
G r i m m *Myth.* 3, 323. [209]) g.: L e o p r e c h -
t i n g *Lechrain* 89. Reichhaltige Kasuistik
b. W u t t k e 203 § 279 (beim Ersterscheinen
im Frühling für Mädchen: fliegend = Fleiß,
Brautwagen, Glück; stehend = Faulheit, Ge-

vatterstehen, Unglück; klappernd = Geschirr
zerbrechen; sich putzend = Krankheit und
Tod. In Haufen über Menschen fliegend = Tod.
Hat man beim ersten Erblicken Geld in der
Tasche, so hat man es das ganze Jahr. Sich
wälzen, schon im Altertum, s. P h i l o s t r a -
t o s *Epist.* 8).

3. Sonstige Tiere. Von K r i e c h -
t i e r e n und L u r c h e n werden Eidechse [210]), Schlange [211]), Frosch [212]) und
Kröte [213]) bald als g., bald als ug. gedeutet. Von den I n s e k t e n ist an
erster Stelle die Spinne [214]) zu nennen,
bei der fast immer die Tageszeit, zu der
sie erscheint (s. o. Sp. 414, Anm. 25), und
die Richtung, in der sie spinnt, berücksichtigt wird. Beim Schmetterling [215]) fällt
besonders die verschiedene Deutung der
Farbe auf. Vereinzelte Zeugnisse beweisen
außerdem für MA. und Neuzeit die Beachtung des A.s von Biene [216]), Floh [217]),
Heuschrecke [218]), Marienkäfer [219]) und
Zikade [220]).

[210]) g.: S c h ö n w e r t h *Oberpfalz* 3, 274; ug.:
L e o p r e c h t i n g *Lechrain* 88, so auch im Alter-
tum: H o p f *Tierorakel* 181 und in Frankreich:
T h i e r s *Traité* 1, 209. [211]) g.: F r a n z *Nik. de
Jawor* 189 (MA.); K l a p p e r MschlesVk. 21, 87
(14./15. Jh.); P a n z e r *Beitrag* 2, 259; ZfVk.
11, 278 (15. Jh.); vgl. Archivio delle trad. pop. 15,
136 (Siena, 15. Jh.); ZfVk. 3, 37 (MA. Juden, aufs
Bett fallend); L i e b r e c h t *Zur Volksk.* 328
(Norw.); G e o r g e a k i s u. P i n a u d *Folk-
lore de Lesbos* 339. — ug.: ZrwVk. 11, 258; vgl.
ZfVk. 3, 135 (MA. Juden, rechts vorbei oder
zwischen mehreren hindurchlaufend); in der
Antike war die Deutung ebenfalls schwankend,
ug. z. B.: T h e o p h r a s t *Char.* 16; C l e m e n s
A l. *Strom.* 7, 4, 25; H o r a t i u s *carm.* 3,
27, 5; T e r e n t i u s *Phorm.* 4, 4, 29. g.:
C i c e r o *de div.* 1, 36; Scriptores hist. Aug.
rec. Peter 1, 125, 19; 2, 25, 6; vgl. K ü s t e r
Schlange 131 f.; G r i m m *Myth.* 2, 949.
[212]) g. im Wasser, ug. auf dem Lande: G r i m m
Myth. 2, 947; ZrwVk. 11, 258; B o e c l e r
Ehsten 140; D ä h n h a r d t *Volkst.* 2, 87:
hüpft im Frühjahr ein F. über den trockenen
Weg, so muß man das Jahr über so viel Tränen
weinen, daß er sich baden kann. [213]) g.: F r a n z
Nik. de Jawor 189 (MA., ebenso Antike: H o p f
Tierorakel 196; Frankreich: T h i e r s *Traité*
1, 209). — ug.: B r o n n e r *Sitt u. Art* 159.
[214]) Im allgemeinen gilt das Schema des in verschiedenen Fassungen gebräuchlichen Verses
(Morgen — Sorgen, Mittag — Glück am 3. Tag
oder kleiner Gewinn, Abend — labend):
ZrwVk. 11, 258; Unoth 1, 186 nr. 114; auch
franz.: G e r h a r d t *Franz. Nov.* 73; H o v o r -
k a u. K r o n f e l d 1, 30; oft auch nur der
Morgen (ug.) genannt: G r i m m *Myth.* 2, 951;

F o g e l *Pennsylvania* 106 nr. 446; vgl. 80 nr. 288. 289; 95 nr. 384; M e i e r *Schwaben* 221; ZrwVk. 12, 58 (doch morgens g.: W i t z - s c h e l *Thüringen* 2, 277). Ferner: g. von oben spinnend oder an jemand aufwärtslaufend: G r i m m *Myth.* 2, 938; W u t t k e 206 § 283, ug. für einen Kranken an der Wand neben dem Bett oder über das Bett laufend oder an jmd. abwärts laufend: M e i e r *Schwaben* 221; W u t t k e a. a. O. Große ug. (Zank), kleine g. (Glück): W o l f *Beiträge* 2, 457; weiße ug. (Tod): F o g e l a. a. O. 115 nr. 503. [215]) Erster im Frühling weiß = Glück in Geldsachen oder Unglück und Tod, grau = Unglück, rot = Augenschmerzen, gelb = Glück, Gevatterstehen W u t t k e 205 § 282. [216]) ug. einen Schwarm in einem Baum zu finden ZfdMyth. 3, 311 (a. 1612), so auch in der Antike, G r i m m *Myth.* 2, 951. [217]) Auf die Hand springend = unerwartete Neuigkeit, M o n t a n u s *Volksfeste* 136; F o g e l a. a. O. 91 nr. 359 (Brief). [218]) ug. G r i m m 2, 938 (Johann v. Salisb.). [219]) g. Unoth 1, 187 nr. 145; W u t t k e 205 § 282 (bes. auf jemand zufliegend oder sich auf die Hand setzend). [220]) g. G r i m m *Myth.* 2, 338 (Joh. v. Salisb.).

4. P f l a n z e n und G e g e n s t ä n d e. Das zufällige Stoßen auf gewisse Pflanzen und Gegenstände kann nur zum Teil zum A.sglauben gerechnet werden, da das Moment der Belebtheit des Objekts fortfällt. Bewegt ist dieses wenigstens im Falle des Wagens, dessen A. etwa mit dem des Leichenzuges (s. o. Sp. 415) zu vergleichen ist, bei welcher Gelegenheit er als Leichenwagen auch schon genannt wurde. Er wird, meist mit Rücksicht auf seine Ladung, g. oder ug. gedeutet [221]). Im Zusammenhang mit dem A. der Vögel verdient Erwähnung, daß es g. ist, ein Vogelnest mit brütendem Weibchen und Jungen zu finden [222]). Schließlich sei noch auf das Finden einer Nadel hingewiesen, wo die genaue Beobachtung der Lage an ähnliche Spezialbestimmungen bei belebten Objekten erinnert [223]). Dagegen sind für das Finden bestimmter Pflanzen, besonders des vierblättrigen Kleeblattes, sowie des Hufeisens, die entsprechenden Sonderartikel zu vergleichen.

[221]) g.: S a r t o r i *Sitte u. Brauch* 3, 64; J o h n *Westböhmen* 27; W u t t k e 209 § 290 (beladen); D r e c h s l e r *Schlesien* 2, 193 (mit Heu beladen); D ä h n h a r d t *Volksk.* 2, 89 (dgl., doch muß man links vorbeigehen); ZfVk. 20, 382 (von jungem Mann gelenkt). **ug.**: W u t t k e 469 § 746 (für Leichenzug);

K ö h l e r *Voigtland* 254; H ö h n *Tod* 7, 345 (Zwiegespann Leichenzug begegnend = Zwiespalt in der Ehe); D r e c h s l e r *Schlesien* 2, 193 (mit Stroh beladen); G r i m m *Myth.* 3, 475 Nr. 1088 (a. 1791, mit Mist beladen, für Brautpaare). [222]) ZfVk. 11, 277. 462 f.; 19, 142 f. [223]) g.: F r a n z *Nik. de Jawor* 189; ZfVk. 11, 279; F o g e l *Pennsylvania* 106 nr. 451. Kopf dem Subjekt zugekehrt ebd. nr. 449. 466. Spitze zugekehrt 107 nr. 450; 109 nr. 467. ug.: Nähnadel mit schwarzem Faden D r e c h s l e r *Schlesien* 2, 200.

E n t s t e h u n g. Allem A.sglauben und so auch dem deutschen liegen vermutlich zum größten Teil primitive Gedankengänge magischen Charakters zugrunde, besonders spielen, wie sich aus den vorgebrachten Beispielen leicht erkennen läßt, sympathetische Vorstellungen eine große Rolle. Sowohl in den Grundregeln wie auch in den häufigen kasuistischen Unterscheidungen (rechts — links, schwarz — weiß, für dieses Subjekt g., für jenes ug. usw.) besteht engste Verwandtschaft mit der auf die gleichen primitiven Vorstellungen zurückgehenden „symbolischen" Traumdeutung, wie sie z. B. aus dem Traumbuch Artemidors bekannt ist. So ist es nicht nötig, ja nicht zulässig, in den A.stieren grundsätzlich die Verkörperungen von Totenseelen [224]) oder Dämonen [225]) zu sehen; aus der Eigenart, der Farbe, der Stimme der Tiere erklären sich vielfach die Deutungen von selbst [226]). Doch ist es andrerseits auch unmöglich, alle Erscheinungen des Tier-A.sglaubens auf diese Weise zu erklären, etwa alle „kampflichen" Tiere für g., alle „unkriegerischen" für ug. zu erklären [227]); z. B. würde sich die g. Deutung des Hirsches diesem Schema nicht einfügen. Vielmehr wird man annehmen müssen, daß dem weiten Sammelbecken des A.sglaubens neben jenen allgemeinen primitiven Anschauungen auch spezielle, aus der Religion, dem Mythus und der Kultur des eigenen Volkes entsprungene oder von fremden Völkern übernommene Vorstellungen zugeflossen sind. So erklärt Grimm den ug. A. der alten Frau aus dem Hexenglauben, des Priesters aus dem irdische Geschäfte unterbrechenden und vereitelnden Erscheinung des heidnischen und später des christlichen Gottesmannes, den g. A. des Wolfes aus seiner Natur als siegbringendes Tier des Odin u. a. m.[228]). Doch auch er muß z. B. gegenüber der Frage, warum eines Blinden, Hinkenden und Bettlers A. für ug., eines Buckligen und Aussätzigen als g. galt, auf eine Erklärung verzichten. Dasselbe gilt auch in den meisten Fällen, in denen ein und dasselbe Tier schlechthin bald als g., bald als ug. gedeutet wird, eine Erscheinung, die auch im A.sglauben der Antike, der zweifellos durch christliche Vermittlung vielfach auf den deutschen eingewirkt hat, wiederholt zu beobachten ist.

[224]) M o g k *Myth.* 229. [225]) B r o n n e r *Sitt u. Art* 159. [226]) Auf eine interessante spontane A.sdeutung auf christlicher Grundlage bei J. Gotthelf (zwei weiße Tauben = Friede und Eintracht) verweist S p r e n g e r in ZfdU. 6, 438. [27]) S i m r o c k *Myth.* 640 f. [228]) G r i m m *Myth.* 2, 941 f.   Boehm.

Angebinde. Noch lebende Bräuche lassen erkennen, daß man Gaben, die man heute A. nennt, ohne sich etwas Besonderes dabei zu denken, wenn schon der Sprachgebrauch das Wort auf bestimmte Geschenke zu beschränken scheint (Patengeschenke, Geschenke für ganz kleine Kinder), ehedem wirklich angebunden hat, um sie dauernd mit dem Beschenkten zu verbinden[1]). In Heimstetten (Baden) binden die Paten dem Kinde nach der Taufe hinten in der Kirche je eine Mark ein[2]). Vergleichbar ist das Anbinden als Form der Weihung. Im Württembergischen entspricht dem das sog. *Kissesteket.*

Vgl. a n b i n d e n , b i n d e n , E i n g e b i n d e , P a t e n g e s c h e n k .

[1]) K o n d z i e l l a *Volksepos* 100; G r i m m *Myth* 2, 982 f.; D e r s . *Kl. Schriften* 2 (1865), 191 ff., wo eingehend über das A. gehandelt ist; die Abhandlung von J. J. H o r n u s *Über die alterthümliche Sitte der A. bei Deutschen, Slaven u. Litauern.* Prag 1855, war uns nicht zugänglich. [2]) M e y e r *Baden* 25.   Aly.

Angehenke, Name für heilkräftige Mittel, die angehängt, angebunden, angeknüpft werden, etwa Amulette (s. d.). Grimm[1]) zitiert aus Ettner, *Des getreuen Eckhards unvorsichtige Hebamme* (1715) S. 859: „Vom hollunder, der in den wei-

den wächst, macht man den kindern ein a., neun stücklein in einen zundel mit einem rothseidnen faden, so dass er auf der herzgrube liegt." S. 862: „a. vom rechten auge des wolfs, säcklein von steinen, blinden schwalben aus dem magen geschnitten." Das Wort Amulett (s. d.) kommt in der deutschen Literatur erst spät vor.

s. a n h ä n g e n , A n h ä n g z e t t e l .

[1]) G r i m m *Myth.* 3, 466; vgl. 2, 982.
         Pfister.

Angelica s. E n g e l w u r z .

angeln s. f i s c h e n .

Angelusläuten s. A b e n d l ä u t e n , B e t g l o c k e .

Angesicht s. G e s i c h t .

Angla achila achtila, Zauberworte im Liebeszauber, um ein Mädchen sich zu Willen zu zwingen[1]).

[1]) *Urquell* 3 (1892), 3; O h r t *Trylleformler* 2, 89.   Jacoby.

Angst (Furcht, Schrecken). Die Sorge um die Sicherheit im Leben begleitet die wilden Völker mehr als die Völker der gesicherten Kultur. Die Sorge steigert sich in manchen schwachbegabten Völkerschaften bis zur fortwährenden A. vor Unglück bringenden Dämonen[1]). Die Furcht vom Tage her vollendet sich im A.traum der Nacht[2]). Mit der steigenden Kultur ermäßigt sich allmählich die Furcht vor Träumen[3]), doch wird es immer Menschen geben, die von gewissen A.gefühlen geplagt sind. Gegen ihre unerklärliche Herrschaft hilft der Zauber. Wer die Zehe eines Toten anrührt, wird frei von der A.[4]). Das Verfahren, jemandem die „A. anzutun" und einen entlaufenen Liebhaber zurückzubringen, beschreibt Grimm Myth. 3, 470 Nr. 961.

„Die A." bedeutet in Bayern ein Gebet, das am Gründonnerstag abends im Stall gebetet, das Vieh vor Krankheit schützt[5]).

[1]) F r a z e r 9, 72 ff.; V i s s c h e r *Naturvölker* 2, 192 u. 196. [2]) W u n d t *Mythus und Rel.* 2, 125 ff. [3]) D e r s . 1, 577. [4]) G r i m m *Myth.* 3, 453 Nr. 544. [5]) R e i s e r *Allgäu* 2, 113 Nr. 5; F i s c h e r *Schwäb.Wb.* 1, 213; S c h m e l l e r *Bayr.Wb.* 1, 105.   Boette.

anhängen. Das heimliche A. von kleinen Gegenständen oder das Anbringen von Spottfiguren an den Kleidern der Straßengänger muß trotz den spärlichen Belegen, die wir bis jetzt finden konnten, in ganz Westeuropa verbreitet gewesen sein. Eine allgemein befriedigende Erklärung kann ebensowenig gegeben werden, wie für die Foppbräuche im April (s. d.), zumal da die Tage, an denen das A. ausgeübt wird, verschiedene sind: 2. Febr. (Lichtmeß) [1]), Fastnacht [2]), Aschermittwoch [3]), Donnerstag nach Asch.[4]), in den Fasten [5]), speziell Mittfasten [6]), am häufigsten 1. April [7]), vereinzelt Palmsonntag [8]), bei der Weinlese [9]). Meist werden Tuchläppchen in einer bestimmten Figur ausgeschnitten, mit Kreide geweißt und unmerklich auf dem Kleide abgedrückt. Solche Figuren sind: Esel(skopf) [2]) (Usener) [6]), [8]), Teufel(skopf) [6]), Säge [2]) (Us.)[6]), Leiter [2]) (Us.); Fisch? [7]), oder es werden die Tuchfetzchen selbst angehängt [2]) (Lancashire) [7]) (Franche-Cté); andere Gegenstände: schmutzige Lappen [2]) (Sizilien), Papierstreifen [2]) (Portugal) [7]) (Belgien), Aschensack [3]), Klämmerchen [4]), Zopf [7]) (Belgien), Lämmerschwanz [2]) (Sizilien), Kalbsschwanz [7]) (Franche-Cté), tote Maus [2]) (Sizilien), tote Ratte (Franche-Cté), Püppchen [9]), Papierpfropfen [1]). Eine Sonderstellung nimmt der Würzburger Brauch ein, insofern, als der „Palmesel" nicht heimlich angebracht wird, sondern als Schandenbezeugung für Kinder, die am Palmsonntag keine neuen Kleider angezogen hatten [8]). Die „Poppeli", die in Graubünden bei der Weinernte angehängt wurden, werden von Bühler [9]) als Phallus, d. h. als Fruchtbarkeitssymbol, gedeutet. Möglicherweise hängen mit diesem Brauch die Redensarten zusammen: ein Blechlein [10]), Siechblechlein [11]), Bletzlein [12]), Flecken [13]), Klämmerlein [14]), Klämperlein [15]), Kläpperlein [16]), Klette [17]), Klebläpplein [18]), Schelle [19]), Schlötterlein, -ling, Schletterlein, Schlätter [20]), Spettlein, Spätlein, Spätzle [21]), eins oder etwas anhängen [22]) i. S. v. „verspotten, schmähen, übel nachreden".

¹) G. u. F. H e g i Tösstal (Zür. 1913), 66. ²) L i e b r e c h t Z. Volksk. 408, verweist auch

auf U s e n e r in Rhein. Mus. N.F. 30, 192 (Sizilien, Portugal). ³) Aus dem Posener Lande 4 (1909), 79. ⁴) „Chlupper-Donstig", d. i. Klämmerchen-Donnerstag (Appenzell) SAVk. I, 275. ⁵) L i e b r e c h t Z. Volksk. 408 (Lancashire). ⁶) G u b e r n a t i s Tiere 284, A. 1 (Piemont). ⁷) SAVk. 6, 143 (Thurgau); eigene Erinnerung (Basel); R e i n s b e r g Festjahr 94 (Vlamen); R e i n s b e r g Traditions 1, 203 (Belgien); A l b e r s Festpostille = Das Jahr 142 (Friesland, Holland); B e a u q u i e r Les Mois en Franche-Comté (Paris 1900), 52; La Tradition 10, 76 (Südostfrankr.). ⁸) S c h ö p p n e r Sagen 3, 56. ⁹) B ü h l e r Davos 1, 373; dazu SAVk. 11, 268; SchweizId. 4, 1423. ¹⁰) DWb. 1, 367; 2, 85; F i s c h e r Schwäb. Wb. 1, 1186; SchweizId. 5, 6; H s. S a c h s Schwänke 26, 33. ¹¹) S c h m e l l e r Bay.Wb. I, 322. ¹²) G e i l e r Granatapfel 1511 biij 1 a; DWb. 2, 110. ¹³) Ebd. 1, 367. ¹⁴) Ebd. 5, 940. ¹⁵) Ebd. 5, 943. ¹⁶) Ebd. 5, 943. 954. 969. 1143. 1152; 9, 651 a. ¹⁷) Ebd. 9, 651 ¹⁸) Ebd. 8, 2494. ¹⁹) Ebd. u. 9, 651 u. ²⁰) Ebd. u. 788; SchweizId. 9, 965. 985. 994; M a r t i n - L i e n h. 2, 476; S c h m e l l e r BayWb. 2, 537; F i s c h e r Schwäb.Wb. 900. 901. ²¹) B r a n t Narrenschiff (ed. Zarncke) 21, 5; 42, 14 (mit Anm.); M u r n e r Schelmenzunft 18, 25; D e r s. Narrenbeschw. 77, 44; D e r s. Mühle v. Schw. 601; DWb. 10, 1998. 2195 f.; SchweizId. 9, 785. ²²) DWb. 1, 368. Hoffmann-Krayer

Anhängsel s. S c h m u c k.

Anhängzettel. Man nennt so eine besondere Art von Amulett (s. d.); es ist ein um den Hals gehängter Zettel, auf den, wie die Beispiele bei v. L i n d e r n zeigen, unverständliche Zauberformeln geschrieben sind. Unter der Voraussetzung, daß der Benutzer nicht lesen kann, hat wohl auch ein Schalk Banalitäten darauf geschrieben, so gegen Schwangerschaft: Lege dich nicht zum Manne, so wirst du nicht schwanger [1]). Das Wort fehlt in G r i m m s Wörterbuch, der Brauch ist jedoch schon für L u t h e r vorauszusetzen, der Spr. Sal. 3, 3 übersetzt: Gnade und Treue werden dich nicht lassen. Hänge sie an deinen Hals und schreibe sie an die Tafel deines Herzens [2]).

S. A m u l e t t, B r i e f, Z e t t e l.

¹) Venusspiegel 3. Aufl. Straßburg 1743; vgl. Alemannia 8, 285. ²) DWb. 1, 367 f. unter „anhängen". Aly.

anhauchen s. H a u c h.

Animatismus bedeutet die Anschauung von der Beseelung sämtlicher Gegenstände der Natur und des menschlichen Gebrauchs (A l l b e s e e l u n g). Der Ausdruck erhielt besondere Bedeutung in der Theorie R. R. Maretts, welcher davon ausgeht, daß der naive Mensch in allem, was ihm Auffälliges begegnet oder was auf ihn nachdrücklich einwirkt, etwas Seelisches erkennt [1]. Indem der Mensch solchen Gegenständen gegenüber seine psychische Grundregung entfaltet, erscheinen sie ihm als etwas ,,Supernaturales''. Die Regungen nämlich, durch welche der Mensch seine Einstellung zu den Dingen gewinnt, sind nach Marett die Gefühle der Furcht, des Schauders und der ehrfurchtsvollen Scheu. Diesen A. ordnet Marett dem A n i m i s m u s (s. d.) als allgemeinere Form über, da er letzteren Ausdruck in dem engen Sinn Tylors als Geisterglauben nimmt. Sonach sei der A. auch der Anfang alles religiösen Glaubens. Man wird sagen dürfen, daß die Neigung des Menschen zur Allbeseelung der lebensvollen religiösen A n s c h a u u n g diensam gewesen ist und die Bildung religiöser V o r s t e l l u n g e n unterstützt hat, daher auch immer wieder gelegentlich bei Bildung a b e r g l ä u b i s c h e r V o r s t e l l u n g e n beteiligt ist. Man kann auch gegen Wundts ganz abweisende Kritik des A.[2] zugeben, daß in dem Sinne, wie Marett den A. faßt, etwas von ursprunghaft religiösen Regungen damit bezeichnet wird: dies nämlich, daß in den Dingen, welche beseelt werden, etwas ,,Übernatürliches'' erfaßt und mit heiliger Scheu betrachtet wird.

[1] R. R. M a r e t t *The threshold of religion*[2]. 1914. [2] W. W u n d t *Mythus und Religion 2*, 173 ff.   K. Beth.

Animismus. I. A. ist ein zuerst in der M e d i z i n eingebürgerter, von G. E. Stahl in seinem Werke über die Drüsen (erstes Drittel 18. Jh.) geprägter Ausdruck für die Auffassung, daß das oberste Prinzip des lebenden Organismus die Seele (*anima*) ist, die jedoch einerseits etwas Unsterbliches und Überlogisches, anderseits als *anima vegetativa* nichts anderes als die *natura* der Alten ist. Jeder Körperteil hat nach Stahl ein Leben für sich, das auch für sich allein gestört werden kann [1]. Die Vorstellung

von der Körperseele und den Organseelen, wie sie Wundt bei den Naturvölkern findet [2]), ist auch in dieser Stahlschen Theorie vorhanden, und diese Ansicht von dem in dem Leib waltenden Seelischen zeigt ihre Nachwirkungen in sehr vielen volkstümlichen, dem Aberglauben angehörigen Heilmitteln und -verfahren.

[1] Franz Carl M ü l l e r *Geschichte der organischen Naturwissenschaften* 9 f. [2] W u n d t *Mythus u. Religion* 1, 139 ff.

2. Als e t h n o l o g i s c h - r e l i g i o n s g e s c h i c h t l i c h e r Fachausdruck wird A. gleichfalls im zweifachen Sinne verwendet: a) für den Glauben an ein b e s o n d e r e s S e e l i s c h e s, gleichsam ein Seelenwesen im Körper oder außerhalb desselben, und b) für den Glauben an den V i t a l s t o f f, der alles Lebendige durchzieht und, als unsichtbares Fluidum anhaftend, alles charakterisiert, was mit einer Person in Berührung gekommen ist.

a) Nach B. G. T y l o r ist der A. als Glaube an die Existenz geistiger Wesen mit oder ohne bestimmte Körper ,,die Religion und Philosophie aller nichtzivilisierter Völker'' und die Grundlage oder erste Stufe aller Menschheitsentwicklung, aus der jede höhere geistige Betätigung, vor allem Religion und Kunst hervorgegangen sind (a n i m i s t i s c h e T h e o r i e) [3]. Sicher ist indessen nur, daß der A. sehr alt, allgemein verbreitet und bis in unsere Zeit und Kultursphäre hinein dauerhaft ist. Nicht haltbar hingegen ist die Meinung, daß dieser A. die älteste geistige Stufe der Menschheit bezeichne. Denn das würde besagen, daß die Vorstellung von Seelen- oder Geistwesen und der Glaube an eine im menschlichen Körper vorhandene, ihm gegenüber irgendwie selbständige Seele früher vorhanden gewesen sei, als die Idee des in den Körpern vorhandenen Unsinnlichen, eine Annahme, die mit den Ergebnissen der Primitivenforschung in Widerspruch steht. Man kannte sowohl ein selbständiges Unsinnliches, das nicht seelischer Art ist, wie auch den als völlige Einheit existierenden und lebenden Menschen, ehe man animistisch empfand und dachte, worüber im besonderen Zusammenhange zu verhandeln ist (s. Pr ä a n i m i s m u s).

Tylor definiert die Seele in dem Sinn der Primitiven, der sich jedoch durch alle Kulturschichten hindurch erhalten hat, als dünnes, körperloses Gebilde, das auch dort, wo der Körper nicht ist, das Individuum darstellt und erkennen läßt. Der hierauf gegründete A. ist der Meinung, daß alles, was irgendwie auf den Menschen einwirkt, und überhaupt alle Erscheinungen, die ihm aufstoßen, von einem denkenden und wollenden Geistwesen hervorgerufen sind und daß alle Wesen und Dinge, welche irgendeine Erscheinung verursachen, von solchem Geist oder solcher Seele getrieben werden. Dieser A., eine eigentlich dualistische Ansicht, besagt, daß in allem Lebendigen eine Seele die Ursache der Lebendigkeit, der einzelnen Lebenserscheinungen, ist. Er beruht daher auf dem Versuch einer rationalen Erklärung der Lebenserscheinungen und bewährte sich wahrscheinlich zuerst an den Erfahrungen, die der Mensch mit Schlaf, Traum und Sterben machte. Das Entschwinden des Wachbewußtseins im Schlaf, das Auswandern des Ich im Traum und der Besuch der anderen Iche während unseres Traumes, das Aufhören der Lebenserscheinungen mit dem Moment des Sterbens, schließlich das Erschlaffen der Lebensfunktion bei Krankheit, legen den Schluß nahe, daß es eine besondere Ursache der Lebenserscheinungen gibt. Analog erkannte der Mensch bei den Tieren, von denen sich der Primitive grundsätzlich nicht zu unterscheiden pflegt, dasselbe Agens (s. Tiere). Weiter stellte er aber in den leblosen Naturgebilden und -erscheinungen dasselbe Agens als ein Seelisches fest und stellte sie dadurch als belebt vor. Diesen Vorstellungs- oder Denkprozeß, durch welchen schließlich alles mit Seelen begabt gedacht wird, nennt man auch A n i - m a t i s m u s (s. d.) — Vorstellung von der Belebtheit alles Seienden.

Mit dem Seelischen meinte der Mensch zunächst sicherlich nichts weiter als das P r i n z i p d e r B e w e g u n g (wie ja got. *saiwala* = Seele, die Bewegliche, das sich Bewegende, bedeuten und mit griech. *aiolos* = Wind verwandt sein wird). Möglich ist indes auch, daß die Wurzelbedeutung W i n d bestimmend war, nach E. H. M e y e r [4]): Wurzel *an*, führt zum Begriff Ahne und Verstorbener; darum wird eine durch gewaltsamen Tod ausgepreßte Seele zum heftigen Wind, entsteht bei Selbsterhängung Sturm, beim beichtelosen Tod einer Wöchnerin Wirbelwind, und die Seelen Unverheirateter müssen als Wind Nebel schöbern und Felsen abreiben [5]). Nach Einführung des Christentums ziehen im wütenden Heere nur noch die Seelen der Bösen stürmisch dahin, während ursprünglich alle Seelen nach dem Tode in die Windsphäre eintraten. Auch im Winde ist aber die Bewegung (sowohl das sich Bewegende, wie das das andere Bewegende) das hervorstechende Merkmal und dasjenige, was auf den Primitiven den größten Eindruck macht, wie auch der sich bewegende Schatten, der gleichfalls als Seele aufgefaßt wurde; denn diese Bewegung ist das sinnlich Hervortretende dessen, was an sich etwas Unsinnliches als Kern enthält, und es ist doch zugleich die geheimnisvolle Kraft der Veränderungen. Gegenstände, die sich bewegen oder sich zu bewegen scheinen, machen auf den naiven Menschen den Eindruck von Körpern, die durch eine verborgene Kraft in Bewegung gesetzt werden, oder von Körpern, die, wie der eigene, mit einem bewegenden Agens, wie dem Willen, begabt sind. Und von dem System der so angeschauten Dinge gab es und gibt es für den primitiven Menschen keine Ausnahme; denn kraft seines s y m b i o t i s c h - s y m p a t h e t i - s c h e n G r u n d g e f ü h l e s [6]) weiß er sich mit allen einzelnen Teilen, lebenden wie leblosen, des Universums ebenso eins, wie jene alle unter sich gleichsam wie Teile eines Ganzen verbunden sind; Menschen, Tiere, Pflanzen, Berge, Quellen, Flüsse, Himmelskörper sind vermöge der universellen Symbiose als wesenhaft gleiche Gegebenheiten betrachtet.

Diese animistische Vorstellung kommt in der Anschauung von den T o t e n zu

besonderer Geltung. Bei Eintritt des
Todes wird das Fenster, die Tür oder
Luke geöffnet, auf daß die Seele hinaus
kann, ebenso wie bei Geburt des Kindes,
damit eine Seele hinein kann. Die Seele
geht beim Sterben hinweg a l s T i e r,
indem sie sich verwandelt in einen Vogel
oder ein Insekt (Käfer, Schmetterling),
oder in ein kriechendes Tier (Schlange,
Eidechse, Maus). Wie nach der Vorstellung der vorangegangenen Epoche der
Verstorbene jederzeit als ganze Persönlichkeit wiederkehren kann, so nach
der Vorstellung der animistischen Epoche
seine Seele.

Die Vorstellung der Seele als S c h a t -
t e n ergab sich aus dem Schatten, welcher dem Menschen folgt oder voraufge-
geht usw., und daraus wieder entwickelte
sich der Glaube an den F o l g e g e i s t
(an. fylgja), den w e i b l i c h e n S c h u t z -
g e i s t, welcher den Menschen stets begleitet oder wie sein zweites schützendes
Ich (der ägyptische K a) gleichsam an
oder hinter ihm wie angehaftet ist. Indem
sich die fylgja mehr und mehr von der
Person ablöste, wurde sie zu einer selbständigen, Tod und Gefahr verkündenden
höheren Macht [7]); vgl. später die w e i ß e
(A h n -) F r a u (s. d.). Ebenso wie schützende gibt es auch s c h ä d l i c h e und
v e r f o l g e n d e G e i s t e r, Bringer
von Landplagen und Hausunglück. Als
solche treten die Seele eines Verstorbenen
oder ein Drache oder andere, phantastisch
gestaltete, Tiere auf, die die Vorstellung
einer unangenehmen Kraft bedeuten. Es
ist indessen eine von Irreführung nicht
ganz freie Hypothese, allgemeinhin zu
behaupten, daß alle persönlich gearteten
Geistwesen, Dämonen usw., animistischen
Ursprungs, durch einen Akt der Beseel-
lung von etwas an sich auch seelenlos zu
Denkendem entstanden seien. Riesen
und Zwerge sind zweifellos voranimistisch
und daher auch eine ganze Reihe von
anderen Geistern, ohne daß es gelingen
könnte, die Grenze zwischen beiderlei
Bildungen theoretisch rein auszuziehen [8]).

[3]) T y l o r Kultur I, 422.   [4]) Mythologie
91.   [5]) L a i s t n e r Nebelsagen 42 u. 237.
[6]) B e t h Religion u. Magie [2] 185 ff. 321 ff.

397 f. [7]) Njals Saga 12; Vatnsdaela Saga 36.
[8]) N a u m a n n Gemeinschaftskultur 83 ff.

b) Von entschieden größerer Bedeutung ist die S e e l e n s t o f f - A n -
s c h a u u n g, die von vielen als der
eigentliche A. im engeren Sinne heute
gewertet wird. Der Seelenstoff, besser
V i t a l s t o f f [9]), setzt nicht die Vorstellung einer Seele voraus und geht nicht
aus einer irgendwie und -wo vorhandenen
Seele hervor, sondern wird auch dort
angenommen, wo an ein einheitliches
seelisches Gebilde in dem Lebewesen noch
nicht gedacht ist, findet sich aber auch
noch neben einer solchen Seele angenommen vor. Der Seelenstoff ist ein dem
Körper immanentes, ihn völlig durch-
dringendes, in allen seinen Teilen gleicherweise vorhandenes Agens. Es ist so
wesentlich für den Körper und seine Teile,
daß es auch abgeschnittenen Teilen, wie
Haaren und Nagelspitzen, dem Speichel
und Auswurf und selbst der Kleidung
(Kråft, Ausdünstung und Schweiß) und
auch Gebrauchsgegenständen anhaftet.
Man könnte versucht sein, diese Auffassung für älter zu halten, als die Annahme einer den Körper leitenden, ihm
gegenüber jedoch mehr selbständigen
Seele. Zu einer Zeit, aus der die selbständige und selbständig überlebende
Seele im germanischen Norden noch
nicht bezeugt ist, wo vielmehr der Verstorbene als ganze Persönlichkeit weiter-
lebend gedacht wurde, existierte der
a n i m i s t i s c h e E i g e n t u m s b e -
g r i f f. Dieser gründet in der Vorstellung, daß alles, was mit dem Toten bei
Lebzeiten zusammenhing, von seinem
vitalen Fluidum an sich trägt und dadurch ihm für immer zugehört. Hierauf,
und nicht a l l e i n auf dem Gedanken,
daß der Tote alles wirklich noch brauche,
ruht der Brauch, die hauptsächlichsten
Geräte, Waffen und Kleidungsstücke mit
ins Grab zu geben, bzw. mit zu verbrennen; denn auch durch Verbrennung
wird der Seelenstoff nicht verzehrt. Interessant hiefür ist, wie das große perio-
dische Sterben in der Sippe des Bauern
Thoroolf dadurch zum Stillstand gebracht wird, daß das liegen gebliebene

Vermögen einer Verstorbenen ihr durchs Feuer nachgesandt wird [10]); der Tote selbst müßte aber auch immer wieder an den Ort seines Vitalstoffes zurückkommen, solange sich derselbe auf der Erde befindet [11]).

An der Selbständigkeit, Beweglichkeit und Beharrlichkeit des Vitalstoffes hängt L e b e n und G e s u n d h e i t. Krank wird der Mensch, wenn der Vitalstoff ganz oder teilweise entweicht oder wenn sein Zusammenhang mit dem Körper gelockert wird. Der Schamane heilt die Krankheit dadurch, daß er den entwichenen Vitalstoff zurückholt, den gelockerten festigt. Gelingt ihm dies nicht, so stirbt der Kranke. Die Prozedur des Zurückholens ist mannigfaltig, stets aber dreht sich die Handlung darum, des entflohenen Seelenteilchens durch Anrufen, Pfeifen, Beschwatzen oder Drohen habhaft zu werden. An der Schnur der „Seelenpeitsche", eines hierfür bewährten Instrumentes, wird ein Päckchen befestigt, das nicht einmal immer Vitalträger (Haare, Kleidung) des Patienten enthalten muß, sondern bloß von ihm oder von einem ihm Nahestehenden berührt zu sein braucht, um dermaßen mit des Kranken Vitalität imprägniert zu sein, daß dasselbe, wenn der Arzt nächtlicherweile im Walde die Peitsche schwingt, den entschwundenen Seelenstoff des Kranken anzieht. Triumphierend bringt der Schamane die Seele ins Haus und praktiziert sie in den Leib des Patienten, der genest [12]).

Mit dem Atem hat dieser Vitalstoff, wie sich nachweisen läßt, in der Regel nichts zu tun, sondern ist von demselben klar zu unterscheiden. Z. B. bei den australischen Wurunjerri fand der herbeigeholte Arzt den *murup* des Kranken schon weit weg, bloß noch etwas Atem in dem Manne. Der Medizinmann ging nun auf die Suche und brachte den *murup* nach einiger Zeit in seinem Opossumfelle heim; er hatte ihn noch eben an der Grenze des Sonnenunterganges gefunden. Hätte der *murup* diese Grenze überschritten, so wäre er unwiederbringlich verloren gewesen und der Kranke gestorben [13]).

Im günstigsten Falle wirft sich der Arzt mitsamt dem wiedergeholten Seelenstoff über den Kranken und treibt jenen in diesen hinein. Das Weggehen und -bleiben des (hierbei wenigstens zum kleinsten Teile wohl irgendwie „seelisch" vorgestellten) Vitalstoffes erinnert an die Rolle des Todes in deutschen Märchen. Wie der Medizinmann herausfindet, wo die Seele ist, so weiß der Jüngling, ob der Tod zu Häupten oder zu Füßen des kranken Mägdeleins steht, ob er bleiben oder gehen will.

Mittels solchen „Seelenträgers" oder Vitalstoffes kann j e d e Art guten oder bösen Zaubers ausgeübt werden. Man verschafft sich irgendeinen Fetzen von der Kleidung eines Menschen, oder ein paar Haare oder Nägelschnitzel, oder Auswurf, oder von ihm gekauten Betel und behandelt sie, in Blätter oder andere Hüllen, oder in ein Bambusrohr gesteckt, ebenso wie man den ganzen Menschen behandelt wissen will. Umständliche Verrichtungen folgen hieraus, z. B. der bekannte *Guliwill* bei den südöstlichen Australiern. Man darf jedoch nicht mit Wundt behaupten, das ganze Zauberwesen sei aus dem Animismus hervorgegangen, da es ja „direkten" Zauber gibt, der keines Vitalagens bedarf, bzw. solchen Zauber, der ohne irgendwelche sinnlich - konkrete Vermittlung stattfindet [14]). Seine Wurzel hat der Vitalstoffglaube in der R e p r ä s e n t a t i v i d e e: vom Körper gelöste Teile vermögen den ganzen Körper zu vertreten oder zu ersetzen. Daß zu Zeiten das eine oder andere Organ des Leibes im besonderen als Sitz des Vitalstoffes angesehen wurde, ist für das Verständnis der Anschauung als solcher fast belanglos. Daß der Jäger die Krallen des Jaguars, die Zähne des Büffels bei sich trägt, erklärt sich am ungezwungensten animistisch, ähnlich wie die Gepflogenheit der Kopfjagd und der S c h ä d e l k u l t, oder das Umhängen von getrockneten Menschennieren mit dazu gehörigen Fett-Teilen, oder wie die Menschenfresserei und das Verschlingen des rohen Kamelfleisches bei arabischen Riten und das Rohfleischessen bei der ersten orphischen Einweihung[15]): es handelt sich allemal um die Zueignung des Vitalstoffes, der eigentlichen Lebensenergie eines Wesens, das in irgendwelcher Hinsicht einen Vorzug hat. — Hierher gehören auch die häufigen Maßnahmen, die S e e l e e i n e s M e n s c h e n d u r c h e i n e h ö h e r w e r t i g e z u e r s e t z e n , was unter Umständen auf Dämonen und Götter der Fruchtbarkeit angewendet wird, indem der Gott des scheidenden Jahres mit der neuen Haut eines zu diesem Zwecke geschlachteten Menschen bekleidet wird (klassisches Land hierfür Mexiko)[16]). Hierher gehört ferner die Sitte, Könige, Häuptlinge oder Zauberer beim ersten Anzeichen herannahenden Todes zu töten, damit die Vitalstoffe, die Lebensenergien auf den Stamm übergehen und in ihm bewahrt bleiben, gegebenenfalls auch dem Nachfolger zugute kommen. (Über die Verehrung der beseelt gedachten Naturgegenstände und -erscheinungen, über Dämonenkult, Gespenster und ähnliches, was im Anschluß an die Tylorsche Definition und Theorie vielfach noch in den A. einbezogen wird, s. die betreffenden Artikel.)

[9]) B e t h *Religion u. Magie*[2] 153. [10]) Eyrbyggya Saga 52—55. [11]) H a n s S c h r e u e r in Ztschr. f. vgl. Rechtswiss. 33 u. 34 (1916). [12]) Ch. K e y s s e r in R. N e u h a u ß *Neuguinea* 3. 141 ff. [13]) H o w i t t *Native Tribes of Southeast Australia* 385 ff. [14]) K. B e t h *Religion u. Magie*[2] 142. [15]) E u r i p i d e s *Bakchen* 135. [16]) K. T h. P r e u ß *Phallische Bräuche* in Arch. f. Anthropol. N.F. 1 (1904), 140 ff. Im allgemeinen vgl. A. E. K r u y t *Het Animisme in den Indischen Archipel*. 1906; Jul. L i p p e r t *Seelenkult* 1881 ; D e r s. *Kulturgeschichte*; A. W. N i e u w e n h u i s *Die Wurzeln des A.* Supplement zu Internat. Arch. f. Ethnographie 24 (1917). K. Beth.

Anis (Pimpinella anisum). 1. B o t a n i s c h e s . Aus den östlichen Mittelmeerländern stammendes Doldengewächs (Umbellifere), dessen eirunde Früchte als Gewürz dienen. Die Grundblätter sind langgestielt, ungeteilt oder dreilappig, die Stengelblätter dreiteilig, die Blüten sind weiß. Bei uns wird der A. ab und zu angepflanzt[1]).

[1]) M a r z e l l *Kräuterb.* 200; *Heilpflanzen* 103 f.

2. Ähnlich wie der verwandte Kümmel dient auch der A. wegen seines aromatischen Geruches als a n t i d ä m o n i s c h e s Mittel[2]). Gekauften Tauben gibt man A., um sie an den Schlag zu fesseln[3]). Man buk an Lichtmeß A.brote und fütterte vier Wochen lang die Tauben, damit sie recht gedeihen sollten[4]).

[2]) B e c h s t e i n *Thüringen* 2, 106 f. [3]) S t a r i c i u s 1679, 476; E b e r h a r d t *Landwirtschaft* 20. [4]) Mitteil. Anhalt. Gesch. 1922, 19. Marzell.

Ankehrkraut s. M o n d r a u t e .

ankleiden s. K l e i d .

anklopfen. Wenn man bei Nacht einen Besuch macht, so soll man an der Zimmertür nicht a.; denn bei Nacht klopfen die Hexen an. Wer mit den Füßen anklopft, ist willkommen, weil man weiß, daß er die Hände voll hat[1]). S. w. k l o p f e n , K l o p f n ä c h t e .

[1]) F i s c h e r *Schwäb.Wb.* 1, 225. Bächtold-Stäubli.

ankünden (sich) s. k ü n d e n .

anmessen s. m e s s e n .

Anna, hl., Mutter Marias, Fest 26. Juli. 1. Der A.kult kam in Deutschland seit dem 14. Jh. in großen Aufschwung, in erster Linie als ein Mutterkult. Hier wurden Mainz und später Düren, wo sich seit 1501 die ehemals in Mainz aufbewahrte Annenreliquie befindet, ein Stück von der Hirnschale der Heiligen, Stätten ihrer Verehrung. A.s große volkstümliche Beliebtheit spricht sich in zahlreichen ihr geweihten Kirchen und in vielen Patronaten aus[1]).

[1]) K o r t h *Die Patrozinien im Erzbistum Köln* 15—19; daselbst umfangreiche Quellen- u. Literaturangabe; S a m s o n *Kirchenpatrone* 119—123; E. S c h a u m k e l l *Der Kultus der hl. Anna am Ausgang des MA.s*; B e i s s e l *Heiligen-Verehrung* 2, 135; S a m s o n *Die Schutzheiligen* 51 ff.

2. Frühzeitig galt die Mutter Marias als mächtige Patronin der Schwangeren und Gebärenden[2]). Deshalb wurde ihr Name in gesprochenen und geschriebenen Segensformeln für diese besonders aufgeführt, letztere auch als „Briefe", also wohl Zettelchen, von hoffnungsvollen Frauen getragen; desgleichen wurden

Messen de sancta Anna für solche Frauen empfohlen und von diesen gebraucht [3]). Weil A. selbst, der kirchlichen Überlieferung gemäß, vor der Geburt Marias lange Jahre kinderlos war, verrichteten und verrichten noch heute unfruchtbare oder kinderlose Frauen täglich Gebete zu ihr, um durch ihre Fürbitte Leibeserben zu erhalten [4]).

[2]) W e t z e r u. W e l t e *Kirchenlexikon* 1, 862. [3]) F r a n z *Benediktionen* 2, 190—200. 202; ZdVfVk. 1 (1891), 300; 6 (1896), 252. [4]) S t o l l *Zauberglauben* 105; R e i n s b e r g - D ü r i n g s f e l d *Festkalender aus Böhmen* 369.

3. In weiterer Entwicklung dieses Patronatsgedankens erscheint A. als Schutzheilige der Ehe und Eheleute, der Eltern und vorzüglich der Mütter, in letzterer Hinsicht oft durch die Kunst verherrlicht [5]). Junge Mädchen wenden sich an sie, um vor Schande bewahrt zu bleiben, anderseits, um einen Mann zu erlangen: Hl. St. A., Gib alle Meitschi Manna! [6]).

[5]) S a m s o n *Kirchenpatrone* 122; R e i n s b e r g - D ü r i n g s f e l d *Das festliche Jahr* 217—218. [6]) F o n t a i n e *Luxemburg* 112; K u o n i *St. Galler Sagen* 20 Nr. 35.

4. Sehr nahe ihrem Mutterwesen steht die Rolle, die sie als Beschützerin armer Witwen und Helferin ärmerer Stände wie Dienstboten, Arbeiterinnen, Näherinnen, Spitzenklöpplerinnen (Flandern) spielt [7]).

[7]) S a m s o n bzw. R e i n s b e r g - D ü r i n g s f e l d a. a. O.

5. Bemerkenswerterweise wurde sie auch Patronin der Schiffer, an der Elbe früher Nothelferin in Wassersgefahren [8]).

[8]) S a m s o n *Kirchenpatrone* 121; R e i n s b e r g - D ü r i n g s f e l d a. a. O.; D e r s. *Festkalender aus Böhmen* 370; K ü h n a u *Sagen* 3, 728—729.

6. Nicht minder eigenartig ist ihr Schutzpatronat für den Bergbau und die Bergleute. Bereits im MA. schrieb man reiche Ausbeute der Bergwerke ihrer Hilfe zu; der Glaube daran ist in Sagen genugsam verbreitet. Infolgedessen finden sich in erzreichen, namentlich silberreichen Gebirgen häufig St. Annenkirchen [9]).

[9]) S a m s o n *Kirchenpatrone* 121; R e i n s b e r g - D ü r i n g s f e l d a. a. O.; D e r s. *Festkalender aus Böhmen* 370; K ü h n a u *Sagen* 3, 728—729.

7. Mit diesem Bergwerkspatronat hängt wohl wiederum der Glaube an die Heilige als Geldspenderin zusammen; wenigstens soll sie früher ad numos elargiendos angerufen worden sein. In einer Anweisung, durch eine Beschwörung Geld zu erlangen, heißt es zum Schluß: Es kommt die hl. Mutter A. zu dir hinein in das Zimmer, bringt dir ein Gelt [10]).

[10]) V e r n a l e k e n *Mythen* 264; ZdVfVk. 15 (1905), 424.

8. Auch gegen eine Reihe leiblicher Gebrechen wurde und wird sie angerufen. Als Medium diente außer Gebeten das zu ihrer Ehre geweihte Annenwasser, Aqua sanctae Annae, das auf deutschem Boden am Ausgang des MA.s, zur Zeit der höchsten Blüte des A.kultes, entstand. Es galt als Heilmittel in allen möglichen Nöten: nach einem der Weiheformel angeschlossenen Verzeichnis gegen das Fieber, gegen die „Franzosen", für schwangere Frauen, gegen Kopf-, Brust- und Bauchweh und viele andere Krankheiten, auch gegen Besessene [11]). A.brünnlein oder - Quellen waren häufig und weitverehrt und in Volkssagen gepriesen, weil ihr Wasser Blinde sehend gemacht hatte [12]). In Luxemburg empfahl man sich bei Erkrankung der Augen St. A. zu Mecher [13]). Mit Hilfe der hl. A. beschwor man die Gicht und bannte sie durch Sprüche, in denen St. A. den personifizierten Gichtern gebieterisch entgegentritt und sie in das wilde Heer, in das wild Granit (so!), in das wilde Grummet usw. verweist [14]). Auch als Beschützerin gegen die Pest erscheint sie laut Pestblättern des 16. u. 17. Jhs. und Weihetafeln [15]).

[11]) F r a n z *Benediktionen* 1, 212—214. [12]) ZdVfVk. 1 (1891), 300; P a n z e r *Beitrag* 2, 46; P f a n n e n s c h m i d *Weihwasser* 94; M e i c h e *Sagen* 612 Nr. 755. [13]) F o n t a i n e *Luxemburg* 107. [14]) L a m m e r t 82; M e y e r *Baden* 39; B i r l i n g e r *Aus Schwaben* 1, 488; F e h r l e *Zauber u. Segen* 53. [15]) A n d r e e E y s n *Volksk.* 33; DG. 5, 125.

9. Von den Wochentagen ist ihr der Dienstag gewidmet, da sie nach der kirchlichen Überlieferung an einem solchen geboren wurde und starb. Deshalb wird dieser Tag als Vermählungs- und Hochzeitstag empfohlen und auch gewählt [16]).

[16]) Allgemein; G r o h m a n n 117 Nr. 878.

10. Der Annentag (26. Juli) wird vielfach noch heute festlich begangen mit kirchlichen Feiern, Volksbelustigungen, Feuerbränden und Illuminationen. Feiert man ihn nicht gebührend, so entstehen furchtbare Gewitter [17]). Für die Landwirtschaft bedeutet dieser Tag einen besonderen Merk- und Lostag, namentlich einen Merktag für die Frucht, vorzugsweise das Korn, für das Wachstum der Kartoffeln, der Rüben usw. Für diesen Tag gelten daher mancherlei Bauernregeln. Regen an St.A.tag wird vom Volk in Süddeutschland Mitgift der hl. A. genannt.

[17]) S c h r a m e k *Böhmerwald* 160; J o h n *Westböhmen* 91; R e i n s b e r g - D ü r i n g s f e l d *Böhmen* 368; L e o p r e c h t i n g 189; M e i e r *Schwaben* 2, 436; N o r k *Festkalender* 1, 492; R e i n s b e r g - D ü r i n g s f e l d *Das festliche Jahr* 218—219.

11. Vor dem Schneiden des Korns ruft man sie an mit den Worten: Hl. Anne, treib's Gewitter von danne! usw.[18]).

[18]) ZfrwVk. 12, 110; RheinWb. 1, 196; BadWb. 1, 57; R e i n s b e r g - D ü r i n g s f e l d *Böhmen* 375; M e y e r *Baden* 426; S c h m i t t *Hettingen* 18; W e t t s t e i n *Disentis* 165 [26].

12. Der Taufname A. ist neben Maria, wenigstens früher allgemein und in ländlichen Gegenden vielfach noch heute, der gebräuchlichste gewesen. Infolgedessen erscheint er auch in zahlreichen Redensarten, Reimsprüchen und Kinderliedchen, auch im Volkslied.   Wrede.

Anniversarium s. J a h r t a g.

anpusten s. b l a s e n , p u s t e n.

anreden s. G e i s t , r e d e n , s c h w e i g e n.

anrühren s. b e r ü h r e n.

Ansa, Zauberwort in der Formel [1]): O līpeo. ansa. amur. eus. theus. hus. Mon. liberatius Geratius (11. Jh., contra sagittam diaboli), vgl.: ansa amurhus deus, hus mun, hus anger, liberazius, ierosus [2]) gegen Fieber (10./11. Jh.). Es läßt sich ϑεός bzw. deus erkennen, sonst unverständlich.

[1]) H e i m *Incantamenta* 551. [2]) F r a n z *Benediktionen* 2, 484.   Jacoby.

ansagen s. T o d a n s a g e n.

anschauen s. A u g e.

anschneiden. 1. Entsprechend der heiligen Ehrfurcht, die dem Brote (s. d.) erwiesen wird, ist das A. des Brotes ehemals eine ernst gemeinte Zeremonie gewesen, die nur der Brotherr [1]) vornehmen durfte; als sich einst im Kanton Zürich ein „Brotesser" [2]), ein Knecht, dieses Hausherrnrecht anmaßte, bekam er eine Ohrfeige [3]); das Kind darf vor der Konfirmation kein Brot a.[4]); wenn der Hausvater den Laib anschneidet, so bleibt das Glück im Haus [5]). Schon Liebrecht [6]) in seinem Kommentar zu den Otia imperialia des Gervasius von Tilbury weist auf die apotropäische Bedeutung des A.s mit dem Messer hin und zitiert den schwäbischen Spruch [7]): Eine Frau soll das Brot nie unangeschnitten auf den Tisch bringen. Rieß [8]) möchte damit die schon in der Antike verschieden erklärte Vorschrift der Pythagoreer in Verbindung bringen: τὸν ἄρτον μὴ καταγνύναι [9]); der Sinn scheint aber nach einer ganz anderen Richtung zu deuten. Daß das A. mit dem Messer wirklich apotropäisch gemeint ist, zeigt eine andere Vorschrift, nach der man über Nacht ein Messer ins Brot stecken muß [10]). Apotropäisch und bannlösend wirkt das A. im Namen Gottes; als ein Bauer in einer schlesischen Sage [11]) die verhexte Butter anschneidet, wird sie zu Kuhdreck; von dieser Sage aus wird der feierliche Akt des A.s, bei dem das K r e u z z e i c h e n eine Rolle spielt, besonders beleuchtet [12]).

[1]) S t a u b *Brot* 57; K l u g e *Etymol.Wb.*[10] 74—75; D r e c h s l e r *Schlesien* 2, 14; J o h n *Erzgebirge* 30; Urquell N.F. 1 (1897), 178; S a r t o r i *Sitte u. Brauch* 2, 33; M ü h l h a u s e 55—56. [2]) Psalm 41, 10; S t a u b 56. [3]) SAVk. 1 (1897), 77; SchweizId. 5, 944. [4]) SchweizId. l. c. [5]) Urquell N.F. l. c. [6]) L i e b r e c h t *Gervasius* 100; umgekehrt übt das A. auf das Metzgermesser die Wirkung aus, daß es die „Tödtung" verliert: A l p e n b u r g *Tirol* 365; ZfVölkerpsychol. 18, 280. [7]) M e i e r *Schwaben* 498, 327. Ebenso sagt man: wenn der *Laib Brot unangeschnitten* in der Tischlade liegt und es kommt während der Zeit jemand ins „Gevatterbitten", so s t i r b t das Kind: B a u m g a r t e n *Heimat* 3, 16. [8]) P a u l y - W i s s o w a 1, 50; das ganze Material bei B o e h m *De symbolis Pythagoreis.* Diss. Berl. 1905, 43 bis 44. [9]) G ö t t l i n g *Gesammelte akademische Abhandlungen aus dem klassischen Altertum* 1 (Halle 1851), 313 f. [10]) S t a u b 55, vgl. 22;

H ö f l e r *Ostern* 16; bei den Inselesten beißt man, bevor man das Brot aus der neuen Ernte ißt, auf ein Stück E i s e n : ZfVölkerpsychol. 18, 18; vgl. dagegen die Sitte der Preußen: S c h e i b l e *Kloster* 9, 193; für die Juden berichtet B u x t o r f, daß der Hausvater „ab ea parte, ubi bene et eleganter coctus est, *incisuram* imprimit (penitus enim dissecare nefas); hierauf wird das Brot g e b r o c h e n : J u d e n s c h u l (Basel 1641), 186 vgl. 188; über Anschneiden als Trauersitte in der jüdischen Literatur: ARw. 17, 136. [11]) K ü h n a u *Sagen* 3, 79. 1436; vgl. 81. [12]) H ö f l e r *Ostern* 16.

2. Zu diesem Zeremoniell, mit dem das Brot und besonders das A. umgeben war, berichtet schon Praetorius [13]): „Wenn man das Brot auff schneidet / so muß man es unten fein be-Creutzen; sonst kann es bezaubert werden; es ist zwar ein altes / daß man das liebe Brot zeichne / und ist solches schon bey den Juden üblich gewesen: vide Schickard in scriptis"; der gute Praetorius fährt dann fort [14]): „Die Bürger machen gemeinlich auch nach / subtiler Höfflichkeit / Kleine Creutze übers Brod: die Bauern aber pflegen / nach angebohrener Grobheit / das Creutz über das ganze Brot zu machen" (!). Dieser Brauch war früher allgemein verbreitet und wird von der konservativen Bauernfrau noch geübt: man macht (kritzelt) mit der Messerspitze [15]), mit dem Messerrücken [16]) oder dem Daumen [17]) gewöhnlich drei Kreuze [18]) oder auch ein [19]) Kreuz meist auf die Unterseite des Brotes oder das Kreuzzeichen über dieses [20]), der Querstrich muß nach der Brust hin gezogen werden [21]); auch der Gast, dem man zum Segen des Hauses den Laib Brot reicht, macht ein Kreuz darüber und schneidet ihn mit einem frommen Spruch an [22]); dabei muß man das Brot aufsetzen und auf der rechten Seite a.[23]); nach Berliner Anschauung soll man mit dem Messer dreimal das Kreuz auf der Unterseite schlagen oder leicht einritzen [24]); im Erzgebirge soll das A. nur in der Stube geschehen (Angst vor bösen Dämonen, vgl. Brot). Man legt auch den Anschnitt über das Brot und bekreuzt es so [25]); man drückt die drei Kreuze mit einem Model auf den Laib [26]). Wenn überhaupt Gründe für diese heilige Handlung angegeben werden,

so sind es folgende: Das Brot gibt länger aus und gedeiht besser [27]), es geht nie aus [28]), es wird nicht behext [29]), es gereicht dem Genießenden zum Segen [30]) und sättigt mehr [31]), sonst bekommt man Mitesser [32]), die Tochter des Hauses muß noch ein Jahr umsonst freien [33]). Man darf beim A. nicht das Messer im Brot stecken lassen, sonst sticht man den Heiland [33 a]).

[13]) *Philosophia colus* 42; M a e n n l i n g 302. [14]) *Philosophia colus* 43. [15]) R e i s e r *Allgäu* 2, 447, 228; M e i e r *Schwaben* 493, 309; Birlinger *Schwaben* 2, 379; SAVk. 21 (1917), 203, h; Ausland 1874, 469. [16]) B a r t s c h *Mecklenburg* 2, 135, 585. [17]) J o h n *Westböhm.* 247. [18]) S t a u b 57; L ü t o l f *Sagen* 554. 563; D ä h n h a r d t *Volkst.* 1, 97, 4. Beispiel vom Jahre 1400 im Schweizld. 5, 945; S c h ö n w e r t h *Oberpfalz* 1, 403, 4; vgl. 3, 26, 179; K u h n - S c h w a r t z 445, 350; H e y l *Tirol* 805, 277; vgl. P a n z e r *Beitrag* 1, 257, 14; B i r - l i n g e r *Volkst.* 1, 493, 706; M e i e r *Schwaben* 2, 493, 309; R e i s e r *Allgäu* 2, 447, 228; F r i s c h b i e r *Hexenspr.* 124; M ü l l e r *Rhein.Wb.* 1, 1615; F i s c h e r *Schwäb.Wb.* 1, 1440; J o h n *Westböhmen* 247; D e r s. *Erzgebirge* 30; D e r s. *Oberlohma* 161—162; K ö h l e r *Voigtland* 430; L a u b e *Teplitz* 52; P o l l i n g e r *Landshut* 164; W i t z - s c h e l *Thüringen* 2, 285, 97; Urquell 1 (1890), 47, 14; 3 (1892), 40; W. 457, vgl. Alemannia 24, 145; F o n t a i n e *Luxemburg* 102; K u h n *Westfalen* 2, 61, 186; Urquell 1 (1890), 185, 16; L a n d s t e i n e r *Niederöst.* 69; H ö f l e r *Ostern* 16; S t a u b 22; E n d e r s *Kuhländchen* 80; Bavaria 2, 305. [19]) B a r t s c h *Mecklenburg* 2, 135, 585; B i r l i n g e r *Schwaben* 2, 379; A n d r e e *Braunschweig* 402; B o h n e n - b e r g e r 1, 24; K u h n *Märkische Sagen* 381, 41; S c h r a m e k *Böhmerwald* 254; SAVk. 21 (1917), 203, h.; ZdVfVk. 1894, 81; Rogasener Familienbl. 2 (1898), 48; R o s e g - g e r *Steiermark* 1, 65/66; besonders feierlich ist das A. des Neujahrsbrotes in Dänemark: F e i l b e r g bei H ö f l e r *Neujahrsgebäcke*: ZföVk. 9 (1903), 193. [20]) A n d r e e *Braunschweig* 402; F r i s c h b i e r *Hexenspr.* 124; F o x *Saarländer Volkskunde* 399; BlPommVk. 3, 150; B i r l i n g e r *Volkst.* 1, 493, 706; P a n z e r 1, 257, 14; S c h ö n w e r t h 1, 403; vgl. H ö f l e r l.c.; Globus 42, 105. [21]) ZdVfVk. 1894, 81 (Schlesien). [22]) R o s e g g e r *Steiermark* 1, 65—66; F o n t a i n e *Luxemburg* 96; vgl. B i r l i n g e r *Schwaben* 2, 379, 8; F i s c h e r *Schwäb.Wb.* 1, 1440; G r o h m a n n *Aberglaube* 146, 1080—81. [23]) S t a u b 57; SchweizId. 5, 944. [24]) ZfEthnol. 15 (1883),90. [25]) S c h ö n w e r t h 1, 404; Bavaria 2, 305. [26]) B r o n n e r *Sitt' u. Art* 203. [27]) F r i s c h - b i e r *Hexenspr.* 124; H e y l *Tirol* 805, 277; vgl. P a n z e r *Beitrag* 2, 257, 14; Pollinger

Landshut 164; S c h ö n w e r t h 1, 403, 4; Urquell
1 (1890), 185, 16; 47, 14; 3 (1892), 40; ZdVfVk.
4 (1894), 81; SAVk. 21 (1917), 203; W. 457;
M e n s i n g *Schleswig-Holsteinisches Wb.* 1, 528.
[28]) A n d r e e *Braunschweig* 402. [29]) B a r t s c h
2, 135, 585; J o h n *Erzgeb.* 30; besonders auf
Rügen: H a a s l. c. 76, 134 II. [30]) B a r t s c h
l. c.; K u h n *Märkische Sagen* 381, 41; ZfEthnol.
15, 90. [31]) K u h n - S c h w a r t z 445, 350;
B i r l i n g e r *Volkst.* 1, 494, 8. [32]) B a r t s c h
l. c. [33]) M e n s i n g *Schleswig-Holst.Wb.* 1, 528.
[33a]) SchweizId. 5, 945.

3. Wenn man diese schützende und segnende
Maßregel unterläßt, so wird man
nicht satt [34]), man „verkirnt" sich [35]),
es kommt Unglück in die Familie [36]); alle
Laibe, welche der Mensch beim A. nicht
mit dem Zeichen des heiligen Kreuzes
bezeichnet, fallen dem Höllenbuben zum
Opfer [37]), oder „Trank und Speise derer,
die unter dem Galgen sich versammeln,
besteht aus den Nägeln und Überresten
von Bier und Wein, welche die Menschen
in den Gläsern stehen lassen, und jenem
Brot, über welches die Menschen beim
A. kein Kreuzzeichen gemacht haben" [38]).
Der Anschnitt soll nicht gegen die Tür
und Sonnenuntergang liegen, sonst zieht
der Höllenbube die Hälfte für sich hinaus
[38a]).

[34]) B i r l i n g e r *Volkst.* 1, 494, 8. [35]) l. c.
494, 13; wenn man das Vorbrot gierig ißt, blutet
das Brot beim A.: R o c h h o l z *Sagen* 1, 50
(vgl. blutendes Brot). [36]) Rogasener Familienbl.
2 (1898), 48. [37]) S c h ö n w e r t h 3, 26. [38]) D e r s.
3, 179. [38a]) d e r s. 1, 404, 5.

4. Das Brot darf nicht da angeschnitten
werden, wo es aufgeplatzt ist [39]) oder wo
es den Anschuß hat [40]), sonst geht der
nächste Teig nicht mehr im Trog; schneidet
man im Erzgebirge [41]) den Anstoß
an, so stößt man überall an; gepiptes [42])
Brot muß man zuletzt a.; während das
Brot im Ofen backt, darf man keinen
Kuchen a.[43]). Wenn man ein bereits angeschnittenes
Brot an einer anderen
Stelle nochmals anschneidet, so schneidet
man dem lieben Gott die Ferse [44]) oder
den Arm [45]) ab. Wird ein Brot abends angeschnitten,
so schwindet der Segen aus
dem Hause [46]); wenn man aber an jedem
der drei heiligen Abende der Rauchnächte
ein frisches Brot anschneidet, so
schützt das gegen Unglück [47]). Wird ein
noch warmes Brot angeschnitten, so muß

man etwas Salz hineinstecken [48]). Ein
Fuhrmann [49]) darf kein Brot a., sonst
fällt der Wagen um; in einer schlesischen
Sage darf ein wandernder Müller Brot
und Butter nicht a. [50]) (Zauberer !).
Den Kuchen, welchen die Zwerge dem
pflügenden Bauern anbieten (über dieses
in Thüringen, Sachsen und Schlesien
sehr verbreitete Motiv vgl. Backen § 1),
muß dieser zuweilen essen „ohne ihn anzuschneiden",
wie der Kutscher in der
Kamenzer Sage [51]), welcher „aus dem
Kuchen das Mittlere herausschnitt"
(in einer andern Sage gibt der hilfreiche
Wassermann dem Knecht diesen Trick
an) [52]), dadurch rettet sich der Knecht vor
dem Tode (vgl. dagegen die Stromberger
Sage, wo der Knecht später grausam
getötet wird) [53]). Unklar ist die vereinzelte
schwäbische Vorschrift: Man soll kein
Brot schneiden, sondern brechen; vielleicht
stammt sie vom Kult des Abendmahlsbrotes
her [54]); oder handelt es sich
einfach um Brot, das schon abgeschnitten
ist?

[39]) W i t z s c h e l *Thüringen* 2, 285, 98: das
Brot würde sonst fest werden. [40]) S c h ö n w e r t h
1, 404, 4. [41]) J o h n *Erzgebirge* 30.
[42]) W i t z s c h e l 2, 265, 18. [43]) S c h ö n w e r t h
1, 407, 17; ZrwVk. 1905, 205; W. 620.
[44]) D r e c h s l e r *Schlesien* 2, 121; J o h n
Oberlohma 161 ff.; Globus 42, 105. [45]) D r e c h s l e r
l. c. 14. [46]) J o h n *Erzgebirge* 30; vgl.
154 (Butter). [47]) W. 451. [48]) Urquell 1,
(1890), 47, 15; F r i s c h b i e r *Hexenspr.* 123.
[49]) W. 717. [50]) K ü h n a u *Sagen* 3, 201.
[51]) M e i c h e *Sagen* 392, 514. [52]) D e r s.
380, 501. [53]) D e r s. 211, 276[2] = K ü h n a u
Sagen 2, 71, 738. [54]) B i r l i n g e r *Volkst.* 1,
494, 10; vgl. R i e ß bei P a u l y - W i s s o w a
1, 50 u. L i e b r e c h t *Gervasius* 100;
vgl. Glotta 15 (1926), 62.

5. Überall finden wir die Meinung, daß
eine unverheiratete Person oder Brautleute,
die Brot oder Kuchen oder Butter
a., noch sieben Jahre warten müssen [55])
(wenn nicht noch in demselben Jahre die
Hochzeit ist) [56]) oder, daß die Jungfrau
(ausgenommen die Jungfer-Pate) [57]) keinen
Mann bekommt [58]) oder unter den
Brautleuten Streit entsteht [59]). Dieser
Aberglaube hat seinen Grund darin, daß
das Brot a. Sache des Hausherrn ist, das
Butter a. aber Hausrecht der Frau [60]); im
Zusammenhang damit stehen die Sprich-

wörter: Wenn ein Mann kein Brot
schneiden kann, so darf er keine Frau
nehmen, weil er sie nicht ernähren
kann [61]), und kann eine Frau kein Brot
a., so kann sie auch keinen Mann kriegen [62]) (vgl. abschneiden II.).

[55]) S t a u b 57; B a r t s c h 2, 57, 166 a
und b; E n g e l i e n u. L a h n 245, 77;
C u r t z e *Waldeck* 375, 25; M e i c h e *Sagen*
121, 11; J o h n *Erzgebirge* 75; L a u b e *Teplitz* 52; S e e f r i e d - G u l g o w s k i *Kaschubei* 109; W. 547. 553; Urquell 1 (1890), 123,
4; MschlesVk. 8 (1901), 28; K ö h l e r *Voigtland* 427, 438; A n d r e e *Braunschweig* 296;
D r e c h s l e r *Schlesien* 1, 226; SAVk. 12
(1908), 214; weitere Literatur: Globus 42, 105;
SchweizId. 5, 945. [56]) ZrwVk. 2 (1905), 206.
[57]) D r e c h s l e r 1, 226; vgl. § 229. [58]) SAVk.
12 (1908), 214 (Schaffh.); 7 (1903), 134, 34;
MschlesVk. 1905 Heft 13, 45 Nr. 23. [59]) W.
553. [60]) D r e c h s l e r 2, 14; J o h n *Erzgeb.*
l. c.; S a r t o r i *Sitte u. Brauch* 2, 33. [61]) ZdVfVk.
23 (1913), 280 ff.; S c h r a m e k *Böhmerwald*
254. [62]) W. 717.

6. Weil der Hausherr allein das Recht
des Abschneidens hat, so gehört der
Anschnitt ihm [63]); auf alle Fälle gehört
das „Ramftla" den Verheirateten [64]);
die Mädchen, die den Anschnitt essen,
bekommen Zwillinge [65]) oder nur Knaben [66]); man darf den Anschnitt nicht
verschenken, sonst gibt man das Glück
aus dem Haus [67]); wenn man ihn weg-
geben muß, so schneidet man in Mecklenburg ein Stück aus ihm kreuzweis
heraus [68]); wer den Anschnitt allein ißt,
wird geizig [69]); nach schwäbischem Aberglauben läuft ihm beim Fahren das Vieh
nicht, so daß er es beständig antreiben
muß [70]) (?).

[63]) J o h n *Erzgebirge* 30. [64]) MschlesVk. 8
(1901), 28; D r e c h s l e r 2, 14 dagegen:
1, 177. [65]) K n o o p *Hinterpommern* 158, 36.
[66]) K ü h n a u *Sagen* 1, 584, 618; Globus 42,
105. [67]) Urquell N.F. 1 (1897), 178; B a r t s c h
2, 135, 587 a, b, c; L a n d s t e i n e r *Niederösterreich* 69; ZdVfVk. 1914, 55; M e n s i n g
Schleswig-Holst.Wb. 529; S a r t o r i 2, 34;
W. 458. [68]) B a r t s c h l. c. [69]) P a n z e r
Beitrag 1, 267, 181; Bavaria 2, 305; W. 457.
[70]) M e i e r *Schwaben* 498, 327; vgl. L i e -
b r e c h t *Gervasius* 100.

7. Bei Festbroten hat das A. und der
Anschnitt eine durch den K u l t gesteigerte Bedeutung und Kraft; wie das
Brot der Rauchnächte Fruchtbarkeit
überträgt und daher für Liebesleute als

Liebespfand und Orakel verwendet wird
(s. Brot), so gilt das insbesondere vom
A. und Anschnitt: In Dänemark [71])
schneidet der Bauer feierlich das Neu-
jahrsbrot an und bewahrt den Anschnitt
bis zur Saatzeit; im Inntal [72]) wird der
Weihnachtszelten feierlich angeschnitten.
In Tirol und Bayern laden die Mädchen
ihre Liebhaber am Stephanstag zum A.
des Klötzenbrotes, zum Schörzela. ein [73]);
man geht in Rauris in d'Schörz [74]). Von
einem der beim A. gebräuchlichen Liebesorakel berichtet Baumgarten [75]): In Elbestal-Zell, wo auch sonst noch viele
alte Gebräuche erhalten sind, stellt man
sich mit dem Weihnachtsstöri nachts
12 Uhr auf den Misthaufen und spricht:
„Wer mir vor Gott und der Welt beschaffen ist, der komme und schneide
dieses Störi an"; dann kommt die Braut
oder der Bräutigam; läuft man davon,
so fliegt einem ein Messer nach. Auch am
Ostermontag [76]) erhält der Bursch den
Anschnitt als Liebespfand. In Schwaben [77]) sagt man: Wenn die Mädchen die
Knauzen (Anfangs- und Endstück) vom
Brote allemal essen, so bleibt ihnen der
Schatz treu. Im Voigtland [78]) schneidet
die Braut feierlich das Hochzeitsbrot an;
der Anschnitt wird als Haussegen in
Schlesien, Sachsen, Oldenburg, Böhmen
aufgehoben [79]).

[71]) H ö f l e r *Neujahr* = ZföVk. 9 (1903), 193.
[72]) D e r s. *Weihnachten* 32, vgl. 73; L e o -
p r e c h t i n g *Lechrain* 211. [73]) Bavaria 1, 387;
4, 830; ZdVfVk. 1898, 252; H ö f l e r *Weihnachten* 74; vgl. 28—29; vgl. aber MschlesVk. 8
(1901), 28. [74]) H ö f l e r l. c. 73 bis 74; die
Neujahrsbrezel, das Geschenk des Burschen,
darf am Kaiserstuhl das Mädchen erst am Dreikönig a.: M e y e r *Baden* 201; Jahrbuch f. Geschichte Sprache u. Literatur f. E.-Lothringen
7, 202. [75]) B a u m g a r t e n *Jahr* 10; H ö f -
l e r l. c. 22. [76]) ZdVfVk. 1911, 258/59 (Isartal).
[77]) B i r l i n g e r *Aus Schwaben* 1, 415. [78]) K ö h -
l e r *Voigtland* 235. [79]) MschlesVk. (1897) Heft 4,
57; S e y f a r t h *Sachsen* 270; S t r a c k e r -
j a n *Oldenburg* 1, 31; J o h n *Westböhmen* 247;
Kloster 12, 169; das Brautränftel hilft gegen
Krankheit: M e i c h e *Sagen* 122, 19.

8. O p f e r bei der Zeremonie des A.s.
Beim Brota. gibt man dem Hunde etwas
von der ersten Scheibe [80]); in der Oberpfalz geht folgende Sage um [81]): Eine
Frau wird dafür, daß sie ihr Kind mit

Anthropomantie. Weissagung durch Menschen, d. h. menschliche Eingeweide.

Die Bezeichnung ist nicht antik, sondern eine humanistische Neubildung auf Grund antiker Zeugnisse über die Verwendung menschlicher Eingeweide (s. d.) zur Erforschung der Zukunft. Der Vorwurf, diese ungeheuerliche Art der Eingeweideschau [1]) zu betreiben, wurde nicht nur gegen Zauberer, Hexen usw.[2]) im allgemeinen, sondern auch gegen bestimmte historische Persönlichkeiten erhoben, so von Domitian gegen Apollonius von Tyana [3]), ferner gegen die Kaiser Heliogabal [4]), Valerian [5]), Maxentius [6]) und Julian [7]), sowie gegen Simon Magus [8]). Die humanistische Divinationsliteratur beschränkt sich in der Hauptsache auf die antiken Berichte, wobei gewöhnlich nur das Beispiel des Heliogabal angeführt wird [9]). Da in den meisten Fällen Kinder als Opfer der A. bezeichnet wurden, findet sich im ,,Ackermann aus Böhmen" auch die Bezeichnung P ä d o m a n t i e [10]), die sich jedoch in der späteren Literatur nicht durchgesetzt hat. Daß A. im MA. und später tatsächlich oder auch nur angeblich ausgeübt wurde, scheint sich quellenmäßig nicht belegen zu lassen. Das Schlachten von Kindern gehört zwar zu den stehenden Klagepunkten in den Hexenprozessen, doch geschah dies angeblich, um die Kinder zu verzehren oder aus ihren Eingeweiden Salben und Tränke herzustellen, etwa wie es in der bekannten Canidiaepode des Horaz [11]) der Fall ist.

[1]) T z e t z e s *Exeg. Iliad.* 108, 14 ff.; ed. Hermann (1812) beginnt die Besprechung der Eingeweideschau mit den Worten: ἄνθρωπον ἀνατεμόντες ἤ τι ζῷον ἕτερον. [2]) J u v e n a l. 6, 548; L u c a n. *Pharsal* 6, 706. [3]) P h i l o - s t r a t. *Vit. Ap.* 7, 20. 8, 5. 7 ed. Kayser 1, 274. 300. 315. 318 ff.; H o p f n e r *Offenbarungszauber* 1 § 633 ff. [4]) A e l i u s L a m - p r i d i u s *Heliog.* 8, 1. 2 = Scriptores Hist. Aug. ed. Peter [2] 1, 225. [5]) R u f i n. 7, 10, 4 = E u s e b. *Kirchengesch.* ed. Schwartz 2, 650/51. [6]) A. a. O. 8, 14, 5. ed. Schwartz 2, 780/81; doch diente in diesem Falle die Schlachtung der Kinder nicht unmittelbar der Mantik, sondern der Beschwörung weissagender Dämonen, s. A m m i a n. 39, 2, 17, vgl. C i c e r o *in Vatin.* 14. [7]) T h e o d o r e t *Hist. eccl.* 3, 26 ed. Parmentier 205 = C a s s i o d o r. 6, 48, M i g n e *P. L.* 69, 1026. [8]) Ps. - C l e m e n s

Recogn. 2, 13; M i g n e *P. G.* 1, 1254. [9]) P i c - t o r i u s *Magia* (1539) 2, 54; bei A g r i p p a *Op.* ed. Bering 1, 479, Dt. Ausg. 4, 162, danach F r e u d e n b e r g *Wahrsagekunst* 36; die A. auch unter den Künsten des M. Trippa bei R a b e l a i s *Garg.* 3 cap. 25, Dt. Ausg. v. Gelbcke 1, 400, vgl. G e r h a r d t *Franz. Nov.* 110; von ihm abhängig C a r d a n u s *De sapientia* lib. 4, Opera (Lugd. 1663) 1, 563. Reichhaltiger die Darstellung bei D e l r i o *Disqu. Mag.* (1603) 2, 176, davon abhängig B u l e n - g e r u s *Opusc.* (1621) 198; F a b r i c i u s *Bibliogr. antiqu.*[3] (1760) 594. [10]) Cap. 26 Z. 33 bis 34: Pedomancia mit kindergedirme . . . . . luplerin, dazu B u r d a c h *Ackermann* 364. [11]) *Epod.* 5, 32 ff. Boehm.

Anthropometrie s. m e s s e n , w ä - g e n , z ä h l e n; vgl. ZfVk. 13 (1903), 256. 353 ff.; 15 (1905), 349 f.

Anthropomorphismus wird gewöhnlich im Sinne der Vorstellung Gottes, eines Gottes, einer göttlichen Kraft unter menschlichen Eigenschaften gemeint. Der griechische Philosoph Xenophanes wurde durch den von ihm an den alten griechischen Göttergestalten festgestellten A. zu scharfer Kritik veranlaßt und behauptete, daß diese Vorstellung etwas Allzumenschliches sei, dessen Unwert man sich am besten dadurch klarmache, daß Kühe, Löwen und Pferde, falls sie ein entsprechendes Vermögen besäßen, ihre Götter sich in ihrer Gestalt denken würden — wie es ja in Äthiopien eine schwarze Maria gibt. Der daraufhin oft wiederholte Satz aber, daß sich der Mensch immer die Götter nach seinem Bilde forme und vorstelle, ist falsch, weil zu sehr verallgemeinert. Denn erstens hat es einer beträchtlichen Entwicklung bedurft, bis sich die Menschen bei ihren religiösen Vorstellungen des A. bedienten, bis sie überhaupt das Göttliche unter dem Bilde von irdischen Gestalten sich dachten, und zweitens war auch dann der A. noch nicht die erste Vorstellungsform für das Göttliche. Ihm ist nicht selten voraufgegangen, was man in entsprechender Wortbildung C h r e m a t o - m o r p h i s m u s und T h e r i o - m o r p h i s m u s nennen darf, die Vorstellung des Göttlichen unter dem Bilde von Dinglichem und unter dem Bilde von Tieren [1]).

Jedoch auch mit diesen beiden in diesem Zusammenhange notwendig zu besprechenden Vorstellungsweisen verhält es sich nicht so einfach, wie man oft gemeint hat. Nur mit großer Bedachtsamkeit dürfen wir von diesen beiden Ausdrücken Gebrauch machen. Die Religionsgeschichte hat immer wieder und immer nachdrücklicher darauf hingewiesen, daß es Zeiten gegeben hat, in denen der Mensch das Göttliche unter gar keinem Bilde von irdischer Wesenheit oder Dinglichkeit vorgestellt hat, sondern wo vielmehr die irdischen Dinge und Wesen bloß gelegentlich als Manifestationen (oder auch Behausungen, Beherbergungen) der göttlichen Kraft dienten, diese selbst jedoch frei von Umhüllungen und irgendwelcher endlichen Erscheinungsweise gedacht wurde. Es erscheint uns immer wieder höchst verwunderlich und durchaus achtunggebietend, daß primitive Menschen mit unausgebildeten Geistesfunktionen, mit schwach betätigtem Denkvermögen zu dieser Vorstellung des Göttlichen gekommen sind; denn wir erblicken gewöhnlich in solchen Ideen von göttlicher Wesenheit etwas „rein Geistiges". Indessen, dies letztere ist nicht der Fall, auf primitiver Stufe freilich nicht mit der Idee der Gottheit verbunden, und erklärlich wird jener Sachverhalt, wenn man sich klarmacht, daß von diesen Menschen das Göttliche überhaupt nicht durch das Mittel des Verstandes und Denkens erfaßt wird, sondern allein gefühlsmäßig, durch Ein- und Zusammenfühlung mit dem unerklärlichen Unsinnlichen, unter dessen Gewalt, oder sollen wir vielleicht besser sagen: in dessen Seins-Sphäre man sich mit dem Universum zusammen, soweit man dieses kennt, befindet. In diesem Stadium der Religion werden Gegenstände, von denen Wirkungen, die man für „göttliche" halten muß, ausgehen, mit Scheu und Ehrfurcht betrachtet (s. Präanimismus). Die unsinnliche Kraft wird nicht mit dem Gegenstande gleichgesetzt, auch nicht unter dem Bilde des Gegenstandes vorgestellt, sondern lediglich in ihm enthalten gedacht. Das Zepter des Agamemnon, von

dem Pausanias berichtet [2]) und das kurzweg „Holz" hieß, wurde in Chaeronea höher als alle Götter verehrt, in der Wohnung des Priesters verwahrt und mit Speise bedacht. Dieser letztere Zug zeigt einen Übergang von der chrematischen Manifestation zur Personifikation, aber noch nicht zur Vermenschlichung. Das Beispiel ist besonders gut geeignet, den Unterschied von A. und Personifikation (s. d.) anzuzeigen. Die meisten heiligen Steine sind zur selben Zeit etwa bei den Griechen noch nicht personifiziert; man wickelt sie in schöne Tücher ein, färbt sie auch wohl, aber speist sie nicht und richtet nicht Gebete an sie; man erwartet nur Wirkungen von ihnen. Wodan, der in Naturerscheinungen, wie dem Sturme, erkannt wird, ist in diesem Falle durchaus nicht anthropomorph gemeint. Tatsächlich ist denn auch diese Naturerscheinung erst ziemlich spät, nachdem sie als solche schon längst religiöse Verehrung genossen hatte, auf einen Gott namens Wodan übertragen worden; genauer müßte man sagen, daß die Anwendung des göttlichen Personennamens auf die im Sturm manifestierte göttliche Macht eine Übertragung auf Andersartiges ist. Es steht mit Wodan hier ähnlich wie mit Jahweh, zur Zeit, da dieser in der Bundeslade manifestiert gedacht wurde. Überhaupt ist Jahweh höchst selten anthropomorph gedacht, da, wenn der Prophet von seiner „ausgereckten Hand" u. a. spricht, reine Bildrede vorliegt. Der A. wird aber in den Geschichtsbüchern des Alten Testaments bisweilen ganz naiv auf „Gott" (Elohim) angewendet, der sich im Paradies ergeht, sein eigenes Werk begutachtet, dem Noah die Tür der Arche selbst zuschließt u. ä.

Daneben findet sich jedoch der Chrematomorphismus und desgleichen — ob später, wie einige meinen, das läßt sich beim besten Willen nicht entscheiden, vielleicht auch früher — der Theriomorphismus. Unter C h r e m a t o m o r p h i s m u s ist die Vorstellung zu verstehen, nach welcher das Göttliche sich nicht mehr bloß in Dingen bekundet, sondern die Dinge selbst für das Göttliche angesehen werden. Die auf altgriechischem Boden häufig angetroffene D o p p e l a x t, ebenso wie die einfache Axt, ist selbst als der Inbegriff der göttlichen Kraft, der Gottheit, angesehen ³). In demselben Sinne ist der T h e r i o m o r p h i s m u s diejenige Vorstellung, in welcher die Tiere nicht mehr als Träger des göttlichen Fluidums, sondern selbst als göttliche Mächte angesehen werden ⁴). Es scheint, daß diese beiden Wandlungen einer sicherlich älteren Vorstellung zu diesen Vergegenwärtigungen der Gottheit selbst unter der Gestalt endlicher Bildungen sich durch ein Nachlassen der ursprünglichen Anspannung religiöser Scheu vollzogen hat. Weiter begegnet die Mischform des T h e r i o - A n t h r o p o m o r p h i s - m u s. Der Hochgott Altjira der australischen Aranda ist zwar im wesentlichen als Mensch beschrieben, jedoch mit Hundebeinen und Emufüßen, und ähnlich seine Familienglieder. In Ägypten ist nicht nur die Sphinx von dieser Art, sondern zahlreiche Götter vereinen Tiermerkmale mit menschlicher Oberpartie. Die dabei obwaltende Tendenz ist einleuchtend. An sich strebt die volkstümliche Vorstellung vom Gott dem A. entgegen, sie wird indes auf diesem Wege durch mancherlei Empfindungen und Erwägungen aufgehalten und gekreuzt; denn der Mensch hält sich gegenwärtig, daß die Gottheit, welche das Gedeihen von Tieren und Pflanzen bedingt, sicherlich das Grundkraftprinzip der Tiere und Pflanzen gleicherweise in sich enthalten muß, wie nicht minder das der Menschen, deren Vater oder Mutter oder Patron ein Gott ist. Es ist im letzten Grunde derselbe Gesichtspunkt, der hierbei den Ausschlag gibt, wie auch bei der Ausgestaltung eines polytheistischen Göttersystems. Denn die verschiedenen menschlich gebildeten Götter dienen eben mit der Fülle der von ihnen insgesamt beherrschten Seinsgebiete der Möglichkeit, die Ursprünge und Bedingungen aller mannigfaltigen Seinsweisen in sie hineinzusehen, oder, bei anderer Betrachtungsweise, aus ihnen herzuleiten. Es ist auch derselbe Gesichtspunkt, welcher sich bei ausge-

bildetem A. sinnenfällig zur Geltung bringt in der Vorstellung der m a n n - w e i b l i c h e n Wesenheit vieler Götter. Schon der Polytheist kann sich seinen Gott und seine Götter nicht ohne weiteres und unbedenklich als einem der beiden Geschlechter angehörig denken, und um das Übergeschlechtige, mindestens das die beiden Geschlechtspotenzen in sich befassende und daher vor der geschlechtlichen Einseitigkeit bewahrte göttliche Wesen zum Ausdrucke zu bringen, wählt er die androgyne Form in Darstellung und Beschreibung, überträgt er seinen bedeutenden Gottheiten die Kräfte, Prädikate und Wirkungen sowohl des männlichen wie des weiblichen Prinzips in einem.

Auf germanischem Gebiet beobachten wir den Prozeß der Anthropomorphisierung in verschiedener Stärke gegenüber verschiedenen Göttern. Bei den Nordgermanen ist, ganz im Gegensatz gegen südliche Völker, noch in der Bronzezeit der Sonnengott nicht anthropomorphisiert. Der Sonnenwagen von Trundholm zeigt, daß man nur der auf dem Wagen einherzufahrenden Sonnenscheibe für den Sonnenkult bedurfte ⁵). Und noch die Sagas lassen erkennen, daß man die Sonne als Naturerscheinung und Naturkraft selbst göttlich verehrt, aber keineswegs einen menschengestaltigen Gott dabei vorstellt. Zahlreich finden sich, namentlich im Norden, die Rad-Darstellungen als Abbildungen der Sonne, während man nichts von einem menschengestaltigen Sonnengotte aus diesen Gegenden weiß. Desto menschlicher werden die Gewittergewalten. Lange Zeit hindurch ist allerdings die Gewittermacht hauptsächlich durch den Hammer, die Axt, dargestellt worden, auch durch Blitzsteine, die wohl auf dem berühmten Grabwandstein von Kivik neben den Äxten dargestellt sind ⁶), und noch dem menschengestaltigen Gewittergott Thor merkt man an, daß er ein menschgewordener Hammer ist: wenn sein Hammer ihm entwendet wird, so ist er selbst kraft- und tatenlos, weil er eigentlich der Hammer i s t, sowie Odin der Speer i s t. D. h. in diesen menschgewordenen Kraftsymbolen ist noch immer nicht dieselbe anthropomorphe Umgestaltung der Idee der Götter erreicht worden, wie sie z. B. bei den olympischen Göttern Griechenlands vorhanden war. Das bedeutet, daß sich die Ehrfurcht nicht so sehr der menschlichen Gestalt als vielmehr der unsinnlichen Gottheit zuwendet, die nur mehr zufällig menschlich eingekleidet erscheint.

Etwas anders ist die Entwicklung abgelaufen, wo hölzerne Idole mit menschlichen Gliedern und Köpfen gebildet wurden, wie sie z. B. die Figur von Friesack in Brandenburg zeigt [7]). Da liegt wahrscheinlich ein Erzeugnis naiver Anthropomorphisierung vor, die einen ähnlichen Weg nimmt, wie die beiden Hochsitzsäulen in der Halle des nordischen Hauses, die nicht selten in dem Kopf des Gottes Thor endeten. Von hier aus wird verständlich, wie auch die „Hermensäulen", die ja ursprünglich nichts als Holzklötze oder Pfeiler waren (vgl. die semitischen Acheren), allmählich menschengestaltig ausgeformt wurden und wie sie vor allem das Haupt und die Flügel des Gottes erhalten, der als der Götterbote angeschaut wurde. — Was Tacitus über die südlichen Germanen auf dem Festlande erzählt, spricht dafür, daß auch ihre Vorstellungen von den göttlichen Wesen noch keinen durchgeführten A. hatten. Schon die Bildlosigkeit legt ganz allgemein dafür Zeugnis ab. Der heilige Hain der Semnonen enthielt augenscheinlich kein Götterbild, wenn auch das dort begangene Fest mit der Opferung eines Menschen eingeleitet wurde. Der ganze Hain galt als vom Wesen des Göttlichen durchwaltet, und die Ehrfurcht vor dem Walde war so groß, daß, wer darin zum Straucheln gekommen war, nicht wieder aufstehen durfte, sondern kriechend auf den Knien den Ausweg zu gewinnen suchen mußte, weil die den Hain durchwebende Gottheit ihn zu Falle gebracht hatte [8]). Auch die Göttin Nerthus (Herthus, Hertha), die nach Tacitus bei den sieben Stämmen an der Ostsee verehrt wurde, ist nicht anthropomorph vorgestellt. Der Kultus dieser Göttin war wohl weiter verbreitet als

nach Tacitus scheinen könnte, da in Ortsnamen wie Erdingen in Bayern und Harthagau im Harz der Name anzuklingen scheint. Uns interessiert hier die Eigenart der in diesem Kult zum Ausdruck gelangenden Frömmigkeit. Im heiligen Hain stand der geweihte Wagen, den allein die Priester berühren durften. In Prozession wurde er umhergefahren, wenn das große Fest der Göttin, das Fest des Erntesegens, gefeiert wurde. Der Priester allein weiß, wann die sprossende Erdgottheit im Wagen anwesend ist. Gezogen wurde das Gefährt von Kühen, den Repräsentanten der göttlichen Fruchtbarkeit (vgl. die Urkuh Audhumbla, das lebengebende Prinzip in der Edda). Von einem Bilde der Göttin wird nichts berichtet [9]). Im Wagen ist das „numen ipsum" (wäre das in diesem Falle ein Bild, Tacitus hätte diese Abweichung von seinem sonstigen Befund nicht verschwiegen).

Auf einer fortgeschritteneren Stufe des A. macht man Statuen der Götter. Nicht als wären Statue und Gottheit identisch. Wir kennen zufällig aus der ägyptischen Religionsgeschichte die Vorstellungsweise, daß die Götter die für sie gefertigten Statuen besiedeln. Der Gott Ptah, so heißt es in einer Urkunde, habe die Statuen der Götter gebildet, auf daß die Götter selbst in sie einziehen und zeitweilig in ihnen Wohnung nehmen. Die hier unverkennbar vorliegende Vorstellung, daß die Götter selbst etwas gegenüber solchen Bildnissen durchaus Selbständiges sind, ist es ja auch, welche bei den Germanen im großen und ganzen die bildliche Darstellung überhaupt verhindert hat. Die großen Götter des skandinavisch-isländischen Nordens werden in der mythologischen Darstellung nach Menschenart gezeichnet, leidend und liebend, strebend und irrend, mit Fehlern und Tugenden, im Kampf und Frieden, werden verwundet und verlieren Glieder ihres Leibes, bedürfen der Speise und des Tranks, sind auch letzten Endes nicht unsterblich. Alle diese menschlichen Züge eignen ihnen (Anthropopathismus), ohne daß sie bildlich dargestellt wurden.

¹) B e t h *Relig.gesch.* 16. ²) P a u s a n i a s *Griechische Reise* IX, 40. ³) B e t h *Relig.gesch.* 10—16. ⁴) Ebd. 26—30. ⁵) H e l m *Relig.gesch.* I, 173 ff. ⁶) Ebd. 189 Abb. 29; E b e r t *Reallex.* 6, 368 ff. ⁷) H e l m 217. ⁸) T a c i t u s *Germania* cap. 39. ⁹) Ebd. cap. 40.   K. Beth.

Antichrist. I. D e r A. i n d e r B i b e l.

Die Sage vom A. geht auf eschatologische Äußerungen im N.T. zurück. I. Joh. 2, 18; 4, 3; 2. Joh. 7 kennen allein die Gestalt unter dem Namen ἀντίχριστος. — Die Stelle wird als Zeugnis angeführt, daß zur Zeit der Abfassung des Briefes der A.-Glauben durchaus verbreitet war. Man wird einschränken müssen: in den kleinasiatischen Gemeinden, an die der Brief gerichtet ist. Der Schreiber wendet den Ausdruck (2, 18) auf christl. Häretiker an (4, 3; 2, 22; 2., 7); es sind viele A.e, und das sind die gnostischen Irrlehrer ¹). Damit wird eine Deutung angeschlagen, die lange nachklingt, und die später von Origines bevorzugt wurde. — Der paulinische Begriff vom A. ist (sofern 2. Thessal. von Paulus herrührt) ²) wesentlich anschaulicher. Zwar wird der Name nicht genannt, aber man ist seit den ältesten Zeiten darin in Übereinstimmung, daß der große Frevler der A. sein soll. Er ist hier so gezeichnet, wie ihn die spätere Sage kennt: der Gesetzlose, den Satan mit Kraft begabt, der im Tempel sitzen wird (das spricht für jüdische Herkunft der Sage ³); die Tempelschändung ist das ärgste; vgl. Dan. 9. 27; 11, 36) und sich dort als Gott ausgibt, der Wunder tut, bis ihn Christus mit dem Hauch seines Mundes tötet. Noch wird er zurückgehalten: „κατέχειν" heißt in dem wohl absichtlich zwischen masc. und neutr. schwankenden apokalyptischen Terminus 'in Banden halten' ⁴). Der A. ist der Gebundene, der am Ende der Welt hervorkommt und Vernichtung bringt, der gefesselte Unhold, Satan selbst ⁵).

In der A p o k a l y p s e J o h. sucht man den A. in einem der beiden Tiere c. 13, und zwar deutete man das Tier aus dem Meere auf das röm. Imperium, das zweite Tier auf den A. Die sieben Häupter des ersten Tieres sind sieben Cäsaren. Ein Haupt scheint tödlich wund, wird aber heil. Zur Zeit des sechsten Hauptes

schreibt Johannes (17, 10); das Tier (17, 8) ist das achte. Die Deutung auf Nero als das wiederkehrende Tier wird durch Zeugnisse aus dem damaligen Volksglauben ebenso gestützt ⁶), wie durch die Ausrechnung der Zahl 666 = als Dreieckszahl von 8, was auf 17, 11, den wiederkehrenden Nero gehen würde, oder gematrisch קסר נרון = Käsar Neron. ⁷). Das zweite, nicht näher gekennzeichnete Tier wird 16, 13; 19, 20; 20, 10 ψευδοπροφήτης genannt. Bousset erklärt: „Die spätere Apokalyptik des Judentums hat eine doppelte Ausprägung des großen göttlichen Widersachers geschaffen; sie faßte diesen bald als einen gottfeindlichen, furchtbaren Herrscher, bald als einen verführerischen Propheten" ⁸). Lohmeyer weist dagegen ⁹) auf Mark. 13, 21 f. hin, daß vorm Ende ψευδόχριστοι καὶ ψευδοπροφῆται erscheinen würden. — Von allen neueren Exegeten angenommen ¹⁰) ist Gunkels Erklärung ¹¹), daß als Prototyp für die beiden Tiere die Urungeheuer Behemoth (s. d.) und Leviathan (s. d.) zu gelten haben, die aus dem Tausendgebirge und dem Meer aufsteigen und gegen Gott angehen. Die alten Widersacher aus der Urzeit leihen jetzt dem A. Gestalt, werden christianisiert und politisiert. Johannes sah Nero redivivus als A. kommen ¹²). — Zu diesem Bilde haben die Synoptiker (Mark. 13, 21 f.; Luk. 21, 8; Matth. 24, 4 f. und Johannes 5, 43) einzelne Züge gefügt, die uns doppelt wichtig wären, wenn wir sie als echte Herrenworte ansehen dürften.

Nicht sehr viel später als die A.-Schilderung der Joh.-Apokalypse — um die Wende des 1. Jhs. ¹³) — entstand eine Beschreibung des A.s, welche bereits viele der späteren Züge aufweist; das Stück ist in die Ascensio Jesaiae aufgenommen. Beliar steigt herab, nimmt die Gestalt des Muttermörders (Nero) an, zerstört die Pflanzung der 12 Apostel; einer der 12 fällt ihm zu. Wunder tut er; er läßt sich als Gott anbeten, stellt sein Bild auf, die Gläubigen fliehen zur Wüste. So regiert er 3 Jahre 7 Monate und 27 Tage = 1332 Tage (vgl. Dan. 12, 12), bis Christus mit seinem Heer herniedersteigt und Beliar mit seinem Heer in die Gehenna schleppt (Asc. Jes. 4, 1—15) [14]). Wenn man mit Bousset [15]) eine mündliche Tradition annimmt, die bis in die Tage des Hippolyt und Martin von Tours reichte, wird man sich den A. der mündlichen Überlieferung ungefähr in dieser Gestalt vorstellen dürfen [16]).

Ob und wie groß der Einfluß eines gnostisch infizierten Judentums auf die Bildung der A.-Legende gewesen ist, hat M. Friedländer [17]) festzustellen versucht. M. E. sind zeitgeschichtliche Begebenheiten nicht stark genug, solchen Nachdruck zu hinterlassen, und wir werden um die mythische Grundlage nicht herumkommen.

[1]) W. B a u e r *Evangelium, Briefe und Offenbarung d. Johannes* 1908³ 336. 348. [2]) M a r t i n D i b e l i u s im L i e t z m a n n s c h e n *Handbuch z. N.T.* 1925, Bd. 11², 48 f. [3]) Ebd. 39. [4]) Ebd. [5]) Ebd. 40 ff.; vgl. A. O l r i k *Ragnarök* c. 5. 6; K a a r l e K r o h n in Finnisch-ugrische Forschungen 7, 129 ff.; v. d. L e y e n in „Prager deutsche Studien" H. 7. Satan: Aug. Frh. v. G a l l Βασίλεια του θεοῦ 1926, 295 f. [6]) B a u e r 401 f.; R o h d e *Psyche* 2, 377¹. [7]) L o h m e y e r 115 f. u. Ztschr. f. neutestamentl. Wiss. 13, 293 ff. Vgl. ebd. 19, 11 ff.; W i l h. B o u s s e t *Die Offenbarung Johannis* 1906, 374. 369 ff. [8]) Ebd. 377 f. Vgl. C a r l W e i z s ä c k e r *Apostol. Zeitalter d. christl. Kirche* 1892², 496 ff. [9]) L o h m e y e r im Lietzmannschen *Handbuch* 1926, Bd. 16, 111 f. Doch vgl. dazu unten III 3 u. Carl W e i z s ä c k e r *Das apostol. Zeitalter d. christl. Kirche* 1892, 496 ff. [10]) Ebd. 110 ff.; B o u s s e t 378 f.; RGG.² 1, 375 f.; v. G a l l 292 Nr. 1. [11]) *Schöpfung und Chaos* 51; H. G u n k e l *Genesis* 1917⁴, 122; B o u s s e t - G r e ß m a n n *Religion des Judentums* 1926, 251. 254. [12]) RGG.² 1, 375 f. [13]) E d g a r H e n n e c k e *Neutestamentl. Apokryphen* 1904. 292. [14]) Ebd. 295 f.; v. G a l l 294. [15]) *Antichrist* 18 f.) Vgl. dagegen B o u s s e t 53 zu dieser Stelle, dessen Bedenken (jüd. Herkunft) m. E. hier nichts austragen. [17]) *Der Antichrist in den vorchristl. jüdischen Quellen* 1901, 132 ff.

II. J ü d i s c h e   G r u n d l a g e n d e r   A.- S a g e. Bousset setzt die Entstehung der A.-Legende vor die Abfassung der Apoc. Joh., ja geraume Zeit vor die Zerstörung Jerusalems. Dann müssen ihre Grundlagen jüdisch sein. Der Endkampf Gottes ist ein Kampf gegen Ungetüme (siehe I). Auch der Kampf gegen die Weltmächte wird als solcher gezeich-

net: Jes. 27; Dan. 7, 11 f; 8, 1 ff.; Ps. Sal. 2, 25; endlich gestaltet sich der Endkampf zum Kampf gegen Beliar [18]): Buch der Jubiläen 23, 29 [19]), Testamente der 12 Patriarchen, Levi 18 [20a]), Evg. Joh. 16, 11, Assumptio Mos. 8 ff.[20b]), Apoc. Joh. 17. — Die Vorzeichen des Weltendes sind ebenfalls der jüd. Apokalyptik entnommen (vgl. Eschatologie). Hinter dem Judentum steht die spätiranische Anschauung vom Wiedererscheinen des letzten „Gesandten" = Mithras: ein falscher Gesandter erscheint; es gibt auf der Welt nicht solchen Trug, List, Zauberei, die er nicht vermöchte durch die Kraft seines Vaters, des Dämonen. Er verkündet: Seit langem habt ihr gehofft, Gottes Sohn, Mithra, der Erlöser, soll kommen; jetzt bin ich gekommen; Verehrung sollt ihr mir darbringen, an mich sollt ihr glauben. Reitzenstein sagt dazu, daß auf einem Boden, wo die Vorstellung von einem Kampf des Lichtgottes gegen den Dämon uralt ist und die Vorstellung von ἀντίθεοι in hellenistischer Zeit fortlebt, die A.-Vorstellung ihre Wurzel gehabt haben muß; in das Judentum ist sie nur übertragen.

[18]) B o u s s e t - G r e ß m a n n *Religion d. Judentums im späthellenistischen Zeitalter* 1926, 251 ff.; H a u c k *RE.* 1 s. v.; B o u s s e t *Antichrist* 81. [19]) B o u s s e t - G r e ß m a n n 333 ff. [20a]) K a u t z s c h *Apokryphen u. Pseudepigraphen d. alten Testaments* 1900. [20b]) R e i t - z e n s t e i n in Ztschr. f. neutestamentl. Wissensch. 20, 16 f. Doch vgl. v. G a l l Βασίλεια του θεοῦ 1926, 291. 296 ff.; S c h e f t e l o w i t z in ZfMissionskunde 42 (1927), 287 f.

III. D i e   A. S a g e   i m   I. J a h r t a u s e n d. 1. Der A. ist die Hauptgestalt der mittelalterlichen Eschatologie. Verhältnismäßig wenig wird im 2. und 3. Jh.: von ihm gefabelt. Dieser Zeit ist der A. = Nero redivivus, so schon im I. Jh.: Sib. 5, 33 f., 214—227; 8, 139 bis 159; Ascensio Jesaia 4, 2 ff., später Victorinus von Pettau († 303) in seinem Apoc. Kommentar [21]), Lactanz, de morte pers. 2, Hieronymus in Dan. 11, 17, Augustin, de civitate dei 20, 13 [22]). Das währt bis ins späte MA.: Beatus von Liebana († 798) [23]) und Otto v. Freising, Chronicon I. 3 c. 16: Arbitrantur, Nero-

nem non mortuum, sed humanis rebus
vivum subtractum, usque ad ultimum
tempus in ea qua tunc fuit aetate appa-
riturum, ipsumque fore Antichristum [24]).

2. Daneben geht der Glaube an den Ka-
techon her, als den man das imperium
verstand [25]); der A. kann erst erscheinen,
wenn dieses untergeht [26]), wenn der römische Kaiser auf dem Ölberg seine Krone
Gott zurückgibt [27]).

3. Bousset hat nachzuweisen versucht [28]), daß Irenäus [29]) wie Hippolyt
noch einer mündlichen Tradition gefolgt
sind. Hippolyt parallelisierte Christus und
den A. Περὶ τοῦ ’Αντιχρίστου c. 6 heißt es:
Ein Löwe ist Christus und ein Löwe der
A.; in der Beschneidung kam der Heiland
in die Welt, und er wird in gleicher Weise
kommen usw.[30]). H. hat auf diese Weise
wohl neue Züge für das Bild des A.s gewonnen; daneben benützte er uns verlorene Traditionen (c. 15 : und ein
andrer Prophet sagt, der A. wird seine
Macht versammeln von Sonnenaufgang
bis Sonnenuntergang usw.) [31]). Bousset [32])
hat diese Traditionen in Verbindung gebracht mit einer Sibylle (deren Über-
arbeitung Sib. 2, 154 ff.), die wieder Lac-
tantius (Inst. div. 7, 16) und Commodian
(Carmen apologeticum) benützten [33]). Gemein ist der Gruppe Lactanz, Commodian
und Martin v. Tours (Sulpicius Severus
Dialogus 2, 14) der Glaube an einen doppelten A.[34]). Die beiden Tiere Apoc. Joh.
13 werden auf Nero, den dämonischen
Herrscher, und einen in Jerusalem erscheinenden A. gedeutet. Diese Anschauung läßt sich bis in das 16. Jh. verfolgen[35]).
Die Deutung des ersten Tieres auf Nero
lag, wie wir sahen, nahe; daß man im
zweiten Tier den A. sah, dürfte seinen
Grund darin haben, daß es zwei Hörner
hatte gleich wie ein Lamm, ohne ein
Lamm zu sein. Der gehörnte Widder ist
in Israel Symbol des Messias: „Mann der
Hörner" wird er genannt [36]). Die Fassung
der A.-Legende bei Sulpicius Severus, auf
die hier nicht näher eingegangen werden
kann, gibt wieder, was man im 4. Jh. im
Westen vom A. zu erzählen wußte.

4. Den größten Einfluß auf die Ausgestaltung des Glaubens hat eine Gruppe
eschatologischer Schriften oströmischer
Herkunft gehabt. Dort entstand im
4. Jh. eine Sibylle. Sackur findet in
ihr [37]) Begebenheiten aus der Zeit um
360 widergespiegelt; Bousset dachte [38])
zweifelnd an die Zeit Constantins I., die
wohl in Frage kommt, wie ein Vergleich der Sibylle [39]) mit Eusebius K. G.
VIII—X ergibt; der ungerechte Herrscher ist Maximin, der verheißene Con-
stans Constantin I. Aber dahinter scheint
noch ein älterer, Alexander der Große, zu
stehen [40]). Fast zu gleicher Zeit entstand
Pseudo-Ephraems Sermon von A.[41]); aus
ihm und der Sibylle geht die syrische
Schrift des Pseudo-Methodius Ende des
7. Jhs. hervor [42]), die von einem fränkischen Mönch syrischer Herkunft, Petrus,
ins Lateinische übersetzt wurde [43]). Doch
müssen, wie sich aus der Scholasticus
Fredegarius Chronik c. 66 erweist, schon
um 642 Nachrichten über Gog und Magog
(s. d.), deren Zusammenhang mit der A.-
Legende bekannt ist, nach dem Westen
gekommen sein [44]). Wir haben dabei wohl
an die Sibylle zu denken [45]). Das Fortleben sibyll. Schriften im Osten bezeugt
im 10. Jh. noch Liudprands Gesandt-
schaftsbericht [46]). Vgl. weiteres unter
S i b y l l e. Aus Pseudo-Method. und westlichen Überlieferungen entstand zwischen
949 und 954 Adsos, des Abtes von Mou-
tier - en - Der [47]), Epistola ad Gerbergam
reginam de ortu et tempore Antichristi, die immer und immer wieder
ausgeschriebene Schrift über diesen Gegenstand [48]). — Adsos Quellen sind außer
Pseudo-Method. und (Michael tötet den
A.) der tiburtinischen Sibylle vor allem
Haymo Halberstadensis [49]), Alcuin, de
fide Trinitatis [50]), Hippolyt [51]) und eine
Reihe von Notizen, die bei Sulpicius
Severus belegt sind: Nascetur autem ex
patris et matris copulatione, sicut et alii
homines, non, ut quidam dicunt, de sola
virgine, sagt Adso, und Martin weiß ihn
malo spiritus conceptus [52]); Templum
etiam destructum, in statum suum re-
staurabit dürfte mit Martins ab illo
et urbem et templum esse reparandum
zusammengehen [53]). Das scheint auf ungelehrte Überlieferungen zu deuten, denn

an andrer Stelle bemerkt Adso ausdrücklich: Tradunt autem doctores, quod in
monte Oliveti A. occidetur in papilione
et in solio suo, in illo loco, contra quem
ascendit Dominos ad celos [54]). Auf mündliche, ungelehrte Überlieferung möchte
ich auch die Angabe „triginta annos tunc
latebit incognitus a populo" in einem
Rhythmus des 10. Jh.[55]) zurückführen.
Solche Überlieferung wird bezeugt durch
Sulpicius Severus Angabe, er habe die A.-
Sage nach einem mündlichen Vermächtnis des Martin v. Tours aufgezeichnet [56]).
— Wir sind demnach in der glücklichen
Lage, ein Zeugnis aus dem 4. und eins
aus dem 10. Jh. für die A.-Tradition im
westlichen Europa zu besitzen. Die Me-
rovinger- und Karolingerzeit ist reich an
Äußerungen über den A.[57]).

[21]) B o u s s e t *Antichrist* 1895, 52. 110.
[22]) Vgl. ferner die Angaben bei B o u s s e t 57 ff.
[23]) F. K a m p e r s *Kaiseridee* 14 und Noten.
[24]) Vgl. ferner O t t o n i s F r i s i n g e n-
s i s *chronic.* 1. 8 c. 1 ff. [25]) W e t z e r-
W e l t e 1, 923; H a u c k *RE.* 1 [3], 580;
K a m p e r s 13 f. [26]) D i o n y s i u s v. L ü t-
z e n b u r g *Leben Antichristi* 1716, 13 f. [27]) So
die Überlieferungsreihe III, 4. [28]) B o u s s e t
Kommentar 49 f. 51. [29]) S t o l l e *Kirchenväter*
88. [30]) B o u s s e t *Antichrist* 15. [31]) Ebd. 17.
[32]) Ebd. 51. [33]) Ebd. 50; Ztschr. f. Kirchengesch.
20, 110 f. [34]) B o u s s e t *Antichrist* 50; K a m-
p e r s 13 f.; I v o *Decretorum opus* bei M i g n e
Patr. lat. 161, 1009. Vgl. auch Ztschr. f. Kirchengesch. 20, 109 ff. [35]) H a u c k *RE.* 1, 584.
[36]) K a m p e r s in MschlesVk. 17, 145 f. [37]) E r n s t
S a c k u r *Sibyllinische Texte u. Forschungen*
1898, 158 ff. 162 f. [38]) *Antichrist* 39. [39]) S a c k u r
183 Mitte — 185 oben. [40]) Ztschr. f. Kirchengesch. 20, 280 ff. 285 f. [41]) B o u s s e t *Antichrist* 34 ff.; Ztschr. f. Kirchengesch. 20, 117 f.
[42]) B o u s s e t 30 ff.; S a c k u r 45 ff. 53 ff.
Über spätere Einschübe vgl. Ztschr. f. Kirchengesch. 20, 261 ff. bes. 280. [43]) S a c k u r 56.
[44]) Zeitschr. f. Kirchengesch. 20, 114 zählt
B o u s s e t die Fundorte auf; diese sind so ent-
legen, daß wohl nur tiburt. Sibylle in Betracht
kommt. [45]) S a c k u r 186. [46]) Mon. Germ. SS.
3, 347 = K a m p e r s Note zu 50. [47]) G e r-
h a r d v. Z e z s c h w i t z *Vom römischen Kaisertum deutscher Nation* 1877; G u t s c h m i d
in Hist. Ztschr. 41, 148; B o u s s e t 27 ff.;
S a c k u r 97 ff., Textabdruck ebd. 104 ff.
[48]) K. R e u s c h e l *Untersuchungen z. d. deutschen Weltgerichtsdichtungen des 11.—14. Jhs.*
Diss. Leipzig 1895, 2. [49]) Vgl. S a c k u r s
Noten zum Text: S a c k u r 104 ff. [50]) A l-
c u i n ebd. [51]) S a c k u r 105 Abs. 1, vgl. zur
Hippolytstelle III, 3. [52]) D e r s. 107 Abs. 2;
S u l p. S e v e r u s *Dialogus* 2, 14; doch vgl.

Pseudo-Ephraem 6 (zit. B o u s s e t 92): ex
semine viri et ex immunda vel turpissima
virgine malo spiritu vel nequissimo mixto con-
cipitur. [53]) S a c k u r 107 unten; S u l p i c.
S e v e r u s *Dialogus* 2, 14; B o u s s e t 105
mit weiterer Parallele aus Haymo. [54]) S a c k u r
113 oben. [55]) *Poetae latini aevi Carolini* 4, 644 f.
[56]) B o u s s e t 19. [57]) *Poetae latini aevi Carolini* 4, 491 ff.: De Enoch et Haeliae .. *Passio
Leudegarii* in SS. Meroving. 5, 296; *Vita Bononi*
ebd. 6, 129. De tempore Antichristi unter des
Theodulfi carmina: *Poetae latini* 1, 475; *Predi-
catio sancti Eligii episc. de supremo judicio:* SS.
Meroving. 5, 758 f.; vgl. dazu ZfdPh. 41, 410 f.

IV. D e r A. i m h o h e n MA. 1. Mit
Adsos Schrift ist die Entwicklung der
Legende wesentlich abgeschlossen; seine
Darstellung wird in der Redaktion Alb-
wins [58]) übernommen und weitergegeben.
Das MA.[59]), die Scholastik [60]), die katholische Kirche bis auf Suarez (1601) [61]) kennen nur den A. Adsos. Auch die späteren
Redaktionen der tiburtinischen Sibylle
aus der Zeit Heinrichs III. und aus dem
12. Jh. [62]), auf die Honorius v. Autun zurückgeht [63]), fügen nichts Neues zu. Erwähnt seien von den auf Adso beruhenden
epischen Dichtungen: der Friedberger
A.[64]), der Linzer Enticrist [65]), von dem
Anticriste [66]) (Anfang des 13. Jhs.) und
Freidanks Spruch 49, wie der northum-
brische Cursor mundi [67]), während Frau
Avas Gedicht auf mehrere Quellen, auch
auf des Honorius Elucidarius [68]), des Pam-
philus Gengenbach Nollhart (1517) [69]) auf
den neugedruckten Ps. Method zurückgeht [70]). Auch der ludus de Antichristo aus
Tegernsee [71]) hat in Adso seine Quelle;
dies Spiel mit politischem Untergrunde
muß s. Zt. oft gemimt worden sein; Zezsch-
witz hat Teile desselben in einem Bene-
diktbeurer Weihnachtsspiel entdeckt [72]).
A.-Spiele scheinen überhaupt beliebt gewesen zu sein; in Frankfurt a. M. wurde
1469 eins, wohl das „von den Herzogen
von Burgund" [73]), wegen der Judenschaft
verboten [74]); in Xanten ward 1473 und
1481 das „alte große spil vom uff- und
untergang des Antichrists aus dem lateinischen verdeutscht" aufgeführt [75]).
Ein „Schimpf" war „des Entkrist Vas-
nacht" [76]) aus dem 15. Jh., wie das engl.
Chesterspiel vom Antichristen [77]). Es ist
verständlich, daß ein mönchisch gesinnter

16*

Mann wie Gerloh von Reichersberg (1093 bis 1069) in einer großen Schrift de investigatione Antichristi [78]) gegen die spectaculis theatricis auftrat. Otto von Freising, der in seiner Chronik den augustinischen Gedanken vom Gottesstaat durchzuführen versuchte, handelt im 8. Buch der Chronik c. 1—8, wie eine Reihe mhd. Spruchdichter [79]), vom A.[80]). Es seien schließlich aus den kaiserlich-päpstlichen Kämpfen des 14. Jhs. noch Lupold von Bebenburg [81]) und Engelbert von Admont [82]) erwähnt.

2. Diese Schriftsteller sind trotz ihrer politischen Haltung für uns nicht unwichtig. Man war sich dessen sicher, daß der A. als König erscheinen werde [83]); im Tyrannen, im rex iniquus, in jedem, der sub specie religionis handelte, sah man den A. oder einen A.[84]). Denn Augustin de civ. dei XX, 10 hatte auf Grund der johann. Ausführungen (siehe I. 1) geschlossen, daß es mehrere A. gebe, die figurae Antichristi (Antiochus, Epiphanes, Nero ... und mancer der noch hiute lebt) [85]), deren letzter der eigentliche sei [86]). Man war jederzeit gewärtig, den letzten A. vor sich zu haben [87]); so hat Bernhard von Clairvaux in Anaklet II. den A. gesehen; erst nach seinem Tode, als die böse Zeit anhielt, machte er ihn zu einem Vorläufer des A.[88]); hier ist es, wo sich der augustin-gregorianische Begriff des Tyrannen mit dem eschatologischen des A. verbindet [89]).

3. Es ist begreiflich, daß es nahe lag, auch den unrechtmäßigen Papst zum A. zu machen. Nicht nur die johann. Anschauung gab dafür Stützen; es kam dazu, daß man den Tempel, in dem er sein Bild aufrichten würde, in Rom sah. Die Variante, daß der A. sein Idolum im Tempel errichten wird, ist in der Tradition so verwischt worden, daß man unter dem Idolum den A. selber verstand. Daher konnte in Zeiten des Schismas Papst und Gegenpapst als idolum in sancta sede bezeichnet werden. So kann die Meinung entstehen, der A. werde als Papst erscheinen [90]). Arnulf v. Orléans deutet schon 991 dergleichen an [91]); Siegmund Meisterlin erhebt 1488 in seiner Chronik der

Reichsstadt Nürnberg den begründeten Vorwurf, Ludwigs des Bayern Kanzler Ulrich Hangenor habe schändliche Schreiben gemacht und „hieß den babst ein thier und bestia und den entecrist" [92]). Der Name wird mehr und mehr zur Allegorie; die „geistlichen" Auslegungsarten nahmen überhand; Hus [93]) sei erwähnt, die böhmischen Brüder, Joachim v. Fiore, Katharer und Waldenser [94]), Luther (adv. execrabilem A. bullam) bis zu den Schmalkaldischen Artikeln (der Papst ist der rechte Endchrist oder Widerchrist) [95]). Nur die Flugblattliteratur kennt noch den persönlichen A. [96]). Im catalogus testium veritatis hat Flaccius Illyricus die geistliche Auslegung der Lutheraner (der A. ist keine individuelle Person) dem „persönlichen A." der Katholiken (er komme aus Dan usw.) gegenübergestellt [97]). Der Katholik Cochlaeus aber versuchte, Luthern, widernatürlich gezeugt, den Anschein des A. zu geben: Sunt qui affirmant Lutherum a spiritu immundo sub Incubi specie prognatum esse. Und Luther: Cocleus heißt mich einen Wechselbalk und einer Bademagd Sohn [98]). Endlich ist das Wort zum Schimpfwort geworden [99]).

4. Erwähnt sei Joachim von Fiore, der im 13. Jh. in Italien von vielen Antichristen zu sagen wußte und den letzten erwartete [100]); mit ihm vor allem setzt die Auffassung ein, die A.-Legende sei als Allegorie zu deuten, eine Auffassung, die bis zu Luther und weiter gilt, während die Katholiken daran festhielten, daß der A. wirklich erscheinen werde. Seine Anhänger sorgten für die Verbreitung und Auslegung der Idee, wovon besonders Salimbene von Parma ein ergötzliches Beispiel liefert, der erzählt, wie einer Alphons X. von Castilien zum A. machte [101]). Salimbene hat übrigens Friedrich II. selbst ganz antichristliche Züge gegeben [102]); hat doch auch Telesphorus von Cosenza geschrieben, „Friderich der drit (der erwartete Friedensfürst), der wirt der groß endecrist" [103]).

58) S a c k u r 99. 59) Schon in einer ags. Homilie (G r i m m Myth. 678) findet sich ein Passus (S a c k u r 111 oben) wörtlich. Für

Bernhard v. Clairvaux ist dieser Beweis trotz R a d c k e 60 noch nicht erbracht. [60]) Zusammenfassung der scholast. Auffassungen: H a n s P r e u ß *Die Vorstellungen vom A. im späteren MA., bei Luther* . . . 1906, 11 ff. Hierher gehört auch der Basler Elucidarius: W i l h. W a c k e r n a g e l *Die altdeutschen Handschriften d. Basler Univ.-Bibl.* Rektorats-Programm 1836, 22 f. [61]) P. F r. S u a r e z *Commentariorum ac disputationum in tertiam partem D. Thomae* T. II, 1601 Praef. = P r e u ß 252 f. [62]) K a m p e r s *Kaiseridee* 49 ff.; S a c k u r 126 ff. Die Texte: Mon. Germ. SS. 22, 145. 375 ff. [63]) *Gemma animae* l. III c. 134. [64]) MSD. 1892 [3], N. Nr. 33. [65]) H e i n r. H o f f m a n n *Fundgruben* 2 (1837), 110. [66]) ZfdA. 6, 369 ff. Ausführungen über den A. in größeren Dichtungen vgl. K. R e u s c h e l *Unters. z. d. deutschen Weltgerichtsdichtungen.* Diss. Leipzig 1895, 19 ff. Ins 14. Jh. gehört das von M o n e *Schauspiele* 1, 306 erwähnte Gedicht aus Kreuzlingen bei Konstanz. [67]) Eberts *Jahrb.* 5, 191 ff. [68]) R e u s c h e l 6 ff. Text: ZfdPh. 19, 128 ff. 355 ff. [69]) K. G ö d e k e *P. Gengenbach* 114 ff. [70]) S a c k u r 3 f. [71]) Z e z s c h w i t z *Vom röm. Kaisertum deutscher Nation* 1877; W i l h. M e y e r aus Speier *Ges. Abhandlungen z. mittellateinischen Rhythmik* 1 (1905), 136 ff.; M i c h a e l i s in ZfdA. 54, 61 ff. Texte bei M e y e r und F r i e d r. W i l h e l m *Münchener Texte* (1912) Nr. 1. [72]) Z e z s c h w i t z 242 ff. [73]) Bibl. literar. Ver. Stuttgart 28, 169 ff. [74]) G. L. K r i e g k *Deutsches Bürgertum im MA.* 1868, 440. [75]) Z e z s c h w i t z 104. [76]) Bibliothek d. literar. Ver. Stuttgart 29, 593 ff. [77]) Z e z s c h w i t z 195 ff. [78]) *Opera* I. ed Friedrich Scheibelberger 1875 I, I, c. 5. [79]) R e u s c h e l 32 f. [80]) O t t o n i s F r i s i n g e n s i s episc. *Chronica*, Mon. Germ. SS. in usum schol. [81]) *Ritmaticum querulosum* 113 f.: Nec in meo (sc. Roman. imper.) tempore Antichristus nascetur, Deus nequaquam sinet, quod mecum dominetur: B ö h m e r *Fontes* 1, 482. [82]) R i e z l e r *Die literar. Widersacher d. Päpste z. Zeit Ludwigs d. Bayern* 1879, 168. [83]) H i p p o l y t c. 6, König ist Christus und König der A. [83]) E r n s t B e r n h e i m *Mittelalterliche Weltanschauungen* 1, 73. 93 f. Vgl. O t t o n i s F r i s. *Chron.* 8 c. 3. [85]) Adso bei S a c k u r 105 unten. Von dem Antichriste = ZfdA. 6, 371 Zeile 72 ff.; R e u s c h e l 18, N. 2; H a n s P r e u ß *Die Vorstellungen vom A. im späteren MA.* 1906, 25. 47 f.; S t o l l e *Kirchenväter* 277 N. 3. [86]) B e r n h e i m 74, N. 1; O t t o n i s *Chron.* 8, c. 1. [87]) B e r n h e i m 75. [88]) W a d s t e i n 39, 104 und R a d c k e. [89]) B e r n h e i m. [90]) Ebd. [91]) W a d s t e i n 39, 101 f. [92]) Die Chroniken d. deutschen Städte. Nürnberg 3, 123. [93]) H a n s P r e u ß *Die Vorstellungen v. A. im späteren MA., bei Luther usw.* 1906, 49 ff. [94]) Ebd. 45 ff.; W a d s t e i n 39, 117 ff. [95]) Ausführlich über Luthers Anschauungen handelt P r e u ß von S. 83 ab. [96]) In der Kunst: ebd. 28 ff. 66 ff. 198 ff. — Flugblätter: ebd. 183 ff. 239 f. [97]) Ebd.

222 f. [98]) Ebd. 215 u. Nr. 2; P e u c k e r t *Schlesien* 47. [99]) Erwähnt sei noch die Feststellung von P r e u ß 247 ff., daß niemals von katholischer Seite L. als A. hingestellt worden ist, was immerhin für den Gegner nahe lag. [100]) P r e u ß 45 ff. [101]) Geschichtsschreiber d. deutsch. Vorzeit 94, 118. [102]) Ebd. 93, 355 ff. [103]) K a m p e r s *Kaiseridee* 95 ff.

V. D e r A. i m 16.—17. J h. Die Buchdruckerkunst ermöglichte, dem Volk zeitungsartige Literatur zuzuführen; so wird Deutschland seit dem Ende des 15. Jhs. mit fliegenden Blättern überschüttet, unter denen Prognostica usw. die erste Stelle einnehmen. Der persönliche A. wird wieder geglaubt. Die Praktika 1492 verheißt: In Oberdeutschland wird ein Prophet auftreten; man wird ihn den A. nennen [104]). Und um 1500: Corda nostra plurimum concutiuntur, dum de die extremi judicii et de A. tanta dicuntur [105]). Heinrich Vogel kannte 1605 eine alte Weissagung, daß der A. kommen werde, wenn das Evangelium und die Alchemie wiederum herfürkommen, das eine aber habe Luther, das andere Paracelsus vollbracht [106]). Die von Paracelsus [107]) ausgehende pansophische Bewegung, die joachitische Ideen aufnahm [108]), kannte auch den A.-Glauben [109]), und er hat sich bei den Pansophen ebenso wie bei Schwärmern bis in den Anfang des 18. Jhs. gehalten [110]). Die „geistliche Auslegung", seit Joachim bei allen gegenkatholischen Strömungen geübt, mußte absterben, als der Kampf gegen die Kirche durch einen Frieden beendet wurde, der den evangelischen Kirchen Gleichberechtigung gab und so den Anlaß zum Kriege beseitigte. Dafür erwachte unter den Katholiken (Malvenda) der alte Glaube an den wirklichen A. zu neuem Leben, und er hat sich in katholischen Landen bis heute gehalten, ein letztes lebendes Stück Barock [111]). Vom 21. Jan. 1707 haben wir eine Flugblatt-Copia eines von Malta gekommenen „Schreibens des zu Babylon neugebohrnen Antechrists" betreffend. Aus dem Jahre 1716 stammt das bombastischbarocke Buch des Paters Dionysius von Lützenburg, das einen wahrhaftigen Roman vom A. darstellt [112]). In vielen Sekten ist von ihm, freilich wieder als vom geistlichen A., die Rede [112 a]). Im Badischen fürchtete man, früher noch mehr als jetzt, den Endechrist, für dessen Vorläufer man den alten Napoleon hielt [112 b]).

[104]) P r e u ß 25 N. 4. [105]) Ebd. 27. [106]) Offenbarung der Geheymnussen der Alchimy 1605, Aijr = P e u c k e r t Rosenkreutzer 1927. [107]) Sermones de Antichristo 1619. Vgl. K. S u d h o f f Versuch einer Kritik d. Echtheit d. Paracels. Schriften 1899, I, Nr. 311. 313; 2, 764 (Nr. 199) 412. 579. 587. 596 f. Vor allem 552 und Schriften P. ed. Huser 9, 191. [108]) S u d h o f f 2, 764 Nr. 199. [109]) Ebd. 2, 571 mit Prognostica auf 1579 und 1600. Vgl. P e u c k e r t Rosenkreutzer 1927 und P e u c k e r t Die pansophische Bewegung 1928. [110]) C h r i s t. K o t t e r s Weißgerbers in Sprottau Weissagungen über den A. bei A. C o m e n i u s lux e tenebris I (1655) c. 9, 45; 16, 40 ff.; J a k o b B ö h m e Ausgabe v. 1730 im Register. Quirinus Kuhlmann, Gichtel usw. [111]) ZfVk. 30/32, 109. [112]) Leben Antichristi 1716. [112a]) B e r n h e i m 78 Nr. 1; Angelus S i l e s i u s Ecclesiologie 1677. I, 713 f. [112b]) M e y e r Baden 521.

VI. E r s c h e i n u n g e n d e s A. Ich verzeichne eine Reihe von Angaben über die Erscheinung usw. des A., die den dauernden Glauben an ihn beweisen. In der Verfolgung des Septimus Severus dachte ein Mann aus Juda ihn ganz nahe [113]). 380 meinte Martin v. Tours, er sei schon im Knabenalter [114]). 591 wollte Gregor v. Tours einen Betrüger, der sich für Christus ausgab, den A. nennen [115]). 854 erklärte Alvarus, seine Zeit sei da und Mohammed sein Vorläufer [116]); auch Otto von Cluny [117]) (Anfang 10. Jh.) hielt seine Zeit für gekommen; Notker schrieb: Sanctus Paulus kehiez tien, die in sînen zîten uândôn des suonetagen, taz er êr nechâme, êr romanum imperium zegienge unde Antichristus rîchesôn begondî . . . So ist nû zegangen romanum imperium [118]). Abbo v. Fleury schrieb 990: Über das Ende der Welt habe ich in meiner frühen Jugend eine Predigt in einer Kirche zu Paris gehört, daß sofort, nachdem das 1000. Jahr abgelaufen sein würde, der A. erscheinen werde [119]). 1080 war es Bischof Ranieri v. Florenz gewiß, daß er schon lebe [120]). Walther von Lille sah in Barbarossa seinen Vorläufer [121]). 1105 hielt man zu Florenz eine Synode, in quo (concilio) cum episcopi loci de Anti-

christo, quia eum natum dicebat, satis disputatum est [122]). 1185 hielt aus astrologischen Gründen Magister Johannes von Toledo seine Zeit für gekommen [122 a]). 1190 antwortete Joachim von Fiore dem Richard Löwenherz, er sei schon in der Stadt Rom geboren (R. = Babylon) [123]). 1210 ist ein Pseudoprophet aufgestanden, qui dicebat A. jam esse adultum [124]). 1227 verkündet der Minorit Petrus de Boreth in Acre, er wachse heran und werde im März 10 Jahre sein [125]). 1297 setzt Arnold von Villanova ihn zwischen 1300 und 1400 fest [126]). 1321 erklärt ein Begharde auf Grund der Lektüre des Johannis Olivi, er sei schon geboren et habebat ultra XX annos aetatis [127]). Die Lehninsche Weissagung sah in Ludwig d. Bayern den A.[128]). Barthol. Janovesius aus Mallorca erwartete ihn Pfingsten 1360 [129]). Auch Roger Baco wollte seine Zeit berechnen [130]). Milič von Kremsier wußte ihn 1346 geboren und schlug das 1367 an der Peterskirche an, ja erklärte Karl IV., dieser sei der A. major [131]). Sein Schüler Matthäus v. Janov meinte: Tanta fama fuit et est de adventu A. per universam ecclesiam, et ita est descriptus, ut etiam pueri decipi non possent per eundem [132]). Der gewaltige Dominikaner Ferrer schrieb 1412 Papst Benedikt XIII., daß er 1403 geboren und jetzt schon 9 Jahre sei [133]). Seit dem Anfang des großen Schismas glaubte ihn das Volk 1385 in Babylon geboren [134]). Zum Jahre 1401 verheißt ihn die Prophezeiung der hl. Hildegard [135]). Mehr als 100 Männer und 300 Frauen aus der niederen lombardischen Bevölkerung traten in den „dritten Orden" des hl. Dominikus ein und zogen 1420 unter Ferrers Ordensbruder Manfred von Vercelli nach Rom, wo ihnen Manfred martyrium et victoriam contra A. versprach [136]). Seit 1522 erwartete ihn Luther [137]). Auch Rabelais wußte: L'Antichrist est desja né [138]). Und etwa 1550 wurde gedruckt: Antichristus, seu Prognosticatio finis mundi. 1574 ist er zu Babilonia auf der Grenzen Labea geboren worden, dann 1578, und endlich in diesem jetzt laufenden Jahr 1592 in einer Stadt Consa [139]). 1664 hat A. Bourignon nach einer Vision erklärt: Cet Antechrist est né, ja plus d'un an passé [140]).

[113]) E u s e b i u s *Kirchengesch.* VI. 7. [114]) S u l - p i c i S e v e r i *Libri qui supersunt,* ed. Halm 1866; *Dialogus* II. 14 p. 197. [115]) G r e g o r i u s T u r e n s. *Hist. Franc.* 10 c. 25. [116]) *Indiculus luminosus:* M i g n e 121, 554 ff. Paschasius Radbertus sah ihn von den Sarazenen kommen: W a d s t e i n in der Ztschr. f. wissensch. Theol. 39, 124; Innozenz III. hielt Mohammed für den A.: M i g n e 216, 818; (Vgl. J o h. A l b r. B e n g e l *Erklärte Offenbarung Joh.* 1746, 1112.) Hier beginnt die von Joachim aufgenommene Lehre, die Türken seien der östl. A., der Papst der westl. [117]) M i g n e *Curs. patr. lat.* 133, 641. [118]) N o t k e r *Vorrede zum Boethius.* [119]) *Vita S. Abbonis Floracensis:* B o u q u e t 10, 332. [120]) D ö l l i n g e r im Hist. Taschenb. 5. F. 1, 270. Ebenso der Stifter des Prämonstratenserordens Norbert von Magdeburg: Acta SS. Maii 7 pag. 139; R a d c k e 21 ff. [121]) M ü l d n e r *10 Gedichte des . . .* 1859 Nr. 5. 6. 7. Bibl. d. literar. Ver. Stuttgart 16, 49. [122]) W a t t e r i c h *Vitae Rom. pont.* 2, 6 = B e n g e l *Erklärte Offenb.* 1108. [122a]) Annales Marbarenses M.G.SS. in usum scholarum ed. Reinike-Bloch 1907, 56. [123]) J o a c h i m *Expositio in Apocal.* 1527, 133 = W a d s t e i n 82 f. [124]) Mon. Germ. SS. 8, 466. [125]) Ebd. 23, 920. [126]) W a d s t e i n 91. [127]) Ebd. und Nr. 4. [128]) K a m p e r s *Kaiseridee* 131. [129]) M a l - v e n d a *de Antichristo* 1647. 1, 119. [130]) W a d - s t e i n 90. [131]) Ebd. 84 f. Vgl. Fontes rer. Austriac. 6. 2, 40 ff.; P r e u ß 50, Nr. 4. [132]) H ö f l e r *Concilia Pragensia* in Abhandlungen kgl. böhm. Ges. Wissensch. 5. F. 12, XLI. [133]) M a l v e n d a 1, 119 ff. [134]) W a d - s t e i n 88 nach *Opp. Gersonis,* edid. Du Pin, 1, 517. [135]) K a m p e r s *Kaiseridee* 137. [136]) W a d s t e i n 89. In Flandern hielten Wahnsinnige sich selbst für den A.: J. H u i - z i n g a *Herbst des MA.s* 1924, 262. [137]) P r e u ß 168. Vgl. M a l v e n d a 1, 119 zum Jahre 1533. [138]) G e r h a r d t *Franz. Novelle* 114. [139]) J o h. J a n s s e n *Gesch. d. deutschen Volkes* 6, 432. [140]) B e n g e l *Erkl. Offenb.* 1160.

VII. B e z i e h u n g e n z u f r e m - d e n M y t h o l o g i e n. 1. Armillus. Armillus ist die hebräische Form für Ρωμύλος; den Juden ist Rom der A. Satan oder frevelhafte Heiden zeugen ihn, indem sie mit einem steinernen Jungfrauenbild Unzucht treiben, das Gott selbst schuf und das in Rom steht. Nach 9 Monaten spaltet es sich und gebiert ein riesenhaftes Kind [141]), ein Ungeheuer, mit roten Augen und zwei Köpfen [142]), das von den Juden in der Wüste Anbetung verlangt. Da er keine Wunder tun kann,

kehren sie sich ab; er verfolgt sie; Michael und Gabriel werden ihn töten, oder der Messias ben David wird ihn mit dem Hauch seines Mundes niederwerfen. Bousset setzt die Entstehung der von der A.-Sage abhängigen Sage ins 7./8. Jh. [143]).

2. Deddjal. Mohammed hatte geglaubt, daß in seiner Zeit der A. al masih al deddjal, der falsche Messias, lebe und hat nach der Tradition einen Juden aus Medina, Saf ibn Said, dafür gehalten. Die Mohammedaner haben den Mythus vom gefesselten Unhold auf ihn übertragen; er ist mit Eisenketten gebunden und an eine eiserne Säule angeschmiedet [144]).

3. Der A. im ahd. Gedicht Muspilli [145]) aus Bayern in der 2. Hälfte des 9. Jh. [146]) hat zu vielen Deutungsversuchen Anlaß gegeben. Grimm suchte in ihm einen heidnischen Gott der Bayern und Alemannen, ein dem nord. Surtr ähnliches Wesen [147]), Karl Bartsch den Fenriswolf [148]), Müllenhoff hielt christliche Unterlage für gegeben [149]), und Zarncke forderte nachdrücklichst, daß man versuchen müsse, solche Deutungen zu unterlassen, solange man mit christl. Motiven auskomme [150]). Weder Grau [151]) noch Guntermann [152]) haben eine christl. Quelle für den Passus vom A. gefunden, Ehrismann [153]) endlich hat keine Einzelquelle, sondern die lateinische Predigtliteratur als Vorlage angesprochen. Schon Vetter erklärt: Um das alles (die Kirchenlehre) kümmert sich unser Dichter nicht; er gab eben einfach, was Glaube war, voll volkstümlicher Züge [154]).

Der A.-Abschnitt findet sich wieder in der as. Genesis [155]). Dort streitet Henoch allein gegen den A., während in Muspilli Elias allein steht. Dieser Zug läßt sich sonst nirgends mehr nachweisen; nur in der Vita Landiberti des Sigebert von Gembloux aus dem 11. Jh. heißt es noch einmal: Helyas in celum raptus expectat adhuc per A. gladium victorie palmam [156]). Handelt es sich hier um eine sächsische Tradition? — Die uueroltrehtuuîson sagen, daz sculi der antichristo mit Eliase pâgan, sprechen also von einem Zweikampf, und zwar in der Luft, in dem der A. sigalôs wird. Auch davon wissen die kirchlichen Quellen nichts; die schreiben: Doh uuanit des vilo . . . gotmanno, daz Elias in demo uuige aruuartit uuerde. Und so mag Neckel recht haben, wenn er hier einen älteren, wurzelverwandten Mythus durchschimmern sieht [157]). Endlich ist fremd, daß Satan den A. varsenkan scal. Ehrismann hat für dieses Stück (v. 37—47) bereits gesehen, daß die Quelle volkstümlich ist; weil sie nicht kirchlich ist, findet sie sich auch sonst nicht in der geistlichen Literatur [158]). Ich möchte dabei die Vermutung äußern, daß v. 50 an v. 47 angeschlossen war und nur v. 48 f. Einschub ist; wäre das der Fall, dann wäre der A., der „uunt pivallan" sollte, derjenige, von dessen Blut die Erde entbrennt. Auf Elias wurde das erst bezogen, als durch den Einschub v. 48 f. von Elias als dem Verwundeten die Rede war; ein gedankenloser Abschreiber hat dann „sô daz Antichristes pluot" in „sô daz Eliases pluot" geändert. Dafür, daß durch ihn die Erde entzündet wird, würden wir heimische Belege haben, für Elias als Stifter des Weltbrandes nur östliche [159]).

4. Den Kampf zwischen dem A. und Elias hat Grimm auch im Norden wiederfinden wollen [160]); Simrock hat den A. in der Mitgardsschlange [161]), E. H. Meyer in Surtr (Völuspá Str. 52) [162]) und dem Kinde der Alten im Eisenwalde (Völuspá) [163]) erkennen wollen. Man wird zugeben dürfen, daß christliche Motive nach dem Norden gewandert sind und zwar, als dort der alte Glaube noch galt; Dichter haben sie aufgenommen und verwertet. Aber eine bewußte Verkleidung christlicher Lehren in Göttermythen dürfte kaum vorgekommen sein. Was Surtr betrifft, so scheint mir Neckels Versuch beachtenswert, welcher in ihm den gefesselten Unhold sieht [164]), der in einer Höhle liegt und sich nach seinem Flammenschwert reckt.

[141]) J. Scheftelowitz *Alt-palästinensischer Bauernglaube* 1925, 33. [142]) Bousset *Antichrist* 66 ff. u. Register s. v. Vgl. Liebrecht *Gervasius* 69; Löwis of Menar im ARw. 13, 517 ff. 14, 641 ff. 15, 305 ff. [143]) Dionysius v. Lützenburg *Leben Antichristi* 1716, 421 f.; Ztschr. f. Kirchengesch. 20, 120. [144]) Paul Casanova *Mohammed*

et la fin du monde 1911, 29. 47; A. Olrik *Ragnarök* 1922, 276 ff. [145]) Ich zitiere nach Wilh. Braune *Althochdeutsches Lesebuch* 1911 [7], 82 ff. — [146]) v. Unwerth-Siebs *Gesch. der deutschen Literatur bis zur Mitte des 11. Jhs.* 1920, 153. [147]) *Myth.* 2, 677. [148]) *Germania* 3, 17. [149]) *ZfdA.* 11, 392. [150]) *Berichte d. kgl. sächs. Ges. d. Wissensch. Phil.-hist. Kl.* 18, 213 ff. [151]) Gustav Grau *Quellen u. Verwandtschaften d. ält. germ. Darstellungen d. jüngsten Gerichts* = Stud. z. engl. Phil. 31, 232 ff. [152]) *ZfdPh.* 41, 410 f. 412. Vgl. AfdA. 35, 192 f. [154]) Ferd. Vetter *Zum Muspilli* 1872, 119 ff. 124; v. Unwerth deutet auf Crist III als Quelle hin, dort fehlt aber die A.Episode: PBB. 40, 365 f. Vgl. auch Neckel in Sitzb. Heidelb. 9, 32 f. [155]) v. 139 b ff. = Grau 233 f. = Bousset 180. [156]) Mon. Germ. SS. Meroving. 6, 398. [157]) Neckel 30 f. [158]) Eine Scheidung zwischen beiden Kampfschilderungen hat Ehrismann AfdA. 35, 192 f. vorgeschlagen, der auch v. Unwerth PBB. 40, 365 f. zustimmt. [159]) Ztschr. f. d. österr. Gymnasien 43, 748 (Christus entzündet Brand = Anton E. Schönbach *Altdeutsche Predigten* 1888, 2, 14). [160]) *Myth.* 2, 676. [161]) *Mythologie.* [5] 133 f. [162]) *Völuspá* 1889, 206 ff.; *Germ. Myth.* 149 f. [163]) *Myth. d. Germanen* 459 ff. [164]) Gust. Neckel *Studien zu d. germ. Dichtungen v. Weltuntergang.* Sitzber. Heidelb. Akad. 9, 30. 46. 48 f.

VIII. Der A. in der Volkssage. Nur aus katholischen Gegenden, wie ja des Flavius Illyrius Bemerkung erwarten ließ, liegen Aufzeichnungen vor. Er heißt Antenchrist, denn die Menschen werden am Ende tierartig, mit Entenschnäbeln geboren [165]) (die im MA. üblichen Namen [165]) sind vergessen). Er kommt, wenn alle zu Christus bekehrt sein werden [167]), zur Zeit allgemeinen Abfalls [168]); wenn er 19 Jahre ist, wird fast die ganze Welt abgefallen sein [169]), Pseudopropheten treten auf [170]); so wie der Teufel ledig ist [171]). Stürme im Christmonat zeigen Ankunft an [172]). Manche glauben, er regiere schon [173]); besonders 1848 dachte man das [174]); andere denken, es wird noch lange dauern [175]). Sichere Vorzeichen sind: eine vierzigjährige Dürre und Hungersnot [176]), in welcher Zeit kein Regenbogen zu sehen sein wird [177]); Bruderhaß [178]); wenn die Pfarrkirche zu Söll (Tirol) versinkt [178 a]), der ganze Küchelberg bei Meran urbar gemacht ist [178 b]); im Kanton St. Gallen glaubt man, er komme, wenn die eisernen Stangen auf dem Breitfelde ausgeackert werden und das dort vergrabene Bäumchen ausschlagen und so groß sein wird, daß ein Offizier aufrecht darunter stehen kann[179]); er kommt nach der Walser Schlacht[180]), wenn Karl V. oder Kaiser Friedrichs Bart dreimal um den Tisch gewachsen ist[180a]), wenn der in der Königskaul bei Trittenheim versunkene König den Türken schlägt[180b], wenn die Leute hohe Hüte tragen und ohne Rosse fahren werden[181]); nachdem 7 Jahre kein Kind mehr[182]), nur Mädchen geboren wurden[183]); im Kreise Leobschütz glaubt man, es werden 30 Jahre nur Mädchen und dann nur Knaben geboren; der erste derselben ist der A.[184]). Unter Donner und Blitz wird er geboren[185]), außerm Fern tuts drei Donnerschläge[186]); Feuer fällt vom Himmel[187]), die Blumen schwitzen Blut[188]). Er kommt aus dem Stamme Dan[189]). Seine Mutter ist ein altes[190]), böses Weib[191]), eine alte Witwe[192]), eine Hexe[193]), eine Hure[194]), von der 9. Hure her[195]), eine 70jährige Jüdin[196]), eine jüdische Hure[197]) (die Tochter eines jüdischen Fürsten aus dem Stamme Juda, eine Zauberin und angebliche Jungfrau[198]), ein lediges Judenmädchen[199]), eine Jungfrau, die ihn von Dämonen empfängt)[200]); aus dem Stamm Dan werden 12 Fischer einen Fisch fangen; dessen Kopf ißt eine Jungfrau und wird mit dem A. schwanger[201]). Er gehört der babylonischen Hure[202]). Sein Vater ist ein 90jähriger Greis[203]) (ein jüdischer Zauberer aus Dan)[204]) oder er wird vom Teufel empfangen[205]), (der Teufel ist bei der Empfängnis mitwirkend beteiligt)[216]). Mönch und Nonne sind seine Eltern[207]). Vater und Tochter zeugen ihn[208]). Seine Mutter erschricket unde zevert in der gepurt ouf der stat[209]). Er wird von einer Schlange mit einer alten Jüdin erzeugt[210]); ist ein Lintwurm aus dem Ei eines 7jährigen Hahnes, und wird durch die Anbetung eines Mädchens zum schönen Jüngling[211]), ist ein Unterweltwesen[212]), der Drache[213]). Geboren wird er zu Babylon[214]) (am Euphrat)[215]). Gott ordnet ihm wie jedem Menschen einen Schutzengel bei[216]), obwohl Satan in ihm wohnt[217]). Seine Mutter trägt ihn zwei Jahre[218]); er pei-

nigt sie im Mutterleibe[219]); sobald er zur Welt kommt, kann er laufen und sprechen[220]). Jeder sieht ihn in andrer Gestalt[221]). Sonst wird er als klein[222]) und rothaarig[223]) geschildert, mit einem Mal an der Stirn, wo ihn der Blitz treffen wird[224]), oder an der rechten Hand und am linken Fuß[225]). Als Ungeheuer mit sieben Köpfen soll er erscheinen[226]) (Zauberer erziehen ihn)[227]).

Er wird auftreten, wenn der römische Kaiser sein Reich Gott zurückgibt[228]); wenn Gog und Magog, die roten Juden im Kaukasus, erscheinen[229]), die sein Vorläufer, der sich Elias nennen wird, ruft[230]). Mit 30 Jahren, wenn wieder abwechselnd Knaben und Mädchen geboren werden[231]), fängt er an[232]); so lange hält er sich (in Galiläa[233]), unsern Herrn nachahmend, verborgen[234]); dann zieht er nach Jerusalem[235]). Er tut Wunder[236]), weiß alles, weswegen man 1445 einen 20jährigen Spanier an der Pariser Universität, wie Trithemius erzählt, für den A. hielt[237]); kann alle Sprachen der Welt[238]). Er gewinnt mit Ehrungen, Liebkosungen und Geld die Leute[239]). Alle vergrabenen und ungehobenen Schätze werden sein[240]); mit ihnen lockt er die Menschen[241]), er fährt mit vier schwarzen Rossen durchs Land und sät Geld aus[242]); wer ein einziges Geldstück aufhebt, gehört schon dem Teufel an[243]). Der A. will die Weltherrschaft gewinnen[244]); er sendet 12 Jünger predigend aus[245]). Das mosaische Gesetz wird wieder gültig[246]). Die Juden fallen ihm zu[247]), und er läßt sich in Jerusalem beschneiden[248]), oder ist es schon seit dem 8. Tage seiner Geburt[249]); er wird ihr Messias[250]) und baut den Tempel wieder auf[251]). In diesem sitzt er[252]) oder er setzt sich in den Tabernakel[253]) und läßt sich anbeten[254]). Die Christen müssen Gott abschwören[255]); er wütet gegen den katholischen Glauben[256]); fängt eine Christenverfolgung an[257]); Elias und Henoch predigen umsonst[258]), doch ist auch einmal von Bekehrungen durch sie die Rede[259]). 30 Jahre predigt er wie Christus[260]), andere reden von 3 Jahren[261]), oder er lebe 3 Jahre verborgen und

3 öffentlich [262]). Seine Anhänger erhalten ein Mal an die Stirn und zwar ein N., was nego bedeutet [263]); von anderen Zeichen weiß man im MA. [264]). Dann werden die Menschen wild leben [265]); es gibt nur noch sieben oder neun Katholische [266]), die Elias unter einem Birnbaum [267]), einem Apfelbaum sammelt [268]). Auf einem Esel will er Leute übers Wasser setzen und läßt sie ertrinken [269]).

Elias wird sein Beiläufer sein [270]); oder Elias und Enoch [271]) (und Johannes) [272]), oder Moses und Elias treten gegen ihn auf und besiegen ihn [273]); Enoch predigt den Heiden, Elias den Juden [274]). Nach einer Disputation [275]), läßt er sie, — sie haben ³/₄ Jahre gewirkt [276]) — mit allen Foltern martern [277]) und erschlagen [278]). Seine letzte Freveltat wird seine Himmelfahrt sein [279]). Es heißt auch, er wolle nach 3 Jahren im feurigen Wagen auffahren [280]), oder er stirbt und fährt nach 3 Tagen auf [281]). Da erschlägt ihn Christus mit dem Hauch seines Mundes [282]), oder dem Ruf: Getötet werde der A.! [283]), oder ein Blitz [284]); unter Donner und Blitz im Schwefelregen vertilgt ihn Gott [285]). Michael [286]) oder Elias [287]) töten ihn. Es heißt auch, Elias streite mit einem Engelsheer gegen ihn [288]); der schlafende Kaiser wird auf dem Walserfeld mit ihm kämpfen [289]) oder vom Kyffhäuser zum Ölberg gegen ihn ziehen [290]). Gottes Blitz schlägt ihn in die Erde [291]), er muß zur Hölle fahren [292]); die Erde berstet und verschlingt ihn [293]). Der Blitz, der ihn bei seiner Himmelfahrt trifft, wirft ihn nieder, daß er in tausend Stücke berstet; wo ein solches Stück hinfällt, entzündet sich die Erde [294]). Oder man sagt, Elias werfe ihn ins Meer [295]). Die Erde aber wird nach seinem Sturz lauter Wasser [296]). Vierzig Tage darnach erscheint der Herr zum Gericht [297]).

Ich zitiere ausgiebig B o u s s e t *Antichrist*, der die Zeit bis Adso, P r e u ß *Die Vorstellungen vom Antichrist*, der die Scholastiker zusammenfaßt und Dionys von L ü t z e n b u r g, der die barocke Meinung über den A. spiegelt.

[165]) S c h ö n w e r t h *Oberpfalz* 3, 338; Q u i t z m a n n 203. [166]) B o u s s e t *Antichrist* 86 ff. 99 f.; B e r n h e i m *Mittelalterl. Weltanschauungen* 1, 76 f. [167]) P e u c k e r t *Schlesien* 71. [168]) P r e u ß 24; L ü t z e n b u r g 23 ff. [169]) Ebd. 91 f. [170]) S u l p i c. S e v e r u s *Vita S. Martini* c. 24. [171]) S c h ö n w e r t h *Oberpfalz* 3, 334. [172]) Ebd. 3, 338. [173]) Ebd. 338. [174]) B i r l i n g e r *Volksth.* 1, 182. [175]) M e y e r *Baden* 401. [176]) P r e u ß 24; B o u s s e t 129. [177]) P r e u ß 24. [178]) B o u s s e t 76. [178 a] Z i n g e r l e *Sagen* 1859, 260 Nr. 463; ZfdMyth. 4, 207. [178 b] Z i n g e r l e *Sagen* 1859, 406. [179]) K u o n i *St. Galler Sagen* 297 f. [180]) G r i m m *Myth.* 2, 799. [180 a] G r i m m *Sagen* Nr. 28; B e c h s t e i n *Volkssagen Österreichs* 1 (1840), 75. [180 b] S e p p *Sagen* 629. [181]) R e i s e r *Allgäu* 1, 419. [182]) Z i n g e r l e *Tirol* 227. [183]) P e u c k e r t *Schlesien* 70. [184]) B i r l i n g e r *Volksth.* 1, 181; R e i s e r *Allgäu* 1, 419. [185]) S c h ö n w e r t h *Oberpfalz* 3, 334. 335. [186]) Z i n g e r l e *Tirol* 227. [187]) Ebd. 337; A u r b a c h e r *Ein Volksbüchlein* (ed. Jos. Sarreiter) 2, 62. [188]) K u o n i *St. Galler Sagen* 306. [189]) B o u s s e t 112 ff. [190]) Q u i t z m a n n 203; V e r n a l e k e n *Alpensagen* 68, aus Salzburg; P r e u ß 15 Nr. 4. [191]) W i l h. W a c k e r n a g e l *Die altdeutschen Handschriften d. Basler Univ.-Bibl.* Rektoratsprogramm 1835, 22: Elucidarius des 14. Jhs. [192]) Z i n g e r l e *Tirol* 227. [193]) (Gossensaß) ZfVk. 6, 306. [194]) A u r b a c h e r 2, 62. [195]) S c h ö n w e r t h *Oberpfalz* 3, 335; P r e u ß 15. [196]) Ebd. 334. 338 f.; P r e u ß 15, N. 4. [197]) B i r l i n g e r *Volksth.* 1, 180. [198]) L ü t z e n b u r g 57 ff. 71 f. [199]) P e u c k e r t *Schlesien* 70. [200]) S a c k u r *Sibyll. Texte* 106; vgl. oben III. 4; L i e b r e c h t *Gervasius* 6, 68. Zeitschrift für Kirchengeschichte 20, 288 nach einem griech. Ps. Method. [202]) R e i s e r *Allgäu* 1, 419. [203]) S c h ö n w e r t h *Oberpfalz* 3, 334; P r e u ß 15 N. 4. [204]) L ü t z e n b u r g 71 f. [205]) R e i s e r *Allgäu* 1, 419; B o u s s e t 91. [206]) B o u s s e t 92; P r e u ß 15. [207]) F r a n z *Nic. de Jawer* 151 f.; P r e u ß 15 N. 4. [208]) Ebd. [209]) H e i n r i c h v. N e u s t a d t *von gotes zuokunft* ed. Strobl 1875, V. 4921 f.; vgl. R e u s c h l e a. a. O. 27; A y t i n g e r s *Ps. Method. von 1498.* [210]) S c h ö n w e r t h *Oberpfalz* 3, 338 f.; A u r b a c h e r 2, 62. [211]) V e r n a l e k e n *Alpensagen* 68 aus Salzburg = Q u i t z m a n n 203 = ZfdMyth. 4, 203; vgl. A. O l r i k *Ragnarök* 1922, 100 f. 97 ff. [212]) B o u s s e t 99. [213]) Ebd. 94 ff. [214]) S c h ö n w e r t h *Oberpfalz* 3, 339; A u r b a c h e r 2, 62; Z i n g e r l e *Sagen* 408; B o u s s e t 113; P r e u ß 16. [215]) L ü t z e n b u r g 63 entscheidet sich zwischen einem afrikan. und asiat. B. für letzteres. B. = Rom: P r e u ß 16. [216]) L ü t z e n b u r g 77; P r e u ß 15 f. [217]) B o u s s e t 88 f. 90; A. O l r i k *Ragnarök* 85; A. = Satan B o u s s e t 89 f. 91. [218]) S c h ö n w e r t h *Oberpfalz* 3, 335. [219]) Ebd. [220]) B i r l i n g e r *Volksth.* 1, 180. [221]) S c h ö n w e r t h *Oberpfalz* 3, 338; G e o r g S t e i n d o r f f *Die Apokalypse des Elias* 1899, 91. [222]) S c h ö n w e r t h 3, 335. [223]) Ebd. 335. [224]) Ebd. 335. [225]) 337. [226]) S i m r o c k *Myth.*⁵ 482; B o u s s e t 101 f.;

vgl. auch **Steindorf** *Apokalypse d. Elias*
1899, 91 f. [227]) **Wackernagel** a. a. O. 22 f.;
Lützenburg 83 f.; **Preuß** 17. [228]) Vgl.
die Literatur zum ludus de Antichristo; **Bous-**
set 77 ff. 27 ff.; **Preuß** 17. 24. Nr. 3;
Lützenburg 45 f. [229]) **Lützenburg**
113 ff.; **Preuß** 17 f.; Ztschr. f. Kirchengesch.
20, 113 ff. [230]) **Lützenburg** 113 ff.
[231]) **Peuckert** *Schlesien* 70. [232]) **Schön-**
werth *Oberpfalz* 3, 338. 339; **Aurbacher**
2, 62; **Birlinger** *Volksth.* 1, 181. [233]) **Preuß**
17. [234]) **Birlinger** *Volksth.* 1, 181.
[235]) **Preuß** 17. [236]) **Schönwerth** *Ober-*
pfalz 3, 335. 339; einzelne Wunder werden
außer der Himmelfahrt nicht genannt; vgl.
dagegen **Bousset** 115 ff.; **Preuß** 19 f.;
G. **Steindorff** *Apok. d. Elias* 1899, 89.
[237]) **Wadstein** in Zeitschrift f. wissensch.
Theologie 39, 87 f.; **Lützenburg** 84;
Preuß 24. [238]) **Lützenburg** 83.
[239]) **Schönwerth** *Oberpfalz* 3, 337. Vgl.
dazu Bibel bei **Sackur** *Sib. Texte* 108;
Preuß 18 ff.; **Anton Schönbach**
Altdeutsche Predigten 2 (1888), 13. [240]) Renner
5100 bei **Grimm** *Myth.* 2, 819; **Zingerle**
Sagen 408; **Lützenburg** 92. 102; **Preuß**
20; **Schönwerth** *Oberpfalz* 3, 339.
[241]) Ebd. 337. 339; **Zingerle** *Sagen* 408;
Preuß 202. [242]) **Peuckert** *Schlesien* 70;
Schönwerth *Oberpfalz* 3, 335. 338. [243]) Ebd.
338; **Peuckert** *Schlesien* 70. [244]) **Schön-**
werth *Oberpfalz* 2, 336; **Bousset** 126 ff.
Vgl. auch die barocken Ausführungen **Lüt-**
zenburgs. [245]) **Birlinger** *Volksth.* 1,
181; **Preuß** 18; **Bousset** 124 f.
[246]) **Lützenburg** 178. 198 f.; **Bousset**
108; **Preuß** 17. [247]) **Preuß** 17. [248]) **Preuß**
17. [249]) **Lützenburg** 77 f. [250]) **Bousset**
108 ff. [251]) **Aurbacher** 2, 63; **Preuß** 18.
Schon bei Adso, vgl. III. 4. [252]) **Bousset**
104 ff. [253]) **Zingerle** *Sagen* 1859, 408.
[254]) Ebd.; **Aurbacher** 2, 62; **Preuß** 18.
[255]) **Vernaleken** *Alpensagen* 68. [256]) **Schön-**
werth *Oberpfalz* 3, 335. [257]) **Reiser** *All-*
gäu 1, 419; **Vernaleken** *Alpensagen* 68 f.;
Zingerle *Sagen* 1859, 408; **Bousset**
139 ff.; **Preuß** 21. [258]) **Schönwerth**
Oberpfalz 3, 336; **Bousset** *Kommentar* 51.
[259]) Ebd. 337 f.; **Peuckert** *Schlesien* 70 f.;
Bousset 139. [260]) **Schönwerth** *Ober-*
pfalz 3, 337. [261]) Ebd. 338; **Aurbacher** 2,
63; [262]) (Gossensaß) ZfVk. 6, 306. [263]) **Schön-**
werth *Oberpfalz* 3, 337; **Aurbacher** 2,
63. [264]) **Bousset** 132 ff.; **Radcke** a. a.
O. 14 Nr. 6; **Schönbach** *Predigten* 2, 13;
Lützenburg 333 ff. [265]) **Preuß** 16
Nr. 7. [266]) **Schönwerth** *Oberpfalz* 3, 337.
336. [267]) Ebd. 336 = **Quitzmann** 205.
[268]) **Schönwerth** *Oberpfalz* 3, 338. [269]) (Gossensaß) ZfVk. 6, 306. [270]) **Schönwerth** 3, 338.
335. Vgl. **Zarncke** in Ber. d. kgl. sächs. Ges.
d. Wissensch. 18, 213 ff. 218. [271]) **Schön-**
werth *Oberpfalz* 3, 337. 339; **Quitzmann**
204; **Peuckert** *Schlesien* 70 f.; **Reiser**
Allgäu 1, 419; **Bousset** 134 ff.; **Schön-**

bach *Predigten* 2, 13. [272]) **Zarncke** 216 f.
(Hieronymus); **Stolle** *Kirchenväter* 133;
Olrik *Ragnarök* 358; **Bousset** 137 f.
[273]) **Zingerle** *Sagen* 1859, 408. [274]) **Preuß**
22. [275]) Ebd. 22. [276]) **Birlinger** *Volksth.*
1, 181. [277]) Ebd. [278]) Ebd; **Schönwerth**
Oberpfalz 3, 337. 339. [279]) Ebd. 336. 338; **Bir-**
linger *Volksth.* 1, 181. [280]) **Aurbacher**
2, 63. [281]) **Schönwerth** *Oberpfalz* 3, 339;
Bousset 152; **Preuß** 20. 23; **Lützen-**
burg 372 ff. Vgl. auch **Bousset** 95 ff.
[282]) **Bousset** 149. Vgl. ZfdA. 52, 273 (nd.
Apokalypse). [283]) **Preuß** 23. [284]) **Schön-**
werth *Oberpfalz* 3, 336. 337; **Quitz-**
mann 204; **Birlinger** *Volksth.* 1, 181.
[285]) **Schönwerth** *Oberpfalz* 3, 339; **Lüt-**
zenburg 379. [286]) **Schönwerth** *Ober-*
pfalz 3, 338. 339; **Quitzmann** 204; **Aur-**
bacher 2, 63; **Bousset** 150 ff. 175;
Preuß 23. [28] **Quitzmann** 204; Elias
u. Enoch: G. **Steindorff** *Apok. d. Elias*
1899, 105. [288]) **Vernaleken** *Alpensagen*
68 f.; vgl. G. **Steindorff** *Apok. d. Elias*
1899, 97 ff. [289]) **Grimm** *Sagen* Nr. 28; **Sim-**
rock *Mythologie* [5] 148. [290]) E. H. **Meyer**
Mythologie der Germanen 1903, 63 (382);
vgl. **Bousset** 153. [291]) **Birlinger**
Volksth. 1, 181. [292]) **Reiser** *Allgäu* 1, 419;
G. **Steindorff** *Apok. d. Elias* 1899, 105.
[293]) **Aurbacher** 2, 63; **Lützenburg**
377. 379. [294]) **Schönwerth** *Oberpfalz* 3,
386; **Quitzmann** 203; **Birlinger**
Volksth. 1, 181. Vgl. **Bousset** 159 ff.
[295]) **Vernaleken** *Alpensagen* 68 f. aus
Salzburg. [296]) **Schönwerth** *Oberpfalz* 3,
337. [297]) **Preuß** 23.   Peuckert.

Antimon. Im Altertum wurde das Antimonium als Schminke und in Form von
Pulver oder Schmalz bei Flüssen, Geschwüren, Wunden usw. verwendet [1]).

Bis zum 15. Jh. verstand man unter
Stibium, Antimonium, Spießglas immer
die natürlich vorkommende dunkle
Schwefelverbindung des A.s, die zu
äußerlichen Zwecken, namentlich gegen
Fisteln, Krebs, Blutungen, Augentriefen,
in der Heilkunst verwendet wurde. Das
metallische A. fand im 17. und 18. Jh.
medizinische Verwendung. In den Klöstern dienten aus diesem Metall hergestellte Becher dem löblichen Zwecke,
Mönchen, die dem Bacchus zu sehr ergeben waren, den Geschmack zu verleiden
und ihnen Widerwillen gegen jedes Trinken zu erzeugen. Von A.metall waren
auch die „ewigen Pillen" unserer Vorfahren, die als teure Familienerbstücke
sich auf ganze Geschlechter vererbten;
denn „wenn sie gleich hundertmal ein-

genommen und wieder ausgegeben, würden sie doch alle Zeit purgieren und man große Not haben zu merken, daß sie etwas verringert werden" [2]).

[1]) P a u l y - W i s s o w a 1, 2436 f.; P l i n i u s 33 § 100 f. [2]) P e t e r s *Pharmazeutik* 2, 121 f. und 1, 208; L o n i c e r 55; vgl. Bresl. Samml. Regb. 514 und 308.
Zur weiteren Verwendung des A.s in der älteren Volksmedizin vgl. F l ü g e l *Volksmedizin* 16; S c h w e n k f e l t *Catalogus* 1, 393; K r ä u t e r m a n n 97 ff.   Olbrich.

Antipathie s. S y m p a t h i e.

Antlaß s. G r ü n d o n n e r s t a g.

Anton s. Z w e r g.

Antoniterkreuz oder Antoniuskreuz wird die Thauform des Kreuzes (T, crux commissa) genannt, weil sie nach einer späten Überlieferung auf den ägyptischen Einsiedler Antonius zurückgeht, der mit diesem Zeichen die Dämonen vertrieben, die Götzen gestürzt und die Pest bekämpft haben soll [1]). Er habe es auf seinem Mantel und an seinem Stab getragen, eine Tracht, die in Wirklichkeit auf die Antonierherren des MA.s zurückgeht, einen Orden, dessen Geschichte mit dem Wüten einer Epidemie, des Antoniusfeuers (morbus sacer), zusammenhängt [2]). Daher soll das A. gegen Pest und ähnliche Krankheiten schützen [3]). Man hat es auch mit dem sogenannten Henkelkreuz, daher ägyptisches Kreuz [4]), und mit dem Thorshammer [5]) in Verbindung gebracht. Vgl. auch u. Thau (nicht Tau).

[1]) Z ö c k l e r *Das Kreuz Christi* (1875), 76; H e r z o g *RE.* 8 (1857), 61; B e r g n e r *Grundr. d. kirchl. Kunstaltertümer* (1910), 338. 345; H a u c k *RE.* 11, 96. [2]) H a u c k *RE.* 1, 606; F r a n z *Benediktionen* 1, 214; 2, 131. [3]) Vgl. HessBl. 11, 49 ff.; ARw. 13, 81; E l w o r t h y *Evil Eye* 278; Folklore 21, 60 ff. S t o r f e r *Jungfr. Mutterschaft* 158. [4]) D o r n s e i f f *Alphabet* 109. [5]) Urquell 2 (1891), 4.
                             Jacoby.

Antonius, der E i n s i e d l e r, auch der A b t genannt, lebte in der thebaischen Wüste und starb angeblich 356 in seinem 105. Lebensjahre. Sein Tag ist der 17. J a n u a r.

1. In Neapel und Sizilien ist er Beschützer gegen F e u e r s n o t und Hüter des H e r d f e u e r s [1]). Als A n t o n i u s f e u e r (s. d.) (St. Antons

Plag, Pein, Rache) werden im MA. Karbunkel, Lupus, Rose, Pestbeulen usw. bezeichnet [2]). Im Jahre 1090 sollen durch die Reliquien des Heiligen in Frankreich viele Menschen von der R o s e geheilt worden sein [3]). In Graveson (Rhonemündung) tauchte man am 27. April seine Statue dreimal in einen Bach, um gute Ernte, Schutz vor epidemischen Krankheiten und gefahrlose Entbindungen zu erzielen [4]). A. war auch P e s t p a t r o n, und es wurden ihm seit der großen Seuche von 1348 oft Armen- und Krankenhäuser, Pesthäuser und Kapellen geweiht [5]).

[1]) T r e d e *Heidentum* 3, 98. 105. [2]) H ö f l e r *Krankheitsnamen* 134. 472. 488; R e i n s b e r g *Böhmen* 22. [3]) N o r k *Festkal.* 95; HmtblRE. 2, 125. [4]) S é b i l l o t *Folk-Lore* 2, 378. [5]) A n d r e e - E y s n *Volkskundl.* 66; HmtblRE. 2, 119 ff.

2. In Italien ist St. Antonio Schutzpatron der H a u s t i e r e [6]). An seinem Festtage werden diese an seinen Kirchen mit Weihwasser besprengt und gesegnet; das soll sie gegen bösen Blick schützen und das ganze Jahr vor Unglück bewahren [7]). In Frankreich läßt man in der Messe Hafer segnen und gibt ihn dem Vieh, den Schweinen und den Hühnern [8]). Auch in Süddeutschland schützt A. vor Viehkrankheiten [9]). Im Kt. Tessin werden an seinem Tage die P f e r d e gesegnet [10]).

Die F i s c h p r e d i g t wird ihm, aber auch dem hl. A. von Padua zugeschrieben [11]). In einigen Sagen wird er mit wunderbaren F i s c h e n in Beziehung gebracht [12]).

[6]) T r e d e *Heidentum* 3, 98 ff.; M e n z e l *Symbolik* 1, 69. [7]) T r e d e 3, 102 ff. 108. 400; A n d r e e *Votive* 36; N o r k *Festkalender* 98 f.; M e y e r *Abergl.* 191; R o c h h o l z *Naturmythen* 23 (Madrid). [8]) S é b i l l o t *Folk-Lore* 3, 490. [9]) Z i n g e r l e *Tirol* 130 (1153); ZfVk. 8, 400; M e y e r *Baden* 169. 409. [10]) H o f f m a n n - K r a y e r 123. [11]) N o r k *Festkal.* 96. [12]) ZfrwVk. 3, 298.

3. Vor allem nimmt sich A. der S c h w e i n e an, und seinen B i l d e r n ist häufig das Schwein beigegeben [13]). Man hat darin u. a. einen Hinweis auf die Dämonen gesehen, die dem Heiligen so grimmig zu schaffen machten. Aber das Schwein schmiegt sich ihm meist

freundlich an. Es wird daher auf seine nahen Beziehungen zu Ackerbau und Viehzucht hinweisen. Die Mönche in den Klöstern und Kirchen des A. waren hervorragende Schweinezüchter [14]). An manchen Orten wurde das „T ö n l -
s c h w e i n" auf Gemeindekosten gehalten und lief mit einem Glöckchen am Halse frei in Stadt und Dorf herum. Zu Weihnachten oder Silvester wurde es, mit dem gegen Bräune und Bezauberung schützenden Efeu bekränzt, zum Schlachter geführt, sein Fleisch zur Weihe in die Kirche gebracht und dann an die Armen verschenkt [15]). — Wie der Heilige in Italien Antonio del porco genannt wird — die Esten haben Tônn gar zum Schweinegott gemacht [16]) —, so heißt er im westfälischen Münsterlande Swiene-Tüns, im Kr. Arnsberg Fickelntüenes [17]), in Tirol Fackentoni [18]), in der Schweiz Säu-Antoni [19]), in Baden Su-Antoni [20]). Er ist Patron der S c h w e i n e h i r t e n , der M e t z g e r [21]) und der B ü r s t e n -
m a c h e r . Man nennt die am 17. Jan. geschlachteten Schweine A n t o n i u s -
s c h w e i n e und opfert Fleisch von ihnen, Halbköpfe, Rückenstücke und Schinken am Altare des Heiligen [22]).

In Herdringen (Kr. Arnsberg) verzehrte an diesem Tage jede Familie ein H u h n[23]). In der Umgegend von Liesborn redete man von S o a p - T ü n s wegen des Frühschoppens, mit dem man den halben Feiertag beging [24]).

[13]) HmtblRE. 2, 119 ff.; HessBl. 15, 33. [14]) Volkskunde 14, 195 f.; T r e d e Heident. 3, 101. [15]) HmtblRE. 2, 122. 123. [16]) E i s e n -
E r k e s 149. [17]) HmtblRE. 2, 124. [18]) A n -
d r e e Votive 35. [19]) H o f f m a n n - K r a y e r 123. [20]) M e y e r Baden 409. [21]) Nach W o l f Beitr. 2, 86 soll das ein anderer Antonius sein. [22]) S a r t o r i Sitte und Brauch 3, 28 A. 12. [23]) ZfrwVk. 17, 49. [24]) HmtblRE. 2, 124. 311.

4. Auf St. A.tag wird B r o t gesegnet; es schimmelt nicht, ist heilkräftig, auch gut auf das Flachsfeld zu legen [25]) und wehrt von den Haustieren Unheil ab [26]). Heute besagt die Inschrift „für St. A.-
brot" an Opferstöcken in Kirchen und Klöstern vielfach nur noch, daß von den Gaben Lebensmittel für Arme angekauft werden [27]).

[25]) K u h n Westfalen 2, 111 (332); J a h n Opfergebr. 75. 196. [26]) H ö f l e r Fastnacht 10 f.; A n d r e e Votive 36 f. [27]) HessBl. 8, 69.

5. W e t t e r - u . B a u e r n r e g e l n : Am Niederrhein sagt man: „Zint Tüenes mäckt Is, off hä breckt öt" [28]). Die Esten halten seinen Tag für W i n t e r s m i t t e , und früher gingen viele abends in die Schenken, um „des Winters Rückgrat zu zerbrechen" [29]). Wenn der Schlern, ein Berg bei Kastelruth, eine Nebelkappe hat, wird das H e i d e k r a u t gedeihen [30]). Ein Spruch warnt für den A.tag vor A d e r l a s s e n , das tot oder blind mache [31]).

[28]) HmtblRE. 2, 126. [29]) B o e c l e r Ehsten 75. [30]) Z i n g e r l e Tirol 130 (1154). [31]) ZföVk. 9, 234.

6. Im östl. Allgäu wird A. als Patron gegen W a n z e n angerufen und heißt davon „Wanzentone". Man soll am 17. Januar kein Zimmer auskehren, damit man keine Wanzen kriege [32]).

[32]) R e i s e r Allgäu 2, 41.   Sartori.

Antonius von Padua, hl., geb. in Lissabon 1195, gest. in Padua am 13. Juni 1231. Er war ein Franziskaner von solcher Heiligkeit, daß er das Christuskind auf dem Arme tragen durfte.

1. Sein Festtag gilt in Italien als Beginn der S o m m e r z e i t , und die Frauen und Mädchen in Neapel legen die schneeweiße Jacke an [1]). Im Gegensatze zu ihm wird A., der Abt in Baden, „Winterantoni" genannt [2]). Weil er Portugiese war, verehren ihn besonders die portugiesischen S e e l e u t e , binden und bedrohen aber auch sein Bild, damit er ihnen guten Wind gebe [3]). In der Bretagne glauben die Matrosen, wenn Windstille eintritt, der Heilige (Patron des Windes) sei eingeschlafen, schimpfen auf ihn und pfeifen aus Leibeskräften [4]).

[1]) T r e d e Heidentum 1, 191. [2]) M e y e r Baden 409. [3]) ZfVk. 35/36, 156 f. [4]) S é b i l -
l o t Folk-Lore 1, 103.

2. Das B i l d des Heiligen wird als beständiger Begleiter und Schützer in der Tasche getragen und bei Nacht unters Kopfkissen gelegt [5]). Ein solches Bildchen, das später viele Wunder tat, gruben einst die Schweine von Oberachern aus [6]).

[5]) S t o l l *Zaubergl.* 60; S e l i g m a n n *Blick* 2, 327. [6]) B a a d e r *NSagen* 54 f.

3. Um V e r l o r e n e s oder G e - s t o h l e n e s w i e d e r z u e r - h a l t e n , wallfahrtet oder betet man zu A.[7]). In der Kirche zu Lauterbach läutet man die G l o c k e , um den Heiligen aufmerksam zu machen [8]). Selbst M ö r - d e r ausfindig zu machen, mutet man ihm zu [9]). In Schlesien heißt es, wenn man trotz eifrigen Suchens etwas n i c h t f i n d e n kann, der Teufel halte seinen Schwanz darüber. Drei Vaterunser zum hl. A. vertreiben ihn [10]). — Wie auch sonst nicht selten, wird A. von Padua mit dem Einsiedler verwechselt und auch diesem die Fähigkeit, Verlorenes, namentlich verlaufene Gänse und Hühner wiederzu- finden, zugeschrieben [11]).

[7]) A n d r e e - E y s n *Volkskundl.* 17; M e y e r *Baden* 531. 567; S t o l l *Zaubergl.* 61 f.; SchwVk. 10, 38; Z i n g e r l e *Tirol* 157 (1341). In Frankreich: ZfVk. 24, 140. 151. In Italien: T r e d e *Heident.* 1, 128. Ein Beispiel persönlichen Eingreifens des Heiligen: R e i s e r *Allgäu* 1, 437. [8]) A n d r e e - E y s n *Volksk.* 17. [9]) HmtblRE. 2, 82. [10]) D r e c h s l e r 2, 124. [11]) M e y e r *Baden* 409. 410.

4. Auch den v e r l o r e n e n G e - l i e b t e n schafft A. wieder [12]). Den Mädchen beschert er einen M a n n [13]). Zum Antonibrunnen gehen die Mädchen, um sich einen B r ä u t i g a m zu er- bitten und auch um V e r l o r e n e s wiederzufinden [14]). Die Frauen bitten A. um K i n d e r s e g e n [15]).

[12]) SAVk. 2, 282. [13]) M e y e r *Baden* 169; P o l l i n g e r *Landshut* 248; A n d r e e *Vo- tive* 12; Z i n g e r l e *Tirol* 157 (1342); ZfVk. 17, 102 (Böhmerwald); T r e d e *Hei- dentum* 3, 48. [14]) H ö f l e r *Waldkult* 86. [15]) ZfVk. 4, 199 A. 3 (Tirol).

5. Sein Tag ist in Bayern beliebt zur L e i n s a a t[16]). Der A n t o n i - F l a c h s gilt als der beste [17]).

[16]) L e o p r e c h t i n g *Lechrain* 181. [17]) ZföVk. 5,196.   Sartori.

Antoniusfeuer. Der ignis sacer der Römer, die Gesichtsrose, der im MA. unter gefährlichen Symptomen auftre- tende Ergotismus gangraenosus, wurde „A.", Antoniplage, Antoniraach (Rache), engl. Anthony's fire genannt. Im Feld- arzneibuch von Gersdorf (1517) betet ein Mann, dessen rechter Fuß abgefallen und dessen Hand angeschwollen und verun- staltet ist:

„O heiliger Antoni groß,
Erwirb uns Gnad' ohn' Unterloß.
Ablaß der Sünden, Gottes Huld und Gunst,
Behüt uns vor deiner schweren Brunst" [1]).

Zur Pflege derer, welche am A. er- krankt waren, wurde 1095 in Südfrank- reich ein Orden des hl. Antonius (Anto- niter) gestiftet, welcher ein T als Ordens- abzeichen trug; er besaß angeblich ein Geheimmittel gegen das hl. Feuer [2]) (s. Antoniterkreuz). Die Übertragung des lateinischen Namens auf den Heiligen ist schon im 12. Jh. nachweisbar; damals schon half Wasser, in das man Reliquien des Heiligen getaucht hatte, wider das Leiden [3]). In Schlesien vergeht das Lei- den, wenn an einer männlichen Person eine weibliche (u. umgekehrt) mit einem Feuerstahl dreimal Funken auf den lei- denden Teil schlägt [4]).

[1]) ZdVfVk. 1 (1891), 297. [2]) B e i s s e l *Hei- ligenverehrung* 2, 81; L a m m e r t 5. [3]) H ö f - l e r *Krankheitsn.* 134. [4]) D r e c h s l e r *Schle- sien* 2, 292; H o v o r k a - K r o n f e l d 2, 736 (Milzbrandrotlauf), dagegen Epilobium angusti- folium (Unholdenkraut).   Stemplinger.

Antoniussegen. Die alte Antiphon „Ecce crucem etc." (s. d.) wurde auch als „Segen des hl. Antonius von Padua" bezeichnet und zum Schutz gegen böse Geister gebraucht [1]); ein Zachariaskreuz (s. d.) zeigt das Bild des A. mit der Antiphon [2]). Die Kirche hat den aber- gläubischen Brauch des Spruchs zensu- riert [3]). Diese Verwendung der Worte geht zurück auf eine Erzählung in den Miracula des Hl. [4]), nach der er einer Besessenen im Schlaf einen Zettel mit der Antiphon um den Hals hängte und sie so heilte. Auch im Schatzzauber wird Antonius von Padua zum Bannen der bösen Geister, die den Schatz hüten, angerufen [5]).

[1]) S t o i b e r *Armamentarium ecclesiasticum* 1 (1726), 270; B e h r i n g e r *Die Ablässe, ihr Wesen und Gebrauch* (1900), 126; N i s a r d *Histoire des livres populaires* 2 (1864), 55; A b r a h a m a. S. C l a r a *Iudas der Ertz- Schelm* 2 (M. Haan, Salzburg 1689), 259 ff.; in einer „Oratio contra omnes tum malefico- rum, tum Daemonum incursus", approbiert

von Fr. Bartholomaeus Rocca, die auch als fliegendes Blatt im 17. Jhdt. gedruckt und verbreitet wurde (Exempl. in meinem Besitz). [2]) Deutsches Archiv f. Gesch. d. Medizin u. med. Geographie hrsg. von H. Rohlfs (1885), 467. [3]) Acta S. Sedis 31 (1898), 742 decret. de indulg. apocr. fol. IX. [4]) Acta Sanct. Boll. Juni 2, 736. [5]) WürttVjh. 13 (1890), 249 Nr. 375.

Jacoby.

antun s. v e r h e x e n.

Antwort, antworten. „Wenn eine Hexe einen um etwas fraget, soll man nicht mit Ja antworten, sonst kann sie durch ihre Zauberey einem etwas nehmen" [1]). Wer auf die Fragen (s. d.) der Mittagsfrau (s. d.) nicht zu antworten weiß, wird von ihr getötet [2]).

S. w. G e i s t, M i t t a g s f r a u, r e d e n, s c h w e i g e n.

[1]) Rockenphilosophie 78 Nr. 60 = G r i m m *Myth.* 3, 436 Nr. 59 (der den Aberglauben jedoch nur unvollständig wiedergibt); 2, 923. [2]) M e i c h e *Sagen* 354 Nr. 463.

Bächtold-Stäubli.

Anula, Zauberwort in einer Fieberbeschwörung: A. Sinula. Adea [1]) (10. Jh.); Bedeutung? Die Vermutung von Franz, A. hänge vielleicht mit Ani El = „Ich bin Gott" zusammen, ist nicht wahrscheinlich.

[1]) F r a n z *Benediktionen* 2, 481. Jacoby.

Anwaht. Im Alemannischen heißt ein plötzlich auftretendes Kopfweh A., das man einem dämonischen Anblasen, Anhauchen (von anwehen) zuschrieb, so schon Paracelsus [1]); in einem Blaubeurer Zauberspruch heißt es geradezu „das wilde Geschoß Anwart" [2]), und Paracelsus stellt „Drachenschuß" (Hexenschuß) und A. nebeneinander; bei dieser Krankheit wird das Vermessen (s. d.) mit Vorliebe angewendet.

[1]) *opera* 2 (1616), 19. [2]) H ö h n *Volksheilk.* I, 121; F i s c h e r *SchwäbWb.* I, 284.

Stemplinger.

anwünschen s. v e r h e x e n.

Anzeichen s. V o r z e i c h e n.

Aper, hl., im Martyr. Rom. Aprus, Bischof von Toul in Lothringen, gest. zu Anfang des 6. Jh.s, Fest 15. Sept.[1]) Schutzpatron der Schweinehirten, wohl auf Grund einer realistischen Erklärung

seines Namens. Eine von einem Fischbacher Bürger kurz nach 1477 gestiftete Kapelle wird noch jetzt vom Volk besucht, wenn ansteckende Krankheiten unter den Schweinen herrschen [2]).

[1]) S a m s o n *Die Heiligen als Kirchenpatrone* 130. [2]) SAVk. 2, 282. Wrede.

Apfel(baum) (Pirus malus).

1. Vorgeschichtliches. — 2. Gedeihen des A.-baumes. — 3. Der A.(baum) in der Fruchtbarkeitssymbolik, a) in der Antike, b) im deutschen Volksglauben, c) in Hochzeitsbräuchen, d) der A.(baum) als Liebessymbol, e) der A.(baum) als Liebesorakel. — 4. Der A.baum als „Lebensbaum". — 5. Der A.(baum) in der Sage a) an Weihnachten blühende A.bäume, b) der A.baum als unheimlicher Baum. — 6. Der A. in der Volksmedizin.

1. V o r g e s c h i c h t l i c h e s. Während die meisten heutzutage in Deutschland gezogenen Obstsorten erst durch die Römer bei uns bekannt wurden, läßt sich die Kultur des A.baumes in Mittel- und Nordeuropa bis in die S t e i n z e i t verfolgen. Dagegen dürften die zahlreichen heute kultivierten A.sorten nicht von dem A. der Pfahlbauern abstammen, sondern wie die anderen Obstsorten durch die Römer nach Deutschland gekommen sein [1]). Das hohe Alter des A.baumes als Fruchtspender erklärt auch den zahlreichen Aberglauben, der sich an Baum und Frucht knüpft.

[1]) H o o p s *Reallex.* I, 112 ff.

2. G e d e i h e n des A.baumes. Damit die A.bäume gut tragen, müssen sie am Karsamstag beim Glorialäuten [2]) oder am 25. März vor Sonnenaufgang [3]) geschüttelt werden. Der A.baum wird mit einem Stock geschlagen [4]) oder an Silvester während des Glockenläutens mit Stroh umwunden [5]). Wenn man den Kadaver eines jungen Schafes in den A.baum hängt, dann trägt er besser [6]). Bei der A.-ernte muß man ein oder zwei Ä. am Baum hängen lassen (Opfer an den Baumgeist)[7]). Trägt ein A.baum zum erstenmal, so darf man die Ä. nicht pflücken, sondern muß sie abfallen lassen, sonst trägt der Baum nie wieder [8]). Die Früchte eines zum erstenmal tragenden A.baumes muß man (auch wenn es nur e i n A. ist) in einem großen Korb nach Hause tragen [9]). Die

Kerne der anWeihnachten verspeisten Ä.,
in den Garten gepflanzt, geben das beste
Obst und bedürfen keiner Veredelung [10]).
Vgl. auch Baum, Obstbaum.

[2]) Oberbayern: N i e d e r m a i e r *Glonn*
1909, 162. [3]) F o g e l *Pennsylvania* 211.
[4]) M a n n h a r d t 1, 276. [5]) ZfdMda. 1918,
135; F o g e l *Pennsylvania* 209; vgl. auch
R o l l a n d *Flore pop.* 5, 79. [6]) F o g e l *Pennsylvania* 210. [7]) DbotMonatschr. 4, 44; Urquell
1, 50; H ü s e r *Beiträge* 2, 26; H a a s *Rügen*
1891; B e c k e r *Pfalz* 247; vgl. S a r t o r i 3,
121. [8]) DbotMonatschr. 4, 44. [9]) Niederbayern (Originalmitt.). [10]) M o n t a n u s *Vorzeit* 1 (1870), 240; S c h e l l *Berg. Volkskde* 107;
L e e b *Sagen Niederösterr.* 1892, 70.

3. D e r A. a l s F r u c h t b a r -
k e i t s s y m b o l.

a) In der A n t i k e spielt der A. (ebenso
wie die a.ähnliche Quitte) eine bedeutsame Rolle in der Fruchtbarkeitssymbolik [11]). Ä. waren Attribute der Demeter
und besonders (wie Quitte und Granat-
a.) der Aphrodite. Die goldenen „Ä."
der Hesperiden, die Gaia als Hochzeitsgeschenk für Hera hatte aufsprießen lassen, sind wohl als Quitten zu deuten [12]).

b) Auch die nordische Sage (Edda) von
den goldenen Ä.n der Idun und den
elf Goldä.n, mit denen Freyr um Gerd
wirbt, zeigt deutliche Beziehung zur
Fruchtbarkeitssymbolik [13]). Die Motive
sind möglicherweise den antiken Hespe-
ridenä.n und dem biblischen Lebensbaum nachgebildet [14]). Wölsungs Zeugung wird durch einen A. vermittelt [15]).
In Märchen und Sagen verleiht der Genuß eines A.s die (ersehnte) Fruchtbarkeit [16]). Bei den Kirgisen wälzen sich
unfruchtbare Frauen unter einem einzel-
stehenden A.baum, um Nachkommen zu
erhalten [17]). Auch im deutschen Volksglauben steht der A. häufig in Beziehung
zur Fruchtbarkeitssymbolik. „Sie hat
des A.s Kunde nit", heißt es von einem
Mädchen, das noch nichts vom geschlechtlichen Umgang weiß [18]). Gibt es
in einem Jahre viel Ä., so gibt es im nächsten Jahre viele Buben [19]). Eine Jungfrau
soll keinen Doppela. essen, sonst bekommt
sie Zwillinge [20]), ein Glaube, der sich auch
sonst an den Genuß von Doppelfrüchten
durch eine Frau findet. Im besonderen
symbolisiert der A. das w e i b l i c h e

Geschlecht (vgl. dagegen unter 6.).
Vergräbt man die Nachgeburt einer
Wöchnerin unter einem A.baum, so be-
kommt sie das nächste Mal ein Mädchen,
vergräbt man die Nachgeburt unter einen
Birnbaum, so kriegt sie einen Buben [21]).
Noch häufiger gilt dieser Glaube von der
kalbenden Kuh: vergräbt man deren
Nachgeburt unter einem A.baum, so gibt
es das nächste Mal ein Kuhkalb [22]).

c) Entsprechend seiner Bedeutung als
Fruchtbarkeitssymbol erscheint der A.
bei allen indogermanischen Völkern in
H o c h z e i t s b r ä u c h e n [23]). Hieher
gehört der Wettlauf nach dem „Braut-
a.", einem mit Geld gespickten A. [24]).
Die B r a u t läßt hinter dem Altar zwischen ihrem Leib und Gürtel einen A.
hinabgleiten zur Erleichterung der künftigen Entbindung [25]). Der Tänzer auf der
Hochzeit überreicht seiner Tänzerin einen
Krug Bier und bekommt dafür einen A.[26]).
In Siebenbürgen winkt der Brautführer
der Braut in der Kirche mit einem roten
A. (oder einer Pomeranze) [27]). Aus den
Figuren, welche die Schalen des beim
Hochzeitsmahle von den Brautleuten
und dem Brautführer geschälten A.s bilden, wird geweissagt [28]). Bei den Südslaven tritt die A. in verschiedenen Hochzeitsbräuchen immer wieder hervor [29]). In
Frankreich bestand zur Zeit der Renais-
sance der Brauch, daß der Bewerber seiner
Auserwählten einen A. überreichte, den
sie verzehren mußte [30]).

d) Als L i e b e s s y m b o l tritt der A.
vielfach auf. Schon in der Antike galt das
Zuwerfen eines A.s als Liebeszeichen [31]).
Um auf zauberische Weise die L i e b e
einer Person des anderen Geschlechtes zu
e r w e r b e n, werden geheimnisvolle
Buchstaben auf einen A. geschrieben, und
dieser wird der betr. Person zu essen gegeben [32]), oder es wird in einen A. ein
Papier, auf das mit Blut der eigene und
der geliebten Person Name geschrieben
ist, gesteckt und der A. unter das Kopfkissen des Mädchens gelegt [33]). Anscheinend aus der italienischen Novellen-
literatur stammt die schon von P a u l i
in „Schimpf und Ernst" [34]) gebrachte Erzählung von einem „Liebesapfel", der, für

ein Mädchen bestimmt, von diesem einem Schwein gegeben wurde, das dann den Hersteller des A.s unablässig verfolgte[35]). Mit einem A., der unter der Achsel[36]) oder auf den Genitalien[37]) gelegen war und tüchtig durchschwitzt wurde, kann man die Liebe eines Mädchens erwerben. Andrerseits wird auch umgekehrt behauptet, daß dieses Mittel die Liebe auseinanderreiße[38]). Im slavischen Liebeszauber wird dem Mädchen ein A., der ein Stück Fledermausherz enthält, am Sonntag im Neumond zu essen gegeben[39]). A.-kerne, zu Staub gebrannt und mit dem Menstruationsblut vermischt, einem Jüngling in die Speise gemengt, soll ihn zu toller Liebe treiben[40]). Beim sog. „Goldapfeln" in der Christnacht wird ein A. auf die Erde geworfen und nach Abbeten eines Vaterunsers mit dem linken Fuß rückwärts in den nächsten Bach geschleudert. Um 12 Uhr begibt man sich an jene Stelle und sucht den A., muß aber um 1 Uhr wieder unter der Dachtraufe seines Hauses sein, sonst kann man nie wieder trinkbares Wasser aus dem Bache schöpfen. Hat man den A. glücklich gefunden, so wird er mit Salz und Brot an einen verborgenen Ort gelegt, wo er am anderen Morgen als ein goldener A. gefunden wird. Er ist aber so klein wie ein Stecknadelkopf geworden. Trägt ein Mädchen diesen „Goldapfel" im Haar, so werden ihm alle Burschen geneigt[41]).

e) Im besonderen bedient man sich des A.s im L i e b e s o r a k e l. Allgemein durch Deutschland ist der Brauch verbreitet, am Andreasabend[42]), an Weihnachten[43]), an Silvester[44]) oder Neujahr[45]) einen A. so zu schälen, daß die Schale nicht abreißt, und diese dann über die Schulter nach rückwärts zu werfen. Aus der Figur der am Boden liegenden Schale kann man den Anfangsbuchstaben des „Zukünftigen" herauslesen. Häufig wird auch keine besondere Zeit für die Anstellung dieses Orakels angegeben[46]). Das geschilderte Orakel ist auch in Ungarn[47]), Frankreich[48]), England[49]) und in den Vereinigten Staaten von Amerika[50]) bekannt. A. k e r n e werden an einer Nadel über eine Flamme gehal-

ten. Wenn sie in der Hitze mit Geknister platzen, so geht der Wunsch, den man sich dabei denkt, in Erfüllung[51]); Mädchen finden auf diese Weise, welcher von mehreren Freiern der Gatte wird[52]). Oder es wird ein A.kern (meist mit Hersagung eines Spruches) zwischen Daumen und Zeigefinger fortgeschnellt; wohin er springt, daher kommt der Zukünftige[53]). Dieses in ganz ähnlicher Weise bereits in der Antike[54]) geübte Orakel wird auch aus Frankreich[55]) und England[56]) berichtet. Der Zukünftige erscheint, wenn man sich in der Thomasnacht nackt ins Bett legt, dreimal in einen erbettelten A. b e i ß t und mit einem Spruch ähnlich wie beim „Bettstatt-Treten" den Zukünftigen herbeibeschwört[57]). Oder man legt am Andreasabend einen (angebissenen) A. unter das Kopfkissen, dann erscheint der Zukünftige im Traum[58]). In England wird dieses Orakel an Allerheiligen angestellt[59]). Man beschreibt drei Ä. mit Namen und legt sie am Andreasabend unter das Kopfkissen. Erwacht das Mädchen nachts, so ergreift es einen A. und i ß t ihn. Derjenige, dessen Name auf dem verzehrten A. steht, heiratet das Mädchen[60]). Das Mädchen schneidet am Christabend einen A., der aber nicht mit der bloßen Hand berührt werden darf, nachdem es ein Vaterunser vor- und rückwärts gebetet, mit dem Messerrücken entzwei und spricht dabei: „In zwoa Deil schnaid' i' dih — Zaig ma's Lieb, i bid schen dih!" Die linke Hälfte des A.s wird hinter die Tür gelegt, die rechte im Mieder verborgen. Sieht man nun um 12 Uhr Mitternachts hinter die Tür, so kann man sein Lieb sehen[61]). Häufig wird ein Weihnachts-A. vom Mädchen u n t e r d e r H a u s t ü r[62]) am ersten Weihnachtsfeiertag oder am Neujahrstag[63]) verzehrt; der erste Mann, der dann vorbeigeht, zeigt den Vornamen oder den Stand des Zukünftigen an oder ist dieser selbst[64]). In der Silvesternacht stellt das Mädchen auf den Tisch vor dem Bett eine Schüssel mit Wasser, legt Seife, Handtuch und einen A. dazu und spricht: „A., A., sag mir, wer einst mein Gatte wird sein", dann kommt der Zukünftige und wäscht sich [65]). Das Mädchen drückt so viele A.kerne an die Stirne als sie Verehrer hat. Derjenige ist der treueste, dessen Namen durch den am längsten haftenden Kern bezeichnet wird. So viele Kerne das Mädchen beim Verteilen eines A.s durchschneidet, so viele Verehrer hat es [66]). Ab und zu erscheint auch der A.-baum im Liebesorakel. In den Rauhnächten werfen die Mädchen einen Schuh dreimal über einen A.baum; woher dann ein Hund bellt, daher kommt der Zukünftige [67]). Oder es wird ein Stecken auf einen (Birn- oder) A.baum geworfen, bleibt er das drittemal hängen, so wird aus der Liebschaft eine Hochzeit [68]). In der Thomasnacht laufen die Mädchen mit A.schalen ins Freie und werfen sie auf den Weg. Woher dann ein Hund bellt, kommt im nächsten Jahre der Mann für sie [69]).

[11]) Vgl. auch E. G a l t i e r *La pomme et la fécondité*. In: RTrp. 14, 65—71. [12]) M u r r *Pflanzenwelt* 1890, 55 ff.; P a u l y - W i s - s o w a 1, 2, 2700 ff.; H e h n *Kulturpflanz.*⁶ 241 ff.; vgl. auch S c h r o e d e r *Ar. Relig.* 2, 25; B. O. F o s t e r *The Symbolisme of the apple in classical Antiquity*. In: Harvard Studies in classical philology 10 (1899); J. Rendel H a r r i s *Origin and meaning of Apple Cults*. Manchester 1919; A. G. D r u r y *Legends of the Apple*. Cincinnati 1904, 52 p. [13]) Vgl. v. d. L e y e n *Sagenbuch* 1, 200. [14]) H o o p s *Reallex.* 1, 115. [15]). S i m r o c k *Mythologie*⁴ 175. [16]) v. d. L e y e n *Märchen* 94; H a r t l a n d *Paternity* 1, 36. 40. 60. 113. 134. [17]) F r a z e r 2, 57. [18]) W a n d e r *Sprichwörterlex.* 1 (1863), 109. [19]) Egerl. 10, 132; s. Hasel. [20]) K n o o p *Pflanzenwelt* 11, 54. [21]) M e i e r *Schwaben* 475. [22]) K u h n *Märk. Sagen* 379; ZfVk. 8, 44 (Tirol); BayHfte. 6, 205; E b e r h a r d t *Landwirtschaft* 214; W i r t h *Tiere* 6. [23]) Vgl. auch E i s l e r *Weltenmantel* 2, 776. [24]) H ü s e r *Beiträge* 1893, 6; B a h l m a n n *Münsterländische Märchen* 1898, 279; S a r t o r i *Westfalen* 98; vgl. auch F e h r l e *Volksfeste* 99; K n o o p *Pflanzenwelt* 11, 54. [25]) D r e c h s l e r *Schlesien* 1, 262; ZfVk. 9, 443. [26]) K u h n und S c h w a r t z 435. [27]) S c h u l l e r u s *Siebenb.Wb.* 1, 168. [28]) Sarmensdorf in der Schweiz: D ü r i n g s f e l d *Hochzeitsbuch* 1871, 108. [29]) D ü r i n g s f e l d a. a. O. 78; K r a u ß *Sitte u. Brauch* 386. 396. 401. 417. 419. 430. 459. [30]) S é b i l l o t *Folk-Lore* 3, 392. [31]) H. G a i d o z *La réquisition d'amour et le symbolisme de la pomme*. In: Annuaire de l'Ecole prat. des hautes Etud. 1902, 5—33, vgl. dazu ZfVk. 13, 318; ferner B o l t e - P o l i v -

k a 3, 111; K r a u ß *Sitte u. Brauch* 168; G u b e r n a t i s *Myth. des plantes* 2, 301 ff.; B ö c k e l *Handbuch* 202. [32]) *Practica des Bartholomaeus* hrsg. v. O e f e l e 1894, 104 a (Mittelalter); FL. 21, 376 (17. Jh.). [33]) *Secrets merv. du Petit Albert*. Lyon 1744 = S c h e i b l e *Kloster* 6 (1847), 197; FL. 10, 169 (aus dem heutigen Griechenland). [34]) S c h e i b l e *Kloster* 6 (1847), 201. [35]) Urquell 3, 59; vgl. auch G a n - d e r *Niederlausitz* 26. [36]) Urquell 5, 81 (galizische Juden). [37]) S c h u l e n b u r g *Wend. Volksthum* 117. [38]) Urquell 6, 15 (Eiderstedt) = ZfVk. 23, 280. [39]) Anthropophyteia 6, 224. [40]) Urquell 3, 12. [41]) V e r n a l e k e n *Mythen* 334 (Niederösterreich); A., der an Weihnachten zu Gold wird, auch: ZfrwVk. 5, 227. [42]) P r ö h l e *Harzbilder* 1855, 48; D r e c h s l e r *Schlesien* 1, 6; MnböhmExc. 18, 348; J o h n *Erzgebirge* 141. [43]) S c h ü t z e *Holstein. Idiotik.* 1 (1800), 44; D r e c h s l e r *Schlesien* 1, 24. [44]) Vekkenstedts Zs. 3, 441. [45]) J ä c k e l *Oberfranken* 161; E n g e l i n *Lahn* 241; A n d r e e *Braunschweig* 328. [46]) z. B. W o l f *Beiträge* 1, 210; SAVk. 7, 132; Veckenstedts Zs. 3, 148; S c h u l l e r u s *Siebenb.Wb.* 1, 168; M e i e r *Schwaben* 507. [47]) ZfVk. 4, 318. [48]) R o l l a n d *Flore pop.* 5, 87; S é b i l l o t *Folk-Lore* 3, 398. [49]) B r a n d *Pop. Ant.* 1900, 208. [50]) B e r g e n *Superstit.* 1896, 38; F o g e l *Pennsylvania* 64. [51]) B a r t s c h *Mecklenb.* 2, 312. [52]) D r e c h s - l e r *Schlesien* 2, 218; ähnlich auch in Nord-Ohio: B e r g e n *Superstit.* 39. [53]) S t r a k - k e r j a n 1, 104; S c h u l l e r u s *Siebenb. Wb.* 1, 168. [54]) H o r a z *Sat.* 2, 3, 272; vgl. S t e m p l i n g e r *Antiker Aberglaube* 51. [55]) R o l l a n d *Flore pop.* 5, 89. [56]) D y e r *Folkl. of plants* 93. [57]) ZfrwVk. 2, 201; D i e - n e r *Hunsrück* 99. [58]) M e i e r *Schwaben* 454; D r e c h s l e r *Schlesien* 1, 7; W u t t k e *Sächs. Vk.* 371 (Wenden); ebenso in Frankreich: S é b i l l o t *Folk-Lore* 3, 398; R o l - l a n d *Flore pop.* 5, 88. [59]) D y e r *Folkl. of plants* 99; F r a z e r *Balder* 1 (1913), 238; B r a n d *Pop. Ant.* 209; ähnlich in Amerika: B e r g e n *Superstit.* 38. [60]) D r e c h s l e r *Schlesien* 1, 67; ein ähnliches Orakel mit A.-schalen: DVöB. 9 (1909), 30 (Isergebirge). [61]) V e r n a l e k e n *Mythen* 331 f. (Niederösterreich). [62]) Vor der Kirchentür: K ö h l e r *Voigtland* 364; bei den Südslaven wird der A. von den Burschen verzehrt: S c h n e e - w e i s *Weihnachten* 137; an der Straßenecke: D ä h n h a r d t *Volkst.* 1, 76. [63]) Am Matthiastag: H e ß l e r *Hessen* 2, 94. [64]) S p i e ß *Obererzgebirge* 1862, 16; J o h n *Erzgebirge* 181; D r e c h s l e r *Schlesien* 1, 24; A n - d r i a n *Altaussee* 128; ZfVk. 8, 398; Germania 21 (1876), 412; Egerl. 10, 48; ebenso bei den Südslaven: S c h n e e w e i s *Weihnachten* 63. [65]) ZfVk. 1, 179 (Brandenburg). [66]) W i r t h *Pflanzen* 11. [67]) S c h ö n w e r t h *Oberpfalz* 1, 139. [68]) Bavaria 2, 270 (Oberpfalz). [69]) Oberösterreich: Heimatgaue 3 (1922), 291.

4. Da der A.baum der „Lebensbaum" (vgl. oben 3 b) ist, dient seine Frucht als Orakel (vor allem an Weihnachten und Neujahr) über Leben und Tod [70]). Schneidet man beim Zerteilen des „Weihnachtsa.s" Kerne auseinander, so muß der Betreffende im Laufe des kommenden Jahres sterben [71]). Da sich dieser Glaube besonders im östlichen Deutschland findet und auch bei den Slaven allgemein bekannt ist [72]), ist slavischer Ursprung wahrscheinlich. Erscheint beim Durchschneiden des Weihnachtsa.s eine kreuzförmige Figur, so bedeutet das Tod, wenn eine sternförmige, Leben [73]). Oder man beißt am Weihnachtsabend in einen roten A. und wirft ihn in die Höhe; fällt er auf die weiße Seite (Fruchtfleisch), so stirbt der Werfende binnen Jahresfrist [74]). So viele Kerne beim Zerteilen des „Weihnachtsa.s" durchschnitten werden, um so viele Jahre hat die betreffende Person weniger zu leben, als sie sonst zu leben hätte [75]). Die Figur der über den Kopf geworfenen A.schale gibt die Zahl der Jahre an, die man noch zu leben hat [76]). Es bedeutet Glück, wenn beim Schälen des „Weihnachtsa.s" die Schale ganz bleibt [77]). Träumt man im Winter von Ä.n, so bedeutet das eine Leiche [78]). Es bedeutet Tod, wenn ein A.baum im Herbste blüht [79]). Das gleiche gilt auch vom Blühen anderer Obstbäume (s. d.). An den am hl. Abend [80]) oder an Neujahr [81]) gegessenen A. muß man denken, wenn man sich im kommenden Jahr verirrt, dann findet man sicher den Weg. Ist damit der Glaube zu vergleichen, daß der Genuß von Ä.n ein gutes Gedächtnis machen soll [82])?

[70]) Vgl. auch T i l l e Weihnacht 50. [71]) D r e c h s l e r Schlesien 1, 27; Egerl. 10, 49. 132; J o h n Westböhmen 16; S c h r a m e k Böhmerwald 116; V e r n a l e k e n Mythen 338. [72]) S c h n e e w e i s Weihnachten 63. 133. [73]) DVöB. 9 (1909), 27 (Isergebirge); ebenso bei den Tschechen: Urquell N. F. 1, 310. [74]) DVöB. 9 (1909), 28. [75]) Egerl. 10, 182. [76]) MschlesVk. 14, 70 (Posen). [77]) Ebd. 4, 49. [78]) ZfdMda. 1914, 45 (bergisch). [79]) z. B. K u h n Westfalen 2, 58; ZfdMda. 1918, 135; H ö h n Tod 309; JAmFl. 2, 31 (bei den Deutschen in Pennsylvanien), ebenso in England:

FL. 5, 337; 19, 467; G u t c h County Folkl. 1912, 30; D y e r Folklore of plants 109 und in der französischen Schweiz: S é b i l l o t Folk-Lore 3, 394. [80]) MschlesVk. 6, 12; DVöB. 6, 193. [81]) Heimatbilder aus Oberfranken 6 (1921), 38. [82]) SAVk. 8, 143.

5. A.baum in der Sage.

a) Berichte bzw. Sagen von A.bäumen, die in der hl. Nacht blühen und dann gleich Früchte bringen (vgl. Farn), sind vielfach bekannt und schon früh aufgezeichnet worden [83]). Die Sage zeigt deutlich Beziehungen zum „Weihnachtsbaum" und gründet sich anscheinend auf die allegorische Auffassung Christi als „Lebensbaum" [84]). Auch die Sage vom Farn (s. d.), der in der Christnacht „blüht" und sogleich Früchte reift, scheint Beziehungen zu dem in der Christnacht blühenden A.baum zu haben. Hieher gehört wohl auch der Glaube, daß man den Himmel offen sieht, wenn man sich in der Christnacht unter einen A.baum stellt [85]).

b) Aber auch als u n h e i m l i c h erscheint der A.baum. Auf dem Heuberg bei Rottenburg a. N. kommen Freitags die Hexen zusammen und tanzen unter einem großen A.baum, dem „Hexenbäumle" [86]). Der Alp erscheint in A.gestalt [87]), oder der A. verwandelt sich in eine Kröte [88]). Der Eingang zu den Wohnungen der Unterirdischen (Zwerge) wird unter einen A.baum verlegt [89]). Stirbt jemand, so soll man das Tuch, mit dem der Tote gewaschen wurde, oder das Schweißtuch an einen süßen (= veredelten) A.baum binden. Solange man das Tuch sieht, bleibt der Tote erhalten [90]). Mit den Anschauungen über den A. als T o t e n s p e i s e hängt es vielleicht zusammen, daß sein Genuß zu gewissen Zeiten als unheilvoll gilt (vgl. Bohne, Erbse). Wer an W e i h n a c h t e n [91]), N e u j a h r [92]) oder am Bettage vor dem Gottesdienst [93]) Ä. ißt, bekommt Geschwüre (Eiße), und zwar so viele, als er Ä. ißt [94]). Ebenso darf man am Sebastianstag (20. Januar) keine Ä. essen, „weil der Heilige unter einem A.baum den Tod erlitt" [95]). Wenn ein Totkranker kurz vor seinem Ende einen A. ißt, kann er das hl. Abendmahl nicht nehmen und wird verdammt [96]).

[83]) z. B. Stift Würzburg, Altstädt bei Bayreuth, Schönbach in Mittelfranken, Katzenellenbogen, Gera, Tribur: B e c k e n m e y e r *Cur. Antiquarius.* Hamburg (1712), 437. 439. 448. 539; P r a e t o r i u s *Saturnalia* 1663, 49; B r o w n *Pseudodoxia epidemica* 1680, 534; W o l f *Sagen* 134; K ö h l e r *Voigtland* 149; ZfdMyth. 1, 106; K u h n *Westfalen* 2, 107; H e s e m a n n *Ravensberg* 94; S c h ö p p n e r *Sagen* 3, 42; M a r z e l l *Bayr. Volksbot.* 12; B a a d e r *Sagen* 47; auch in Dänemark: F e i l b e r g *Ordbog* 3, 1138; in England geht die Sage von einem Weißdorn bei Glastonbury: P h i l p o t *Sacred Tree* 1897, 168 f. [84]) M a n n h a r d t 1, 243; *German. Myth.* 469; Weihnachtsblüten 1864, 169. [85]) K u h n *Westfalen* 2, 106. [86]) M e i e r *Schwaben* 181. [87]) K ü h n a u *Sagen* 3, 112; K n o o p *Posen* 117; J a h n *Pommern* 1886, 377. [88]) S t r a c k e r j a n 1, 337; 2, 119; S c h e l l *Bergische Sagen* 21. [89]) M a n n h a r d t 1, 61; vgl. R a n k e *Sagen* ² 134 f. [90]) SAVk. 15, 11; bei den Bulgaren werden Ä. neben den Toten gelegt: ZfVk. 17, 365. [91]) SchwVk. 10, 29; ebenso in Frankreich: R o l l a n d *Flore pop.* 5, 86. [92]) H. B. F i s c h e r *Aberglaube* 1794, 232; W o l f *Beiträge* 1, 220. 231; ZfrwVk. 3, 226; F o g e l *Pennsylvania* 260. [93]) R o c h h o l z *Kinderlied* 319. [94]) Vgl. auch S é b i l l o t *Folk-Lore* 3, 390. [95]) DVöB. 6 (1906), 25. [96]) ZfVk. 11, 275 (15. Jh.).

6. In der v o l k s m e d i z i n i s c h e n Verwendung des A.s tritt häufig die a p o t r o p ä i s c h e Wirkung des zu den h e i l i g e n Zeiten genossenen A.s zutage. Wer am Ostermorgen [97]), am Gründonnerstag [98]), am Karfreitag [99]), an Weihnachten [100]) oder an Pfingsten [101]) frühmorgens einen A. nüchtern ißt, der bleibt das ganze Jahr vor Krankheit (besonders Fieber, Zahnweh) geschützt. Der den „Palm" (s. d.) schmückende A. schützt vor Halsweh [102]) oder allgemein gegen Krankheiten [103]). Der A., der von dem Erstkommunikanten mit in die Kirche genommen und nachher gegessen wird, bewahrt zeitlebens vor Zahnweh [104]). Besonders aus früheren Jahrhunderten sind Rezepte genannt, in denen gegen Fieber ein mit Segensworten beschriebener A. von dem (an Fieber) Kranken gegessen wird [105]). Wie viele andere Bäume n i m m t auch der A.baum K r a n k h e i t e n a u f. Gegen Fieber, Schwindsucht, Gicht, Zahnweh usw. geht der Kranke zu einem A.baum und spricht: „A.baum, ich tue dir klagen / die Schwindsucht tut mich plagen / der erste Vogel, der über dich fliegen tut / benehme mich der Schwindsucht gut" [106]). Gegen Zahnweh geht man in der Osternacht stillschweigend zu einem A.baum, setzt den rechten Fuß gegen den Stamm und spricht: „Neu Himmel, Neu Erde / Zahn ich verspreche dich / daß du mir nicht schwellst noch schwärest / bis wieder Ostern wird" [107]). Bei abnehmendem Monde oder früh vor Sonnenaufgang geht man zu einem A.baum, erfaßt einen Zweig und spricht: „Jetzt greife ich an den grünen Ast, der nehme von mir alle Last, alle meine böse Geschichte, das Schwinden und das Reißen soll aus meinen Gliedern weggehen und in den Ast entschleichen" [108]). Bei Gelbsucht wird der Harn des Kranken in einem neuen irdenen Nachtgeschirr unbeschrien unter einem A.baum vergraben [109]). Warzen (oder Hühneraugen) vertreibt man, indem man mit den Stücken eines entzwei geschnittenen A.s die Warze reibt [110]), die Stücke dann wieder zusammenfügt und den A. unter der Dachtraufe vergräbt [111]). Gegen Fieber ißt man einen mit Pfefferkörnern gespickten A. [112]). Ein geschälter A., nach oben zu geschabt, erregt Erbrechen, ein nach unten geschabter (d. h. gegen den Stiel zu) stopft den Durchfall [113]) (s. abwärts). Wenn Neugeborenen ein A. gegeben wird, so ist der ursprüngliche Sinn wohl der, daß die Frucht des „Lebensbaumes" Lebenskraft verleihen soll. Es wird aber im Volksglauben damit begründet, daß das Kind später rote Backen bekommt [114]), daß es am Tische nicht ungebührlich ißt und trinkt [115]), daß das Kind einen reinen Atem bekommt [116]). Auch das verschiedentlich geübte A u s s c h ü t t e n d e s e r s t e n B a d w a s s e r s unter einem A.baum, das meist dahin gedeutet wird, daß das Kind dann schöne rote Backen bekommt [117]), dürfte hieher zu stellen sein [118]). Eine Frau bekommt schöne Kinder, wenn sie während der Schwangerschaft viel Ä. ißt [119]). In der Volksmedizin gilt der A.baum vielfach als für das männliche Geschlecht bestimmt, der Birnbaum aber für das weibliche (vgl. dagegen unter 3 b). Gegen gelbes Fieber wird bei einem Mann der Harn unter einem A.baum vergraben, bei

einer Frau unter einem Birnbaum [120]). Das erste Badwasser eines Knaben schüttet man unter einen A.baum, das des Mädchens unter einen Birnbaum; oft gehört dann auch der betreffende Baum dem Kinde und trägt dessen Namen; verdorrt der Baum, so stirbt das Kind bald [121]). Die beschmutzte Windel eines Knaben, der immer schreit, wird unter einem A.baum vergraben, bei einem Mädchen unter einem Birnbaum [122]). Dagegen hilft bei Nasenbluten bei Weibern das Blatt eines A.baumes, bei Männern das eines Birnbaumes [123]). Um einem Säufer das Trinken zu verleiden gibt man ihm einen A., den ein Sterbender in der Hand gehalten hat [124]). Man wird nicht trunken, wenn man morgens einen sauren A. ißt und einen Trunk frischen Wassers darauf tut [125]). Das Essen eines A.s vor dem Schlafengehen macht gefeit gegen unkeusche Anfechtungen [126]). Eine Schwangere kann nicht gebären, wenn sie Ä. ißt, die auf einen Weißdornstamm (s. d.) gepfropft waren [127]).

[97]) Norddeutschland: DbotM. 4, 44; ZfVk. 7, 71; 8, 59; B a r t s c h Mecklenburg 2, 261; rheinisch: ZrwVk. 3, 227; W r e d e Rhein. Vk. 93. [98]) Schleswig-Holstein: ZfVk. 23, 283; Schwaben: T h i e r e r Ortsgesch. v. Gussenstadt 1 (1912), 250; Nördlinger Zeitung v. 25. Sept. 1925 (gegen Augenkrankheiten). [99]) R e i s e r Allgäu 2, 115. [100]) Wer mit einem A. in der Tasche in die drei Weihnachtsämter geht: M e y e r Baden 488; ähnlich in Frankreich: S é b i l l o t Folk-Lore 3, 422. [101]) B a r t s c h Mecklenburg 2, 281. [102]) Heimatgaue 1 (1919/20), 194 (Oberösterreich); ebenso in Frankreich: S é b i l l o t Folk-Lore 3, 412. [103]) M a n z Sargans 47. [103]) M e y e r Baden 114; bei den Polaken wurde den Konfirmanden ein A. gereicht mit der Weisung, nach Empfang des Brotes dreimal hineinzubeißen, das hilft gegen Zahnweh: T e t z n e r Slaven 373. [105]) So heißt es in einem Beichtbuch des 14./15. Jhs. von denen, „die in epphil schreiben fremde wort und den lewtin czu essin geben": ZfdPhil. 16, 191; vgl. ZfVk. 12, 10; Zeugnisse aus dem 15./16. Jh.: ebd. 1, 174 f.; MschlesVk. 18, 22 f.; Alemannia 27, 115 f.; MittjüdVk. 18 (1906), 116; ebenso in Wales im 13. Jh.: Meddygon Myddvai ed. P u g h e 1861, 51; in Rußland (14./16. Jh.): M a n s i k k a Zauberformeln 1909, 107 und in Mazedonien: A b b o t Maced. Folkl. 1903, 232. [106]) Alte Zeugnisse: F r o m a n n de fascinatione 30; Alemannia 17, 244 (nach D a n n h a w e r 1667); aus neuerer Zeit: ZfVk. 7, 167; 8, 59. 203; B a r t s c h

Mecklenburg 2, 403. 450; J a h n Hexenwesen 266; auch wird der Kranke bei Sonnenaufgang unter einen A.baum getragen: B a r t s c h Mecklenburg 2, 101. [107]) W i t z s c h e l Thüringen 2, 198. [108]) Niederlausitzer Mitt. 15 (1921), 148 (Luckau). [109]) H ö h n Volksheilkunde 1, 107. [110]) Oder auch mit dem Blut aus der Warze beträufelt: Bayerland 25 (1913/14), 233; M a n z Sargans 60. [111]) F r o m a n n de fascinatione 1006; M o s t Sympathie 63; S c h ö n w e r t h Oberpfalz 1, 80; D r e c h s l e r Schlesien 2, 285; F o s s e l Volksmedizin 140; Urquell 5, 286; Veckenstedts Zs. 1, 202; B a r t s c h Mecklenburg 2, 121; F o g e l Pennsylvania 316; ebenso bei den Tschechen (gegen Wunden und Entzündungen): G r o h m a n n 170 und in Frankreich: R o l l a n d Flore pop. 5, 85. [112]) Brandenburg im 16. Jh.: Urquell 3, 199; die galizischen Juden essen gegen Fieber einen gebratenen mit Salz bestreuten A.: Urquell 4, 142. [113]) M o s t Sympathie 161; vgl. Holunderrinde. [114]) Rockenphilosophie 1707 4, 259; ebenso J o h n Erzgebirge 61. [115]) Der alten Weiber Philosophie (1571) in Festschrift Germanist. Ver. zu Breslau 1902, 50. [116]) S a r t o r i Westfalen 77; in Frankreich läßt man das Kind an einem A. saugen, damit die ersten Zähne des Kindes leicht kommen: S é b i l l o t Folk-Lore 3, 422. [117]) Mädchen außerdem noch einen vollen Busen; vgl. auch S c h u s t e r Der Apfel in der Symbolik, ein Bild der Mutterbrust. In: Natur. Leipzig 4 (1913), 227. [118]) J o h n Erzgebirge 50; J o h n Westböhmen 104. [119]) H ö h n Geburt 257. [120]) D e r s. Volksheilkunde 1, 155. [121]) A n d r i a n Altaussee 109; B a u m g a r t e n Aus der Heimat 1862, 126; F o s s e l Volksmedizin 63; auch der Mensch stirbt binnen Jahresfrist, wenn ein von ihm gesetzter A.baum verdorrt: J o h n Erzgebirge 114. [122]) W i l d e Pfalz 9. [123]) S c h ö n w e r t h Oberpfalz 3, 246; vgl. auch M a r z e l l Bayer. Volksbot. 156; das Moos von einem sauern A.baum stillt ebenfalls das Blut: SAVk. 11, 48. [124]) H ö h n Tod 318; BayHfte 6, 205 f. [125]) Der alten Weiber Philosophey (1571), in: Festschr. germanist. Ver. Breslau 1902, 83. [126]) 15.: M e i e r Schwaben 474. [127]) S c h ö n b a c h Berthold 148. [127]) M e i e r Marzell.

Apfelschuß s. M e i s t e r s c h u ß , T e l l.

Aphrodisiaca. 1. N a m e. In der heute üblichen Bedeutung kommt Aphrodisiacum bei den Griechen und Römern nicht vor. Die Griechen setzen dafür meistens philtron, die Römer amatorium. A. ist demnach eine neuere Bildung, welcher aphrodisia = Liebe, Liebesgenuß zugrunde liegt.

2. B e g r i f f. Unter A. versteht man Mittel zur Anregung, Steigerung und Stärkung des Geschlechtstriebes und

der geschlechtlichen Leistungsfähigkeit[1]). Vom Liebestrank unterscheiden sie sich durch den Wegfall der Zauberpraktiken, unter welchen dieser hergestellt und angewendet wird. Die A. können sowohl dem menschlichen Körper als auch dem Tier- und Pflanzenreich entnommen sein.

[1]) F. S c h e u e r im *HWb. der Sexualwissenschaft* [2] 33.

3. H e r k u n f t u n d V e r b r e i t u n g. Der Gebrauch zahlreicher A. ist schon seit der ältesten Zeit bei Völkern jeder Kulturstufe verbreitet; bereits Genesis 30, 14 erwähnt die aphrodisische Wirkung der Dudaïm. Der Glaube an die liebeerzeugende Kraft gewisser Stoffe stammt vermutlich aus dem Orient, wo bei dem aufs höchste gesteigerten Geschlechtsleben sich der Wunsch entwickeln mußte, Stoffe in der Natur zu finden, welche die Liebe erregen und befördern können [2]). Bei Griechen wie bei Römern fanden in gleicher Weise A. häufige Verwendung zu Liebestränken. Gegen das Überhandnehmen dieser Gepflogenheit in der ersten Kaiserzeit mußte sich schließlich ein Senatus consultum [3]) wenden, welches die Verkäufer von Mitteln, die zur Erregung der Wollust (lustramenti causa) dienten, mit der Ausweisung bedrohte. Über den Gebrauch der A. bei den Griechen unterrichtet uns hauptsächlich die Arzneimittellehre des Arztes Dioskurides, bei den Römern die Naturgeschichte des älteren Plinius. Die Kenntnisse der Alten wurden von Albertus Magnus dem MA. vermittelt. Doch scheint es im MA. nicht bloß bei dem theoretischen Wissen um die Wirkung der A. geblieben zu sein, denn die Medizinalverordnung Friedrichs II. vom Jahre 1224 [4]) nimmt die amatoria pocula porrigentes in Strafe. Zu Beginn der Neuzeit unterweisen die Kräuterbücher in der Benützung der A. Das 17. und 18. Jh. hatte seine pastilles galantes. Diavolini und Morsellen waren und sind noch heute bei den romanischen Völkern beliebt. Gegenwärtig stehen organotherapeutische Drüsenextrakte (Testiculin[5]), Oophorin, Hormin) und pharmazeutische Präparate (Yohimbin[6]), Puaambra) im Vordergrund.

[2]) L a m m e r t 150 = H o v o r k a - K r o n f e l d 2, 169. [3]) Digesten 48, 8; 3, 2 u. 3 = H. S c h e l e n z *Geschichte der Pharmazie* 1904, 156. [4]) S c h e l e n z 315. [5]) S c h e u e r 34. [6]) H o v o r k a - K r o n f e l d 2, 167.

4. A n w e n d u n g. Die A. werden entweder einzeln oder in Verbindung mit gleichgearteten und auch ungleichartigen Stoffen benützt. Es werden jedoch meistens gleich mehrere A. zu einem Rezept zusammengestellt, damit die erwartete Wirkung um so sicherer eintritt. In der Art der Anwendung unterscheidet man einen äußerlichen und inneren Gebrauch. Äußerlich dienen sie zum Bestreichen und Einreiben der Genitalien und als Amulette, innerlich werden sie den Speisen und Getränken beigemischt.

5. W i r k u n g. Nach dem Urteil der modernen Medizin besitzen wir eigentlich keine Stoffe, welche direkt zum Beischlaf reizen, doch wird als Teilerscheinung oder Folgezustand der Wirkung mitunter eine Erhöhung des Geschlechtstriebes [7]) infolge gesteigerten Blutzuflusses beobachtet [8]). Nach dem Volksglauben jedoch werden die unmittelbare Stärkung der männlichen Kraft, die Behebung der Impotenz und die Fruchtbarmachung unfruchtbarer Frauen als Wirkungen der A. angesehen.

[7]) M ö l l e r in *R.E. d. ges. Heilkunde* [4] 1907, I, 694. [8]) I w a n B l o c h *Sexualleben unserer Zeit* [6] 1908, 500; A. A b e l s *Gifthaltige „Zauber"-Mixturen als Aphrodisiaca* = H. G r o ß *Archiv f. krim. Anthropologie u. Kriminalistik* Bd. 66 (1916), 237; 245.

6. D i e v e r s c h i e d e n e n A.

a) T e i l e d e s m e n s c h l i c h e n K ö r p e r s. Mit Vorliebe werden sie aus der Genitalregion entnommen, wie Sperma, Menstrualblut, Vaginalsekret, Urin, Schamhaare u. a. m. Meistens werden diese Absonderungen und Bestandteile zu einem Liebestrank zusammengebraut (vgl. Liebestrank).

b) T i e r i s c h e B e s t a n d t e i l e. Dem menschlichen Samen gleichwertig galt schon seit jeher derjenige von solchen Tieren, die entweder für sexuell kräftig (Stier, Hengst, Hirsch, Hahn) oder für sehr fruchtbar (Hase, Sperling) gehalten wurden. Diejenigen Körperteile, in denen

der Sitz der Geschlechtslust und des Lebens überhaupt angenommen wird, wie
Leber, Herz, Galle, Gehirn und besonders
die Geschlechtsteile selbst erhalten den
Vorzug. Meistens ist zu beachten, daß
Geschlechtsteile von männlichen Tieren
den Mann stimulieren und die Erzeugung eines Knaben bewirken, während
die weiblichen Organe die ihnen entsprechende Auswirkung haben. Doch ist
dieser Gebrauch nicht immer genau diffe-
renziert, oft sogar geben die Rezepte ent-
gegenstehende Anweisung. In der Sphäre
der Volksmedizin sind solche Durchkreu-
zungen nicht weiter verwunderlich. Doch
sind bei diesen vielgestaltigen Anwen-
dungen in manchen Fällen die Haupt-
prinzipien der wissenschaftlichen Organotherapie, die sich auf die Erkenntnisse
der inneren Sekretion gründen, nicht zu
verkennen.

Vom B ä r e n fördert die Galle die
Empfängnis [9]); gebratene Bärenniere in
der Hochzeitsnacht unter das Brautbett
gestellt, soll nach dem Glauben der alten
Preußen fruchtbar machen [10]). B i b e r -
g e i l [11]) (s. d.) galt als ein zu allen Zeiten
geschätztes A. Die B o c k s n i e r e [12])
wirkt genau wie die Bärenniere. Nach
Albertus Magnus [13]) soll Bocksgalle und
Bocksunschlitt, um das männliche Glied
geschmiert, den Mann der Frau, auch
wenn sie ihn nicht will, unentbehrlich machen. In Schwaben [14]) macht Bocksgalle,
an die Geschlechtsteile geschmiert, tapfer
in Venere. Den E s e l hielten schon die
Römer für ein aphrodisisches Tier. Nach
Plinius n. h. 28, 261 stimulieren Esels-
unschlitt, der rechte Eselshoden, mit Wein
gegessen oder am Armband getragen, zum
Koitus. Die Hebamme Salpe empfiehlt,
das Geschlechtsglied eines Esels siebenmal
in siedendes Öl zu tauchen und die betreffenden Teile damit zu bestreichen (28,
262); Haare, aus dem Schwanz einer Maul-
eselin gerissen, bewirken, daß die Weiber
wider ihren Willen empfangen (30, 142).
Nach dem Tierbuch von C. Gesner, Zürich
1563 III, 44 bringen Eselschällen (Hoden) denen, so der weyber nit mächtig
seyn mögen, geile. Gegen Unfruchtbarkeit
genießen die Wanderzigeunerinnen der

Donauländer Eselsmilch mit Fledermausblut [15]). Wolle, in Eselsmilch eingeweicht,
macht fruchtbar [16]). Wird Wolle mit
F l e d e r m a u s b l u t getränkt, unter
den Kopf gelegt, werden nach Plinius 30,
143 die Weiber geil. Das Blut der Fledermaus ist am wirksamsten, wenn das Tier
in der großen Woche, d. h. in der Woche
vor Weihnachten, geschossen war [17]). Im
Liebeszauber gehören Fledermausblut
und -eingeweide zu den festen Bestandteilen [18]). F u c h s h o d e n [19]) und eines
Fuchs Zumpfel (penis) [20]), pulverisiert und
in die 'guldene porthenn' (vagina) getan,
auch Fuchsgalle, bleiben nicht wirkungs-
los. Schon die Alten hielten H a s e n -
fleisch für ein aphrodisisches Mittel [21]).
Außer dem Fleisch befördern Galle,
Hoden, Zagel [22]) und Gebärmutter [23])
beim Weib die Empfängnis, und zwar
sind zur Erzeugung eines Knaben die
Hoden wirksam [24]), doch soll ein Knabe
auch bei Verwendung der Gebärmutter
und der Gedärme empfangen werden
können [25]). Zur Behebung der Unfruchtbarkeit eignet sich besonders das Fleisch
eines jungen Hasen, der noch nicht geboren, sondern aus dem alten Hasen geschnitten ist [26]). Der Hasenlauf eines am
ersten Freitag im März geschossenen Hasen hilft gegen Impotenz [27]). K a n i n -
c h e n h o d e n [28]) bewirken dasselbe. Das
ausgeprägte Liebesleben des H i r s c h e s
zur Brunstzeit [29]) mußte auf die Wirksamkeit der Mittel, welche vom Hirsch
gewonnen werden, geradezu hinweisen.
Hirschhoden [30]) pulverisiert werden von
den Jägern als Kraftmittel verwendet.
„Hirtzenhoden in starkem Weyn getrunken machet hurtig die so der weyber
nit gebrauchen mögen" [31]). Die Hirschrute
wirkt am stärksten, wenn der Hirsch zur
Brunstzeit [32]) erlegt wird oder noch besser
in coitu durchschossen oder gefället
wird [33]). Hirschmutter [34]) hilft unfrucht-
baren Weibern ab. Hirschbrunst [35]) wird
zum Zweck größerer Leistungsfähigkeit
in coitu verordnet. Das Tragen des
Knochens aus dem Herzen des Hirsches
hilft gegen die Unfruchtbarkeit der Weiber [36]). Hirschfleisch im Oktober und
Mai stärkt die männliche Kraft [37]). Auch

die H ü n d i n wird als fruchtbar angesehen, besonders ihre Gebärmutter [38]). Noch fruchtbarer galt bei den Alten die H y ä n e. Plinius 28, 97 empfiehlt gegen Unfruchtbarkeit ein Hyänenauge, welches Empfängnis innerhalb dreier Tage bewirke. Wer die Öffnung ihres äußeren Darmendes am linken Oberarm trage, solle ein Weib so geil machen können, daß sie ihm sofort folge (28, 106). Der Genuß der Geschlechtsteile mit Honig, dergestalt, daß eine männliche Person den männlichen, eine weibliche den weiblichen Geschlechtsteil ißt, solle zum Beischlaf reizen, auch wenn die Männer ihn verabscheuen (28, 99). Die Berührung der Lippen mit Hyänenhaaren von der Schnauze mache geil (28, 101). Die Verwendung von K a t z e n g e h i r n als A. ist nicht stark verbreitet [39]). Mit M ä u s e fett, das nach bestimmten Vorschriften gewonnen werden muß, werden die testiculi eingerieben [40]). Vom P f e r d e galt den Alten hauptsächlich das Hippomanes [41]) als zauberkräftig. Schon Aristoteles berichtet davon. Man versteht darunter den Brunstschleim der Stuten und auch den dunklen, feigengroßen Auswuchs am Kopf des neugeborenen Füllens; auch die Hoden sollen nach Plinius 28, 261 aphrodisisch wirken. In Pommern bringt Pferdemist, in Branntwein eingenommen, dem Mann Lust [42]). Die Masuren in Westpreußen wenden gegen Unfruchtbarkeit der Weiber das Wasser an, welches vom Maule des Hengstes abläuft, nachdem er getrunken hat [43]). Wenn man die Milch eines weißen Rosses eine Zeitlang über die Frau hält und ihr dann beiwohnt, wird sie fruchtbar [44]). Nimmt man die Galle eines R e h bockes, so wird die Frau schwanger mit einem Knaben; die Galle des weiblichen Tieres bewirkt die Geburt eines Mädchens [45]). Den Harn eines S t i e r e s, den er nach dem Bespringen gelassen hat, soll man nach Plinius 28, 262 auf die Scham streichen. Für die „alten Kämpfer, so in bellis nocturnis nit wol fortkommen", sind Stierhoden fördernd [46]), ebenso geschabter Ochsenpensel [47]), in Schwaben Hägehoden [48]). Auch dem S c h w e i n wird

nicht geringe Fruchtbarkeit zugeschrieben. Die Römer verwendeten Ebergalle und Schweinsmark nach Plinius 28, 261. Nieren und Leber eines Spanferkels, das ein Mutterschwein als einziges getragen hat, soll man dem Mann und der Frau als Pulver in den Wein geben, worauf sie 'Kinder machen sonder Zweifel' [49]). Dazu eignen sich auch die Hoden eines Ebers; Schweinefett wird als Einreibemittel des männlichen Gliedes empfohlen [50]). Im Schwanze des W o l f e s steckt nach Plinius' Bericht (8, 83) ein amatorium virus, das aber nur wirksam ist, wenn es dem Tiere beim Leben genommen wird. Doch scheint dieses A. infolge der gefährlichen Gewinnung nicht allzu häufig gewesen zu sein. Damit ein Weib nicht nebenaus gehe oder andern Männern nachlaufe, rät Albertus Magnus 314 die Abgabe einer Dosis Asche aus verbrannten Wolfssehnen und Haaren von dessen Augenlidern an. Das Mark aus dem linken Fuß des Wolfes soll den Mann der Frau wieder begehrenswert machen (218).

Unter den V ö g e l n gibt es nur einige, denen aphrodisische Eigenschaften zugeschrieben werden. E n t e n f l e i s c h hielten die Alten für Liebe erregend [51]), auch G ä n s e z u n g e n [52]) und Gänsemark [53]). „Der Gänsen hödlin geässen söllend die männlich natur meeren, Gänssgallen fürdert die empfencknuss"[54]). Selbstverständlich fanden die Hoden [55]) des leistungsfähigen H a h n e s leicht Eingang als A. Joh. Wittichus schreibt im Bericht von den wunderbaren Bezoardischen Steinen, Leipzig 1589, daß man die „geylen der Hanen nützen soll in der Speis" und erzählt eine ergötzliche Geschichte von der überstarken Wirkung des Mittels [56]). Nach der Vorschrift bei Kräutermann 164 hackt man zur Stärkung für den Koitus die Hoden von Hähnen unter das Wurstfleisch und verabreicht solche Würste. Hahnengalle und Fuchsgeile, drei Tage auf der Scham getragen, und nachher mit dem Mann gebuhlt, hilft nach Albertus Magnus 234 zur Geburt eines Knäbleins. Im 16. Jh. suchte man in Frankreich in den Eingeweiden des Kapauns nach einem Stein,

„qui rendait les hommes hardis et vertueux au combat du lit" [57]). Stärkste Mehrung der Zeugungskraft verspricht sich das Volk vom Genuß der E i e r [58]); in Schwaben gilt der sogenannte Hahnentritt, ein gallartiges Häutchen des Eies, das man für den Samen des Hahnes hält, besonders kräftigend [59]). Auch Ostereier [60]) haben besondere Kraft. Das Essen von frischen Eiern von Hennen, die keinen Hahn bei sich haben, soll auch hartnäckige Unfruchtbarkeit beseitigen [61]). Athenaeus zitiert in den Deipnosophisten 2, 65 mehrere Autoren für die aphrodisische Wirkung der Eier. Auch Alciphron schildert in einem seiner Hetärenbriefe die Folgen von Eierspeisen und sonstiger priapeischer Speisen [62]). Vom R a b e n wird nur die Galle gebraucht; sie hilft dem vergalsterten Menschen, dem seine Mannheit genommen ist [63]). Für Westböhmen [64]) und Friaul [65]) ist ihre Anwendung gegen Impotenz bezeugt. Auch die Eier des R e b h u h n e s bringen dieselbe Hilfe [66]). S p a t z e n - b l u t , an die männlich ruten gestrichen sterckt die Geilheit' [67]). Die Morsellen des Grafen von Pappenheim im Mars- und Venuskrieg bestanden wesentlich aus Spatzengehirn [68]). Schon Plinius 30, 141 empfiehlt das Essen von Spatzen und ihrer Eier.

F i s c h speise gilt allgemein als aphrodisisch [69]). Die H e r i n g s seele (Luftblase), am Karfreitag gegessen, hilft gegen Impotenz [70]).

Aus der Gattung der K r i e c h t i e r e zählt man einige A. Schon die Alten schrieben dem K r e b s animalische Fruchtbarkeit zu [71]); auch Gesner hält Krebse für empfängnisbefördernd [72]). Griechen und Römer kannten auch die S c h n e c k e als A.[73]). In Schwaben werden sie besonders im Frühjahr verspeist. „Wenn die Schnecke nu z' Nacht it kreiset (kriechen)", ist eine obszöne Anspielung auf ihre Wirkung [74]). Das bekannteste A. ruhrt vom S k i n k u s m a r i n u s , S t e n z m a r i e (s. d.), einer Eidechsenart, her.

Auch das I n s e k t e n r e i c h stellt seine A. In Franken behob man die Un-

fruchtbarkeit der Weiber durch Halsbäder, in welchen man A m e i s e n gesotten hatte [75]). Wenn im Baltenland eine unfruchtbare Frau B i e n e n verzehrt, wird sie bald schwanger [76]). Damit ein Mensch allweil zum Buhlen tüchtig sei, soll man ihm nach Albertus Magnus 226 J o h a n n i s w ü r m c h e n zu trinken geben. Bei den Balten soll jedoch ihr Genuß Impotenz bewirken [77]). Als wirksamstes und zugleich auch gefährlichstes A. sind die K a n t h a r i d e n oder S p a n i s c h e n F l i e g e n anzusehen (s. d.).

[9]) C. G e s n e r Tierbuch (Übers. C. F o r e r) Zürich 1563, 3, 19 = J ü h l i n g Tiere 3. [10]) P l o ß Weib [9] 1 (1908), 765. [11]) J ü h - l i n g 5. 9. [12]) P l o ß 1, 765. [13]) A l b e r t u s M a g n u s Von den Geheimnissen der Weiber, wie auch von den Tugenden der Kräuter, Steinen und Tieren und den Wunderwerken der Welt. Nürnberg (1755) 214. [14]) B u c k Volksmedizin 50. [15]) P l o ß 1, 771. [16]) J ü h l i n g 16. [17]) P l o ß 1, 771. [18]) Anthropophyteia 3, 165. [19]) J ü h l i n g 141. [20]) Ebd. 43. [21]) O. K e l l e r Die antike Tierwelt. Leipzig 1 (1913), 216. [22]) J ü h l i n g 49. [23]) J ü h l i n g 49. 58. [24]) G e s n e r 3, 72. [25]) A l b e r t u s M a g n u s 136. [26]) J ü h l i n g 54. [27]) M. H ö f l e r Volksmedizin 209. [28]) Anthropophyteia 4, 292. [29]) A b e l s 250 A 2. [30]) H ö f l e r 162. [31]) G e s n e r 3, 83. [32]) H ö f l e r 162; V. K r ä u t e r m a n n Zauberarzt 163 f. [33]) A b e l s 250 A 2. [34]) K r ä u t e r m a n n 191. [35]) Ebd. 164; G o c k e l i u s Tractatus Polyhistoricus Magiomedicus curiosus. Frankfurt und Leipzig 5 (1699), 130 = J ü h l i n g 9; H ö h n Volksheilkunde 1, 120; B u c k 46; Z. f. Hennebergische Geschichte. Schmalkalden 1 (1875), 43. [36]) L a m m e r t 157. [37]) Anthropophyteia 4, 292. [38]) J ü h l i n g 73. [39]) H ö f - l e r Organotherapie 77 f. [40]) Anthropophyteia 4, 293. [41]) P a u l y - W i s s o w a 8, 1879 ff. [42]) J ü h l i n g 132. [43]) P l o ß 1, 790. [44]) L a m - m e r t 156. [45]) J ü h l i n g 141. [46]) S t o k - k e r Magia naturalis (1613) = H o v o r k a - K r o n f e l d 1, 214. [47]) K r ä u t e r m a n n 163/64. [48]) B u c k 46. [49]) J ü h l i n g 173. [50]) Ebd. 171. [51]) K e l l e r 2, 230. [52]) P l i - n i u s 30, 143. [53]) Ebd. 28, 261. [54]) G e s n e r 1, 62. [55]) Anthropophyteia 4, 292. [56]) Bei H o v o r k a - K r o n f e l d 1, 214. [57]) S é - b i l l o t Folk-Lore 3, 242. [58]) L a m m e r t 151. [59]) B u c k 57. [60]) H ö f l e r Volks- medizin 209. [61]) J ü h l i n g 212. [62]) A l c i - p h r o n Hetärenbriefe (Tusculumbuch) 16. [63]) J ü h l i n g 226 [64]) H o v o r k a - K r o n - f e l d 2, 165. [65]) Anthropophyteia 9, 344. [66]) G e s n e r 1, 196. [69]) D e r s. 1, 221. [68]) W. M a r s h a l l Neueröffnetes wundersames Artzney Kästlein. Leipzig (1894) = J ü h l i n g 237.

[69]) L a m m e r t 151. [70]) H ö f l e r 209.
[71]) K e l l e r 2, 496; H ö f l e r 209. [72]) G e s -
n e r 2, 127; L a m m e r t 151. [73]) K e l l e r
2, 520; A l c i p h r o n a. a. O. [74]) B u c k 53.
[75]) Joh. Nic. S e i t z *Trost der Armen*. Nürnberg (1715) 248 = L a m m e r t 157.
[76]) K n o o p *Baltische Studien* 6 = J ü h -
l i n g 88. [77]) J ü h l i n g 92.

c) P f l a n z e n. Auch die Liste der
aphrodisischen Pflanzen ist nicht kurz.
Die verschiedensten Gesichtspunkte lassen eine Pflanze zum A. geeignet erscheinen. Zunächst ist es der hohe Nährwert
der Gemüsearten. Dann empfehlen Ver-
dauungserscheinungen, die sich in Blä-
hungen des Leibes, mit Erektionen verbunden, äußern, die Wahl bestimmter
Kost. Dazu kommt die anregende Kraft
der Gewürze und auch mancher gifthal-
tiger Pflanzen. Oft aber genügt schon
die den Genitalien ähnliche Form der
Knollen und Früchte, um die Pflanze zum
A. zu stempeln.

A l r a u n e (s. d.). Nach Dioskurides
3, 58 reizt A n i s zum Beischlaf; am
Niederrhein wird den jungen Leuten bei
der Arbeit des Flachsschwingens und
beim Tanz Anisbranntwein gereicht [78]).
In Nordböhmen schafft Anissamen, in
Wein getrunken, Anreiz zu den ehelichen
Werken [79]). Die Wirkungen des B e i -
f u ß e s kannten schon die Alten [80]).
Unter das Bett oder Kissen gelegt, bringt
er unkeusche Begier [81]); die Frauen
binden ihn an die Schenkel zur Erlangung
der Fruchtbarkeit [82]). Die hodenförmige
Gestalt und die Blähwirkung machen die
B o h n e zum A. Besonders die roten und
scheckigen sollen den natürlichen Samen
nähren [83]). Aus der B r e c h n u ß wird das
Strychnin gewonnen, das erst in neuerer
Zeit (Abels 237 ff.) als A. angewendet wird.
D r a c h e n w u r z soll man im Wein
trinken [84]). Der E i c h e l s c h w a m m
(phallus impudicus) ist durch seine Form
zum A. geradezu bestimmt; er kommt als
Liebestrank in Wolfram von Eschen-
bachs Parzival 13, 643 vor. Bei den Alten
galt das E i s e n k r a u t zum Beischlaf antreibend [85]); am Marientage
(15. August) geweiht, ist es den Weibern
gut, so sie Kinder gewinnen sollen
(15. Jh.) [86]). E s c h e n s a m e n erregt

unkeusche Gelüste [87]). Nach Bocks Kräuterbuch von 1530 stärken gedörrte F e i -
g e n die Natur [88]). F e n c h e l s a m e n
wird mit Erfolg in Nordböhmen getrunken [89]). Wird die G a l g a n t w u r -
z e l verspeist oder auf die Genitalien gelegt, ist ein ununterbrochener
zwölfmaliger Beischlaf möglich [90]). H a n f ,
mit Gewürz gemischt, wird in den Kon-
stantinopler Harems den schwachen Männern gegeben [91]). Auch die serbischen
Zigeuner kennen dieses A. [92]). Daß dessen
übermäßiger Genuß die gegenteiligen
Wirkungen hervorruft, berichtet schon
Dioskurides 3, 155. Von der H a u s -
w u r z e l schreibt die hl. Hildegard, daß
ein gesunder Mann nach ihrem Genuß in
Liebeslust entbrenne [93]). Noch im 18. Jh.
soll die Pflanze nach der Tradition einer
Nonne des Dominikanerinnenklosters zu
St. Markus in Würzburg zu Liebestränken benützt worden sein [94]). H i r s c h -
s c h w a m m , sonderlich der wie ein
Gemächt formiert ist, hat eine Kraft,
welche die unkeuschen Glieder im Venushandel stärkt [95]). H o p f e n s p r o s -
s e n , als Salat genossen, werden in
Steiermark gegen Unfruchtbarkeit gerühmt [96]). Der Wurzelstock des I n g w e r
hilft gegen Schwäche der Geschlechts-
organe [97]); auch in Schwaben ist dieses A.
bekannt [98]). K a l m u s ist weniger gebräuchlich [99]). Der Inder, der mit K a m p -
f e r , Safran und Sandel den Penis gesalbt hat, wird den Frauen zum Diadem
in ihren Herzen [100]). Wer an natürlichen
und ehelichen Werken nichts schaffen
kann, der esse K n o b l a u c h , er bekommt wieder Lust und Kraft [101]).
K o r i a n d e r mehrt den unkeuschen
Samen [102]). Nach Dioskurides 2, 184
reizt K r e s s e (Cardamon) zum Beischlaf; Mattioli 211 A meint, der Samen
der Gartenkresse mache lustig und begier-
lich zur Unkeuschheit. Mit Honig und
Pfeffer gemischt und als Kuchen reichlich genossen, reizt L e i n zum Liebesgenuß [103]); auch hilft er wieder dem kalten
Mann auf den Gaul [104]). Im Liebeszauber
spielt der Leinsamen keine geringe
Rolle [105]). L i e b s t ö c k e l , in Franken, Oberbayern und Schlesien als Amu-

lett getragen, fesselt den Geliebten und ist sehr wirksam zu Zaubermitteln [106]). Süße M a n d e l n essen, mehrt die Natur [107]). M a n d r a g o r a (s. Alraun). M a n n s t r e u , den Männern ins Bett gestreut, erregt sie sinnlich [108]); schon im 16. Jh. war ein Mann bei der Frau wohlgelitten, wenn er eine männliche Wurzel dieser Pflanze bei sich trug [109]). M u s k a t - und N e l k e n gewürz war von den Liebenden des MA.s sehr geschätzt. Im „Jungbrunnen", der seit 1534 in zahlreichen Drucken überliefert ist, heißt es:

„In meines bûlen garten da sten zwei beumelein,
Das ein das tregt muscaten, das ander negelein" [110]).

Muskatöl auf das Glied schmieren, hilft zum Venushandel [111]). Den Gebrauch des N a b e l k r a u t e s [112]) oder Stergethron zu Liebesmitteln erwähnen Dioskurides 4, 90 und Plinius 25, 160. N a t t e r - z u n g e dient bei den Slowaken als A.[113]). N e l k e n sind als A. ziemlich allgemein bekannt [114]). N e s s e l blätter, in Wein gesotten, locken zur Unkeuschheit, Nesselsamen wirkt noch stärker [115]). Nach Mattioli mehren N ü s s e in Zimmetröhren des Mannes Werk; viele Nüsse essen, macht jung und liebeskräftig [116]). Im Taunus gilt oder galt lange Zeit das Eintauchen des Gliedes und Hodensackes in einen Absud von Nußbaumblättern als kräftigend [117]). Als A. dient H a s e l - h o l z rinde in einem Rezept aus dem 15. Jh. [118]). Wilde P e t e r s i l i e , in weißem Wein gesotten, fördert zur Empfängnis bei den Weibern, die sonst unfruchtbar sind [119]). P f e f f e r wird wie alle Gewürze häufig als A. verwendet [120]). Vom Pfeffer heißt es in Schwaben: „Pfeffer bringt den Mä ufs Roß und 's Weib in Erdeschoß". Ähnlich lautet auch der Spruch im Frankenwald. In Schwaben wird der Spanische Pfeffer auf Tanzböden gestreut, damit die Tänzerinnen geschlechtlich erregt werden [121]). Nach Dioskurides 3, 36 reizt der Saft der P f e f f e r m i n z e , in Essig getrunken, zum Liebesgenuß. Die Frucht des P i - s t a z i e n b a u m e s , die welsch Pimpernüßlein, mehren die Natur in Vene-

rem [122]). Vom P o r e e (Lauch) sagt die Schule von Salerno: Porrum fecundas reddit persaepe puellas [123]). Auch die R a u t e zählt zu den A.[124]). In vielen Gegenden Süddeutschlands und Frankreichs essen die Männer R e t t i c h e , um durch die sich ansammelnden Gase kräftige Erektionen zu erzielen [125]). In Friaul soll eine Waschung mit lauem R o s m a r i n wasser die Mädchen, Weiber und älteren Männer zum Koitus treiben [126]). Die Rosmarinzweige verwendet man in Oberbayern gegen Impotenz [127]). Ebenso wie der Rettich wird auch die R ü b e durch ihre Form zum A. bestimmt. Nach Dioskurides 2, 134 reizt die gekochte Wurzel der weißen Rübe zum Liebesgenuß. Mattioli schreibt auch der gelben und roten Rübe diese Wirkung zu [128]). Hormin, der griechische Name der kleinen S a l b e i , besagt schon die Verwendung dieser Pflanze [129]). Salbei, in Wein genommen, bereitet Schwangerschaft [130]). Als volkstümliches A., das geile Träume erwecken soll, gilt S e l - l e r i e [131]). Nach Flügel, Volksmedizin 46, kann jemand geneckt werden, wenn er Sellerie oder Spargel gegessen hat. Auch bei dem von Alciphron erwähnten Gelage fehlt Sellerie nicht. Mancherorts wird Sellerie geradezu „Stehsalat" [132]) genannt. Weißer S e n f reizt zur Unkeuschheit [133]). S p a r g e l , in der Speise genossen, bringt lustige Begier den Männern [134]). In Schwaben heißt es von den Folgen des Spargelgenusses: „Was der Herr Pfarrer wohl weiß, drum baut er so fleißig Spargel" [135]). In Steiermark hilft Spargelsamen mit Wein gegen Unfruchtbarkeit [136]). Die Orchideen sind mit dem Namen K n a b e n k r a u t und S t e n - d e l w u r z unter den A. vertreten. Sie eignen sich hierzu vorzüglich wegen ihrer hodenförmigen Knollen [137]). Nach Dioskurides 3, 131 soll die größere Knolle, vom Mann verzehrt, die Geburt eines Knaben, die kleinere aber, von der Frau genossen, die eines Mädchens bewirken. Albertus Magnus nennt die Orche satirion wegen ihrer aphrodisischen Wirkung [138]). Mattioli 369 c kennt die Stendelwurz als A. Ebenso Tabernaemontanus in seinem

Kräuterbuch von 1588 [139]). In Schwaben heißt die Stendelwurz Bubenschellen; sie soll unvermögenden Männern wieder aufs Roß helfen [140]). Die T r ü f f e l gilt wegen ihres vorzüglichen Nährgehaltes als A. der Lebemänner. V a n i l l e sollen nach Zimmermann, Von der Erfahrung 2 (1764), 352 junge Ehemänner trinken, um ihren Weibern Genüge zu leisten. Die Z w i e b e l endlich war ein sehr bekanntes A. der Alten. Athenaeus Deipnosophisten 2, 64 ff. handelt in einem ganzen Abschnitt über ihre aphrodisische Wirkung. Auch das Sprichwort auf einen Impotenten: „bulbus nihil profuerit" redet deutlich genug. Martial 3. 75, 3 nennt die Zwiebel salax = geilmachend.

d) Noch sei der Anwendung von W o h l g e r ü c h e n bei den Orientalen kurz gedacht. Der wollüstige Morgenländer liebt die Wohlgerüche über alles. Omer Haleby sagt: „Es ist gut, sich sowohl vor als nach dem Koitus mit M ü s k (ein A., aus dem Blut kleiner Tauben und zarter Kamele und aromatischen Gewürzen bereitet) zu parfümieren. Wenn man dem Müsk W e i h r a u c h und M y r r h e hinzufügt, wird man mit großer Kraft koitieren und den Abfluß des Samens und das Endentzücken beschleunigen können. Der Duft der Myrrhe animiert zum Koitus, Weihrauch beruhigt nachher" [141]).

e) Unter den S t e i n e n schreibt man in Frankreich dem J a s p i s und dem S m a r a g d erotische Kraft zu [142]). Vom Smaragd weiß Rabelais: „elle a la vertu errective et confortative du membre naturel" [143]).

[78]) A i g r e m o n t [2] I (1910), 122. [79]) H o v o r k a - K r o n f e l d 2, 165. [80]) M u r r Die Pflanzenwelt in der griechischen Mythologie (1890), 201. [81]) M a t t i o l i Neu Kräuterbuch (1563), 280 A. [82]) A i g r e m o n t 2, 12. [83]) M a t t i o l i 140 B. [84]) D e r s. 226 D. [85]) M u r r 213. [86]) A i g r e m o n t 2, 17. [87]) M a t t i o l i 39 D. [88]) A i g r e m o n t I, 77. [89]) H o v o r k a - K r o n f e l d 2, 165. [90]) A i g r e m o n t 2, 80. [91]) S t e r n Türkei 2, 253. [92]) Urquell 3 (1892), 8. [93]) L a m m e r t 150. [94]) D e r s. 151. [95]) M a t t i o l i 478 B. [96]) V. F o s s e l Volksmedizin 48. [97]) A i g r e m o n t 2, 81. [98]) H ö h n I, 120. [99]) G o k k e l i u s 5, 130. [100]) R. S c h m i d t Indische Erotik 671. [101]) M a t t i o l i 207 C. [102]) D e r s.

316 D. [103]) D i o s k u r i d e s 2, 125. [104]) M a t t i o l i 131 A. [105]) H o v o r k a - K r o n f e l d 2, 173 f. [106]) A i g r e m o n t 2, 32; H ö f l e r 110; D r e c h s l e r I, 229. [107]) M a t t i o l i 107 A. [108]) v. P e r g e r Pflanzensagen (1861), 139. [109]) B r u n f e l s Herbarum Eicones (1530) = A i g r e m o n t 2, 83. [110]) S a h r Das deutsche Volkslied [3] (1908), 12. [111]) M a t t i o l i III B. [112]) L a m m e r t 150 f. [113]) H o v o r k a - K r o n f e l d 2, 165. [114]) H ö h n I, 120; H o v o r k a - K r o n f e l d 2, 166; M a t t i o l i 223. [115]) M a t t i o l i 490 D.; G o k k e l i u s 5, 130. [116]) A i g r e m o n t I, 92. [117]) Anthropophyteia 4, 293. [118]) ZfVk. II (1901), 10. [119]) D i o s k u r i d e s 2, 125; H ö h n I, 120. [121]) F l ü g e l Volksmedizin 46; B u c k 39. [122]) M a t t i o l i 107 B. [123]) A i g r e m o n t I, 141. [124]) H ö f l e r 104. 195. [125]) Anthropophytheia 4, 293. [126]) Ebd. 9, 344. [127]) H ö f l e r 98. [128]) 147 D.; 143 D. [129]) D i o s k u r i d e s 3, 135. [130]) M a t t i o l i 290 A. [131]) A l c i p h r o n 16. [132]) A i g r e m o n t I, 146. [133]) M a t t i o l i 195 D.; H ö h n I, 120. [134]) M a t t i o l i 168 D. [135]) B u c k 40. [136]) F o s s e l 48. [137]) A i g r e m o n t 2, 39 ff. [138]) I. W i m m e r Deutsches Pflanzenleben nach Albertus Magnus. Halle a. S. (1908), 20. [139]) A i g r e m o n t 2, 42. [140]) B u c k 40. [141]) S t e r n 2, 257. [142]) G e r h a r d t Franz. Novelle 88. [143]) G e r h a r d t 87.

7. Die Wirkung der A. wird durch die der A n a p h r o d i s i a c a (-An.) aufgehoben [144]). Diese dienen in der Hauptsache zur Verhütung der Empfängnis. Auch die Sorge um die Erhaltung der kultischen Keuschheit mag nach geeigneten Mitteln gesucht haben. Manches A., im Übermaß genossen, wird zum An.; auch die andersgeartete Anwendung eines A. verkehrt seine Wirkung. Doch liegt vielen Rezepten kein ersichtliches Prinzip zugrunde; was dem einen sein A. ist, wird dem anderen sein An. Die Zahl der An. animalischer Herkunft ist geringer als die der pflanzlichen.

Die A. werden gern in Form von Amuletten getragen. Harn und Kot gelten oftmals als An.

a) A n. v o m M e n s c h e n. Ein sehr seltenes mag dies gewesen sein: Wenn man die ersten Z e h e n eines Kindes, ehe sie die Erde berührt haben, in Silber faßt und einer Frau um den Hals hängt, wird diese nicht schwanger. Auch U r i n und O h r e n s c h m a l z eines Maidleins, im Getränk genommen, verhüten die Frucht [145]).

b) **T i e r i s c h e A n.** Nach Plinius 28, 117 soll durch die Leber eines **C h a m ä l e o n s** die Liebestränke unwirksam werden. Eine in männlichem Harn gekochte **E i d e c h s e** vertreibt die Liebeslust. Die Frau, die **H a s e n - k o t** in einem Säckchen um den Hals trägt, wird nicht schwanger. Hasenharn, getrunken, wirkt dasselbe [146]). Auch **K a - t e r h o d e n**, in Mauleselleder getragen, verhüten die Befruchtung [147]). Vom gepulverten rechten **L ö w e n** hoden wird das Gleiche berichtet [148]). **M a u l e s e l - n i e r e** bewirkt nach Dioskurides 1, 109 Unfruchtbarkeit. Maultierschweiß, in die Gebärmutter getan, verhütet die Empfängnis. Nach Plinius 30, 143 soll das in Leinwand getragene Pulver der **S t e r n - e i d e c h s e**, in der linken Hand gehalten, zum Beischlaf reizen, in der anderen Hand gehalten aber fortnehmen. Auch soll man durch **T a u b e n** mist (30, 141), in Öl getränkt, die Stimmung verlieren. Zur Verhütung der Schwangerschaft soll man **W i d d e r** harn trinken [149]). Als unfruchtbar gilt auch das **W i e s e l** [150]): „Deß Wiselins linckes hödlin in die Haut eines Maulthieres verwickelt, machet unbärhafft" [151]).

c) **P f l a n z e n.** Das Sprichwort (Lammert 152) von der **D e u m e n t e** (Mentha): „daß man zu Kriegszeiten weder Deumenten säen noch genießen soll, denn der Kaiser braucht Soldaten", weist sie als An. aus. Anhaltender Genuß von **D i l l** schwächt nach Dioskurides III, 60 die Zeugungskraft, nach Mattioli 315 A nimmt er, dauernd genossen, die unkeusche Feuchtigkeit. Die Blätter des **F e l b e r b a u m e s** (Silberweide), im kalten Wasser getrunken, wehren, daß die Weiber nicht schwanger werden [152]). Der giftige **F i n g e r h u t**, innerlich wie äußerlich angewendet, schwächt den Geschlechtstrieb [153]). **F l o h - k r a u t** streuten an den Thesmophorien die Frauen auf ihre Sitze und Lager, um gegen den Geschlechtsreiz abgestumpft zu werden [154]). Bock, Kräuterbuch (1530) 37, schreibt von der Garten **r a u t e**: „Stets genossen, tilgt sie die Natur der ehelichen Werke. So sollten alle Kloster-

und Ordensleute, welche keusch sein wollen und Reinigkeit zu halten vermessentlich geloben, stets in ihre Speis und Trank gebrauchen" [155]). Nach Mattioli 30 D benimmt der **K a m p f e r** die unkeuschen Gelüste, so man ihn mit Rautensaft auf das Gemächt streicht. Die Wirkungen des **K e u s c h l a m m e s** sind schon Dioskurides 1, 134 bekannt. Da er in den Klostergärten von enthaltsamen Mönchen gepflanzt wurde, hieß er Mönchspfeffer, Klosterpfeffer, Mönchssamen. Nach Bock 405 löscht er des Fleisches Brunst und Begierde [156]). Schon nach der Ansicht der Alten setzt **L a t - t i c h** die Zeugungskraft herab [157]). Er vertreibt schamlose Träume [158]). Die Rinde der **P a p p e l** bereitet Unfruchtbarkeit [159]). Im MA. galt der **S c h i e r - l i n g** als vorzügliches An. und wurde daher den Mönchen empfohlen [160]). Auch die hemmenden Wirkungen des **S e i d e l - b a s t e s** waren den griechischen Frauen bekannt [161]). Nach Ansicht der Alten sollten die Wurzeln der weißen **S e e - und W a s s e r r o s e** gegen Pollutionen getrunken werden. Eine mehrtägige Kur verursacht Schlaffheit des männlichen Gliedes, auch der Same der Pflanze [162]). Mattioli 372 D zählt als Wirkungen die Vertreibung unkeuscher Träume und Gelüste und die Verhinderung des Samens auf.

[144]) A. E l a *Anaphrodisiacs in History, Folk-Lore and Religion. Urol. and. Cutan. Rev.* (St. Louis) 24 (1920), 141—147; A i g r e m o n t 2, 88 ff. [145]) J ü h l i n g 279. [146]) L a m m e r t 158; J ü h l i n g 50. [147]) J ü h l i n g 101. [148]) D e r s. 280. [149]) L a m m e r t 158. [150]) J ü h l i n g 249. [151]) G e s n e r 3, 52. [152]) M a t t i o l i 65 C. [153]) A i g r e m o n t 2, 89. [154]) Ebd. 2, 22. [155]) Ebd. 2, 90. [156]) Ebd. 1, 105. [157]) D i o s k u r i d e s 2, 164. 165. [158]) M a t t i o l i 189 A. [159]) D i o s k u r i d e s 1, 109. [160]) A i g r e m o n t 11, 48. [161]) Ebd. 2, 91. [162]) D i o s k u r i d e s 3, 143.   Karle.

Apokalypse. (A), Apokalyptiker (A.er) apokalyptisch (a.isch).

1. Inhalt der A. A.ische Literatur ist Offenbarungsliteratur (ἀποκαλύπτειν = enthüllen). Sie umfaßt drei Themen, ein kosmologisches, ein geschichtsphilosophisches und ein eschatologisches: von Einfluß auf die Entwicklung war nur das

letztere [1]). Man spricht gewöhnlich von
A. nur im Hinblick auf die a.ischen
Schriften etwa der Jahre — 150 bis + 150,
und trennt (für uns erst in zweiter
Linie wichtig) eine jüdische und christliche Apokalyptik. Von den Propheten
unterscheidet sie, daß sie den Blick
in die Zukunft wenden [2]). Gemein ist
allen ihre Herkunft aus einem synkretistischen Kulturkreise und darum das
„Internationale" der von ihnen verwendeten mythischen Stoffe. Man kann z. B.
in der Joh.A. persische, babylonische,
ägyptische, hellenistische und jüdische
Motive feststellen [3]), von denen natürlich
die jüdischen überwiegen. Aug. Freiherr
v. Gall Βασιλεια του θεου 1926 hat das im
einzelnen dargelegt. Auf persische Grundlage führt man das Motiv des End-
gerichtes, des Unterganges durch Feuer,
die dualistische Weltanschauung, die
Aionlehre zurück, auf babylonische die
Lehre vom Kampf mit den Chaostieren,
die auf der Astrologie beruhenden Bilder
(regina caeli A. Joh. 12), die Heuschrek-
ken-Dämonen, auf ägyptische oder hellenistische den Ap. Joh. 12 durchschim-
mernden Isis-Horus- oder Letosmythus,
auf hellenistische endlich die gematrische
Kunst, die angewendet wird, die Tartarus-
vorstellungen usw. [4]). Natürlich handelt
es sich nicht um direkte Entlehnungen;
die a.ischen Schriftsteller entnahmen dem
großen synkretistischen Sammelbecken,
was sie brauchen konnten. Die jüdische
wie christliche Apokalyptik verwertet
mythologische Stoffe und Sagen, nicht
nur solche eschatologischer Art.

Mehr oder weniger allen A.n sind folgende Motive [5]) eigen: es folgt auf diesen
Aion ein andrer, besserer (Daniel: Reich
der Tiere und Reich der Menschen; IV.
Esra 7, 50; Epheser 1, 21). Der A.ker
versucht, den Beginn des neuen Aion zu
berechnen (vgl. unten V, 6); aber Gott
kennt allein das Ende und den neuen Anfang (IV. Esra 4, 35 ff.; Marc. 13, 32).
Das Ende ist vor der Tür (Marc. 13, 30).
Die messianischen Wehen zeigen sein
Kommen deutlich an (vgl. Eschatologie).
Der Kampf Gottes gegen die Urzeittiere
und den Antichristen, den Teufel, dann

das Gericht über die Feinde des Volkes,
zuletzt erweitert zum Gericht über alle
Bösen, findet statt (vgl. Antichrist I;
Dan. 7, 10; IV. Esra 7, 26 ff.; A. Joh. 20,
11 ff.). Nach dem Gericht beginnt ein
freudenvolles, paradiesisches Zukunfts-
reich unter einem Friedenskönig. Frauen
gebären ohne Schmerzen; die Schnitter
schneiden ohne Mühe; der Fluch (Gen. 3,
16. 19) ist aufgehoben (Jes. 11. Syrische
Baruch 73). Das Paradies, das in der Urzeit vorhanden war und das im Norden
hinter den Bergen liegt, von einer Mauer
umgeben, kehrt wieder; der Lebensbaum,
das Lebenswasser sind da, die himmlische
Stadt (Ezechiel 28, 11 ff., wo vom Ur-
menschen im Paradiese die Rede ist), wo
die weilen, die lebend entrückt wurden
IV. Esra 6, 26; Syr. Baruch 29. 51;
(IV. Esra 8, 52. Lebensbaum: Henoch 24,
4; 25, 4. Lebenswasser: A. Joh. 22, 1.
Chaostiere als Speise: Syr. Baruch 29, 4.
Mauer: A. Joh. 21, 12 [6]). Himmlische
Stadt: A. Joh. 21). Die Gottlosen aber
werden an den Ort der Qual, Gehenna,
geworfen (IV. Esra 7, 36). An diesen
Orten weilen die wieder erstandenen
Toten im neuen Aion (Henoch 51;
A. Joh. 20, 12), nachdem sie gerichtet
worden sind und nachdem die jetzige
Welt untergegangen ist. Wie ehemals
durchs Wasser (Sintflut), wird sie jetzt
durchs Feuer untergehen (II. Petr. 3,
5 ff. Namentlich bei den Sibyllen: IV,
172 ff.; V, 155 ff. 206 ff. 274 f. 447.
512 ff.; II, 196 ff.; VIII, 243 f. 337 ff.
412 f. Selbst das Meer wird verbrennen:
A. Joh. 21, 1). Die neue Welt kommt
herauf (bereits Jes. 65, 17; A. Joh. 21, 1).
Als Offenbarungsliteratur — das ist eine
äußere Gemeinsamkeit — arbeiten alle
ausgiebig mit Zahlen- und Buchstaben-
rätseln [7]).

Diese a.ischen Anschauungen waren zur
Zeit Jesu in Palästina bekannt. Im Urchri-
stentum haben a.ische Hoffnungen einen
nicht geringen Bestandteil des Glaubens
ausgemacht [9]). Auch jüdische A.n wurden eifrig gelesen, vor allem Henoch und
Daniel; so zitiert der Judasbrief (V. 14)
die Henoch-A. Der apokryphe Barnabas-
brief vom Anfang des 2. Jhs. zitiert eine

a.ische Stelle sogar als Schriftwort. Jüdische A. wurden christlich überarbeitet, wie die Himmelfahrt Jesaia, das Testament der 12 Väter oder die Sibyllinen zeigen[10]).

Man hat bereits erkannt, daß hinter manchem der a.ischen Bilder ein Stück Astralmythus steckt[11]). Freilich wird man nicht glauben dürfen, das sei der letzte Grund; denn diese astrale Mythologie ist doch zum größten Teil erst ein spätes Produkt, vor ihr liegt älteres Gut[12]). Der Drache A. Joh. 12 war gewiß einmal ein mythisches Ungeheuer, ist dann zum Sternbild des Drachens geworden[13]) und in einer Zeit, die so deutete, in die A. Joh. eingegangen.

[1]) W u n d t *Mythus u. Religion* 3, 307 f. [2]) RGG.[1] s. v. [3]) Ebd. v. G a l l Βασιλεια του θεου 1926, 265 ff. 81 ff.; R e i t z e n s t e i n *Iran. Erlösungsmysterium* 231. [4]) D i e t e r i c h *Nekyia* 225 ff.; N e c k e l *Studien z. d. germ. Dichtungen v. Weltuntergang* = Sitzungsber. d. Heidelberger Ak. d. Wiss. Phil.-hist. Kl. 1918. 9. Bd. 7. Abhandlg. St. 43 ff. Vgl. auch O l r i k *Ragnarök.* [5]) Ich folge B o u s s e t - G r e ß - m a n n *Religion d. Judentums im späthellenist. Zeitalter* 1926, 242 ff., wo eine Fülle von Belegen gesammelt ist. Vgl. dazu die neutestamentlichen bei C. C l e m e n *Neues Testament* 90 ff. [6]) Vgl. dazu H. G r e ß m a n n *Ursprung d. israelit.-jüd. Eschatologie* 1905, 227 ff. [7]) B o l l *Offenb. Joh.* 20 ff. 26 ff. [9]) C. C l e - m e n *Neues Testament* 90 ff. [10]) RGG. 1, 530. [11]) B o l l *Offenb. Joh.* 16 ff. [12]) Ebd. 125. [13]) Ebd. 98 ff.

2. A.ische Literatur[14]). Die wichtigsten **j ü d i s c h e n** A.n sind: Daniel (nach dem Kislew 168 und vor dem Kislew 165 geschrieben), äthiop. Henoch (zwischen — 164 und — 80 in Palästina mit späteren Einschüben), III. Sibylle um — 140 in Ägypten[15]), XII Testament. Patriarch. (Makkabäerzeit), Adamsbuch (A. Mosis) (zwischen Herodes Tempelbau und 70), Ascensio Mosis (erste christl. Jahrzehnte), slav. Henoch (Palästina vor 70), Sibylle I, 1—138 und II, 6—44 (um 70), Sibylle IV (bald nach 79), IV. Esra (nach 70, Zeit Domitians), syr. Baruch (nach IV. Esra), griech. Baruch (bald nach 136), endlich unbekanntere jüd. A.n wie die Abrahams[16]), das Buch Eldad und Modad[17]), die Offenbarung des Elias (3. Jh.)[18]). Die wichtigsten **c h r i s t l i c h e n** sind: Ascensio Jesaia (Einschub um 100, End-

redaktion 3.—4. Jh.)[19]), Hirt des Hermas (Rom Mitte 2. Jh.), Sibylle VI. VII. (Mitte 2. Jh.), VIII. (vor 180), V. Esra (2. Jh. Abendland), VI. Esra (zwischen 120 und 300, griechisch), Offenbarung Petri (2. Jh. Ägypten)[20]), christl. Elias-A. (spätestens Anfang 4. Jh.), A. Pauli (um 380). Über die Stellung der A.n in der Kirche unterrichtet die Notiz im Kanon Muratori um 200: A., die des Johannes und des Petrus nehmen wir allein an, welche letztere freilich einige der Unsern in der Kirche nicht gelesen haben wollen; den Hirten aber hat ganz kürzlich, in unserer Zeit, Hermas geschrieben, während auf dem Stuhl der Stadt Rom als Bischof sein Bruder Pius saß, und deshalb darf 'er zwar gelesen, in der Gemeinde aber dem Volk nicht kundgetan werden[21]). Heut anerkennt die Kirche die Offenbarung des Johannes oder die große, und die kleine A. Matth. 24 (= Marc. 13 = Luc. 21, 5 ff.).

[14]) Übersetzungen der jüd. Apokalypsen bei E. K a u t z s c h *Apokryphen u. Pseudepigraphen d. Alt. Test.* 2 (1900), 177 ff. Vgl. ferner P a u l V o l z *Die jüd. Eschatologie* 1903. Ost und West Bd. 22. 23. Die christl.: C o n s t. T i s c h e n d o r f *Apocalypses apocryphae* 1866, in Übersetzungen bei E d g a r H e n - n e c k e *Neutestamentl. Apokryphen* 1904; vgl. auch ARw. 15, 254 u. 8, 298; J o h. G e f f k e n *Aus d. Werdezeit d. Christentums* 1909. Die Datierungen folgen B o u s s e t - G r e ß - m a n n 11 ff.; v. Gall 266 ff. [15]) Vgl. ebd. 18. [16]) N. B o n w e t s c h *Die A. Abrahams* 1897 = Stud. z. Gesch. d. Theol. u. Kirche I 1. [17]) B o u s s e t - G r e ß m a n n 46. [18]) G. S t e i n d o r f f *Die A. des Elias* 1899 in G e b h a r d t - H a r n a c k s *Texten u. Untersuchungen* N. F. II, H. 3 a. [19]) s. Antichrist I. [20]) Ztschr. f. neutest. Wiss. 14, 65 ff.; ARw. 15, 254; D i e t e r i c h *Nekyia* 1 ff. 214 ff. 227 ff. [21]) H e n n e c k e 199.

3. Auch die antike Literatur enthält a.ische Stücke[22]); aber die eigentlich endzeitlichen Momente treten zurück; der kleinste Teil des Weltenjahres ist erst vorüber (Cicero Somnium Scipionis 15 f.); der Traum vom Friedenskönig erscheint in panegyrischen Dichtungen (Vergil IV. Ekloge)[23]). Typisch allein ist für die hellenistisch-römische Literatur die Schilderung der Hadesfahrt (Vergil, Aeneis VI)[24]). Nach Dieterich bilden pytha-

goräisch-orphische Anschauungen für
diese Schilderungen (und dann auch für
die Petrus-A. und Henochs Offenbarung)
den Untergrund [25]), während Bousset die
Himmels- und Höllenreise der Seele aus
dem Iran herleiten will [26]), und über ihr
Hervorgehen aus einer ekstatischen Praxis spricht.

Die eigentlich a.ische Literatur, für welche A. Joh. typisch ist, verstummt im MA.;
die Paulus-A. um 380 scheint der letzte
Ausläufer derselben gewesen zu sein [27]).
Da wird wohl noch das Gericht geschildert, die Gewißheit, daß die Endzeit nahe
sei, ist aber dahin; die Schilderung des
Aufenthaltsortes der Seligen und Verdammten wie ihrer Strafen nimmt den
größten Raum ein. Und diese, uns bereits aus den Hadesfahrten der antiken
Literatur bekannte Episode, wird charakteristisch für das Schrifttum des
MA.s. Bereits Minucius Felix im 2. Jh.
verwendet sie unter Berufung auf die
poetae [28]). Für die Zeit bis zur göttlichen
Komödie hat man etwa 35 „Visionen"
dieser Art [29]) zusammengebracht, doch
reicht diese Art Literatur, wie Hans Engel-
brechts „Warhafftige Geschicht vnd Gesicht vom Himmel vnd der Hellen 1640"
und „Die Geschichte der Somnambule Phi-
lippine Demuth Bäuerle" (geb. 1816) und
ihrer Reisen in den Mond, die Sterne und
die Sonne ausweisen, bis fast in unsere
Zeit [30]). Von A. wird man kaum sprechen
dürfen; einmal handelt es sich nur um
e i n e Episode a.ischer Weltanschauung;
dann aber wird man auch in Betracht
ziehen müssen, daß A.n literarische Werke
sind. Jülicher nennt die Joh. A. ein in der
Studierstube gefertigtes Kunstprodukt [31]),
Boll nennt a.ische Dichtungen stets kom-
pilatorisch [32]). Das können wirkliche Visionen natürlich nicht sein. Und wenn
sich auch allmählich ein literarisches
Schema ausbildet, so ist dieses doch zu
eng, ganz auf die Darstellung der Hadesfahrt beschränkt, als daß man von A.
sprechen dürfte. Am ehesten dürfte man
noch die Aufzeichnungen der Hildegard von Bingen und der Elisabeth von
Schonau hierher rechnen. Dennoch haben
a.ische Schriften im MA. eine große Rolle

gespielt. Die des Johannes hat nicht wenig
zur Beunruhigung der Geister (vgl. Antichrist V) beigetragen [33]). Die Geschichte
ihrer Auslegung unterrichtet zugleich
über die Art, wie man sie las [34]). Auch
apokryphe A.n waren bekannt; Heinrich
von Hesler zitiert den verlorenen Sopho-
nias, der „ein wissage was" [35]), Henoch
scheint auf die „Visionen" von Einfluß
gewesen zu sein [36]), die Paulus-A. ist seit
dem 9. Jh. bekannt [37]); Jakob Böhme
wie Paracelsus kennen den IV. Esra [38]).
Man beachtete die Vorzeichen (vgl. Prophezeiung), berechnete die Endzeit (s.
unten), sprach von der letzten Schlacht
(s. d.), vom tausendjährigen Reich (s. d.)
und jüngsten Gericht (s. d.).

Am höchsten scheint die Angst im 16.
und 17. Jh. gestiegen zu sein (vgl. Antichrist), als sich die Furcht in neuen a.-
ischen Gesichten entlud. Aus keiner Zeit
sind mir so viele Berechnungen der a.-
ischen Zahlen und Zeiten bekannt als aus
dieser, in der sich die Pansophen besonders mit derartigen Grübeleien abgaben [39]). Neben solchen Rechenkünstlern
wie Studion [40]), Adam Nachenmoser [41])
stehen die a.ischen Visionen pansophisch
infizierter Schwenckfelder [42]), stehen die
wirren Gesichte Kotters [43]), Rischmanns [44])
und die Schreiben Jakob Böhmes [45]) bis
zu den Prophezeiungen des Braunschen
Michels (geb. 1730) [46]). Sie alle reden eben
aus der Angst vorm Ende heraus, sehen
das Gericht, ihnen werden die Heimlich-
keiten Gottes gewiesen und die zukünftigen Dinge. Die Prognostica Lichten-
bergers von 1498 wie die in einem Kart-
häuserkloster gefundenen magischen Figuren müssen, lehrt Paracelsus, ihre Auslegung in der A. Joh. haben, wie diese
in den Propheten [47]).

Für die Pansophen und Anhänger des
Paracelsus fiel Theologie und „Philosophie"
= Naturerkenntnis zusammen. Gott ent-
hüllte sich in der Natur. Ihre Schriften
erscheinen deshalb oft als A.n, wie etwa
Gutmans „Offenbarung himmlischer Majestät" [48]), oder die Paracelsus zugeschriebenen alchymischen Bücher: Apocalypsis spiritus secreti Theopras: paracelsi, Apocalypsis Hermetis, Theophrasti

Apocalypsis de spiritu occulto, Apocalypsis D. D. Theophrastj Germanj Wider die müessigen ständt vndt falsche Aposteln[49]).

[22]) Norden *Aeneis* VI. 1903, 3 f [23]) Kampers in MschlVk. 17, 137 ff.; Boll *Offenb. Joh.* 12 f.; Dieterich *Nekyia* 33 Nr. 2. [24]) Dieterich *Nekyia* gibt die Geschichte dieser Literatur. Vgl. auch Reinach im ARw. 9, 312 ff. Über die Vorläufer Vergils ebd., die Nachahmer = G. Ettig *Acheruntica* 360 ff. [25]) Dieterich *Nekyia* 225 ff. 217 ff. 217 Nr. 3. [26]) ARw. 4, 155 ff. [27]) C. Fritzsche *Die lateinischen Visionen des Mittelalters bis zur Mitte d. 12. Jhs.* = Roman. Forschungen 2, 256; Liebrecht *Gervasius* 89 ff. [28]) Octavius c. 35 = Dieterich *Nekyia* 160. [29]) Roman. Forsch. 2, 245 ff. und 3, 337 ff. Vgl. die Ergänzungen bis auf Dante bei Norden 9 f. [30]) W. Gerard, Berlin. s. a. [31]) Pauly-Wissowa s. v. [32]) *Offenbar. Joh.* 4. Vgl. Wundt *Mythus u. Religion* 3, 304 f. 306. [33]) Vgl. auch Döllinger im Histor. Taschenbuch V. F. 1, 259 ff. u. Wadstein in Ztschr. f. wissensch. Theol. 38, 538 ff. [34]) Wilh. Bousset *Offenb. Joh.* 1906, 49 ff. [35]) Karl Helm 1907. Vers 18373 f. [36]) Das sah bereits Fritzsche: Roman. Forschungen 2, 252 f. [37]) Ebd. 2, 256. [38]) Peuckert *Leben Jak. Böhmes* 1924, 101. [39]) Vgl. Peuckert *Rosenkreutzer* 1927. [40]) Ebd. [41]) Ebd. [42]) Ebd. Vgl. auch Peuckert *Leben Jak. Böhmes* 1924, 2 f.; ders. *Schlesien* 71. [43]) Amos Comenius *Lux e tenebris* 1. 1. [44]) Peuckert *Schlesien* 72 f. und Kühnau *Sagen* 3, 524 ff. [45]) Peuckert *Leben Jak. Böhmes* 1924, 6 f. [46]) Ders. *Schlesien* 71 f. [47]) Paracelsus *Liber Philosophiae de arte praesaga.* ed. Huser 1590, Bd. 9, 110 f. [48]) Peuckert *Rosenkreutzer* 1927. [49]) Karl Sudhoff *Versuch einer Kritik d. paracels. Schriften* 2, 733. 751. 760 f.

4. A.ische Vorstellungen im nordischen Mythus. Man hat längst die Beobachtung gemacht, daß Vorstellungen der Joh. A. im Nordischen wiederkehren; das ist besonders an der Völuspa aufgefallen. E. H. Meyer[50]) erklärte das vor allem aus dem Einfluß mittelalterlicher Predigtliteratur (wie etwa des Honorius von Autun Elucidarius), in die a.ische Vorstellungen aufgenommen worden waren. Olrik glaubte den Weg christlicher Vorstellungen über Irland nach dem Norden feststellen zu können[51]). Gewiß mag manchmal die irische Überlieferung von Einfluß gewesen sein; aber diese Wanderungen liegen zeitlich doch zu spät. Neckel hat m. E. ganz einwandfrei eine Nordwanderung a.ischer Vorstellungen vor der Wikingerzeit nachgewiesen[52]).

Wie im 1. Jh. ein römischer Ritter die Bernsteinstraße wanderte, wanderten Geräte, Waffen, Gold und geistige Vorstellungen nach dem Norden. Die übermittelten Vorstellungen haben ein durchaus christliches Gepräge; ich halte deshalb die a.ische christliche Literatur, nicht die hellenistische Astralreligion, für den Ausgangspunkt; nicht aus dieser strahlte nach Norden und Süden a.isches Gut aus, die zeitliche Aufeinanderfolge muß 1. hellenistische Astralreligion, 2. A., 3. nördliche A. gewesen sein[53]). Auch nach Süden sind a.ische Ideen gewandert: „le Coran est une Apocalypse"[54]).

[50]) *Völuspa* 1880, 41 ff.; *Mythologie d. Germanen* 1903, 434 ff.; *Germ. Myth.* Register s. v. [51]) *Ragnarök* 1922, 127 ff. u. Kahle im ARw. 9, 64 ff. [52]) *Stud. z. d. germ. Dichtungen v. Weltuntergang*: Sitzb. Heidelb. 9. [53]) So scheint mir die Folge Schröder *Germanentum* 21 f. zu ändern zu sein. [54]) P. Casanova *Mohamed et la fin du monde* 68; Bertholet *Lehrb. d. Religionsgesch.* 1 (1925), 735.

5. Die A. im Volksglauben. Eine mythengeschichtl. Durchsicht der Joh.-A. fördert reiche Ergebnisse zutage. Hier kann nur Einzelnes angedeutet werden.

1. Michael als Drachentöter c. 12. Vgl. Michael[57]).

[57]) Lippert *Christentum* 500 f.

2. Der „Drache" c. 12 ist nach manchen das Urbild für die Drachengestalt der Volkssage[58]). Vgl. Drache.

[58]) Ebd. 492.

3. Das a.ische Tier c. 13 = Nero; vgl. Antichrist I. III.

4. Die 24 Ältesten c. 4, 4 wurden Anfang des 15. Jhs. in Obersteiermark an Donnerstagen abergläubisch verehrt. Man hielt sie für eine besondere Klasse von Heiligen und glaubte, Gott halte an den Donnerstagen der Quatember mit ihnen Rat, was im nächsten Quartal geschehen soll, wer sterben solle, wer Glück oder Unglück haben werde[59]).

[59]) Ztschr. kath. Theol. 15, 17 ff.; Ztschr. f. Kirchengesch. 13, 473.

5. Die Anfangsworte der Joh.-A. wurden in Segen und Beschwörungen zitiert[60]). Ebenso verwendete man die A. im Wetterzauber[61]).

[60]) P r a d e l *Gebete* 316. 321. Vgl. auch M a n - s i k k a *Über russ. Zauberformeln* 1909, 34 ff. 43. 55. 59. 66. [61]) Korrespondenzbl. d. Ges. f. Anthropologie 27, 113, nach J. B o i s *Satanisme* 382.

6. Die wichtigste Rolle spielen die bibl. A.n in Notzeiten. Dann werden endzeitliche Hoffnungen und Ängste wach. Man versucht sich in Berechnungen. Schon die Dichter der A. haben sich ja mit derartigen Berechnungen beschäftigt, gar die ihrer Vorgänger zu lösen versucht, wie etwa Daniel 9 sich mit Jes. 29, 10 abgibt [62]). Gebräuchlich ist eine Zeitangabe von 70 Wochen (ebd.) [63]), eine solche von 6000 + 1000 Jahren = eine Weltwoche (Aion) nach Ps. 90, 4 auf Grund einer älteren rabbinischen Berechnung, die 2000 Jahre für die Zeit von der Schöpfung bis zum Gesetz, 2000 Jahre unterm Gesetz und 2000 Jahre der Gnade kannte [64]). Dieser Aion selbst wird eingeteilt in vier Zeiten von je 3000 Jahren (Dan. 2; IV. Esra 12, 11); das goldene, silberne, eherne und eiserne Zeitalter [65]), oder in sieben Zeiten [66]); hierher gehören wohl auch Daniels und Johannes (A. 12, 14; Dan. 7, 25) 42 Monate (A. 13, 5), 1260 (A. 12, 6) oder 1290 Tage (Dan. 12, 11). Endlich teilt IV. Esra 14, 11 den Aion in 12 Teile, von denen 9½ vergangen sind [67]). (Vgl. Weltzeitalter.)

Eine Übersicht über die Auslegungen, welche die Zahlen der bibl. A. erfuhren, — man wird noch 1300 (Dan. 8, 14), 1332 (Ascensio Jes. 4, 12 = 4, 14) und 1335 (Dan. 12, 12) zufügen dürfen — hat Bousset gegeben [68]). Es sei nur erwähnt, daß, nachdem die eschatologischen Erwartungen der beiden ersten Jahrhunderte verflogen waren, die Angst etwas nachließ. Ums Jahr 1000 ist — entgegen einer landläufigen Meinung — die Beängstigung nicht besonders groß gewesen; dagegen hat Abt Joachim von Floris das Jahr 1260 als Erfüllung der Weissagung A. Joh. 12, 6 ansehen wollen, und die Geißlerzüge waren die Reaktion auf seine Prophezeiung [69]). Um 1600 wieder, als nur noch wenige Jahre bis zum Jahre 6000 der jüd. Zeitrechnung blieben, stürzte man sich in derartige Berech-

nungen [70]). Die ausführlichsten im 17. Jh. hat wohl Bengel angestellt [71]).

[62]) B o l l *Offenb. Joh.* 23 ff.; B o u s s e t - G r e ß m a n n 246. [63]) Ebd. 247. [64]) J o h. K l a u s n e r *Messian. Vorstellungen d. jüd. Volkes.* 1904. 28 ff. [65]) B o u s s e t - G r e ß m a n n 246. [66]) Ebd. 247. [67]) Ebd. Nr. 1. [68]) *Offenb. Joh.* 49 ff.; B e n g e l *Erkl. Offenb. Joh.* 1099 ff. 1135 ff.; vgl. S c h i n d l e r *Aberglaube* 94 ff. [69]) Vgl. darüber S a l i m b e n e v. P a r m a in den Geschichtschr. d. deutsch. Vorzeit 94. [70]) P e u c k e r t *Rosenkreutzer* 1927. [71]) J o h. A l b r e c h t B e n g e l *Erklärte Offenbarung Johannis* 1746 [2], 96 ff., 1059 ff.

7. Ich habe als Kind adventistische Schriften kennengelernt, in denen die „Vorzeichen" Matth. 24 auf historische Geschehnisse gedeutet wurden; sie erregten im Landvolk große Bestürzung. Ähnliches versucht nach dem Kriege die „Vereinigung ernster Bibelforscher", die dem Sturz des Gotenreiches i. J. 539 (?) 1260 Jahre zuzählt, um zum Jahre 1799, der Zeit des Endes, zu kommen. Zählen sie die danielischen 1335 Jahre zu, gelangen sie zum Jahre 1874, in dem des Herrn zweite Gegenwart fällig ist. 3½ Jahre als Zeit seines Wirkens werden zugezählt, so kommt man auf 1878. Dann beginnt die Ernte, die 40 Jahre dauern soll (entsprechend Jesu Lehrzeit und der Zeit der jüd. Ernte 33—73 nach Chr.); so kommt man auf 1918 [72]). Ähnliche Berechnungen waren im Weltkriege üblich [73]); ich bin selbst Zeuge gewesen, wie man in den Walddörfern des Isergebirges aus Dan. 12, 12 den Friedenstag ergrübeln wollte: wohl dem, der erreicht 1335 Tage.

Im Weltkriege — und deutlicher noch nach ihm — hat man die A. Joh. wieder als historische Weissagung auszubeuten versucht. Das ist in öffentlichen Vorträgen: „Das Geheimnis des Jahres 1924, Deutschlands Wiederaufstieg; das Ende des Tieres", ebenso wie in Schriften geschehen. So wird 10, 6 „es wird keine Zeit mehr sein" durch Einsteins Relativitätstheorie als erfüllt angesehen; c. 13, 13, das 2. Tier, das Feuer vom Himmel fallen läßt, ist die exakte Wissenschaft, die den Blitzableiter erfand [74]); c. 16 behandelt die gegenwärtige Zeit. Derartige Literatur findet sich häufig in Händen religiös gesinnter Arbeiter und Landleute, die sie vor ihren Geistlichen verbergen, weil sie empfinden, daß diese dergleichen ablehnen.

[72]) J. F. R u t h e r f o r d *Die Harfe Gottes* (1922?), 224 ff. [73]) MschlesVk. 20 (1918), 60 f.; vgl. ZfrwVk. 15, 133. [74]) E. S c h l e g e l *Die Geheimnisse der Offenbarung. Symbolik der Ap. Joh.* (1922), 28 ff. 48 f.

8. M ä r c h e n m o t i v e i n d e n A. n. Bereits Kauffmann hat das Märchen der volkstümlichen Visionsliteratur zuweisen wollen, einer den A.n eng benachbarten Gattung [75]). Eine Zusammenstellung der die A. berücksichtigenden Märchen des A. T. hat Gunkel gegeben [76]). Sie sei für die neutestamentliche A. ergänzt; ich berücksichtige dabei Ascensio Jes., V. Esra, Petrus - A., Hirt des Hermas, christl. Sibyllinen und A. Joh. — Märchenwanderung: A. Petri, Asc. Jes., Paulus-Ap. Fabelwesen: A. Joh. 13; 12, 9. Hirt d. H. 4. Vision. Märchenland mit Lebensbaum und Lebenswasser (vgl. auch I): A. Joh. 22, 1 f.; V. Esra 2, 12. 19. Hinter sieben Rosenbergen: V. Esra 2, 19; A. Petr. 15. Märchenstadt: A. Joh. 21, 2 ff. Wächter an Himmelspforte; Losungswort: Asc. Jes. 10, 24. Märchenberge: Hirt des Hermas 9. Gleichnis. Märchenjungfrauen ebd. Weiß wie Schnee, rot wie Rosen: A. Petr. 9. Jungfräuliche Schwangerschaft: Asc. Jes. 11; schwanger durch Anhauchen: Sibyll. 8, 462. Geburt ohne Schmerzen: Asc. Jes. 11, 9. Sonne still stehen lassen: Sibyll. 5, 228. Finstre Welt: Sibyll. 7, 142. Tote Zweige grünen aus: Hirt d. H., achtes Gleichnis. Tür öffnet sich unsichtbar: Asc. Jes. 6, 6. Zaubrische Blindheit: Asc. Jes. 11, 24. König verkleidet: Asc. Jes. 10, 7—11, 32. Name unbekannt: Asc. Jes. 9, 6. Dämonische Frau im Bad erblickt: Hirt d. H. Eingang. Frage vergessen: ebd. 9. Gleichnis. Ewiger Kampf zwischen Engelsheer und Dämonenheer in der Luft: Asc. Jes. 7, 9 ff. Sand verschüttet ein Land: Sibyll. 7, 104 f. Unter Eis versinken: Sibyll. 7, 107. Das Verzeichnis ist noch zu vervollständigen.

[75]) ARw. 15, 625 f. = Festskrift till H. F. Feilberg 421 ff. [76]) G u n k e l *Märchen* Register unter „Apokalyptik".   Peuckert.

Apollinaris, hl., erster Bischof von Ravenna, um 75 gemartert, Fest 23. Juli. Seine Reliquien ruhen in Classe, der Hafenstadt Ravennas, wo sie 1173 noch unversehrt aufgefunden wurden. Die Überlieferung, seine Gebeine seien 1164 auf den Berg bei Remagen a. Rhein (Apollinarisberg) übertragen worden, ist daher unhaltbar. Die Remagener A.-kirche kann nur Überreste eines andern Heiligen gleichen Namens besitzen [1]). Der A.berg bei Remagen, vorher Martinsberg, bzw. die A.kirche (Martinskirche) dort, wurden vielbesuchte Wallfahrtsstätten [2]). Hier wird A. gegen Gicht angerufen. In Franken (Bayern) gilt er als Fürbitter gegen Steinkrankheit [3]). An Fallsucht Leidende lassen sich mit dem Haupt des Heiligen berühren. Als Opfergabe brachten solche früher so viel „Ähren", als ihr Gewicht betrug [4]).

[1]) K o r t h *Die Patrocinien im Erzbistum Köln* 23—25; K ü n s t l e *Ikonographie der Heiligen* 89—90; N i e d *Heiligenverehrung* 60. [2]) Ä g. M ü l l e r *Das hl. Deutschland* 2, 304 ff. [3]) L a m m e r t 258. [4]) R e i n s b e r g - D ü r i n g s f e l d *Das festliche Jahr* 214. Wrede.

Apollo, der griechische Gott, ist durch die Epen, in denen er neben Tervigant Mahmet und Kahûn als sarazenischer Götze genannt wird [1]), in den Volksglauben übergegangen. Als bösen Geist nennt man ihn auch „phytonem appollinem" [2]). Python, der von Apollo getötete Drache, wird später zur Bezeichnung eines Wahrsagegeistes oder Dämons, z. B. Lev. 20, 27; Deut. 18, 11; 1. Sam. 28, 7; Act. 16, 16, wo die Vulgata python hat. Plutarch, de def. odac. 9: ἐγγαστριμύθους (Bauchrednergeist) ... πύθωνας προσαγορωμένους und Pseudo-Clement. hom. 9, 16: πύθωνις μαντεύονται, ἀλλ' ὑφ' ἡμῶν ὡς δαίμονις ἐκριζούμενοι φυγαδεύονται vgl. Hesychius πύθων δαιμόνιον μαντικόν. Der Versuch, den Phol = Baldr des zweiten Merseburger Zauberspruchs als A. zu erklären, ist abzulehnen [3]).

[1]) Vgl. z. B. B e n e c k e - M ü l l e r *Mittelhochdt. Wb.* 1 (1854), 48; G a u t i e r *La chanson de Roland* (1889), 47; SAVk. 22, 228. [2]) G r i m m *Myth.* 3, 411; W e i n h o l d *Festschrift* 7, 5. [3]) R. M. M e y e r *Relig.gesch.* 311.   Jacoby.

Apollonia, hl., Jungfrau u. Märtyrin, erlitt 249 den Feuertod, Fest 9. Febr. 1. Nach dem zeitgenössischen Bericht des Bischofs Dionysius v. Alexandrien, von Eusebius hist. eccl. II, 41 überliefert, wurden der Jungfrau vor ihrem Tode durch Schläge auf die Kinnbacken alle Zähne ausgebrochen. Laut einer späteren Legende sind ihr die Zähne mit einer Zange ausgerissen worden. Daher wird die Heilige vorzügl. seit dem 16. Jh. mit einer (glühenden) Zange als besonderem Attribut dargestellt [1]).

[1]) S a m s o n *Kirchenpatrone* 131—132; K o r t h *Die Kirchenpatrone im Erzbistum Köln* 25; ARw. 19, 422; K ü n s t l e *Ikonographie der Heiligen* 90—93; N i e d *Heiligenverehrung* 56 (s. bei Apollonius).

2. Patronin gegen Zahnleiden [2]). Grundlage für dieses Patronat, durch das die Heilige im Volk starke Verehrung und weite Verbreitung ihres Namens als eines Taufnamens gewann, bildet die Mitteilung bei Eusebius. Hinweise auf A.s Anrufung und den Volksglauben an ihre machtvolle Fürbitte gegen Zahnweh oder gegen „alle Schmerzen des Hauptes und der Zähne" bereits häufig seit dem 15. Jh.[3]).

[2]) E. S c h m i d t *Volkskunde* 126; K l i n g - n e r *Luther* 119; N o r k *Festkalender* 159; Germania 13 (1868), 180; E i s e l *Voigtland* 255 Nr. 641; F o n t a i n e *Luxemburg* 113; ZfÖVk. 4 (1898), 143; B a r t s c h *Mecklenburg* 2, 427. [3]) Nürnberger Passional fol. 374', Spegel der Sachtmödicheit. Lübeck 1487, Mainzer Brevier 1495, Kölner Brevier usw.

3. Die Hilfe der Heiligen sucht das Volk auf mannigfaltige Weise zu erwirken oder zu verstärken. Um von vornherein gegen Zahnschmerz gefeit zu sein, soll man täglich ein Vaterunser zur hl. A. beten [4]). Wer sich den Mund mit Wasser aus dem A.brunnen auf dem Kapellenberg in Sachsen (Staat) füllt, wird nach der Volkssage nie im Leben Zahnweh spüren [5]). Soll die Anrufung um so wirksamer sein, hängt man dem vom Schmerz Geplagten ein „Bildl" der Heiligen um den Hals [6]).

[4]) L a m m e r t 233. [5]) M e i c h e *Sagen* 599 Nr. 742. [6]) ZdVfVk. 8 (1898), 399.

4. Andern die Anrufung begleitenden Handlungen liegt eine Art Übertragung des Leidens mittels Gegenständen aus dem Besitz des Leidenden zugrunde. Bei Staufen (Bonnd.) tragen Zahnleidende den Löffel, mit dem sie täglich essen, ins „Bildhüsli" oder „Löffelkäpili" (Kapelle) und legen ihn dort zu Füßen einer Statue der hl. A. nieder. Ebenda hängen Frauen, deren Kinder schwer zahnen, die Hemdchen oder Kittelchen dieser auf [7]).

[7]) M e y e r *Baden* 535; Bad. WB. 1, 68.

5. Eine Art Heilsegen oder Heilspruch gegen Zahnweh, in dem der Name A. vorkommt, ist in französischer Fassung überliefert, deren ältere lateinische Vorlagen den Namen Petrus statt den der A. aufweisen [8]).

[8]) W o l f *Beiträge* 1, 260; ZfVk. 24 (1914), 136—137.

6. Als Ursache der Krankheit gilt wie bei andern der Wurm. Mittel gegen die „Würmer in den Zähnen" ist im oberen Tessin eine weiße, glockenförmige Blume, Fior di Sant' A. genannt. Man siedet sie und schnauft die Dämpfe, durch die „kleine, haarige Würmchen" aus den Zähnen kommen, so daß mit diesen das Zahnweh verschwindet [9]). In Bayern bedient man sich der Apollonienwurz, Aconitum Napellus, auch Teufelswurz genannt; dieses Apollonienkraut muß um St. Johannis gesammelt werden [10]).

[9]) SAVk. 19, 48. [10]) ZdVfVk. 1 (1891), 295; H o v o r k a - K r o n f e l d 2, 854 f. (ungenaue Wiederholung e. Beleges ohne Quellenangabe!).

7. Ganz vereinzelt erscheint A.s Anrufung gegen Flechten [11]).

[11]) MschlesVk. 14 (1905), 88.

8. A. im Wurmsegen [12]).

[12]) Germania 32 (1887), 459.   Wrede.

Apoplexie s. S c h l a g a n f a l l.

Apostel, Zwölfboten, insgesamt Inhaber eines Kirchenpatroziniums, Fest 15. Juli, genannt Apostelteilung, Divisio oder Dispersio Apostolorum, zum Andenken an den Tag, an dem die A., der frühchristlichen Legende gemäß, sich in die ihnen durchs Los zugefallenen Missionsgebiete zerstreuten [1]).

[1]) K ü n s t l e *Ikonographie der Heiligen* 93 bis 102; B e n z e r a t h *Kirchenpatrone* 56 f.; D o r n Arch. f. Kulturgesch. 13, 27 f.; P f i s t e r *Reliquienkult* 1, 259 ff.

1. A. l o s , A. w a h l , A. z i e h e n , ein früher vielgeübter und weitverbreiteter Brauch [2]), indem man durch das Los, per sortes Apostolorum, einen einzelnen besonderen Apostel, specialem Apostolum, zur bevorzugten Verehrung erlangte [3]). Gewöhnlich wählte man mittels Loszettelchen, indem man die Namen der zwölf A. auf zwölf Blättchen schrieb und eins von diesen herauszog. Eine andere Art war die A.wahl mittels zwölf Kerzen. Diese wurden je mit einem A.namen verzeichnet, geweiht und auf den Altar gestellt. Dem A., dessen Name man mit der Kerze herauszog, brachte man vor den andern seine Verehrung dar [4]). Erzählungen, in denen die A.wahl an bestimmten eigenartigen Fällen dargestellt wird, sind mannigfach überliefert [5]). Wer einen im Volke weniger beliebten oder geschätzten A. erloste, zeigte sich auch weniger zufrieden und versuchte, durch Neulos, d. i. erneutes Ziehen, einen „besseren" zu gewinnen [6]). Solches Erlosen und Ziehen ist wie das Buchorakel, Aufschlagen des Psalters und ähnliches Befragen heidnischen oder gelehrten Ursprungs. Die Kirche verurteilte öfter den Brauch; aber dennoch wurde er jahrhundertelang geübt [7]). Auch für Benennung eines Neugeborenen bediente man sich der A.wahl, gewöhnlich mittels der Kerzen [8]). Ferner wurde Schwangeren empfohlen, dem zu erwartenden Kinde einen „zwelfboten" zu wählen, damit es nicht sterbe [9]).

[2]) Z a c h a r i a e *Kl. Schriften* 363 ff.; E. S c h m i d t *Volksk.* 127. [3]) C ä s a r i u s *Dialogus* 8, 56. 61. [4]) K a u f m a n n *Cäsarius* 64, 65; ZdVfVk. 22 (1912), 227; C ä s a r i u s *Dialogus* 8, 56; W o l f *Beiträge* 2, 88—89. [5]) K l a p p e r *Exempla* 1911 Nr. 74. 75; FL. 14, 51; W o l f *Beiträge* 2, 89. [6]) W o l f *Beiträge* 2, 88—91; D e r s. *Niederländ. Sagen* (1843), 499 Nr. 413. [7]) W o l f *Beiträge* 2, 89; S c h ö n b a c h *Zeugnisse* 33, 34; B o l t e *Wickram* 4, 282. [8]) ZdVfVk. 22 (1912), 228. [9]) G r i m m *Myth.* 3, 418 Nr. 39; 3, 415 Nr. 1.

2. Der A.tag galt auch als Lostag, an dem man die Windrichtung beobachtete und aus dieser Schlüsse für die der folgenden Zeit zog [10]).

[10]) R e i n s b e r g - D ü r i n g s f e l d *Festkalender* 354; ZdVfVk. 4 (1894), 404; A l b e r s *Das Jahr* 180.

3. Die zwölf A. in Form silberner oder goldener Figuren wurden Gegenstand einer Reihe von Sagen, die den Charakter von Schatzsagen tragen [11]).

[11]) M e i e r *Schwaben* 1, 305; K ü h n a u *Sagen* 3, 680—82; S c h u l e n b u r g *Wend. Volkst.* 91.

4. Drei A. unbestimmten Namens, „unter einander Brüder", in einer Besprechungs- oder Beschwörungsformel gegen Geschwür handelnd aufgeführt [12]).

[12]) F r i s c h b i e r *Hexenspr.* 62.

5. A.brocken, -brot, -kuchen, -wecken, Brot- oder Kuchenspenden von teils eigenartiger Form und Füllung, die am Gründonnerstag allgemein, z. B. in Marburg, oder besonders an die A., 12 alte arme Männer, z. B. in Schwaben, sowie an Arme verteilt wurden oder noch werden [13]). Mancherorts durften die 12 A. in der Pfarre einen Rundgang machen und eine Brot- oder Kuchenspende heischen [14]). In Orten a. d. Maaß aß man am Gründonnerstag (witten donderdag) mittags die „discipelen- oder apostelensoep" (Suppe), die zwölferlei Kräuter würzten [15]).

[13]) H ö f l e r *Ostern* 6. 8. 43. [14]) S a r t o r i 3, 140; H ö f l e r *Ostern* 6. [15]) ZfrwVk. 3 (1906), 149; RheinWb. 1, 222.   Wrede.

Apotheke. Der schon im 6. Jh. in Italien vorkommende apothecarius war ursprünglich ein Gewürz- und Kräuterhändler; A. bedeutete ursprünglich „Behälter, Speicher", im MA. „Niederlage von Spezereien und Arzneien [1]), Kräuterhaus". Vom frühen MA. an zogen welsche Hausierer nach allen Ländern und verkauften u. a. Heilwurzeln, Granatäpfel (gegen Fieber), Theriak, Balsame usw.; das mittelalterliche A.inventar entsprach den volksmedizinischen Ansprüchen; man kaufte dort gepulverte Edelsteine, gedörrte Kröten (noch 1815 von Virey im Journal de Pharmacie 319 als „empirisches" Mittel bei Epilepsie angeführt), gebrannte Maulwürfe, Elensklauen, Wolfsherz und -galle, Viehmist, Hirsch- und Bocksblut, Krebsaugen, Schlangen- und Mückenfett, geraspelte Menschenschädel, ägyptische Mumienteile (diese waren noch 1834 in österreichischen A.n offizinell), das Blut und Fett Hingerichteter u. ä. [2]).

vgl. i. a. Peters, Pharmazeutik 1.

[1]) DWb. 1, 537; S c h u l z *Fremdwörterbuch* 1 (1913), 42 f.; S c h u l t z *Dt. Leben* (1892), 33; H e y n e *Hausaltertümer* 1, 298. [2]) L a m m e r t 11; H o v o r k a - K r o n f e l d 1, 37.
                  Stemplinger.

Apotropaion s. A b w e h r z a u b e r.

Apra, Zauberwort in der Formel: A., Alratortum, Aprunt, Apratur usw. [1]), gegen Krämpfe gebraucht, nach Seyfarth Verstümmelung von Abracadabra.

[1]) G a n z l i n *Sächs. Zauberformeln* 21; S e y f a r t h *Sachsen* 172   Jacoby.

April (mhd. *aberelle*). 1. Der latein. A p r i l i s [1]) soll nach Ovid den Namen von *aperire* = öffnen haben, weil der Frühling alles öffnet [2]). Daneben ist seit der Zeit Karls des Großen die deutsche Bezeichnung O s t e r m o n a t (Ôstarmânôth) belegt. Diesem entspricht aber schon das ags. E ô s t u r m ô n a t h des Beda (*De temp. rat. c.* 13), das dieser von einer fraglichen Göttin Eostra [3]) herleitet, der eine deutsche Ostara (s. d.) entsprechen soll [4]). Neben diesen beiden Namen kommen nur vereinzelt andere vor, so im holsteinischen (Bordesholmer) Kalender (16. Jh.) K o l t e n m a e n [5]), bei den Nordfriesen F e s k m u u n [6]) (Fischmonat) und P u a s k m u u n, älter Paeschmaend [7]) (Ostermonat), in den Niederlanden G r a s m a a n d [8]). Dän. heißt der A. F a a r e m a a n e d (Schafmonat). Schon das Breslauer Monatgedicht (15. Jh.) hebt hervor, daß in diesem Monat die Schafe geschoren werden [9]). Endlich schwed. V å r a n t oder V å r m å n a d [10]), und isl. G a u k m â n a d r, neuisl. H a r p a [11]). Auch bei Fischart findet sich der Name G a u c h m o n a t [12]), wohl weil sich um diese Zeit der Kuckuck als Bote des warmen Frühlings hören läßt. Sonst hat Fischart in „Aller Praktik Großmutter" noch die Namen Hirtenmonat [13]), Marxmonat [14]) (Markus, 25. April) und Stiermonat [15]), das letzte wohl, weil im A. die Sonne in das Zeichen des Stieres tritt [16]).

Eine P e r s o n i f i k a t i o n des A. begegnet in der neuisl. Harpa [17]) und in Volkserzählungen [18]).

[1]) P a u l y - W i s s o w a 2, 1, 271; W e i n h o l d *Monatsnamen* 30. [2]) Schon *Meinauer Naturlehre* 15. [3]) H o o p s s. v. Eostra. [4]) W e i n h o l d a. a. O. 51 f. [5]) Ebd. 47. [6]) Ebd. 37. [7]) Ebd. 52. [8]) Ebd. 39. [9]) Ebd. 37. [10]) Ebd. 59. [11]) Ebd. 38. 40. [12]) Ebd. 38. [13]) Ebd. 44. [14]) Ebd. 50. [15]) Ebd. 58. [16]) Ausdeutungen dieses Monatzeichens bei N o r k *Festkalender* 245 ff. [17]) W e i n h o l d a. a. O. 40. [18]) B o l t e - P o l í v k a 1, 107. Vgl. AnSpr. 98, 82; 100, 149; K ö h l e r *Kl. Schr.* 1, 380.

2. In diesem Monat kommt dem 1. A. eine ganz besondere Stellung als N a r r e n t a g zu. Wenn wir auch die A.-s c h e r z e ausdrücklich erst 1631 auf deutschem Boden belegt haben [19]), so scheinen sie doch ein sehr hohes Alter zu haben, da sie in der ganzen idg. Welt bekannt sind [20]). Über den U r s p r u n g der Sitte gibt es verschiedene Vermutungen: 1. Das veränderliche und trügerische A.wetter soll den Anlaß gegeben haben [21]). Doch finden sich die A.-scherze auch in Ländern, wo im A. beständiges Wetter herrscht [22]). 2. Es sei eine Erinnerung an das H e r u m - s c h i c k e n d e s H e r r n v o n P o n - t i u s z u P i l a t u s [23]), das am 1. A. gewesen sein soll [24]). Damit aber stimmt schlecht zusammen, daß man bei diesem Brauch dumme und einfältige Leute herumschickt. 3. Da der Tag als der G e b u r t s t a g d e s J u d a s gilt, sei vielleicht die anfängliche Meinung, man müsse vor allerhand Schaden auf der Hut sein, später zur Vornahme von Schabernack mißbraucht worden [25]). 4. Es sei aus dem Narrenfest der Römer, den Q u i r i n a l i a, entstanden [26]). 5. Es gehe auf das alte i n d i s c h e H u l i f e s t zurück [27]). 6. Auf dem Reichstag zu Ausgburg (1530) sei, um Ordnung in das Münzwesen zu bringen, ein besonderer M ü n z t a g für den 1. A. festgesetzt worden. Dieser 1. A. war dann das Ziel großer Spekulationen. Und als der Münztag nicht stattfand, verlachte man diese Spekulanten, und der 1. A. wurde seit dieser Zeit Feiertag der Narren [28]). 7. Zusammenhang mit dem Beginn des neuen Jahres [29]).

Am meisten leuchtet ein, wenn man hier den Rest eines F r ü h l i n g s -

b r a u c h e s sieht [30]), der so den Narren-
bräuchen der Fastnachtszeit zur Seite
steht. Es äußert sich darin die ungebun-
dene Fröhlichkeit, welche alle Menschen
bei Beginn des Frühlings (s. d.) ergreift.
Im besondern aber vertritt der A.narr,
den man hinschicken kann, wohin man
will, gewissermaßen den absterbenden,
machtlosen Winter, mit dem der seine
Herrschaft antretende Sommer tun kann,
was er will [31]). Und wenn ein Haupt-
merkmal der A.scherze T ä u s c h u n -
g e n sind, so hat man auf Beispiele der
Mythologie hingewiesen, die zum Teil auch
erkennen lassen, daß es sich um einen
k u l t i s c h e n F r ü h l i n g s b r a u c h
handeln dürfte, der auch in den Quirinalia
und dem indischen Hulifest zugrunde liegt.
Es wird erinnert an die Täuschung des
Kronos durch Rhea-Kybele, die dem
Kinder fressenden Gatten statt des neugeborenen Zeus einen in ein Ziegenfell
gewickelten Stein darbot, dann an die
Täuschung des Winterriesen Thrym in
der Edda durch Thor, der als Freya verkleidet ihm naht, und insbesondere an
das Täuschfest, das der Venus zu Ehren
im Frühling gefeiert wurde. Der Venus
war ja auch der 1. A. geweiht, und sie
führte davon den Beinamen Aprilis. Auch
der Name der indischen Liebesgöttin Ma-
ja, der Gemahlin der Brahma, hat die Bedeutung von „Täuschung" [32]). Es ist auch
möglich, daß dieser alten A.feier, die heute
mehr oder minder zu einem K i n d e r -
b r a u c h geworden ist, ursprünglich, wie
anderen Frühlingsbräuchen (s. Weiber-
monat), eine erotische Grundlage zukam.

A.scherze, meist in der Form des „In
den A. schicken", sind i m g a n z e n
d e u t s c h e n S i e d l u n g s g e b i e t
d a h e i m [33]). Bei den Flämen heißt der
1. A. deswegen auch „Versendungs-
tag" [34]), in E n g l a n d wird er »All-
fools Day« (Aller Narren Tag) genannt
und das A.schicken mit »making an
April fool« (einen A.narren machen) bezeichnet [35]). Besonders beliebt sind die
A.scherze in Amerika [36]). In F r a n k -
r e i c h spricht man vom A.fisch und
heißt den Gefoppten wie auch den Streich,
den man spielt, poisson d'Avril. Diese Be-

zeichnung ist auch bei den anderen romanischen Völkern, besonders in Italien (Il
pesce d'aprile), üblich geworden [37]). Man
hat sie auf verschiedene Art zu e r k l ä r e n
versucht [38]). Wahrscheinlich entspricht
dieser A.fisch dem deutschen A.kalb,
A.ochse u. a., soll also ein dummes Tier
bezeichnen. Dabei spielt aber sicher auch
der Vergleich mit zwischen dem dummen
Fisch, der sich mit Angel oder Netz fangen läßt, und dem A.narren, der ebenfalls
auf den Leim gegangen ist. Daß unser
A.brauch aus Frankreich stammt [39]), ist
wenig wahrscheinlich, weil wir dann doch
mit der Sache auch den Namen übernommen hätten. Dagegen haben ihn die
T s c h e c h e n sicher von den Deutschen
übernommen, weil sie die Wendung gebrauchen „jemanden in den A. schicken"
(posílati někoho Aprilem) [40]), während sie
sonst den Monat duben (Eichenmonat)
nennen. Auch die S c h w e d e n [41]),
L i t a u e r , P o l e n [42]), P o r t u g i e -
s e n [43]) kennen den A.brauch, den S ü d -
s l a w e n ist er unbekannt [44]). Auch bei
den R u s s e n scheint zu Beginn des
18. Jhs. der 1. A. als Narrentag ganz unbekannt gewesen zu sein, und Peter I. hat
es sehr übel aufgenommen, als der aus
Danzig stammende Theaterdirektor Johann Kunst sich mit ihm und dem Thea-
terpublikum am 1. A. 1705 einen allerdings sehr einfältigen A.scherz erlaubte [45]).

In den A. werden natürlich meist nur
e i n f ä l t i g e P e r s o n e n und unver-
ständige K i n d e r geschickt. So heißt
es in einem Reimsprüchlein:

> Man schickt am 1. April
> Den Ochsen, wohin man will;
> Oft auch am 1. Mai
> Den Ochsen in das Heu.
> Schickt man ihn nah,
> Ist er gleich wieder da;
> Schickt man ihn weit,
> So wird er gescheit [46]).

Im Nahetal sagt man:

> Wer auf Narren hoffend blickt,
> Der wird in den April geschickt [47]).

Es gibt verschiedene A r t e n v o n
A.scherzen: 1. Man s c h a u t oder
z e i g t irgendwohin. Läßt sich ein An-
wesender verleiten, dasselbe zu tun, so
ist er der A.narr [48]).

2. Man macht dem andern das G e - s i c h t s c h w a r z oder w e i ß oder h ä n g t ihm etwas hinten an die K l e i - d e r , z. B. Papierpuppen, Heringe aus Pappe u. a., wie es besonders die Friesen und Holländer lieben [49]) (s. anhängen). In Lissabon werden Vorübergehende mit Wasser bespritzt, oder es wird ihnen Pulver ins Gesicht geblasen [50]).

3. Man schreibt s c h e r z h a f t e B r i e f e , etwa einen mit dem Inhalt:

Hätt'st du den Brief nicht aufgemacht,
So würd'st du auch nicht ausgelacht [51]).

4. Es wird die N a c h r i c h t v e r - b r e i t e t , daß da oder dort etwas Besonderes geschehen oder zu sehen sei. Solche A.scherze bringen auch manche Z e i t u n g e n in der Nummer vom 1. A. oder in der vorausgehenden Abendausgabe [52]).

5. Am häufigsten aber ist das ,,In den A. schicken" mit u n m ö g l i c h e n A u f t r ä g e n . Es ist, meist aus der Apotheke, zu holen: Krebsblut oder Mückenfett [53]), Stecknadelsamen [54]), Dukatensamen [55]), Büberlsamen, zwei Ellen Baß, Gicht- und Gallzwicken [56]), Ipitum (Ich bin dumm) um einen Kreuzer [57]) Puckelblau [58]), rosagrüne Tinte, ein grades Häkchen, gedörrter Schnee [59]), gehackte Flohbeine, Kuckucksöl, für einen Pfennig Ohwiedumm [60]), ein hölzerner Holzschlägel, schwarze Kreide [61]), ein Sonnenbohrer oder Nebeltrenner [62]), gesponnener Sand, Kieselsteinöl [63]), Mystifit [64]) u. a. Studenten lassen sich auch für fünf Pfennige »mens« holen [65]). Bei Nagold in Württemberg schickt man die Kinder in die Häuser mit einem Zettel, auf dem steht:

Aprilenbot, Aprilenbot!
Schick den Narren weiter,
Gib ihm auch ein Stücklein Brot,
Daß er net vergebens goht [66]).

In Schlesien schickt man zum Nachbar um den Windsack, worauf ein mit Stroh gefüllter und mit Steinen beschwerter Sack übergeben wird [67]). Ebenda ist auch das H i l t p r i t s c h e n f a n g e n üblich. Man stellt die Leute mit einem Sack auf das Feld unter der Angabe, daß sie darin die Hiltpritschen, welche man ihnen zutreiben werde, auffangen sollen. Dies geschieht meist abends, und die Veranstalter entfernen sich in der Dunkelheit und lassen die Angeführten so lange stehen, bis sie selbst die Fopperei merken [68]).

Der S p o t t n a m e d e s A n g e - f ü h r t e n lautet gewöhnlich A.n a r r [69]), im Saterland A.s g e c k [70]), am Rhein Aprelsjeck [71]), was mit dem englischen *gock* verwandt ist. In Nordengland sendet man die Opfer von Haus zu Haus mit einem Brief, in welchem steht:

On the first day of April
Hunt the gowk another mile [72]).

Im Anschluß daran wollte man den A.- brauch auch auf die Sitte zurückführen, den Kuckuck bei seinem ersten Erscheinen aufzusuchen und von Ort zu Ort zu verfolgen [73]). Sonst erhält der Angeführte Tiernamen, er wird mit dem E s e l verglichen [74]) und A.b o c k [75]), A.k a l b [76]) oder A.o c h s e [77]) genannt, ebenso wie man in der Schweiz die bei den gleichen Februar- und Märzbräuchen Gefoppten Hornibock und Merzafülli (s. März) nennt [78]). Der Name A.ochse dürfte bloße Übertragung vom Mai- oder Pfingstochsen (s. d.) sein [79]). Eine solche Übertragung vom Pfingstsonntag liegt ebenfalls vor, wenn auch der am 1. A. zuletzt Aufgestandene einen Spottnamen erhält und im Allgäu A.s t i e r genannt wird [80]). In den Spottnamen A.bock oder A.kalb einen tieferen Sinn zu suchen, etwa einen Zusammenhang mit dem bei Fastnachtsumzügen mitgeführten Bock [81]) oder gar einen Dämon des neuen Jahres [82]), geht zu weit.

Ist der A.scherz gelungen, so wird der Angeführte nicht allein als A.narr u. a. verspottet, sondern es werden ihm auch eigene S p o t t r e i m e zugerufen. Am bekanntesten ist:

Heut' ist der erste April,
Da schickt man die Narren hin,
Wo man hin will [83]).

Oder:

Angeführt,
Mit Butter geschmiert,
Mit Käse geleckt,
Hat's gut geschmeckt [84]) ?

Oder:

> Aprella-Narr!
> Hätsch net g'schaut,
> Wärscht ke Narr[85]).

Oder:

> April, April,
> De Katt schitt, wat se will[86]).

Oder:

> Angeführt mit Löschpapier,
> Morgen kommt der Unteroffizier
> Mit der Peitsche hinter dir[87]).

Oder auch kurz „Angeführt mit Löschpapier"[88]).

Zuweilen gibt es auch eine E n t s c h ä d i g u n g   d e s   G e f o p p t e n. Er kann auf Kosten dessen, der ihn in den A. geschickt hat, Wein trinken[89]) oder sich im Wirtshaus oder beim Krämer schadlos halten[90]). Der A.scherz kann auch in U n f u g ausarten und dann leicht schwere Folgen nach sich ziehen. In einer ungarischen Stadt brachten sich zwei Frauen, Mutter und Tochter, ums Leben, weil ihnen jemand am 1. A. aus Budapest geschrieben hatte, daß ihr dort eingerückter Sohn, bzw. Bruder, vom Kriegsgericht zum Tode verurteilt worden sei, weil er abgetretene Absätze trage[91]).

Vom 1. A. wurden solche Scherze auch auf den 30. A. übertragen[92]), ferner auf den 1. M a i[93]) (s. d.) und sogar auf den 31. M a i (im St. Gallischen Taminatal auch im Februar und März)[94]). In Schwaben heißen die am 1. und 31. Mai Angeführten Maigänsle[95]).

[19]) ZfVk. 15 (1905), 127 = R e u s c h e l Volkskunde 2, 56; W o s s i d l o Meckl.3, 411. [20]) H. H u n g e r l a n d in Ns. 1921, Nr. 14, 305 f. = H o o p s Sassenart 57; W a n d e r Sprichw. 1, 114. [21]) R e i n s b e r g Böhmen 162; J o h n Erzgebirge 196; W u t t k e 85 § 100; A l b e r s Das Jahr 142 f. [22]) H o o p s Sassenart 57. [23]) R e i n s b e r g Böhmen 162; J o h n Erzgebirge 196; A l b e r s Das Jahr 143. [24]) B a r t s c h Mecklenburg 2, 214. [25]) R e u s c h e l Volkskunde 2, 56. [26]) R e i n s b e r g Böhmen 162. [27]) N o r k Festkalender 265 = A l b e r s Das Jahr 143 f.; vgl. R e i n s b e r g Festjahr 94. [28]) Volkskalender 1873 (Solothurn) 19. [29]) DWb. 1, 538; vgl. „in die Kalenden schicken"; F r a n s c i n i Der Kt. Tessin (1835) 252. [30]) D r e c h s l e r 1, 104 f.; J o h n Erzgebirge 196. [31]) vgl. ZfVk. 8 (1898), 253. [32]) N o r k Festkalender 262 f.; H o o p s Sassenart 57 f. [33]) (K e l l e r) Grab d. Abergl. 5, 440; R o s e g g e r Steiermark 242 ff.; L e o p r e c h t i n g Lechrain 168; Schweiz.Id. 1,

364; B a u m b e r g e r St. Galler Land 177; M e s s i k o m m e r 1, 115; S t a u b e r Zürich 2, 168; K a p f f Festgebräuche Nr. 2, 10; F i s c h e r Schwäb.Wb. 1, 299 f.; S e p p Religion 70 f.; P o l l i n g e r Landshut 213; B r o n n e r Sitt und Art 148 f.; K ü c k und S o h n r e y 97 f.; B e c k e r Frauenrechtliches 75; W r e d e Rhein. Volksk. 189; B a r t s c h Mecklenburg 2, 214; H a n d t m a n n Brandenburg 232 f.; S c h u l e n b e r g Wend. Volksthum 140; Urquell 4 (1893), 103; K n o r t z Streifzüge 49 ff.; F o n t a i n e Luxemburg 41 ff.; d e   C o c k Oude Gebr. 176 (mit zahlr. Parallelen). Weitere Lit. s. S a r t o r i Sitte u. Brauch 3, 167, 287; dazu F r a n z W i c h m a n n Die Entwicklung der Aprilscherze (Allg. Zeitung vom 4. 4. 1920. 127). [34]) R e i n s b e r g Festjahr 93. [35]) Ebd.; H a z l i t t Faiths 1, 12; H e n d e r s o n North. Count. 92 ff.; H o n e Every-Day Book 1, 409; 2. 486; H o o p s Sassenart 58. [36]) H o o p s a. a. O. [37]) Tradition 10 (1900), 97 ff.; Volkskunde 12, 175; RTrp. 15, 181; G i u s e p p e P i t r è Il pesce d'aprile (Palermo 1891) und Curiosità di usi popolari. Catania 1902; G u b e r n a t i s Tiere 194; [38]) Vgl. N o r k Festkalender 266 = A l b e r s Das Jahr 144; F o n t a i n e Lux. 41; H a z l i t t Faiths 1, 12; H o n e Year Book 201; B r a n d Pop. Ant. 1 (1841), 76 ff.; M ü l h a u s e 141. [39]) R e u s c h e l Volkskunde 2, 56. [40]) R e i n s b e r g Böhmen 162. [41]) H o n e Every-Day Book 1, 412; 2, 486 = B r a n d Pop. Ant. 1 (1841), 77. [42]) T e t z n e r Slawen 80, 490. [43]) B r a g a O povo portuguez 2, 266. [44]) Urquell 2 (1891), 147. [45]) S t e r n Rußland 1, 411. [46]) D r e c h s l e r 1, 105. [47]) ZfrwVk. 1905, 300. [48]) Böhmerwald (Verf.). [49]) R e i n s b e r g Festjahr 94 = A l b e r s Das Jahr 142. [50]) N o r k Festkalender 263. [51]) J o h n Erzgebirge 195; vgl. S a r t o r i Sitte u. Brauch 3, 167. [52]) Vgl. A l b e r s Das Jahr 142. [53]) E n g e l i e n u. L a h n 232; K u h n und S c h w a r t z 375 Nr. 28; J o h n Oberlohma 149 (Krebsenblut); ZföVk. 3 (1897), 8 (Schneckenblut). [54]) D r e c h s l e r 1, 105. [55]) Ebd.; J o h n Westböhmen 69. [56]) G e r a m b Brauchtum 31 (ebd. auch Schicken in den Wald, um die „gläserne" Tanne zu suchen). [57]) S c h r a m e k Böhmerwald 142; P o l l i n g e r Landshut 213. Vgl. DG. 6 (1905), 38. [58]) A n d r e e Braunschweig 343. [59]) M e i e r Schwaben 2, 396. [60]) W o s s i d l o Mecklenburg 3, 244. [61]) B i r l i n g e r Volksth. 2, 93 Nr. 122. [62]) R e i s e r Allgäu 2, 132. [63]) R e i n s b e r g Festjahr 94; H o o p s Sassenart 58; A l b e r s Das Jahr 141. [64]) A l b e r s a. a. O. [65]) D r e c h s l e r 1, 105. [66]) K a p f f Festgebräuche Nr. 2, 10. [67]) D r e c h s l e r 1, 105. [68]) Ebd. 105 f. [69]) Ebd.; M e i e r Schwaben 2, 396; J o h n Oberlohma 149 u. Westböhmen 69; J o h n Erzgebirge 195; Böhmerwald (Verf.). [70]) S t r a c k e r j a n 2, 90. [71]) W r e d e Rhein. Volksk. 189. [72]) R e i n s b e r g Festjahr 93. [73]) ZfdMyth. 3, 217. [74]) J o h n Westböhmen 70 (Erzgebirge). [75]) M a n n h a r d t 2, 184; B i r l i n g e r Volksth. 2, 93. [76]) Ebd.;

Vonbun *Beiträge* 110. [77]) D r e c h s l e r 1, 105; M a n n h a r d t *Forsch.* 63. [78]) SAVk. 7, 145 f. [79]) D r e c h s l e r 1, 105. [80]) R e i s e r *Allgäu* 2, 132 (Tannheim); vgl. H e s e m a n n *Ravensberg* 92. [81]) M a n n h a r d t 2, 184 Anm. [82]) D e r s. *Forschungen* 63, vgl. 190. [83]) F. M. B ö h m e *Deutsches Kinderlied und Kinderspiel* (Leipzig 1897) 275 Nr. 1294; A b r a h a m a S a n t a C l a r a *Etwas für alle* (Würzburg 1733) 477 = S c h u l t z *Alltagsleben* 477; K u h n u. S c h w a r t z 375 Nr. 28; S t r a c k e r j a n 2, 90; E n g e l i e n u. L a h n 232 Nr. 15; W o s s i d l o *Mecklenburg* 3, 244; ZfrwVk. 1905, 300; Z i n g e r l e *Tirol* 144; J o h n *Erzgebirge* 195; H o f f - m a n n - K r a y e r 141. [84]) D ä h n h a r d t *Volkst.* 1, 79; J o h n *Erzgebirge* 195. [85]) F. M. B ö h m e a. a. O. 275 Nr. 1294. [86]) W o s - s i d l o *Mecklenburg* 244. [87]) E n g e l i e n u. L a h n 233 Nr. 15. Vgl. J o h n *Erzgebirge* 195. [88]) D r e c h s l e r 1, 105. [89]) ZfVk. 8 (1898), 253 (Gossensaß); vgl. B i r l i n g e r *Volksth.* 293 = S a r t o r i *Sitte u. Brauch* 3, 167 Anm. [90]) R e i s e r *Allgäu* 2, 132. [91]) Urquell 2 (1891), 147. [92]) S a r t o r i a. a. O. 3, 167 [2]. Dazu H ü s e r *Beiträge* 2, 35 Nr. 14; SAVk. 9, 217 (Kt. Aargau, früher auch in Basel); K u h n u. S c h w a r t z 375. [93]) S a r t o r i a. a. O.; M e i e r *Schwaben* 396; W o s s i d l o *Meckl.* 3, 246; Egerl. 9, 5; ZfVk. 7, 302; B a u e r n - f e i n d *Nordoberpfalz* 45; ZrwVk. 17, 53; W r e d e *Rhein.Vk.* 266. Dazu Urquell 4 (1893), 55. 103. 174. 260. (Die Angeführten heißen in Norddeutschland Maikicker, in Quedlinburg Maikatzen); W o s s i d l o *Mecklenburg* 3, 246. [94]) SAVk. 7, 146. [95]) M e i e r *Schwaben* 2, 396.

3. Der 1. A. gilt allgemein als U n - g l ü c k s t a g [96]), weil an ihm Judas geboren wurde [97]) oder sich erhängt hat [98]), oder weil an diesem Tage der Teufel in die Hölle gestürzt wurde [99]). Was man an diesem Tage unternimmt, mißlingt [100]); ausnahmsweise ist er in Neuenknick (Bez. Minden) W e c h s e l t a g d e r Dienstboten [101]).

A. k i n d e r gelten überhaupt als U n g l ü c k s k i n d e r [102]); noch mehr aber sind es die am 1. A. geborenen. Sie werden krüppelhaft und leben nicht lange [103]), sie sind schwer aufzuziehen, können nicht recht tun und werden ihr ganzes Leben unglücklich sein [104]), sie müssen sich selbst unglücklich machen [105]), sterben eines unnatürlichen Todes [106]), entleiben sich selbst [107]) oder kommen unter den Strang, wenn sie nicht vorher in Armut und Elend zugrunde gegangen sind [108]). Bei den Südslawen glaubt man, daß sie Diebe und Lügner werden, auch

nach syrischem Glauben werden sie Lügner [109]). Hält jemand H o c h z e i t am 1. A. oder 1. August oder 1. September (s. Unglückstage), so darf er auf keine Treue rechnen [110]).

In der V o l k s m e d i z i n gilt der A. als gefährlich. Von den Alten und Kranken sagt man in Baden: „Was der März nicht will, das nimmt der A.". [111]). Und im Böhmerwald heißt es: „Der A. führt die alten Weiber in d'Hüll'" (Hölle, aber auch Platz hinter dem Ofen) [112]). Der hundertjährige Kalender empfiehlt für den A.: „In diesem Monat mag der Mensch zur Ader lassen oder schröpfen, auch mag er seinen Leib wohl purgieren und baden" [113]). Dagegen heißt es im tschechischen Böhmen, daß alles Wasser bis zum 24. A. (Georg) giftig ist und man daher bis zu diesem Tage nicht baden soll [114]). Wenn ferner der hundertjährige Kalender vorschreibt „Gewürz, Hering, Pickling und dergleichen gesalzene Fische zu meiden" [115]), so ist ähnlich bei den Litauern der Pillkaller Gegend verboten, am Georgstag etwas von Tieren, Vögeln und Fischen Herrührendes zu essen [116]). Der Glaube an die besondere Kraft der Frühlingskräuter äußert sich, wenn man im A. gegrabene und gedörrte Baldrianwurzeln in die Schränke und Kasten legt, um Motten und Schaben von den Kleidern fernzuhalten [117]).

Auch im W i r t s c h a f t s l e b e n kommt dem 1. A. als Unglückstag besondere Bedeutung zu. Man darf nach Sonnenuntergang k e i n e M i l c h aus dem Hause geben, sonst wird sie behext [118]), oder es stirbt die Kuh [119]), man darf auch k e i n V i e h aus dem Stalle führen [120]). Am 1. A. soll man n i c h t i n d e n W a l d fahren; an diesem Tage gearbeitete W e r k z e u g e bringen Unglück und Unheil allem, was damit in Berührung kommt [121]). Der 1. A. ist auch u n g ü n s t i g f ü r d i e F e l d a r - b e i t [122]). Man soll an dem Tage k e i n e G e r s t e säen [123]). Die in der ersten A.woche gesäte Gerste wird Hederich [124]). Nach magyarischem Glauben soll man aber in der ersten A.woche an einem Mittwoch oder Donnerstag die B i e n e n zum erstenmal im Jahre ausfliegen lassen; sie werden dann fleißig, fett und munter[125].

In Schlesien gilt der A. als **Hafermonat**, denn „Maihafer kein Hafer"[126]. Im Nahetal sagt man:

Der April liefert dem Mai (im guten Jahre)
Halb Laub und halb Heu[127].

Am Rhein herrscht weiter der Glaube, daß der A. dem Mai die Ähren bringen muß, wenn das Jahr fruchtbar sein soll[128]. Saat oder Setzen von Pflanzen im A. gilt in Süddeutschland als vorzeitig. Der Gemüsesamen sagt:

Baust mi in April, kimm i, wann i will;
Baust mi in Mai, kimm i glei[129].

Dasselbe sagt man im Böhmerwald[130] und Egerland[131] vom Erdäpfelsetzen. In Baden erfolgt dies aber schon im Mai bei Vollmond[132].

Von den einzelnen Tagen des A. ist der **Georgstag** (s. d.) besonders wichtig für die Feld- und Viehwirtschaft[133]. An ihm, dem weißen Sonntag und dem 1. Mai waren am Lechrain die drei **Freinächte** der Ledigen, in welchen allerlei Unfug getrieben wurde[134].

⁹⁶) L a m m e r t 95; S t r a c k e r j a n 2, 91; H e e r *Altglarn. Heidentum* 10; S c h m i t t *Hettingen* 13. ⁹⁷) M e i e r *Schwaben* 2, 395; B a u m g a r t e n *Jahr u. s. Tage* 23. 29; P o l l i n g e r *Landshut* 168; J o h n *Erzgebirge* 196; J o h n *Westböhmen* 70; D r e c h s l e r 1, 104. Auch bei den Südslawen: S t e r n *Türkei* 1, 385. ⁹⁸) R e i s e r *Allgäu* 2, 132; J o h n *Westböhmen* 69. ⁹⁹) J o h n *Westböhmen* 70; G e r a m b *Brauchtum* 31; S a r t o r i *Sitte u. Brauch* 3, 167. ¹⁰⁰) S c h r a m e k *Böhmerwald* 142. ¹⁰¹) S a r t o r i a. a. O. 2, 39. ¹⁰²) W u t t k e 85 § 100; F o g e l *Pennsylvania* 31 Nr. 3. Sie werden wetterwendisch: J o h n *Erzgebirge* 50. ¹⁰³) M e i e r *Schwaben* 2, 395. ¹⁰⁴) R e i s e r *Allgäu* 2, 132. ¹⁰⁵) SAVk. 2, 219. ¹⁰⁶) D r e c h s l e r 1, 184; vgl. L a m m e r t 96. ¹⁰⁷) H ö h n *Geburt* Nr. 4, 261. ¹⁰⁸) L a m m e r t 118. ¹⁰⁹) S t e r n *Türkei* 1, 385. ¹¹⁰) M e i e r *Schwaben* 2, 395. ¹¹¹) Vld. 7 (1905), 7 (Oberschefflenz). ¹¹²) J u n g b a u e r *Volksdichtung* 224. ¹¹³) H o v o r k a u. K r o n f e l d 2, 379. ¹¹⁴) Egerl. 16 (1912), 33 nach G r o h m a n n 51. ¹¹⁵) H o v o r k a und K r o n f e l d 2, 379. ¹¹⁶) T e t z n e r *Slawen* 80. ¹¹⁷) D r e c h s l e r 1, 108. ¹¹⁸) Ebd. ¹¹⁹) W u t t k e 85 § 100. ¹²⁰) E b e r h a r d t *Landwirtschaft* Nr. 3, 14. ¹²¹) J o h n *Westböhmen* 70. ¹²²) L a n d s t e i n e r *Niederösterreich* 67. ¹²³) J o h n *Westböhmen* 70.

¹²⁴) G r i m m *Myth.* 3, 475 Nr. 1073. Vgl. F o g e l *Pennsylvania* 206 Nr. 1034. ¹²⁵) W l i s l o c k i *Magyaren* 149. ¹²⁶) D r e c h s l e r 2, 50. ¹²⁷) ZfrwVk. 1905, 300. ¹²⁸) Ebd. 11 (1914), 270. ¹²⁹) Vld. 21 (1919), 90 (Österreich). ¹³⁰) S c h r a m e k *Böhmerwald* 232. ¹³¹) J o h n *Westböhmen* 198. ¹³²) M e y e r *Baden* 423. ¹³³) Vgl. A n d r e e - E y s n *Volkskundliches* 180. 220 f.; R e u s c h e l *Volkskunde* 2, 56; S a r t o r i *Sitte u. Brauch* 3, 169. In Rom gab es im A. auf das Gedeihen des Viehs hinzielende Riten der Vestalinnen, vgl. F r a z e r 2, 229. ¹³⁴) L e o p r e c h t i n g *Lechrain* 168.

4. Im **Wetterglauben** wird vor allem die **Veränderlichkeit** des A.s betont. „Der A. tut, was er will"[135], oder mit Hinweis darauf, daß auch im Mai nicht immer beständiges Wetter herrscht:

Der A. treibt sein Gspiel,
Der Mai hat auch noch allerlei[136].

Er jagt die Sau neunmal unter d'Hüll[137] (= hinter den Ofen), denn:

Ist der A. noch so gut,
Er schneit dem Hirten auf den Hut[138].
(He göfft jedem Tunstaken en witten Hot)[139].

Im A. brauchen die Wiesen und Felder namentlich Regen, daher:

Nasser A. ist der Bauern Will[140],

oder:

Warmer Aprilregen
Großer Segen[141].

Dagegen sagt man: Trockner A. ist nicht des Bauern Will'[142]. A.schnee düngt[143] und ist so gut wie Schafmist[144]. Auf den warmen, feuchten A. soll ein kühler Mai und nasser Juni folgen:

A. warm, Mai kühl, Juni naß,
Füllt dem Bauern Scheuer und Faß[145].

Im Saterlande bringt man den **Aprilschauer** mit dem Wassermann in Verbindung, dem Busekerl. Kommt ein solcher, so erheben die Kinder ein lautes Geschrei und rufen: „Der Busekerl kommt"[146]. Die Franzosen vergleichen die Schneeflocken des A.s mit Böckchen, die des März mit Kälbern und sagen bei einem Schneefall im A.: »*Ce ne sont pas des veaux de mars, ce sont des biquets d'avril*«[147].

¹³⁵) Z i n g e r l e *Tirol* 154; R e i n s b e r g *Böhmen* 143 u. *Wetter* 117; B. H a l d y *Die*

deutschen Bauernregeln (Jena 1923) 36; ZfVk. 9 (1899), 235; SAVk. 12 (1908), 20; Vld. 12 (1910), 71 (Oberösterreich); ZfrwVk. 1914, 269. [136]) Leoprechting *Lechrain* 169. [137]) Reiterer *Ennstalerisch* 58. [138]) Zingerle *Tirol* 154; Haldy a. a. O. 36, 39. [139]) ZfrwVk. 1914, 269. [140]) Leoprechting *Lechrain* 169. [141]) Zingerle *Tirol* 154; Reinsberg *Wetter* 113; Haldy a. a. O. 39; vgl. SAVk. 2, 241 (*Plodze d'avrî, Treso du pai = Pluie d'avril, trésor du pays*). [142]) Zingerle *Tirol* 154; Reinsberg *Böhmen* 143 und *Wetter* 112; Haldy a. a. O. 39; Alemannia 24, 153; ZfVk. 6 (1896), 183. [143]) Leoprechting *Lechrain* 169; Zingerle *Tirol* 154; Haldy a. a. O. 40. [144]) Reiterer *Steiermark* 120; Vld. 21 (1919), 90 (Österreich). [145]) Zingerle *Tirol* 154; Reinsberg *Wetter* 113; Haldy a. a. O. 37; Andree *Braunschweig* 412; Wäldlerkalender 4 (Oberplan 1926), 103; Fogel *Pennsylvania* 236 Nr. 1219 f.; vgl. Bartsch *Mecklenburg 2*, 215. [146]) Strakkerjan 1, 514 Nr. 259. [147]) Sébillot *Folk-Lore* 1, 87 f.   Jungbauer.

Aquamarin s. Beryll.

Ara, Zauberwort in der Formel: A. Ira Ora / Ora A. Ira / Ira Ora A.[1]); die 9 Worte wurden in 3 Reihen untereinander geschrieben und bildeten so ein Quadrat. Diese Art der Zauberformel ist schon sehr alt und begegnet bereits in den hellenistischen Zauberpapyri z. B. in der Formel ψινωθερ νωφιθερ θερνωφι (Anrufung Gottes) [2]).

[1]) Bartsch *Mecklenburg* 2, 450. [2]) Pap. Par. 828 Wessely 1, 65, vgl. Pistis Sophia c. 136 ed. C. Schmidt *Kopt.-Gnost. Schriften* 1 (1905), 232.   Jacoby.

Arac Amou usw. Zauberworte [1]). Die Parallele bei Thiers [2]): Abrac Amon usw. gibt vielleicht einen Fingerzeig zur Erklärung, indem das Abrac eine Kürzung von Abracadabra (s. d.) sein dürfte. Auch in der Formel: Abrac Abeor, Aberer, in des Petrus von Abano Heptameron [3]). Amon heißt nach Wierus, Pseudomonarchia daemonum ein Höllenfürst mit dem Kopf eines Ochsen und Schlangenschwanz [4]).

[1]) Hovorka u. Kronfeld 1, 29 nach dem böhmischen Prediger Mat. Steyer (1719). [2]) Thiers 1, 361; Delrio *Disquisitiones magicae* (Cöln 1679), 493. [3]) Agrippa v. Nettesheim 4, 128. [4]) Schwab *Vocabulaire* 388.   Jacoby.

Ararita, Zauberwort [1]), ein kabbalistischer Akrostichon אחד ראש = אר״אר״י ת״א אחר אחדותי ראש יחידו ־תמורתו d. i. „Eins,

der Anfang seiner Einheit, der Anfang seiner Einzelheit, sein Wechsel ist Eins" [2]), Gottesname.

[1]) Agrippa von Nettesheim 3, 67. [2]) Buxtorf *Lexicon Chaldaicum* ed. Fischer (1879), 137; Dalman *Aram.-Neuhebr. Handwb.* (1922), Anh. 12; HessBl. 20 (1921), 11.   Jacoby.

Aratron, eine der sieben Planetenintelligenzen [1]), auch wohl Araton in nordischen Zauberzeichnungen [2]). Vermutlich eine Bildung wie Metatron s. d. = metator: arator (Sternbild des Pflügers vgl. Servius Georg. 1, 19).

[1]) Kiesewetter *Die Geheimwissenschaften* 2. Aufl. 286 nach Petrus von Abano *Heptameron* (Venedig 1469); Agrippa von Nettesheim 5, 111. [2]) ZdVfVk. 13 (1903), 276.   Jacoby.

Arbatel, magisches Buch: „A., Von der Magie der Alten" [1]), nach Kiesewetter in naher Verwandtschaft mit der Clavicula Salomonis [2]), unter dem Titel: „A. De magia veterum" 1686 gedruckt [3]). Delrio [4]) gibt den hebr. Titel ארבעתאל und verurteilt die Schrift. ארבעתאל d. i. „die Vierzahl Gottes", eine Umschreibung des Tetragrammatons, die unter der Form ἀρβαθ Ἰαώ oder mit Metathese ἀβραθ Ἰαώ d. i. „die Vierzahl des (Namens) Jao (יהוה) in den hellenistischen Zauberpapyri oft vorkommt [5]).

[1]) Agrippa v. Nettesheim 5, 95 ff.; Kiesewetter *Faust* 340; [2]) Kiesewetter *Der Okkultismus des Altertums* 765. [3]) Abt *Apuleius* 38 A. 4. [4]) *Disquisitiones magicae* (Cöln 1679), 10. 36. 62. [5]) Dieterich *Abraxas* 176 Z. 22; 182 Z. 9; 201 Z. 20; Wessely 1, 78 Z. 1327; 80 Z. 1414 usw.   Jacoby.

Arbeit, arbeiten. 1. Vom Standpunkt des Aberglaubens kommen in der Hauptsache A. s v e r b o t e in Betracht.

a) Es ist verboten und hat üble Folgen, wenn die Heiligkeit des S o n n - oder F e i e r t a g s (s. d.) durch irgendwelche A. verletzt wird. Im Saalfeldischen arbeiten die Frauen an hohen Festtagen nach dem Gottesdienste nicht mehr; taten sie es doch, so wurden sie lahm und vom Blitz erschlagen (zogen die Wolken ihnen nach) [1]). Wer in Hessen an einem ersten Feiertage eine unerlaubte A. tut, muß sie nach seinem Tode in Ewigkeit fort-

tun [2]) (vom Mann oder der Spinnerin im
Mond [s. d.], die sich dieser Sünde schuldig machten, bestehen sehr viele Erzählungen [3])) oder wird nach seinem Tode als
Gespenst umgehen [4]). Nach dem Glauben
im preußischen Samlande wurden die,
welche den hl. Sonntag mit Werktagsa.
zu beflecken wagten, in Steine verwandelt (s. d.) [5]).

> wir sâzen unde wâben
> dô die lantliute êrten disen tac....
> schiere runnen diu weppe von bluote,
> daz ez uns des werkes erwante,

heißt es schon in dem Wiener Servatius [6]).
Nur ungern wird Felda. an Sonn- u. Feier-
tagsnachmittagen geleistet, wenn trockene Tage zur Erntezeit sonst selten sind [7]);
wer es aber ohne Not tut oder zu tun befiehlt, den ereilt die Strafe in dieser oder
jener Form [8]). Die Hexen verzehren an
ihren Versammlungen Brot, das des Sonntags gebacken, Fleisch, das Sonntags gesalzen wurde, und trinken Sonntags gefaßten Wein [9]). Der sog. Sonntags- (Him-
mels-) Brief (s. d.) befiehlt: „Am Sams-
tagabend soll man früh Feierabend machen, am Sonntag keine Eier ausnehmen
und den Brunnentrog nicht auswaschen
(d. h. nur die allernotwendigste Arbeit
tun), denn dies alles bringt Unglück [10]).
Ihr habet sechs Tage in der Woche, euere
Arbeit zu verrichten, aber den Sonntag
sollt ihr mir heiligen. Wollet ihr mir es
nicht tun, so will ich Krieg, Pestilenz,
Hungersnot auf Erden schicken und mit
vielen Plagen euch strafen, auf daß ihr es
hart empfindet" [11]). Wie die Kirche, so
verbot später auch weltliche Gesetz-
gebung die Sonntagsa.: „Si quis die domi-
nico boves junxerit et cum carro am-
bulaverit, dexterum bovem perdat", bestimmt z. B. die Lex Bajuv. VI, 2, I [12]).

b) Selbstverständlich galt das Verbot
der A. auch für die große Reihe der kirchlichen Feiertage und die Heiligen -
f e s t e: Als in Sateins (Vorarlberg) einmal an F r o n f a s t e n (s. d.) Wäsche
gehalten wurde, kam das Nachtvolk und
rief den Wäscherinnen zu: „Wüßten wir
nicht, daß ihr Wermut und Raute im
Hause habet, so würdet ihr nicht unge-
straft zu Fronfasten waschen" [13]). Die

hl. M a g d a l e n a (s. d.) strafte einen
Tiroler Bauern damit, daß ein Blitz seine
Ochsen tötete und ihm ein böser Brand
ins Gebein fuhr, weil er an ihrem Tage
fluchend geackert hatte [14]). Ähnlich wird
der vom Donner erschlagen, der am Sonntag T r i n i t a t i s (s. d.) (Sonntag nach
Pfingsten) arbeitet oder etwas an diesem
Tage Geflicktes oder Gestricktes an sich
trägt [15]). Auch an M i c h a e l i s (s. d.)
wird auf dem Felde nicht gearbeitet und
darf nicht gesponnen werden [16]). In den
ehemals wendischen Dörfern zwischen der
Altmark und dem Hannoverschen ruhte
die A. am St. V e i t s - u. J o h a n n i s -
t a g e (s. d.) [17]), und bei den Siebenbürger
Sachsen darf an vielen Orten am Johannistage nicht gearbeitet werden, weil
sonst Unglück über die Gemeinde
kommt [18]). Zahlreich sind die Verbote der
A. an Karfreitag, Himmelfahrt, Weihnacht. In der K a r w o c h e (s. d.) soll
man die A. aufs notwendigste beschränken, vor allem soll man nicht kehren; aufs
Feld gefahrener Dünger hat keine Kraft [19]).
Am K a r f r e i t a g (s. d.) u. -samstag
getraute man sich im Ansbachischen
nicht, in der Erde zu a., um Christum
nicht im Grabe zu beunruhigen [20]). Wer
am Karfreitag kehrt, bekommt viele
Mücken ins Haus [21]). Als eine Frau in
Oberhessen am Karfreitag ihre Haube
wusch und stärkte, um an Ostern damit
Hoffart zu treiben, wurde das Wasch-
wasser plötzlich zu Blut [22]). — Wegen der
Wettergefahr soll man am H i m m e l -
f a h r t s t a g e (s. d.) nicht a. und namentlich nicht nähen, sonst schlägt der
Blitz ein [23]), das weiß schon die Rockenphilosophie [24]). Die Deutschen Pennsylvaniens vermeiden es, an Himmelfahrt
an der Erde zu a. oder auszufahren usw.,
weil man sonst Unglück hat; das einzige,
was man tun darf, ist fischen [25]). — Unter
den Tagen, da A. verboten ist, spielt der
W e i h n a c h t s t a g (s. d.) eine große
Rolle (s. unten sub c: Zwölften); gewisse
A. darf nicht verrichtet werden, wenn
nicht Unheil kommen soll [26]). Was man
an einem hl. Abend vor der Weihnacht
oder sonst an einem andern Vorberei-
tungsabend spinnt, das wird, zu Tuch

verarbeitet, wenn man es über den Kirchhof trägt, wieder zu Risten [27]). Aus einem Berner Pfarrerkränzchen um 1825 erfahren wir, daß sich viele Leute „ein Gewissen daraus machen, an der alten Weihnacht zu a., während sie hingegen den Tag des Herrn aufs schändlichste entheiligen" [28]).

c) Wenn man im Braunschweigischen am H a g e l f e i e r t a g (s. d.) die geringste A. verrichtet, so wird die Saat nicht geraten [29]). Wo man in Schlesien zur F a s t n a c h t s z e i t (s. d.) abends spinnt, lahmt das Vieh das ganze Jahr hindurch [30]). An einigen Orten der Grafschaft Mark darf man schon am Zimbertstage (Donnerstags vor Fastnacht) keine A. verrichten, bei welcher „wuot runt genk", also namentlich nicht spinnen, dreschen usw.[31]). Die pennsylvanischen Deutschen haben dieses A.sverbot an Fastnacht ebenfalls bewahrt [32]). — Vor allem in den Z w ö l f t e n (s. d.) muß alle A. ruhen, darf man weder spinnen, noch waschen, backen, düngen [33]); nur die allernotwendigsten Arbeiten, wie das Viehfüttern, sind zu besorgen [34]). Weder Wagen noch Karren darf in Bewegung gesetzt werden, nichts darf „umgehen" oder „rund gehen" (d. h. sich drehen, s. d.) [35]), Knechte und Mägde brauchen in diesen „hilgen Tagen" keine A. zu tun [36]), in Hessen darf das Vieh nicht einmal gereinigt werden [37]).

¹) G r i m m *Myth.* 3, 451 Nr. 517 = W o l f *Beiträge* 2, 376, Anm. 1. ²) W o l f *Beiträge* 1, 217 Nr. 175. ³) Vgl. z. B. G r i m m *Myth.* 2, 599. ⁴) G r o h m a n n *Aberglaube* 197 Nr. 1378. ⁵) R e u s c h *Samland* 96 Nr. 82; G r i m m *Myth.* 3, 71 (zu S. 159); vgl. K n o o p *Hinterpommern* 127 Nr. 260. ⁶) Hrsg. von M. H a u p t, Vers 2880 = G r i m m *Myth.* 3, 71. ⁷) L e o p r e c h t i n g *Lechrain* 153 f.; M e i e r *Schwaben* 1, 46 Nr. 51. ⁸) V e r n a l e k e n *Alpensagen* 249 Nr. 173; G r i m m *Myth.* 3, 71. ⁹) G r i m m *Myth.* 2, 896 Anm. 2. ¹⁰) SAVk. 24 (1922), 64; S t ü b e *Himmelsbrief* 11 ff. ¹¹) SAVk. 2, 278. ¹²) G r i m m *Myth.* 3, 71. ¹³) V o n b u n *Beiträge* 8 f.; D e r s. *Sagen* 38 Nr. 41. ¹⁴) H e y l *Tirol* 120 Nr. 13. ¹⁵) S c h e f f e r s *Haltaus* 255 = G r i m m *Myth.* 1, 159; 3, 70; H a u p t s *Zs.* 3, 360. ¹⁶) K u h n u. S c h w a r t z 401 Nr. 118 f. ¹⁷) K u h n *Märk. Sagen* 329 f. ¹⁸) H a l t r i c h *Siebenb. Sachsen* 287. ¹⁹) J o h n *Erzgebirge* 193. ²⁰) G r i m m *Myth.* 3, 459 Nr. 706 = S a r t o r i *Sitte u. Brauch*

3, 143. ²¹) F o g e l *Pennsylvania* 255 Nr. 1327. ²²) B i n d e w a l d *Sagenbuch* 236. ²³) G r i m m *Myth.* 3, 459 Nr. 703; 3, 461 Nr. 772; B a r t s c h *Mecklenburg* 2, 270 Nr. 1401; ZfVk. 14, 424 (Bärwalde); V e r n a l e k e n *Alpensagen* 372 Nr. 42; S a r t o r i *Sitte u. Brauch* 3, 187 ff.; B i n d e w a l d *Sagenbuch* 237; P f a n n e n s c h m i d *Erntefeste* 366. ²⁴) 59 Nr. 43 = G r i m m *Myth.* 3, 436 Nr. 43. ²⁵) F o g e l 248 f. Nr. 1286 ff. ²⁶) S a r t o r i a. a. O. 3, 27; J o h n *Westböhmen* 16; H ö r m a n n *Volksleben* 228; J o h n *Erzgebirge* 151; B i n d e w a l d *Sagenbuch* 233 ff. ²⁷) SAVk. 21 (1917), 42 Nr. 31. ²⁸) Ebd. 44. ²⁹) A n d r e e *Braunschweig* 358. ³⁰) D r e c h s l e r *Schlesien* 1, 55. ³¹) W o e s t e *Mark* 23. ³²) F o g e l 254 Nr. 1321. ³³) Zahlreiche Literatur bei S a r t o r i a. a. O. 3, 23 Anm. 2; B a u m g a r t e n *Jahr u. s. Tage* 14; C o r r e v o n *Gespenstergesch.* 14 f. ³⁴) M e y e r *Baden* 197. 482. ³⁵) K u h n *Westfalen* 2, 111 f. Nr. 333 f. ³⁶) Ebd. 2, 115 Nr. 351. ³⁷) K o l b e *Hessen* 9.

2. Auch für einzelne W o c h e n t a g e gelten A.sverbote. Am S a m s t a g (s. d.) oder am Vorabend eines gebotenen Feiertags muß die A. von 4 Uhr nachmittags an ruhen, sonst wird die Gemeinde von Hagel heimgesucht [38]). Als in Westfalen einmal Mägde Samstags noch lange nach Sonnenuntergang beisammensaßen und spannen, ging auf einmal das Fenster auf, ein ungeheurer, nackter Arm erschien, und eine Stimme rief: „Wer am Saterdag Abend spinnt, muß den nackten Arm bekleiden" [39]). Wenn früher die Bergleute Samstag abends in den Gruben der Kanderer Gegend arbeiteten, so kam stets das dortige Bergmännlein und verjagte sie [40]). — Schlesischem Volksglauben nach soll man M o n t a g s (oder F r e i t a g s, S a m s t a g s) (s. d.) nichts Neues anfangen oder unternehmen, weil die A. dann zu keinem erfreulichen Ende kommt [41]). Pädagogischen Charakter aber hat es, wenn die pennsylvanischen Deutschen erklären: „Wenn man Montags etwas fertig macht, kann man in der gleichen Woche noch viel a." [42]) — Alter Herkunft ist wohl das A.sverbot am D o n n e r s t a g (s. d.); es erscheint als ein Überrest der heidnischen Heilighaltung dieses Tages: „De feriis, quae faciunt Jovi vel Mercurio", überliefert der XX. Aberglaubensatz des Indiculus [43]). Zahlreich sind in den Bußbüchern des 7. bis 9. Jhs. diese Vorschriften, den Donnerstag

(s. d.) u n tätig zu verbringen [44]); aus den späteren Jahrhunderten bis auf die Gegenwart werden uns Beispiele überliefert, wie das Übertreten dieses Gebotes bestraft wurde [45]). Martin Weinreich erzählt uns in der Vorrede zu seiner Ausgabe von J. F. Picus Mirandulanus „Stryx, seu de ludificatione daemonum libri tres" (1612), daß einer Hausfrau, die in der Donnerstagsnacht ihre Magd häusliche Geschäfte verrichten ließ, ein Gespenst erschien und sie fragte: „dic mihi, cur solemni nocte, ipsoque die Jovis famulas mundare pateris" [46])? Der Mecklenburger Herzog Gustav Adolf erließ 1684 ein Dekret an alle Beamte „zur Ausrottung des Aberglaubens, daß man Donnerstags nicht spinnen dürfe" [47]). Auch Barth. Anhorn weiß in seiner Magiologia (1675) S. 133 zu berichten: „Am Donnerstag u. Sambstag solle von Knechten u. Mägden kein Stall gemistet werden . . . Diese abgöttische Weise, den Abend an dem Donnerstag zu feiern ist an vielen Orten bis auf unsere Zeiten kommen und in dem Jahr 1626 in dieser Landsgegend (Schweiz) in vielen Häusern auf der Landschaft noch sehr üblich gewesen" [48]). Das A.sverbot am M i t t w o c h (s. d.) läßt sich aus alter und neuerer Zeit seltener belegen [49]), dagegen erfahren wir durch den schon erwähnten M. Weinreich an derselben Stelle, daß „die gemeinen Leute in dem Jägerndorfischen Gebirge nach einem alten Aberglauben an einem M o n - t a g e , D o n n e r s t a g e und S o n n - t a g e nicht leichtlich Hausarbeiten vornehmen und selten waschen ließen . . .“[50]), daß also neben dem Donnerstag auch der Montag (und natürlich auch der Sonntag) durch teilweise A.sruhe gefeiert wurde.

[38]) S a r t o r i Sitte u. Brauch 2, 70 = R e i - s e r Allgäu 2, 358 fg. [39]) K u h n Westfalen 1, 60 ff. Nr. 48; vgl. K u h n u. S c h w a r t z 447 Nr. 370. [40]) W a i b e l u. F l a m m 2, 210. 331. [41]) Urquell 3 (1892), 39. [42]) F o - g e l 262 Nr. 1369. [43]) S a u p e Indiculus 25 f.; G r i m m Myth. 1, 159; 3, 403. [44]) S a u p e a. a. O. [45]) G r i m m Myth. 1, 159; 3, 70 f.; R o c h h o l z Glaube 2, 32 ff.; W o l f Beiträge 1, 69 f.; W o e s t e Mark 23; K u h n Märk. Sagen 336; S c h ö n w e r t h Oberpfalz 1, 339; G r o h m a n n 10. [46]) W o l f Beiträge 1, 69 = K u h n Westfalen 1, 61 f.

Nr. 48; vgl. M a n n h a r d t Germ. Mythen 49. [47]) Mecklenb. Jahrb. 20, 189 = R o c h h o l z a. a. O. 2, 32. [48]) R o c h h o l z a. a. O. 2, 33. [49]) S a u p e a. a. O. 26. [50]) K ü h n a u Sagen 1, 183.

3. Aber auch i n n e r h a l b d e s T a - g e s gibt es Zeiten, da nicht gearbeitet werden darf.

a) Als eine siebenbürgische Bäuerin ihre landwirtschaftliche A. fortsetzte, nachdem um die vierte Nachmittagsstunde die Dorfglocken zur Vesper geläutet hatten, erhob sich im nahen Walde lautes Getöse, und mit Peitschenknallen, Rufen und Schreien kam ein führerloser, schwerbeladener Wagen und trieb die Frau zur Flucht [51]). Unterwaldner Holzhauer, denen die Tage zu kurz waren, arbeiteten oft bis in die Nacht hinein. Als sie auch eines Samstags nach Betglockenzeit ihre A. fortsetzten, hörten sie plötzlich den Ruf „Firabä" (Feierabend) (s. d.). Ihre Väter erzählten ihnen, das komme oft vor; die Holzhauer mußte man seither nie mehr an den Feierabend mahnen [52]). Nach alter, frommer Sitte machte man im Zillertal am Vorabend hoher Festtage schon zu Mittag Feierabend. Ein Bauer, der dieses Gebot verletzte, wurde mit seinem Knechte und seiner Alm plötzlich vereist (eingeschneit u. vergletschert) [53]). Eine Sage aus dem Eisacktale berichtet, daß der Unrat, den die Bauern bei der A. nach Feierabend machten, in die Nahrungsmittel der „Saligen" falle [54]).

b) Vor allem aber ist n ä c h t l i c h e (s. Nacht) A. untersagt. Wer bei Mondschein arbeitet, dem wird ein Unglück begegnen, z. B. wer haspelt, dem werden seine Gedärme herausgehaspelt, meinte man im Kt. Bern [55]). Einer schwäbischen Spinnerin, die im Mondschein ohne anderes Licht spann, erschien einmal nachts mit dem Schlage zwölf ein Mann, brachte ihr einen ganzen Arm voll Spindeln und sagte: „Wenn du die nicht noch in dieser Nacht vollspinnst, so ists aus mit dir, und ich werde dich holen." Ihr guter Geist gab der Frau ein, daß sie die Spindeln nur einmal überspann und so mit allen Spindeln fertig wurde [56]). Tiroler Sagen berichten, wie Bauern, welche nachts noch auf dem Felde arbeiteten, eine Stimme zurief:

> Dar Tog isch dein,
> Die Nacht isch mein;
> Glei scheir di heim,
> Sust geats dar gleim [57]).

Auch in Frankreich ist Nachta. verpönt [58]).

c) Von Pankratius bis Bartholomäus (12. Mai bis 24. August) muß im Kreise Jülich während der **Mittagspause** (s. d.) (meistens von 12—2 Uhr) alle Felda. ruhen [59]). Zeigt sich um diese Zeit jemand auf dem Acker, dann verscheucht ihn die „Ennungerschmohr", das Mittagsgespenst (s. d.), das sich sonst meist nur im östlichen Deutschland gegen die slawischen Völker hin findet und durch sein Erscheinen die A. zwischen 12 und 2 Uhr unterbricht [60]).

[51]) **Müller** *Siebenbürgen* 62 Nr. 84 = **Wittstock** *Siebenbürgen* 68 f. [52]) **Niederberger** 2, 61. [53]) **Heyl** *Tirol* 87 Nr. 50; vgl. andere Strafe ebd. 116 Nr. 7. [54]) Ebd. 272 Nr. 88. [55]) SAVk. 21 (1917), 59 Nr. 9. [56]) **Meier** *Schwaben* 1, 233 Nr. 258. [57]) **Heyl** *Tirol* 224 Nr. 35; 370; vgl. 226 Nr. 36. [58]) **Sébillot** *Folk-Lore* 1, 136 f. 160. [59]) **Korth** *Jülich* 84 f. 98. [60]) **Meiche** *Sagen* 353 Nr. 463; **Haupt** *Lausitz* 1, 70 f. Nr. 74.

4. Das Verbot der A. findet sich noch bei andern Gelegenheiten. Wenn ein **Toter** (s. d.) im Hause liegt, so ruht alle A. außer Viehfüttern und Kochen bis nach der Beerdigung [61]). Namentlich soll man in Schwaben nicht in der Erde a., auch nichts unternehmen, womit kreisförmige Bewegungen verbunden sind, z. B. das Drehen des Rades beim Spinnen und Fahren [62]). — In der Oberpfalz soll die **Wöchnerin** (s. d.) nichts a., es wäre denn für sich und ihr Kind. Denn was sie in dieser Zeit unternimmt, mißrät oder bringt Unglück. Sie darf nichts einsieden, Eingemachtes, wie etwa Sauerkraut, nicht herausnehmen, ja nicht einmal eine Blume berühren. Geht sie in den Stall, so schadet sie dem Vieh, wenn auf das Feld, hat der Schauerschlag so weit die Macht, als sie gegangen ist [63]) — Auch die Braut (s. d.) darf während der **Verlobungszeit** keine Felda. verrichten [64]). Weit verbreitet ist die Meinung,

daß man während eines **Gewitters** nicht a. dürfe [65]).

[61]) **Reiser** *Allgäu* 2, 294; **Meyer** *Baden* 583; **Höhn** *Tod* 324; **Hoffmann-Krayer** 44; **John** *Erzgebirge* 121; **Grohmann** 188 Nr. 1324; **Gassner** *Mettersdorf* 83; ZfVk. 10 (1900), 118 f.; 2 (1892), 186; **Sartori** *Sitte u. Brauch* 1, 140. [62]) **Meier** *Schwaben* 2, 490 Nr. 293. [63]) **Schönwerth** 1, 158 f. Nr. 14; 1, 159 Nr. 16; **Hartmann** *Dachau u. Bruck* 203 Nr. 27. [64]) Ebd. 208 Nr. 42; **Bächtold** *Hochzeit* 1, 224 ff. § 226 f.; **Baumgarten** *Aus der Heimat* 3, 91. [65]) **Panzer** *Beitrag* 1, 179.

5. Die sich nicht auf A.sverbote beziehenden Meinungen sind wenig zahlreich. Wenn ein Mädchen bei der A. einschläft oder seine A. nachlässig verrichtet, dann kriegt es einen Witwer (s. d.) zum Manne, glaubt man in Duderstadt [66]). Wenn das Kind zur Taufe (s. d.) getragen wird, muß die Mutter zu Hause neunerlei Arbeiten verrichten, damit das Kind tätig werde [67]). Gegen das Schreien des Kindes hilft, es in einen Kleiderschrank zu sperren, bis die Mutter neunerlei A. getan hat [68]). Vor dem Wechsel halten die Klöpplerinnen nicht auf, sonst drückt sie der Alp oder die A. kommt wieder zurück [69]). Ein sächsischer Berggeist will eine A. (das Schmieren eines Zapfens) selbst besorgen; als sie der Wärter einmal aus Versehen tut, wird ihm ein Arm abgerissen [70]). Gewisse Arbeiten müssen in einer bestimmten Zeit geleistet werden: Man erlöst eine Alp von einem Ungetüm, wenn man eine Kuh in einer Stunde fertig melkt und eine Nacht in der Hütte bleibt [71]). Wer, ehe eine Stunde um ist, die Tiere an den Schatzwagen spannen und den Wagen nur eine kleine Strecke herausbringen kann, dem fällt der Schatz (s. d.) zu [72]). — Wichtig ist namentlich auch der **Abschluß der A.** Wenn sie nicht in Gottesnamen beendet, nicht „niedergesegnet" wird, so „arbeitet es nach". Dieses Nacha. ist das Werk des Teufels. Für das Niedersegnen werden Formeln gebraucht wie z. B.: „Heiligs Kreuz, segn's und beschütz's da himmlisch Vada." Wenn es „nacharbeitet", hört man aus der Ferne einen Lärm wie von Deichselschlägen, auf den Futterböden wird Futter geschnitten, auf der

Straße lärmt es, als wenn Wagen rollten und Peitschen knallten, vom Wald her, als ob Holz gefällt oder gespalten würde. Dagegen tun z. B. die Schmiede drei kalte Schläge auf den Amboß [73] (s. d.).

S. w. A u f g a b e , D r e h e n , S p i n - n e n , T a b u und die einzelnen ange-führten Feste und Tage.

[66]) ZfdMyth. 2 (1854), 107 Nr. 3. [67]) K u h n *Märk. Sagen* 365; B a r t s c h *Mecklenburg* 2, 46 Nr. 82. [68]) G r i m m *Myth.* 3, 463 Nr. 817; W e i n h o l d *Neunzahl* 36. [69]) J o h n *Erz-gebirge* 37. [70]) K ö h l e r *Sagen* 124 Nr. 155 = M e i c h e *Sagen* 400 Nr. 524. [71]) K o h l - r u s c h *Sagen* 78 Nr. 38. [72]) Ebd. 107 Nr. 55. [73]) B a u m g a r t e n *Aus der Heimat* 2, 113 ff.; W a s c h n i t i u s *Perht* 164.

Bächtold-Stäubli.

Arbogast, fränkischer Einsiedler aus Aquitanien, auch St. Algast genannt, um 550 Bischof v. Straßburg, Fest 21. Juli. Held vieler Legenden. Wirkte, ehe er Bischof von Straßburg wurde, im Wald bei Hagenau viele Wunder, der daher „Heiliger Forst" hieß. In Dottingen (Baden) sowie namentlich in Oberwinter-thur (Schweiz) A.kapellen, an letzterer Stelle mit altbesuchter Wallfahrt. Motive aus seiner Legende: Totenerweckung, Marienerscheinung.

G r i m m *Sagen* 312 Nr. 432; H e r t z *Elsaß* 185; V o n b u n *Sagen* 108 Nr. 92.

Wrede.

Arebrodas, Zauberwort gegen Hunde-biß [1]), das so geschrieben wird, daß immer ein Buchstabe links weggelassen wird; die verkürzten Worte, deren letztes as lautet, werden untereinander gesetzt nach alter, schon hellenistischer Praxis, die πτερυγοει-δῶς „flügelförmig" hieß [2]). Das Wort ist eine Verstümmelung der Satorformel (areb[o] rodas) (s. d.).

[1]) S e y f a r t h *Sachsen* 172. [2]) D i e t e - r i c h *Abraxas* 199; Pap. Mimaut 60 ff.; W e s s e l y 1, 141; Pap. Berl. 2, 25; P a r t h e y 150; D o r n s e i f f *Alphabet* 63 ff. Jacoby.

Aria, Zauberwort zum Blutverband [1]) in der Formel: A .+ mit + Gott +. Vgl. ara (s. d.), ferner + aro + arca + nit + go + [2]).

[1]) B a r t s c h *Mecklenburg* 2, 381. [2]) ebd. 2, 380.   Jacoby.

Arie, Tante, ein mit der Holle-Berchta-Wode naheverwandtes, ja bis ins einzelne

B ä c h t o l d - S t ä u b l i , Aberglaube I.

übereinstimmendes weibliches Wesen, das voraussichtlich auf eine ursprünglich ger-manische, vielleicht burgundische Göttin oder Dämonin zurückgeht (vgl. Hariasa, Harimella, vro Here; zu „hari" Heer). Überlieferungen von ihr finden sich na-mentlich im Berner Jura und im angren-zenden Frankreich.

Vgl. E. H o f f m a n n - K r a y e r in ZdVfVk. 25 (1915), 116—123; G r i m m *Myth.* 1, 342 Anm. 1; SAVk. 25, 192 ff.; 7, 175 ff.; W e i n - h o l d *Weihnachtsspiele* 41 Anm. 2; S é b i l - l o t *Folk-Lore* 1, 140; 4, 429.

Bächtold-Stäubli.

Ariel, Name eines Höllenfürsten bzw. Geistes. Das Wort ist hebräischen Ur-sprungs אֲרִיאֵל und אֲרְאֵל, griech. 'Αριήλ, Vulgata: A., und kommt als Eigenname 2. Sam. 23, 20; 1. Chron. 11, 22; Esra 8, 16 in der Bedeutung „Löwe Gottes" vor. Dagegen wird es Ez. 43, 10. 16 und in der Mesainschrift 12 von der Feuerfläche des Altars gebraucht und Jes. 29, 1 f. als Name Jerusalems [1]), in einem Wortspiel, in dem es zugleich den Feuerort der Unterwelt bezeichnen dürfte; in diesem letzten Sinn vergleicht es A. [2]) mit dem babylonischen „arallû" (Hades). Schon in der koptischen Pistis Sophia [3]) wird A. als Höllengeist mit „seinen Feuergruben" erwähnt, der die Sünder straft; vielleicht hat man dabei auch von dem Pythongeist Jes. 29, 4 (nach Symmachus und Vulgata) auf die Hölle geschlossen. Andererseits begegnet A. auch als Name des Engels, der über die Landtiere gesetzt ist [4]); vgl. auch die Bezeichnung der Engel als אראלים [5]). Hippolyt [6]) nennt nach der Gnosis der Peraten den ἄρχων ἀνέμων τρίτος 'Αριήλ (wohl falsche Etymologie aus ἀήρ: 'Αεριήλ). A. begegnet vermutlich auch als Engelname in einem koptischen Zauberspruch [7]), ferner in einer altchristlichen gallischen Inschrift [8]) und in jüdischen Zauber-texten [9]). Der Name ist dann in den Volksglauben übergegangen [10]), und auch Shakespeare hat ihn benutzt [11]). Eine Verstümmelung ist vielleicht in der For-mel für Treffsicherheit beim Schuß „Arill ad goll gotzo" [12]) zu suchen.

[1]) RGG. 1, 684. [2]) A. J e r e m i a s *Das alte Testament im Lichte des älteren Orients* (1915), 603. [3]) C. S c h m i d t *Koptisch-gnostische*

Schriften (1905), 385 Reg. [4] W e b e r *Theol.*
207. [5] B u x t o r f f *Lexicon chaldaicum etc.*
ed. Fischer (1879), 113; D a l m a n *Aramäisch-
neuhebr. Handwb.* (1922), 38. [6] *Refutatio
omnium haeresium* 5, 13, 6 Wendland (1916)
109, 15. [7] Äg pt. Urkunden a. d. Kgl. Mus.
zu Berlin. Kopt. Urk. (1902), 12 Nr. 10.
[8] E d. Le B l a n t *Nouv. recueil des inscriptions
chrét. de la Gaule antér. au VIII siècle*, Docum.
inéd. No. 32 p. 42. [9] MjdVk. N.F. 2 (1916),
117; S c h w a b *Vocabulaire* 185. [10] P r a d e l
Gebete 58; K i e s e w e t t e r *Faust* 161 ff.;
A g r i p p a v o n N e t t e s h e i m 3, 159.
Württ. Vjh. 13 (1890), 251 Nr. 377. [11] ZdVfVk.
5 (1895), 265; A c k e r m a n n *Shakespeare*
19. [12] SAVk. 19, 228.   Jacoby.

Aristoteles. Der bekannte griechische
Philosoph, 384—322, der besonders seit
Albertus Magnus (s. d.) und Thomas von
Aquino auch von der mittelalterlichen
Theologie als die Grundlage alles welt-
lichen Wissens anerkannt war.

Die Alexandersage hat schon früh auch
seine Gestalt sagenhaft ausgeschmückt;
er ist ihr nicht nur der große Weise, auch
der Meister der Magie, der Zeichen deutet,
Tote und Geister beschwört, seinem Zög-
ling Siegzauber verleiht[1]). Dem MA. gilt
er als Verfasser [2]) der im 12. Jh. aus dem
Arabischen übertragenen Secreta secretorum (s. d.); es führt die darin enthaltene ärztliche und magische Weisheit
auf A. zurück. In den franz. Chansons de
Geste gilt A. als Verfertiger mechanischer
Kunstwerke [3]). Bei den Juden wird A.
heute noch als Weiser geehrt. [4]).

[1]) W. H e r t z *Abhandlungen* 34 f. 49. 53 f.;
S t e m p l i n g e r *Antiker Aberglaube* 11.
[2]) H e r t z a. a. O. 156 ff. [3]) M. H a l l a u e r
*Das wunderbare Element in den Chansons de
Geste.* (Diss. Basel 1918) 11 f. [4]) B i n G o r i o n
Born Judas 3, 202 ff. 283 ff.; Z a n g w i l l
Children of the Ghetto ch. II u. XII.   Helm.

Arithmomantie s. O n o m a t o m a n t i e.

Arm. Neben den übrigen Auffällig-
keiten des Teufels wird betont [1]), daß ein
A. von ihm kürzer ist wie der andere.

Alt ist der Glaube, das Schauen durch
den eingestemmten A. (A.ring, χηλή) mache geistersichtig. Schon Saxo Gramm.
meldet: Als Bjarki den Odin, der dem
Schwedenfeind beistand, in der Schlacht
nicht zu erblicken vermochte, riet ihm
Hrut: „adde oculum propius et nostras
prospice chelas" [2]). Dasselbe berichtet

eine Sage vom Odenberg in Hessen [3]).
Über das A.kreuzen der Toten s. K r e u z;
über wächserne A.e s. V o t i v.

[1]) S c h ö n w e r t h 3, 39. [2]) G r i m m *Myth.*
2, 783. 927; Edda I, übertragen von G e n z -
m e r S. 134, Anm. zum Bjarkilied 31 [1—4].
[3]) R a n k e *Volkssagen* 98.   Stemplinger.

Armagedon s. H a r m a g e d o n.

Ärmel. 1. Für den A b e r g l a u b e n
kommt der Ä. a n s i c h als Teil eines
Kleidungsstückes, das die Person vertritt,
dann aber auch wegen seiner F o r m in
Betracht, da das L o c h oder die R ö h r e
des Ä.s den Anlaß zu allerlei A n a l o g i e -
z a u b e r gibt.

Wie der Gürtel (s. d.), die Handschuhe
(s. d.), der Mantel (s. d.) und andere Kleidungsstücke als Sinnbilder des B e -
s i t z e s und der Übertragung und Übernahme eines Besitzes erscheinen, so war
dies auch beim Ä. der Fall. Du Cange [1])
zitiert schon aus dem Jahre 907 nach Lo-
binell. tom. 2 Hist. Britan. col. 66 ein
„Instrumentum", in dem es heißt: *Co-
mes vero per manicam* (Ä.) *suam terram
supradictam in manu Catluiant Abbatis
graffiavit* [2]). Dieselbe rechtliche Bedeutung hat der Ä. bei feierlichen A d o p -
t i o n s a k t e n des MA.s, bei welchen
das Motiv der S c h e i n g e b u r t sich
in dem D u r c h z i e h e n des Adoptier-
ten durch den Hemdä. des Adoptierenden
äußert. Am bekanntesten ist die in verschiedenen Handschriften der Crónica
general de España und an anderen Orten
veröffentlichte Art der Adoption des Mudarra durch seine Stiefmutter. Diese legte
an dem Tage, wo Mudarra getauft und
zum Ritter geschlagen wurde, ein sehr
weites Hemd über ihre Gewänder an, zog
einen Ä. des Hemdes über den Stiefsohn
weg und ließ ihn durch die Kopföffnung
wieder herauskommen, wodurch sie ihn für
ihren eigenen Sohn und Erben erklärte [3]).

Die Röhrenform des Ä.s spielt weiter
eine Rolle im L i e b e s z a u b e r. Um
die Zuneigung eines Mädchens zu gewinnen, suchen die Burschen in der Gegend
von Landshut ein von dem Mädchen
während der monatlichen Reinigung getragenes Hemd (s. d.) zu bekommen und
pissen durch den rechten Ä. (s. rechts).

Will man die Liebe wieder ertöten, so pißt man durch den linken Ä.[4]) (s. links). Eine Form des S a a t z a u b e r s in Finnland ist zuweilen, daß der Gerstensäer vor der Aussaat den Samen dreimal durch den Ä. laufen läßt, was erklärt wird mit der schützenden Eigenschaft der linken Achselhöhle und deren Schweiß [5]), aber richtiger dem gleichen Fruchtbarkeitszauber anzureihen ist, der mit dem Hemd (s. d.) und der Hose (s. d.) geschieht.

Eine Art F e r n z a u b e r durch das Ä.loch üben die B i e n e n z ü c h t e r in Bosnien. Um zu verhüten, daß der ausfliegende Schwarm zu hoch aufsteige oder davonfliege, ziehen sie ihr Hemd aus und schauen durch den Ä. auf den Schwarm, worauf sich dieser sogleich herabläßt [6]). In Oldenburg, wo man den ausgeflogenen Bienenschwarm durch einen Segen zum Sitzen zwingt, besteht in einzelnen Orten der folgende Glaube: Wenn man den ersten Schmetterling, den man im Frühling fängt, durch das Ä.loch des Rockes oder der Weste fliegen läßt, fängt man im Sommer einen Bienenschwarm [7]). In beiden Fällen dürfte Analogie zwischen dem Ä.loch und dem engen Flugloch des Bienenstockes vorliegen.

[1]) *Gloss. lat.* 4, 416. [2]) B ä c h t o l d *Hochzeit* 1, 134, [3]) L i e b r e c h t *Zur Volksk.* 432; ZfVk. 20 (1910), 146 f. [4]) P o l l i n g e r *Landshut* 248. [5]) FFC. Nr. 31, 119 f. [6]) ZföVk. 5 (1899), 189. [7]) S t r a c k e r j a n 1, 124 f. Nr. 146; 2, 12 Nr. 268.

2. Das U m k e h r e n d e s Ä.s hat im Volksglauben den gleichen Zweck wie das Umkehren anderer Kleidungsstücke (s. Kleid, verkehrt). Es behebt B l e n d - z a u b e r. Nach einer Böhmerwaldsage finden sich in einem Irrwäldchen Verirrte erst zurecht, nachdem sie den r e c h t e n Ä. der ausgezogenen Jacke umgekehrt haben [8]).

In der V o l k s m e d i z i n ist ein altes, weit verbreitetes Mittel gegen das Fieber, daß der Kranke nach einem andächtigen Morgengebet das H e m d (s. d.) auszieht und umkehrt, zuerst den l i n - k e n Ä., und dazu spricht:

> Kehr dich um, Hemd,
> Und du, Fieber, wende dich!

Darauf ist, wenn ein anderer dies tut, der Name des Kranken zu nennen und zu sagen: „Das sage ich dir zur Buße. Im Namen Gottes des Vaters usw." Das Ganze ist drei Tage nacheinander zu wiederholen [9]). Auf diese Weise pflegte der Schäfer Krackow in Brütz das Fieber zu stillen [10]).

Keinerlei sinnbildliche Bedeutung kommt dem zu, wenn es im Rheinland heißt, daß die F r e i m a u r e r bei ihren Zusammenkünften a u f g e k r e m p t e Ä. haben [11]). Hier schwebt das Bild des mit aufgestülpten Ä.n arbeitenden Maurers vor. In h o h e n H e m d ä.n erscheint das geisterhafte B r a c k e n w e i b l e des Allgäus [12]).

[8]) J u n g b a u e r *Böhmerwald* 73 f. [9]) *Geistl. Schild* 156; L a m m e r t 263; H o v o r k a u. K r o n f e l d 1, 139. 142; 2, 328; S e y - f a r t h *Sachsen* 235 f. 271 (Altenburg); H ö h n *Volksheilkunde* 1, 156; Urquell 3 (1892), 236; ZfrwVk. 1909, 290; ZfVk. 7 (1897), 68 (Neu-Ruppin). [10]) B a r t s c h *Mecklenburg* 2, 395 f. [11]) Z a u n e r t *Rheinland* 2, 192. [12]) R e i s e r *Allgäu* 1, 126 = F i s c h e r *SchwäbWb.* 3 (1911), 1417.

3. Von sonstigem Aberglauben ist zu erwähnen, daß man in Norddeutschland in die W i e g e eines neugeborenen K i n - d e s außer anderen Sachen auch einen r e c h t e n H e m d ä. legt, dann kann der Nickert dem Kinde nichts anhaben [13]). Wenn in der Schweiz die Mutter dem etwa sechs Wochen alten K i n d e ein angepaßtes Hemd mit Ä.n, wie sie d i e E r w a c h s e n e n t r a g e n, anzieht, erhält das Kind eine schöne Gestalt [14]).

Im Herzogtum Koburg verwendet man die Ä. e i n e s n e u e n H e m d e s bei der B r ä u t i g a m s s c h a u. Zu Weihnachten, Silvester und Dreikönig läßt das Mädchen einen Holzspan oder ein Zündhölzchen verglimmen und näht dann alle drei in den Ä. eines neuen Hemdes, um sie bei der ersten Wäsche mitzukochen. Erscheint dann bei der Wäsche zufällig ein junger Mann, so ist dies der Zukünftige [15]). Vereinzelt steht die Sitte in Huglfing bei Weilheim, daß die Person, welche eine H e i r a t vermittelt, ein leinenes H e m d m i t d r e i Ä.n, der dritte Ä. am Rücken, nebst 50—100 Mark bekommt [16]).

Endlich soll ein L e i c h e n k l e i d
(s. d.), an den Ä.n wenigstens, keine geschlossene Hafte haben, weil sonst bald
wieder jemand im Hause stirbt [17]).

[13]) K u h n · u. S c h w a r t z 431 Nr. 266
= W u t t k e 382 § 581. [14]) SAVk. 21 (1917),
38. [15]) ZfVk. 14 (1904), 279. [16]) DG. 5 (1903),
76. [17]) M e y e r *Deutsche Volksk.* 267 ff. =
O. M e i s i n g e r *Bilder a. d. Volksk.*[2] (Frankfurt a. M. 1922), 82.   Jungbauer.

Armband s. B a n d, S c h m u c k.

Armer, Armut. Die Worte reich und
arm setzen eine gewisse Entwickelung in
der Kultur voraus. In der vorhistorischen
Zeit scheinen sie zu fehlen. Mit der Seß-
haftigkeit und dem Ackerbau sind die Begriffe gegeben [1]). Das abgeerntete Feld ist
der arme Mann, die arme Frau [2]). Der
Reiche gab gelegentlich von dem Seinen
an Arme, z. B. bei Hochzeiten und Begräbnissen. Das Letzte hat sicher eine religiöse
Beziehung. Man gab bei Begräbnissen an
Fremde, die sich zufällig einfanden, man
war des Glaubens, daß in armen Fremden die Seele des Toten verborgen sein
konnte. Der Gedanke erweiterte sich, indem in den Armen überhaupt der Tote
leben konnte. So entstanden die Gaben
des Spendebrotes, des Totenbrots, des
Tränenopfers bei Beerdigungen [3]). — Daneben war bei einem reichen Leichenbegängnis Brauch, daß die Gaben der Kirche, also dem Pfarrer und Meßner, und den
Armen zugewendet wurden. Mit der Zeit
hat die Kirche auf die Gaben verzichtet,
die Gottesheller gehörten den Armen [4]).
Der Armut erwächst ein Anspruch auf die
Gaben der Reichen. Am Sonnabend [5]) erhoben die Armen in Hessen den sog. „Back-
ofenzins". Es war auch üblich geworden,
„Neujahrslaiberchen" für Arme zu bak-
ken. An bestimmten Tagen, zu Johanni [6]),
Gründonnerstag [7]), auf Ostern empfingen
die Armen ihre Gaben. Diese gründen sich
auf Vermächtnisse, die von reichen Leuten aus Gutherzigkeit, zum Dank für eine
Errettung [8]), oder auch gestiftet sind, um
eine Untat zu sühnen.

Auf demselben Gedanken der Sühne
beruht es, wenn Verstorbene den Lebenden erscheinen. Menschen, die vor dem
Tode etwas nicht geordnet haben, hartherzig im Leben gewesen sind [9]), zeigen
sich nach dem Tode den Ihrigen und
ruhen nicht eher, als bis das Unrecht gut-
gemacht ist [10]). So gibt es auch das Seelenbrot auf Allerseelen, um armen Seelen
Linderung oder Erlösung zu schaffen, indem die Armen für sie beten [11]). Der Gedanke einer nötigen und möglichen Sühne
findet sich im katholischen wie im protestantischen Volke. Die Sühne geschieht
durch die Armen, denen eine heiligende
Kraft innewohnt, weil sie arm sind [12]).
Man kann einen Brand verzögern, wenn
man an Arme einen Scheffel Roggen
schenkt [13]). Eine Frau wird geheilt, da sie
einen armen Knaben einkleidet [14]).
Schuhe sind eine Spende an Arme, der
englische Volksglaube ist, daß die Gabe
von dem Beschenkten dem Gebenden im
Todstale vergolten wird [15]). — Unbe-
fangen zeigt sich daneben in der Lüsener
und Onacher Spende, daß von Wohlha-
benden an Arme gegeben wurde, um in
dem Gastmahle mitzugenießen. Der Unterschied zwischen Reich und Arm verschwand für eine Mahlzeit [16]). Wenn es
aber nach dem Volksglauben nicht gut
sein soll, in der Zeit des Brautstandes an
Arme zu geben, weil dem Gebenden etwas
„angetan werden könne", so erscheint
das Haus des Reichen von der Welt für
eine gewisse Zeit geschieden [17]).

Vgl. B e t t l e r, A l m o s e n.

[1]) S c h r a d e r *Reallex.* 665 f. [2]) F r a z e r
12, 418; 7, 23. [3]) Q u i t z m a n n *Baiwaren*
263; K o n d z i e l l a *Volksepos* 140 f.; vgl.
S a r t o r i *Speisung.* [4]) R e i s e r *Allgäu* 2,
307; S c h m i t z *Eifel* 1, 96 f. [5]) H a l t r i c h
Siebenb. Sachsen 244. [6]) K u h n u. S c h w a r t z
120 f.; H e y l *Tirol* 758 Nr. 37. [7]) R e h m
Volksfeste 11. [8]) R o c h h o l z *Sagen* 1, 367.
[9]) S é b i l l o t *Folk-Lore* 4, 473; V o n b u n
Beiträge 105. [10]) K ü h n a u *Sagen* 1, 205 u.
206; ZrwVk. 9 (1912), 293. [11]) H e y l *Tirol*
781 Nr. 98. [12]) W a i b e l u. F l a m m 2, 79 f.;
M e y e r *Abergl.* 156. [13]) W u t t k e 288 § 422.
[14]) SAVk. 21 (1917), 205 f. [15]) ZfVk. 11 (1901),
456. [16]) H e y l *Tirol* 760 Nr. 42, 756 Nr. 33.
[17]) H a r t m a n n *Dachau u. Bruck* 208 Nr. 42.
       Boette.

Arme Seelen. 1. Die Seelen der Menschen, die in Unbußfertigkeit, mit Sünden
beladen, sterben, kommen in die H ö l l e,
wo sie im Höllenfeuer brennen müssen;
es sind die V e r d a m m t e n. Dagegen

muß die Seele des mit Gott versöhnt Gestorbenen i m F e g f e u e r als a. S. den Rest der Strafe abbüßen [1]). Die unsäglichen Qualen, welche die Verdammten in der Hölle, die a. S. am Reinigungsort auszustehen haben, werden den Lebenden öfters durch die bei gewissen Gelegenheiten im Diesseits erscheinenden a. S.n gezeigt [2]). Nach uraltem Glauben können Seelen ohne Bestattung des Leibes keine Ruhe finden, woraus sich manche grausamen Sitten und Gesetze des Altertums (z. B. die Schuldgesetze der XII tab. bei Liv. VIII 28) erklären. Die Seele geht mit der Leiche und hütet so lang das Grab (s. F r i e d h o f), bis eine neue Seele sie ablöst. Aber auch die Seelen Ermordeter gehen nicht zur Ruhe ein, bis die Tat entdeckt und gesühnt ist [3]).

Oft müssen Seelen nach dem Tod Gewohnheiten beibehalten und Tätigkeiten ausüben, denen sie zu Lebzeiten oblagen. So sieht man an verschiedenen Orten Bayerns zu hl. Zeiten die Seelen verstorbener Priester in vollem Ornat die priesterlichen Funktionen ausüben (s. a. Geistermesse) [4]).

Nach dem Volksglauben muß die S e e - l e n a c h d e m T o d u m g e h e n, in der Luft herumwandern, bis die Prüfung zu Ende, die Schuld abgebüßt ist oder ihre Angehörigen durch Gebet und gute Werke für sie die Gnade Gottes erlangt haben [5]).

Die S t r a f e d e r a. S., die vielfach am Ort der früheren Tätigkeit abgebüßt werden muß, entspricht meist ihrem Vergehen: Brosamen, die im Leben leichtfertig verloren wurden, muß der Verstorbene zusammensuchen (Tirol). Oder: Der Teufel backt einen Laib Brot daraus und wirft ihn einem nach, wenn man gestorben ist (Inntal) [6]). Geizige, Diebe, Meineidige, Mörder müssen „umgehen". Der Grenzfrevler geht an der Grenze auf und ab und trägt dabei den Grenzstein auf der Schulter. Andere zeigen sich als Feuermänner und Irrlichter (s. dd.) [7]). Die Entwicklung führt weiter zu dem Glauben an Gespenster (s. d.), die den Menschen allerlei Schabernack spielen,

vor denen man sich hüten muß. Deshalb macht man in der Oberpfalz das Kreuzzeichen über das Grab, vor dem man steht, ebenso beim Hingehen und Weggehen, beim Verlassen des Friedhofs aber über alle Gräber, „damit die Seelen nicht nachkommen und nicht ankönnen" [8]). Das erinnert an den altattischen Brauch, die beim Haupttotenfest im Frühling (am Schluß des Dionysischen Anthesterienfestes) im Haus bewirteten Seelen mit dem Ruf zu verscheuchen: „Hinaus, ihr Keren, die Anthesterien sind zu Ende!" [9]) In Rom wurden die Geister der Verstorbenen an den Lemurien (9., 11. u. 13. Mai) nach der Speisung mit Lärm und apotropäischen Worten vertrieben (Ovid fast. V, 419 ff.). Möglich, daß auch die Hubertusjagd als Akt der Seelenvertreibung aufzufassen ist, im speziellen Anschluß an das herbstliche Totenfest [10]).

Die a. S. wie auch die Verdammten dürfen mit Gottes Erlaubnis von Zeit zu Zeit den Menschen e r s c h e i n e n, entweder um sie zur Bußfertigkeit zu ermahnen und um Hilfe und Erlösung für sich zu bitten, oder um sie zu quälen. Dabei zeigen sie sich entweder i n m e n s c h - l i c h e r G e s t a l t oder als I r r - l i c h t e r oder T i e r e. Gewöhnlich ist ihr Erscheinen jedoch an bestimmte Zeiten und Gelegenheiten gebunden. So darf alljährlich an ihrem Todestag die Seele zu ihren Verwandten zurück, um sich nach ihrem Ergehen zu erkundigen (Oberpfalz) [11]). Auch bei dem in der Schweiz im Frühjahr üblichen Alpsegen eilen die a. S. herbei [12]). Sonst ist die Zeit nach Sonnenuntergang, wie die Quatembertage, ihnen sehr günstig [13]); besonders sind es aber natürlich die Tage von Allerheiligen und Allerseelen, an denen sie wiederkehren. Denn sobald es am Allerheiligentag um 12 Uhr für die a. S. zu läuten anfängt, sind sie frei und können umgehen (Tirol) [14]). Sie lieben es, dabei in der Nähe von Feldkreuzen in verschiedenen Gestalten sich sehen zu lassen [15]). Als V ö g e l fliegen sie um die Kreuze der Friedhöfe (Schles., vgl. Seelenvogel) [16]), während sie anderwärts als F i s c h e einen einsamen Bergsee bevölkern (Tirol) [17]). Am liebsten aber wählen die a. S. die Gestalt der K r ö t e , weshalb es streng verpönt ist, diesen Tieren etwas zuleide zu tun [18]). Deshalb sagen in Tirol die Bauern, wenn die Kröten recht hummen: „Heut jammern die a. S. wieder einmal recht" [19]). Nach bayrischem Volksglauben wallfahren a. S. als Kröten an bekannte Gnadenorte (z. B. Altötting), um dort Erlösung zu finden [20]). In einer oberbadischen Sage treten F r ö s c h e an die Stelle der Kröten [21]). In Tirol sah man in den in alter Zeit an gewissen Richtstätten besonders zahlreich vorkommenden Kröten und Fröschen a. S. In der Gegend von Wolfsgruben auf dem Ritten (Tirol) beobachtete man Frösche und Kröten, die brennende Lichtlein auf dem Rücken trugen und so sich als a. S. zu erkennen gaben [22]). Das erinnert nicht nur an das bekannte Märchenmotiv, in dem der Meisterdieb nachts Krebse mit aufgeklebten Wachslichtern über den Friedhof laufen läßt, welche Pfarrer und Küster für die Seelen Verstorbener halten, sondern auch an die wahrscheinlich auf einen Brief des E r a s m u s aus dem Jahre 1528 (Ausgabe 1538, S. 854) zurückgehenden, von den protestantischen Geistlichen Z. Rivander Fest-Chronica 1591, 1. Bl. 106 b und Gryse Spegel des antichristlichen Pawestdoms 1593, Bl. LI, 4 a (= Baltische Studien 36, 61) ausführlich, von Delrio Disquisitiones magicae 1612 p. 272 b in knapper Form wiedergegebenen Nachrichten de cancris vel testudinibus cum candelulis affixis. In Italien läßt man noch heute zum Totengedächtnis große Käfer, mit brennenden Kerzen auf dem Rücken durch die Kirche laufen, wozu in Senigallia die Knaben rufen: O'guarda un' anima che passa! [23]). Bei der Vorstellung der in Krötengestalt erscheinenden a. S. war zweifellos die Auffassung der K r ö t e a l s S e e l e n t i e r (s. T i e r § 4) mitbestimmend.

Nach gemeingermanischer Anschauung wohnten die G e i s t e r d e r V e r s t o r - b e n e n (Ahnen) o f t i n B ä u m e n (Ahnenbäume), an die der Volksglaube das Schicksal der Nachkommen knüpfte. So hängt man in der Oberpfalz das Marter-taferl bei gewaltsam Verstorbenen an einen Baum, dann haust die a. S. bei Tag in dem Baum. Nahm man die Heiligenbilder aus den Nischen des Tafelbaumes oder wurde eine Waldkapelle niedergerissen, so zeigte sich täglich nach dem Aveläuten eine Höppin (Kröte, a. S.) solange, bis man das Heiligtum wiederherstellte. Auch die Rehbretter (Leichenbretter) stellt man an Waldbäume, Feldkreuze und Kirchwege [24]). In den Alpenländern glaubt man, daß die a. S. in der grimmigen Kälte der Gletscher ihre Sünden abbüßen müssen [25]). In Frankreich hält man geheimnisvolle Quellen (s. d.) für ihren Aufenthaltsort, weshalb man in diese Nadeln (s. d.) wirft, damit die frierenden Seelen im Winter ihr Leichentuch feststecken können [26]).

Vielfach stellt man sich die Seele als bewegtes, luftähnliches Gebilde vor, weshalb ihr plötzliches Entweichen Wind erregt. Darum kehren d i e S e e l e n d e r V e r s t o r b e n e n a l s h e f t i g e r W i n d wieder [27]). Deshalb weht an Allerheiligen ein starker Wind, der A l l e r s e e l e n w i n d, in dem die a. S. umziehen [28]). Ein Bruchstück eines alten Gebets gegen Fieber und das böse Wetter (Andr. Gryphius Horribilicr. S. 768) lautet: „Das walte der es walten kann. Matthes gang ein, Pilatus gang aus, ist eine a. S. draus." „A. S., wo kommst du her?" „A u s R e g e n u n d W i n d, aus dem feurigen Ring" [29]). Mit der Vorstellung der im Wind lebenden Seelen berührt sich eng die Anschauung, daß die G e i s t e r d e r A b g e s c h i e d e n e n i m w i l d e n H e e r und Gefolge alter Götter erscheinen. Auch in den dunklen Elben sah man die Seelen verstorbener Menschen [30]). Daher ist es nicht verwunderlich, daß die a. S. auch gelegentlich a l s S c h a t z w ä c h t e r auftreten und den Schatzgräbern nach Kräften ihre Arbeit erschweren [31]).

Anderwärts faßt man die w i l d e J a g d als den bösen Feind auf, der mit seinen Teufeln die Verdammten und die a. S. jagt (Oberpfalz). Dabei wird den Verfolgten auf jedem Stock, auf dem ein Dreieck mit verlängerten Schenkeln auf drei Hiebe beim Fällen des Baumes eingehauen ist, kurze Rast gegönnt. Auch die letzten Halme des Ackers bieten ihnen Zuflucht und Schutz. Besonders Holz- und Weidfrevler erleiden diese Strafe [32]). Ein seit Gregor d. Gr. in der abendländischen Apokalyptik sehr beliebtes Motiv ist das vom **Kampf der guten und bösen Dämonen** (Engel und Teufel) **um den Besitz der Seele.** Es läßt sich schon in der Eschatologie der Parsen nachweisen, von wo es wahrscheinlich über die Mithrasreligion in der christlichen Apokalyptik des ausgehenden Altertums und des MA.s Eingang fand [33]). Von hier kam es, wie das Motiv von der Brücke, über welche die Seele zur Prüfung gehen muß, in die mittelalterliche Erzählungsliteratur [34]) und hat sich in dem in zahlreichen Varianten vorliegenden Märchen vom Spielhansel (der dem Teufel im Spiel a. S. abgewinnt), nach der heiteren Seite gewendet, bis heute erhalten [35]). In der in Alemannien viel gebrauchten Redewendung: „Er ist drauf (gierig) wie der Teufel auf en arme Seel''' [36]), lebt es in alter Frische weiter.

[1]) s. die Artikel **F e g f e u e r** und **H ö l l e.** [2]) **K l a p p e r** *Erzählungen* 309 f. Nr. 94; 399 Nr. 194. [3]) **S e p p** *Religion* 409 f.; **S c h ö n w e r t h** *Oberpfalz* 1, 281 Nr. 2; **H o f f m a n n** *Ortenau* 80. [4]) **S c h ö n w e r t h** *Oberpfalz* 1, 281 f. Nr. 6. [5]) Ebd. 1, 280; **S t ö b e r** *Elsaß* 1, 40 Nr. 60; **S é b i l l o t** *Folk-Lore* 1, 146. [6]) **H e y l** *Tirol* 815 Nr. 322; **B i r l i n g e r** *Volksth.* 1, 283. [7]) **R a n k e** *Sagen* 45 f.; **W i t t s t o c k** *Siebenbürgen* 9; **F o l k L o r e** 1, 137 f. 147. [8]) **S c h ö n w e r t h** *Oberpfalz* 1, 281 Nr. 5; **L i e b r e c h t** *Zur Volksk.* 374. [9]) **R o h d e** *Psyche* 216 ff.; **S a r t o r i** *Totenspeisung* 51 f. [10]) **W i s s o w a** *Religion* 187; **S a r t o r i** *Totenspeisung* 51; **L i p p e r t** *Christentum* 666. [11]) **S c h ö n w e r t h** *Oberpfalz* 1, 281; 3, 102 Nr. 3. [12]) **N i d e r b e r g e r** *Unterwalden* 2, 7 f. [13]) **S e p p** *Religion* 397 f.; **S é b i l l o t** *Folk-Lore* 1, 136. [14]) **Z i n g e r l e** *Tirol* 176 ff. Nr. 1467; **K u h n** *Mythol. Stud.* 2, 39. [15]) **P o l l i n g e r** *Landshut* 134 Nr. 19. 20. [16]) **S e p p** *Religion* 408. [17]) **H e y l** *Tirol* 64 Nr. 29. [18]) **L e o p r e c h t i n g** *Lechrain* 84; **Q u i t z m a n n** *Baiwaren* 177; **H ö f l e r** *Waldkult* 83; **W i t t s t o c k** *Siebenbürgen* 11; **S e p p** *Religion* 397 f. 401; **S c h ö n w e r t h** *Oberpfalz* 1, 286 Nr. 8. [19]) **H e y l** *Tirol* 789 Nr. 167. [20]) **S e p p** *Religion* 397 f. 401. [21]) **W a i b e l** u. **F l a m m** 2, 164. [22]) **H e y l** *Tirol* 782 Nr. 103. [23]) **B o l t e - P o l í v k a** 3, 388 f. [24]) **H ö f l e r** *Waldkult* 3 A. 1, 14, 32 f.

[25]) **R a n k e** *Sagen* 62; **N i d e r b e r g e r** *Unterwalden* 2, 7 f. [26]) **S é b i l l o t** *Folk-Lore* 2, 203. 307. [27]) **W i t t s t o c k** *Siebenbürgen* 8. [28]) **Z i n g e r l e** *Tirol* Nr. 1469; **K u h n** *Mythol. Stud.* 2, 40. [29]) **G r i m m** *Myth.* 3, 503 Nr. XL. [30]) **G r i m m** *Myth.* 1, 369. [31]) **H e y l** *Tirol* 67 Nr. 27. [32]) **S c h ö n w e r t h** *Oberpfalz* 2, 147 Nr. 5, 150; **N i d e r b e r g e r** *Unterwalden* 2, 102; **J o h n** *Westböhmen* 181. [33]) **N o r d e n** *Aeneis* 7 A. 3; **R o c h h o l z** *Glaube* 1, 169 f.; *ZfVk.* 15 (1905), 6. [34]) **K l a p p e r** *Erzählungen* 362 Nr. 170; *ZföVk.* 4 (1898), 217; *ZfVk.* 1 (1891), 162; *ZfrwVk.* 5 (1908), 247. [35]) **B o l t e - P o l í v k a** 2, 189. [36]) **O c h s** *BadWb.* 1, 74.

2. Im **A r m e s e e l e n m o n a t** (November) wird „**A l l e r S e e l e n**'' (2. November), im Abendland seit dem 10. Jh. [37]), gefeiert. Bei den Römern war der Februar, der letzte Monat des alten römischen Jahres, der Allerseelenmonat (Cic. de leg. 2, 21; dies parentales 13. bis 20. Febr., Feralia 21. Febr., Caristia 22. Febr.) [38]). Die eigentliche Zeit für die bei den meisten Völkern ausdrücklich mit der Ernte in Verbindung gesetzten Totenfeiern ist jedoch der Herbst [39]). So wurden die Genesia im alten Athen am 5. Boedromion (Sept.-Okt.) begangen [40]). Die Sachsen gedachten bei dem von ihnen nach Widukind am 1. Oktober gefeierten dreitägigen Fest der Toten [41]).

An **A l l e r h e i l i g e n und A l l e r s e e l e n** bereitet man vielfach **b e s o n d e r e S p e i s e n.** Schon 14 Tage vor Allerseelen zeigen sich die a. S. oft als kleine Lichter, um dann am Allerheiligentag aus dem Fegfeuer nach Hause zu kommen [42]). Man nimmt deshalb am Allerheiligenabend vielfach die aus Semmelmilch und Backobst bestehende Mahlzeit im Beisein der a. S. ein oder stellt nach dem Nachtessen Milch und Krapfen auf den Tisch und läßt sie unberührt bis zum andern Morgen stehen (Tirol), natürlich für die Seelen, die in dieser wie auch in der Christnacht und Neujahrsnacht auch zu nächtlichen Messen (s. Geistermesse) zusammenkommen (Ostpr., Tirol, Thüringen, Voigtl., Siebenb.) [43]). Vielerorts werden besondere Kuchen (Seelenwecken, Seelenzöpfe, Seelchen, s. Brot) gebacken, wovon in der Oberpfalz der Allerseelentag auch „Spitzeltag'' (Form des Gebäcks) heißt. Mit diesen ursprünglich zur „Abspeisung'' der a. S. bestimmten Seelenwecken pflegt man jetzt Kinder, Patenkinder und die Armen (der Allerseelentag ist auch der allgemeinen Mildtätigkeit gewidmet) zu beschenken [44]. Schon ein Innsbrucker Kalender von 1667 zählt als gute Dinge im Wintermonat auf: das seelerstuck, die klöpfelnacht und bratne kesten [45]. Auch in Belgien (zielenbrod) und England ist solches Gebäck bekannt [46]. Auch andere Speisen spendet man am Allerseelentag. In Kärnten wirft man beim Kochen etwas für die a. S. ins Feuer; in Böhmen erhalten sie Mehl und Brotkrumen. In der Oberpfalz stellt man Weihwasser, drinnen einige Brosamen zum „Abspeisen der a. S.", an die Gräber [47]. Eine ehemals wie das Brot aus Bucheckern bereitete Kultspeise, Büchele (= Bucheckern), wird am Allerseelentag in Bayern an Arme verschenkt [48]. In Südtirol (Brixen) spendet man den a. S. Korn, Obst und neuen Wein [49]. Die Seelenspeisung wird nicht nur durch Beschenken der Kinder und Armen mit Seelenbrot abgelöst, in manchen Bauernhäusern Tirols bereitet man am Tag nach Allerseelen ein reiches Mittagessen für die armen Kinder der Nachbarschaft [50], wobei der ursprüngliche Sinn dieser Spende fast ganz verwischt ist.

Vielfach finden sich die Seelenspeisungen auch in der Christnacht (urspr. Neujahrsnacht). Da in dieser Zeit die Verstorbenen die Ihrigen besuchen, ließ man im ganzen Norden den Weihnachtstisch, auf den man meist eine Kanne mit Bier für die Verstorbenen stellte (änglaölet = Engelsbier) [51], bis zum Dreikönigstag unberührt stehen. Ähnliches wird aus Schlesien und Lappland berichtet [52]. Berchta und ihr Heer erhalten Mehlspeisen oder Gemüse und Fische [53]. Hierher gehört auch das Opfer an die Mäuse am hl. Abend (Österreich) [54].

Bei den namentlich bei den Slawen (Bulgarien [55], Rußland [56] und in der Tschechoslowakei) [57] im Frühjahr (an verschiedenen Tagen der Fastenzeit vom Fastnachtsonntag bis Ostern) üblichen, mit Seelenspeisungen verbundenen Totenfeiern ist der Ursprung aus alten Opferspenden für die

Erdgöttin unverkennbar [58]. Aber auch in Obersensbach (Odenwald) kochen viele Leute am Abend vor Fastnachtsonntag „für die lieben Engelein" das Beste, was sie im Haus haben, setzen es abends auf den Tisch, öffnen die Fenster und legen sich schlafen [59]. Ein ähnlicher Brauch aus Schwaben (für die Seelen) ist nach Lorichius (1593) „ein grober spöttischer und heidnischer Aberglaub" [60]. In Oberfranken speist man die Seelen auch an Quatembertagen ab, an denen auch mit Vorliebe die Kröten (Seelen) sich sehen lassen (Tirol) [61]. Im Böhmerwald legen die Kinder die ersten Erdbeeren, die sie finden, für die a. S. auf einen Baumstrunk [62]. Dasselbe tun in der Oberpfalz die Waldarbeiter mit Brotstückchen [63]. Backt man Brot, so opfert man den a. S. eine Handvoll Mehl oder ein Stück Teig, beim Küchlebacken ein Küchle; überhaupt gehören alle Speisenabfälle den Seelen (Oberpfalz) [64]. Eine Prise Salz, ins Feuer geworfen, tut ihnen wohl [65].

Der Brauch, für die hungrigen Seelen Speisen zu opfern — die nächtlich klirrenden Löffel verraten ihren Hunger (Tirol) [66] — wird schon durch die Feststellung der 2. Synode von Tours (567) belegt: Sunt etiam qui in festivitate cathedrae domini Petri apostoli cibos mortuis offerunt et post missas redeuntes ad domos proprias ad gentilium revertuntur errores [67].

Da die a. S. an ihrem Aufenthaltsort nach der einen Auffassung heftig unter der Kälte zu leiden haben, zündet man am Allerseelentag Feuer auf dem Herd an und wirft geweihtes Holz vom Karsamstag hinein (Oberpfalz) oder heizt besondere Stuben für sie [68]. Auch das Licht, das man für die a. S. anzündet, hat vielfach diese Bedeutung. Daneben soll es ihnen in der Dunkelheit leuchten. Die Vorstellung des Brennens im Fegfeuer liegt dem namentlich in Tirol verbreiteten Brauch zugrund, eine mit Öl oder Schmalz gefüllte Lampe am Allerseelenabend zu brennen. Mit dem Öl oder dem geschmolzenen Fett bestreichen dann die a. S. ihre Brandwunden [69].

In manchen Gegenden spielen die a. S. die Rolle gutmütig helfender Geister, von Kobolden, die im Hause ihren Sitz haben (Hessen), den Menschen zur gewünschten Zeit wecken (Bayern, Tirol, Schlesien), ihm in schwierigen Unternehmungen beistehen oder ihn mit Nebelkappe und Wunschring beschenken [70]). Sie scheuen sich aber auch nicht, dem Holzdieb unertappt stehlen zu helfen [71]). Die Gleichsetzung der Geister der Verstorbenen mit Zwergen und anderen Erdgeistern erhält dadurch neue Nahrung [72]).

Die a. S. warten auf ihre E r l ö s u n g (s. d.), daher die Redensarten: „Endlich ist die a. S. erlöst" (Bayern) [73]), „endlich hat die a. S. Ruh'" (Freiburg i. Br.). Die Erlösung kann herbeigeführt werden durch kirchliche Mittel (Gebet, Wallfahrt, Seelenmessen) [74]). Priester, die sich hierin Nachlässigkeiten zuschulden kommen ließen, werden von den a. S. im Jenseits verklagt [75]). Besonders können Sonntagskinder am Allerseelentag eine a. S. durch ihr Gebet erlösen. Sonst geht man am Laurentiustag in der Mittagsstunde auf den Friedhof und gräbt in einer Ecke in die Erde; etwa einen Fuß tief findet man drei Kohlen, nimmt sie mit nach Hause und betet 5 Vaterunser und 5 Ave, Credo und Ablaßgebet vor ihnen, wodurch eine a. S. erlöst wird. Die Kohlen verschwinden dann (Oberpfalz) [76]). Träumt man von einem Verstorbenen oder wächst auf seinem Grab eine Distel — in diesem Fall hatte der Verstorbene eine Wallfahrt gelobt, ohne sie auszuführen — so braucht die a. S. Hilfe [77]).

Außer durch Gebet und gute Werke werden die a. S., die sich am liebsten um Mitternacht oder während des Betzeitläutens in Menschen- oder Tiergestalt (Hund, Katze, Kröte) zeigen, um ihre Sehnsucht nach Erlösung zu offenbaren, d u r c h z u f ä l l i g e E r e i g n i s s e e r l ö s t: wenn zwei sich zu gleicher Zeit (s. a. gleichzeitig) grüßen, wenn man nachts niest [78]). Begegnet man einer a. S., so soll man sie ansprechen. Der Spruch ist: „Alle guten Geister loben den Herrn, sag an, was ist dein Begehren" [79]). Merkwürdig ist die Vorstellung, daß der

Mensch, der eine a. S. erlöst hat, dafür von Unglück an Leib und Gut verfolgt wird (Oberpfalz) [80]). Anderwärts kann sich ein solcher Mensch Zeit und Stunde seines Todes selbst bestimmen [81]). Weit verbreitet ist das Motiv, daß der Baum erst aus dem Samenkorn ersprießen muß, dessen Holz die Wiege für das Kind abgeben muß, das die a. S. erlösen wird [82]).

Neben den oben erwähnten gehören hierher noch folgende R e d e n s a r t e n: auf die Erfüllung eines Wunsches harrt man wie eine a. S.; ist das Verlangen gestillt, ist auch eine a. S. erlöst (bes. wenn ein Mädchen nach langem Warten einen Mann bekommt); wer ein zehrendes Leiden mit sich herumschleppt, trägt seine a. S. im Arm herum [83]).

Schon die Orphiker lehrten, daß die Seelen durch das Gebet der Lebenden aus ihrer Verdammnis erlöst würden. Da dieselbe Lehre in einem gnostischen System vorkommt [84]), ist eine Beeinflussung der christlichen Anschauung von dieser Seite her durchaus möglich.

[37]) L i p p e r t Christentum 368. [38]) W i s s o w a Religion 187; S a r t o r i Totenspeisung 51. [39]) S a r t o r i ebd. 53; P f a n n e n s c h m i d Erntefeste 128 f. 164 f. 168. [40]) R o h d e Psyche 215 f.; S a r t o r i Totenspeisung 53. [41]) G o l t h e r Mythologie 586; S a r t o r i Totenspeisung 53. [42]) S c h ö n w e r t h Oberpfalz 1, 283 Nr. 1. [43]) L i p p e r t Christentum 665 f. 681; Z i n g e r l e Tirol 176 ff. Nr. 1468; K u h n Myth. Stud. 2, 40. [44]) L i p p e r t Christentum 441. 665 f.; S c h ö n w e r t h Oberpfalz 1, 283 f. Nr. 2; Z i n g e r l e Tirol Nr. 1470; K u h n Myth. Stud. 2, 40; P o l l i n g e r Landshut 224; S a r t o r i Totenspeisung 54; G r o h m a n n 198; ZföVk. 4 (1898), 146. [45]) S c h ö p f Tirol. Id. 668; K u h n Myth. Stud. 2, 41. [46]) K u h n Myth. Stud. 2, 42 f. [47]) L i p p e r t Christentum 441; S c h ö n w e r t h Oberpfalz 1, 283 Nr. 1. [48]) H ö f l e r Waldkult 83. [49]) Z i n g e r l e Tirol Nr. 1478; K u h n Myth. Stud. 2, 40. [50]) Z i n g e r l e Tirol Nr. 1480; K u h n Myth. Stud. 2, 40. [51]) ZfVk. 10 (1900), 200. [52]) J a h n Opfergebräuche 286; L i p p e r t Christentum 682; M e y e r Germ. Myth. 74. [53]) J a h n Opfergebräuche 283 ff. [54]) V e r n a l e k e n Mythen 315; S a r t o r i Totenspeisung 51. [55]) T y l o r Cultur 2, 36. [56]) Ebd. 2, 36 f.; G r o h m a n n 190. [57]) G r o h m a n n 190. [58]) J a h n Opfergebräuche 116 f.; S a r t o r i Totenspeisung 52. [59]) G r i m m Myth. 3, 487 Nr. 896; S a r t o r i Totenspeisung 52. [60]) B i r l i n g e r Aus Schwaben 2, 54. [61]) L i p p e r t Christentum 591. [62]) Ebd. 442. [63]) S c h ö n w e r t h Oberpfalz 1, 285 Nr. 3. [64]) Ebd. 1,

A.s wurde im MA. stark übertrieben und führte von selbst zu dem schon im Altertum vertretenen Aberglauben, der A. schütze vor Zauberei und allen Giften, besonders den magischen. Wer z. B. ein A.gewand trug, ging nicht nur sicher durch das Feuer, sondern war auch gefeit gegen alle Hexerei [4]. In den alten Offizinen verarbeitete man den Amiant zu einer äußerlich gegen Krätze und Räude schützenden Arznei, wobei wohl der Name (rein, unbefleckt) mitwirkte. Auch bereitete man eine Salbe aus A.; wer seine Hand damit bestrich, konnte ohne Schaden ins Feuer greifen [5].

[1] K e n t m a n n *Nomenclatura rerum fossilium* (1565) c. 27; L o n i c e r 60; G e s n e r *d. f. l.* 6 f.; vgl. namentlich A. J a c o b y *Aus der Gesch. des A.es*, in: Société des Naturalistes Luxembourgeois 1924, 132 ff. [2] Auch „Salamander" allein kommt vor: L e x e r 2, 577; J a c o b y 138; über den ligniformen A. B e r g h o l z ebd. 151. [3] L i e b r e c h t *Gervasius* 13 u. 97, Anm. 30; G r i m m *Sagen* Nr. 35; weiteres J a c o b y 133 ff.; 139 ff. 148 ff.; B r ä u n e r *Curiositäten* (1737), 591; vgl. H o v o r k a - K r o n f e l d 1, 368 f. [4] S c h a d e s. v. abeston 1316 f.; ZfdA. 18 (1875), 428 Nr. 1; G e s n e r a. a. O. 120; P l i n. *n. h.* 36 § 139; M e g e n b e r g *Buch der Natur* 373 f.; A g r i p p a v. N. 5, 44 u. 1, 81; S e l i g m a n n 2, 32; P r ä t o r i u s *Anthropodemus* 1, 309; P o r t a *Magie* 230 (linum asbestinum); Z e d l e r s. v. Amianthus Bd. 1, 1729 f.; vgl. B e r g m a n n 20; Q u e n s t e d t 272 f. [5] Z e d l e r a. a. O.

                      Olbrich.

Asche. 1. Die A. gilt seit den ältesten Zeiten bei den verschiedensten Völkern als mit besonders wirksamen, h e i l v o l l e n   K r ä f t e n ausgestattet, wohl deshalb, weil sie einerseits an die vernichtende Kraft des dämonenverscheuchenden Feuers erinnert, andererseits als Überrest des läuternden Feuers frei von dämonischem Stoff ist. Ferner hat sie als A.nlauge etwas Reinigendes, die Haut von Schmutz Befreiendes; alles aber, was den Schmutz, welcher ja die Stätte der Dämonen ist, beseitigt, ist ein kathartisches und apotropäisches Mittel.

Die aus verbranntem Kuhdung gewonnene A. gilt bei den Indern als ein L u s t r a t i o n s mittel [1]. Mit solcher A. wurde der ganze Körper bestrichen [2]. Zum Schutze g e g e n D ä m o n e n

pflegte man in manchen Gegenden Indiens bei der Hochzeit A. nach der Braut zu werfen [3]. Aus demselben Grunde unterzog sich der altindische König täglich einer Reinigung mittels A. [4], und wird der Leichnam hervorragender Gelehrter bis zur Verbrennung in A. aufbewahrt [5]. Im alten Persien mußte eine Frau, die ein totes Kind geboren hatte, ihr Inneres dadurch reinigen, daß sie 3, 6 oder 9 Tropfen A., die mit Kuhurin vermischt war, herunterschluckte (Vend. 5, 51). Bei den Todas (Indien) wird der Kopf und das Gesicht der Wöchnerin etwa 3 Tage nach der Geburt mit A. abgerieben [6]. Ebenso wird bei den Khasis (Indien) A. zur Bannung der Dämonen verwendet [7]. Auf den Neuen Hebriden wird Herda. auf den Weg gestreut, um Gespenster abzuwehren [8]. Mit der A. des angebrannten Besens macht in Malabar die Mutter ein Zeichen an der Stirn eines durch einen bösen Blick erkrankten Kindes [9]. Die Wotjäken reiben den Säugling gleich nach der Geburt mit A. ab und baden ihn dann in Salzwasser, und nach einem Leichenbegängnis reiben sie sich die Hände mit A. ab [10]. In Arauco streut ein Weib hinter der Leiche, die zur Bestattung getragen wird, A. aus [11]. Bei der zeremoniellen Aufnahme der mannbar gewordenen Australier in den Stamm werden sie mit der A. eines zu dem Zwecke angezündeten Feuers abgerieben, um die in ihnen wohnenden bösen Geister zu bannen [12]. A. wurde als Lustrationsmittel verwendet im alten Israel [13], bei den Griechen und Römern [14], Slawen [15] und verschiedenen anderen Völkern [16]. Besonders gilt die A., die von einem religiösen Feste herrührt, als sehr wirksam. Der Armenier bewahrt die A. von dem am Lichtmeß angezündeten Scheiterhaufen als Apotropäum oder streut sie in die 4 Ecken des Daches des Viehstalles, in den Garten und auf die Weide, da diese A. Menschen und Vieh vor Krankheit und die Pflanzen vor Raupen und Würmern schützt [17].

[1] D u b o i s - B e a u c h a m p *Hindu manners* [2] 1899, 183. [2] *Vaikhāna Gr. S.* 1, 5, bearb. T h. B l o c h 1896, 31, Bṛhajjabālopani-

sad, vgl. Th. Aufrecht *Sanskrit-Handschriften d. Staatsbibliothek München* 1909, 143 ff. [3]) Dīghanikaya XXVII, 16 (mit A. bestreuen s. a. Kṣemendra's Samayamatrika (dtsch.) 39. [4]) Agnipurāṇa 4. 5, 11 ff.; 6. 2, 7; 7. 1, 6. [5]) Journ. of the Roy. As. Soc. Bombay Br. VIII Nr. 24, 85. [6]) Rivers *Todas* 1906, 324. [7]) Ch. Lyall *Khasis* 1907, 107. [8]) F. Speiser *Südsee* (1913) 271. [9]) Thurston *Ethnograph. Notes in South. India* 1906, 256. [10]) Featherman *Soc. Hist. of Races of Mankind* 4, 532; Globus 40, 326. 249. [11]) Klemm *Allgem. Kulturgesch.* 5, 51. [12]) R. H. Mathews Proceed. Americ. Philos. Soc. XXXVII Nr. 157, 65. [13]) Ztschr. Alttest. Wiss. 1922, 113 ff. [14]) Weinreich *Heilungswunder* 202; Höfler *Organotherapie* 24 ff. [15]) Krauß *Relig. Brauch* 128; Tetzner *Slaven* 164; ZfVk. 17, 169; Grimm *Myth.* 2, 975. [16]) Hovorka-Kronfeld 2, 310. 369; Seligmann *Blick* 2, 92; Frazer I², 167 f.; Sébillot *Folk-Lore* 4, 437. [17]) Abeghian *Armenien* 73.

2. Im deutschen Volksbrauch spielt die A. gleichfalls eine wichtige Rolle. Wenn man sowohl in katholischen als auch in protestantischen Gegenden am Aschermittwoch mit A. bestreut wird [18]), so hat sich dieser Brauch aus der liturgischen Aschermittwochfeier der katholischen Kirche entwickelt. Seit dem 8. Jh. bildet nämlich der Aschermittwoch den Anfang der 40tägigen Fastenzeit. Die Austeilung geweihter A., die ursprünglich nur seit dem MA. zu einer für alle Gläubigen geltenden Zeremonie geworden [19]). Der Gebrauch der A. als dämonenabwehrendes Mittel stammt jedoch aus heidnisch germanischer Zeit. Bei den Germanen wurde die Notfeuerasche gegen Raupenfraß und Mißwachstum auf die Felder gestreut oder auch dem Vieh unter dem Futter mit eingegeben [20]). Zum Schutze gegen Ungeziefer (Raupen, Erdflöhe, Läuse) bestreut man den Acker, die Bäume und das Vieh mit A. [21]). Auf nd. Gebiete und in Westböhmen wird den Pflügern beim ersten Pfluggange von der Frau oder der Magd A. nachgeworfen zur Beseitigung der Erdflöhe [22]). Die A. ist besonders wirksam, wenn sie kirchlich geweiht [23]) ist oder an Aschermittwoch [24]), Fastnacht [25]), hl. Abend, Weihnachten [26]), Ostern [27]), Silvesterabend [28]) oder Karfreitag [29]) ausgestreut wird. Ebenso

wird die A. aus den Zwölfnächten zu dem gleichen Zwecke sehr empfohlen [30]).

[18]) Meyer *Baden* 207; Meier *Schwaben* 378; Töppen *Masuren* 68; Witzschel *Thüringen* 2, 191; Leoprechting *Lechrain* 161 ff.; Haltrich *Siebenb. Sachsen* 284; Sommer *Sagen* 147. Über die westdeutsche Sitte, bereits am Fastnachtsabend A. zu werfen, vgl. ZfrheinVk. 1, 7. [19]) Wetzer-Welte² 1, 1475; Franz *Benediktionen* 1, 462 ff. Sich mit A., Kohle und Ruß beschmieren, zum Zeichen der Reue siehe *1001 Nacht* (Weil) 1, 92; A. auf Pfosten des Hauses gestreut bei Todesfall ebd. 1, 347; A. als Symbol der Buße u. Trauer bei den Hebräern s. Riehm *Handwb. d. bibl. Altert.* s. v.; I. Benzinger *Hebr. Archäol.*² 129. [20]) Grimm *Myth.* 504 A. 4; Golther *Mythologie* 571; SAVk. 11, 245. [21]) Schönwerth *Oberpfalz* 1, 399; Drechsler *Schlesien* 2, 55; Pollinger *Landshut* 175; Fogel *Pennsylvania* 209 Nr. 1048; ZfVk. 1, 179. [22]) ZfVk. 14, 143; John *Westböhmen* 186. [23]) Drechsler *Schlesien* 2, 56; Birlinger *Aus Schwaben* 1, 429. [24]) Meyer *Baden* 207. 413; Eberhard *Landwirtschaft* 14; Sartori 3, 116; Fogel *Pennsylvania* 195 Nr. 951; Bohnenberger Nr. 1, 24; Grohmann *Abergl.* 143; Wuttke 427 § 669; 142 § 196. Hierher die Stellen Fb. u. Fv. in der interessanten Schrift des niederelsässischen Pfarrers Heinrich Vogel *Bachanalia, Fastnacht, Bächteltag* (Straßburg 1599). „. . . Dann wenn sie in großer Andacht mit Eschen bezeichnet werden (am Aschermittwoch), so geht das Toben vil verheyter als vor nie. Da laßt man die heil. Aschen zu Ehren den Orsmeyer herumbreiten . . . bey der Aschen holen die Weiber Fruchtbarkeit . . .“ Zum Schlagen mit A.-säcken s. SAVk. 1, 275; 2, 178; Jörger *Urchigi Lüt* 69; Kuhn u. Schwartz 402; Bartsch *Meckl.* 2, 223 (Weihnacht); vgl. Laube *Teplitz*² 39. Über das Anhängen von A.-säcken s. anhängen. [25]) Meyer *Baden* 413; Bohnenberger Nr. 1, 24; Grohmann *Abergl.* 143; Fogel *Pennsylvania* 254 Nr. 1327. [26]) Grohmann *Aberglauben* 143; John *Erzgebirge* 220; Jahn *Opfergebr.* 254 f.; Drechsler *Schlesien* 2, 50; ZfVk. 4, 313; Sartori 3, 44; John *Westböhmen* 15. [57]) Kuhn *Märk. Sag.* 312; John *Erzgebirge* 195; Andree *Braunschweig* 337; Wuttke 417 § 650; 419 § 652. [28]) Köhler *Voigtland* 362. [29]) Drechsler *Schlesien* 1, 90. [60]) Kuhn *Märkische Sagen* 386 Nr. 79; Köhler *Voigtland* 362; Mitteil. Anhalt. Gesch. 14, 18; ZfVk. 24, 62; Wuttke 414 § 650.

3. In der Volksmedizin wird die A. vielfach verwendet. Am hl. Abend oder im Frühling, wenn man die Rinder zum erstenmal ausläßt, streut man unter sie A., damit sie niemals böse Füße bekommen [31]). Krankem Vieh gibt man A.

vom O s t e r f e u e r ein [32]). Pferde- und
Kuheuterwarzen werden durch A. geheilt [33]). Die A. eines an Pocken verende-
ten und dann verbrannten Schafes wird
gegen die Pocken der Schafe angewendet [34]). Die unheilsame Wirkung einer
Zauberin kann durch einen Malefizrauch,
mit Besprengung benedicierter A.[34]), aufgehoben werden [35]). Aus diesem Grunde
schüttet man in Estland heiße A. auf die
Fußstapfen einer des bösen Blicks verdächtigen Person, wenn sie fortgeht [36]).
Gegen „B e r u f e n" [37]) und gegen A l p[38])
wird A. empfohlen. Flotta. vertreibt die
Magenschmerzen [39]) und Flocka. die
Flechten [40]). Die A. eines noch ungebrauchten, verbrannten Wolltuches heilt
erfrorene Stellen [41]) und die A. von verbrannten Haaren einen Hundebiß [42]).
Zeitungsa. wird gegen Zahnweh angewandt [43]). A. hält auch Kummer und Unheil fern. Um das Heimweh der Magd zu
verscheuchen, werden ihre Füße mit A.
bestreut [44]). Als Schutzmittel gegen
Feuersbrunst vergräbt man am Aschermittwoch noch vor Sonnenaufgang etwas
A. unter die Schwelle des Haustores [45]).

[31]) J o h n *Westböhmen* 15; R o t h e n b a c h
Bern 34 Nr. 275. [32]) A n d r e e *Braunschweig*
337; W u t t k e 94 § 116; 436 § 686. [33]) F o -
g e l *Pennsylvania* 317 Nr. 1680; 323 Nr. 1715.
[34]) ZfVk. 8, 309. [35]) B i r l i n g e r *A. Schwab.* 1,
428. [36]) S e l i g m a n n *Blick* 2, 241. [37]) H a l t -
r i c h *Siebenbürg. Sachs.* 260 f.; H i l l n e r
Siebenbürg. 21 ff.; W i t t s t o c k *Siebenbürgen*
74; G a ß n e r *Mettersdorf* 21 ff.; B i r l i n g e r
Schwaben 1, 425. [38]) M a a ß *Mistral* 26 f.
[39]) ZfVk. 7, 291. [40]) S t r a c k e r j a n *Oldenburg* 1, 87; 2, 423 Nr. 472; *Urquell* 4, 278.
[41]) L a m m e r t 218. [42]) W u t t k e 322 § 477.
[43]) P o l l i n g e r *Landshut* 281. [44]) G r o h -
m a n n *Abergl.* 145. [45]) ZföVk. 4, 148.

4. A. wird auch zum Schutze gegen die
T o t e n s e e l e und die L e i c h e n -
d ä m o n e n gebraucht. Bei der Bestattung wird der Leiche A. nachgeworfen,
und man fegt die Flur gleich nach dem
Hinaustragen der Leiche stillschweigend
und rückwärtsgehend aus [46]). Aus diesem Grunde wird man wohl A. zur Einbalsamierung der Leiche im MA. benutzt
haben [47]). Ein Platz, auf dem etwas Dä-
monenhaftes sichtbar war, muß „mit der
benedicierten A." lustriert werden [48]).

[46]) E. H. M e y e r *Germ. Myth.* 70; B a r t s c h
Mecklenburg 2, 95. [47]) S c h u l t z *Höf. Leben*
2, 404. 406. [48]) B i r l i n g e r *Aus Schwaben*
1, 932.

5. Da sich in der A. eine F u ß s p u r
leicht abdrückt, so wird sie bei den verschiedensten Völkern ausgestreut, um
festzustellen, ob an einem gewissen Orte
Geister, Dämonen oder Hexen erscheinen.
Gewöhnlich haben die beiden ersteren
V o g e l f ü ß e [49]). Sind gemäß dem elsässischen Glauben in solcher A. G ä n s e -
f ü ß e erkenntlich, so stammen sie von
Geistern [50]). Um die Spuren der Erdmännlein zu erforschen streut man A.[51]).
Will im Rheinland eine Nachbarsfrau
eine Wöchnerin besuchen, so muß sie
erst mit den Füßen in A. treten, um sich
hierdurch auszuweisen, daß sie keine
Hexe sei, die der Kranken Unheil
bringt [52]). In den Sagen des Basellandes
wird häufig die Sitte erwähnt, A. auf den
Weg zu streuen, um die Form der Füße
zu erfahren [53]).

Irgendwelche in der A. eingedrückte
Zeichen können von Geistern herrühren,
die dem Menschen hierdurch etwas Z u -
k ü n f t i g e s verkünden [54]). Ist in einem
Aschenhäufchen, das man am hl. Christabend auf dem Herd gemacht hat, am
andern Morgen ein Grübchen sichtbar, so
stirbt bald ein Hausgenosse [55]). Auch bei
anderen Gelegenheiten liest man in der
A. des Herdfeuers etwas Zukünftiges [56]).

[49]) S c h e f t e l o w i t z *Altpalästinensischer
Bauernglaube* 13. [50]) ZfdMyth. 1, 400; ZfVk.
25, 118, mit Literatur, der noch beizufügen:
S c h i l d *Großätti* [2] 2, 70; H e n n e *Volkssage* 347;
R o c h h o l z *Naturmythen* 126; T e g e t h o f f
Französ. Märchen 2, 117. 160. [51]) G r i m m
Myth. 2, 975; 3, 489. [52]) ZfrheinVk. 8, 150.
[53]) L e n g g e n h a g e r *Sagen* 11. 56. 87.
[54]) F r e u d e n b e r g *Wahrsagekunst* 137;
A g r i p p a v. N e t t e s h e i m 4, 177; B o e c -
l e r *Ehsten* 67. 73. 75. [55]) M e y e r *Baden* 484.
[56]) S t r a c k e r j a n *Oldenb.* 2, 223 Nr. 472.

6. Es läßt sich auch die Vorstellung belegen, daß in der A. eines verbrannten,
mit besonderen Kräften ausgestatteten
Wesens noch dessen Kräfte enthalten
sind, weshalb man mit solcher A. Z a u -
b e r e i treiben kann [57]). Daher muß die
A. einer verbrannten Hexe vergraben
werden [58]), denn streut man solche A. aus,

so wird hierdurch Dürre, Hagel und Unwetter hervorgerufen [59]). Am Schlusse des
nächtlichen Hexentanzes brennt sich der
große teuflische Bock zu A., die unter
alle Hexen ausgeteilt wird und mit der
sie Schaden stiften [60]).

[57]) M e i c h e *Sagen* 500 Nr. 649. [58]) D e t t -
l i n g *Hexenprozesse* 9. [59]) G r i m m *Myth.* 2,
909. [60]) Ebd. 2, 896.

7. Aus der heidnisch-deutschen Mythologie stammt die Auffassung, daß die
eigentliche Opferspeise den Gottheiten
gehört, hingegen die A s c h e n r e s t e
d e s O p f e r s d e n n i e d e r e n G e i -
s t e r n. Die Hunde der wilden Jagd fressen, wenn sie in der Menschen Wohnung
gelaufen kommen, ein ganzes Jahr nur
A.[61]). Dem geisterhaften „Holzfräulein"
werden Aschenkuchen hingestellt [62]).
Ähnlich gehörte (nach Herod. IV 35) die
A. der auf dem Altare der Artemis auf
Delos verbrannten Schenkelstücke den
3 Horen oder hyperboreischen Jungfrauen,
mit der allein sich diese abfinden mußten [63]).

[61]) M a n n h a r d t *Germ. Mythen* 302;
M e y e r *Germ. Myth.* 240; R a n k e *Sagen* 83 f.;
K ü h n a u *Brot* 26; R o c h h o l z *Sagen* 2,
84 f.; vgl. auch K u h n *Westfalen* 1, 6.
[62]) S c h ö n w e r t h *Oberpfalz* 2, 377. [63]) N i l s -
s o n *Griech. Feste* 207, 163. Scheftelowitz.

Äsche (lat. Thymallus). Das S c h m a l z
der Ä. wird in Tirol und anderwärts gegen
Gicht und „Fehlen" in den Augen (mem-
brana oculi) angewendet[1]). Schon in früheren Jahrhunderten wird dieses Mittel
gegen Augen- und andere Krankheiten
empfohlen[2]). Öl, aus einer Ä. hergestellt,
macht ein blindes Pferd sehend[3]).
Über den Wohlgeruch der Ä. s. A l b.
M a g n. *Anim.* lib. 24 § 59 (mit Lit. in d.
Anm.). — Nach dem Volksglauben der
Haute Bretagne entsteht die Ä. aus der
Paarung einer Barbe und einer „fritelle",
einer großen Sardinenart[4]).

[1]) ZfVk. 8, 175; J ü h l i n g *Tiere* 31.
[2]) M a n g o l t *Fischbuch* 146; G e s n e r -
F o r e r *Fischbuch* fol. 174 b. [3]) SAVk. 24,
304. [4]) S é b i l l o t *Folk-Lore* 3, 345.
Hoffmann-Krayer.

Aschermittwoch. 1. Seit Ende des 7.
oder Anfang des 8. Jhs. war der Mittwoch
vor der Quadragese der A n f a n g d e r

F a s t e n. Er hat seinen Namen von dem
B e s t r e u e n m i t A s c h e, das ursprünglich zu den Übungen der Kirchen-
buße gehörte. Die Asche wird aus den
Palmzweigen des letzten Palmsonntags
bereitet und jetzt außerdem noch benediziert[1]). Die Gläubigen holen sich in der
Kirche das A s c h e n k r e u z, das ihnen
an Leib und Seele nützen soll[2]). Die geweihte Asche gilt als Mittel gegen K o p f -
w e h[3]), wird aber auch auf die Ä c k e r
und die j u n g e S a a t gestreut, um ihr
Gedeihen zu fördern[4]), und rings um
den Dunghaufen, um die Läuse darin
zu hindern, weiter zu laufen[5]).

[1]) K e l l n e r *Heortologie* 79; S a r t o r i
Sitte u. Br. 3, 135 A. 1. Über die Bezeichnungen
des Tages: H ö f l e r *Fastnacht* 65 f. [2]) B i r -
l i n g e r *A.Schw.* 2, 59. [3]) H o v o r k a und
K r o n f e l d 1, 91. [4]) J a h n *Opfergebr.* 99;
H a l t r i c h *Siebenb. Sachsen* 284. [5]) M e y e r
Baden 207.

2. Am A. ist der Fasching aus (s. F a s t -
n a c h t v e r g r a b e n), und die Burschen können nun ihre leeren G e l d -
b e u t e l w a s c h e n und den Fasching
m i t d e r L a t e r n e s u c h e n[6]).
Nichtsdestoweniger geht es auch jetzt
noch in den W i r t s h ä u s e r n lustig
her[7]) und die Männer trinken fleißig
Bier, damit die Gerste gerate, und
Schnaps, damit sie im Sommer nicht von
den Mücken gebissen werden[8]). Burschen
und Kinder heischen noch Gaben[9]); in
böhmischen Orten heißt ein solcher Umzug „A s c h e n b r a u t"[10]). Die M a h l -
z e i t e n des A.s sind oft noch recht
üppig. F a s t n a c h t s k ü c h l e i n
werden noch weiter verschenkt und ein-
gesammelt, bestimmte G e b i l d b r o t e
treten auch an diesem Tage noch auf[11]).
Wie mit den Fastnachtskuchen überhaupt[12]), so ist auch mit denen des
A.s Aberglaube verbunden. Mit dem
„K l e m m k u c h e n" klemmt man in
der Niederlausitz dem Maulwurf das
Maul zu. Auch geht man, den Kuchen
unter der Achsel einklemmend, stillschweigend über die Wiesen und teilt
ihnen dadurch Fruchtbarkeit mit[13]). Im
15. Jh. galt das F e t t, das von den Kuchen am A. übrigblieb, als Mittel gegen
allerlei Gebrechen, namentlich gegen den

sog. „Nageltritt"[14]). Mit A n i s b r o t e n, die man am A. buk, fütterte man vier Wochen lang die Tauben, damit sie recht gedeihen sollten[15]). Auch andere S p e i - s e n dienen dem Zauber. In Hessen und im Meiningschen ißt man am A. (oder zu Lichtmeß) Erbsensuppe mit gedörrten Schweinsrippen. Die abgegessenen R i p - p e n sammelt man und hängt sie am Stubenboden auf bis zur Aussaat. Dann werden sie in das besäte F e l d oder in den zur Aussaat bestimmten Leinsamen g e - s t e c k t; das soll ein Mittel gegen Erdflöhe und Maulwürfe sein und bewirken, daß der Flachs gut und hoch wachse[16]). Christian Weise behauptet, Leute gekannt zu haben, die glaubten, wenn sie nicht am A. g e l b e s M u s äßen, so würden sie noch vor Martini zu E s e l n[17]). Übrigens ließ man auch für die armen S e e l e n Fleischspeisen auf dem Tische stehen[18]).

⁶) S a r t o r i 3, 126. ⁷) Ebd. ⁸) J o h n Westb. 47. 184. ⁹) M e y e r Baden 209; S a r t o r i 3, 93 A. 11; H ö f l e r Fastnacht 67. 68. ¹⁰) R e i n s b e r g Böhmen 50. ¹¹) H ö f - l e r Fastnacht 67 f.; R e i s e r Allgäu 2, 91. ¹²) S a r t o r i 3, 114 A. 103. ¹³) H ö f l e r 67. ¹⁴) ZfVk. 11, 273. ¹⁵) Mitt. Anhalt. Gesch. 14, 19. ¹⁶) M a n n h a r d t Forschungen 187 f. 192. ¹⁷) G r i m m Myth. 3, 469 (940). ¹⁸) B i r - l i n g e r A. Schw. 2, 54.

3. Manche z. T. auch schon in der Fastnachtszeit geübte Bräuche dienen der A b w e h r und der R e i n i g u n g. So das T o p f w e r f e n, zunächst ein Trennungsbrauch, der aber der Vertreibung böser Mächte nützen soll[19]); daß dabei die Töpfe mit Asche gefüllt werden, hat der Name des Tages veranlaßt. Auch das „B e g r a b e n d e r F a s t n a c h t" hat sich mit dem Wunsche verbunden, die winterlichen und lebensfeindlichen Mächte zu beseitigen. Von einem als Adam bezeichneten, menschlichen „S ü n d e n - b o c k", der in Halberstadt am A. seine Tätigkeit begann, erzählt Aeneas Silvius[20]). Die in verschiedenen Formen übliche V e r s p o t t u n g d e r a l t e n J u n g f r a u e n[21]) dient vielfach ursprünglich der Herbeiführung künftiger Fruchtbarkeit[22]) (s. B l o c k z i e h e n). Im Aargau schüttete der Ätti-Ruëdi am

A. ungedörrtes Obst in die B r u n n e n, und die Jugend mußte es unter Gefahr, von ihm bespritzt oder eingetaucht zu werden, aus dem Wasser holen[23]). Eine Egge zogen am A. Mädchen und Burschen durch die Donau[24]). In Franken wurden die Mädchen, die das Jahr über beim Tanze erschienen waren, von den Jünglingen auf einem Wagen in einen F l u ß oder S e e g e z o g e n[25]). Solche reinigende, Segen und Fruchtbarkeit vermittelnde W a s s e r t a u c h e findet auch anderswo an A. statt[26]). Dieselben Dienste soll es tun, wenn im Erzgebirge S c h n e e b a l l e n ins Haus geworfen werden; man sagt, sie hielten Unglück fern[27]). Wer am A. b a d e t oder den Kopf wäscht, hat in dem Jahre keine Rückenschmerzen (15. Jh.)[28]). Oft wird der „S c h l a g m i t d e r L e b e n s r u t e" am A. vollzogen[29]), auch der Umzug mit der „M a i b r a u t" schon vorweggenommen[30]).

¹⁹) S a r t o r i 3, 100 A. 42. ²⁰) F r a z e r 9, 214; N o r k Festkal. 2, 830. ²¹) S a r t o r i 3, 104 f. Die Wiener sagen, am Aschermittwoch müßten die alten Jungfern den Stefansturm reiben: N o r k Festkal. 830 f. ²²) S a r t o r i 3, 104 f. ²³) H o f f m a n n - K r a y e r 130. ²⁴) M e y e r German. Mythol. 286. ²⁵) S c h ö p p - n e r Sagenbuch 2, 249. ²⁶) S a r t o r i 3, 106. M a n n h a r d t 2, 433 f. ²⁷) J o h n Erzgeb. 192. ²⁸) ZfVk. 11, 273. ²⁹) ZfVk. 7, 75 (Anhalt); Mitt. Anhalt. Gesch. 14. 19; S c h u l e n b u r g Wend. Volkst. 141; M e y e r Baden 207; S a r t o r i 3, 101 f. A. 47. 102 A. 52. ³⁰) M a n n h a r d t 2, 433 f. 437.

4. Man soll den H ü h n e r n am A. die Schwanzfedern abschneiden, damit sie die Eier nicht verlegen[31]), und sie mit Reis (im Kreis?) füttern, damit sie die Hofreite nicht verlassen (Hessen)[32]). Um sie gegen Läuse zu schützen, reinigt man den Hühnerstall[33]). Wenn die Sonne hell erglänzt, s ä e t man frühmorgens L e i n[34]); auch K o h l wird gesäet[35]). Manchmal werden Fastnachtsbräuche, mit denen Fleischgenuß verbunden ist, aus Gegensatz zum Papsttum am A. noch fortgesetzt, wie das H a h n s c h l a g e n[36]).

³¹) J o h n Westb. 47. 215. ³²) Volk u. Scholle 3, 136. ³³) M e y e r Baden 207. 413; Mitt. Anhalt. Gesch. 14, 19. ³⁴) ZfVk. 11, 273 (15. Jh.). ³⁵) S t r a c k e r j a n 2, 123. ³⁶) H ö f l e r Fastnacht 66 f.; S a r t o r i 3, 115 A. 104.

5. Vieles ist am A. v e r b o t e n. Man
soll   n i c h t   i n s   H o l z   g e h e n,
weil der Teufel dann die Holzweibchen
jage [37]), überhaupt seinen Wohnort nicht
v e r l a s s e n [38]), kein V i e h anbinden,
austreiben oder verkaufen [39]), den Stall
nicht   m i s t e n [40]), nicht D ü n g e r
f a h r e n [41]), die Stube nicht w a s c h e n
(sonst wird sie grau) [42]), nicht s p i n -
n e n [43]). Bei den sächsischen Wenden
durchsticht ein Bursche den letzten Rok-
ken mit einer Ofengabel oder einem Spieß,
zum Zeichen, daß die Spinnstube ihr
Ende erreicht hat [44]). Jene Verbote sind
größtenteils mit den Fastnachtstagen
überhaupt verbunden [45]), teils gelten sie
dem Mittwoch besonders [46]). Auch daß
der A. vereinzelt als U n g l ü c k s t a g
gilt (der Teufel soll an ihm aus dem
Himmel geworfen sein) [47]), teilt er mit
dem Mittwoch [48]).

[37]) M e i c h e Sagen 348; M e y e r Germ.
Myth. 247. [38]) J o h n Erzgeb. 114. 192.
[39]) W o l f Beitr. 1, 228 (329); K ö h l e r Voigtland 370; B o e c l e r Ehsten 80. [40]) W o l f
Beitr. 1, 228 (329). [41]) S c h u l e n b u r g
Wend. Volkst. 141. Dagegen mußte man bei den
Esten ein Fuder Dünger aufs Feld fahren; dadurch sollte eine reichliche Kornernte erzielt
werden: S a r t o r i 3, 117 A. 122. [42]) W u t t k e
99 (Erzgebirge). [43]) Mitt. Anhalt. Gesch. 14,
19; J o h n Westb. 47. Man kriegt sonst krumme
Gänse und Küchel: K u h n u. S c h w a r t z
371 (10) oder die Schweine kriegen im Sommer
Würmer: H a l t r i c h Siebenb. Sachsen 47.
[44]) W u t t k e Sächs. Volksk. 358. [45]) S a r -
t o r i 3, 117 f. [46]) M a n n h a r d t Germ.
Mythen 15 f. [47]) K ö h l e r Voigtl. 370.
[48]) W u t t k e 69.

6. Wie das W e t t e r am A. ist, so ist
es die ganze Fastenzeit [49]). Wenn es
s c h n e i t , so schneit es bis zum Sommer noch vierzigmal [50]). R e g n e t es,
so regnet es die ganze Woche [51]). Ist es
t r ü b e , so sterben in demselben Jahre
alle W ö c h n e r i n n e n [52]).

[49]) ZfVk. 24, 59; B a r t s c h Mecklenb. 2, 256.
[50]) Z i n g e r l e Tirol 139 (1222). [51]) SAVk. 15, 5.
[52]) H ö h n Geburt 257.

7. Wer am A. g e b o r e n ist, versteht
die T i e r s p r a c h e (Böhmen) [53]).

[53]) G r o h m a n n Sagen 230 f.　　Sartori.

Asmodeus, Name eines Dämons [1]), der
zuerst in dem jüdischen apokryphen Buch
Tobit begegnet, wo er 3, 8. 17 als Ἀσμο-
δαῖος τὸ πονηρὸν δαιμόνιον bezeichnet ist.
Die jüd. Überlieferung weiß über ihn und
sein Verhältnis zu Salomo mancherlei Legenden zu erzählen, die aber seinen Charakter anders darstellen als das Tobit-
buch. Der Name ist persischen Ursprungs
und entspricht einem aëshma-daëwa; im
Avesta findet sich freilich nur ein Aëshma
(ohne den 2. Bestandteil daëwa) als böser
Geist [2]). Im Talmud Gitt. 68 a, Pesach.
110 a und Targ. Koh. 1, 11 ist er der
König der Dämonen [3]). Der Name wird
frühzeitig als Bezeichnung für den Teufel
benutzt, so im 1. Pseudo-Cyprianischen
Gebet [4]), wo er ,,der nichtswürdige Dämon'' heißt, ging dann in andere Exorzismen über [5]), findet sich als Ἀσμοδαῖ und
Ἀσμωδάς in den Verzeichnissen der Stundenengel und -dämonen der mittelalterlichen Astrologie [6]) und dann allgemein im Volksglauben [7]).

[1]) H a u c k RE. 2, 142 f.; RGG. [2] 1, 583.
[2]) S. die Literatur in H a u c k RE. a. a. O.
[3]) B u x t o r f Lexicon Chaldaicum usw. ed.
Fischer (1879), 126; W e b e r Theol. 254. 257.
[4]) C y p r i a n Opp. ed. Hartel 3, 145.
[5]) F r a n z Benediktionen 2, 401. 615. [6]) H e e g
Hermetica 15 Z. 35; 18 Z. 35. [7]) Vgl. noch
G u n k e l Märchen 74; T y l o r Cultur 2,
255; H a n s e n Zauberwahn 13; M o n e Schau-
spiele 1, 197; G o e d e k e Every-Man (1865),
105; A g r i p p a v o n N e t t e s h e i m 3,
109. 121; Urquell 2 (1891), 196; 4 (1893), 120;
K l i n g n e r Luther 15; S e p p Sagen 464
Nr. 126; K l a p p e r Erzählungen 396, 27 f.;
M ü l l e r Siebenbürgen 210.
A. in jüdischen Sagen: b i n G o r i o n Born
Judas 1, 229 ff. 252. 320. 349; 2, 195; 5, 289.
Über Aschmedai in Salman u. Morolf s. P. P i -
p e r Spielmannsdichtung I (Kürschn. Dt. Nat.-
Lit. II, 1) 197 u. Anm.　　　　　　　　　　Jacoby.

Aspekte s. H o r o s k o p i e.

Asphalt. Griech. ἄσφαλτος, von σφάλλομαι
oder aus einem semit. Worte entstanden;
lat. bitumen, deutsch Erdpech, Juden-
pech [1]).

Im Altertum gewann man den A.
hauptsächlich aus dem Toten Meere; der
größte Teil wurde nach Ägypten zum
Einbalsamieren der Mumien verkauft.
Aus antiken Quellen stammt der Aberglaube, der Geruch des A.s vertreibe böse
Geister; so glaubte man, Besessene dadurch heilen zu können, daß man ihnen
A.- (u. Schwefel-) dampf in die Nase, den

Weg zum Gehirn, blies [2]). In Meurers Geheimen Jägerkünsten wird geraten, verzauberte Jagdfalken mit einer A.-mischung zu beräuchern [3]). Ausgedehnt war schon im Altertum der Gebrauch des A.s zu Heilkuren, und gleich anderen medizinisch-pharmazeutischen Anschauungen der Griechen und Römer wanderte auch diese westwärts. Zu Gesners Zeiten verordnete man z. B. bitumen Avernicum bei Kolikanfällen und Uterusschmerzen als innerlich wirkende Arzenei [4]). Da man der Ansicht war, für die Einbalsamierung der Leichen sei besonders guter A. genommen worden, bediente man sich des sogenannten Mumiena.s und schließlich der Mumien selbst zu Heilzwecken [5]). Paracelsus kennt diese Verwendung der Mumie in den Apotheken, bestreitet aber, daß der einbalsamierte Menschenleib die rechte Mumie und heilkräftig sei [6]). Nach seinen Vorschriften stellte man in den alten Offizinen das „sympathische Ei" her, das Menschenblut enthielt und als richtige Mumie magnetisch die Krankheitsstoffe aus dem Körper ziehen sollte [7]). Die medizinische Verwendung der a.haltigen Mumie dauert bis ins 18. Jh., und das abergläubische Volk, das den Wunderdoktoren blindlings glaubte, bezahlte kleine Mumienstücke mit teurem Gelde. 1734 zerschnitt der Pharmazeut Krause in der Mohrenapotheke auf dem Salzringe zu Breslau drei Mumien zu medizinischem Gebrauche [8]), und selbst im 19. Jh. wurde in Merks pharmazeutischem Kataloge noch „Mumia vera Aegyptica, das Kilo, solange Vorrat, für 17,50 Mk." angeboten [9]). In Zedlers Lexikon wird die Verwendung des A.s als reinigendes und schließendes Mittel bei Wunden erwähnt; noch heute verwenden die Tataren ihn dazu [10]). Bei den Persern und Arabern galt der Mumiena. (mum, mom) lange als Heilmittel. Dem arabischen Worte numiya (einbalsamiert) bildeten die Europäer das Wort Mumie nach [11]).

[1]) S c h r a d e r Reallexikon [2] 1, 65; B e r g-m a n n 276; D i e l s in KZ. 47, 193. [2]) P a u-l y - W i s s o w a 2, 1726 f.; P r a d e l Gebete 110; R o h d e Psyche 1, 207 [3]; W ä c h t e r Reinheit 42; H ö f l e r Organotherapie 38; P l i n. n. h. 35 § 178 u. § 180. [3]) G r ä s s e

Jägerbrevier 1, 117 Nr. 4. [4]) In G e s n e r d. f. l. „Averni bituminis descriptio" Anm. zu S. 3; [5]) H o v o r k a - K r o n f e l d 1, 316; Z e d l e r 22, 742 f.; S t e m p l i n g e r Sympathie 24; L o n i c e r 66. [6]) P a r a c e l s u s 165 u. 200. [7]) P e t e r s Pharmazeutik 1, 228 f.; L e h-m a n n Aberglaube 198. [8]) Schles. Labyrinth (Breslau 1737), 611 ff. [9]) H o v o r k a - K r o n-f e l d 1, 315; S e y f a r t h Sachsen 289. [10]) Z e d l e r a. a. O.; H o v o r k a - K r o n-f e l d 1, 316. [11]) Ebd. 2, 366 und K l u g e Etym. Wb., s. v. Mumie.   Olbrich.

Asphodeloswiese. Eine schöne, blumige Toten- oder Seelenwiese kennt als Reich der Abgeschiedenen auch der deutsche Volksglaube, insoweit er sich als solcher in Sagen und Märchen offenbart. Sie ist lokalisiert in Bergen oder auf dem Grunde von Gewässern oder auch ganz allgemein bei den Unterirdischen, oder aber man gelangt zu ihr a u f der Erde durch irgendeinen traumhaften Übergang. Sie findet sich in den Bergen der entrückten Kaiser [1]), man sinkt auf sie hinab durch den Brunnen oder sonst ein Wasser [2]), sie finden sich bei den Unterirdischen [3]) oder vor der Hölle [4]), sie befinden sich auch im Besitz der weißen Jungfrau oder Frau [5]), hinter welcher sich ja meist ein Totengeist verbirgt. Wie in andern Bergen, finden sie sich natürlich und erst recht im Glasberg [6]). Es mag auch sein, daß Flurnamen, wie Totenwiese und ähnliche, auf diesen Glauben zu beziehen sind. Siehe auch G r ü n e   W i e s e.

Woher der Glaube in die deutschen Zeugnisse kommt, wieviel sich in ihm antike [7]), christliche oder — auf dem Umweg über die höfische Epik — irisch-bretonische Einflüsse geltend machen, muß vorläufig problematisch bleiben. Die Perspektive, in die M a n n h a r d t [8]) einst den schönen Glauben rückte, wird heute niemand mehr billigen. An die grôni godes wang und hebenwang des Heliand [9]), an Himinvang der Edda [10]), die græna heima goda Hákonarmál 13 und die Glanzheime himmlischer Wesen in der Edda und bei Snorri sei hier erinnert. Zeugnisse für die Wiesenvorstellung aus den Floredichtungen bei Grimm Mythol. 686. Daß Laurins Rosengarten, der sicherlich ursprünglich im Berge lag [11]), auch hierher gehört, kann nicht bezweifelt werden angesichts der verzauberten Elfengärten und blumigen Heiden des Bergkönigs, die auch sonst bezeugt sind [12]). Schon Gervasius und Geraldus bezeugen den Glauben an die Wunderwiese im Berg [13]).

Die wundervollen Baumgärten der Artusepen und die blumigen, gläsernen Berg- und Inselreiche der irischen Elfenmärchen kommen als Quelle jedenfalls stark in Betracht. Wir finden ihren Einfluß auch im Nordischen in dem Reiche Gläsiswellir (Glanzgefilde) des elbenhaften Königs Gudmund der nordischen Saga [14]), dessen schönen, früchtereichen Garten Saxo erwähnt [15]); auch Hadding bei Saxo kommt in ein Totenreich mit paradiesischen Zügen [16]). Ja, wir begegnen hier auch dem 'Land der Jugend' (*Tir-na-Oige*) aus dem irischen Elfenmärchen wieder, dem *Ódáins-akr* 'Unsterblichkeitsfeld', darinnen ein Augenblick vielen Erdenjahren entspricht [17]).

[1]) G r i m m *Sagen* Nr. 291. 296. 27. 28; K u h n *Nordd. Sagen* Nr. 247, 1; B a a d e r *Bad. Sagen* Nr. 205 (vgl. S. 405). [2]) Das klass. Beispiel G r i m m *Märchen* Nr. 24: Frau Holle (s. B o l t e u. P o l i v k a 1, 207), ferner bes. J a h n *Volksmärchen aus Pommern* Nr. 3: Prinz Alwin sinkt durch das Wasser auf eine große grüne Wiese; weiteres bei S i u t s *Jenseitsmotive* S. 37. [3]) K u h n *Nordd. Sagen* Nr. 292 (eine Treppe unterm Apfelbaum in Hofe führt hinab). [4]) P r ö h l e *Kinder- und Volksmärchen* Nr. 25. [5]) B e c h s t e i n 4, 221 Nr. 39; H o c k e r *Moselsagen* Nr. 51; P r ö h l e *Harzsagen* 160. 162. [6]) A r n d t *Märchen u. Jugenderinnerungen* 1848, 1, 151. [7]) H. G ü n t e r t *Kalypso* 151. 196; E. R o h d e *Psyche* 2, 96[3]; W a s e r *Charon* 153; P a n z e r *Beitrag* 1, 323. 1179. [8]) M a n n h a r d t *Germ. Mythen* 445 ff. [9]) *Heliand* 3082. 1682. 1686. 1323 u. ö. [10]) *Helgakviða Hundingsbana* 1, 8; 1. [11]) M a n n h a r d t *German. Mythen* 452. [12]) R. W a r r e n s *Schwed. Volkslieder* 44; A f z e l i u s *Volkssagen u. Volkslieder Schwedens* übersetzt v. Ungewitter 2, 300. 297. [13]) *Gervasius von Tilbury* ed. L i e b r e c h t 24 (S. 118 f.); Geraldus Cambricus im *Itinerarium Cambricum* 1, 8. [14]) Fornmanna sögur 3, 174; 3, 135; Fláteyjarbók 1, 359. 346 u. a.; siehe H e i n z e l *Über die Nibelungensage*, Wiener S.B. 1885, 109, 700; W e i n h o l d *Altnord. Leben* 385; P. H e r r m a n n *Dän. Gesch. des Saxo Grammaticus* 2, 587. [15]) S a x o ed. Holder 8, 289. [16]) H e r r m a n n a. a. O. 102. [17]) *Hervararsaga* Fas. 1, 411 (513) cap. 1; *Hálfdanarsaga Eysteinss.* ed. Fr. R. Schröder cap. 1, vgl. Anm. 3, 90; eine Stunde Aufenthalt = 40 Erdenjahren; A f z e l i u s 2, 297; B a a d e r *Bad. Sagen* Nr. 205.   H. Naumann.

Aspidomantie. Weissagung vermittelst eines Schildes (ἀσπίς). Die Bezeichnung bietet ein treffendes Beispiel dafür, wie in der Divinationsliteratur antike Namen für durchaus unantike Weissagungsarten erfunden wurden. Es handelt sich um einen für das 16. Jh. belegten Brauch der Indianer von Florida: Um „der Feinde Gelegenheit zu erkunden", läßt sich ein alter Zauberer den Schild eines französischen Leutnants geben, legt ihn auf die Erde und umschreibt ihn durch einen Kreis mit magischen Charakteren, kniet dann auf dem Schilde nieder und gerät in eine Art von ekstatischem Zustand, in dem er seine prophetischen Auskünfte gibt.

B u l e n g e r u s *Opusc.* (1621), 199. 223; F a b r i c i u s *Bibliogr. antiqu.*[3] (1760) 595. L e M o y n e *Indorum Floridam inhabitantium eicones* (Frankf. a. M. 1591) tab. XII, vgl. dt. Übers. (ebd. 1591) zu derselben Abbildung.   Boehm.

Assa, bassa, wassa: Zauberworte [1]), vgl. dazu: Ysa basa olea basolea, Formel gegen Würmer im Kraut in einer Benediktion des 14. Jhs. [2]); die Deutung Ysa = Jesus bei Franz ist sehr unsicher, der Rest unverständlich.

[1]) *Alemannia* 15 (1887), 122. [2]) F r a n z *Benediktionen* 2, 168.   Jacoby.

Assel. I. E t y m o l o g i s c h e s. Man unterscheidet 2 Arten: Mauerassel [1]) (Oniscus murarius) und Kellerassel (Porcellio scaber). Letztere ist bei uns häufiger. Trotz Weigand-Hirt [2]) ist die Herleitung von lat. *asellus* „Eselchen", wegen der Farbe, aufrecht zu erhalten; vgl. griech. ὄνος, ὀνίσκος, lat. *asellus*, dt. *Esel* [3]), *Kelleresel*, *Kellereselein* [4]), *Dungesel* [5]), *Mülleresel* [6]). Andere Namen: *Kellerlaus* [7]), *Kellermaus*, *Kellerwurm* [8]), *Kellerschabe* [9]). Vergleiche mit dem Schweine (wegen seines unappetitlichen Aussehens): lat. *porcellus* [10]), ital. *porchetto* in zahllosen dialektischen Varianten [11]). Da ein Schweinchen der ständige Begleiter des hl. Antonius war, heißt die A. auch *porcellino di S. Antonio*. Mit dem hl. Anton hängt nach Sainéan [12]) die frz. Bezeichnung *cloporte* „Türschließer" zusammen, wie die alte Redensart *aller de porte en porte comme* *le pourceau de St. Antoine* vermuten läßt (wohl mit gleichzeitiger Anspielung auf das Vorkommen dieser Tiere auf Türschwellen). Zu *cloporte* stimmen poit. *freme à clé (ferme à clé)*, engl. *lock-chester*, ital. *serraporta, porta serrata* (Campobasso) [13]). Höfler [14]) gibt eine rein rationelle Deutung: Das Tier versteckt sich in Schlüssellöchern. Als „Schwein" bzw. „Schweinchen", „Ferkel" wird das Tier ferner bezeichnet im Englischen: *sow*, im Schwedischen: *gråssugga*, „graue Sau", im Deutschen: *wilde Sau* (Nahetal) [15]), *Chällerschwy* (Schweiz) [16]). Im Niederländischen heißt die Mauerassel *muurvarken*, im Mecklenburgischen *mûrsäg* [17]). Im 17. Jh. kommt im Deutschen für die A. auch *Schäfelein* vor [18]).

[1]) Vgl. den schwäbischen Namen *Holzwentle* zu „Wand". Schon 1590 ist *holtzwentel* belegt: BayHfte. 1, 141. [2]) DWb. 1, 93. [3]) SchweizId. 1, 517. [4]) Edlinger *Tiernamen* 9 f.; DWb. 5, 515; Heinzerling *Wirbellose Tiere* 21. [5]) In Augsburg: Bay. Hfte. a. a. O. [6]) SchweizId. 1, 520. [7]) Zahlreiche Benennungen nach der Laus im Bretonischen, Englischen (z. B. *hoglouse, pigslouse, wall-louse, wood-louse*), im Französischen (*pou de cochon*) bringt Höfler in BayHefte. a. a. O. [8]) Auch *Wetterwurm, Mauerwurm, Steinwurm, Asselwurm*. Das Volk hält die A. für einen Wurm, wegen ihrer Bewegung auf der glatten Unterbauchseite (op. cit., a. a. O.). [9]) DWb. 5, 515. [10]) Der aus Gallien stammende Marcellus Empiricus nennt die Asseln *cutiones*: BayHfte., a. a. O. [11]) Garbini *Antroponimie* 778 f. [12]) *Etymologie française* 1, 252. [13]) Garbini op. cit. 793. [14]) BayHfte. 1, 141. [15]) ZfrwVk. 1905, 296. [16]) Manz *Sargans* 55. [17]) Heinzerling *Wirbellose Tiere* 21. Vgl. auch BayHfte. a. a. O., wo Benennungen nach dem Schweine im Franz., Ital., Port., Engl., Niederl. angeführt sind. [18]) Ebd.

2. **Volksmedizin.** Das Tier war im Altertum bekannt u. zw. kennt Aristoteles drei Arten, die sich heute jedoch nicht mehr naturwissenschaftlich bestimmen lassen [19]). Die Mauerassel wurde bei den Alten zu Heilzwecken verwendet, und zwar gegen Ohrenschmerzen und Angina [20]). — Im 17. Jh. waren die A.n offizinell [21]). Heute noch finden sowohl Mauer- wie namentlich Kellerassel [22]) in der Volksmedizin Verwendung, besonders häufig gegen Kinderkrankheiten, worauf sich die alemannische Bezeichnung der A. als *Gsundtierle* [23]) bezieht.

Der Mauerassel schreibt man Heilkraft zu gegen Keuchhusten und Fieber [24]), Gicht [25]), Bauchgrimmen [26]), Gesichtsschmerzen [27]). Zu verschiedenen Heilzwecken dient die Kellerassel [28]), und zwar wird sie entweder verzehrt (meist mit Speisen wie z. B. Brot, Äpfeln oder im Teig mitgebacken) oder zerstoßen und in Form von Pulver oder Saft äußerlich oder innerlich gebraucht. Sie soll gegen folgende Krankheiten helfen: Mundfäule [29]), Fieber [30]), Bräune [31]), Krämpfe [32]), Schwindsucht [33]), Gelbsucht [34]), Rotlauf [35]), Kolik [36]), Fingerwurm [37]), Hämorrhoiden [38]), Epilepsie [39]), Rheumatismus (Reißen) [40]), goldene Ader [41]), Gliederverrenkung [42]), Ohrenschmerzen [43]), Zahnen (Zahnfreisen) [44]), Kopfgrind [45]), Harnkrankheiten [46]); auch als Mittel zum Trächtigmachen der Kühe verwendet [47]). Als Abwehrmittel gegen den bösen Blick erscheint die A. in Kalabrien [48]).

[19]) Pauly-Wissowa 2, 2, 1744 f. [20]) Keller *Antike Tierwelt* 2, 483. [21]) BayHfte. 1, 142. [22]) Rochholz *Sagen* 2, 270; BayHfte. a. a. O. [23]) Meyer *Baden* 41. [24]) Ebd. [25]) Ebd. [26]) ZfVk. 8, 179. [27]) Bohnenberger Nr. 1, 22. [28]) Höfler in *Janus* 17, 213. [29]) Jühling *Tiere* 92; Zahler *Simmenthal* 72, 204; BayHfte. 1, 142. [30]) Jühling *Tiere* 92; SchwVk. 3, 14; Lammert 261; Hovorka u. Kronfeld 2, 325. 749; BayHfte. 1, 142; ZfrwVk. 1904, 199. [31]) Lammert 141; Jühling *Tiere* 93; BayHfte. 1, 142. [32]) John *Erzgebirge* 53; Seyfarth *Sachsen* 293. [33]) Meyer *Baden* 572; ZtrwVk. 1905, 284. [34]) Lammert 249; Jühling *Tiere* 93; SchwVk. 3, 14; Wuttke 355, § 531. [35]) Jühling *Tiere* 92. [36]) ZfrwVk. 1905, 296. [37]) Schramke *Böhmerwald* 284; SchwVk. 3, 15; BayHfte. 1, 142; Jühling *Tiere* 115. [39]) Ebd. 93; BlpommVk. 6, 29. [40]) Drechsler *Schlesien* 2, 307. [41]) Jühling *Tiere* 115. [42]) Ebd. [43]) SchwVk. 3, 15. [44]) Manz *Sargans* 55; BayHfte. 1, 142; SchwVk. 3, 14; Rochholz *Kinderlied* 339; Zahler *Simmenthal* 204. [45]) SchwVk. 3, 14. [46]) Stoll *Zauberglaube* 79; SchwVk. 2, 97 (hemmend); Jühling *Tiere* 115; Hovorka und Kronfeld 2, 143; SchwVk. 3, 15 (fördernd). Die A. enthält tatsächlich einen die Nierensekretion anregenden Stoff (BayHfte. 1, 142); daher ihre ndl. Bezeichnung als *pisse-bed* (a. a. O.; Edlinger *Tiernamen* 16). [47]) Stoll *Zauberglauben* 79 f. [48]) Seligmann *Blick* 2, 124.   Riegler.

Ast s. A s t l o c h , Z w e i g.

Astaroth, Name der phönizischen und kanaanäischen Göttin Astôret, Astarte, in der plural. Form עַשְׁתָּרוֹת (Astarte-bilder), die in der griech. Übersetzung Ri. 10, 6. 1. Sam. 7, 3. 12, 10. 31, 10 usw. als 'Ασταρώθ üblich ist, Vulgata: A.[1]); als 'Ασταροῦθ im Martyr. Bartholomaei ein Dämon, der die Menschen mit Krankheit plagt[2]), dann als höllischer Geist in den Volksglauben übergegangen[3]). Verstümmelt zu Asharo und Astriot usw. [4]).

[1]) H a u c k *RE.* 2, 147 ff.; P a u l y - W i s s o w a 2, 2, 1776; *RGG.* 1, 742. [2]) C o u - a r d *Altchristliche Sagen ü. d. Leben Jesu u. d. Apostel* (1909), 98. [3]) S c h ö n b a c h *Berthold v. R.* 7 ff.; *ZdVfVk.* 22 (1912), 118; M e y e r *Mythologie d. Germanen* 59; F r a n z *Nik. de Jawor* 176; A g r i p p a v o n N e t t e s h e i m 3, 111; M a n n h a r d t *Götter* 85; K i e s e - w e t t e r *Faust* 367; G o e d e k e *Every-Man* (1865), 103; Z a c h a r i a e *Kl. Schr.* 345; F r a n z *Benediktionen* 2, 569; S c h w a b *Vocabulaire* 329. [4]) B a n g *Hexeformularer* 648. 650.   Jacoby.

Aster (Aster-Arten). Zu den Korbblütlern (Kompositen) gehörige, meist spätblühende Gartenpflanzen. Weiße Winteraster als Strauß ins Haus gebracht, bringen dem Empfänger den Tod (vgl. weiße Rose)[1]).

[1]) W i l d e *Pfalz* 12.   Marzell.

Asthma[1]). „Er hat den Schnaufer'" „er schnauft sich hart", ist die volkstümliche Ausdrucksweise für A. Da es ähnliche Beschwerden hervorruft wie der Alpdruck, glaubt man im Schwäbischen[2]), es rühre vom Druck einer Hexe her.

Ein besonders merkwürdiges Mittel braucht man im Württembergischen: die Leute halten sich einen „Kauter" (männliche Taube) in einem Käfig, dann müssen sie nicht so schnaufen[2]).

[1]) H ö f l e r *Krankheitsnamen* 18. [2]) H ö h n *Volksheilk.* 1, 91.   Stemplinger.

Astloch. Astlöcher sind für verschiedene Zauberhandlungen und für die Heilung einzelner Krankheiten sehr wichtig. a) Wer ein Gerstenkorn am Auge hat, schaut mit dem kranken Auge durch das A. eines Spans oder Brettes und spricht dazu: „Binkenlöcherl, Vertreib mir mein

Wernlöcherl" (Eine Binke heißt nämlich der Ast eines Brettes, der gewöhnlich später herausfällt)[1]). Diese Heilhandlung ist sehr verbreitet[2]). In Neu-Ruppin sieht man durch das A. eines Bretterzaunes und läßt den Wind daran kommen, dann kehrt das Gerstenkorn niemals wieder[3]). — b) Wer während der Weihnachtsmette durch neun Föhrenspäne schaut, deren Astlöcher genau übereinander passen, der sieht mancherlei verborgene Dinge[4]). In Böhmen hat aber der Unglück, der durch einen solchen Gucker (ein auf dem Kirchhof geholtes Sargbrett mit einem A.) schaut. Steht ein Paar vor dem Altar und wird dort getraut, so gibt es, wenn man es durch jenes A. beschaut, eine traurige Ehe. Gehen Jäger auf die Jagd, die man durch diesen Gucker anschaut, so kommen sie gewiß ohne Beute heim[5]). In der Oberpfalz legt man während der Weihnachtsmesse zwei Späne mit dem Wurm- oder A. kreuzweise aufeinander, schaut durch diese Öffnung oder durch das A. eines Sargbrettes und kann dann die Hexen erkennen[6]). — c) Damit der zur Aussaat bestimmte Weizen nicht brandig werde, mengt man Holzasche vom hl. Abend unter den Samen, läßt einen Teil davon durch ein A. laufen und streut diesen in die vier Ecken des Feldes[7]). Den Tauben läßt man an Fastnacht das Futter durch ein A. zulaufen, damit kein Habicht sie bekommt[8]). Gibt eine Kuh blutige Milch, so führt man sie auf einen Kreuzweg und melkt sie dreimal durch einen Ast; die gemolkene Milch wird der Kuh dann dreimal rückwärts über den Kopf geschüttet[9]). In Oldenburg muß das Melken durch den Ring geschehen, welchen eine Eiche nach Absägung eines Astes um die Wunde herum bildet[10]). Durch ein handschriftliches westböhmisches Zauberbuch ist überliefert: „Wann dir Federvieh gestohlen worden, und noch lebendig ist, daß es dir wieder gebracht werde. Suche in deinem Haus oder Stall ein A. in einem bretternen Gegenstand und schreye durch denselben A. dreymal folgende Worte: Kom wieder in alle Teufelsnahmen. Das ist pro-

bat"[11]). Am Andreasabend kniet das
Mädchen unter einen Birnbaum und
horcht (s. d.) durch das A. eines Bretterzaunes; woher sie nun Hundegebell hört,
von da kommt der Zukünftige[12]). Ein
Tiroler Jäger riet, zur Erschießung eines
Werwolfes, den man auf keine Weise
töten konnte, ein Brett von einem halb
verfaulten Totensarge zu nehmen, in
welchem ein Loch von einem Aste sei,
und durch dieses Loch auf den Wolf zu
schießen[13]). — d) Astlöcher werden auch
für das Verpflöcken (s. d.) benutzt. Um
ein Kind für immer von Zahnschmerzen
zu befreien, wird der erste hohl gewordene Zahn herausgedrückt und in aller
Stille vor Sonnenaufgang in das A. eines
Linden- oder Weidenbaumes gesteckt
und vernagelt (s. d.)[14]). — e) Durch
Astlöcher der Zimmerwand schlüpft der
Alp aus und ein; verstopft man sie, so
ist er gefangen und entpuppt sich als
schönes Mädchen; zieht man den Pfrop-
fen wieder heraus, so entflieht er wieder,
unter Zurücklassung der eigenen Kinder[15]).

Über Ursprung und Sinn dieser verschiedenen Handlungen s. d u r c h -
k r i e c h e n , K r e i s , R i n g , S a r g -
h o l z , A l p , v e r p f l ö c k e n .

¹) S c h ö n w e r t h *Oberpfalz* 3, 239 Nr. 1.
²) P o l l i n g e r *Landshut* 286; E n g e l i e n
u. L a h n 264 Nr. 142; S e y f a r t h *Sachsen*
237; J o h n *Oberlohma* 165; W u t t k e 350
§ 525. ³) ZfVk. 7 (1897), 163. ⁴) B a u m -
g a r t e n *Jahr u. s. Tage* 10; ZfVk. 19 (1909),
431; vgl. W u t t k e 248 § 359; G r i m m
Myth. 1, 382. ⁵) G r o h m a n n 200 Nr. 1405
= S e l i g m a n n *Blick* 1, 173. ⁶) S c h ö n -
w e r t h 3, 174 Nr. 2 b. ⁷) J o h n *Erzgebirge*
220. ⁸) J o h n *Westböhmen* 41. 38. ⁹) G r i m m
Myth. 3, 471 Nr. 979. ¹⁰) S t r a c k e r j a n 1,
444 Nr. 241; vgl. ZfrheinVk. 3 (1906), 203
Nr. 13. ¹¹) J o h n *Westböhmen* 322 Nr. 4.
¹²) W u t t k e 254 § 367. ¹³) V e r n a l e k e n
Alpensagen 123 Nr. 99. ¹⁴) B r ü c k n e r *Reuß*
175 = S e y f a r t h *Sachsen* 281; vgl. S t r a k -
k e r j a n *Oldenburg* 2, 223 Nr. 470; D r e c h s -
l e r *Schlesien* 2, 278. ¹⁵) G r i m m *Myth.* 1,
382; R a n k e *Sagen* 6 f.; V o n b u n *Beiträge* 43; D r e c h s l e r *Schlesien* 2, 176;
W u t t k e 97 § 121; S i m r o c k *Myth.* 437;
M a n n h a r d t *Germ. Mythen* 667 f.; L i e b -
r e c h t *Zur Volksk.* 57; W o l f *Beiträge* 2,
272 f.   Bächtold-Stäubli.

Astragalomantie s. W ü r f e l o r a k e l .

Astralmythologie ist diejenige Form des
Mythus (s. a. Mythologie), welche die mythischen Gestalten und Vorgänge von Erscheinungen aus der Gestirnwelt her-
nimmt. Einzelne Sterne, Sonne, Mond,
Arktur, Polarstern und Sternbilder werden wie menschliche Wesen angesehen
(s. Anthropomorphismus), welche unter
sich oder mit Bezug auf die Menschen
irgend etwas unternehmen, was in ihren
wechselnden Stellungen am Himmel,
ihren Lebensbedingungen zu erkennen
ist.

1. Den Hauptanlaß gaben natürlich die
beweglichen Sterne, außer Sonne und
Mond die Planeten, unter letzteren V e -
n u s voran, die bei den Babyloniern durch
die Göttin der Liebe, Mutterschaft und
Fruchtbarkeit, I s c h t a r , im Reigen der
Götter vertreten war. Der Aufgang der
Venus am 1. und 15. Monatstag, die Änderung ihrer Deklination, ihr Aufsteigen bis
in die Nähe des Zenits, ihr Verschwinden
im Osten oder Westen, ihr Unsichtbar-
bleiben auf einen oder zwei Monate, und
endlich ihre „Erneuerung", ihr Wiedererscheinen, werden in dem Mythus von
den Schicksalen der Ischtar, ihrer Fahrt
zu der Totengöttin Erischkigal usw. beschrieben und bilden einen bedeutsamen
Teil der altorientalischen A.[1]). Die Fix-
sterne und Sternbilder eigneten sich wegen
der Unverrückbarkeit ihrer gegenseitigen
Stellung weniger für direkte Einfügung
in das astrale Göttersystem; aber sobald
die Ekliptik der Sonnenbahn, der Gang
der Sonne durch verschiedene Sternbilder,
beobachtet war, wurden letztere und dann
auch die übrigen der A. dienstbar gemacht. Während bei den Babyloniern die
Einheit von Morgenstern und Abendstern
(s. d.) schon um 2000 v. Chr. bekannt war,
somit ein einziges göttliches Wesen ihnen
entsprach, läßt der Morgensternmythus
der Loritja Australiens die Zweiheit noch
bestehen: Zwei erwachsene Zwillinge, die
das böse Wesen mit ihren Speeren töten
wollten, wurden von diesem verfolgt, versteckten sich in einer Höhle, die vom
Bösen verstopft wurde, und „stiegen zum
Himmel auf, wo der ältere von ihnen als
Morgenstern zu sehen ist"[2]).

[1]) **Alfred Jeremias** *Altorientalische Geisteskultur* 215. 229. 253 ff. Vgl. **Boll-Bezold** *Sternglaube u. Sterndeutung* [3] 6. 9. 11. [2]) C. **Strehlow** *Mythen, Sagen u. Märchen des Loritja-Stammes* (Die Aranda- und Loritja-Stämme in Zentral-Australien 1, 2), 9 Nr. 3.

Es gibt eine (speziell „astralmythologisch" genannte) R i c h t u n g d e r M y t h e n f o r s c h u n g , welche alle Mythen aus astralen Beziehungen herleitet oder wenigstens behauptet, daß die ursprünglichen Mythen astralmythologischer Art gewesen und alle anderen mythischen Charaktere späteren Datums seien. Dahin gehören die Panbabylonisten (Alfred J e r e m i a s , Hugo W i n c k - l e r , Peter J e n s e n , Eduard S t u k - k e n u. a.). Diese einseitig erscheinende Erklärungsweise reizte zu scharfem Widerspruch (G u n k e l , W u n d t , L a n - g e r). Daß es rein astrale Mythen nicht nur gibt, sondern daß dieselben auch eine Vorherrschaft einnehmen, aber freilich nicht unter allen Völkern gleichmäßig, beweisen Mythen p r i m i t i v e r V ö l - k e r der Gegenwart. Sie zeigen, daß die Grundlage astraler Mythen in der Beobachtung zu finden ist, daß Himmelskörper auf das Geschehen, welches sich auf der Erdoberfläche abspielt, einen bedeutenden Einfluß ausüben. Einige Wirkungen werden auch nach unserer Auffassung mit Recht der Gestirnwelt zugeschrieben, andere hingegen nicht. Niemand unter uns bedenkt sich, das Wachstum der Pflanzen wie auch ihr Verdorren dem wohltätigen oder versengenden Einfluß der Sonnenenergie zuzuschreiben, bzw. auch der Stärke der Regenfälle, die gleichfalls durch die Sonne, bzw. den Mond, bedingt erscheinen. Schon die primitiven Völker glauben die Wahrnehmung zu machen, daß der regelmäßige Ablauf der Wege der Gestirne, die Regelmäßigkeit ihres Aufstiegs und Untergangs B e - g l e i t e r s c h e i n u n g e n i n d e r N a t u r im Gefolge hat. In der Kultur fortgeschrittenere Völker werden außerdem darauf aufmerksam, daß a u c h d i e G e m ü t s v e r h ä l t n i s s e der Menschen von der Gestirnwelt in Abhängigkeit stehen. Indem man die Ursachen oder

Urbilder der irdischen Vorgänge in jenen astralen Vorgängen erblickt und die letztern selbst unter anthropomorphen Vorstellungen anschaut, entsteht der astralmythologische Apparat. Aber der Anfang solcher Mythen wurde lange, bevor man Gestirne und Sternbilder belebte, beseelte oder personifizierte, und ehe man sie zum Wohnsitz von göttlichen Wesen erklärte, gemacht. Die heutigen Australier haben den festen Glauben, daß es Menschen, Menschengruppen oder Klans und Individuen gibt, welche mit der Sonne oder mit dem Monde, dem Siebengestirn oder anderen Sternbildern a u f u n - s i c h t b a r e , u n s i n n l i c h e W e i s e v e r k n ü p f t sind; das Gedeihen und die Taten solcher Menschen werden irgendwie in den Sternen vorgezeichnet bzw., nach den spezifisch australischen Vorstellungen, sie erfolgen durch jene Kraft, welche den Gestirnen und den betreffenden Menschen oder Menschengruppen g e m e i n s a m ist als das sie verbindende, geheimnisvolle, unsinnliche Band. Daneben beobachten wir aber eben dort den zur Vergöttlichung der Gestirne führenden Prozeß, und es ist wichtig anzumerken, daß die Vergöttlichung derselben früher zur Geltung gelangt als der Glaube, daß Gottheiten in ihnen wohnen. Dieser Prozeß der Vergöttlichung vollzieht sich auf dem Wege der Mythenbildung. Sonnen- und Mond-Männer und -Frauen tauchen in den Märchen auf, welche die W e l t a n s c h a u u n g der Leute zum Ausdruck bringen: Die Sonne stieg einst als eine übermenschliche Frau aus der Erde empor, begleitet von zwei anderen Frauen, zwei Schwestern. Die ältere dieser beiden Frauen trug ein neugeborenes Kind mit sich. Die übermenschliche Frau verließ jene beiden, stieg zum Himmel hinauf und tut so seitdem jeden Tag, während sie nachts dem Orte, von welchem sie einst ausging, einen Besuch abstattet. Das können bevorzugte Personen, wie Medizinmänner, des Nachts noch sehen [3]). Die Erzählung hat aber praktische Bedeutung, da sie die heilige Zeremonie der Leute vom Sonnentotem bestimmt: zwei ältere Männer übernehmen die Rollen der beiden menschlichen Frauen, und einer von ihnen trägt zwischen den Schenkeln ein Bündel, welches das neugeborene Kind bedeutet, während der andere die Sonne selbst darstellt und als Zeichen dessen auf dem Kopf einen schweren aus Haaren und Fellen hergestellten Turban trägt, der die Sonne, und den Mann also als die wandelnde Sonne, symbolisiert. Es ist deutlich, daß in diesem Mythus des Aranda-Volkes nicht die ursprüngliche Fassung vorliegt, sondern eine Zusammenwachsung aus zwei Formen des Sonnenmythus, wobei nur fraglich sein kann, ob derjenige Mythus, welcher von der einen übermenschlichen Sonnenfrau spricht, oder der, welcher die alte und neue Sonne zugleich einführt, der ältere ist. Da jedoch der Ritus stets konservativer zu sein pflegt als die Anschauung, so ist die Unterscheidung der alten und jungen Sonne wahrscheinlich älter, die Erkenntnis, daß die junge Sonne mit der alten, die bei einem bestimmten großen Stein ins Meer steigt, selbwesentlich ist, muß als die neuere Form angesehen werden. Die Zeremonie aber hat ja den Zweck, daß der S o n n e n - K l a n , welcher eben m i t d e r S o n n e n - e n e r g i e symbiotisch v e r - b u n d e n ist, die Kraft der Sonne sowohl steigert als auch den an der Feier tätig Beteiligten zueignet [4]). Zu diesem Zwecke wird vor allem am Schlusse der Feier der Turban dem Hauptdarsteller abgenommen, damit ihn sich jeder einzelne gegen seinen Magen drücken kann. — Ganz ähnlich steht es mit der australischen Sage, daß das Siebengestirn eine (unbezifferte) Anzahl von Mädchen ist, die mit Feuerbränden in den Händen den Feuertanz aufführten und danach zum Himmel hinaufstiegen [5]) (eine dem Primitiven nicht verwunderliche Handlung), in einigen Wendungen an einem Strick hinaufkletterten [6]); diesem Mythus entspricht die wohl schon sehr umgebildete deutsche Sage von der Bäckerfrau und ihren sechs Töchtern, welche zum Lohn dafür, daß sie Christo das von dem Bäckermeister selbst verweigerte Brot heimlich gaben, zum Siebengestirn wurden [7]).

Die australischen Loritja wissen auch, daß die sieben Mädchen bisweilen auf die Erde zurückkehren und den Feuertanz aufführen; während dieser Zeit sind die Plejaden nicht am Himmel sichtbar [8]). In einer Mysterienlegende der Omaha-Indianer ist die Idee angedeutet, daß d e r M e n s c h n a c h s e i n e m T o - d e z u m S t e r n e n h i m m e l g e - h ö r t . Die von dem himmlischen Boten getöteten vier Kinder werden von ihm mit den Zeichen des blauen Himmels, der Sonne, des Mondes, der Sterne und der Erde bemalt, damit sie hinübergehen können; Himmel, Erde und Sterne sind Brüder und bilden eine Einheit [9]). Man stellt sich also das Jenseits oben, im Himmel, vor, wie man auch die Leitung des Geschicks von dorther erwartet. Nach und nach werden dann die Götter oder wird der eine Hochgott oben im Himmel gedacht. Diejenigen Gestirne, welche man als Regenten der Erdvorgänge ansah, wurden als die göttlichen Kräfte angeschaut. Die Sonne und der Mond gewinnen neben dem Gewitter entscheidende Bedeutung. Weiter denkt man sich die Gestirne in Beziehung auch auf den einzelnen Menschen hold oder feindlich und bringt sie gerne durch ein ätiologisches Verfahren in Abhängigkeit von Göttern, wie nach der Edda [10]) die aus Muspillsheim im Luftraum herumfliegenden Feuerfunken durch die Götter ihren Sitz im Himmel angewiesen erhalten. Jeder Stern gehört zu einem Menschen; die himmlische Spinnerin (die Werpeja bei den Litauern) spinnt für jedes neugeborene Menschenkind im Himmel einen Faden, der in einem Stern endet [11]). Ist das Verhältnis weniger individuell gefaßt, so weiß man (z. B. bei Freidank), daß die Sterne dem Menschen hold und gram sein können. Die Nornen sitzen, wenn sie die Schicksalsfäden spinnen oder schnüren, gerade unter dem Saal des Mondes [11a]).

[3]) S p e n c e r a n d G i l l e n *The Native Tribes of Central Australia* 561 ff.   [4]) B e t h *Religion u. Magie* ² 324.   [5]) C. S t r e h l o w *Mythen, Sagen und Märchen des Aranda-Stammes in Zentralaustralien* (Die Aranda- und Loritja-Stämme in Zentralaustralien 1, 1), 19 f.

⁶) S p e n c e r u. G i l l e n a. a. O. 566.
⁷) G r i m m *Myth.*¹ 691 f. ⁸) C. S t r e h l o w
a. a. O. 9. ⁹) A. F l e t c h e r *The Omaha Tribe*
513 f. ¹⁰) Edda, Grimnismal 36 f. ¹¹) G r i m m
*Myth.*¹ 685. ¹¹ᵃ Edda, Helgakviđa Hundlngs-
bana 3 f.

2. In der mythologischen Wissenschaft
ist vielfach nicht genügend beachtet worden, daß für die A. a s t r o n o m i s c h e
B e o b a c h t u n g e n u n d W e t t e r -
r e g e l n e i n e g r o ß e B e d e u t u n g
gehabt haben. Die B e w e g u n g der
Himmelskörper, der J a h r e s k r e i s -
l a u f der Sonne und die Bahn des wichtigen Zeitmessers, des Mondes, führten,
vor allem in den polytheistischen Perioden, zu dem Gedanken, daß die Götter in
irgendwelchem positiven Verhältnis zu
den Veränderungen am Sternhimmel
stehen, daß sich ihr und der Sterne Einfluß deckt und daß sich desgleichen besonders hervorragende Menschen, Heroen, in einer ausgezeichneten Beziehung
zu den Sternen befinden. Die Gestirne
spiegeln die untere Welt wider. D a s
G e s c h e h e n i m H i m m e l i s t
d a s U r b i l d d e s G e s c h e h e n s
a u f E r d e n , z w i s c h e n o b e n
u n d u n t e n h e r r s c h t v ö l l i g e
R e z i p r o z i t ä t ¹²). Für den Götterglauben selbst hatte diese vorstellungs-
mäßige Verbindung der göttlichen Wesen
mit der astralen Anschauung die große
Bedeutung, daß die G ö t t e r d a -
d u r c h d e r W i l l k ü r l i c h k e i t
e n t n o m m e n , gleichsam charakter-
fest wurden. Die Sterne sind festes Gesetz, unabwendbares Schicksal, ihr Sein
und ihre Bewegung sind zuverlässig, und
der Gott teilt nun diese ihre Eigenschaft.
Der astrale Gott ist daher für den Menschen immer der hohe und ferne. Daß die
Schicksalstafeln, welche — vornehmlich
in der babylonischen Anschauung — das
feste Gesetz des Himmels sind, den Göttern in die Hand gegeben werden (wie in
dem babylonischen Schöpfungsmythus
nach der Ermordung der Tiamat) ¹³) bedeutet, religionsgeschichtlich angesehen,
die Verabsolutierung der Götter, und
zwar nicht nur hinsichtlich ihrer Macht,
sondern auch vor allem hinsichtlich ihrer
Beständigkeit. Freilich mag dann wohl

noch immer einmal der frühere mehr anthropomorphe Gottesgedanke durch-
schlagen; so trachtet ein Odin mit magischen Mitteln das Schicksal zu bändigen,
ohne es zu vermögen. Nur soweit er sich
ihm beugt, ist er absolute Gottheit. —
O d i n u n d M i m i r erscheinen als
S o n n e u n d M o n d in der Edda. Einäugig kehrt Odin nach Asgard zurück,
da er sein anderes Auge dem Mimir geschenkt hat, der, ähnlich wie der orphi-
sche Antauges, der Widerschein (der
Sonne) oder der M o n d ist. Auch daß
der Mimir bloß Kopf ist, nachdem die
Wanen den Leib abgetrennt und Odin
den Freundesdienst der Salbung und
Berunung des Kopfes vorgenommen hat,
zeigt den Mondcharakter an. Und manchmal, so erzählt die Edda ¹⁴), raunen beide
nächtlicherweile miteinander. Das eigentliche Problem besteht hier darin, ob wir
es mit einer lediglich ätiologischen Sage
über die Entstehung des Mondes zu tun
haben. Die Umständlichkeit der Erzählung spricht dagegen, und es ist durchaus
nicht ganz von der Hand zu weisen, daß
vielleicht in dieser wie in ähnlichen weiter
unten zu erwähnenden Erzählungen eine
Art dumpfer, weil durch viele Generationen überlieferter E r i n n e r u n g a n w i r k -
l i c h e k o s m i s c h e V o r g ä n g e erhalten ist; an diejenige Zeit nämlich, in welcher der Mond von der Erde als Trabant
auf- und eingefangen wurde, welcher Prozeß nach der Theorie von F a u t h - H ö r -
b i g e r statt der Abschleuderung des Mondes von der Erde anzunehmen wäre ¹⁵).
Einzelne Sterne entstehen zuweilen dadurch, daß irdische Dinge an den Himmel
emporgeschleudert werden. So wurden die
Augen des Riesen Thiassi, welche die Götter hinaufwarfen, zu Sternen ¹⁶). Von Mon-
delfars zwei Kindern (Mond und Sonne)
versetzten die Götter die Tochter (Sonne)
wegen ihres Stolzes an den Himmel, wo
sie zwei Hengste führen muß ¹⁷).

¹²) B e t h *Rel.gesch.* 110 f. ¹³) A l f r e d
J e r e m i a s *Das Alte Testament im Lichte
des alten Orients* (1916) 10. ¹⁴) Edda, Völuspa.
¹⁵) P. F a u t h *Hörbigers Glazialkosmogonie*
(1913); E d g a r D a c q u é *Urwelt, Sage und
Menschheit* (1924) 188 ff. ¹⁶) Edda, Thiassisage.
¹⁷) Edda, Vafthrudhnismal 23.

3. Die Mythenforscher, welche auf den astralen Gehalt der Mythen so großen Nachdruck legen, daß sie den Urkern fast aller Mythen als einen astralen ansehen, wenden die Klassifikation von Sonne-, Mond- und Sternmythen nicht bloß auf solche Mythen an, in denen solche Himmelskörper noch deutlich eine im Bewußtsein vorwaltende Rolle spielen, sondern auf sehr viele andere, die nach dem Ton der Erzählung eine astrale Beziehung nicht aufweisen. Dabei wird allerdings zumeist die Einschränkung gemacht, daß sich Epochen, in denen der Mond und die anderen Gestirne die mythische Bezogenheit veranlaßt haben, ablösten. Der M o n d wird z. B. von Ernst Siecke (Mythologische Briefe 1902. Drachenkämpfe 1907), Georg Hüsing, Wolfgang Schultz, Paul Ehrenreich (Die allgemeine Mythologie und ihre ethnologischen Grundlagen), die S o n n e von Leo Frobenius (Im Zeitalter des Sonnengottes 1904), der O r i o n und die P l e j a d e n von Eduard Stucken (Astralmythen 1896 bis 1907) als der bestimmende Faktor der Mythenbildung in der alten klassischen Zeit derselben angesehen. Bei den hierdurch nötig werdenden Einzeldeutungen werden die Stoffe der Ueberlieferung nicht selten vergewaltigt. Wenn S i e c k e den H e r a k l e s selbst, die von ihm überwundenen Ungeheuer, seine Keule, den Augias und seinen Stall als ursprüngliche Verkörperungen des Mondes ansieht [18]), so ist z. B. die K e u l e durch kein Moment der Erzählung und keine greifbare Analogie als Mond bezeichnet, wie ja auch in den Abbildungen die Keule nie in der Bumerangform erscheint. Wenn der D r a c h e auf den Mond weisen soll, weil er ja auf Erden überhaupt nicht vorkomme, während die Phasen und Verfinsterungen des Mondes das Phänomen der Verschlingung durch ein Ungeheuer anzeigen, und wenn deshalb der Drachenkampfmythus vom Himmel, und zwar genauer vom Mond, ausgegangen sein soll: so sind Grund und Folge verwechselt. Das Motiv des Verschlingens durch ein Ungeheuer kann gar nicht anders als von irdischen Verhältnissen, die es erfah-

rungsmäßig darbieten, auf den Himmel übertragen worden sein; nicht ohne das irdische Vorbild konnte man auf den Gedanken verfallen, daß sich Gestirne verschlingen. Und zudem ist es nicht unwahrscheinlich, daß die Drachengestalten der alten Mythen und Sagen wirklich irdische Prototypen haben, nämlich in Erinnerung an die den ältesten Menschen doch wohl noch gleichzeitigen Riesensaurier, abgesehen davon, daß die Menschen selbst in ihren Zeremonien und schwarzmagischen Bräuchen häufig Dämonen und Ungeheuer durch Masken darstellen. Von den zusammengesetzten Mythen der Kulturvölker lassen sich in der Regel nur einzelne Züge ohne Zwang auf ursprüngliche astrale Vorstellungen zurückführen, schwerlich aber der ganze Komplex eines Mythus. Die zwölf Werke des Herakles aus den zwölf Himmelszeichen des Tierkreises erklären, das heißt etwa soviel wie die in den Evangelien berichtete Leidensgeschichte Jesu Christi aus den Stationen eines Passionsweges ableiten wollen [19]). Dasselbe gilt von dem Versuche J e n s e n s , den Helden des babylonischen G i l g a m e s c h - E p o s als Sonnengottheit aufzufassen [20]). Mag Jensen durchaus recht haben mit seinem Versuch des Nachweises, daß die Reisen des Gilgamesch mit ihren Aufenthalts- und Endpunkten dem täglichen Sonnenlaufe und zugleich den Teilen des Jahreslaufes entsprechen; mag vielleicht auch die Gestalt des Eabani (Engidu) auf Erdsymbolik beruhen: so ist gerade dieser Mythus so verzweigt und vielgestaltig, daß zu seinem Verständnis andere Analogien heranzuziehen sind, die mit der Sonne kaum mehr etwas zu schaffen haben, als daß sie sich eben alle im Bereich unseres Sonnensystems abspielen. Es ist ganz deutlich, daß einem bedeutsamen Teile dieses Epos gewaltige kosmische Vorgänge zugrunde liegen, durch welche bestimmte Züge des Mythus veranlaßt worden sind. Hierher gehört die ganze 6. Tafel, die das Werben der Göttin Ischtar um Gilgamesch, die Zurückweisung durch diesen, den Kampf beider Parteien, die auf Ischtars Bitte vorgenommene

Erschaffung des neuen Himmelsstiers (also eines bisher noch nicht existierenden Gestirns) durch Anu, dessen sofortige Tötung durch Engidu erzählt und darin endet, daß Engidu die Lende des Stiers der Ischtar vor die Füße wirft[21]). Für die gewöhnliche Sonnenbahn paßt das alles so wenig wie für das Gewitter, dessen Darstellung man hier wie in ähnlichen Mythen ebenfalls hat finden wollen. Es kann sich vielmehr nur um den psychischen Einfluß gewaltiger kosmischer Katastrophen handeln, wie sie auch dem Kolorit der neutestamentlichen Johannesapokalypse zugrunde liegen dürften und nicht minder den nordgermanischen Götter- und Riesensagen[22]). So kann es sich auch bei der Erzählung des Kampfes zwischen Thor und Hrungnir nicht um die Ausmalung eines Gewitters handeln, sondern um einzigartige kosmische Vorgänge. Wenn Thor, von Feuerlohe umgeben, durch das Steingebirge zum Höhlenbewohner fährt, Feuer und Hagel und Fluten durcheinander die Oberfläche heimsuchen, die Erde zerberstet, die Berge wanken und fallen: so ist es durchaus begreiflich, daß ein Stamm der Astralmythen das t a t s ä c h l i c h e k o s - m i s c h e E r l e b n i s von Jahrhunderten oder Jahrtausenden, in epische Worte gefaßt, wiedergibt und v e r k l e i - d e t e U n i v e r s u m s g e s c h i c h t e übermittelt[23]).

Ähnlich dürfte es sich mit den zahlreichen Mythen verhalten, welche von der S o n n e n h e i r a t sprechen. In ihnen allen ist die Rede von einem dunkeln Weltkörper, der auf die Sonne zukommt, so daß die Gefahr einer erschütternden Vereinigung besteht. Träte sie ein, so würden ungeheure Ausbrüche des Sonnenkörpers die Folge sein. Der Gang eines solchen Mythus ist dieser: die Sonne wollte sich verheiraten. Da erschraken die Menschen und Tiere und sagten: Schon scheint die Sonne so heiß im Sommer, daß Steine und Bäume vergehen; wenn sie nun heiratet, wer weiß, wieviele Sonnen dann geboren werden, so daß wir alle lebendig verbrennen. Als die Sonne das hörte, tauchte sie zornig unter, und es ward finstere Nacht.

Als alle Tiere in höchster Angst waren, sprach der Hahn: Seid unbesorgt, ich werde ihr morgen früh mein Lied singen und sie aus dem Meer herauslocken. Aber die Sonne erschien nicht. Da badete sich der Hahn im Meer, schlug mit den Flügeln und sagte der verwunderten Sonne auf ihre Frage: Meine Freunde wollten mich verheiraten, aber mir fällt's gar nicht ein, denn etwas Besseres als ledig sein gibt es nicht. Als das die Sonne hörte, freute sie sich mächtig, daß sie nicht heiraten müßte, und schien wie zuvor alle Morgen[24]). Nach dem deutschen Volksglauben der Gegenwart besteht ein L i e b e s - o d e r E h e v e r h ä l t n i s z w i s c h e n S o n n e u n d M o n d. In der Regel denkt man an bevorstehende Scheidung; der Mond aber folgt der Sonne, um sich wieder mit ihr zu vereinigen. Da jedoch beide das eheliche Verhältnis gebrochen, dürfen sie nie wieder in dasselbe zurückkehren. Die Hauptschuld daran trägt allerdings der Mond, den auch die größere Strafe trifft, sein steter Wechsel[25]). — Dies gespannte Verhältnis wird aber häufig in der Form aufgefaßt, in welcher sowohl primitive wie auch altorientalische A. es ansieht, nämlich, daß der Mond der Feind der Sonne ist (oder umgekehrt)[26]) und daß, wenn er ihr Herr werden sollte, die Welt untergehen werde[27]). Demgemäß gibt es noch heute Bräuche, in denen der Mond daran verhindert werden soll. Man fällt auf die Knie und betet, zum Ofen gewendet, man schlägt mit Messern auf eine alte Pfanne oder auf eine Sense, damit es klingt, wie man es macht, wenn die Bienen schwärmen[28]). Noch heute gehen in Tiefenbach (Oberpfalz) bei anhaltender Obmacht der Finsternis über die Sonne die alten Leute in die Kirche, um gegen hereinbrechendes kosmisches Unglück zu beten. In Neuenhammer und Gefrees fallen die Leute auf die Knie und beten, daß die Sonne über den Mond Herr werde und keine Finsternis wiederkomme wie die dreitägige, schrecklichen Angedenkens[29]).

Es gibt indessen in der nordgermanischen Mythologie reichliche Anhaltspunkte für astrales Verständnis. Unverkennbar aus der A. stammt die Darstellung auf dem G o l d h o r n   v o n   G a l l e h u s in Tondern (um 500 n. Chr.), das einzelne Sterne und zudem Figuren des Tierkreises zeigt: einen dreiköpfigen Menschen mit einem Hammer; man denkt sofort an den als Dreistern d. i. Orion aufgefaßten Gott Thor (Donar); am Bande hält er die Ziege, d. h. die himmlische Capella; daneben sind zwei Wolfs- oder Hundsköpfe, ein Eber, ein Fisch (?) und ein anderes vierfüßiges Tier [30]). Von hier aus verstehen sich auch einige der F e l s z e i c h - n u n g e n   v o n   B o h u s l ä n leicht in astralem Sinn, wo z. B. wieder Thor als Orion dargestellt ist, und zwar in Verbindung mit den Zwillingen, dann wieder die Zwillinge mit dem großen Hund usw.[31]). Die drei Gürtelsterne des O r i o n gelten vielfach als Phallus, weshalb auch Thor, zumal wo er als Orion erscheint, phallisch abgebildet wird [32]). Ein   S t e i n   a u s   G o t l a n d fordert durch die Zusammenstellung von mythischen Figuren, die zugleich an sonst als astral bekannte Gestalten gemahnen, unweigerlich dazu auf, A. festzustellen. Odin reitet auf dem achtfüßigen Rosse, um dessen Geschlechtsteil sich die Schlange windet, gewiß um, ähnlich wie es der Skorpion beim mithräischen Stiere in der spät-iranischen Mythologie tut, die Lebensdrüsen zu zerstören. Die Himmelsgöttin steht mit dem Schlüssel davor, und man denkt vielleicht dabei an die Jungfrau (als Sternbild) mit der Ähre (Spica) nach der uns sonst aus dem Euphrat-Tigris - Land bekannten Terminologie. Über dem Schimmelreiter aber hängt der Gott Odin am Galgen, jedoch quer gezeichnet [33]). Die Querstellung führt schon von sich aus auf die Vermutung, daß der Baum oder Galgen der quer über den Himmel sich erstreckende Baum, die W e l t e s c h e (oder die Milchstraße) ist, so daß dadurch die gesamte Darstellung dieses Steines einen durchaus astralmythologischen Eindruck macht, wie Hauser mit Recht ausführt [34]). Ist nun aber einmal der astralmythologische Gehalt einer solchen Gruppe von Gestalten der nordischen Mythologie erkannt und

nicht von der Hand zu weisen, so drängen sich von da aus Schlüsse auf die Edda auf. Bleiben wir beim zuletzt Betrachteten stehen, so scheint nun auch der Vers, nach welchem Odin sich selbst neun volle Nächte ,,am windigen Baum", als Selbstopfer, hängen weiß, A. zum Gegenstande zu haben [35]). Als Himmelsbaum oder Weltesche ohne empirischen Ursprung ist ja dieser windige Baum durch den Beisatz gekennzeichnet, daß er jedem verbirgt, wo seine Wurzeln liegen. Hauser geht weiter in astralmythologischer Ausdeutung der altgermanischen Gestalten und will auch in der Göttin Nerthus (Nerd, altnord. Njordr) ursprünglich die Himmelsfrau, das Sternbild der Jungfrau erkennen [36]). Desgleichen sei der Hund, oder Wolf Garm, der am Ende des Weltenjahres von seinen Fesseln frei wird, astralmythologisch zu fassen [37]).

Wie tief die A. in Gemüt und Bewußtsein des Volkes sitzt, und wie stark sie den einfachen Gedanken- und Erzählungskreis beeinflussen kann, dafür legen die Märchen ,,Der gelernte Jäger" und ,,Der Dreschflegel vom Himmel" bei Grimm beredtes Zeugnis ab [38]), vor allem das erste. O t t o   H a u s e r, der den Versuch gemacht hat, die gesamte germanische Mythologie als A. zu begreifen, zu analysieren und darzustellen [39]), verlangt, daß jeder Mythus unseres Äons die Normalgestalt des Mythus der Fischperiode repräsentiere: ,,Die Fische halten ihre Hoch-Zeit mit den Zwillingen, die hier nicht Brüder, sondern Schwestern sein müssen, sie geraten dann in die Gewalt eines Weibes, der Jungfrau, die hier dunkel und böse dargestellt werden muß, ein Schütze aber nimmt sich in ihrer Gefangenschaft ihrer an und bewirkt ihre endliche Befreiung" [40]). Dies Schema läßt sich freilich in jenen Märchen kaum erkennen.

[18]) S i e c k e *Drachenkämpfe* 59 ff. [19]) F r i t z L a n g e r *Intellektualmythologie* 34. [20]) P. J e n s e n *Das Gilgameschepos in der Weltliteratur* 1. [21]) U n g n a d u. G r e ß m a n n *Das Gilgameschepos*. [22]) E. D a c q u é *Urwelt, Sage u. Menschheit* 203 ff. [23]) Ebd. 201 ff. [24]) D ä h n h a r d t *Natursagen* 1, 132—146; D a c q u é 193. [25]) S c h ö n w e r t h *Oberpfalz* 2, 72 f. [26]) A. J e r e m i a s *Altorien-*

talische Geisteskultur 75 ff. [27]) S c h ö n w e r t h
Oberpfalz 2, 55. [28]) Ebd. [29]) S. 56. [30]) s Näheres
bei M ü l l e r *Nord. Altertumsk.* 2 (1898), 151 ff.;
O t t o H a u s e r *Germanisch. Glaube* (1926) 189.
[31]) K o s s i n n a *Die deutsche Vorzeit:* E b e r t
Reallex. 3, 218 ff. [32]) H a u s e r 36. [33]) O l r i k
Nordisches Geistesleben 38. [34]) H a u s e r 151 f.
[35]) Edda, Havamal 139. [36]) H a u s e r 46.
[37]) Edda, Gylfaginning 51; H a u s e r 71.
[38]) *KuHM.* Nr. 111 und 112. [39]) Ähnlich
A r t h u r D r e w s *Der Sternhimmel* (1923).
[40]) H a u s e r 88.   K. Beth.

Astrenze s. M e i s t e r w u r z.

Astrologie s. S t e r n d e u t u n g; ferner
H o r o s k o p i e, P l a n e t e n, S t e r n -
b i l d e r.

Astronomie s. S t e r n d e u t u n g;
ferner P l a n e t e n, S t e r n b i l d e r,
S t e r n e.

Asyl. 1. A. ist der Zufluchtsort, wo Bedrohte vor ihren Verfolgern Schutz und
Sicherheit finden. Ob die alten Germanen
A.e kannten, ist strittig. Im MA. und bis
ins 18. Jhd. spielt das auch heute noch
von der Kirche beanspruchte Asylrecht
der Kirchen [1]), Kirchhöfe [2]), Pfarrhöfe [3])
und Klöster [4]) eine große, segensreiche
Rolle. Im Altertum besaßen semitische
und klassische Heiligtümer diese, von
der Kirche dann übernommene Gerechtigkeit, bei den Römern auch die Götter-
statuen. Auf dem Asylrecht beruht die
Größe Roms. Ganze Städte wurden im
A. T. zu A.en erklärt [5]). Im besonderen
waren natürlich die „Hütte des Herrn",
der Altar und die Altarhörner Asyl, aber
auch vom König nach Gutdünken bestimmte weltliche Orte [6]).

Es gab allgemeine A.e; andererseits
auch solche, wo nur Sklaven [7]) oder nur
Schuldner [8]) oder nur solche, welche unwissentlich Schuld auf sich geladen hatten, Aufnahme fanden. Mit der Zeit nahm
die Kirche immer mehr strafbare Handlungen vom Asylschutz aus. Bisweilen
wurde nur durch bestimmte Zeit Schutz
gewährt [9]), meist solange, bis der Täter
vor seinen ordentlichen Richter treten
konnte, also z. B. 6 Wochen und 3 Tage [10]).

Durch Freibrief wurde auch weltlichen
Städten, Fronhöfen, Freihöfen die A.-
gerechtigkeit verliehen. In gewissen Her-
bergen gab es Freibänke und Frei-
tische [11]). Herzog Leopold von Baben-
berg schuf auf dem noch heute „Freyung"
genannten Platz vor seiner Burg in Wien
eine A.stätte, für jene, welche einen eisernen Ring berührten. Die Erinnerung
daran hat sich im Kinderspiel erhalten
(wie auch anderwärts s. 2); wer im Spiel
den schützenden Zufluchtsort erreicht,
ruft „Leopold".

[1]) O s e n b r ü g g e n *Studien* 13; L i p -
p e r t *Christentum* 270 ff.; G r i m m *RA.* 2,
532 ff.; H a s t i n g s 2, 161 ff [2]) W i l u t z k y
Recht 3, 112. 113; B i n d s c h e d l e r *Kirchliches Asylrecht* 39 ff. [3]) B i n d s c h e d l e r
a. a. O. 43. [4]) D e r s. a. a. O. 46 f. [5]) O. G r u p -
p e *Griechische Mythologie und Religionsgeschichte* 1157, 4; W i s s o w a *Religion* 300,
474. [6]) 5. Mos. 19, 1—11; I. Kön. 1, 50; 2, 28 ff.
36 ff. [7]) O. G r u p p e a. a. O. 597, 2. [8]) B i n d -
s c h e d l e r a. a. O. 28. [9]) SchwVk. 8, 15.
[10]) G r i m m *RA.* 1, 304 ff. [11]) L ü t o l f
Sagen 397.

2. A. war vor allem auch das Haus —
sowohl rechtlich gegen die verfolgende
Behörde [12]), wie auch gegen alle möglichen zauberischen Bedroher. Wer das
Haus erreicht und nicht etwa freventlich das Fenster oder die Tür öffnet, ist
gegen die verfolgenden Hexen [13]), Toten [14]), die Wilde Jagd [15]) geschützt. Vor
der Aussegnung darf daher die Wöchnerin das Haus nicht verlassen [16]). Während der ersten Zeit nach der Geburt
muß sie sogar im Bette bleiben und die
Vorhänge desselben geschlossen halten,
ein A. im A. [17]).

Eine große Rolle in Magie und Aberglauben spielt der „Zauberkreis", als A.
gegen andringende Dämonen [18]) (s. Besitzergreifung). Gegen die wilde Jagd
schützt auch, sich auf einen Pflug zu
setzen, den Kopf durch Radspeichen zu
stecken [19]), den Mittelweg einzuhalten,
auch Kreuz und Kreuzweg [20]). Gegen
Fru Gode schützt es, unter einen Kessel
zu kriechen [21]). Ältestes A. ist wohl der
Herd [22]). Die mit einem Kreuzeszeichen
versehenen Baumstümpfe bieten den
Holzweiblein ein A. gegen den verfolgenden wilden Jäger [23]). Ahasver darf in gewissen Nächten auf den Eggen rasten.
Das ist eine Erinnerung an den alten
Rechtsbrauch, daß der Totschläger auf

der Flucht vor seinen Verfolgern, wo er auf dem Felde ein paar aufgerichtete Eggen findet, solange rasten darf, „als man an einem Wecken für einen Pfennig ißt und dann — fort"[24]). Auch wirkt der A.schutz über den unmittelbaren Bereich heraus. Wer die Kirche nur „sieht", ist vor den Unholden geschützt, auch eine Analogie zu alten Rechtsbräuchen[25]).

[12]) S é b i l l o t *Folk-Lore* 4, 429. [13]) E. O s e n b r ü g g e n *Der Hausfrieden* 4 f. [14]) S c h ö n w e r t h *Oberpfalz* 1, 366. [15]) Ebd. 3, 150. [16]) R a n k e *Sagen* 78. [17]) S c h ö n w e r t h *Oberpfalz* 1, 159. [18]) Ebd. 1, 161. 189. 199. [19]) G r o h m a n n *Sagen* 95. [20]) E. H. M e y e r *Germ. Myth.* 238. [21]) Ebd. 247. [22]) Ebd. 280. [23]) P a u l y - W i s s o w a 11, 2, 2145. [24]) S c h ö n w e r t h *Oberpfalz* 2, 162. [25]) F r a u e n s t ä t t *Blutrache* 73. [26]) Ebd. 74. M. Beth.

Atem. Der A. als Träger der Seele (s. d.) hat eine zauberische Wirkung. Darum ist der A. von Tieren wie Hirschen[1]), Drachen[2]) und gewissen Menschen wie Hexen[3]) giftig und tödlich. Andrerseits hat der A. Heilkraft (s. hauchen).

So versteht man auch die häufige Vorschrift, bei gewissen Gelegenheiten müsse man den A. a n h a l t e n. So mußte bei den Tschechen am hl. Abend die Großmagd dem Brunnen zum Opfer einen Apfel, eine Nuß u. Semmel bringen, und zwar mit angehaltenem A.[4]). In Hessen sagt man, wenn man die neugekaufte Kuh schweigend und mit zurückgehaltenem A. in den Stall führe, dann schreie sie nicht[5]).

[1]) S t e m p l i n g e r *Sympathie* 14. [2]) H e r t z *Abhandl.* 192. [3]) H o r s t *Zauberbibl.* 1, 179. [4]) *Urquell* (N. F.) 1, 310. [5]) W u t t k e § 691.
       Stemplinger.

Atemnot s. A s t h m a.

Ätiologie bedeutet die Erklärung von irgend etwas Auffallendem, auch etwas ganz Gewöhnlichem, das nur aus irgendeinem Grunde einer Erklärung bedarf, mittels einer Ursache, welche durch die Phantasie hinzugedacht wird. Der Geist der Völker trägt eine Unmenge von in der Regel ungeschriebenen ätiologischen Sagen, welche veranschaulichen, wie außerordentlich stark das Fragen nach dem Warum und Woher den Menschen be-

schäftigt. Der Volksgeist verrät darin etwas beharrlich Kindliches, er bleibt mit großen, offenen Kinderaugen vor diesem und jenem stehen, fragt sein Weshalb und gibt sich selbst die Antwort. Diese gewinnt er dann in der Regel durch Inanspruchnahme irgendeines übernatürlichen, geheimnisvollen Faktors; er sieht irgendwelche jenseits des ihm verständlichen Geschehens waltende Kräfte an dem Zustandekommen dessen, was erklärt werden soll, beteiligt; er verbindet sein Erstaunen über das Unbegreifliche, vor dem er steht, mit der ihm einwohnenden Scheu vor dem Unbegreiflichen, das er in des Schicksals undurchschaubaren Windungen spürt, und gibt sich also auf diese Weise zugleich eine stückweise Antwort auf seine eigenen Fragen, die er ans Schicksal zu stellen hat. Irgendwie, wenn auch nicht immer in der ätiologischen Rede ohne weiteres erkennbar, ist die Idee des unsinnlichen oder schicksalhaften Faktors an den ätiologischen Antworten fast stets beteiligt, und dadurch gewinnen dieselben Bezug auf das menschliche Leben auch dann, wenn es sich um Gegenstände handelt, die ihm scheinbar fernliegen. In der dunklen Schicksalhaftigkeit seines eigenen Seins, in einem gewissen Erleben derselben liegt der Grund für die weite Verbreitung der Ä.

Auch die Wissenschaft wirft Fragen über eben dieselben Gegenstände auf, auch sie fragt nach Ursache und Sinn der Erscheinungen. Sie beantwortet sie anders, als der primitive und antike Volksgeist, und der heutige nicht selten, durch Beibehaltung jener älteren Antworten tut. Doch wird man gut tun, die Analogie mit den wissenschaftlichen Fragen und Antworten nicht zu vergessen; es ist urständliche Weisheit und urständliches Ringen nach Klarheit, nach Wissen und Weisheit fürs Leben, was in der Ä. zum Ausdruck kommt. Wenn wir diese Antworten heute als Aberglauben bezeichnen, so waren sie den Menschen in der Zeit, in der sie entstanden und als allein gültige Antworten angesehen wurden, heilige Einsicht und sittliche Besinnung und Regelung. Sie sind so tief im Intimsten des Gemütslebens verankert, daß die Dichter aller späteren Zeiten hier immer wieder Stoff finden, wenn sie an das Gemüt der Leser von ihrem eigenen Gemüt her einen neuen Zustrom suchen.

Die folgende Besprechung des wichtigsten ätiologischen Materials soll durch Betrachtung von vier, nach der Art der Objekte, welchen der Kausalitätsbetrieb sich zuwendet, unterscheidbaren Gruppen durchgeführt werden: Aussagen über die Herkunft von 1. Naturgegenständen, 2. Naturerscheinungen und -ereignissen, 3. Völker-, Orts- und Personennamen, 4. religiösen Kulten.

1. a) Ätiologische Aussagen über N a t u r g e g e n s t ä n d e sind zweifellos die ältesten. Im einfachsten menschlichen Verbande fragt man nach den Ursachen der irgendwie auffälligen, in irgendeiner Beziehung abstechenden Bildungen in der umgebenden Natur. Eine so ganz außer Frage stehende Tatsache wie die s c h w a r z e F a r b e d e s R a b e n ist dem einfachen Menschen dermaßen fragwürdig, daß es in vielen Völkerkreisen ätiologische Antworten auf diese Frage gibt, z. B. sagt Ovid [1]), der an sich weiße Rabe sei von Apollo (als Sonnengott) wegen seiner Schwatzhaftigkeit zur Schwärze verurteilt worden, während wilde Stämme, gleichsam die frühere Fassung bietend, wissen, daß der Rabe einst (der Urrabe) aus Unvorsichtigkeit oder bei Ausführung einer Wette der Sonne zu nahe kam und seitdem alle Raben verkohltes Gefieder tragen müssen. Afrikanische Neger wissen, daß die S c h i l d k r ö t e ein plattes Brustschild von einer Wette her hat, die sie mit dem Adler (Geier) ausfocht [2]). Sie war mit ihm zugleich am Himmel angekommen, weil sie sich unvermerkt von ihm hinauftragen ließ, aber sie war zuerst wieder unten, weil sie sich herabfallen ließ, dadurch sich aber auf der Erde breit schlug. Über weite Striche Afrikas wird der schwarze Rückenstreifen des S c h a k a l s dadurch erklärt, daß dies Tier einst die Sonne vom Himmel stehlen wollte und sich dabei auf dem Rücken versengte. Des Menschen eigenes, schicksalhaftes Verhältnis zur

Sonne liegt im Hintergrunde solcher Sagenbildungen (vgl. Ikaros). So ganz allgemeine, der ganzen Tiergruppe angehörende Eigentümlichkeiten wie die Zugespitztheit des Fischleibes regt das Kausalitätsbedürfnis an. Die germanische Mythologie hat eine Antwort aufbewahrt. Der L a c h s ist hinten spitz, weil der Gott Thor den Loki, der sich in einen Lachs verwandelt hatte, beim Schwanz zu fassen bekam und zusammendrückte, als jener zum zweiten Male über das Netz sprang [3]). Daß später der heilige Fischer Petrus an der Benennung der Fische beteiligt war, ist nicht zu verwundern. So erzählt die Legende, daß Petrus, der geradezu an die Stelle des Gottes Thor getreten zu sein scheint, einen Fisch beim Fangen nicht mit der Hand zu halten vermochte und ihm deshalb endlich seinen Daumen fest ins Rückgrat drückte mit den Worten: „Du bist mir ja ein rechter Schelmfisch", woher der Name S c h e l l - f i s c h stammt [4]). Auch die S c h o l l e hat natürlich ihr schiefes Maul nicht von Anbeginn. Der Grund der Verdrehung ihres Gesichtes ist in ihrem hämischneidischen Wesen zu suchen, das sie bekundete, als beim Königswettschwimmen der Hering voran war [5]). Die R o h r - d o m m e l und der W i e d e h o p f waren einst zwei Hirten, deren ersterer seine Herde auf überfetten grünen Wiesen hütete, der andere auf dürren Berghalden. Des ersteren Kühe waren des Abends so übermütig, daß der Hirt sie nicht zusammenbringen konnte und immerfort „bunt, herüm" rief; des zweiten Kühe dagegen waren so schwach, daß all sein „up-up"-Rufen nichts nützte. So riefen sie, so rufen sie noch, wo sie jetzt mit ihren Nachkommen in den Zweigen der Bäume sitzen [6]). Warum die E u l e sich nicht mehr am Tage sehen läßt und warum der Z a u n k ö n i g so scheu ist, darauf antworten andere deutsche Märchen [7]). Weshalb die Z i e g e n Stummelschwänze haben, ist jedem klar, der weiß, daß sie ja eigentlich vom Teufel erschaffen wurden und dieser sie mit so langen Schwänzen gemacht hatte, daß sie sich damit immer verhäddern mußten — bis ihnen schließlich der Teufel selbst die Schwänze abbiß, „wie noch heut an den Stümpfen zu sehen ist"; wobei das Märchen gleich hinzufügt, daß der später sehr wütende Teufel den Ziegen auch die Augen ausstach und seine eigenen Teufelsaugen einsetzte[8]).

Nur zwei Beispiele aus dem P f l a n - z e n r e i c h. Weshalb hat die B o h n e eine Naht? Weil sie von einem Schneider wieder zusammengenäht wurde, als sie vor Lachen geborsten war, erzählt — und zwar in der überlieferten Form mit wenig glücklich eingefügtem Motiv — das Märchen „Strohhalm, Kohle und Bohne"[9]). Weshalb aber heißt denn ein Strauch „das keusche Lamm" (agnus castus)? Der Grund ist denen, die den Strauch, dem Sinne dieses Namens gemäß, verwenden, nicht bekannt, sondern sie halten sich teils an Hippokrates, der, schon auf der umgewandelten Bedeutung fußend, dem Genuß der Samenkörner die Wirkung zuschrieb, jede geschlechtliche Regung zu unterdrücken, teils an spätere Umbildungen des Motivs. Man muß beachten, daß der heutige, der Klostersprache entstammende Name der Pflanze auf einen antiken Brauch zurückgeht. Die in Nonnenklöstern benützten „K e u s c h l a m m z w e i g e" oder der „M ö n c h s p f e f f e r" (piper monachorum oder eunuchorum) ist über verschlungene Umwege zu seinem Namen gekommen von jener Verwendung her, welche die Zweige dieses Busches bei dem altgriechischen Feste der Thesmophorien erfuhren. Bei diesem Feste legten sich Frauen auf ein Lager von solchen Zweigen auf die Erde nieder und mußten sich, um durch Vermittelung der die Fruchtbarkeit steigernden Wirkung der Zweige von der Mutter Erde (oder von den Erddämonen) zu empfangen, während dieser Zeit jedes Umganges mit den Männern enthalten, damit die reine Befruchtung nicht gestört würde. Nun hat, wie Nilsson[10]) und Fehrle[11]) mit Recht annehmen, der Gleichklang des damaligen Namens der Pflanze *ágnos* mit *hagnós* (keusch) dahin geführt, daß man aus dem letzteren Worte die Sinnbedeutung des

ersteren als einer die Keuschheit fördernden, den Geschlechtstrieb zurückdrängenden Pflanze herleitete. Indem man also annahm, die Pflanze heiße *ágnos*, weil sie *hagnós* mache, wurde auch das lateinische Wort *agnus* „Lamm" damit in Verbindung gebracht, wobei die christliche Vorstellung des *Agnus Dei*, des unschuldigen Gotteslammes, mitwirkte. Mit diesem Lamm wurde die heilige A g n e s in Verbindung gebracht[12]). So erhielt der Strauch seinen heutigen Namen agnus castus (engl. chaste-tree, deutsch: Keuschlamm). Nonnen legten sich die Zweige ins Bett, um dadurch in ihrem Keuschheitsgelübde gestärkt zu werden, oder tranken aus den Zweigen oder Samenkörnern destilliertes Wasser[13]). Die Ä. der R o s e hat R ü c k e r t im Gedicht verarbeitet: Der Dorn hat der Nachtigall das dem Lämmchen abgezwackte Wollflöckchen für den Nestbau gegeben; entzückt über das Dankeslied des Vogels „ist dem Rosendorn die Ros' entsprungen".

1. b) Eine besondere Gruppe der N a - t u r g e g e n s t ä n d e n angeknüpften ätiologischen Sagen bilden die Erzählungen von v e r s t e i n e r t e n Men - s c h e n und von solchen Steinen, welche das Merkmal irgendeiner menschlichen Beeinflussung an sich tragen. Wenn in irgendeiner Landschaft ein Felsenvorsprung oder Aufsatz menschenähnlich aussieht, so setzte sich daran eine Sage, dieses Gebilde sei ursprünglich ein Mensch gewesen, der aus ganz bestimmtem Grunde in einen Felsen verwandelt wurde. Die alttestamentliche Erzählung von der zur S a l z s ä u l e versteinerten F r a u d e s L o t[14]) — ein Stein im SW des Toten Meeres wird noch heute als die Frau oder die Tochter Lots bezeichnet[15]) — hat eine sehr nahe Entsprechung in der arabischen Geschichte von den zwei neidischen Schwestern[16]), zumal auch hier das Verbot des Zurückschauens übertreten wird. Gunkel erkennt in dem Rückwärtsschauen die strafwürdige Absicht, das Geheimnis der Gottheit belauschen zu wollen[17]). Auch die Geschichte vom versteinerten Prinzen in 1001 Nacht[18]),

sowie griechische die Sage von der in einen mit rieselndem Quell ausgestatteten Felsen verwandelten weinenden Niobe, und die Sage von Kadmos und Harmonia zeigen dasselbe ätiologische Motiv. — An der Eger sind eigentümliche Felsen, die das böhmische Volk H a n s - H e i - l i n g s - F e l s e n nennt. Der Mann, nach dem sie benannt sind, war ein reicher Sonderling, der sich jeden Freitag in seinem Hause verschloß. Man sagte ihm den Verkehr mit dem Bösen nach. Er liebte ein Mädchen, das ihm zuerst zugesagt und dann verweigert wurde. Bei deren Hochzeit erschien Heiling plötzlich um Mitternacht unter den Gästen und rief: „Teufel, ich lösche dir deine Dienstzeit, wenn du mir diese vernichtest." Der Teufel antwortete: „So bist du mein" und verwandelte die Hochzeitsgesellschaft in Felsensteine. Braut und Bräutigam stehen da, wie sie sich umarmen, die andern mit gefalteten Händen [19]). — Auf dem Ampferstein in Tirol sind sieben einander ähnliche Felsgebilde. Das sind die s i e b e n v e r - s t e i n e r t e n B r ü d e r, welche einst dem benachbarten Burgherrn helfen wollten, seiner Tochter Liebe zu einem fahrenden Ritter dadurch zu vernichten, daß sie um den Besitz des Mädchens würfelten. Als der Burgpfaffe sich ins Mittel legte, stieß ihn der Burgherr mit dem Fuße hinweg. Während auf den Fluch des Priesters hin das Schloß versank, wurden jene sieben Brüder zu Stein und sitzen da bis zum jüngsten Gericht [20]). — Ein großer, einsamer Fels über Innsbruck, mitten auf dürrer Alm, gab zur Sage von der Riesin „F r a u H ü t t" Anlaß, welche ihren in den Morast gefallenen Sohn mit Brot abreiben ließ und für diese frevelhafte Verschwendung der Gottesgabe versteinert stehen muß bis zum jüngsten Tag [21]). Ihr entspricht der s t e i n e r n e M ö n c h auf dem Drachenfels. Dort hatte ein Riese mit einem Zwerg um den Besitz des Bergmassivs gestritten. Sie hatten ausgemacht, daß derjenige Besitzer sein solle, der am nächsten Morgen zuerst auf den Gipfel komme. Der Riese aber stand zu spät auf und kam

zu spät an. Als der Zwerg ihm von oben entgegenkrähte, verfluchte sich der Riese derart, daß er augenblicklich zu Stein ward [22]). — In nordischen Sagen werden oft R i e s e n , U n g e t ü m e , T r o l l e durch den Anblick der Sonne in Stein verwandelt, z. B. im Alvisliede der Edda der Zwerg Alviß auf Thors Geheiß. — Der F u c h s t u r m bei Jena ist nach alter Überlieferung die Finger eines durch Schicksalsstrafe erschlagenen Riesen [23]). — Viele andere absonderliche Felsen und gewaltige (erratische) Blöcke verdanken ihr Dasein dem T e u f e l und seinem G e f o l g e. Sie haben sich damit belustigt, der Teufel selbst ist sehr oft genötigt worden, sie unabsichtlich fallen zu lassen. Solche Teufelssteine sind namentlich über den ganzen Norden Deutschlands und Skandinaviens verstreut. Einer derselben zeigt deutlich die Spuren von des Teufels Krallen; denn der Teufel, der zum Wurf gegen die Kirche ausgeholt hatte, mußte ihn plötzlich fallen lassen, weil gerade die Glocken zur Wandlung läuteten [24]).

Ein merkwürdiger großer Stein ist der S t e i n t i s c h, welcher in Bingenheim in Hessen vor dem Rathaus stand; er wies drei Vertiefungen wie Sitze für Personen auf, und man erklärte sich diese „Sitze" daher, daß der Stein vordem einem wilden Geschlecht gehört habe, von dessen Leuten außerdem noch Handgriffe in dem Stein zu sehen wären. Ja, 1604 hat man wieder drei Leute in weißer Gewandung im Walde gesehen, die gewiß auf dem Stein Gericht halten wollten [25]). Mit der menschlichen Fußspur in einem Stein, der unter den Trümmern der Burg Rosenstein in der Alb sich befand, jedoch älter als die Burg sein sollte, wurde so viel Aberglauben getrieben, daß die Regierung den Stein sprengen ließ. Man glaubte, dieser und ein in der Nachbarschaft befindlicher Stein enthielten den rechten und linken F u ß t r i t t C h r i s t i, der bei Lebzeiten dorthin gekommen sei, und man holte das in diesen „Fußspuren" angesammelte Regenwasser, um damit A u - g e n k r a n k h e i t e n zu heilen [26]) (vgl. den Stein auf dem Ölberg bei Jerusalem, welcher die traditionelle Fußspur enthält, die der zur Himmelfahrt sich abstoßende Christus hinterließ). Hier darf auch ein anderer Stein mit tiefen Eindrücken erwähnt werden, welche man auf menschliche Beine und eine menschliche Hand deutet: bei der Mindener Glashütte im Geismarwalde saß im Dreißigjährigen Kriege ein geschlagener Feldherr sinnend auf dem Stein und klagte seinem Hauptmann, er könnte so wenig siegen, wie der Stein, auf dem er säße, weich werden könnte. Als er sich erhob, waren seine Beine und selbst eine Hand in den Felsen eingedrückt als Vorzeichen seines Sieges [27]. Auch die Mohammedaner haben einen heiligen Stein, der den Eindruck des Propheten Mohammed hat; die Sage berichtet, daß der Stein unter dem auf ihm sein Gebet verrichtenden Propheten nachgegeben habe, als ob er Wachs gewesen sei [28]. Ganz dasselbe wird von dem Butterstein bei Salzwedel in der Altmark erzählt: 1469 wurde dort ein großer Stein mit einer tiefen Spalte gezeigt. Diese wird dadurch erklärt, daß vor langen Zeiten ein Feind die Stadt belagerte, ohne sie einnehmen zu können, weil Engel auf der Mauer standen, welche die Pfeile auffingen. Der feindliche Feldherr zog im Lager sein Schwert und sprach: „Soll ich die Stadt nicht gewinnen, so gebe Gott, daß ich in diesen Stein haue wie in einen Butterweck". Und er hieb in den Stein, der sich butterweich erwies [29].

[1] Ovid Metamorphosen 2, 534. [2] Frobenius Zeitalter des Sonnengottes 21 f.; Beth Relig.gesch. 108 f. [3] Simrock Mythol. 104. [4] v. d. Leyen in AnSpr. 114, 16. [5] Grimm KHM. 2, Nr. 172. [6] Ebd. Nr. 173. [7] Ebd. Der Zaunkönig Nr. 171. [8] Ebd. Nr. 148. [9] Ebd. Nr. 18. [10] Nilsson Griech. Feste 48 f. [11] Fehrle Keuschheit 152. [12] RGG. 1 unter „Agnes die Heilige". [13] Fehrle Keuschheit 151—153. [14] Gen. 19, 26. [15] Abgebildet bei Stade Gesch. Israels 1, 119. [16] 1001 Nacht, übersetzt v. Weil, 3, 316 ff. [17] Gunkel Genesis 213. [18] Übersetzt von Weil 1, 49 ff. [19] Grimm Sagen Nr. 328. [20] Heyl Tirol 56. [21] Grimm Sagen Nr. 233. [22] Schell Bergische Sagen 498 f. [23] Grimm Sagen Nr. 136. [24] Schönwerth 2, 251. [25] Grimm Sagen Nr. 166. [26] Ebd. Nr. 184 samt Anmerkung. [27] Ebd. 135. [28] Ebd. Anm. zu Nr. 135. [29] Ebd. Nr. 134.

2. a) Naturerscheinungen werden gleichfalls seit ältesten Zeiten, seit menschliches Denken ihnen gegenüber stand, ätiologisch behandelt. Über zahlreiche ethnographische Gebiete hin treffen wir eine Erklärung des Erdbebens an, welche mit einem lebenden, tierischen oder menschlichen Wesen operiert. Die Nordgermanen wußten, daß ein Erdbeben dadurch entsteht, daß der gefesselte Loki sich gewaltig schüttelt, wenn ihm in den kurzen Pausen, in welchen sein liebevolles Weib Sigyn die vom Gift der Schlange angefüllte Schale ausgießt, das Gift ins Gesicht tröpfelt [30]. Man denkt an Prometheus, der sich unter der Erde windet, bei dem Bemühen, seine Fesseln zu brechen. Auf Celebes ist es der die Welt tragende Eber, der sich an einem Baume scheuert, wodurch das Erdbeben entsteht. Bei manchen nordamerikanischen Indianerstämmen heißt es, das Erdbeben rühre von der Bewegung einer großen Schildkröte her, welche die Welt trage. Bei anderen Völkern sind es andere Tiere: in Indien die Elefanten, im Mongolenlande der Frosch, bei den Muslims der Weltstier, welche alle die Welt auf dem Rücken oder Kopf tragen und bei ihren Bewegungen erschüttern. Auf Tonga hält der neuseeländische Naturheros Maui die Erde auf seinem ausgestreckten Körper, so daß jedesmal ein Erdstoß erfolgt, wenn er sich in eine bequemere Lage dreht. — Die Japaner glauben, daß Erdbeben durch große Walfische verursacht werden, welche unter dem Boden hinkriechen [31].

Während im letzteren Falle vielleicht, wie Tylor anzunehmen geneigt ist, die in der Erde aufgefundenen Riesenrippen paläontologischer Tiere zu dieser Vorstellung, daß solche Wesen unter der Erde Unruhe verursachen, beigetragen haben, werden solche Rippen anderswo, weil man sie mit bekannten Größen nicht identifizieren kann, feindseligen Riesen zugeschrieben. So stammt die große Rippe, welche in der Kirche von Oberburg im Kreise Cilly hängt, von einer „Heidenjungfrau", und man weiß ferner,

daß alljährlich ein einziger Tropfen von
der Rippe abfällt und der jüngste Tag
dann da sein wird, wenn sie ganz ver-
tröpfelt sein wird [32]).

Die einfachsten Naturereignisse werden
auf diese Weise mit dem Kausalitätsge-
danken getränkt. Die wilden S t ü r m e
toben, weil Wodan ein wildes Heer gesammelt hat, mit dem er durch die Lüfte
fährt (s. Wilde Jagd) [33]). Andererseits beobachtete man, daß manchmal ein B a u m
Zweige besitzt, die menschlichen Armen
sehr ähnlich sind, oder daß er einen Kopf
bildet oder daß sein Rauschen einer
Sprache ähnelt. Dann meint man, solcher
Baum sei aus einer menschlichen Seele
entstanden, deren leibliche Hülle an der
Stelle vergraben wurde [34]). So ist oft der
Glaube entstanden, daß aus den Gräbern
der Verstorbenen Blumen oder Bäume
emporwachsen, in welch letzteren die
Seelen der Toten wohnen, oder durch die
sich diese den Menschen vernehmbar
machen. Die Seelen unschuldig Verur-
teilter erkennt man an den aus dem
Grabe sprießenden weißen Lilien, sagt
alter deutscher Glaube. Und so konnte
das Märchen weiter spinnen, daß aus dem
Grabe der Mutter ein Baum mit goldenen
und silbernen Früchten wächst und diese
Früchte die gute Tochter belohnen, die
böse bestrafen. Wenn so von der eigenartigen Erscheinung solcher Bäume aus
ihre Ä. gefunden wird, so ist doch nicht
zu übersehen, wie hier der ätiologische
Gedankengang durch den präanimisti-
schen Glauben unterstützt wird, daß
eines Menschen Seele mit einem bestimmten Naturgegenstande (Baum, Blume,
Stein, Stab, Tier) identisch ist.

Daß die F l e c k e n i m M o n d zu
zahlreichen ätiologischen Sagen Anlaß
gegeben haben, braucht ja nur erwähnt
und an zwei Beispielen veranschaulicht
zu werden. Ein Streu- und Rübendieb
wird zur Strafe für immer in den Mond
versetzt, damit er nun aufpassen kann,
wann auf der Erde dasselbe Verbrechen
begangen wird [35]). Gegenüber steht der
anmutige Typus von der S p i n n e r i n
i m M o n d e : eine Doppelwaise, in
harten Dienst getreten, spann des Nachts

beim Mondenlicht an ihrer Ausstattung
und ließ den Mond ins offene Fenster
hinein scheinen. Von ihrer Frau wurde sie
darob getadelt und die Spinnerin im
Monde genannt. Sie aber fühlte sich vom
Monde angezogen: denn der Mond zieht
alles an, besonders Mädchenherzen, weil
er selber so unglücklich in seiner Liebe
zur Sonne ist. Einmal schlief das Mädchen
ermattet ein und träumte, es werde in den
Mond hinaufgetragen. Als sie erwachte,
befand sie sich wirklich im Mond. Und
nun sieht man sie darin als Spinnerin mit
ihrem Rädchen [36]). Die Geschichte geht
noch weiter und erklärt auch die S t e r n -
s c h n u p p e n : da sich die Maid dort
oben nach ihrem irdischen Bräutigam
sehnte und dem Mond ihre Liebe nicht
zuwenden konnte, so weint letzterer oft,
und die Zähren, die er vergießt, schießen
wie Sternlein herab. Der Nordländer
fragte auch sehr belangreich, weshalb
acht Monate des Jahres Winterzeit sei,
und die Antwort war, daß Loki als der
Gott des wohltätigen Feuers acht Monate
unter der Erde weilt [37]). Oder der Hammer war dem Thor durch den (Winter-)
Riesen entwendet und acht Rasten unter
der Erde verborgen gehalten [37a]).

[30]) S i m r o c k *Myth.* 104. [31]) T y l o r
Cultur 1, 358. [32]) G r i m m *Sagen* Nr. 140.
[33]) S i m r o c k *Myth.* 167. [34]) v. d. L e y e n
in AnSpr. 114, 14. [35]) S c h e l l *Bergische
Sagen* 21, Nr. 54. [36]) S c h ö n w e r t h *Oberpfalz* 2, 59 f. [37]) Edda Ögisdrekka 14. [37a]) Edda
Thrymskvida; S i m r o c k *Mythol.* 59 ff.

2. b) U n f r u c h t b a r e S t e l l e n d e r
Erdoberfläche, die augenscheinlich früher
fruchtbar waren, haben oft Anlaß zur
Erwägung gegeben, was für ein Fluch auf
ihnen lastet. Z. B. an der Wupper: Ritter
Gerhard von Steinbach erwies seine Unschuld gegenüber der Anklage des Meu-
chelmords durch heilen Sprung tief in den
Fluß und verfluchte den Landstrich [38]).
Die Steine auf den Hüttener Bergen bezeichnen ein unfruchtbar gewordenes
Stück Landes [39]), und ähnlich der kahle
Fleck, genannt die D ü w e l s p o r e n
auf der Insel Föhr [40]). Hier ist das anscheinend Sinnlose auf die Wirksamkeit
des bösen Geistes zurückgeführt [41]). Etwas anderes und doch im Grunde, weil

das anscheinend Zweckwidrige auf den Teufel zurückführend, dasselbe sind die zwei hölzernen Brückenbogen in der Mitte der S a c h s e n h ä u s e r b r ü c k e in Frankfurt a. M., welche aus Gründen der Kriegführung zwecks schneller Unterbrechung des Mainübergangs angebracht waren. Die Sage weiß hier von einem Vertrag, den der Baumeister mit dem Teufel gemacht, das erste lebende Wesen, welches über die fertige Brücke gehen werde, dem Teufel zuzueignen. Als nun der Baumeister statt eines Menschen einen Hahn hinüberschickte, zerriß der wütende Teufel das Tier und warf seine Hälften durch die Brückenbogen, so daß die zwei Löcher entstanden, die nie mit Steinen zugemauert werden können, weil sie, so oft man das versucht hat, des Nachts immer wieder durch teuflische Gewalt niedergebrochen wurden [42]). — In diesem Zusammenhange möge auch die böse Einwirkung ähnlicher Art auf Menschen erwähnt werden, welche in solchen ätiologischen Sagen erscheint. Auf dem Gehöft Brockhausen befindet sich stets eine lahme Person, weil ein böser Bube, der den Zwergen ihr Brot absichtlich beschmutzte, von ihnen zur Lahmheit verflucht wurde [43]).

[38]) S c h e l l *Bergische Sagen* 324. [39]) M ü l - l e n h o f f *Sagen* Nr. 364. [40]) Ebd. Nr. 366. [41]) B e t h *Religion u. Magie* [2] 301 ff. [42]) G r i m m *Sagen* Nr. 185. [43]) S c h e l l *Bergische Sagen* 226.

3. Die Ä. erklärt V ö l k e r n a m e n. Die L a n g o b a r d e n hießen früher Winiler. Auf Freias listigen Rat hin kamen eines Morgens die Frauen der Winiler heraus, nachdem sie ihre Haare zu langen Bärten vorne zusammengebunden hatten; als Wodan von seinem Fenster aus das sah, fragte er Freia: „Was sind das für Langbärte?" Worauf sie: „Hast du ihnen einen Namen gegeben, so mußt du ihnen auch den Sieg schenken." Seit der Zeit nannten sich die Winiler Langobarden [44]).

Unzählige O r t s n a m e n haben zu ätiologischen Erzählungen Veranlassung gegeben. Um an Bekanntes zu erinnern, verweise ich darauf, daß die alten Hebräer den Stadtnamen Babel aus ihrer eigenen Sprache damit erklärten, daß Gott an jenem Orte die Sprachen der Menschen „verwirrt" (balal) habe [45]). Ebenso werden im Alten Testament Stadtnamen wie Beerscheba, Pnuel u.v.a. ätiologisch erklärt [46]). So werden auch in deutschen Sagen Ortsnamen, deren Sinn oder Ableitung nicht ohne weiteres deutlich ist, durch irgendeine Begebenheit, die man mittels Anklangs an den Namen damit in Verbindung bringt, zu erklären versucht. Über S c h ö n e c k im Voigtlande heißt es folgendermaßen: einst wurde der Kaiserliche Landvogt Heinrich Reuß (12. Jh.) auf der Jagd von seinem Gefolge getrennt und, wie er auf ein Bärenlager stieß, von der alten Bärin angefallen. Es wäre, da sein Schwert zerbrach, um ihn geschehen gewesen, wäre nicht ein junger Köhler auf seinen Hilferuf herbeigeeilt, der das wütende Tier von hinten mit dem Schürbaum erschlug. Der Landvogt erlaubte seinem Retter, sich eine Gnade auszubitten. Dieser gestand, wegen seiner Armut seine Geliebte nicht heiraten zu können; er bitte deshalb um einen Fleck für ein Häuschen und Holz zum Bauen. Da lachte der Reuß und sagte ihm, er möge sich in seinem Lande einen Platz aussuchen, Holz aber und Steine aus dem Walde holen, soviel er benötige, und so jemand ihn zur Rede stellen werde, solle er diesen seinen Ring und sein zerbrochenes Schwert vorzeigen. Als nun der Köhler mit seinem Liebchen im Voigtlande herumzog, kamen sie nach langem Suchen auf einen hohen Berg mit üppigem Graswuchs. Da riefen sie: „Das ist ein gar schönes Eckchen, da kann man weit aussehen." Davon heißt der Ort Schöneck [47]). — Etwas gehaltvoller, gleichfalls das Legendarische auf den ersten Blick verratend, ist die Entstehungsgeschichte von P l a u e n, die auf einen Hirtenknaben zurückgeführt wird. Er ging dem Klange eines schönen Flötens nach und fand ein Hirtenmädchen vor zwei himmelblauen Blumen knien, vor denen sie ihr Herz ausströmte und sagte, daß sie, um dieselben zu pflücken, zum Genossen einen Knaben haben müsse. Er bot ihr nun, entzückt von ihrer

Schönheit, seine Hilfe an. So knieten beide vor den blauen Blumen und begannen, sie aus der Erde zu graben. Er reichte ihr die seine und sie ihm die ihre, und sie schlossen einen Bund, dem der Himmel die Weihe gab. Bald prangte an dem Orte, wo die Wunderblumen geblüht, ein Kirchlein mit zwei Türmen, dem heiligen Johannes geweiht, zu dem von nah und fern die Leute strömten, so daß bald eine Stadt erwuchs, welche den blauen Blumen zum Gedächtnis B l a u e n genannt wurde [48]). — Der Name S a t - t e l s t ä d t gilt in der Sage als Umbildung aus S a t a n s s t a d t, auf Grund dessen, daß die bösen Geister dort der englischen Königswitwe erschienen seien [49]). Der Name des L ü g e n s t e i n s auf dem Domplatz in Halberstadt wird auf den Vater der Lüge zurückgeführt, der auf dem Steine zur Zerstörung der Kirche herabschwebte, und, als ihm der Bau einer Weinschenke dicht neben der Kirche versprochen war, den Stein neben dem Dome niederfallen ließ [50]). S e l i g e n - t a l an der Sieg hat seinen Namen daher, daß im Dreißigjährigen Krieg ein König seine Tochter wiederfand und rief: „O selig das Tal, wo ich mein Kind wieder fand" [51])! Die Stadt E l t e r l e i n (die bis ins 15. Jh. Quedlinbug geheißen haben soll) empfing ihren jetzigen Namen angeblich von einer Kapelle am Ausgange des sächsisch-böhmischen Waldes, in welcher täglich ein Zisterzienserpater eine Dankmesse für die Reisenden wegen glücklicher Zurücklegung des gefährlichen Weges durch den Wald lesen mußte. Bald erhob sich dort ein kleiner Ort, den man „die Häuser am Altärlein" nannte, und das dort entstandene Städtchen hatte in seinem Siegel ein Altärlein mit zwei Kerzen und einem Kelch. Noch lange sagten die Reisenden: „Wenn wir zum Altärlein kommen, wollen wir uns Messe lesen lassen." Der Ort selbst wurde daher so genannt und sein Name in Elterlein umgebildet [52]). — W e r d a u wurde von dem Bischof Egidius begründet, nachdem er, in der Jagdeinsamkeit eingeschlafen, beim Erwachen etwas neben sich spürte und „Wer da!" rief. Es war ein von ihm

verwundetes Reh, das seine Beine traulich auf ihn gelegt hatte. Er befreite es von dem Pfeil und pflegte es, ließ an der Stelle den Wald roden und den Ort anlegen [53]). Die Abtei W e r d e n entstand dadurch, daß dem hl. Ludgerus die Gegend gefiel und er sich trotz des dichten Waldes dort niederlassen wollte. Seinen erstaunten Begleitern sagte er: „Was nicht ist, kann w e r d e n" [54]). L i c h t e n - s t e i n soll früher Finsterstein geheißen und seinen neuen Namen empfangen haben, als der dichte Wald „lichter" wurde [55]). Z w i c k a u, lat. Cygnea, nach einigen auf den Herkulessohn Cygnus zurückgehend, nach anderen früher Schwanenfeld (Cygnus = Schwan) geheißen, weil die Fürstin Schwanhildis Karl dem Großen mutig gegen die Wenden dort beigestanden habe, wurde Zwickau benannt, als Heinrich I. die Stadt bei einer Besichtigung sehr „verzwickt" fand. Da habe er gerufen: Cygnea, du bist gar sehr verzwickt, du sollst förder „Zwicke" heißen [56]).

Solche Ursprungserzählungen befinden sich oft genug im direkten Gegensatz zu dem tatsächlichen Ursprung eines solchen Ortes. Sie haben in der Regel keine geschichtliche Bedeutung, sind aber deshalb nicht wertlos, sondern vielmehr für die Kenntnis der Mentalität der in Frage kommenden Bevölkerungsschicht von Wichtigkeit. Wie leicht infolge eines Bestandteiles eines Ortsnamens eine dem wirklichen Tatbestande gegenüber willkürliche Erklärung gegeben werden kann, darauf hat Max Adler aufmerksam gemacht, indem er die Umnennung eines „Jubiläumsparkes" in „Florapark", nach dem Namen der Schwägerin eines Erziehers seitens der Zöglinge des betreffenden Institutes, erwähnt, während vielleicht nach 100 Jahren aus dem Namen in Verbindung mit dem Mittelrondell auf das ehemalige Vorhandensein eines Standbildes der Göttin Flora geschlossen werden würde [57]). Man nehme nur die Sage von Kaisersberg. Über dem Portal der altertümlichen Kirche befindet sich eine gemeißelte Gruppe der Krönung Mariä. Der gekrönte Jesus berührt mit der rechten Hand die Krone auf dem Haupte seiner Mutter. Vor ihm knien Engel mit Rauchgefäßen, die man auch für Beutel ansehen könnte. Da nun in der Überlieferung Kaiser Barbarossa statt seines Enkels Friedrich II. für den Gründer der Stadt und Kirche galt und sein steinernes Bild von alters den Brunnen bei der Kirche zierte, so wurde auch die gekrönte männliche Figur für Barbarossa gehalten, und die übrigen Figuren wurden dementsprechend gedeutet: er sei im Begriff, die Krone seiner Gemahlin zur Durchführung des Kirchenbaues zu versetzen, als ihm zur Belohnung seines frommen Eifers zwei Engel mit vollen Geldbeuteln erschienen, um die Krone einzulösen [58]). Ebenso offenkundig ist der Mißgriff in der Ä. von Crottendorf, welche erzählt, dem slavischen Priester wäre eines Tages der Missionar des Erzgebirges Conradus in die Hand gefallen, und er habe ihn vor dem Götzenbild des Crodo opfern wollen. Gerade in dem Augenblick, wo angesichts des Volkes der tödliche Streich geführt werden sollte, zuckte ein Blitz auf, und sogleich lag das Götzenbild samt dem Priester zerschmettert am Boden, so daß die Umstehenden zitternd zur Erde fielen und sich bekehren ließen. Der gerettete Conradus versammelte nun die Gemeinde auf dem Liebenstein, und man nannte das Dorf, in welchem das Crodobild verscharrt worden sei, Crodosdorf [59]). Von einem Götzen solchen Namens ist nichts bekannt, wohl aber ist hierbei anzumerken, daß es in Wien einen Krottenbach gibt, der seinen Namen von einstmals dort ansässig gewesenen Kroaten führen soll.

[44]) G r i m m Sagen Nr. 389. [45]) Gen. 11, 9. [46]) Ebd. 21, 22 ff; 32, 23 ff. [47]) M e i c h e Sagen 811 Nr. 992. [48]) Ebd. 813 Nr. 994. [49]) G r i m m Sagen Nr. 173. [50]) Ebd. Nr. 200. [51]) S c h e l l Bergische Sagen 445. [52]) M e i c h e Sagen 823 f. Nr. 1010. [53]) Ebd. 818 Nr. 1000. [54]) S c h e l l Bergische Sagen 8 Nr. 9. [55]) M e i c h e Sagen 819 Nr. 1001. [56]) Ebd. 819 f. Nr. 1003. [57]) ZfVk. 14 (1904), 117. [58]) H e r t z Elsaß 133. [59]) M e i c h e Sagen 823 Nr. 1009.

4. Ätiologische K u l t s a g e n entstehen gewöhnlich dadurch, daß kultische Gebräuche, die zu den zähesten Stücken der Religion gehören, späteren Geschlechtern nicht mehr verständlich sind. Auch uns geht es mit manchem Teil des kirchlichen Ritus und der kirchlichen Sitte ähnlich; der Brauch erhält sich, ohne daß immer sein ursprünglicher Sinn bekannt bleibt. In solchen Fällen wird der Kult konserviert, weil, wie jene Weddas zu dem Forscher Sarasin sagten, „unsere Vorväter es so gemacht", nämlich, Speise in den Baumstamm gelegt haben [60]). Ist man nun um den Sinn solcher Gebräuche bekümmert, so kommt man alsbald auf eine Geschichte von einem Vorfahren, dem irgend etwas zugestoßen ist, wodurch er zu dem Brauche veranlaßt wurde. So führen die eingeborenen Völker Australiens und viele andere primitive Völker ihre Kulte zum größten Teile auf eine weit zurückliegende Epoche zurück, indem sie erzählen, daß die Beschneidung (oder welch anderer Brauch oder Zeremonie es auch sei) von einem Urvater des Stammes, der in der Regel noch nicht einmal reiner Mensch, sondern ein halbes Tier war, an dem ersten Menschen des Stammes vollzogen worden sei [61]). Ähnlich erzählt das Alte Testament, daß die Israeliten die Beschneidung vornahmen, w e i l der Erstgeborene des Moses beschnitten wurde zum Ersatz für den Vater, dessen Blut Jahweh begehrte [62]). Und so ruhen wir am siebenten Tage von unseren Werken, w e i l Gott nach dem sechsten Schöpfungstage ausruhte. „Heilige Worte" nannte man bei den Griechen solche Erzählungen, die den Ursinn eines religiösen Brauches darlegen. Die ätiologischen Erzählungen erhalten aber deshalb noch lange keine verbindliche Kraft, was ihren Anschauungsinhalt anlangt. Der Ritus selbst gehört zur Orthodoxie, während seine Deutung sehr verschieden lauten kann, ohne daß sich infolgedessen ein Streit über rechte oder falsche Anschauung erheben müßte. Ganz ähnlich ist es bei abergläubischen Bräuchen, die als solche durchaus festgelegt erscheinen, während oft genug der eine oder andere „geschichtliche" Grund für ihre Entstehung und Geltung angegeben wird. Besonders anschaulich und ausgestaltet

treten uns derartige ätiologische Kult-
sagen als S t i f t u n g s l e g e n d e n
d e r   M y s t e r i e n entgegen. Das Mu-
schelmysterium der Omaha-Indianer besitzt eine umständliche Stiftungssage von
dem Abgesandten des himmlischen Tier-
reiches, welcher eine von ihm auserwählte Familie mit den Riten des Myste-
riums und zugleich mit dem Kulturgut
der Fleischkonservierung vertraut machte [63]). Der sog. Homerische Demeter-Hym-
nus enthält die Stiftungslegende der eleusinischen Mysterien. Die Orphiker wissen
Ähnliches über den Ursprung ihrer heiligen Handlungen. Ein viertägiges Klage-
fest der Frauen in Israel wurde auf die
Opferung der Tochter Jephthas durch
ihren Vater zurückgeführt [64]). Wie die
Erzählung von Isaaks beabsichtigter und
verhinderter Opferung den Ersatz des
Opfers des Erstgeborenen durch das Widderopfer als ein historisch bedingtes Faktum ansehen lehrt [65]), so erzählt Clemens
von Alexandrien die Ablösung der Selbst-
entmannung der Attis-Diener durch ein
Widderopfer [66]); und eine Ä. der Verstümmelung der Kastraten der großen
Göttermutter Kybele findet sich in der
Erzählung des Lukian, wonach Attis, von
Rhea entmannt, als deren Weihepriester
umherzog [67]). Zu den eleusinischen Bräuchen gehörte auch, dem erwähnten
Hymnus zufolge, eine neuntägige Fasten-
periode, welche auf das Vorbild des neun-
tägigen Fastens der Göttin Demeter
zurückgeführt wird [68]). Und wahrscheinlich ist auch der Ausspruch des Odin,
daß er neun Tage am Weltbaum gehangen
habe, als Ä. der für ihn bestimmten und
durch Aufhängen vollzogenen Opfer zu
verstehen (ohne daß natürlich dadurch
der Zusammenhang des Gottes selbst
mit dem Hängen und sein Gehängt-sein
erläutert wäre!). In dieser Weise gibt es
nun, wie in griechischen und römischen
so auch in deutschen Landen, eine große
Zahl von ätiologischen Legenden über
einzelne Lokalkulte, wundertätige Bilder,
Kapellen usw.

[60]) P a u l   S a r a s i n *Religiöse Vorstel-*
lungen bei niedrigsten Menschenstämmen. Verhandl. d. 2. internat. Kongresses für allgem.

Rel.gesch. 1905, 138. [61]) B e t h *Religion und*
Magie ² 335 f. [62]) Exodus 4, 24 ff. [63]) B e t h
Relig. u. Magie ² 146. 259. [64]) AT. Richter-
buch 11, 34—40. [65]) Gen. 22. [66]) C l e m e n s
v. A l e x. Protreptikos 2, 15. [67]) H e p d i n g
Attis 2, 18. [63]) Ebd. 183 Anm. 1.   K. Beth.

Atmosphäre. 1. H e i d n i s c h e s. Die
A. zerlegt sich im Volksglauben in die
Elemente Wind, Wasser (Regen) und
Feuer (Blitz), alle drei ursprünglich personifiziert in der Gestalt Wodans, der
im Gewittersturm einherfahrend seinen
Blitzspeer schleudert und mit befruchten-
dem Regen die Erde tränkt. Als Herrscher über das atmosphärische Feuer
steht neben ihm Donar. Verwandt sind
dieser göttlichen Personifikation der atmosphärischen Elemente die Wind- und
Wetterdämonen sowie die Kobolde [1]).

Diesen Geistern der A. ist gemeinsam
eine enge Beziehung zum B a c k e n
(s. d.) und zum Brot überhaupt, welches
man ihnen als Opfer bringt. Es birgt sich
hierin ein letzter Rest altgermanischer
Naturdeutung; die Beobachtung vom
Wachsen und Reifen des Getreides unter
den atmosphärischen Einflüssen ließ die
Menschen früh dazu kommen, die die
A. bevölkernden Wesen dämonischer oder
zwergenhafter Art sich durch allerhand
Opfer und andere Dienste günstig zu
stimmen. Andrerseits werden die Wind-
und Wetterdämonen, Elben und Kobolde
dann auch als die Spender des Brotes
überhaupt aufgefaßt, die selbst das Brot
backen. So wird die A. als ein riesiger
Backofen gedacht, in dem Riesen ihre
Tätigkeit verrichten. Die Menschen sind
auf diese Geister, die ihnen das Brot spenden, angewiesen und zu Gegenleistungen
mancherlei Art, besonders zu Opfern von
Mehl, verpflichtet.

[1]) K ü h n a u *Brot,* wo man alles die germ.
Mythologie betreffende, samt Literaturanga-
ben, die weiterführen, findet; s. w. die Artikel
B l i t z, W i n d, W o l k e.

2. C h r i s t l i c h e s. Die germanische
Auffassung der backenden Riesen hat
unter c h r i s t l i c h e m Einfluß etwa
seit dem 11.—12. Jh. eine interessante
Umbildung erfahren. Hier ist an Stelle
der Riesen Maria, die Mutter Gottes, getreten, die seitdem die Spenderin der

Feldfrucht ist. Wenn es schönes Abendrot ist, sagt man in Schwaben „Schau,
die Mutter Gottes backt Küchlein" (s.
Abendröte 2); wogt der Wind im Korn-
feld, spricht man in der Reinerzer Gegend (Schlesien): „Die Mutter Gottes
scheubt Brot." Eine Erklärung, wie sie
Kühnau, Schroller und andere geben, daß
hier Maria an Stelle der Dämonen getreten sei, ist nicht genügend, weil sie
das „wie" nicht erklärt. Aber Schroller
war auf dem richtigen Wege mit seinem
Hinweis, daß Maria im MA. oft mit einem
Ährenkleide dargestellt wird [2]. Maria
mit der Ähre als Spenderin der Fruchtbarkeit aber ist eine Figur des antik-
christlichen Sternenhimmels; es ist ein
gesichertes Ergebnis der antiken Religionswissenschaft, daß man schon vor
dem Jahre 70 n. Chr. Maria, die das
Christuskind trägt, in der Parthenos-
Demeter, dem Sternbild der Jungfrau,
wiedererkannt hat [3]. Die Angleichung
des Marienmythus an den ägyptischen
von der Isis mit dem Horusknaben —
die Parthenos-Jungfrau als Sternbild ist
die Isis, wie unter anderem der Zodiakus
von Denderah beweist [4] — ließ jene
Gleichsetzung von Jungfrau (Sternbild)
und Maria im Orient möglich werden.
Das Sternbild der Jungfrau aber wird
immer mit der Ähre in der Hand abgebildet (Stern Spica); wesentliche Eigenschaft der Jungfrau als Demeter ist die
Spende der Fruchtbarkeit. — Die Germanen verehrten als Fruchtbarkeitsgöttin die Frigg (Fria, Holda, Berchta).
Mit Donar und Wodan wacht sie über
Hauswesen, Feldarbeit und Fruchtbarkeit des Getreides [5]. Dieser germanischen
Himmels- und Fruchtbarkeitsgöttin schob
sich langsam die christliche Fruchtbarkeitsgöttin, eben die ährentragende Maria,
unter [6]. Da astrologische Momente diese
Angleichung allein möglich machen, kann
sie nicht vor dem 11.—12. Jh. sich vollzogen haben [7]. Astrologisches zuerst in
den Werken der Hildegard v. Bingen (ca.
1098—1178) [8]. In der gleichen Zeit wird
auch der Donnergott Donar durch Petrus
ersetzt worden sein (warum Petrus?) —
seitdem wird vermutlich das Donnern als

das Kegeln des Petrus bezeichnet (s. Art.
D o n n e r).

[2]) So in Salzburg: Alw. S c h u l t z *Legende
der Jungfrau Maria*; ferner K. R a t h e *Ein un-
bestimmbarer Einblattdruck und das Thema der
Ährenmadonna*, Mitt. d. Gesellsch. für verviel-
fältigende Kunst, Beilage d. graphisch. Künste,
Wien 1922 Nr. 1, 16. Eine weitere Abb. B o l l -
B e z o l d *Sternglaube u. Sterndeutung* [3] (her. W.
Gundel) Tafel V Abb. 8 u. 10). Vgl. K ü h n a u
Brot 15; SAVk. 13, 209. [3]) B o l l *Offenbarung
Joh.* 98 ff. 115. [4]) Ebd. 109 f.; s. auch dessen
Sphära 208. Das älteste Zeugnis in den Catasce-
rismen des Eratosthenes (3. Jh. v. Chr.) c. 9.
[5]) M a n n h a r d t *Germ. Myth.* 294 ff.
[6]) K ü h n a u *Brot* 15. [7]) Ich glaube diesen
Zeitpunkt ansetzen zu müssen, da damals die
große Durchdringung der abendländischen Gei-
stigkeit durch die östliche Astrologie begann.
Die Anfänge sind anscheinend schon im 10. Jh.
zu suchen: T h o r n d i k e Bd. 1, 698 ff. Da
mir das Marienbild mit der Ähre nicht vor dem
Anfang des 15. Jhs. bekannt ist (s. K ü h n a u
Brot 15; S a x l *Verzeichnis* 10 = cod. Pal.
lat. 1066 fol. 243), im Altertum die Gleichsetzung Jungfrau (Sternbild) = Maria aber
wesentlich nur im Orient verbreitet gewesen
zu sein scheint, muß sich das Marienbild des
Abendlandes später wesentlich gewandelt haben, eben seitdem die Astrologie im 11./12. Jh.
in Deutschland die Gemüter erfaßte. Inwieweit byzantinische Marienvorstellungen hier
halfen, weiß ich nicht zu sagen. — Dies Ergebnis ist mit den ähnlichen Ansichten von E. H.
Meyer zu vergleichen, der für die Vernichtung
des Heidentums in Deutschland durch die
christliche Religion etwa den gleichen Zeitpunkt ausfindig macht und mit guten Gründen
stützt, E. H. M e y e r *Mythologie der Germanen* 58 ff. [8]) Vgl. T h o r n d i k e *A history
of Magic and experimental Science*. New York
1923. Bd. 2, 150 f.   Stegemann.

Ätna. Wie weit die sizilianische Sage
vom Ä. als dem Aufenthalt der Abgeschiedenen antiker Überlieferung [1]) entstammt, ist noch zu untersuchen; im MA.
wurde sie in einer milderen und in einer
g r i m m e r e n Form dem Abendland bekannt. Als Paradies erscheint der Ä. in der
Artussage (s. d.), und so berichtet Gervasius von Tilbury [2]). Nach Kampers [3]) ist
diese sizilianische Ätna-Artussage dann
im 13. Jh. auf die deutsche Kaisersage
übertragen worden. Aber in den weitaus
meisten Zeugnissen erscheint dieser Aufenthalt der Abgeschiedenen in höllischer
Natur. Sigebert von Gembloux [4]) und
Alberich berichten von dem Geschrei
der Seelen, das aus seinem Schlunde

dringt. Otto von Freising († 1158) überliefert, wie Dietrich von Bern hoch zu Roß in den Ä. fuhr. Thomas von Eccleston [5]) berichtet zwischen 1257 u. 1274, ein Mönch habe Kaiser Friedrich II. mit 5000 Rittern in die Hölle des Ä. ziehen sehn. Cäsarius von Heisterbach erzählt XII, 13 aus dem Munde zweier Äbte, wie die höllischen Geister für den Herzog Berthold von Zähringen das Feuer im Ä. schüren. Praetorius, Anth. plut. I, 266, und andere erzählen nach einem Brief vom 10. 4. 1536 von einem Kaufmann, dem zwischen Catania und Messina ein Maurermeister erklärte, er wandere mit seinen Gesellen zum Ätna — *per farvi certo edivitio*, und es erfolgen alsbald vulkanische Erscheinungen [6]).

[1]) Über den Ä. in antiker Mythologie spärliche Notizen bei R o s c h e r *Lexikon der griech.-röm. Mythol.* I, 202; P a u l y - W i s - s o w a I, 1112; S u d h a u s *Ätna* 47; auf eine unbest. Aristoteles-Stelle verweist S e p p *Altbayr. Sagenschatz* 706. [2]) *Otia imperialia* ed. L i e b r e c h t 246, vgl. C ä s a r i u s v o n H e i s t e r b a c h 143 (12, 12); *Wartburgkrieg* Strophe 83; *Lohengrin* Str. 24 ff.; vgl. S i n g e r *Artussage* (Bern 1926), 8. [3]) K a m p e r s *Kaiseridee* 83—86. 100. 202; *Kaisermystik* 137 ff. [4]) Zum Jahre 998 vom Abt Odilo von Cluny, der bei der Heimkehr von Jerusalem an Ä. vorbeifahrend das jämmerliche Geheul der armen Seelen hört. [5]) Mon. Germ. hist. SS. 28, 568. [6]) Vgl. B r ä u n e r *Curiositäten* (1737), 648 f.: der Teufel reist mit 21 seiner Gesellen zum Ä. S. noch C. M e y e r *Aberglaube* 120; F r a z e r 12, 261; S e p p *Altbayr. Sagenschatz* 400. 706.
H. Naumann.

Atriel, Zaubername auf einem silbernen Zauberring [1]), der Engelname 'Ατριήλ, der schon im Henochbuch [2]) vorkommt, wohl הַדְרִיאֵל „mein Schmuck ist Gott" [3]) mit Wechsel des Dentallauts, wie er auch sonst vorkommt.

[1]) A n d r e e - E y s n *Volkskundliches* 136. [2]) *Das Buch Henoch* ed. F l e m m i n g - R a d e r m a c h e r (1901), 24. [3]) R. S t ü b e *Jüdisch-Babylonische Zaubertexte* (1895), 23 f.; R e i t z e n s t e i n *Poimandres* (1904), 292; Byzantinisch-Neugriechische Jahrbücher (1922), 275; S c h w a b *Vocabulaire* 221. Jacoby.

Attich (Feldholder; Sambucus ebulus).
I. B o t a n i s c h e s. Mit dem Holunder (Sambucus nigra) nahverwandte, 1 bis 1,5 m hohe Staude, mit unpaarig ge-

fiederten Blättern, weißen Blütendolden und schwarzen Früchten. Hie und da an Waldrändern, auf Waldlichtungen, an Hecken und Zäunen [1]).

[1]) M a r z e l l *Kräuterbuch* 455.

2. Der A. findet in der Volksmedizin ab und zu als S y m p a t h i e m i t t e l Verwendung; dabei wird er nicht selten „besprochen", z. B. wenn er einem Vieh gegen Maden gegeben wird [2]). Der am Karfreitag während der Kirche auf dem Friedhof geholte A. hilft gegen jede Krankheit [3]). In Schwaben wird der A. als Sympathiemittel gebraucht mit den Worten: „Jetzt leg ich dir den A.; es ist gut vor den Käfer, Wurm, Schmerz und vor den Brand" [4]). Auch in Frankreich (Montagne noire) wird der A. gegen Würmer beim Vieh beschworen [5]). Eine antike Beschwörung des A.s (ebulus) gegen Schlangenbisse bringt die Schrift des (Pseudo-) Apuleius (4.—5. Jh.) [6]). Die Wurzel des A.s, im August bei abnehmendem Mond gegraben, wird den Kindern bei Geschwüren um den Hals gehängt [7]). Dem Vieh an den Hals gehängt, vertreibt die A.wurzel die Magenwürmer (wohl die Larven der großen Magenbremse, Gastrophilus equi) [8]). Für Heilzwecke muß der A. gesammelt werden am Abend vor Sonnwend, am Sonnwendtag vor Sonnenaufgang oder zwischen den beiden Frauentagen [9]) oder am Jakobstag [10]).

[2]) S c h u l l e r u s *Siebenb.Wb.* I, 215 f. [3]) H a l t r i c h *Siebenbürger Sachsen* 286. [4]) F i s c h e r *Schwäb.Wb.* I, 349. [5]) M a n n - h a r d t I, 12; S é b i l l o t *Folk-Lore* 3, 413; A n d r e e *Parallelen* I, 32; auch von den Zigeunern wird der A. besprochen: Wiss. Mitt. Bosn. Herceg. 5, 437. [6]) *De medicam. herbarum*, rec. A c k e r m a n n 1788, 264, vgl. auch die altenglische Übersetzung bei C o c k a y n e *Leechdoms* I (1864), 203 und F i s c h e r *Angelsachsen* 33. [7]) Ostpreußen: G o t t s c h e d *Flora Prussica* 1703, 243. [8]) M a r t i n und L i e n h a r t *Els.Wb.* 2, 861. [9]) B a u m - g a r t e n *Aus der Heimat* 1862, 127; auch auf Sizilien am Johannistag gesammelt: P i t r è *Usi e costumi* 3 (1889), 263; in Frankreich wird der A. ins Johannisfeuer geworfen: R o l l a n d *Flore pop.* 6, 290. [10]) Ostpreußen: G o t t s c h e d *Flora prussica* 1703, 243.

3. Der A. ist auch eine Pflanze des A b w e h r z a u b e r s. Während eines Gewitters wird er verbrannt, um die

Hexen durch den Rauch zu vertreiben [11]). Der am Christinentag (die hl. Christina ist die Patronin gegen Ungeziefer!) ohne Eisen gegrabene und in alle Winkel des Hauses gehängte A. vertreibt Mäuse und Ratten [12]). In Siebenbürgen werden Kraut und Beeren gegen Mäuse und Kornwürmer gekocht [13]).

[11]) Gottschee: ZföVk. 15, 171; auch bei den Walachen gegen die Zauberkraft der „Sina": S c h o t t *Walach. Märchen* 1845, 296. [12]) Aus einem alten Arzneibuch: M o s t *Sympathie* 66; SAVk. 6, 56. [13]) S c h u l l e r u s *Siebenb.Wb.* 1, 216.

4. Um zu **e r f o r s c h e n**, ob ein Stück Vieh am **L e b e n** bleibt oder **s t e r b e n** wird, streut man an Johanni gesammelte A.blätter in den Stall. Legt sich das Vieh darauf, so wird es leben, bleibt es aber darauf stehen, so wird es zugrunde gehen [14]).

[14]) A l p e n b u r g *Tirol* 397.

5. Der A. gilt im Elsaß für ein **I r r - k r a u t** (s. d. und Farn!) [15]). Zu dieser Meinung hat vielleicht der Umstand beigetragen, daß der A. manchmal an abgelegenen Waldstellen wächst.

[15]) M a r t i n u. L i e n h a r t *Els.Wb.* 2, 575. Marzell.

Atzelmännchen, im Odenwald gebräuchlicher Name für den Alraun (s. d.), weil er gleich der geschwätzigen Atzel (Elster) alles schwätzt, was er weiß [1]).

[1]) F r i e d r e i c h *Symbolik u. Mythol. der Natur* (1859), 274, 7; S c h l o s s e r *Galgenmännlein* 11. Pfister.

Atzmann. Die erste Silbe des Wortes gehört zu *ätzen* = verzehren lassen; *Ättich* bedeutet Auszehrung. A. ist ursprünglich Personifikation der Schwindsucht; so bei J. Paul [1]): „Der A. hätte mich ohnehin an die Kehle gegriffen." So sagt man auch „einem einen A. in Hafen setzen", d. h. durch ein magisches Mittel einer Person die Auszehrung antun [2]). Dies kann geschehen durch einen Bildzauber (s. d.), den man mit einem Wachsbild als Analogiezauber (s. d.) vornimmt. Auch dies Wachsmännchen (s. d.) heißt A. Um die Mitte des 16. Jhs. sagt Johann Hartlieb: „Zauberin, die machent **pild** und A. von wachs und andern din-

gen " [3]). Bei Martin Crusius in den Annales Suevici III 95 sagt eine Frau zu dem Edeln, der ihren Sohn gefangen hält: *Experieris, quid factura sim. Uredinem aut tabem eiusmodi tibi comparabo (ein solchen Atzmann), qua consumaris, priusquam filius meus putrescat.* Und Fischer fügt nach einer Stuttgarter Handschrift hinzu: „So sollt ihr wissen, daß ich euch ein A. will in ein Hafen setzen, das ihr müsset ausdorren."

[1]) *Titan* 2, 94; DWb. 1, 397. [2]) F i s c h e r *Schwäb.Wb.* 1, 351. [3]) G r i m m *Myth.* 3, 430. S. noch ebd. 2, 13; P l o ß *Weib* 1, 662; ZfVk. 23 (1913), 13 f. u. Art. Wachsmännchen. Pfister.

Au, der alte Jäger Au, Aug oder Auf, auf die Probstei beschränkter Name des Wilden Jägers, lediglich bekannt aus zwei Sagen des 19. Jhs.[1]). Name unerklärt, vermutlich der eines einst daselbst wirklich lebenden Menschen (Übeltäters, schlimmen Herrn, allzu leidenschaftlichen oder Sonntagjägers o. dgl.).

[1]) Bei M ü l l e n h o f f *Sagen* Nr. 495, danach R a n k e *Volkssagen* [1] 78, [2] 116. H. Naumann.

Auerhahn (Tetrao urogallus *L.*; schon spätahd. *ûrhano*; vielleicht von einem alten **ûr* „wild") [1]).

V o l k s m e d i z i n i s c h wird der **M a g e n** [2]) gegen Kinderkrämpfe (Fraisen) u. epileptische Zustände pulverisiert eingegeben [3]), ebenso gegen Bandwurm [4]). Die im Magen gefundenen Quarzkörner helfen gegen Augenkrankheiten [5]). Die **Z u n g e** eines A.s, der im abnehmenden Mond geschossen wurde, vertreibt die Krämpfe bei Kindern, wenn sie ihnen im Zeichen des Krebses umgehängt wird (Steierm.) [6]); nach einer anderen Vorschrift muß dem in der Balzzeit geschossenen A. die Zunge sofort herausgerissen werden, weil er sie im Sterben verschlucke (Oberöst. u. Steierm.) [7]). Gegen die Epilepsie hilft eine im Schatten getrocknete und als Amulett getragene A.-zunge [8]). In Norwegen wurde das **H e r z** zum Schutz vor Schlangen und Bezauberung als Amulett am Arm getragen [9]).

[1]) S u o l a h t i *Vogelnamen* (1909), 249; über ähnliche Namen: ahd. *orrehuon*, schwed. *orre*, ndl. *woerhaan*, ags. *wórhana* s. ebd.; H e l l - q u i s t *Etymol. Bemerkungen* (1893), VIII;

D e r s. *Svensk Etym. Ordbok* (1922), 553.
[2]) Nach H o v o r k a - K r. 1, 43 sind Mägen
v. A.en chemisch untersucht u. ist darin ein besonderer Heilstoff gefunden worden. [3]) L a m -
m e r t 124; J ü h l i n g 248; H o v o r k a -
K r. 1, 43. [4]) S c h ö n w e r t h *Oberpf.* 3, 265;
H o v.- K r. 2, 98. [5]) S c h w e n c k f e l d t
Catalogus 2, 370 f.; H o v.- Kr. 1, 43. [6]) ZfVk.
5, 412. [7]) H o v.- K r. 1, 43. [8]) Ebd. 2, 215.
[9]) H ö f l e r *Organoth.* 251. Hoffmann-Krayer.

Auffahrt s. H i m m e l f a h r t.

Aufgabe, unlösbare. Die u. A. erscheint im Volksglauben in drei verschiedenen Verwendungsformen: als Abwehrmittel gegen den Alpdämon, als Mittel,
den dienenden, bösen Geist (Teufel, Kobold) loszuwerden, und als Schicksal
büßender Toter. Nur die dritte Art reicht
in ihrer literarischen Bezeugung bis ins
Altertum zurück; doch ist damit über die
Ursprungsbeziehungen zwischen den drei
Verwendungsarten nichts gesagt.

1. A l s A b w e h r m i t t e l g e g e n
d e n A l p d ä m o n erscheint die u. A.
vor allem in dem weitverbreiteten Alp-
(druck-) segen (s. d.), der dem Alp befiehlt,
den Schläfer und sein Haus zu meiden:

„bis du alle Bichel grattelst
und alle Wasser wattelst,
bis du alle Zaunstecken melkst
und alle Läublein an Bäumen zählst" [1]).

[1]) L e o p r e c h t i n g *Lechrain* 26; vgl.
z. B. V e r n a l e k e n *Mythen* 272; M a n z
Sargans 114; D r e c h s l e r 2, 264; P a n z e r
Beitrag 1, 269; HessBl. 8, 48; K u h n und
S c h w a r t z 461 Nr. 458; K u h n *Westf.* 2,
191 Nr. 541; W o l f *Niederl. S.* Nr. 250. —
Dazu Grimm *Myth.* 2, 1042; 3, 372; M a n n -
h a r d t *Germ. Mythen* 45 f.; M e y e r *Germ.*
Myth. 79; S é b i l l o t *Folk-Lore* 1, 141;
RTrp. 6, 28.

2. A l s M i t t e l, s i c h d e n g e r u -
f e n e n b ö s e n G e i s t v o m H a l s e
z u s c h a f f e n, dient die u. A. in
den Sagen vom Teufel (Kobold), der
nach dem Sprichwort: „Wer den Teufel
fordert, muß ihm Werk schaffen" [2]), von
seinem Herrn immer neue Aufträge
heischt, bis von ihm die u. A. verlangt
wird: ein krauses Haar glattklopfen, einen
Furz fangen, schwarze Wolle weiß waschen, einen Strick aus Sand drehen,
einen im Schornstein angebrachten Stie-
felschaft ohne Fuß mit Gold füllen, den
Namen Gottes aussprechen u. dgl. [3]).

[2]) G r i m m *Sagen* Nr. 203. [3]) Zusammen-
stellung bei B o l t e - P o l í v k a 3, 16 Anm.;
J e g e r l e h n e r *Sagen* 1, 6 Nr. 3 u. Anm.;
W ü n s c h e *Teufel* 110 f.

3. A l s S t r a f e b ü ß e n d e r S e e l e n
wird die u. A. besonders den alten Jungfern (s. d.) und Hagestolzen gestellt, die
nach dem Tode an gewissen öden Plätzen,
im „Giritzen- (= Kibitzen-) Moos" verurteilt sind, Wasser im Korb bergan zu
tragen, Seile aus Sand oder Sägemehl zu
drehen, Leinsamen zu spalten, Nebel zu
schöbern, Wolken zu schichten, Holz-
scheite zu sieben u. dgl. [4]). Ältestes Beispiel
dieser Art sind die D a n a i d e n (s. d.),
die nach griechischer Überlieferung im
Hades Wasser mit dem Sieb in ein durch-
löchertes Gefäß zu füllen haben; denn „die
das τέλος γάμου, die Vollendung der Ehe,
nicht erreicht haben, trifft das Trauer-
geschick, ewig vergeblich Wasser zum
Hochzeitsbade zu schöpfen" [5]). Auch die
u. A., Seile aus Sand zu drehen, das ἐξ
ἄμμου σχοινίον πλέκειν kennen die Griechen
unter den ἀδύνατα, vgl. auch die lat. Redensart *ex arena funem nectere* und die
Verwendung des Motivs in der Geschichte
vom weisen Haikar im indischen Märchen [6]).

[4]) Zusammenstellung bei T o b l e r *Kl.*
Schr. 136 f.; Globus 34 (1878), 205 f.; L a i s t -
n e r *Nebelsagen* 43. 227. [5]) ARw. 2, 47 f.;
SAVk. 2, 57; P a u l y - W i s s o w a *s. v.*
Danaiden. [6]) Z a c h a r i a e *Kl. Schr.* 71;
B o l t e - P o l í v k a 2, 513; ZfVk. 2, 296;
Notes and Queries 146, 346.

4. Eine Vermischung von 1 und 3
scheint vorzuliegen, wenn gebannten
Spukgeistern von ihren Bannern eine
u. A. gestellt wird: die Heide zählen und,
sobald fertig, wieder von vorn beginnen [7]),
aus Hirse Erbsen klauben, die immer wieder zurückrollen u. dgl. [8]).

[7]) R a n k e *Sagen*[2] 64. [8]) M e i c h e *Sagen*
112 Nr. 148.

5. Nach ihrer i n n e r e n S t r u k t u r
lassen sich drei Arten von u. A.n unterscheiden. Die Unlösbarkeit ergibt sich
entweder aus dem Begriff des Unbe-
grenzten: „alle" Berge ersteigen, Wasser
durchwaten, Sterne, Bäume, Gersten-
spieren, die Heide, Leinsamen, Asche [9])
zählen u. dgl. (bes. in 1) — oder die Auf-

gabe erscheint als Versuch am untauglichen Objekt: schwarze Wolle weiß waschen, krauses Haar glätten, oder mit untauglichen Mitteln: Wasser im Sieb, Seile aus Sand (bes. in 2 u. 3) — oder endlich die Unlösbarkeit ist im Wesen des betr. Dämons begründet, dem es unmöglich ist, etwa den Namen Jesu Christi auszusprechen [10]), zu beten [11]), Salz zu liefern [12]) u. dgl. (bes. in 2).

[9]) S é b i l l o t *Folk-Lore* I, 141. [10]) R a n k e *Sagen* [2] 165. [11]) SAVk. 15, 12. [12]) L a i s t n e r *Sphinx* 2, 239 f.   Ranke.

Aufhocker. Unter den Tücken, die der Volksglaube den Gespenstern, Geistern und Dämonen nachsagt, ist vielleicht die verbreitetste, daß sie Wanderern „aufhocken", d. h. ihnen von hinten auf die Schultern springen und sich von ihnen tragen lassen, wobei ihr Gewicht mit jedem Schritte zunimmt, bis es dem Befallenen entweder glückt, den „A." loszuwerden, oder er unter der Last erschöpft zusammenbricht.

Die Vorstellung vom Aufhocken der Geister, die mit der Alpvorstellung verwandt, aber nicht identisch ist, hat zur p s y c h o p h y s i s c h e n G r u n d l a g e das ins „Numinose" gesteigerte Erlebnis der A n g s t in der Form der „Brustangst" (die Angst „versetzt einem den Atem", „will einem den Hals zuschnüren" u. dgl.) [1]), das gelegentlich durch hinzukommende Bedingungen: atembeklemmenden Nebel [2]), krankhafte Veranlagung der Befallenen [3]), verstärkt sein mag.

T y p i s c h e r V e r l a u f des Erlebnisses: der (meist einsame) Wanderer wird durch irgendeinen Schrecken (Sinnestäuschung in Dämmerung oder Dunkel) in den Angstzustand versetzt und glaubt zu fühlen, wie sich ihm eine schwere Last von hinten auf den Rücken legt, die ihm den Atem zu rauben droht; zugleich fühlt er sich „wie gelähmt", unfähig, den Kopf zu wenden oder irgendeine freiwillige Bewegung zu machen; alle Aufmerksamkeit ist durch das „Ding" auf den Schultern gebannt. Das Erlebnis pflegt damit zu enden, daß entweder ein Sinneseindruck die Aufmerksamkeit

nach außen ablenkt oder (wie im Alptraum) ein Schrei, eine krampfhafte Bewegung des Befallenen den Angst- und Beklemmungszustand von innen heraus zerbricht. — Diesem Verlauf entsprechen die Berichte von Begegnungen mit einem A., wo sie ausführlicher sind, sehr genau: die Rückenlast wird, meistens wohl schon vom Erlebenden selber, als Spukgeist gedeutet, den der Mensch auf den Schultern schleppen muß, der ihm die Kehle zuschnüren will (vgl. den Namen „Schnürbübel") [4]) und der erst durch Hundegebell, Glockengeläut, Lichter, durch einen Fluch, ein Gebet, einen Hieb mit dem Messer (denn „Stahl bannt allen Spuk") vertrieben wird. — Wenn der A. von sich aus an einer bestimmten Stelle von seinem Träger weicht: an der Dorfgrenze, am Kreuzweg, auf einer Brücke (denn er „darf nicht übers Wasser"), so mag sich zu den traditionellen Motiven auch ein psychisches Moment im tatsächlichen Erlebnis gesellen: die Erwartung, daß der Spuk hier weichen werde, führt zur Entspannung. — Wo die Begegnung mit schwerer Krankheit, Fieber, Lähmung oder mit dem Tod des Befallenen endet, darf an krankhafte Veranlagung gedacht werden, die auch das Zustandekommen des Erlebnisses bereits begünstigte, sofern es sich nicht nur um ein freies Sagen-Schlußmotiv handelt.

Der A. κατ' ἐξοχήν ist der H o c k a u f , ndd. H u c k u p ; doch können sich, je nach der Natur des Schreckerlebnisses, das den Angstzustand auslöst (oder durch einfache Motivübertragung), die verschiedensten Arten von Gespenstern, Geistern und Dämonen gelegentlich als A. betätigen, bes. die Dorftiere (s. d.) und andere Tiergespenster, aber auch umgehende Tote, Scheidegänger, Irrlichter, weiße und schwarze Frauen und Männer, Werwölfe („Böxenwolf", s. Werwolf), Hexen, der Hemann, das Kasermanndl, Kobold, Zwerg, Wassermann, Habergeiß, Pestdämon [5]) usw.; nur selten wird der A. mit dem Alpdämon identifiziert und als Mahr bezeichnet [6]). — Als Anlaß des Aufhockens gilt meist die nicht weiter erklärte Bosheit des A.s, gelegentlich sein Wunsch, über die Grenze des Bezirks hinauszugelangen, in den er gebannt ist [7]), oder der Wunsch nach Erlösung [8]). — Eine Erklärung für das rätselhafte Gewicht des A.s fehlt meistens; in Luxemburg trägt er einen bleiernen Mantel [9]).

Besonders reich an A.sagen sind z. B. die Sammlungen von Reiser [10]), Kühnau [11], Wucke [12]), Bartsch [13]) und Gredt [14]); weitere Literatur verzeichnet z. B. Zingerle [15]). Älteste Bezeugungen in Deutschland: 1465 [16]), 1573 [17]), 1618 u. 1643 [18]). — Der Glaube an A. ist auch außerhalb Deutschlands weit verbreitet [19]); älteste Bezeugung in Spanien um 1200 [20]).

[1]) R a n k e *Huckup* (= BayHfte. 9, 1 ff.) dort auch die Belege für alles weitere. [2]) L a i s t - n e r *Nebelsagen* 82. [3]) H ö f l e r *Krankheitsn.* 236 b. [4]) M e n g e s *Elsass* Nr. 74. [5]) H a u p t *Lausitz* 2, 130; vgl. G r i m m *Myth.* 2, 993. [6]) L a i s t n e r *Sphinx* 2, 222; S c h e l l *Berg. Sag.* 523 Nr. 59; J a h n *Pommern* Nr. 478. [7]) K u h n u. S c h w a r t z Nr. 157. [8]) B a r t s c h *Mecklenburg* 1 Nr. 225; S c h a m b a c h u. M ü l l e r Nr. 107, 2. 117, 1 u. 2; J a h n *Pommern* Nr. 314. 315; K n o o p *Hinterpommern* 10 f.; K u h n *Märk. S.* Nr. 111; E n g e l i e n u. L a h n Nr. 55; ZfVk. 27, 163. [9]) G r e d t *Luxemburg* Nr. 285. 691. [10]) R e i s e r *Allgäu* 1,539 unter „Geist läßt sich tragen". [11]) K ü h n a u *Sagen* 4, 99. 100 unter „Aufhocken" und „aufhockende Elben" [12]) W u c k e *Werra* [3] 468 unter „Hockauf". [13]) B a r t s c h *Mecklenburg* 1, 174 ff. [14]) G r e d t *Luxemburg* Nr. 285. 323. 332. 580. 653 f. 686. 691. 796. 803. 1105. 1140. 1157. [15]) Z i n g e r l e *Sagen* [2] 634 zu 355. [16]) ZfrwVk. 2, 86 f. [17]) M e i c h e *Sagen* 348 Nr. 455. [18]) *Annales Paderbornens.* III ad 1618 u. 1643, vgl. *Alt-Hildesheim* 1922, S. 29 f. [19]) B j ö r n s s o n *Thjodtru og thjodsagnir* 1 (1908), 211; K. M a u r e r *Isld. Volkssagen d. Gegenw.* 138; G r i m m *Ir. Elfenmärchen* (1826), 160 ff.; *Urquell* 6, 61; W a i t z - G e r l a n d *Anthropologie* 6, 315. [20]) L i e b r e c h t *Gervasius* 32 f.; doch vgl. R o s c h e r *Ephialtes* 122 f.   Ranke.

Aufnahmeriten s. D e p o s i t i o n, h ä n s e l n.

aufstehen. a) Das Nachtessen an Weihnachten (s. d.) ist von bedeutungsvollem Zauber umgeben. Bevor nicht die Stubentür geschlossen wird, darf im Erzgebirge niemand vom Tisch a. Wer während des Essens aufsteht, stirbt im kommenden Jahr [1]). Vor allem darf die Hausfrau nicht ihren Platz verlassen, „weil Maria

auch nicht a. konnte"; ihre Hühner werden sonst die Eier verlegen [2]). In Mährisch-Neustadt muß die Bäuerin am Weihnachtsabend eine volle Stunde auf dem gleichen Flecke sitzen bleiben, damit recht viel Geflügel ausgebrütet werde [3]). Die Rockenphilosophie macht sich über den abergläubischen Rat lustig, daß, wer Lein säet, sich auf dem Acker, worauf er säen will, erst dreimal auf den Sack, darinnen der Lein ist, setzen und wieder a. muß [4]). — b) An der Art, wie man a u s d e m B e t t e steigt, kann man erfahren, wie es einem tagsüber ergehen wird [5]). Wer beim A. den linken (s. d.) Fuß zuerst herausbringt, hat sich für den Tag um seine gute Laune gebracht oder verursacht im Hause noch ein Laster. Auch soll man nicht mit dem Rücken zuerst aus dem Bette, sonst ist man den ganzen Tag verdrießlich [6]). Wenn man morgens beim Erwachen sofort aus dem Bette springt, fällt man noch am gleichen Tag [7]). Wenn die Frauen waschen wollen, muß alles im Hause freundlich a., dann bekommt man schönes Wetter [8]). — Wenn man am Neujahrstage spät aufsteht, so tut man es im ganzen Jahre [9]). Wenn ein Mädchen spät aufsteht, d. h. lange schläft, bekommt es die Bleichsucht [10]).

S. a u f w a c h e n, s i t z e n, s t e h e n.

[1]) J o h n *Erzgebirge* 155; S a r t o r i *Sitte und Brauch* 3, 33. 36. [2]) J o h n *Erzgebirge* 155; J o h n *Westböhmen* 16. [3]) S a r t o r i a. a. O. 3, 36 Anm. 57, Schluß. [4]) 835 Nr. 95 = G r i m m *Myth.* 3, 477 Nr. 412. [5]) S t r a k - k e r j a n *Oldenburg* 2, 12 Nr. 268. [6]) S c h ö n - w e r t h *Oberpfalz* 3, 272 § 42 Nr. 3; D r e c h s - l e r *Schlesien* 2, 17; F o g e l *Pennsylvania* 88 f. Nr. 343; 89 Nr. 344 f; 94 Nr. 380; d e C o c k *Volksgeloof* 1, 212. [7]) F o g e l a. a. O. 84 Nr. 314. [8]) G r i m m *Myth.* 3, 475 Nr. 1092. [9]) ZfrheinVk. 4 (1907), 13. [10]) D r e c h s l e r *Schlesien* 2, 17 Nr. 375.   Bächtold-Stäubli.

aufwachen. Wenn man frühmorgens a. will, so stoße man vor dem Einschlafen mit der großen Zehe des rechten Fußes so viel mal an das Bettende, als die Uhr beim Erwachen zeigen soll; einen Strich mit der Zehe macht man, wenn eine halbe Stunde angedeutet werden soll [1]). Vor allem wird der hl. Veit (s. d.) angerufen:

Heiliger St. Veit,
Weck mich auf zur rechten Zeit,
Daß ich mich nicht verschlafe
Und zur rechten Zeit erwache.

S. a. s c h l a f e n, w a c h.

[1]) K ö h l e r *Voigtland* 435; D ä h n h a r d t
Volkst. 1, 98 Nr. 18; D r e c h s l e r *Schlesien*
2, 17 Nr. 375. [2]) S a r t o r i *Sitte u. Brauch*
2, 25 § 5.   Bächtold-Stäubli.

aufwärts s. a b w ä r t s.

Auge.

I. S e h e n, B l i c k: 1. Ansichten über die
Sehtätigkeit. Feuer im A. Sehstrahlen. —
2. A.nleuchten. Sehen im Finstern. — 3. Wirkung des A.nfeuers. — 4. Gesteigerte Sehfähigkeit. — 5. Geistersichtigkeit. — 6. Zweites Gesicht. Doppelgänger. 7. Erblicken von unsichtbaren Menschen. — 8. Zauberkraft des A.s.
Stechendes A. Starkes A. Hypnotisieren.
Bannen. — 9. Faszinationskraft des Tiera.s. —
10. Beeinflussung von leblosen Gegenständen.
— 11. Böser Blick. — 12. Guter Blick. —
13. Liebevoller Blick. — 14. Früher sehen. —
15. Autofaszination. Sich umsehen.

II. Ä u ß e r e s d e s A.s. 1. Große A.n.
2. Rote A.n. — 3. Triefende A.n. — 4. A.n-
zieger. — 5. A.nfarbe. — 6. Pupille. — 7. A.n-
pferdchen. — 8. A.npüppchen.

III. P h y s i o l o g i s c h e s. 1. Blinzeln.
— 2. Zwinkern. — 3. A.n verdrehen.

IV. 1. A.n bedecken. — 2. A.n verblenden.

I. S e h e n. B l i c k. 1. Der helle Glanz
der Hornhautoberfläche, das unheimliche
A.nleuchten vieler Tiere, die Beobachtung,
daß bei starkem Druck oder heftigem
Schlag auf das A. ein feuriger Kreis erscheint oder Funken aus dem A. zu sprü-
hen scheinen, hat den Glauben hervorgerufen, daß alle diese Glanz- und Licht-
erscheinungen durch ein im A.ninnern
glimmendes F e u e r verursacht werden,
das aus der Pupille hervorleuchtet und
das S e h e n ermöglicht. Die alten griechischen Naturforscher betrachteten das
Sehen nicht als rein aufnehmenden passiven Prozeß, sondern sahen darin etwas
höchst Aktives, nämlich eine nach außen
hin ausstrahlende Lichtwirkung des A.s[1]).
Plato [2]) und Galenus [3]) sprechen von
einem im A. glühenden kalten Feuer.
Nach Epikur erfolgt das Sehen durch
Ausströmen des Lichtes aus dem A.
Empedokles und Plato lassen die Strahlen
des Gegenstandes und des A.s einander
begegnen [4]). Selbst spätere Naturphilosophen, wie Bruno, lehrten noch, daß das

Sehen eine Tätigkeit des „Nervengeistes"
sei, der zuerst mittels der vom A. ausgehenden Strahlen sich nach außen hin
verbreitet, von den mit den verschiedensten Empfindungen beseelten Objekten
berührt wird und sich dann wieder zu-
sammenzieht [5]). Auch die arabische [6]) und
indische [7]) Sehtheorie nimmt an, daß der
Sehstrahl vom A. ausgehe und dadurch,
daß er den Gegenstand trifft und gewissermaßen ihn beleuchtet, die Wahrnehmung vermittle.

[1]) S e l i g m a n n *Zauberkraft* 501—507.
[2]) P l a t o *Timaeus* 45 (ed. Müller, 1857, VI,
164); A q u i l o n i u s *Optic.* Lib. I, Propop.
XIII, 15—18. [3]) G a l e n u s *De symptom.
caus.* (1613) Lib. I, Cap. VI, in *Opera omnia*, ed.
Kühn, 378 D. [4]) H i r s c h b e r g in G r a e f e -
S a e m i s c h *Handbuch d. Augenheilkunde* [2].
1899, 150. [5]) K i e s e w e t t e r *Okkultismus*
1896, 490. [6]) ZDMG. 36, 213. [7]) Sitzb. Wien
Bd. 120, 62.

2. Durch solche Ansichten war der Bo-
den bereitet für den Glauben, daß es Men-
schen gebe, deren A.n bei vollständiger
Dunkelheit l e u c h t e n und die dieses
Licht als Laterne zu benutzen pflegen [8]).
Nach Sueton [9]) und Plinius [10]) soll der
Kaiser Tiberius (nach Megenberg: Kaiser
Titus) durch ein aus den A.n ausgesandtes
Licht des Nachts zu sehen gewohnt gewesen sein. Plinius erzählt auch von
Menschen mit hellen A.n und weißen
Haaren, die in Albanien geboren werden
(Albinos, deren Pupillen bei Lichteinfall
bekanntlich besonders schön rot auf-
leuchten) und die des Nachts besser sehen
als am Tage [10]). Nach deutschem Aber-
glauben sehen die Zwerge mit ihren feurigen Augen besser bei Nacht als Menschen am hellsten Tage [11]).

[8]) S e l i g m a n n *Zauberkraft* 503; FdM.
11. Jan. 1922 (Separ.-Abdr. S. 2). [9]) S u e t o n
Tiberius § 68; P l i n i u s XI, 54; M e g e n -
b e r g *Buch der Natur* 6. [10]) P l i n i u s VII,
2. [11]) K u h n *Mythol. Stud.* 2, 63.

3. Nach der Volksansicht kann dieses
aus dem A. dringende Licht sogar zur E r -
l e u c h t u n g der Umgebung dienen
oder zum F e u e r a n z ü n d e n (Deutschland, Afrika, Indien) [12]).

[12]) S e l i g m a n n *Zauberkraft* 506. 394. 374.

4. Mit dieser Lichtausstrahlung des
A.s ist manchmal auch eine übernatürlich

gesteigerte Sehfähigkeit verbunden. Merkwürdigerweise sind es gerade kranke und minderwertige A.n,
denen das Volk solche zauberhaften Leistungen zuschreibt. So traut man dem
Einäugigen (s. d.) einen besonders
scharfen Blick zu (daher auch das deutsche Sprichwort: „Ein A. sieht oft mehr
als zwei") [13]), ferner den Schielenden
(s. d.) [14]) und namentlich den mit einer
A.nentzündung Behafteten [15]).
Delrio erzählt von den spanischen Zahuris,
deren A.n auffallend gerötet sind, daß sie
imstande gewesen seien, alle unter der
Erde verborgenen Dinge zu sehen [16]).
Diese Gabe kann aber auch angeboren sein; so können Menschen, die an
einem Sonntag oder auch Sonnabend geboren sind, vieles, anderen Leuten Ver-
borgenes, sehen und erkennen, denn der
Sonne ist nichts verborgen [17]). Schließlich
kann man diese Gabe durch allerhand
künstliche Mittel und Zauber-
prozeduren erlangen, dadurch daß man
Farnblüte [18]), Schlangenkraut [19]), Springwurzel [20]), vierblättrigen Klee [21]), ein
Gründonnerstagsei [22]), das Kreuz aus
einem Hechtkopf (s. Hecht) [23]) oder das
Herz eines dreijährigen Kindes [24]) bei
sich trägt, durch das Johannisfeuer hin-
durchspringt [25]), durch ein durchsichtiges
Tuch sieht, mit dem man einem Sterbenden den Todesschweiß abgewischt
hat [26]), wenn man einen Strumpf oder das
Hemd verkehrt anzieht [27]), oder indem
man sich das Blut einer Fledermaus auf
die A.nlider streicht [28]). Ein altkymrisches
Mittel bestand darin, sich eine beißende
Flüssigkeit ins A. zu träufeln [29]), und
einer ähnlichen Prozedur unterwerfen sich
die Ipuriná am Rio Purus und die Indianer Nordwestbrasiliens [30]). Wenn man
sich die A.n scharfsichtiger Vögel einverleibt, erhält man die gute Sehkraft
dieser Tiere. Deshalb verzehren die Inder
ein Eulena. [31]), die Papua in Britisch Neuguinea die A.n eines Falken [32]). Dasselbe
errreicht man, wenn man Teile von
scharfsichtigen Tieren bei
sich trägt: In Tirol steckt man sich deshalb
Adlerflaum (s. Adler) an den Hut [33]), der
Schamane der Huischolen in Mexiko trägt

Flügel- und Schwanzfedern des Adlers
und Falken [34]) und der Loangoneger
Krallen des Adlers und des Leoparden [35]).

[13]) Wander Sprichwörter-Lexikon (1867),
s. v. Einäugig Nr. 9; vgl. Midr. Echah 1;
Sanh. 104 b; FdM. 11. Jan. 1922 (Separ.-
Abdr. p. 3); Journ. of Anthrop. Instit. 1915, 49.
[14]) Seligmann Zauberkraft 236. [15]) Ebd.
236. [16]) Delrio Disquis. mag. Lib. I, cap. 3,
quaest. 4; vgl. Görres Mystik 3, 186—88.
[17]) Wuttke § 66. 72. [18]) Ebd. § 123;
Haltrich Aberglauben 24 Nr. 12. [19]) Wuttke § 92. [20]) Ebd. § 125. [21]) Ebd. § 130.
[22]) Ebd. § 85. [23]) Knoop Hinterpommern
167 Nr. 126. [24]) Wuttke § 184. [25]) Ebd. § 93.
[26]) John Westböhmen 319. [27]) Knoop Hinterpommern 167 Nr. 126. [28]) John Westböhmen
319; Albertus Magnus I, 25 [29]) Hovorka u. Kronfeld 2, 781. [30]) Veröffentl. a. d. Kgl. Mus. f. Völkerk. 2 (1891), 67;
Hovorka u. Kronfeld 2, 798. [31]) Crooke
Northern India 1, 279. [32]) Journ. of Anthrop.
Instit. 1916, 324. [33]) Alpenburg Tirol
384 f. [34]) C. Lumholtz Unknown Mexico.
2 (London 1903), 7—8. [35]) Ed. Pechuël-
Loesche Volkskunde von Loango. (Stuttg.
1907), 352.

5. Auch die Fähigkeit, Geister zu
sehen, kann angeboren, unfreiwillig
oder freiwillig erworben sein (s. geistersichtig).

6. Verwandt mit der Geistersichtigkeit
ist die unheimliche Fähigkeit des „zweiten Gesichtes" (s. d.). Der Ausdruck „zweites Gesicht" hatte ursprünglich wohl die engere Bedeutung eines
Doppelgängers (s. d.), wobei der
Mensch sich selbst vor sich sieht. In diesem Falle wird er im Laufe eines Jahres
sterben. In Tirol ist dieses Doppelsehen in
der Zeit von Weihnachten bis Neujahr
bekannt. Gewahrt jemand in Böhmen,
wenn er in den Spiegel sieht, neben seinem Gesicht noch ein anderes, so wird
er bald sterben [36]).

[36]) Strackerjan 2, 181 Nr. 419;
Wuttke § 268 f. 321 f.; Arch. f. d. tier.
Magnetismus 8, 3. 96; Du Prel Zweites Ge-
sicht. 1882. Zurbonsen Zweites Gesicht [3].
1908; Seligmann Zauberkraft 235 Anm.;
FdM. 11. Jan. 22 (Separ.-Abdr. S. 7).

7. Viel erfreulicher als die Gabe des
zweiten Gesichtes ist die Fähigkeit, jemanden zu erblicken, der die Kraft
hat, sich selbst unsichtbar zu machen. So erzählt Ptolemaios Chennos, ein
jüngerer Zeitgenosse Plinius' des Aelteren,

daß die Frau des Kandaules, Nysia, eine doppelte Pupille (s. d.) gehabt habe und ein äußerst scharfes Gesicht, weil sie im Besitz des Steines Drakontites (s. Drachenstein) war und deswegen den durch seinen Ring unsichtbar gemachten Gyges wahrnahm, als er durch die Tür hinausging. Der Bericht ist leider nicht ganz klar [37]).

[37]) Mythographi Graeci, ed. Westermann (1843), 192; S e l i g m a n n *Zauberkraft* 237.

8. In allen bisher erwähnten Fällen besteht die Zauberwirkung des A.s in einer übernatürlich gesteigerten Sehfähigkeit desselben. Nur der Besitzer eines solchen A.s hat den Vorteil oder den Nachteil seiner Gabe. In anderen Fällen dagegen tritt die Zauberkraft des A.s nach außen und wirkt auf andere Menschen und Objekte ein. Das kommt in abgeschwächter Form schon in dem scharfen d u r c h d r i n g e n d e n B l i c k, der Geistern, Helden, ja ganzen Geschlechtern zugeschrieben wird, zur Geltung.

Der Ausdruck „Wurm im A." (ormr í auga) [38]), der nordischen Recken beigelegt wird, bedeutet nichts anderes als ein stechendes, scharfes A.

Und was die alten Sagen berichten, erzählt uns auch die Geschichte aller genialen Männer bis auf die Neuzeit [39]). Dieser Blick kann niederschmetternd, hoheitsvoll, dominierend, hypnotisierend sein, er kann sogar so „stark" sein, daß andere Menschen ihn unbewußt „fühlen". Es wird nämlich geglaubt, daß Individuen mit einem solchen starken Blicke imstande sind, einen Menschen, namentlich wenn er mit einem besonders „empfindlichen Gefühl" behaftet ist, zum Umsehen zwingen können, wenn sie ihn von hinten fest ansehen [40]). Zur Erklärung dieser angeblichen Blickwirkung reichen die oben erwähnten Sehstrahlen (s. o. unter I) nicht aus, man nimmt daher seine Zuflucht zu einer anderen Art elektrisch-magnetischer Strahlen, die gleichzeitig mit den Sehstrahlen ausgesendet werden sollen, oder spricht von der Seele, die aus dem A. ausstrahlt, oder von einer eigenartigen Nervenkraft, von „Od", und in neuester Zeit sogar von Radio-

aktivität des A.s [41]). Dieser hypothetischen A.nkraft schreibt man nun die wunderbarsten Eigenschaften zu. Mit ihr soll man nicht nur hypnotisieren können, sondern auch imstande sein, Menschen [42]), Tiere (Löwen [43]), Tiger, Wölfe, Stiere [44]), Hunde [45]), Gemsen und Hirsche [46]), Kaninchen, Ratten [47]), Schlangen [48]), Eidechsen) [49]) und sogar Geister [50]) bannen und bändigen zu können.

[38]) ZfdMyth. 2 (1854), 307 f.; S e l i g m a n n *Zauberkraft* 490 (die nordischen Zitate dort sind fehlerhaft. Herausgeber); H o o p s *Reallex.* I, 305. [39]) S e l i g m a n n *Zauberkraft* 491. [40]) Ebd. 322—324; M. 1925 Nr. 13, 477—478. [41]) S e l i g m a n n *Zauberkraft* 488—489; M. 1925 Nr. 13, 478. [42]) S t o l l *Suggestion* 1904, 566; S e l i g m a n n *Zauberkraft* 481 bis 482. [43]) ebd. 349. [44]) Ebd. 349—350. [45]) Ebd. 357—358. [46]) Ebd. 355—356. [47]) Ebd. 358. [48]) Ebd. 349. [49]) 359. [50]) Ebd. 301.

9. Nächst dem Menschen wird manchen T i e r e n ein solcher bannender Blick zugeschrieben. Am bekanntesten ist der lähmende Blick des Schlangena.s. Durch diesen sollen nicht nur kleinere Tiere, wie Vögel, Mäuse, Frösche, Kröten, Eichhörnchen, Hasen u. dgl. gelähmt werden, auch größere Tiere und sogar der Mensch sollen sich seinem Einfluß nicht entziehen können [51]). Ähnliche Faszinationskraft hat das A. des Löwen, des Tigers, des Jaguars, des Panthers, der Hyäne, der Katze, des Schakals, des Wolfes, des Hundes, des Fuchses, Marders und Iltis [52]), vieler Raubvögel [53]), der Kröte [54]), der Spinne, der Heuschrecke und des Polypen [55]).

[51]) S e l i g m a n n *Zauberkraft* 163—170. 514—521. [52]) Ebd. 150 ff. [53]) Ebd. 158—162. [54]) Ebd. 172 ff. [55]) ZfVk. 11, 424; 13, 213; S e l i g m a n n *Zauberkraft* 377—378; H o o p s *Reallex.* I, 305.

10. Die Zauberkraft des A.s geht aber noch weiter: sie beeinflußt sogar l e b l o s e G e g e n s t ä n d e: Schwerter (nordisches Altertum) [56]) und Werkzeuge, Bohrer (Dänemark), Sichel (Faröer Inseln) werden stumpf gemacht [57]), Pfeile im Fluge gehemmt (nordisches Altertum), Flinten und andere Waffen unschädlich gemacht (weit verbreitet) [58]), Speisen zerteilt [59]), Uhren zum Stehen gebracht (Kärnten) [60]), versperrte Schlösser ge-

öffnet (nordisches Altertum) [61]), Magnetnadeln abgelenkt (Deutschland), Pendel zum Schwingen gebracht (Deutschland) [62]), Flußufer voneinander entfernt oder genähert (Australien) [63]). Weit verbreitet ist die Ansicht, daß S p i e g e l getrübt und sogar durchlöchert werden können, wenn m e n s t r u i e r e n d e Frauen hineinstarren. Im Altertum waren es Metallspiegel, später solche aus Glas. Der Grund dieser seltsamen Anschauung ist, daß man die Menstruation als eine Absonderung schlechter und verdorbener Körpersäfte ansah. Diese Körpersäfte sollten das Blut dick und schwarz machen und eine Art Blutdunst erzeugen, der wegen seiner Leichtigkeit nach oben zu den höchsten Körperstellen steigt und aus den Augen wie aus Glasfenstern als Lebensgeist, Dunst oder Emanation ausströmt. Trifft nun ein solcher Blutdunst die Oberfläche eines Spiegels, so verdichtet er sich auf ihm, frißt ihn an und zerstört ihn [64]).

[56]) S e l i g m a n n *Zauberkraft* 131. 376. [57]) Ebd. 379. [58]) Ebd. 305—3o6. 379. [59]) Ebd. 381. [60]) Ebd. 395. [61]) Ebd. 376. [62]) Ebd. 395. [63]) Ebd. 91. 302. [64]) Ebd. 374—375.

11. Selbst in die A.n eines anderen Menschen vermag dieser Blutdunst einzudringen. Dann gelangt er in das Blut und in das Herz dieser zweiten Person, verwundet dieses, verdickt sich und verwandelt sich wiederum in Blut. Dieses fremde Blut aber alteriert das Blut des Angeblickten und macht ihn krank. Wegen dieser verderblichen Eigenschaft des A.ndunstes oder der A.nstrahlen bezeichnet man diese ganze Art der A.nwirkung als b ö s e n B l i c k. Und nicht nur menstruierende Weiber mit ihren schlechten Körpersäften haben einen solchen Blick, sondern alle Menschen, deren Seele durch irgendeine böse Eigenschaft, wie Zorn, Eifersucht, Neid und dergleichen, affiziert ist. Denn eine derartig verderbte Seele beeinflußt den Körper und seine Säfte und sendet aus den A.n gleichsam vergiftete Pfeile aus, die Menschen und Tiere krank machen und leblose Dinge zu beschädigen vermögen. Namentlich ist es der N e i d,

der die Seele und die A.nstrahlen beeinflußt, und deshalb nennt man den bösen Blick auch den „neidischen Blick" und die „A.nstrahlen" auch „Neidstrahlen", den Abwehrgestus „Neidfeige". Spricht nun der Neidische beim Betrachten eines begehrten Objektes noch ein L o b e s wort aus, findet er das Objekt „schön" oder „vortrefflich", so „beruft" oder „bes c h r e i t" (s. d.) er dadurch das Objekt. Denn jede Bewunderung (s. loben) ist nach allgemeiner Volksansicht nur der Ausdruck des Neides. „Böser Blick" und „Berufen" gehören unzertrennlich zusammen. In vielen Ländern braucht man beim Anblick eines hübschen Kindes oder eines schönen Pferdes u. dgl. nur zu sagen: „Welch hübsches Kind!" oder „Was für ein schönes Pferd!", um sogleich in den Verdacht zu geraten, dasselbe mit bösem Blicke angesehen zu haben. Der Glaube an das „Berufen" oder „Beschreien" ist ja auch bei uns Deutschen so allgemein verbreitet, daß selbst gebildete Leute sich scheuen, das Lob eines Menschen zu verkünden, ohne dabei dreimal unter den Tisch zu klopfen (s. abklopfen) und ihr „Unberufen" oder „Unbeschrien" auszusprechen. Nach einer anderen Auffassung ist der böse Geist etwas höchst Reelles, nämlich ein Geist, der umhergeht und spricht, und der sich auf sein Opfer stürzt, um sein Fleisch zu essen und sein Blut zu trinken. Solche Geister des bösen Blickes, „Beschreiungsgeister" (urok), lauern nach südslawischer Ansicht überall herum; sie warten nur auf den Moment, wo ein mit dem bösen A. behafteter Mensch sie durch seinen Blick herbeiruft, um sich auf ihr Opfer zu stürzen.

Man kann zwei verschiedene Gruppen von Menschen unterscheiden, die die Macht haben, durch ihren Blick zu schaden: die b e w u ß t Faszinierenden, das sind vor allem die Hexen und Zauberer, und die u n b e w u ß t Faszinierenden, das sind gute Menschen, die mit dieser entsetzlichen Eigenschaft behaftet sind und sie, ohne ihr Wollen und oft ohne ihr Wissen, ausüben. Die Fähigkeit des bösen Blickes kann angeboren sein, und man kann sie auch auf mannigfache Weise unabsichtlich bekommen oder absichtlich erwerben. Viele Leute, deren Blick oder deren Lobeswort verderblich wirkt, sehen aus, wie alle anderen Menschen. Daneben gibt es aber auch Individuen, die, wie der Volksmund sagt, „gezeichnet" sind, denen die Natur einen Stempel aufgedrückt hat, um sie sofort als verdächtig zu charakterisieren. Körperfehler aller Art, namentlich aber Besonderheiten an den A.n und A.nbrauen, desgleichen A.nkrankheiten kennzeichnen einen solchen Unglücklichen. Wer schielt (s. d.), wer einen Fleck auf dem A. hat, wessen A.nlider rot und entzündet sind, wer einäugig (s. d.) ist, wer zitternde A.n hat (s II, 7: A.npferdchen), wessen A.nfarbe und Pupille ungewöhnlich ist, wem das „Püppchen" im Auge fehlt oder verkehrt steht (s. II, 8), wessen A.nbrauen (s. d.) buschig oder zusammengewachsen sind oder wer zwischen den A.nbrauen eine auffallende blaue Ader hat, der ist in vielen Ländern ohne weiteres des bösen Blickes verdächtig (vgl. Ophthalmoskopie). Im MA. war es der Teufel, der zur Besiegelung des mit ihm eingegangenen Paktes seinen Verbündeten, den Hexen und Zauberern, ein derartiges Zeichen auf die A.n drückte. Ganze Völker (die Thibier) sollen nach antikem Aberglauben mit solchen A.nzeichen behaftet gewesen sein und daher den bösen Blick gehabt haben, und noch heute stehen in der Schweiz, Schottland, Irland, Palästina, Japan ganze Familien im gleichen Rufe. Alte Weiber, Hebammen, Prostituierte, Bettler sind ebenso gefürchtet wie Berserker, Gelehrte, Ärzte und Priester. Auch die verschiedenen Religionsgenossenschaften werfen sich gegenseitig den bösen Blick vor. — Es gibt wohl nur wenige böse Zauberwirkungen, die nicht im Laufe der Zeiten dem „bösen A." zugeschrieben worden sind. Nichts Lebendes, nichts Lebloses entgeht seiner Wirkung. Das Schöne und Gute hat am meisten und frühesten zu leiden; das männliche Geschlecht ist in höherem Maße betroffen als das weibliche, zarte Kinder mehr als das widerstandsfähigere Alter. Alle möglichen Krankhei-

ten werden auf das Konto des bösen Blickes gesetzt: sowohl akute, vorübergehende wie Kopfweh, verdorbener Magen, Krämpfe, Ohnmacht, A.nentzündung, Syphilis, Impotenz, Unfruchtbarkeit u. dgl., als auch schwere, chronische Leiden, wie Skropheln, Lähmungen, Schwindsucht, Herzfehler, geistige Umnachtung. Ja, sogar der Tod wird in vielen Fällen dem bösen Blick zugeschrieben. — Wie auf den Menschen, so wirkt der Blick auch auf die H a u s t i e r e. Milchkühe verlieren ihre Milch, oder diese wird blutig, klebrig, wässerig, unbrauchbar. Pferde, Kamele, Maultiere werden scheu, sie sind nicht von der Stelle zu bringen, sie straucheln und brechen sich ein Bein. Schweine, Hühner, Enten und sonstiges Geflügel werden auf ähnliche Weise verzaubert. Wenn der J ä g e r kein Wild trifft oder wenn der Fischer keine Fische fängt, so ist er von dem bösen Blicke irgendeines alten Weibes behext worden. Es gibt nur wenige Menschen und Tiere, die gegen die Wirkung des bösen Blickes immun sind. P f l a n z e n welken unter seinem deletären Einfluß, sie gehen ein oder liefern bittere, ungenießbare Früchte. Wiesen und Felder werden verbrannt. Alle A r b e i t, auf der er ruht, mißrät. Häuser stürzen ein, Spiegel zerspringen, Kronleuchter und Bilder fallen herab, Kleider fangen an zu brennen, Steine zerspringen, Q u e l l e n versiegen, ja selbst die E r d e fängt an zu beben, Vulkane speien Feuer und der Himmel kann zerbrechen; kurz, die gesamte Natur ist dem bösen Blick untertan. — Nächst dem Menschen sind es die D ä m o n e n, Riesen, Zwerge, Tote, ja sogar Statuen und B i l d e r, denen der böse Blick zugeschrieben wird, und mancherlei U n g e h e u e r und Fabeltiere, so die Meduse, der Katoblepos, der Basilisk. Die nordischen Sagen kennen eine ganze Anzahl solcher mit dem bösen Blick behafteter Wesen. — Dieser Aberglaube ist so alt wie das Menschengeschlecht und findet sich — abgesehen von einigen scheinbaren Ausnahmen — bei allen Völkern der Erde. Unzählige Inschriften auf babylonischen und assyrischen Tafeln beweisen uns sein Vorkommen in jenen entlegenen Zeiten. In den indischen Veden, im persischen Zend-Avesta, in ägyptischen und mexikanischen Hieroglyphen-Inschriften ist ebensowohl davon die Rede, wie bei den griechischen und römischen Schriftstellern, wie in der Edda und in der Saga-Literatur. Der altnordische Ausdruck ist „sjónkverfing", in Schweden heißt es „ha skarnsk ouga" (Gotland), „ha onda" (oder) „elaka ögon". Der Norweger spricht von „skjerdtungr", der Däne von „et ondt öje", „et ondt öjesyn" und „et slemt öje". Die deutschen ma.lichen Quellen berichten von den „twerhe ougen" oder „übel ougen". Noch heutigentages spricht der Norddeutsche von „Entsetzen", der Oldenburger von „Entsehen" oder „Schieren", der Ostfriesländer von „quad sehen" und „quaje ogen". In Bayern nennt man das Ausüben des bösen Blickes „verluegen" oder „verneiden", in Böhmen „übersehen", in Steiermark und Kärnten „verschauen" oder „vermeinen". — Zur Diagnostik des bösen Blickes wendet man eine Reihe magischer Prozeduren oder Orakel an. Man wirft in Deutschland z. B. ein Ei, glühende Holzkohlen, Eicheln u. dgl. Dinge in ein Gefäß mit Wasser und stellt die Diagnose des bösen Blickes daraus, ob die Gegenstände auf dem Wasser schwimmen bleiben oder untersinken. Auch das Bleigießen war ursprünglich eine Methode zur Erkennung der Behexung. Solche Prozeduren dienen auch manchmal dazu, um den „Werfer" des bösen Blickes (ital. jettatore) ausfindig zu machen. Häufig verwandelt sich sogar die diagnostische in eine Heilmethode oder eine solche schließt sich der Prozedur unmittelbar an. — Zur Heilung einer durch den bösen Blick bewirkten Krankheit und zum Schutz davor gibt es unzählige Mittel: Feuer, Wasser, Erde, Metalle, Mineralien, Pflanzen und Samen, Tiere und Tierbilder, tierische Teile (Augen, Hörner, Zähne, Krallen, Haare, Knochen), menschliche Organe, Sekrete und Exkrete, Finger- und andere Gesten, häufig obszöner Natur, magische Handlungen, Gegenstände aller Art, Zahlen und Zahlenquadrate, Farben, magische Figuren, Bilder von Men-

schen, Ungeheuern, Fabelwesen, Gestirnen, Dämonen, Göttern und Heiligen, geweihte, heilige Objekte, religiöse Handlungen, Opfer, Gebete, Abwehrworte und Zaubersprüche [65]).

[65]) Verh. d. Kgl. Sächs. Ges. d. Wiss. Phil.-Hist. Cl. VII (1855), 28—110; A n d r e e *Parallelen* 1 (1878), 35 ff.; E l w o r t h y *The evil eye*. Lond. 1895; T u c h m a n n *La Fascination* in Mélusine II—XI, 1884—1912; Ann. f. nord. Oldkyndigh 1863, 145 f.; ZfVk. 11 (1901), 304—330. 420—430; G r i m m *Myth.* 2, 920 ff.; W u t t k e § 220.; M o r. B u s c h *Deutscher Volksglaube.* Leipzig 1877, 281—313; K. K n o r t z *Streifzüge.* Leipz. 1 (1899), 280 bis 291; S e y f a r t h *Sachsen* 22. 24. 46. 49. 50; S e l i g m a n n *Blick* 1910; Ueber Land und Meer 1910, 1133—1134; Arena 1911, 477 bis 482; Katalog d. Internat. Hygiene-Ausstellung. Dresden 1911, Histor. Abteilung, 374 bis 388; Archiv f. Geschichte d. Medizin. 6, Heft 2, 1912; Verh. d. Naturwissenschaftl. Vereins in Hamburg. Sitz. vom 19. Febr. 1913. p. LXVIII—LXX. Hamb. 1914; Wochenschr. f. Therap. und Hygiene d. Auges 17 (1914), Nr. 27, 227 und Nr. 28, 235; Klinisch-therapeutische Wochenschrift 21 (1914), 980—983. 1006—1008; HessBl. 1914, 124—129; Zeitschr. f. Augenheilkunde 1914, 340—347; 512—519; Kosmos 1914, 387—391; Mitt. z. Geschichte d. Medizin und d. Naturwissenschaften 1915, 88—90; S e l i g m a n n *Zauberkraft* 1922; FdM. 1922, Nr. 2 und 3; M. 1925 Nr. 13, 476—485; H o o p s *Reallex.* 1, 305.

12. Neben dem bösen Blick gibt es auch einen g u t e n B l i c k, d. h. es existieren Wesen (Götter, Heilige, Könige, auch gewöhnliche Sterbliche), deren Seele so vortrefflich ist, daß die durch sie beeinflußten Augenstrahlen Heil und Segen bringen. Bei der verschwindend geringen Menge des Guten aber, das sich im Menschen findet, spielt der gute Blick im Gegensatz zum bösen nur eine sehr geringe Rolle. Wer einen guten Blick hat, der kann die durch den bösen Blick hervorgerufenen Leiden wieder aufheben. Es gibt auch gute Menschen, die wider ihren Willen den bösen Blick haben; diese können den unfreiwillig verursachten Schaden durch ein zweites Hinblicken wieder heilen. In Oldenburg bannt man das Glück beim Karten- und Würfelspiel auf seine Seite, wenn man sich von jemandem, der einen guten Blick hat, in die Karten gucken läßt. Im Isergebirge läßt man neugeborene Kinder vielfach in den

Stall sehen, da man glaubt, daß sie besondere Glückbringer für die Viehzucht seien. In Spanien nennt man diejenigen, deren A.n einen wohltuenden Einfluß ausüben, „Benzedairos". Wenn der russische Jude vom guten A. (git Oig, güt Aeug) spricht, meint er damit jedoch euphemistisch das böse Auge [66]).

[66]) S e l i g m a n n *Zauberkraft* 450—457; vgl. Hess.Bl. 1909, 168—173; Sitzb. Mü. 1910, 4. Abh. 68. 116; N. Jahrb. f. d. klass. Altert. 1923, 130—152; R. M. M e y e r *Religgesch.* 156.

13. Eine Abart des guten Blickes ist der l i e b e v o l l e Blick. Schon die Platoniker glaubten allen Ernstes, daß die Liebe durch eine Bezauberung durch die A.n entstände [67]).

[67]) S e l i g m a n n *Zauberkraft* 453—455.

14. Weit verbreitet ist die Ansicht, daß man den Blick eines anderen Wesens (Mensch, Tier, Ungeheuer, Dämon) unschädlich machen kann, wenn man ihm durch den eigenen Blick zuvorkommt. Man muß es deshalb f r ü h e r s e h e n als es selbst die A.n auf einen richten kann. Dies wird von den Prozeßgegnern (Deutschland) [68]), der Braut (Schweden, Westböhmen) [69]), den Hexen (nord. Altertum, Deutschland) [70]), Weibern, Katzen (Jütland) [71]), Hunden (Malayen) [72]), Wölfen (vielfach) [73]), Schlangen (Indien) [74]), dem Salamander (Frankreich) [75]), dem Basilisken (Appenzell, England) [76]), einem schwarzen Wurm (Ostfranken) [77]), dem Ungeheuer Senagia (Indien) [78]), dem Bilwisschnitter (Deutschland) [79]) erzählt.

[68]) S e l i g m a n n *Zauberkraft* 304. [69]) Ebd. 138—139. [70]) Ebd. 277. 303. [71]) Ebd. 317. [72]) Ebd. 155. [73]) Ebd. 153—155. [74]) Ebd. 164. [75]) Ebd. 172. [76]) Ebd. 190. [77]) Ebd. 194. [78]) Ebd. 184. [79]) Ebd. 206.

15. Man kann sich schließlich selbst bezaubern (A u t o f a s z i n a t i o n), wenn man in einen Brunnen [80]) oder in einen Spiegel [81]) blickt, wenn man sich selbst (Doppelgänger) [82]) oder seinen Schatten [83]) sieht. Sowohl Spiegelbild als Doppelgänger, wie Schatten sind nach dem Volksglauben keine optischen Phänomene und Halluzinationen, sondern wirkliche, ätherisch feine, geisterartige Körper, und wenn deshalb das Erblicken sei-

nes eigenen Abbildes Unheil im Gefolge hat, so geschieht dies einesteils deshalb, weil die aus den A.n hervorgehenden verderblichen Strahlen wieder reflektiert werden, und andererseits aus dem Grunde, weil einen ein geisterartiges, mit dem bösen Blick behaftetes Wesen anblickt. Solche Geister gewinnen namentlich die Macht über einen, wenn man sich umsieht. Und daher stammen namentlich die zahlreichen Verbote des S i c h - n i c h t - u m s c h a u e n s (s. umsehen) bei einer großen Anzahl magischer Handlungen [84]). Ebenso gefährlich wie der Anblick der Geister und Toten ist der Anblick der Götter und alles Göttlichen [85]), der Kultobjekte und tabuierten Plätze (Australien) [86]), des Totemtieres (Südafrika) [87]), das Anschauen unreiner Menschen und Gegenstände [88]), das Anschauen von Menschen, die mit bestimmten Krankheiten behaftet sind (A.nkranke [89]), Pestkranke [90]), Krebskranke [91]), Gelbsüchtige) [92]), von gewissen Tieren [93]), Gestirnen (Mond) [94]), Gegenständen [95]). Manchmal wirkt der Anblick von Gegenständen auch günstig (Gral, Stein der Weisen) [96]).

[80]) S e l i g m a n n *Zauberkraft* 283—284. [81]) Ebd. 284—288. [82]) Ebd. 288. [83]) Ebd. 288 bis 289. [84]) Ebd. 289. [85]) Ebd. 292—293. [86]) Ebd. 293. [87]) F r a z e r *Totemism* 1, 12—13; 2, 279. 290. 295. 297. 314. [88]) S e l i g m a n n *Zauberkraft* 294; W ä c h t e r *Reinheit* 138. [89]) S e l i g m a n n *Zauberkraft* 233—234. [90]) Ebd. 269—270. [91]) SAVk. 8, 147. [92]) S e l i g m a n n *Zauberkraft* 270—271. [93]) Ebd. 294. [94]) Ebd. 295. [95]) Ebd. 295. [96]) Ebd. 295.

II. Ä u ß e r e s d e s A.s.

1. G r o ß e A.n. In Bayern, Franken und Böhmen glaubt man, daß Kinder, welche erst lange nach der Geburt getauft werden, besonders große und schöne A.n bekommen, und zwar, wie man in Böhmen sagt, aus Sehnsucht nach der Taufe [97]). Nach jüdischem Glauben werden die A.n der Kinder groß, wenn die Mutter während der Schwangerschaft Eier genießt [98]). Tiere mit großen A.n, wie das Pferd (in Frankreich auch das Rind), sehen alles zehnmal größer, als es wirklich ist; darum lassen sie sich so willig von dem kleinen Menschen leiten [99]). Man vergleicht die großen A.n der Geister und dämonischen

Tiere mit einem Kornscheffel, Teller, Pflugrad, Kartoffelkorb, Kirchenfenster, einer Marktzwiebel, Laterne, Obertasse oder einem Käsenapfe usw. [100]).

[97]) Grimm *Myth.* 3, 446 Nr. 375; Panzer *Beitrag* 1, 268; Grohmann 108; Wuttke 582; E. H. Meyer *D. Volksk.* 1898, 107; Kondziella *Volksepos* 23. [98]) Kotelmann 418; Preuß *Medizin* 311. [99]) Wuttke 269; Sébillot *Folk-Lore* 3, 88. [100]) Rochholz *Sagen* 2, 8. 158; Kuhn *Westfalen* 1, 217 Nr. 245; Birlinger *Volksth.* 1, 12; Laistner *Nebelsagen* 272; Meiche *Sagen* Nr. 533; Eisel *Voigtland* Nr. 185. 425.

2. Rote, entzündete und blutunterlaufene A.n sind immer eins der wichtigsten Merkmale von besonders unsympathischen, grausamen und bösartigen Menschen gewesen. Die schlimmen Heiden und Riesen werden stets rotäugig gedacht. Rote A.n haben die Dämonen, Zwerge und grauen Männlein [101]). Von den bösblickenden roten A.n (urentes oculi) sprach schon der römische Satiriker Persius, und am Ende des 11. Jhs. eiferte der französische Theologe Radulphus Ardens gegen diejenigen, die behaupteten, daß man mit solchen Augen faszinieren könne [102]). Bis in die Neuzeit hinein gelten rote A.n und A.nlider als Zeichen der Hexen und des bösen Blickes [103]). In Thüringen verwandeln sich die alten Weiber, welche rote A.n haben, mit Hilfe des Teufels in schwarze Katzen [104]).

[101]) Seligmann *Zauberkraft* 233; Schönwerth *Oberpfalz* 2, 304; Eisel *Voigtland* 42 Nr. 91. [102]) Seligmann *Zauberkraft* 239. [103]) Strackerjan 1, 374; Schönwerth *Oberpfalz* 2, 366; Meyer *Baden* 555; Meiche *Sagen* 490 Nr. 637; Kühnau *Sagen* 3, 21. 102; Wuttke § 213. 220; Schwartz *Volksglaube* 49; Leoprechting *Lechrain* 9; Boecler *Ehsten* 47; Seligmann *Zauberkraft* 233. [104]) ebd. 151.

3. Triefende, d. h. entzündete, eiternde A.n sind, wie die roten, ein Zeichen der Hexe, die Menschen und Vieh durch ihren Anblick bezaubert [105]).

[105]) Seligmann *Zauberkraft* 233; Grimm *Myth.* 2, 904; 3, 462 Nr. 787; ZdVfVk. 3 (1893), 389; Birlinger *Volksth.* 1, 325; Haltrich *Siebenb. Sachsen* 25; Jühling *Tiere* 302.

4. Den „A.nzieger", d. . körniger Schleim, der sich am Morgen oft im A.

bildet, schreibt man dem Einflusse der Hexen zu, welche selber entzündete rote A.n haben [106]).

[106]) SAVk. 8, 143; Rochholz *Kinderlieder* 75—76.

5. A.nfarbe. Die Schale der Nuß, gepulvert und mit Öl vermischt, sollte, als Salbe angestrichen, graue A.n der Kinder in schwarze verwandeln [107]). Ein blauäugiges Kind bekommt schwarze A.n, wenn seine Mutter ihm dieselben öfter mit ihrer Milch ausspritzt (Siebenb. Sachsen) [108]).

[107]) ZfdMyth. 3, 102. [108]) Wlislocki *Sieb. Volksgl.* 154.

6. Pupille, das runde Loch in der Regenbogenhaut, das sich auf Licht und andere Einwirkungen hin beständig verengt und erweitert. Ist die Pupille unbeweglich — wie es bei Lähmungen und Verwachsungen der Regenbogenhaut mit der Linse vorkommt — so war dieses für die Juden in Deutschland und Frankreich im 12. und 13. Jh. ein Zeichen, daß man es mit einer Hexe zu tun hatte. Treten infolge von Verwachsungen der Iris Verzerrungen ein, so daß diese nicht mehr rund erscheint, sondern viereckig oder kreuzförmig, so ist dies in Schwaben ein Zeichen des bösen Blickes. Dasselbe ist der Fall bei den Polen, wenn die Pupille länglich wie bei einer Katze ist, und in Spanien, wenn die Pupillen von ungleicher Größe sind [109]). Unter der doppelten Pupille, die als Zeichen des bösen Blickes so häufig angeführt wird, hat man nicht eine Regenbogenhaut mit zwei Löchern zu verstehen, sondern eine doppelfarbige Iris oder zwei Augen von verschiedener Färbung [110]).

[109]) Seligmann *Zauberkraft* 249. [110]) Ebd. 237—247.

7. A.npferdchen. Im klassischen Altertum entstand die Fabel, daß es Weiber mit dem bösen Blick gebe, die in dem einen Auge das Bild eines Pferdes (equi effigiem) hätten. Plinius nimmt dies ganz buchstäblich und glaubt wirklich, daß sich in manchen Augen derartige Pferdebilder zeigen; die Dämonographen des MA.s nahmen dies ohne weiteres als richtig an, und selbst ganz

moderne Schriftsteller tragen kein Bedenken, den Satz des Plinius wörtlich
wiederzugeben [111]). Im Lechrain heißt es:
Wer sich getraut, die Augen einer Hexe
recht deutlich anzuschauen, kann in denselben einen Roßkopf aufs Haar gezeichnet erblicken [112]). Rieß schreibt den
Namen der Krankheit einem pferdege-
staltigen Dämon [113]) zu, und Monseur
glaubt, daß die Püppchenseele im A. der
von Plinius erwähnten Weiber die Gestalt
eines Pferdes gehabt habe, weil man
glaubte, daß die dortigen Zauberer sich
in Pferde verwandeln konnten [114]). Aber
alle diese Erklärungen treffen nicht das
Richtige. Es handelt sich nicht um ein
wirkliches Pferdebild im A., sondern, wie
schon Jahn [115]) richtig bemerkte, um eine
Krankheit, die die Griechen „hippos", ·
d. h. „Pferd" nannten, unter der die
alten Ärzte Hippokrates und Galen das
verstanden, was die heutigen A.närzte
„Nystagmus" nennen, nämlich ein un-
ruhiges, schnelles und stetiges Zittern der
A.n Diese übertragene Bedeutung des
Wortes hängt offenbar damit zusammen,
daß es Pferde gibt, die niemals die Beine
ruhig halten [116]). Bei den Makonde in
Afrika gelten noch heute A.n, die nicht
stille stehen, als Zeichen des bösen
Blickes [117]).

[111]) Plinius VII, 2; Gellius IX, 4, 8;
Solinus I, 59; Delrio Controverses (ed.
1611), 380; Vairus De fascino (Venet. 1589),
13; Sphinx 4, 70; Bienkowski Eranos
Vindobonensis (Wien 1893), 296. [112]) Leoprechting Lechrain 18. [113]) Amer. Journ.
of Philol. 1897, 195. [114]) Rev. de l'hist. des
Relig. 1905, 13—15. [115]) Verh. d. Sächs. Ges. d.
Wiss. VII, 35. [116]) Seligmann Zauberkraft 236—237; [117]) Weule Forschungsreise
in Deutsch Ost-Afrika 1908, 124.

8. A.npüppchen, das kleine, verzerrte Spiegelbild, das man im A. eines
anderen sieht und das als die Seele des
Menschen angesehen wird, die im A.
wohnt, die das Sehen vermittelt, die die
Bewegung des Augapfels veranlaßt, die
bewirkt, daß die verschiedenen Gemüts-
bewegungen aus dem A. herausstrahlen,
die, von Zorn und Neid bewegt, ihren
Wohnsitz zeitweise verläßt, um über den
Gegenstand ihres Hasses herzufallen, und

die schließlich beim Tod des Menschen
verschwindet, um nimmer wiederzu-
kehren [118]). Beim Besprechen der Flechte
muß der Kranke dem Sprecher ins A.
sehen, bis er sein „A.n-Mannli" schaut
(Sarganserland) [119]). Gewisse Hornhaut-
erkrankungen, bei denen die Hornhaut
trübe und undurchsichtig wird, mögen
auch zur Entstehung einiger merkwürdigen Ansichten über das Püppchen beigetragen haben. So heißt es, daß ein
Mensch, in den „Holden" gezaubert sind,
daran erkennbar ist, daß man in seinen
A.n kein Männlein oder Kindlein sieht
oder nur ganz trübe [120]). Ein sicheres
Zeichen bei den Zigeunern für eine
Zauberin ist, daß sie keine Pupille (hier
= Püppchen) hat. Sie blickt nicht den
Leuten in die A.n, in ihren A.n sieht man
kein Menschenbild, aber sie blickt in die
Zukunft [121]). Durch das undeutliche und
verschwommene Bild, das die trübe Hornhaut widerspiegelt, mag auch der in
Deutschland und Frankreich existierende
Glaube entstanden sein, daß das Bild,
das man im A. einer Hexe sieht, umgekehrt steht [122]). Es kann aber noch ein
anderer Grund maßgebend für diese Anschauung gewesen sein: Die Hexenrichter
pflegten die A.n der Angeklagten zu
prüfen, indem sie sie auf den Kopf stellten. Dabei mußten sie dann konstatieren,
daß das Püppchen eine anormale Stellung
hatte. In Loango (Afrika) ist es noch
heute ein sicheres Zeichen einer Hexe,
wenn ihre A.n die Außenwelt verkehrt
widerspiegeln [123]). Nach deutschem Glauben sieht man auch in dem A. eines
verzauberten Menschen das Püppchen
doppelt [124]). In dem angelsächsischen
Dialoge „Adrianus und Ritheus" lautet
die letzte Frage: „Woran kann man den
nahe bevorstehenden Tod eines Menschen
ersehen?" Ritheus antwortet: „In den
A.n jedes Menschen sind zwei Menschen-
bilder; derjenige, in dessen A.n man diese
Bilder nicht sieht, wird binnen 3 Tagen
gestorben sein." Dies scheint auf eine jüdische Vorstellung zurückzugehen, welche
schon im Talmud angedeutet wird: Dreißig Tage vor dem Tode eines jeden Menschen wird dieser im Himmel ausgerufen,

und von dem Augenblicke an verdunkelt sich der menschliche Schatten, und das Bild, das er auf die Wand wirft, verschwindet. In dem angelsächsischen Dialog ist der Schatten zum Schatten in den A.n geworden und sind die 30 Tage auf 3 reduziert [125]).

[118]) G r i m m *Myth.* 2, 988; T y l o r *Cultur* 1, 425; S e l i g m a n n *Zauberkraft* 498. [119]) M a n z *Sargans* 67. [120]) G r i m m *Myth.* 2, 898. [121]) S e l i g m a n n *Zauberkraft* 249. [122]) G r i m m *Myth.* 2, 903; Urquell 2 (1891), 72. [123]) S e l i g m a n n *Zauberkraft* 249. [124]) G r i m m *Myth.* 2, 988. [125]) Germania 26 (1881), 210—211.

III. P h y s i o l o g i s c h e s.

1. Nach den Pythagoräern erkannte man die „Revenants" daran, daß sie nicht b l i n z e l t e n [126]). Nach den Lehren der A.ndiagnose verrät sehr häufiges Oeffnen und Schließen der A.nlider einen furchtsamen und leicht aufbrausenden Charakter [127]). Wer im Radewormwald mit den A.n blinkt, hat nichts Gutes im Sinne [128]).

[126]) L o b e c k *Aglaophamus* (1829), 894. [127]) M e g e n b e r g *Buch der Natur* 35. [128]) ZfrwVk. 11 (1914), 256 Nr. 19.

2. Das Z w i n k e r n, Z u c k e n oder J u c k e n der A.n ist schon bei den Griechen und Römern vorbedeutend, und zwar bedeutet es entweder überhaupt Unglück, oder das rechte A. sagt Glück, das linke Unglück an [129]). In den Niederlanden, wie meist in Deutschland, gilt der Glaube, daß das Jucken des rechten A.s Freude, des linken Leid verkünde [130]). Aber auch das Umgekehrte kommt vor; so in Husum (Schlesw.-Holst.) [131]), wie auch im alten Indien [132]). Zwinkern einem Kind die A.n, so bekommt es Schläge (Biel, Schweiz) [133]).

[129]) G r i m m *Myth.* 2, 935. [130]) Volkskunde 23, 231; G r i m m l. c.; T i t u s T o b l e r *Appenz. Wortschatz* 30. [131]) ZfVk. 20, 383. [132]) G r i m m l. c., nach H i r z e l s *Sakuntala* 65. [133]) SchwVk. 10, 36.

A.n v e r d r e h e n. Wenn die Kinder die A.n aufwärts verdrehen, weint Unsere Liebe Frau [134]), oder das Jütel spielt mit ihnen [135]).

[134]) ZdVfVk. 12 (1902), 178. [135]) S e y - f a r t h *Sachsen* 11.

IV. 1. A.n b e d e c k e n. Eins der natürlichsten und einfachsten Mittel, dem bösen Blicke von Menschen und Geistern zu entgehen, besteht darin, daß man den Kopf wegdreht oder dem verdächtigen Wesen den Rücken zeigt (vgl. I, 15). Ebenso sicher ist es, das Gesicht mit der Hand zu bedecken, den Kopf in ein Tuch oder einen Schleier einzuhüllen oder die A.n zu schließen und zu verbinden [136]). Namentlich hat die Braut solche Vorsichtsmaßregeln zu beachten. Bei den italienischen Juden des 14. Jhs. band man der Braut eine Binde vor die A.n [137]). Zahlreiche Völker bedienen sich bei der Hochzeit des Trauungsschleiers, um die Braut vor dem bösen Blick zu schützen [138]). Bei den Esten muß die Braut auf dem Wege zum Hause des Gatten die A.n geschlossen halten, damit keine Hexerei an ihr hafte. In Polen und im Samland hat die junge Frau, wenn sie im neuen Hause überall umhergeht und sie selbst oder ein Begleiter Opfergaben ausstreut, die Augen verbunden. Ebenso wird bei den oberpahlenschen Esten die junge Frau nach der Ankunft im neuen Hause mit verbundenen A.n vor den Ofen geführt, in den sie einige Scheite Holz hineinwerfen muß [139]). Dies geschieht sicher zum Schutz der Braut, dann aber auch, um die A.n der Braut, die dem Bräutigam gefährlich werden könnten, unschädlich zu machen [140]). Im Peloponnes schützen die Hebammen das Kind von der Geburt an, indem sie ihm einen Schleier über das Gesicht decken [141]). Auf dem Balkan wird das Gesicht der Wöchnerin mit einem weißen Tuch zum Schutz gegen den bösen Blick bedeckt [142]). Man verbindet sich auch die A.n zum Schutz der Tiere: Bringt man in Schlesien die kleinen Hühner, Enten, Gänse in einem Körbchen ins Freie, so muß man mit verbundenen A.n und rückwärts aus dem Hause gehen, sonst holt der Aar das junge Geflügel (Sprottau) [143]). Auch den Tieren selbst verbindet man die A.n, so in Böhmen in der neu gekauften Kuh, ehe man sie in den Stall führt [144]), während man sich in Oldenburg und Ostpreußen damit begnügt, die Schweine mit einem Stück Zeug zu bedecken, damit kein Unbekannter ihnen durch seinen bösen Blick schaden kann[145]). — Ganz ähnliche Vorsichtsmaßregeln, wie sie der dem bösen Blick Ausgesetzte anwendet, übt auch derjenige aus, der durch seinen Blick andere schädigen kann (vgl. o. Braut). Entweder tut er es freiwillig im Bewußtsein seiner unheilvollen Kraft, oder er wird von anderen dazu gezwungen. Aus diesem Grunde wendet man den Kopf ab, senkt die A.n, bedeckt das Gesicht mit der Hand. Der mit dem bösen Blick Behaftete trägt häufig Brillengläser, damit die Vorübergehenden nicht von den Ausflüssen seines giftigen Blickes berührt werden (Süditalien). In der bayrischen Sage von den „drei Jungfrauen" oder „Schwestern" wird die eine blind oder, auf Denkmälern, mit verbundenen A.n dargestellt. Sie scheint durch bloßen Blick bezaubern zu können. Sie hatte üble A.n, welche geschlossen, verbunden sein mußten, um nicht zu schaden. Häufig gibt man jemandem den Rat, sein böses A. mit einer Binde oder einem Pflaster zu bedecken, damit es nicht schaden kann. Dem Verdächtigen wurden die A.n verbunden, oder sein Kopf wurde mit einem Schleier oder einem Sacke bedeckt. In der ganzen Welt ist die Sitte verbreitet, das Gesicht des Toten zu bedecken. Die A.n der Leiche (s. d.) sind ebenso gefährlich wie die A.n eines zum Tode Geführten; daher pflegte man dem Verbrecher bei seiner Hinrichtung die A.n zu verbinden. In der nordischen Sagaliteratur findet sich eine Reihe von Beispielen dafür: dem Betreffenden, Mann oder Weib, der gesteinigt, totgeschlagen, verbrannt oder ertränkt werden soll, wird ein Balg oder Sack über den Kopf gezogen. In bemerkenswerter Übereinstimmung mit diesen Sagen hat man in Sümpfen Dänemarks eine Anzahl von Kadavern gefunden, die anscheinend einer solchen Behandlung unterworfen wurden, bevor man sie in den Schlamm untertauchte: ihr Kopf war mit einem Fell eingehüllt. In Estland wurden die zum Tode verurteilten Zauberer vor der Hinrichtung dreimal um den Markt geführt, und in dem Augenblicke, wo sie aus dem Ge-

fängnis traten, verband man ihnen die A.n, damit sie keinen bösen Blick auf die Zuschauer werfen konnten. Um den heiligen Desiderius zu töten, mußte man ihm erst die A.n verbinden — sein Blick wirkte auf die Marterknechte wie Pfeile, immer und immer wieder taumelten die rohen Patrone getroffen zurück. Tieren wurden aus demselben Grunde die A.n verbunden. In Waidhofen an der Thaya in Niederösterreich hat man einen Hahn eingemauert gefunden (Bauopfer), dessen Kopf mit einem leinenen Lappen umwunden war[146]).

Das Verbinden der A.n beim Losen in der Andreas-, Thomas-, Neujahrsnacht[147]), beim Brautkranzwerfen[148]), Hahnenschlagen[149]), Topfschlagen[150]), Scheibenschießen[151]) hat mit dem Aberglauben des bösen Blickes nichts zu tun. Es handelt sich hier darum, den eigenen Willen auszuschalten und ihn dem Zufall oder dem Wirken höherer Mächte zu unterwerfen.

In Grenheim in Schwaben werden am Pfingstsonntag einem Knaben die A.n verbunden; das macht ihn zum Wasservogel (Regenzauber) nach der Straußenweisheit: Wenn ich die andern nicht sehe, so sehen mich die andern nicht, bin ich unsichtbar, bin ich Dämon[152]); vgl. Regenzauber.

[130]) Seligmann Blick 2, 278; vgl. I, 158 ff. [137]) Ders. Zauberkraft 137. [138]) Ders. Blick 2, 224. [139]) Samter Familienfeste 3 f. 21; Ders. Geburt 149. [140]) Seligmann Zauberkraft 137; Sartori Sitte und Brauch I, 79. [141]) Seligmann Blick 2, 224. [142]) Ebd. 2, 70. [143]) Drechsler Schlesien 2, 92 Nr. 457. [144]) Wuttke § 691. [145]) Seligmann Blick I, 215. [146]) Ebd. I, 156; 2, 283 ff. [147]) Wuttke § 333. [148]) Ebd. § 335; Sartori Sitte u. Brauch I, 103. [149]) Wuttke § 426; Sartori Sitte u. Brauch 3, 114; vgl. dagegen Seligmann Zauberkraft 162. [150]) Sartori 3, 237. [151]) Ebd. 3, 235. [152]) Gesemann Regenzauber 84 Nr. 3; Sartori 3, 202.

2. Anverblenden. Man versteht darunter die Kunst, die A.n eines Menschen so zu blenden, daß er nicht die Wirklichkeit sieht, sondern das, was der Zauberer will. Zaubern nennt man in Dithmarschen oug'nverschröin, anders-

wo in·Holstein auch ogenverschålen. Wer
einen falschen Schilling oder einen vierblättrigen Klee bei sich trägt, kann Oug'n-
verschröin sehen [153]). In Masuren bewirken Komödianten, d. h. Seiltänzer, A.n-
verblendnis. Wenn man wissen will, was
sie eigentlich vorführen, so muß man den
Rock verkehrt anziehen [154]). Schon Bo-
dinus berichtet von einem Gaukler Sui-
tidas, dem die Augen ausgestochen wurden, weil er den Umstehenden die A.n
verblendete [155]). In den alten Heldensagen
konnte man durch einen Zauberblick seinen Gegner blenden. Olaus Magnus erzählt: Vitolf, Fürst der Helsinger, konnte
die Gesichter der Feinde so blenden, daß
sie der Sehkraft beraubt wurden, die
nächsten Häuser nicht sehen und den
Weg dahin nicht finden konnten [156]).

[153]) Urquell 2 (1891), 184—185; 3 (1892),
212. [154]) T ö p p e n *Masuren* 41. [155]) B o -
d i n u s *Daemonomania*. Hamburg 1698, 385.
[156]) S e l i g m a n n *Zauberkraft* 341; vgl.
K r o n f e l d *Krieg* 120.   † Seligmann.

Augenamulett und -talisman.

1. Um von bösen Taten abzuschrecken,
brachte man in Deutschland (Alt-Essen)
im Zimmer einen Halbkreis mit einem
kleineren Kreis darin an, der das A u g e
G o t t e s , das alles sieht, vorstellen
sollte [1]). Als Auge Gottes werden auch
in Deutschland die Augen an Kirchen,
Kirchenstühlen und Totenbrettern (Böhmerwald) erklärt [2]). Um sich in Dänemark gegen den bösen Blick zu schützen,
war es eine verbreitete Sitte, die Zeichnung eines Auges auf das zu kratzen,
was geschützt werden sollte; und in
alten Bauernhäusern trifft man noch ab
und zu hinter Glas und Rahmen einen
„göttlichen Haussegen" oder einen Bibel-
spruch, über welchem ein Auge angebracht ist. Jetzt wird es wohl meistens
als Sinnbild von Gottes Allwissenheit
aufgefaßt [3]).

[1]) ZfrwVk. 10 (1913), 243. [2]) B u s c h *Volksgl.* 312; ZföVk. 10, 23 Nr. 14; vgl. ZdVfVk. 24
(1914), 267 Anm. 2. [3]) Janus 10, 631.

2. S t e i n e mit einer ungewöhnlichen
Zeichnung, wie das Belusauge (Bel oculus),
verschaffen, in der Hand getragen, klare,
helle Augen [4]), andere wie der Augen-

achat, das Katzenauge, der Malachit, der
Sardonyx schützen vor bösem Blick,
Hexerei, Bezauberung und jedem Un-
fall [5]).

[4]) K r ä u t e r m a n n *Zauber-Arzt* 72. [5]) S e -
l i g m a n n *Blick* 2, 28—31.

3. P f l a n z e n , die die Signatur des
Auges haben, werden gegen Augenkrankheiten verwendet [6]).

[6]) S c h i n d l e r *Aberglaube* 177; S t e m p -
l i n g e r *Sympathie* 45. 47.

4. Viele T i e r a u g e n waren, meistens
gedörrt, als Amulette in Gebrauch. Ein
Bärenauge schützte die Kinder vor nächtlicher Furcht [7])und Krämpfen (Norwegen) [8]). Ein Fledermausauge macht unsichtbar (Deutschland, Böhmen, Tirol) [9]).
Ein Geierauge sicherte dem Besitzer die
Huld seines Herrn (12.—13. Jh.) [10]) und
bannte die Sorge vor einer Gerichtsverhandlung (Tirol, 15. Jh.) [11]). Ein Hasen-
auge schützte vor Augenerkrankung und
Erblindung [12]). Ein Hirschauge diente zur
Stärkung der sexuellen Potenz [13]). Ein
Katzenauge schützt vor Augenleiden [14])
und macht geistersichtig [15]). Mäuseaugen
heilen Augenkrankheiten (Galizien) [16]).
Rehaugen schützen vor Zahnschmerzen [17]), Schlangenaugen vor Augenkrankheiten [18]), desgleichen Schwalbenaugen[19]).
Ein Wachtelauge schützte vor Fieber
(Tirol) [20]). Ein Wiedehopfauge schützte
vor Hexereien, Truden und Teufelskün-
sten (Tirol) [21]), gegen Vergeßlichkeit, Ver-
standesschwäche (Bayern) [22]) und Betrug (Pommern) [23]). Es macht bei allen
Menschen beliebt, verschafft Glück vor
Gericht (Pommern, Tirol) [24]) und verleiht einem die Kraft, seine Feinde zu veranlassen, sich mit einem zu versöhnen
(Frankreich) [25]). Ein Wieselauge schützte
vor dem bösen Blick [26]). Ein Wolfsauge
schützte vor Wölfen und anderen Tieren
(Thüringen) [27]), vor Zauber, Dämonen
und bösem Blick (Juden, 17. Jh.) [28]),
gegen die Furcht (Frankreich, 17. Jh.) [29]),
vor allen Gefahren [30]), vor allem Unrecht
(Schwaben) [31]), vor jedem Unglück (Deutsche Pennsylvaniens) [32]), vor der nächtlichen Furcht der Kinder [33]), vor den
Gichtern (Schweiz) [34]) und heilte alle
Krankheiten (MA.) [35]).

Über das A. in außerdeutschen Ländern vgl. Seligmann, Blick 2, 144—164.

[7]) M a r s h a l l *Arznei-Kästlein* 90. [8]) Janus 1912,10. [9]) W u t t k e § 166. 474. [10]) Sitzb. Wien 1863, 155—156. [11]) ZfVk. 1, 323; L a m m e r t 228; S c h ö n w e r t h *Oberpfalz* 3, 240. [12]) W u t t k e § 171. 525. [13]) A g r i p p a v. N e t t e s h e i m V, 293. [14]) S e y f a r t h *Sachsen* 179. [15]) B a r t s c h *Mecklenburg* 2, 329 § 1593; vgl. A g r i p p a v. N e t t e s h e i m 1, 207. [16]) H o v o r k a u. K r o n f e l d 1, 294. [17]) M a r s h a l l *Arznei-Kästlein* 90. [18]) J ü h l i n g *Tiere* 163. [19]) Ebd. 230 (schon im Altert); P l i n i u s XXIX, 38; A r i s t o t e l e s *De animal.* 508 b, 5. 563 a, 13 (ed. Dithmeyer 63. 220). [20]) ZfVk. 8 (1898), 170; J ü h l i n g *Tiere* 246. 247. [21]) ZfVk. 8 (1898), 168. [22]) H o v o r k a u. K r o n f e l d 2, 231. [23]) J a h n *Hexenwesen* 186 Nr. 692—693. [24]) Ebd. 186, Nr. 696; BlPommVk. 1900, 106; W u t t k e § 164; A l b e r t u s M a g n u s 2, 9. [25]) R o l l a n d *Faune* 9, 167. [26]) R o n s s e u s *Epist. medic.* (1661), Cap. 22 p. 75. [27]) W i t z s c h e l *Thüringen* 2, 288 Nr. 136. [28]) Jb. jüdVk. 1, 209—210 Nr. 175. [29]) T h i e r s *Traité* 1 (ed. 1741), 383. [30]) *Mélusine* 8, 32 s. v. Loup. [31]) B u c k *Volksmedizin* 49. [32]) Journ. of Amer. Folk-Lore 1904, 110 Nr. 19. [33]) M a r s h a l l *Arznei-Kästlein* 90. [34]) SAVk. 10, 271 Nr. 45. [35]) *Mélusine* 8, 32 s. v. Loup. † Seligmann.

Augenbraue (= A.) und Wimper (= W.).

A. und W. werden leicht verwechselt [1]).

I. Zur K r a n k h e i t s b e h a n d l u n g wurden Haare aus der rechten A. und Krähenblut verwendet [2]). Drei A. n d e r G e l i e b t e n, in einem Amulette getragen, sind eine Bürgschaft der Treue [3]).

Z e i c h e n d e r V e r h e x u n g. Wenn die A. eines Menschen an dem Rock des anderen hängen bleibt, so ist dieser von jenem verhext, und es gibt nur ein Mittel gegen dieses Unglück, das ist, wenn die A. verbrannt wird oder ihre Wurzel verloren hat [4]). Ob ein Kind verschrien ist, kann man auch an den A.n desselben erkennen. Man schlecke diese ab, und schmecken sie salzig, so ist das Kind verschrien. Die A.n wäscht man dann mit „Weihbrunn" (Weihwasser) ab [5]).

F e h l e n d e r A.n. In Hinterpommern erkennt man Leute, die als Mahrt reiten, daran, daß sie keine A.n (Brane) haben [6]). Die russischen Waldgeister haben keine A.n und W.n [7]).

Menschen mit s t a r k e n , b o r s t i -

g e n A.n sollen viel denken und trachten, sie neigen zur Traurigkeit und haben eine unreine, grobe Sprache. Wer lange A.n hat, ist hoffärtig und unverschämt. D ü n n g e s ä t e A.n beweisen einen schwachen Charakter. Wenn die A.n nach der Nase hin abwärts und nach den Schläfen hin aufwärts gerichtet sind, deuten sie auf Schamlosigkeit und Stumpfsinn. G e s c h w u n g e n e A.n sind ein Zeichen des Ehrgeizes und des Stolzes [8]). Dicke, buschige A.n erwecken leicht einen unheimlichen Eindruck, deshalb werden den Hexen und Dämonen, Elben, Schratteln, Mätzeln, Zwergen solche „Wergbrauen" zugeschrieben [9]).

Z u s a m m e n g e w a c h s e n e A. n. Aristoteles und die alten Physiognomiker hielten zusammengewachsene A.n für ein Anzeichen von Grämlichkeit und Melancholie [10]). Im alten Indien waren zusammengewachsene Brauen Zeichen der Zauberei [11]). Auch in Europa erkennt man daran die Hexen [12]), den Alp oder die Mahrten, die den Schläfer drücken [13]), den Werwolf [14]) und den Vampir [15]). Solche Menschen haben den bösen Blick und können beschreien [16]), aber sie können nicht beschrien werden [17]). In Irland hat der Sambrynn (d. h. der, welchem die A.n über die Nase zusammengewachsen sind) die Eigenschaft, daß ihm Gespenster nichts schaden können; auch kann ihm von vorn nichts Böses oder Unreines nahen, im Rücken aber ist er dadurch nicht geschützt [18]). Im Elsaß, in der Schweiz und in Bayern nennt man Leute mit aneinanderstoßenden buschigen A.n Rätzel oder Haarhammel und schreibt ihnen Geistersichtigkeit zu [19]). In der Schweiz (Bern) glaubt man, daß jemand, der solche A.n hat, leicht verrückt wird [20]). In Schlesien (Grünberg) [21]) und in Brandenburg stirbt er keines natürlichen Todes [22]). Ebenso in Landshut. Auch ist er in der Ehe eifersüchtig [23]). Auf den nordfriesischen Inseln wird er reich und stirbt auf dem Meere [24]).

V e r k e h r t e A.n. Im Lechrain erkennt man die Trud daran, daß die A.n in verkehrter Richtung, statt den Schläfen der Nasenwurzel zu stehen [25]).

Gegend zwischen den A.n. Soviel senkrechte Falten sich beim Zusammenziehen der A.n zwischen denselben bilden, so oft heiratet man (Mecklenburg) [26]. In Neapel erkennt man einen jettatore daran, daß sich zwischen seinen A.n eine Falte in Hufeisenform eingräbt, und in Spanien haben die aojadores oft eine deutliche blaue Ader zwischen den A.n. Das letztere Zeichen hat sonst eine andere Bedeutung: In Mecklenburg und in Österreich-Schlesien hält man Kinder, welche quer über die Nase einen blauen Strich oder eine Querader haben, für Todeskandidaten; sie sollen zwei Jahre nicht überleben. Im Bergischen (Elberfeld) nennt man daher ein solches Mal „Duadenläddschen" (= Sarg), in der Schweiz (Aargau) „Totenbäumchen". Kommt in Bayern ein Kind mit einem solchen bläulichen Streifen zur Welt, so dauert die Sorge der Mutter um das Leben ihres Kindes zwei volle Jahre; nach dieser Zeit ist aber die Gefahr vorbei. Wenn auf Haiti kleine Kinder diese Ader haben, die bis zum 7. Jahre dauert, dann werden sie kopfkrank. Um dies zu verhindern, knüpft man an das Halsband ein silbernes Kreuzchen [27]. Bei den Graekowalachen ist die Gegend zwischen den A.n eine bevorzugte Stelle zum Einritzen eines Kreuzes als Schutzzeichen gegen den bösen Blick [28].

[1] SAVk. 8, 142. [2] ZfVk. 23 (1913), 127. [3] Hovorka u. Kronfeld 2, 806. [4] Ebd. [5] ZföVk. 9 (1903), 214. [6] Knoop Hinterpommern 82 Nr. 169. [7] Mannhardt 1, 139. [8] Megenberg Buch der Natur 35; Hovorka u. Kronfeld 2, 806. [9] Seligmann Zauberkraft 250. [10] Ebd. 251. [11] Hertz Werwolf 86. [12] Andree Parallelen 1 (1878), 44. 63; Wuttke § 213. 220; Seyfarth Sachsen 7. 38. 45; Fronius Siebenbürgen 19; Alpenburg Tirol 267; Köhler Voigtland 420; Fischer Oststeierisches 122; John Westböhmen 201; Stemplinger Aberglaube 68; Seligmann Zauberkraft 250. 403. [13] ZfdMyth. 1, 198; Andree Braunschweig 379; Grimm Sagen 74 Nr. 80; E. H. Meyer Germ. Myth. 121 f.; Kuhn Westfalen 1, 286 Nr. 332; Kuhn u. Schwartz 419 Nr. 193. 520; Schönwerth Oberpfalz 1, 209; Eisel Voigtland 208 ff.; Grohmann 25; Wuttke § 405; Seyfarth Sachsen 7; Laube Teplitz 53; Güntert Kalypso 226; Egerl. 3 (1899), 59; Seligmann Zauberkraft 250.

[14] Mannhardt Germ. Mythen 633 Anm. 1; Hertz Werwolf 86; Meyer Aberglaube 270; Grimm Myth. 2, 918; Wuttke § 408; Seligmann Zauberkraft 250. [15] ZfVk. 22 (1912), 132; Seligmann Zauberkraft 250. [16] Wuttke § 220; Hovorka u. Kronfeld 1, 76; 2, 806; ZföVk. 4 (1898), 151; Fronius Siebenbürgen 19; Hillner Siebenbürgen 21; Graber Kärnten 203; Seligmann Zauberkraft 251. [17] Köhler Voigtland 420 bis 421; Seyfarth Sachsen 45. [18] Maurer Isländ. Sagen 88; Ders. Bekehrung des norweg. Stammes zum Christentum. München 2 (1856), 111 Anm. 35; ZfVk. 8 (1898), 285; Seligmann Zauberkraft 403. [19] Rochholz Sagen 1, 358. [20] SAVk. 8 (1904), 142. [21] Drechsler Schlesien 1, 184. [22] Engelien u. Lahn 250. [23] Pollinger Landshut 163. [24] Jensen Nordfriesische Inseln 217. [25] Leoprechting Lechrain 9 f. [26] Bartsch Mecklenburg 2, 70. [27] Seligmann Zauberkraft 252. [28] ZfVk. 4 (1894), 144.

2. Wimpern. Nach Pseudo-Galen kann ein Mensch ohne W. nicht mehr in gerader Richtung oder in die Ferne sehen [29]. Nach Galen sind niedergeschlagene W. Zeichen des Neides [30]. Dichte W. beweisen einen energischen Charakter [31]. Um Schlucken aufhören zu machen, soll man ein Haar aus der W. herauszupfen (Rumänen in der Bukowina) [32]. Fällt einem eine W. aus, so legt man sie auf den Rücken der Hand und wünscht sich etwas. Läßt sich die W. leicht wegblasen, so geht der Wunsch in Erfüllung [33]. — Wenn in Westfalen eine Kuh keine Milch mehr gibt, so gießt man an einem Sonntag ein wenig von der Milch der Kuh in ein neues Gefäß, reißt die W. von dem unteren Augenlid des Tieres aus, wirft sie in das Gefäß, verschließt dieses fest, läßt die Milch ein oder zwei Stunden lang kochen, gießt das Ganze in einen sehr reinen Filter, melkt dann die Kuh dreimal, filtriert die erhaltene Milch, gießt sie in ein neues Gefäß, wirft den Staub von dem Kehricht des Hauses hinein und setzt das Gefäß an die Eingangstür des Stalles [34].

[29] Pseudo-Galen Introd. X (K. XIV. p. 702). [30] Seligmann Zauberkraft 255. [31] Hovorka u. Kronfeld 2, 806. [32] Ebd. 2, 789. [33] Drechsler Schlesien 2, 197; John Erzgebirge 38; Urquell 3 (1892), 40; SAVk. 7, 133. [34] Seligmann Blick 1, 356.   † Seligmann.

Augendiagnose s. O p h t h a l m o -
s k o p i e.

Augenkrankheiten.

I. Als U r s a c h e der meisten Augenerkrankungen, resp. der Blindheit, gelten
der Fluß, die bösen Säfte, eine Schärfe
(Blutschärfe, stockendes, hitziges Geblüt),
ein Gift, das sich auf die Augen geschlagen
oder geworfen hat, Kopfweh, grelles Licht,
Hitze, dunkle Wohnung, vieles Wachen,
nächtliches Arbeiten, Lesen von kleiner
Schrift (sich blind sehen), viel weinen
(sich blind weinen), frühe Fleischkost (bei
Kindern und jungen Hunden) [1], Erkäl-
tung, Verkühlung, Zug, namentlich, wenn
man in einen giftigen Wirbelwind gerät
(Schlesien) [2], und in neuester Zeit der
Krieg, d. h. irgendein (nebensächliches)
Kriegserlebnis.

[1] B a r t i s c h 46; F l ü g e l *Volksmedizin*
63; H o v o r k a u. K r o n f e l d 2, 785—786.
787. 788; F o s s e l *Volksmedizin* 93; A n d e l
Volksgeneeskunst 186. [2] D r e c h s l e r 2, 152;
H o v o r k a u. K r o n f e l d 2, 787.

1. Der A u g e n z a h n (Hundszahn) steht
nach dem Volksglauben in innigster Beziehung zum Auge: dieses soll oft erkranken, wenn er bei Kindern nicht recht
durchbrechen will oder zu rasch durch-
bricht. Bei Erwachsenen soll das Ausziehen desselben öfters Krankheit des
Auges veranlassen; doch nach Umständen
sollen auch nach Entfernung eines schad-
haften Hundszahns Augenleiden gehoben
werden [3].

[3] F o s s e l *Volksmedizin* 94; H o v o r k a
u. K r o n f e l d 2, 787; G o l d s c h m i d t
Volksmedizin 59.

2. Sehr häufig stößt man jetzt noch auf
eine Antipathie, B r i l l e n zu tragen. Die
physiologisch und anatomisch begründete
Abnahme der Sehschärfe bei Kurzsichtig-
keit, Übersichtigkeit und Alterssichtig-
keit wird auf ein getragenes Augenglas
zurückgeführt. Die Abneigung, solche
Gläser zu tragen, ging im 17. Jh. sogar
so weit, daß alle möglichen, natürlich
wirkungslosen Mittel empfohlen wurden,
„um sich der Prillen zu enthalten und
sich von ihnen zu entwehnen" [4].

[4] B a r t i s c h 52—57.

3. K r a n k e Augen bekommt man, wenn
man die Fingernägel bei Licht schneidet
(Simmenthal) [5]. Man erblindet, wenn
man einen Blindstein (weißen Kiesel)
findet und nicht darauf spuckt und ihn
rückwärts über den Kopf wirft (Insel
Rügen) [6]; wenn man auf grünen Farren-
kräutern liegt (Schweiz) [7]. Im MA. [8] und
noch heute in Mecklenburg soll es den
Augen schaden, wenn man sich nach einer
Fischmahlzeit die Hände nicht wäscht
und mit den fischigen Händen die Augen
berührt [9].

Schwalbenkot in den Augen ist noch so
sehr gefürchtet wie zu Tobias Zeiten, indes auch Kot anderer Vögel (Ätzwirkung
wegen des Reichtums desselben an Harn-
säure und harnsauren Salzen) [10], desgleichen die Samenfäden des Löwenzahns
(Augenblume) [11], Staub eines ganz trok-
kenen Pilzes (Lycoperdon bovista) [12], Ha-
senfett [13], Aalblut (Ichthyotoxin) [14], die
Taufe (d. h. verunreinigtes Taufwasser,
das in die Augen gelangt) [15], Wasser von
Heilbrunnen, das ein meineidiger Dieb
zur Heilung seiner kranken Augen gebraucht hat [16].

Man wird augenkrank oder blind durch
das Ansehen eines Augensteines (Gnatzstein, Quarz) (Preußen) [17], eines Maul-
wurfes (weil er scheinbar blind ist) [18],
eines Wiesels [19], eines Augenkranken
(Triefäugigen) [20], seines eigenen Spiegel-
bildes (bei Kindern im ersten Lebensjahr) [21], eines auf einem Baume sitzenden Frauenzimmers [22], durch den Blick
in die Sonne (der tatsächlich nicht nur
vorübergehende Blendung, sondern auch
dauernde Sehstörung hervorrufen kann) [23],
in den Mond [24], auf die Sterne (Auge der
Engel) [25] und nach jüdisch - talmudi-
scher Ansicht auf den Regenbogen, den
Regenten und den segnenden Priester,
denn in ihnen spiegelt sich die göttliche
Majestät [26].

[5] Z a h l e r *Simmenthal* 21. [6] BlPommVk.
1900, 62 Nr. 11. [7] U l r i c h *Volksbotanik* 9.
[8] W o l f r a m v. E s c h e n b a c h *Parzifal* 487, 4;
ed. Martin 2, 371. [9] AfdA. 27 (1901), 109. 219.
Das Berühren der Augen mit unreinen Händen
galt schon im Talmud für gefährlich, weil es
Blindheit im Gefolge haben konnte. (B l a u 163;
K o t e l m a n n 414.) Mit dem Glauben, daß

der Genuß von Fischen, die wegen ihres Wasserreichtums ebenso wie das reichliche Trinken von Wasser als schädlich für die Augen und Star (Cataracta = Wasserfall) hervorrufend angesehen wurden, hat diese Ansicht wohl kaum etwas zu tun (K o t e l m a n n 244—245; vgl. 373. 416; P r e u ß *Medizin* 305. 311. 328. 329). [10]) T o b. 2, 9; K o t e l m a n n 195 bis 201; F l ü g e l *Volksmedizin* 63. [11]) D r e c h sl e r 2, 296. [12]) Ebd. 2, 296; BlPommVk. 8 (1900), 62 Nr. 10. [13]) D r e c h s l e r 2, 296. [14]) BlPommVk. 8, 19. Im Talmud auch Eselsblut (K o t e l m a n n 392). [15]) SAVk. 21 (1917), 57. [16]) M e g e n b e r g *Buch d. Natur* 415. Vgl. das Gottesurteil bei den Eweern: Um einen Dieb oder Mörder ausfindig zu machen, läßt man dem Verdächtigen Gift in die Augen bringen; ist er schuldig, so wird er blind werden, machts ihm nichts, so ist er unschuldig: ZfEthn. 38 (1906), 40. [17]) F r i s c hb i e r *Hexenspr.* 32. [18]) W u t t k e § 167. 525; auch bei einigen nordmexikan. Indianerstämmen: F r a z e r *Totemism* 1, 13 Anm. 1. Bei den Bakuena in Südafrika bekommt man kranke Augen, wenn man auf ein Krokodil (Totemtier) blickt: F r a z e r *Totemism* 1, 13. Im klass. Altertum sollte der Anblick des Seebarsches (P l i n. 32, 8) Gift für die Augen sein. [19]) W u t t k e § 170. [20]) S e l i g m a n n *Zauberkraft* 233—234. 508. [21]) Ebd. 285. Sie werden schielend (Westböhmen, Ungarn) oder erblinden (Ungarn). Nach epirotischem Glauben erblindet, wer nachts in den Spiegel blickt (S e l i g m a n n 285—286). Betrachtet sich jemand mit einem kranken entzündeten Auge längere Zeit in einem Spiegel, so wird auch das andere gesunde Auge angesteckt (S e l i gm a n n 287). [22]) G r i m m *Mythol.* 3, 455 Nr. 621; B i r l i n g e r *Volksth.* 1, 493; ZfdMyth. 3, 31; F o g e l *Pennsylvania* 212 Nr. 1065. Der Grund dieses Glaubens mag sein, daß man in dieser Position des Weibes ihre Genitalien zu sehen bekommt, und der Anblick derselben verursacht, wenigstens nach talmud. Glauben, Blindheit. Sogar blinde Kinder können geboren werden, wenn die Eltern bei der Kohabitation auf die Genitalien hinblicken (K o t e l m a n n 300; P r e u ß *Medizin* 314). [23]) S c h ö n w e r t h *Oberpfalz* 2, 51. Ähnlich gilt der Anblick des mit der Sonnensubstanz gesättigten Glutkessels beim indischen Pravargyaopfer für gefährlich und Blindheit verursachend (S e l i g m a n n *Zauberkraft* 226). [24]) J o h n *Westböhmen* 234. [25]) K u h n u. S c h w a r t z 458; Časopis českého Musea 1855, 181; ZdVfVk. 25 (1915), 29 Anm. 29. Beim Weisen mit dem Finger muß man natürlich den Blick auf die Sterne richten. P h o t i o s erzählt, Philippos, der König Mazedoniens, habe als Kind auf Sternschnuppen geschossen und nachher sein Auge durch einen Mann namens Aster verloren: P h o t i o s *Bibl. cod.* 190, p. 149 a (Bekk.). [26]) S e l i g m a n n *Zauberkraft* 293; in Australien auch auf die Tjurunga, das heilige Kultobjekt (S e l i g m a n n 293).

4. Die meisten Augenleiden entstehen durch die Tätigkeit der H e x e n und Zauberer [27]), die Gegenstände wie Stecknadeln, Senkelstifte u. dgl. in die Augen hineinpraktizieren [28]) oder durch Beschreien [29]), bösen Blick [30]), das „Vermänte" (Steiermark, Kärnten) [31]) oder durch Anhauch [32]) A. und Blindheit hervorrufen. — Die Truden blenden, wenn man ihnen etwas abschlägt [33]).

Nächst den bösen Menschen sind es die K r a n k h e i t s g e i s t e r u n d e l b is c h e n W e s e n, die das Auge beschädigen [34]): die Perchta [35]) oder ein Kind aus ihrer Schar [36]), der Teufel [37]), die Hexen [38]), die Unterirdischen, Norggen, der Alp [39]), der Bilwis [40]), die Kornmutter [41]), Knecht Ruprecht und Nicolas [42]) blasen oder pusten den Menschen, namentlich wenn diese sie neugierig belauschen, die Augen aus, d. h. sie blenden sie durch Blasen oder Blattern bildende A. In Schlesien wird ein besonders gefährliches Augenübel der Rinder „der Hauch" genannt [43]), ist also wahrscheinlich auf den Anhauch der Hexen zurückzuführen. Bei Goethe haucht die Sorge den Faust an, daß er erblindet [44]). Der wilde Jäger schlägt Neugierigen, welche aus den Fenstern sehen, mit seiner Peitsche (Blitz) die Augen aus [45]). Andere dämonische Mächte verletzen die Augen durch ein nagelartiges Geschoß, daher der Name „Nagel" für Hornhauttrübung [46]). Auch der nordwestdeutsche Ausdruck „mit wat forr de Ogen schaten" (geschossen) weist auf solche Geschosse hin [47]). St. Luzia steht in Beziehung zum Triefauge, das daher auch St. Lucienschein heißt [48]). Die zwerghaften Sandmännchen und Pechmännlein streuen Sand in die Augen (= Blepharolithiasis) und verkleben die Augenlider. Der Pöpelmann veranlaßt das Pöpeleinauge (Pippel-, Pöpel-, Bibelinauge = chron. Bindehautkatarrh) [49]), der Bielman den weißen Star [50]), die Poganeia das Hornhautgeschwür (Dalmatien) [51]).

[27]) T o e p p e n *Masuren* 56. [28]) B a r t i s c h 385 u. Fig. 47 Der austral. Zauberer bringt Strohhalme u. dgl. seinem Opfer h i n t e r die Augen (B a r t e l s *Medizin* 210—212.) [29]) Ur-

quell 2 (1891), 62. [30]) S e l i g m a n n *Zauber-kraft* 116. 126. 277. 308. 325. 326. 332. 333. 334. 340—341. 352. 407. [31]) G r a b e r *Kärnten* 215; S e l i g m a n n *Zauberkraft* 39. [32]) D r e c h s l e r 2, 152. [33]) M ü l l e r *Siebenbürgen* 144 f. [34]) S e y f a r t h *Sachsen* 83; H o v o r k a u. K r o n f e l d 2, 793. [35]) G r i m m *Mythol.* 1, 229; V o n b u n *Beiträge* 9; E i s e l *Voigtland* 104 Nr. 263. [36]) A l p e n b u r g *Tirol* 64 Nr. 1. [37]) M ü l l e n h o f f *Sagen* 202 Nr. 276; G r i m m *Mythol.* 3, 89; S i m r o c k *Mythol.*[3] (1869), 456; E i s e l *Voigtland* 6 Nr. 8. [38]) S i m r o c k *Myth.*[3] 456; D r e c h s-l e r 2, 152; E i s e l *Voigtland* 90 Nr. 227. [39]) ARw. 2 (1899), 151. [40]) Ebd. [41]) M a n n-h a r d t *Forschungen* 309. 310. [42]) G r i m m *Myth.* 1, 426. [43]) P e t e r *Öst. Schlesien* 2, 274; D r e c h s l e r 1, 37. [44]) G o e t h e *Faust* II. Teil, Akt V. [45]) S c h w a r t z *Heidentum* 32 Anm. 2. [46]) H o v o r k a u. K r o n f e l d 2, 796. [47]) G o l d s c h m i d t *Volksmedizin* 57. [48]) ARw. 2 (1899), 151; 9 (1906), 253. [49]) Ebd. 2 (1899), 151—152. [50]) H o v o r k a u. K r o n-f e l d 2, 788. 801. [51]) S e l i g m a n n *Zauber-kraft* 47 Anm. 206.

5. Wie es nach antikem Glauben für gefährlich galt, „die Götter sichtbarlich zu schauen", weil sie dieses mit Erblindung ahndeten [52]), so ist es nach deutschem Glauben ebenso verhängnisvoll, den Geistern [53]), einer geisterhaften Feuererscheinung [54]), der Perchta [55]), dem wilden Heer [56]), den tanzenden Elfen [57]), dem Nachtvolk [58]), dem Hüttenmännchen (Harz) [59]), den Kasertörggelen (geisterhaften Kindern auf den Stubaier Almen) [60]), den Totenseelen im Berg [61]), den Toten während der Christmette in der Kirche (Kärnten) [62]) zufällig zu begegnen, sich nach ihnen umzusehen oder sie neugierig zu belauschen: sofortige Erblindung ist die Strafe für solches Tun oder Mißgeschick.

[52]) Ebd. 292. [53]) Ebd. 202. 204. 289 ff.; vgl. 156 (Seth); H e y l *Tirol* 583 Nr. 47; E i s e l *Voigtland* 96 Nr. 246; K ö h l e r *Kl. Schr.* 1, 599. [54]) H e y l *Tirol* 363 Nr. 38. [55]) G r i m m *Myth.* 1, 229; V o n b u n *Beiträge* 9; A l p e n b u r g *Tirol* 63; A n d r e e - E y s n *Volkskundliches* 161; SitzbWien 174, 2 (1913), 18. 30. [56]) R a n k e *Volkssagen* 74; M e i e r *Schwaben* 1, 132. 136; W o l f *Beitr.* 2, 159; B i r l i n g e r *Volksth.* 1, 33. [57]) S c h e l l *Bergische Sagen* 150 Nr. 25. [58]) V o n b u n *Beiträge* 9; D e r s. *Sagen* 35 Nr. 37; R e i s e r *Allgäu* 1, 47 f. [59]) P r ö h l e *Unterharz* 150 Nr. 377. [60]) H e y l *Tirol* 73 Nr. 36. [61]) G r a b e r *Kärnten* 100. [62]) Ebd. 185.

6. B l i n d h e i t tritt auch sonst als Strafe für Neugier ein, so, wenn man die

Freimaurer [63]), die Hexen [64]) und sprechenden Tiere [65]) belauscht, wenn man ein Amulettpapier aufmacht [66]), wenn man die Verwandelung des Brunnen- oder Flußwassers in Wein, die in der Weihnachts- oder Neujahrsnacht stattfinden soll, sehen will [67]). Man sagt den Kindern überall warnend, sie würden blind, wenn sie vorwitzig durchs Schlüsselloch des Zimmers schauten, in dem die Weihnachtsüberraschungen vorbereitet werden [68]). Vielleicht ist auch die bekannte Redensart „ein Auge riskieren" auf diesen Glauben zurückzuführen [69]). Sieht ein Uneingeweihter in ein Hexenbuch, so wird sein Auge verhext und es tritt einem Aste gleich hervor (Tirol) [70]).

[63]) S t r a c k e r j a n 1, 362 Nr. 205 a; W u t t k e § 387. [64]) S i m r o c k *Mythol.*[2] (1864), 495. [65]) K ö h l e r *Kl. Schr.* 1, 599. [66]) W u t t k e § 533. [67]) G r i m m *Mythol.* 3, 462 Nr. 192; M ü l l e n h o f f *Sagen* 169 Nr. 231; K u h n *Westfalen* 1, 116 Nr. 125; 2, 107 Nr. 322; S t r a c k e r j a n 2, 34 § 290; W u t t k e § 77. 525; R e u s c h *Samland* 84 Nr. 26; S a r t o r i *Sitte* 3, 151. [68]) MschlesVk. Heft 12 (1905), 67 Anm. 3; vgl. die Erblindung des lüsternen Neugierigen in der Legende von Lady Gullivan in F e l i x D a h n s Gedicht „Jung Sigurd" (*Gedichte*, 2. Sammlung, 96). [69]) MschlesVk. Heft 13 (1905), 115. [70]) H e y l *Tirol* 800 Nr. 241.

7. Eine uralte Vorstellung ist die Blindheit als Strafe Gottes für ein Verschulden oder eine Sünde. Sie findet sich in der antiken „heidnischen" Welt [71]), bei Juden [72]), Mohammedanern [73]) und Christen [74]). So finden die Jünger Jesu es natürlich, ihren Meister zu fragen: „Wer hat gesündigt, dieser oder seine Eltern, daß er blind geboren ist"? [75]). Die deutschen Sagen erzählen von Frevlern, die als Strafe für begangene Grausamkeit [76]) oder Beschimpfung von Heiligenbildern [77]) erblindeten. Nach den Heiligenlegenden erblindete ein vornehmer Römer, der zum Vergnügen in die Kirche ging [78]); ebenso eine Frau, die sich dem Plane ihres Mannes, eine Kirche zu bauen, widersetzte [79]); ein Räuberhauptmann, der in ein Kloster eindrang [80]); ein Maler, der ein Heiligenbild besudeln wollte [81]).

[71]) H e r o d o t *Histor.* lib. II, cap. 111; SAVk. 23 (1921), 222 f. [72]) Ex. 4, 11; Jerem. 31, 7; Dt. 28, 28; Sach. 14, 4; P r e u ß *Medi-*

zin 313. [73]) Koran Sure 2, 6. 19. [74]) L i p -
p e r t *Christentum* 179. [75]) Joh. 9, 1. Durch
Verbalsuggestion blendete in der Apostelge-
schichte 13, 11 Paulus den Zauberer Elymas;
ebenso Mohammed einen berüchtigten Zauberer
durch Hersagen der Schutzsuren (S e l i g -
m a n n *Blick* 2, 342). Über eine Verbalsuggestion durch einen Fluch vgl. S e l i g m a n n
Zauberkraft 481. [76]) S c h e l l *Bergische Sagen*
438 Nr. 34. [77]) K ü h n a u *Sagen* 3, 409—410.
[78]) K e r l e r 13. [79]) Ebd. 15. [80]) Ebd. 15.
[81]) Ebd. 17; vgl. hierzu die japanische Anschauung, daß man den Reis nicht mutwillig
vergeuden oder ungenießbar machen soll, weil
man sonst schlimme Augen bekommt. Mitt. d.
Deutsch. Gesellsch. f. Natur- u. Völker. Ost-
asiens 6 (1893—97), 339.

II. S p e z i e l l e A.

1. H o r n h a u t f l e c k e entstanden
nach ma.lichem Glauben dadurch, daß
der Teufel auf dem Hexensabbat den Zauberern und Hexen zur Besiegelung des
mit ihnen eingegangenen Paktes ein Mal
(Signum diabolicum) mit einem Gold-
stück in Form einer kleinen Kröte auf
das Auge aufdrückte [82]).

[82]) S e l i g m a n n *Zauberkraft* 248.

2. Der S t a r soll entstehen infolge des
Beschreiens [83]), wenn man Starfleisch ißt
oder Wasser trinkt, von dem ein solcher
Vogel getrunken oder in dem er sich gebadet hat [84]), wenn ein Star die ausge-
kämmten Haare in sein Nest trägt; vor-
sichtshalber soll man sie daher verbrennen [85]).

[83]) Urquell 2 (1891), 62. [84]) B a r t i s c h
66. [85]) G r i m m *Mythol.* 3, 473 Nr. 1027.

3. N a c h t n e b e l bekommt man, wenn
man in die Sonne zur Zeit ihres Unterganges oder in das Wasser, in das die
Sonne scheint, oder in den Vollmond
schaut. Auch Kinder, die durch ein Sieb
gegen die Sonne schauen, bekommen
Nachtnebel (Kroatien, Böhmen) [86]). In
Marokko gilt der Genuß von Hühnerhirn
als Ursache der Nachtblindheit (= Hüh-
nerblindheit) [87]).

[86]) H o v o r k a u. K r o n f e l d 2, 804;
W u t t k e § 524. [87]) S t e r n *Türkei* 1, 166.

4. A u g e n j u c k e n , - k r i m m e n
u. - b e i ß e n soll man bekommen, wenn
man über einen Ort geht, auf den Aschen-
lauge geschüttet ist, daher der Name
„Aschenschrimpff" [88]).

[88]) B a r t i s c h 180; vgl. K ö h l e r *Voigtland* 547.

5. A u g e n e i t e r u n g d e r N e u -
g e b o r e n e n (Infektion durch gonor-
hoische Erkrankung der Mutter) wird als
Folge der Lichteinwirkung angesehen,
weshalb man bestrebt ist, das Zimmer der
Wöchnerin im tiefsten Dunkel zu erhalten
(Steiermark) [89]).

[89]) F o s s e l *Volksmedizin* 68.

6. R o t e A u g e n (inversio palpe-
brarum) bekommt ein Kind, wenn es in
der Wiege viel über sich sieht [90]).

[90]) J. M u r a l t *Hippocrat. helvet.* Basel 1692,
92; R o c h h o l z *Kinderlieder* 290.

7. Ü b e r s i c h t i g k e i t entsteht,
wenn man Kinder vom Kopfe her betrachtet [91]).

S c h i e l e n desgleichen, oder wenn
die Wiege mit dem Kopfende gegen das
Fenster steht (Steiermark) [92]). Man soll
auch nicht mutwillig schielen, weil es
sonst bleibt [93]). Schielaugen bekommt das
Kind, wenn es durch ein Sieb (Bukowina) [94]) oder in den Spiegel (Westböhmen, Ungarn) schaut [95]) oder wenn die
Mutter es an allen drei Fastnachtstagen
stillt (Alt-Finnland) [96]).

[91]) F l ü g e l *Volksmedizin* 63—64. [92]) P u e r-
perium Marianum, d. i. *Unser L. Frawen
Kindelbeth durch Christ. Marianum.* Costantz
1599, 124; R o c h h o l z *Kinderlieder* 290;
F o s s e l *Volksmedizin* 68. [93]) SAVk. 8, 151.
[94]) H o v o r k a u. K r o n f e l d 2, 804.
[95]) S e l i g m a n n *Zauberkraft* 285. In Palästina (S e l i g m a n n 286) und Marokko
(Acta Academ. Atoens. 1, 17—18) darf man
sich aus demselben Grunde nicht nachts in
einem Spiegel besehen. Besonders gefährdet ist
in Palästina die Wöchnerin (S e l i g m a n n
286). [96]) S e l i g m a n n *Zauberkraft* 265.

8. G e r s t e n k ö r n e r entstehen durch
den Augenwurm (Werre), die fressenden
Würmer [97]), den bösen Blick einer schwangeren Frau (Spanien) [98]); deshalb muß
man sich hüten, einer Schwangeren einen
Wunsch abzuschlagen (Bosnien, Abruzzen) [99]) oder überhaupt in ihrer Gegenwart zu essen (Asturien) [100]). Die schwangere Frau selbst bekommt Gerstenkörner,
wenn sie einen Stuhl umgekehrt sieht und
nicht auf ihn spuckt (Schweden) [101]). Kinder unter einem Jahre dürfen nicht Hirse
essen, weil sie sonst Hirsekörner im Ge-

sicht und Gerstenkörner in die Augen bekommen (Voigtland) [102]). Man bekommt
das Leiden auch, wenn man in die Verunreinigung auf einem Kreuzwege tritt
(Siebenb. Sachsen) [103]), wenn man an
einem Kreuzwege uriniert (daher der Name Wegepisse) (Braunschweig) [104]), oder
ein anderes Bedürfnis verrichtet (daher
der Name Wegscheißer) (Franken) [105]),
oder wenn man jemandem in den Hintern sieht (Schlesien) [106]).

[97]) ARw. 2 (1899), 152; Č a s e p 1855, 329.
In China soll das Trachom durch einen Wurm
entstehen, der mit gebogenen Nadeln getötet
wird, die unter die Verwachsungen eingestoßen
werden. (G. M a y e r *Hygienische Studien in
China.* Leipz. 1904, 118). [98]) S e l i g m a n n
Zauberkraft 340. [99]) Ebd. 119; H o v o r k a
u. K r o n f e l d 2, 537; Curiosità popolari
tradizionali 13, 187. [100]) S e l i g m a n n
Zauberkraft 382. [101]) Ebd. 295. [102]) K ö h l e r
Voigtland 424. [103]) W l i s l o c k i *Sieb. Volksgl.* 82. [104]) A n d r e e *Braunschweig* 421.
[105]) L a m m e r t 228. [106]) D r e c h s l e r
2, 297.

III. Angeborene Augenleiden.

Sehr häufig wird den Eltern, speziell
der Mutter, die Schuld an einem Augenleiden der Kinder zugeschoben. Schon das
Brautpaar wird dafür verantwortlich gemacht, das anwesend ist, wenn das Auf-
gebot in der Kirche verkündigt wird;
dann bekommen ihre zukünftigen Kinder kranke Augen (Böhmen) [107]).

Am meisten gefährdet die schwangere
Mutter das Kind. Drückt sie einer Leiche
die Augen zu, so bekommt das Kind
eingefallene Augen oder wird blind
(Schlesien) [108]); badet sie, so wird das
Kind blind (Thüringen) [109]); blickt sie den
Mond an, so wird das Kind mondsüchtig
oder kurzsichtig (Schlesien, Böhmen,
Oberpfalz) [110]); „versieht" sich die Mutter
beim Anblick von „blanken und bloßen
Degen, Feuer, Plitzen, Büchsen abschie-
ßen, Sonnenstrahlen im Wasser, sterbenden Menschen oder solchen Leuten, die
das Fraischlegt oder die schwere Not
haben und ihre Augen scheußlich verwenden, item Tiere schlachten, die auch
die Augen häßlich verkehren, oder noch
endlich solche Menschen, die da selber
schielen, mit Entsetzen ansehen und
hefftig darüber erschrecken" [111]), oder

sieht sie durch eine Türspalte, durch ein
Schlüsselloch oder durch ein Loch in der
Mauer (Niedersachsen, Hannov. Wendland, Wenden, Schweden) [112]), ißt sie Ha-
senfleisch (Serbien) [113]), wird sie mit einer
Spindel geschlagen, hat sie eine Schlange
getötet oder zugesehen, wenn andere eine
Schlange getötet haben (Ehsten) [114]), so
wird das Kind schielen.

Selbst während der Geburt ist das
Kind gefährdet; wenn die Gebärende da-
bei die Augen zumacht, dann sieht das
Kind nicht (Schlesien) [115]).

In Indien war es schließlich noch die
schlechte Muttermilch, die nach der Geburt die Augeneiterung der Neugeborenen
hervorrufen sollte, während nach dem
Talmud Triefäugigkeit entsteht, wenn die
Mutter Gartenkresse [116]), und unstete,
zitternde Augen, wenn sie Fischsaft oder
kleine Fische genießt [117]).

[107]) J o h n *Westböhmen* 129. [108]) D r e c h s -
l e r 1, 118; W u t t k e § 571. [109]) Ebd.
§ 592; H a n s e m a n n 31. [110]) W u t t k e
§ 571. Derselbe Glaube bei den Suaheli (C.
V e l t e n *Sitten u. Gebräuche der Suaheli.*
Göttingen 1903, 253). [111]) B a r t i s c h 24.
Bei den Suaheli, wenn sie einen schielenden
Menschen angeschaut hat (V e l t e n 253).
[112]) Ns. 15. Febr. 1914, 188; M e n k [113]
W u t t k e *Sächs. Volksk.* 371; L l o y d 89.
[113]) Globus 33 (1878), 349. [114]) B o e c l e r
Ehsten 127. [115]) D r e c h s l e r 1, 182.
[116]) K o t e l m a n n 155. [117]) Ebd. 416;
P r e u ß *Medizin* 311.   † Seligmann.

Augensegen. Diese wollen gewöhnlich
nicht chronisch schwaches Gesicht oder
Blindheit, sondern Entzündungen, Flek-
ken (Blasen) auf der Hornhaut, Fremdkörper im Auge u. dgl. heilen; das Übel
wird demnach häufig als „Blattern" im
Auge, „Fell" (*pellis*), „Flecken" und
„Mal" (*macula*), „Herbrate" usw. genannt [1]). — Zwei deutsche Segen schon
aus dem 11. Jh.: der eine beschwört den
suam (? Hschr. *suaz*) bei Gott und
Christ [2]), der andere („Regensburger A.")
gedenkt des „regenplinten" (Joh. Ev.
cap. 9) [3]). Älteste christliche lateinische
Aufzeichnung: 12. Jh., Theclasegen (vgl.
unten). Die lat. A. sind öfters sehr lang
und mischen streng biblische Stücke (Tobias, die verschiedenen Blinden) mit grob
legendarischen, nebst Beschwörungen bei

den Engelmächten u. a. Die deutschen
Segen sind gewöhnlich kürzer und einfacher. — Von den vielen Motiven der A.
sind in Deutschland wohl folgende die beliebtesten:

1. B i b l i s c h e u. dgl. S u s a n n a -
segen. Die Formen variieren, Grundform
vermutlich wie diese: „Susanna hat gebärt S. Anna, S. Anna hat gebärt Maria,
Maria hat gebärt ... Jesus Christ; so
wahr dies Wort ist, soll das Fell ziehen in
diesem Aug" (usw. vgl. Gebärsegen § 2) [4]).
Die meisten Aufzeichnungen sind ganz
spät (eine aus dem 16. Jh.), keine lateinisch. Die „Susanna" ist hier ganz unbegründet und steht wohl bloß wegen
des Anklangs an „Anna", vgl. im 15. Jh.
in einem Dreifrauensegen (s. d.): „S. Ann,
S. O s a n n, min frow S. Maria" (usw.) [5]).
— Der L o n g i n u s segen (s. d.) ist in
diesem Gebrauch unursprünglich. — Jesu
A t e m und B l u t : „U. Herrgott sein
Athem vertreibt dir dein' Blattern, u. H.
sein Blut ist für die Augen gut" [6]).

[1]) Vgl. H ö f l e r *Krankheitsnamen* s. v.
[2]) MSD. 1, 18 Nr. 7. [3]) ZfdA. 46, 303. [4]) Urquell 1 (1890), 170; vgl. L a m m e r t 229;
S e y f a r t h *Sachsen* 136; Germania 17, 76
(16. Jh.) u. a. [5]) Germania 25, 68. [6]) M e i e r
Schwaben 2, 515.

2. H e i l i g e n l e g e n d e. N i c a -
s i u s : lateinisch als epischer A. seit
dem 15. Jh.: „S. Nic. dyaconus et martir
habuit dolorem oculorum et deprecatus
est dominum, ut quicunque nomen suum
portaverit, a macula liberaretur" [7]).
Deutsch schon im J. 1349: „Der lieb Herr
S. N. het ain vel in den augen u. bat"
usw.[8]). Jetzt außer Gebrauch. Nach
Franz ist hier der Bischof von Rouen (und
nicht der Reimser) gemeint, weil nur von
ihm ein Augenwunder berichtet wird.
Aber die älteste Fassung des Segens, lat.
aus angelsächs. Hschr. (um 1000?) spricht
gar nicht von den Augen: „For p o c c a s.
S. N. habuit minutam variolam et ro-
gauit ... ab hoc morbo"[9]) (eine Legende
betreffend die Pocken scheint sonst von
keinem der beiden Heiligen erzählt zu
sein). Die Änderung des Zweckes mag auf
deutschem Boden vorgenommen sein
wegen der Zweideutigkeit des Wortes

„Blattern" (oder ist durch die Ähnlichkeit zwischen *Varulus*, Gerstenkorn und
Variola veranlaßt). O t t i l i a s. Heilige
in den Segen § 2.

G e s p r ä c h   d r e i e r   H e i l i g e r
am Meere [10]), nur lat., vom 12. Jh. an.
Ältester, vollständiger Beleg: „ .... S.
Nazarius et S. Tecla et S. Aquilina sede-
bant supra petrus (l. petras) eius et mare;
et dixit S. N.: Ambulemus, et dixit
S. T. : Ambulemus, et dixit S. A. : Non,
set macula de oculo isto delea(mu)s. Si
alba est, desfacta est; si rubigo est, deus
... destruet ill(a)m" [11]). (Statt „ambulemus" auch „eamus" oder „sedeamus").
Der epische Text ist, wie von Franz bemerkt, eine Umformung des alten marcel-
linischen Dreijungfernspruches (s. Dreifrauensegen) mit eingesetzten Heiligen
(die Namen oft sehr verdreht) und mit
Gespräch statt Handlungen. Der berühmteste Name ist hier T h e c l a, die Be-
gleiterin des Apostels Paulus, sehr früh
als Augenpatronin verehrt, während A-
quilina wohl sonst kaum als solche vorkommt. Das Auffallende in der Namen-
wahl und im Gegensatz Sitzen-Gehen
könnte sich vielleicht erklären durch eine
Spielerei des Verfassers über bedeutungsvolle Worte im Anfang der vielgelesenen
Theclalegende: „Thecla" — (Pauli) „na-
sus" „aquilinus" — „sedens" („minime
recedebat") [12]). — Eine byzantinische Variante [13]) ist, wie es scheint, aus dem Lat.
übersetzt. — Die Bedrohung der f a r -
b i g e n Körper im Auge (oft kommt
noch „schwarz" hinzu) kommt auch ohne
die Theclalegende vor, und auch französisch [14]), später auch in den Wurm-
und dem Hiobsegen (s. d.).

[7]) S c h ö n b a c h HSG. Nr. 1011; vgl. Ger-
mania 32, 455; F r a n z *Benediktionen* 2, 487;
O h r t *Danmarks Trylleſml.* 2 Nr. 1158.
[8]) S c h ö n b a c h HSG. Nr. 824; vgl. ZfdA.
24, 67. [9]) P a y n e *English Medicine in the
Anglo-Saxon Time* (Oxford 1904), 130. [10]) Literatur F r a n z *Benediktionen* 2, 488 ff.;
J a c o b y Ons Hemecht 1924, 29 ff., mit
Hinweisen. [11]) Neues Archiv f. ältere deutsche
Geschichtskunde 13, 667. [12]) M o m b r i t i u s
Sanctuarium 2 (Milano 1476), 308. [13]) V a s -
s i l i e v *Anecdota graeco-byzantina* 1 (Moskva
1893) 338. [14]) SchwVk. 11, 11; Mélusine
3, 113.

3. A n d e r e M o t i v e. Eine andere
Zurechtlegung des Marcellusspruches, in
der Neuzeit äußerst beliebt, liegt nur
deutsch vor und erst seit den Prozessen
des 16. und 17. Jhs. Die Jungfern sind hier
namenlos wie bei Marcellus (nur eine einzige Variante [15]) hat hier „drei Marien")
und sind entweder einfach „drei Jungfern"
oder haben christliche Epithete („heilige"
usw.). S. weiter Dreifrauensegen.
Über Segen gegen „böse Augen" s. Verhexung (Segen wider) § 2––3.

[15]) ZfrwVk. 1, 217.　　　　　　　　Ohrt.

Augenstein. Man versteht darunter:
1. Das Cuprum aluminatum oder „Nichts",
„Augennichts" (Zinkoxyd), die man bei
Augenkrankheiten anwendet. In bezug auf
das letztere Mittel gilt die wortspielende Redensart: „Nichts ist gut für die Augen" [1]).
–– 2. Den Gnatzstein oder Quarz, der
schlimme Augen verursacht, wenn man ihn
längere Zeit ansieht (vgl. Augenkrankheiten I, 3) [2]). –– 3. Achate (s. d.) mit ringför-
migen Schichten, kugelförmig und so entfernt einem Augapfel gleichend, die, mit
Silberringen umfaßt, an der Uhrkette als
Amulette getragen werden (vgl. Augen-
amulett § 2) [3]). –– 4. Die kalkreichen
Schneckendeckel einer Trochusart [4]).

Augen werden durch Edelsteine ersetzt.
So leuchten in dem nachgemachten Schädel des Servatius Edelsteine statt der
Augen. Ein A. ist auch Alexanders Edelstein, der schweres Gold aufwiegt, mit
einer Feder und ein wenig Erde bedeckt
aber in der Wage aufschwebt [5]).

s. a. G a l i t z e n s t e i n, K u p f e r.

[1]) K ö h l e r *Voigtland* 353; S e y f a r t h *Sachsen*
263; R e i t e r e r *Ennstalerisch* 22. [2]) F r i s c h -
b i e r *Hexenspr.* 32. [3]) A n d r e e - E y s n *Volkskundl.* 140. [4]) Ebd. [5]) G r i m m *Myth.* 3, 362;
H e r t z *Abhandlungen* 73 ff.　　　† Seligmann.

Augentrost (Euphrasia Rostkoviana).
1. B o t a n i s c h e s. Kleiner Rachen-
blütler (Skrophulariazee) mit gegenständigen, eiförmigen, gezähnten Blättern
und weißen oder bläulichen Blüten, die
von violetten Längsadern durchzogen
sind. Die Herbstform des A.s ist im Spätsommer und Herbst häufig auf Wiesen
und Triften anzutreffen [1]).

[1]) M a r z e l l *Kräuterbuch* 277 f.

2. Die Blüte zeigt die „Signatur" des
A u g e s (der dunkle Fleck in der Blüte
wird mit der menschlichen Pupille verglichen) und gilt daher im Volk als Mittel gegen A u g e n k r a n k h e i t e n [2]).
In einem Säckchen auf der Brust getragen, heilt der A. Augenkrankheiten [3]).

[2]) So auch in den Kräuterbüchern des 16.
Jhs., vgl. M a r z e l l *Heilpflanzen* 179. [3]) Niederbayern: M a r z e l l *Bayer. Volksbot.* 132.

3. Die Hirten glauben, daß der A. dem
Weidevieh die M i l c h e n t z i e h t; daher auch Volksnamen wie Milchschelm,
Milchdieb (Österreich, Tirol, Schweiz).
Insofern der A. als „Halbschmarotzer"
die Gräser seiner Umgebung schädigt,
hat diese Meinung eine gewisse Berechtigung. Auch blüht der A. meist zu einer
Zeit, wo der Milchertrag zurückgeht [4]).

[4]) M a r z e l l *Heilpflanzen* 180.

4. Der A. gilt als O r a k e l für die Zeit
der Wintersaat: Blüht er oben an der
Spitze besonders reichlich, so kommt ein
zeitiger Winter, und es muß auch zeitig
gesät werden [5]). Wenn der A. reich blüht,
so gibt es einen strengen Winter [6]). Volksnamen wie Gewitterblüml (Schlesien)
und Donnerkräutchen (Hessen-Nassau)
zeigen, daß man den A. mit dem Einschlagen des Blitzes in Verbindung bringt.
S. G e w i t t e r b l u m e n.

[5]) Südostböhmen: Orig. Mitt. von T r e i b e r
1910; vgl. auch Heidekraut. [6]) Schwaben:
M a r z e l l *Bayer. Volksbot.* 132.　　　Marzell.

Augenwimper s. A u g e n b r a u e 2.

Augurium s. V o r z e i c h e n.

August. 1. Bei den Römern zuerst
S e x t i l i s, der 6. Monat, genannt, erhielt im Jahre 7 v. Chr. bei Berichti-
gung des Schaltwesens von Kaiser Augustus, der im Sextilis die meisten Siege
erfochten hatte, den Namen. Der älteste
deutsche Name ist E r n t e m o n a t (Aran-
mânoth) [1]), womit auch die ganze Erntezeit von Ende Juni bis August bezeichnet
wurde [2]). Im MA. unterschied man auch
zwischen dem e r s t e n A. (Juli) und
a n d e r n A. (August), womit man aber
auch, wie mit A u g s t i n, den September
benannte [3]). Das Wort A u g s t selbst
erhielt im Norddeutschen die Bedeutung
Ernte [4]). Auf diese weist auch der Name

S c h n i t t m o n a t des Tegernseer Kalenders (16. Jh.) hin [5]); noch heute sagt man im Böhmerwald statt Ende Juli oder August „im Schnitt" oder „in der Schnitterzeit" [6]). Als heißester Monat des Jahres hat der A. ferner die Namen K o c hm o n a t [7]) und im deutschen Banat H i t z e m o n a t [8]) und ist wohl auch der B i s m â n o t, in dem das Vieh, von der Hitze und von Bremsen gequält, „biset", wie toll auf der Weide umherläuft [10]). Fischart bringt in „Aller Praktik Großmutter" noch den wohl selbst ersonnenen Namen Adolfmonat (Adolf, 29. A.) [10]).

Bezüglich P e r s o n i f i k a t i o n des A. s. Monat.

[1]) G r i m m *Myth.* 2, 632; W e i n h o l d *Monatsnamen* 31. [2]) W e i n h o l d a. a. O. 30. [3]) Ebd. 30 ff.; SAVk. 11 (1907), 96 f. [4]) W e i nh o l d a. a. O. 32. [5]) Ebd. 54. [6]) Verf. [7]) W e i n h o l d a. a. O. 47. [8]) Ebd. 44. [9]) Ebd. 33. [10]) Ebd. 39.

2. Der 1. A. (s. a. Petri Kettenfeier) gehört mit dem 1. April (s. d.) und 1. Dezember (s. d.) zu den größten U n g l ü c k st a g e n (s. d.) des Jahres [11]). An ihm wurde der Teufel aus dem Himmel geworfen [12]). Der an diesem Tage G eb o r e n e kann Geister und Hexen sehen [13]), findet aber frühen oder unnatürlichen Tod [14]). Auch die H o c h z e i t soll nicht am 1. A. stattfinden [15]). Wer an diesem Tage Rüben sät, dem verrosten sie [16]); wer Flachs rauft, dem verbrennt er beim Dörren [17]). In Tirol gilt ferner der 17., in Niederdeutschland der 18. und in Böhmen der 27. A. als Unglückstag [18]). Am 1. A. fand noch im 16. Jh. in Köln das „P e t e r V i n k e l s f e u e r" (Petri Kettenfeier) statt [19]). In der Gegend von Rovereto in Südtirol bestand der Brauch, daß die Handwerker am 1. A. nachmittags sich bei Wein und Festgelagen bis in die Nacht belustigten. Dazu erbaten sie sich von ihren Kunden Wein oder Geld. Das nannte man „F e r a g o s t o", was wohl aus „*Feriae Augusti*" entstanden ist, da schon die alten Römer die *Calendae Augusti* mit Trink- und Gastgelagen feierten [20]). Ohne Zusammenhang damit und aus rein wirtschaftlichen Gründen begannen die Kalendarien westdeutscher

Klöster im MA. mit dem A. als N e uj a h r wegen der Neuverpachtung des Klosterbesitzes [21]).

Viel wichtiger ist, daß im A., in dem die Sonne in das Z e i c h e n d e r J u n gf r a u tritt [22]), die alten Römer das Fest der Jungfrau D i a n a (13. A.) gefeiert haben, das die Kirche in das Fest M ar i a e H i m m e l f a h r t (s. d.) verwandelt hat [23]). Mit diesem Tage beginnt im deutschen Volksglauben der F r a u e nd r e i ß i g e r (s. d.), in dem die Pflanzen am meisten Kraft besitzen. Deshalb wird auch empfohlen, im A.w ä d e l oder A.k r e b s, wie die zweite Hälfte des Monats auf alemannischem Gebiet heißt (s. Monat), die H e i l k r ä u t e r zu sammeln, so Nesselsamen gegen die Wassersucht, die Blumen zu versetzen und den Winterspinat zu säen [24]). Auch in Bosnien sammelt man im A. die Heilkräuter [25]). Die im Frauendreißiger gelegten Eier heißen A.e i e r; sie verderben nicht [26]). Die am 15. A. „geschüttelten" oder „gerührten" Erdäpfel wachsen schneller [27]). Auch bei den Italienern ist diese Zeit bedeutungsvoll. So kann z. B. ein Schatz zu Cammarana bei Scoglitti nur in der Nacht vom 14. auf den 15. A. gehoben werden, jedoch bloß von einem Ehemann, den seine Heirat nie gereut hat [28]). Bei den Rumänen im Harbachtale (Siebenbürgen) ist der 18. A., wohl alten Stiles, Christi Verklärung, die der katholische Kalender am 6. A. feiert, ein hoher Feiertag [29]). Im Emmental hat der 18. A. als „G o t tw a l t s t a g" besondere Bedeutung. An diesem Tage gefällte Bäume werden nicht wurmstichig, und steigt man an ihm auf einen Baum, der keine Früchte trägt, so wird er in Zukunft Früchte tragen [30]).

Zuweilen fällt in den A. schon ein E r n t e f e s t [31]) oder irgendeine andere F e s t l i c h k e i t [32]). Auf den Halligen ist schon vom 24. A. an f r e i e W e i d e [33]); der A. gilt auch als günstige Zeit zum P f l ü g e n [34]). Bei den Franzosen gelten G e b u r t e n [35]) und H o c h z e i t e n [36]) im A. als unglücklich; dagegen glaubt man in Nordindien, daß die im A. während der Periode der Salomofestlichkeit Geborenen vor dem bösen Blick ge

schützt sind und auch die Macht besitzen, ihn zu vertreiben [37]). Betreffs der G e -
s u n d h e i t empfiehlt der hundertjährige Kalender wie für den Juli Mäßigkeit in allem [38]). Der A. ist im W e t t e r
g l a u b e n der heißeste Monat. Was er nicht zur Reife bringt, wird schwerlich mehr reif, denn ,,Was der A. nicht kocht, kann der September nicht braten'' [39]). O b s t ist nicht mehr schädlich, wenn ein Augustregen darüber gegangen ist [40]). M a u s e r n d e r H ü h n e r im A. deutet auf einen kalten Winter [41]).

Als L o s t a g e (s. d.) kommen in Betracht der 10. A. (Laurentius, s. d.), der 15. (Mariae Himmelfahrt, s. d.) und besonders der 24. (Bartholomäus, s. d.).

[11]) R e i s e r Allgäu 2, 230; H o f f m a n n -
K r a y e r 165; H ö h n Geburt Nr. 4, 261.
[12]) W u t t k e 84 § 100; B a u m g a r t e n Jahr u. s. Tage 29; J o h n Erzgebirge 196;
P o l l i n g e r Landshut 168; H ö h n Tod Nr. 7, 311. [13]) H ö h n Geburt Nr. 4, 261.
[14]) D r e c h s l e r 2, 190; H ö h n Geburt Nr. 4, 261 und Tod Nr. 7, 312. [15]) M e y e r Baden 511. [16]) D r e c h s l e r 2, 54. [17]) Ebd.
2, 74. [18]) R e i n s b e r g Festjahr 226.
[19]) W r e d e Rhein. Volksk. 194 f. [20]) S c h n e l
l e r Wälschtirol 238 Nr. 27. [21]) ZfÖVk. 9 (1903), 185. [22]) Ausdeutung bei N o r k Festkalender 500 ff. [23]) F r a z e r 1, 12. 14 ff.;
D o m a s z e w s k i Religion 172 f. [24]) SAVk. 15 (1911), 7; Z a h l e r Simmenthal 63. Vgl. SAVk. 7, 142; S c h r a m e k Böhmerwald 275.
[25]) S t e r n Türkei 1, 386. [26]) Z i n g e r l e Tirol 169; M e y e r Baden 411; W u t t k e 430 § 674; J. M i c k o Volksk. des Marktes Muttersdorf (Muttersdorf in Westböhmen) 1926, 20. [27]) J o h n Erzgebirge 224. [28]) L i e b
r e c h t Zur Volksk. 98. [29]) ZfVk. 22 (1912), 161. [30]) SAVk. 15 (1911), 5. [31]) L e o p r e c h
t i n g Lechrain 192; R e i n s b e r g Festjahr 256. [32]) Vgl. das Augsburger Monatsgedicht bei B i r l i n g e r Aus Schwaben 2, 152 f.;
R e i n s b e r g Festjahr 226 ff.; K a p f f Festgebräuche Nr. 2, 19. [33]) S a r t o r i Sitte u. Brauch 2, 153. [34]) FFC. 30, 62. [35]) SchwVk. 2, 72 (Lausanne). [36]) S é b i l l o t Haute-Bretagne 113. [37]) S e l i g m a n n Blick 2, 2.
[38]) H o v o r k a u. K r o n f e l d 2, 380.
[39]) R e i n s b e r g Wetter 160; Z i n g e r l e Tirol 170; B. H a l d y Die deutschen Bauernregeln (Jena 1923) 71; W r e d e Rhein. Volksk. 150; P f a l z Marchfeld 8; SAVk. 12 (1908), 16.
[40]) R o t h e n b a c h Bern 31 Nr. 240. [41]) F o
g e l Pennsylvania 221 Nr. 1116. Jungbauer.

Augustinus, hl., Kirchenlehrer, dessen Schriften eine der Hauptgrundlagen der ganzen ma.lichen Theologie bilden, gest.

430, Fest 28. Aug.[1]). Schutzheiliger der Theologen. Befaßte sich eingehend mit der Wirksamkeit der Dämonen und bekämpfte die antiken abergläubischen Anschauungen und Übungen, vorzüglich die magischen Künste in den Schriften De civitate Dei und De doctrina christiana. Letztere, namentlich II, 19—26, diente im MA. als Grundlage zur Bekämpfung des Aberglaubens. Anderseits überliefert A. mancherlei Legendenstoff mit alten Volksmotiven wie Jenseitsvisionen u. a.[2]). Eigentliche Volkstümlichkeit erlangte der Heilige in Deutschland nicht. Infolge höchst naiver Namensexegese wurde er beim bayerischen Volk Patron der Augenkranken [3]), deren Helfer sonst Antonius, Liborius, Ottilia u. a. sind. In den Zeiten des Geistlichen Schildes, eines Büchleins mit vielerlei Segen, Gebeten und Anrufen (s. Geistlicher Schild), konnte man den Heiligen als Schildwächter für die Zeit von 12—1 Uhr mittags anrufen und seine besondere Fürbitte im Falle des Hinscheidens in dieser Stunde erflehen [4]).

[1]) K ü n s t l e Ikonographie 105. [2]) G ü n t e r Christliche Legende, Register. [3]) ZfVk. 1 (1891), 300. [4]) Geistl. Schild 119—121. Wrede.

Aurelia, hl., eine römische, zum Christentum bekehrte Jungfrau, Fest 15. Oktober [1]). A. mußte fliehen und gelangte nach der Legende mit einem Schritt von Fußach gegen Lindau. Man zeigte früher im Hafen von Lindau einen bemerkenswerterweise Hexenstein genannten Stein mit dem Fußtritt der Heiligen [2]). Nach einer weiteren Legende stieß sie zu der Gesellschaft der hl. Ursula (s. d.), bei deren Fahrt von Basel nach Köln sie in Straßburg wegen Krankheit zurückblieb. Hier befand sich ihr in der Reformation zerstörtes Grab in der Mauritiuskirche [3]). Desgleichen wurde sie hier mit den drei sagenhaften Jungfrauen Einbede, Wilbede und Warbede in Verbindung gebracht [4]). Zur Zeit des hl. Columban und später wurde sie in einer Kapelle bei Bregenz am Bodensee verehrt. Columban zerstörte hier im Verein mit S. Gallus die Bildnisse dreier heidnischer Götter, denen das Volk trotz des christlichen Altars weiter geopfert hatte [5]).

¹) AA. SS. Oct. VII 27 ff. ²) Birlinger *Aus Schwaben* 1, 43. ³) Grandidier *Histoire de l'Eglise de Strasbourg* 1, 146. ⁴) Wolf *Beiträge* 2, 175; Simrock *Mythologie* 609; Hertz *Elsaß* 202. ⁵) Grimm *Myth.* 1, 89 f. Wrede.

Aurikel (Primula auricula). Mit der Schlüsselblume nahverwandte Pflanze der Alpen und Voralpen, die oft auf Felsen wächst und daher auch Gamsblümel, in der Schweiz Fluehblüemli (Fluh = Felsen) genannt wird. Weil sie im Gebirg nicht selten in „schwindelnden Höhen" wächst, heißt sie auch Schwindelkraut (vgl. Gemswurz) und gilt bei den Jägern als Mittel gegen den Schwindel¹). Gegen das „Hinfallen" (Epilepsie) hilft der Tee aus den an der „Auffahrt" (Christi Himmelfahrt) gesammelten Flühblumen ²).

¹) Dalla Torre *Alpenpflanzen im Wissensschatze der Alpenbewohner* (1905), 57. ²) Zahler *Simmental* 195.   Marzell.

Aurin s. Tausendguldenkraut.

Ausfahrt (erste Ackerfahrt). Als günstige Tage für die erste Ackerfahrt gelten Dienstag, Donnerstag und Sonnabend ¹). Sie wird mit einem Spruch ²) oder einem Gebet begonnen ³). Ackergerät ⁴) wie Zugtiere werden mit Weihwasser besprengt ⁵). Den letzteren wird Geweihtes ⁶), Brot⁷), Agathenbrot⁸) zum Fressen gereicht, bestreut mit geweihtem Salz⁹). Auch gibt man den Kindern oder dem Gesinde solches „Ackerbrot"¹⁰), oder dem Schmied, Wagner und Sattler das „Mähnebrot"¹¹). Als „Pflugbrot" wird es auf den Acker gelegt¹²), zusammen mit einem Ei und einem Stück Geld; das Ei erhält der Pflüger, Brot und Geld ein vorübergehender Bettler¹³). Damit keine Dürre eintrete, wird dem Pflüger die Tasche mit Krapfen gefüllt und der Wagen vor der A. mit Fett geschmiert, in dem die Fastnachtkrapfen gebacken sind, wobei man die Vorderräder rückwärts, die Hinterräder vorwärts dreht ¹⁴). Das Zugvieh wird über eine Axt getrieben ¹⁵) und auf die Erde vor ihm mit der Peitsche das Zeichen des Kreuzes gemacht ¹⁶).

¹) Meyer *Baden* 418. ²) Schönwerth *Oberpfalz* 1, 400. ³) Birlinger *Volkst.* 2, 423; Reiser *Allgäu* 2, 351; Meyer *Bad.* 119, 417; Sartori *Sitte* 2, 60. ⁴) Sartori 2, 60. ⁵) Meyer *Baden* 417. ⁶) Reiser *Allgäu* 2, 352. ⁷) Meyer *Baden* 119. ⁸) Ebd. 417.

⁹) Ebd. ¹⁰) Ebd. 417; ZdVfVk. 14, 140; Sartori *Sitte* 2, 60. ¹¹) Birlinger *Volkst.* 2, 423. ¹²) Meyer *Baden* 417; Mannhardt 1, 317; vgl. unter Pflug. ¹³) John *Westböhmen* 186; Egerland 4, 36. ¹⁴) ZdVfVk. 14, 138. ¹⁵) Mannhardt *Germ. Myth.* 12. ¹⁶) John *Westböhmen* 186.   Heckscher.

Ausfahrtsegen (Reisesegen). Die vielerlei Gefahren auf Reisen im MA. legten den Gebrauch von Ausfahrt- oder Reisesegen, sei es durch Vermittlung der Kirche, sei es privatim, nahe¹). Die deutschen A. berühren sich eng mit den Morgen-, Schutz- und Waffensegen (s. diese, auch Gerichtund Tobiassegen), eine feste Grenze kann man nicht ziehen. Deutschsprachige Segen für die Ausfahrt liegen seit dem 12. Jh. vor; von alten Texten wären hervorzuheben: 12. Jh. „Weingartner Reisesegen" („Ic dir nach sihe" usw.) ²), in welchem das alliterierende Zeilenpaar über die offenen und die geschlossenen Tore sehr altertümlich anmutet (vgl. Segen § 17); weiter der große kombinierte Murier Segen³); ca. 1200 „Münchener Ausfahrtsegen" („Ich slief mir hînt suoze" usw.) ⁴); 14. Jh. „Ich wil hiut uf stan" ⁵); „Hode dath ich uth ga" („Hiute ich ûs gê") ⁶). Ähnliche Segen waren bis auf unsere Zeit in Umlauf. Vgl. auch Art. Maria in den Segen § 4 Anfang.

Aus den Motiven solcher Segen heben wir hervor:

Die Geleitschaft der Engel, schon im letztgenannten Segen, später gewöhnlich in Abendsegen, s. Engel.

Jesu Pfad, seit 15. Jh. bekannt; z. B. „Ich dryt heutt auff das pfatt, do vnser lieber here Jh. Chr. selbs auff tratt (vgl. Psalm 17, 5), das was so linde vnd so gutt" usw.⁷). Später ähnlich im Romanusbüchlein: „Heut will ich ausgehen, Gottes Steg und Weg will ich gehen, wo Gott auch gegangen ist" usw.⁸). Jesu „Pfad" ist kaum der Weg nach Golgatha, eher der Weg des Sieges und der Erhöhung; vgl. (zwar in späten Hschr.): „Geh hin . . . ich befehl dich in den lieben Pfad, darin Gott der Herr trat, da er die Hölle zerbrach"⁹) (descensus ad inferos). In einer der altdeutschen Fassungen lautet der Schluß: „. . . also unser herre inbunden wart, do er nam

die h i m e l fart"[10]); sehr begehrt waren
einst Erdbrocken von der Stelle, wo Jesus
zum letzten Mal die Erde t r a t[11]) (in die
Schuhe zu legen?).

Jesus mein G e s e l l e; erst spät belegt.
„Ich trete über das Thür-Geschwell, Jesus
(Maria, Joseph, die hl. drei Könige uws.)
seyen meine Weggesellen (der Himmel ist
mein Hut, die Erde meine Schuh)"[12]) wird
auch als Gerichtssegen verwendet. Verwandt ist der in die Abendsegen geratene
Reim „Jesus ist mein Geleitsmann, der
mir den Weg wohl weisen kann"[13]). (Die
Zeilen über Himmel und Erde, als Glied
eines Schutzsegens seit 1656 belegt, finden sich auch in Volksliedern, hier aber
als Schilderung des Bettlerlebens)[14]).

Der s t ä r k s t e M a n n. „In Gottes
Namen schreit ich aus, Gott der Vater
sei ob mir, G. d. Sohn sei vor mir, G. d.
h. Geist neben mir, wer stärker ist als
diese drei Mann, der soll mir sprechen
mein Leben an" usw.[15]). Eine ähnliche
Form angeblich vom Markgrafen Albrecht
dem Jüngeren († 1557) gebraucht[16]),
sonst späte Aufzeichnungen. Zur räumlichen Verteilung der Schutzmächte im
alten Segen vom Kreuze, s. Karlssegen.

¹) F r a n z *Benediktionen* 2, 261 ff., bes. 266 ff.
²) MSD. 1, 18 Nr. 8; Erläuter. 2, 54, mit Hinweisen; weiter K ö g e l *Gesch. d. dt. Lit.* 1, 2,
160 ff.; S t e i n m e y e r 397; SAVk. 8, 65.
³) MSD. 2, 286 f. ⁴) Ebd. 1, 182 Nr. 3. ⁵) Ebd.
2, 283. ⁶) Ebd. 2, 290. ⁷) ZfVk. 13, 19 vgl. MSD.
2, 284; B a r t s c h *Altdeutsche Handschr. in Heidelberg* 144. ⁸) Romanusbüchl.in 3. ⁹) Alemannia 19, 139; vgl. *Danmarks Tryllefml.* 1 Nr. 791.
¹⁰) MSD. 2, 284. ¹¹) L u c i u s *Heiligenkult* 193.
¹²) ZfVk. 1, 308; 2, 175; vgl. 7, 536; S t r a c k e r-
j a n 1, 61; W u t t k e § 240 u. S a r t o r i
Sitte u. Brauch 2, 49 mit weiteren Hinweisen.
¹³) K ö h l e r *Kl. Schr.* 3, 323 f. ¹⁴) Ebd. 3, 558 ff.
¹⁵) Romanusbüchlein 25; Geistl. Schild 163.
¹⁶) WürttVjh. 13, 254 Nr. 397.   Ohrt.

Ausgang, ausgehen. Wem beim A. ein
übles Vorzeichen (s. Angang) begegnet, der
bleibe zu Hause[1]). Wird der Ausgehende
wieder zurückgerufen, so hat er Unglück[2]);
bleibt er an der Türe hängen (s d.), so soll
er lieber wieder umkehren[3]). Kreuzen Kinder und junge Mädchen beim A. unsern
Weg, so haben wir Glück[4]); wer Brot im
Sack hat, dem kann der Angang (s. d.)
eines alten Weibes (s. d.) nicht schaden[5]).
Ausgangssegen[6]) s. Ausfahrtsegen.

S. A n g a n g,   A u s s e g n u n g,
R e i s e, V o r z e i c h e n.

¹) W u t t k e 406 § 628. ²) Ebd. 210 § 291.
³) Ebd. 222 § 317. ⁴) S t r a c k e r j a n *Oldenburg* 2, 188 Nr. 431. ⁵) S c h ö n w e r t h *Oberpfalz* 1, 405 § 9. ⁶) G r i m m *Myth.* 3, 499
Nr. XX.   Bächtold-Stäubli.

Auspicium s. V o r z e i c h e n.

Aussaat s. s ä e n.

Aussatz. Der A. (mhd. miselsuht) war
im MA. eine in ganz Europa verbreitete
Epidemie[1]), die man durch Isolierung der
„Sondersiechen" zu bekämpfen suchte[2]).
Natürlich rankte sich üppiger Aberglaube
um diese entsetzliche Volkskrankheit.

Der Blick der Aussätzigen sollte dem
Wasser von Brunnen und Quellen schaden[3]).

Die beste Heilung schrieb man dem
Blut reiner Kinder und insbesondere
von Jungfrauen zu[4]) (s. B l u t).

¹) H ö f l e r *Krankheitsn.* 541. ²) M a r t i n
Badewesen 199; H o o p s *Reallex.* 1, 144;
Mittel. z. Gesch. d. Mediz. u. der Naturw. 7,
450. ³) S e l i g m a n n *Blick* 1, 237. ⁴) B o l t e-
P o l í v k a 1, 56; F e h r l e *Keuschheit* 61;
S c h w e n n *Menschenopfer* 82. 84. 190.
                              Stemplinger.

aussaugen s. l e c k e n.

Ausschlag. Unter Hauta. versteht das
Volk alle Hautkrankheiten: Flechten, Ek-
zem, Milchschorf (in der Pfalz Fresem genannt), Hitzbläschen, Wolf, Nesselsucht
(„Flug", „Flugfeuer"), Krätze usw.[1]).

Verhältnismäßig selten werden zauberische Mittel angewandt. Glaubt in
Deutschböhmen eine hautkranke Person,
sie sei verhext, dann geht sie vor Sonnenaufgang in den Mühlgraben und wirft
mit beiden Händen das Wasser rückwärts
über den Kopf. Sie wird rein, dafür aber
wird die Hexe, die ihr den A. verursacht
hat, von ihm behaftet[2]). In Preußen
bestreicht man die kranke Stelle mit
einem Feuerstahl und spricht einen Segen
dabei[3]); gegen Flechten legt man in
Bayern ein größeres oder kleineres Geldstück auf und macht dann mit dem Geld-
rand einen Kreis um die kranke Stelle[4]);
Muttermäler berührt man im Ennstal
mit einer Totenhand (s. Leiche)[5]).

¹) H ö f l e r *Krankheitsn.* 574; H o v o r k a-
K r o n f e l d 2, 721. ²) G r o h m a n n 211.

[5]) Hovorka-Kronfeld 2, 720. [4]) Lammert 54. [5]) Hovorka-Kronfeld 724.

Stemplinger.

Aussegnung (der Wöchnerin) [1]). Die A. der Wöchnerin findet durch den Geistlichen beim ersten Ausgang statt, der die Kirche zum Ziel hat, daher auch die Bezeichnung „Vor- oder Hervorsegnen". Die Wöchnerin wird dabei in kath. Gegenden von der Gevatterin oder der Hebamme begleitet, nicht immer nimmt sie das Kind mit [2]).

Der erste Ausgang wird in der Regel durch ein kleines Mahl gefeiert; besucht die Wöchnerin auf diesem auch die Paten und andere Verwandte, so schenken diese dem Kind einige frische Eier (Plausch-, Pappel- oder Schnatterei, s. d.) [3]). Die für den ersten Ausgang bevorzugten Tage sind je nach der Gegend verschieden: Der Sonntagnachmittag, der in anderen Gegenden bevorzugt ist, wird in Santheim (Münsingen) vermieden, im Oberamt Künzelsau ist Dienstag oder Donnerstag bevorzugt, dagegen Samstag verpönt; auch am Tag eines Requiems soll er nicht stattfinden.

Umgekehrt sollen die Besuche der Verwandten bei der Wöchnerin vor dem ersten Ausgang beendet und erfolgt sein [4]).

Gegen zu frühe A. der Wöchnerinnen eifert der Frankfurter Dr. Gg. Friedr. Hoffmann 1791, weil er dies für die Gesundheit der Frau für gefährlich hält. In Ebenhofen (Allgäu) wird der von der Vorsegnung heimkehrenden Mutter die Haustüre zugehalten und erst nach Herausgabe eines Trinkgeldes an die Magd geöffnet [5]). Das Kind soll vor der Vorsegnung der Mutter nicht aus dem Kissen heraus und ins Freie genommen werden [6]).

[1]) Baumgarten Aus der Heimat 3, 25 ff.; Fehrle Volksfeste 81; Franz Benediktionen 2, 705 (Reg.); Fronius Siebenbürgen 26; Grimm Myth. 3, 460 Nr. 745 ff.; 3, 465 Nr. 868; Hillner Siebenbürgen 457; Jensen Nordfries. Inseln 235 ff.; Kuhn-Schwartz 432 Nr. 277; Leoprechting Lechrain 236; Niderberger Unterwalden 3, 157; Schönbach Berthold von R. 151; Schönwerth Oberpfalz 1, 176 ff.; Sébillot Folk-Lore 4, 479; Seefried-Gulgowski

122; Wittstock Siebenbürgen 80; Wrede Rhein. Volksk. 110; Zachariae Kl. Schriften 376 ff. [2]) Höhn Geburt Nr. 4, 266. [3]) ZdVfVk. 6 (1896), 255; Höhn Geburt Nr. 4, 267; John Erzgebirge 65. [4]) Höhn Geburt Nr. 4, 266; Birlinger Aus Schwaben 2, 236; Grimm Myth. 3, 460 Nr. 745. [5]) Reiser Allgäu 2, 227. [6]) Ebd. 229.

Lüers.

Aussetzung. Ob auch in germ. Ländern die anderwärts bezeugte A. von Greisen und Kranken vorkommt [1]), ist zweifelhaft. Das Totschlagen von Greisen mit Hämmern, welche in den englischen Kirchen aufgehängt sein sollen, oder mit an den Stadttoren aufgehängten Keulen (s d.), wird in der englischen wie in der deutschen Überlieferung erwähnt [2]), ebenso das Lebendigbegraben alter Frauen durch die „Heiden", z. B. bei Löwenburg [3]).

In der Sage fast aller Völker spielt eine große Rolle die A. eines Kindes [4]) oder von Mutter und Kind [5]). Die A. ist ein Sonderfall der auf niederen Kulturstufen häufigen Kindertötung [6]), welche bisweilen vorzugsweise das eine oder andere, gewöhnlich das weibliche Geschlecht [7]), betraf.

Der Vater besaß das Recht, das Kind auszusetzen, solange es nicht mit Wasser begossen war, oder Milch bzw. Honig genossen hatte [8]). Als König Aistulfs Mutter in einer Stunde fünf Kinder gebar, beschloß der Vater nur jenes aufzuziehen, das nach seinem Speer langen würde, eben König Aistulf; die übrigen wurden ausgesetzt [9]). Tötete der Vater das Kind, nachdem es durch Genuß von Speise oder Wasserbegießung in die menschliche Gemeinschaft voll aufgenommen und das Band zwischen Seele und Leib gebunden war [10]), so wurde diese Tat als Mord bestraft [11]).

Außer dem Vater und seinem Stellvertreter hatte niemand das Recht zur A. Die in Sage [12]) wie Märchen [13]) so vielfach erwähnten A.en oder Tötungen der Neugeborenen, welche die Schwiegermutter (s. d.) oder Stiefmutter (s. d.) verfügt oder vollzieht, sind wahrscheinlich Mißverständnisse alter Rechtsgebräuche in späterer Überlieferung oder abgekürzte Darstellungen der tatsächlichen Vorgänge, wo die geistige Urheberin der Tat zu ihrer alleinigen Urheberin gestempelt wird.

Bei herannahendem Unwetter hört man das Winseln der Seelen ausgesetzter Kinder [14]).

S. alte Leute 1, 328.

[1]) S a r t o r i *Speisung* 4. [2]) S i m r o c k *Mythologie* 238; B a r t s c h *Mecklenburg* 1, 458; Brandenburgia 16, 107; K n o o p *Stargarder Sagen* 65. [3]) S c h e l l *Bergische Sagen* 506 Nr. 24. [4]) U s e n e r *Sintflut* 88, 110 f.; S i e c k e *Götterattribute* 152; W e i n h o l d *Frauen* 1, 79. [5]) Genoveva-Sagen-Komplex; N a u m a n n *Gemeinschaftskultur* 74. [6]) S t o r f e r *Jungfr. Mutterschaft* 190. [7]) ZdVfVk. 11 (1901), 90. [8]) S c h r a d e r *Reallexikon* 1010; F r i e d b e r g 10. [9]) G r i m m *Sagen* 289 Nr. 406. [10]) M a n n h a r d t *Germanische Mythen* 310. [11]) A m i r a *Todesstrafen* 38. [12]) E. H. M e y e r *Germ. Mythol.* 62. [13]) G r i m m *Sagen* 389 Nr. 515, 42 Nr. 534. [14]) E. H. M e y e r *Germ. Myth.* 62.   M. Beth.

Austrieb (des Viehs).

1. Übergangsriten. — 2. Magische Zeiten. — 3. Magische Zeichen. — 4. Wortzauber. — 5. Lärmzauber. — 6. Metall. — 7. Erde, Salz, Teer. — 8. Feuer. — 9. Wasser. — 10. Pflanzen. — 11. Tier und Mensch.

1. Die beim A. angewandten magischen Schutzmaßnahmen sind Ü b e r g a n g s - r i t e n : sie haben den Zweck, die das Vieh beim Übergang von der Stallfütterung zur Weidefütterung bedrohenden Dämonen abzuwehren.

2. Als m a g i s c h e Z e i t e n sind unter den W o c h e n t a g e n dem A. günstig: Sonntag und Donnerstag [1]), Dienstag und Donnerstag [2]), Dienstag, Donnerstag und Sonnabend [3]); ungünstig dagegen: Montag und Freitag [4]), Dienstag und Donnerstag (als „Fleischtage") [5]), Mittwoch und Freitag [6]), Freitag [7]). Er darf nicht erfolgen im Z e i c h e n des Lö- wen [8]), des Krebses und der Fische [9]). Ist er an feste J a h r e s t a g e gebunden, so geschieht er am Sonntag Okuli, weil das Evangelium dieses Sonntags von der Austreibung des Teufels handelt [10]), Mariä Verkündigung (25. März) [11]), am Georgstag (23. April) [12]), Himmelfahrtstag [13]), Pfingsten [14]), Veitstag (15. Juni) [15]), im Riesengebirge erst am 24. Juni [16]), zumeist jedoch am Maitag [17]), zuweilen am alten Maitag [18]). Als ungünstig gelten die

Tage der drei starken Männer Pankratius, Servatius, Bonifatius [19]).

[1]) B a r t s c h *Mecklenburg* 2, 143. [2]) R e i - s e r *Allgäu* 2, 375. [3]) M e y e r *Baden* 135; W r e d e *Rhein. Volksk.*[2] 216. [4]) B o e c l e r *Ehsten* 117. [5]) D r e c h s l e r *Schlesien* 2, 109. [6]) R e i s e r *Allgäu* 2, 375. [7]) M e y e r *Baden* 375. [8]) L ü t o l f *Sagen* 333. [9]) S c h ö n - w e r t h *Oberpfalz* 1, 320. [10]) F r i s c h b i e r *Hexenspruch* 141. [11]) Ebd. 142; T o e p p e n *Masuren* 97. [12]) B o e c l e r *Ehsten* 83; F r i s c h b i e r *Hexenspruch* 142; M e y e r *Baden* 219; K ü c k u. S o h n r e y *Feste*[3] 120; F r a z e r 2, 329 ff. [13]) M e y e r *Baden* 219. [14]) M a n n h a r d t 1, 389 ff.; B i r l i n g e r *Aus Schwab.* 2, 349; M e y e r *Baden* 219; E b e r - h a r d t *Landwirtschaft* Nr. 3; 19; D r e c h s l e r *Schlesien* 2, 109. [15]) H ö r m a n n *Tirol* 98; ZdVfVk. 4, 119. [16]) S a r t o r i *Sitte* 2, 149. [17]) F r i s c h b i e r *Hexenspruch* 142; K u h n *Westfalen* 2, 156 f.; R a n k *Böhmerwald* 127; J o h n *Westböhmen* 75. 211; J o h n *Erzgebirge* 198. 227; S c h ö n w e r t h *Oberpfalz* 1, 320; M e y e r *Baden* 219; ZdVfVk. 8, 360; S a r - t o r i *Sitte* 2, 148; 3, 181. [18]) B a r t s c h *Mecklenburg* 2, 283; K u h n *Westfalen* 2, 157; S a r t o r i *Sitte* 2, 148. [19]) H ü s e r *Beiträge* 2, 26.

3. Als m a g i s c h e s S c h u t z - z e i c h e n schlägt der Hirte während des Viehbesegnens allerlei K r e u z e [20]). Es wird dem Vieh ein Kreuz auf die Stirn geschlagen [21]) oder mit Teer [22]) wie mit einer geweihten Kerze [23]) auf die Stirn, mit Dreikönigskreide auf den Rücken gezeichnet [24]). Auch wird ein P e n t a - g r a m m über die Schwelle gezogen [25]).

[20]) F r i s c h b i e r *Hexenspruch* 150. [21]) S a r - t o r i *Westfalen* 112. [22]) K u h n *Westfalen* 2, 62; B o e c l e r *Ehsten* 116. [23]) K u h n *Westfalen* 2, 157. [24]) S c h ö n w e r t h *Oberpfalz* 1, 320. [25]) B o e c l e r *Ehsten* 116.

4. Dämonenvertreibender W o r t z a u - b e r liegt in dem beim A. geübten R u f , S a n g und S p r u c h [26]). Man führt das Vieh an den Brunnen und schreit ihm ins Ohr: „Komm wieder nach Haus" [27])! Um das Unheil von der Weide zu bannen, spricht man beim A. m a g i s c h e F o r - m e l n [28]), das Vieh wird von Zauberern „versegnet" [29]), die Frau des Hirten spricht, am Heck kniend, allerlei Gebete [30]). Man entläßt das Vieh mit dem S e g e n s w u n s c h : „Nun geht in Gottes Namen!" [31]), ruft Gott in den drei höchsten Namen an [32]) und spricht christliche Segen über die Tiere [33]). Dem A. geht ein

gemeinsames G e b e t [34]), ein Gang zur
Kirche [35]) oder eine Wallfahrt voran [36]);
er ist selbst Gegenstand kirchlicher Fürbitte [37]). Im A l p s e g e n wird Vieh,
Alm und Sennhütte vom Geistlichen gesegnet und mit Weihwasser besprengt [38]).
Auch der W e g g r u ß ist ein besonderer:
dem „Wünsch' Glück!" des Zuschauen-
den antwortet der austreibende Hirte
mit „Vergelt's Gott!" [39]). In Ostpreußen
muß der Hirte schweigend das Vieh aus
den Häusern holen und darf den ganzen Tag das S c h w e i g e n nur durch
die nötigen feierlichen Reden unterbrechen [40]).

[26]) MschlesVk. 12, 97 ff.; D r e c h s l e r
Schlesien 2, 109; S a r t o r i *Sitte* 2, 204.
[27]) K u h n u. S c h w a r t z 389. [28]) M a n z
Sargans 92; S e l i g m a n n 2, 350; Geistlicher
Schild 172. [29]) W u t t k e 440. [30]) F r i s c h -
b i e r *Hexenspruch* 151 = T o e p p e n *Masuren*
97. [31]) S a r t o r i *Westfalen* 112. [32]) M e y e r
Baden 138. [33]) S a r t o r i *Sitte* 2, 150; J o h n
Westböhmen 211. [34]) R e i s e r *Allgäu* 2, 374.
[35]) M e y e r *Baden* 136; S a r t o r i *Sitte* 2, 149.
[36]) M e y e r *Baden* 136. [37]) F r i s c h b i e r
Hexenspruch 140. [38]) H ö r m a n n *Tirol* 136.
[39]) R e i s e r *Allgäu* 2, 377. [40]) F r i s c h b i e r
Hexenspruch 146.

5. Dämonenvertreibung durch L ä r m -
z a u b e r bezwecken die tiergestaltigen
P f e i f e n, die beim A. Verwendung finden [41]). Bevor das Vieh aus den Häusern
zusammenkommt und ebenso, wenn es
auf der Weide anlangt, muß der Hirte
dreimal k n a l l e n, um die Hexen zu
vertreiben [42]). Die Mädchen treiben am
Maitag ihr Vieh mit bändergeschmückten
Peitschen auf den Anger [43]).

[41]) ZdVfVk. 10, 253; D r e c h s l e r *Schlesien*
1, 131. [42]) S c h ö n w e r t h *Oberpfalz* 1, 321.
[43]) K ü c k u. S o h n r e y *Feste* [3] 123.

6. Lärm- und M e t a l l z a u b e r
vereinigen sich in den K u h g l o c k e n.
Beim A. erhalten die Kühe nur für diesen
bestimmte außergewöhnlich große „Zug-
glocken" und „Zugschellen", die für den
täglichen Weidegang durch kleinere ersetzt werden [44]). Beim Alpabzug kommen
sie abermals zur Verwendung [45]). Am festlich begangenen Milchmeßtage jagen die
Buben, mit den Kuhglocken schellend,
durch die Alpen heimwärts, unterwegs in
einer Kapelle ein Vaterunser betend [46]).

Beim Austritt aus dem Stall muß das Vieh
über Metall, besonders Stahl, s c h r e i -
t e n [47]). Man legt deshalb eine Axt vor die
Schwelle [48]) oder in den Torweg, mit der
Schneide nach dem Felde: der Wolf soll
die Herde so fliehen, wie er die Schärfe
der Axt flieht [49]); ferner ein Beil [50]), wobei
dem Vieh, das es berührt, Unglück bevorsteht [51]), ein Messer [52]), das namentlich vor Beinverletzung schützt [53]), einen
Feuerstahl [54]), einen Erbschlüssel [55]), ein
Pflugeisen [56]) oder eine Ofenrute, mit
der das Vieh auch auf den Rücken g e -
s c h l a g e n wird [57]). Auch werden Axt
und Besen [58]) oder Mistgabel und Rechen [59])
g e k r e u z t vor die Schwelle gelegt.
Man h ä n g t ein Pflugrad unter den
Torweg [60]) und v e r g r ä b t Stahl unter
dem Hoftor [61]), wie auch die Weide beim
A. „verstahlt", d. h. durch in jede der
vier Ecken gesteckte Nadeln geschützt
sein muß [62]).

[44]) R e i s e r *Allgäu* 2, 376. [45]) Ebd. 2, 384;
vgl. K ü c k u. S o h n r e y [3] 127; S a r t o r i
Sitte 2, 150. [46]) SAVk. 2, 150. [47]) G r i m m
Myth. 3, 417; H e c k s c h e r 383. [48]) M a n n -
h a r d t *Germ. Myth.* 11 = T e t t a u und
T e m m e 263; K u h n *Westfalen* 2, 154.
[49]) F r i s c h b i e r *Hexenspruch* 150. [50]) G r i m m
Myth. 3, 460; M a n n h a r d t *Germ. Myth.* 11.
[51]) Ebd. 11 = R u ß w u r m *Eibofolke* 2, 102.
[52]) K u h n *Westfalen* 2, 154. [53]) H ü s e r *Beiträge* 2, 26. [54]) G r i m m *Myth.* 3, 460; M a n n -
h a r d t *Germ. Myth.* 11. [55]) S c h ö n w e r t h
Oberpfalz 3, 219. [56]) H a l t r i c h *Siebenbürgen*
276; ZdVfVk. 4, 398, W l i s l o c k i *Magyaren* 47. [57]) H a l t r i c h *Siebenbürgen* 276.
[58]) K u h n und S c h w a r t z 447; K u h n
Westfalen 2, 28. [59]) S c h ö n w e r t h *Oberpfalz* 1, 320. [60]) K u h n *Märk. Sagen* 369.
[61]) M a n n h a r d t *Germ. Myth.* 11. [62]) S t r a k -
k e r j a n 1, 434.

7. Auch E r d e wird dem Vieh beim A.
ins Maul gestopft [63]). Der Weideweg wird
mit Sand bestreut, den man aus der Kirche
geholt hat: so friedlich beisammen wie die
Menschen in der Kirche, soll auch das
Vieh auf der Weide sein [64]). Damit es den
Heimweg wieder finde, wird der vor der
Stalltür befindliche Sand, der die Fußspur des Viehs trägt, in den Stall zurückgeworfen [65]). Auf den Rücken oder zwischen die Hörner streut man dem Vieh
S a l z [66]). Mit der Sense wird ein Kreuz
auf der Schwelle gezogen, in dessen

Furchen man Salz streut [67]). Kirchlich geweihtes Salz [68]), wie Dreikönigssalz [69]), bekommt das Vieh zu fressen, ebenso etwas gesalzenes Rindfleisch [70]). Horn, Glocken und Klappern werden mit Teer eingeschmiert, den man kreuzweise nacheinander den einzelnen Rädern des Wagens entnommen hat und den man mit aus der Kirche geraubtem Glockenfett untermischt [71]). Teer wird dem Vieh ebenso ins Maul gestrichen [72]).

[63]) Kuhn u. Schwartz 446. [64]) Frischbier *Hexenspruch* 150. [65]) Kuhn und Schwartz 447. [66]) Heckscher 380; ZdVfVk. 3, 389. [67]) Boecler *Ehsten* 116. [68]) Meyer *Baden* 500; Reiser *Allgäu* 2, 374; John *Westböhmen* 211; ZdVfVk. 14, 141. [69]) Höfler *Ostergebäcke* 33. [70]) ZdVfVk. 8, 43. [71]) Frischbier *Hexenspruch* 143. [72]) Kuhn *Westfalen* 2, 62.

8. Man treibt das Vieh ferner über ein im Tor angezündetes Feuer [73]); die Schweine durch den Rauch eines Feuers, das man durch Drehen eines Rades um eine mit Werg umwickelte, durch die Radnabe führende Stange erzeugt [74]); die Hausfrau schlägt Feuer auf einem Feuerstahl und läßt die Funken auf das Vieh springen [75]). Das Vieh wird durch Weihrauch gesegnet [76]), beim Gebet für das Vieh wird ein geweihtes Wachslicht angezündet, der Stall mit dem in einer Pfanne gebrannten vorjährigen Weihsang oder Kräuterboschen, auch mit geweihten Palmen ausgeräuchert und dem Vieh etwas zerriebene Karsamstagskohle eingegeben [77]). Auch wird es mit Asche vom Christklotz wie mit einem Pulver bestreut, das man zu Weihnacht aus Sargbrettern, Totenbein, Knoblauch und geweihten Hostien gebrannt hat [78]). Im Dorfe darf während des A.s kein Feuer brennen, und die Hirtenfrau darf an diesem Tage erst nach der Heimkehr ihres Mannes wieder Feuer anzünden [79]). Abgelöst ist in manchen Bräuchen das Feuer durch die rote Farbe: das Vieh muß beim A. über einen roten Rock [80]), über eine mit einem roten Weiberstrumpf überzogene Holzaxt [81]), über Metallstücke, die in eine blaue Schürze gewickelt sind [82]), schreiten, und gegen Behexung hängt man ihm ein rotes Flickchen an [83]).

[73]) Lütolf *Sagen* 333; Mannhardt *Germ. Myth.* 13; Heckscher 377 = Rußwurm *Eibofolke* 2, 102. [74]) ZdVfVk. 4, 404. [75]) Wlislocki *Magyaren* 48. [76]) ZdVfVk. 8, 360. [77]) Reiser *Allgäu* 2, 374. [78]) Wlislocki *Magyaren* 47 f.; ZdVfVk. 4, 398. [79]) Frischbier *Hexenspruch* 149 f. [80]) Kuhn *Märk. Sagen* 380; Mannhardt *Germ. Myth.* 11. [81]) Grimm *Myth.* 3, 468; Mannhardt *Germ. Myth.* 10. [82]) Grimm *Myth.* 3, 460. [83]) Grohmann 136; Mannhardt *Germ. Myth.* 11.

9. Auch der Wasserzauber findet beim A. seine Anwendung. Der erstaustreibende Schäfer wird von den Mägden mit Wasser begossen [84]), ebenso wie die vom ersten A. der Kühe heimkehrenden Knechte und Mägde, damit die Kühe recht viel Milch geben [85]). Wenn die Mägde die Kälber auf den Anger bringen, werden sie begossen [86]). Der am Georgstag in Zweige gehüllt umgeführte Georg wird zum Schluß ins Wasser geworfen, wobei ihm in einem Reim das Vieh anbefohlen wird [87]). Wer von den Hütejungen beim A. auf den Hornruf des Hirten hin zuletzt auf dem Sammelplatze erscheint, wird begossen, „damit er nicht bei der Herde einschlafe" [88]). Das Vieh selbst wird mit Weihwasser besprengt [89]). Der Hirt wirft nach dem Besprengen das Weihwassertöpfchen unter die Tiere, und die Besitzerin der Kuh, die er trifft, muß ihm Butter und Schmalz reichen [90]). Die erste Nutznießung des für besonders segenswirksam gehaltenen Morgentaus, zumal an Zaubertagen, ist der Sinn des Wettaustreibens. Das beim pfingstlichen A. im Tau gehütete Vieh gibt reichlich Milch [91]). Die erstausgetriebene Kuh bei Gemeinweide, wie ihr Hütejunge bei Einzelweide heißen Tauabwischer [92]), Tauseger oder Daudramper [93]).

[81]) ZdVfVk. 14, 142. [85]) Frischbier *Hexenspruch* 141. [86]) Kück und Sohnrey *Feste*³ 122. [87]) Ebd. 120. [88]) Reinsberg *Festl. Jahr.*² 175; Drechsler *Schlesien* 2, 109; Reuschel *Volkskunde* 2, 35. [89]) Strackerjan 1, 430; John *Westböhmen* 211; ZrwVk. 3, 145; ZdVfVk. 11, 464. [90]) Kück und Sohnrey *Feste*³ 124 f. = John *Westböhmen* 211. [91]) ZdVfVk. 10, 245. [92]) Schramek *Böhmerwald* 239. [93]) Meyer *Baden* 150; Heckscher *HannovVk.* 1 § 158 f.; Mannhardt 1, 389 f.

10. **Pflanzen** vermögen ebenso Schadenzauber beim A. abzuhalten. Vor die **Schwelle** legt man ein Stück Rasen[94]), einen geweihten Palmstekken[95]), Stroh, das mit der Fußspur der Tiere in den Stall zurückgeworfen wird[96]). Das Vieh wird beim Austritt aus dem Stall mit geweihten Kräutern **beräuchert**, die man in einer Schale vor der Stalltüre verbrennt[97]). Mit der Streu, auf der das Vieh mit den Vorderfüßen gestanden hat, **wischt** man ihm übers Kreuz[98]). Mit einer Taubenfeder wird ihm in die Nase Helzbeerenöl gestrichen[99]). Der Hirt **umgeht** das Vieh dreimal, Sprüche murmelnd, mit einem mit Zauberzeichen versehenen Ebereschenstabe, der bisweilen oben hohl und mit Quecksilber und Asa foetida gefüllt ist[100]). Mit dem Palmstock[121]), den man auch wie die „geweihten Ruten", Ruten aus Birkengerten mit geweihten Palmzweigen[102]), zum **Nachtreiben** beim A. benutzt[103]), wie mit einem Haselstecken als mit der „Lebensrute", wird das Vieh über den Rücken **geschlagen**[104]). Dasselbe geschieht beim „Kälberquieken", mit dem die Namengebung der im Winter geborenen Kälber verbunden ist[105]). An die Stelle der Lebensrute stellt die Kirche den **Weihwedel**[106]). „Damit die Milch nicht in die **Hörner** schießt", bindet man den Milchkühen die Früchte der Klette zwischen dieselben[107]). Auch Augenbündle, Kräuterbüschle erhält es in die Hörner[108]). Bei der Alpfahrt wird unter die Schwelle der Sennhütte ein Büschel geweihter Kräuter, in den „heiligen Dreißigen" gesammelt und am „großen Frauentag" geweiht, wie auch ein Stück vom Palm **vergraben**[109]). Die Kühe werden mit **Kränzen** geschmückt[110]). **Brot**krusten[111]), geweihtes Brot[112]), das von Ostern her aufbewahrt ist[113]), wie „Agathenbrot"[114]) und die zu Weihnacht gebackenen „Kollsbrötchen"[115]), werden dem Vieh beim A. zum Fressen gegeben. Man läßt es über einen vor die Schwelle gelegten **Besen**[116]), der in den Zwölften gebunden sein muß[117]), oder über Besen und Körbe schreiten[118]) und streift mit einem Besen seinen

Rücken[119]). Damit das Vieh sich nicht verlaufe, gräbt man unter dem Heck, dem Weidetor, einen **Strick** ein[120]).

[94]) Kuhn *Märk. Sagen* 380; Mannhardt *Germ. Myth.* 11 = Temme *Altmark* 85. [95]) Reiser *Allgäu* 2, 375. [96]) Kuhn u. Schwartz 447. [97]) Mannhardt *Germ. Myth.* 13. [98]) Grohmann 136. [99]) Reiser *Allgäu* 2, 438. [100]) Boecler *Ehsten* 116. [101]) Reiser *Allgäu* 2, 375; Leoprechting *Lechrain* 170. [102]) Reinsberg *Festl. Jahr*[2] 175. [103]) Meyer *Baden* 96; Pollinger *Landshut* 156. [104]) ZdVfVk. 11, 9; Mannhardt *Wald- u. Fk.* 1, 272 f. = Leoprechting *Lechrain* 170. [105]) Woeste *Mark* 25; Kuhn *Westfalen* 1, 157; *Herabkunft des Feuers* 185; Sartori *Westfalen* 114; *Sitte* 3, 182; Maack *Lübeck* 47 f.; Mannhardt *Wald- u. Fk.* 1, 271; Kück u. Sohnrey *Feste*[3] 122. [106]) ZdVfVk. 8, 360. [107]) Kück u. Sohnrey *Feste*[3] 123. [108]) Meyer *Baden* 137. [109]) Hörmann *Tirol* 137 f. [110]) Birlinger *Aus Schwaben* 2, 94 f. 349; Meyer *Baden* 135. 137; SAVk. 24, 67; Eberhardt *Landwirtschaft* Nr. 3, 19; ZrwVk. 3, 194; Bartsch *Mecklenburg* 2, 283; Kück u. Sohnrey *Feste*[3] 127; Sartori *Sitte* 2, 150. [111]) Kuhn *Westfalen* 2, 157. [112]) Hörmann *Tirol* 100; ZdVfVk. 14, 141; John *Westböhmen* 211. [113]) Reiser *Allgäu* 2, 374; Höfler *Ostergebäcke* 33. [114]) Meyer *Baden* 500. [115]) Boecler *Ehsten* 57. [116]) Haltrich *Siebenb.* 277; Landsteiner *Niederösterreich* 58; Kuhn *Westfalen* 2, 28; Kuhn und Schwartz 447. [117]) Kuhn *Westfalen* 2, 28. [118]) ZdVfVk. 4, 397. [119]) Haltrich *Siebenbürgen* 277. [120]) ZdVfVk. 24, 61.

11. Als **tierisches** Zaubermittel wird beim A. unter die Schwelle ein **Ei** gegraben[121]). Der Hirte muß das Vieh mit einem Ei umkreisen, damit es beisammen bleibe[122]). Für das Stumpfen der Hörner erhält er ein Ei[123]). Zum Schutz gegen die Läuse werden den Kühen beim A. **Haare** ausgerissen und unter einem Baum vergraben[124]). Der **Mensch** wirkt als magisches Mittel, wenn beim A. der Schweine der Hirt **nackt** sein muß[125]), wenn die Hausfrau das Vieh dreimal nackt umlaufen muß[126]), wenn der Hirte es dreimal **umgehen** muß[127]), wenn er über jede Kuh **spucken** muß[128]), wenn beim A. der Schweine die Magd ihr Fürtuch (als **sexuelles** Zaubermittel) vor die Schwelle legen muß, damit die Tiere von selbst wiederkommen[129]), oder wenn am

24

Abend nach dem A. auf dem Felde g e -
t a n z t wird [130]).

[121]) B o e c l e r *Ehsten* 116; K u h n *Märk.
Sagen* 380; M a n n h a r d t *Germ. Myth.* 11
= T e m m e *Altmark* 85. [122]) K n u c h e l
Umwandlung 36. [123]) E b e r h a r d *Landwirtschaft* Nr. 3, 19; S a r t o r i *Sitte* 2, 148 f.
[124]) W l i s l o c k i *Magyaren* 48. [125]) H a l t -
r i c h *Siebenbürgen* 279; W e i n h o l d *Ritus*
43. [126]) W l i s l o c k i *Magyaren* 48. [127]) K n u -
c h e l *Umwandlung* 35 f. [128]) R e u s c h e l
Volksk. 2, 35. [129]) S c h ö n w e r t h *Oberpfalz*
1, 321. [130]) S a r t o r i *Sitte* 2, 151.

Heckscher.

Automobil. 1. Der sich an das A. und
A.-fahren anknüpfende Aberglaube ist
meist international und raschen Wandlungen unterworfen. Nach einem mir nur
aus Zeitungsnotizen bekannten englischen
„Handbuch der okkulten Wissenschaften", dessen erste Auflage in 3333 Exemplaren erschienen und nach wenigen
Wochen vergriffen gewesen sein soll, bedeutet z. B. das Platzen eines A.-reifens
die baldige Entscheidung in einer wichtigen Lebensangelegenheit, ein plötzliches
Versagen des Motors „Beginn neuer Beziehungen". Eine Panne auf offener
Straße ist eine günstige Vorbedeutung, in
unmittelbarer Nähe eines fließenden Ge-
wässers deutet sie aber auf Ereignisse, die
viel Seelenkraft und Energie erfordern.
In einem frisch aus der Fabrik gekommenen A. darf man, wenn man Selbstfahrer
ist, weder mit seiner Braut oder jungen
Frau noch mit seiner Schwiegermutter
fahren [1]). Bei A.rennen in Amerika werden
keine Startnummern 13 mehr ausgegeben; es geschah dies auf französische
Anregung im Jahre 1925, weil die Renner
Nr. 13 mehrfach tödlich verunglückten [2]).
Der berühmte italienische Rennfahrer
Graf Masetti verunglückte auf Nr. 13.
Der französische A.-Club gibt aber bei
Rennen nicht nur keine Nr. 13 mehr
heraus, sondern auch keine Nr. 17, gegen
welche Zahl die Italiener ein Vorurteil
haben. Ja, im Grand Prix werden überhaupt keine ungeraden (s. d.) Nummern
mehr ausgeteilt [3]). Dagegen betrachtet
der italienische Flieger Mario de Benardi
die Zahl 13 als seine Glückszahl: er reiste
am 13. des Monats mit 13 Mann für den
amerikanischen Flugrekord ab; dieser

fand an einem 13. statt, sein Apparat
trug Nr. 13, sein Auto desgleichen, sein
Hotelzimmer ebenso [4]) (s. Zahlen B 13).

Weit verbreitet sind heute die „Schutz-
puppen" (mascottes) (s. Abwehrzauber
Sp. 143), die im Innern der A.e aufgehängt sind. Die a.fahrenden Frauen in
Paris schwören auf die wunderwirkende
Kraft derselben: sie bewahren vor Un-
fällen, Motordefekten, Polizeistrafen usw.
Die männlichen Automobilisten führen
den „Père Jeannot", einen Bauer mit
Zipfelmütze, mit sich; er soll u. a. auch
für guten Geschäftsgang sorgen. Diese
Puppen haben heute die früheren Talismane (Hufeisen, Elefanten, Kleeblätter
usw.) fast vollständig verdrängt [5]); s. a.
Puppe.

[1]) Nationalzeitung, Basel 1927. [2]) Sport
(Zürich) Nr. 53 vom 10. Mai 1926. [3]) Schweizer
Sport 9 (Basel 1926) Nr. 35 (20. Mai). [4]) Sport
(Zürich) Nr. 146 vom 15. Dezember 1926.
[5]) Nationalzeitung, Basel 1927.

2. In zahlreichen Prophezeiungen vom
Weltuntergange heißt es: „Wenn die
Bauernleute sich tragen wie die Herren-
leute; wenn die roten Hüte kommen;
wenn die Wagen auf der Straße ohne Roß
laufen: dann dauert es nicht mehr lang.
Es wird ein großer Krieg kommen usw."[6])

[6]) Vgl. z. B. P o l l i n g e r *Landshut* 170.

Bächtold-Stäubli.

Aventinus.

W. D i t t m a r *Aventin.* Nördlingen 1862;
J. v. D ö l l i n g e r *Akad. Vorträge* 1, 318 ff.;
W. V o g t in der Gesamtausgabe Bd. 1 (s. Anm.
1); F r. X. v. W e g e l e *Aventinus.* Bayr.
Bibliothek 10, Bamberg 1890.

Johannes Turmair, geb. 1477 zu Abens-
berg (danach der latinisierte Name), gest.
1534 zu Ingolstadt. Humanist, Schüler
des Konr. Celtes; 1509—1512 Erzieher
von drei bayrischen Prinzen, 1517 bayrischer Historiograph. Als Geschichtschreiber epochemachend durch seine klare
Einsicht in die Notwendigkeit, möglichst
auf primäre Quellen zurückzugehen. Seine
Hauptwerke [1]) sind die Annales Boiorum
1517—1521 und deren deutsche Bearbeitung, die Bayrische Chronika, 1526 bis
1533. Auf seinen zu Quellenstudien unter-
nommenen mehrjährigen Reisen beruht
seine Kenntnis von Land und Leuten, die

ihren Niederschlag in dem wichtigen Abschnitt über die Sitten des Landes Bayern gefunden hat [2]). Diese erste bayrische Volkskunde bietet außer sonstigem volkskundlichen Material auch wichtige Angaben über den Aberglauben, über Tiere und Pflanzen im Volksglauben, Bedeutung des Vogelflugs, geweihte Dinge in der Hand der Schwarzkünstler, Astrologisches (dabei Euringsweg, d. h. Iringesweg als Bezeichnung der Milchstraße). Versuche, an Altes anzuknüpfen, sind manchmal verfehlt, so die Herleitung der Druden von den Druiden, der Wallfahrt (als Waldfahrt) vom germanischen Waldheiligtum und anderes.

[1]) *Sämtliche Werke* hg. von der bayr. Akad. d. Wissenschaften, 5 Bde., München 1881—86. [2]) Georg L e i d i n g e r *Joh. Aventinus und die Volkskunde.* Bayerland 30, 259—270.   Helm.

Avigazirtor, Zauberwort zur Heilung des Nestelknüpfens [1]).

[1]) T h i e r s I, 359.   Jacoby.

Avis, gravis, seps, sipa, Zauberworte [1]), von denen avis = ἅγιος ist, vgl. auis otheus, auis ageatus, eleison usw.[2]), d. i. ἅγιος ὁ ϑεός, ἅγιος ἀϑάνατος, ἐλέησον; die Abfolge der Entstellung ist agyos-aiosaius-auis. Zu sipa s. u. sepa.

[1]) H a n s e n *Hexenwahn* 46. [2]) F r a n z *Benediktionen* 2, 481.   Jacoby.

Axinomantie. Weissagung vermittelst einer Axt oder eines Beiles (ἀξίνη).

Die Bezeichnung ist nur einmal bei Plinius [1]) überliefert: nach dieser Notiz benutzten die Magier den Gagatstein (Jet) bei der sog. A.; sein Nichtverbrennen deuteten sie als Zeichen dafür, daß das, was man sich wünschte, eintreffen werde. Außerdem erwähnt Plinius an anderer Stelle unter mehreren anderen Formen orientalischer Weissagung auch eine mit Hilfe von Äxten (securibus) vorgenommene [2]). Wie diese antike A. ausgeführt wurde, wissen wir nicht; wenn in der Tat der Gagatstein, dem mancherlei Kräfte zugeschrieben wurden [3]), dabei eine Rolle spielte, so ließe dies darauf schließen, daß sie von der im MA. und später geübten Form verschieden war [4]). Möglich ist andererseits, daß es neben der von Plinius

erwähnten auch andere Arten der A. im Altertum gab, von deren Weiterleben dann die ziemlich zahlreichen Angaben späterer Zeit über A. zeugen würden. Zwei Formen werden unterschieden: 1. Man wirft eine Axt ins Wasser und weissagt aus den sich dabei ergebenden Bewegungen [5]); gemeint ist damit vielleicht entweder das Aufschlagen auf die Wasserfläche bei flachem Wurf [6]) oder die Wellenkreise beim Versinken [7]). 2. Weit häufiger wird eine andere Ausführung der A. erwähnt, die mit der Koskinomantie (s. d.) eine gewisse Verwandtschaft hat und deshalb auch bisweilen gleichzeitig mit dieser behandelt wird [8]). Bei beiden handelt es sich um Gleichgewichtsschwankungen eines Körpers, und beide werden vorzugsweise zur Entdeckung eines Diebes vorgenommen. Bei der A. wird eine Axt in ein Rundholz geschlagen und zwar offenbar so, daß sich dieses, horizontal auf eine Ebene gelegt, zusammen mit der genau senkrecht über dieser befindlichen Axt im labilen Gleichgewicht befindet. Man nannte nun die Namen der verdächtigen Personen und hielt diejenige für die schuldige, bei deren Namen der Aufbau umkippte, was bei dieser Anordnung natürlich bei der leisesten Bewegung eintreten mußte [9]). Einfacher ist der für die Neuzeit belegte Modus: man schlägt eine Axt in einen Eichenstamm und spricht dabei einen Zauberspruch; bei der Nennung des Täters erzittert der Axtstiel [10]).

[1]) *Nat. hist.* 36, 142. [2]) Ebd. 30, 14. [3]) R o s e in Hermes 9, 485. [4]) R a b e l a i s *Garg.* 3, Cap. 25, dt. Ausg. von Gelbcke I, 399; vgl. G e r h a r d t *Franz. Nov.* 110, verbindet Beil und Stein in rein äußerlicher Weise, dgl. D e l r i o *Disqu. Mag.* (1603) 2, 171; B u l e n g e r u s *Opusc.* (1621) 216; F a b r i c i u s *Bibliogr. antiqu.* (1760) 596. [5]) G. F. Pico v. Mirandola bei P i c t o r i u s *Magia* (1539) cap. 18, 67 = A g r i p p a *Op.* ed. Bering I, 487, dt. Ausg. 4, 177; vgl. auch P i c o *De rerum praenotione* (1507) VII, 7. [6]) F r e u d e n b e r g *Wahrsagekunst* 39. [7]) S c h i n d l e r *Abergl.* 213. [8]) P e u c e r *Commentarius* 160 v; Z a n c h i u s *De div.* (1610) 12; L o n g i n u s *Trinum magicum* (1611) 93; P f u e l *Electa physica* (1665) 150; M e y e r *Aberglaube* 284. [9]) P i c t o r i u s a. a. O. (dagegen wiederholt der Anonymus bei A g r i p p a 1, 692, dt.

Ausg. 5, 362 nur die Angabe des Plinius); Delrio 2, 171; Cardanus *Opera* (1663) 1, 567 a; Bulengerus 216; Fabricius, Peucer, Zanchius, Longinus, Pfuel a. a. O.; Thiers *Traité* 1, 219; Schindler *Aberglaube* 217; Grimm *Myth.* 2, 929. [10]) Schell in ZrwVk. 11, 267 nach Montanus); vgl. a. Tuchmann in Mélusine 4, 285.   Boehm

Axt (Beil).

Vorbemerkung. Die Volkssprache unterscheidet im allgemeinen, wie die Handwerkersprache, die meist zweihändige Axt, das keilförmig wirkende Werkzeug zum Anhacken und Spalten der Stämme, von dem meist einhändigen, einseitig geschliffenen Beil zum Behauen und Schlichten der Balken. Im Schrifttum und auch im täglichen Sprachgebrauch werden die „Sachen" indes vielerorts nicht mehr so auseinandergehalten, im Bayrisch-Österreichischen sind sie oft in dem allgemeineren Ausdruck „Hack'l" zusammengeflossen, was bei abergläubischen Vorstellungen um so leichter durchgreifen konnte, als hier nicht oder nicht mehr auf spezifische Leistungen Bezug genommen wird (Schmeller, *BayrWb.* 1, 165; 2, 148).

1. a) Als die ältesten dem Aberglauben richtunggebenden Grundformen haben wir wohl die Steinäxte unserer Altvordern aufzufassen, von denen sich Thors Hammer im Mythus herleitet und die auch das Vorbild der Äxte und Beile der Percht und anderer dämonischer Wesen, Riesen und Elben sein mögen, wenn sie auch unter neuzeitlicheren Formen vorgestellt werden, als es jene urtümlichen Steinwerkzeuge waren, zu denen das Volk als „Donnerkeilen" (s. d.) ja seine besondere Einstellung hat [1]). Bekannt ist das alteuropäischer Waffenübung entsprechende Werfen des Hammers, wie der A. und des Beiles, als reckenhafte Handlung, der in der Mythologie natursymbolhafte Bedeutung zuwuchs [2]). Im Angelsächs. drischt der Donner mit einer feurigen A., Wodan haut sein Beil, d. i. den Blitz, in den Eichstamm [3]). Anderseits ist der Wurf zum Rechtssymbol für die Abgrenzung eines bestimmten Macht- bzw. Besitzbereichs und im besondern zur Begründung einer Wohnstätte geworden. Das Motiv ist solchermaßen auch in die Heiligenlegende eingegangen, wobei die Platzwahl für die Kultstätte bei magischer Erstreckung des Wurfs gegen-

über der Einhegung in den Vordergrund tritt (St. Wolfgangslegende) [4]). Als Heiligenattribut haben Beil und A., unter dem Begriff der „Hacke" zusammengefaßt, in Süddeutschland die Gestalt tragbarer Amulette (Wolfgangihackl) gewonnen, wofür typologische Vorformen schon aus der Antike zu verzeichnen sind [5]). Inwieweit historisch oder psychologisch Brücken vom neuzeitlichen Aberglauben zur fetischistisch anmutenden Errichtung eines Beilaltars etwa zu schlagen sind, steht noch dahin [6]).

b) Als Urwaffe mit dämonischer Kraft erscheinen A., Beil (oder „Hackel" kurzweg) in der Hand der Percht, der Elben und Zwerge oder anderen Nachtvolks, die es dem Wanderer nächtlicherweile in den Rücken oder ins Knie hauen. Erst nach Jahresfrist werden sie gegebenenfalls von diesem „Hexenschuß" erlöst [7]). Ist es die Erinnerung an das Hackel in der Hand solcher elbischen Wesen, daß Hexen just aus dem Helm einer in die Türsäule geschlagenen Axt nach dem alten Volksglauben zu melken verstehen? Geiler von Keysersperg hielt im Jahr 1508 Freitag nach Mitfasten sogar eine Predigt: „Wie das die Hexen Milch aus einem A.-helm melken", 1562 nehmen auch Büdinger Hexenprozeßakten darauf Bezug und ein zeitgenössischer Holzschnitt zeigt, wie lebhaft die Phantasie den Vorgang damals sich malte [8]).

Als Erinnerung an den Hammer in Thors Hand darf es wohl gewertet werden, wenn man in Dänemark am Vorabend des Gründonnerstags Beile auf die Saatfelder wirft. Ähnlicher Aberglaube begegnet auch in Schweden [9]).

[1]) Schrader *Sprachvergleichung* 2, 111 f.; Siecke *Götterattribute* 298 f.; Helm *Religgesch.* 1, 187 ff.; Mannhardt *Germ. Mythen* 109; Ebert *Reallex.* s. v. Axt. [2]) Mannhardt *Germ. Mythen* 180; Strackerjan *Oldenburg* 2, 233 Nr. 494; Waibel u. Flamm 2, 248; Vordemfelde *Religion* 1, 22. [3]) ZfdMyth. 3, 105. [4]) Grimm *RA.* 1, 78 ff.; Panzer *Beitrag* 1, 243; Meyer *Germ. Myth.* 211 f.; Andree-Eysn 5; Heyl *Tirol* 681 Nr. 1; Sepp *Altbair. Sagenschatz* 93 Nr. 29. [5]) Andree-Eysn 6 f.; Höfler *Waldkult* 36.; Seligmann 2, 16. [6]) Helm, *Religgesch.* 1, 189. [7]) ZfdMyth. 3, 105; Mannhardt

Germ. Mythen 661; M e y e r *Germ. Myth.*
119; V o n b u n *Beiträge* 9; *Sagen* 38 Nr. 41;
W a s c h n i t i u s *Perht* 32. 98. 110. 154. 174 f.
[8]) G r i m m *Myth.* 2, 896; M a n n h a r d t
Germ. Mythen 34 f. [9]) M a n n h a r d t *Germ.
Mythen* 138; L i e b r e c h t *Gervasius* 100.

2. Als s c h n e i d e n d e und spitzige
W e r k z e u g e a u s E i s e n sind A.
und B. ferner A b w e h r m i t t e l gegen
dämonische Wesen und Einflüsse aller
Art, wobei der Anwendungsbereich der A.
(so die Belege!) sich in ganz auffälliger
Art mit dem des Besens (s. d.) deckt.

a) Aus dem Jahr 1585 ist uns aus Böhmen bezeugt, daß man, um den Hagelschlag zu verscheuchen, beim Herannahen eines Unwetters eine H a c k e
g e g e n d e n H i m m e l w a r f, so
wie man nach Palladius I 35, 1 in der
Antike drohend blutige Beile zum Himmel
erhob [10]). Heute noch legt man ein Beil
mit der Schneide nach oben, damit der
Hagel das Getreide nicht vernichte [11]),
und in einem Drudensegen im niederösterreichischen Wechselgebiet kommt gleichfalls das Werfen eines blutigen Hackl's
gegen die Erscheinung vor [12]). In der
Oberpfalz schlägt man bei Gewitter mit
der Hacke drei Kreuze auf den Boden [13]),
in Ostpreußen wird der Wirbelwind gestillt, wenn man mit der A. in die Türschwelle h a u t [14]).

b) A. und Besen kreuzweis bewehren die
S c h w e l l e [15]). Sie schützen die Wöchnerin [16]) wie einen Kranken, wobei die A.
mit Wasser und Kohlen besprengt wird [17]).
Die Person, die das Kind zur Taufe trägt,
oder der ganze Taufzug, s c h r e i t e n
ü b e r d i e A. hinweg, in Ostpreußen legt
die Hebamme noch glühende Kohlen darauf [18]). Auch die jungen Eheleute steigen
bei ihrem Einzug in das neue Haus in
Hessen (Waldeck) [19]) und in Ostpreußen
auf der Schwelle über die mit der
Schneide nach oben gerichtete A., zu der
manchmal auch der Besen gelegt wird.
In Ostpreußen muß auch, wenn eine Leiche aus dem Haus getragen wird, eine A.
oder ein Schloß auf der Schwelle liegen.
Auch wird der Sarg gelegentlich an der
Grenze des Grundstücks über zwei kreuzweis gelegte Äxte getragen [20]). In Ungarn
darf ein am Luzientag (13. Dez.) ein-

tretender Fremder nur über eine A. sich
entfernen, damit er das Glück des Hauses
nicht mit sich nehme [21]). Indes, schreitet
ein Weib unversehens über eine A., so
verliert sie ihre Schärfe gegen Geister.
Kinder wachsen im gleichen Fall nicht,
ziehen also hier den kürzern [22]). Mit der
A. auf der Schwelle bannt man auch den
Schlag (Apoplexie) [23]).

c) Bei der Entbindung wird die A.
u n t e r d a s B e t t der Wöchnerin gelegt, wie es in der Pfalz heißt, damit
das Herzblut nicht entfließe [24]). Kinder
schützt sie gegen Mahre und Schrättel [25]);
im Erzgebirge verhindert eine Hacke solchermaßen das Wundliegen, und selbst in
Pennsylvanien lebt der Aberglaube noch
fort [26]). Auch neben dem Bett schützt sie
gegen böse Geister, wenn man sie nicht
gar gleich Bibel und Gesangbuch sich
u n t e r d a s K o p f k i s s e n legt [27]).
Auch wird, wie bei den Römern, zum
Schutz der Wöchnerin mit dem Beil in
die Schwelle gehauen [28]). Kann ein Kind
nicht schlafen, so h a u t man mit der
Hacke in den Hackblock und legt sie
dann wieder in die Wiege [29]). In Schlesien
braucht man am Karfreitage nur mit
einer Hacke an die Bettstelle zu schlagen,
so verschwinden die Wanzen [30]).

d) Schreiten über die A. schützt das
V i e h beim Einstand wie beim ersten
Weidegang — wie in Frankreich, Skan-
dinavien oder Rußland — wobei die
Schneide nach außen gelegt wird. (S. a.
Ei, Besen).

Schon in einem Papierkodex des 14. Jhs.
zu S. Florian heißt es: „So man ein chue
an die waid treibt, so grebt man ein ekkl
unter den gatern und treibt das viech darüber, so mag man sew nicht zaubern" [31]).
In Mecklenburg wickelt man die A. in
ein Stück rotes Zeug, deckt einen roten
Rock, eine Schürze oder einen Strumpf
darüber, alles, damit das Vieh nicht das
rote Wasser bekommt [32]), manchmal ist
es auch eine blaue Schürze (Osterode,
Preußen), oder man fügt ein Feuerzeug
dazu [33]). Auch ü b e r d e r S t a l l -
t ü r wird die A. hingelegt [34]). Wird in
den Zwölften, wo der Schutz besonders
nötig ist [35]), in Mecklenburg das Vieh zur

Tränke getrieben, so legt man eine A. mit der Schneide zum Stall vor die Tür [36]), am Neujahrsabend **haut man ein Beil in die Schwelle** [37]). Treibt man das Vieh darüber, so ist es das ganze Jahr vor Hexen geschützt. Am Weihnachts- und Neujahrsabend oder am Maitag legt man A. oder Beil in die Krippe selbst [38]). In den Hühnerstall gelegt, **bringt ein Beil gestohlene oder verlorene Hühner wieder** [39]); in Galizien macht die in der Stube aufgehängte Hacke sogar einen Dieb stellig [40]). Jungen Hunden gibt man, ebenso wie vom Besen, **von einer A. zu fressen**, und der behutsame Auerhahnjäger reicht in der Volkssage solchermaßen die Speise auch einer harpyenartigen Waldfrau [41]). Ein **vererbtes Beil**, über einen Schatz gedeckt, bannt ihn wenigstens zeitweilig [42]).

[10]) Grohmann 33; Fehrle *Geoponica* 15, 20. [11]) Grohmann 38. [12]) Mündlich durch Pfr. Teufelsbauer. [13]) Schönwerth *Oberpfalz* 2, 117 Nr. 1. [14]) Liebrecht *Gervasius* 99 (Anm.) = W. 303 § 444. [15]) Kuhn u. Schwartz 447 Nr. 357; W. § 565, § 729, § 736. [16]) Mülhause 3. [17]) Kuhn u. Schwartz 443 Nr. 337; Hovorka u. Kronfeld 2, 339; vgl. Krauß *Sitte u. Brauch* 535. [18]) Frischbier *Hexenspr.* 10. [19]) Lippert *Christentum* 393; Seligmann 2, 16 f. [20]) W. 371 §§ 563. 565; Fehrle *Geoponica* 20; vgl. Meyer *German. Myth.* 213. [21]) ZfVk. 4, 310. [22]) Urquell 4, 116; vgl. Boecler *Ehsten* 128. [23]) Grimm *Myth.* 2, 975. [24]) Meyer *Baden* 389; Lammert 168 = W. 378 § 574. [25]) Meyer *Baden* 43; Gaßner *Mettersdorf* 18; ZfVk. 6, 253; ZfrwVk. 1905, 178, vgl. Drechsler *Schlesien* 1, 182. [26]) John *Erzgeb.* 111; Fogel *Pennsylvania* 267 Nr. 1389. [27]) Seligmann 2, 17; W. 285 § 419. [28]) Liebrecht *Gervasius* 99. [29]) Grohmann 109 = W. 386 § 587. [30]) Drechsler *Schlesien* 1, 88. [31]) Lippert *Christentum* 393 = W. § 565; Grimm *Myth.* 3, 460 Nr. 752, 468 Nr. 927; Liebrecht *Gervasius* 100; Kolbe *Hessen* 135 f.; Engelien und Lahn 270; Eberhardt *Landwirtschaft* 3, 15; ZfrwVk. 1906, 204; Mannhardt *Germ. Myth.* 10 f.; W. 439 § 691; 440 § 693; Zelenin *Russ. Volksk.* 58. [32]) Bartsch *Mecklenburg* 2, 141. [33]) Mannhardt *Germ. Mythen* 10; ZfVk. 8, 389; Seligmann 2, 17. [34]) Grimm *Myth.* 3, 451 Nr. 516; Liebrecht *Volksk.* 320. [35]) Frischbier 13. [36]) Bartsch *Mecklenburg* 2, 228. 247. [37]) Ebd. 2, 233. [38]) Ebd. 2, 193. 151 f.

[39]) Panzer *Beitrag* 1, 265 = W. 415 § 645; Bohnenberger 1, 21. [40]) Urquell 2, 126 f. [41]) Ebd. 4, 159; Mannhardt 1, 133 ff. [42]) Strackerjan *Oldenburg* 2, 233 Nr. 494.

3. Nach dem Grundsatz *similia similibus* **stillt man Blut**, heilt Wunden, indem man die A. **in den Boden haut** [43]) — sofern man diese typische Handlung (s. o.) nicht als Abschreckungsmagie gegenüber den geisterhaften Wesen betrachten will. Auch stellt man ein Beil aufrecht, macht über die Schneide mit harziger Wagenschmiere und einem Leinwandfleck, wie sonst bei Wundbehandlung, eine Art **Verband** und zeichnet dreimal das Kreuz unter Anrufung der drei höchsten Namen darüber. Die Feuchtigkeit tritt aus der Wagenschmiere, und wie diese allmählich vertrocknet, heilt auch die Wunde [44]). Auch **vergräbt** man zu diesem Zweck eine A. unter der Dachtraufe [45]). Bei Verrenkung („Knirrband" in Mecklenburg) legt man die Hand oder den Arm auf den Hackblock und haut unter Frage und Antwort des Geschehens dreimal nebenhin, um die Zerrung in den Klotz zu hauen [46]). (s. besprechen; abhauen).

[43]) Reiser *Allgäu* 2, 441. [44]) Panzer *Beitrag* 2, 304; Fogel *Pennsylvania* 298 Nr. 1573 ff. [45]) Pollinger *Landshut* 284. [46]) Bartsch *Mecklenburg* 2, 111.

4. Die Handlung des Hauens und das Haften der A. im Baum beschäftigt die Volksphantasie mit allen ihren Weiterungen immer wieder. **Sagen** berichten von Beilen, die von selbst wieder an den Baum zurückkehren, und von Beilen und Äxten, die in ungehemmtem Schwung bis an den Mond fliegen [47]). Ein Beil wird auch in eine Kugel gehauen, um einen Schuldigen zu ermitteln. Bei Nennung des richtigen Namens setzt sich diese mit dem B. von selbst in Bewegung, ein **Orakel**, das offenkundig mit dem Sieborakel zusammenhängt [48]); vgl. Sieb; Axinomantie.

S. a. Messer, Schneidendes.

[47]) Bartsch *Mecklenburg* 1, 176; Strackerjan *Oldenburg* 2, 233 Nr. 494. [48]) Grimm *Myth.* 2, 896. — Vgl. dazu: Sébillot *Folk-Lore* 4, 457; Frazer *Golden Bough* 12, 173. 307.   **Haberlandt.**

Azazel, Aziel, begegnet im Aberglauben als Höllenfürst [1]), der beschworen wird [2]). Der Name A. stammt aus dem Ritual des jüdischen Versöhnungstages Lev. 16, 8. 10. 26 und bezeichnet einen Wüstendämon [3]), der sonst im A. T. und in der semitischen Mythologie nicht vorkommt. Die Etymologie ist strittig [4]). Neuerdings erklären Greßmann [5]) und Dalman [6]) die Form עֲזָאֵל als absichtliche Änderung mit Umstellung des א aus עֲזָזֵל, d. i. „Gott ist stark"; das würde zu עֲזָאֵל, dem Namen eines gefallenen Engels Gen. 6, 4, passen[7]), der nach Targ. Jon. עֲזִיאֵל lautet[8]): „Gott ist meine Stärke". Schon im apokryphen Henochbuch [9]) wird ’Αζαζήλ (griech.) = Azazel (äthiop.) als ein gefallener Engel und Verführer der Menschen erwähnt, ebenso nennt ihn Irenaeus [10]) ’Αζαζήλ, auch Jalkut Schim. und Bereschith r. 44 [11]), der Talmud im Tr. Joma f. 67, die Pirqe de R. Elieser 56, das Buch Zohar 2 f. 184 col. 2 [12]) kennen ihn. Er ging dann in die spätere Dämonologie über [13]).

1) K i e s e w e t t e r *Faust* 160. 2) S c h i n d l e r *Aberglaube* 114. 3) RGG.[1] 1, 842. 4) H a u c k *RE.* 2, 321. 5) RGG.[1] 1, 1021. 6) D a l m a n *Aram. - neuhebr. Handwörterbuch* (1922), 309. 7) D e r s. a. a. O. 309. 8) B u x t o r f *Lexicon chaldaicum* ed. Fischer (1879), 797. 9) *Das Buch Henoch* ed. F l e m m i n g - R a d e r - m a c h e r (1901), 26. 27. 10) *Adv. haer.* 1, 8. 17 ed. H a r v e y (1857), I, 156. 11) W e b e r *Jüdische Theologie* (1897), 253. 12) N o r k *Hebr.-Chald.-Rabb. Wörterbuch* (1842), 451; S c h w a b *Vocabulaire* 321. 329. 13) M a n n - h a r d t *Forschungen* 131; A l b e r s *Das Jahr* 17; F r a z e r *Golden Bough* 9, 210; E. H. M e y e r *Germ. Myth.* 156. Jacoby.

Azod Ariel Mirei, Hagelbeschwörung [1]), etwa אזד אריאל מריא „weiche zurück, Ariel, Dämon"? Zu Ariel vgl. d. Art.

1) V e r n a l e k e n *Alpensagen* 414. Jacoby.

Azoth, magischer Name in einem Schutzbrief [1]), der mit kabbalistischen Elementen untermischt ist: „Revertatur cinis ad fontem aquarum viventium et fiat terra fructificans et germinit arborem vita per tria nomina quae sunt: Netsah, Hod, et Jesod in principis et in fine, per alpha et omega qui sunt in spiritus Azoth amen. In sale sapientiae aeternae et in aqua regenerationis et in cinere germinante terram novam omnia fiant per Cloim, Gabriel, Raphael et Uriel in secula et aeonas, amen." Der Anfang der Formel bezieht sich auf Gen. 2, 4 ff.; der Lebensbaum wird aber offenbar mit der arbor cabbalistica [2]) verknüpft, denn die drei Namen N., H., J. bezeichnen die 7.—9. Sephirah נֶצַח (Sieg), הוֹד (Hoheit, Glorie) und יְסוֹד (Basis, Fundament), die Prinzipien der Erscheinungswelt oder natura naturans [3]). Ähnlich deutet schon Simon Magus [4]) den Baum Dan. 4, 8. 17 als den Weltbaum, aus dem alles Sichtbare emaniert: er ist πάντων τῶν ὄντων αἰσϑητῶν τε καὶ νοητῶν, ὧν ἐκεῖνος (Sim. Mag.) κρυφίων καὶ φανερῶν προσαγορεύει, ϑησαυρός, τὸ πῦρ τὸ ὑπερουράνιον. Dann folgt eine Beziehung auf Apc. Joh. 1, 8. 21. 6. Der spiritus A. stammt aus der Alchemie und ist dort Bezeichnung für das Quecksilber [5]), das als Urstoff, mercurius philosophorum, materia prima galt [6]), eigentlich Azoc, Azok, Azoch (arab. Wort), das die älteren lat. Wörterbücher als spätlat. aufführen. Aus Azoch hat Paracelsus den „Geist A." gebildet [7]), denn das Quecksilber galt seit alters als σῶμα und πνεῦμα [8]) und lebenspendend[9]); A. ist für den Mystiker das Symbol der Entstehung aller Dinge [10]). Ein unter dem Namen des Basilius Valentinus gehender alchem. Traktat führt den Titel: A. Philosophorum seu Aureliae occultae de materia lapidis (Frankfurt 1613) [11]). Den Schluß der Formel bilden Worte, die deutlich christlichen Ursprung verraten und auf die Taufe anspielen; sal sapientiae nennen die alten Tauformulare das bei dem Sakrament verwendete Salz [12]), hier vermutlich mit dem sal philosophorum [13]) vermengt, und zu aqua regenerationis ist Tit. 3, 5: lavacrum regenerationis, das Taufbad, zu vergleichen [14]). Statt Cloim ist Eloim (s. d.) zu lesen. Vielleicht ist auch Azod (s. d.) nach dem Vorstehenden zu erklären, was die Änderung des ד in ל unnötig machte.

1) SAVk. 19 (1915), 222 f. 2) H a u c k *RE.* 9, 675; B i s c h o f f *Kabbalah* (1903), 53; H e r z o g *RE.* 7 (1857), 199. 3) B i s c h o f f a. a. O. 59; H a u c k *RE.* 9, 674; H e r z o g *RE.* 7, 200; B u x t o r f *Lexicon chaldaicum* usw. ed. F i s c h e r (1879), 507; K i e s e - w e t t e r *Occultismus* 396; D e r s. *Faust* 405. 4) H i p p o l y t *Refut. omn. haer.* 6, 9, 8. 9 ed.

Wendland 137. ⁵) L i p p m a n n *Entstehung und Ausbreitung der Alchemie* (1919), 359; A. K i r c h e r *Mundus subterraneus* 2 (1678), 278 ff. 281. 283. 288. 344; D u c a n g e 1, 519; S c h e i b l e *Kloster* 3, 229; H. v o n F e h l i n g *Neues Handwörterbuch der Chemie* 1 (1874), 934; Dictionnaire des Dictionnaires 1, 751. ⁶) L i p p m a n n a. a. O. 41. 97. 99. 303. 345. 368. 391. ⁷) D e r s. a. a. O. 606. ⁸) D e r s.

a. a. O. 83. 365. ⁹) D e r s. a. a. O. 365. 438 ff. 447 f. ¹⁰) H. S c h e l e n z *Geschichte der Pharmazie* (1904), 391. ¹¹) K i e s e w e t t e r *Die Geheimwissenschaften* 69. ¹²) F r a n z *Benediktionen* 1, 91. 225; L. D u c h e s n e *Origines du culte chrétien* (1925), 314. ¹³) K i e s e w e t t e r *Die Geheimwissenschaften* 64 f. 87 f. 155. ¹⁴) Vgl. auch D u c h e s n e a. a. O. 329.

Jacoby.

B.

Baba. „In einzelnen Teilen Kärntens pflegt man um Mittfasten auf einem Holzladen die Gestalt der Berchta-B. aufzuzeichnen. In Anwesenheit aller Hausgenossen wird dann ein Bauernbursche aufgefordert, den Laden zurechtzurichten, zu welchem Behufe ihm der Laden so übergeben wird, daß er von der Zeichnung nichts wahrnimmt. Trifft es sich nun so, daß er die Zeichnung am Brettladen zerschneidet oder durchschlägt, so hat er den Spott aller zu ertragen. Ebenso ists der Fall, wenn man den Laden einer Dirne darreicht, und dieselbe die Zeichnung am Laden unwissentlich zerschneidet oder verstümmelt" ¹). Während hier B. mit Berchta zusammengebracht ist, ist B. bei den Slawen und in einzelnen Gebieten Ostdeutschlands die „Alte" (s. d.) oder „Kornalte" ²). Die Weiberfratze eines Napfkuchen-Models deutet Höfler als B.³).

S. a. B i b i a b i n k a, B a b i a b i n k a.

¹) ZföVk. 2 (1897), 218. ²) M a n n h a r d t *Forschungen* 299 ff. 328 ff.; F r a z e r 7, 144 f.; 8, 332. 333. ³) ZfVk. 11 (1901), 341 (wo weitere Literatur über B. angegeben ist); H ö f l e r *Weihnacht* 52; DWB. 1, 1057.   Bächtold-Stäubli.

Bach s. F l u ß.

Bachstelze (Motacilla alba *L.*). Die dt. Namen variieren sehr: Weiß-, Grau-, Blau-, Haus-, Stein-, W a s s e r - Stelz(e), Wege-, Q u ä c k -, Quick-, Wäpp-, W i p p -Sterz, Bebe-, Wedel-, Wipp-Schwanz, K l o s t e r f r ä u l e i n, Nonne, A c k e r m ä n n c h e n.

Bei Diefenbach ¹) finden sich folgende (in Ducange nicht vorkommende) mittel-

lat. Namen: lucida, lucilia, lucilius, lucil(l)us, lucinio, luscinius (sonst Nachtigall!), ripivaga, furita, spitella, und dabei die mhd.: bach-, beg-, bein-, pflüg-, wasser-stelz(e), -sterz. Wörterbücher des 16. Jhs. geben als lat. Form: codatremula, Ducange: caudatremula.

¹) *Glossarium latino-germanicum* (Frankfurt a. M. 1857), 337 b. c.

1. B i o l o g i s c h e s. Da sich die B.n gern in der Nähe des weidenden Viehes aufhalten, glaubt man im Tirol, sie seien die Seelen verstorbener Haustiere, besonders der Kühe ²).

²) ZfMyth. 2, 422. Über ihr Verweilen beim Vieh, auch Schafen, vgl. S w a i n s o n *Folk-Lore of British Birds* 44 f.; in Pommern heißt die B. deshalb „Håumelknecht": BlPomVk. 5, 30.

2. Die B. ist so gut wie h e i l i g. Wer sie beunruhigt oder ihr die Jungen ausnimmt, wird „zitternd"; ebenso wer ihrem Rufe nachspottet. In Altmünster (Oberösterr.) heißt es allgemeiner: wer B.n beunruhigt, den trifft ein Unglück. Zerstört man ihr Nest oder tötet man sie, so hat man Unglück durch Wasser zu befürchten, der Bach tritt aus ³). Auch für Hessen (Wetterau) gilt: „Wer eine B. tötet, den trifft Unglück" ⁴).

³) B a u m g a r t e n *Aus d. Heimat* 1, 88. ⁴) W o l f *Beitr.* 1, 232; W u t t k e 122 § 160. In der Languedoc stirbt demjenigen ein Schaf, der eine B. tötet: S é b i l l o t *Folk-Lore* 3, 188. Auf den Azoren darf man sie deshalb nicht töten, weil sie nach der Legende auf der Flucht nach Ägypten der heiligen Familie die Wegspuren im Sande verwischt habe, um die Verfolger irre zu machen. Daher bringt der A n g a n g der B. auch Glück: D ä h n h a r d t *Natsrs.* 2, 272.

3. Die B. ist O r a k e l t i e r. Wer im Frühjahr 2 B.n nebeneinander sieht, h e i - r a t e t in diesem Jahr (Oberpfalz, Schlesien, Westböhmen)[5]. Anderseits heißt es: Sieht man im Frühjahr zum erstenmal 4 B.n beieinander, so bedeuten diese 4 „T o t e n männer", welche dieses Jahr Einen zu Grabe tragen; sieht eines der Eheleute zuerst eine B. allein, so stirbt das andere vorher (Oberpfalz)[6]. In Schlesien dagegen heißt es wie vom Kuckucksruf: wer beim Erblicken der ersten B. G e l d in der Tasche habe, dem gehe es das ganze Jahr nicht aus[7]; dabei muß er dreimal stillschweigend auf seine Tasche klopfen[8]. Baut die B. hoch am Ufer, so ist eine „Güß" (Ü b e r f l u t u n g) zu befürchten[9]. Sieht man im Frühjahr die erste B. ruhig sitzend, so bleibt man in diesem Jahre, wo man ist; fliegt sie aber unruhig hin und her, so bedeutet das Wohnungs- w e c h s e l oder Wanderung (Krugsreut in Westböhmen)[10]. Wer eine B. im Frühjahr zuerst auf einem Dache sieht, wird viel g e e h r t werden; wer sie auf einem Rasenplatze sieht, wird F r e u d e erleben; wer sie am Wasser oder auf dem Acker sieht, wird t r a u e r n und weinen müssen (Schlesien)[11]. Ohne nähere Bestimmung bezeichnet Grimm[12] den Angang der B. als bedeutsam.

[5] G r i m m Myth. 3, 475 Nr. 1087 = S c h ö n w e r t h Oberpf. 1, 146 Nr. 16; D r e c h s l e r Schlesien 2, 229; J o h n Westböhmen 254. 295. [6] S c h ö n w e r t h Oberpf. 1, 265 Nr. 46/7. — In Dorset (Engl.) bedeutet das Picken der B. am Fenster Tod: S w a i n - s o n Folk-Lore of British Birds 44. [7] Urquell 3, 107 f. [8] D r e c h s l e r Schlesien 2, 193. 228 f. [9] B a u m g a r t e n Aus d. Heimat 1, 88. [10] J o h n Westböhmen 219. [11] G r a - b i n s k i Sagen 47; D r e c h s l e r Schlesien 2, 229. [12] Myth. 3, 327 (nach K l e m m Allg. Kulturgesch. d. Menschheit 2, 329); s. a. Anm. 4.

4. V o l k s m e d i z i n. Beim ersten Erscheinen einer B. muß man sich zur Erde werfen und wälzen; das schützt vor Krankheiten (Oldenb.)[13]. Hat eine Kindbetterin dadurch Kopfweh bekommen, daß von ihren ausgefallenen Haaren welche in ein Vogelnest gebracht worden sind, so muß sie trachten, ein B.n- (oder Rotschwänzchen-) N e s t zu erhalten, welches innen aus Menschenhaaren ge-

macht ist und noch die Eier enthält; dieses legt sie über das leidende Haupt mit der Seite, auf welcher die Eier gelegen haben, und das Kopfweh vergeht (Oberpfalz)[14]. „Das H e r t z von einer B. wird mit gutem Nutzen als ein Amuletum an den Hals gehänget" gegen den Schlag[15]. Im Z a u b e r: „Wenn man eine B. n z u n g e einem schlafenden Menschen unter den Kopf legt, so erwacht er spät oder nie"[16].

Über einen B. n s t e i n (s. a. Blendstein) wissen Plinius[17] und die isländische Volkssage[18] zu berichten; in Deutschland vermag ich den Glauben nicht nachzuweisen.

[13] S t r a c k e r j a n 1, 68; 2, 169 Nr. 399. [14] S c h ö n w e r t h 1, 161. [15] H ö f l e r Organotherapie 257 = J ü h l i n g Tiere 249. [16] ZfVk. 13, 275 (ca. 1720, deutsch). [17] P l i - n i u s NH. 37, 56, 4: „Der Stein C h l o r i t i s hat eine grasgrüne Farbe. Die Magier sagen, er finde sich in dem Bauche der B. (motacilla), mit welcher sie erzeugt werde, und geben die Vorschrift, man solle ihn in Eisen einfassen und zu gewissen Wunderdingen nach ihrer Art gebrauchen." [18] In Island wird im Nest der B. ein Stein gefunden; man muß ihn in einem blutigen Halstuch bei sich tragen. Wenn man ihn in das rechte Ohr legt, so hört man alles, was man wissen will: S l o e t Dieren 221 f. (n. M a u - r e r Volkssagen 183).   Hoffmann-Krayer.

Bachtier s. D o r f t i e r.

Backe s. W a n g e.

Backen[1].

1. B. der Fruchtbarkeitsdämonen. — 2. B. = Zeugung der Menschen. — 3. Das B. als Zeremonie mit Apotropaia. — 4. Das Bekreuzen und Pipen des Teiges. — 5. Vorsichtsmaßregeln beim Einschießen. — 6. Opfer beim B. — 7. Vorschriften für das Aufgehen des Brotes im Backofen. — 8. Backzeit und Backtage. — 9. Orakel beim B. — 10. B. und Zauber. a) Liebeszauber. b) Schadanzauber. — 11. Backverbot für Bräute und Schwangere. — 12. Sympathiekuren beim B. — 13. Allerlei Aberglaube. — 14. Hexen und Backgerät. — 15. Backtrog als Fruchtbarkeitssymbol.

1. Die Vertrautheit mit diesem lebenswichtigen Geschäft sitzt so tief im Bewußtsein des Volkes (B. im Kinderlied und -spicl!)[2], daß es alle ähnlichen Vorgänge in Natur und Leben, die auf die Phantasie eine große Wirkung ausüben, unwillkürlich mit der ihm heiligen Tätigkeit des B.s vergleicht. Das Brauen (vgl.

Bier und brauen) und Kochen der A t m o - s p h ä r e (s. d.), das Aufsteigen und Da- hinstreichen des Nebels [3]) an den Bergen, das Poltern der Gewitter, all diese Vor- gänge vereinigen sich in der Volksphan- tasie zum Bilde von der Tätigkeit der V e g e t a t i o n s d ä m o n e n im ge - w a l t i g e n B a c k o f e n d e r N a - t u r [4]). Wenn der Dampf aufsteigt, ko- chen die Zwerge [5]), oder die Else kocht ihr Mahl [6]). Weit verbreitet ist die Sage von den zwei Riesen [7]), welche sich, da sie nur éinen Backofen haben, durch Zeichen mit dem Backgerät verständigen; oft aber vermeint der eine den anderen lärmen zu hören, wobei sich aber der nur am Kopfe gekratzt hat. In Schlesien [8]) und auch sonst hören wir oft davon, wie ein pflügender Bauer oder Knecht das Back- geräusch der Erdgeister hört und im Scherze ruft: „Backt mir doch einen Ku- chen mit"; er bekommt dann auf einem eisernen Tisch (= Pflug [9])) einen feinen Kuchen serviert; sobald der Knecht aber frägt, warum kein Salz [10]) im Kuchen ist, verschwindet dieser; weil er ihn nur un- angeschnitten essen darf, verzehrt er ihn listig, indem er ihn rundum ausschnei- det [11]) (Salz und anschneiden wirken apo- tropäisch gegen alle Geister; vgl. an- schneiden). Die Holzweibel im Voigtlande schenken der Magd Kuchen, in vier Teile geschnitten, auf einem weißen Tuche [12]) (vgl. Milch). Oft wird der Kuchen zu Stein oder Blei, oder es rollt Gold her- aus [13]), der Kuchen geht nicht aus [14]); in Frankreich [15]) bekommt der Bauer, wel- cher die heißen Brote der Feen in der Furche holen will, eine Ohrfeige; in Kärn- ten [16]) b. die Seligen aus dem Mehl der Ähren, die der Bauer für sie auf dem Felde liegen läßt, Brot, das Segen ins Haus bringt; nach einer badischen Sage [17]) ha- ben die Erdmännlein [18]) ein besonderes Backgeheimnis, das sie nicht verraten. Diese Sagen sind verschieden ausgelegt worden; die Deutung Mannhardts [19]) ist wohl der poetischeren und bestechenden Erklärung Laistners [20]) vorzuziehen. Wenn man die backenden Zwerge be- lauscht [21]) oder ihnen ein Kleid gibt [22]), verschwinden sie: so in der bergischen

Sage; in der Kärntner Sage verschwindet das selige Fräulein mit den Worten [23]):

„Hinten schön, vür schön,
I kann nit mehr in Tag (Teig) gehn."

[1]) Über die Geschichte und Technik des B.s und die sich daran knüpfenden Gebräuche und Sprichwörter: S t a u b Brot, passim, bes. 20 ff.; S a r t o r i Sitte und Brauch 2, 33; W e i n - h o l d Frauen 2, 53—57; D e r s. Altnordisches Leben 227—228; M ü l l e n h o f f Altertumsk.[1] 4, I, 150. 358; S c h u l t z Alltagsleben 147; W r e d e Rhein. Volksk. 59. 194. 283; D e r s. Eifeler Volksk. 49 und 194; D i e n e r Huns- rück 46. 206 ff.; S a r t o r i Westfalen 28. 110; D r e c h s l e r Schlesien 2, 13 ff.; B a r t s c h Mecklenburg 2, 134 ff.; K ü h n a u Brot 1 ff. 13 ff. 35; C o l e r 13 ff.; M e n s i n g Schlesw.-Holst.Wb. 1, 203—206; Heimat 2 (1892), 98 ff.; M ü l l e r Rhein.Wb. 1, 367 ff. 374 ff. 380 ff.; F i s c h e r Schwäb.Wb. 1, 556 ff.; Schweiz.Id. 4, 957 ff.; 5, 930 ff.; M e y e r Baden 376; ZfrwVk. 11 (1914), 54 ff.; H e y n e Hausaltertümer 2, 268 ff.; H o o p s Reallex. 1, 150 ff.; R ü t i m e y e r Urethno- graphie 241 ff. (Urzeit); K. M o h r Unser Backofen [3]. Stuttgart 1926, 42 ff.; R i c h e n - t a l über fahrende Backöfen: Kloster 6, 324; W. H a c k e r Das B. bei den Völkern der Erde: Deutscher Hausschatz. Ill. Fam. Zs. (Regens- burg, Pustet) 46. Jahrg. (1919—20), Heft 2, 60 ff.; aus der Literatur des XVII. Jhs.: „Bericht vom Brotbacken ... gestellt durch S e b a l d u m M ü l l e r n, Bürgern zu K ö n i g s b e r g in Preußen L. 1616; über B. bei den Slawen: Z e l e n i n Russ. Volksk. 111 ff.; über Tra- ditionen aus der antiken Technik: P a u l y - W i s s o w a 11, 2, 2090 ff.; H. B l ü m m e r Die Römischen Privataltertümer 48. 164. [2]) W r e d e Eifeler Vk. 141; S t a u b Brot 20. [3]) „De Püschweiblein kocha" sagt der Schle- sier, wenn der Nebel steigt: K ü h n a u Sagen 2, 186 Nr. 817; vgl. 95. 102. 106. 177; BlPomVk. 4, 36. [4]) K ü h n a u Brot 13 ff. (grundlegend), vgl. Deutsche Literaturzeitung XXIV Nr. 41 Sp. 2494; P o l i v k a in ZfVk. 1915, 119 und B o l t e - P o l i v k a 1, 206 ff.; G r i m m My- thol. 1, 378; 3, 131; B a r t s c h Mecklenburg 1, 41 Nr. 61; 86 Nr. 92; M a n n h a r d t 1, 65. 80. 103; R o c h h o l z Sagen 1, 276. 281. 336. [5]) S c h a m b a c h und M ü l l e r 114—115. [6]) B i n d e w a l d Sagen 93. [7]) R a n k e Sagen 224; C u r t z e Waldeck 215, 35, 1; S c h a m b a c h und M ü l l e r 148—150; K ü h n a u l. c. 142 und 32; L a i s t n e r Nebelsagen 270; fürs Rhein- land: ZfrwVk. 9 (1912), 89 ff.; 12 (1915), 232. [8]) K ü h n a u Sagen 2, 92 und 94; 4, 101; vgl. S c h a m b a c h und M ü l l e r 119—120; B a r t s c h Mecklenburg 1, 41 Nr. 61; M e i - c h e Sagen 211. 391—92; ZfVk. 1915, 119; K ü h n a u Brot 30 ff.; K u h n Westfalen 1, 131 Nr. 139; dieselbe Sage in Frankreich: S é - b i l l o t 1, 451; ferner: M ü l l e n h o f f Sagen[2] 300 Nr. 445, vgl. 447; R o c h h o l z Sagen 1, 281 Nr. 194; 282 Nr. 195; 335—36;

vgl. v. d. Hagens Germania 9, 97; C u r t z e
Waldeck 222 a u. b. [9]) K ü h n a u *Sagen* 2, 98.
127—28. 131. 133—134; in Thüringen stirbt der
Knecht, weil er den Kuchen von sich wirft:
W i t z s c h e l *Thüringen* 1, 213 Nr. 211; bei
M ü l l e n h o f f l. c. erscheint ein gedeckter
Tisch, vgl. R o c h h o l z l. c. 1, 282 Nr. 194.
335—36. [10]) K ü h n a u *Sagen* 2, 76 Nr. 743.
[11]) L. c. 272 Nr. 738. [12]) E i s e l *Voigtland* 16,
27; 18, 28; 24, 43; 25, 47—48; 26, 49. [13]) K ü h -
n a u *Sagen* 2, 104—107; vgl. W i t z s c h e l
l. c. 1, 226. [14]) K ü h n a u l. c. 2, 96 Nr. 751;
3, 109 Nr. 755; W i t z s c h e l l. c. 1, 226, 223.
[15]) S é b i l l o t 4, 28. [16]) G r a b e r *Kärnten*
56 Nr. 63. [17]) K ü n z i g *Bad. Sagen* 41 Nr. 119;
vgl. Nr. 118; 46 Nr. 133. [18]) Kloster 9, 522:
Erdmannskuchen; in der Schweizer Sage jubelt ein Erdmännlein: „Heute wasch' ich, morgen back' ich..." Schweiz. Id. 4, 957 = L ü -
t o l f *Sagen* 476. [19]) M a n n h a r d t 1,
80 A. 1. [20]) L a i s t n e r *Nebelsagen* 298.
[21]) S c h e l l *Bergische Sagen* 523 Nr. 61.
[22]) G r a b e r l. c. 65 Nr. 72, 5. [23]) D e r s. l. c.;
vgl. ZfVk. 1915, 116. 119; S c h e l l l. c.

Daß die Hausgeister beim B. helfen, ist
bekannt aus der Sage von den Kölner
Heinzelmännchen [24]); von einem eigenartigen Hausgeist berichtet Haupt [25]):
„Anno 1650 ... wurde ein armer Mensch
gesehen, welcher . ... sich einen spiritum
familiarem gekauft, der ihm zum Mahlen
und B. beförderlich gewesen. Weil er aber
denselben nicht recht gebrauchte, ist er
verrückt geworden." So verfolgt das Volk
von den Riesen [26]) bis zu den Kobolden [27])
und Erdmännlein das Koch- und Backgeschäft der Naturgeister, mögen sie beim
B. freundlich helfen [28]) oder, sobald sie b.
oder ihre Gelüste stillen wollen, den Teig
stehlen [29]), wie z. B. die wilde Jagd [30])
vom Teige raubt; manchmal leihen sie den
Backtrog [31]) und lassen dafür kostbare
Brote zurück, oder die Unterirdischen
lassen den Brotschieber [32]) bei den Bauern reparieren und geben dafür Kuchen;
sie benutzen auch gerne die Backöfen [33])
der Menschen und geben dafür Brot und
Bier (b. und brauen!). In diesem Zusammenhang kann man auf die Vorliebe
der elbischen Wesen und Hexen für den
B a c k o f e n hinweisen: sie heißen im
Gargantua „Backofentrescherlein" [34]),
man sah einmal die Strazeln zu sechs im
B. dreschen [35]); die Vegetationsgeister
und Totendämonen der Rauchnächte [36])
halten sich im Backofen auf; in Pommern

erzählt man sich von einem v e r h e x -
t e n B a c k o f e n; wenn man sich ihm
nähert, bekommt man eine Ohrfeige [37]);
ein anderer ist von einem Wanderbur-
schen, der vergebens um Brot bittet, verwunschen [38]). Die thüringischen Waldweiblein [39]) schenken den Frauen, die
ihnen mit Brot aushelfen und dies auf den
Kreuzweg legen, Brot mit Talern gefüllt.
Diese backenden Zwerge [40]), Fenixmänn-
lein [41]), Venus- und Holzweiblein [42]),
Waldweibchen [43]), Erdmännlein [44]), Unterirdischen [45]), Seligen [46]), Hollen [47]),
Frau Holle [48]) deutet der c h r i s t l i c h e
G l a u b e um; sowohl das Dämoni-
sche wie das Gütig-Helfende in ihrem
Wesen: Wenn ein Gewitter lärmt, sagt
man in Dithmarschen [49]): Der liebe Gott
wirft mit dem Brotknust; wenn der Wind
durchs Getreide fährt, „scheubt" die
M u t t e r G o t t e s Brot [50]) (hier wirkt
die mittelalterlich-mystische Vorstellung
herein von Maria mit dem ährendurch-
wirkten Mantel) [51]); bei Sonnenschein und
Regen „chüechlet" die Mutter Gottes [52]);
wenn das Abendrot glüht und gutes Wetter ankündigt, backt in Schwaben [53]) die
Mutter Gottes Küchlein, sonst das
C h r i s t k i n d l e i n [54]), St. Nikolas [55]),
„d'r Samichlaus" [56]) oder der heilige
Mann [57]); beim Morgenrot im Dezember
backt nach havelländischem Glauben der
heilige Christ Honigkuchen [58]); wenn in
Westböhmen weiße Wolken am Himmel
stehen, backt P e t r u s [59]) Brot. Dagegen sagt man in der Mark [60]) und in
Schleswig-Holstein [61]), wenn es bei Sonnenschein regnet: die H e x e n b.
Pfannkuchen; auch sonst b. in der Sage
und im Märchen, wenn atmosphärische
Vorgänge sich regen, die Hexen [62]), welche ja nur eine dämonische Form der atmosphärischen Geister sind; Kühnau [63])
behandelt diese backenden Hexen mit
ihren roten Haaren; man darf nur an die
Backofenhexe in „Hänsel und Gretel" erinnern. Auch von Tieren, in die sich elbische Wesen und Hexen gerne verwandeln,
berichtet die Volkssage: Wenn nach Regen der Nebel aufsteigt [64]) oder der Wald
raucht [65]), b. die H a s e n; in Waldeck [66])
b. die H ü h n e r Kuchen. Mit diesen atmo-

sphärisch-mythischen Vorstellungen hängt die Bedeutung von b. = gefrieren [67]) wohl nicht zusammen, diese geht von der Vorstellung b. = kleben, fest werden, aus.

[24]) Kloster 9, 195—6; W o l f f *Mythologie der Elfen* 2, 33. [25]) M e i c h e *Sagen* 302 Nr. 392. [26]) K ü h n a u *Brot* 14 ff. [27]) L. c. 29 III ff. [28]) L. c. 35 ff.; D e r s. *Sagen* 2, 127; M e i e r *Schwaben* 1, 57, 6. [29]) K ü h n a u *Sagen* 2, 94 Nr. 751, 1; M a n n h a r d t 1, 75. 92. 107; S c h ö n w e r t h *Oberpfalz* 2, 377; interessant ist, daß in einer badischen Sage eine Hexe als schwarze Katze beim Bäcker den Teig stiehlt: K ü n z i g l. c. 62 Nr. 181. [30]) R a n k e *Volkssagen* 78; Frau Gaudens Hund: M a n n h a r d t *Germanische Mythen* 303; B a r t s c h l. c. 1, 23; 2, 478 Nr. 677; dagegen schenkt der N a c h t j ä g e r in Schlesien Kuchen, die man nicht abschlagen darf: K ü h n a u *Sagen* 2, 474 Nr. 1082, 2. [31]) B a r t s c h l. c. 1, 47. 66; BlPomVk. 1, 179, 50. [32]) M ü l l e n h o f f *Sagen* [2] 315, 472. [33]) B a r t s c h l. c. 1,86 Nr. 92; 80 Nr. 88; S c h a m b a c h und M ü l l e r 120, 3; S c h e l l *Berg. Sagen* 523 Nr. 61. [34]) G r i m m *Mythol.* 9, 131; D e r s. *DWb.* 1, 1068. [35]) D e r s. l. c.; S c h ö n w e r t h *Oberpfalz* 2, 299—300. [36]) W a s c h n i t i u s *Perht* 18; E. H. M e y e r *Germanische Myth.* 121; B a r t s c h l. c. 1, 311; der Ofen ist der Wohnsitz der Hausgeister: S i m r o c k *Mythol.* [5] 453; G r i m m *DWb.* 7, 1155. [37]) BlPomVk. 7, 179 Nr. 109; K ü h n a u *Sagen* 1, 491; 2, 503. [38]) BlPomVk. 3, 126. [39]) W i t z s c h e l 1, 226. [40]) E i s e l *Voigtland* 16, 27; R o c h h o l z *Sagen* 1, 335—36; S c h a m b a c h - M ü l l e r 119—20. 114—15. 278 Nr. 191; Kloster 9, 522; S c h e l l l. c. 523, 61; BlPomVk. 1, 179. 50. [41]) K ü h n a u *Sagen* 4, 121. [42]) D e r s. l. c. 2, 96. 98. 109—2, 94. 140—2, 176; MschlesVk. 15 (1913), 136. [43]) W i t z s c h e l l. c. 1, 225, 223. [44]) W a i b e l - F l a m m 2, 182; L ü t o l f *Sagen* 476; R o c h h o l z *Sagen* 1, 281, 194; K ü n z i g l. c. 41, 119; 46, 133. [45]) B a r t s c h l. c. 1, 80, 88; M ü l l e n h o f f [2] 315, 472; 300, 445 vgl. 447. [46]) G r a b e r l. c. 56, 63. [47]) C u r t z e *Waldeck* 222 a u. b; M a n n h a r d t 1, 65. 154. [48]) G r i m m *Märchen* Nr. 24; B o l t e - P o l i v k a 1, 207 bis 227. [49]) M ü l l e n h o f f *Sagen* [2] 377 Nr. 555; M e n s i n g *Schleswig-Holst.Wb.* 1, 530; K u h n - S c h w a r t z 475 A. 57. [50]) F. S c h r o l l e r *Schlesien* 3, 331. [51]) ZföVk. 1912, 137—38; M a n n h a r d t 1, 231—32; M. ist in den altdeutschen Predigten der A c k e r, der von Gottes Tau Korn trägt: A. S c h ö n b a c h *Altdeutsche Predigten* 3, 217 Z. 6. [52]) L ü t o l f *Sagen* 386 Nr. 371. [53]) Birlinger *Schwaben* 1, 401; F i s c h e r *Schwäb.Wb.* 1, 556; vgl. SchwVk. 10, 37; in den altdeutschen Predigten ist Maria das M o r g e n r o t: S c h ö n b a c h l. c. 1, 60 Z. 10. [54]) L a i s t n e r *Nebelsagen* 244; M ü l l e r *Rhein.Wb.* 1, 369. [55]) ZfrwVk. 12 (1915), 233. [56]) Schweiz.Id. 4, 957—8.

[57]) M ü l l e r *Rhein.Wb.* 1, 369. [58]) S c h w a r t z *Studien* 153. [59]) G r o h m a n n 32 Nr. 178. [60]) K u h n - S c h w a r t z 458 Nr. 430. [61]) M e n s i n g l. c. 207. [62]) K ü h n a u *Brot* 15—16. [63]) L. c. 14 ff.; ZföVk. 3 (1897), 290; P e t e r *Österreichisch-Schlesien* 2, 164 ff.; über „Hänsel u. Gretel": B o l t e - P o l i v k a 1, 115—126. [64]) M e i e r *Schwaben* 264 Nr. 296; F i s c h e r *Schwäb.Wb.* 1, 556. [65]) B i r l i n g e r *Schwaben* 1, 377, 1; vgl. B i n d e w a l d *Sagen* 93; BlPomVk. 4, 36. [66]) C u r t z e *Waldeck* 215 Nr. 35, 2. [67]) DWb. 1, 1066. L a i s t n e r l. c. 230. 323.

2. Entsprechend dem Backprozeß in der Natur wird auch das Z e u g e n d e s M e n s c h e n mit dem Brotb.[68]) verglichen; besonders die Franzosen lieben diese Metapher; so wird in Balzacs Contes drôlatiques (le dangier d'estre trop cocquebin) die junge Frau nach der Brautnacht gefragt:[69]) „combien de pains vous ha prins vostre mari sur la fournée." Die deutschen ähnlichen Redensarten bieten Grimm [70]) und Wander [71]); wir sprechen von „ungebacken aussehen"[72]) = schlecht aussehen und nennen einen „halbgeb."[73]); in der Schweiz ist einer „lîsbache"[74]) = verzärtelt, dort kennt man „erb."[75]) = einen schwächlichen Menschen am Leben erhalten. Eine ganz bildliche Assoziation vergleicht das Gewölbe des Backofens mit dem g e w ö l b t e n M u t t e r l e i b, s. Backofen 6. So verstehen wir auch, daß ein schwächliches Kind mit greisenhaftem [76]) Aussehen umgeb. wird (s. abb.) [77]).

[68]) D r e c h s l e r *Schlesien* 1, 181; MschlesVk. 1901, 26; auf Hispaniola ist der Menschenschöpfer ein Bäcker: L i e b r e c h t *Volksk.* 304. [69]) *Oeuvres complètes de Balzac*, ed. L é v y 42, 134 (Paris 1891). [70]) G r i m m *DWb.* 1, 1066. 1068; 7, 1155 (Ofen). 663—64 (neugebacken); vgl. O c h s *BadWb.* 1, 106; M ü l l e r *RheinWb.* 1, 371; SchweizId. 4, 958 ff. [71]) K. F. W. W a n d e r *Deutsches Sprichwörterlexik.* 1, 215. [72]) SchweizId. 4, 959. [73]) G r i m m *DWb.* 4, 2, 201. [74]) SchweizId. 4, 960. [75]) L. c. 962; vgl. G r i m m *DWb.* 3, 700. [76]) G r i m m *Mythol.* 3, 437 Nr. 75. [77]) J o h n *Westböhmen* 108; ARw. 1899, 92 ff.; W. 20. 588; über den Altvater der Kinder besonders: B r e v i n u s N o r i c u s F a g o - V i l l a n u s (= Zimmermann s. G o e d e c k e *Grundriß* 3, 242) *Den in vielen Stücken abergläubischen Christen* 12 ff. (Frankf. u. L. 1721, Exemplar in München, Döllingerbibliothek); ZföVk. 9 (1903), 211—12; 1908, 122; H e l l w i g *Aberglaube* 55 ff. 134, 11; D r e c h s l e r *Schlesien* 1, 188. 211; H o v o r k a - K r o n f e l d 2, 34. 722. 755;

K l i n g n e r *Luther* 76; W e i n h o l d *Neunzahl* 29; vgl. ZfrwVk. 12 (1915), 259; siehe Gebildbrote; S a r t o r i *Sitte und Brauch* 1, 24; ZfVk. 1917, 149; M e n s i n g l. c. 200. Wenn in Tirol ein Weib unfruchtbar ist, soll sie in einen warmen B. hineinkriechen: Z i n g e r l e *Tirol* 26 Nr. 152; S c h m i t z *Bußbücher* 1, 316 cap. 92; 1, 537 XV, 2; vgl. 2, 535 cap. 116. 2, 430 cp. 95; K ö n i g e r *Burchard v. Worms* 234.

3. Das B. ist ein h e i l i g e s G e s c h ä f t; auf den Marquesasinseln ist für den Mann beim B. geschlechtliche Enthaltung vorgeschrieben [78]; im Züricher Unterland [79] ist die Backmulde heilig; sie wird apotropäisch gegen die Hexen [80] gebraucht (vgl. Brot). Auch der Backofen ist heilig, wie der Herd; vor ihm wird sogar in Skandinavien geopfert [81] (s. Backofen). Das Backgeschäft war in der Zeit der Eigenwirtschaft Domäne der Hausfrau [82] (ags. heißt Hausfrau: hlaefdige = Brotkneterin, ne. lady) [83] und ist auch heute noch das wichtige Ehrenamt der Bauersfrau [84]. In Mecklenburg bittet die Braut beim Eintritt ins Haus um Segen für ihre Hauptaufgaben [85]:

Help Herr Got:
Wenn ik bru, so hew ik Bier,
Wenn ik back, so hew ik Brot,
Wenn ik starw, so bün ik dot.

[78] F r a z e r 2 [3], 201. [79] SAVk. 1925, 100; vgl. den Umgang um den Backtrog bei den Slawen: K n u c h e l 20. [80] M e y e r *Baden* 376; G r o h m a n n 3, 14; 39, 234; 43, 270. [81] K ü h n a u *Brot* 12. 17 ff.; W. 620. 430; vgl. G r i m m *Myth.* 1, 522 ff.; J a h n *Opferbräuche* 119 ff.; H ö f l e r *Weihnacht* 56; P e t e r *Österreichisch-Schlesien* 2, 259. [82] W e i n h o l d *Frauen* 2, 57; S a r t o r i *Westfalen* 110; B a u m g a r t e n *Jahr* (1860) 20; vgl. P l i n i u s 18, 107 = 3, 172, 1 ff.; M a y h o f f: pistores Romae non fuere ad Persicum usque bellum annis ab u. c. super DCXXX; ipsi panem faciebant Quirites, m u l i e r u m q u e i d o p u s maxime erat sicut etiam nunc in plurimis gentium. [83] H o o p s *Reallex.* 1, 150. [84] J o h n *Westböhmen* 246; M ü l h a u s e 55. [85] B a r t s c h l. c. 2, 65 Nr. 236.

In Schwedisch-Finnland [86] darf ein Knabe kein Brot b., so sehr ist das B. Tabu der Hausfrau, vielleicht spielt auch die Hexengefahr herein. Bei diesem wichtigen Geschäft sind besondere V o r s i c h t s m a ß r e g e l n [87] nötig; daher ist mit den Weibern nicht gut Kirschen

essen, wenn sie Mehl an der Nase haben [88]), die Männer müssen sich dann aus dem Hause machen [89]). Besonders sucht man sich gegen den S c h a d e n z a u b e r d e r H e x e n [90] und, was dasselbe ist, gegen die Katzen [90] zu schützen [91]), und gegen den bösen Blick [92]); nach badischer [93] Sage stahl eine Hexe als Katze dem Bäcker immer vom Teig. Wie alt dieser Glaube an die Möglichkeit eines Schadenzaubers beim B. ist, zeigt eine Stelle aus einem Münchener Zauberbuch (14. Jh.) [94]): „Ut panis non intret. Accipe parum funis predicti (sc. suspensi hominis) et pone(in) instrumentum, cum quo mittitur panis in furnum et cum pistor voluerit mittere panem in furnum, non poterit, s e d e x i l i e t‘‘; die ungarischen Hexen mischen Tau in den Teig, wodurch das Gebäck blutigrot wird, und von einer Hexe heißt es im Protokoll: „Fermentum alterius ac massam farinaceam ita corrumpere attentasse, ut nulli panes inde pinsi potuerint‘‘[95]). Andererseits sollen die Bäcker in abstrusestem Aberglauben früher einen Lappen mit dem Blut eines a r m e n S ü n d e r s in den Teig getan haben, damit die K u n d s c h a f t angezogen werde [96]). Ein Bäckermeister gesteht 1615, daß er aus den Furchen, welche durch die Räder eines Leichenwagens entstanden waren, Wasser schöpfte und unter den Teig mischte, damit das Brot gut gerate und Abgang finde [97]). Zimmermann (= Brevinus Noricus Fago-Villanus) berichtet [98]): „Nimm ein Stück von einem Diebesstrick und lege es auf die Platte, damit man das Brot in den Ofen schießt, so wird es nicht verbrennen‘‘ (vgl. oben den Münchener Zauber) [99]).

Die V o r s i c h t s m a ß r e g e l n der Bauersfrau sind verschieden: In der Oberpfalz [100] soll, während das „Dampfl‘‘ gemacht wird, die Stubentür nicht geöffnet werden; auch die slowenischen [101] Hausfrauen pflegen sich einzuschließen, damit keiner mit seinem Blick den Teig verhexe. Die Rockenphilosophie warnt [102]): „Wer Teig im Trog hat, kehre die Stube nicht aus, bis der Teig hinausgetragen ist, sonst kehrt er ein Brot mit hinaus‘‘; von demselben Aberglauben berichtet Fogel [103]) für die Deutschamerikaner. Den Teig darf man in Schlesien [104]) nicht loben, weil dann das Gebäck nicht gerät. Interessant ist der österreichische Aberglaube [105]), daß der von einem sanguinischen Weib angemachte Teig gut gärt, jener von einem phlegmatischen schlecht; nach dem Glauben in Rendsburg [106]) (Schleswig - Holstein) verhindert Märzschnee als „Sürwater" das Schimmeln des Brotes; in Holstein [107]) deckte man früher den Teig so mit einem Sack zu, daß das offene Ende der Tür zugekehrt war. Wenn der Backtrog leer ist, muß man ihn gut ausbrühen, damit die Seele nichts zu leiden habe, den „Ura" verbrennt man oder gibt ihn dem Vieh [108]). Auch der Tisch, auf dem die Brote liegen, bevor sie in den Ofen kommen, muß rasch reingewaschen werden [109]); soll das Brot gut aufgehen, so muß das Stroh, auf dem das Brot lag, rasch und hoch aufbewahrt werden [110]).

[86]) Folkloristiska och ethnografiska Studier 2 (1916), 27; vgl. Syrien, wo man die Kinder vom B. fernhält: Stern *Türkei* 1, 399—400. [87]) Sartori *S. u. B.* 2, 33; Bavaria 2, 304; man schlägt 3mal mit der flachen Hand auf den Sauerteig, daß ihn der Ofen hört, und sagt: „B. richt' Dich"!; W. 620; besondere Zeremonien an Weihnachten: ZföVk. 1912, 49. [88]) ZfdMyth. 2 (1854), 108 Nr. 12. [89]) SchweizId. 4, 957 (a. 1779). [90]) Man erkennt die Hexen am Katzengeschmack, so laut Aussage eines Hexenmeisters in einem Graubündner Hexenprozeß (1655); vgl. Waibel-Flamm 2, 134; Müllenhoff *Sagen*² 244—45; Schambach und Müller 179 Nr. 196. [91]) Staub *Brot* 20—21; Rochholz *Sagen* 2, 188; für Frankreich: Sébillot 3, 99. [92]) Grohmann l. c. 103 Nr. 723; ZfVk. 1911, 307 ff. [93]) Künzig *Bad. Sagen* 62 Nr. 181. [94]) Codex lat. Monacensis 7021, 159b bei Schönbach *Berthold v. R.* 149. [95]) Wlislocki *Magyaren* 155. [96]) Strack *Blut* 45. [97]) ZfVk. 1897, 195. [98]) L. c. 199. 332. [99]) vgl. Anm. 157—58. [100]) Schönwerth *Oberpfalz* 1, 406, 15. [101]) Seligmann *Blick* 1, 236. [102]) Grimm *Myth.* 3, 435 Nr. 33; daraus Fischer *Das Buch v. A.* 200; Birlinger *A. Schwaben* 1, 414 (ein Brot weniger). [103]) *Pennsylvania* 188 Nr. 917. [104]) Drechsler *Schlesien* 2, 259; vgl. *Tractatus polyhistoricus magicomedicus curiosus . . .* von Eberhardo Gockelio (Frankf. u. L. 1699) 46—47 (Exemplar in Karlsruhe); Grimm *Myth.* 2, 923. [105]) ZföVk. 1897, 119 Nr. 213. [106]) Mensing l. c. 1, 207. [107]) Ders. 1, 527. [108]) Schönwerth l. c. 1, 248 Nr. 13. [109]) Mensing l. c. 528. [110]) BlPomVk. 3, 186, vgl. 149.

4. Um den Teig und das Brot zu schützen war und ist besonders e i n e Zeremonie gebräuchlich: Man macht über den ungesäuerten und gesäuerten Teig [111]) und über die Laibe, die man in den Ofen schießt, ein [112]) oder drei [113]) K r e u z e; im Böhmerwald [114]) wird während des Backgeschäftes neunmal das Kreuz geschlagen. In der Oberpfalz [115]) besprizt die Bauersfrau den Teig mit W e i h - w a s s e r; genau so wird das Gerstenmehl für den geweihten Bissen im MA. mit Weihwasser angemacht [116]). Man drückt sogar dem Teig ein [117]) oder drei [118]) Kreuze ein, in Schlesien [119]) mit der Formel: „Im Namen Gottes . . ." In Holstein [120]) wird mit der Hand das Zeichen des Kreuzes in den Teig gedrückt oder drei Kreuze gegen die Hexen und Nachtgeister [121]); dazu sagt die Frau die Formel, die wir aus Schlesien kennen, oder „nu dieh (gedeihe) as en Lögen int Dörp." In der Eifel (und auch in Luxemburg) [122]) wird das erste [123]) oder letzte [124]) Brot, welches in den Ofen kommt, mit einem Kreuz [125]) versehen, es heißt K r e u z b r o t und wird zuletzt gegessen und nicht verschenkt [126]). In Westböhmen [127]) drückt man sogar das Zeichen I⧾I S auf das Hausbrot. Diese Verwendung heiliger Zeichen als A p o t r o p a i a ist die christliche Ablösung [128]) des abergläubischen Zeichnens des Brotes (panis punctus) [129]); unter den erstaunlich vielen Gottheiten, die Lasicz [130]) aufzählt, gibt es auch eine Matergabia: „M. deae offertur a femina ea placenta, quae prima e mactra sumpta digitoque notata in furno coquitur." Gegen die Holzweiblein und andere Vegetationsdämonen, welche gerne Brot und Teig stehlen, um sich für die Hilfe beim B. bezahlt zu machen, wird das Brot g e p i p t [131]), d. h. die Fingerspitze [132]) wird in den Laib gedrückt; es gnügt auch, die Laibe zu zählen [133]). In Schwaben drückt man in den letzten Laib, den man einschiebt, die Fingerspitzen der linken Hand, dann haben die Hexen keine Gewalt über das Brot [134]). Die Holzweiblein selbst geben gute Lehren [135]):

Pip' kein Brot,
Schäl' keinen Baum,
Erzähl' keinen Traum,
Back' keinen Kümmel [126]) ins Brot,
So hilft dir Gott aus aller Not.

[111]) C u r t z e *Waldeck* 391 Nr. 106; BlPom-Vk. 3, 149; 4, 72 ff.; Heimat 2 (1892), 98 ff.; F o x *Saarländische Volksk.* 399 (über jeden gefüllten Teigkorb); vgl. L i e b r e c h t *Gervasius* 240 Nr. 252 (afrz. Aberglaube). [112]) M e y e r *Baden* 375; A n d r e e *Braunschweig* 401; M ü l h a u s e 55; F r i s c h b i e r *Hexenspruch* 122; B a r t s c h *Mecklenburg* 2, 134 Nr. 580; F o x l. c.; L i e b r e c h t l. c. [113]) J o h n *Westböhmen* 246; S c h r a m e k *Böhmerwald* 254; W i t z s c h e l *Thür.* 2, 265 Nr. 17 und 285 Nr. 97; S e l i g m a n n *Blick* 2, 352. 354; C u r t z e l. c.; H. L. F i s c h e r l. c. 199; BlPomVk. 3, 149; W. 620. [114]) S c h r a m e k l. c. [115]) S c h ö n w e r t h l. c. 1, 401 Nr. 15; vgl. B i r l i n g e r *Volksth.* 1, 198 ff. [116]) M G legum sectio 5, 691 Z. 12 ff. [117]) S t a u b *Brot* 22; A n d r e e l. c. 401; F r i s c h b i e r l. c.; ZfrwVk. 1905, 200; 1906, 202; ZfVk. 1914, 56; Heimat 2 (1892), 98—99; K ü h n a u *Brot* 27; Alemannia 24, 145. [118]) K u h n -S c h w a r t z 164; B i r l i n g e r *Volksth.* 1, 493 Nr. 706, 4. [119]) ZfVk. 1894, 81; vgl. England: S e l i g m a n n *Blick* 2, 352. [120]) M e n -s i n g l. c. 1, 207. 527. [121]) Heimat l. c. [122]) F o n t a i n e *Luxemb.* 102. [123]) S c h m i t z *Eifel* 1, 68; S a r t o r i *S. u. B.* 2, 33; W r e d e *Eifel.Vk.* 290 (Nachtrag zu 194); M ü l l e r *Rhein. Wb.* 1, 1015. [124]) W r e d e *Rhein.Vk.* 193. [125]) Kreuz als Apotropaion: F r a n z *Benediktionen* 1, 17; 2, 50—51; H e c k s c h e r 1, 135 ff.; G r i m m *Mythol.* 2, 923—24. [126]) M ü l l e r l. c. 1015. [127]) J o h n *Westböhmen* 247. [128]) H ö f l e r *Weihnachten* 70 bis 71; D e r s. *Ostern* 14; K ü h n a u *Brot* 27—28; P f a n n e n s c h m i d *Erntefeste* 246 ff. [129]) D u C a n g e 6, 135. [130]) U s e n e r *Götternamen* 95; G r i m m *Mythol.* 2, 923. [131]) K ü h -n a u l. c.; G r i m m *Mythol.* 1, 401 ff.; 2, 923; M a n n h a r d t 1, 75; R a n k e *Volkssagen* 171; H ö f l e r *Ostern* 25—26. [132]) U s e n e r l. c. [133]) G r o h m a n n l. c. 14 Nr. 65; ZföVk. 1908, 115; dagegen B r o n n e r *Sitt' u. Art* 207: Laibe im Ofen nicht zählen. [134]) B i r -l i n g e r *Volksth.* 1, 494 Nr. 12. [135]) G r i m m *Mythol.* 1, 401; W i t z s c h e l l. c. 1, 214 Nr. 212; R a n k e *Volkssagen* 171.

Daß das Bekreuzen wirklich die A b -l ö s u n g des Pipens ist, beweisen die Sagen, nach denen die Unterirdischen aus Rügen [137]) und der Halbinsel Mönchgut [138]) auswandern, weil die Menschen Brot und Getreide bekreuzen und den Besen mit dem Stiel nach unten hinstellen (Hexen!). In Thüringen [139]) rächen sich die vertriebenen Waldweiblein, indem sie auf ihrer Flucht den Segen des

Hauses mitnehmen. Überhaupt hängt an gepipten Broten (placenta digito notata) [140]) großer Segen; sie schützen gegen Feuersgefahr, so das „Behtenbrot" [141]) in Schwaben; in Thüringen [142]) schützen „drei Stopfen", die in das erste Brot (vgl. Kreuzbrot) mit dem Finger im Namen Gottes gestochen werden, das Haus vor den Tücken der Hexen. Dies Brot wird zuletzt angeschnitten; die drei ausgeschnittenen „Stopfen" vermehren, dem Vieh gefüttert, die Milch und schützen vor „Antun". Zum Zeichnen der Brote wird neben dem Kreuzzeichen [143]) auch der H a u s s c h l ü s s e l verwandt: Mit dem Schlüsselzeichen auf dem Brot verjagt man G e s p e n s t e r, die sich aufdringlich zur Tafel setzen, so die Geistergäste beim Müller aus der Haarthmühle zu Neukirch [144]). In Steiermark [145]) macht die Hausfrau mit dem Schlüsselbart Eindrücke ins Kletzenbrot; wird das unterlassen, so läßt die Perht das Brot verbrennen, oder es ruht kein Segen darauf.

[136]) Fenchel und Kümmel im Brot verscheuchen im Voigtland die Zwerge: E i s e l *Voigtland* 14 Nr. 26; über Kümmel: F r a n z *Benediktionen* 1, 417; K ü h n a u *Sagen* 2, 65. 145; Festschrift für V o l l m ö l l e r 10; K ö h l e r *Voigtland* 461; 453 Nr. 460; S i m r o c k *Myth.*⁵ 439; Festschrift für H. B a a s (Hamb. u. L. 1908) 187—88 (Kümmelbrot als Heilbrot, weil dämonenabwehrend); W ü n s c h im Jahrb. d. kaiserl. deutsch. archäol. Instituts 6. Erg.-Band (1905), 28; F. S ö h n s *Pflanzen*² 52 ff.; BadHmt. 1 (1914), 90. Schon das Brotsalzen wirkt geistervertreibend; denn das Zwergbrot ist nicht gesalzen: K ü h n a u *Sagen* 2, 76. [137]) H a a s *Rügensche Sagen*⁵ 37 Nr. 68; ZfMyth. 2, 144 ff. [138]) H a a s u. Worm *Mönchgut* 95 ff. [139]) W i t z s c h e l 1, 214—215; 2, 285 Nr. 100. [140]) R o c h h o l z *Sagen* 1, 338; Grimm 2, 923. [141]) B i r l i n g e r *Volksth.* 1, 324 Nr. 526; P a n z e r *Beitrag* 2, 527; H ö f l e r *Ostern* 26; vgl. G r o h m a n n l. c. 41 Nr. 256. [142]) W i t z s c h e l 2, 265 Nr. 18. [143]) Die österlichen Kreuzbrote sind dämonenabwehrend und heilkräftig: H ö f l e r *Ostern* 15; D e r s. in Festschrift für H. B a a s 178. [144]) M e i c h e *Sagen* 525 Nr. 671; D e r s. *Sagenbuch der sächs. Schweiz* 51 Nr. 42. [145]) ZföVk. 1, 249.

5. Nächst dem Bereiten des Teiges ist das E i n s c h i e ß e n des Brotes und das B. selbst mit abergläubischen Maßregeln und Zeremonien umgeben. Beim

Heizen stellt man in Mecklenburg Auguria an [146]). Ehe in Pommern [147]) die Frau das Brot in den Ofen schiebt, spritzt sie dreimal mit dem Lappen gegen die Öffnung, damit das Brot gerät. In Böhmen [148]) wirft man apotropäisch Erbsen in den Ofen; in Schlesien spuckt man dreimal hinein [149]). Beim Einschieben erfleht man besonders in Mecklenburg [150]) durch einen f r o m m e n S p r u c h Segen für das Brot; derselbe Spruch ist in Schleswig-Holstein [151]) belegt; entweder sagt man: „uns Härgott segne dat Brot in'n Aben(d)" oder:

Uns Brot is in Aben,
Uns Herrgott dorbaben,
Un all, de dorvun et,
Dat de em nich verget.

[146]) B a r t s c h l. c. 2, 134 Nr. 582; ähnlich auguriert die Tiroler Bauerndirne, wenn sie Brennholz holt zum Kochen der „Gstampanudeln": H e y l *Tirol* 753 Nr. 9. [147]) BlPomVk. 3, 185. [148]) G r o h m a n n 103 Nr. 722. [149]) D r e c h s l e r *Schlesien* 2, 13; vgl. G r i m m *Myth.* 2, 923. [150]) B a r t s c h l. c. 134 Nr. 584; F r i s c h b i e r l. c. 123; BlPomVk. 3, 185; K n o o p *Hinterpommern* 175; ZfVk. 1914, 56 Nr. 14 u. 15; ZfrwVk. 1905, 200; Urquell 1 (1890), 18. [151]) ZfVk. 1914, 56 Nr. 15; M e n s i n g l. c. 1, 13. 207; vgl. BlPommVk. 3, 175. 185; ebenso in der Mark: K u h n *Märkische Sagen* 381 Nr. 47.

Früher pflegten die Frauen, wenn der Ofen verschlossen war, hochzuspringen und zu jauchzen, damit das Brot gerate [152]). Im Saarland [153]) schlägt die Frau nach dem Einschieben ein K r e u z über den Backofen. Wenn das Brot im Backofen ist, darf man in Mecklenburg [154]) nicht auf den Schieber treten, sonst geht es nicht auf. Eine alte Urkunde aus Winterthur [155]) schreibt den Bäckern vor, daß sie den Backofen nicht verlassen dürfen, ohne ein „gewachsen Mensch" davor zu stellen; und die Rockenphilosophie [156]) warnt, einen Hund in den Ofen sehen zu lassen, sonst mißrät das Brot (s. abb.). Bei Mittweida [157]) ist 1697 beobachtet worden, wie das Brot im Backofen sich bewegte oder gar heraussprang, und eine Hexe in Wismar [158]) ließ 1425 das Brot „lopen". Hat man das Brot in den Ofen geschoben (kommt während des Einschiebens Besuch, so orakelt man für ihn) [159]), muß man den Tisch, worauf es

gelegen, rasch rein waschen [160]); während des B.s darf nichts Frischgebackenes auf dem Tisch liegen [161]), und man darf nicht vor dem Ofen Urin lassen [162]), sonst wird das Brot „klamm". Vor allem darf man die Laibe im Ofen nicht zählen [163]). Das zuletzt in den Ofen geschobene Brot hieß man nach Christian Weise's Drei Erznarren „Wirt" [164]), mit ihm war der Segen des Hauses verbunden. Der Scherrlaib wird bis zur nächsten Bachet aufgehoben [165]); er heißt in Westböhmen [166]) „Klatschlaibeln", „Goteisch" usw.

[152]) *Heimat* 2 (1892), 99. [153]) F o x *Saarl. Vk.* 399; in Hinterpommern 3 Kreuze: K n o o p *Hinterpommern* 175; nach einer schlesischen Sage verunglückte eine schwangere Frau, die das Kreuzzeichen vergaß: K ü h n a u *Sagen* 2, 108. [154]) B a r t s c h l. c. 2, 134 Nr. 583. [155]) S t a u b l. c. 21. [156]) G r i m m *Myth.* 3, 435 Nr. 32. [157]) M e i c h e *Sagen* 565 Nr. 703; vgl. A. 99. [158]) B a r t s c h l. c. 2, 36 Nr. 15. [159]) ZföVk. 1898, 215 Nr. 515. [160]) Ebd. 1914, 56. [161]) J o h n *Westböhmen* 246. [162]) ZfVk. 1891, 186 Nr. 4. [163]) B r o n n e r *Sitt' u. Art.* 207. [164]) G r i m m *Myth.* 3, 469 Nr. 946. [165]) B i r l i n g e r *Volksth.* 1, 494 Nr. 14; vgl. S c h r a m e k *Böhmerwald* 254. [166]) J o h n *Westböhmen* 246.

6. R e s t e a l t e r O p f e r [167]) für die Vegetationsdämonen haben wir z. B. im Norden [168]), wo man früher ein Brot für die Unterirdischen hinlegte; in der Oberpfalz [169]) backt man für die Holzweiblein ein oder zwei Aschenkuchen mit; in Thüringen [170]) spritzt man für die Holzfrauchen etwas Mehl und Wasser auf die Kohlen; speziell die Hausgeister werden bedacht: so bei den Finnen [171]) und Altletten [172]); hier wirft die Hausfrau 3 Stücklein vom neugebackenen Brot für den v e r s t o r b e n e n H a u s h e r r n in den Backofen; in der Mark [173]) wirft man, wenn das Brot beim B. einen Knutsch treibt, drei Stückchen davon rücklings in den B.-ofen, auch der Scherrlaib aus den Teigresten ist für die Hausgeister bestimmt [174]). In Tirol [175]) macht man aus den Resten den „G o t t". In Mecklenburg [176]) ist das „Utschrapels" von „de Nijorsback" für das Vieh heilkräftig. In der Oberpfalz [177]) bekommen die a r m e n S e e l e n ihr Teigopfer oder Mehlopfer in den Backofen geworfen. Ins Christliche übertragen, sind die Flammfladen für die lieben

E n g e l e i n [178]); im Rheinland [179]) backt man Flammschkuchen. Abgelöst sind diese Opfer durch S p e n d e n   a n   d i e   A r - m e n   u n d   B e t t l e r. Wenn man in der Heimat des „Poppele von Hohenkrä- hen" backt, muß man dem ersten Bettler einen ganzen Laib Brot geben, sonst ver- schwindet das übrige Brot [180]); diese Haus- kobolde werden totgeb. [181]); in der Ober- pfalz [182]) backte man früher für ein armes Weib den „G o t t e s k u c h e n" mit, in Westböhmen [183]), in der Oberpfalz [184]) und Österreich [185]) kennt man das „G u a t s - l o i b l" oder „Guatslaiwl", „G ö t t e s - g a b", in Westfalen [186]) die „L i e w e - k e u k e n s", in der Eifel [187]) die „A r m e - l e u t s p l ä t z c h e n", in der Schweiz [188]) die „L i e b - S e e l e n - M u t s c h e l i"; auch der altfranz. Aberglaube kennt diese Opferbrötchen [189]). Der Besuch erhält am Backtag einen Laib Brot [190]).

[167]) R o c h h o l z Glaube I, 323 ff. [168]) Z- fVk. 1898, 137. 142. [169]) S c h ö n w e r t h l. c. 2, 377; M a n n h a r d t I, 80 A. I; J a h n Opfergebräuche 290 A. 2. [170]) W i t z s c h e l l. c. 2, 285 Nr. 100. [171]) ZfVölkerpsychol. 18, 14; vgl. das Opfer an die Matergabia: Anm. 130. [172]) Ausland 1874 Nr. I, 213. [173]) K u h n Märk. Sagen 381 Nr. 43; Festschrift für V o l l - m ö l l e r (1908) 6. [174]) B i r l i n g e r Volksth. I, 494 Nr. 14; H ö f l e r in der Festschrift für Vollmöller II vergleicht den κνηστὸς ἄρτος bei A t h e n a e u s III III d (u. 516 d) u. XII 516 d. [175]) Z i n g e r l e Tirol 36, 293; in Ungarn formt man aus den Teigresten eine menschenähn- liche Gestalt und opfert sie den schönen Frauen: ZfVk. 1894, 311; H ö f l e r Weih- nachten 56. [176]) B a r t s c h l. c. 2, 241 Nr. 1253 c. [177]) S c h ö n w e r t h l. c. I, 285 bis 286 Nr. 5; S a r t o r i Totenspeisung 48; stäubt man in Westböhmen die Backschüssel in den Ofen, so hat man eine a r m e S e e l e erlöst: J o h n Westböhmen 246; ZföVk. 1908, 115. [178]) Urquell 3 (1892), 247, 31. [179]) ZfrwVk. 1905, 205. [180]) W a i b e l - F l a m m I, 258; R o c h h o l z Glaube I, 323—24; in Pommern bekommt der Bettler frischgeback. Brot: BlPomVk. 3, 149. [181]) R o c h h o l z Sagen I, 367. [182]) S c h ö r w e r t h l. c. I, 407, 18. [183]) J o h n Westböhmen 246. [184]) S c h ö n - w e r t h l. c. [185]) ZföVk. 1897, 116. [186]) S a r - t o r i Westfalen 110; grundlegend: ZfrwVk. II (1914), 54—56; dagegen das „Liwbrot" in Meck- lenburg: B a r t s c h 2, 241 Nr. 1253 b. [187]) S c h m i t z Eifel I, 68. [188]) L ü t o l f Sagen 555 Nr. 566. [189]) L i e b r e c h t Ger- vasius 240 Nr. 252; S é b i l l o t Traditions et superstitions de la boulangerie 11 ff. [190]) ZfVk. 1893, 52.

7. Wenn das Brot i m O f e n i s t, darf man nicht hineinblasen [191]), man darf keinen Kuchen mit dem Messer anschnei- den, sonst wird das Brot spindig [192]) und hohl [193]). Findet man ein oder mehrere Löcher im Brot, so sagt man, der Bäk- ker [194]) ist hindurch g e s c h l ü p f t, oder seine S e e l e [195]) wohnt darin, oder es gibt Trauer [196]) in der Familie; in Mün- chen [197]) sagt man, wenn eine Semmel hohl ist, der K u c k u c k ist darin. Nach Zim- mermann [198]) soll das Brot „e r s c h ü p - f e n" (die Rinde von den Brosamen fal- len, s. abbacken), „wenn man auskehret und ist der Teig noch im Backtrog"; um das Erschüpfen zu verhüten, soll man, wenn man ein Probebrot anschneidet, die erste Scheibe zuletzt abbrechen [199]). In Westböhmen ist es verboten, auf dem Backkübel zu sitzen [200]), wenn das Brot gut ausb. soll. Beim Herausnehmen der Brote macht man wieder das K r e u z - z e i c h e n [201]); man darf die Brote nicht heiß auf den Tisch legen [202]), sonst werden die Pferde bei der Arbeit müde. Sind zwei Brote zusammengeb., so zerbricht man sie im Nahetal über zwei körperlich zurück- gebliebenen Kindern [203]) (vgl. Brot).

[191]) ZfrwVk. 1905, 200. [192]) S c h ö n - w e r t h l. c. I, 407 Nr. 17; vgl. S c h m e l l e r Bayr.Wb. 2, 677—78; W. 620; Bavaria 2, 304. [193]) ZfrwVk. 1905, 205. [194]) S t a u b Brot 56; Alemannia 33 (1905), 304; Z i n g e r l e Tirol 57 Nr. 494. [195]) S t a u b l. c.; B a u m - g a r t e n Jahr (1860), 7; DWb. Seele § 25 a, γ; ZfVk. 1914, 56; F o g e l Pennsylvania 188 Nr. 916. [196]) SAVk. 8, 269 Nr. 33; Urquell I (1890), 9. [197]) ZfdMyth. 3, 400; über Kuckuck = Bäcker: G r i m m Myth. 2, 564; 3, 441 Nr. 197; R o c h h o l z Gaugöttinnen 166; Kloster 9, 385. 931; H e c k s c h e r 2, 349 A. 135; M a n n h a r d t 2, 334 (vgl. Bäcker). [198]) Brevinus N o r i c u s Fago-V i l l a n u s 121—22; vgl. A. 102; nach dieser Stelle wäre e r s c h ü p f e n bei DWb. 3, 975 zu erklären; vgl. SchweizId. 8, 1082. [199]) B a r t s c h 2, 135 Nr. 590. [200]) J o h n Westböhmen 246. [201]) S c h r a m e k l. c. 254; B a r t s c h l. c. 2, 135 Nr. 590. [202]) Frischbier Hexen- spruch 123. [203]) ZfrwVk. 1905, 200.

8. B a c k z e i t u n d B a c k t a g e: Während bei uns die Hausfrau auf dem Lande ungefähr alle zwei Wochen backt [204]), wird in Schweden [205]) das Knakebrod 2—4 mal im Jahre zubereitet, ebenso oft im Jahre buk man früher im Wallis [206]);

natürlich ist dies Brot steinhart wie im alten Lakonien [207]). Zu J. Gotthelfs [208]) Zeiten backte man aufs kürzeste alle 3 Wochen. Iulagalt [209]) muß man immer in g l e i c h e r Zahl b., sonst kommt ein Todesfall. Über den Backtag [210]) bestehen bestimmte abergläubische Vorschriften. Eine alte Schweizer Urkunde (a. 1380) bestimmt [211]): „es soll niemand an dem 'M ä n t a g' backen, wenn es nicht die Gebieter gebieten"; in Thüringen ist der Backtag für Hochzeiten der M o n t a g [212]); eine Holsteiner [213]) Hexe (a. 1584) stellte mit Brot, das am D o n n e r s t a g geb. war, in † Namen mit Satans Hilfe ein Orakel darüber an, ob der Abwesende lebendig oder tot sei. Am F r e i t a g [214]) darf man nicht b., das bringt Not und Zank oder einen Laib weniger [215]); ein Holzweiblein ruft einer fränkischen Bäuerin zu [216]):

> Reiß nicht aus einen fruchtbaren Baum,
> Erzähl keinen nüchternen Traum,
> Back kein F r e i t a g s b r o t ,
> So hilft dir Gott aus aller Not.

[204]) SchweizId. 4, 957. [205]) H e c k s c h e r 292 und 525. [206]) S t a u b *Brot* 9; SAVk. 1916, 285. [207]) ZfEthnol. 57 (1925), 156. [208]) SAVk. 18 (1914), 114. [209]) H ö f l e r *Weihnachten* 60. [210]) S t a u b l. c. 61; K ü h n a u *Brot* 18; ZfVk. 1894, 402. 404 (Ungarn); W. 620. [211]) SchweizId. 4, 957. [212]) W i t z s c h e l l. c. 2, 235. [213]) B a r t s c h l. c. 2, 21. [214]) H a l t r i c h *Siebenbürg. Sachsen* 288; J o h n *Westböhmen* 247; W. 71; Bavaria 2, 238; ZföVk. 1908, 115. [215]) M e i e r *Schwaben* 391 Nr. 61. [216]) Bavaria 3, 300; ZfVölkerpsychol. 18, 24.

In Schleswig-Holstein [217]) bäckt man am S a m s t a g; B. am S o n n t a g [218]) ist eine Entweihung und wurde a. 1558 schwer geahndet. In Horb [219]) wird am Sonntag nie geb., weil die Fische das Brot verweigerten. Auch für bestimmte Jahresfeste und -tage kennt das Volk feste Gebräuche. In der C h r i s t - n a c h t [220]) darf man nicht b., weil sonst der Teufel ins Brot pfuscht, ebenso in den Rauchnächten [221]). In Pommern [222]) muß man aber am Abend vor N e u j a h r auf dem Herde b.; wenn man auf Rügen [223]) am Neujahrsabend nicht bäckt, muß man das ganze Jahr den Puk füttern; als eine arme Frau 3 Aschenkuchen backt, verwandeln sich diese in schönes Weißbrot. Wenn man am G r ü n d o n n e r s t a g [224])

backt, regnet es das ganze Jahr nicht. Am K a r f r e i t a g [225]) ist das B. wegen Hexengefahr verboten, nur in Schlesien [226]) ist an diesem Tag gut b. Dieses Brot hält sich nach rheinischem [227]) Aberglauben ein ganzes Jahr; nach dem Glauben der Deutschamerikaner [228]) ist Karfreitagsbrot gut für Wunden. In Österreich [229]) darf man in der ersten Woche von Ostern den Sauerteig nicht über Nacht stehen lassen, sonst kommt der Theodor und das Brot mißrät. In Mecklenburg [230]) muß man an F a s t - n a c h t auf dem Herde b., sonst tanzen die Hexen darauf. Nach rheinischem [231]) Aberglauben schimmelt das Brot nicht, das man an W a l p u r g i s bäckt, und die Mäuse fressen es nicht. Am 25. Mai (U r b a n s t a g) soll man kein Brot b., sonst schimmelt es das ganze Jahr [232]). Backt man am Vierteljahrstag [233]), so trocknet alles ein, was vom Rauch betroffen wird. Im Erzgebirge [234]) darf, solange ein Toter im Hause ist, niemand b., sonst fallen die Zähne aus. Am Backtag darf man nicht im Garten [235]) arbeiten, vor allem keine Bohnen und Erbsen [236]) säen, keine Rübenblätter [237]) holen, sonst werden die Rüben dürr. In Schwaben wird das Verbot, im Garten zu arbeiten, damit begründet, daß man sonst Maulwurfshaufen [238]) hineinbringt (Analogiezauber: Maulwurfshaufen = Brotlaibe); s. arbeiten.

[217]) M e n s i n g l. c. 203. [218]) SchweizId. 4, 957. [219]) M e i e r l. c. 222 Nr. 251. [220]) H ö f - l e r *Weihnachten* 12. [221]) M e y e r *Baden* 482; M ü l l e n h o f f *Sagen* [2] 372 Nr. 500; R a n k e *Volkssagen* 77 ff.; DG. 13, 121; S a r t o r i *Totenspeisung* 59 [1] (Vogesen); W. 620; auch nach französischem Aberglauben bringt B. zwischen Nativité u. Circoncision Unglück: L i e b r e c h t *Gervasius* 229, 127. [222]) BlPomVk. 10, 74. [223]) H a a s *Rügensche Sagen* [5] 93 Nr. 163. [224]) B a r t s c h l. c. 2, 256 Nr. 1339; 257 Nr. 1341 (das Brot schimmelt); G e s e m a n n *Regenzauber* 33 A. 2; K u h n *Märk. Sagen* 387 Nr. 102; W. 86. [225]) H ö f l e r *Ostern* 12; J o h n *Westböhmen* 61; F o n t a i n e *Luxemburg* 37; vgl. F o g e l *Pennsylvania* 188 Nr. 913; ebenso in Frankreich während der R o g a t i o n s: L i e b r e c h t *Gervasius* 233 Nr. 163. [226]) D r e c h s l e r l. c. 1, 91. [227]) ZfrwVk. 12 (1915), 60. [228]) F o g e l l. c. 279 Nr. 1465. [229]) ZföVk. 1897, 181 Nr. 247. [230]) B a r t s c h l. c. 2, 255 Nr. 1327; vgl.

BlPomVk. 10, 74. [231]) M ü l l e r *RheinWb.* I,
1015. [232]) ZföVk. 1898, 145. [233]) ZfVk. 1891,
186. [234]) Arch. f. Anthrop. N.F. 3 (1905), 97.
[235]) F o g e l l. c. 187 Nr. 911. [236]) D e r s. 188
Nr. 912. [237]) W. 664. [238]) B o h n e n b e r g e r
Nr. 1, 18; E b e r h a r d t *Landwirtschaft* Nr. 3, 3.

9. O r a k e l b e i m B.: Bei dieser
wichtigen, mit Opfern verbundenen Handlung stellt man natürlich auch Auguria
an. C h r i s t n a c h t a u g u r i a, wie
sie die Mädchen in Ungarn [239]) am Backofen anstellen, um den Liebhaber zu
sehen, sind bei uns weniger bekannt; dagegen berichtet Zingerle [240]) von einem
Orakel beim Zeltenb. am Thomastage und
an den Klöpfelabenden [241]), ähnlich in
Schleswig-Holstein [242]). Baumgarten [243])
berichtet, daß das Mädchen, wenn es am
Thomastag das erste Brot einschießt, den
Schatz auf der Ofenschüssel zu sehen
hofft. Wenn in Schleswig-Holstein [244]) die
Frau beim Teigkneten niest, so stirbt ein
Mitglied der Familie, ehe der Back aufgegessen ist. An Neujahr steigt man mit
der Multer, in der der Neujahrsteig gemacht wurde, aufs Dach und kann alle
sehen, die im Laufe des Jahres sterben [245]).
Besonders ist das A u f g e h e n d e s
T e i g e s und das Aufgehen der Laibe
im Ofen von zukunftsverkündender Wichtigkeit. Die Hexen stören vor allem das
Aufgehen des Teiges [246]). Schon der I n-
d i c u l u s [247]) eifert gegen die observatio
pagana in foco beim Anfangszauber, und
B u r c h a r d von Worms [248]) warnt ausdrücklich vor dem Orakeln aus dem Aufgehen des Brotes in der Neujahrsnacht:
vel si panes praedicta nocte coquere
fecisti tuo nomine [249]), ut, s i b e n e
e l e v a r e n t u r et spissi et alti fierent,
inde prosperitatem tuae vitae eo anno
praevideres; fast denselben Aberglauben
erwähnt Grunau (Dominikanermönch aus
Tolsemit, 16. Jh.) in seiner preußischen
Chronik vom J. 1397 [250]): ,,so ein person
jemant lieb hatte und der anderstwo war,
so nam die Person ein Teig (am Feste
circumcisionis domini) und machte ein
Kiechlein und legte es in die Kachel,
g i e n g e s h o c h a u f, so war es ein
Zeichen, und er f r ö h l i c h war und es
im wol ging, gieng es aber nit auf, so
glaubten sie und stunde nit wol umb in

oder were todt." Auch heute noch weissagt die oberbayrische Bäuerin aus dem
schlechten Aufgehen des Leblaibes [251])
oder Kletzenbrotes [252]) den Tod eines
Familienmitgliedes (vgl. Neujahrsgebild-
brote). Wenn beim B. das Brot (in der
Mitte) [253]) s p r i n g t, so bedeutet das
eine Beerdigung [254]); ebenso ist nach allgemein verbreitetem Aberglauben das
Grab für ein Familienmitglied offen, wenn
das Brot auf dem Rücken springt [255])
(Analogie); dagegen im Harbachtal:
springt ein Brot, kommt man zu Ehren,
springen zwei, stirbt man [256]); ,,ist aber
das Weißbrot in Dithmarschen ausge-
laufen [257]), so werden Gäste kommen
und mit davon essen"; ein Riß auf dem
Laibrücken der Länge nach bedeutet bei
den Sachsen in Siebenbürgen [258]) eine
Niederkunft; in den Vierlanden [259]) bedeutet ein quer gerissenes Brot eine
Braut, längs gerissen einen Toten; ist das
Brot auf der Seite gerissen, so gibt es
Arbeit (Schleswig-Holstein) [260]), reißt es
unten, so kommt bald Hochzeit [261]) (Oberpfalz); hat es einen Mund, so gibt es
Gäste [262]) (Schleswig-Holstein); schwarze
Blasen deutet der Westböhme [263]) auf Unglück; wenn man Brot einzuschießen [264])
oder herauszunehmen vergißt [265]), so deutet das der Amerikaner [266]) auf einen Todesfall. Wer Brot mit weißer Rinde backt,
stirbt bald [267]). ,,Wer bi'n Brotbacken dat
Brot mit Bosten (Borsten) makt, kricht
einen rugen Mann, wer den Deig glatt
makt, kricht einen schiven" (Mecklenburg) [268]); wenn ein Mädchen in Holstein
den Teig nicht leicht von den Händen löst,
gilt es als geizig [269]); wenn aber eine
Magd dem Burschen mit den Teigfingern
ins Gesicht greift, bekommt er keinen
Bart [270]).

[239]) Wlislocki *Magyaren* 88. [240]) Z i n-
g e r l e *Tirol* 184 Nr. 1520. [241]) D e r s. 183
Nr. 1519; vgl. 36 Nr. 294. [242]) M e n s i n g
l. c. 201. [243]) B a u m g a r t e n *Jahr* 6.
[244]) M e n s i n g l. c. 1, 527. [245]) ZföVk. 9
(1903), 192—93. [246]) F o g e l l. c. 138 Nr. 632;
S é b i l l o t 3, 99; S t a u b l. c. 21—22;
vgl. W l i s l o c k i l. c. 155. [247]) M G leg II, 1,
223; G r i m m *Myth.* 3, 403 c 17; S a u p e
Indiculus 22 ff.; vgl. Aberglaubenverzeichnis
des A n t o n i n u s: MschlesVk. 21 (1919),
68 Nr. 27. [248]) S c h m i t z *Bußbücher* 2, 423

cap. 62; W a s s e r s c h l e b e n 663—64 c. 53a;
ARw. 20, 363; R a d e r m a c h e r *Beiträge*
104; J a h n *Opfergebräuche* 280; H ö f l e r
Ostern 31; ZföVk. 1905, 235. [249]) ARw. 20, 418;
vgl. MschlesVk. 16 (1914), 179 ff. [250]) Simon
G r u n a u s *Preußische Chronik*, hrg. v. M.
Perlbach 1 (Leipzig 1875), 694. [251]) L e o -
p r e c h t i n g *Lechrain* 210—11. [252]) H ö f l e r
Weihnachten 28; W. 300; K n o o p *Hinter-
pommern* 178; Globus 42, 105. [253]) C u r t z e
Waldeck 382 Nr. 65; F o g e l l c. 116 Nr. 515
(Kaiserslautern). [254]) Urquell 4 (1893), 19;
B a u m g a r t e n *Heimat* 3, 102. [255]) S t a u b
l. c. 53; B a r t s c h l. c. 2, 124 Nr. 496;
D r e c h s l e r *Schles.* 1, 13. 287; G a s s -
n e r *Mettersdorf* 80; H ö h n *Tod* Nr. 7, 310
(wenn das Brot von selbst entzweibricht);
Unoth 189; K u h n - S c h w a r t z 436 Nr.
298; M e n s i n g l. c. 1, 528; S t r a c k e r -
j a n 1, 38 (abgebacken oder quergeborsten);
2, 224 Nr. 475; Urquell 1 (1890), 9; W. 297;
ZfVk. 1891, 184. [256]) ZfVk. 1912, 162. [257]) Ebd.
1914, 56 Nr. 11; M e n s i n g l. c. 1, 528.
[258]) G a s s n e r *Mettersdorf* 17, anders in
Dithmarschen: M e n s i n g l. c. [259]) E.
F i n d e r *Vierlande* 2, 222. [260]) ZfVk. 1914,
56 Nr. 10; M e n s i n g l. c. [261]) W. 294.
[262]) ZfVk. 1914, 56 Nr. 12; B a r t s c h l. c.
2, 134 Nr. 582. [263]) J o h n *Westböhmen* 246;
ZföVk. 1908, 115. [264]) F o g e l l c. 116 Nr.
513. [265]) D e r s. 117 Nr. 523. [266]) D r e c h s -
l e r *Schles.* 1, 287; 2, 13 (Unglück u. Tod).
[267]) J o h n *Westböhmen* 246; ZfVk. 1908,
115. [268]) B a r t s c h l. c. 2, 134. [269]) M e n s i n g
l. c. 1, 530. [270]) Rockenphilosophie: G r i m m
Myth. 3, 444 Nr. 303.

10. **B. u n d Z a u b e r. a) L i e b e s -
z a u b e r.** Im Samland [271]) soll eine
Frau, wenn sie wahrnimmt, daß ihr Mann
gleichgültig gegen sie wird, beim Brot-
oder Fladenb. neunmal hintereinander
etwas vom rohen Teig zurücklegen und
ihm zuletzt einen Fladen daraus machen,
so wird sich bei dessen Genuß die alte
Liebe wiederfinden. Das Poenitentiale
Arundel [272]) und Burchard von Worms [273])
tadeln einen Liebeszauber der Weiber,
welche „super nates discoopertas" den
Teig zu einem erotisch stimulierenden
Brot kneten; eine schlagende Parallele
bringt Krauß in seinen Anthropophyteia [274]): die serbischen Weiber kneten
den Teig zu ihren Rundkuchen, mit dem
sie den Mann liebestoll machen, ebenfalls
auf diesem Körperteil.

b) **S c h a d e n z a u b e r.** In der Oberpfalz [275]) „schießt man einem ein Laibl":
Manche tun es aus Bosheit, weil von
nun an keine Bäck mehr vollständig gerät,

bis man einen neuen Herd hineinmacht;
die meisten finden darin ein sympatheti-
sches Mittel gegen den „Frera" [276]), wenn
sie einen Laib, mit allen menschlichen
Abgängen vermischt, unbeschrien in den
fremden Backofen bringen und verbren-
nen lassen; damit verbrennt auch der
„Frera"; vgl. auch den § 3 angeführten
Schadenzauber. Eine Schmalkaldener
Hexe backt nach einem Protokoll zum
Jahre 1598 „das aus dem Munde genom-
mene Abendmahlsbrot in ein anderes
Brot und gibt es auf Anstiften des Teu-
fels ihrem Sohn zu essen [277]). Ein alter
Schadenzauber rät: Gieß einem das
Wasser, womit man beim B. das Brot
bestreicht, vor die Tür in des Teufels
Namen [278]).

[271]) G r i m m *Myth.* 2, 922—23. [272]) S c h m i t z
Bußbücher 1, 459 cap. 81. [273]) D e r s. 2, 447
cap. 173; W a s s e r s c h l e b e n 661 cap. 161;
G r i m m *Myth.* 3, 409—10. [274]) 5, 245 Nr. 30.
[275]) S c h ö n w e r t h 1, 407—08 Nr. 19.
[276]) Frera = Kaltes Fieber: H ö f l e r *Krankheitsnamen* 169; vgl. B i r l i n g e r *Volksth.*
1, 200 (gegen das wilde Feuer abbacken).
[277]) S o l d a n - H e p p e 1, 524. [278]) ZfdMyth.
3, 320; in Ungarn gießt man das Wasser, mit
dem das Brot bestrichen wird, gegen die Hexen
auf den Boden: W l i s l o c k i *Magyaren* 23.

11. **B a c k v e r b o t f ü r S c h w a n -
g e r e u n d B r ä u t e.** Fast überall
finden wir besondere Vorschriften und
Einschränkungen für Bräute. In Thüringen und im Vogtland darf sich die
Braut am B. des Hochzeitsbrotes nicht
beteiligen [279]), ebenso kennen die Slawen [280]) das Verbot für die Bräute, beim
B. zu helfen; der böhmische [281]) Volksglaube begründet das Verbot damit, daß
die Braut sonst an allem Mangel haben
wird; beim ersten B. im neuen Haushalt
gab früher das junge Paar von den ersten
Schnitten Brot in den Backkübel, damit
nie Mangel an Brot entstehe [282]). In
Schlesien [283]) darf eine Wöchnerin nicht
„Kuchen schieben"; wenn in der Sächsischen Schweiz [284]) eine Schwangere in den
Backofen sieht, bekommt das Kind rote
Haare. Nach der Rockenphilosophie [285])
soll eine Wöchnerin nicht in den Teig greifen, sonst reißen dem Kind die Hände auf.
In Schwaben [286]) mußte nach einer Vorschrift von 1612 ein schwangeres Weib

beim B. ein Stück vom Teig wegreißen (Opfer?) [287]) und ins Feuer werfen; geht das Kind von ihr, so ist die Unterlassung schuld.

[279]) S a r t o r i *S. u. B.* I, 66 A. 3; K ö h l e r *Voigtland* 235. [280]) T e t z n e r *Slaven* 372. [281]) G r o h m a n n l. c. 118 Nr. 888. [282]) G r ü - n e r *Egerland* 54. [283]) K ü h n a u *Sagen* 2, 108 Nr. 753. [284]) M e i c h e *Sagenbuch der sächsischen Schweiz* 122 Nr. 23; vgl. S c h u - l e n b u r g 107; M ü l l e r *Isergebirge* 21; S t a r i c i u s *Heldenschatz* 341 erzählt von einem alten Verbot (a. 1679), daß eine Schwan- gere nicht den Backofen mit Lehm bestreichen darf; vgl. *Globus* 92, 286; eine Erklärung gibt dieser Brauch auch nicht. [285]) G r i m m *Myth.* 3, 449 Nr. 460. [286]) B i r l i n g e r *A. Schwa- ben* 1, 390—391. [287]) S a r t o r i *S. u. B.* 1, 22.

12. **B. u. S y m p a t h i e k u r e n:** Als Sympathiemittel gegen W a r z e n ge- braucht man in der Oberpfalz [288]) das Wasser, mit dem man das Brot geglättet hat. In Ostpreußen [289]) bekommen dies Backwasser die Schweine, damit sie glatt werden. In Bayern [290]) legt man auf jede Warze ein Stückchen Teig; ist der Ofen in Bowed (Glut), löst man die getrock- neten Teigstückchen ab und wirft sie rückwärts in den Backofen. Nach Zim- mermann drückt man E r b s e n auf die Warzen und wirft diese in den Backofen; man muß aber davonlaufen, damit man die Erbsen nicht krachen hört [291]). In Rendsburg [292]) schlägt man über Warzen drei Kreuze mit einem Schlüsseltuch und wirft dies über die Schulter in die Glut des Backofens; die Deutschamerikaner [293]) werfen Bohnen und Salz in den Backofen. Wirft man beim B. drei Gerstenkörner hinter sich in den Backofen, so verliert man das G e r s t e n k o r n am Auge (Westböhmen) [294]).

[288]) S c h ö n w e r t h l. c. 3, 237 Nr. 3; vgl. W l i s l o c k i *Magyaren* 23. [289]) W. 688. [290]) P o l l i n g e r *Landshut* 289—90; vgl. B i r - l i n g e r *Volksth.* 1, 484; T ö p p e n *Masuren* 55. [291]) B r e v i n u s N o r i c u s F a g o - V i l l a n u s l. c. 364. [292]) M e n s i n g l. c. 1, 200—201; vgl. *ZfVk.* 1898, 199 Nr. 16 b; E n g e l i e n u. L a h n 263 Nr. 140. [293]) F o - g e l 320 Nr. 1697; 322 Nr. 1710. [294]) J o h n *Westböhmen* 246; *ZföVk.* 1908, 115.

13. **A l l e r l e i A b e r g l a u b e.** Ißt man von frischgebackenem, ofenwarmem Brot, so wächst einem der Roggen aus dem Magen [295]). T r ä u m e n vom Feuer im Backofen bedeutet Kindersegen [296]) (vgl. § 2).

[295]) B i r l i n g e r *Volksth.* 1, 494 Nr. 9; F r i s c h b i e r *Hexenspr.* 123. [296]) *Traum- buch Artemidori des griechischen Philosophen sampt einer Erinnerung* P h i l i p p i M e - l a n c h t h o n i s (Straßb. 1624) 112.

14. **H e x e n u n d B a c k g e r ä t:** Die guten und schlimmen Vegetations- geister haben, wie wir sahen, für die Volksphantasie eine wichtige Rolle im ge- waltigen Back- und Brauprozeß der Na- tur; daher ist die Vorliebe der Elfen und Hexen für alle Backgeräte sehr verständ- lich. Auf B a c k t r ö g e n (s. d.) fahren in der schlesischen Sage die Venusmän- del [297]) übers Wasser; die Sigristin [298]) von Bremgarten fuhr im B r o t k o r b oder in der B a c k m u l d e die Reuß hinab; im Vogtland reiten die Hexen auf Back- schaufeln [299]) (s. d.). In Mecklenburg [300]) muß man in der Walpurgisnacht alle Back- geräte fortschaffen, weil sonst die Hexen auf ihnen zum Blocksberg reiten. Der Rücken des Teufels ist hohl [301]) wie ein B a c k t r o g [302]). Mit diesen Vorstellungen und mit dem Glauben an die Hexen als Wind- und Wetterdämonen hängt es zu- sammen, wenn man neben Brotschieber und -schüssel den B a c k t r o g gegen Feuer verwendet, indem man ihn mit der hohlen Seite gegen den Wind stellt und dreimal dreht oder in ihm ein Brot kreuz- weise vierteilt und das Messer stecken läßt, um den Wind zu wenden [303]). Zim- mermann [304]) erörtert mehrere Beispiele dafür, daß man den Wind fing und fort- trug, zum Teil mit Erfolg. Aus Pom- mern [305]) ist für das Jahr 1895 ein Fall bezeugt, daß ein Bauer gegen Blitzgefahr den Backtrog ins Freie stellte. Der Glaube, daß man den Wind fängt, wie Zimmer- mann sagt, will doch wohl bedeuten, daß man die böse Wetterhexe in dem ihr ver- trauten Backtrog fängt?

Nach einer bayrischen Bauernregel [306]) soll man, wenn Hagel fällt, ein Brotkörb- chen ins Freie stellen; der Backtrog ist ein ehrwürdiges Hausgerät, in ihm bewahrte die Frau in alter Zeit das Geld auf [307]).

[297]) K ü h n a u *Sagen* 2, 95. [298]) R o c h - h o l z *Sagen* 2, 58. 159; auch Geiler von Kaisers- berg erwähnt einen Fall: R o c h h o l z l. c. 2,

59. [299]) F r a z e r 7[3], 2, 73. [300]) B a r t s c h
l. c. 2, 265 Nr. 1382b. [301]) G r a b e r *Kärnten*
300 Nr. 409. [302]) W a s c h n i t i u s *Perht*
175 ff. [303]) ZföVk. 1913, 35—36; W. 443;
M e y e r *Baden* 376; vgl. G r i m m *Myth.* 3, 449
Nr. 450; M a n n h a r d t *Germ. Mythen* 133.
[304]) B r e v i n u s N o r i c u s F a g o - V i l l a -
n u s 1 c. 95—98, 418. [305]) BlPomVk. 3, 188.
[306]) J a h n *Opferbräuche* 59. [307]) ARw. 17, 136.

15. Die Rockenphilosophie [308]) erwähnt
einen heute noch in Schlesien [309]) üblichen
Brauch: Will die Braut über den Mann in
der Ehe herrschen, so soll sie sich am
Hochzeitstage im Backtrog (s. d.) anziehen.
Ein Spiel mit dem Backtrog (F r u c h t -
b a r k e i t s s y m b o l ?) als Augurium
treffen wir in Siebenbürgen [310]): Die
Frauen springen über den Backtrog, auf
dem ein Licht steht; wer sich weigert,
bekommt Mädchen. Auch mit dem Ofen-
haken stellt man Orakel an [311]).

[308]) G r i m m *Myth.* 3, 441 Nr. 204.
[309]) D r e c h s l e r *Schles.* 1, 257. [310]) W i t t -
s t o c k *Siebenbürgen* 84. [311]) ZfdMyth. 4, 48.

                           Eckstein.

Backenstreich s. O h r f e i g e.

Bäcker. Das B.gewerbe, das in den dt.
Ländern seit dem frühen MA. nachweis-
bar ist, leitet seine Entstehung auf die
Pfistereien der Gutshöfe und Klöster zu-
rück [1]). In alten Zeiten wurde in jedem
Bauernhof und Haushalt das notwendige
Brot von den Frauen selbst gebacken, wie
dies auf dem Lande auch heute noch der
Fall ist. Eine Art Übergangsstufe liegt vor,
wenn der B. den zubereiteten Teig zum
Backen übernimmt.

Das Volk achtet „das liebe Brot" (s. d.),
die tägliche Speise, als etwas Heiliges, und
um so schärfer rügt es den B., wenn er das
Gewicht nicht einhält oder sich an dem
ihm anvertrauten Teig vergreift [2]). Brot-
wucher, insbesondere in Zeiten der Not,
gab immer ein schweres Ärgernis, und die
Volkssage weiß zu erzählen, daß einem
B. in Dortmund, der sich dieses Vergehens schuldig gemacht hatte, all sein
Brot zu Stein wurde [3]). Weit verbreitet
und beachtenswert sind die Sagen von
dem B.[4]), der zur Strafe für den Teigdieb-
stahl oder für seine Hartherzigkeit in
einen Kuckuck (s. d.) verwandelt wurde.
In anderen Sagen desselben Typus wer-

den ein geiziges altes Weib, eine B.stoch-
ter oder eine Bauersfrau von dieser Strafe
ereilt [4]). Dieselbe Anschauung, daß der
Kuckuck ein verwandelter B. sei, scheint
auch in dem Sprüchlein anzuklingen,
womit der Frager diesem Vogel die Zahl
seiner Lebensjahre ablauschen kann:
„Kuckuck, Beckerknecht, sag' mir recht,
wieviel Jahr' ich leben soll" [5]). Ebenso in
den Redensarten, wenn eine Semmel hohl
ist: „Da ist der B. hineingeschlüpft",
oder „Da ist der B. drinnen" [6]). Rüh-
mend gedenkt die Volkssage aber auch
der B., die sich durch ihre Tapferkeit
hervorgetan haben: Durch die Wachsam-
keit eines B.gesellen wurde Wien während der Türkenbelagerung vor einer
feindlichen Mine gerettet [7]), und B.jungen,
heißt es, ist der glückliche Ausgang der
schweizerischen Mordnächte zu danken [8]).
Häufig wird eine solche wackere Tat
als Ursache eines Zunftvorrechtes angegeben [7]).

Die B. nehmen auch, wie andere Handwerker, am Brauchtum teil, das den Verlauf des Jahres begleitet: Neujahrswün-
schen [9]) und Schlagen mit der Lebensrute [10]) durch die B.jungen, sowie Hei-
scheumzüge [11]) zu Fastnacht in Norddeutschland, Eierlesen zu Ostern in der
Schweiz [12]) und Pfingsttänze zu Frankfurt [13]) in alter Zeit. In Schweinsberg
(Hessen) geht man in den Zwölften abends
zu den Bäckern, um dort Backwerk und
Honigkuchen auszuwürfeln [14]).

B. und Müller nehmen ungefähr die
gleiche Stellung im Volksglauben ein, so
daß Vieles von dem, was hier über den B.
gesagt wurde, auch für den Müller gilt [15]).
Beiden war in Velburg (Oberpfalz) der
Sonderbrauch eigen, bei ihren Hochzeiten
Gespann und Fuhrmann des Brautwagens
mit blauen, nicht wie gewöhnlich mit roten Bändern zu schmücken [16]). B. und
Müller werden auch mit dem Wetter in
Beziehung gebracht. Sie spielen eine
Rolle in einer Gruppe von Bauernregeln,
die an den Jakobitag (25. Juli) geknüpft
sind und sich mit dem Ausfall der kommenden Ernte beschäftigen, z. B.: Wenns
an Jakobi regnet, so darf der Müller zum
Wein gehen, aber der B. muß Wasser

trinken (so gibt's viel, aber schlechtes Mehl) u. ä.[17]). Wenn es schneit, sagt man in Schwaben: Es schlagen sich B. und Müller u. ä.[18]). Hier werden die herabrieselnden Schneeflocken als das im Kampf verstäubte Mehl aufgefaßt.

Ein interessantes Beispiel für den Aberglauben der B. selbst bietet die Nachricht, daß ein B. in Franken für den Teufel täglich 3 Weißbrote in den Schornstein warf, um Glück im Geschäft zu haben [19]).

[1]) H o o p s *Reallex.* 1, 150 ff. [2]) Vgl. z. B. die volkstüml. Sprichwörter: SchweizId. 4, 1108 und F i s c h e r *SchwäbWb.* 1, 741; K l e n z *ScheltenWb.* 12 u. 100; ferner die ma.liche schimpfliche Strafe des „Beckenschupfens" s. G r i m m *RA.* 2, 324. [3]) G r i m m *Sagen* 1 [2], 287 Nr. 241. [4]) D e r s. *Myth.* 2, 564 nach P r ä t o r i u s *Weltbeschreibung* 1 (1668), 656: „Desselbigen gleichen schwatzet man auch von Störchen, von dem Guckuck, daß er ein Bekkenknecht gewesen"; G r i m m a. a. O. 2, 608; G r o h m a n n 68 (Deutschböhmen); C o r e m a n s *La Belgique et la Bohême* 46 (Flämen); M a n n h a r d t 2, 334. [5]) G r i m m a. a. O. 2, 441 (a. d. Chemnitzer Rockenphilosophie) u. 2, 563 ff.; M a n n h a r d t in ZfdMyth. 3, 236 ff. (aus Österreich) u. 400; K u h n *Herabkunft d. Feuers* 117; R o c h h o l z *Gaugöttinnen* 165 ff.; H e c k s c h e r 349 Anm. 135. [6]) ZfdMyth. 3, 400; F o g e l *Pennsylvania* 188 Nr. 916; Z i n g e r l e *Tirol* 57 Nr. 494. [7]) B i r l i n g e r *Aus Schwaben* 2, 529. [8]) SchweizId. 4, 1109. [9]) S a r t o r i *Sitte u. Brauch* 2, 58 Anm. 21. [10]) A. a. O. 2, 101 Anm. 47. [11]) A. a. O. 2, 95 Anm. 17. [12]) SchweizId. 3, 1124; SAVk. 11, 260 ff.; ZfVk. 12, 210 ff. [13]) L e r s n e r *Frankfurter Chronik* 1 (1706), 473. [14]) H e ß l e r *Hessen* 2, 165 ff. [15]) S. den Artikel „Müller". [16]) S c h ö n w e r t h *Oberpfalz* 1, 69. [17]) Eine ganze Reihe solcher Regeln gesammelt bei F i s c h e r *SchwäbWb.* 4, 66/67; vgl. auch a. a. O. 1, 658, auf Bartholomäus bezogen; B i r l i n g e r *Aus Schwaben* 1, 387. [18]) M e i e r *Schwaben* 1, 261; F i s c h e r a. a. O. 1, 741; B i r l i n g e r *Volksth.* 1, 198. [19]) W u t t k e 298 § 438; T y l o r *Cultur* 2, 409; S é b i l l o t *Trad. et Superstit. de la boulangerie* 11 ff.; K ü h n a u *Brot* 11.   Schömer.

Backofen.

I. **S a c h k u n d l i c h e s.** Ob die alten Germanen schon B. kannten, ist immer noch zweifelhaft. Rhamms Ansichten darüber [1]) haben sich namentlich in etymologischer Hinsicht nicht als haltbar erwiesen [2]). Wohl aber sind in den letzten Jahren auf heutigem süddeutschem Boden, nämlich im Federseemoor, pfahlbau-

zeitliche, in Entringen (O.-A. Herrenberg) hallstattzeitliche und in Hungerberg b. Hocheneck keltische, aus Lehm geformte Feuerstättenreste gefunden worden [3]), die man ihrer Form und der im selben Raume gefundenen Gegenstände (Mahlsteine, Getreidereste u. dgl.) halber als B. anspricht. Es ist also, falls die Germanen in älterer Zeit auch keine B. gehabt hätten (das got. Wort *auhns* spricht eher für Backtöpfe) [4]) wahrscheinlich, daß der lehmgewölbte und ausschließlich dem Backzweck dienende kuppelförmige B. mit der keltoromanischen Kultur von Süden her zu den germ. Völkern gekommen ist, wobei auch der Einfluß des römischen B.s [5]) geltend geworden sein wird. Diese B. unterscheiden sich wesentlich von der Hauptfeuerstätte des Hauses, vom Herd, und sind häufig aus der Küche hinausgebaut, oft auch ganz im Freien oder in einem eigenen Backhaus errichtet, bisweilen auch einem ganzen Dorfe oder einer Häusergruppe gemeinsam [6]), was vielleicht z. T. mit dem galloroman. Vorbild der Sippschaftsbacköfen (Fochanza > focarium) zusammenhängt [7]).

Eine ganz andere Art von B., die heute einem nordischen und östlichen Kulturkreis gemeinsam ist, drang von Osten her ins deutsche Gebiet ein. Diese Öfen sind aus Stein gebaut und dienen nicht nur zum Backen, sondern auch zum Kochen. Sie sind also gleichzeitig die Hauptfeuerstätte des Hauses, weshalb man sie mit Recht „Herdöfen" nennt. Auf ihnen wurde auch geschlafen und das Schwitzbad bereitet. Sie finden sich im skandinavischen Rauchofen, in den finnischen Rauchstuben, sie sind die slawische *pec* und die Feuerstätte des alpinen Rauchstubenhauses [8]). Da sich ihr Einfluß mit den Badestuben weit ins deutsche Gebiet verbreitete, so hat das auch auf den mit dem B. verbundenen dt. Volksglauben stark eingewirkt. In diesem spielt daher der B. verschiedene Rollen: Die mit dem Feuer und der Hauptfeuerstätte, dem Herde, zusammenhängenden Meinungen haben sich hier mit denen, die sich nur auf den Backzweck beziehen und mit denen, die sich aus dem in der Ofenhöhle eingeschlossenen Feuer erklären, reichlich und mannigfaltig vermengt und so den B. zur Stätte verschiedenartigster kultischer und mythischer Vorstellungen werden lassen.

¹) K. R h a m m *Urzeitliche Bauernhöfe.* Braunschweig 1908, 630 ff. u. a. a. O. ²) ZfVk. 20 (1910), 335 f. ³) H. R e i n e r t h *Das Federseemoor.* Schussenried 1923 und *Der Wohnbau der Pfahlbaukultur.* Winterthur 1924, und briefliche Mitteilungen von Otto Schlenker in Stuttgart. ⁴) IF. 23, 289 ff. u. 295 f.; S c h r a d e r *Reallex.* 592; W. S c h u l z - M i n d e n *Das germ. Haus.* Mannusbibl. Nr. 11, 98. ⁵) K. M o h s *Unser Backofen* ³. Stuttgart 1926, 42 ff. ⁶) H o o p s *Reall.* 1, 151 f.; SAVk. 11, 179 f.; ZfrwVk. 6, 60 ff. 196 f.; 7, 63 f. 150 f.; 8, 149 f.; W r e d e *RheinVk.* 144, 100; S a r t o r i *Westfalen* 28, 110; MsächsVk. 4 (1908), 349 ff.; J o h n *Erzgebirge* 12. ⁷) ZföVk. 9 (1903), 191. ⁸) G e r a m b *Kulturgesch. d. Rauchstuben* in: WuS (1924).

2. D e r B. a l s A u f e n t h a l t s - o r t m y t h i s c h e r W e s e n. Totengeister wie die steir.-kärntische Seelenführerin „Bercht" oder die Gestalten des Seelenheeres, der wilden Jagd, spuken namentlich in den Zwölften im B.⁹). Vielleicht spielt hier neben dem Ahnen - Geisterglauben und der beim B. besonders wichtigen Rolle des Windes ¹⁰) auch ein letzter Rest der Sitte herein, Leichen anzubrennen, zu dörren, wie sie aus dem altheidnischen Bestattungswesen bekannt ist ¹¹). Dafür würde die in einem engeren mdt. Kreis noch im 19. Jh. bezeugte Sitte sprechen, Leichen bis zur Einsargung in den B. zu legen ¹²). Es versteht sich aus alledem auch, daß der B. Sitz anderer elbischer Wesen ist. Schon im hübschen Schwank vom „Schretel und Wasserbären" (um 1300) hat der Schretel seinen Aufenthalt im Backhaus, und der Wasserbär verkriecht sich vor ihm in den B.¹³). Gerne hausen hier auch die Zwerge, die schon im Gargantua „B.trescherlein" genannt werden ¹⁴). In der Oberpfalz sah man einmal die „Strazeln" (Zwerge) zu sechst im B. dreschen, ein andermal ihrer vierzehn darinnen arbeiten ¹⁵). Auch in der Schweiz hausen die Zwerge in den B. oder es hat doch noch der Hauskobold dort seinen Sitz, wie auch sonst im Alemannischen, wo nach einer Sage gelegentlich die Zwerge im B. übernachten ¹⁶). Anderer-

seits haben die Riesen und Zwerge auch in Felshöhlen ihre eigenen B., zu denen sie sich aber von den Menschen allerlei Backgerät entlehnen ¹⁷). Bei anderen myth. Gestalten im B. spielt wohl auch der Glaube an Feuerdämonen mit, so besonders bei den Hexen. In Schleswig-Holstein weiß man, daß die Hexen, welche die Gestalt von Hasen oder Füchsen angenommen haben, vom Jäger angeschossen, in den B. flüchten, aus dem sie in ihrer Menschengestalt wieder herausschlüpfen ¹⁸). Die brotbackenden wilden Frauen und rothaarigen Hexen ¹⁹), die im Märchen und in der Sage wiederholt erscheinen ²⁰), sind in ihrer Verbindung als Wetter-, Wind- und Feuerdämonen beim B. besonders erklärlich. Bei einer Feuersbrunst muß man zuerst den B. aus dem Haus schleifen, dann muß die Flamme nach hinaus ²¹). Wenn die Magd um Mitternacht Feuer anmacht, um Brot zu backen, so soll sie, ehe sie den Strohwisch anzündet, Weihwasser auf ihn spritzen, damit das Feuer nicht wild wird und zum B. hinausschlägt ²²). Dieses wild herauslodernde Feuer heißt in Schlesien „die Feuermutter" ²³) und in Mecklenburg „der Waul", der mit Hundgekläff durch die Lüfte tobt ²⁴). Daher soll man auch nicht in den B. blasen, weil dies den Wind reizt ²⁵), und eine Schwangere soll nicht in den B. kriechen, sonst bekommt das Kind rote Haare ²⁶).

⁹) W a s c h n i t i u s *Perht* 18; K u h n *Märk. Sagen* 71 f.; E. H. M e y e r *Germ. Myth.* 121; G a n d e r *Niederlausitz* 13 Nr. 3; J a h n *Pommern* 132; B a r t s c h *Mecklenburg* 1, 311; S t r a c k e r j a n 1, 40 f. ¹⁰) K ü h n a u *Brot* 13 ff. 20 ff. 24. ¹¹) S c h r a d e r *Reallex.* 83; H o o p s *Reallex.* 4, 335; N a u m a n n *Gemeinschaftskultur* 31; C. S c h u c h - h a r d t Sitzb. Berl. 1920, 478 ff. ¹²) K o n d - z i e l l a *Volksepos* 133; J o h n *Westböhmen* 168; Bavaria 3 a, 365. ¹³) ZfdA. 6, 179 v. 167 und 181 v. 264. ¹⁴) G r i m m *Myth.* 3, 131. ¹⁵) S c h ö n w e r t h *Oberpfalz* 2, 292—300. ¹⁶) R o c h h o l z *Sagen* 1, 335 f. ¹⁷) K ü h n a u *Brot* 14 f. u. 32 f. ¹⁸) M ü l l e n h o f f *Sagen* 230 Nr. 316 (neue Ausgabe 246 Nr. 369); L a i s t n e r *Sphinx* 2, 4 f. ¹⁹) K ü h n a u *Brot* 14 ff.; ZföVk. 3 (1897), 290. ²⁰) Neben der bekannten B.-Hexe in „Hänsel u. Gretel" vgl. bes. M ü l l e n h o f f *Sagen* 449 f. u. P e t e r *Österreichisch-Schlesien* 2, 164 ff. ²¹) G r i m m *Myth.* 3, 449 Nr. 450 und M a n n h a r d t

Germ. Mythen 133. [22]) B i r l i n g e r *Volksth.*
1, 198 ff. [23]) K ü h n a u *Brot* 18. [24]) B a r t s c h
Mecklenburg 1, 12. [25]) Ebd. 2, 136. [26]) S c h u -
l e n b u r g 107; M ü l l e r *Isergebirge* 21.

3. O p f e r   a n   d e n   B. sind z. T. aus
dem Glauben an die eben erwähnten
mythischen Wesen, z. T. aus seiner Eigenschaft als Feuerstätte erklärlich. Im ungarischen Kalotaszeger Bezirk knetet man
aus den Brotabfällen des Weihnachts-
tisches eine menschenähnliche Gestalt
und wirft sie in den B. mit den Worten:
„Esset, schöne Frauen" (euphemistisch
für böse Feien) [27]). In Schweden und Norwegen ist um Lichtmeß das *dricka eldborgs skål* üblich: Frühmorgens hat schon
die Frau Feuer in dem B. gemacht und
versammelt nun ihr Gesinde in einem
Halbkreis um denselben. Alle beugen die
Knie, essen einen Bissen Kuchen und
trinken *eldborgs skål*. Was von Kuchen
und Getränken übrigbleibt, wird in die
Flamme geworfen [28]). Im Oberamt Hall
(Württemberg) steckt man beim Aus-
bruch einer Gänseseuche, um nicht alle
Tiere zu verlieren, eine Gans lebend in
den B.[29]). In Gernsberg b. Speyer tat
man dasselbe noch im 18. Jh. mit Enten,
Hühnern, Schweinen und anderen Tieren,
in der Meinung, daß mit dem Opfer auch
die Hexe, die die Seuche hervorgezaubert
habe, mit verderben müsse [30]). Als eine
Art Umkehrung solcher Vorstellungen
mag vielleicht der böhmische Volksglaube
anzusehen sein, daß sämtliche Jungen
einer Gans ersticken müssen, wenn man
ihr eine Feder aus dem Flügel oder
Schwanz gerissen und im B. verbrannt
hat [31]). Man opfert dem B. in Franken und
in Böhmen auch die erste Garbe mitsamt
einem geweihten Brote [32]) und wirft bei
einer Feuersbrunst das erste frischgebackene Brot, oder in Böhmen ein am
Neujahrstag in der Gestalt eines Wolfes
geformtes Gebäck, genannt „Hauswolf",
in den B.[33]).

[27]) ZfVk. 4 (1894), 311; H ö f l e r *Weihnacht* 56. [28]) G r i m m *Myth.* 1, 522 f.; J a h n
Opfergebräuche 119 f.; ZfVk. 15 (1905), 21, 314.
[29]) B o h n e n b e r g e r Nr. 1, 20. [30]) G r i m m
Myth. 3, 453 Nr. 569 (vgl. 3, 456 Nr. 645).
[31]) *Globus* 34, 77; W u t t k e § 430. [32]) *Bavaria* 3, 937. [33]) P e t e r *Österreichisch-Schles.*
2, 259; K ü h n a u *Brot* 12.

4. D e r   B.   a l s   M i t t e l p u n k t
d e s   H a u s e s , eine deutliche Funktion
der Hauptfeuerstätte [34]), gibt sich in folgenden Vorstellungen zu erkennen: Gegen
Heimweh steckt der Bäcker den Lehrling
in den kalten B.[35]). Eine Katze, die nicht
heimisch werden will, läßt man in einen
geheizten B. sehen [36]). Dasselbe tut man
mit einem Hund, der nicht anschlägt [37]).
Als eine Umkehrung der letztern Meinung
erscheint der in der Chemnitzer Rockenphilosophie erwähnte Glaube, daß das
Brot schön abgelöset und ausgebacken
wird, wenn ein Hund in den B. schaut, in
dem man gerade bäckt [38]).

[34]) S. „Herd", mit dem der B., wie u. a. auch
S a r t o r i 2, 133 und B ä c h t o l d - S t ä u b l i
SchwVk. 14, 77 betonen, bisweilen gleichgestellt
erscheint. [35]) J o h n *Erzgebirge* 34. [36]) ZfVk.
23 (1913), 183. [37]) Ebd. 23 (1913), 183 und
M ü l l e r *Isergebirge* 13 f. [38]) G r i m m *Myth.*
3, 435 Nr. 32.

5. D e r   B.   a l s   O r t   v o n   O r a -
k e l n   u n d   a l l e r l e i   Z a u b e r erscheint nach dem Gesagten leicht begreiflich. Schon in einer altdt. Predigt
des 14. Jhs. heißt es: ut panis non intret.
Accipe parum funis predicti (sc. suspensi
hominis) et pone (in) instrumentum, cum
mittitur panis in furnum, et cum pistor
voluerit mittere panem in furnum, non
poterit, sed exiliet [39]). Bezieht sich dieser
Zauber vor allem auf die Ofenschüssel,
so betrifft es den B. selbst in folgenden Bräuchen: Wer in den B. guckt,
erblickt eine Leiche, wenn bald jemand
aus dem Haus sterben wird, und wer
hineinhorcht, erfährt sein eigenes Geschick: einer, der beten hört, mag sich
zum Sterben bereiten, wer aber musizieren
hört, wird bald Hochzeit halten [40]). Kräht
hinter dem B. ein Hahn, zu der Zeit, in
der jemand im Hause im Sterben liegt, so
stirbt im selben Jahr noch jemand aus
demselben Hause nach [41]). Mehrfach bezeugt ist folgender B.-Zauber: In der
Christnacht macht ein Mädchen aus drei
Holzstückchen Feuer im B.; wenn dieses
abgebrannt ist, kriecht das Mädchen
nackt in den B., dreht sich drinnen auf
den Rücken und kriecht so, auf dem
Rücken liegend, langsam heraus. Wenn
nur noch ihre Füße im B. sind, legt sie ihr

Haupt auf die Erde vor dem B. nieder und merkt sich die Stelle, wo ihr Kopf gelegen ist. Dann kleidet sie sich an und legt sich zum Schlafen auf jene Stelle nieder. Im Traum wird sie dann ihren künftigen Gatten sehen [42]. In Oberösterreich reicht der Künftige dem Mädchen, das in der Christnacht nackt in den B. kriecht, das Hemd hinein. Manchmal aber ist es der Tod [43]. Im Lüneburgischen und Braunschweigischen sagt man zu einem, der sich vor etwas fürchtet: „Kriech' in den B., dann bist du aus der Welt" [44]. Anderswo genügt es, um den zukünftigen Gatten (bzw. die Gattin) zu erschauen, in der ersten Stunde des Jahres in einen B. zu gucken, in dem 3 Jahre lang kein Feuer gebrannt hat, oder rücklings an einen gefegten B. heranzugehen und hineinzublicken [45], oder in der Metten-, Neujahrs- oder Thomasnacht in den B. zu horchen oder zu schauen [46]. Der Brauch, in den B. zu horchen und aus seinem „Singen" zu orakeln (s. o.), hat sich auch bei den Deutschamerikanern erhalten [47]. Bisweilen muß der B. auch zum Schadenzauber herhalten. Will man zwei Liebende auseinanderbringen, so kratzt man von zwei B., die mit den Hinterseiten („Ärschen") zusammenstehen, etwas ab und zwar neunmal von jedem B. und wirft das Abgekratzte zwischen die beiden Menschen. „Dann können sie sich nicht mehr sehen (leiden) und die Liebe geht fort" [48]. Um ein gestohlenes Pferd wieder zu erhalten, nimmt man alles Reitzeug, das das Pferd jemals auf sich getragen hat, als Sattel, Decke, Zaum, Halfter usw., tut solches nach dem Backen in den noch heißen B., stopft das Loch mit nassem Stroh so fest zu, daß keine Hitze heraus und keine Luft hineindringen kann, und das Pferd muß dann nach Hause kommen. Dieser in Siebenbürgen erhaltene Glaube [49] wird schon in einem Nürnberger Druckwerk des Jahres 1705 erwähnt [50].

[39] S c h ö n b a c h Altd. Predigt SbW. 142/II, 149. [40] ZfdMyth. 3, 336. [41] G r ü - n e r Egerland 62. [42] ZfVk. 4 (1894), 316 (aus Ungarn). [43] B a u m g a r t e n Jahr u. s. Tage 11. [44] Urquell 4 (1893), 79. [45] B a r t s c h Mecklenburg 2, 238. [46] ZfdMyth. 2, 241; 3,

336; B a u m g a r t e n Jahr u. s. Tage 11; L a n d s t e i n e r Niederösterreich 43. [47] F o - g e l Pennsylvania 123 Nr. 557. [48] S c h u - l e n b u r g Wend. Volksthum 118 f. [49] H a l t - r i c h Siebenbürgen 278. [50] Germania 12, 258.

6. D e r B. a l s M u t t e r l e i b. Leicht einzusehen ist die volkstümliche Assoziation, die den kuppel- oder tonnenförmigen B. als schwangeren Leib und das Herausziehen des gebackenen Brotes als Geburt ansieht [51]. Ist die Niederkunft einer Frau zu erwarten, so sagt man, „der B. wird bald einfallen", und nach erfolgter Geburt, „der Backofen ist eingefallen" [52]. Ein Ratloser, Unentschlossener und auch Kranker muß (schon in Grimmelshausens Simplizissimus) „umgebacken" werden, da er als „nicht ausgebacken" gilt [53]. Die Kinder aus der Verwandtschaft vergleicht man mit je einem Gebäcke, z. B. „er ist das kleine Brotel aus dem vierzehnten Gebäcke" [54]. Mit solchen Assoziationen hängt es wohl zusammen, wenn die schon für das Jahr 1679 bezeugte Vorstellung [55], daß eine Schwangere den B. nicht mit Lehm ausschmieren darf, da sie sonst eine schwere Niederkunft hätte, noch heute z. B. in Rumänien [56] Geltung hat. Vielleicht gehört hierher auch der Brauch, daß die Hausfrau, wenn ein B. neugebaut wird, den letzten Stein einfügen muß [57]. Daß die Assoziation alt ist, bezeugt ein Rätsel des ags. Exegetenbuches aus dem 8. Jahrh., in dem der Bäckerknecht als ein Mann erscheint, der einem Weib (B.) Gewalt antut [58].

[51] D r e c h s l e r Schlesien I, 181 f; G r i m m DWb. s. v. „backen" u. „Ofen"; L i e b r e c h t Zur Volksk. 304. [52] H i l l n e r Siebenbürgen 17; H ö h n Geburt Nr. 4, 260; L a i s t n e r Sphinx 2, 4 f.; B a u m g a r t e n A. d. Heimat 3, 37; BadWb. 1, 106; SchweizId. 1, 110; M ü l l e r - F r a u r e u t h ObersächsWb. 1, 53; DWb. 7, 1155; RheinWb. 1, 382. [53] D r e c h s - l e r Schlesien I, 181 ff. [54] W e i n h o l d in SbW. 14. Anh. unter „backen". [55] S t a r i c i u s 341. [56] K a i n d l im Globus 92, 286. [57] W u t t k e 403 § 620 und W o e s t e Mark 54 Nr. 8. [58] ZfdA. 11, 476.

7. D e r B. a l s K r a n k e n h e i l e r ist z. T. aus der oben behandelten Assoziation (ein Kranker ist nicht ausgebacken, er wird im B. wiedergeboren), z. T. vielleicht als Sitz von Wechselbälgen

(s. u.) und z. T. sicher aus seiner tatsächlichen gegendweisen Funktion als Badeofen (für Schwitzbäder) erklärlich. So, wenn man z. B. in nordischen Ländern bei gewissen Krankheiten heißen Sand, Asche oder Salzbäder im B. nehmen läßt [59]). Früher war die Gepflogenheit auch auf deutschem Boden viel mehr verbreitet und zwar bei verschiedenen Krankheiten, wie Wassersucht, Rheuma, Fieber, Ausschlägen [60]). Daß der Brauch alt ist, geht aus den verschiedenen ma.-lichen Kirchenverordnungen hervor, die es als Aberglauben verboten, „si qua mulier filium suum ponit .. in fornacem pro sanitate febrium" [61]) (s. backen 2). Namentlich gegen allerlei Hautkrankheiten galt das Schwitzbad im B. als heilsam. In Steiermark steckt man Krätzige in den B.[62]), in Pommern tut man es mit Kindern, die Sommersprossen haben [63]), in Schwaben gegen das „wild Feuer" [64]), in Litauen gegen Mitesser [65]). Am häufigsten wird der B. unter verschiedenen Handlungen gegen Warzen zu Hilfe gerufen: Man wirft da und dort, in einen Teig gewickelt, so viele Erbsen in einen glühenden B. als man Warzen hat, muß dann aber gleich, nach rückwärts gewendet, wegspringen, da das Übel sonst schlimmer würde [66]). Bei den Deutschamerikanern wirft man zum selben Zweck Bohnen oder Salz in den B.[67]). In Walchow (Grafschaft Ruppin) nimmt man ein Wischtuch, streicht damit über die Warzen, immer von sich weg, und wirft dann das Tuch in den geheizten B.[68]). In Brandenburg braucht man gar nur so zu tun, als ob man die Warzen „rin in den Backowen schmit". Wenns nur stillschweigend geschieht, vergehn die „Wratten" [69]). Endlich gehört es wohl auch noch hieher, wenn man sich in Schlesien bei „Reißen" (Rheuma, Neuralgien) auf die Stelle setzt, wo ein eben aus dem B. gekommenes Brot gelegen hat [70]).

Spielt bei allen diesen Prozeduren einerseits die Schwitzkur des Badeofens, anderseits die magische Heilkraft des Feuers hinein, so dürfte bei der folgenden Gruppe von B.-Heilungen schwächlicher, also „nicht ausgebackener", Kinder wohl auch die früher behandelte Assoziation der Geburt (bzw. Wiedergeburt) aus dem B. zugrunde liegen, wobei die Vorstellung des aus dem Totenreich vertauschten „Wechselbalges" [71]) zu dem Glauben vom Sitz der Totengeister im B. noch dazu tritt. Ist doch gerade dazu der Aufenthalt des Wechselbalges im B. bezeugt [72]), wie auch das von der Hexe beschriene Kind durch Einschieben in den B. aus ihrer Macht befreit wird [73]). Das runzelige Aussehen solcher „zu wenig ausgebackener" Kinder, die vom „Alter", „Älterlein", „Altvater" befallen sind, erinnert genügend an den noch nicht wiedergeborenen, aus dem Totenreich stammenden, Wechselbalg, und es wird ein solches Kind auch geradezu „verwechseltes" genannt [74]). Man legt es — und zwar tut es ein Mann, wenn es ein Knabe, ein Weib, wenn es ein Mädchen ist — auf die Ofenschüssel und schiebt es dreimal in den noch warmen B. mit den Worten: „Alter, ich schüß Dich ein, Junger, ich nehm dich heraus, im Namen der hl. Dreifaltigkeit"[75]). Der Brauch, der gegendweise stillschweigend vorgenommen wird, war im 18. Jh. vielen Dorfhebammen bekannt [76]), ist vielfach — auch schon in der Chemnitzer Rockenphilosophie [77]) — und aus verschiedenen dt. Gebieten bezeugt [78]), im Kreis Wittenberg sogar noch am Ende des 19. Jhs. [79]).

Vgl. auch b a c k e n 2, B a d.

[59]) H o v o r k a u. K r o n f e l d 2, 76. [60]) M a r t i n *Badewesen* 126; S e y f a r t h *Sachsen* 229; H e l l w i g *Das Backen von Kranken* in: Arch. f. Kriminal-Anthropol. 28 (1907), 361 ff. [61]) G r i m m *Myth.* 2, 975; 3, 406 Nr. 10, 14 Anm. 4; 408 Nr. 195 c; Urquell 4, 82; W a s s e r s c h l e b e n 173 c, 117 und 200, XV § 2. [62]) F o s s e l *Volksmedizin* 135. [63]) Urquell 5, 279. [64]) B i r l i n g e r *Volksth.* I, 200. [65]) F r i s c h b i e r *Hexenspr.* 79. [66]) P o l l i n g e r *Landshut* 289 f.; B i r l i n g e r *Volksth.* I, 484; S c h ö n w e r t h *Oberpfalz* 3, 237; T ö p p e n *Masuren* 55. [67]) F o g e l *Pennsylvania* 320 Nr. 1697 u. 322 Nr. 1710. [68]) ZfVk. 8 (1898), 199 Nr. 16 b. [69]) E n g e l i e n u. L a h n 263 Nr 140. [70]) D r e c h s l e r *Schlesien* 2, 308. [71]) H ö f l e r in: ZfVk. 6, 52 ff. [72]) R a n k e *Sagen* 127. [73]) V e r n a l e k e n *Alpensagen* 343 Nr. 7. [74]) G r ü n e r *Egerland* 36. [75]) Ebd. [76]) H. L. F i s c h e r *Buch vom Aberglauben* 3, 139 f. [77]) G r i m m *Myth.* 3, 437 Nr. 75. [78]) J o h n *Westböhmen*

247; D e r s. *Oberlohma* 160; S c h ö n w e r t h *Oberpfalz* 1, 187 Nr. 13; S c h l e i c h e r *Sonneberg* 145; H a l t r i c h *Siebenbürg. Sachsen* 263 f.; ZföVk. 9 (1903), 240 (Böhmerwald). ⁷⁹) R e i c h h a r d t *Geburt, Hochzeit u. Tod* 8.

Geramb.

Backschaufel (Backschießet, Ofenschüssel [mundartl. bayr. u. sächs. fem.] oder -schössel). Wie mit dem Backtrog (s. d.), wurde auch mit der Backschaufel (Ofenschüssel) in Niederösterreich und Steiermark noch vor einem Menschenalter das „Umbacken" oder „Göltawenden" an Neugeborenen mit greisenhaftem Aussehen (Gölta = mhd. Elterlein, Atrophie) geübt. Das Kind wird nach dem Ausbacken des Brotes auf den Ofenschüssel gebunden und dreimal in den noch warmen Backofen eingeschossen mit dem Spruch: „A olts schiaß i nei, A jungs tua i aussa." Diese Heilprozedur wurde schon in den Dekreten Burchards von Worms († 1024) bei Strafe verboten ¹).

Wenn das Brot eingeschossen ist, wirft man mit jeder B. drei Hände voll Erde auf die Kohlen, dann wächst das Brot im Ofen (Oberpfalz) ²). In Ostpreußen bestreicht man ein Pferd bei Kolik dreimal mit der B. („Brotschieber"), wobei man eine Formel spricht und dreimal ausspuckt ³). Wind bei drohenden Unwettern wendet man, indem man drei Stücke Rasen aussticht und umkehrt, unterdes dreht die Hausfrau die B. an der Dachleiter dreimal um und legt sie dann neben die Leiter ⁴). Der Opfergedanke tritt rein hervor, wenn es in Westböhmen heißt, daß man eine arme Seele erlöst hat, wenn man die Backschüssel in den Ofen stäubt ⁵).

Auch soll man in der Oberpfalz während des Backens nicht über die Backschaufel steigen ⁶). Vor oder neben dem Hause wurden im Nahegebiet am 1. Mai die Backschieße und der „Backkiß" kreuzweise übereinander gelegt, was die Hexen fernhielt ⁷). Hexen reiten auf Backofenkrücken, die aber nicht, wie Schulenburg, Wend. Volkst. 76 will, dienen, um Brot in den Ofen zu schieben, sondern um die Glut auszuräumen. In der Oberpfalz und südlich bis zur Donau nennt man den Wettlauf der Hochzeitsgäste nach

einem Hut „Backofenschüssellauf (vgl. Backtrog).

¹) ZföVk. 9, 211 f.; G r i m m *Myth.* 3, 406. ²) W. 402 § 620. ³) W. 452 § 713. ⁴) T o e p p e n *Masuren* 43. ⁵) J o h n *Westböhmen* 181. ⁶) S c h ö n w e r t h *Oberpfalz* 1, 407 Nr. 16. ⁷) ZfVk. 12, 425. Haberlandt.

Backstein. Dieser ist in Gegenden des Mangels an natürlichem Mauerstein erfunden worden und dürfte in Babylonien¹) seinen Ursprung haben.

Da der B. ein schlechter Wärmeleiter ist, verwendet ihn die Volksmedizin als Wärmespeicher. Der Aberglaube benützt den B. als Zaubermittel, indem man die gichtkranke Stelle ²) unter Rezitierung eines Zauberspruches dreimal bestreicht.

Dem Wunsche, die Luft eines Raumes zu verbessern, entspringt der Gedanke, einen heißen B. aufzustellen, der die Gerüche in sich aufnehmen soll. So legt man zu diesem Zwecke in Gächingen-Urach ³) einen glühenden B. in die Leichenkammer.

Orientalischer Auffassung entspricht die Sitte in Persien⁴), auf einen ungebrannten B. Öl zu tropfen, die Stellen, wohin das Öl gefallen ist, auszukratzen und sie als Augen zu bezeichnen. Das Verbrennen einer auf den B. gelegten Watte bezeichnet wohl die Vernichtung des Auges, das den bösen Blick bewirkt.

Alle angeführten Beispiele weisen auf den Umstand hin, daß die arische Volksreligion aus dem Ursprungslande des B. stammende Bräuche übernommen hat.

¹) H. S c h u r t z *Urgeschichte der Kultur* 323. ²) H o v o r k a u. K r o n f e l d 2, 273. ³) H ö h n *Tod* Nr. 7, 341. ⁴) S e l i g m a n n *Blick* 2, 240 f. Klusemann.

Backtrog.

1. a) Aus einem Klotz oder Stammstück gehöhlt, hat der primitive B. oder die Backmulde mindestens seit altdt. Zeit ¹) wohl auch beim Bauern allgemeine Verbreitung besessen. Als einfache Mulde wird das Behältnis in unsern Ländern indes kaum mehr angetroffen. So wäre es von diesem Gesichtspunkt aus ansprechend, wenn E. H. Meyer dem Umstürzen des Tisches bei Feuersbrünsten in seinem westlichen Heimatgebiet (s. Tisch) den entsprechenden B.aberglauben, den er in

der Oberpfalz und noch weiter östlich gelegenen Gebieten fand (s. u.), zunächst als ältere Form gegenüberstellt [2]), wobei der Tisch einfach an Stelle des B.s getreten wäre. Nun erforderte dies zunächst aber die Feststellung, ob der Aberglaube an die alte Muldenform sich wirklich noch gebunden zeigt, was in Westböhmen, nach dem dort wie in Schlesien ihn häufig vertretenden „Backkübel" — der Sache nach ein runder Bottich — zu schließen, jedenfalls schon nicht mehr der Fall ist. So bliebe als weitere Begründung für die Unterschiedlichkeit von Ost und West die Zugehörigkeit zu verschiedenen Kulturen. In der Tat begegnet der B. in Glaube und Brauch der West- und Ostslawen besonders häufig [3]), vornehmlich auch bei der Hochzeitsfeier — und wenn man dazu hält, was hier das Brot als solches wie auch der Sauerteig und altes Brot als Nahrungs- und Genußmittelspender bedeuten, so werden wir diese Tatsache wohl auch bei der kulturgeographischen Betrachtung in den Vordergrund rücken müssen und in dem B.-aberglauben ein aus dem slawischen Osten nach Deutschland hereinreichendes Kulturmoment sehen.

b) Der Aberglaube nimmt in Deutschland auch kaum in besonderer Art auf die Bereitung des Brotes Bezug [4]). Doch soll man in der Oberpfalz nicht auf dem B. sitzen, wenn Teig darin ist, sonst wird das Brot spindig (i. e. speckig), noch den B. während des Backens in der Stube lassen [5]); auch wird man geizig, wenn man sich auf den B. setzt (Böhmen) [6]). Daß Scheuern des B.es Teuerung bedeutet, kann nur sekundär als Aberglaube bezeichnet werden, da der gleichmäßigen Gärung halber diese Behandlung ihm nur höchst ungern bei längerem Stillstand des Backgeschäfts zuteil wird. Über den Teig im B. werden öfter ein oder drei Kreuze gemacht [7]). Teigabschabsel vom B. ergeben ein „Arme - Seelenbrot", oder man erhofft sich von solchen „Schrappkügelchen" Heilwirkung [8]).

[1]) Heyne Nahrungswesen 279 (mit Anm. 82). [2]) Meyer Baden 376. [3]) Zelenin

Russ. Volksk. 114. [4]) Maurizio Getreidenahrung 150. [5]) Schönwerth Oberpfalz 1, 406 f. Nr. 16. [6]) Grohmann 229 = W. 403 § 620. [7]) Spieß Fränkisch-Henneberg 131; Schramek Böhmerwald 254; W. 402 § 620. [8]) Ebda. 442 § 696.

2. Als klar umschriebener Ritus tritt uns das Ankleiden der Braut im B. entgegen, so in der Chemnitzer Rockenphilosophie [9]), in Oberösterreich [10]) und Schlesien [11]). Es hat seine Entsprechung bei Serben, Tschechen, Polen, wie besonders in der Ukraine im Rituale der Haubung (oder des Kämmens der Braut) auf dem B. [12]). In der Oberpfalz und südlich bis zur Donau heißt der um den Siegespreis eines emporgeworfenen Hutes von den Hochzeitsgästen nach dem Hochamt ausgetragene Wettlauf das „Backofenschüssellaufen" (s. Backschaufel), und man mag auch hiebei an die geradezu kultisch ausgestaltete Umgehung oder das „Umreiten" des B.s denken, wie es im gleichen Abschnitt der Hochzeitsfeierlichkeiten noch heute bei den Ukrainern geübt wird [13]). Wenigstens dem Namen nach wurde bei dem germ. Wettlauf die Entsprechung herbeigeführt. Während bei den Hochzeiten der Slawen die Beziehung zur vegetativen Fruchtbarkeit ganz unverkennbar ist, sagt der dt. Aberglaube in Schlesien nur mehr, daß die Braut dabei häuslich bleibe, oder sie soll wenigstens die Brautschuhe im B. anziehen, „um in der Ehe vor Schlägen sicher zu sein" [14]). Nach der Rockenphilosophie will sie die Herrschaft über ihren Mann haben.

Bedeutet es darum auch eine Taufe bei den Siebenbürger Sachsen, wenn man über den B. springt [15])? In Waidhofen a. d. Thaya im nördlichen Niederösterreich legt man in der Weihnacht einen Bund Kornstroh erst unter den B., dann gehen sämtliche Hausgenossen damit in den Hausgarten und umwinden jeden Baum mit einigen Halmen, damit er nächstes Jahr desto besser trage [16]).

Schweine schützt man vor Behexung und hitziger Krankheit, indem man dreimal in den B. spuckt (Oldenburg) [17]). Der richtige Entwicklung des Teigs gewährende B. erweist sich auch als übelab-

wehrend, sofern man bei Konvulsionen
der Kinder über die Wiege einen B. zu
stülpen hat und einen Topf daran zer-
wirft, was Anrufung und Opfergedanken
mit anklingen läßt [18]). Von daher rührt
wohl auch die Weisung der Rockenphilosophie: Wer Schwären am Leibe hat, der
soll sich in einen B. legen, so vergehen
sie wieder. (V, 83.) [19]).

Wie der Tisch, wird manchmal auch
der B. bei amerikanischen Deutschen
ins Haus vorangetragen [20]). In der Oberpfalz [21]) und in Westböhmen wird der
B. bei einem Todesfall gereinigt, bzw.
aufgehoben und niedergesetzt, sonst soll
der Teig nicht gehen [22]).

[9]) Grimm *Myth.* 3, 441 Nr. 204. [10]) B a u m -
g a r t e n *Aus der Heimat* 3, 93. [11]) D r e c h s l e r
Schlesien 1, 257. [12]) P i p r e k *Hochzeitsbrauch*
17, bes. 31 ff. 58. 68. 75. 80. 86. 107. [13]) S c h ö n -
w e r t h *Oberpfalz* 1, 93. [14]) D r e c h s l e r a. a. O.
[15]) W i t t s t o c k *Siebenbürgen* 80. [16]) P i p r e k
a. a. O. 36 f., 40 f.; Österr.-Ungarn, Niederösterr. 215. [17]) W. 438 § 688. [18]) Urquell 4
(1893), 170. [19]) S e y f a r t h *Sachsen* 270.
[20]) F o g e l *Pennsylvania* 147 Nr. 683. [21]) S c h ö n -
w e r t h *Oberpfalz* 1, 248 Nr. 13. [22]) G r ü n e r
Egerland 60; J o h n *Westböhmen* 167.

3. Von der Oberpfalz und Sachsen erstreckt sich über Böhmen und die Lausitz
hinweg bis Schlesien, anderseits auch nach
Niederösterreich, die Gepflogenheit, bei
Gewitter oder Feuersbrunst auf die Seite,
nach der der Wind zu weht, oder vor die
Tür einen B. mit der Höhlung g e g e n
d a s   F e u e r   a u f z u s t e l l e n [23]).
Bei Gewitter legt man nach einer Nachricht aus Prag ein Brot darein, schneidet
es kreuzweis in vier Teile und läßt das
Messer darin stecken, um es zum Verziehen zu bringen [24]); auch wird der Wind
durch dreimaliges Herumdrehen des Trogs
g e w e n d e t [25]).

[23]) S c h ö n w e r t h *Oberpfalz* 2, 84. 86;
S c h u l e n b u r g *Wenden* 125; J o h n *Westböhmen* 274; D r e c h s l e r *Schlesien* 2, 140;
W u t t k e *Sächs. Volksk.* 370; Urquell 3
(1892), 108; M e i c h e *Sagen* 563 Nr. 699;
K ü h n a u *Brot* 13; G a n d e r *Niederlausitz*
27 Nr. 70; Monatsbl. f. Landesk. v. Niederösterr. 7 (1908), 102. [24]) G r o h m a n n 39.
[25]) MschlesVk. 1, 10.

4. Nicht entschließen können wir uns,
von all diesem Aberglauben eine Brücke
zu der Vorstellung vom B.artig h o h l e n

Rücken der Percht und anderer elbischer Wesen und Riesen zu schlagen [26]),
mag diese Vorstellung im Norden auch
so weit gediehen sein, daß es dort heißt,
Riesinnen, Ellekoner und Huldrefrauen
trügen einen Trog auf dem Rücken [27]).
Schon Mannhardt hat hiebei mit vollem
Recht Anknüpfung an die Anschauung
hohler Bäume als Seelensitze gesucht [28]).
Auch die Technik, Holzbildwerke vielleicht schon heidnischer Überlieferung,
vor allem aber christliche Heiligensta-
tuen, an der Rückenseite trogförmig aus-
zuhöhlen, mag diese Vorstellung geweckt
oder gefördert haben.

[26]) W a s c h n i t i u s *Percht* 87. 88. 175.
[27]) G r i m m *Myth.* 2, 902 f. [28]) M a n n -
h a r d t 1, 121.   Haberlandt.

Backwisch (Backofenwischer).

In Elbe-
stalzell (Oberösterr.) wird auf Weihnachten 12 Uhr mittags der B. mit den Tischab-
fällen von der Großdirne auf das Weizenfeld getragen [1]). Er gilt einfach als Besen
(s. d.). Raupen werden in Schwaben vernichtet, wenn man (ausdrücklich) mit dem
B. über das Kraut fährt und sagt: ,,'s ist
nirgends nichts" [2]). Knistert der B. beim
Herausschaffen der Glut, so glaubt die
Magd im Steirischen, es komme ein ,,Selt-
samer" (unverhoffter Gast) zu ihr [3]).

[1]) B a u m g a r t e n *Jahr u. s. Tage* 10.
[2]) E b e r h a r d t *Landwirtschaft* 3, 4. [3]) R e i -
t e r e r *Ennstalerisch* 100.   Haberlandt.

Bad, baden.

1. Entwicklung des deutschen B.ewesens. —
2. Abergl. Begründung des Nichtb.s. — 3. Die
Wochentage. a) Sonntag und Freitag. b) Samstag. c) Andere Badetage. d) Donnerstag. —
4. Einfluß der Gestirne auf die Wahl des B.e-
tages. — 5. Zahlenaberglaube bei der B.ekur.
— 6. Jahreszeiten. a) Winter. b) Dreikönigstag.
c) Märzenbäder. d) Karfreitag und Ostern.
e) Frühlingsbäder. f) Sommerkultbadezeit (Johannisb.). g) Hochsommer und Herbst. h) B.
in Tau, Flachs, Korn und Sand. — 7. B. im
Fluß, See, Teich, Meer. — 8. B.estube und
Ofen. a) B.estube. b) Ofen. — 9. Das B. in
der Wohnung, Zauberbäder. — 10. B. zu
Heilzwecken in kalten Quellen usw. a) Kalte
Quelle. b) Eintauchen. c) Fernerkur. d) Kalmus. e) Meerbäder. — 11. Heilbäder. —
12. Das B. der Gebärmutter.

1. Ein kurzer Bericht über die E n t -
w i c k l u n g   d e s   d t.   B.e w e s e n s ist
zum Verständnis des B.eaberglaubens

notwendig. Sicher hat der Deutsche frühzeitig das warme Wasserb. benutzt. Daneben erscheint das Dampf- (Schwitz-) B., in dem der Dampf durch Begießen glühend gemachter Steine mit Wasser erzeugt und bei dem der Körper mit dem B.equast oder -wedel, einer meist aus Birkenzweigen gebundenen Rute, gepeitscht wird. Dieses B. findet sich bei den Nordgermanen, den baltischen Völkern und den Slawen und war in Deutschland Jahrhunderte lang das Reinigungsb. des Volkes. Seit wann es gebraucht wurde, ob die Slawen es den Germanen oder diese den Slawen brachten, ist strittig. Schrader[1]) erörtert die Fragen eingehend. Im Dampfb. rieb man den Körper vor dem eigentlichen B.e, dem Schwitzen, mit Lauge, einer Pottasche- (Kalium carbonicum-) Lösung ab, die man dadurch herstellte, daß Holzasche in einem Sack mit heißem Wasser übergossen wurde, aus dem sie abfloß. Seit dem Ende des 15. Jhs. nahm dies B. in Deutschland (auch in Skandinavien) allmählich ab. Zunächst wirkte der damals einsetzende Holzmangel. Das Auftreten der Syphilis und Kriege, namentlich der dreißigjährige, ließen es allmählich zu dem alle Quartal genommenen Schröpfb.e herabsinken, bei dem auch an Stelle des Dampfes Heißluft trat, das mit dem ausgehenden 18. Jh. verschwand. — Mit dem Auftreten des Dampfb.es als Reinigungsb. bekam das warme Wasserb. eine besondere Stellung. Es wurde das B. der Vornehmen, der Besitzenden, das B. zum Vergnügen und zu Heilzwecken. Man aß und trank darin wie in den natürlichen Heilbädern. Es wurde in der privaten und der öffentlichen B.estube genommen. — Mit dem Verschwinden der alten dt. B.estube verlor sich das B.ebedürfnis. Von den größeren Städten aus dringt seit den letzten Jahrzehnten das B.en wieder ins Volk, wenn auch bei der Landbevölkerung sehr langsam. — Das Flußb.en wurde, wo Gelegenheit dazu vorhanden war und dann nicht immer, von der Jugend, besonders der männlichen, mehr zur Erfrischung und zum Vergnügen, denn zur Reinigung, von jeher gepflegt. Fehlte die Gelegenheit, so

war für viele, auch heute noch Lebende, das letzte Kindsb. das letzte B. im Leben. Auch bei den Völkern, in deren Kult das Wasser als Reinigungsmittel eine Rolle spielt, ist es oft mit dem wirklichen Reinigen durch Waschen und B.en schlecht bestellt. Das Eintauchen der Fingerspitzen genügt symbolisch als Waschung, das kultisch gebrauchte Wasser ist manchmal schmutziger als der Körper, und aus Aberglauben wird selbst das ärztlich für notwendig erachtete B. verweigert.

1) S c h r a d e r *Reallex.*[2] 1, 77. 461. Im übrigen s. M a r t i n *Badewesen* (im folgenden stets nur M a r t i n zitiert).

2. Eine a b e r g l ä u b i s c h e B eg r ü n d u n g d e s N i c h t b . e n s ist selten. In Hänner bei Säckingen (Baden) ist das erste B. auch das letzte; denn Bäder sollen den Augen schädlich sein[2]). Aus dem Frankenwald liegt ein recht unbestimmter Bericht vor: das N e u g eb o r e n e zu b.en, ist wenig gebräuchlich, man ist dem B.en sogar sehr abgeneigt und redet ihm allerlei Übles nach[3]). Hovorka und Kronfeld geben als im Volke weit verbreitete Anschauung an, daß regelmäßiges und gar häufiges B.en die Kinder schwäche, und beziehen dies auf das B.en des Kleinkindes[4]). In Dessau zehrt das B., wobei man das viele und lange B.en in der Mulde im Auge hat[5]).

B ü ß e n d e badeten nicht. Der Teichner klagt im 14. Jh., daß Wallfahrer, die doch zu den Büßenden zählen, sich scheren und „gen gein pat". Der exkommunizierte Kaiser Heinrich IV. brachte die Weihnachtsfeiertage 1105 in Bichelsheim non balneatus et intonsus (nicht gebadet und ungeschoren) zu[6]). Auch F a s t e nd e badeten nicht (s. 3 b), womit das Nichtb.en am Freitag (s. 3 a) zu erklären ist. Besonders f r o m m e Personen badeten nie, so der Bischof Reginald von Lüttich († 1037); Cäsarius von Heisterbach erzählt von einem frommen Mönche, dessen Körper vor Unsauberkeit und Ungeziefer starrte[6]). B.en galt eben als Vergnügen. Clemens von Alexandrien sagt, B.en zur Lust ist verboten; den Weibern ist es erlaubt, wenn sie es tun, sich zu reinigen und ihrer Gesundheit halber, den Mannspersonen aber nur der Gesundheit halber [7]). Der hl. Benedikt gestattete in seiner 515 entworfenen Ordensregel den Ordensbrüdern mäßigen Gebrauch der Bäder. Kranke sollten b., so oft es der Zustand erforderte, junge Leute nur selten[8]). Nach Wilhelm von Hirsau († 1091) war es zu seiner Zeit bei den Menschen üblich, nach dem Haarschneiden zu b. Aber von unseren Bädern (im Benediktinerkloster Hirsau in Württemberg) ist nicht viel zu sagen, denn nur an 2 Tagen darf man ohne besondere Erlaubnis b., vor Weihnachten und vor Ostern, in Krankheitsfällen mit Erlaubnis auch zu anderen Zeiten. Das im Kloster genommene B. (auch die Lauge) war zu segnen (Formel bei Franz)[9]). Das Aachener Konzil von 817 machte die Bäder der Mönche von der Erlaubnis des Priors abhängig[10]). Die B.canlage im Kloster St. Gallen und das öftere Vorkommen des B.es in St. Galler Quellen[11]) spricht für häufige Erteilung dieser Erlaubnis.

[2]) M e y e r *Baden* 16. [3]) P l o ß *Kind* I, 217 = F l ü g e l *Volksmedizin* 51. [4]) 2, 641. [5]) Eigene Jugenderinnerung. [6]) M a r t i n 9. [7]) S t o l l e *Kirchenväter* 101 Nr. XXIV. [8]) M a r t i n 8. [9]) F r a n z *Benediktionen* 1, 644. [10]) W e i n h o l d *Frauen* [1] 342. [11]) M a r t i n 6 ff.

3. Die W o c h e n t a g e. Ein altes Spruchgedicht sagt: „Am Montag b. die truncken, am Aftermontag die reichen, am Mittwoch die witzigen, am Donnerstag die gryndig vnd lausig seind, am Freytag die vngehorsamen, am samsstag die hochvertigen"[12]).

a) S o n n t a g und Freitag wurde nicht gebadet. 1599 erhielt der Türmer von Würzburg einen Verweis, weil er am Sonntag statt am Samstag B. gehalten[13]). — Bei den Esten wird das B. am Sonntag für eine sündhafte Handlung angesehen, und sie verweisen dabei auf die beiden „Mondleute", ein Ehepaar, das am Sonntag in die B.estube ging und, als es gerade den mit Wasser angefüllten Zuber forttragen wollte, von den zürnenden Göttern samt dem Wassergeschirr von der Erde aufgehoben und zum warnenden Beispiel im Monde aufgestellt

wurde, wie jedermann im Vollmonde sehen kann[14]). B. am Sonntag s. 10, an Sonntagen im Mai, an Himmelfahrt s. 6 e, im August s. 6 g. — Vom F r e i t a g heißt es 1466: „so findt er dann die kubel (in der B.estube) lere"[12]). Besondere Verbote für das Heizen der B.estuben am Freitag wurden erlassen in Nürnberg (13. u. 14. Jh.), Luzern 1320, Eßlingen (auch für die Fastenzeit) 1487. Eine Ausnahme machte Konstanz, wo 1483 den meisten mit „erlobung ains zunftmaisters" B. zu halten gestattet wurde, aber nur für die, welche das B. „gefrümpt" hatten[15]). — Auch das Kind soll an diesem Tage nicht gebadet werden, in Steiermark[16]), in Schwaben[17]), nach der Chemnitzer Rockenphilosophie, weil das Kind aus der Ruhe kommt[18]). — Im Berner Jura verbietet der Volksglaube das Eintauchen kranker Kinder in den (kalten) Brunnen der hl. Columba am Freitag[19]). B. an 3 Freitagen im März s. 6 c, in der Karfreitagsnacht s. 6 d. —

b) Der Hauptb.etag ist und war der S a m s t a g, altnord. laugardagr = B.etag, schwed. lördag, dän. löverdag[20]). Christlicherseits wurde das Samstagsb. von Gläubigen als Kultb. (der körperlichen und geistigen Reinigung) wenigstens in früherer Zeit aufgefaßt. Die Eltern des gelehrten St. Galler Mönchs Iso († 871) badeten nach 40tägigem Fasten am hl. Samstag vor Ostern, und, als sie danach geschlechtlich verkehrt hatten, zum 2. Male[21]). Ein Bischof von Neustrien, der zur Fastenzeit Fleisch gegessen hatte, forderte am hl. Osterabend aus der ganzen Stadt viele B.ewannen zusammen und ließ allen Dürftigen warme Bäder darbieten. Er selbst nahm jedem einzelnen den Bart ab und reinigte mit seinen Fingern die Geschwüre der borstigen Körper. Zuletzt ging er selbst ins Bad und stieg mit gereinigtem Bewußtsein daraus hervor (Mönch von St. Gallen)[22]). — Das Volk sah im Samstagsb. ein Reinigungsb. vor dem Feiertag ohne kultischen Gedanken. Zu Anfang des 17. Jhs. sagt der steirische Physikus Guarinonius, der gemeine „Böffel" und viele ansehnliche Bürger aller Stände halten am „schweiß-

und dempfb. ... dermaßen steiff vnd
starck ..., daß sie vermeynten viel verloren vnd verabsaumbt zu haben, wann
sie nit alle Sambstag vor dem Sontag,
oder alle Feyrabend vor den Fest- und
Feyrtägen (Sommer und Winter), in das
gemeine feil und besondere Schweißb.
gehen, schwitzen, sich reiben, fegen,
butzen, vnd abwaschen lassen sollten."
Alle Samstag laufen die Handwerker dem
B.e zu, nicht allein ihren Schmutz und
Wust, sondern auch den an ihnen vertrockneten Schweiß durch geringen
Schweiß wieder vom Leib „abzuschwent-
zen" [23]). Man kann dies B. auch als Abschluß der Arbeitszeit auffassen, denn
nicht nur am Ende der Arbeitswoche ging
man ins B. (hörte früher mit der Arbeit
auf und erhielt vom Arbeitgeber noch B.-
geld), sondern auch nach Abschluß größerer Arbeiten, nach Vollendung von Bauten (Frankfurt 1429, 1436), der Ernte
(Basel 1559, Mosbach 1527, Kloster Den-
kendorf bei Eßlingen), der Weinlese (Klo-
sterneuburg 15. Jh.), der Jagd (Frankfurt 1338) [24]). Auch die Pariser Fakultät
ging in der 2. Hälfte des 15. Jhs. einmal
und zwar im Winter nach der letzten Disputation im Schuljahr auf Kosten der
Baccalaurei ins B.[25]). — Die Auffassung
des Samstagsb.es als Kultb. bestand in
der Ukraine. Gogol beschreibt in einer
Erzählung, der Saporoth'skaja Sětsch
oder Retsch, eine Sitte, nach der in alten
Zeiten jeder, der in den Bund der Ukr.-
Kosaken aufgenommen werden sollte,
gefragt wurde, ob er orthodox sei, nach
Bejahung der Frage, ob er Samstags
auch regelmäßig sein Dampfb. nehme.
Darauf wurde er aufgefordert, zur Bestätigung sich vor allen zu bekreuzigen.
Am Samstag nicht zu b. (auch nicht das
Haar zu schneiden und den Kopf zu
waschen), zählt nach Johannes Herolt
(aus Basel, 1. Hälfte des 15. Jhs.) [26]) zum
Aberglauben [27]), weil damit nach jüdischer Art der Sabbat statt des Sonntags
zum Feiertag gemacht wird. — Die
Esten machen (1641) am Sonnabend
(welches ihr B.etag ist) „niemaln die
Lauge, womit sie sich waschen wollen,
des Nachmittags, sondern verfertigen

selbige des Freitags vorher oder des
Sonnabends Vormittag. Nun hat einstmals ein sonst feiner und ehrbarer Mann
aus ihnen erzählet, es sei einst in seinem
Hause aus Unbedachtsamkeit der Magd
des Sonnabends nachmittags Lauge gemacht worden, da wäre dieselbe alsobald
zusammen gelofen und als geronnenes
Blut geworden." In Wierland, wo von
einigen (1854) die B.elauge, namentlich
wenn sie damit ihren Kindern den Kopf
waschen wollen, tags vorher bereitet
wurde, gab man dafür als Grund an, die
am Sonnabend bereitete Lauge verur-
sache leicht Kopfausschläge [28]). Im ost-
russischen Gouvernement Wjatka, wo
man am Freitag badet, wird die Lauge
am Donnerstagmorgen bereitet, wie mir
eine dortige deutsche Dame mitteilte.

c) A n d e r e   B.e t a g e. In Dörfern
und kleinen Städten wurde nur Samstags
gebadet, in Frankfurt a. M. aber durfte es
während der Messe und an Fürstentagen
mit Ausnahme der Karwoche und der
Feiertage an allen Tagen geschehen.
Zwickau hatte 1284 Montag, Mittwoch
und Samstag als B.etage, öfter kommen
Dienstag, Donnerstag und Samstag vor,
z. B. 1536 in Durlach, so auch in Zürich,
wo nach der Ordnung der 5 Meister Bader
von 1604 im Sommer an den ungeraden
Tagen gemeiniglich nicht geheizt wurde,
für Fremde aber auch an anderen Tagen [15]).
— Wenn nach dem obigen Spruchgedicht
am Montag die Trunkenen b. (auch Clara
Hätzlerin sagt das) [29]), so hängt dies wohl
mit dem guten (blauen) Montag, an dem
oft nicht gearbeitet wurde, zusammen.
In Amberg durften die Gesellen alle
14 Tage ihren guten Montag, den sog.
B.tag, erst des Nachmittags nach be-
endetem Tagwerk halten, und die Ulmer
Meistersingertabulatur von 1644 bestimmte, daß der Krongewinner gleich den Montag nach der Freischule ein Singb. anstellen solle [30]). — In Schwaben soll das 1.
Kindsb. am Mittwoch gegeben werden [17]).

d) Eine besondere Stellung hat der
D o n n e r s t a g als B.etag. In ganz
Schweden enthielt man sich am Donnerstag (Helga þôr)-Abend des Schwim-
mens [31]). Die Esten heizten (1641) keine

B.estube am Donnerstagabend (die Zauberer zeigen besonders Donnerstagsabend ihre Tätigkeit, namentlich in der B.estube, obgleich auch an anderen Tagen die Menschen von ihrer Schädigung nicht frei sind) [32]), und während 1854 im Werroschen Kreise die Samstagsb.stube nur als körperliches Reinigungsmittel geachtet ist, geschieht das B.stubenheizen zu Heilzwecken nur am Donnerstag [33]). Dazu sei aus obigem Spruchgedicht wiederholt, daß am Donnerstag b., die grindig und lausig sind. — Hat sich eine Schwangere über einen Wolf erschreckt, dann soll das Neugeborene nach dem Glauben der Esten im Werroschen Kreise (1854) die Wolfsseuche bekommen. Das Kind schreit mit heiserer Stimme, verdreht die Augen und ist dabei sehr schreckhaft. Dagegen heizt man am Donnerstag die B.estube, badet und quästet (d. h. peitscht mit dem B.equast) dort das Kind, trägt es dann dreimal um die B.estube und schreit dabei: Hurjoh! Hurjoh!, als hetze man einen Wolf von der Herde fort. Schlägt die Kur nicht an, macht man 3 Donnerstage hintereinander ein Kreuz über das Kind und stößt dabei den obigen Ruf aus [34]). — In einem Fastnachtspiele des 15. Jhs. werden die Wünsche einer Frau für jeden Tag angeführt: „Am phinztag sie zum pad begert" [15]). Die B.stuben- oder B.-waidordnung von Sonthofen in Bayern von 1544 schrieb vor, im ganzen Jahr wöchentlich 1 B. am Samstag zu halten, aber „mörzenbäder an den 3 Domstag in Mörzen", und zu Rohrbach fanden „an den dreyen phinztagen im Merzen die Merzenpäder" statt. In Kalenderversen Oswalds von Wolkenstein (15. Jh.) heißt es bei März: „âdryânus der wardt gesund phincztages inn merczischen pad" [35]).

Man schreibt dem Donnerstagsb. also eine besondere Heilkraft zu, während der Abend zum B. gemieden wird. — B. der Kinder an 3 Mittwochen im Mai s. 6 e.

[12]) L a m m e r t 51. [13]) M a r t i n 175. [14]) B o e c l e r Ehsten 103. [15]) M a r t i n 183. [16]) F o s s e l Volksmedizin 67. [17]) P l o ß Kind 1, 30. [18]) G r i m m Myth. 3, 437 Nr. 88. [19]) M a r t i n 20. [20]) G r i m m Myth. 1, 104. [21]) GddV. 10. Jh. 9. Bd. (1878), 46. [22]) M a r t i n 8 f. [23]) Ebd. 176. [24]) Ebd. 177 ff. [25]) La

Gazette des Eaux 1914, 751. [26]) R. C r u e l Gesch. d. dt. Predigt im MA. (Detmold 1879) 480. [27]) ZfVk. 22 (1912), 242. [28]) B o e c l e r Ehsten 102 f. [29]) M a r t i n 180. [30]) Ebd. 181. [31]) M a n n h a r d t Germ. Mythen 147. [32]) E i s e n Estnische Mythologie 10. [33]) B o e c l e r Ehsten 101 f. [34]) Ebd. 62. [35]) M a r t i n 16 ff.

4. E i n f l u ß   d e r   G e s t i r n e   a u f d i e   W a h l   d e s   B.e t a g e s. Die Bestimmung der B.ezeiten auf astrologischer Unterlage ist, wenigstens die uns bekannte, fremdes, durch die Ärzte in unser Volk hineingetragenes Gut. Die Mainauer Naturlehre aus dem Ende des 13. Jhs., die älteste Bearbeitung des Regimen sanitatis, stimmt beinahe, wenn auch nicht wörtlich, mit einer in Basel aufbewahrten provenzalischen Handschrift aus Montpellier überein. Die auf obrigkeitlichen Befehl von Ärzten verfaßten Volkskalender, deren Unterlage meist der des Regiomontanus (Johannes Müller von Königsberg) ist, machten nach Erfindung des Buchdrucks das Volk mit dem Einfluß der Gestirne auf das B. bekannt. Im St. Galler Codex 760 ist angegeben, im abnehmenden Mond zu b. und wenn der Mond im Widder, Skorpion, Krebs oder den Fischen ist. Zugefügt ist noch, daß Meister Halevy spricht, in keinem heißen Zeichen als im Löwen, Jungfrau, Zwillingen und Steinbock in das B. zu gehen. Viele werden sich danach gerichtet haben. Sicher wird das bewiesen durch die Ordnung der 5 Meister Bader in Zürich von 1604: „Demnach söllent die fünff Meister ein täfeli haben, darjnnen sy mit jren nammen geschriben sind. Da sol nun je der eltist Meister zum vorderisten, vnnd dann also ein anderen nach, vom kräps, biß jnn Zwiling, diß täfeli by synen hannden haben. Derselbig Meister soll alßdann die anfrag thun, wann vnnd wie man jm schützen vnnd jm waßerman heitzen welle, vnnd waß sich dann dryg (3) vnnder jnnen mit einanderen verglichen thetind, sol alßdann der meister, der die Vmfrag vnnd diß täfeli hat, sölliches den vberigen beiden Meisteren verkünden, damit man also einheilig heitzen khönne, vßgenommen alle Sambstag, doran ein jeder sonst ze heitzen befügt jst." Die zum B. günstigen Himmels-

zeichen sind im Züricher Kalender bis 1826 samt dem Aderlaßmännlein angegeben. 1827 findet sich eine moderne Anweisung zum Gebrauch der Bäder mit dem Zusatze, daß die Alten einigen Wert auf den Einfluß, den der Mond auf unseren Körper habe, legten und deswegen der Kalender die Himmelszeichen noch bringe, damit niemand nichts vermisse. Von 1833 an wird das B. nicht mehr erwähnt [36]).

[36]) Martin 173 ff.

5. Ein Zahlenaberglaube bei der B.ekur, auch seitens Gebildeter, besteht heute noch. Zuweilen erklären mir Kranke in Bad Nauheim, die Kur sei nur wirksam, wenn sie 21 Bäder nehmen, seltener, daß die Kur 3 Jahre hintereinander gebraucht werden muß. In den meisten Schweizer Kurorten betrug Mitte des 19. Jhs. die Kur 21 Tage [37]). In Churrätien ist aber 1862 von einer ganzen Kur von 3—4 Wochen die Rede [38]).

Im Mitterbad im Ultental (dessen Arseneisenquelle seit ungefähr einem Jahrhundert namentlich bei Rheumatismus, Rückenmarksleiden, Bleichsucht und Frauenkrankheiten von Leuten aus der Meraner Gegend, dem oberen Etschtal und seinen Seitentälern besucht wird) b. zahlreiche Tiroler Bauern im Sommer ihre Blutreinigungskur. Meistens bleiben sie 14 Tage; immer wird eine ungerade Zahl von Bädern genommen, meist 9, 11, 13, mitunter auch bloß 3—7, in seltenen Fällen 17, 19, 21. Selten badet man unter 1, meist bis 2 Stunden [39]). Auch in Kärnten spielt im Bauernbad die ungerade Zahl eine Rolle. Im Karlbad am Fuße des Königstuhls kostet das B. 9 Kreuzer, wenn man die glühend gemachten Steine vom Ofen in der hölzernen Mulde in den B.etrog zum Erhitzen des Wassers selbst trägt, 13, wenn man es den Wirt tun läßt. 7 Bäder muß der Kurgast wenigstens nehmen, wenn er eine Wirkung verspüren will, 15 stellen den Kranken vollständig her, 21 heilen alle Gichtleiden und 27 machen auch Krüppel so frisch, daß sie an Kirchtagen tanzen können [40]).

Eine gesetzliche Festlegung der B.edauer gab es in Baden-Baden für Bettler um 1528, nämlich 3 Wochen [41]). Für die Städte Baden und Brugg im Aargau bestand um 1544 während der B.ekur Befreiung von der Zwangsgewalt der ordentlichen Gerichte: „Welcher heimischer oder fremder zů Baden (in der Schweiz) ein b.fart zu haben willens, der soll und mag ein b.fart haben sechs wuchen und dri tag und soll von mengklichen in diser zit aller anspruch halber fri sin" [42]). Hans Stockar von Schaffhausen gebraucht 1528 in seiner Hausb.estube eine Kur: „Uff dye Zitt hein jch 33 Dag Wasser badett jn mim Hus, und schlug hefftyg us" (bekam einen starken Badeausschlag) [43]). Der Augsburger Großkaufmann Lukas Rem hat über seine B.ekuren, die er wegen eines immer wiederkehrenden, akuten Gelenkrheumatismus gebrauchte, genau Tagebuch geführt. Er badete 1511 in Pfäfers vom 20. Mai an 19 Tage täglich 1—11 Stunden (auf- und absteigend), im ganzen 127 Stunden, im württembergischen Wildbad 1521 vom 23. September an 28 Tage (162 Stunden), 1525 vom 13. August an 28 Tage (177 Stunden), 1530 vom 7. März an, bei einem Aufenthalt von 28 Tagen, 27 Tage (177 Stunden), 1533 vom 1. September an während 41 Tagen Aufenthalt an 40 Tagen (188 Stunden), 1538 vom 26. August an 28 Tage (161 Stunden) und 1540 vom 3. August an 29 Tage (160 Stunden) [44]). Die Durchschnittsdauer war also 4 Wochen. Die Abweichungen sind durch das Auftreten des B.eausschlags und dessen Abheilen bedingt. Nach damaliger humeralpathologischer Auffassung, bei der ich nicht entscheiden möchte, ob sie ursprünglich der Schulmedizin oder dem Volksglauben angehört, trat die Krankheit mit dem Auftreten des B.eausschlags aus dem Innern des Körpers auf die Haut und war mit dem Abheilen desselben aus dem Körper entfernt. (Kam übrigens [1642] die Heilung ohne B.eausschlag zustande, dann hatte das Wasser [von Pfäfers] durch seine Kraft und Wärme die bösen Flüsse und Feuchtigkeiten ohne alle Schmerzen und Verletzung der Haut trotzdem ausgezogen) [45]). So kam es, daß die bei einer Kur gebrauchte B.ezeit und Bäderzahl dem Zahlenaberglauben nicht unterstand. — In früherer Zeit scheint die Zahl 9 eine Rolle gespielt zu haben. Nach dem Göttinger Bellifortis (des Konrad Kieser von 1405) [46]) sollten Kräuterbäder in jedem Monat mit Ausnahme des Hundsmonats 9 Tage hintereinander erlaubt sein [47]), und in Schwaben heißt es, daß ein einziges Bad in der Johannisnacht soviel wirkt wie 9 Bäder zu anderer Zeit [48]).

Anders verhielt es sich mit den verkürzten B.ekuren. An 3 Donnerstagen, auch an 3 Freitagen werden Bäder im März (s. 6 c), an 3 Mittwochen und an 3 Sonntagen im Mai (s. 6 e) und an 3 Sonntagen im August (s. 6 g) gehalten. Beim Kinderb. spielt die Zahl 3, gelegentlich auch die 9, eine Rolle, wie auch beim Gebrauch der kalten Bäder durch Erwachsene und einigen anderen (s. 6 e, 6 f, 6 h, 9, 10 a, 10 b, 10 c.). — Der Nordindier, der gegen die Angriffe des Tigers gefeit sein und selbst dessen Höhle ohne Gefahr betreten will, badet sich 7 mal an 7 Dienstagen [49]). Auch in Nordafrika kommt die 7 vor.

[37]) Martin 255. [38]) Vonbun *Beiträge* 133. [39]) Hovorka u. Kronfeld 2, 257. [40]) ZAlpV. 20 (1889), 210 f. [41]) Carl Koehne *Kurortwesen und Kurtaxe in geschichtlicher Entwicklung* (Berlin 1912) 18. [42]) Ebd. 17 u. 33. [43]) Martin 127. [44]) Medizinische Klinik 1917, 748 ff. [45]) Martin 252 ff. [46]) Ebd. 161. [47]) Oskar Rößler *Wann und wie einst in Baden-Baden die B.ekur gebraucht wurde* 5. S. A. Ärztl. Mitteilungen aus u. für Baden 1909 Nr. 2 u. 3. [48]) Meier *Schwaben* 2, 427 Nr. 116. [49]) ARw. 17 (1914), 407.

6. Jahreszeiten (das B. unter freiem Himmel zum Erfrischen und Vergnügen [s. 7] ist hier nicht aufgeführt). — Als Zeiten feierlicher Brunnenreinigung finde ich genannt den Sonntag Lätare im März, Pfingsten und den Johannistag [50]), oder Ostern, Pfingsten und Johannistag [51]). Das sind Hauptzeiten des alten Brunnenkultus und damit auch der aus alter Kultzeit stammenden Bäder, die, nur ein oder einige Male gebraucht, die Gesundheit das ganze Jahr erhalten oder gleich einer ganzen Badekur Krankheiten heilen.

Wir finden die 3 Zeiten in einem Brauch der Hildesheimer Schneidergilde. Deren Mitglieder waren verpflichtet, an den sog. „freien Montagen", d. h. am Montag nach Ostern, St. Johannis und in der Maiwoche, unmittelbar nach Beendigung der Messe das B. (in der B.estube) aufzusuchen. „Wem nicht gelüstet zu b., der soll dem Schaffer einen Pfennig zahlen" [52]). — Im Aberglauben begegnet uns noch eine 4. Jahreszeit, der Winter, mit 2 besonderen Tagen, den Vorabenden von Weihnachten und der Fastenzeit. Für letztere ist, wie aus dem Nachfolgenden hervorgeht, die Überlieferung verworren; ich halte den Aberglauben des Fastendienstags für fremdes, durch die Beichtspiegel in unser Volk hineingetragenes Gut, das vielleicht gar nicht angewandt wurde und lediglich in Beichtfragen und Verboten vorhanden war. Da der Aberglaube vom Fastendienstag und Weihnachtsabend in den Quellen miteinander verbunden vorkommt, gilt dies auch für den am Weihnachtsabend.

a) Winter. Ein „Merkzettel für die Beichte" einer Münchener Handschrift (Clm. 17523 f. 132^r—132^v, geschrieben 1468) [53]) erklärt für Aberglauben, wenn jemand am Fastendienstag (feria tertia carnis breuii) nicht ins B. geht [54]); Johannes Herolt (1. Hälfte 15. Jh.) [55]) ergänzt, weil das wirksam gegen Fieber ist [54]). Im Gegensatz dazu bezeichnet Nikolaus de Jawer in seiner Schrift de superstitionibus 1405 das B. am Vorabend der Weihnacht und der Fastenzeit gegen Fieber und Zahnschmerzen als Aberglauben [56]), ebenso Delrio (disquisitiones magicae) [57]). — Das Landgebot Herzog Maximilians in Bayern wider Aberglauben usw. von 1611 spricht von „denjenigen, welche am weynachtabent oder Faßnachttag wider das fieber und zahnweh b., so nit weniger abzustraffen" [58]). Hier ist aus dem Fastendienstag der Aschermittwoch geworden. Nach Johannes Wuschilburgk (Cod. 113 der Bibl. des Domgymnasiums in Magdeburg, im 15. Jh. wahrscheinlich in Erfurt entstanden) schützt das B. am Aschermittwoch und an Weihnachten gegen Fieber und Zahnweh [59]), wobei dem Übersetzer wohl ein auf beide Tage gehendes in vigiliis in der schwer leserlichen Handschrift entgangen ist (eine diesbezügliche Anfrage bei der Bibliothek blieb unbeantwortet). — Für mehrere Teile Frankreichs, besonders Eure et Loire, hat man den Brauch festgestellt, Kinder, bei denen man nicht mehr weiß, welche Behandlung man ihnen angedeihen lassen soll, in Quellen einzutauchen. So badete man ehemals die mit Fieber behafteten gegen die Weihnachtszeit in einer sehr kühlen Quelle zu Lury. Die Hälfte erlag der Behandlung [60]). — Vom Aschermittwoch führt Wuschilburgk als Aberglauben an: wer dann badet oder den Kopf wäscht, hat in demselben Jahre keine Rückenschmerzen, ,,und in demselben Jahre soll man nicht am Dienstag b." [59]). Philander von Sittewald gibt aber 1650 das Fernbleiben von Rückenweh im ganzen Jahr für das B. morgens nüchtern am Fastendienstag an [61]), die Rockenphilosophie jedoch für das B. am Fastnachtstage früh. Von der Christnacht sagt sie, wer dann ins kalte Wasser geht, der bekommt selbiges Jahr die Krätze nicht, und wenn er sie hat, vergeht sie [62]). Nach südslawischem Aberglauben darf man am Aschermittwoch ein Kind nicht b., sonst wird es krätzig [63]). Fromme Menschen badeten nicht in der Fastenzeit (s. 3 b), auch kommt das Verbot des B.heizens vor (s. 3 a). — Nicht zum Aberglauben gehört, wenn 1521 zu Weißenhorn in Schwaben am hl. Tag zu Weihnachten etliche ,,von wunders wegen" badeten [64]) (wegen des milden Wetters).

b) In Böhmen erhält man die Gesundheit, wenn man am hl. D r e i k ö n i g s t a g e (6. Januar, dem Tauftag Christi, der großen Wasserweihe der griechischen Kirche) vor Sonnenaufgang badet [65]), nach anderem Bericht bleibt man dann dort das ganze Jahr gesund [66]). — In Schlesien badet oder wäscht man sich an diesem Tage im fließenden Wasser eines Flusses oder einer Quelle, das ist heilkräftig und läuternd [67]). — Bei den Bojken (Ruthenen) wird am Vorabende der hl. Dreikönige bei der Vesper Wasser geweiht. In manchen Gegenden pflegen

Männer und Frauen mit ihren Kleidern in solches geweihte Wasser zu springen, um hierdurch gegen das Böse gefeit zu sein [68]). — Wenn auch kein Tag angegeben ist, gehört hierher wohl die Tatsache, daß der hl. Wilfried Bäder in Weihwasser zu nehmen pflegte, was viel Nachahmer gefunden haben muß, denn Bischof Atto von Vercelli († um 961) verbot dies B. als dem Zwecke des Weihwassers und der kirchlichen Tradition widersprechend [69]).

[50]) BlHessVk. 3 (1901), 2. [51]) W e i n h o l d *Verehrung d. Quellen* 34. [52]) M a r t i n 19. [53]) Mitteilung der Handschriftenabteilung der bayerischen Staatsbibliothek in München. [54]) ZfVk. 22 (1912), 242. [55]) R. C r u e l *Geschichte d. dt. Predigt i. MA.* (Detmold 1879), 480. [56]) F r a n z *Nik. de Jawer* 182. [57]) W o l f *Beiträge* 1, 219 Nr. 260. [58]) P a n z e r *Beitrag* 2, 283. [59]) ZfVk. 11 (1901), 273. [60]) S é b i l l o t *Folk-Lore* 2, 324. [61]) M a r t i n 24. [62]) S e y f a r t h *Sachsen* 256. [63]) K r a u ß *Sitte und Brauch* 548. [64]) M a r t i n 72. [65]) W u t t k e 308 § 453. [66]) Ebd. 69 § 79. [67]) D r e c h s l e r 2, 147. [68]) ARw. 17 (1914), 407 f. [69]) F r a n z *Benediktionen* 1, 109.

c) Im März und zur Osterzeit haben wir die Bäder des Vorfrühlings. M ä r z e n b ä d e r (aber keine Maibäder) an den 3 Donnerstagen im März kommen, wie schon angeführt, in Sonthofen (1544) und Rohrbach (Bayern) vor, und Hadrian ward Donnerstags im Märzb. gesund (15. Jh.) (s. 3 d). In Schwaben hatte laut Rechnungen von 1558 der Sigertshofer Bader ,,ein guots wolgehaizts B., darzu zwei Maien- und zwei Merzenb. zu geben". Auch in Augsburg wird ein Merzen- und ein Maienb. genannt [70]). Die genannten Bäder wurden in der B.estube genommen. Ein Heilb. betrifft der Aberglaube, von dem der im württembergischen Wildbad tätige Geistliche Keller 1786 berichtet, wer im Märzen 3 Freitage nacheinander, besonders am Karfreitage badet, habe nicht nötig, eine ganze Badekur von 24 Bädern zu tun [71]).

d) Ein Bad in fließendem Wasser in der K a r f r e i t a g s n a c h t soll das Reißen vertreiben (Sayda in Sachsen), noch vor wenigen Jahren sollen deswegen im Erzgebirge Männer in besagter Nacht in einem kleinen, über Felsen rauschenden Bach gebadet haben, obgleich rund herum alles mit Schnee und Eis bedeckt war. In Rochlitz in Sachsen ging 1905 in der Karfreitagsnacht eine kranke Frau nackt, wie es der Aberglaube vorschreibt, in die Mulde, um sich gegen ein langwieriges Halsleiden mit Osterwasser zu waschen, rutschte aus und ertrank [72]. Wenn man in der Nacht vom grünen Donnerstag auf den Karfreitag „unbraffelt" seine Füße in dem Bach badet, der durch Mulfingen (Schwaben) fließt, so glauben die Mulfinger, es könne das ganze Jahr kein Rotlauf an die Füße kommen. Man sieht daher in dieser Nacht oft den ganzen Bach voll Leute stehen, ganz still, und die Füße b.[73]. In Brötzingen (Pforzheim) gehen manche am Karfreitagmorgen an den Bach, waschen, selbst b. sich unbeschrien als Mittel gegen alle Krankheiten [74]. B. vor Sonnenaufgang erhält die Gesundheit (Schlesien [75]); Bayern, Erzgebirge, Böhmen unter Betonung, daß es im Fluß geschieht) [76], heilt Krätze und Ausschlag (Militsch-Trachenberger Gegend, Schlesien) [77]. Ein B. aus dem um Mitternacht des Karfreitags geschöpften Wasser läßt schwächliche Kinder gedeihen (Schlesien) [78]. Ohne Angabe der Tageszeit liegen folgende Angaben vor: Wer sich im Wunderwasser des Karfreitags badet, bleibt im folgenden Jahr von Krätze verschont und ist auch sonst an Leib und Seele fröhlich (Bunzlau 1791) [77]. Das B. in fließendem Wasser vertreibt Krätze (fränkisch-schwäbisches Grenzgebiet 1825 [79], Oldenburg) [80], befreit vom Wichtel (Österr.-Schlesien) [77], ist heilkräftig und läuternd (Schlesien) [81]. Vor dem kalten Fieber (Malaria) schützt man sich, wenn man am Karfreitag badet [82]. Nach Lammert badete man einst gegen Malaria am Karfreitage oder Ostertage morgens nackt in den Flüssen. (Er nennt dies eine römische Sitte mit Bezug auf Horat. Satir. II. 3. 288 ff.) [83]. — Im Kalotaszeger und Aranyosszéker Bezirk (Ungarn) b. am Karfreitag die Hirten das Vieh, damit es gesund bleibe [84].

Am O s t e r m o r g e n vor Sonnenaufgang gebadet, hilft gegen Grind oder sonst dergleichen (Osterode am Harz 1788) [85], alle Art Ausschläge usw. (Prov. Preußen) [86]. Ein Bauerknecht, der gehört hatte, daß das Osterb. vor Sonnenaufgang die Krätze vertreibe, badete so und ertrank dabei (Chemnitzer Rockenphilosophie 1722) [52]. Wer sich am 1. Ostertag in kaltem Wasser badet, bleibt das ganze Jahr gesund (Bunzlau 1791 [87], Gegend der Mittelelbe und Mitteldeutschland) [88]. Ein B. oder eine Waschung mit Osterwasser bringt Schönheit und Gesundheit und befreit von Sommersprossen, Geschwüren, Flechten und Hautausschlägen (Sayda in Sachsen). Kranke Kinder, vor allem mit dem „Ansprung", einer Art Ausschlag, werden in Osterwasser gebadet (Reichenbach) [52]. — In der Oberlausitz badeten die Bewohner von Rauschwitz und Kindisch am Ostermorgen sich und ihr Vieh in der aufgestauten Quelle am Hochstein, weil das fruchtbar mache [89]. Im Odenwald trieb um 1875 ein Fuhrmann in der Osternacht zwischen 11 und 12 Uhr seinen schlecht genährten Gaul in die Modau, damit er gesund werde und sich besser füttere [90], und in Ostpreußen schwemmt man die Pferde in der Osternacht zum Fernhalten von Krankheit fürs ganze Jahr [56]. In einigen Gegenden Thüringens am Harz treibt man am Ostermorgen das Vieh ins Wasser, um es das Jahr über vor Krankheit zu bewahren [91], in Sachsenburg a. d. Unstrut wird dabei vor „Sonnenaufgang" betont [92].

[70] B i r l i n g e r *Aus Schwaben* 396 f. [71] (K e l l e r) *Grab d. Abergl.* 5, 42. [72] S e y - f a r t h *Sachsen* 254 f. [73] B i r l i n g e r *Volksth.* 1, 140. [74] M e y e r *Baden* 502. [75] W u t t - k e 308 § 453. [76] ARw. 17 (1914), 408. [77] D r e c h s l e r 1, 83. [78] J o h n *Erzgebirge* 193. [79] P a n z e r *Beitrag* 1, 258. [80] S t r a k - k e r j a n 1, 70. [81] D r e c h s l e r 2, 147. [82] W u t t k e 353 § 528. [83] L a m m e r t 260. [84] ZfVk. 4 (1894), 395. [85] Journ. von u. für Deutschland 1788, 2. Hälfte, 425. [86] F r i s c h - b i e r *Hexenspr.* 66. [87] D r e c h s l e r 2, 264. [88] M a r t i n 23. [89] W e i n h o l d *Verehrung d. Quellen* 26 = H a u p t *Lausitz* 1, 16. [90] Bl-HessVk. 3 (1901), 1. [91] A l b e r s *Das Jahr* 185. [92] K u h n u. S c h w a r t z 374 Nr. 20.

e) Die F r ü h l i n g s b ä d e r fanden im Mai, zu Himmelfahrt und Pfingsten statt. Die Quelle von Pfäfers verjüngt sich mit dem Frühling (Paracelsus), das Wasser vom Leuker B. im Wallis ist im 18. Jh. dem Volksglauben nach im Mai am kräftigsten, ebenso das von Pyrmont 1597. „Man sagt wol: in dem meien da sind die brünlein gsund" (Volkslied). Darum erklärt die Mainauer Naturlehre (13. Jh.) vom Lenz: „So ist och dechaine zit besser ... zu badenne." Die Volkskalender und Anweisungen zur Gesundheit äußern sich ebenso. — Das Maibad ist immer ein Wasserb., sei es in der B.estube oder im Kurort. Ja, wir finden den Namen Maibad schlechthin für das Warmwasserbad (im Gegensatz zum Dampfbad), allerdings „fürnemlichen im früling", wie der Straßburger Chirurg Ryff 1549 sagt. Er spricht vom Warmwasserb. in der Badewanne: „Zum wasser Badt oder gemeinen Mayen Badt, ist auch das Regenwasser, wo man es haben mag, am aller bequemsten" und besser als Brunnen- und fließendes Wasser, weil es reiner, subtiler ist, die Wärme des Sonnenscheins und kräftige Influenz des Gestirns und dadurch seine schädliche Kraft zum Teil verändert und gemildert hat. (Die Stelle mag zugleich als Beispiel des Gelehrten - Badeaberglaubens dienen.) — Besonders gebrauchte man die Bezeichnung M a i b a d für das gewöhnliche Wasserb., wenn es ein lustiges B., mit Schmausen, Zechen und zuweilen auch Liebeleien verbunden war [93]. Nach der Zimmerschen Chronik ertrank Graf Jörg von Werdenberg 1415 bei einem Liebesabenteuer im Rhein. Am hl. Abend fanden Fischer die Leiche, „die haben in ußer dem maienbad widerumb zu landt gebracht" [94]. Die Maibilder der Volkskalender des 15. und 16. Jhs. zeigen Mann und Frau in der Wanne mit Essen und Trinken [93]. Der lutherische Sittenprediger Martinus Bohemus donnert 1608 gegen dieses Wohlleben der Weltkinder im Mai (wenn er auch das B. dabei nicht nennt), erklärt dagegen die Maibäder für recht: „das man seiner Gesundheit pflege, das man warm b.e, auch kreuterbade gebrauche" [95]. „Alle bad sind gutt, besonder kreuter bad", sagt eine astrologische Gesundheitsanweisung von 1556

beim Mai. „Bad ist gut vnd besunder wurtz beder (Msc. E. 102 vom Jahr 1467 der Züricher Zentralbibliothek). Auch Kräuter und Wurzeln haben im Frühling besondere Kraft. — In den Kurorten galt die Maib.ekur für die beste. „Im Meyen ist die beste Zeit, ein Badenfahrt anstellen" (Johann Jakob Müller in Luzern, 16. Jh.). „Im meyen farend wir gen baden" (in der Schweiz; Thomas Murner in der Geuchmatt 1519) [93]. Die ursprüngliche Auffassung des Maibades als Gesundheit erhaltendes und bringendes B. hat auch zu einer anderen Verallgemeinerung des Begriffs geführt, es wurde gleichbedeutend mit Heilb.: „Wie ain maien bad auffkam für die lemi und schäden von der Frantzosen plattern (Syphilis) Anno dni 1513 da stund ain maien bad auff, ligt im Pairland ½ meil von Starenberg, haist im Zeidelbach oder sant Petters brunnen." Gebadet wurde dort nicht nur im Mai, sondern von Sonntag Exaudi (zwischen 3. Mai und 6. Juni fallend) bis Matthäus (21. Sept.) [96].

Aus dem Angeführten geht hervor, daß man die Maib.ekur nicht nur im Heilb., sondern überall, also auch im eigenen Hause, gebrauchen konnte. Kaspar Scheid sagt im Meyenlob (abgedr. in Hubs Volksbl. d. XVI. Jhs. S. 316), die Bresthaften, die ihre Häuser nicht verlassen können, lassen sich im Mai daheim warme Bäder zurichten [97]. Häufig wird es in der öffentlichen B.stube genommen, wobei zu beachten ist, daß einzelnen B.estuben in Süddeutschland, mehr noch in der Schweiz, heilkräftige oder als solche geltende Quellen zur Verfügung standen. 1429 fing „Caspar Sommer in Augsburg ein Maienbad an, daß man badete für dem Wertachbruggerthor". In einer Biberacher Chronik des 17. Jhs. wird Maienb. und Maienmilch den Kranken im Spital verordnet [98]. Es handelt sich hier um eine ältere Stiftung, denn Heinrich von Pflummern berichtet vor der Reformation: „Man hat auch im Mayen allweg die armen Leuth auch in Züber badet im spittal vor der Badstuben. Da hat man dann Ihnen aber die handt boten mit Zuobussen: mit essen vnd Trinckhen." „Man hat auch

den frembden vnd Haimbischen ain Badstuben da gehabt vnd sie badet: hat sie
auch im Mayen Wasser badet"[99]). Die
„Kinder im Feld" (Aussätzigen) zu St.
Georg bei Winterthur in der Schweiz
hielten in der Mitte des 16. Jhs. eine jähr-
liche B.ekur in der B.estube des Sonder-
siechenhauses (Leproserie) ab. „Wenn sie
im Mai baden, gibt man einem jeden,
soviel im Hause sind, alle Fleischtage
sein Pfund Fleisch und eine halbe Maß
Wein und in der Badenfahrt 7 oder 8
Pfund süße Butter, auch einen Teller mit
Eiern und Zieger (Kräuterkäse) und nach
der Badenfahrt 2 Pfund B.geld und in der
Badenfahrt 1 Viertel Mehl für Küchly".
Neben dem Maib. im Hause gab es also
noch eine B.fahrt in einen Kurort (1813
im Juli)[100]). — Lorichius (Heidelberg,
16. Jh.) erklärt es für Sünde, am 1. Mai als
heiligen Tag (der hl. Walpurga) „anfahen
baden", d. h. eine B.ekur zu beginnen,
„eh sie in der Kirch gewesen oder auch
der Meinung (sind), das es besser sey,
dann an folgenden Tagen"[98]).

Ich komme zu den konzentrierten
Bädern dieser Zeit. Vom Dorf Leimen im
elsässischen Sundgau eine halbe Stunde
entfernt, fließt im Orte Helgenbronn
neben der dortigen Walpurgiskapelle eine
kräftige Wasserquelle, Helgenbronn und
Kinderbrunnen genannt. Am 1. Mai
kommen die Mütter mit ihren siechen
Kindern hierher, um sie zu b. (Häufiger
noch geschieht es auch an Johannis, daß
man hier die durch Sommersprossen ver-
unstaltete Haut wäscht)[101]). — Berühmt ist die Pfingstmontagswallfahrt zur
Kapelle St. Pirmin im luxemburgischen
Kanton Wilz mit dem etwas davon liegenden Pirminiusbrunnen, wobei skrophu-
löse Kinder 3mal eingetaucht werden[102]).
— In einzelnen Gebieten von Cornwallis
werden die Kinder, die an Rachitis und
Gekrösekrankheiten leiden, die ersten
3 Mittwoche im Mai 3mal, gegen die Sonne
gewandt, in eine Quelle getaucht, dann
3mal in der Richtung auf die Sonne zu
über den Rasen bei der Quelle gezogen[103]).
Im Westen von Cornwallis geschah es vor
50 Jahren an den ersten 3 Sonntagen im
Mai vor Sonnenaufgang, um Gürtelrose

(zona), Flechten und andere Krankheiten
zu heilen und gegen den bösen Blick zu
schützen. Die Eltern tauchten die Kinder,
das Gesicht gegen die Sonne, ganz nackt
3mal ein. Dann gingen sie 9mal von
Westen nach Osten um die Quelle, und
während die Kinder nachher angekleidet
schliefen, achtete man darauf, ob sie gut
ruhten und das Wasser viel Blasen auf-
warf. Das galt als gute Vorbedeutung.
Alles mußte stillschweigend geschehen.
Ein aus der Kleidung des Kindes ge-
rissener (nicht geschnittener) Lappen
wurde bei der am meisten gebrauchten
Quelle nahe der Kapelle von St. Madron
an einem in der Kapellenwand befestigten
Dorn aufgehängt oder zwischen die Rand-
steine des Bächleins gesteckt. Die Frau,
die dort Anweisung gab, durfte nicht in
Geld, sondern nur in Naturalien bezahlt
werden, oder man legte die Geschenke für
sie neben der Quellfassung nieder[104]). In
Ost-Cornwallis ist es üblich, an den
3 ersten Sonntagmorgen im Mai in der
See zu b.[105]). — Westendorf berichtet,
daß in einigen Gegenden Hollands am
Maimorgen in lebendem, strömendem
Wasser gebadet wird, um von allen Hautkrankheiten zu genesen oder dagegen gesichert zu sein[106]). — An der süditalischen
und sizilianischen Küste nehmen viele in
der Nacht vor Himmelfahrt ein Meerb.,
das als heilkräftig gilt[107]); auch in Armenien badet man in der Himmelfahrtsnacht
wegen der kräftigen Heilwirkung[108]). —
Lorichius sagt: „In der ersten Maynacht,
weyl die Klock zwölfe schlecht, in eyl
Wasser schöpfen, im selben den ganzen
Tag für rauth vnd andere leybsgebresten
b., ist ein spöttlicher ärgerlicher Aberglaub, dardurch der Dienst Gottes den-
selbigen Tag verhindert wird"[98]). Vielleicht gehört das Druselwasser hierher,
von dem Jul. Schmidt Reichenfels in
Kassel hörte. In ihm zu b. wurde als heilsam gerühmt, es müsse aber mit dem
Lauf, nicht gegen den Lauf geschöpft
werden. (Wahrscheinlich ist die rechte
Zeit dazu Walpurgis oder Johannis)[109]).

Weit bequemer war das W a l p u r -
g i s n a c h t b. in den Kurorten, besonders in den natürlich warmen Bädern. Ich

kenne es nur im deutschen Sprachgebiet. Dies Dauerb. findet vereinzelt auch an Himmelfahrt statt. Es ist gegenüber dem weit verbreiteten B. in der Johannisnacht verhältnismäßig selten. Um nicht zu wiederholen füge ich das Johannisb., wenn es am gleichen Ort auch vorkommt, hier ein. —

1631 heißt es von der Therme Pfäfers in der Schweiz: „Vnder andern, so pflegt auff den ersten Tag Maij, alten Calenders, ein vnzehlbare menge Volcks, zu Vesper vnd Abendts zeit, auß allen benachbarten Dörffern, Thälern vnd Gebirgen, mit einem Wort alles gemein, vnnd lauffige Gesinde, theyls Gesund(heits), theyls Lust vnd Fürwitz halber, herbey zukommen, in die Badschwämme, einzusitzen, vnnd die gantze Nacht, darinn wachtsamb zuzubringen, auch dise Nachtfrist, einer gantzen Bad Chur, jhres Sinns abzuschätzen; alsdann, folgenden Morgen, wann sie abreisen wöllen, jhre Hembder, zuvor in das Badwasser (das keine mineralischen Bestandteile hat) wol einzutrucken, vnd also anzuziehen, mit mainung, einer mit sich hinweg tragenden großen gefunden Krafft" (Kolweck). Im Basler Gebiet bei dem damals schwer zugänglichen (nicht natürlich warmen) B. Ramsen (Ramsach) „tryben sy uff den mey und Sant Johans oben (Abend) Superstitiones" 1572 [110]. 1600 wird „im bad zu Ramseln uff St. Johannis abend und nacht neben großem muttwillen superstition und Aberglauben getriben, sonderlich von unsern Leuten (d. h. denen aus dem Basler Gebiet), welche diß tags halben dem Bad große Krafft zuschreiben", und 1605 „wird geklagt von wegen der Bädern Ramsen und anderswo, dz man deren kraft auf gewisse tage lege, sonderlich auf den tag S. Johannis Baptistae" [111]. 1606 wird das B. „aus Aberglauben vom Landvolck auff den tag der Himmelfahrt, Meytag und S. Johanstag besucht." Die (evangelische) Kirchenbehörde schlug zur Abstellung des Aberglaubens vor, den Bader anzuhalten, an diesen Tagen keine Gäste aufzunehmen und das B. nicht zu heizen [110]. — Von Baden-Baden, das natürlich warmes Wasser hat,

schreibt 1673 ein Franzose, der dort die Kur gebrauchte: „Am 1. Mai kommen Scharen schwäbischer Bauern, erkenntlich an ihren althergebrachten Trachten, aus der weiteren Umgebung, um zusammen mit ihren Frauen ein „Maib." zu nehmen. Sie legen sich ins B. hinein, trinken und essen — so will es die deutsche Sitte —, dann legen sie sich zum Schlafen hin. Haben sie auf diese Art gebadet, bilden sie sich ein, sie blieben das ganze Jahr von Krankheiten verschont. So hält es die katholische Bevölkerung." Die Nichtkatholiken erscheinen 10 Tage später, am 1. Mai alten Kalenders [112]. 1632 kam Zeiller abends um 8 Uhr nach Baden-Baden und fand erst nach 1½stündigem Suchen Quartier, „weiln so viel Badleuthe, sonderlich Bauern, vorhanden waren, die wegen S. Johans Nacht jhnen einbildeten, wann sie selbigen Abent badeten, daß sie hierdurch das gantze Jahr für Kranckheiten solten befreyet sein" [113].

[93]) Martin 10 ff. [94]) Bibl. d. literar. Ver. in Stuttgart 93 (1869), 3. [95]) Birlinger *Aus Schwaben* 2, 94. [96]) Die Chroniken der dt. Städte 25, 7 f. [97]) Rochholz *Gaugöttinnen* 61. [98]) Birlinger *Aus Schwaben* 2, 92 f. [99]) Alemannia 17 (1889), 99. [100]) Martin 19 f. [101]) Rochholz *Gaugöttinnen* 60 f. [102]) Weinhold *Quellen* 43 = Gredt *Luxemburg* Nr. 30. [103]) Sébillot *Paganisme* 67. [104]) Ebd. 67 u. 80. [105]) Sartori *Sitte und Brauch* 3, 180. [106]) Mannhardt *Germ. Mythen* 31. [107]) Sartori *Sitte und Brauch* 3, 188 = Trede *D. Heidentum i. d. röm. Kirche* 3, 224. [108]) Ebd. = Abeghian *Der armen. Volksglaube* 61 ff. [109]) Grimm *Myth.* I, 487. [110]) Martin 15 f. [111]) Ebd. 21. [112]) Oskar Rößler *Ein Bericht über die Bäder von Baden-Baden aus d. J. 1673.* S. A. Ärztl. Mitteilungen aus u. für Baden 1915 Nr. 16. [113]) Martin 22.

f) Die Sommerkultbadezeit ist bei uns, aber auch anderswo, der Vorabend des Johannistages bis Sonnenaufgang, in Portugal auch noch der des Peters- und des Antoniustages.

Der hl. Augustin sah in Lybien — er nennt es einen heidnischen Brauch und eifert dagegen —, daß Christen am Johannistage zum Meer gingen, um sich zu b.; und an anderer Stelle schreibt er, daß sie sich in der Nacht oder in den Morgenstunden des Johannistages in Quellen,

Sümpfen oder Flüssen zu waschen (b.) wagten [114]). Mit den gleichen Worten beschreibt Bischof Caesareus von Arles († 1. Hälfte 6. Jhs.) den Brauch und beschwört seine Landsleute, davon zu lassen [115]). Nochmals finden sich die Worte in einem Freisinger Homiliar des 8. Jhs.[116]) — 1330 sah Petrarca in Köln, wie er in einem Briefe an den Kardinal Colonna schreibt, am Vorabend des Johannistages einen alten Brauch. Bei Sonnenuntergang war das ganze Rheinufer mit Frauen bedeckt. Unglaublich war der Zulauf. Ein Teil der Frauen war mit wohlriechenden Kräuterranken bedeckt. Mit zurückgeschobenem Gewand fingen Frauen und Mädchen plötzlich an, ihre weißen Arme in den Fluß zu tauchen und abzuwaschen. Dabei wechselten sie in ihrer Sprache lächelnd einige Sprüche miteinander. Man erklärte ihm, daß dies ein uralter Brauch unter der weiblichen Bevölkerung Kölns sei, die meine, daß alles Elend des ganzen Jahres durch die bei ihnen an diesem Tag gewöhnliche Abwaschung im Flusse weggespült würde und gleich darauf alles nach Wunsch gelinge. Von einem ähnlichen Brauch in Neapel am Vorabend des Johannistages berichtet Benedikt de Falco 1580, wo Männer und Frauen zum Meer gingen und sich nackt wuschen [117]). Bei Nogent-le-Rotrou (Frankreich) gibt es eine Quelle, die wegen ihrer Heilkraft während der ganzen Johannisnacht berühmt ist. In ihr b. Männer und Frauen am Abend vor Johannis, und kein unzüchtiger Gedanke stört den Vorgang [118]). Bis in die jüngste Zeit badete man sich in Wallonien in den Flüssen oder trank auch das Wasser gerade um Mitternacht des Johannistages, um sich verschiedene Vorteile zu verschaffen, darunter das Recht, nicht zu ertrinken [119]).

Von den Dauerbädern in Heilbädern während der Johannisnacht wurden die zu Ramsen und Baden-Baden bereits beschrieben (s. 6 e). Bäder in der Johannisnacht, heißt es im Kanton Luzern, sind besonders heilsam [120]). Von „altfränkischen" Leuten wurde 1862 noch im Bade Schönau zu Tschaggüns (Churrätien) in der Johannisnacht gebadet, weil ein B.,

in dieser Nacht genommen, eine ganze Kur von 3—4 Wochen ersetzt [121]). — In Schwaben heißt es, ein einziges B. in der Johannisnacht wirkt soviel als 9 Bäder, die man zu anderer Zeit nimmt. Deshalb badeten die Leute früher immer während dieser Nacht in dem Mineralb.e Laimnau (O.-A. Tettnang); jetzt (1852) hält man weniger mehr darauf [122]).

1591 hatten „an Joannis Baptistae uff die Achzehn doch mehrentheils weibspersonen das Badt in der Eßlinger Vorstadt allhie (Stuttgart) besucht, die ganze nacht und den Tag, und allßo zwanzig vier stundt gebadet, welches auch andere Jahr uff Joannis Baptistae abends beschehen". Die Stuttgarter Synode bekämpfte dies als Aberglauben und drohte Bestrafung von Badern und B.leuten an. 1602 war das Konsistorium der gleichen Meinung, weswegen es „dem Sulzbäder zu Cannstat die St. Johanns Bäder zu halten abstricken ließ, doch zu der Oberkeit fernerem Erwägen". Der zu diesem Gutachten eingeholte Bericht des Vogts von Kannstatt lautete dahin, daß diese Bäder ein Überrest des Papsttums seien und hauptsächlich nur noch von den benachbarten Katholiken zu Hofen und Öffingen gebraucht würden und deswegen um so mehr abgeschafft zu werden verdienten, als sie nur Veranlassung zu Unfug gäben [123]). 1639 und 1666 wurden die Johannisbäder in Württemberg nochmals verboten [124]). 1673 spricht Salomon Braun in der Beschreibung des nach der Zerstörung neu errichteten Biberacher (also auch eines Württemberger) Bades von Mißbräuchen beim B., „darunter auch noch einer, als nicht der geringste zu mercken, daß auch bey uns dieser übele Gebrauch bey vielen sich gefunden (also im alten Biberacher B.e), die da zu verkürtzung der Zeit und Bade Cur desto länger, und wol gar continuirlich 24 Stunden im Zuber sitzen blieben, darinnen geessen, getruncken, geschlaffen, und ja theils so eine sonderliche Zeit, nemblich S. Johannis Baptistae Nacht dazu erwehlet, und meynen solche Leuthe, wenn sie nur frisch wider heimgehen können, haben sie die Sache wol getroffen" [125]).

Vom Solbad Niederbronn im Wasgau (Unterelsaß) heißt es 1593, daß „sonderlich vmb Johannis Baptistae alle jar ein große menge vom Landvolck dahin kommen, so ein tag zwen da gebliben, tag vnd nacht im wasser gesessen, in den Burgers Heusern dasselbig wärmen lassen, vnd darein in Bütten gesessen, daß das gantz Dorff voll Badgest vnd erfüllet gewesen, vermeynend, sie seien das gantz Jar hernacher von kranckheiten verwaret vnd sicher". Heliseus Rößlin, vom Sulzbad im Unterelsaß 1647: „Ich habe gesehen, zwar nicht in dem Sauerbrunnen, sondern in vnserm Sultzbad, das gemeine Leuthe an St. Johanns tag 24 stunden continue nach einander in dem bade gesessen, die baden Cur in solcher Zeit zu ende geführt, vnd in dem bade gessen, getruncken, geschlaffen, auch wol, wann sie in der grösten hitze gewesen vnd köpffe, so roth als die Zinßkappen gehabt, ein Glaß nach dem andern von dem gesaltzenen Wasser auß getruncken." (Sebitz) [126]. 1854 suchte der Straßburger Kirchenkonvent gegen die Johannisbäder als einen abergläubischen Brauch einzuschreiten [127].

Schwenckfeldt schreibt 1607 von Warmbrunn bei Hirschberg in Schlesien: „Denn an S. Johannis Abendt, vnd an Johannis Tage vberaus viel Volckes von nahen und fernen Orthen, dahin sich findet, Gesunde, gesunden Leib vbers Jahr zubehalten, Krancke, Lahme, Krätzige, Außsetzige, Gichtbrüchige, jre Kranckheit zuwenden. Fellet hauffenweise vbereinander in Brunnen wie die Gänse, gäntzlicher meinung, daß Warme Bad were diesen Tag viel kräfftiger, als andere Zeit deß Jahres, vnd gebe in einer halben Stunde dem Leibe mehr Krafft als sonsten Vier oder Fünff Wochen." (Hier kam hinzu, daß dort St. Johannis zu Ehren eine Kapelle errichtet war, in der vor Zeiten am Tage des Heiligen den B.egästen eine Messe gelesen wurde, wozu große Wallfahrt war) [125]. Dasselbe gilt, sagt Drechsler, von dem Johannisbrunnen (Johannisb. [wohl das warme B. in Böhmen]) und dem Johannisbach im Riesengebirge, wohin am Johannistage viele

Leute wallfahrten und dort b. und trinken, in der Meinung, Gesundheit davon zu schöpfen [128].

In Norwegen wurden die heiligen Quellen vorzüglich am Johannisabend besucht, weil sie dann am kräftigsten sind [127].

Es wurde, wie aus dem obigen ersichtlich ist, nicht immer nur die Nacht, sondern auch noch den Tag hindurch, ja 2 Tage gebadet. Das ursprüngliche war das Nachtb.

Um zu wissen, welche Quelle man zur Heilung am vorteilhaftesten gebraucht, wirft man in der französischen Provinz Limousin in ein mit Wasser gefülltes Gefäß Kohlen, aus Haselruten gebrannt, die am Vorabend des Johannistages geschnitten sind. Jede Kohle bezeichnet eine Quelle; die zuerst zu Boden fällt, zeigt die Quelle an, die man gebrauchen muß [129].

Von den im Hause genommenen Johannisbädern kenne ich nur eins. Noch heutzutage rüstet man in Schlesien (z. B. in der Sprottauer Gegend) ein Johannisb., zu dem man Wasser nimmt, worin neunerlei Hölzer oder Kräuter gekocht sind [128].

[114] G r i m m *Myth.* 1, 490. [115] B o e s e *Superstit. Arelat* 19. [116] S c h m e l l e r *Bay.-Wb.* 2, 302. [117] G r i m m *Myth.* 1, 489. [118] Ebd. 3, 487 Nr. 33. [119] S é b i l l o t *Paganisme* 300. [120] H o f f m a n n - K r a y e r 163. [121] V o n b u n *Beiträge* 133. [122] M e i e r *Schwaben* 2, 427 Nr. 116. [123] M a r t i n 20. [124] Ebd. 399. [125] Ebd. 22 f. [126] Ebd. 21 f. [127] W e i n h o l d *Quellen* 44. [128] D r e c h s l e r 1, 143. [129] S é b i l l o t *Paganisme* 78 f.

g) Für den H o c h s o m m e r und den H e r b s t (ungefähr die Zeit der H u n d s t a g e) ist mir nur ein B. bekannt, das man als Kultb. auffassen kann. In früherer Zeit zog während der 3 ersten Sonntage im August, an den sog. „kalten B.sonntagen" viel Volk ins Krauchtal im Glarnerland, um im Krauchtaler B., einem Wasserbecken von mehreren Minuten Umfang, in das sich kalte Quellen ergießen, zu b. 1680 besuchten es die jungen Leute aus dem Glarner und Sarganser Land um den Anfang August, mehr um sich zu erfrischen als krankheitshalber. Um die Mitte des 19. Jhs.

hörte die Benutzung auf [130]). Daß nur ein solches B. für diese Zeit vorliegt, ist um so auffallender, weil die Volkskalender gerade das kalte B. empfehlen, während sie vor dem warmen B. warnen [131]). Dementsprechend wird im Göttinger Bellifortis (des Konrad Kieser, 1405) [132]) das Kräuterb. (9 Tage hintereinander), das für jeden Monat erlaubt ist, im Hundsmonat verboten. Auch vom Baden-Badener B. sagt der dortige Arzt Matthäus 1609: „In den Hundstagen soll man aber nicht b." [133]). Die Meinauer Naturlehre (13. Jh.) warnt im Herbst vor den Thermen [131]). Nach Emmentaler Glauben soll man während der Hundstage im August nicht b., es wird sonst eine Krankheit im Gefolge haben, aber Mädchen b. dort gerne, während die Rosen blühen, das gibt eine schöne gesunde Haut [134]).

[130]) M a r t i n 27. [131]) Ebd. 173 f. [132]) Ebd. 160 f. [133]) O s k a r R ö ß l e r *Wann und wie einst in Baden-Baden die Badekur gebraucht wurde.* S. A. Ärztl. Mitteilungen aus und für Baden. 1909 Nr. 2 u. 3, 5. [134]) SAVk. 24 (1922), 66.

h) Das B. i m T a u , F l a c h s , K o r n u n d S a n d. Um nicht zu wiederholen, sei hier alles Hergehörige angeführt, auch wenn bestimmte Tage nicht genannt sind. — Als nach der Ermordung Kaiser Albrechts i. J. 1308 dessen Tochter Agnes die 63 Mann der Besatzung von Farwangen hatte hinrichten lassen, soll sie durch deren Blut mit den Worten geschritten sein: „Jetzt im Blute derer gehend, die meinen frommen Herrn ermordet haben, bade ich im M a i e n - t a u" [135]). Nach Tschudis Schweizer Chronik spazierte sie in der Entleibten Blut und sagte, sie b.e im Maientau [136]). So wird mancherorts unter B. im Maitau ein Durchschreiten der taunassen Wiesen oder Felder zu verstehen sein. In Groningen, im zütphenschen Teil von Gelderland und in Südholland nennt man das daawtrappen (Tautreten) oder daawslaan (Tauschlagen), man versammelt sich dazu im Mai oder am Morgen des 1. Pfingsttages vor Sonnenaufgang („vor dag en daauw") im Feld und bekränzt sich mit Laub und Blumen [137]). Aber auch das B. des ganzen und zwar nackten Körpers kommt vor.

— Ohne Angabe einer Zeit heißt es in der Oberpfalz, daß B. im Tau den Mädchen die verlorene Jungfrauschaft wieder gibt [138]). Es wird erzählt, daß sich Hexen nackend im S a n d e oder im K o r n b. [139]). In Böhmen wälzen sich manche am Ostersonntag vor Sonnenaufgang nackt im Tau der Wiesen (Maschakotten) [140]). In Mersburg hörte Weinhold, daß die jungen Uhldingerinnen noch in der 1. Mainacht im taunassen Klee badeten [141]). Noch heute ist es in Sachsen Brauch, sich am Johannistage früh vollständig nackt im taufrischen Gras zu wälzen, um Krätze, Ausschläge und sonstige Unreinlichkeit aus der Haut zu beseitigen [142]). Im Saalfeldischen tanzen (1790) die Mädchen in der Johannisnacht um den F l a c h s , ziehen sich nackt aus und wälzen sich darin [143]). — In Schweden und Island badete man sich in der Johannisnacht im Tau, damit die Krankheiten des Körpers durch Wunder (miraculose) geheilt würden [144]). — Nach der Morningpost vom 2. Mai 1791 gingen in England am 1. Mai Scharen auf die Felder und badeten ihr Gesicht im betauten Grase, um dadurch Schönheit zu erlangen [145]). Zu Gervasius' von Tilbury Zeiten (1211) war das Pfingstbad selbst noch bei Vornehmen in Brauch [146]). In Launcaston hält man dafür, daß Kinder, die ein schwaches Kreuz haben, dadurch geheilt werden können, daß man sie am Morgen des 1., 2. oder 3. Mais durch das taubenetzte Gras zieht [144]). Um 1850 badete man in Cornwallis das kranke Kind am 1. Mai auf dem taubedeckten Rasen, was, um wirksam zu sein, an den 2 folgenden Morgen wiederholt werden mußte [147]). — Das B. am Johannistage im Tau ist in der Normandie üblich, um gegen Krätze und andere Hautkrankheiten geschützt zu sein, in den Pyrenäen zur Genesung von Hautkrankheiten, in der Bretagne gegen Fieber in einem betauten Haferfeld [145]). Sébillot sagt, daß in mehreren Gegenden Frankreichs das Taub. am Morgen des Johannistages von Krätze befreit. In Béarn (Nieder - Pyrenäen) spaziert der Kranke vollständig entkleidet in verschiedenen Richtungen durch ein Hafer-

feld und spricht wiederholt ein Gebet im
Dialekt: „Reinige mich gut, frischer Tau"
usw. Auch in Asturien (Spanien) wird
man von Krätze frei, wenn man sich
um Mitternacht des Johannistages ganz
nackt im Tau wälzt, unter denselben Bedingungen in den Abruzzen (Italien), hier
auch zu Himmelfahrt[148]).

135) R o c h h o l z *Gaugöttinnen* 61. 136) B i r -
l i n g e r *Aus Schwaben* 2, 93. 137) M a n n -
h a r d t *Germ. Mythen* 29. 138) S c h ö n -
w e r t h *Oberpfalz* 2, 33. 139) G r i m m *Myth.*
2, 911. 140) J o h n *Westböhmen* 65. 141) M e y e r
Baden 220 = W e i n h o l d *Ritus* 41. 142) S e y -
f a r t h *Sachsen* 252. 143) G r i m m *Myth.* 3,
452 Nr. 519. 144) M a n n h a r d t *Germ. Myth.*
30 f. 145) Ebd. 28. 146) L i e b r e c h t *Gervasius* 57. 147) S é b i l l o t *Paganisme* 68.
148) Ebd. 125.

7. Das B. unter freiem Himmel im
F l u ß , S e e , T e i c h und im M e e r
zur Erfrischung und zum Vergnügen hat
seinen besonderen Aberglauben. Er bezweckt, die Gefahren dieses B.s zu beseitigen und gibt Schutz vor Ertrinken
(s. Ertrinken und Wasseropfer). Ich muß
aber doch darauf aufmerksam machen,
daß gewisse Tage, an deren Vorabend die
Nacht hindurch bis zum Sonnenaufgang
das B. für besonders heilkräftig gilt im
Freib. zur Erfrischung und zum Vergnügen verrufen sind, weil sie ein oder
mehrere Opfer fordern, so der 1. Mai, der
Himmelfahrtstag, besonders der Johannistag und auch der Peter- (und Pauls-)
Tag. Es kommen auch noch einige andere
Tage vor, bei denen das B. in der vorhergehenden Nacht nicht üblich ist. Für
unser Klima bedeutet der Johannistag
den Beginn des Freib.s, wenn auch an ihm
selbst nicht gebadet werden soll. Eine besondere Stellung haben die Hundstage.
Wie schon gesagt (s. 6 g) rieten die Volkskalender vom warmen B. im Hause und in
der B.estube, wie in den Thermen, für diese
Zeit ab, empfahlen aber das kalte B.
Vielleicht geht ein Teil der nachfolgenden
B.everbote auch nicht auf das kalte, sondern auf das warme B., wo nicht ausdrücklich vom Schwimmen die Rede ist.

In den Hundstagen darf man nicht
b., denn dann ist das Wasser giftig (Norwegen)[149]), es ist gefährlicher als an anderen Tagen (Pennsylvaniendeutsche)[150]),
es wird sonst eine Krankheit im Gefolge
haben (Emmental)[151]), man soll nicht
schwimmen gehen, sonst bekommt man
„Geschwüre" (Heidelberg und Pennsylvaniendeutsche)[150]). Somit könnten
bei uns für frühere Zeiten die Hundstage
den Schluß des Freib.s bedeutet haben.
— Am Laurentiustag (10. August) pißt
in Ungarn der Hirsch ins Wasser, dann
wird die Witterung kühl, und man darf
nicht mehr b., und vom Stephanstage
(20. August) heißt es ebenda, von diesem
Tage an darf man nicht mehr b., denn der
Hirsch pißt ins Wasser, und man wird
krank davon[152]); vom gleichen Tage
sagen die mährischen Tschechen, daß in
der Nacht in jedem Gewässer Schlangen
b. und ihr Gift in dasselbe lassen, daher
soll niemand nach Stephani b.[153]). So ist
für Ungarn und Tschechen Stephani der
Schlußtag des Freib.s.

149) L i e b r e c h t *Zur Volksk.* 337 f.
150) F o g e l *Pennsylvania* 260. 151) SAVk. 24
(1922), 66. 152) ZfVk. 4 (1894), 405. 153) G r o h -
m a n n 82.

8. B . e s t u b e   u n d   O f e n .

a) Die B . e s t u b e hat in Deutschland wenig Aberglauben hinterlassen, da
sie zu einer Zeit einging, als man den
Aberglauben noch nicht aufzeichnete.
Wenn sie in den Beichtfragen nicht vorkommt, wird damit nur bewiesen, daß
diese vom Süden zu uns gelangten, wo es
unsere Dampfb.estube samt B.equast
nicht gab. Das deutsche und nordische
Seelb. und die Stellung des Donnerstags
(s. 3 d) im B.estubenaberglauben mit
ihren Parallelen im Baltikum und bei den
Nordslawen lassen schließen, daß mancher bei diesen Völkern noch bestehende
Aberglaube auch bei uns einst vorhanden war.

Bei den alten Juden galt trotz der
Liebe zum B.e das B.ehaus als ein Ort
des Schmutzes, der mit dem Abtritt auf
gleicher Stufe steht, und jedes Thora-
gespräch ist daher im B.e verpönt. Mußte
doch selbst das für das B. momentan zu
erteilende Wort in profaner Sprache gesprochen werden. Der Hurenlohn und der
Hundepreis sollen verwendet werden zu

Abtritten und Bädern [154]). Im Glauben der Wotjaken heißt es: „ In die B.ekammer trag dein Heilkreuz nicht mit; das in die B.ekammer mitgenommene Kreuz verliert seine (Fetisch-) Kraft und ist daher von keinem Nutzen mehr" [155]).

Bei der weißrussischen Landbevölkerung, bei der die Geburt im Sommer in der Banja (B.hütte) oder in einem leeren Stall, im Winter im Hause stattfindet [156]), vergräbt die Babka (Hebamme) die Nachgeburt meist unter der Diele der Banja, wobei sie sich nach allen 4 Himmelsrichtungen verbeugt, aber nicht bekreuzt, sondern die Hände auf dem Rücken hält, weil die Banja ein ungeweihter Raum ist [157]). — Den alten Letten galt die B.estube teils für heilig, teils für behext. In der Sage von Kurbrand werden 3 schöne Königstöchter, als sie sich einmal in der B.estube wuschen, von einem bösen Geist entführt. In derselben B.estube kocht Kurbrand einen Kessel Grütze. Der böse Geist wird vom Geruch angelockt. Kurbrand klemmt ihn in der Tür fest und verprügelt ihn, bis er ihm willfährig ist [158]). Bei den Esten rufen die Zauberer oft Krankheiten in der B.estube (Saun) hervor, aber die Weisen heilen die Kranken auch in der B.estube, und suchen sie von Zauberei zu befreien. Dabei muß vollständige Ruhe herrschen, auch ist es in keiner Weise erlaubt, die Pfeife des gehörnten Johannes (Sarve Jaan) zu blasen (pfeifen). Der Gesang oder die Pfeife des gehörnten Johannes ruft diesen sonst in die B.estube und macht die Heilung unwirksam. Der Weise heilt hauptsächlich mit B.equast und Worten. Gegen Geschwüre und ähnliche Schwellungen (!) schlägt er 3mal mit dem Quast unter die Fußsohlen und spricht dazu: „Kraut heraus!" Darauf schlägt er die kranke Stelle. Wird vermutet, daß den Kindern eine Krankheit angezaubert ist (aber oft auch im Fall anderer Krankheiten), beschwört der Weise beim Schlagen: „Schmutz, Schmutz ist über die Ader, Quastblatt über das (bezauberte) Blut" [159]). Bei den Wenden der Lausitz entledigt man sich des Wechselbalgs, indem man ihn mit einer Rute von Zweigen der

Hängebirke (das ist der B.equast) kräftig durchpeitscht [160]).

Die Russen kennen einen „Mitternachtsgeist", welcher den Kindern die nächtliche Ruhe raubt. Man vertreibt ihn mit 7 aus einem B.ewisch (wohl B.equast) genommenen Ruten, indem man die Haustür öffnet und Besprechungsformeln hersagt [161]).

Zu Anfang des 19. Jhs. wurde in Wierland (Estland) das sog. Saksa-wihawõtmine — Befreiung von der deutschen Bosheit (Zorn) — häufig angewandt, wobei der Weise den vom Zorn Betroffenen in einer B.estube mit besprochenem Salz badete und dabei 3mal rief: „Die Herrschaft unter den Fußboden, du auf dem Fußboden!" Dabei verlangten manche Weise Blut von dem Schützling, der das Ansinnen oft (als Seelenverkauf) zurückwies [162]). Die Esten gießen (1854), wenn einem Kind durch ein „böses Auge" ein Leid zugefügt wurde, Wasser durch die Glühsteine eines B.stubenofens, werfen darauf 3mal 7 glühende Kohlen ins Wasser. Man gibt zuerst davon dem Kinde zu trinken und badet es dann darin. So wird das Übel glücklich gehoben, das böse Auge aber nicht selten mit einer Entzündung bestraft [163]) (s. auch 3 b, 3 d). Die Granen, die Krankheitsdämonen des Wechselfiebers, kommen gewöhnlich aus Lappland nach Estland, in den heißen Ofen und in die Hitze der B.estube wagen sie dem Kranken nicht nachzugehen [164]) (s. noch 3 c). Nach dem Poenitentiale Bedas wird die Mutter bestraft, wenn sie zur Heilung des Fiebers ihren Sohn aufs Dach oder in den Ofen (supra tectum aut in fornacem) legt, nach dem Egberti eboracensis (a. 748) auf das Haus oder den Ofen (supra domum vel fornacem) setzt [165]).

Daß Mädchen in Schlesien den Teufel (Wodan) zum B. in der Kloake (B.estube) baten, damit er ihnen den zukünftigen Mann zeige, berichtet Frater Rudolfus. Clm. 5931 der bayerischen Staatsbibliothek (im 15. Jh. geschrieben) [166]) hat (unter der Überschrift „De variis remediis, herbis usw.) [166]) die Stelle: „Pilsensamen in die padstuben auf den (Stein-)ofen gegossen, macht dy läut an einander slahen mit den padschefflein" [167]) (nicht etwa B.ewannen, wie neuerdings gedeutet, sondern mit den kleinen Holzgefäßen, aus denen man Wasser auf die glühenden Steine des Ofens und am Schluß des B.es auf sich selbst goß). Für uns Heutige ist das kein Aberglaube, sondern Bilsensamenvergiftung. Ich erinnere mich einer Stelle, deren Quelle mir entfallen ist: „Machen, daß die Weiber nackend aus dem B. gehen, leg Bilsensamen unter die Schwelle der B.estube." Die Skythen warfen auf die glühenden Steine Hanfsamen (Herodot IV, 75) und schwitzten in dem Dampf. Das war ihr Reinigungsb. Wie Herodot meint, brüllten sie vor Freude [168]), in Wirklichkeit infolge der Haschischvergiftung. Vielleicht spielte bei den Deutschen in der Urzeit der Bilsensamen als Rauschmittel eine gleiche Rolle, damit wäre die Badestube dem Geisterglauben und dem Zauber weit offen gewesen.

In Norwegen glaubt man, wenn man einen Gang gehe und sich unterwegs bade, so kehre man unverrichteter Dinge zurück [169]). Die Wotjaken in Rußland sagen: „Nachdem du 3mal in die einmal geheizte B.ekammer hineingegangen bist, tritt zum 4. Mal nicht hinein, dann geht der Albasti (Wesen, das beim Alpdruck eine Rolle spielt) hinein" [170]). Die Esten gingen 1641, wenn sie zum Abendmahl gewesen, nicht vor 3 Tagen nachher in die B.estube [171]). — In Ägypten wird man durch Anstoßen mit dem Fuß in der B.estube von Dämonen überfallen [172]).

[154]) K r a u ß *Talmudische Archäologie* I (Leipzig 1910), 232 f. [155]) L i e b r e c h t *Zur Volksk.* 337. [156]) ZfVk. 17 (1907), 165. [157]) Ebd. 167. [158]) V i c t o r v. A n d r e j a n o f f *Lettische Märchen.* Reclams Univ.-Bibl. 3518, 27. [159]) E i s e n *Estnische Myth.* 16 f. [160]) P l o ß *Kind* I, 104. [161]) Ebd. I, 108 f. [162]) B o e c l e r *Ehsten* 145. [163]) Ebd. 62. [164]) E i s e n *Estn. Myth.* 55. [165]) G r i m m *Myth.* 3, 406. [166]) Mitt. d. Handschriftenabt. d. bayer. Staatsbibliothek München. [167]) S c h m e l l e r *BayWb.* I, 208. [168]) S c h r a d e r *Reallex.*[2] I, 74. [169]) L i e b r e c h t *Zur Volksk.* 337. [170]) Urquell 2 (1893), 144. [171]) B o e c l e r *Ehsten* 64. [172]) Der Islam 7 (1917), 3 Anm. I.

b) O f e n. Im russischen Gouvernement Jaroslaw schwitzt der Kranke gegen Erkältungs-, aber auch viele andere Krankheiten in der B.estube, wo die Temperatur bei gesättigter Dampfatmosphäre auf bis 50—60⁰ Celsius steigt. Nachdem er sich alle möglichen Extrakte eingerieben hat, legt er sich auf das Treppenpodium, wobei er sich auf den Kopf entweder einen Tontopf oder einen Birkenbesen in der Art eines Hutes setzt. Nach dem Schweißausbruch schlägt man sich — wie beim B. — den ganzen Körper mit Birkenruten rot und trinkt dann das vorgeschriebene Kräuterinfus. Man geht aber auch nach Einnahme des Tranks in den russischen Ofen, wo die nötige Temperatur durch etwas auf die Steine gegossenes Wasser bestimmt wird — es darf nicht zischen, sondern muß ruhig verdampfen —, die Ofentür wird geschlossen, und der Kranke schwitzt. Laut Statistik von Rd. Tisjakow starben 1910 im Gouvernement Saratow 792 Menschen im Ofen [173]) (s. auch 8 a). — Auch in Deutschland schwitzte man im Ofen, allerdings dem Backofen und zwar auf Brettern nach Herausholen des Brotes. Nach Ryff (16. Jh.) muß sich zuweilen der arme Mann auf den Dörfern aus Notdurft gegen Wassersucht mit dieser Art B. behelfen. „Aber die meister der artznei bruchen es wenig", sagt Phries (16. Jh.). Todesfälle werden 1610 und 1748 gemeldet [174]). In der Schweiz hat man deshalb (bekannt seit 1645) über dem Backofen besondere B.estuben errichtet, die Bäckerb.stuben hießen und fast wie die öffentlichen betrieben wurden. Das B. nannte man Brotb., wurde Hafer im Ofen gedörrt, Haferb., schüttete man I Glas Essig in den heißen Backofen, Essigdampfb. Die Bäder wurden gewöhnlich ½—1½ stündig 6 Tage lang gegen Rheumatismus und Gicht gebraucht. Sie kommen heute noch vor. Ein Zusammenhang mit Brotaberglauben ist ganz verloren gegangen [175]). Sicher war sich der „Gandahannes", der wegen schwerer Rheumatismus in der Valser Therme mit Erfolg gebadet hatte und, um den Weg zu sparen, daheim auf einem Brett als Sitz im verschlossenen Backofen die Kur mit gleichem Erfolg

fortsetzte [176]), keines Aberglaubens bewußt. Auch in der Behandlung der Krätze
im Backofen (Ungarn, Oberschlesien) [177])
kann ich keinen Aberglauben sehen. Er
besteht nur bei der Behandlung des Kindes. Der rasch fortschreitende Körperschwund, eine schwere Erkrankung, bei
der das Kind ein greisenhaftes Aussehen
bekommt, die heute als Dekompensation
(Finkelstein) bezeichnet wird [178]), in Karlsbad und Umgegend „Altvater" [179]), in
Steiermark das „Älter" [180]), in der Rokkenphilosophie „Elterlein" [181]), in Siebenbürgen das „Hundsalter" [182]), in Niederösterreich (Neunkirchen) „'s Gölta" [183])
heißt, wurde durch Einschießen des Kindes auf einer Brotschüssel in den Backofen meist unter Hersagen eines Spruches
vermeintlich geheilt. Man nannte das gewöhnlich Umbacken, in Niederösterreich
Göltawenden. (S. weiteres bei backen Sp. 9
u. 760.) In Ungarn schiebt die Hebamme
den vom Wassermann untergeschobenen
Wechselbalg mit den Worten ein: „Hier
hast du den Teufel, gib mir mein rechtes
Kind zurück" [184]). In Stettin steckt man
das Neugeborene ein Weilchen in den
Backofen, so wird es keine Sommersprossen bekommen [185]) (s. auch 8 a).

[173]) Arch. f. Gesch. d. Med. 18 (1926), 264.
[174]) M a r t i n 126 f. [175]) Ebd. 112 f.; SAVk. 22,
129 ff. [176]) J ö r g e r Vals 65. [177]) Arch. f. Kriminalanthropologie 28 (1907), 362. [178]) E. F e e r
Diagnostik der Kinderkrankheiten (Berlin 1924)
228. [179]) P l o ß Kind 1, 130. [180]) F o s s e l Volksmedizin 84. [181]) G r i m m Myth. 3, 437 Nr. 75.
[182]) H i l l n e r Siebenbürgen 51 Anm. 183.
[183]) H o v o r k a u. K r o n f e l d 2, 657.
[184]) P l o ß Kind 1, 107. [185]) Urquell 5, 279.

9. B a d i n d e r W o h n u n g,
Z a u b e r b ä d e r. Im Hause wird das
1. Kindsb. genommen, dessen Aberglaube
meist auf die späteren äußeren Verhältnisse, auch auf die Erhaltung der Gesundheit wirken soll. — Kleine Wiegenkinder bekommen im Böhmerwald Terminalknospen der Fichten und Tannen
und andere Kräuter ins B., damit sie
kräftig werden [186]). Die Siebenbürger
Sachsen gebrauchen bei schwachen Kindern Zusätze von Eidotter, Kornschleim,
altem Wein [187]), Milch; wenn das Kind
vor Schwäche nicht stehen und gehen

kann, tut man verrostetes Eisen ins B.
— wie das Eisen stark ist, soll auch das
Kind stark werden —, dann reibt man das
Kind mit Natternfett ein [188]). — In
Franken badet man beschriene Kinder
mit Beschreikraut (Sideritis, wahrscheinlich Stachys recta) [189]). Im Voigtland wird
gegen die englische Krankheit ein 2- bis
3maliges B. empfohlen, in dem ein vom
Schindanger geholter Pferdekopf abgekocht ist (Reichenbach) [190]). In dem
dem Voigtland benachbarten Reußischen
nimmt man das Wasser zum B. aus
einem Bach, über den eine Leiche getragen wurde, gegen Fräsel (Gefraisch) [191]).
— In Schlesien weicht die Abzehrung
(= Älterlein), wenn man das kranke
Kind in dem Wasser badet, worin am
Fronleichnam zusammengelesener Kalmus gekocht worden ist (Breslau, Brieg,
Kreuzburg). Auch wird Kirchhoferde von
3 Gräbern in Flußwasser gekocht und das
Kind darin gebadet. Am Abend streut
man die Erde wieder auf die Gräber und
gießt das Wasser in den Fluß zurück.
Das wird dreimal gemacht, doch muß die
Erde jedesmal von 3 anderen Gräbern
genommen werden (Leobschütz). Man
setzt das Kind auch in eine Wanne mit
warmem Wasser, schmiert es mit einem
Brei aus Weizenmehl und Milch, die beide
geschenkt sein müssen, an 3 Freitagen ein,
badet es und gießt dann das Wasser von
einem Bergel herunter (Kreuzburg) [192]).
Hat man in der Grafschaft Glatz (Schlesien) zur Genesung eines kranken Kindes
(wohl auch beim Älterlein) einen Teigabdruck ohne Erfolg im Ofen gebacken, so
geht man nachts 12 Uhr auf den Kirchhof,
nimmt 3 Hände voll Gras und betet ein
Vaterunser für die armen Seelen. Das
Gras wird gekocht und das Kind in dem
Absud gebadet. In 3 Tagen genest das
Kind oder stirbt [193]). Die Siebenbürger
Sachsen b. das Kind gegen das Hundsalter (Älterlein) in Bädern aus Erbsenstroh oder aus Heublumen; besonders
kräftig ist das B., in dem zuerst ein junger
Hund gebadet wurde (Rätsch) [194]). Sind
die Geschlechtsteile des Neugeborenen
durch Quetschung bei der Geburt angeschwollen, so wird eine Nuß, die

mit dem Wasser erwärmt wird, bis zur Heilung in jedes B. gelegt [187]). Um Gelbsucht eines Kindes zu heilen, wird ein Seidel Wein ins B.ewasser geschüttet, und gelbe Rüben, welche in feine Schnitten geschnitten und an einen Faden gereiht wurden, werden ins Wasser gegeben (Leschkirch in Siebenbürgen) [195]).

Sehr beliebt sind Bäder bei den Tschechen und Slowaken gegen Tuberkulose der Kinder. Hovorka und Kronfeld teilen eine Menge mit, bei denen die Herstellung und Anwendung meist sehr umständlich ist [196]). Grohmann gibt für die Tschechen nur an: Will man das Kind von der Schwindsucht (suchoty) heilen, so b.e man es mit einem Hunde oder mit einer Katze, nach dem Geschlecht des Kindes, im Wasser, welches aus 9 Quellen oder Brunnen geschöpft ist [197]). Von den Rumänen in der Bukowina sei ein Rezept gegen Konvulsionen der Kinder mitgeteilt. Man nimmt 9 Schaffüße, kocht sie an einem Fasttage in einem neuen Topf in „unangefangenem" Wasser, womit man dann das Kind vor den heiligen Bildern vor Sonnenaufgang, zu Mittag mitten im Zimmer und dann vor Sonnenuntergang bei der Tür badet und dann sogleich das B. hinausschüttet; tritt die Heilung nicht nach einem eintägigen B.en ein, so muß dieses an Montagen, Mittwochen und Freitagen wiederholt werden [198]).

Auch bei Erwachsenen sind derartige Bäder üblich. In altirischen Sagen macht man den Helden ein B. aus Fleischsud (Schweinefett und Kälberfleisch) [199]), sicher zur Stärkung. In Oberbayern ist heute noch ein Kälberfußbad volksüblich [199]). Gegen die Abzehrung gebrauchen die Bewohner des Riesengebirges Bäder aus Schafsfüßen, Rindsknochen und Rindermagen (Kuttelflecke genannt) mit aromatischen Kräutern im zunehmenden Mond, oder sie b. im Schlamm, in welchem neunerlei Hölzer verfault sind [192]). Pantaleon, Arzt in Basel, empfahl 1578 den Lungensüchtigen Wasserbäder, „so ab Kalbsköpfen und -füßen gesotten", an Stelle der Thermen. Pictorius erwähnt 1560 Bäder von Baumöl, Milch, Molken,

Wein, Öl, in dem ein Fuchs oder Dachs zuvor gesotten wurde (wohl zu dem gleichen Zwecke), sagt aber, „man schreibt von ihnen" [200]). Der Züricher Stadtarzt von Muralt schreibt 1711, daß einem Kranken, der durch Zauberei zu „verdorren" anfängt, jeweils nach dem B.e alle Gelenke mit destilliertem Öl von Menschenschmalz und Beinen geschmiert werden sollen. Das soll dem Leib und auch der Vernunft des Kranken sehr wohl bekommen [201]). — Poppaea Sabina, Kaiser Neros Gemahlin, badete alle Morgen in Eselinnenmilch und führte auf ihren Reisen nach dem Bericht des Dio Cassius 50 Eselinnen in ihrem Gefolge mit; die Gemahlin des Kaisers Augustus soll gar die Milch gefangener keltischer und germanischer Frauen zu Bädern benutzt haben [202]), in beiden Fällen wohl als Schönheit erhaltendes Mittel. Nach Ryff (16. Jh.) war bei den Deutschen in Milch zu b. ebenso ungewohnt wie in Wein und Öl. 1793 aber benutzte man Milch- und Molkenbäder, wobei man glaubte, die Kranken damit zu ernähren [200]).

Das B. in Menschenblut galt als Mittel gegen Aussatz. Nach Plinius (hist. nat. 26, 8) wandten es die ägyptischen Könige gegen Elephantiasis (Aussatz?) an [203]). Ein Menschenblutb. soll von Aretaios (2. Jh. n. Chr.) als angeblich keltisches Heilmittel erwähnt worden sein [199]). Marcellus (Emp. XIX, 18, im 5. Jh. n. Chr.) empfahl es gegen Elephantiasis (Frankreich) [204]). Die hl. Hildegard, Äbtissin auf dem Ruppertsberg bei Bingen, rühmt Menstrualbäder gegen Aussatz [205]). Als Kaiser Konstantin der Große am Aussatz erkrankt war, wurden ihm Bäder aus kindlichem Blut verordnet; der Kaiser gab aber die gewaltsam beigebrachten Knaben und Mädchen den Müttern zurück, weil die Gottlosigkeit einer solchen verbrecherischen Tat ersichtlich, der Erfolg doch nur ungewiß sei [206]). Konrad von Würzburg läßt den Kaiser in Rom krank sein, die Meister des Kapitols raten ihm, im Blut unschuldiger Kinder zu b., worauf er 3000 nach Rom bringen läßt, „daz im würde ein bat gemachet ûz ir bluote dô" [207]). Dem aussätzigen König Richard von England rät ein Jude, sich zur Befreiung von seiner Krankheit im frischen Blut eines neugeborenen Kindes zu b. und dessen Herz ganz warm und roh, so wie es aus dem Leibe genommen, zu verzehren (Marbachs Volksbücher, Leipzig 1841, 22). Für den Armen Heinrich (von Hartmann von Aue) kennt der berühmteste Arzt von Salerno zur Heilung des Aussatzes nur ein Mittel: das Blut einer reinen Jungfrau [208]). In den 7 weisen Meistern erklären 30 große Meister und Ärzte aus allen Ländern, daß sie den aussätzigen König Alexander von Ägypten nicht heilen können; eine Stimme sagt ihm aber, während er betet, sein Freund, Kaiser Ludwig von Rom, werde ihn heilen, wenn dieser ihn mit dem Blut seiner beiden, von ihm selbst getöteten Söhne wasche, was auch geschah [209]). Allen Ernstes berichtet der Zürcher Chorherr Wyck von einem Schreiben aus Ferrara vom 27. April 1587 an J. Hanns Ulrich Grebell (in Zürich), nach dem Signora Biancha Capella, Gemahlin des Herzogs von Florenz, „als sie etwas krank gewesen", auf den Rat jüdischer Ärzte 200 Kinder töten ließ, in deren Blut die Juden sie badeten. „Ist aber glich wol Ir kranckheit nit hingangen". Und der Berner Chronist Anshelm schreibt, 1483 habe sich König Ludwig XI. von Frankreich gen Tours zu St. Martin tragen lassen, der vor seinem Tode „insunders von wegen der Malacy (Aussatz) vil Kinderblut gebrucht" [207]).

Tierbäder, d. h. Bäder, bei denen der ganze Mensch oder einzelne Körperteile in frisch geschlachtete Tiere oder Organe derselben gehüllt wurden, sind nach Hovorka und Kronfeld ein allgemein verwendetes Volksmittel [210]). Bartels gibt an, daß ihm bei Naturvölkern nur ein Beispiel bekannt sei. Bei den Onkanagan-Indianern Nordamerikas wurde ein verzweifelter Fall von Schwindsucht angeblich dadurch geheilt, daß sie 42 Tage hindurch täglich einen Hund töteten, den Bauch aufschnitten und die Beine des Kranken in die noch warmen Eingeweide legten, wobei noch gewisse Rindenabkochungen gebraucht wurden [211]). Struck und Pototzky meinen (ohne Beleg), sie kämen

bei Indianern nicht so selten, wie Bartels glaubt, vor, und sie seien in Afrika auch wohl bekannt. In Südwestafrika schlachtet der Reiche einen Ochsen und hüllt sich in den noch warmen Mageninhalt desselben ein, indem der Magen selbst soweit als möglich zur Bedeckung verwandt wird [212]). — Der spätere Abt Purchard von St. Gallen wurde 14 Tage vor der Zeit aus der toten Mutter durch Kaiserschnitt geboren und in das Fett eines frisch ausgenommenen Schweines gewickelt (10. Jh.) [213]). Caesar Borgia wird gegen Arsenvergiftung (nach anderer unwahrscheinlicher Vermutung gegen Schüttelfröste) in die Haut einer frisch geschlachteten Eselin eingehüllt [214]). Johannes von Muralt sagt 1697, daß man bei Schwindung von Gliedern einem Hund den Bauch öffnen, das Glied also warm hineinstoßen und hernach mit Menschen-, Dachs- oder Fuchsschmalz schmieren soll [201]). In der Bukowina wickeln die Rumänen ein tuberkulöses Kind in den einem geschlachteten Tier entnommenen Darm [215]).

In Gutentag (Herrschaft zwischen Radkersburg und Pettau in Steiermark) hatte 1661 eine Frau mit Hilfe einer Hexe einem Mann eine schwere Krankheit angezaubert. Sie bat später dieselbe Hexe um Rat, die Krankheit zu beseitigen, „welliche disser 9 felberne (Weiden-) Ruethen in ain Padt, absonderlich aber dass Fuepper Khrautt, Guldes Krautt zu kochen, die Stain aber mit denen von sich selbsten verdorbenen Kronobethern (Kranewitbeeren, Wachholder) zu hizen anbevolchen". Darein wurde der Kranke gebracht und genas [216]). Erklärend sei bemerkt, daß man heute noch in einzelnen Bädern Tirols das Wasser dadurch erwärmt, daß man erhitzte Steine in die hölzernen B.ewannen legt [217]). In der Practica des Berthol. Carrichter, Leibarztes Maximilians II., wird (wie Grimm aus Wolfg. Hildebrand, Von der Zauberei, Leipzig 1631 S. 226 entnimmt) ein Zauberb. beschrieben, das nicht an gemeinem (stahlgeschlagnem) Feuer gekocht werden darf. Es heißt: „Geh zu einem Apfelbaum, da der Donner eingeschlagen hat, aus dessen Holz laß dir eine Säge machen, mit dieser Sägen soltu auf einer hölzen Schwelle, darüber viel Volks geht, so lange sägen, bis es sich anzündet. Dann mach Holz aus Birkenschwämmen und zünd es bei diesem Feuer an, mit dem du das B. zurichtest, und laß es beileibe nicht ausgehn" [218]).

Es sei hier auch des Glaubens aus der Rockenphilosophie gedacht, ein gebrauchtes Fußb. soll nicht eher als den anderen Tag ausgegossen werden, man gieße sonst das Glück mit weg [219]).

[186]) S c h r a m e k *Böhmerwald* 181. [187]) H i l l - n e r *Siebenbürgen* 16. [188]) G a ß n e r *Metters-dorf* 15. [189]) L a m m e r t 83. [190]) K ö h l e r *Voigtland* 354. [191]) S e y f a r t h *Sachsen* 214. [192]) D r e c h s l e r 2, 314 f. [193]) P l o ß *Kind* 1, 535. [194]) H a l t r i c h *Siebenb. Sachsen* 264. [195]) H i l l n e r *Siebenbürgen* 50. [196]) H o v o r k a u. K r o n f e l d 2, 659 ff. [197]) G r o h m a n n 179. [198]) ZföVk. 4 (1898), 218. [199]) Zeitschr. f. Balneologie 6 (1913—14), 375. [200]) M a r t i n 129. [201]) O t t o O b s c h l a g e r *Der Züricher Stadtarzt Joh. von Muralt.* Diss. (Zürich 1926), 41. [202]) M a r s h a l l *Arznei-Kästlein* 96. [203]) Urquell 3 (1892), 115. [204]) Zeitschr. f. Bal-neologie 4 (1911—12), 60. [205]) H o v o r k a u. K r o n f e l d 2, 616. [206]) M a r s h a l l *Arznei-Kästlein* 75. [207]) M a r t i n 203 f. [208]) L a m m e r t 190. [209]) R i c h a r d B e n z *Die deutschen Volksbücher, die 7 weisen Meister* (Jena 1911), 145 ff. [210]) H o v o r k a und K r o n f e l d 2, 246. [211]) B a r t e l s *Medizin* 135. [212]) S t r u c k u. P o t o t z k y *Die Hy-drotherapie der Afrikaner.* SA. 6. Deutsche med. Wochenschr. 1908 Nr. 30. [213]) GddV. 10. Jh. 11 (Leipzig 1878), 129 f. [214]) *Mitteilungen z. Gesch. d. Med.* 25 (1926), 320. [215]) H o v o r k a u. K r o n f e l d 2, 663. [216]) ZfVk. 7 (1897), 191 f. [217]) ZAlpV. 20 (1889), 195. [218]) G r i m m *Myth.* 1, 505. [219]) Ebd. 3, 445 Nr. 350.

10. Das B. zu Heilzwecken in kalten Quellen, in Gletscherspalten, in Fluß und See, im Meer.

Zu einem Teil untersteht dieses B. dem Zeitaberglauben (s. 6).

a) Über die verschiedenen Gebrauchs-arten der kalten Quellen in England gegen die englische Krankheit der Kinder sind wir durch einen Brief Ellisons aus dem Jahre 1700 an den Arzt Floyer gut unterrichtet:

„Nichts ist gemeiner in diesem Lande und wird gemeiniglich nützlich zur Verhütung oder Kurierung der Rachitis befunden, als Kinder von 1 Jahr und darüber zu St. Bedes, Honwick oder St. Mungos Brunnen (welches sehr kalte Quellen sind) zu schicken und in den Monaten Juni und Juli des Abends 14 Tage lang und länger einzutauchen." Wenn die Kinder sehr zart sind, wird ein oder mehrere Tage ausge-setzt. „Einige tauchen sie 2—3mal über den Kopf in ihren Nachthemden und Kappen und lassen sie zwischen jedem Eintauchen ein wenig verblasen, andere tunken sie nur bis an den Hals (weil das Wasser ihnen den Atem benehmen könnte), tunken aber die Nachtkappen treulich ein und setzen sie naß auf ihr Haupt. Andere (wo der Brunnen nicht räumlich genug) sind zu-frieden, ihre Kinder in einen Kübel voll von der Quelle gesammelten Wassers zu stecken und ihnen das Wasser über den Kopf zu gießen." Alles geschieht geschwind; in 3 Minuten er-holen sich die Kinder vom Eintauchen. Andere tauchen aus Zärtlichkeit nur Hemd und Nacht-kappen ein und legen sie den Kindern an. Nach dem Eintauchen werden diese mit den nassen Kleidern in warme Decken gehüllt, ins Bett gelegt und schwitzen. So liegen sie bis zum Morgen und bekommen dann trockene Hemden und Nachtkappen an. Man gibt ihnen stärkende Gallerten von Hirschhorn und Kalbsfüßen usw. Wenn das Laub zu fallen beginnt, sind sie völlig gesund oder doch besser. Hat das Eintauchen nicht geholfen, wird es im nächsten Jahr wie-derholt. Die Diät wird nicht geändert, Purgier-mittel werden vor und nachher nicht gegeben, auch Herzstärkungen nicht, außer einem Löffel Sektwein vor und nach dem Eintauchen, wenn ihn die Kinder nehmen wollen. Es muß acht gegeben werden, daß der Nacken der Kinder warm gehalten wird, damit sie sich nicht er-kälten."

Ellison versichert, daß kein Todesfall bekannt geworden ist und seine eigenen 4 Kinder mit guter Wirkung eingetaucht worden seien. Von einer sehr kalten Quelle zu Scarborough in der Grafschaft York an der Nordsee sagt 1678 Robert Witte, daß dort die Mütter ihre rachitischen Kinder 5 bis 9mal mehrere Tage nach-einander eintauchen und sie nachher in warmen Betten schwitzen lassen [220]). Was hier von Ärzten berichtet wird, ist eine kunstgerecht ausgeführte, feuchte Pak-kung. Außer der Tatsache, daß sie am hl. Quell stattfindet und dessen Wasser ver-wendet wird, hören wir nichts von Aber-glauben, im Gegensatz zu den Berichten der Volkskundler, wo bestimmte Tage, Sonnenkult und Lappenaufhängen eine Rolle spielen. Außer den eben und unter 6 e genannten Quellen sei eine am Fuß des Cheviotberges bei Wooler in Corn-wallis genannt, in der man die Kinder badete, nachdem man „Hey, how!" geschrien hatte. Nachher opferte man ein Stück Brot oder Käse darin [221]).

In Frankreich gebraucht man eine große Anzahl Quellen zur Heilung der Schwäche und der Rachitis der Kinder. Man läßt sie Wasser aus der hl. Quelle trinken oder taucht sie bis zum Hals ein. In eine Quelle von St. Vizia in Finistère (Nordwestfrankreich) werden die Kinder drei aufeinander folgende Montage eingetaucht. Man besprengt den Kopf mit dem Wasser, gießt es in die Ärmel und auf den Rücken, trägt sie 3mal um die Kapelle und rollt sie dann über den Altarstein. Auch der Brauch, das Hemd des kranken Kindes in die hl. Quelle zu tauchen und es ihm anzulegen, ist in ganz Frankreich verbreitet (auch im Veltlin an der Quelle des hl. Luigi, die gegen Behextsein hilft) [222]). In Finistère kam es 1830 vor, daß eine Mutter, deren Säugling am Fieber litt, 3 Bettler zur hl. Quelle schickte, die dort 9 Tage beteten und das eingetauchte Hemd zur Heilung mitbrachten [223]). — Bei Courfaivre im Berner Jura fällt in einer Grotte die ziemlich starke Quelle der hl. Columba in ein schmuckloses Becken. In dieses tauchen die Eltern ihre rachitischen (nach anderer Mitteilung verkümmernden) Kinder. Oft, wenn man die Straße entlang geht, hört man ein Gebrülle und Geschrei. Das sind die Kinder, die man eben ins kalte Wasser taucht. Nach Runge geht der Eintauchung ein Gebet voran, und der Volksglaube verbietet das Eintauchen der Kinder am Freitag [224]).

Im deutschen Sprachgebiet sind die kalten Quellenbäder der Kinder selten. Sie kommen im Luxemburgischen, im Elsässer Sundgau (s. 6 e) vor. In Schlatt bei Staufen (Baden) übte vor 50 Jahren der Müller über die am Bergli entspringende, schwach eisenhaltige, kalte Quelle das B.erecht aus, indem er am Sonntag vor der Vesper kranke Kinder 3mal mit einem Heilspruch hindurchzog und sie dann unter dem Gebet des Pfarrers auf den Altar des später durch St. Sebastian ersetzten St. Apollinaris legte [225]). Daß bei uns dieser Aberglaube einst stark heidnisches Gepräge trug, zeigt Johannes Wuschilburgk (15. Jh., wahrscheinlich Erfurter Gegend): „Einen mit einer Krankheit behafteten Knaben tragen sie zu einer sprudelnden Quelle und b. ihn darin (ex hoc [wohl besser mit „Wasser aus dieser" zu übersetzen]) an drei Tagen vor Sonnenaufgang und nehmen von dem Wasser etwas mit und tragen den Knaben in eine Pferdekrippe, die sie mit dem Wasser begießen, indem sie den Reim sprechen: „Loß dich lung und leber von dem ripp, Als das futir von der cripp" [226]).

b) Weniger hören wir vom B., bzw. Eintauchen kranker Glieder der Erwachsenen in die kalten Quellen der Gebiete, wo es bei Kindern Brauch ist. Der erwähnte Dr. Davison sagt (um 1700) von England, daß Leute vom 6. Monat bis zum 80. Jahr die Brunnen gegen eingewurzelte Schmerzen in Gelenken und Muskeln nach langwierigen Flüssen (Rheumatismen) und Quartanfiebern, wie auch von Verdrehung der Flechsen und Quetschungen, gegen Rachitis und alle Schwäche der Nerven entweder überhaupt oder eines besonderen Gliedes anwandten. Erwachsene blieben $\frac{1}{4}$—$\frac{1}{2}$ Stunde im Wasser. Kranke schwitzten danach im Bette, Gesunde kleideten sich an und bewegten sich bis zur Erwärmung. Die Kur erforderte keine Vorbereitung und keinen Wechsel der Lebensweise und dauerte 14 Tage. Täglich wurde 2mal eingetaucht. In der Quelle von Scarborough (York) sollen (1678) Krampfkranke $\frac{1}{2}$ Stunde ausgehalten haben. In St. Winfreds Brunnen (Wales), der schon i. J. 644 Wunder bewirkte, wurden ein Ritter von Bath von Aussatz geheilt (1606), ein Geschwür nach 3maligem B., ein gelähmter Quäker und eine Abgezehrte, die in England, Frankreich und Portugal vergebens Hilfe gesucht hatte, auf einmaliges B. [220]). — In Frankreich stehen mehrere Quellen auf der äduischen Hochebene im Ruf, gewisse Krankheiten zu heilen. Die Kranken machen das Zeichen des Kreuzes, rufen die Heiligen an, werfen, während sie die Glieder eintauchen, Geld und auch Nahrungsmittel in die Quelle und nehmen Wasser als Allheilmittel mit [227]).

In Steiermark entspringt seit „undenkbarer Zeit" am „Stein" bei Mittendorf am Fuße des Grimming eine Quelle gegen Gicht und Geschwüre und heißt „Heilbrunn". In alten Zeiten war dort ein steinernes Becken vorhanden, und einem Bilde nach badete man die Füße darin. Weit häufiger wurden in der deutschen Schweiz die kalten Quellen von Erwachsenen benutzt. Man nannte sie Kaltbäder, auch Kaltwehbrunnen (wegen des Gebrauchs gegen Kaltweh, Malaria). In der Regel bestand die Kur in einem 3maligen Eintauchen, so hat man genug, wie Stumpf 1546 sagt. Rigikaltbad bestand aus einem Trog, in den der nie über 5 ° C warme Schwesternbrunnen (bei der Kapelle des Erzengels Michael) floß. 1661 heilte es Fieber und andere Gebrechen. Ein Kaltb. im Entlibuch hatte 1661 ähnliche Wirkung. Schwendikaltb. (Unterwalden) wurde 1576 nach Adam von Bodenstein von vielen besucht, „aber sie verharren nit lang darin, vertreibt etliche kranckheiten gar schnell". Seit 1706 wurde es gewärmt benutzt, die Kur dauerte 1826 in der Regel 10 Tage, und zum Beschluß pflegte man noch einige Male den Körper oder das kranke Glied in kaltes Wasser einzutauchen. Im kalten B. im Krauchtal (Glarus) wurde an den 3 ersten Sonntagen im August, den kalten B.sonntagen, viel gebadet. Nach Stumpf (1546) wurden verfinsterte Augen erleuchtet, etliche bekamen das Gehör wieder, doch fügt er hinzu, daß etliche Gebrechen auch böser geworden seien. 1714 wurde dort, wenn auch nur zuweilen, noch gegen Krankheiten gebadet [224]. Zur Quelle von Augsport (Wallis) wallte 1574 täglich eine große Menge Menschen, die zum Teil aus weiter Ferne kamen, sie tranken von dem sehr kalten Wasser soviel sie vermochten, wuschen darauf den ganzen Körper oder das kranke Glied mit dem Wasser, das sie mit den Händen schöpften, und nahmen Heilwasser in Flaschen mit nach Hause [228]. Die Quelle von Sakramentswald in Unterwalden, die entstand, als Räuber auf der Alp das gestohlene Sakrament niedergelegt hatten, über der sofort eine Kapelle errichtet

wurde, befreit die Badenden von allen Krankheiten, läßt sich aber nicht trinken und kann auch nicht herausgeführt werden [224].

In dem erwähnten Schwendikaltb. behielt man zu Anfang des 18. Jhs., wenn auch nicht immer, beim Eintauchen die Kleider an, 1826 tauchte man nur noch bekleidet den ganzen Körper oder einzelne Teile ein, und trocknete die Kleider dann an der Sonne. Hier bestand auch vormals die Sitte, Leute für Geld zu dingen, um sich für einige Minuten ins kalte B. zu setzen für Rechnung und Frommen irgendeines Kranken, welcher diese Verrichtung an dem wilden, sehr entlegenen Orte nicht selbst übernehmen wollte oder konnte [224].

c) Die Tiroler Bauern gebrauchen eine F e r n e r k u r. Menschen, die an den „unteren Extremitäten" leiden, halten sich dann und wann in einer dem Gletscher nahe gelegenen Hütte auf und lassen den Fuß in eine Spalte hineinhängen, weil ein Gletscher alles „auszieht" [229]. Nach Paracelsus werden Räude (Pruritus) und Krätze (Scabies) durch Schneewasser in Gebirgen geheilt. Die erkrankten Glieder seien darin zu b., wodurch sie narkotisiert würden [230].

d) Eine Eigentümlichkeit von Kärnten ist der ziemlich verbreitete Glaube an den gemeinen K a l m u s, der insbesondere gegen Schwäche wirken soll. Man badet gern entweder in einem See oder in einem Fluß, an deren Ufer die Schäfte dieser Pflanze in Menge gedeihen, wie beispielsweise im Ausfluß des Ossiacher Sees zu St. Andrä bei Villach, welcher Ort als „Kalmusb." weit bekannt ist; oder man schneidet Kalmusstengel, die man in irgend einem Sumpfe gesammelt hat, in eine Badewanne und gießt Wasser darauf, wie es im sogenannten Kalmusb. bei Feldkirchen geschieht [231].

e) Weit verbreitet ist der Glaube, durch M e e r b ä d e r Tollwut heilen zu können. Der Legende nach wurde der Dichter Euripides, als er vom tollen Hunde gebissen, von den ägyptischen Priestern ins Meer getaucht. In Italien, Frankreich, Holland und England waren sie in Gebrauch.

1783 nahm man sie am Mittelländischen Meer 9 Tage. In Marseille setzte man den Kranken auf den Knien ins Meer nahe dem Ufer und ließ 9 Wellen über ihn ergehen, wobei ihn 2 kräftige Leute niederdrückten. In Artois tauchte man 3mal ins Meer zu Ehren der Hl. Eurone und Hubertus. Vom 17. bis ins 19. Jh. war besonders das Meer bei Dieppe heilsam. 1775 hatte die Stadt dort besondere Leute zum Eintauchen angestellt, die es allein besorgen durften. Sie und der Kranke mußten vollkommen nackt sein (selbst die Ringe wurden abgezogen). 5mal mußte die Woge über den Kranken hinweggehen [232]. — In Portugal nahmen fiebernde Kinder 9 Kieselsteine, warfen sie zu dreien ins Wasser und riefen: „Fieber, Fieber, gehe ins Meer, während ich mich b.e, Fieber, gehe heraus aus meinem Körper" [233].

In Swinemünde herrscht die Sitte, daß in der See b.de Frauen, wenn sie das letzte B. genommen, einen Kranz in das Meer werfen. Nimmt ihn die See mit fort, kommt das Uebel nicht wieder [234]. Gleiches wird aus Memel und anderen preußischen und kurischen B.eorten berichtet. Die Opfergaben sind Blumen, Kränze, auch kleine Münzen. Die B.efrauen glauben, zuweilen eine weiße Frau in der See zu sehen, die nach dem Lande hinwinke, denn eine der B.den müsse in jedem Jahr sterben, damit die anderen genesen können [235]. Alt können Glaube und Brauch, wenigstens in dieser Ueberlieferung, nicht sein, da die Ostseebäder erst Ende des 18. Jhs. aufkamen [236].

[220] M a r t i n 29 ff. [221] S é b i l l o t *Paganisme* 67. [222] Ebd. 66 ff. [223] D e r s. *Folk-Lore* 2, 278 f. [224] M a r t i n 24 ff. [225] M e y e r *Baden* 41 u. 569. [226] ZfVk. 11 (1901), 275. [227] H u m b e r t M o l l i è r e *Mémoire sur le mode de captage et l'aménagement des sources thermales de la Gaule romaine* 52. SA. Mémoires de l'Academie de Lyon (1893). [228] M a r t i n 226. [229] ZAlpV. 20 (1889), 204 f. [230] M a r t i n 28. [231] ZAlpV. 20 (1889), 209. [232] Bulletin de la Société française d'histoire de la médecine 6 (1907), 182 ff. und E. W i c k e r s - h e i m e r *Hundegalskab og Strandbade* (Kopenhagen 1913), 1 ff. [233] S é b i l l o t *Paganisme* 303 f. [234] K u h n u. S c h w a r t z 464 Nr. 478. [235] W e i n h o l d *Quellen* 54. [236] M a r t i n 62 f.

11. Der B.eaberglaube in den H e i l - b ä d e r n hat schon mehrfach Erwähnung gefunden (s. 5, 6 c, 6 e, 6 f). Heute noch beruht die wissenschaftliche Bäderanwendung zum großen Teil auf der Erfahrung, für die meist eine erschöpfende Erklärung nicht gegeben werden kann. Sie hat sich aus dem Volksgebrauch und dem Volksglauben entwickelt. Das Eintauchen kranker Kinder in die kalten heiligen Quellen Englands z. B. gab dem Arzt Floyer die Unterlagen für eine aberglaubenfreie Wasserheilkunde, die den Gebrauch der See- und später der Solbäder nach sich zog und die Flußbadeanstalten veranlaßte [237].

Das Volk hat heute noch eigene Anschauungen, die mit der Wissenschaft nicht in Einklang stehen. Zahlreich sind die Quellen, die gewöhnliches Wasser enthalten und die, auch wenn sie mit einem Kult keine Verbindung haben, für heilkräftiger als dieses gelten und zu B.ekuren gebraucht werden. Schon bei einzelnen kalt benutzten heiligen Quellen Englands sahen wir, allerdings nur wo Ärzte berichten, einen kurgemäßen Gebrauch (s. 10 a). — In den Tiroler Bauernbädern ist die Unterscheidung der Wasser in Augen-, Magen-, Glieder- und auch Herzwasser zu hohen Ehren gelangt und wird unter den verschiedenen Brunnen e i n e r B.eörtlichkeit fast allgemein anerkannt. In einer Anempfehlung des Bades Ramswald (1203 m), über Ehrenburg im Pustertal gelegen, liest man, daß 5 Brunnen nebeneinander fließen. Eine Augenquelle hilft gegen Schwäche des Sehvermögens, eine Eisenquelle hilft blutarmen Leuten, die 3. ist die Magenquelle, die 4. eine Schwefelquelle gegen Rheuma, die 5. eine Schwefelquelle gegen Hämorrhoidalleiden. (Vermutlich enthalten alle das gleiche Brunnenwasser.) Dem „Geist des Wassers" schenken die bäuerlichen Sommerfrischler ihr ganzes Vertrauen [238]. In den Bauernbädern des Schwarzwalds wachte man eifrig darüber, daß ihre Heilkraft auch anerkannt wurde [239]. — Zuweilen kamen Brunnen mit und noch mehr ohne mineralische Bestandteile plötzlich und meist nur für kurze Zeit in den Ruf, Heilwunder zu bewirken, so der „gute Brunnen" bei Treis a. d. Lumde Ende des 18. und in den 30er Jahren des 19. Jhs., der gewöhnliches Wasser enthielt [240]). Namentlich im 17. Jh. entstanden solche Wunderbrunnen, so die zu Hornhausen, 3 im Amt Stolzenau bei Müslering, die beim Dorf Lose und beim Kloster Lüne im Lüneburgischen, beim Dorf Nordhausen im Amt Kassel, zu Rastenberg bei Weimar [241]), zu Bielefeld [242]), zu Weihenzell bei Ansbach, zu Ham, die zu Walkertshofen (1551) und zu Burgbernheim in Bayern [241]), der zu Gontenschwyl im Aargau [243]). Hornhausen hatte das Schicksal, wie der Balneologe Zückert sagt, 3 mal besucht und gelobt und 3mal vergessen und verachtet zu werden [241]). Auch das heutige B. Pyrmont begann seinen Ruf 1556 als Wunderbrunnen. „Vnnd ist yetz ein so grosses zůlauffen dahin von allen orten vnnd enden, von den armen krüppeln, lamen, tauben, blinden, vnd besessenen menschen, ja auch was sie für kranckheiten haben das man nicht herberg noch behausung gnůg mag haben, sondern machen alda vff dem feld hütten, gleich wie in einem läger", sagt Dr. Metobius [244]). Die Abbildungen zeigen, daß man im Freien unter Zelten und Hütten badete und das Wasser in Kesseln über dem offenen Feuer erwärmte [245]).

Das Heilwasser mußte als Gabe Gottes den Benutzern ohne Entgelt überlassen werden, in späterer Zeit wenigstens den Armen. „Es mögen zu diesem Brunnen kommen vngehindert, Adel oder vnadel, Reich oder Arm", sagt Feurbergk (Pyrmontanus) 1597 von Pyrmont, „gratis datur gratis accipitur" [246]), wobei Koehne darauf aufmerksam macht, daß letztere Stelle Matthäus 10, 8 steht [247]). In Baden in der Schweiz bezog das Freibad mit mehreren Wirtshäusern zusammen sein Wasser aus einer Quelle. Es wurde ängstlich darauf gesehen, daß zuerst die Armen genügend mit Wasser versorgt wurden, so noch 1641. In Baden-Baden beschwerten sich die Einwohner 1488 beim Markgrafen Christoph, als der Bader von den Armen Geld genommen hatte, mit Er-

folg. Das hatte einen abergläubischen Grund. Dem Fabricius Hildanus erzählten 1610 die Einwohner von Pfäfers, ein Abt habe das B. mit Abgaben belegt, da sei der Brunnen verschwunden, bis der Zoll aufgehoben wurde. Ähnliches berichtet Wagner von Gontenschwyl bei Reinach im Aargau. Dort wurde 1640 eine Quelle entdeckt, die bei massenhaftem Zulauf viele Wunderkuren vollbrachte. Aber schon im folgenden Jahre hatte der Brunnen seine seltsame Heilkraft vollständig verloren, weil die Bauern aus Habgier das Wasser verkauften [246]). Auch von Carlsbad „ist vor etlichen Jaren ein Geschrey in viel Lender kommen, als solte das Wasser wegen der Inwohner Geitz aussen blieben sein", wie Fabian Sommer im 16. Jh. berichtet, nachdem der Sprudel aber nur aufgehört, weil das Wasser an einem anderen Ort sich gesammelt und aufgesprungen war [248]). Metobius erzählt 1556, der Pyrmonter Brunnen habe 300 Jahre vorher große Krankheiten geheilt, als aber der Herr der Herrschaft Zins erheischte, versiegte der Brunnen [246]). Dem Brunnen sollte aber nicht göttliche Ehre erwiesen und er nicht zu einem Abgott gemacht werden, wie es im 1. Artikel der 1556 an einem Lindenbaum aufgehängten B.eordnung am (Wunder-) Brunnen von Pyrmont heißt [249]). Die B.eordnung des Glotterbades im Schwarzwald bestimmte: „Item es sollen auch die Bäder (B.den), noch Fremde, so die Bäder besuchen, dem B. nit Wasser sagen, bey Straff eines Fueder Weins mit zweyen Reiffen (= 1 Maß Wein) gepunden" [250]), und die von Baden bei Wien 1679, wer das heilsame B. gemeinhin „Wasser" nenne, zahle 24 Pfund [251]) (1 Pfund Strafgeld = 1 Pfennig) [250]), wobei zu beachten ist, daß es sich um halbscherzhafte Strafen des B.gerichts handelt, bei dem die B.-gesellen eine mit eigenen Ausdrücken gespickte Sprache (ähnlich der Jäger und Studenten) führten [252]). — Verhöhnung des Heilbrunnens zog Strafe nach sich. Als 3 Landsknechte 1556 die Kraft und Wirkung des Pyrmonter Wassers verlachten, wurden 2 wahnsinnig und der 3. vom Teufel besessen wegen Verach-

tung der Gaben Gottes [253]), und als ein
Jahr darauf der große Zulauf zum selben
Brunnen aufhörte, vermutete man ein
göttliches Strafgericht, das dem Wasser
seine Kraft nehmen ließ, weil der gemeine
Haufe öffentlich Sünde, Schande und
Hurerei bei dem Brunnen getrieben und
vornehme Weibspersonen den Brunnen
beschuldigt hatten, durch ihn wasser-
süchtig geworden zu sein, welche Bosheit
aber Gott durch die Geburt schöner Knäblein zuschanden machte [249]). — Das Heilwasser duldete nichts Unreines. Nach
Leucippaeus (1598) kamen im württembergischen Wildbad beim gemeinsamen
B. keine Ansteckungen vor, ,,dieweil
des wassers natur nichts vnreines annimmt" [254]). Von Pfäfers heißt es 1610,
es verletze die, welche mit Franzosen
(Syphilis) behaftet seien, weil die hohe
und heilige Arznei solche unreine und
wüste Krankheit nicht annehme. Nach
Thurneisser (1572) sollten sich vor Pfäfers
auch die Goldschmiede hüten, die viel
vergoldet hatten, die schwämen empor
darin. Er kannte einen aus Lindau, der
viel vergoldet und deshalb viel Quecksilber an sich gezogen hatte. Als dieser
nun, mit dem Podagra beschwert, nach
Pfäfers kam, konnte er nicht unter
Wasser bleiben und mußte ungebadet
wieder heimziehen, weil das Wasser
kein Quecksilber litt [255]).

Einzelne Bäder hatten die Eigenschaft,
nur zu bessern, bzw. zu heilen oder zu ver-
schlechtern, ja zu töten. Paracelsus sagt
von Plombières, einem von Deutschen
viel besuchten B.e in Frankreich unter
württembergischer Herrschaft, es habe
einen unangenehmen Anhang: was zum
Guten auf der Bahn sei, fördere es, aber
auch das Böse, so zum Bösen geschickt
sei [256]). Vom Liebenzeller B. schreibt
Foltz (um 1480): wer mit Gelbsucht und
gleichzeitig mit Schwindsucht behaftet
ist und in 14 Tagen nicht gesund wird,
muß sterben, und von der Leuker Therme:
daß der Aussätzige beizeiten mag Heilung
erwerben; badet er zu lange, so muß er
drin sterben [257]). Von Pyrmont schreibt
Metobius 1556: ,,der brunn ist auch der
art wann ein krancker dahin geradt, vnd

jn das wasser nit dolen will so wirffts jn
auß, oder tödtet jn gar, bey dem villeicht
ein kranckheit hat gar überhand genommen, welches doch selten geschicht" [258]).
Pfäfers warf 1663 zwei Wassersüchtige
aus, ein dritter badete weiter und starb [259]).
Als Herzog Christoph von Württemberg
1545 in Wildbad badete und anscheinend
ein Schlemmerleben führte, warnte ihn
sein Vater Herzog Ulrich, sich in Hinsicht
des B.es wohl vorzusehen, ,,sonst er-
würgts dich, ehe du dichs versiehst" [260]).
Aus all diesem klingt heraus, daß das B.
immer heilt und nur die Menschen an
einem unglücklichen Ausgang der B.ekur
Schuld trugen, die entweder nicht kur-
gemäß lebten oder noch häufiger die Warnung des Bades (das Auswerfen oder daß
die Krankheit in bestimmter Zeit nicht
geheilt war) unbeachtet ließen.

Anschließend sei das B. im Stein Aptor
erwähnt (Wigamur). ,,Vnd in dem selben
stain badet kain man Der falschen muet
ye gewan, Er wurde kranck, plaich, misse-
far Vnd des leybs vnkrefftig gar. Wer aber
jn das pad gye, Der raine tugent mynnet
ye, Von des staines macht und türe Vnd
von des prunnen natüre, So er in dem pad
gesaß, Aller swere er vergaß, Sein leyb
ward ring, sein hercz fro, Sein kraft
starck sein gemüt hoh, Der synnen ward
er weiße, Sein leyb stund gar nach preiße;
Suß lebt er ain manat Das jm kainerlay
schlacht not Von freuden geschaiden
mocht" [261]).

Im Karlbad am Fuße des Königs-
stuhls in Kärnten (1700 m hoch gelegen) erhitzt man das B. dadurch, daß
man glühend gemachte Steine in die
Badewanne (einen ausgehöhlten Baumstamm) wirft. Nicht im Wasser liegt
dem Volksglauben nach die Kraft, sondern in den Steinen, womit es erwärmt
ist, die im Bach sorgfältig ausgewählt
werden. Nur Grauwacke ist das richtige
Gestein [262]). —

In den Tiroler Bauernbädern muß das
Wasser ordentlich gekocht sein. Über das
,,B.sieden" liegen 2 Berichte vor. Dr. Ho-
ler, Arzt in Reutte, schreibt 1823 in einer
über das angebliche Schwefelb. Schatt-
wald (Bezirkshauptmannschaft Reutte)

verfaßten B.eschrift: „Jetzt (nach zweistündiger Kochung) jubelt und jauchzt
das Volk: nun hat das Wasser erst volle
Kraft, Macht und Herrlichkeit." „Kocht
das Wasser nicht wenigstens durch vier
Stunden, so hilft es nicht", glaubten damals die Leute, wie Dr. Philipp Wassermann (Das B. Ratzes, 1823) berichtet [263].
— In Pfäfers tauchten nicht nur die
Bauern, die an Walpurgis badeten, ihre
Hemden am Schluß in das (nicht Mineralien enthaltende) B.ewasser und zogen sie so an, in der Meinung „einer mit
sich hinweg tragenden großen gesunden
Krafft", sondern auch Vornehme und
Edle netzten ihre Hemden und Leilacher (B.etücher) bei ihrem Weggang
mit B.ewasser ein, die sie also getrocknet
mit nach Hause nahmen und später gebrauchten [264].
Auffallend ist, daß man mit wenigen
Ausnahmen bis in neuere Zeit die (kalten)
Sauerbrunnen zum B. nicht benutzte,
man trank sie. 1641 sagt Sebitz ausdrücklich vom 24stündigen B. am Johannistag,
daß es nicht im Sauerbrunnen, sondern
im Sulzb.e (im Unterelsaß) genommen
und Salzwasser in Unmaß getrunken
werde [265]. In Afrika benutzt man kalte
Quellen überhaupt nicht zum B.[266]. Von
den Indianern sagt von Öfele, daß sie die
„auffälligen Säuerlinge" wenig beachteten [267]. Vielleicht hielt bei uns das
mächtige Aufbrausen des Wassers durch
Entweichen der Kohlensäure beim Einwerfen der heißen Steine vom Gebrauch
zum B. ab, hatten doch schon die höher
temperierten Schwefelthermen etwas Unheimliches an sich. Als Pipin vor der Erbauung der B.ehäuser in Aachen zum B.e
ging, wirbelte, nach dem Mönch von
St. Gallen, plötzlich der Dampf auf und
trübte sich das Wasser, was er als einen
Angriff des Teufels deutete, den er mit
dem Zeichen des Kreuzes und dem
Schwerte abwehrte, das dabei tief in den
Boden fuhr [268]. Als 1374 in Aachen die
Tanzkrankheit wütete, tauchte, nach dem
Bericht eines gleichzeitigen Niederländers,
der Priester Simon ein Mädchen, dessen
Teufel keiner anderen Beschwörung weichen wollte, bis an den Mund in Weih-

wasser und mit Erfolg. Da einige Tage
nachher in dem Karlsbade (wo er ebenfalls nicht hausen sollte) mehrere Menschen ertranken, glaubte man, das habe
dieser Teufel bewirkt und schloß das B.
„für immer" [269].

[237] M a r t i n Das deutsche Heilbadewesen.
S. A. Balneologische Zeitung 1912. [238] ZAlpV.
20 (1889), 194. [239] M e y e r Baden 568.
[240] Z. d. Ver. f. hess. Gesch. 7 (1858), 206.
[241] M a r t i n 295 ff. [242] Ebd. 257. [243] Ebd.
333. [244] Ebd. 286 ff. [245] Ebd. Abb. 105. 124.
126. 127. [246] Ebd. 330. [247] C a r l K o e h n e
Kurortwesen u. Kurtaxe in geschichtl. Entwicklung (Berlin 1912), 19. [248] M a r t i n 405.
[249] Ebd. 293. [250] Ebd. 343. [251] Mitteilungen
d. histor. Vereines für Steiermark 33. Heft
(1885), 87. [252] M a r t i n 380 ff. [253] Ebd.
289. [254] Ebd. 269. [255] Ebd. 331. [256] Ebd.
294. [257] Ebd. 201. [258] Ebd. 290. [259] Ebd.
332. [260] Ebd. 302. [261] Ebd. 225 f. [262] ZAlpV.
20 (1889), 210. [263] N e v i n n y Das Bade-
wesen Tirols 32 f. S. A. Innsbrucker Nachrichten (1905). [264] M a r t i n 15. [265] Ebd.
21 f. [266] Zeitschr. f. Balneologie 2 (1909—10),
47 ff. [267] Mitteilungen z. Gesch. d. Mediz. 13
(1914), 344. [268] M a r t i n 230. [269] ZfVk.
(1914), 229 f.

12. Das B. der Gebärmutter.
Eine besondere Stellung nimmt das B. in
der Heilung von Unterleibsleiden der
Frauen ein, aus der Vorstellung heraus,
daß die Gebärmutter eine Kröte ist. Nach
Beispielen aus Tirol (Zill) und der Oberpfalz (Sulzbach) wandert die Bermutter,
auch mit den daran hängenden Mutterbändern, wenn die Frau oder das Mädchen
schlafend beim Weiher oder Bach im
Grase liegt, zum Munde heraus, badet im
Wasser und geht den gleichen Weg zurück.
Dann ist das Unterleibsleiden gehoben. In
Oberbayern (Tandern bei Aichbach) wird
vorgeschlagen, den offenen Mund über
eine Schüssel mit warmem Wasser zu
halten, worauf die Bermutter das Gleiche
tut. In Tirol und der Oberpfalz wandert
sie auch aus dem Munde im Grase schlafender Männer, badet und kehrt zurück,
wobei von Krankheit und demnach
Krankheitsheilung nicht die Rede sein
kann [270].

[270] P a n z e r Beitrag 2, 195 f.

S. a. H o c h z e i t s b., J u n g b r u n n e n,
K i n d s b a d, L e i c h e n w a s c h u n g.
Martin.

Bader (und Barbier). Die B.[1]), deren eigentliche Tätigkeit, wie schon ihr Name besagt, in der Verabreichung von Bädern an ihre Kunden bestand, befaßten sich, gleich den Barbieren, auch mit dem Haar- und Bartscheren, doch durften sie dies nur innerhalb der Badestuben, während die Barbiere nicht an ihre Scherstuben gebunden waren. Beide übten auch seit alters die niedere Wundarznei aus, indem sie auf Verlangen schröpften, zur Ader ließen, Brüche und Verrenkungen kurierten[2]). Diese gleichartige Tätigkeit führte später dazu, daß mit dem ausgehenden MA., als die großen Seuchen in Europa heerten und die öffentlichen Badestuben wegen der großen Ansteckungsgefahr, gegen die man sich damals noch nicht zu schützen wußte, mehr und mehr gemieden wurden, das B.-Handwerk allmählich mit dem der Barbiere verschmolz und in ihm aufging.

Die Angehörigen beider Zünfte waren nicht sonderlich hoch geachtet, gehörten sie doch zu den unehrlichen Leuten, und besonders den B.n wurden als üble Eigenschaften Trunksucht und große Geschwätzigkeit nachgesagt[3]), auch standen die Badestuben in einem üblen Ruf. Beide verschmähten es auch nicht z. B. die einfache Prozedur des Aderlasses mit allerlei abergläubischem Humbug zu verbrämen, um sich dadurch bei ihren Kunden mit dem Nimbus geheimer Wissenschaft zu umgeben, wie ihnen der alte Guarinonius vorhält[4]).

Da das Haar- und Bartscheren reiche Gelegenheit zu komischer Ausgestaltung bot, ist es zu einer beliebten Einrichtung bei der Aufnahme in volkstümliche Genossenschaften[5]), sowie bei den studentischen Depositionen geworden; ferner wird es als komischer Tanz an vielen Orten zu Fastnacht[5]) (auch bei Hochzeiten[6])) aufgeführt.

In einer eigenen Gruppe von Volkssagen tritt ein gespenstischer Barbier auf, der den Mut seines Gegners auf eine harte Probe stellt[7]) (zum ersten Male in Grimmelshausens Simplizissimus von 1669 nachgewiesen).

[1]) Zusammenfassende Darstellung bei M a r - t i n *Badewesen* 68 ff. [2]) L a m m e r t 5. 9 f.; H ö h n *Volksheilkunde* 1, 66. 74; H o v o r k a u. K r o n f e l d 2, 355. [3]) Vgl. „Salbaderei". [4]) *Die Grewel der Verwüstung Menschlichen Geschlechts* 1610, 1040 ff. [5]) Reiche Literaturangaben bei B e c k e r *Pfälzer Frühlingsfeiern* (HessBl. 6. 162. 166 ff.); M e i e r *Schwaben* 2, 374; R e i n s b e r g *Festjahr* 62; J ö r g e r *Vals* 62. [6]) Urquell 1 (1890), 140; S t r a k - k e r j a n *Oldenburg* 2, 80; weitere Belege bei F e i l b e r g *Ordbog* 4, Suppl. 22 (unter „Balberdans"). [7]) B o l t e - P o l i k v a 1, 24 mit zahlreichen Belegen.   Schömer.

Bahre s. T o t e n b a h r e.

Bahrrecht s. G o t t e s u r t e i l.

Baktromantie, Stabwahrsagung (βάκτρον = Stab), eine vereinzelt[1]) auftretende Bezeichnung für Rhabdomantie (s. d.).

[1]) van D a l e, *Dissertationes de origine Idolatriae* (Amst. 1696) 370.   Boehm.

Balder. Um den german. Gott B. selbst[1]), seinen vermutlich einheimisch-primitivagrarischen Kern[2]) und die fremden orientalisch-hellenistischen Beziehungen in seinem Kultus und Mythos[3]), kann es sich hier nicht handeln. Daß ihn auch die Südgermanen kannten, sehen wir durch sein Vorkommen in einigen alten dt. Ortsnamen[4]) und im 2. Merseburger Zauberspruch (s. d.), sowie aus allgemeinen Erwägungen für hinreichend erwiesen an. Hier kann es sich nur um die Möglichkeit seines Fortlebens im späteren Volksglauben handeln und um die etwaigen Zeugnisse dafür. Sie sind sehr dürftig und äußerst unsicher. Zu Hackelberg (s. d.), der nach beunruhigenden Träumen durch den Zahn eines Ebers stirbt, wird heute niemand mehr direkte Beziehung des Gottes annehmen[5]); es handelt sich um ein weitverbreitetes Sagenmotiv, das B. wie Hackelberg miteinander teilen[6]); in den Einzelheiten gibt es mannigfache Divergenzen. Nicht anders liegen die Dinge in der vermeintlichen Identität des Gottes mit dem Heiligen Gangolf oder Wolfgang (s. d.), zu dessen Legende die bei Saxo Grammaticus verzeichnete Fassung der B.- und Hothersage heranzuziehen war[7]). Bei Gangolf handelt es sich nicht um eine Quellerweckung wie bei B., sondern um eine auch sonst in der Legende verbreitete Quellenübertragung

(durch eine Wolke); B.s Quellerweckung
ist ein besonderer Zug, der mit der Sagen-
novelle selbst gar nicht in Beziehung steht.
Die Untreue der Gattin des Heiligen hat
keine Parallele in dem Verhalten Nannas
in Saxos Hothersage, Nanna liebt Hother,
und nicht B., von vornherein. Es bleibt
nur die Tötung beider durch den Neben-
buhler und die Verwundung in der Seite.
Das Wesentlichste der B.sage, die Verwundung durch den **e i n e n** oder durch
den übersehenen Gegenstand [8]). fehlt in
der Gangolflegende.

So bleibt vom Fortleben B.s in neuerer
Zeit allein die nordschleswigsche Sage des
17. Jhs. von König Bolder in Boldersleben
(Kreis Apenrade) und seinem Streit mit
König Hother in Hadersleben. Er erschlug
Hother und ruht im Hügel von Bolders-
höi [9]). Ähnliches wird um 1700 aus Jütland überliefert. Hier ist entweder anzunehmen, daß eine alte dänische Klein-
königssage sich im Anschluß an die Ortsnamen bis ins 17. Jh. gehalten hat, oder
daß die Sage von 1700 überhaupt erst
durch gelehrte Saxokenner der Humanistenzeit in die Welt gesetzt ist. In beiden
Fällen hätte die Angelegenheit mit dem
G o t t e B. wenig zu tun. Das Fortleben
des von Snorri bezeugten Namens der
Hundskamille *Baldrsbrár* (B.s Braue) in
ganz Skandinavien [10]) will für ein Fortleben der Gottheit selber im Volksglauben
wenig oder nichts besagen. Neuerdings
wird das Wort zu *ball-,* Ball' und *brehan*
,schimmern' gestellt und in *Baldrsbrár* eine
gelehrte Etymologie Snorris gesehen [11]).

¹) K a u f f m a n n *Balder* 1902; H o o p s
Reallex. 1, 158 ff. ²) F r. R. S c h r ö d e r *Germanentum u. Hellenismus* 1924. ³) Schon
S c h w a r t z *Volksglaube* 273; L i e b r e c h t
Zur Volksk. 258; dann N e c k e l *Die Über-
lieferungen vom Gotte B.* 1920. ⁴) E d w. S c h r ö-
d e r *Balder in Deutschland* Namn och Bygd 10
(1922), 1—13; die mit Phol, vielleicht mit
B. identisch ist, gebildeten Ortsnamen sind noch
nicht wieder kritisch untersucht, s. G r i m m
Myth. 1, 184. 186; 3, 79; P f a n n e n s c h m i d t
Weihwasser 81 f.; L o s c h *Balder* 178; Germania 11 (1866), 429 f. ⁵) So zuerst W. M ü l l e r
Altdeutsche Religion 257, dann E. H. M e y e r
German. Myth. 260 u. a. ⁶) S i m r o c k *Myth.*
201. ⁷) W o l f *Beiträge* 1, 136; Germania 11
(1866), 427; ausführlich L a i s t n e r *Nebelsagen* 196—294; danach E. H. M e y e r *German.*

Myth. 260; kritisch B e e r in PBB. 13 (1888),
75 f. ⁸) Material dazu bei B o l t e - P o l í v k a
3, 441. ⁹) M ü l l e n h o f f *Sagen* 373 f.; die
schleswigschen und jütischen Varianten K a u f f-
m a n n 89—92; wenn hiernach, wie K a u f f-
m a n n 92 sagt, B. von Hother getötet wird,
steht dies der Quelle natürlich näher.
¹⁰) G r i m m *Myth.* 1, 184; v. d. L e y e n *Sagenbuch* 109 f.; H o o p s *Reallex.* 1, 158. ¹¹) P a l-
m e r Arkiv f. nord. Filologie 34 (1917), 138.
          H. Naumann.

Baldrian (Augenwurzel, Dennenmark,
Katzenwurzel; *Valeriana officinalis*).

1. B o t a n i s c h e s. ½—1½ m hohes
ausdauerndes Kraut mit gegenständigen,
unpaarig gefiederten Blättern und hell-
roten Blütendolden. Der Wurzelstock hat
einen unangenehmen Geruch. Der B.
wächst gern an etwas feuchten Stellen
(feuchte Wiesen, Ufergebüsch, Gräben) ¹).
Ob die bei uns vorkommende B.art in der
Antike bekannt war, ist unbestimmt, im
dt. MA. war der B. jedenfalls eine vielfach
verwendete Heilpflanze ²).

¹) M a r z e l l *Kräuterbuch* 422 ff.. ²) D e r s.
Heilpflanzen 193.

2. Offenbar wegen des starken Geruches des Wurzelstockes gilt der B.
seit alters als **h e x e n w i d r i g e** Pflanze.
Als solche erscheint er besonders in Verbindung mit Dosten und Dorant (s. d.) ³).
B. ist gut für allen Zauber ⁴), besonders
wenn er am Himmelfahrtstag gesammelt
wird (Oberhessen) ⁵). In den Stall gestreut oder gehängt, schützt der B. das
Vieh vor Hexen ⁶). ,,Verzauberten" Pferden wird u. a. der an einem Freitag morgens vor Sonnenaufgang gegrabene B. gegeben ⁷). Gegen Euteranschwellung (eine
elbische Krankheit) der Haustiere hilft
der an den drei Sonntagen zwischen den
beiden Frauentagen bei Sonnenaufgang
ausgegrabene B. ⁸) (Zillertal). Wenn die
Milch nicht zu Butter werden will, wird
sie durch einen Kranz von B. gegossen ⁹).
Der B., ins Zimmer gehängt, läßt die
Hexen erkennen ¹⁰). Als **h e x e n w i d r i-
g e s** Kraut ist der B. auch nicht selten
ein Bestandteil des an Mariae Himmelfahrt geweihten Kräuterbüschels ¹¹). Vor
dem am Sonntag Nüsse pflückenden
Knaben (Mädchen), der in der Hand B.
hat, ergreift der Teufel die Flucht ¹²).
Auch in Schweden schützt der B. vor dem

Neid der Elfen[13]), und die Unholdin sagt:
,,Tibast och Vänderot stå mig emot"
(,,Seidelbast und B. sind mir zuwider");
vgl. Dosten und Dorant[14]). Ebenso genießt der B. bei den Serben großes Ansehen[15]).

[3]) W u t t k e 104. 281; SAVk. 23, 161 ff.;
M e y e r *Germ. Myth.* 136; M a r z e l l *Bayer.*
Volksbot. 220. [4]) J a h n *Hexenwesen* 180. 356.
[5]) ZfdMda 1918, 135. [6]) C u r t z e *Waldeck* 394;
B a r t s c h *Mecklenburg* 2, 37. [7]) D e i g e n -
d e s c h *Pferdearznei* 1821, 80 = Alemannia 11,
94. [8]) S c h r a n k u. M o l l *Naturhistor. Briefe*
2 (1785), 110. [9]) S c h i l l e r *Tierbuch* 1, 16.
[10]) S c h a m b a c h *Wb.* 81; A n d r e e *Braun-*
schweig 382; vgl. M e y e r *Germ. Myth.* 141.
[11]) Z. B. P h i l i p p *Beitr. z. Ermländ. Volkskde*
1906, 126; in Unterfranken: M a r z e l l *Bayer.*
Volksbotanik 55. [12]) K u h n *Westfalen* 2, 29;
B a r t s c h *Mecklenburg* 2, 106; J a h n *Volks-*
sagen 1886, 491. [13]) A f z e l i u s *Volkssagen,*
übers. v. Ungewitter 2 (1842), 295; M a n n -
h a r d t 1, 62. [14]) F r i e s *Krit. ordbok öfver*
Svenska Växtnamnen 1880, 142; vgl. auch
R e i c h b o r n - K j e n n e r u d *Laegeurter* 91.
[15]) G r i m m *Myth.* 3, 1010.

3. In der V o l k s m e d i z i n gilt der
B. vor allem als Pestmittel[16]). Als solches
wird er wie die Bibernelle (s. d.) und öfter
zusammen mit dieser in Pestsagen genannt, nach denen eine geheimnisvolle
Stimme (Vogel usw.) das rettende Mittel
verkündete[17]). Ins erste Badwasser wird
dem Kinde B. gegeben, um Krankheiten,
vor allem die Pest, fernzuhalten[18]). In
den alten Kräuterbüchern[19]) wird der B.
häufig als Augenmittel (daher auch ,,Au-
genwurz") erwähnt. Die ,,Augebündeli",
das sind Kräuterbündelchen, die als
Sympathiemittel bei entzündeten Augen
am Hals getragen werden, enthalten B.-
wurzel (St. Gallen)[20]). In Siebenbürgen
kaut man gegen trübe Augen B.wurzel
und haucht den Atem über sich in die
Augen[21]). Dem an ,,Gichtern" (Eklamp-
sie) leidenden Kind wird B. unter das
Kopfkissen gelegt[22]). Der B. soll bei Verwundungen so heilsam sein, daß er das
Fleisch im Topfe (vgl. Sanikel) zusammen-
heilt[23]). Beim Ausgraben des B.s (zu
Heilzwecken) wird eine Beschwörung gesprochen[24]). Auch alte B.segen sind bekannt[25]).

[16]) So auch in den alten Kräuterbüchern z. B.
bei B o c k *Kreutterbuch* 1551, 24 r. [17]) K ö h -
l e r *Voigtland* 497; M e i c h e *Sagen* 316;
M a r z e l l *Bayer. Volksbot.* 184; S c h u l e n -
b u r g *Wend. Volkstum* 162; V e c k e n s t e d t
Wend. Sagen 1880, 336; vgl. auch D r e c h s l e r
Schlesien 2, 213. [18]) J o h n *Erzgebirge* 50. [19]) Z. B.
B o c k *Kreutterbuch* 1551, 24 r. [20]) SchweizId. 4,
1364. [21]) S c h u l l e r u s *Pflanzen* 407. [22]) M a r -
z e l l *Bayer. Volksbot.* 165. [23]) G r o h m a n n 93.
[24]) S c h a m b a c h *Wb.* 256. [25]) S c h ö n b a c h
Berthold v. R. 148.

4. Der B. gilt als a p h r o d i s i s c h e s
Mittel. Wenn Mann und Weib B. in Wein
trinken, so macht das gut ,,Freund-
schaft"[26]). Damit die Frauen nichts abschlagen können, trage man Eberwurz
(s. d.) und B. bei sich[27]). Vielleicht hängt
dies damit zusammen, daß die Katzen,
die ja in der Erotik eine große Rolle spielen, eine besondere Vorliebe für den B.
(Katzenkraut) haben sollen. Auch kann
die B.wurzel als diuretisch wirkendes
Mittel[28]) immerhin etwas auf die Ge-
schlechtssphäre einwirken.

[26]) 15. Jh.: ZfVk. 1, 323; vgl. auch B r u n -
f e l s *Kreutterbuch* 1532, 117. [27]) L a m m e r t
151; B a r t s c h *Mecklenburg* 2, 353; M a n z
Sargans 144. [28]) S c h u l z *Arzneipflanzen*
1919, 283.　　　　　　　　　　　　　　Marzell.

Balken. Die Vorstellungen, die sich an
B. knüpfen, haben z. T. eine sehr alte
Grundlage. Meringer[1]) hat auf Grund
zahlreicher sprachlicher Gleichungen B.
= Götze im Indogermanischen gezeigt,
daß die Indogermanen und damit die
alten Germanen B., Pfosten und Pfähle
göttlich verehrt haben. Ausgrabungen
haben das bestätigt[2]). Wahrscheinlich gehört die Bedeutung des B. und Pfahles
als Zeichen des Gerichtes in diesen Vorstellungskreis[3]). Auch im neueren Volksglauben erscheinen Haus- und Waldgeister in Gestalt eines B.[4]). Nicht nur
einzelne B., sondern vor allem auch tragende B. im Hause wurden, in Norwegen
noch bis in die neueste Zeit[5]), verehrt.
Der Hauptb. spielt im Volksglauben eine
ähnliche Rolle wie andere wichtige Stellen
des Hauses, Herd, Schwelle, Dach, Bo-
denluke. Es sind die Lieblingsplätze der
Geister, sowohl guter Hausgeister als
auch schadenbringender Mächte. Unter
dem B. steht der Sarg der Hausleute bis
zum Begräbnis, hier kann man Orakel
einholen, und man sucht ihn auf verschie-

dene Arten vor den Einflüssen böser Mächte zu schützen.

[1] M e r i n g e r IF 16, 151; 17, 159; 18, 272; 19, 445; 21, 296; WS. 1, 168 ff. 199. *Die indogermanischen Pfahlgötzen* WS. 9/2; M u c h WS. 1, 39; D e V i s s e r passim. [2] H e l m *Religgesch.* 1, 214 ff. [3] L i p p e r t *Christentum* 686. [4] NdZfVk. 4 (1926), 10 f. Sogar der Teufel erscheint als B.: S c h m i d t *Griechische Märchen* 141 Nr. 8. [5] B e r g e *Husgudar* passim.

I. G e i s t e r i n B. Der Kobold wohnt besonders gerne im Gebälk des Hauses [6]; deshalb darf man beim Umbau die B. nicht achtlos fortwerfen, sondern muß so viele wie möglich zum neuen Haus verwenden. Es kam vor, daß der Puck mit dem Gebälk verkauft wurde [7]. Der Hausgeist zieht nach dem Glauben der Schweden Finnlands im ersten B. ins Haus [8]. Das Gegenstück dazu findet sich im Oberwallis: beim Abbruch eines Hauses sieht man ein kleines Männchen auf dem letzten B. sitzen [9]. Nach Abbruch des Hauses verschwindet der lästige Geist, aber die B. mußten noch jahrelang auf dem Platze liegen bleiben, bis sie verfaulten [10]. Ein Gespenst sah man in einen B. verschwinden [11]. Wie der Kobold in den B. hineinkommt, kann man am Klabautermann (s. d.) sehen. Die Seele eines Menschen geht in einen Baum (s. d.) ein und kommt so auf das Schiff oder in das Haus [12]. Ähnliche Vorstellungen sind verbreitet: der B. aus einer Tanne, an der ein armer Bauer aufgeknüpft wurde, schließt einen Juden und einen Jäger ein [13], oder eine Jungfrau mit Hündchen [14]. In Norddeutschland glaubt man, daß sich in der Schwelle und den Türpfosten Seelen- oder Vegetationsdämonen aufhalten, die im Frühjahr herausgeklopft werden [15]. Im Julblock (s. d.) sitzt der Sommervogel.

[6] R o c h h o l z *Sagen* 1, 73 Nr. 58. 59; A l p e n b u r g *Tirol* 208 Nr. 85; Z i n g e r l e *Sagen* 349 Nr. 598; M a n n h a r d t 1, 44. [7] K u h n u. S c h w a r t z 15 Nr. 17, 18; K u o n i *St. Galler Sagen* 211 Nr. 373. [8] K r o h n 38. [9] J e g e r l e h n e r *Sagen* 2, 258 Nr. 35. [10] L ü t o l f *Sagen* 161 Nr. 98; K u o n i *St. Galler Sagen* 223 Nr. 386c. [11] R o c h h o l z *Naturmythen* 73. [12] T e m m e *Pommern* 302 Nr. 253; F r a z e r 2, 39. [13] L e n g g e n h a g e r *Sagen* 113. [14] Ebd. 114. [15] S c h a d e *Klopfan* 137.

2. I n B. g e b a n n t. Außerdem werden mitunter lästige Dämonen, wie Niß-

puck [16], Hexe [17], Gespenst [18], sogar die Pest [19] in B. gebannt; s. verpflöcken.

[16] M ü l l e n h o f f *Sagen* 337 Nr. 1. [17] E b e r h a r d t *Landwirtschaft* 14 Nr. 3. [18] L ü t o l f *Sagen* 157 Nr. 90; K o h l r u s c h *Sagen* 371 f. [19] J e c k l i n *Volkstümliches* 292 f.

3. K r a n k e u n d T o t e u n t e r B. s t e l l e n. Der Sarg steht unter dem Leichenb.[20]. Das Bett eines Schwerkranken wird unter den Hauptb. der Stube gestellt, damit er sterben kann (Voigtland) [21]. In Böhmen soll dagegen das Bett eines Kranken nie unter einem Träger (Querb., der die hölzerne Stubendecke trägt) stehen, denn das verursacht ihm Schmerzen [22].

[20] ZfrwVk. 1907, 275. [21] ZfVk. 18, 446. Vgl.: Wenn ein Hausb. oder Pfosten springt, so bedeutet das den Tod eines der Hausleute. Südslaw. ZfVk. 2 (1892), 184. [22] G r o h m a n n 151.

4. O r a k e l. In Südnorwegen ritt der Bräutigam nach der Trauung in die Stube und hieb mit seinem Schwert in den Hauptb., oder den B., der den Kessel trug. Je tiefer der Hieb ging, desto glücklicher sollte die Ehe sein [23]. Leute, die ein Feuer vorbrennen sehen, bezeichnen den B., der herausgenommen werden muß, um den Brand zu verhüten [24]. Waren beim Vorgesicht die Pfosten kalt, so dauert es noch lange, bis das Gesicht in Erfüllung geht, waren sie heiß, brennt es bald [25]. Der erste Traum in einem neuen Haus ist wichtig, doch müssen vor dem Einschlafen die B. gezählt sein [26]. Die neue Magd soll die B. zählen, wenn sie ins Bett geht, dann bekommt sie kein Heimweh [27]. Stellt man sich in der Silvesternacht unter einen B. oder ein Gerüst, das gegen Sonnenaufgang gerichtet ist, so sieht man alles, was im nächsten Jahre geschehen wird (Niederösterreich [28], Sachsen) [29]. Wenn der Deckenb. nach der Mitte der Stubentür oder nach einem Fensterkreuz zuläuft, so kann man auch an der Stubentür oder am Fenster in der Weihnachts-, Neujahrs- oder Dreikönigsnacht „horchen" (Voigtland, Erzgebirge) [30].

[23] B e r g e *Husgudar* 105 ff. [24] G r i m m *Myth.* 3, 173. [25] S a r t o r i *Westfalen* 76. [26] G r i m m *Myth.* 2, 960; F o g e l *Pennsylvania* 76 Nr. 267. [27] F o g e l ebd. 154 Nr. 296. [28] V e r n a l e k e n *Mythen* 342

Nr. 43. [29]) M e i c h e *Sagen* 234 Nr. 296.
[30]) W u t t k e § 359.

5. S c h u t z d e s B.s. Darauf, daß sich
im B. feindliche Dämonen bergen, scheint
die Vorschrift zu deuten, man dürfe nicht
unter dem B. buttern, sonst wird keine
Butter [31]). In Dänemark heftet man einen
Zettel mit einer Beschwörung an den B.,
wenn die Kuh kalben soll [32]). In Norwegen stößt man beim selben Anlaß ein
Messer in den B.[33]). Gegen Hexen und
Krankheit wird in den bayrisch-österreichischen Alpenländern und ganz Norddeutschland in den Mittelb. des Dach-
stuhles schon beim Zimmern ein Antlassei eingepflockt [34]). An Lichtmeß wird
ein Wachskreuz am B. befestigt [35]). Vielleicht hatten auch die Schnitzereien, Ro-
setten oder heilige Zeichen [36]) auf dem
Mittelb. der Bauernstube ursprünglich
übelabwehrenden Zweck. .

[31]) K n o o p *Hinterpommern* 171 Nr. 146;
D r e c h s l e r *Schlesien* 2, 111. [32]) H e u r -
g r e n 13. [33]) Ebd. 14. [34]) A n d r e e - E y s n
Volkskundliches 107. [35]) S c h m i t z *Eifel* 1,
13. [36]) F i s c h e r *Oststeirisches* 20.

6. L e g e n d e n h a f t ist die Erzählung von dem bei einem Kirchenbau zu
kurzen B., den der hl. Cyrillus auf Bitte
des Geistlichen länger werden läßt, und
dessen abgeschnittenes Ende Kranke
heilt [37]), s. Kreuzesholz [38]).

[37]) H e y l *Tirol* 119 Nr. 10. [38]) Vgl. W ü n s c h e
Lebensbaum 31. 37. 66.

Vgl. D e c k e , F i r s t s ä u l e , H a u s I,
H a u s a b b r u c h , J u l b l o c k , K l a -
b a u t e r m a n n , K r e u z e s h o l z ,
P f a h l , S c h w e l l e , T ü r , v e r -
p f l ö c k e n .   Weiser.

Ballspiel.

1. Das B. ist uns bereits aus dem klassischen Altertum bekannt; es wurde bei den
Griechen und Römern als gymnastische
Übung viel gepflegt [1]). Bei den Germanen
ist es eins der beliebtesten Spiele [2]). In
Deutschland ist es im MA. sehr beliebt;
in den Städten bestehen zu seiner Pflege
besondere Ballhäuser [3]). Ob es in allen
Schichten geübt wurde, ist fraglich [4]);
daß es bei den Bauern [5]) als Frühlingsspiel beliebt war, bezeugt Walther:
„Sæhe ich die megde an der stråze den

bal / Werfen! so kaeme uns der vogele
schal" [6]).

[1]) P a u l y - W i s s o w a 2, 2, 2832. [2]) H o o p s
Reallex. 1, 160. [3]) Ebd. 161; S e p p *Religion*
153; F i s c h e r *Altertumsk.* 104. [4]) S c h u l t z
Höfisches Leben 1, 421. [5]) Ebd. [6]) Hg. W.
W i l l m a n n (1886), 74.

2. Als F r ü h l i n g s s p i e l tritt uns
das B. in der Sitte des O s t e r b a l l e s
entgegen. Das Osterb. war in ganz Norddeutschland und England verbreitet und
besteht noch jetzt in einigen braunschweigischen Dörfern der Wesergegend [7]). Belegt ist es aus früherer Zeit aus Brandenburg [8]), Oldenburg [9]), der Lüneburger
Heide [10]), Westfalen [11]), Sylt [12]), England [13]). An den verschiedenen Orten ist
der erste, zweite oder dritte Ostertag zum
Spiel bestimmt; der Termin darf nicht
verlegt werden [14]). Alt und jung zieht an
diesem Tag hinaus auf den Anger zum
Ballschlagen; abends beschließt ein Tanz
das Spiel. Dies heißt, „den Osterball
feiern". Daß es Sache der ganzen Gemeinschaft war, bestätigt der englische
Brauch, wo die Beamtenschaft des Ortes
dem Spiel in Amtstracht beiwohnt [15]).

In diesem österlichen B. einen mythologischen Grundgedanken zu suchen,
d. h. an eine dramatische Versinnbild-
lichung des Kampfes von Göttern und
Riesen, der zu dieser Zeit stattgefunden
haben soll, oder ähnliches zu glauben, ist
reichlich abgelegen und entbehrt der Beweise [16]). An eine rituelle Verknüpfung
des B.s mit Ostern könnte man vielleicht
da denken, wo es Sitte ist, am ersten
Ostertag vor Sonnenaufgang Ball zu
spielen [17]), wenn die Sonne drei Freuden-
sprünge über die Auferstehung Christi
macht. Aber warum spielt man an demselben Tag auch bei Sonnenuntergang[18])?
Wenn von Osten nach Westen gespielt
wird, soll der Ball vielleicht magisch die
Kraft der aufsteigenden Sonne beeinflussen [19]). Dieser Gedanke würde be-
stärkt werden dadurch, daß ähnliche
Osterspiele mit Eiern und Holzscheiben
veranstaltet werden, die Symbole der
Fruchtbarkeit und der Sonne sind. Von
diesen gelegentlichen Zeugnissen abgesehen, ist anscheinend der Osterball mit

keinem abergläubischen Gedanken verknüpft [20]). Er ist also im allgemeinen den
andern B.en gleichzustellen [21]), nur daß
der Osterball als Frühlingsspiel (wie der
Kreisel und das Reifenschlagen der Kinder) eine besondere Freude auslöst. Auch
daß zu andern Zeiten: Himmelfahrt [22]),
Mittsommer [23]), Fastnacht [24]), Weihnachten [25]), die Sitte eines gemeinsamen B.s
üblich ist, bestätigt die Gleichstellung.

[7]) A n d r e e *Braunschweig* 339. [8]) K u h n
Märk. Sagen 313. [9]) S t r a c k e r j a n 2, 46.
[10]) K ü c k *Lüneburger Heide* 38. [11]) S a r t o r i
Westfalen 156; J o s t e s *Westfäl. Trachtenbuch* 89; K u h n *Westfalen* 2, 148. [12]) J e n -
s e n *Nordfries. Inseln* 366; S a r t o r i *Sitte
u. Brauch* 3, 161—163. [13]) M a n n h a r d t 1,
476. [14]) J o s t e s *Westfäl. Trachtenbuch* 89;
K u h n *Westfalen* 2, 148. [15]) M a n n h a r d t
1, 476. [16]) M ü l h a u s e 29. [17]) K u h n
Märk. Sagen 313; M a n n h a r d t 1, 479.
[18]) S i m r o c k *Mythologie* 576. [19]) S a r t o r i
Westfalen 156; K ü c k u. S o h n r e y 87.
[20]) S a r t o r i *Sitte u. Brauch* 3, 162. [21]) N a u -
m a n n *Gemeinschaftskultur* 9; J e n s e n
Nordfries. Inseln 366. [22]) M ü l h a u s e 29.
[23]) F r a z e r 1, 195. [24]) M a n n h a r d t 1, 475.
[25]) *Ebd.* 478.

3. Wo beim Osterball der Unterschied
der Jungverheirateten und Unverheirateten betont wird [26]), da mag er sich vielleicht auf den B r a u t b a l l zurückführen lassen; denn diese Sitte des „Braut-
ballholens" findet gewöhnlich zu Ostern
oder Weihnachten statt [27]) und zwar auch
in Norddeutschland und England. Belegt
ist sie aus Brandenburg [28]), Thüringen [29]),
dem Südharz [30]), Celle [31]), England [32]).
Zwei Wochen vorher kommen die Burschen und Mädchen des Dorfes zu den
Eheleuten, die zuletzt im Jahr geheiratet
haben, und bitten in einem Reimspruch
um den Brautball. Am Ostertag, bzw. in
der Weihnachtszeit, kommen sie wieder
und fordern den Brautball von der jungen
Frau. Wenn der Ball, der im Hause ver
steckt liegt, gefunden ist, geht es im gemeinsamen Zug zum Wirtshaus, wobei
ein junges Mädchen den Ball vorantragen
muß. Dort wird er an der Decke befestigt,
und ein Tanz findet statt. Ist eine heimliche Braut unter den Tanzenden, so erhält sie am Schluß den gespendeten
Brautball [33]). Dieser Sitte des „Ballholens" liegt zweifelsohne ein Fruchtbar-

keitsgedanke zugrunde. Etwas verdunkelt ist derselbe Gedanke in dem Brauch,
die jungen Eheleute „in die Knospen zu
treiben" [34]). Am dritten Ostertag verstecken sie sich, werden gefunden und
müssen ein paar junge Knospen essen.
Dann entfliehen sie wieder und müssen
sich, wenn sie nun gefunden worden sind,
mit Bällen für die Kinder und jungen
Leute loskaufen. — Jetzt ist die Sitte des
„Ballholens" in Bettelei ausgeartet. In
den Brautball wird Geld gesteckt, das derjenige erhält, der ihn zerschlägt [35]) oder,
wie es in der Normandie Sitte ist, auf-
fängt [36]) Man wirft ihn nämlich manchmal über das Tor des Hauses. Noch deutlicher ist der Gedanke der Bettelei im englischen Brauch ausgedrückt, wo junge
Leute mit irgendeinem Ball von Haus zu
Haus ziehen und Geld fordern [37]).

[26]) M a n n h a r d t 1, 479. [27]) K u h n und
S c h w a r t z 372; K u h n *Märk. Sagen* 313;
K ü c k u. S o h n r e y 87. [28]) K u h n *Märk.
Sagen* 313. [29]) K ü c k u. S o h n r e y 87.
[30]) *Ebd.* [31]) *Ebd.* [32]) M a n n h a r d t 1, 479.
[33]) H o o p s *Sassenart* 29. [34]) K ü c k u. S o h n -
r e y 87. [35]) *Ebd.*; K u h n u. S c h w a r t z
372; R e i n s b e r g *Festjahr* 116. [36]) M a n n -
h a r d t 1, 473. [37]) *Ebd.* 475.

4. Vereinzelt findet sich der Brauch,
den B a l l a l s O r a k e l zu benutzen.
Den Kindern soll er die Lebensdauer prophezeien, ähnlich wie der Kuckuck. So
oft der Ball beim Spielen auf die Erde
prallt, so lange lebt man. Bekannt ist dies
in der Schweiz [38]). In Baden heißt es:
„Bällchen, Bällchen, sag' mir doch, wieviel Jahre leb' ich noch?" Dabei wird
der Ball auf den Boden oder an die
Wand oder mit der Handfläche in die
Luft geschlagen [39]). In Pommern gilt derselbe Brauch [40]).

[38]) *SAVk.* 25, 199. [39]) Mündl. Mitteilung von
Frau Dr. M. M a c k e n s e n. [40]) mündlich.

5. Ganz vereinzelt ist auch die Sitte,
von der die Johann Beleth berichtet: Die
Geistlichen von Poitiers spielten dort im
Dezember i n d e r K i r c h e mit ihren
Untergebenen nach einer alten Tradition
Ball [41]). Wieviel davon wahr ist, mag
dahingestellt bleiben; besondere abergläubische Handlungen, die dabei vorgenommen seien, werden nicht erwähnt.

[41]) B e l e t h *Divinorum officiorum expli-catio* 2 (1605), 546; s. auch M a n n h a r d t 1, 472.   Schmekel.

Balsam. Der B. spielt seit dem Altertum [1]) im deutschen Volksglauben eine große Rolle. Megenbergs ,,Buch der Natur'' [2]) mischt Wahrheit und Dichtung vertrauensselig durcheinander. So wird das babylonische B.feld von einem Brunnen gewässert, in dem unsere liebe Frau unseren Herrn Jesus Christus gebadet hat. Getreulich zählt er auch die fabelhaften Heilwirkungen des B.s auf; noch heute kauft das Volk den ,,Wunderb.'' auf, wie z. B. in der Schweiz viele Soldaten stets ein Fläschlein ,,englischen Wunderb.'' bei sich führen [3]).

[1]) P a u l y - W i s s o w a 2, 2, 2836. [2]) Neubearbeitet v. H. S c h u l z 307. [3]) SAVk. 19, 214.   Stemplinger.

Balthasar. Einer der hl. drei Könige, für die sich Eigennamen zuerst bei Beda finden. In der Kirchenmalerei wird B. (seit dem 15. Jh.) als M o h r dargestellt [1]). Sein Tag ist der 11. Januar [2]). Unter den Sternsingern im westfälischen Sauerlande ist Kaspar schwarz, Melchior weiß und fein und B. gewöhnlich eigentlich nur ein Anhängsel, er ,,schlürt so mit'' [3]). Weil er auf den Bildern der ,,hintere'' der drei Könige ist, bezeichnet man auch wohl den Podex als B. [4]). Wenn die Wünschelrute S i l b e r anzeigen soll, so muß man sie auf den Namen B. taufen [5]).

[1]) M e n z e l *Symbolik* 1, 499. [2]) N o r k *Festkalender* 83. [3]) G r i m m e *Schwänke u. Gedichte* 35 f. [4]) H ö f l e r *Krankheitsnamen* 26. [5]) A l p e n b u r g *Tirol* 393.   Sartori.

Band.

1. Das Wort B. bezeichnet im allgemeinen alles, was bindet oder was gebunden wird, z. B. Achselb., Armb. (s. Schmuck), Blumenb. (s. Kranz), Brustb., Gürtelb. (s. Gürtel), Haarb. (s. Haar), Halsb. (s. Schmuck), Hauptb., Hosenb. (s. Hose), Hutb. (s. Hut), Kopfb., Schuhb. (s. d.), Stirnb., Strohb., Strumpfb. (s. d)., Zopfb. [1]). Auch der alte Ausdruck Gebände (Kopfputz) gehört hierher [2]).

Im übertragenen Sinn spricht man von dem B. der Zunge, von Liebesb.en, Todesb.en [3]) u. a., wobei die Bedeutung von

Fessel vorherrscht, die sich in der abweichenden Bildung der Mehrzahl (die B.e, Bänder) äußert. Das Bild von den Todesb.en, den Fesseln des Todes, wird schon im Alten Testament (2. Sam. 22, 6; Ps. 18, 5 f.) gebraucht; auch Horaz (carm. III. 24, 8) spricht von den *laquei mortis* [4]).

[1]) DWb. 1, 1096; F i s c h e r *SchwäbWb.* 1, 602 ff. [2]) Vgl. S c h m e l l e r *BayWb.* 1, 247. [3]) DWb. 1, 1096 ff.; vgl. M. H e y n e *DWb.*² 1, 276. [4]) H. G ü n t e r t *Weltkönig u. Heiland* (Halle 1923), 126.

2. Für den mit dem B. verknüpften A b e r g l a u b e n sind namentlich drei Punkte wichtig, die F a r b e des B.es, die meist rot (s. d.) ist, dann der B.z a u - b e r selbst, der Umstand, daß etwas Gebundenes, ein Knüpfen oder Verknoten vorliegt (s. binden), und endlich die Beziehung zum r e l i g i ö s e n K u l t.

Ein B.z a u b e r liegt in dem einfachen B. selbst, wenn es um etwas gebunden wird. Erhöht wird er aber, wenn Knoten (s. d.) in das B. gemacht werden. Dieses Schließen oder Schlingen eines B.es oder Knotens, zu dem auch das im MA. so häufige Nestelknüpfen (s. d.) gehört, findet sich im Aberglauben aller Völker. Die christliche Kirche hat ihn wiederholt bekämpft [5]). Wenn es sich um die Übertragung einer Krankheit handelte, so sollte das geschlungene B. wahrscheinlich die Einschließung der Krankheit andeuten [6]), die man auf andere Menschen, auf Bäume, an welchen man die Bänder befestigte, in das Wasser und auf andere Dinge übertragen wollte. In diesem Falle sind die Bänder einfache Zwischenträger der Krankheit. Böser Zauber liegt dann vor, wenn man die Krankheit mittels eines B.es auf eine bestimmte Person übertragen will und bei diesem B.zauber entsprechende Begleitworte spricht, etwa den Namen des Feindes nennt, dessen Krankheit oder Tod man herbeiführen will [7]).

Anderseits erscheint aber auch die Umkehrung dieses Glaubens. Wie man anderen durch den B.zauber Schaden zufügen kann, so sichert man sich selbst durch das gleiche oder das mit gleichen Knoten versehene B. So entstand das zum eigenen

Schutz als A m u l e t t (s. d.) getragene B., das entweder allein getragen wird oder nur dazu dient, daß daran ein anderes Zaubermittel befestigt wird. Im zweiten Falle ist das B. zur Nebensache geworden. Auf einer späteren Entwicklungsstufe wurden solche Amulette und Anhängsel, z. B. Halsbänder, zu bloßem Schmuck[8]) (s. d.) verwendet.

Im r e l i g i ö s e n K u l t waren B. oder Binde schon in alter Zeit Sinnbilder der Gebundenheit. So sollten z. B. die P r i e s t e r b i n d e n (offendimenta, taeniae, infulae) ihre Träger als ,,Gebundene", als Diener und Sklaven des Gottes bezeichnen[9]). Zu dieser passiven Rolle gesellte sich aber bald auch eine aktive. Es wurde ihnen eine bindende Kraft zugeschrieben, vor allem gebrauchte man diese Binden zum Liebeszauber[10]). Ebenfalls bei den antiken Völkern findet sich der Brauch, B ä u m e (s. Lappenbäume) dadurch für einen bestimmten Zweck zu weihen, daß man sie mit hl. Bändern behängte. Diese Bänder oder Binden wurden an dem Baume nicht als Weihegeschenke befestigt, sondern der hl. Weihe halber. Man hat Weihgegenstände, wenn sie nur neben dem Stamme aufgestellt wurden, ebenfalls durch Umwindung mit solchen Bändern konsekriert[11]). Dasselbe liegt vor, wenn O p f e r t i e r e mit Bändern, an deren Stelle oft Blumen treten[12]), umwunden werden.

Auch in christlicher Zeit schrieb und schreibt man noch heute dem B., das eine k i r c h l i c h e W e i h e erfuhr, besondere Kraft zu. Schon der hl. Eligius (588 bis 659) wendet sich mit den folgenden Worten gegen diesen Aberglauben: ,,Nullus (Christianus) ad colla vel hominis vel cuiuslibet animalis ligamina dependere praesumat, etiamsi a clericis fiant, et si dicatur quod res sancta sit et lectiones divinas contineat, quia non est in eis remedium Christi, sed venenum diaboli"[13]). In Baden verwendet man noch gegenwärtig sogar das B., das die geweihten Kräuter umgibt, zu Heilzwecken (s. u.), und in der Provinz Caserta in Campanien trägt man am linken Arm die, ,,Misure" genannten, ungefähr 50 cm

langen Bänder, die im Namen des hl. Pantaleon oder der hl. Lucia geweiht sind[14]).

[5]) W i d l a k Synode v. Liftinae 18. [6]) W u n d t Mythus u. Religion 1, 278 f. [7]) Ebd. 1, 281; vgl. 1, 420. [8]) Ebd. 1, 293 f. u. 296. [9]) H. G ü n t e r t Weltkönig u. Heiland (Halle 1923) 128. [10]) F a h z Doctrina magica 123; A b t Apuleius 71. [11]) P l e y de lanae usu 55 ff. [12]) Vgl. J a h n Opfergebräuche 340. [13]) G r i m m Myth. 3, 402. [14]) S e l i g m a n n Blick 2, 327.

3. Bändern, namentlich von roter Farbe, begegnet man oft bei bestimmten S a g e n g e s t a l t e n. Vor allem wird vom Wassermann häufig überliefert, daß er mit bunten oder roten Bändern, bei welchen man vielleicht auch an Wasserblumen und an die bunten Lichtstrahlen der im Wasser sich spiegelnden Sonne denken kann, die Menschen an sich lockt, wie ein richtiger B.krämer solche Bänder, aber auch Schnüre, Tücher u. a. am Ufer ausbreitet[15]) und die, welche sich in einen Kauf einlassen oder nach diesen Dingen greifen, in die Tiefe zieht[16]). Umgekehrt kann man nach tschechischem Glauben den Wassermann mit farbigen Bändern abwehren, die man in den Teich wirft. Denn er springt neugierig danach und verwickelt sich darin so, daß er nicht herauskann und man Zeit zur Flucht hat[17]).

Ein schmales rotes B. hat der nach einer schlesischen Sage vom Wassermann getötete rohe Fleischer um den Hals[18]). Dies zeigt den gewaltsamen Tod durch Erwürgen an. Ebenso heißt es von der nach der Meinung des Volkes nachts in Düsseldorf erdrosselten Jakobe von Baden, daß ihr Geist mit einem roten B. um den Hals umgeht[19]). Dagegen gehört zu den verderbenbringenden Geistergeschenken (s. Gürtel) das rotseidene B., das nach einer Sage aus Hinterpommern ein Fremder einem Bauern schenkt, damit er es, um guten Wind zu bekommen, an den Mast des Schiffes binde, daheim aber dann seiner Tochter gebe. Als diese das B. um den Hals legt, wird es zur Flamme und verbrennt sie[20]).

Ein Kobold kann die Gestalt eines B.es annehmen. Wer ein solches findet und 24 Stunden bei sich läßt, wird den Kobold, der dann seine wahre Gestalt annimmt, nicht so leicht wieder los [21]). Von einem Hauskobold zu Pausitz bei Riesa wird berichtet, daß sein weißes Hemd mit roten Bändern am Hals und an den Ärmeln geschmückt war [22]). Rote Halsbänder haben drei weiße, gespensterhafte Hasen, welche am hl. Schutzengelfest Jägern erscheinen [23]). An einem roten Halsb. trägt ein weißes Schatzhündchen den Schlüsselbund (oder auch eine Schelle) [24]). Ein mit magischen Zeichen geziertes Halsb. soll der schwarze Hund getragen haben, in dessen Gestalt der Teufel den Zauberer Agrippa von Nettesheim (s. d.) begleitete. Als Agrippa vor seinem Tode das B. löste, enteilte der Hund und stürzte sich in die Saône [25]).

Ein häufiges Sagenmotiv ist, daß mit einem roten B. oder einer roten Masche gekennzeichnete Enten oder Gänse oder andere Tiere zur Erforschung eines unterirdischen Ganges bei einem Erdloch hineingejagt werden und dann meist an einer ganz unerwarteten Stelle wieder zum Vorschein kommen [26]).

Vereinzelt heißt es von den Z w e r g e n am Dittersberge bei Schönau auf dem Eigen, daß sie bei dem Leichenzuge, der alle fünf Jahre in der Johannisnacht zu sehen ist, an den Hüten lange Trauerbänder haben [27]). Erwähnt sei endlich, daß nach allgemeinem Glauben der T o t e im Grabe, wenn ihm ein B. oder ein Tuch (s. d.) in den Mund kommt, zum Nachzehrer (s. d.) wird [28]).

[15]) J u n g b a u e r *Böhmerwald* 52 = Joh. M i c k o *Volkskunde des Marktes Muttersdorf* (Muttersdorf in Westböhmen 1926) 25; P e u c k e r t *Schlesien* 205 f. [16]) V e r n a l e k e n *Mythen* 188 = K ü h n a u *Sagen* 2, 335 f. Vgl. ebd. 2, 283. 289. 295. 323. [17]) G r o h m a n n 12 Nr. 49. [18]) P e t e r *Österreichisch-Schlesien* 2 (1867), 13 f. = K ü h n a u *Sagen* 2, 330 = P e u c k e r t *Schlesien* 207. [19]) Z a u n e r t *Rheinland* 1, 231. [20]) K n o o p *Hinterpommern* 137. [21]) A. H a a s *Rügensche Sagen u. Märchen* ² (Stettin 1896) Nr. 23 = R a n k e *Sagen* ² 166 f. [22]) S i e b e r *Sachsen* 257. [23]) J u n g - b a u e r *Böhmerwald* 193. Vgl. Z a u n e r t *Westfalen* 271. [24]) W u c k e *Werra* 296 Nr. 513. Vgl. 56 Nr. 105. [25]) Z a u n e r t *Rheinland* 2, 7. [26]) J u n g b a u e r *Böhmerwald* 49; P e u c k e r t *Schlesien* 268; Q u e n s e l *Thüringen* 158. [27]) H a u p t *Lausitz* 1, 35 Nr. 30; S i e b e r *Sachsen* 141. [28]) Vgl. S i e b e r *Sachsen* 281 f.

4. Als S c h u t z - und A b w e h r - m i t t e l kommt das B., vornehmlich wieder das rote, zunächst bei der G e - b u r t und während der allerersten Kindheit, dann aber besonders bei der H o c h - z e i t in Betracht, wobei sich allerdings zumeist das ursprüngliche Schutzmittel später in einen bloßen Schmuck verwandelte.

Dies war schon bei den R ö m e r n der Fall, wo die K i n d e r an einem Brustb. allerlei kleine Gegenstände trugen, die Crepundia (s. Klapper) hießen und danach den Zweck hatten, beim Gehen oder Schütteln einen Lärm zu verursachen (crepare = klappern) [29]). Später nur als Schmuck getragen, hatten sie ursprünglich wohl die gleiche Schutzkraft, die man heute den bunten, meist roten Bändern zuschreibt, welche man den Kindern, aber auch dem V i e h um den Hals bindet. In Österreich tragen die Kinder dieses rote B. gewöhnlich am rechten Handgelenk, in Schlesien am linken Handgelenk oder am Arm. Im Erzgebirge ist es meist ein rotes Seidenb.[30]). Im Marchfeld schützt dieses rote B. die Kinder vor dem Verschreien [31]). In Königsberg legt man ein B. aus blauer Schafwolle in die Wiege des Kindes, damit es nicht verhext werde [32]). Bei den Magyaren bindet man dem Kind, bevor man es zur T a u f e trägt, ein B. um den Leib oder um den Arm mit der Begründung, daß die liebe Jungfrau daran eine Freude habe, weil sie selbst stets ein B. um den Leib gewunden trug [33]). An Stelle des roten B.es können auch rote Fäden (s. d.), Lappen (s. d.), Tücher (s. d.) u. a. treten, ein Beweis, daß hier weniger der B.zauber als die Farbe in Betracht kommt. Andere Schutzmittel, z. B. Geldstücke in Estland [34]), den Rosenkranz im Böhmerwald [35]), befestigt man am Wickelb. des Kindes.

Schon vor der Hochzeit spielt das B. im L i e b e s l e b e n eine Rolle. Besonders im 18. Jh. war es Sitte, daß sich Liebende mit Bändern beschenkten und den Zweck dadurch erhöhten, daß sie der geliebten Person selbst das B. umb.en [36]). Goethes „mit einem gemalten B." übersandtes Liebeslied „Kleine Blumen, kleine

Blätter" ist vielleicht das verbreitetste volkstümliche Kunstlied [37]). Ein B.zauber liegt wohl auch in Goethes „Braut von Korinth" vor in der Kette, die das Mädchen dem Geliebten zurückläßt [38]). Umgekehrt bedeutet das zufällige A u f - g e h e n bestimmter Bänder, z. B. der Schürze (s. d.), Untreue des Liebsten [39]).

R o t , die Farbe des Blutes, ist auch die Farbe der Liebe. Daraus erklärt sich die Vorliebe für rote Bänder bei der Hochzeit, denen allerdings auch noch anderer Sinn zukommt. Im Saterlande soll es früher Sitte gewesen sein, daß heiratslustige Burschen, um sich als solche kundzutun, an Sonn- und Festtagen einen roten oder sonst bunten Lappen auf den Rücken hefteten und so zur Kirche gingen [40]). Auch zur Besiegelung des E h e - v e r s p r e c h e n s dienten neben andern Dingen Bänder, so nach einer Nachricht aus dem Aargau im Jahre 1772 ein Samt- und ein Strumpfb.[41]) (s. d.). Bei der H o c h z e i t selbst trägt die Braut häufig ein meist rotes B., in Baden und in Westfalen trägt sie ein solches aus roter Seide im Haar [42]). In Gröden gehört zu ihrem Hochzeitsschmuck ein breites, schwarzes Samtb. um die Stirn [43]). Auch sonst sind rote Stirn-, Haar- oder Zopfbänder im Brautschmuck der Alpenländer üblich zum Schutz gegen böse Einflüsse, aber vielleicht auch in Erinnerung an die frühere Sitte, die Braut mit dem Blute geschlachteter Opfertiere zu besprengen. Im Gailtale tragen auch die Männer bei der Hochzeit außer künstlichen Blumensträußen ein blutrotes B. am oberen Hutrande [44]). Bei den Weißrussen kommt dem roten Brautb. eine andere, an den Gürtel (s. d.), den Schleier und das auch im Brautschmuck eine Rolle spielende rote Tuch (s. d.) erinnernde Bedeutung zu. Dort tragen die Mädchen bis zum Hochzeitstage ein rotes Bändchen aus Wolle als Z e i c h e n d e r J u n g f r ä u - l i c h k e i t. Wenn der Bräutigam am Hochzeitstage der Braut die Zöpfe aufbindet, nimmt er das Bändchen und schleudert es zu Boden [45]). Um den bösen Blick abzuwehren, wirft um Reval die Braut in jedes Dorf, durch das der Hoch-

zeitszug geht, ein B.[46]). Eine leichte Geburt bezweckt das Lösen der Bänder an den Schuhen (s. d.) oder der Strumpfbänder (s. d.) bei Hochzeiten [47]).

Heute überwiegt das B. im Hochzeitskleid als bloßes S c h m u c k s t ü c k. Schon der Hochzeitslader ist gewöhnlich mit bunten Bändern geschmückt [48]). In der Bergstraße und dem Odenwald wird die Braut von ihren Freundinnen mit Bändern b e s c h e n k t, die sie nebst Zweigen von Rosmarin und Lorbeer beim Kirchgang an der Brust trägt [49]). Ein schwäbischer Hochzeitsanz, der Bändeletanz, der nicht zu verwechseln ist mit dem gleichnamigen Umzug in Freiburg i. B. (s. Jahr), hat seinen Namen davon, daß der tanzende Bursch an die um ihn tanzenden Mädchen mit deren Zopfbändern festgebunden war. Wenn die Bänder gelöst wurden, mußte sich die Braut auf die Hand des Tänzers (auf dem Boden) stellen [50]).

Auch die M a i b r a u t (s. d.) hat meist Bänderschmuck und war in der Mark am 2. Pfingsttage so bebändert, daß ihr das Brautb. hinten bis zur Erde herabhing [51]). Mit bunten Bändern pflegt man endlich auch den M a i b a u m (s. d.) zu schmücken [52]).

Bunte Bänder, meist Halsbänder, dienten schon bei den alten Völkern zur A b - w e h r d e s b ö s e n B l i c k e s [53]). Heute zieht man hiezu nicht bloß in Deutschland, sondern auch in anderen Ländern, z. B. in Skandinavien und Schottland, rote Bänder vor [54]).

[29]) S e l i g m a n n Blick 2, 100. 166. 272. [30]) Ebd. 2, 228. 248 ff. [31]) P f a l z Marchfeld 85. 139. Vgl. WZfVk. 32 (1927), 44. [32]) P l o ß Kind 1, 135 = S e l i g m a n n Blick 2, 121. 246. Vgl. W u t t k e 382 § 581. [33]) W l i s l o c k i Magyaren 160. [34]) S e l i g m a n n Blick 2, 20. [35]) Verf. [36]) DWb. 1 (1854), 1096. [37]) Vgl. J u n g - b a u e r Bibliogr. 269 Nr. 1781; Erich S c h m i d t Charakteristiken 2 ², 195 ff. [38]) W u n d t My- thus u. Religion 1, 468 f. [39]) P f a l z March- feld 101. [40]) S t r a c k e r j a n 2, 189 Nr. 435. [41]) B ä c h t o l d Hochzeit 1, 134. [42]) S e l i g - m a n n Blick 2, 250. [43]) Z i n g e r l e Tirol 24. [44]) G e r a m b Brauchtum 121. [45]) S t e r n Rußland 1, 433; 2, 378. [46]) B o e c l e r Ehsten 37 = S e l i g m a n n Blick 2, 228. 290. [47]) Vgl. H e c k s c h e r 364. [48]) M e y e r Baden 269. [49]) W o l f Beiträge 1, 211. [50]) F i s c h e r

SchwäbWb. 1 (1904), 604. ⁵¹) K u h n *Märk.*
Sagen 314 ff. = G r i m m *Myth.* 2, 657.
⁵²) B a u m g a r t e n *Jahr u. s. Tage* 24
= M a n n h a r d t 1, 170. ⁵³) S e l i g m a n n
Blick 2, 232 ff. 242. ⁵⁴) ZfVk. 23 (1913), 257.

5. Bänder aller Art finden in der V o l k s -
m e d i z i n , meist als Zwischenträger
der Krankheit, reiche Verwendung, besonders bei H a l s k r a n k h e i t e n ,
Husten und Heiserkeit ⁵⁵). Zu diesem
Zwecke geht man in neuester Zeit in Berlin in einen Posamentierladen Unter den
Linden und fordert schweigend und ohne
zu zahlen oder zu danken ein Stückchen
Floretb., das man um den Hals bindet ⁵⁶).
Hat bei den pennsylvanischen Deutschen
ein Kind Keuchhusten, so holt man ein
rotes B. aus einem Laden, ohne es zu bezahlen, bindet es um einen Fingerhut, in
dem eine Spinne ist, und hängt es dem
Kinde um ⁵⁷). In Lippe näht man ein
schmales Samtb. so um den Hals, daß es
nicht leicht weggenommen werden kann.
Wenn es endlich von selbst abfällt, hat
auch das Halsleiden ein Ende ⁵⁸). Die
Pennsylvanier befreien sich von einem
G e w ä c h s dadurch, daß sie ein Bändchen einem Toten um den Finger wickeln,
dann um das Gewächs geben und endlich
das Bändchen in den Sarg legen. Wenn es
verfault ist, vergeht auch das Gewächs ⁵⁹)
(s. Grabbeigabe, Leichenfetisch). Farben-
analogie spielt mit, wenn sie bei R o t -
l a u f oder W i l d f e u e r ein rot-
seidenes B. nehmen und damit über die
geröteten Körperstellen streichen ⁶⁰). In
Sachsen muß das an K r ä m p f e n leidende Kind acht Tage lang ein schwarzes Samtb. um den Hals tragen, worauf
es ins Wasser geworfen wird ⁶¹). Einem
solchen Kinde kann man auch das Halsband einer Ziege umbinden ⁶²). In Häg
im Wiesental gibt man das B., mit dem
geweihte Kräuter umwunden waren, um
einen v e r r e n k t e n A r m ⁶³). Nach
Tiroler Glauben bekommt man, wenn
man ein B. oder eine Schnur mit Knöpfen
findet, so viele Aißen als Knöpfe daran
sind ⁶⁴), im deutschen Ostböhmen heißt
es allgemein, daß man sein eigen Unglück
aufhebt, wenn man am Wege ein B. mit
Knoten findet und zu sich nimmt ⁶⁵).

Bei den Tschechen verwendet man Bänder als Heilmittel, bzw. Zwischenträger,
gegen W e c h s e l f i e b e r ⁶⁶), K r o p f ⁶⁷)
und K i n d e r a u s s c h l a g ⁶⁸). Bei
den Magyaren bindet man einem kranken
Kinde ein B. um den Arm, das es so lange
tragen muß, bis es einen Hut oder ein
Kopftuch bekommt ⁶⁹). In Santiago und
Villacosta in Galizien bindet man einem
behexten Kinde mit einem B. die Daumen
und großen Zehen zusammen, und die
Mutter wartet nach Mitternacht auf
einem Wege, bis jemand kommt, der das
B. durchschneiden muß ⁷⁰). In Frankreich
trägt man gegen W a s s e r s u c h t ein
B., das in das Wasser einer hl. Quelle getaucht wurde, neun Tage lang ⁷¹) und
heilt das F i e b e r durch Anhängen eines
B.es an eine Espe, deren Zittern an die
Krankheit erinnert ⁷²). Früher pflegten
Weiber bei u n r e g e l m ä ß i g e r
M e n s t r u a t i o n ein weißes B., wenn
sie verlangsamt, ein rotes B., wenn sie beschleunigt werden sollte, am Stand-
bild der hl. Venice in der Kirche N.-D.
von Nogent-le-Rotrou aufzuhängen ⁷³).

⁵⁵) W u t t k e 357 § 537. ⁵⁶) Ebd. 132 § 181.
⁵⁷) F o g e l *Pennsylvania* 337 Nr. 1794. ⁵⁸) Z-
frwVk. 4 (1907), 232. ⁵⁹) F o g e l *Pennsylvania*
281 Nr. 1479. ⁶⁰) Ebd. 367 Nr. 1961. ⁶¹) S e y -
f a r t h *Sachsen* 223. Vgl. P f a l z *Marchfeld*
126. ⁶²) J o h n *Erzgebirge* 53 = S e y f a r t h
Sachsen 187. ⁶³) M e y e r *Baden* 570. ⁶⁴) Z i n -
g e r l e *Tirol* 35 Nr. 278. ⁶⁵) G r o h m a n n
221 Nr. 1524. ⁶⁶) H o v o r k a u. *Bläck*
2, 330 f. ⁶⁷) G r o h m a n n 182 Nr. 1278.
⁶⁸) Ebd. Nr. 1273. ⁶⁹) W l i s l o c k i *Magyaren* 160. ⁷⁰) S e l i g m a n n *Blick* 1, 328.
⁷¹) S é b i l l o t *Folk-Lore* 2, 287. ⁷²) Ebd. 3,
413. ⁷³) Ebd. 4, 170.

6. Auch zum S c h u t z d e r T i e r e
bedient man sich in Frankreich roter
Bänder, hängt solche in Paris an den
Vogelkäfig ⁷⁴), in Wallonien an den
Schwanz einer Henne ⁷⁵) und schmückt
damit bei besonderen Anlässen den Bienenstock ⁷⁶). Für die Verwendung des
B.zaubers bei Tieren liefert bereits eine
Handschrift der Bibliothek zu St. Florian
aus dem 14. oder 15. Jh. einen Beleg, wonach man einem Vieh, das nicht gehen
mag, an einem Sonntag ein B. umbinden
und den Knopf oben zumachen soll ⁷⁷).
Die heute meist als Schmuck dienenden

Halsbänder der Zugtiere [78]) waren früher
Schutzmittel. Im deutschen Südböhmen
hat man aber noch jetzt am Geschirr
rote Bänder oder Fleckchen, die „Neid-
fleckerl" heißen [79]). Dasselbe bezwecken
die roten Bänder, welche die Magyaren
den Füllen in die Mähnen binden [80]).

[74]) S é b i l l o t *Folk-Lore* 3, 191. [75]) Ebd.
3, 228. [76]) Ebd. 3, 315. [77]) G r i m m *Myth.*
3, 416 Nr. 17. [78]) H e c k s c h e r 294. [79]) Verf.
[80]) W l i s l o c k i *Magyaren* 160.

7. **Rote Bänder wehren überhaupt
bösen Zauber ab.** In Hinterpommern legt
man sie sogar auf beschriene Butter-
fässer [81]), und in Syrien bindet man sie um
die W e i n s t ö c k e , damit sie gedeihen und gute Früchte tragen [82]).

[81]) S e l i g m a n n *Blick* 1, 331. [82]) ZfVk.
23 (1913), 258. — Zum B.zauber vgl. noch
S c h e f t e l o w i t z *Schlingenmotiv*, bes. 17 f. 59.

Vgl. F a d e n , G ü r t e l , K n o t e n ,
L a p p e n , S c h m u c k , S c h u h b . ,
S c h ü r z e n b . , S t r u m p f b . , T u c h .

　　　　　　　　　　　　　　　Jungbauer.

Bank. An Stelle des Tisches erscheint
beim Legen des Neugeborenen auf den
Stubenboden manchmal auch die Stu-
benb. als der Ort, wo die Handlung in
hergebrachter Art vollzogen wird. In der
Schweiz (Appenzell) wurde und wird das
Kind sogleich nach der Geburt unter die
B. gelegt. Es sollte geschehen, wenn es
etwas Wechselbalgartiges an sich hatte
(so schon 1599), in der Neuzeit begründet
man es damit, daß es solchermaßen sein
Lebtag nicht den Geistern anfalle oder
(mehr poetisch) damit es schamhaft sei [1]).
Im Schwäbischen legt man es in seinem
ersten Tragkissen unter die B., bevor man
es der Mutter ins Bett reicht [2]). Es kann
sich dann später überall gut einleben und
bekommt kein Heimweh. In der Mark
tut man so bei der Heimkehr von der
Taufe; hierauf legt man das Kind in die
Wiege und dreht es mehrmals um und
um [3]). Windeln soll man in den Sechs-
wochen nicht unter die B. werfen, sonst
bekommt das Kind kein Ansehen [4]). Im
Norddeutschen Kinderlied ist insbeson-
ders vom Legen des wechselbalgartig ver-
änderlichen Kindes auf die B. die Rede [5]).
Man stürzt, sobald die Leiche hinausge-

tragen ist, die B. um [6]), und ein Gleiches
ist mit Bänken und Stühlen, auf denen
der Sarg gestanden hat, auch in Mitteldeutschland, der Pfalz und Österreich der
Fall [7]) (s. Leichenzug).

[1]) R o c h h o l z *Kinderlied* 279. [2]) H ö h n
Geburt 4, 260. [3]) K u h n u. S c h w a r t z 430
= R o c h h o l z a. a. O. 290. [4]) S c h ö n -
w e r t h *Oberpfalz* 1, 181 Nr. 11 [5]) M a n n -
h a r d t *Germ. Mythen* 280. [6]) K u h n u.
S c h w a r t z 435. [7]) L i p p e r t *Christentum*
390 = W § 435; G r i m m *Myth.* 3, 416 Nr. 9.
　　　　　　　　　　　　　　　Haberlandt.

Bann (= B.), b a n n e n (= b.), s t e l -
l e n (= st.), S t e l l u n g (= St.) ist der
Zwang, den ein Mensch mittelst eines
Zauberwortes oder einer Zauberhandlung auf andere Wesen (Menschen, Tiere,
Geister u. a.) ausübt, meistens mit dem
Zweck, den Gebannten unschädlich oder
unfähig zu machen, seinen Willen zu betätigen. Das kann geschehen durch das
S t e l l e n , d. h. die zeitweilige Still-
stellung oder Behinderung, das V e r -
b a n n e n (s. d.), d. h. die zauberische
Versetzung aus dem Ort, wo der zu Bannende Schaden bringt, an einen andern,
wo er unschädlich bleibt, das B e -
s c h w ö r e n (s. d.), d. h. das zauberische Verbieten des Übeltuns, oder auch,
bei Geistern, das zauberische Zitieren.

B. wird zurückgeführt auf die T ä -
t i g k e i t v o n G e i s t e r n , Z a u -
b e r e r n u n d H e x e n [1]). Es wird
gebannt, wer in das Revier eines Geistes, besonders eines selbst gebannten,
kommt [2]). So stellt auch der wilde Jäger [3]).
Eigentümlich ist, daß Zigarrenrauchen
das Gestelltwerden durch einen gespenstischen Leichenzug verhindert [4]). Deutlich erzieherischen Charakter hat die vom
Untersee berichtete Erzählung, daß ein
Bauer wegen Sonntagsarbeit von einem
Geist gestellt wurde und von morgens
7 Uhr bis abends 7 Uhr zum Gespött aller
Vorbeigehenden stehen mußte [5]). Daß
auch Freimaurer (s. d.) in dieser Gesellschaft erscheinen [6]), ist bei der Einstellung
weiter Volkskreise diesen gegenüber nicht
verwunderlich. Sonst ist das B. nur wenigen Leuten bekannt, die mit B.-sprüchen
und Beschwörungsformeln arbeiten (Ver-
balsuggestionen?) [7]). So kann ein Sonn-

tagskind den Wind st.[8]). Außerdem sind
zu solchen Künsten nur in der Schwarzkunst (s. Schwarzkünstler, Nekromantie)
erfahrene Leute, besonders aber, offenbar
von hrer Tätigkeit als Exorzisten her
(s. a. Geisterb.), katholische Geistliche
befähigt. Im Bergischen hält man den
Abend für die einzige erfolgversprechende
Zeit für das B., wofür der Ausübende
¼ Stunde Vorbereitungszeit benötigt[9]).
Für das St., das in Tirol auch bezeichnend
„gefroren machen", in der Oberpfalz „an-
frören" heißt[10]), werden mannigfache
H i l f s m i t t e l genannt: so betet der
Banner das Vaterunser rückwärts[11]), denselben Dienst tut das Umkehren des Glases oder eines Bildes[12]) oder das Fest-
nageln eines in Beziehung zu dem zu
Bannenden stehenden Gegenstandes (s.
a. verpflöcken)[13]). Eine besondere Rolle
spielt hierbei der B.- k r e i s, in den sich
der Bannende entweder selbst hinein-
stellt[14]) oder aber, was weit häufiger ist,
den zu Bannenden hineinb.[15]). Wir haben
hier eine Erinnerung an den bei allen
indogermanischen Stämmen, besonders
bei den Slawen, z. T. noch heute geübten
Brauch, den zu sakralen Zwecken dienenden oder sakral zu bannenden Gegenstand
dreimal zu umkreisen[16]). Schließlich geht
auch die Sitte, die Hühner an bestimmten
Tagen innerhalb einer Sperrkette zu füttern, damit sie die Eier nicht verlegen,
auf diesen B.-kreis zurück[17]).

Sagen und Geschichten, in denen das
B. eine Rolle spielt, sind sehr zahlreich.
Einmal wird ein Knabe durch den Fluch
des jähzornigen Vaters gestellt und muß
3 Jahre auf derselben Stelle stehen, im
8. Halbjahr kann er wenigstens sitzen und
wird nach 7 Jahren durch den Tod erlöst[18]). Anderwärts wirkt sich der Stell-
zauber beim Essen dahin aus, daß die
Speisen stahlfest gemacht werden, so daß
niemand abschneiden kann[19]), oder ein
Wirt stellt Gäste zwei Tage lang, bis ein
Fremder sie löst[20]). Sonst werden gebannt
Tänzer und Streitende, böse Nachbarn,
Zauberer, Zigeuner, selbst ein Leichenzug[21]).

Wie die H e x e n so kann man D i e b e,
R ä u b e r und M ö r d e r durch Zauberspruch und magische Handlung b.[22]).
Besonders verbreitet ist das B. des Obst-
diebs auf dem Baum[23]). Im Kt. Zürich
glaubte man, einen Dieb mit Hilfe von
Nägeln festzustellen oder ihn zu bewegen,
die Beute wieder zu erstatten[24]). Das B.
des Diebs erfolgt durch den D i e b s -
s e g e n (s. d.)[25]). Man spricht ihn, indem
man nach Sonnenuntergang dreimal um
die Stelle geht (s. a. umkreisen), zu der
vermutlich der Dieb kommt; dabei darf
man sich aber nicht umsehen und muß genau an dem Punkt aufhören, wo man den
Umgang begonnen hat. Wenn man dann
zum Schluß noch dreimal „Im Namen
Gottes" usw. sagt, so findet man am anderen Morgen den Dieb an der Stelle festgebannt[26]). Ein solcher Segen lautet:
„Ich hier nene deinen Namen (s. d.),
Kannst Du über mein gutt gehen oder
Reiten, außer dem Dach oder unter dem
Dach, kannst Du es nicht, so bleib stille
stehen, zähle vorher alle Rägentropfen,
alle Sterne, die am Firmament stehen und
alle Steine, die in der Erde liegen, alles
grüne Gras, So auf der Erde Stehed, alle
Sandkörnlein, So im Meer liegen und alle
Brunnen, so unter der Erde liegen. Kannst
Du es nicht zählen, so Sollst und must Du
stihle stehen, wie ein Block und Dich umsehen wie ein Bock"[27]). Ein Pforzheimer
Artzneybüchlein von Carl Ludwig Schneidemann Ao. 1768 empfiehlt als sicher wirkendes Mittel zum B. eines Diebes das bekannte Sator (s. d.): „Auf ein Zettelein
muß es aber stehen und an die Thür hin-
gegleibt werden. Welcher Dieb das an der
Thür ansiehet wird nicht mehr weggehen
können bis er drappirt wird"[28]). Wenn der
Dieb sich allerdings selbst auf das B. versteht, kommt es darauf an, wer die stärkeren Sprüche weiß[29]); dabei geht es dann
oft recht erheiternd zu, wenn z. B. der
Wilddieb die revidierenden Forstbeamten
auf die Stühle am heißen Ofen bannt
und sie schwitzen läßt[30]), oder wenn der
Banner die Diebe mit „Knitteln ordo-
nanzmäßig durchbritschen und abschmie-
ren" läßt und sie nach Lösung des Bannes
noch durch die „Mistlache" jagt[31]).

In K r i e g s l ä u f t e n nahm man natürlich ebenfalls gern seine Zuflucht zum B.,

so der „Krieger Bâthle" in Wurmlingen, der im Schwedenkrieg einige Schwedenreiter auf 20 Schritte stellte, indem er mit seinem Pflugstecken dreimal in der Luft herumfuchtelte [32]), oder jener Bauer in Sotzbach, der im Siebenjährigen Krieg eine Schwadron Reiter bannte, daß sie einen halben Tag lang weder vorwärts noch rückwärts konnten [33]). Man bediente sich dabei in der Regel einer „sehr geschwinden Stellung", wie sie etwa das Romanusbüchlein lehrt: „Du Reiter und Fußknecht kommst daher, wohl unter deinem Hut, du bist besprengt mit Jesu Christi Blut, mit den heiligen 5 Wunden sind dir deine Rohr, Flinten und Pistol gebunden, Säbel, Degen und Messer gebannet und verbunden, im Namen Gottes des Vaters, des Sohnes und des hl. Geistes. Amen" (dreimal zu sprechen) [34]). Man verstand es demnach auch, wie man der eigenen W a f f e Treffsicherheit anzaubern konnte, die des Gegners zu stellen oder zu „bescheißen", Hieb- und Stichwaffen zu b. Eine Reihe der dazu nötigen Beschwörungsformeln sind erhalten. Neben dem Heiland und der Muttergottes werden dabei oft die Heiligen, vor allem die hl. Drei Könige, die vier Evangelisten, die Erzengel, die „12 Botten der Patriarchen" u. a. angerufen [35]). Wie man so einen Angreifer oder Verfolger [36]) unschädlich machen konnte, so glaubte man auch, einen Feind oder Flüchtling dem Verfolger in die Hände b. zu können [37]).

Den S t e l l z a u b e r muß man vor Sonnenaufgang (Sonnenuntergang) [38]) l ö - s e n , sonst stirbt der Gebannte, und sein Leib wird kohlschwarz. Der Gestellte ist zum Teufel geworden [39]). Diese Vorstellung beruht auf dem Glauben, daß man einem anderen durch Zauber die S e e l e (s. d.) e n t l o c k e n kann, worauf der seelenlose Leib unbeweglich bleibt, bis der Banner ihm die Seele zurückgibt. Dies geschieht durch L o s - s p r e c h u n g oder A b d a n k u n g von der Art: „Bist hergegangen in Teufels Namen, geh hinweg in Gottes Namen, lege ab das Gestohlene" [40]).

Ist der Gebannte selbst zauberkundig, so kann er unter Umständen den S t e l l -

z a u b e r s e l b s t b e s e i t i g e n , indem er die Schuhe auszieht und in den Strümpfen fortgeht oder den rechten Schuh an den linken Fuß, den linken an den rechten anzieht [41]). Kann er sich gar seinen Hosenträger zerschneiden, so büßt der Banner mit sofortigem Tod [42]).

Bei den T i e r e n wurde das B. vor allem zum St. von Wild zu bequemem Abschuß angewendet, aber auch um Krebse und Fische aus dem Wasser zu fangen [43]). Hunden und Mäusen konnte man die Mäuler durch B. verschließen, Wanzen in ein anderes Haus b., Schlangen und Ungeziefer (Raupen, Erdflöhe, Käfer u. dgl.) vertreiben [44]).

Das B. eines W a g e n s [45]) wurde gern von gewinnsüchtigen Handwerkern (Schmieden) praktiziert, um eine Ausbesserung vornehmen zu können [46]) oder aus Übermut [47]). Durch Besprechen wird das Fahrzeug wieder flott gemacht [48]). Drastischer sind folgende Mittel: man schlägt auf alle Radnägel des gebannten Fahrzeugs [49]) oder haut mit der Axt auf die Deichsel [50]). Zerschlägt man gar eine Radspeiche, so wird dem Banner dadurch mindestens ein Fuß abgehauen, meist trifft ihn der Schlag ins Herz, so daß er sofort tot ist [51]).

K r a n k h e i t e n werden als Dämonen gefaßt und können deshalb durch B. vertrieben werden (s. a. Incantatio). Besonders geschieht das beim Alpdrücken. Schon die Alten kannten es ebenso wie das heute noch weit verbreitete Sympathiemittel des Verpflöckens (s. d.). Auch wird die Krankheit in einen Zauberkreis (s. a. Kreis) gebannt: in Franken und Österreich legt man auf eine Flechte ein Geldstück, macht dann einen Kreis herum und darauf kreuzweise Eindrücke. Ein ganz ähnliches Verfahren empfiehlt schon Marcellus [52]). Noch in der Gegenwart verschreibt man sich in der Lausitz „Bannmänner" aus dem benachbarten Böhmen, vornehmlich um plötzlich krank gewordenes, d. h. behextes Vieh zu kurieren [53]). Andere bringen selbst stark fließendes Blut oder Schlangengift durch B. zum Stehen [54]).

[1]) M e i c h e Sagen 176 Nr. 240; E i s e l Voigtland 78 Nr. 199; A n d r e e Braunschweig

387; K ö h l e r *Voigtland* 528 Nr. 133; ZfrwVk. 8, 155; ZfVk. 11 (1901), 68; W u t t k e 159 § 216. [2]) M e i c h e *Sagen* 214 Nr. 277; 580 Nr. 721; R e i s e r *Allgäu* 1, 422; K ü h n a u *Sagen* 1, 500. [3]) K u h n *Westfalen* 1, 178 Nr. 189. [4]) M e i c h e *Sagen* 242 Nr. 309. [5]) SAVk. 2 (1898), 18. [6]) K ü h n a u *Sagen* 3, 252. [7]) S t o l l *Zauberglauben* 128; A g r i p p a v. N e t t e s h e i m 1, 183 ff.; (K e l l e r) *Grab d. Abergl.* 1, 39 ff.; L u c k *Alpensagen* 75; L e s s i a k *Gicht* 156; A m e r s b a c h *Grimmelshausen* 2, 37; N i d e r b e r g e r *Unterwalden* 3, 549; F i e n t *Prättigau* [2] 173; K i e s e w e t t e r *Faust* 226; ZfVk. 25 (1915), 352; MschlesVk. 6 (1899), 36; 7 (13) (1905), 96; DG. 13, 17 f.; SAVk. 21 (1917), 55. [8]) L ü t o l f *Sagen* 383. [9]) S c h e l l *Bergische Sagen* 291 Nr. 1 a; 293 Nr. 1 c. [10]) H e y l *Tirol* 285 Nr. 103; 426 Nr. 113; S c h ö n w e r t h *Oberpfalz* 3, 215 f. [11]) S c h e l l *Bergische Sagen* 442 Nr. 43. [12]) R a n k *Böhmerwald* 1, 166; M e i c h e *Sagen* 566 Nr. 704. [13]) ZfVk. 25 (1915), 352. [14]) R o c h h o l z *Sagen* 2, 167. [15]) K u h n u n d S c h w a r t z 449 Nr. 378; L i e b r e c h t *Zur Volksk.* 306. [16]) G o l d m a n n *Einführung* 98 Anm. 3. [17]) K n u c h e l *Umwandlung* 37. [18]) M e i c h e *Sagen* 561 Nr. 696. [19]) Ebd. 559 Nr. 693. [20]) S c h e l l *Bergische Sagen* 7 Nr. 8. [21]) L e o p r e c h t i n g 58 f. 60 ff.; S c h e l l *Bergische Sagen* 49 Nr. 74 a; 399 Nr. 6; R e i s e r *Allgäu* 1, 209; ZfVk. 9 (1899), 372. [22]) K n u c h e l *Umwandlung* 85; S c h e l l *Bergische Sagen* 27 Nr. 23; *Neue berg. Sagen* 83 Nr. 14; A n d r e e *Braunschweig* 387; A n d r e e - E y s n *Volkskundliches* 215 Nr. 38; M ü l l e n h o f f *Sagen* 517 f. Nr. 34; W o l f *Beiträge* 1, 153; K u o n i *St. Galler Sagen* 26 f. 86; SAVk. 15 (1911), 184 f.; 21 (1917), 199; ZföVK. 3 (1897), 6. [23]) B i r l i n g e r *Volksth.* 1, 510; M ü l l e n h o f f (- M e n s i n g) *Sagen* 202 Nr. 302; L ü t o l f *Sagen* 250 f. [24]) ZfVk. 25 (1915), 352 f. [25]) G r i m m *Myth.* 3, 505; F r i s c h b i e r *Hexenspr.* 113; W a i b e l u. F l a m m 2, 133; ZfVk. 11 (1901), 68. [26]) K u h n u. S c h w a r t z 449 Nr. 378; R a n k e *Sagen* 271 f. [27]) SAVk. 2 (1898), 264; vgl. S c h r a m e k *Böhmerwald* 270. [28]) W e i n h o l d *Festschrift* 115 f. [29]) R o c h h o l z *Sagen* 2, 60; E i s e l *Voigtland* 223 f.; A n d r e e - E y s n *Volkskundliches* 215 Nr. 41 f. [30]) S c h e l l *Neue berg. Sagen* 62 Nr. 9. [31]) R e i s e r *Allgäu* 1, 209. [32]) B i r l i n g e r *Volksth.* 1, 331. [33]) B i n d e w a l d *Sagen* 127 f. [34]) *Romanusbüchlein* 13; S c h r a m e k *Böhmerwald* 267; SAVk. 25 (1921), 67; vgl. W e i n h o l d *Festschrift* 118; ZfrwVk. 1904, 301. [35]) *Geistl. Schild* 164; A m e r s b a c h *Grimmelshausen* 2, 37; S c h r a m e k *Böhmerwald* 273; ZfVk. 23 (1913), 15; SAVk. 19 (1915), 228 f.; 25 (1921), 68. [36]) S c h e l l *Bergische Sagen* 286 Nr. 53 b.; M ü l l e r *Siebenbürgen* 75 f. [37]) A m e r s b a c h *Grimmelshausen* 2, 37; M e i c h e *Sagen* 566 Nr. 704. [28]) K u o n i *St. Galler Sagen* 69. [39]) R a n k e *Sagen* 25 f. 271 f.; L e o p r e c h t i n g *Lechrain* 37; K u h n u n d

S c h w a r t z 449 Nr. 378. [40]) S c h r a m e k *Böhmerwald* 275; L u c k *Alpensagen* 75; ZfVk. 5 (1895), 297. [41]) H e y l *Tirol* 164 Nr. 72; J e c k l i n *Volkstüml.* 391; ZfVk. 4 (1894), 156. [42]) S c h e l l *Bergische Sagen* 186 Nr. 112. [43]) R a n k e *Sagen* 32; A n d r e e - E y s n *Volkskundliches* 215; R e i s e r *Allgäu* 1, 207 f.; SAVk. 25 (1925), 69; A m e r s b a c h *Grimmelshausen* 2, 37. [44]) A m e r s b a c h *Grimmelshausen* 2, 37. [45]) B a u m g a r t e n *Aus der Heimat* 2, 79; M e y e r *Baden* 427; ZfVk. 11 (1901), 69. [46]) K ü h n a u *Sagen* 3, 236 f. [47]) ZfVk. 11 (1901), 69. [48]) S c h e l l *Neue berg. Sagen* 21 Nr. 6. [49]) G r i m m *Myth.* 3, 471 Nr. 977. [50]) M e i c h e *Sagen* 581 Nr. 723. [51]) A n d r e e - E y s n *Volkskundliches* 215; E i s e l *Voigtland* 223 f.; S c h e l l *Bergische Sagen* 86 Nr. 5; 150 Nr. 27; 177 Nr. 93; 209 Nr. 165; *Neue berg. Sagen* 50 Nr. 27. [52]) B a r t e l s *Medizin* 194 ff.; N a u m a n n *Gemeinschaftskultur* 143 f.; S t e m p l i n g e r *Sympathie* 75 f.; W r e d e *Rhein. Volkskunde* [2] 133. [53]) K ü h n a u *Sagen* 2, 539. [54]) H e y l *Tirol* 802 Nr. 261.

S. a. G e i s t e r b., Ü b e r t r a g u n g, v e r f l u c h e n.   Mengis.

Bannbüchlein. Mit diesem Namen bezeichnet man Beschwörungsbücher, die Sprüche und Mittel zum Stellen der Jagdtiere, der Diebe, zur Unschädlichmachung von reißenden Tieren und Schlangen, zum Bannen der Geister und des Teufels enthalten [1]). Damit sie bannkräftig werden, legt man sie einem Primizianten unbemerkt unter das Altarblatt. Um den Gefahren beim Gebrauch der B. zu entgehen, muß man sie rückwärts lesen können, wodurch der Zauber aufgehoben wird [2]). Bannen bedeutet: festhalten, zaubern, bezwingen [3]), vgl. Schlangen und Nattern bannen [4]), Diebe [5]), den Teufel oder die Geister bannen [6]), in der älteren Sprache: bannen und bennen, durch Zauber- oder Segenssprüche binden [7]); s. bannen.

[1]) R e i s e r *Allgäu* 1, 206; ZfVk. 9 (1899), 272; B i r l i n g e r *Aus Schwaben* 1, 405; H ö h n *Volksheilkunde* 1, 80. [2]) D o r n s e i f f *Alphabet* 63; ZfVk. 25 (1915), 246; W u t t k e 183 § 250; HessBl. 20 (1921), 15 ff.; S e y f a r t h *Sachsen* 165. 169. [3]) G r i m m *DWb.* 1, 1116. [4]) P a n z e r *Beitrag* 2, 272 Nr. 12; G r i m m a. a. O. (Grimmelshausen, Simplizissimus). [5]) WürttVjh. 13 (1890), 205 Nr. 213; 213 Nr. 244. [6]) P a n z e r a. a. O. 2, 142. 201. 271 Nr. 8. 302; WürttVjh. a. a. O. 215 Nr. 250; SAVk. 20 (1916), 435. [7]) L e x e r *MhdWb.* 1 (1872), 123. 181.   Jacoby.

Bannprozession s. F l u r u m g a n g.

Bannsegen s. S e g e n , V e r b a n -
n u n g.

Bär (Sternbild) s. S t e r n b i l d e r II.

Bär (Tier).

1. N a m e. Der idg. Name des braunen
B.en (Ursus arctos) gehört zu der Gruppe
scr. r̥ksha-, avest. areša-, gr. ἄρκτος, lat.
ursus [1]). Aus religiösen Gründen (Verbot,
den Namen des Tieres zu nennen; vgl.
Wolf) [2]) haben die germanischen und
lituslawischen Sprachen das Wort verloren [3]). Die Germanen, wie die Wogulen
und Lappen [4]), haben dafür „Bär", „der
Braune" [5]), den aus der Tiersage bekannten Namen [6]), Petz, (betz, bätz), eine
Kurzform von B. mit dem Kosesuffix
-ze [7]). Die Slawen ersetzten schon in ur-
slaw. Zeit den Namen durch medvědi
= Honigesser, was in der Gegenwart wieder durch „Er", „Hausherr" usw. verdrängt ward [8]), so wie die Finnen von
mesikämmen (Honighand), otso (Breit-
stirn) [9]) und vom „Alten" sprechen. Die
Russen brauchen zvěri = Wild [10]), für
den Jungbären Lontschak = Jährling,
für den zwei- bis dreijährigen Pestun
= Kinderwärter; er ist ein Owsjannik
= Haferesser oder ein Sterwjätnik, ein
Aasfresser [11]). Die Esten nennen ihn
laijalg (Breitfuß) [12]). Bei verschiedenen
türkischen und tatarischen Völkern hat
der B. Bezeichnungen wie Vater, Mutter,
Großvater; von den Schweden wird er
hin gamle, store, storfan, Großväterchen,
genannt [13]) oder auch kuse, bjäss und
gullfot (Goldfuß), sötfot (Süßfuß) [14]). —
Auch die Ungarn nennen ihn öreg = der
Alte, toporjan = Fußschlepper, die
Szekler: féreg, den schleppend gehenden
Wurm [15]), die Lappen vari-aija (kluger
Vater), während des B.festes: soive olma
(heiliger Mann) oder härra (Herr), fruvva
(Frau) [16]).

[1]) S c h r a d e r *Reallex.* [2] 1, 81; F e i s t
Indogermanen 1913, 181. [2]) S c h r a d e r a.
a. O. nach A. M e i l l e t *Quelques hypothèses
sur des interdictions du vocabulaire dans des
langues indo-européennes* in Festschr. f. A. J.
Vendryes zum 3. 7. 06 u. Ztschr. für deutsche
Wortforschung 10, 167 ff.; K e l l e r *Antike
Tierwelt* 1, 178. [3]) S c h r a d e r a. a. O. [4]) K e l-
ler *Antike Tierwelt* 1, 178. [5]) H u g o P a-
l a n d e r *Ahd. Tiernamen* 1899 56 f.; vgl.
U s e n e r *Kl. Schr.* 4, 57 Anm. 111. [6]) G r i m m
Reinhart Fuchs CCXXII ff. [7]) R i c h a r d
L o e w e *Germ. Sprachwissenschaft* 1 (1922), 87.
[8]) S c h r a d e r *Reallex.* [2] 1, 81. [9]) G r i m m
Reinhart Fuchs LVI. [10]) S c h r a d e r *Reallex.* [2]
1, 81. [11]) M e e r w a r t h - S o f f e l *Lebensbilder aus d. Tierwelt Europas* 1 (1920), 72.
[12]) G r i m m *Reinhart Fuchs* LVI. [13]) K e l-
ler *Tiere* 110; R i e g l e r in WS. 4, 175.
[14]) G r i m m *Reinhart Fuchs* LV. [15]) K e l l e r
Antike Tierwelt 1, 178. [16]) H a m m a r s t e d t
in Beiträge z. Rel.wissenschaft 2 (1918), 124 f.

2. D e r B. i m G l a u b e n d e r a l t e n
und p r i m i t i v e n V ö l k e r. Als prähisto-
risches Jagdtier kannte man sowohl den
Höhlen- wie den braunen B.en [17]). Die
Knochen verarbeitete man zu Geräten [18]).
Im Burgwall von Mecklenburg (slawische
Zeit) fand man bei einer Grabung einen
B.enschädel [19]); in germanischen Gräbern [20]) kamen B.enknochen zum Vorschein. Bei den Römern war er ein beliebtes
tes Jagdtier; die lebend gefangenen wurden, abgerichtet, viel bei den Spielen im
Zirkus verbraucht [21]). In der g r i e c h i-
s c h e n Mythologie erscheint er öfters.
Er war das Tier der Artemis, deren Hypo-
stase Kallisto B.engestalt hat, und deren
Priesterinnen (brauronische A.) B.enklei-
der tragen [22]); an ihren Tempeln wurden
erbeutete B.enköpfe aufgehängt [23]); ihr
wurden B.en geopfert [24]). Im Heiligtum
der syrischen Göttin Artemis zu Munichia
wurden B.en gehalten [25]); in peloponne-
sischen (arkadischen) und attischen Kulten war er ihr Symbol [26]). Der großen
Göttin der S y r e r war er heilig [27]).

Die meisten Völker der nördlichen Zone
wissen vom B.en zu erzählen. Über den
B.en als T o t e m t i e r handelte Reuterskiöld [28]). Bei den Algonkins haben die
Unterweltdämonen B.engestalt [29]); die
Blackfoot wissen von plagenden Dämonen in B.engestalt [30]); die den Menomini
(Algonkins) benachbarten Skidi-Pawnee
kennen B.en als Begleiter der Hexe [31]);
bei den Nahavos (Pueblas) bewachen
B.en das Haus der Sonnenfrau [32]). Häufig
ist in der indianischen Tiersage von ihm
die Rede [33]), wie auch die Eskimos [34]) und
nordamerikanischen Neger [35]) von ihm erzählen.

Auch die sibirischen Völker haben sich mit ihm beschäftigt. In einer Höhle Innerasiens fand Gmelin das Steinbild eines sitzenden B.en [36]). Die A i n o s verehrten einen B.engott, an dessen Hauptfest ein von einer Frau gesäugter B. getötet und gegessen wurde [37]). Auch die Japaner kannten eine Berggottheit, welche als B. erschien [38]). Die Giljaken (an der Amurmündung und auf Sachalin) kennen einen Berg- und Waldgott Pal'-ys', der ihnen seine Hunde, die B.en, als Nahrung sendet. Diese B.en sind „Bergmenschen", niedere Götter, zugleich aber Gentilgenossen der Giljaken. Wieder finden sich bei den sibirischen Völkern Tiersagen, die an diejenigen der Indianer erinnern [39]). In Lappland wurde der B. im 18. Jh. noch als saivo = heilig, passevaitse = heiliges Wild, bezeichnet [40]). Die Ungarn sind von einem B.enkult ihrer Vorfahren überzeugt [41]). Die Finnen hielten, wenn sie den Kopf des getöteten B.en an einem Baum aufhingen, ein Fest ab, wobei ein Knabe und ein Mädchen als Brautpaar erschienen [42]).

[17]) E b e r t Reallexikon 6, 140; 7, 134 ff.; W. S o e r g e l Die Jagd der Vorzeit 1922, 54 ff.; O. P r o f e im Mannus 6, 107 ff.; W. S o e r g e l Das Aussterben diluvialer Säugetiere u. d. Jagd d. dil. Menschen 1912 = Festschr. z. XLIII allgem. Vers. d. deutsch. anthropol. Ges. 47 ff.; vgl. auch H o e r n e s - M e n g h i n Urgesch. d. bild. Kunst 1925, 147. 233. 244 f. 144—146. [18]) S o k o l o w s k y in Mediz. Klinik 1918, 395 f. [19]) Nachrichtenbl. f. d. Vorzeit 3, 6. [20]) K e l l e r Tiere 365. 366. [21]) D e r s. Antike Tierwelt 1, 178 ff.; vgl. Tiere 115 ff. [22]) K e l l e r Antike Tierwelt 1, 176; P a u l y - W i s s o w a 2, 1344. 1434. [23]) Ebd. [24]) Ebd. [25]) Ebd. [26]) P a u l y - W i s s o w a 2, 1434. [27]) K e l l e r Tiere 114. [28]) R e u t e r s k i ö l d Speisesakramente 14. 26. 29. 48. 77 f. [29]) W. K r i c k e b e r g Indianermärchen aus Nordamerika 1924, 52. 82. 373; vgl. S i u t s Jenseitsmotive 269. [30]) Ebd. 135. [31]) Ebd. 143. 157. [32]) Ebd. 338. [33]) D ä h n h a r d t Natursagen 3, 6. 58. 50. 57. 29. 253 f. 63. 77. 83 f. 97; 4, 207; K r i c k e b e r g 108. 217 ff. 176. [34]) D ä h n h a r d t 3, 18. 252; S o c k Eskimomärchen (1921), 70 ff. 78 f. [35]) D ä h n h a r d t 3, 50 f.; 4, 44. [36]) K e l l e r Tiere 110 = Antike Tierwelt 1, 177. [37]) H ö f l e r Organotherapie 65; ZfVk. 6, 344; A n d r e e Parallelen 1, 132; Globus 39, 232 f.; vgl. ebd. 32, 117; K e l l e r Antike Tierwelt 1, 177. [38]) K a r l F l o r e n z Die historischen Quellen d. Shintoreligion 1919, 4 Nr. 18. 86;

vgl. G r i m m Myth. 3, 191: B.enfest der Lappen; M u u s Altgerman. Religion 30 f. [39]) D ä h n h a r d t 4, 282 f. [40]) K e l l e r Antike Tierwelt 1, 137. [41]) Ebd. [42]) Beitr. z. Rel.wissensch. 2, 119 f.

3. N a t u r g e s c h i c h t l i c h e r A b e r g l a u b e. Die Menschenähnlichkeit eines enthäuteten B.en ist stets stark aufgefallen [43]); die Ainos empfanden sie [44]) wie die Giljaken [45]); die Esten erklären, ein abgehäuteter B. habe große Ähnlichkeit mit einem Mädchen, besonders an Brust, Hüften und Beinen [46]). Seine Füße gleichen Menschenfüßen (mongolisch [47]), serbisch [48]), polnisch [49]), russisch [50]); er hat menschlichen Verstand (Altajer [51]), mongolisch [52]), aber nur einen kleinen, weil er von einer Frau abstammt (lettisch [53]). Seine Zitzen sitzen wie bei den Menschenfrauen an der Brust, nicht am Bauch (Smolensk [54]), und er hat eine weiße Brust wie eine Jungfer (estnisch [55]). — Nach deutschem Volksglauben ist er ohne Knochen, besteht nur aus Muskeln und Sehnen [56]).

Solinus sagt, die B.en verehren die B.innen, die stärker sind als die B.en, heimlich [57]). Sie kohabitieren in gestreckter Lage wie die Menschen [58]). Die B.in wirft am 30. Tage darnach ein Junges, wenig größer als eine Maus [59]). Das ist ein ungeformter Fleischklumpen, der erst durch Belecken Glieder bekommt; vorher sind nur die Klauen zu sehen [60]). Wenn Zedler das 1733 abstreitet, muß also der Glaube damals noch lebendig gewesen sein [61]). Es ist nichts seltsamer anzusehen als eine gebärende B.in [62]). Die B.en genießen Ameisen und Krebse als Arznei, nach antiken Autoren kennen sie die Heilkräuter [63]). Der B. wächst fast unaufhörlich [64]); kocht man B.enfleisch, so wächst es auch [65]). Älian und Äsop behaupten, er rühre keinen Leichnam an [66]), Aristoteles, er fresse erst fauliges Fleisch [67]). Er ist so verpestet, daß verfault, was er anbläst [68]). Man habe ihn gefangen, erzählt Megenberg, indem man ihn mit Honig in eine Fanggrube lockte [69]) oder ihn durch Vorhalten eines glühenden Eisens blendete [70]). Die auf den B.en bezüglichen Ausdrücke der Jägersprache zählt Zedler

auf[71]). Sein Brummen deuten die Siebenbürger Sachsen: „Ech bän der grest! oder:
ech kun, ech frêsen dich"[72])! Sie wissen
auch, daß man nur 99, nie 100 schießen
kann[72a]).

[43]) M e g e n b e r g *Buch der Natur* 133.
[44]) D ä h n h a r d t *Natursagen* 3, 449. [45]) L e o
S t e r n b e r g im ARw. 8, 267. [46]) D ä h n -
h a r d t 2, 278 Nr. 2 a. [47]) Ebd. 3, 450 Nr. 13 b.
[48]) Ebd. Nr. 22. [49]) Ebd. 2, 99 Nr. 7. [50]) A u g.
v. L ö w i s o f M e n a r *Russische Volksmärchen* 1914, 218. [51]) D ä h n h a r d t 3, 451
Nr. 22. [52]) Ebd. 3, 450 Nr. 13 b. [53]) Ebd. 3,
452 Nr. 19 b. [54]) Ebd. 2, 99 Nr. 4. [55]) Ebd.
Nr. 10. [56]) M o n t a n u s *Volksfeste* 167.
[57]) M e g e n b e r g *Buch der Natur* 134; K e l -
l e r *Tiere* 123. 376 Nr. 207. [58]) M e g e n b e r g
134. [59]) Ebd., nach Ambrosius. [60]) Ebd. nach
Plinius, der auf Aristoteles zurückgeht; vgl.
K e l l e r *Tiere* 122 f. 375 Nr. 199; K e l l e r
Antike Tierwelt 1, 180. [61]) Z e d l e r *Universallexikon* 2, 115. [62]) M e g e n b e r g 134. [63]) Ebd.
nach Aristoteles. K e l l e r *Tiere* 122.
375 Nr. 193. 194.) *Heilkräuter:* K e l l e r
Tiere 122. 374 Nr. 188. 189; H ö f l e r *Organotherapie* 65. [64]) M e g e n b e r g 134. [65]) Ebd.
nach Plinius. [66]) K e l l e r *Tiere* 123. [67]) Ebd.
[68]) M e g e n b e r g 134. [69]) Ebd. nach Solinus. [70]) Ebd. [71]) *Universallexikon* 2 (1733),
116. [72]) H a l t r i c h *Siebenb. Sachsen* 152.
[72a]) M ü l l e r *Siebenbürgen* 25 f.

4. D e r B. i s t e i n v e r w a n d e l t e r
M e n s c h; B ä r e n s o h n. Der B. ist
asiatischen und slawischen Völkern ein
Weib, andern Europäern ein männliches
Wesen, das sich verwandelt hat. — Für
die Verwandlung werden manche Gründe
angegeben; die B.engöttin heiratet einen
Menschen (Ainos)[73]), der Waldgeist ein
halbtierisches Weib (Samojeden)[74]), oder
weibliche Waldgeister Heldensöhne (Ost-
jaken, Wogulen)[75]); die Kinder sind B.en.
Bei Mongolen, Bulgaren und Finnen ist
der Mensch verwünscht[76]), in russischen,
serbischen und bulgarischen Märchen
strafweise verwandelt worden[77]). Am
reinsten ist diese Sagenform ausgebildet
in den Stücken, die von einer Verwandlung der Menschen berichten, welche den
wandelnden Gott mißachten, entweder
ihn durch Verkleidung oder Schreien erschrecken wollen (burjätisch, russisch,
polnisch, ruthenisch, rumänisch, lettisch,
litauisch, estnisch, französisch)[78]) oder
ihn verspotten (estnisch, französisch)[79])
oder auf die Probe stellen, ob er allwissend
sei (polnisch)[80]). In den Abruzzen werden

die beim Jungschmieden Mißratenen zu
B.en[81]). Norwegische, sibirische und finnische Sagen berichten, daß sich jemand
freiwillig in einen B.en verwandelt habe[82])
oder durch einen Zauberer verwandelt
worden sei (lettisch)[83]).

Daß der B. ein v e r w a n d e l t e r
M e n s c h sei, ist in Rußland noch Volksglaube[84]); im Märchen verwandelt sich
der Vater, um den Mut der Tochter zu
prüfen, in einen B.en[85]), ebenso der Jüngling, der sich vorm allwissenden Zaren verbergen soll[86]); die Hexe, die gegen den Helden kämpft[87]), Zigeuner und Zauberer[87a]),
im schwedischen Volkslied die Stiefmutter
zwei Brüder[88]). Zauberer verwandeln im
Märchen häufig andere in B.en; die späteren Hexen können das nicht mehr[88a]).
Der in einen B.en verwünschte Prinz
oder König ist ein beliebtes Märchenthe-
ma, das bei Grimm[89]), im Niedersächsischen[89a]) an der Bergstraße, im Odenwald[90]), in Bayern[91]), Schleswig - Holstein[92]), Pommern[92a]), bei Vlämen und
Franzosen[93]), auf dem Balkan[94]), in Estland[95]) und anderwärts vorkommt. Oft
spielt das Psychemotiv hinein, so in norwegischen[96]) und estnischen Stücken[97]),
bei den Franzosen[98]), und im Pentamerone
findet sich eine verwünschte Prinzessin[99]),
bei den ungarischen Armeniern geht eine
Königstochter im B.enkleide nachts wie
ein Werwolf aus[100]). Die Entzauberung
erfolgt gewöhnlich durch Enthauptung,
Verbrennen der Tierhülle oder Kuß[101]).
Nahe steht diesem Motiv das von der
B.enehe, ist sogar meist mit ihm verbunden[102]). Das in dieser Ehe erzeugte
Kind ist ein dämonisches Wesen; Zeus als
B. zeugt mit der Kallisto den Arcas[103]); in
obd. und dänischen Berichten ist das Kind
ein Ungeheuer[104]), in einem russischen
ist Ivanko - Medviedko (Ivan B.ensohn)
zur Hälfte Mensch, zur Hälfte Bär[105]), in
deutschen Märchen ein mit Riesenkräften
Begabter[106]): Peter B., B.enhansl, im
Französischen Jean de l'ours[107]). Alte Geschlechter oder Völker leiteten ihre Herkunft von einer solchen B.enehe her; so
berichtet Olaus Magnus von den Goten,
Saxo von einem Schweden Ulvo[108]). In
Borussia communissima narratur historia,

virginem ab urso impregnatam filium
peperisse, cui nomen Ursini ... [109]). B.en-
k r a f t erhält, wer mit B.enmilch ge-
säugt worden ist; die Ammen des Zeus
wohnen als B.innen in einem Gebirge bei
Kyzikos [110]); Atalante wie Alexandros,
der Sohn des Priamos, wurden ausgesetzt
und von B.innen aufgesäugt [111]); auch
auf Island weiß man davon [112]). Deshalb
wird auch der Märchenheld ausgesandt,
B.enmilch zu holen, um die kranke Schwester zu heilen (russisch, lettisch) [113]).
K r a f t p r o b e n wenden sich oft an
den B.en, so soll der Held fünf lebendige
B.en fangen (finnisch) [114]), einen B.en
müde reiten (lettisch) [115]). Das kluge
Schneiderlein erreicht durch List, was
seiner Kraft unmöglich war [116]). In Tirol
zähmt ein Knabe die B.en durch Harfen-
spiel [117]), so wie das Balkanmärchen von
einem Derwisch weiß, der dem B.en vor-
redet, er sei stärker [118]). Hat nicht ein
Schildbürger gar den B.en gefangen, indem er ihn eine Wagendeichsel in den
Leib lecken ließ [119]), während die Schip-
penbeiler „B.enstecher" ihren Bürgermeister, der einen B.enpelz trug, als B.en
erlegten (vgl. 5) [120]).

s. a. B ä r e n h ä u t e r.

[73]) D ä h n h a r d t Natursagen 3, 449 Nr. 11.
[74]) Ebd. Nr. 12. [74]) Ebd. 3, 450 Nr. 14. [76]) Ebd.
3, 450 Nr. 13 a. 21. 24 b. [77]) L ö w i s o f M e -
n a r Russische Volksmärchen 218 ff.; D ä h n -
h a r d t 3, 451 Nr. 18 und 1, 222; 3, 452 f.
Nr. 22; 1, 316. [78]) Burj. ebd. 2, 278 Nr. 1
russ. St. 99 Nr. 1—4; poln. St. 278 Nr. 3;
ruten. St. 99 Nr. 5; rumän. ebd. Nr. 6; lettisch
ebd. Nr. 8 und St. 279; litauisch St. 99 Nr. 9
und St. 279; estnisch St. 99 Nr. 10; franz.
St. 278 Nr. 3. Vgl. S é b i l l o t Folk-Lore 3, 5 f.
[79]) D ä h n h a r d t 2, 278 Nr. 2 St. 101 Nr. 11.
[80]) Ebd. 2, 100 Nr. 7. [81]) Ebd. 2, 166. [82]) Ebd.
3, 450 ff. Nr. 14. 15. 16. 17. 24 a; G r i m m
Myth. 2, 918. [83]) Ebd. 3, 452 Nr. 19 b. Vgl. 1,
141 Note. [84]) H o v o r k a - K r o n f e l d 1,
49 f. [85]) L ö w i s o f M e n a r Russ. Volksmärchen 178. [86]) Ebd. 259. [86]) G r i m m Myth.
3, 317; vgl. B o e h m - S p e c h t Lettisch-litauische Märchen 1924, 98 f. [87a]) L u c k Alpensagen 68; H e y l Tirol 180 f. [88]) ZfVk. 30/32,
77. [88a]) G r i m m Myth. 3, 317. [89]) G r i m m
KHM. Nr. 161. Ich verweise auch auf meine
Märchen d. deutschen Schlesier. [89a]) S c h a m -
b a c h - M ü l l e r 263 ff. [90]) W o l f Beiträge
2, 65 ff. [91]) Q u i t z m a n n 243; P a n z e r
Beitrag 1, 191 ff. [92]) M ü l l e n h o f f Sagen
384 f. [92a]) J a h n Pommern 435 f. [93]) B o l t e -

P o l i v k a 3, 260; vgl. auch 1, 533 f. [94]) Aug.
L e s k i e n Märchen aus d. Balkan 1915, 199.
[95]) Friedr. K r e u t z w a l d Estn. Märchen
2 (1869), 34 f. [96]) Klara S t r o e b e Nordische
Volksmärchen 2 (1915), 159. 174 ff. = G u -
b e r n a t i s Tiere 430 = W o l f Beiträge 65 f.;
vgl. G e r i n g Weissagung 16. [97]) Verhandl. gel.
estn. Gesellsch. 20, 139. [98]) S é b i l l o t Folk-
Lore 3, 52. 53. [99]) G u b e r n a t i s 430 = Pentamerone 2, 6. [100]) Heinr. v. W l i s l o c k i
Märchen u. Sagen d. Buhowinaer u. Siebenbürger
Armenier 1891, 91 ff. [101]) B o l t e - P o l i v k a
1, 9. [102]) Vgl. Anm. 89 ff.; ARw. 8, 249; W o l f
Beiträge 2, 64 ff.; G u b e r n a t i s 430; S é -
b i l l o t Folk-Lore 1, 436; 3, 60. [103]) Ebd. 431.
[104]) H e y l Tirol 235 Nr. 48; G u b e r n a t i s
431. [105]) L ö w i s o f M e n a r Russ. Märchen
214 = G u b e r n a t i s 431. [106]) W o l f Beiträge
2, 67 f. Vgl. ferner K ö h l e r Kl. Schr. 1, 543 f.;
L a i s t n e r Sphinx 2, 21 ff.; v. d. L e y e n
Märchen 64. 154 ff. Hierher stellen wird man
auch Z a u n e r t Deutsche Märchen seit Grimm
1912, 44; W l i s l o c k i Volksglaube 92 f. und
Paul S o c k Eskimomärchen (1921), 67 ff.
[107]) S é b i l l o t Folk-Lore 1, 436; 3, 60.
[108]) W o l f Beiträge 2, 64 f. Vgl. auch H a m -
m a r s t e d t in Beitr. z. Rel.wissenschaft. 2, 125;
L i e b r e c h t Zur Vk. 18; Arkiv för nordisk
filologi 19; Volkskdl. Zeitschriftenschau 1903,
160. [109]) M ä n n l i n g Curiositäten 1713, 152.
[110]) K e l l e r Antike Tierwelt 1, 176. [111]) S c h r a -
d e r Reallex.² 1, 82 f.; U s e n e r Sintflut 111.
[112]) N a u m a n n Island. Volksmärchen 1924, 97.
[113]) L ö w i s o f M e n a r Russ. Volksmärchen
102 = G u b e r n a t i s Tiere 430; B o e h m -
S p e c h t Lettisch-litauische Märchen 53.
[114]) L ö w i s o f M e n a r Finnische u. estnische Märchen 120; B o e h m - S p e c h t
Lettisch-litauische Märchen 58. Wohl auch russ.:
ZfVk. 33/34, 36. [116]) G r i m m KHM. Nr. 114;
K u h n Märk. Sagen 293 ff.; vgl. dazu B o l t e -
P o l i v k a 2, 529 ff.; 1, 69; L a i s t n e r
Sphinx 2, 10 ff. [117]) Z a u n e r t Deutsche Märchen aus d. Donaulande 1926, 215. [118]) Aug.
L e s k i e n Märchen aus dem Balkan 208.
[119]) H a u f f e n Gottschee 120. [120]) E. K r o l l -
m a n n Ostpreuß. Sagenbuch 1915, 94 f.

5. D e r B. a l s S e e l e n t i e r. Die
Fylgja erscheint in B.engestalt, so die
Bjarkis, während Bjarki schläft [121]); die
Gunnars sieht Höskuld im Traum als
B.en [122]). Im Alptraum erscheint die wan-
dernde Seele zuweilen in B.engestalt [123]),
wie wir von b.engestaltigem Spuk hören
(Schlesien [124]), Voigtland [125]), Thüringen [126]), Sachsen [127]), Böhmen [128]), Bayern [129]), Baden [129a]), vielleicht auch Westfalen [130]), Basse-Normandie, am Char de
la mort) [131]). Der Norden kannte den
im B.enhemd umgehenden „Berserker"
(s. d.).

[121] M e y e r *Germ. Myth.* 67. Doch vergleiche F. G e n z m e r *Edda* 1, 181 Nr. 1.
[122] *Njala* 23; vgl. ZfdA. 42, 288. [123] M e y e r
77. 104. [124] G r ä s s e *Preußen* 2, 204 f.
[125] K ö h l e r *Voigtland* 535; E i s e l *Voigtland*
127 f. [126] Q u e n s e l *Thüringen* 338; W i t z -
s c h e l *Thüringen* 1, 184 Nr. 181. [127] Fr. S i e -
b e r *Sachsen* 297; Niedersachsen: S c h a m -
b a c h - M ü l l e r 196. [128] Q u i t z m a n n 243.
[129] G r o h m a n n *Sagen* 238. [129a] B a a d e r
N.Sagen 70. [130] K u h n *Westfalen* 1, 153
Nr. 156 b. [131] S é b i l l o t *Folk-Lore* 1, 156;
vgl. 3, 6 (Seele des Jägers geht in B.en über).

6. D e r B. a l s D ä m o n. Dämonen
und Elben nehmen zuweilen B.engestalt
an [132]); so waren die wendischen Feld-
geister, die Graben, in B.enhaut eingenäht [133]); in der Oberpfalz schreckt man
Kinder mit dem Buzl- oder Böycherl-
b.en [134]); der wilde Mann (Tirol) ist zottig
„wie ein B." [134a]); im polnischen Oberschlesien erschien ein b.enartiges Wald-
tier [135]); in Rußland ist der B. des Waldgeistes Ljeschi Diener, der bei ihm
wacht [136]); ein B. bewacht den Eingang
zur Abendburg im Isergebirge [137]). Vielleicht hängt dieser B. mit Rübezahl zusammen, denn von diesem berichtet der
Wale Hans Man von Regensburg, er zeige
sich unter anderm an der Abendburg in
eines großen B.en Gestalt [138]); in einem
Rübezahlabenteuer Lindners benützt der
Berggeist einen B.en als Zugtier [139]). Vielleicht auch hütet er, wie in obd. Sagen [140]),
den Schatz. Im Eisacktal erscheint der
Klaubauf als B. [141]). Der Blutschink (s. d.)
des Paznauntales entsteigt seinem See in
B.engestalt [142]). Fischer in einem See bei
Groningen hörten aus dem Wasser rufen:
„Laat mij ouden beer toch leven!" Da
scheint ein Wassergeist B.engestalt gehabt
zu haben [143]). Die zu erlösende Schlangen-
jungfrau erscheint zuweilen als B. (Westfalen, Schwaben) [144]). Im Isental (Uri)
hielt man 1820 einen B.en für den Flühler-
teufel [145]). Die B.en sind die schwarzen
Kühe der Hexe (russ.) [146]), die Herde der
Trolle (norweg.) [147]), der Riesen (Tirol) [148]);
sie gehören zu den Waldgespenstern im
Zauberwalde (estnisch) [149]) und hüten
den Eingang zum Zauber-, Unterwelt-
schloß [150]) oder zur Hexenhöhle [151]), zum
verborgenen Schatz [152]). B.enfleisch essen
die Riesen (Alsen) [153]). Der B. (Eisernes-

Fell) verwüstet Rußland wie jener in Ostpreußen, den die Sensburger erlegten [154]),
ein B. raubt den Pechvogel, den das Unglück treffen soll, die Kinder (türkisch) [155]);
er fordert, was man zu Hause nicht weiß
(russisch) [156]) und ist im Besitz der
Wunschdinge, wie einer goldenen Kugel [157]). Daneben steht der dem Menschen
wohlwollende B., der mit dem bösen
Zwerge kämpft [158]), den bösen Hofmei-
ster verjagt (Preußen) [159]) und der unter
den hilfreichen Tieren, die den dritten
Sohn begleiten, häufig vertreten ist [160]),
aber (estnisch) doch nicht gegen die
Hundsköpfe aufkommt [161]).

Von der B.engestalt des Teufels ist oft
die Rede [162]); er erscheint so dem Wacht-
posten [163]); ist er in Menschengestalt, so
hat er B.enklauen [164]), besonders als Buhl-
teufel der Hexen [165]). Den Mystikern des
17. Jhs. ist der B. ein Symbol des Teufels [166]), ja der Teufel selbst [167]). Beim
Namen gerufen, erscheint der B. wie der
Teufel (s. 13) [168]), und er erntet wie dieser die Farnblüte (litauisch) [169]). — Der
Lauterfresser, ein Schwarzkünstler im
obern Eisacktal, verwandelte sich in einen
B.en [170]). Die alten Weiber, die H. Sachs
dem Teufel schenken läßt, werden mit
einer B.enhaut bedeckt [171]). Zuweilen
nimmt auch die Hexe B.engestalt an, so
die Müllerin in der behexten Mühle [172])
oder die mecklenburgische, die ein Jäger
mit dem Erbknopf erschoß [173]). Doch ist
der B. der Hexen Feind. Die bis vor
kurzem überall umziehenden B.enführer
mit tanzenden B.en [174]), von denen schon
im Ruodlieb die Rede ist [175]), sind gern
gesehene Gäste, weil die B.en Behexun-
gen festzustellen vermögen. Sie weigern
sich, in behexte Ställe zu gehen, solange
der B.enführer den Zauber nicht entfernt hat (Ostpreußen [176]), Lechrain [177]),
Schwaben [178]) und an andern Orten [179]).
In Westpreußen kratzt der B. selbst den
Zauber heraus [180]), wie in Schlesien (Zob-
tenebene) [181]). In Rußland wird an gewissen Feiertagen zum Zweck der Reinigung ein Bock oder B. ums Dorf geführt [182]). Nahe liegt hier, an die Sage vom
Schrättel und vom Wasserb.en zu erinnern. Die ursprünglich vom Wasserb.en

(Eisb.en) erzählte Sage ist auf den braunen B.en übertragen worden, der in der Mühle mit einem boshaften Kobold oder Wassermann kämpft und ihn bezwingt. Sie begegnet das erste Mal in einer mhd. Verserzählung des Heinrich von Freiberg zwischen 1290 und 1295 [183]). Bolte hat einen Überblick über das Vorkommen der Sage gegeben, nach dem sie weder westlich einer Linie Oberrhein-Weser, noch östlich der Oder (Pommern ausgenommen) vorkäme; ferner gehören Dänemark, Schweden, Norwegen, Finnland, Estland, Wendei und Böhmen-Mähren in dieses Gebiet [184]). Einige Ergänzungen zu seinem Vorrat folgen [185]). Über die Sage handelten Grimm [186]), Laistner [187]) und Bolte [188]). Die von Joh. Christoph Männling aus Bernstadt (Schlesien) berichtete Geschichte (Diebe stehlen B.en aus Kuhstall) erinnert an unsere Sage [189]).

[132]) S é b i l l o t Folk-Lore 3, 57. [133]) S c h u l e n b u r g Wend. Volksthum 69; vgl. Fr. S i e b e r Wendische Sagen 1925, 23. [134]) S c h ö n w e r t h Oberpfalz 2, 351 f. [134a]) H e y l Tirol 235 Nr. 48. 49. [135]) K ü h n a u Sagen 2, 203 f. [136]) M a n n h a r d t I, 141. [137]) K ü h n a u 2, 752. [138]) P e u c k e r t Rübezahlsagen 1926, 17. [139]) Ebd. 53. [140]) B a a d e r N. Sagen 31; P a n z e r Beitrag 2, 99; Q u i t z m a n n 243; W u t t k e § 59. [141]) H e y l Tirol 762 Nr. 56. [142]) L a i s t n e r Sphinx 2, 30 = A l p e n b u r g Tirol 421; M e y e r Mythologie 104. [143]) J. W. W o l f Niederländische Sagen 1843, 332 = W o l f Beiträge 2, 416. [144]) M e y e r Germ. Myth. 283; K u h n Westfalen I, 242; M e i e r Schwaben Nr. 363. [145]) SchwVk. 4, I. 2. [146]) L ö w i s of M e n a r Russ. Volksmärchen 179. [147]) Klara S t r o e b e Nord. Volksmärchen 2, 4 f.; wohl auch 2, 134, wo sie den Baum im Zauberwald umtanzen. [148]) Z a u n e r t Deutsche M. aus d. Donaulande 214 f. [149]) Verhandlungen gel. estn. Gesellsch. 20, 152 f. [150]) Wilh. B u s c h Ut öler Welt 1910, 98 f.; Z a u n e r t Deutsche M. seit Grimm I, 411; K n o o p Hinterpommern 227. [151]) Friedr. K r e u t z w a l d Estn. Märchen 2 (1869), 74. [152]) Ebd. 94. [153]) M ü l l e n h o f f Sagen 573. [154]) L ö w i s of M e n a r Russ. Volksmärchen 100 = G u b e r n a t i s Tiere 429. Vgl. G u b e r n a t i s 430; G r ä s s e Preußen 2, 630. [155]) Fr. G i e s e Türkische Märchen 1925, 162. [156]) G u b e r n a t i s Tiere 428 f. [157]) P a n z e r Beitrag I, 191 ff.; vgl. ZfVk. 4, 285. [158]) G r i m m KHM. Nr.161. Vgl. aber Z a u n e r t Deutsche M. seit Grimm 2, 4 f. [159]) G r ä s s e Preußen 2, 605 ff. [160]) G r i m m KHM. Nr. 60 u. öfter. Vgl. dazu B o l t e - P o l i k v a I, 530 ff. 332 Anm. I; 2, 22 Anm. 451; 3, 23 ff. 322. Leider ist hier oft nicht angegeben, um welche

Tiere es sich handelt. Ich trage darum nach: Z a u n e r t Deutsche M. seit Grimm 4. 10; P a n z e r Beitrag 2, 93 f.; Z a u n e r t Deutsche M. aus d. Donaulande 131 f. 81; S c h ö n w e r t h Oberpfalz 2, 220 f.; W o l f Hausmärchen 230; Germania 27, 104; L ö w i s of M e n a r Russische Volksmärchen 26. 78. 102; v. T a u b e Russ. Märchen 1919, 83; G u b e r n a t i s Tiere 430; B o e h m - S p e c h t Lettisch-litauische M. 45. 53 ff. 75; Aug. L e s k i e n Märchen aus d. Balkan 167. 199. 293; L ö w i s of M e n a r Finnische u. estn. Märchen 27. 64 ff. 148 ff.; Verhandlung. estn. Gesellsch. 20, 146. 148. 151; S t i e r Ungarische Sagen u. Märchen 2 ff. [161]) B o l t e ZfVk. 33/34, 36. — Vgl. K ö h l e r Kl. Schr. I, 478; Aug. W ü n s c h e Der Sagenkreis v. geprellten Teufel 1905, 94 ff. [162]) D r e c h s l e r Schlesien I, 310 f.; B i n d e w a l d Sagenbuch 137; Z a u n e r t Westfalen 299; G r ä s s e Preußen 2, 565 f. [163]) Erasmus F r a n c i s c i Höllischer Proteus 1725, 308; M ü l l e n h o f f Sagen 548 f. = Theatrum Europaeum 12, 1143 = J. W. W o l f Deutsche Märchen u. Sagen 1845, 448. [164]) Joh. P r a e t o r i u s Blockes-Berges Verrichtung 1668, 363 nach C a r p z o w Praxis Criminalis P. I. Quaest. 50 Num. 66. Sent. XXVI; Anabaptisticum et enthusiasticum Pantheon 1702, 336. [165]) E. F r a n c i s c i Höll. Proteus 1725, 863 nach Benedict C a r p z o w Practica nova F. 340. 2. [166]) In den Visionen der von Pordage 1651 gestifteten philadelphischen Gesellschaft: H o r s t Zauberbibliothek I (1821), 319. [167]) Adam à L e b e n w a l d t I.—8. Tractätel von deß Teuffels List vnd Betrug. Saltzburg 8 (1680), 77. [168]) G r i m m Reinhart Fuchs CXXX; Myth. 2, 556. [169]) B o e h m - S p e c h t Lettisch-litauische Märchen 292 f. [170]) H e y l Tirol 180 f. [171]) S i m r o c k Mythologie 1878, 537. [172]) L a i s t n e r Sphinx 2, 8 f.; S t ö b e r Elsaß 334; J e c k l i n Volkstüml.¹ 3, 173 f. [173]) B a r t s c h Mecklenburg I, 131. [174]) SAVk. 25, 120. [175]) S e i l e r Ruodlieb 1882. 5, 84 ff.; H e y n e Rudlieb 1897. 5, 87 ff. [176]) F r i s c h b i e r Hexenspr. 8 Anm. Vgl. S e l i g m a n n I, 266; M e y e r Aberglaube 252. [177]) L e o p r e c h t i n g Lechrain 28. [178]) B i r l i n g e r 2, 138. [179]) J a h n Hexenwesen 13; vgl. S e l i g m a n n I, 266; M e y e r Germ. Myth. 104; G r i m m Myth. 3, 476 Nr. 1099. [180]) M a n n h a r d t Aberglaube 49 ff. 84 Anm. 26. [181]) Urquell N. F. I (1897), 20; K ü h n a u Sagen 3, 25 f. So auch Jägerhörnlein 126 f. [182]) ARw. 8, 274. [183]) B o l t e in ZfVk. 33/34, 33 ff. [184]) Ebd. [185]) P e u c k e r t Schlesien 215; K ü h n a u Sagen 2, 338; S i e b e r Wendische Sagen 1925, 39 f.; D e r s. Sachsen 180 f. 332; Heinr. L o h r e Märkische Sagen 1921, 31 f.; Brandenburg 175; P a n z e r Beitrag 2, 160 f. [186]) Myth. I, 396. [187]) L a i s t n e r Sphinx 2, 15 ff.; M e y e r Germ. Myth. 104. [188]) ZfVk. 33/34, 33 ff. [189]) 288 f.

7. Der B. in der german. Götterlehre. Der B. ist Thors Tier [190]);

er erscheint — wie der Donnergott — zu Sommeranfang. Bei Lappen und Finnen steht der Vertraute, der heilige Hund Gottes, ebenfalls dem Donnergott nahe [191]). Infolgedessen erscheint Bjorn als Beiname Thors [192]), und in Zusammensetzungen wie Asbjörn = ahd. Anspero, Thorbjörn. Schwed. hin gamle, der Alte, siebenb.-sächsisch Buschherrgott, Buschkönig, „der im braunen Kotzen", im Zonder (grauer Mantel, der „alte, kluge Mann") können auf Verehrung hinweisen [193]). Erich der Rote soll ja einen B.en göttlich verehrt haben [194]).

[190]) M e y e r Germ. Myth. 208. [191]) H a m m a r s t e d t in Beitr. z. Religionswissensch. 2, 129 f. [192]) G r i m m Myth. 2, 556; Reinhart XLVIII ff. CCXCV; M e y e r Germ. Myth. 103. [193]) H a l t r i c h Siebenb. Sachsen 6, 7. [194]) M e y e r Germ. Myth. 104.

8. D e r B. a l s V e g e t a t i o n s d ä m o n. Der B. ist eine der vielen Gestalten des Vegetationsdämons [195]). Wenn in Schweden der Wind durchs Korn geht, sagt man: Da laufen die Kornb.en [196]). In Gr. Berndten (Prov. Sachsen) ist der Kornb. der Sohn der Kornmutter [197]). Er sitzt im Korn [198]) und findet sich bei der Ernte in der letzten Garbe. Im Kreis Flatow (Westpreußen) wird diese in der rohen Gestalt eines B.en gemacht und unter Schelten und Brummen zum jüngsten Bauer gebracht [199]). In Niederösterreich bekommt den B.en ins Haus, wer zuletzt mit der Ernte fertig ist [200]). Wer den letzten Schnitt bei der Korn- oder Erbsenernte machte, bzw. die letzte Garbe ausdrischt, wird in verschiedenen Landschaften in Roggen-, bzw. Erbsenstroh eingewickelt und als Roggenb., Strohb., Erbsenb. gabensammelnd durchs Dorf geführt [201]). Daher mags kommen, daß die Mohriner (Brandenburg) ein Bund Erbsenstroh für einen B.en hielten und mit Forken auf ihn losgingen, wovon sie B.enstäker heißen [202]). Beim Haferkranz, Erntefest der Haferernte in Schlesien, begleitet ein in Schotenstroh gehüllter B. das B.enweib und B.enkind die Haferalte [203]). Haferb. oder Gratenb. ist in Lindau a. Isar, wer beim Hafer- oder Gerstedreschen den letzten Schlag tut [204]).

Wer beim letzten Flegelschlag nachklappt, heißt Betze [205]). Weihnachten schüttet man in NW-Böhmen die Reste vom Christnachtmahl in den Garten zu den Bäumen: das bekommt der B. [206]). Da das Dreschen gewöhnlich um Fastnacht beendet ist, läßt sich leicht erklären, wie der B. in die Fastnachtgebräuche [207]) geraten ist, wo er besonders als Erbsenb. (s. u.) erscheint, während Hammarstedt glaubt, der Fastnachtsb. sei das Primäre, und der Brauch sei entstanden, weil der B. als Frühlingsbote, Sommerbringer galt [208]) (vgl. 14). Beim römischen Karneval (12. Jh.) wurde ein B. umgeführt und getötet [209]). So wird in Baden der Bandli, ein in Stroh gebundner Knabe, als B. am Seil herumgeführt, wie in Würmlingen bei Rothenburg [210]). In Bühl bei Tübingen ist der Fastnachtsb. ein Strohmann mit einer Blutwurst um den Hals, der angeklagt wird, eine blinde Katze getötet zu haben; er wird verurteilt, hingerichtet und am Aschermittwoch nach der Kirche beerdigt; das war: die Fastnacht begraben [211]), wie der Erbsenb. auch verbrannt wird [212]). Durch ganz Böhmen, bei Deutschen wie bei Tschechen, kennt man den Fastnachtsb.en, der in Erbsenstroh gehüllt, mit Strohbändern umwickelt, unter Musik umgeführt wird, wobei man Gaben sammelt; das Geld wird im Wirtshaus vertanzt und verfeiert, damit Flachs und Getreide gedeihe, denn je höher man springt, desto größer der Segen [213]); so ziehen im Leitmeritzer, im Saazer Kreise, im Riesengebirge, um Warnsdorf die als B. verkleideten Knaben oder Männer um, bei Warnsdorf in Begleitung eines B.enführers und Strohmannes [214]). Um Saaz rupfen beim „B.en ausführen", wie in tschechischen Dörfern, die Weiber Stroh vom B.en ab und legen es in die Hühnernester oder unter die Brutgans, weil das das Eierlegen und Brüten befördert [215]). Solche Umzüge finden in den Tagen Fastnachtssonntag bis Aschermittwoch statt [216]). Im Trebnitzer Kreise (Schlesien) zog ein Mann, die Beine mit Stroh umwickelt, als B., rechts und links je einen kleinen B.en, um [217]). So wird in Österreich.-Schlesien ein Strohb. umgeführt[218]), in Oberschlesien[219]) wie in der Niederlausitz[220]) der B. in Gesellschaft des Schimmelreiters. In Niederhessen[221]) und auch bei Höxter (am Köterberg) tritt neben dem Fastnacht-Schimmel ein B. auf[222]). In Germete, Kreis Warburg (Westfalen), verkleideten sich Burschen als Büffel und B.en, ein Tanzb. wurde, in Erbsen- oder Bohnenstroh gehüllt, von einem Zigeuner umgeführt[223]); in Hörde am Hellweg hieß dieser B. Wullbâr[224]), am Niederrhein Ääzeb.[225]). Auch die Wenden kennen den Brauch; sie führen neben dem Pferd bara wozyc, den B.en um, in umgekehrtem Schafpelze, mit Stroh umwickelt; gewöhnlich ist das Haidusch- (Buchweizen-) Stroh; ein anderer führt ihn und läßt ihn tanzen[226]). In Zürich erschien der B., ein in ein B.enfell gekleideter Mann, neben andern Butzen im Fastnachtsumzug der Metzger, die den halben Isengrimm umtrugen; dabei ist auch eine Braut und ein Bräutigam umgezogen, die man am Ende in den Brunnen warf[227]). In Dalekarlien tritt er am 24. Februar (Frühlingsbeginn) in Begleitung eines Brautpaares auf[228]). Hölzerne B.masken waren im Obd. zu Fasching gebräuchlich[228 a]).

Vom Umführen des B.en zu andrer Zeit haben wir eine Reihe von Nachrichten. So mußte Anfang des 16. Jhs. zu Lätare in Halberstadt der Dompropst einen B.en umführen lassen und erhielt dafür ein Präsent, das B.enbrot; ähnliche Nachrichten haben wir aus Mainz und Straßburg[229]). In Molmerswende am Harz, wie in Hermerode und Berga, erscheinen B.en und Schimmel am 3. Pfingstfeiertag[230]); in der Grafschaft Kamburg stellen die sammelnden Burschen Pfingsten, in der Grafschaft Ziegenhain zum Frühjahrsumzug[231]), B.en und B.enführer dar[232]). In Hessen wird, wie in Schwaben die Fastnacht, von einem Zuge, in dem der B. die wichtigste Rolle spielte, die Kirmes begraben[233]), und in Andlau (Elsaß) geht ein ausgestopfter B. im (Kirchweih-) Zuge, dem jeder Brot in den Rachen werfen muß (s. u.)[234]). In Pirow in der Westpriegnitz findet das Borenleihen = B.enführen in der Woche vor Weihnachten

statt[235]). In der Uckermark begegnet am Weihnachtstage und schon am Nikolaustage ein Umzug, die drei Witten oder Vorspöker, wobei auch B.en und Schimmel im Gefolge waren, ähnlich wie am Vorabende des Festes in Ermland, wo die Tiermasken (Schimmel ohne Kopf, B.en) Höllkröst heißen[236]). In der Begleitung des rû Clas erscheinen Weihnachten am Elm zu Kl. Scheppenstedt und Cremlingen auch der B. an langer Kette[237]). Am Hochzeitabend erscheint an vielen norddeutschen Orten (Rügen, Altmark) der Schimmelreiter, und oft tritt da auch ein B. mit auf[238]). In Pommern[238 a]) wie Nordschweden kannte man einen Hochzeitsb.en, der von einem in B.enhaut gehüllten Burschen dargestellt und symbolisch getötet wurde. Der Bräutigam aber wurde B. genannt. Thor Trunkb. (Drykkjebassen) wird zur Hochzeit des Grafen Genselein geladen; in Uppland hieß der erfolgreiche Brautbitter Dräggebasse[239]). In Dänemark wurde beim Maifest der Gadeb., Gassenb. umgeführt und mit der Gadinde getraut[240]). Aber auch in Rußland kennt man zu Weihnachten und zur Hochzeit die Vermummung als B.[241]). In Böhmen war der B.entanz oder das Graupenstoßen ein Silvesterspiel, bei dem zwei sich mit dem Rücken gegeneinander stellen, mit den Händen umfassen und einander so wechselseitig aufheben[242]). Beim festlichen Umzuge führten ehemals die Kürschnergesellen einen in einen B.en verkleideten Mann mit sich (Siebenbürg.-Sachsen)[243]).

195) Reuterskiöld Speisesakramente 109. 196) Mannhardt Korndämonen 2; Forschungen 166. 197) Ebd. 112. 198) Ebd. 166. 199) Ebd. 200) Ebd. 201) Ebd.; Sepp Religion 282. Zum Namen: Mannhardt Korndämonen 4. 202) B.enstäker: Brandenburg 221 = Kuhn Märk. Sagen 244 f. = Herm. Gloede Märkisch-pommerische Volkssagen 1907, 10. Vgl. auch Birlinger Volkst. 1, 445. 203) Klapper Schlesien 277 f. 204) Mannhardt Forschungen 112. 205) E. H. Meyer Dt. Volksk. 1921, 237; Mannhardt Roggenwolf 23. 206) Lehmann Sudetendt. Volksk. 1926, 134. 207) Gubernatis 430. 426 Nr. 2. 208) Beiträge zur Rel.wissenschaft 2, 122 f.; Mone Niederländ. Volksl. 35. 36; Altd. Blätter 1, 333. 209) ARw. 20, 392. 210) Meyer Baden 208; Meier Schwaben 373. 211) Ebd. 371; Mann-

h a r d t 1, 335 ff. [212]) M a n n h a r d t *Korn-dämonen* XII. [213]) R e i n s b e r g *Festjahr* 63 f.; *Böhmen* 49 ff. [214]) Ebd. 50; Spruch d. B.en-führers: J u n g b a u e r *Bibliogr.* 148 Nr. 899. [215]) R e i n s b e r g *Böhmen* 51. 52. [216]) L e h-m a n n *Sudetendt. Volksk.* 1926, 137 f.; J o h n *Westböhmen* 38. [217]) P e u c k e r t *Schles. Volks-kd.* 1928, 91. [218]) D r e c h s l e r 1, 58 f. [219]) Ebd. [220]) B r u n n e r *Ostdtsch. Volksk.* 1925, 212; Brandenburg 242. [221]) Beiträge z. Rel.wissen-schaft 2, 121. [222]) K u h n u. S c h w a r t z 369. [223]) S a r t o r i *Westfalen* 146. [224]) *ZfdMyth.* 1, 396 = S a r t o r i *Westfalen* 146. [225]) W r e d e *Rhein. Volksk.* 247. [226]) S c h u l e n b u r g *Wend. Volkstum* 136. 138. 140. [227]) V e r n a l e k e n *Alpensagen* 354 f. [228]) H a m m a r s t e d t in Beitr. z. Rel.wissensch. 2, 120 f. [228a]) V o n-b u n *Beitrag* 104; P a n z e r *Beitrag* 2, 463. [229]) G r i m m *Myth.* 2, 653. 655; K u h n u. S c h w a r t z 513 Nr. 68; K o l b e *Hessen* 1886, 93; A l b e r s *Das Jahr* 131. [230]) K u h n u. S c h w a r t z 384. [231]) G r i m m *Myth.* 2, 654. [232]) W i t z s c h e l *Thüringen* 2, 205 = S a r-t o r i *Sitte u. Brauch* 3, 198; F o x *Saarländ. Volksk.* 1927, 231. [233]) S a r t o r i 3, 255; K o l b e *Hessen* 90 ff. [234]) A l b e r s *Das Jahr* 131. [235]) *ZfVk.* 21, 179. [236]) B r u n n e r *Ostdt. Volksk.* 1925, 203. 205. Vgl. Brandenburg 240. [237]) K u h n u. S c h w a r t z 402 f. = M e y e r *Germ. Myth.* 218. [238]) K u h n u. S c h w a r t z 433. [238a]) J a h n *Pommern* 435 f. [239]) H a m-m a r s t e d t in Beiträge z. Rel.wissenschaft 2, 118 f. 131 f. [240]) G r i m m *Myth.* 2, 655; M e y e r *Germ. Myth.* 217; L i e b r e c h t *Gervasius* 188 Nr. 60. [241]) Z e l e n i n *Russ. Volksk.* 354 f. [242]) V e r n a l e k e n *Mythen* 332 = R e i n s b e r g *Böhmen* 602. [243]) H a l t-r i c h *Siebenb. Sachsen* 10 f.

9. G e b i l d b r o t e. Daraus, daß der B. den Vegetationsdämon verkörpert, erklärt Reuterskiöld das Vorkommen von Gebildbroten (Brot als Machtkonzentra-tion) in B.engestalt [244]. Höfler nennt als solches den Berner Mutz [245]. Auf Teller-broten im Lüneburger Museum findet sich die B.entatze, nach Höfler als Zei-chen des Jagdglückes, das zu Neujahr ge-wünscht wird [246]).

[244]) *Speisesakramente* 118. [245]) H ö f l e r *Weihnacht* 66. [246]) Ebd.

10. B.e n w e r d e n g e h a l t e n. Be-reits im 9. Jh. hören wir, daß B.en von Spielleuten umgeführt werden [247]); Ruod-lieb berichtet davon [248]). Von Zirkusspie-len mit B.en ist in den Heldenepen die Rede [249]), das dürfte auf römische Zeit zurückgehen. Daß B.en gehalten werden, hören wir aus vielen Orten.

Die hl. Richardis erbaute bei Andlau (s. 8) ein Kloster über einer B.enhöhle [250]). Die Höhle — in einer unterirdischen Ka-pelle — galt als heilkräftig bei Beinschä-den. Im Kloster hielt man zum Andenken B.en und begabte jeden B.enführer mit einem Brot und drei Gulden [251]). Auch im Kloster, das der hl. Gislen im Henne-gau baute an dem Ort, den ein B. und Adler wies, ernährte man B.en [252]). Bern, das seinen Namen von B.en herleitet [253]), hegt als Wappentier B.en, die im vorigen Jh. noch ihren eignen Unterhaltsfonds und ihre besondere Stadtbäckerei hat-ten [254]). Böblingen in Württemberg nährte laut alter Stiftung im Schloßgraben B.en, doch ist die Stiftung später umgewandelt worden [255]). Die von Köln bis Italien vor-kommenden „Berlich" werden als B.en-zwinger gedeutet; sie gehen wohl bis auf die Römerzeit zurück, so daß man für den Berner Brauch gleichen Ursprung annehmen dürfte [256]). Es ist begreiflich, daß auch andere Orte ihren Namen vom B.en herleiteten, wie B.walde in Hinter-pommern [257]), daß Wappensagen von ihm wissen [258]), und daß er als Hausname (Bran-denburg) [259]) und Hauszeichen (Breslau) erscheint [260]); der Name großer B., kleiner B. in Breslau dagegen dürfte sich auf alte Befestigungen beziehen.

Über das Halten von B.en berichten auch die alten Rechtsquellen [261]). Klö-stern war die Unterhaltung der Tiere un-tersagt [262]).

[247]) H i n c m a r *Capit. ad. presbyt.* 14; R e g i n o *De eccl. discipl.* 2, 213 = *ZfdA.* 6, 185. [248]) Friedr. S e i l e r *Ruodlieb* 1882. 5, 84 ff. = Moriz H e y n e *Rudlieb* 1897. 5, 87 ff. [249]) *ZfdA.* 6, 185: Rolandslied 14, 29; 21, 9; 110, 5 ff.; K e l l e r *Antike Tierwelt* 1, 178 ff.; *Tiere* 115 f. [250]) W o l f *Beiträge* 2, 416 f. [251]) Ebd. [252]) Ebd. 405 nach W o l f *Nieder-länd. Sagen* 225. Als weisendes Tier erscheint der B. auch S c h u l e n b u r g *Wend. Volkstum* 2. [253]) W o l f *Beiträge* 2, 405 nach W o l f *Dt. Märchen u. Sagen* 1845, 405; M. J. R. *Der politische u. lustige Passagier.* Eisenburg 1684, 63 f.; *ZfdA.* 6, 157; R o c h h o l z *Eidgenös-sische Liederchronik* 11 ff. [254]) R o c h h o l z *Kinderlieder* 71. [255]) B i r l i n g e r *Aus Schwa-ben* 2, 528. [256]) Alfons D o p s c h *Wirtschaftl. u. soziale Grundlagen d. europ. Kulturentwick-lung* 1 (1918), 149 f.; Rich. K o e b n e r *An-fänge d. Gemeinwesens d. Stadt Köln.* 1922. 53 f.

257) K n o o p *Hinterpommern* 142; G a n d e r *Niederlausitz* 110. **258**) G r ä s s e *Preußen* 2, 630 Nr. 688 = T o e p p e n *Masuren* 136; H a l t r i c h *Siebenb. Sachsen* 13. **259**) Branden- burg 88. **260**) ZfdA. 6, 185. **261**) Sachsenspiegel Landrecht 2, 62; Schwabenspiegel Landrecht 202; Augsburger Stadtrecht 112. Vgl. ZfdA. 6, 185. **262**) Ebd. nach R a u m e r *Hohenstaufen* 6, 410. 423.

11. D e r B. i n d e r d e u t s c h e n
H e i l i g e n s a g e. Er ist das Tier der
Mutter Gottes [262 a]). In Heiligensagen erscheint der B. als Reittier oder Diener.
Corbinian, dem er das Roß zerrissen [263]),
ebenso ein ungenannter Heiliger (Gossensaß) [264]), Romedius [265]), Lukan [266]) haben
ihn als Reit- oder Saumtier gebraucht;
der hl. Gallus ließ ihn Holz zum Feuer
tragen [267]); dem hl. Magnus wies ein B.
Silber- [268]) oder Eisenerzadern [269]), dem
hl. Severin zeigte er den Weg [270]); Columban befahl einem andern, mit Äpfellesen
einzuhalten, weil er welche brauche,
ähnlich wie der hl. Maximin [271]). St. Ve-
dast verweist ihn [271 a]). Hierher ist auch
zu stellen: Ein vom B.en überfallener
Bauer (Pustertal) gelobte eine Kirche, da
kuschte das Tier wie ein Hund nieder [272]).

262 a) Z i n g e r l e *Sagen* 1859, 381. **263**) W o l f *Beiträge* 2, 417; Z i n g e r l e *Sagen* 1859, 122. Vgl. S é b i l l o t *Folk-Lore* 4, 128. **264**) ZfVk. 2, 294. **265**) Z i n g e r l e *Sagen* 1859, 121. **266**) Ebd. 121 f.; V o n b u n *Beitrag* 104; H e r - z o g *Schweizersagen* 2, 219 f. **267**) W o l f *Bei- träge* 2, 417 f. nach Walafrid S t r a b o s *Vita des hl. Gallus* 1, 11. **268**) W o l f *Beiträge* 2, 418 nach Theodorus cremita *Vita des hl. Magnus* c. 12 = K u o n i *St. Gallen* 2 f. **269**) H e y l *Tirol* 12 f. **270**) *Vita s. Severini* in Mon. Germ. Auctores antiqu. 1, 2. St. 21 f. = c. 29 (nicht 28, wie G r i m m *Myth.* 2, 954 f. sagt) = M i g n e *Patrolog.* 62, 1190 = c. 37. **271**) W o l f *Beiträge* 2, 418 nach derselben Vita c. 2 und nach M e i c h e l b e c k *Histor. frising.* 1, 10. 11. **271 a**) W o l f *Niederländ. Sagen* 224. **272**) H e y l *Tirol* 551.

12. W e i s s a g e n d e K r a f t; A n -
g a n g. Brummt der B. beim Anblick eines
Mädchens, ist es nicht mehr rein, sondern
eine heimliche Hure (Hinterpommern) [273]).
Die Zigeuner speien aus, wenn er brummt,
denn er sieht dann einen Toten [274]).
Träumt man von ihm, so entsteht Feuer
(Ostpreußen) [275]), oder es steht einem eine
schwere Arbeit bevor (Siebenbürgen) [276]).
Sieht man einen B.en, so hat man nach

altem Glauben Glück [277]); im 18. Jh.
hielt man den Angang für unglückver-
heißend [278]). Nach siebenbürg. Glauben
wird man, wenn man einen B. sieht, in
seinem Unternehmen schwer vorwärts-
kommen [279]). Bei den Zigeunern gilt ein
aufrecht gehender B. den Schwangeren
glückverheißend; spielende Junge zeigen
einem Brautpaar Treue und Eintracht
an [280]). B.enspuren verheißen Glück [280]).

273) K n o o p *Hinterpommern* 158. **274**) W l i s - l o c k i *Aus dem inneren Leben der Zigeuner* 1892, 118. **275**) Urquell 1, 203 Nr. 1. Vgl. Altdt. Blätter 1, 217. **276**) W l i s l o c k i *Siebenb. Volksgl.* 166. Vgl. N e g e l e i n *Traumschlüssel des Somadeva* 206 f. **277**) H o p f *Tierorakel* 27. Vgl. S é b i l l o t *Folk-Lore* 3, 22, aus dem 15. Jh.; G r i m m *Myth.* 2, 943; 3, 438. **278**) B r ä u n e r *Curiositäten* 488. **279**) W l i s - l o c k i *Siebenb. Volksgl.* 166. **280**) D e r s. *Zi- geuner* 1892, 118.

13. S c h u t z. Eine Breslauer Handschrift (Anfang 15. Jh.) verbietet Segen
der Hirten gegen Wolf und B. [281]), wie
etwa der Sarganser Betruf einen enthält:
,,Sant Peter, nimm die Schlüssel wol in die
rechti Hand: Bschließ wol dem B.en
sin Gang'' [282]), und wie sie im Westfinni-
schen üblich sind [283]). Seinen Namen auszusprechen, ist gefährlich; man muß ihn
Breitschädel nennen [284]). Man wirft die
Flinte vor ihn hin und spricht: Wenn du
Verstand hast, schreitest du über diese
Flinte nicht hinweg [285]).

281) MschlesVk. 18, 40. **282**) ARw. 8, 558 nach T o b l e r *Schweizer. Volkslieder* 1 (1882), 198. **283**) F. A. H ä s t e s k o *Motivverzeich- nis westfinnischer Zaubersprüche* 1914 = FFC. Nr. 19, 46. 49 ff. **284**) Adam à L e b e n w a l d 1.—8. *Tractäll von deß Teuffels List.* Salzburg 1680. 8, 26; vgl. S é b i l l o t *Folk-Lore* 3, 20. **285**) Urquell 4, 116.

14. D e r B. i m W e t t e r g l a u b e n.
Nach Gubernatis ist der B. ein Gewitter-
dämon [286]): der starke B. der Maruts oder
Winde in der donnernden Wolke wird
schon in den vedischen Hymnen erwähnt [287]). Noch heute nennt man die
finstere Regenwolke einen schwarzen
B.n, einen schwarzen Mann [288]). Dem B.en
schreibt man das Wissen ums künftige
Wetter zu; Mariae Lichtmeß ist sein Lostag [289]). Wenn zu Lichtmeß der B. seinen
Schatten sieht, so kriecht er wieder auf

sechs Wochen ins Loch, sagt eine Bauernregel [290]). Regnets oder schneits, so ist der
Frühling nahe, und der B. reißt seine
Hütte ein (Schlesien) [291]). Ähnliches weiß
man in Ungarn; sieht da der B. Lichtmeß
seinen Schatten, kriecht er noch tiefer in
die Höhle, legt er sich auf die andere
Seite [292]). Dasselbe, behaupten die Schweden, geschehe am 24. Februar [293]). In
Kärnten heißts von Lichtmeß: Wenns
am Morgen stürmt, so bleibt der B. außerhalb seiner Höhle; ist es aber klar, so
macht er einen Rundsprung und kriecht
wieder hinein [294]). Aber: Um Gertraud
steht der B. auf (Vinschgau) [295]). So
konnte der B. zum Frühlingsboten werden [296]).

Auch den Winter zeigt er an:,, Wan der
Peer zeitlich in den Lueg hinwökh gehet
oder auch balt oder zeitlich im hörbst
schwarz wierdet, so schnaibt es balt zue et
e contra also auch mit seiner Prunfft'' [297]).
Gräbt er seine Höhle nahe dem Dorf,
wird das Jahr wildreich sein [298]). Von einem Barmonat ist in alem. Quellen die
Rede [299]). Nach finnischem Glauben pflegt
ihn während des Winters die Waldgöttin,
nach nordschwedischem die Unterwelts-
göttin [300]).

[286]) *Tiere* 423; ZfVk. 4, 285 Nr. 1; M a n n -
h a r d t *Götter* 193. [287]) G u b e r n a t i s a.a.O.,
nach Rigveda 5, 56, 3. [288]) ZfVk. 9, 231;
M a n n h a r d t *Korndämonen* 1. [289]) Z e d l e r
Universallexikon 2 (1733), 115. [290]) H a l d y
Die deutschen Bauernregeln 1923, 22. Vgl. S é -
b i l l o t *Folk-Lore* 3, 13. [291]) D r e c h s l e r
1, 53. [292]) ZfVk. 4, 320. 321. Vgl. dagegen
W l i s l o c k i *Zigeuner* 154. [293]) H a m m a r -
s t e d t in Beiträge z. Rel.wissensch. 2 (1918),
123. [294]) ZföVk. 10, 52 Nr. 23. [295]) Z i n g e r l e
Tirol 92 Nr. 711. [296]) Beiträge z. Rel.wissen-
sch. 2, 122 f. Vgl. auch Fataburen 1918, 159 f.
[297]) ZföVk. 10, 52. [298]) Urquell 4, 88. [299]) SAVk.
11, 92. [300]) Beiträge z. Rel.wissensch. 2, 126.

15. M e d i z i n. A b e r g l a u b e.
Schweißige Hände heilt man, indem man
das Fell eines lebenden B.en streichelt
(Schlesien, Thüringen) [301]). Ein B.en-
f e l l ager wird dem bereitet, den ein
toller Hund gebissen hat [302]). Auf einer
B.enhaut kniend, pflegten manche Völ-
ker zu schwören [303]), bei den schwedischen
Südlappen sitzt das Brautpaar auf einem
B.enfell, ja sie werden ,,B.en'' genannt[304]).

B.e n k l a u e n trug man auf Lesbos
gegen den bösen Blick [305]), trugen im
MA. Schwangere als Amulett [306]), ebenso
wie heut Zigeunerinnen, weil davon die
Kinder stark werden [307]); sie wurden überhaupt gegen Zauberei angewendet [308]) und
von den alten Preußen den Toten mitgegeben, damit die den Jenseitsberg ersteigen konnten [309]). Der Z a h n war wohl
in germanischer Zeit ein Amulett [310]). Der
Schaum war kräftig (finnisch) und wurde
gesammelt [311]). B.e n b l u t galt nach
dänischen Sagen als Stärkungsmittel,
ebenso wie als Mittel zur Hautverschöne-
rung [312]); das Trinken wurde von Lappen,
Finnen, Schweden als kultische Handlung
geübt [313]). Im MA. vertrieb man damit
Warzen [314]). Der Genuß des H e r z e n s
gab Heldenmut [315]). Plinius und Celsus
erwähnen das B.e n g e h i r n nicht, aber
Agrippa v. Nettesheim spricht davon [316]).
Wenn jemand B.en- oder Katzenhirn gegessen, so gerät er darüber in eine solche
Phantasie [317]) und starke Imagination,
daß er meint, er sei ein B. oder eine Katze
geworden. Also hat auch eine Dirne zu
Breslau in Schlesien sich eingebildet [318]),
und Wierus erzählt es von einem spanischen Edelmann [319]). B.e n f e t t war ein
angesehenes Heilmittel [320]). Noch Zedler
rühmt es [321]), und ein neumärkischer Apotheker verkaufte im vorigen Jh. jährlich 15 bis 20 Zentner amerikanisches
Schweinefett als B.enfett für Frauen, B.-
innenfett für Männer, Hundeschmalz,
Fuchslungenfett usw.[322]). In alten Salben
wider die Zauberei war es ein wichtiger
Bestandteil, es gehörte auch zur rechten
Waffensalbe [323]) nach der Descriptio Mo-
nachi Cumicensis [324]), zu Herzog Hans
Friedrichs Stichpflaster, so in 24 Stunden
eine Wunde heilen soll [325]), zum Wasser-
pflaster Meister Jakobs [326]) und zu einem
bewährten Fischköder [327]). B.enfett galt
im Altertum als Haarwuchsmittel [328]),
doch färbt es nach Zedler die Haare
weiß [329]). Schrunden und Ritz an Händen
und Füßen, so einem die scharfe Märzluft
auftreibt, heilt B.enschmalz [330]), ebenso
wie das Geschwür hinter den Ohren (Or-
nickel) [331]), an den Schienbeinen und
Schenkeln [332]), den Bützel und andere

29*

Drüsen [333]). Es ist gut zu verstrupften, verriegelten und troffenen Gliedern [334]), gegen den Brand [335]), das von den Nieren geschundene gegen das wilde Feuer [336]). In einer Salbe heilt es Lendenweh [337]), Genickweh [338]); es dient auch wider Lähmung und Podagra [339]), gegen das Reißen (Schlesien) [340]), hilft in einer Salbe, wenn der Mensch kontrakt ist an Händen und Füßen [341]). Ein Pflaster davon heilt Bruchschäden [342]), eine Salbe den Bruch des Gemächtes [343]), das reine Fett ward gegen den Vorfall der Gebärmutter angewendet [344]). Das Fett zusammen mit der Blater (Blase) hilft gegen den Grind [345]). M. Christoph Hartknoch erzählt 1684 im alten und neuen Preußen, man habe dem Brautpaar t e s t i c u l i vom B.en gebraten und vorgesetzt, das sollte die Braut fruchtbar machen [346]); sonst werden seit Plinius B.enhoden gegen die fallende Sucht angewendet [347]). B. e n - m i l c h ward gegen Ohrenkrankheiten in die Ohren geträuft [348]). Ein wichtiges Mittel ist auch die B. e n g a l l e. Sie galt (1683) als schweißtreibend [349]); Erfrorene wurden in Wasser gebadet, in dem man B.engalle aufgelöst hatte [350]). In Finnland brauchte man sie als eine Panacee, nahm sie ein und schwitzte darauf [351]). Sie war gut gegen Gliederbeschwerden (schon Plinius) [352]), wurde gebraucht bei stumpfem Gesicht [353]), bei den Zigeunern gegen Schneeblindheit [354]), Zahnweh [355]), mit Honig gegen Husten [356]), dämpfigte (asthmatische) Leute tranken sie in Wasser [357]); sie vertreibt die fallende Siechtage [358]), Schlag [359]) und andere Lähme [360]); Dioskurides wandte sie bei Ohrenflüssen und Hautleiden an [361]); später ward sie gegen Gelbsucht gebraucht [362]). Sie heilt den Krebs und andere umfressende Schäden [363]). Sie gilt, vorm Coitus als Zäpfchen eingeführt, empfängnisfördernd [364]); „welcher eine B.engallen (B.engeil?) über die rechte hufft bindet, der ist Mann so offt er will" [365]). Schon Dioskurides wandte sie gegen giftigen Tierbiß an [366]), und in altnordischen Hexenformularen wird sie gegen Wurm- (Schlangen-) Biß genannt [367]). Das B.e n a u g e [368]) hilft gegen das vier-

tägige Fieber [369]); das rechte ausgegraben und exficcieret, hängt man den Kindern wider das Schrecken und Auffahren im Schlafe an [370]).

[301]) Urquell NF. 1, 48; D r e c h s l e r 2, 288; W u t t k e § 515. [302]) J ü h l i n g *Tiere* 4. [303]) S i m r o c k *Mythol.* 1878, 537. [304]) H a m m a r s t e d t in Beitr. z. Rel.wissensch. 2 (1918), 117 f. [305]) S e l i g m a n n 2, 113. [306]) R o c h h o l z *Kinderlieder* 339. [307]) W l i s l o c k i *Zigeuner* 1892, 43 = W l i s l o c k i *Volksglaube* 92. 93. [308]) M o n t a n u s *Volksfeste* 167. [309]) ARw. 17, 487. Vgl. G r i m m *Myth.* 3, 191; P a n z e r *Beitrag* 2, 468 f. [310]) K e l l e r *Antike Tierwelt* 1, 179. [311]) G r i m m *Myth.* 3, 191. [312]) H o v o r k a - K r o n f e l d 1, 417; Jägerhörnlein 126 f. nach Saxo. [313]) Beiträge z. Rel.wissensch. 2, 124. [314]) J ü h l i n g *Tiere* 3. [315]) M o n t a n u s *Volksfeste* 167. Vgl. ARw. 8, 458; H ö f l e r *Organotherapie* 238 f. [316]) H ö f l e r 65; Agrippa v. N e t t e s h e i m 1, 196. [317]) M ä n n l i n g *Curiositäten* 37. Vgl. S é b i l l o t *Folk-Lore* 3, 48. [318]) H ö f l e r 65 f.; Eberhard G o c k e l i u s *Tractatus . . . von dem Beschreyen und Bezaubern* 1717, 31. [319]) *De praestigiis Daemonum* l. 3. c. 18. [320]) F e h r l e *Geoponica* 15. [321]) Z e d l e r *Universallexikon* 2 (1733), 116. [322]) Brandenburg 159. [323]) S t a r i c i u s *Heldenschatz* 1706, 130. 494. [324]) *Die Mylianische zusammengesammelten geheimen Artzneymittel*; Zugabe zu Eberhard G o c k e l i u s *Tractatus . . . von dem Beschreyen und Bezaubern* 1717 (von der Hand des Dr. Georg Abraham Merklin). 170 (103). 185. 209. Vgl. auch S c h e i b l e 9, 1042. [325]) J ü h l i n g *Tiere* 4. [326]) Ebd. [327]) M a n g o l t *Fischbuch* 164 § 11. [328]) K e l l e r *Tiere* 121; P l i n i u s *Nat.hist.* 24, 13; 28, 163; 8, 127; D i o s c o r i d. 2, 68 usw.; Sextus Platonicus (330 p. Chr.): H ö f l e r 65; H o v o r k a - K r o n f e l d 1, 50. [329]) Z e d l e r *Universallexikon* 2, 116. [330]) J ü h l i n g *Tiere* 2. [331]) Ebd. 1 und Z e d l e r 2, 116. [332]) J ü h l i n g 2 und Z e d l e r 2, 116. [333]) J ü h l i n g a.a.O. [334]) Ebd. 2. [335]) Ebd. 1. [336]) Ebd. 1. [337]) Ebd 1. [338]) Ebd. 1. [339]) Ebd. 1. [340]) D r e c h s l e r 2, 307; Z e d l e r 2, 116. [341]) J ü h l i n g *Tiere* 4. [342]) ZfrwVk. 1914, 170. 176; Z e d l e r 2, 116. [343]) J ü h l i n g *Tiere* 4. [344]) Ebd. 4 und Z e d l e r 2, 116. [345]) J ü h l i n g 4; ZfVk. 8, 40. [346]) ZfEthn. 16, 133. [347]) H o v o r k a - K r o n f e l d 2, 211; J ü h l i n g *Tiere* 3; K e l l e r *Tiere* 121 nach P l i n i u s *nat.hist.* XXVIII, 167. [348]) J ü h l i n g *Tiere* 3. Vgl. M o n t a n u s *Volksfeste* 167. [349]) H ö f l e r *Organotherapie* 199. [350]) Ebd. [351]) Z e d l e r 2, 116. [352]) J ü h l i n g 198 nach P l i n i u s XXVIII, 62. [353]) Ebd. 199; Z e d l e r 2, 116. [354]) W l i s l o c k i *Volksglaube* 176. [355]) H ö f l e r und J ü h l i n g *Tiere* 2; Z e d l e r 2, 116. [356]) H ö f l e r 198 nach P l i n i u s XXVIII, 53; J ü h l i n g *Tiere* 2. [357]) H ö f l e r 198 nach P l i n i u s XXVIII, 55; ebd. nach Sextus Platonicus; J ü h l i n g

Tiere 2; H ö f l e r 199; Z e d l e r 2, 116.
[358]) Dioskurides 2, 96 = H ö f l e r 198; Sextus
Platonicus: Ebd. A. 1563: J ü h l i n g *Tiere* 3;
H ö f l e r 199; Z e d l e r 2, 116. [359]) J ü h -
l i n g ebd.; H ö f l e r ebd. [360]) Ebd. [361]) 2, 96
= H ö f l e r 198. [362]) Pseudo-Dioskurides
(4. Jh.) = H ö f l e r 198; 1563: J ü h l i n g
Tiere 2; H ö f l e r 199; Z e d l e r 2, 116.
[363]) A. 1563: J ü h l i n g *Tiere* 2 = H ö f l e r
199; A. 1683: Ebd. 199; Z e d l e r 2, 116.
[364]) A. 1563: J ü h l i n g *Tiere* 3 = H ö f l e r
199 vermutet Verwechslung mit Bibergeil.
[365]) A. 1563: J ü h l i n g 2 = H ö f l e r 199.
[366]) 2, 96 = Höfler 198. [367]) Ebd. 199. [368]) G u -
b e r n a t i s *Tiere* 432. [369]) J ü h l i n g *Tiere*
3; Z e d l e r 2, 116. [370]) Z e d l e r 2, 116.
Peuckert.

Barbara, Jungfrau und Märtyrerin aus
Nikomedien, Tochter eines reichen Heiden, wegen ihrer Schönheit in einem
Turme verborgen gehalten, nach der
Überlieferung von Origenes im christlichen Glauben unterrichtet, deswegen
vom eignen Vater dem Richter überliefert und hingerichtet, Fest am 4. Dezember, auch in der griechischen Kirche
an diesem Tage gefeiert, zählt zu den
vierzehn Nothelfern und ist überhaupt
eine vielseitige Patronin [1]).

[1]) S a m s o n *Die Heiligen als Kirchenpatrone* 136—139; K o r t h *Die Patrozinien
im Erzbistum Köln* 29; K ü n s t l e *Ikonographie* 112—115.

I. Aus ihrem reichen L e g e n d e n -
kranz sei wegen des Motivs jene Erzählung herausgegriffen, nach der sie durch
einen Felsen hindurch der Verfolgung
ihres Vaters entkam und den Hirten zu
Stein verwünschte, der ihren Weg dem
Verfolger verriet [2]). Eine andere, nach der
sie der Steinwand des Tempels drei
Kreuze mit dem Finger eindrückte, wird
von Seb. Brant, Leben der Heiligen 2, 83,
mitgeteilt [3]).
In der deutschen S a g e n geschichte
spielt sie eine gewisse Rolle. Sie trat an
die Stelle der Gerpet - Borbet - Barbet
(Werbet), die zu den Saligen Fräulein,
den drei Schwestern Ainbet, Gerbet,
Werbet gehört [4]). In einer badischen Sage ist sie zur Weißen Frau geworden [5]).

[2]) L a i s t n e r *Nebelsagen* 166. 239. [3]) W o l f
Beitr. 2, 31. [4]) H ö f l e r *Waldkult* 9. 59;
P a n z e r *Beitrag* 64; S i m r o c k *Myth.* 584,
86; W o l f *Beitr.* 2, 173. [5]) B a a d e r *Sagen*
161; ZfVk. 13 (1903), 436.

2. Der B.t a g , bereits in den ältesten
Kölner Festkalendern aufgeführt [6]), gilt
als besonderer Festtag, vorzüglich gefeiert von Bergleuten und Grubenarbei-
tern, Artilleristen und andern. In Hassel
(Luxemburg), wo sie z. B. zu den besonderen Heiligen der Diözese gehört, lassen
(oder ließen) die Frauen eine Messe lesen,
legen beim Opfergang um den Altar ein
Gebund feinsten Flachses oder Werges auf
den Muttergottesaltar als Opfer bzw. Geschenk für den Geistlichen, der die Messe
liest [7]). Der Tag ist am Rhein, ähnlich dem
unmittelbar folgenden Nikolaustag, ein
Geschenktag für die Kinderwelt [8]). Bei
den Christen in Aleppo erhalten die Kinder einen Teller mit gekochten Weizenkörnern und Zuckerwerk, worin ein
Kranz von kleinen Kerzen steckt [9]). In
Kroatien gehen die Knaben im Dorf Gaben heischen.

[6]) Z i l l i k e n *Kölner Festkalender* 120. 131.
[7]) F o n t a i n e *Luxemburg* 2. [8]) W r e d e
Rhein. Volksk.[2] 227; Ethnol. Mitt. a. Ungarn 4,
173. [9]) S a r t o r i 3, 12.

3. Man soll am B.tag nicht nähen,
sonst legen die Hühner das ganze Jahr
hindurch nicht [10]). Wer an ihm fastet,
abends vor dem Schlafen einen Weiberrock
unter das Kissen legt, kann im Traume
seine zukünftige Lebensgefährtin sehen,
wenigstens nach dem Glauben oder der
Überlieferung der Südslawen [11]). Den
Magyaren gilt er als einer der Tage, an
denen man versuchen soll, Schätze zu
graben [12]). Bei den Südslawen ist er vorzugsweise der Tag der Zauberei. Die alt-
gläubige Bäuerin kocht an ihm „varice‟
(Feldfrucht) zu Brei und prophezeit aus
diesem vielerlei heraus [13]). Er gilt auch als
Lostag, wie der Spruch bezeugt: Kalt
mit Schnee — Verspricht viel Korn auf
jener (!) Höh [14]).

[10]) Aus Ungarn: ZfVk. 4 (1894), 407.
[11]) K r a u ß *Sitte u. Brauch* 179. [12]) W l i s -
l o c k i *Magyaren* 98. [13]) K r a u ß *Volkforschungen* 83. [14]) D r e c h s l e r 1, 166.

4. Als Schutzheilige der S t e r b e n -
d e n , vorzüglich Schwerverwundeter,
wird sie in der Todesstunde angerufen [15]).
Wer B. verehrte, wird vor einem jähen
und unbußfertigen Tode, d. i. Tod ohne

Sterbesakramente, bewahrt [16]). Sie soll Schildwacht halten, wenn das letzte (!) Sterbestündlein nachts zwischen fünf und sechs fällt. Auf ihre Hilfe in Todesnöten weisen bereits ältere Sprüche und noch in jüngerer Zeit lebendige Gebete hin [17]). Nach der Legenda aurea wurde sie auch von (gebärenden) Frauen in unmittelbarer Lebensgefahr angerufen [18]).

[15]) ZfVk. 1 (1891), 304; 8 (1898), 396. 399; Drechsler 2, 274. [16]) Hörmann Volksleben 205; E. Schmidt Volksk. 126; Drechsler 2, 274. [17]) Geistl. Schild 126. 128 f. [18]) Franz Benediktionen 2, 202. 204.

5. Von den **A r t i l l e r i s t e n** wird die Heilige zum Schutz gegen feindliche Geschosse angerufen und ihr Tag in außerordentlicher Weise gefeiert [19]). Auf Arsenalen brachte oder bringt man ihr Bild an, und auf französischen und spanischen Kriegsschiffen heißt nach ihr die Pulverkammer „Ste Barbe". Auch tragen wohl Kanoniere ihr Bild wie ein Amulett, mit einem Spruch versehen, etwa mit der Bitte: „Heilige Barbara, hilf in der Not, Schenk uns den Sieg, den Feinden den Tod" [20]). Anlaß zu diesem Patronat mag der Turm gegeben haben, den sie auf Abbildungen in der einen Hand oder in den Armen oder neben sich hat. Weiter wurde sie Schutzheilige aller, die mit Pulver arbeiten oder Feuer zu bekämpfen haben.

[19]) ZfVk. 1 (1891), 304; Hoffmann-Krayer 97; Wolf Beiträge 2, 90 (mit Hinweis auf Lasicz 144). [20]) Kronfeld Krieg 73. 141 f. Die an letzterer Stelle ausgesprochene Vermutung (B. als Nachfolgerin weiblicher Schlachtgottheiten aus heidnischer Zeit) ist abzulehnen.

6. Sie wurde auch Patronin der **B e r g -** und **G r u b e n a r b e i t e r** [21]), die an ihrem Tage die Arbeit ruhen lassen, in festtäglicher Tracht und feierlichem Kirchgang ihr Fest begehen und in manchen Gegenden von den Grubenbesitzern bewirtet werden [22]). Das B.brot genannte Gebäck, das die Knappen des Rauriser Goldbergwerks von der Bergwerksköchin auf Grund des Knappenrechts erhalten, ist eine sogenannte Strutz aus Lebzeltenteig. Die Knappen selbst stellen in der B.nacht Speise und Trank für die Berg-

mannl auf den Tisch der großen Stube des Berghauses, wie man sonst z. B. am Allerseelentag tut, Seelenopfer am Hausaltar. Die Bergleute empfehlen sich ihrem Schutze gegen plötzlichen Tod. Ein Bergmann, der ihr zu Ehren an ihrem Tage in der Grube ein Licht brennen läßt, stirbt eines natürlichen Todes [23]). Bei der Einfahrt ins Bergwerk stimmen Bergknappen des Gonzenbergwerks im Kanton St. Gallen ein Lied an, in dem am Schluß ihr Beistand erfleht wird: „Und wenn's wir aus- und einfahren, St. B. steh' uns bei" [24]).

[21]) Waibel u. Flamm 2, 247; ZfVk. 1 (1891), 304. [22]) MschlesVk. 13 (1905), 81; Klapper Schles. Volksk. 151. [23]) ZföVk. 4 (1898), 146. [24]) Baumberger St. Galler Land (1903), 165; Albers Das Jahr 305.

7. Auch gegen **B l i t z g e f a h r** mußte und muß sie helfen und wird deshalb in Formeln (Wettersegen) des 15. und 16. Jhs. wiederholt genannt [25]), auch in Gewittersprüchen [26]) oder Bannsprüchen, z. B. bei den Südslawen (Hl. B., schiebe die Wolken auseinander) [27]), und in Liedern, die die Kinder bei einem Gewitter singen, besonders nachts [28]).

[25]) Franz Benediktionen 2, 98. 104. [26]) Schneller Wälschtirol 247. [27]) Krauß Volkforschungen 82. [28]) Liebrecht Zur Volksk. 391; Sébillot Folk-Lore 1, 106.

8. Nach ihr und den heiligen Jungfrauen Margareta und Katharina werden häufig Kirchen **g l o c k e n** benannt, besonders Wetterglocken, die bei schweren Gewittern geläutet werden [29]). Daher wird sie auch von den Glöcknern als Patronin verehrt. An ihrem Tage stattet man z. B. in der Schweiz den Glocken der Dorfkirche einen Besuch ab [30]).

[29]) Albers Das Jahr 301. 303. [30]) SchwVk. 12, 3.

9. Seltsamerweise wurde sie (oder wird sie) in Nennig gegen **B l a t t e r n** angerufen, die selbst B.blattern heißen [31]). Der Besitz der B.wurzel (Allium victoriale, Siegwurz, Kraftwurz) verleiht Unverletzbarkeit (Allermannsharnisch) [32]).

[31]) Fontaine Luxemburg 107. [32]) ZfVk. 1 (1891), 304.

10. Der mit mannigfaltigen Meinungen verknüpfte Brauch, am B.tage **Z w e i g e**

von Obst-, vorzüglich von Kirschbäumen (Weichsel), oder von einer Birke, oder von anderen Bäumen zu brechen, in einen Wassernapf oder in eine Flasche zu stellen und an den oder auf den warmen Ofen zu setzen oder in die Zimmerecke zu bergen, wird noch in sehr vielen Gegenden gehegt [33]). In einigen gibt es noch bestimmte Vorschriften, wann man die Zweige holen soll, z. B. beim Vesperläuten [34]) oder ehe die Sonne anschlägt, d. i. voll drauf scheint [35]). Man erwartet, daß diese B.zweige am Christtage grünen und blühen. Bauer und Bäuerin orakeln aus dem Blühen das Gedeihen des kommenden Jahres, z. B. eine gute Obst- und vorzüglich Kirschenernte, oder allgemein, ein fruchtbares Jahr [36]). In manchen Familien wird für jedes Mitglied ein besonderer Zweig aufgestellt. Wessen Zweig zuerst oder am schönsten blüht, hat Glück zu erwarten [37]). Mädchen schreiben den Namen des Geliebten auf den Zweig, um aus dessen Grünen und Blühen auf Erfüllung ihrer Hoffnungen und Sehnsüchte zu schließen [38]). In Dellingen (Oberamt Ellwangen) glaubt man, daß jemand aus dem Haus im kommenden Jahr stirbt, wenn der Zweig nicht blüht [39]). Man mißt ihm auch sonst magische Kraft zu und glaubt, man könne verborgene Dinge sehen, wenn man ihn zur Christmette mit in die Kirche nimmt [40]). Vereinzelt wird er auch als Weihnachtsbaum aufgestellt [41]), aber mehr noch, ähnlich wie Zweige bei andern Gelegenheiten, als Lebensrute benutzt, in der die Triebkraft der Natur in den kommenden Frühling hineingetragen wird und mit der die weiblichen Mitglieder der Familie, das weibliche Gesinde und die Mädchen im Dorf an den Weihnachtstagen oder am Neujahrstage gepeitscht oder „gefitzelt" werden [42]). Martin Greif hat den Brauch in seinem Gedicht „B.zweige" verherrlicht.

[33]) Germania 21 (1876), 412; B a u m g a r t e n *Jahr u. s. Tage* (1860), 31; V e r n a l e k e n *Mythen* 340. [34]) M e y e r *Baden* 385. [35]) ZfVk. 4 (1894), 109. [36]) H o f f m a n n - K r a y e r 97; ZrwVk. 4 (1907), 8; M e y e r *Baden* 385; M e i e r *Schwaben* 2, 462. [37]) Niederösterreich: V e r n a l e k e n *Mythen* 340. [38]) J o h n *Westböhmen* 5; ZfVk. 4 (1894), 109.

[39]) H ö h n *Tod* 309. [40]) S c h r a m e k *Böhmerwald* 113. [41]) K a p f f *Festgebräuche* 8. [42]) L e o p r e c h t i n g 202; ZfdMyth. 2, 335; Reichenberger Deutsche Volkszeitung (Böhmen) vom 4. 12. 19; S a r t o r i *Westfalen* 134.　　Wrede.

Barbarossa s. b e r g e n t r ü c k t , K y f f h ä u s e r .

Barbe (Flußbarbe, Barbus fluviatilis). „Sein r o g / vnnd sunderlich im/ Magen/ hatt die krafft vnnd natur zuo l a x i e r e n vnnd stuolgang zemachen/ sonderlich an müessiggendenn leüten/ dann ich erfarrenn hab / dasz er an arbeitsamen nit gewürcket hat" [1]).

[1]) M a n g o l d *Fischbuch* 147.
　　　　　　　Hoffmann-Krayer.

Barbiel, Höllenfürst [1]), vgl. schon im Pariser Zauberpapyrus den magischen Gottesnamen βαλβηλ [2]), der mit Vertauschung der beiden Liquiden auch βαρβηλ lauten konnte [3]), wie neben Βαρβηρω ein Βαρβηλω für die Muttergöttin der Barbelognostiker stand [4]). Part. Palpel von בִּלְבֵּל oder בִּרְבֵל, mit abgeworfenem Praefix מְ „der Verwirrende"? Oder verkürzt aus βαρβαριηλ [5]), d. i. בַּרְבָּר־אֵל „Barbarengott", vgl. βαρβαραδωναι u. a. [6])? Doch kann βαλβηλ auch Βαλ, Βηλ „Baal, Bêl" (israel. und babyl.) Aussprache des gleichen Gottesnamens sein (das darauf folgende βολ ist vielleicht palmyr. Βωλ).

[1]) K i e s e w e t t e r *Faust* 158. [2]) W e s s e l y 1, 69 Z. 1010. [3]) S t r a c k - S i e g f r i e d *Lehrb. d. neuhebr. Spr.* (1884), 15 § 8. [4]) B o u s s e t *Hauptprobleme der Gnosis* (1907), 14 f. [5]) W e s s e l y 1, 70 Z. 1030. [6]) a. a. O. 1, 54 Z. 385. 47 Z. 91.　　Jacoby.

Barbier s. B a d e r .

Bärenhäuter. Der Glaube an B. gehört zu den Resten des Tierglaubens, einer typischen und geläufigen Äußerung des primitiv-mythischen Denkens, die jenseits aller Erfahrungsquelle liegt. Er stellt eine spezielle, auf den Bären bezogene Abwandlung desselben dar. Der Mensch, lebend oder tot, kann zugleich ein Tier, in unserm Falle ein Bär sein, zunächst völlig präanimistisch, leibhaftig, ohne das Medium einer Seele. Der Bär als Seelentier ist nicht anders eine sekundäre Vorstellung, wie die Vorstellung von dem Besitz einer bloßen Haut, eines Hemdes,

Eisenhalsbandes, Ringes oder Gürtels, der den Menschen zum Bären macht. Dergestalt gehört der altnordische Berserkerglaube (s. d.) in diesen Zusammenhang, er bildet die nordische Parallele zu dem statt dessen in Deutschland verbreiteteren Werwolfglauben (s. d.). Und vor allen Dingen empfängt die nordische Bjarki- (= Bärchen-) Sage [1] von hier ihre Beleuchtung: solange Bjarki unbeweglich zu Hause bleibt, kämpft sein anderes Ich in Bärengestalt vor dem König her, sobald aber Bjarki, geweckt, sich zum Kampf erhebt, ist der Bär verschwunden, und die Kraft des Helden vermag ihn nicht zu ersetzen. Hier ist der Tierglaube auf deutlich dualistischer Stufe angelangt, und wir könnten diesen Bären bereits als Sympathietier (s. d.) Bjarkis bezeichnen.

Auf meist ganz präanimistischer Stufe gehört das deutsche B.-Märchen hierher, Verwandter einer internationalen Sippe, bereits bei Grimmelshausen belegt [2]). Im Dienst des Teufels muß ein Mann 7 Jahre lang Bär sein, altnordisch ausgedrückt „den Berserksgang" gehen, bis er erlöst ist [3]). Das weitverbreitete Bärensohnmärchen hängt damit aufs engste zusammen [4]). Eine Frau wird im Walde von einem Bär ergriffen, der selbst schon kein gewöhnlicher Bär, sondern ein Verwunschener ist [5]); beider Sohn wird der Held außerordentlicher Taten, trägt aber die Spuren der zwiespältigen Abkunft an sich (ist halb Bär, halb Mensch; sieht wie ein Bär aus; ist rauh; hat Bärenohren; heißt Hans Bär, Hans Bärensohn), die sich, wie man sieht, im Laufe der Zeit bis auf Andeutungen verflüchtigen. In gleicher Weise ist das Wort B. selbst in seiner Bedeutung mehr und mehr verblaßt, bis es als Schimpfwort identisch mit Faulenzer wurde, ein Vorgang, in den eine humanistische Ausschmückung von Tacitus, Germania 15 und 17, mit hineinspielen mag [6]). — Ob ein 1728 aus Zürich bezeugter Brauch [7]) hierher gehört, erscheint mir ungewiß.

s. a. Bär Sp. 885.

[1]) Vgl. P a n z e r *Beowulf* 364 ff. [2]) A m e r s - b a c h *Grimmelshausen* 1, 27; B o l t e - P o -

livka 2, 429. [3]) G r i m m *Märchen* Nr. 101; G a i s m a i e r *Die Bärenhäutersage.* Progr. Ried 1904. [4]) P a n z e r *Beowulf* 1—246; D e r s. *Siegfried* 17 ff.; ZfVk. 21 (1911), 288; Anglia Beiblatt 31 Nr. 4; S t r a c k e r j a n *Oldenburg* 2, 154 Nr. 382; S i n g e r *Schweizer Märchen* 1, 74 ff.; B o l t e u. P o l i v k a 2, 293. 300. 317. 429 ff. 433. [5]) W o l f *Beitr.* 2, 67. [6]) F i s c h e r *SchwäbWb.* 1, 641. [7]) V e r n a - l e k e n *Alpensagen* 354. H. Naumann.

barfuß. 1. Das Gebot der Barfüßigkeit, das wir bei verschiedenen Zauberhandlungen finden, hat seinen tieferen Grund in uralten Kultanschauungen und ist ein E r s a t z für ursprüngliche kultische N a c k t h e i t [1]) (s. nackt); dazu kommt, daß gerade an den Schuhen viele K n o t e n sind, die ja jeden Zauber binden und hemmen würden [2]). Daß die Barfüßigkeit wie die Nacktheit in religiösen Anschauungen und Vorschriften fußen, zeigen jüdisch - antik - christliche Parallelen: Im alten Testament dürfen die Leviten nur b. das Gerät in den Tempel tragen [3]), und die Gläubigen dürfen nur b. den Tempel betreten; die gleiche Vorschrift gilt für Griechen und Römer; besonders die P y t h a g o r e e r [4]) beachteten diesen Ritus genau; im römischen Kult war bei der lavatio des Kultbildes der magna mater Entblößung der Füße vorgeschrieben, wie uns Prudentius in einem Märtyrerhymnus mitteilt [5]); bei P r o z e s s i o n e n [6]) treffen wir überhaupt diese Kultvorschrift immer; Usener [7]) hat in seinem Vergleich der antiken und christlichen [8]) Prozessionen auch dieses Moment betont, und noch in heutiger Zeit finden sich Reste bei katholischen Prozessionen [9]); Dieterich [10]) hat bei der Analyse des berühmten Gemäldes zu Ostia ebenfalls hervorgehoben, daß die Kinder aus r i t u e l l e n Gründen b. dargestellt sind. In den Z a u b e r r i t e n wirkt aber neben der Anlehnung an den religiösen Kult noch eine andere nicht weniger wichtige Vorstellung herein: das A n t a e u s m o t i v [11]). Die Erde, empirisch die gewaltigste Kraftquelle, verleiht dem Priester, aber auch dem Zauberer [11 a]), übernatürliche Kräfte und Orakelkraft [12]), und diese Zauberkräfte fließen natürlich bei unmittelbarer Berührung wie ein ungehemmter Zauberstrom in den Menschen hinüber, besonders im Frühjahr, wenn die Erde zu neuer Fruchtbarkeit erwacht. Überall in den Prozeßvorschriften des MA.s treffen wir auf die besondere Vorschrift, bei der Verhaftung einer Hexe die Gefangene von der Erde aufzuheben, damit ihr nicht durch die Berührung mit der bloßen Erde Zauberkräfte zufließen; so erwähnt der Henker Diepolt Hartmann von Miltenberg aus seiner Berufspraxis folgende Maßregeln [13]): „Item wan man eyn zeyberin angriffen, so sollen die sie fahen.... alsbalde sie von der erden uff eynen Karen heben und sunst, daß sie die erden oder steyn nit ruren, ire augen zubinden und den münt verstoppen." Auch im Malleus maleficarum [14]) wird auf diese Schutzmaßnahme gegen bösen Blick und Berührung mit der Erde besonders hingewiesen. Die Rockenphilosophie knüpft an den Gebrauch, eine „zur Exekution oder Scheiterhaufen geführte Hexe nicht die bloße Erde berühren zu lassen", allerlei leere Bemerkungen [15]). In der Erzählung von Angelburg, der Geliebten Friedrichs von Schwaben, fliegt diese in Taubengestalt mit zwei Jungfrauen durch die Luft; sobald die Tauben die Erde berühren, werden sie zu Mädchen [16]). Sommer [17]) vergleicht dieses Motiv mit dem Glauben, daß den Hexen vom bloßen Boden Kräfte zuströmen; indessen wird in dem dürftigen Elaborat eines Unbekannten (14. Jh.) die Verwandlung nicht entsprechend hervorgehoben. Zu beachten ist, daß in Zauber und Magie diese (dämonische) Kraft der Erde bald **zauberbrechend** und bald **zauberbindend** wirken kann.

[1]) D e u b n e r *de incubatione* 24; N i l s s o n *Griechische Feste* 345; Philologus N. F. 10 (1897), 5 ff.; für den deutschen Aberglauben vor allem: W e i n h o l d *Ritus* 5; W ä c h t e r *Reinheit* 24; D ö l l e r *Speisegesetze* 289 zu S. 159. [2]) W ä c h t e r l. c. mit A. 2 (vgl. binden u. Knoten); D ö l l e r l. c.; bei H o r a z sieht Priap die Zauberin „pedibus nudis passoque capillo": *Satiren* 1, 8, 24; F r a z e r 2, 311 A. 1; schon S e r v i u s zu V e r g i l *Aeneis* 4, 518 sagt: „in sacris nihil solet esse religatum". [3]) H e c k e n b a c h *de nuditate* 26. 31; ARw. 21 (1922), 237 f.; W e i n h o l d *Ritus* 4 f.; S a r t o r i in ZfVk. 1894, 178; Exodus 3, 5; Josua 5, 15; auch die Brahmanen dürfen beim

Manenmahl nur b. und barhäuptig essen: ZfVölkerpsychol. 18, 260; anderseits ist aber auch die Entblößung für die Juden die größte Schande: ARw. l. c.; Jsaias 20, 4. [4]) H e c k e n b a c h l. c. 24; N i l s s o n l. c. 345; W ä c h t e r 23 f.; später schrieb man diese Vorschrift dem Umstand zu, daß das Leder, aus der Haut toter Tiere verfertigt, unrein sei: V a r r o *Lingua latina* 7, 84; G r u p p e *Griech. Myth.* 2, 912 A. 5; ZfVk. 1894, 178. Eine wichtige Bestimmung der Symbola Pythagorea bezog sich auf ἀνυποδησία im Kult: θύειν χρὴ ἀνυπόδητον καὶ πρὸς τὰ ἱερὰ προσιέναι. B o e h m hat in seiner Dissertation (*De symbolis Pythagoreis.* Berlin 1905, 9—10) die antiken Belegstellen und die moderne Literatur gesammelt; antike und moderne Parallelen: ZfVk. 1894, 178—180. [5]) H e p d i n g *Attis* 174 mit Literatur; F e h r l e *Kultische Keuschheit* 219; vgl. W i s s o w a *Religion* [2] 101; H e c k e n b a c h 67 f.; W ä c h t e r 23 f. [6]) N i l s s o n l. c. 339, 351; G r u p p e *Griech. Myth.* 1, 912 A. 5; D i e t e r i c h *Mutter Erde* [2] 81 A. 2. [7]) *Weihnachtsfest* [2] 303 ff. 306 ff.; H e c k e n b a c h l. c. [8]) D i e t e r i c h *Kl. Schr.* 349; A n d r e e *Votive* 45 f. [9]) T r e d e *Heidentum* 1, 151; 2, 105. [10]) *Kl. Schr.* 349. [11]) H e c k e n b a c h 44—45. 47; A n r i c h *Das antike Mysterienwesen.* Gött. 1894, 212. [11a]) Beim Zauberer Merlin wird die B. betont: Kloster 9, 715. [12]) F e h r l e l. c. 149 A. 5. [13]) H a n s e n *Hexenwahn* 593, 14; vgl. den „Layenspiegel" Tenglers: H a n s e n 303, 19—20. [14]) H e c k e n b a c h 45 nach E n n e m o s e r *Geschichte der Magie* 808. [15]) 4. Hundert (1706) 309—12; G r i m m *Myth.* 3, 444, 310; L ü t o l f *Sagen* 264, 134; F r a z e r 7, 1 [3], 5 f.; vgl. G r i m m *Myth.* 3, 173, wo eine feuerlöschende Sechswöchnerin die Erde nicht berühren darf. [16]) v. d. H a g e n s *Germania* 7, 105; G o e d e k e *Deutsche Dichtungen im MA.* (1854), 865. [17]) S o m m e r *Sagen* 168 f. A. 9 zu Seite 12; zitiert bei S c h a m b a c h - M ü l l e r 359.

2. Im g e r m a n i s c h e n u n d d e u t s c h e n Kult und Aberglauben wurzeln die Vorschriften oder die Verbote der Barfüßigkeit in diesen kultlichen oder abergläubischen Vorstellungen. Ausgangspunkt für alle Untersuchungen ist Weinholds „Zur Geschichte des heidnischen Ritus". Wohl die erste Nachricht über die kultliche Barfüssigkeit bei einem Germanenstamm bringt uns S t r a b o [18]): Die Priesterinnen der Zimbern opferten mit bloßen [19]) Füßen die Gefangenen und weissagten aus ihrem Blute: προμάντεις παρηκολούθουν... γυμνόποδες... ἐκ δὲ τοῦ προχεομένου αἵματος εἰς τὸν κρατῆρα μαντείαν τινὰ ἐποιοῦντο (hier erhöht die Verbindung mit der Erde die Orakelkraft). Einen Rest der „ἀνυπο-

ϑησία [20]) religiosa" haben wir in dem Gebot, daß man den heiligen Forst des Pulch, den Kammerforst bei Trier, nicht mit „gesteppten Leimeln" (genagelten Schuhen) betreten durfte [21]). Früher zogen in Oldenburg die Wallfahrer zur Kapelle des hl. Nikolaus in Hatten, bevor sie die Hunte überschritten, die Schuhe aus [22]). Daß auch die Wallfahrten mit bloßen Füßen ein Substitut für nacktes Bittgehen sind, zeigen die von Andree erwähnten Beispiele; in einem Falle wird die Wallfahrt nackend und mit ausgespannten Armen gelobt; auch Altarumgänge mit bloßen Knien werden versprochen [23]). In Böhmen geht die fromme Sage, daß nur der die heilige Maria an dem Wunderort ihrer Epiphanie erblickt, der, von Sünden frei, sich dem Ort b. nähert [24]). In einer Sammlung von Wunderlegenden, welche Klapper nach einer Breslauer Handschrift ediert hat [25]) (de conversione peccatoris in sexta feria magna), sieht ein Räuber am Karfreitag eine Prozession von Pilgern „nudis pedibus [26]) incedere sanctorum limina"; als er einem Eremiten beichtet, bekommt er die Buße: „ut nudipes iret" [27]); dasselbe Motiv nahm Wolfram v. Eschenbach aus Chretien de Troyes auf [28]): Parzival wird durch den Anblick einer büßenden Ritterfamilie zur Einkehr gebracht: „si giengen alle barfuoz". Hier kommt zur kultlichen Bedeutung der Barfüßigkeit bei einem heiligen Gang die uralte R e c h t s a n s c h a u u n g, daß man zum Zeichen der Unterwerfung, Buße und Demütigung b. geht [29]); in der Vita Liudgeri [30]) wird erzählt, wie ein junger Mann, der seinen Bruder im Streit getötet hat, „indicante Jona episcopo ... discalceatus in exilium missus est". B. verzichtet man auf das Erbe [31]) und b. schwört der Bauer [32]).

Für die vornehme Dame des Frühmittelalters war es eine S c h m a c h, wenn sie von einem Fremden b. gesehen wurde; das Chronicon Salernitanum [33]) berichtet uns von den schweren Folgen, die ein Erlebnis der Adelchisa nach sich zieht, als ein vornehmer Langobarde sie im Zelt sieht, wie sie die Füße wäscht; auch „ein riter soll niht vor frowen gân barfuoz" [34]);

sonst war B.gehen ein Zeichen n i e d e r e n S t a n d e s [35]); „der b. Begrabene kommt arm im Himmel an, und der Gang zum jüngsten Gericht wird ihm sauer" [36]). Der Wöchnerin aber, welche im K i n d b e t t s t i r b t, muß man Schuhe anziehen, damit sie nicht b. ihr Kindlein zu besuchen braucht [37]). Schließlich ist Barfüßigkeit, besonders in der Antike, ein Zeichen der T r a u e r [38]).

[18]) 7, 2, 3 = Vol. 2, 404, 4 M e i n e k e; H e c k e n b a c h 27; G r i m m Myth. 1, 45 u. 79; vgl. Kloster 9, 836; der Seher auf den Hebriden geht bei einer Divinationshandlung b. und barhäuptig zur Türschwelle: ZfVk. 1917, I. [19]) E contrario dürfen auf Borneo Priesterinnen bei rituellen Handlungen n i c h t die bloße Erde berühren: F r a z e r 7³, 1, 5; vgl. G r i m m Myth. 3, 173 (Feuerlöschen durch Sechswöchnerin). [20]) ZfVk. 1894, 178. [21]) G r i m m Myth. 3, 80: Anmerk. zu 1, 189. [22]) S t r a c k e r j a n 2, 295 B; vgl. FL. 7, 50; W e i n h o l d Ritus 5. [23]) A n d r e e Votive 31 f.; in Frankreich macht man für einen Sterbenden einen Umgang mit nackten Füßen um die Kapelle von N.-D. de Rumengol: S é b i l l o t 4, 136. [24]) G r o h m a n n 227, 1628. [25]) K l a p p e r Erzählungen 314 Nr. 101, 25 ff. [26]) l. c. 315, I. [27]) 315, 5. [28]) Parzival 9, 447, 21 = L a c h m a n n⁵ 216; K l a p p e r l. c. [29]) G r i m m RA. 1, 215; 2, 305; ZfVk. 1894, 179; vgl. Isaias 20, 2—4. [30]) M. G. Historica II, vita S. Liudgeri c. III, 19 = p. 418, 19; G r i m m l. c. 2, 336. [31]) Berühmt ist Ruth 4, 7—8: wenn einer ein Gut nicht beerben wollte, so „zog der eine seinen Schuh aus und gab ihn dem andern"; G r i m m l. c. 215; ZfVk. 1894, 178—180; R o c h h o l z Sagen 2, LIV. [32]) G r i m m l. c. 1, 166; 2, 556 f. [33]) M. G. Historica tom V, 505, 18 ff.; vgl. c. 83; W e i n h o l d Frauen 1, 145. [34]) Seb. B r a n t s Cato, vgl. G r i m m DWb. 1, 1132. [35]) H e y n e Hausaltertümer 3, 267—68. 316; vgl. die ἀνυπόϑησία bei P l a t o n Protagoras 321 c; ZfVk. 1894, 178 A. 1 und 179. [36]) J o h n Erzgebirge 123; wenn man das Messer auf den Rücken legt, müssen die armen Seelen darauf b. gehen: S c h ö n w e r t h Oberpfalz 1, 286; 3, 280. [37]) L ü t o l f Sagen 551, 538; vgl. 552, 548; vgl. P o l l i n g e r Landshut 298; B a s t i a n Elementargedanke 18. [38]) H e c k e n b a c h 31—32; S a m t e r Geburt 110.

3. Rituelle Reste alter Opferfeiern sind gewisse W e t t l ä u f e und Tänze; auch hier finden wir die Barfüßigkeit als Rest ritueller Nacktheit: Am Bartholomäustag laufen beim Schäferlauf zu Markgröningen [39]) ledige Schäfermädchen und Burschen b. über ein Stoppelfeld, und am Funkensonntag, wenn in Oberschwaben

der Bursch beim Schatz seinen Funkenring holt, tanzen die Mädchen „alle ohne Ausnahme i n S t r ü m p f e n"[40]). Ganz alt ist der Brautlauf in der Oberpfalz südlich der Donau, das sogenannte B a c k o f e n - s c h ü s s e l l a u f e n , bei dem die Gäste vor der Kirche einen Wettlauf b. veranstalten [41]).

[39]) M e i e r *Schwaben* 437, 143; vgl. 451; B i r l i n g e r *Schwaben* 2, 209 ff.; D e r s. *Volkst.* 2, 280. [40]) D e r s. *Schwaben* 2, 64; das Strümpfigsein ist ein Ersatz der N a c k t - h e i t , wie die Vorschrift beim Hühnersetzen, daß die Strümpfe „l o t t e r n" sollen und die Haare fliegen: G r i m m *Myth.* 3, 454, 575. [41]) S c h ö n w e r t h *Oberpfalz* 1, 93, 3; ZfVk. 1893, 15 f.

4. Ü b e r t r a g u n g der im Frühjahr sich regenden Kräfte der Erde und der W u n d e r k r a f t des Frühjahrs, besonders des M a i e n t a u e s auf den Menschen, soll das B. laufen im Frühjahr bewirken [42]). Wer während des ersten Mairegens b. und barhäuptig sich im Kreise dreht, dem wachsen die Haare gut (Böhmen) [43]); wenn man im Tau b. geht, zieht er alle Unreinigkeit aus dem Leibe (Oberpfalz) [44]); doch ist es nach dem Glauben im bayrischen Wald ratsam, erst nach Ostern b. zu laufen, weil dann die Erde geweiht ist [45]).

[42]) H ö f l e r *Ostern* 41; vgl. R o s e g g e r *Steiermark* 231. [43]) G r o h m a n n 52, 331; W. 280. [44]) S c h ö n w e r t h 2, 132, 3; W. 113. [45]) B r o n n e r *Sitt' u. Art.* 137.

5. In dieser Vorschrift steckt die ins Christliche übertragene Angst vor b ö s e n K r ä f t e n und D ä m o n e n d e r E r d e , die naturgemäß am J o h a n n i s t a g am stärksten ist: In Mecklenburg [46]) durften die Kinder nicht am Johannistag b. gehen, weil der böse Krebs [47]) an dem Tage fliegt, dessen Stiche tödlich sind. Interessant ist eine Stelle bei Buxtorf [48]): Die Kinder sollen nicht b. gehen „mense praesertim Decembri et Januario, quo f e l e s catulientes discurrunt; facile enim aliquid v e n e n a t i a felibus promanantis calcare possent, quo calcato pedes intumescerent nec adeo prompta et facilis sanatio foret". Beim V i e h a u s t r e i - b e n darf die Dirne nicht b. gehen, damit das Vieh nicht hinkend wird (Oberpf.) [49]),

das gleiche gilt im Böhmerwald [50]) für den Hirten. Die W ö c h n e r i n (die besonders sich vor bösen Kräften hüten muß) darf nicht mit bloßen Füßen auf die Erde treten, sonst küßt ihr der Teufel die Fußstapfen [51]); wer böse Nachbarn hat, soll nicht früh des Morgens über eine Wiese oder eine betaute grüne Stelle b. gehen, sonst kann ein Feind die Spur mit dem Rasen ausschneiden; wenn er das Rasenstück im Rauch aufhängt, schwindet der Mensch in dem Maße, wie der Rasen eintrocknet [52]). Schon im Corrector Burchardi lesen wir: „Fecisti, quod quaedam mulieres facere solent, diabolicis adimpletae disc plinis? quae observant vestigia vel indagines christianorum et tollunt de eorum v e s t i g i o c a e s p i t e m et illum observant, et inde sperant sanitatem aut v i t a m eorum aufferre" [53])? Wer beim ersten K u c k u c k s r u f b. ist, bekommt böse Füße [54]). Harmloser warnt die Rockenphilosophie [55]): „Man soll kleine Kinder nicht b. auf den Tisch lassen treten, sonst bekommen sie böse Füße." Wo eine Schwangere ging (Ruthenen) [56]) oder eine Kuh zum erstenmal geworfen hat (Rumänien) [57]), darf man nicht b. gehen, sonst bekommt man Geschwüre (besonders in diesen Fällen ist die Dämonengefahr groß).

[46]) B a r t s c h *Mecklenburg* 2, 289 f. 1441 e; vgl. E. H. M e y e r *German. Mythol.* 99. [47]) B a r t s c h 2, 285, 1432. [48]) *Judenschul* (1641) 108 f. [49]) S c h ö n w e r t h 1, 320, 6; W. 684. [50]) S c h r a m e k *Böhmerwald* 241. [51]) W. 577. [52]) S c h ö n w e r t h 3, 200; 2, 133, 4; W e i n h o l d *Ritus* 41; dasselbe Motiv: K ü h n a u *Sagen* 3, 98; W. 395; die ganze Frage hat F r a z e r I[3], 1, 207—212 erörtert; vgl. 2, 74. [53]) G r i m m *Myth.* 3, 410, 200; S c h m i t z 2, 447, 175; W a s s e r s c h - l e b e n 661 c. 163; W. 395; E. G o c k e - l i u s *Tractatus polyhist.* (F. u. L. 1699) 92; T h a r s a n d e r 2, 612. [54]) K ö h l e r *Voigtland* 389. [55]) G r i m m *Myth.* 3, 440, 165; F i s c h e r *Aberglaube* 213. [56]) H o v o r k a - K r o n f e l d 2, 392. [57]) *Urquell* 3 (1892), 207, 15.

6. Bei allen Zauberhandlungen spielt, wie bei den heiligen Kulten, das berühmte Horazische [58]) „pedibus nudis passoque capillo" eine große Rolle; wie die Zauberin und Hexe Medea bei Ovid [59]) „nude pede" ihre Zauberkünste ausführt bei

Vollmond in nächtlicher Stille, so soll man nach böhmischem Aberglauben [60]) die Wegwarte am ersten Montag oder Freitag im neuen Mond mit einem Zauberspruch ausgraben; man muß beim Anfassen der Pflanze aber die Hand in ein weißes Tuch wickeln; auffallend paßt hierzu, was Plinius von den Druiden berichtet [61]): „Selago legitur sine ferro dextra manu per tunicam, qua sinistra exuitur velut a furante, candida veste vestito pureque lotis nudis pedibus, sacro facto priusquam legatur, pane vinoque . . . . . hanc contra omnem perniciem habendam prodidere druidae Gallorum". An einer andern Stelle beschreibt Plinius das Pflücken der Granatblüte [62]): „si quis unum ex his, solutus vinculo omni cinctus et discalciatus atque etiam anuli decerpserit duobus digitis, pollice et quarto, sinistrae manus atque ita lustratis levi tactu oculis in os additum devovaverit, ne dente contingat, adfirmatur nullam oculorum imbecillitatem passurus eodem anno." So muß auch im bekannten, von Burchard überlieferten Regenzauber die „puella nudata minimo digito dexterae manus" das Bilsenkraut pflükken [63]). Nicht nur der Zauber beim Pflükken der Heilkräuter, sondern auch der Heilzauber selbst schreibt Barfüßigkeit vor: Gegen Zahnweh läßt in Österreich [64]) die Frau, welche „wenden" kann, den Patienten im Keller b. auf einen Stein treten, dann fährt sie unter Zaubersprüchen dreimal über den Körper; in Mecklenburg gräbt der Gichtleidende [65]) stillschweigend ein Loch, setzt einen Gichtbaum hinein, tritt die Erde b. an den Baum, „wie die Sonne geht", geht schweigend um den Baum und spricht: Im Namen Gottes usw. Gegen Nabelbruch [66]) schlägt der Leidende schweigend einen Sargnagel in den Baum, mit dem er den Nabel berührt hat. Ansbachischer Aberglaube (Journal 1786) schreibt vor [67]): „Tritt man am ostertag nicht b. auf den stubenboden, so ist man vor fieber sicher." In Frankreich wird die Barfüßigkeit im Heilzauber ebenfalls vorgeschrieben; so geht der Rheumakranke b. zur Font Saint-Irieis de Lubersac,

wäscht sich und opfert Votivgaben [68]). In Langenau in Schlesien ist der Hausherr bei der Heilkur und Segnung eines kranken Rindes gewöhnlich b.[69]). Im prophylaktischen Gegenzauber treffen wir die Entblößung der Füße bei den Steiermärkern [70]): Man wandelt in den Ennstaler Bergen am Pfingstsonntagmorgen b. im taunassen Gras, dann ist man das ganze Jahr gegen Hexenzauber gefeit. In Steiermark läuft man während der „Todesangstzeit" (Avcläuten) b. auf dem grünen Rasen, dann ist man das ganze Jahr vor Blitz geschützt [71]). Im Riesengebirge geht man am Karfreitag vor Sonnenaufgang b. durch alle Räume des Hauses und pfeift auf einem Pfeifchen, das aus dem Röhrenknochen des linken Hinterbeines einer Ratte gemacht ist; das vertreibt die Mäuse [72]); auf ähnliche Weise vertreiben die Schlesier am Gründonnerstag die Maulwürfe [73]). Beim Schatzgraben verstärkt die Barfüßigkeit die Kraft des Schatzhebers: Bei der Ottomühle (Sächs. Schweiz) haben die Franzosen 1813 einen Schatz vergraben; als einer diesen heben wollte, hielt ihn eine unsichtbare Kraft zurück; auch nicht als er ein Beil hinwarf und b. ging, konnte er zum Ziel kommen [74]). Im Fruchtbarkeitszauber treffen wir die Barfüßigkeit schon als rituellen Teil des römischen Regenzaubers an den nudipedalia [75]); das war ein aquaelicium [76]), ein Bittfest um Regen; bei größerer Dürre brachten die Beamten ein Opfer dar; daran schloß sich eine Bittprozession der Matronen [77]): „ibant nudis pedibus in clivum passis capillis, mentibus puris et Jovem aquam exorabant"; „dann regnete es in Kübeln", sagt Ganymedes in Petrons Cena Trimalchionis [78]), „und wir waren naß wie nasse Mäuse". Um die Raupen zu vertreiben, macht eine „mulier incitati mensis nudis pedibus recineta" einen Umgang [79]); hierher gehört die Barfüßigkeit zur Entblößung der αἰδοῖα als Apotropaion.

Sonstiger Aberglaube: Wenn ein barfüßiger Mensch zuerst mit dem einen Fuß in alle Kleider fährt, so fährt er ins Unglück; fährt er aber mit dem

Fuß heraus, so fährt er ins Glück [80]). Auch von barfüßigen Gespenstern weiß das Volk zu erzählen: eine feine Dame muß b. und barhäuptig herumgeistern, weil sie im Leben immer nur in der Kutsche fuhr und ihr Fuß nie den Boden berührte [81]). In früheren Zeiten hielten die Mütter streng darauf, daß die Kinder nicht eher b. liefen, ehe der Kuckuck gerufen hatte. — In frischem Schnee b. laufen, bis die Füße brennen, hilft gegen Frostbeulen [81a]).

[58]) *Satiren* 1, 8, 24. [59]) *Metamorphosen* 7, 182; vgl. Columella 11, 3, 64, wo einer Zauberin vorgeschrieben ist: solutis crinibus et nudo pede. [60]) Grohmann 91; W. 139 u. 467. [61]) *Nat. Hist.* 24, 103 = 4, 88, 9 Mayhoff; Grimm *Myth.* 2, 1010; 3, 351; Pauly-Wissowa 1, 56 ff. [62]) Plinius 23, 110 = 4, 35, 5 ff. Mayhoff. [63]) Wasserschleben 664 f.; Schmitz 2, 452, 194; Grimm 3, 410, 201 b: „nudis pedibus recincta" umwandelt auch im röm. Zauber die Frau „incitati mensis" die Bäume, um die Raupen zu vertreiben: Plinius 17, 266 = 3, 140, 22 Mayhoff; vgl. 28, 78; Heckenbach l. c. 51 ff. [64]) ZfVk. 1898, 228. [65]) Bartsch *Mecklenburg* 2, 409, 1893. [66]) Ders. 2, 104, 387. [67]) Grimm *Myth.* 3, 459, 711; vgl. Gockel 92 (Kur gegen Auszehrung); 99 Heilkur gegen Liebeszauber); 162 (gegen Bezauberung); Hovorka-Kronfeld 2, 324; Lammert 260. [68]) Sébillot 2, 287; in Bulgarien bei Epilepsie: Hovorka-Kronfeld 2, 224; für Tierheilzauber vgl. Seligmann *Blick* 1, 336: man pflückt an Johanni vor Sonnenaufgang mit nacktem Fuß 3 Handvoll Roggen. [69]) Drechsler *Haustiere* 12. [70]) ZfVk. 1895, 407; vgl. Urquell 4 (1893), 155; ZrwVk. 1913, 191; Krauß *Südslaven* 538. [71]) Rosegger *Steiermark* 231. [72]) Grohmann *Apollo Smintheus* (1862), 66; W. 616; Rochholz *Gaugöttinnen* 179—180. [73]) Drechsler 1, 81 f.; ganz ähnlich: Sébillot 3, 38—39; 37—38. [74]) Meiche *Sagen* 720, 892. In einer schlesischen Sage kann nur ein nackter Mann einen Schatz heben: Kühnau *Sagen* 3, 710; also ist in der sächsischen Sage die Barfüßigkeit ganz klar ein Substitut der völligen Nacktheit. [75]) ARw. 21 (1922), 331—22; Heckenbach 29; Wissowa *Religion*[2] 121. [76]) Festus 2, 24 Lindsay; Appel *de Romanorum precationibus* 203. [77]) Geschildert bei Petron *Satiren* c. 44 = Bücheler[4] 23—30; Kommentar v. Friedländer 241. [78]) Petron 30, 1 Bücheler. [79]) Plinius 17, 266 = 3, 140, 22; Mayhoff 28, 78 = 4, 303, 6 M.; vgl. Samter *Geburt* 115; Keller *Grab* 5, 256 ff. [80]) ZfVk. 1898, 160. [81]) Herzog *Schweizersagen* 2, 199—201; vgl. Drechsler 2, 180: Waldgeist Barfuß. [81a]) Mensing *Schlesw.-Holst.Wb.* 1, 233.

7. **Barfüßigkeit, auf einen Fuß beschränkt**: Als Dido, zum Selbstmord entschlossen, den Göttern der Unterwelt opfert, tritt sie zum Altar unum exuta pedem vinclis in veste recincta[82]); wenn die Plataeer bei Thukydides[83]) ἦσαν εὐσταλεῖς τε τῇ ὁπλίσει καὶ τὸν ἀριστερὸν μόνον πόδα ὑποδεδεμένοι, so hat Frazer[84]) sicher recht, wenn er gegenüber der rein praktischen Begründung des Thukydides betont, daß dahinter ein tieferer Sinn steckt, die Weihe in großer Gefahr. In der Jasonfabel[85]) ist die Nacktheit des einen Fußes von schlimmer Vorbedeutung für Pelias; diese Deutung gibt ihr auch der deutsche Aberglauben: Wer nur in einem Schuh oder Strumpf geht, bekommt den Schnupfen (Rockenphilosophie)[86]); nach dem Journal warnte der Aberglaube in Bielefeld[87]): „Geht jemand, den einen fuß bloß, den andern beschuht, die Straßen einher, so erkrankt alles vieh, das dieses weges kommt"; Kinder[88]) dürfen nie an einem Fuß unbekleidet sein, weil sie sonst nach ostpreußischer Ansicht nie zu Brot kommen; eine Frau oder Braut darf nie an einem Fuß b. sein, sonst stirbt der Mann oder Bräutigam[89]).

[82]) Vergil *Aeneis* 4, 518; Heckenbach 48—49; 27—28. [83]) 3, 22, 2 = 203, 17 ff. Hude. [84]) 2, [3] 311 ff. mit Erörterung der gesamten Literatur; vgl. dagegen Philologus 35, 578; sicher rein praktisch ist Sallust *Bellum Iugurthinum* c. 94 aufzufassen; die einseitige Barfüßigkeit möchte man eher aus sakralen Motiven herzuleiten geneigt sein; vgl. Vergil *Aeneis* 7, 689—90. [85]) Pindar *Pythien* 4, 133 = 110 Schröder: τὸν μονοκρήπιδα πάντως ἐν φυλακᾷ σχεθέμεν μεγάλᾳ. [86]) Grimm *Myth.* 3, 445, 321; Rockenphilosophie 329—30; [87]) Grimm 3, 462, 788. [88]) W. 606. [89]) ZfVk. 1912, 163.   Eckstein.

barhaupt. Das Entblößen des Hauptes ist der äußere Ausdruck der Huldigung, Ehrfurcht und Demut vor dem Göttlichen[1]) und allem, was Ehrfurcht heischt; die Barhäuptigkeit ist also ein Teil des Ritus bei Gebet und Opfer, wie Grimm mit viel Material beweist[2]); nur die Priester der Goten „opertis capitibus tiaris litabant". So finden wir die Barhäuptigkeit in den Opferriten jeder Art, vor allem bei Fruchtbar-

keits-[3]) und Ernteriten, bei
Huldigungs- und Opferriten an Bäumen
und Quellen. In dem Register de superstitionibus des Magisters Nicolaus von
Gawe wird als besonders verwerflicher
Aberglaube gerügt [4]): „Insuper hodie
inveniuntur homines tam layii quam
clerici, literati quam illiterati, et quod
plus dolendum est, valde magni, qui cum
novilunium primo viderint flexis
genibus adorant; vel deposito ca-
pucio vel pileo inclinato capite
honorant alloquendo et suscipiendo." In
der Danziger Nehrung entblößen die Männer beim ersten Donnerschlag (des
Jahres) unter Stoßgebeten das Haupt [5]);
die Siebenbürger Sachsen sind bei Wet-
terbeschwörung barhäuptig [6]); in
Schlesien entblößt man wohl auch das
Haupt in abergläubischer Angst, wenn
man an einen Ort kommt, wo ein Geist
umgeht [7]). Einen Rest jener Verehrung
der Quellen und Wasser mit Gebet und
Opfer, die z. B. auch Burchard von Worms
tadelt [8]), finden wir in einer alten Badeordnung [9]) des 17. Jhs. in Baden bei
Wien: Nach der Badeordnung wird der
bestraft, der das Bad nicht mit entblößtem Haupte beim Ein- und Ausgehen
grüßte und segnete oder dasselbe „ein
Wasser" nannte. Bevor man in Sachsen [10])
das Osterwasser aus dem Bach schöpft,
betet man mit entblößtem Haupt ein stil-
les Vaterunser. Bevor man im alten Schleswig den Ellhorn (Holunder) niederhieb,
sagte man ein Gebet, „welches teils mit
gebeugten Knien, entblößtem Haupt und
gefalteten Händen zu tun gewohnt" [11]).
Häufig findet sich das Entblößen des
Hauptes bei Frühlings- und Erntefesten
und Säezeremonien: Am Scheibensonntag
tanzt man in der Eifel [12]) um die „Burg"
mit entblößtem Haupt. In Mittelfranken [13]) und Steiermark sät man b., in
Leiselheim spricht der Bauer mit entblößtem Haupt den Saatsegen „und
streut drei Handvoll gegen Osten unter
Anrufung der drei höchsten Namen" [14]).
Häufig begegnet uns die rituelle Barhäuptigkeit bei den Opfern am Schluß
des Mähens: Nicolaus Gryse entrüstet
sich (1593) über die Verehrung vom „Aff-

gade Woden" [15]): die Schnitter lassen
einen kleinen Platz stehen, „alle Meyers
syn darumme hergetreden, ere Höde vam
Koppe genamen", und dann beteten sie
den „Wodendüvel" an; dieselbe Sitte
beschreibt uns Grupen [16]) (1752) für Niedersachsen; bei diesem auch in Schaum-
burg Lippe [17]), Westfalen, Hessen [18]), Eisenach [19]) bezeugten Erntcopfer entblößen die Schnitter das Haupt; am Stein-
huter Meer umtanzen die Burschen nach
der Ernte ein Feuer mit Hutschwen-
ken [20]). Im Heilzauber und Wachs-
tumszauber ist das Entblößen des
Hauptes oft mit Entblößen der Füße (s.
barfuß) verbunden; so läuft man vor dem
Fieberanfall b. über 7 oder 9 Raine [21]);
Barhäuptigkeit beim Ausgraben von
Heilpflanzen finden wir in Frankreich [22])
zusammen mit der Barfüßigkeit (Böhm.).
Wer im ersten Mairegen barfüßig und
b. ohne Rock sich im Kreise dreht, dem
wachsen die Haare gut [23]); in Westböhmen [24]) genügt die Barhäuptigkeit im
Mai, um schöne Haare zu bekommen. Von
einem singulären Aberglauben berichtet
Feilberg [25]): In einer Gerichtsverhandlung zu Andershöf (Schonen) 1704 trat
bei der Untersuchung über einen eigentümlichen Brauch beim „Gänsegehen"
die Ansicht zutage, daß, „wenn ein Mädchen, das sich nicht richtig gehalten,
b. mit geflochtenem Haar umhergehe,
schwangere Weiber und ihre Frucht
und das Vieh Schaden nehmen"; die Erklärung gibt Seligmann (Blick 1, 93).
Wenn einem eine Fledermaus auf den
Kopf seicht oder in die Haare kommt,
gibt es eine Glatze [26]); wenn man den
Kopf gewaschen hat und geht mit entblößtem Haupt, so schüttet der Alp
Läuse darauf [27]); wer im Mondschein
ohne Kopfbedeckung schläft, verliert das
Haar oder bekommt vorzeitig weiße
Haare [28]). In den Rechts- und Volksge-
bräuchen spielt das Entblößen des Hauptes beim Schwören [29]) und bei Trauerfällen [30]) eine Rolle; im Fränkischen [31])
und in Braunschweig [32]) haben die Männer während der Bestattungszeremonie
das Haupt entblößt, auch allgemein [33]);
aber bei der Leiche darf man in Schlesien

nicht mit bloßem Haupte stehen, sonst fallen die Haare aus [34]).

[1]) Vgl. die berühmte Stelle: Paulus an die Korinther I, 11, 3—8; F e h r l e *Keuschheit* 39 A. 1; P l e y *de lanae usu* 12; 14; C a s s e l *Kirchenbuch* 83 ff.; ZfVölkerpsychol. 18, 260 (Brahmanen). [2]) *Myth.* 1, 26; 3, 21; der Seher auf den Hebriden ist b.: ZfVk. 1917, 1. [3]) K r a u ß bringt in seinen Anthropophyteia ein schlagendes Beispiel aus dem Liebesfruchtbarkeitszauber: 3, 32. 14; in *Sitte u. Brauch* 53 finden wir die Barhäuptigkeit beim Sippenfest als religiöse Zeremonie. [4]) G r i m m 3, 414, 11 r. a. [5]) F r i s c h b i e r *Hexenspr.* 107. [6]) H a l t r i c h *Siebenbürg. Sachsen* 280. [7]) D r e c h s l e r 2, 322; die Irländer glauben, daß ein Gespenst einem nackten Mann nichts antut: W e i n h o l d *Ritus* 10; L i e b r e c h t *Zur Volksk.* 370, 20. [8]) S c h m i t z *Bußbücher* 2, 424, 66; G r i m m 3, 407, 193 d. [9]) Savignys ZfRw. 15, 215—16; G r i m m 3, 165. [10]) S e y - f a r t h *Sachsen* 253. [11]) M ü l l e n h o f f *Sagen* 510, 6; vgl. die oblationes ad arbores bei B u r c h a r d l. c. [12]) J a h n *Opfergebräuche* 86 u. 97 = S c h m i t z *Eifel* 1, 21. [13]) ZfVk. 1904, 136. [14]) M e y e r *Baden* 419; W. 652. [15]) J a h n *Opfergebräuche* 163 f. = B a r t s c h *Mecklenburg* 2, 307 Nr. 1491; vgl. G r i m m 1, 128—129. [16]) J a h n 164. [17]) D e r s. 166. [18]) D e r s. 167; vgl. 168 f. [19]) D e r s. 173. [20]) D e r s. 238. [21]) W. 530 = G r o h m a n n 52, 331. [22]) G r i m m *Myth.* 2, 1010. [23]) G r o h - m a n n 52, 331; B ö h m e *Kinderlied* 211 Nr. 1044 f. [24]) J o h n *Westböhmen* 76; vgl. K ö h l e r *Voigtland* 266. [25]) ZfVk. 1901, 420—22; in der Bretagne „on perd son baptême, si on sort bête nue, quand le soleil n'est plus visible": S é b i l l o t 1, 160. [26]) F o g e l *Pennsylvania* 343, 1829 = ZfdMyth. 4, 47; D e r s. 1830 = ZfdMyth. 4, 49; B ö h m e *Kinderlied* 147 Nr. 683 b; BlPomVk. 8 (1900), 61. 59. [27]) S c h u l t z *Alltagsleben* 242 ff.; M a e n n l i n g 315. [28]) SAVk. 15 (1911), 150 (Zigeuner). [29]) G r i m m *RA.* 2, 556. [30]) So entblößt man in Baden beim Leichenzug das Haupt, sobald man die Leiche absetzt oder bei Gebeteinlagen: M e y e r 594. [31]) H ö h n *Tod* Nr. 7, 346. [32]) A n d r e e *Braunschweig* 318. [33]) Für Rumänien u. Bukowina: S a r t o r i *Sitte und Brauch* 1, 148; hier wohl Schutz gegen die Totengeister; vgl. W e i n h o l d *Ritus* 10; L i e b r e c h t *Z. Volksk.* 370, 20. [34]) D r e c h s l e r 1, 294.   Eckstein.

Bärlapp (Drudenfuß, Hexenmehl, Krähenfuß, Johannisgürtel, Schlangenmoos, Teufelsklauen; Lycopodium-Arten).

1. B o t a n i s c h e s. Blütenlose Pflanzen mit aufrechten (L. selago) oder meist am Boden schlangenartig hinkriechenden Stengeln, die dicht mit kleinen Blättchen besetzt sind. Die beim Keulen-B. (L. clavatum) gegabelten Sporenähren entsenden einen weißlichgelben Sporenstaub (Hexenmehl). Der Keulen-B., die im Volke bekannteste (und oft zu den „Moosen" gerechnete) Art, ist in Nadelwäldern, auf Waldlichtungen usw. nicht selten anzutreffen [1]). Die antiken Schriftsteller scheinen den B. nicht zu erwähnen. Ob die Pflanze selago des P l i n i u s [2]), die von den gallischen Druiden mit einem Zauberritus gesammelt wurde [3]), eine B.- Art ist, läßt sich nicht feststellen [4]).

[1]) M a r z e l l *Kräuterbuch* 496 f. [2]) *Nat. hist.* 24, 103. [3]) Vgl. G r i m m *Myth.* 2, 1010; D y e r *Plants* 282. [4]) M a r z e l l *Heilpflanzen* 14.

2. Wie viele Volksnamen beweisen (vgl. oben), gilt der B. als ein Hexenkraut. Im Böhmerwald schützt er vor V e r h e x u n g [5]). Besonders bei den Slawen ist der B. als zauberwidriges Mittel bekannt. Das Vieh bekommt B. gegen bösen Blick [6]), die Schafhirten in der mährischen Walachei tragen B. am Hut gegen Verzauberung [7]), und bei den Slowaken schützt er gegen böse Geister [8]). Die Estländer legen den B. (offenbar als Apotropaeum) auf die Zunge der ungetauften Kinder [9]). Man hängt Kränze aus dem „Hexenkraut" über die Stubentür, ein solcher Kranz bewegt sich immerfort, ausgenommen, wenn eine Hexe oder ein Zauberer ins Zimmer kommt, dann bleibt der Kranz still stehen [10]). Die erwähnten Kränze werden auch zum Schutz vor Hexereien in Sofas und Stühle gestopft[11]). Wohl als hexenwidriges Mittel ist der B. ein Bestandteil des „Palms"; als „Alfkräutig" (Alpkraut) wird in Unterfranken der an Lätare umhergetragene B. in die Hühnerställe gebracht [12]).

[5]) S c h r e i b e r *Wiesen* 145. [6]) B e z z e n - b e r g e r *Litauische Forschungen* 75. [7]) ZföVk. 13, 24. [8]) H o v o r k a u. K r o n f e l d 1, 51. [9]) B o e c l e r *Ehsten* 143. [10]) P r ö h l e *Harzbilder* 1855, 85 = A n d r e e - E y s n *Volkskundliches* 90 = M a r z e l l *Bayer. Volksbot.* 212. [11]) P r ö h l e a. a. O. [12]) M a r z e l l *Bayer. Volksbot.* 28 f.

3. Der B. ist auch eine U n g l ü c k s p f l a n z e. Er darf nicht ins Haus gebracht werden, weil er den Blitz anzieht [13]). Desgleichen verhindert er, daß

die jungen Hühner aus den Eiern auskriechen (vgl. Küchenschelle und Gewitterblumen). Wenn man B. unter die Leute bringt, so entsteht Streit (Slowaken) [14].

[13]) Rogasener Familienblatt 4 (1900), 36 = HessBl. 3, 124; vgl. auch M o n t a n u s *Volksfeste* 147. [14]) H o v o r k a u. K r o n f e l d 1, 51; vgl. Teufelsabbiß.

4. In der V o l k s m e d i z i n dient der B. als zauberisches Mittel gegen K r a m p f [15]); er wird daher in Oberbayern auch als „Gramkraut" (Krampfkraut) bezeichnet [16]).

[15]) W a r t m a n n *St. Gallen* 47; K ü c k *Lüneburger Heide* 9. [16]) M a r z e l l *Heilpflanzen* 17.   Marzell.

Barmgrundsegen s. K r a n k h e i t s - s e g e n 3 b.

Bärmutter s. G e b ä r m u t t e r.

Barnabas, hl.[1]), gemäß der Überlieferung einer der siebzig Jünger Christi, aber nicht Apostel im eigentlichen Sinne, obwohl er öfter mit den Aposteln zusammen genannt wird, z. B. auch in einer Exorzismusformel [2]) gegen Besessene a. d. 9. Jh. (laut Hdschr. westfränkischen Ursprungs), bekannt als Begleiter des hl. Paulus auf dessen erster großen Missionsreise. Kalendertag: 11. Juni. Während B. als Heiliger in Deutschland nicht volkstümlich ist, wird sein Tag in Volkssprüchen genannt, vorzüglich in Wetterregeln. Regen am B.tage soll der Rebenblüte schaden. In Baselland heißt es: „Rägnet's am B. — So schwynt der Wy bis i's Faß" [3]). Die Erfahrung lehrt, daß mit Regen verbundene Kälterückfälle im Juni nicht selten sind. Es fällt auf, daß gerade der B.tag als Stichtag genannt wird. Der B.tag fiel im Julianischen Kalender auf den 22. Juni, lag also der Sommersonnenwende näher als der B.tag des Gregorianischen Kalenders (11. Juni). Noch bis in die neuere Zeit hat man diese Sonnenwende in Deutschland, Frankreich und England mit dem B.tag in Verbindung gebracht [4]).

[1]) B r a u n s b e r g e r *Der Apostel Barnabas.* Mainz 1876; L u c i u s *Heiligenkult* 161. [2]) F r a n z *Benediktionen* 2, 588. [3]) SAVk. 12 (1908), 16; D r e c h s l e r 1, 134; E b e r h a r d t *Landwirtschaft* 3, 11. [4]) S é b i l l o t *Folk-Lore* 4, 431. Bei Y e r m o l o f f *Die landwirtschaft-*

liche Volksweisheit 1, 14. 282 als Beweis f. d. Alter der Wetterregeln angeführt.   Wrede.

Barsch (Flußbarsch, Bersig (-ch), Egli, Krätzer, Bürste(l), Bürstling, Rauhegel, Schratz, Anbeiß, Warschinger, Re(ch)ling, Zängel, Heuerling, Rührling [1]); Perca fluviatilis *L.*).

B i o l o g i s c h e s. „Es ist die sag der fischeren umb den Genffer see / daß die Egle winters zeyt / so sy in ein garn gezogen / ein rotes bläterle zum maul auss henckind / welches sy mit gewalt bezwingt / oben in dem wasser entbor zu schwümmen / vermeinend es geschähe jnen von zorn" [2]). Im russischen Volksmärchen begründet der B. seine roten Finnen damit, daß er von dem Feuer des brennenden Rastoff-Sees angesengt worden sei [3]).

Die L e g e n d e berichtet: Einmal war dem heiligen Petrus der Himmelsschlüssel entglitten und fiel in den See. Der B. erhielt den Auftrag, den Schlüssel nach dem Himmel zu tragen. Aber er weigerte sich. Da wurden die andern Fische böse und schlugen auf ihn ein, daß er breite Striemen sein Lebtag herumschleppen muß. Nun wurde der P l ö t z (s. d.) entsandt, aber der Schlüssel war so schwer, daß dem Boten die Augen mit Blut unterliefen. Seit der Zeit hat der Plötz rote, wie mit Blut unterlaufene Augen [4]).

Das Männchen hat einen S t e i n in seinem Kopf (s. Fisch 1), welcher volksmedizinisch verwendet wird [5]). Nach Höfler [6]) sind es zwei kleine Knochen am Ende des Hinterkopfes (B.knochen, Beringsteine), die arzneilich verwendet werden. Der ganze Fisch war ein Mittel, um Hautverletzungen zur narbenlosen Heilung zu bringen [7]).

Zu den a n t i k e n Vorstellungen über den B. s. Pauly-Wiss. 3, 1, 27 f., wo aber nicht ganz klar, ob sie sich auf den Meer- oder den Flußb. beziehen.

V o l k s m e d i z i n. „Bey den Teutschen werdend die Egle zu einer jeden zeyt des jars gelobt / aussgenommen in Mertzen vnd Aprellen so sy leichend. Bey vns (Schweiz) werdend die Egle im Augstmonat insonderheit geprisen / die Reling im Meyen" [8]).

Sonstiges. In den polnischen Dörfern am Goplosee (Posen) glauben die Leute: „Wenn ein Mensch einen B. mit goldenen Stacheln nahe bei sich sieht (?), dann ist er dem Tode verfallen, und wenn er auch nur bis an die Knie im Wasser geht"[9]. Wenn man die A u g e n eines B.es ißt, wird man klug (Rogasen)[10].

Vgl. K a u l b a r s c h.

[1]) G e s n e r *Fischb.* 168 b: „zů mercken ist, daß er seinen nammen verenderet nach der zal der jaren oder alter. Dann so bald sy worden / nach dem leych / werdend sy h e u r l i n g genant: so er größer worden doch im ersten jar / T r ä n l e. Im anderen jar / E g l e. Im dritten jar / S t i c h l i n g (mit St. wird heute der Gasterosteus aculeatus bezeichnet; s. S t i c h - l i n g). Im vierdten und weyter werdend sy R e e l i n g / vnd B e r s i c h genant. Bey vns vmb den Costentzer see erstlich H ü r l i n g / so er größer worden / K r e t z e r / S t i c h - l i n g. Im dritten S c h o u b f i s c h. Zum letzten E g l e." [2]) Ebd. [3]) D ä h n h a r d t *Natursagen* 3, 75. [4]) S e e f r i e d - G u l - g o w s k i 102. [5]) G e s n e r *Fischb.* 168 b; P l i n i u s *NH.* 9, 24 (vom Wolfbarsch, Perca labrax); A r i s t o t e l e s Περὶ ζώων ἱστ. 8, 19; A e l i a n Περὶ ζώων 9, 7. [6]) *Organotherapie* 151. [7]) Ebd.; zitiert Marcellus aus Side p. 319. [8]) G e s n e r *Fischb.* 169 a. [9]) Veckenstedts Zs. 3, 395 = K n o o p *Tierwelt* 2 f. [10]) Ebd. 3.

Hoffmann-Krayer.

Bart. Der B., als Zeichen der Männlichkeit, enthält wie das Haar gleichsam die Substanz der betr. Person. Im B. liegt die Stärke[1]; wer seinen B. beseitigt, verliert die Kraft, heißt es in Westfalen[2]; wessen B. überaus groß wächst, der wird im Leben viel Glück haben[3]. Andrerseits geht die Manneskraft mittels des Bartes auf andere über; so heißt es in Mecklenburg: Wenn die Nachgeburt nicht kommen will, soll sich der Mann den B. abscheren und ihn nebst dem Seifenschaum der Wöchnerin eingeben[4]. Wer sich Haar oder B. abschneiden ließ, unterwarf sich dadurch der Gewalt des andern. Daher geschah die Adoption Erwachsener bei Goten, Langobarden und Franken symbolisch durch Abschneiden des B.es: so adoptierte Alarich, der Gote, den Frankenkönig Chlodwig[5]. Auch die sich Unterwerfenden schnitten sich den B. ab, wie Dithmar von Merseburg (6, 65) von den Lausitzern erzählt. Es galt als Schimpf, sich den B. verunglimpfen zu

lassen. Um die Israeliten zu kränken, schoren die Ammoniter Davids Boten den B. zur Hälfte ab (2. Kön. 10, 4); daher stammen die Ausdrücke: „Gott läßt sich nicht in den B. greifen", d. h. nicht zu nahe treten, und „einem etwas in den B. werfen", d. i. einem einen Schimpf antun, so daß etwas an ihm hängen bleibt[6].

Die Bedeutung des B.es erhellt auch aus der weitverbreiteten Sitte, daß schwörende Männer den B. berühren. Der gleichen Auffassung entspringt es, wenn der Flehende oder Beschwörende den B. des Mannes anfaßt; vgl. Il. 10, 454: καὶ ὃ μὲν ἔμελλε γενείου χειρὶ παχείῃ / ἀψάμενος λίσσεσθαι oder Gudrunlied (20): „dô was der Megde Hant an ir Vater Kinne."

Im B. vermutete man, wie im Haar überhaupt, die Lebenssubstanz; darum beschwört man durch Berührung des B.es den Angerufenen gleichsam bei seinem Leben. Wer aber sein Haar (B.haar) freiwillig der Gottheit darbringt, weiht sich nicht allein symbolisch derselben, sondern gibt sich ihr in die Gewalt. Damit hängt die depositio barbae bei den Römern zusammen[7], damit die B.weihe der germanischen Jünglinge[8]. Weil nun der B. den Inbegriff des Lebens bedeutet, haben bergentrückte Helden, wie Barbarossa, lange Bärte, die fortwachsen, wenn der Held auch tot scheint, ja die oft zum dritten Male um den Tisch herumwachsen[9].

Weil alles mit dem feurigen (rötlichen) Blitz in Beziehung Stehende dem Donar zugehörig galt (Eberesche, Hagebutte, der rötliche Fuchs, das Eichhörnchen, das Rotkehlchen, der Storch mit rotem Bein und Schnabel), dachte man sich auch den Gott selbst mit r o t e m B.[10]; als dann Donar zum Teufel degradiert wurde, bekam auch dieser den roten B.[11], während die Zwerge als Hüter der unterirdischen Schätze mit goldenem B. erscheinen[12].

Die Legende erzählt, daß Jungfrauen zum Schutze vor Notzucht plötzlich ein B. wuchs[13]; damit brachte man auch die Kümmernisbilder (s. d.) in Verbindung[14], die bekanntlich auf die altbyzantinische Darstellung von Christus zurückgeführt werden.

Andrerseits weiß die Sage zu erzählen, daß b.losen Christusplastiken ein B. wächst; solches hört man von Niederbayern [15]) und Tirol [16]).

In Deutschland weitverbreitet ist der Glaube, daß Mädchen, mit dem Taufwasser eines Knaben getauft, bärtig werden; daß eine Frau, die einen Knaben über die Taufe hält, davon einen B. bekommen kann. Ferner heißt es: das Mädchen muß die Mutter, der Knabe den Vater zuerst küssen, sonst bekommt das Mädchen einen B., der Knabe keinen. Mädchen wird auch gern gedroht, wenn sie sich von Männern küssen ließen, würden sie bärtig [17]).

[1]) S c h ö n w e r t h 3, 148. [2]) K u h n *Westfalen* 1, 189. [3]) Urquell 4, 118. [4]) B a r t s c h *Mecklenburg* 2,43. [5]) G r i m m *RA.* 1, 202. [6]) D e r s. *DWb.* s. v. u. *RA.* 2, 307. [7]) B l a u f u ß *Röm. Feste* 35. [8]) S o m m e r *Haar* 21 ff. [9]) S c h a m b a c h u. M ü l l e r 399 f.; Q u i t z m a n n *Baiwaren* 49; G r i m m *Myth.* 2, 798. [10]) G r i m m *Myth.* 1, 14 f. 3, 65; M a n n h a r d t *Germ. Myth.* 125. [11]) S o l d a n - H e p p e 2, 107. [11]) M ü l l e n h o f f *Sagen* 309. [13]) G r i m m *Sagen* 146 n. 181; 234 n. 329. [14]) S e p p *Altbayer. Sag.* 175. 230; P a n z e r *Beitr.* 2, 425; W i t z s c h e l *Thüringen* 1, 203 Nr. 202. [15]) P o l l i n g e r *Landshut* 72. [16]) H e y l *Tirol* 398 Nr. 84. [17]) G r i m m *DWb.* 1, 1143 Nr. 13.   Stemplinger.

Bartflechte s. F l e c h t e.

Bartholomäus. 1. Der nach der Legende in Armenien lebendig geschundene Apostel [1]). Sein Tag (24. A u g u s t) gilt als H e r b s t b e g i n n [2]) und stellt sogar schon Schnee in Aussicht [3]). Zu Barthlmä gehen die Wetter heim [4]). Er ist ein wichtiger L o s t a g für die W i t t e r u n g [5]). Wie B. der Wind steht, so bleibt er das ganze Vierteljahr [6]). Wie sich B. hält, so ist es den ganzen Herbst bestellt [7]). In Schlesien beginnt man die M a s t der Speckschweine, dann nehmen sie zu [8]). Die S t ö r c h e ziehen fort, und die B i e n e n müssen „geschlachtet" werden [9]). Die Knechte beginnen mit mächtigen Peitschen den Herbst „e i n z u s c h n a l z e n" [10]). Wer zuletzt an diesem Tage a u f s t e h t, heißt B.-Sau [11]). Die alten

J u n g f e r n werden unter Lärm durchs Dorf geführt (am Sonntag nach B.) [12]), und die S c h m i e d e schlagen einige Male auf den leeren Amboß (angeblich um die Ketten des Teufels anzuziehen) [13]). Lauter Übergangsbräuche. An manchen Orten wird E r n t e f e s t gefeiert [14]); denn die Ernte soll jetzt beendet sein [15]). Wenn der H a f e r noch nicht gemäht ist, so kommt B. dazwischen und knickt ihn ein [16]). In Schleswig-Holstein sagt man: denn is Bartel mit'n Schimmel dor op west un hett dat dalreden [17]). In der Gegend von Torgau drohte man mit der Frau Herke, wenn Korn und Flachs nicht eingebracht waren [18]). Im Siegerland heißt es, wenn das Korn sich legt: Bardolomē gēat durch et koarn [19]). Die Mädchen sollen nicht ins Kraut blaten gehen (d. h. die gelben Krautblätter abnehmen), denn Barthel setzt jetzt die Häuptchen ein und würde verscheucht werden [20]). Man ißt auch keine B r o m b e e r e n mehr, denn Barthel hat sie beschmutzt, wie ihre weißblaue Färbung zeigt [21]). Holt man B. zum erstenmal neue K a r t o f f e l n vom Felde, so trägt sie der „kleine Mann" mit der Mulde wieder weg, sagt man in der Mark Brandenburg (um diese Zeit setzen die Knollen an, und das macht der „kleine Mann") [22]). Verbote der Arbeit deuten darauf hin, daß B. einst zu den F e i e r t a g e n gehörte, wovon auch Sagen warnend erzählen [23]). Man soll nicht ackern, wenn man sich nicht einem Unfall aussetzen will [24]). Doch gilt der B.tag auch als Merktag der H e r b s t s a a t [25]).

[1]) M e n z e l *Symbolik* 1, 110 ff. [2]) S a r t o r i *Sitte u. Br.* 3, 243; W r e d e *Rhein. Volksk.* 276; F o n t a i n e *Luxemburg* 33; ZfrwVk. 13, 139 f. 142. In bulgarischer Legende muß der hl. B. mit den 12 Aposteln die Sonne bitten, damit sie aus dem Winter in den Sommer übergehe: S t r a u ß *Bulgaren* 85. [3]) SAVk. 12, 16; M a n z *Sargans* 124; B i r l i n g e r *A. Schw.* 1, 389. [4]) P o l l i n g e r *Landshut* 231; R e i n s b e r g *Böhmen* 420. [5]) L e o p r e c h t i n g *Lechrain* 192; Z i n g e r l e *Tirol* 169 f.; R e i s e r *Allgäu* 2, 159; H o f f m a n n - K r a y e r 165; W r e d e *Rhein. Volksk.* 124; ZfrwVk. 13, 143; M e n s i n g *Schlesw.-Holst. Wb.* 1, 240; R e i n s b e r g *Böhmen* 420. [6]) W r e d e 97. [7]) ZfrwVk. 11, 271; 13, 143; J o h n *Westb.* 92. [8]) D r e c h s l e r 2, 118.

[9] M e n s i n g *Wb.* I, 240. [10] R o s e g g e r *Steiermark* 367 ff. [11] Z i n g e r l e *Tirol* 170 (1420). [12] Ebd. 170 (1421). [13] R e i n s b e r g *Böhmen* 420. [14] S a r t o r i 2, 94 A. 4. [15] Ebd. 3, 243. [16] B a r t s c h *Mecklenburg* 2, 294. [17] M e n s i n g I, 240. [18] K u h n u. S c h w a r t z 400 (112. 114). [19] ZfrwVk. 13, 142. [20] J o h n *Westb.* 198; D r e c h s l e r I, 151; K ö h l e r *Voigtland* 378; S a r t o r i 3, 243 A. 4. [21] S a r t o r i 3, 243; ZfrwVk. 13, 142; M a n n h a r d t 2, 186; HessBl. 22, 9 (auch mit dem Heidelbeersammeln wird Schluß gemacht). [22] ZfVk. I, 186. [23] Ebd. 8, 439 f.; P f a n n e n s c h m i d *Erntefeste* 420; L y n c k e r *Sagen* 121. [24] ZföVk. 4, 146; R o s e g g e r *Steiermark* 367. [25] E b e r h a r d t *Landwirtsch.* 2; ZfrwVk. 13, 142; J o h n *Westb.* 92; B a r t s c h 2, 294; R a n t a s a l o *Ackerbau* 2, 35. 39 f.

2. B.b r u n n e n sind öfters H e i l - q u e l l e n [26]). Vor allem aber besitzt die B u t t e r , die am B.tag ausgerührt wird, (ungesalzen) besondere H e i l k r ä f t e [27]). Man setzt sie zu dem gewöhnlichen Mittagsmahl mit auf [28]), und in Obersteier erhält jedes Glied der Familie und des Gesindes einen pfundschweren Butterstriezel [29]). Man führt diese Bräuche darauf zurück, daß der Heilige seinen geschundenen Leib mit Butter kühlte. Barthel wird auch beim B u t t e r n angerufen [30]).

[26] ZfVk. I, 300. [27] M e y e r *Baden* 43. 403. 509; S c h r a m e k *Böhmerwald* 160; S a r t o r i *Westfalen* 167; ZfrwVk. 10, 68; W r e d e *Eifler Volksk.* 96; M e n s i n g *Wb.* I, 240. [28] B a u m g a r t e n *Jahr u. s. Tage* 29. [29] ZfVk. 8, 439. [30] R o c h h o l z *Sagen* I, 337.

3. Der B.tag hat etwas U n h e i m - l i c h e s . In Antwerpen fährt das T o - t e n h e e r durch die Luft, das sonst nur am Dreikönigstage und in der Nacht vor Ostern sichtbar wird [31]). Auf dem Bullerberge im Stargarder Kreise treibt der w i l d e J ä g e r sein Wesen [32]), desgleichen auf der Padrioloalp am Fuße des Berges Rosa, so daß nach dieser Nacht kein Vieh mehr dort bleiben kann [33]). Den F u c h s s c h ä f e r sieht man um B. mit seiner Herde umherschweben [34]). In der Nacht vor B. gehen Reiter um (Bayern) [35]). Auch als Tag der H e x e n - f e s t e wird B. genannt [36]), und der Brauch, einen Z i e g e n b o c k mit einem Reiter auf einem hohen Baume zu befestigen, der in Mülheim a. Möhne (Kreis

Arnsberg) noch üblich ist, bezweckt vielleicht ursprünglich die Vertreibung der Hexen, wenn er auch später als ein Spott auf die Schneider gedeutet wurde [37]). B e i f u ß , den man früher zu allerlei Schwarzkünsten gebrauchte, grub man acht Tage vor oder nach B. aus [38]). Am B.tag wird einst der Blindensee ausbrechen und das Tal überschwemmen [39]). Harmloser ist die Z w e r g e n h o c h z e i t in der B.nacht [40]). Vereinzelt und unklar tritt der hl. Barthelmä als Z w e r g , den Übergang über eine Brücke hindernd, auf [41]). Vereinzelt ist auch die Verwendung des Tages zum L i e b e s o r a k e l in der Spinnstube [42]).

[31] BF. 3, 171 (121). [32] G r i m m *Myth.* 2, 776. [33] V e r n a l e k e n *Alpensag.* 88. [34] M e i e r *Schwaben* 95. [35] ZfVk. I, 300. [36] G r i m m *Myth.* 2, 878. [37] S a r t o r i *Westfalen* 167. [38] H ö r m a n n *Volksleben* 130. [39] B a a d e r *NSagen* 41. [40] M e i c h e *Sagen* 328. [41] J a h n *Pommern* 423. [42] S c h u l e n - b u r g *Wend. Volkst.* 145.

4. Auf den B.tag oder seine nächste Umgebung fallen viele J a h r m ä r k t e , K i r c h w e i h e n und V o l k s - f e s t e [43]); namentlich die S c h ä f e r und F i s c h e r begehen ihre Feiern, Tänze und Wettläufe [44]), auch die S c h l a c h t e r [45]). Als einst das in Harzburg am B.tage übliche S p e n d b r o t nicht ausgeteilt wurde, blieb im Salzwerk Juliushall die Sole aus [46]).

[43] ZfVk. I, 300 (Bayern); M e y e r *Baden* 229. 230; S a r t o r i 3, 243. [44] S a r t o r i 2, 148 A. 14; 2, 243. [45] W ü s t e f e l d *Eichsfeld* 210 f. [46] P r ö h l e *Harzsagen* 8 f.   Sartori.

Basilienkraut (Ocimum basilicum). Aus Asien stammender Lippenblütler mit weißen Blüten und angenehm säuerlichem Duft. Das B. wird bei uns ab und zu als Gewürzpflanze in geschützten Beeten oder in Töpfen gepflanzt [1]). Das B. ist keine Pflanze des deutschen Volksaberglaubens. Was sich in Sympathiebüchern usw. darüber findet, geht auf die Zauberliteratur des MA.s, bzw. die Antike, zurück. So wird als „deutscher" Volksglaube aufgeführt, daß das unter die Suppenschüssel gelegte B. die Keuschheit eines Weibes erkennen lasse: Wenn das Weib aus der Schüssel ißt, ist es keusch, wenn nicht, das

Gegenteil [2]). Der Glaube geht zurück auf die Geoponica des Cassianus Bassus [3]). An dieser Stelle heißt es jedoch nur, daß ein Weib, unter dessen Teller B. gelegt werde, nichts daraus essen könne, bevor das Kraut entfernt werde. Bei den Südslawen [4]), den Rumänen [5]) und anderen Balkanvölkern [6]), ferner bei den Italienern [7]) ist das B. eine sehr beliebte (besonders im Liebeszauber angewendete) Pflanze.

[1]) M a r z e l l *Kräuterbuch* 158. [2]) K ö h l e r *Voigtland* 416 = W u t t k e 104 § 133; 239 § 342; vgl. SchwVk. 4, 33. [3]) rec. Beckh 1905, 11, 28, 3 = M i z a l d u s *Centuriae etc.* 1592, 160. [4]) Anthropophyteia 7, 264; Urquell 3, 277; S c h n e e w e i s *Weihnachten* 47. 52. 73. 136. [5]) ZföVk. 4, 214 f.; 6, 247; 8, 58; 18, 116; Veckenstedts Zs. 1, 199; T e m e s v a r y *Geburtshilfe* 25; S c h u l l e r u s *Pflanzen* 113 ff. [6]) A b b o t *Maced. Folkl.* 1903, 93 f.; S t e r n *Türkei* 1, 354; S t r a u ß *Bulgaren* 466 f. [7]) P i t r è *Usi* 3 (1889), 249; Anthropophyteia 9, 345. Marzell

Basilisk. Wenn ein alter Hahn (von 7, 9, 14 oder 20 Jahren [1])) ein Ei in den Mist legt und dies entweder durch die Wärme oder von einer Schlange bzw. Kröte ausgebrütet wird, entsteht aus einem solchen dotterlosen „Basiliskenei" ein seltsames Fabeltier von der allgemeinen Gestalt eines Hahns, aber mit Drachenflügeln, einem Adlerschnabel, einem Eidechsenschwanz und mit einem Krönlein auf dem Kopf [2]); denn er ist der „König undern Schlangen" [3]). Dieses Untier, also ein Mischwesen von Hahn und Drache, haust in Kellern, im Gestein, wo er Schätze hütet [4]), und besonders gern in tiefen Brunnenschächten [5]). Es hat einen giftigen Hauch, macht Gras verdorren und Steine zerspringen [6]). Des B.en gefährlichste Eigenschaft ist aber sein stechender Blick, der Menschen und Tiere tötet; entweder fällt man sogleich um, oder man ist wie gebunden und kann sich weder rühren noch von der Stelle fortbewegen [7]).

Um das Ungeheuer unschädlich zu machen, nähert man sich ihm mit Spiegeln; sieht es darin den eignen Blick, dann kommt es um [8]). Auch vermag es den Geruch des Wiesels nicht zu ertragen, weshalb man ein Wiesel in seine Höhle bringt, um es zu töten [9]). Im Jahr 1474 wurde vom Rat in Basel ein elfjähriger Hahn, der ein Ei gelegt haben sollte, zum Tode verurteilt, am 4. August enthauptet und ins Feuer geworfen; auch das Ei wurde feierlich verbrannt [10]).

Der Glaube an den B.en ist bei uns nicht bodenständig; er geht über die Antike [11]) in den Orient zurück. Das lehrt schon der fremde Name: griech. βασιλίσκος „der kleine König", lat. r e g u l u s (eo, quod sit rex serpentium Isid. orig. XII, 4). Nach Plinius 8, 38 ist er in Libyen zu Hause; die Ägypter nannten ihn *sit* (kopt. *sit*); vgl. auch arab. *sif*. Das B.enei hat man in Ägypten mit dem giftigen Ibisei, den B.en selbst wohl auch mit der Uraeusschlange in Zusammenhang gebracht [12]). Auf dem griechischen Wort beruht die Benennung des Fabelwesens im Abendland.

Der Glaube an den B.en [13]) ist ein Sonderbeispiel für die Macht des bösen Blicks und beruht auf der Tatsache des bannenden, faszinierenden Schlangenauges. Verbunden ist damit die Vorstellung vom Hahnenei (d. h. einem mißgebildeten Hühnerei), das ebenso wenig Gutes bringen kann — weil es eben naturwidrig ist — wie ein krähendes Huhn, dem man nach dem Volksglauben ja auch den Hals umdrehen soll [14]). Man läßt daher einen Hahn, und gar einen schwarzen, nicht alt werden. Auf alten Aderlaßschüsseln dient die B. als krankheitvertreibendes Symbol [15]).

[1]) G r i m m *Mythol.* 3, 454 Nr. 583; S e l i g m a n n *Blick* 1, 143 ff.; H o v o r k a - K r o n f e l d 1, 53 f.; B a r t s c h *Mecklenburg* 2, 160; K ü h n a u *Sagen* 2, 387. [2]) L o n i c e r u s *Kräuterbuch* 1679, 629; R e i s e r *Allgäu* 1, 268 f.; H e y l *Tirol* 729 Nr. 53; S e l i g m a n n 1, 146 ff.; P a n z e r *Beitr.* 1, 360 f.; 2, 373 f.; L ü t o l f *Sagen* 353; M ü l l e n h o f f *Sagen* 237 Nr. 325; J e c k l i n *Volkstüml.* (1916), 452; S c h ö n w e r t h *Oberpfalz* 2, 348; G r o h m a n n *Sagen* 242 f. [3]) L o n i c e r u s a. a. O. [4]) W a i b e l und F l a m m 1, 111 f.; L a c h m a n n *Überl.* 61. [5]) S e l i g m a n n 1, 146; F e h r l e *Geopon.* 19, 1. [6]) M e g e n b e r g *Buch d. Nat.* 222. [7]) S e l i g m a n n 1, 133; ZdVfVk. 2, 317. [8]) G r o h m a n n *Abergl.* 18 f.; K ü h n a u *Sagen* 2, 382 ff.; M e i c h e *Sagen* 399; M ü l l e n h o f f *Sagen* 237; R o c h h o l z

Naturmythen 192. [9]) S t e m p l i n g e r *Sympathie* 15; H ö f l e r *Organotherapie* 201; V e r n a l e k e n *Alpensagen* 266 f. [10]) M e y e r *Abergl.* 73; H o v o r k a - K r o n f e l d 1, 53; ZrwVk. 1 (1904), 72. [11]) P a u l y - W i s s o w a 3, 1, 100; R o h d e *Kl. Schr.* 1, 397 f.; K e l l e r *Ant. Tierw.* 2, 297. [12]) S p i e g e l b e r g *Kopt. Handwörterb.* (1921), 125; K e l l e r a. a. O. 201. [13]) Vgl. noch H e r t z *Abh.* 187; S c h w a r t z *Studien* 71; E. H. M e y e r *Germ. Myth.* 111; ferner ZdVfVk. 11 (1901), 317; A. d e C o c k *Volksgeloof* 1 (1920), 151 f., 172; S é b i l l o t *Folk-Lore* 2, 309; 3, 268; 4, 432; SAVk. 25, 189; T e t z n e r *Slaven* 311; Urquell 1 (1890), 33. 50; A b e l *Vorweltliche Tiere* (1923), 24 ff. [14]) ZrwVk. 1 (1904), 73. [15]) H o v o r k a - K r o n f e l d 1, 54.   Güntert.

Basilius, hl., Bischof von Cäsarea und Kirchenlehrer mit dem Beinamen der Große, Vater des morgenländischen Mönchtums [1]), gest. 379, Fest 14. Juni, in Kölner Festkalendern des 13. und 14. Jhs. aufgeführt [2]). Dem hl. B. wird eine der in den liturgischen Büchern der griechischen Kirche aufgeführten Beschwörungsformeln gegen Besessene zugeschrieben. In diesem Exorzismus wird eine Reihe Tiere genannt, die in der Legenden- und Sagenwelt seit alters eine Rolle gespielt haben, auch in dem uralten Johannisgebet für den Zweck der Weinsegnung genannt werden [3]). Der B.tag wird bei slavischen Völkern besonders geachtet. Serbische Zigeunermädchen versuchen sich an diesem Tag mit Liebeszauber [4]). Des Heiligen Bild an das Hirtenhäuschen befestigt, schützt nach französischem Volksglauben die Herde vor dem Wolf [5]).

[1]) K ü n s t l e *Ikonographie* 120. [2]) Z i l l i k e n *Kölner Festkalender* 76. [3]) F r a n z *Benediktionen* 2, 576. [4]) Urquell 3 (1892), 12; ZfVk. 4 (1894), 160. [5]) W o l f *Beiträge* 1, 248; S é b i l l o t *Folk-Lore* 3, 41.   Wrede.

Bauchaufschlitzen, Gastrotomie, ein Verfahren, das zu den grauenhaften Betätigungen der Percht (s. d.), der Kinderscheuche und Spinnstubenfrau, gehört. Die Vorstellung selbst mag auf archaischprimitivem Strafverfahren beruhen, das Motiv seinerseits vielleicht auf Alptraumerfahrungen [1]), weil es vielfach noch mit dem Essen in Verbindung steht. Wer am Perchtentag die primitiv magische Schuld unvorschriftsmäßiger Nahrungs-

aufnahme auf sich lädt, dem füllt die Dämonin den aufgeschnittenen Leib mit Häckerling oder Backsteinen an, um ihn dann mit Pflugschar und Eisenkette wieder zuzunähen [2]). In Gastein ißt man reichlich, damit der Percht, wie die Knechte sagen, das Messer abgleite, wenn sie den ihr Zuwiderhandelnden den Bauch aufschneiden will [3]); ähnliches wird aus Traunstein berichtet [4]). Hier scheint die Schuld bereits moralischer Natur zu sein, wie in Obersteiermark und Salzburg, wo die Perchtel den faulen Dirnen den aufgeschnittenen Bauch mit Kehricht füllt [5]).

Ähnlich verfahrende Dämonen sind die bayr. Semper, der nordfränk. Hullepöpel, Hollepeter [6]), die mährische Schperechta [7]); sie bestrafen die bösen Kinder mit B.; ferner im Bayr. die Dremp [8]), die Frau Stampe, Stempe in den Ostalpen [9]), die Sperte im Egerlande am heiligen Abend [10]), die Pehtrababa im kärnt. Oberrosental [11]), und auch von Lucia wird das Verfahren berichtet [12]). Die Namen Schperechta, Sperte, Pehtrababa mögen wohl mit Perchta zusammenhängen.

[1]) W a s c h n i t i u s *Perht* 155. 172. [2]) G r i m m *Mythol.* 1, 226. 227; V o n b u n *Beiträge* 41; W a s c h n i t i u s 99. 102. [3]) W a s c h n i t i u s 57. [4]) Ebd. 65. [5]) W e i n h o l d *Weihnachtsspiele* 11; W a s c h n i t i u s 65. [6]) G r i m m *Mythol.* 1, 426; 2, 904 vergleicht Grimm serbische Überlieferungen damit. [7]) G r o h m a n n 1 Nr. 5; W a s c h n i t i u s 120. [8]) P a n z e r *Beiträge* 2, 117. [9]) E. H. M e y e r *German. Mythol.* 276. [10]) W a s c h n i t i u s 68. [11]) Ebd. 27. [12]) P o l l i n g e r *Landshut* 194.   H. Naumann.

Bauchredner. Das Bauchreden galt in Zeiten, da man Dämonen und später Teufel hinter allem Auffälligen vermutete, als etwas Übernatürliches [1]), so bei den Kirchenvätern [2]), so im abergläubischen MA. [3]). Die Aufklärung meinte dann, wieder übertreibend, im Orakel zu Delphi, in den Asklepiaden u. a. steckten Künste von B.n dahinter.

[1]) T y l o r *Cultur* 2, 458. [2]) S t o l l e *Kirchenväter*, Register. [3]) M e y e r *Aberglaube* 289; Jean B o d i n *Daemonomania* 2, 3. Stemplinger.

Bauchweh. Unter B. versteht das Volk alle Schmerzen, die im Leib sich fühlbar machen, mögen die verschiedensten Krankheitszustände sie verursachen.

In Altbayern hilft der hl. Erasmus dagegen, dem die Eingeweide aus dem Leib
gehaspelt wurden [1]) (Analogie!); in Franken drückt man den Daumen der rechten
Hand auf den Nabel des Patienten und
spricht dreimal darüber den Kolik-
segen [2]). In der Schweiz hilft gegen Kolik,
wenn man ein Messer mit einem weißen
Heft bei sich trägt [3]); in Tirol nagelt man
eine lebende Kröte am Estrich an und läßt
sie so hängen: sie saugt alle „bösen Winde" an sich [4]); in Norddeutschland gibt
man dem Patienten Käse zum Essen ein,
auf dem zwei Zeichen eingeritzt sind [5]).

[1]) Hovorka-Kronfeld 2, 124. [2]) Ebd.
2, 126 u. 128. [3]) Busch *Volksgl.* 124. [4]) ZföVk.
2, 149. [5]) ZfVk. 13, 269.   Stemplinger.

bauen s. Hausbau.

Bauer. Der B.nstand bildet den Kern
des ganzen Volkes und eine Quelle gesunder Lebenskraft, aus der die übrigen
Schichten der Bevölkerung immer wieder
schöpfen. Kein Mensch ist so sehr mit der
heimatlichen Scholle verwachsen wie der
Landmann, dessen Hof in vielen Fällen
schon die Arbeit seines Ahns und Urahns
gewidmet war. In seinem Denken und
Fühlen unterscheidet sich der aus grobem,
aber festem Holz geschnitzte B. oft wesentlich von dem leichter beweglichen, der
Natur bereits entfremdeten Städter. Zähe
hält er am Althergebrachten und Überlieferten fest, weshalb bei keinem anderen
Stand Leben und Arbeit so sehr von alten
Überlieferungen umsponnen sind wie bei
ihm.

Viel altes Gut, das anderwärts längst
geschwunden oder zu einem unverstandenen Rest geworden ist, hat die bäuerliche Bevölkerung noch treu bewahrt, so
daß hier für die Volkskundeforschung eine
ergiebige Quelle fließt. Ackerbau [1]) und
Viehzucht [1]), die beiden Grundpfeiler
menschlicher Kultur, bilden auch die
Sammelpunkte für den alten Glauben [1])
und Brauch [1]), der sich aus germanisch-
heidnischen, antiken und christlichen
Vorstellungen aufbaut. Gedeihliches
Wachstum und Vermehrung bei Acker-
pflanzen und Haustieren sollten hervorgerufen, Schadenzauber [1]) und Unheil [1]) abgewehrt werden. Diesen Zwecken dienten

altertümliche Bräuche [1]) beim Pflügen [1]),
Säen [1]) und Ernten [1]), wie bei der Pflege
des Nutzviehs [1]). Sie reichen z. T. bis in
die idg. Vorzeit hinauf [2]) und haben zahlreiche Parallelen bei ackerbau- und vieh-
zuchttreibenden Völkern alter und neuer
Zeit.

Aus dieser Sphäre stammt die vielgestaltige Schar der Vegetationsdämonen [1]),
die Fruchtbarkeit [1]) und Gedeihen für
Pflanze, Tier und Mensch verkörpern,
denn auch das menschliche Leben dachte
man diesen Gewalten unterworfen [3]).
Sonne [1]) und Regen [1]), den befruchtenden
Faktoren des Pflanzenlebens und mittelbar dadurch auch der Viehzucht, sind besondere Bräuche [4]) gewidmet. Auch dem
Mond [1]) und den Zeichen des Tierkreises [1])
wird seit alters fördernder oder schädigender Einfluß zugeschrieben. Gewisse Zeiten [5]) und Tage [5]) lösen dunkle und gefährliche Kräfte aus, so daß sie zu Brenn-
punkten für allen Zauber [1])- und Dämonenglauben [1]) werden. Orakel [1]), Lostage [1]) und B.nregeln [1]) sollen den Gang
des Jahres und die Gestaltung der Zukunft erforschen helfen, Beschwörungen [1])
und Segen [1]) werden gegen Krankheit [1])
und Unglück [1]) bei Mensch und Vieh [1])
gesprochen. Gerne nimmt man auch Zuflucht zu verschiedenen Heiligen, die wegen einer oft nur lose hergestellten Beziehung zu ihrer Legende in bestimmten Fällen angerufen werden [6]) und manchmal
noch die Wesenszüge einer heidnischen
Gottheit durchschimmern lassen [7]). Wallfahrten [1]) zu berühmten Gnadenorten werden von einzelnen wie von ganzen Dörfern
gelobt und oft jährlich wiederholt, gemeinsame Flurumgänge [1]) und Schauer-
feiern [1]) zum Schutze der keimenden Saaten [1]) abgehalten. Auch an Haus [1]) [8]) und
Hof mit Hausrat [1]) und Wirtschaftsge-
rät [1]), wie an die Arbeitsverrichtungen [1]) [9])
selbst, sind vielfach alte Überlieferungen
geknüpft. Als heilig und unverletzlich
wurde der Markstein geachtet und wer
ihn verrückte, mußte solange als feuriger,
glühender Geist umgehen, bis der Stein
wieder an seinen Platz kam.

Sitte [1]) und Brauch [1]) umgeben das
ganze bäuerliche Leben mit festen, ge-

regelten Formen [10]) und schaffen ein
starkes Gemeinschaftsgefühl, das den B.
und seine Familie, zu der auch das Gesinde [1]) zu rechnen ist, mit den Nachbarn [1])
zu gemeinsamer Arbeit, Hilfe und Lust-
barkeit verbindet. Denn wenn der Erntesegen geborgen ist, Stall, Scheune und
Keller gefüllt sind, dann darf auch die
Lebensfreude ihr Recht fordern und ist es
Zeit, mit Schmaus und Trunk, Tanz [1]) und
Spiel [1]) Feste [1]) [11]) zu feiern.

Literatur: F e i l b e r g *Jysk Ordbog* Suppl.
57. [1]) S. das betreffende Schlagwort. [2]) Z. B.
der Schlag mit der Lebensrute. [3]) Maibaum
(Maie), Perchten. [4]) Sonnenwende, Regenzauber. [5]) Mitternacht, Advent, die Zwölften,
Weihnachten, Neujahr, Fastnacht, Ostern,
Walpurgisnacht, Pfingsten, Sonnenwende,
Frauendreißiger; ferner beim Menschen Geburt, Hochzeit, Tod und die vorausgehenden
und folgenden Übergangszeiten, Tagewählerei.
[6]) Der hl. Blasius u. a. [7]) Der hl. Leonhard.
[8]) S. a. Balken, Dach, Decke, Ecke, Herd,
Schwelle, Stube. [9]) Z. B. pflügen, säen, mähen,
dreschen, melken, buttern, spinnen, weben.
[10]) Altersklassen. [11]) Kirchweih. Schömer.

Bauernpraktik. B. ist ein noch heute in
manchen europäischen Ländern gekann-
tes und wohl auch häufig eingesehenes
B ü c h l e i n , vornehmlich zur Bestimmung der Witterung des kommenden Jahres aus der planetarischen Natur und dem
Wetter des Christtags. Die B. gehört den
meteorologischen Schriften des MA.s an
und fußt mit ihren Regeln größtenteils
auf dem antiken Neujahrsglauben und der
hellenistischen Zeitmystik von den die
Monate und Jahre regierenden Sternen
(Planeten oder Tierkreisbildern. Vgl.
Sterndeutung). Die Wege, auf denen
diese Vorstellungen im Laufe der Jahrhunderte nach dem Norden kamen, sind
nicht deutlich; von den religiösen Mo-
menten, die dem Glauben der alten Mit-
telmeerwelt an die hervorragende Bedeutung des den Jahresanfang regierenden Himmelszeichens innewohnen, ist
in dem krausen Schriftchen wenig mehr
zu spüren. Es ist eine naive Sammlung
von Sprüchen, deren wahrer Sinn in
Volkskreisen damals wohl nie mehr vollständig begriffen war. Aber die Tatsache
der weiten Verbreitung des Buches und
seine große Auflagenzahl sind ein Symp-

tom für die seit dem 10./11. Jh. vom
italienischen Süden heraufgedrungene,
von der Astrologie nicht unwesentlich
beeinflußte Religiosität, die seit 1500
auch die niederen Volkskreise in Deutschland und in den umliegenden Ländern
zu durchsetzen beginnt (s. Sterndeutung).

1. T i t e l d e r E r s t a u s g a b e u n d
s p ä t e r e E r w e i t e r u n g e n d e s s e l -
b e n . Die Erstausgabe der B. vom Jahre
1508 zeigt als Titel auf dem ersten, größtenteils von einem Holzschnitt ausgefüll-
ten Blatt über dem Holzschnitt den Satz:
,,In disem biechlein wirt ge- / funden der
Pauren / Practick vnnd / regel darauff sy
das gantz / iar ain auffmercken / haben
vnnd / halten.'' Es ist ein 6 Quartblät-
ter umfassender Druck (Blattzahlen auf
dem R[to] in der rechten unteren Ecke); er
befindet sich in je einem Exemplar auf der
Staatsbibliothek in Berlin und der Wiener
Nationalbibliothek. Die zweitälteste da-
tierte Ausgabe (1512) vermehrt den über
einem großen, schönen Holzschnitt (Astro-
nom am Pult beobachtet astrale Erscheinungen) gedruckten Titel um den bezeichnenden, hinter ,,gefunden'' einge-
schobenen Zusatz [1]): ,,vnd / verstanden
der pauren Lyessen vnd Regel W i e d a n
d i e w e y s e n v n d k l u g e n m a i s t e r
v n d s t e r n s e h e r h a b e n t f u n d e n
darauff dan die paur treu das gantz iar''
usw. Die folgenden 32 deutschen datierten Ausgaben — die 34. wurde im Jahre
1854 gedruckt — vermehren den Titel
immer mehr und verbinden mit der B.
Anweisungen zum Aderlassen, ,,schrepf-
fen'', reden vom Ab- und Zunehmen des
Mondes (s. 27. Ausgabe) usw., so daß
der Umfang der B. ständig wächst: die
32. Ausgabe von 1758 hat 110 gezählte
Seiten! Die interessanteste Titelerweite-
rung dürfte die der undatierten Züricher
Ausgabe von ca. 1517 sein, in der die
,,Buren practica'' als eine O f f e n -
b a r u n g Raphaels an Heiny von Vre
bezeichnet wird (fol. I[v]): ,,Es ist zu wissen
das ein alt / man genant Heiny von Vre
frum vnd gerecht gewe / sen sich worden
ist vnnd im der geyst entzückt dem / hatt
gott durch den engel Raphael in dem
entzückten geyst ge / offenbart dise her

nach geschribne zeichen / das er sy solt kuntt / thůn allen menschen" / usw.; — bis ins Einzelne zeigt sich hier eine Nachahmung der stereotypen Formeln, die wir in den antiken Apokalypsen finden und deren Kenntnis nicht sowohl der Apokalypse Johannis als den astrologischen Offenbarungsbüchern, hermetischen Schriften und anderer derartiger Literatur verdankt wird [2]). — Weiteres über die Textgeschichte findet man in der eingehenden Bibliographie der B. in der Einleitung des Faksimiledrucks der Ausgabe von 1508 ed. G. Hellmann [3]).

[1]) Dieser Zusatz steht in der Ausgabe von 1508 am Anfang der Einleitung Fol. I v. [2]) Vgl. über die Frage der Offenbarungen: B o l l *Off. Johannis* 4 ff. Texte findet man in Cat. cod. Astr. z. B. VIII 3, 134 ff. insbes. 135, 27 ff. (Ms. XV, saec.). Ferner müssen Offenbarungsschriften der Hermetik herangezogen werden. Eine Arbeit über den Einfluß antiker Apokalypsen auf das nordische Mittelalter und das Mittelalter überhaupt fehlt noch. Als Ausgangspunkt von Studien über diese wichtige Frage muß die Textgeschichte astrologischer Hss. des Mittelalters gewählt werden; wichtige Vorarbeiten enthält das Buch von R u s k a *Tabula Smaragdina* (= Arbeiten d. Inst. f. Geschichte d. Naturwissenschaft 4) Heidelberg 1926. Ferner vgl. P i c a t r i x *Ein arabisches Handbuch hellenistischer Magie* (= Vorträge Bibliothek Warburg 1921/22, S. 94 ff.). Auch für die formale Seite der astrologischen und alchemistischen Geheimliteratur werden die Araber die Vermittler zwischen Antike und späterem Mittelalter gewesen sein. [3]) Neudrucke von Schriften und Karten über Meteorologie und Erdmagnetismus herausg. von G. H e l l m a n n, Berlin. Nr. 5: *Die Bauern-Praktik*. Die in der Einleitung enthaltene Bibliographie sowie der kurze Kommentar S. 54 ff. werden durch manche der im folgenden dargestellten Ergebnisse meiner eigenen Untersuchung sowie der in den Anmerkungen zitierten Literatur ergänzt.

2. B e s c h r e i b u n g d e s T e x t e s. Q u e l l e n f r a g e n. Bei der folgenden Beschreibung des Textes beschränken wir uns darauf, die Erstausgabe zu betrachten. Fol. I v Einleitung: „Die weisen und klůgen Maister vnd sternschauwer haben funnden, wie man in der hailigen Christnacht mag sehen uñ mercken an dem wetter wie das gantz Jar in wirckung sein zůkunft werd thůn." Dann folgt eine Jahresweissagung aus dem am Christtag vorherrschenden Winde [4]).

Viel wichtiger ist der auf der selben Seite beginnende Abschnitt: Von dem Christtag, eine Bestimmung der Witterung des Jahres nach dem Zusammentreffen des einzelnen planetarisch regierten Wochentags mit dem Christtag. Der Brauch leitet sich aus der Antike her; in Rom wurden, ursprünglich allerdings bei Jahresbeginn, Opfer zur Bestimmung der Witterung des kommenden Jahres vorgenommen [5]). Von Planeten als Jahresregenten und ihrer Beobachtung in Ägypten berichtet das Werk des Vettius Valens (2. Jh. n.) [6]). Im Cat. cod. astr. VII 126 ist ein wohl judaisierter Text unter dem Namen des Astrologen Antiochos von Athen (2. Jh. n. Chr.) erhalten, der in den meisten Punkten mit dem Text der B. übereinstimmt. (Die antiken Texte erscheinen gelegentlich auch als O f f e n b a r u n g e n, so der gleichfalls unserm Text verwandte Abschnitt Cat. cod. astr. VII 171, 20 ff.) [7]). Als dann später der Jahresanfang auf den bürgerlichen Jahres auf den 25. Dezember übertragen wurde, gingen die an Neujahr geübten Bräuche auf den Weihnachtstag über; außerdem berichten uns Plinius und Cassianus Bassus (aus Didymos), daß man auch in Griechenland schon die Gewohnheit hatte, aus der Witterung des dies brumalis auf die Witterung des Jahres zu schließen [8]). Vom 6. Jh. an ist der Brauch dann kontinuierlich zu belegen bis ins 18. Jh. [9]). In seiner letzten Konsequenz geht er, wenn man die Einwirkung der Planetennatur des Neujahrstages berücksichtigt, auf den Hellenismus zurück, wo er sich (in Ägypten?) aus verwandten Tendenzen der babyl. Astrologie, die aus den Sternen am Neujahrsfest das Schicksal des kommenden Jahres weissagte, entwickelte [10]). — Von Rom breitete der Brauch sich über Gallien und England aus, wo wir bei Beda († 732) (der in der B. Fol. III auch zitiert wird s. u.) genau das Schema unseres Kalendologions der B. vor uns haben [11]).

Fol. II v: Von der Pauren practica überschreibt sich ein bis Fol. V r reichen der Teil, der im wesentlichen Weissagungen in

Anlehnung an den Zwölf-Nächteglauben — Weihnachten bis Epiphanias — bringt. Jeder Tag symbolisiert einen Monat des kommenden Jahres[12]). Da das erste Kapitel dieses Teils sich ausdrücklich „von der Sonnenschein die 12 zaichen" überschreibt, so vergleicht man ihm am besten die antiken Dodekaeteriden-Listen[13]) mit ihren Prophezeiungen: z. B. CCA. III 30; II 144 ff.; V, 1, 21 4. Sind mir zwischen d i e - s e n Texten und der B. zwar nur einige Identifizierungen gelungen[14]), so bin ich trotzdem überzeugt, daß Listen dieser Art bereits mehr oder weniger überarbeitet, dem unbekannten Verfasser der Erstausgabe der B. vorlagen. Auch das folgende überschriftslose Kapitel vom Wind in den 12 Nächten geht vermutlich auf die Dodekaeteriden zurück[15]). Auffällig ist hier die Verteilung der Ereignisse: Manche Tage tragen nur politische Weissagungen, manche nur Fruchtbarkeitsprophezeiungen[16]). Da meines Wissens die antiken Dodekaeteriden stets in dieser Hinsicht ein einheitliches Gepräge tragen, d. h. entweder einseitig landwirtschaftlich oder politisch eingestellt sind[17]), so scheint es fast, als sei dieser Abschnitt der B. aus einer Kompilation mehrerer solcher Listen hervorgegangen; doch so, daß bereits die Vorlage des Verfassers der B. diese Vermengung aufwies, aus der dann ein (willkürlicher?) Auszug in unserer B. Aufnahme fand. Doch darf diese Ansicht nur als ein vorläufiges Resultat gelten. Diese ganzen Abschnitte sind einmal vor allem im Zusammenhang mit dem in seinem Ursprung noch immer unklaren Zwölfnächteglauben genau zu untersuchen[18]).

Das 3. Kap. „von der zeyt zu Weyhenachten" bringt wieder Regeln zur Bestimmung des Jahres aus dem Wetter und dem Wind der Christnacht. Dann folgen eine Reihe aus den Lostagen der 12 Monate (s. Bauernregeln) und ihrer Witterung abgeleiteter Wetterbestimmungen für die Monate und das Jahr. Fol. III wird als Quelle an einer Stelle, deren Zusammenhang mir unverständlich ist, Beda zitiert (Zeile 4 v. unten)[19]).

Fol. Vr folgen Wetterweissagungen aus den 3 Rauhnächten „Weihnacht, Neujahr und Heil. drei König", sowie unter der Überschrift „ein alter Paur" Voraussagen aus dem Wetter des St. Jakobstags (25. Juli). Diese letzten Abschnitte dürften größtenteils deutsch und christlich sein. Der Abschnitt „Wie es sol wittern nach den zwölff Monaten" (Fol. Vr) enthält eine Sammlung von teilweise planetarischen, teilweise atmosphärischen Witterungsbestimmungen. Als Autoren für etliche dieser Regeln, nach denen man aus den Wolkenfarben und den Farben der Sonne und des Mondes die Witterung erschließen soll, zitiert die B. zwar Solinus und Petrus[20]); beide Abschnitte gehen aber durch Mittelquellen auf Vergils Wetterregeln in den Georgica zurück, und zwar der erste (von Fol. Vr Zeile 1 von unten — Fol. Vv Zeile 8 von oben) auf Buch I, 441—464. Dann folgen zwei Verse in lateinischer Sprache, ein Hexameter und ein mittelalterlicher Reimspruch, beide aus Vergilschen Reminiszenzen zusammengeflickt. Die daran anschließenden Zeilen entsprechen wieder genau Vergil Georg. I, 424—435[21]).

Ein ganz heterogener Abschnitt, „Von den XII gueten Freytagen" überschrieben, schließt das ganze Werk ab. Er enthält eine Aufzählung der 12 Fastentage nach St. Clemens (wohl Clemens von Rom gemeint)[22]), mit deren Einhaltung man sich sein Seelenheil erwirbt. Dies Stück soll dem sonst stark auf heidnischer Weisheit aufgebauten Buche den christlichen Mantel umhängen. Es geht auf eine lateinische Vorlage zurück, die dem cod. Vat. lat. 3838 (XII. saec.) entstammt. Der Text der B. ist eine bloße Übersetzung aus dem Lateinischen[23]).

---

[1]) Verwandtes in den Dodekaeteridenlisten des Altertums und Mittelalters: aus der Natur des das Jahr regierenden Tierkreiszeichens und des Windes weissagte man die Fruchtbarkeit des Jahres: Cat. cod. astr. II 144, 6 ff.; B o l l *Offenb. Joh.* 80. [5]) s. B i l f i n g e r *Das germanische Julfest* (Progr. Stuttgart 1901) 58 ff. Über den antiken Kalendenglauben ebd. 40 ff. Vor allem erhalten wir manche wertvolle Nachricht aus der christlichen Polemik gegen den Kalendenunfug: vgl. Joh. Chrysostomos (M i g n e *P. G.* 48, 953 ff.). [6]) V e t t i u s V a l e n s ed. Kroll I, 11, 27, wohl aus Nechepso-

Petosiris. [7]) Ähnliche Kalendologien in griechischer und lateinischer Sprache als Offenbarung Esras bei B o i s s o n a d e *Notices et Extraits* XI, 2, 186; D u C a n g e *Gloss. graec.* 548; Studi e Testi V, 77 ff. Hier und Cat. cod. astr. VII, 126 A. 1 weiteres Material. [8]) P l i n i u s *Nat. hist.* XVIII, 26, 62; C a s s i a n u s B a s s u s = *Geoponica* ed. Beckh I, 25. Weiteres Material über Prognosen der alten Völker am Jahresanfang (auch aus dem Aufgehen der Sothis [Sirius] in Ägypten) s. H e l l m a n n a. a. O. 69. B i l f i n g e r a. a. O. 58 ff. [9]) B i l f i n g e r a. a. O. 59. Ältestes Zeugnis L y d u s *de mens.* ed. Wünsch IV, 10; 71, 1 ff. [10]) s. H. Z i m m e r n *Das babylon. Neujahrsfest* = Der alte Orient 25 (1926), Heft 3, 11. 16 f. Auf die dort zum 1. Nisan (Neujahrstag) vorgenommene Schicksalbestimmungsfeier gehen wohl die Dodekaeteridenlisten zurück. Vgl. auch F r. B o l l *Sphaera* 329 ff. [11]) B e d a *Pronostica Temporum* (M i g n e *L.* 90, 951). [12]) Über den Zwölfnächteglauben H e l l m a n n a. a. O. 64 und die A. 69—72. Ferner B i l f i n g e r s gründliche Untersuchung der Frage: *Das germanische Julfest* (Stuttg. Progr. 1901). — Die Zeit zwischen Weihnachten und Epiphanias galt schon dem 4. Jh. als heilig. [13]) Vgl. A. 10. [14]) Der 7. Tag mit seiner Teuerung und dem Mangel an (?) Wein und Korn entspricht anscheinend dem 7. Monat (Wage) einiger Dodekaeteriden: CCA VII 185, 24; 166, 10. Vgl. B o l l *Offenb. Johannis* 85. Zum Frieden am 1. Tag vgl. CCA III 30, 6 (Widder) usw. [15]) Vgl. „Ist die 6. Nacht windig, so wird Wein, Korn und Öl genug sein: ähnlich CCA II 151, 6 ff. [16]) Hierzu vgl. CCA VII, 25, mit dem dieser Abschnitt der B. für die 1., 3. u. 12. Nacht parallel geht. Der Text des Catalogus reicht in seinen Grundbestandteilen bis in babylon. Zeit hinauf (B o l l - B e z o l d *Reflexe astrolog. Keilinschriften bei griech. Schriftstellern* in Abh. Heidelberger Ak. der Wiss. 1911, 7, 50 ff.). [17]) Vgl. die in den Anm. 1—15 zitierten Texte des Catalogus codicum astrologorum. [18]) Vgl. A. 5. [19]) „Es spricht Beda drey tag vnd drey näcbt seind / wirt dann ain kind geboren der leib bleybet gantz bis an den jüngsten tag. Das ist der Abent des Hornungs vnnd sein gehaym seind wunderlich vnnd wann ain holtz dar gehawen wirdt / das faullet nymer." In dieser Zeit regierte bereits der Wassermann den Februar. Nach Hephaistion von Theben wird unter dem Wassermann der zukünftige Weltenherrscher und -heiland geboren, der die Erde beglückt und befriedet. Sollte das die Erklärung für das Bedazitat sein ? Zu der Hephaistionstelle: B o l l *Sulla quarta ecloga di Virgilio*, Mem. della R. Acc. di Bologna, sc. mor. ser. II, V—VII 1923 S. A. 1—22. [20]) Wen man sich unter diesen beiden Gewährsmännern vorzustellen hat, ist nicht klar. An den spätantiken Kompilator Solinus ist doch wohl kaum zu denken. [21]) Vergil selbst greift wiederum auf die „Wetterzeichen" des hellenistischen Dichters Aratos von Soloi (ca. 200) zurück. Vgl.

Phain. 773—861. [22]) So G. M e r c a t i in Studi e Testi V (Roma 1901), S. 80 f.; H e l l m a n n a. a. O. 55 denkt an den Kirchenvater Clemens v. Alexandria. [23]) Das erkannte zuerst M. F ö r s t e r in Archiv f. Neuere Sprachen 110 (1903), 421.

3. V e r b r e i t u n g u n d N a c h - w i r k u n g. Kein Buch ist lange Zeit in Deutschland von solch gewaltigem Ein-, fluß gewesen wie die B. In Deutschland feierte es in den Jahren 1530—1590 mit 29 Auflagen einen großen Triumph; das 16. Jh. kennt 40 Ausgaben; dann erfolgt ein starker Rückgang: das 17. Jh. weist 7, das 18. Jh. 10; das 19. Jh. nur noch 2 Ausgaben auf [24]). Kaum wird man ein bedeutenderes Symptom für die Verbreitung der Astrologie vor und während der Reformation bis in die Landbevölkerung hinein finden können. Von Deutschland verbreitet sich die Schrift nach England, Frankreich, Schweden, Dänemark, Finnland, Holland und der Cechei. Die jüngste Ausgabe ist aus Schweden bekannt; sie wurde 1893 gedruckt [25]). — Die späten Ausgaben sind vielfach mit Reynmanns W e t t e r b ü c h l e i n (s. d.) und nach Beda entworfenen Jahresprognosen aus dem Donner (s. Prognostikum) in den einzelnen Monaten kombiniert worden. In Schweden war die Blütezeit des Buches die Mitte des vorigen Jahrhunderts; der schwedische Text entstammt der gereimten deutschen Textfassung des 16. Jhs. [26]). In den ostslawischen und romanischen Ländern hat die B. merkwürdigerweise nie Eingang gefunden [27]).

[24]) s. H e l l m a n n a. a. O. 25. Bei den Angaben sind die massenhaft aus der B. gemachten Auszüge nicht mitgerechnet. s. ebd. 26 ff. [25]) D e r s. 52. Ebd. alle Hellmann bekannten Praktiken. Ergänzt wurde das Verzeichnis für das angelsächsische Sprachgebiet durch M. F ö r s t e r s Aufsätze: Archiv f. neuere Sprachen 110 (1903), 346 ff. 421; 120 (1908), 43 ff. 296 ff; 121 (1908), 30 ff. [26]) D e r s. 121, 50. [27]) D e r s. 54. Die der B. zugrunde liegende Idee ist, wie sich aus der Analyse ergibt, auch den romanischen Völkern bekannt. Vgl. D e r s. 66 f.   Stegemann.

Bauernregeln nennt man die sich meist auf die W e t t e r v o r h e r s a g e beziehenden Sprüche des Volksmundes. Meist bei Kulturnationen vorhanden, fehlen sie auch primitiven Völkern nicht ganz. (Vgl. H e l l m a n n Deutsche Rundschau 1924, I, 45). Bald gereimt, bald ungereimt, sind die B., deren Kenntnis naturgemäß unter der Landbevölkerung am ausgedehntesten ist, teils auf lokale Witterungserscheinungen gegründet, teils als Traditionsgut aus der Antike übernommen (s. Bauernpraktik). Soweit die Sprüche antikes Gut bergen, sind sie durch Vermittlung der Kirche in Deutschland verbreitet worden; bekanntlich gehörte es schon frühe zu der Tätigkeit der Mönche, Feld- und Gartenbaukultur zu pflegen. Von diesen meist astrologisch beeinflußten Regeln, die vielfach das Ergebnis eingehender meteorologischer Beobachtungen des Altertums enthalten, sind ganz jene andern Sprüche zu trennen, die aus ungeschulter, naiver Naturbeobachtung des deutschen Volkes hervorgegangen sind und in die sich teilweise noch Relikte der deutschen Mythologie gerettet haben. Heute sind beide Richtungen so stark aneinander angeglichen, daß es unmöglich scheint, die Verbreitungsgebiete einzelner Vorstellungen geographisch gegeneinander abzugrenzen.

Die Form dieser, B. genannten, Sprüche ist stets ein Bedingungssatz. Nach den in dem Nebensatz dieser Perioden enthaltenen Bedingungen darf man die B. etwa in folgende vier Gruppen gliedern: I. Astrologische Sprüche. 2. Sprüche, in denen aus der Witterung bestimmter Tage und Monate Aussagen für Ernte usw. gemacht werden. 3. An Windeswehen, Donner und Blitzerscheinungen angeknüpfte Regeln. 4. Weissagungen aus Erscheinungen der Tier- und Pflanzenwelt.

Die unter 1. genannten a s t r o l o g i - s c h e n B. sind, wie gesagt, zum großen Teil auf antike Einflüsse zurückzuführen, die teils im Gefolge der Christianisierung der Germanen, teils auch mit dem Einzug der Astrologie im 11./12. Jh. in Deutschland Eingang gefunden haben. Besonders müssen hier Vergils Georgica von Einfluß gewesen sein, die Buch I, 351—463 eine Fülle dieser Vorzeichen enthalten. Die ältesten deutschen Sammlungen solcher Sprüche sind die Bauernpraktik (s. d.) von 1508 und Reynmanns Wetterbüchlein (s. d.) von 1510.

Die unter 2. erwähnten E r n t e w e i s - s a g u n g e n aus der Witterung bestimmter Monate und Tage gehören zu den auf lokale Beobachtungen durch die Landbevölkerung zurückgehenden Regeln. Beispiele: a) M o n a t s r e g e l n : „März trocken, April naß, Mai lustig von beiden was, bringt Korn in'n Sack und Wein ins Faß." „Der Mai kühl, der Brachmonat nicht naß, füllt dem Landmann Speicher, Keller, Kasten und Faß" (Pfalz). b) W o - c h e n t a g s r e g e l n : „Freitagswetter — Sonntagswetter." „Regnets Sonntags über das Meßbuch, so hat man die ganze Woch' genug" (Eifel). c) Gehören in gewissem Sinne hierher auch die an die Witterung b e s t i m m t e r T a g e i m J a h r (sog. L o s t a g e) angeknüpften Regeln. Von Bedeutung sind: α) die Tage von Weihnachten bis Epiphanias, die sog. Z w ö l f t e n (s. d.). Der Brauch, aus der Witterung dieser Nächte (in seinem Ursprung scheint er mir noch nicht aufgeklärt) die Witterung der Monate des kommenden Jahres zu erforschen, ist über ganz Europa verbreitet; in Deutschland findet er sich wohl frühestens 1468 erwähnt (in England schon um 1120 bekannt). Mit den Lostagen beschäftigt sich manche B. Ein Beispiel: „Wie sich die Witterung vom Christtag bis hl. Dreikönig verhält, so ist das ganze Jahr bestellt" (Eifel). Vgl. Bauernpraktik. β) Eine Reihe meist kirchlicher Festtage: Lichtmeß (2. 2.), Mamertus, Pankratius, Servatius (11.—13. 5.), Urban (25. 5.), Medardus (8. 6.), Johannistag (24. 6.), Siebenschläfer (27. 6.), Maria Heimsuchung (2. 7.), Elias (20. 7.), Lorenz (10. 8.), Bartholomäus (24. 8.), Ägidius (1. 9.), Michaelis (29. 9.), Gallus (10. 10.), Lukas (18. 10.), Allerheiligen (1. 11.), Martini (11. 11.), Luzia (13. 12.; ehemals 25. 12.), Weihnachten (25. 12.). Ein Teil der zu diesen Tagen gedichteten Regeln besteht mit seinen Beobachtungen und Weissagungen der Witterung zu Recht: vor allem die an Weihnachten und den Johannistag angeknüpften Prophezeiungen, da mit der in diese Zeit fallenden Sonnenwende Witterungswechsel einzutreten pflegt. Die in diesen Versen geweissagte Länge von Regenperioden ist in ihrer Zahlangabe oft allerdings nur durch den Reim bedingt und entbehrt so jeder Beobachtungsgrundlage. Bei den hier verwendeten Zahlen spielt 40 eine große Rolle (wohl biblischen Ursprungs; vom Sintflutregen abgeleitet?). Außerdem beachte man, daß den B.n, die an die Lostage anknüpfen, der alte Cäsarische Kalender zugrunde liegt; zu dem heutigen Datum sind also stets 12 bzw. 13 Tage hinzuzuaddieren. Diese Feststellung ist das wichtige Ergebnis der großen Sammlung und Bearbeitung landwirtschaftlicher Volksweisheit in Sprichwort und Wetterregelform, die A. Yermoloff durchführte. Yermoloff hat den zwingenden Beweis liefern können, daß weitaus die meisten Regeln bis über das 16. Jh. zurückreichen und bis auf den heutigen Tag eine uralte, durch Gregors Kalenderreform (1582) ungebrochene Volkstradition darstellen (A. Yermoloff, Der landwirtschaftliche Volkskalender 1905, 13 f.). Zur Illustrierung auch hier wieder einige Beispiele: „Wenn an Lichtmeß die Sonne scheint, dauert der Winter noch lang" (Oelsnitz: Voigtland). „Nach Pankraz und Servaz schaden die Nachtfröste den Früchten nicht mehr" (allgemein). „Wenn es am Tage der Siebenschläfer regnet, so hat man vier Wochen lang Regen zu erwarten" (Planschwitz, Voigtland). „Egide Sonnenschein, tritt schöner Herbst ein" (Oelsnitz: Voigtland) usw.

Als 3. Gruppe nannten wir die Wind-, Blitz- und Donnersprüche. Beispiele: a) „Wie der Wind am 3., besonders aber am 4. und 5. Tage nach dem Neumond ist, so weht er den ganzen Monat hindurch." Diese auf Tage berechneten Windsprüche scheinen wieder auf antike Einflüsse zurückzugehen; auch das Altertum kennt Monats- und Jahresweissagungen aus den am Anfang des Zeitabschnittes wehenden Winden (s. Prognostikum, Bauernpraktik). Deutscher Beobachtung aber verdanken Regeln ihre Entstehung wie: „Wind vom Niedergang ist Regens Aufgang; Wind vom Aufgang,

schönen Wetters Anfang" oder „Großer Wind ist selten ohne Regen".

b) „Wenn es im Westen blitzt, so blitzt es nicht um Nichts; wenn es aber im Norden blitzt, so ist es ein Zeichen von Hitz." Auch in diesen Sprüchen möchte man antike Einflüsse aus den Blitzbüchern (s. Blitz) vermuten. Antike Einflüsse sind gleichfalls wohl für die Donnerweissagungen maßgebend; wenn man Sprüche hört wie: „Wenn es donnert über dem nackten Holz, kommt der Schnee über das belaubte", oder: „Von wo im Frühjahr der erste Donner herkommt, von dort kommen im Sommer die gefährlichsten Wetter", oder: „Wenn es im Märzen donnert, wird es im Winter schneien", muß man an Verwandtes aus der antiken Literaturgattung der Donnerbücher (s. Donner) denken.

Unter den an atmosphärische Erscheinungen angeknüpften Regeln spielt auch der Regenbogen (s. d.) keine unbedeutende Rolle: „Regenbogen am Morgen, macht dem Schäfer Sorgen, Regenbogen am Abend, ist dem Schäfer labend", oder: „Zeigt sich ein Regenbogen, wird für den Augenblick schönes Wetter, bald regnets aber nach Ungnaden".

Die letzte Gruppe umfaßt die Regeln, die sich auf Erscheinungen der Tier- und Pflanzenwelt beziehen. Beispiele: „Wenn die Bäume zweimal blühen, wird sich der Winter bis Mai hinziehen." „Wenn im Hornung die Mücken schwärmen, muß man im März die Ohren wärmen." Oder man erkennt die Witterung für die folgenden Tage aus dem Tun gewisser Kleintiere. So sagt der Bauer den Regen voraus, wenn er die Frösche schreien hört, wenn die Taube badet, die Gänse auf einem Fuß stehen, Hühner die Schwänze hängen lassen, Regenwürmer aus der Erde kriechen, wenn die Bienen sich nicht weit vom Bienenstock entfernen, massenhaft leer zurückfliegen usw.

Die eigentlich astrologischen Witterungsregeln spielen heute wohl kaum mehr eine Rolle. Die Kenntnis der andern Regeln wird aber bis auf unsere Tage durch die jährlich erscheinenden Bauernkalender, ferner durch die 100jährigen Kalender wachgehalten; diese Kalender sind neben dem Kreisblatt die fast tägliche, aber auch einzige Lektüre des Landmanns. Wie wichtig dem Bauern die Regeln dieser Kalender sind, mag ein Fall aus dem Jahre 1779 beweisen: Der von der Berliner Akademie der Wissenschaften herausgegebene und auf astrologischen Voraussetzungen aufgebaute 100jährige Kalender enthielt bis 1779 die astrologischen Regeln. Dann versuchte die Akademie, das unnütze Zeug fortzulassen; aber bereits 1781 mußte man es wieder aufnehmen, da der Kalender nicht gekauft worden war. Und dieses Traditionsbewußtsein ist in abseits gelegenen Dörfern bis zum heutigen Tage erhalten geblieben. — Im letzten Grunde geht die ganze Weisheit dieser Kalender auf die Praktikliteratur des späten MA.s zurück (s. Prognostikum), unter der das berühmteste Buch die schon erwähnte Bauernpraktik (s. d.) von 1508 ist. Ferner ist für die Verbreitung der Regeln, die übrigens schon lange vorher im Volksmunde umgegangen sein müssen, Reynmanns Wetterbüchlein (s. d.) von 1510 wichtig. Die Textgeschichte (s. Bauernpraktik II) dieser beiden Schriften läßt über die Macht des Glaubens an diese Sprüche manches ahnen. Während die Bauernpraktik im wesentlichen auf astrologischen Voraussetzungen aufgebaut ist, bringt das Wetterbüchlein vor allem die auf atmosphärische Erscheinungen gegründeten Beobachtungen. Ganz astrologisch fundiert ist das Calendarium perpetuum des Langheimer Abtes Knauer von 1701 (s. Kalender).

Eine Bearbeitung der B. unter starker Benützung antiker Parallelen — sicher sind Vergils Georgica, Germanicus Aratea, vielleicht auch Arats Diosemeia von Einfluß gewesen (s. Bauernpraktik II) — gibt es nicht. Inwieweit psychologische Unterschiede der Zeiten und Gegenden sich herausarbeiten lassen, und darauf müßte der Bearbeiter unbedingt achten, da sich manches für den deutschen Volksglauben daraus ergeben wird, z. B. in der Wahl der Bilder und Vergleiche usw.,

vermag ich natürlich noch nicht zu sagen.

Als Grundlage für eine derartige Arbeit kämen die großen Sammlungen der B. in Betracht, die für deutsche und ausländische B. A. Yermoloff *Der landwirtschaftliche Volkskalender* (1905) unter besonderer Berücksichtigung der russischen B. machte. Ferner G. Hellmann *Über den Ursprung der volkstüml. Wetterregeln.* Berl. Sitzber., phys.-math. Kl. 1923, 148 ff.; Reinsberg-Düringsfeld *Das Wetter im Sprichwort.* Leipzig 1864. Mit Literaturverzeichnis. Einzelne Gebiete Deutschlands: Köhler *Voigtland* Kap. X; Leoprechting *Lechrain* 154 ff.; MschlesVk. 6 (1899), 13 ff.; Kück *Wetterglaube in der Lüneburger Heide.* Hamburg 1915; R.-O. Frick *Le peuple et la prévision du temps:* SAVk. 26 (1926). Über die Fragen antiker Tradition der B. gibt Anregungen G. Hellmann *Wetterweisheit des Volkes.* Deutsche Rundschau 1924, 1. Teil, 45 ff.   Stegemann.

Baum.

1. Kultische Verehrung. — 2. B. als „Seelensitz". Opfer an den Baumgeist. — 3. Anthropogene Mythen. Kleinkinderbäume. — 4. Wesensgleichheit von Mensch und B.; Lebens- und Schicksalsbäume. — 5. Übertragung der Vegetationskraft des B.es auf den Menschen. — 6. B. im Orakelwesen. — 7. Übertragen von Krankheiten auf B.e. Verpflöcken von Krankheiten.

1. Die kultische Verehrung des B.es, die sich bei allen indogermanischen Völkern nachweisen läßt, ist jedenfalls aus verschiedenen Wurzeln entsprungen[1]). Ausführlich über diese Fragen haben gehandelt Boetticher[2]), Mannhardt[3]), Wundt[4]), J. H. Philpot[5]), Frazer[6]), Grant Allen[7]), Tylor[8]), Weniger[9]), Höfler[10]). Über Aberglauben, der sich auf bestimmte B.e bezieht, vgl. die betr. Stichwörter, z. B. Apfel(baum), Buche, Eibe, Eiche, Esche, Linde, Hasel, Holunder, Kirsche, Walnuß(baum), ferner Obstbaum (hier besonders der auf Fruchtbarkeitskulte bezüglichen Aberglauben), Rute, Weihnachtsb., Yggdrasil, Zweig.

[1]) Hoops *Reallex.* 1, 181 f. [2]) *Der Baumkult der Hellenen.* 1856. [3]) *Wald- und Feldkulte der Germanen²*. 2 Bde. 1904/05. [4]) Z. B. *Völkerpsychologie* 4.—6. Band: Mythus und Religion, 1. Band³ 1920, 2. und 3. Band² 1914/15, 1, 165 ff. 510; 2, 231 ff. [5]) *The sacred Tree or the Tree in Religion and Myth.* London 1897, 179. [6]) Z. B. *Golden Bough* 2, 12 ff.; *Totemism* 4, 374. [7]) *The Attis of Caius Valerius Catullus.* London

1892, vgl. ZfVk. 3, 98. [8]) *Anfänge der Cultur*, ins Deutsche übertragen von S p r e n g e l und P o s k e 2, 116. 224. 458. [9]) *Altgermanischer Baumkultus.* Leipzig 1919, vgl. Phil. Woch. 40, 170—200. [10]) *Wald- und Baumkult in Beziehung zur Volksmedizin Oberbayerns.* München 1894.

2. Der B. gilt als S e e l e n s i t z, eine Vorstellung, zu der in einzelnen Fällen wohl die Sitte, daß Sterbende sich im Wald verbargen, Anlaß gegeben hat [11]). Der Wald (s. d.) gilt überhaupt als Aufenthaltsort der Abgestorbenen. Der B., der aus der Erde [12]) hervorsprießt, und besonders der aus den Gräbern Verstorbener [13]) hervorwachsende B. soll die Seele beherbergen. In der Sage wird der Geist in den B. gebannt [14]). Die Hexen halten sich zwischen Rinde und Holz des B.es auf [15]). Auf die Anschauung des B.es als eines beseelten Wesens gehen vielfach abergläubische Bräuche zurück. Der Holzfäller bittet den B., den er fällen will, vorher um Verzeihung [16]). Aus dem mit der Axt verletzten B. quillt Blut hervor [17]). Dem B.geist werden Opfer dargebracht [18]), die „oblationes ad arbores" werden häufig in alten Bußbüchern erwähnt [19]).

[11]) W u n d t *Mythus und Religion* 1, 165; vgl. auch F r a z e r 2, 29 ff. [12]) Als Wohnung der Unterirdischen: die Zwerge wohnen unter Bäumen vgl. M a n n h a r d t 1, 60 f. [13]) W u n d t *Mythus und Religion* 1, 167; K o b e r s t e i n im Weim. Jb. 1, 73 ff.; K ö h l e r ebd. 479 = *Kl. Schr.* [14]) Z. B. H e r z o g *Schweizersagen* 2, 42; H e s e m a n n *Ravensberg* 103; M e i c h e *Sagen* 125; vgl. G r i m m *Myth.* 2, 544 f. [15]) A l p e n b u r g *Tirol* 266. [16]) S a r t o r i *Sitte u. Brauch* 2, 165; H e p d i n g *Attis* 133. [17]) Z. B. F r a z e r 2, 18; M a n n h a r d t 1, 34 f.; S c h ö n w e r t h *Oberpfalz* 2, 335; Urquell N. F. 1, 67 f.; H ö f l e r *Waldkult* 5. 25. 57; G u n k e l *Märchen* 42; H e p d i n g *Attis* 106; W u n d t *Mythus und Religion* 1, 167; SAVk. 2, 108. [18]) G r i m m *Myth.* 1, 540 f.; M a n n h a r d t 1, 59 f.; K o l b e *Hessen* 109; J a h n *Opfergebräuche* 205 ff.; L i e b r e c h t *Zur Volksk.* 8; ZfrwVk. 1, 59. [19]) M a n n h a r d t 1, 71.

3. Bei vielen Natur- und Kulturvölkern sind Mythen bekannt, nach denen die Menschen aus B.en entstanden sind. Die Edda (Völuspa) läßt die ersten Menschen aus askr (Esche, s. d.) und embla (Ulme?) entstehen [20]). Möglicherweise beruht dieser Schöpfungsmythus auf totemistischer Grundlage [21]). Damit wäre die Volkssage zu vergleichen, daß die kleinen Kinder aus B.en kommen [22]). Die Hebamme holt die kleinen Kinder aus einem bestimmten hohlen B. (in der Schweiz „Kindlib." genannt) [23]).

[20]) G r i m m *Myth.* 1, 465; S c h ä f e r *Verwandlung* 6 ff.; H e l m *Relig.gesch.* 1, 160 f.; F r a z e r [2] 1, 188; v. d. L e y e n *Sagenbuch* 1, 74. [21]) H e l m *Relig.gesch.* 1, 157 ff. [22]) W o l f *Beitr.* 1, 170; S c h w e b e l *Tod und ewiges Leben* 22 ff.; M e y e r *Germ. Myth.* 86. [23]) W o l f *Beiträge* 2, 358; ZfdMyth. 2, 92; L ü t o l f *Sagen* 366 f. 550; SchwVk. 3, 78; M e y e r *Baden* 9. 14.

4. Tief eingewurzelt ist der Glaube an eine W e s e n s g l e i c h h e i t von Mensch und B. Gewisse B.e werden mit „Frau" angeredet, z. B. die Hasel als „Frau Hasel" [24]). Der Holunder wird in Krankheitsbeschwörungen mit „Herr Flieder" begrüßt [25]). Im allgemeinen gelten die B.e (Fruchtbarkeit) als w e i b l i c h [26]). Die B.e reden und singen [27]). Was dem Familien- oder Schutzb. geschieht, das geschieht auch dem Menschen [28]). Das Verdorren des „Lebensbaumes" bedeutet auch den Tod seines Besitzers [29]). Der B., an dem sich einer erhängt hat, verdorrt ebenfalls [30]). Den B.en wird, wie den Haustieren, der Tod ihres Besitzers angesagt und sie werden geschüttelt, damit sie nicht absterben [31]). Häufig besteht die Sitte, daß für den Neugeborenen ein Bäumchen gepflanzt wird. Wie dieses gedeiht, so gedeiht auch das Kind [32]). Der Alp drückt nicht nur Menschen, sondern auch B.e [33]).

[24]) M a n n h a r d t *Germ. Mythen* 475. [25]) Ebd. 1, 20. [26]) F e h r l e *Kult. Keuschheit* 166; K o l b e *Hessen* 94. [27]) S c h ö n w e r t h *Oberpfalz* 2, 335; ARw. 17, 132 ff. [28]) M a n n h a r d t 1, 50. 53; P f a n n e n s c h m i d *Erntefeste* 572 f.; ZfVk. 8, 141; S c h w e b e l *Tod und ewiges Leben* 24 ff. 28 f. [29]) M e i c h e *Sagen* 11; P a n z e r *Beitrag* 1, 266; R o c h h o l z *Kinderlieder* 287; J o h n *Erzgebirge* 184. [30]) ZfrwVk. 1, 63; 3, 210. [31]) F r i s c h b i e r *Hexenspr.* 132; Urquell 1, 10. [32]) Z. B. ZfrwVk. 5, 226. [33]) K ü h n a u *Sagen* 3, 138 ff.; M e y e r *Germ. Myth.* 121.

5. Die dem B.e innewohnende Vegetationskraft kann auf magische Weise Menschen und Tieren mitgeteilt werden. Über die hieher gehörigen V e g e t a t i o n s - bzw. F r u c h t b a r k e i t s - k u l t e und den sich daran knüpfen-

den Aberglauben vgl. Lebensrute, Maib., Obstb., Palmzweig.

6. Aus den obenerwähnten Anschauungen über den B. als Geistersitz, als beseeltes Wesen, als ein Wesen, dessen Wurzeln in die Tiefe, den Sitz der Unterirdischen, reichen, als Symbol und Verkörperung der Fruchtbarkeit entspringt die Verwendung des B.es im O r a k e l - w e s e n [34]. Ähnlich wie die Priester der griechischen Antike aus dem Rauschen der Zeuseiche in Dodona die Stimme des Gottes vernahmen und daraus weissagten, so werden auch im deutschen Volksglauben die B.e häufig als weissagend gedacht. Besonders verbreitet ist die Sage vom dürren B. (s. d.), dessen Grünen die kommende Weltschlacht ankündigt [35]. Andere B.e (besonders Obstb.e) wieder werden im L i e b e s o r a k e l gebraucht, sie werden in der Andreasnacht usw. geschüttelt; aus welcher Gegend dann ein Hund bellt, aus der wird der künftige Freier erscheinen (vgl. Apfel-, Birn-, Zwetschgenb.). Ungewöhnliche Blütezeit von B.en sagt Unglück voraus [36]. Hört man im Wald einen B. krachend fallen, so ist es eine böse Vorbedeutung [37].

[34] Vgl. auch P h i l p o t a. a. O. 93—108. [35] M e y e r *Germ. Myth.* 86 f.; Z u r b o n s e n *Die Völkerschlacht am Birkenbaum* [3]. Köln 1910; vgl. auch Birke, Birnbaum. [36] ZfdMyth. 1, 236; vgl. auch Apfelbaum. [37] Urquell 5, 88.

7. In der V o l k s m e d i z i n dienen viele B.e zum Ü b e r t r a g e n von K r a n k h e i t e n, die Krankheit wird in den B. gebannt [38]. Ganz allgemein werden die Krankheiten auch in den Wald verbannt [39]. Gegen Gicht wird ein Gichtbaum gesetzt, mit dessen Wachsen die Krankheit abnimmt [40]. Ebenso werden die Krankheiten in B.e verkeilt oder verpflöckt [41]. Die ersten ausgefallenen Zähne eines Kindes müssen in einen hohlen B. geworfen werden, das schützt gegen künftiges Zahnweh [42]. Besonders gerne werden Finger- und Zehennägel, Haare, aber auch Kleidungsstücke (oder Fetzen davon) des Kranken in den B. verbohrt. Kleidungsstücke werden auch an den B. („Lappenb.e") [43] gehängt. Eiserne Nägel werden in den B. geschlagen, um das

Zahnweh zu vertreiben [44]. Gegen Zahnweh nimmt man ein Stück Holz von einem blitzgetroffenen B. und stochert mit einem Splitter davon den schmerzenden Zahn blutig [45]. Ähnlich schreibt P l i n i u s [46], daß man gegen Zahnschmerzen aus einem vom Blitz getroffenen Holz mit den auf den Rücken gelegten Händen (das Holz darf also nicht mit der Hand berührt werden!) etwas herausbeißen und an den Zahn halten müsse. Kranke kriechen durch B.e, die von Natur oder künstlich gespalten sind, oder sie werden hindurchgezogen (s. durchkriechen).

[38] G r i m m *Myth.* 2, 979; M a n n h a r d t 1, 20; H o v o r k a u. K r o n f e l d 1, 116 f.; BayHefte 10, 35 ff. [39] ZfVk. 5, 25. [40] E n g e - l i e n u. L a h n 267. [41] Literatur z. B. bei Z a h l e r *Simmental* 93. [42] R o c h h o l z *Kinderlieder* 337. [43] H o v o r k a u. K r o n f e l d 1, 267. [44] A n d r e e *Braunschweig* 420; vgl. auch H o - v o r k a u. K r o n f e l d 2, 874. [45] Z. B. A n d r e e *Braunschweig* 422; ein Span von einem solchen Holz bei sich getragen, macht stark: W u t t k e 97. [46] *Nat. hist.* 28. 45. Marzell.

Baum s. d ü r r e r B a u m.

Baumgans, nach der einen (häufigeren) Überlieferung die B e r n i k e l g a n s (Brehm [1]): auch Nonnen-, See-, Nordgans, Branta leucopsis *Bechst.*; Leunis [2]): Bernicla leucopsis; Carus [3]): Anser bernicla), nach anderer die R i n g e l g a n s (Brehm: auch Bronk-, Kloster-, Rottgans, Branta bernicla *Linn.*, Anser torquatus; Leunis: Bernicla brenta *Steph.*, Anser torquatus *Frisch*). So verworren, wie die zoologische Bestimmung der B. [4], ist die anscheinend in Deutschland nie Volksglaube gewordene Sage von ihrer Entstehung aus Baumfrucht oder aus Muscheln. Der Ursprung der Sage ist noch unaufgeklärt [5], aber beide Vorstellungen sind wohl im 12. und 13. Jh. aus Irland oder England in Nordeuropa eingedrungen. Der älteste sichergestellte Bericht findet sich in den arabischen Reisenotizen aus dem 10. Jh., die Qawzini überliefert [6]): „Am Strande des Meeres der Insel Schâschîn [7]) wachsen Bäume, und bisweilen stürzen die Ufer ab, und ein Baum fällt ins Meer und schwankt infolge der Wogen, bis sich ein weißer Nebel bildet.

Das geht dann so fort und der Nebel nimmt zu, bis er sich in Gestalt eines Eis zusammenballt. Dann furcht sich das Ei in Gestalt eines Vogels: nur mit seinen beiden Füßen und mit seinem Schnabel haftet er noch fest. Wann dann Allah will, daß der Wind ihn anbläst, werden seine Federn erzeugt, und es lösen sich Füße und Schnabel vom Holz. So wird er ein Vogel, der über das Meer an der Oberfläche des Wassers dahinschießt. Niemals findet man ihn lebendig; wann aber das Meer brandet, wirft ihn das Wasser an den Strand, welcher al-ġaṭṭâsa (der Taucher) genannt wird. Ahmed ibn ʿOmer al-ʿUhdrî / erzählt: Ein Mann brachte ein Holz, an dem sich schon ein Ansatz zu Eiern gebildet hatte, einem König, und der König befahl, darüber einen Kuppelbau, ähnlich einem Käfig zu bauen und es im Wasser zu lassen, und unausgesetzt blieb es am Ufer, bis sich die Vögel von dem Holze lösten innerhalb des Kuppelbaues." Weitere Berichte in den Otia imperialia des G e r v a s i u s von Tilbury (c. 1210)[8]), nach welchem es an der Meeresküste von Kent bei Faversham weidenartige Bäume gebe, in deren Früchten Vögel wüchsen, die dann, größer gewachsen, ins Meer fielen. Diese bekämen die Größe einer mittelmäßigen Gans und würden in Fastenzeiten gegessen. Das Volk heiße den Vogel Barnet(a). Ähnliches berichtet S i l v e s t e r Giraldus (Cambrensis, geb. 1146)[9]). Nach Angabe des J a c o b u s de V i t r i a c o († 1240)[10]) sollen die B.e an der flandrischen Küste entstehen. T h o m a s Cantimpratens i s († 1270)[11]), der sich auf Aristoteles beruft[12]), sagt: „die Barliaten (barliates) wachsen auf Bäumen; es sind die Vögel, welche das Volk Barnescas nennt"; ähnlich V i n c e n t i u s Bellovacens i s[13]): De Barliathe (nachher: Bartlathes) sive Berneka. K o n r a d v. M e g e nb e r g, der in seinem „Buch der Natur" (c. 1350) sonst Thomas Cant. folgt, braucht die uns unerklärlichen Namen B a c h a d(is), w e k: (ed. Pfeiffer, S. 172):

„Bachadis haizt ain bachad und haizt etswâ ain wek. daz ist ain vogel der wehst von holz,

und daz holz hât vil äst an im, dar auz die vogel wachsent, alsô daz ir zemâl vil an dem paum hangt. die vögel sint klainer wan die gens und habent füez sam die änten, si sint aber swarz an der varb reht sam aschenvar. si hangent an den paumen mit den snäbeln und hangent an den rinden und an den stammen der paum. si fallent pei zeit in daz mer und wahsent auf dem mer, unz si beginnent ze fliegen. etleich läut âzen die vogel, aber Innocentius der vierd pâbist des namen verpôt die selben vogel in einem concili ze Lateran."

A l b e r t u s M a g n u s (1193—1280) tut bei der Beschreibung der verschiedenen Gänsearten den Aberglauben mit den Worten ab: „(genus) quod vulgus dicit nasci de arbore"[14]). Auch R o g e r B a c o n soll ihn (lt. Carus 193) ablehnen.

Wann zuerst die Ansicht von der Entstehung aus der M u s c h e l Lepas anatifere aufgetaucht ist, vermag ich nicht zu sagen. Im 16. Jh. kommt sie bei verschiedenen Schriftstellern vor. So O l a u s M a g n u s, C. G e s n e r[15]), S e b. M ü n s t e r[16]), J o h n G e r a r d (e) u. a.[17]). Interessant ist namentlich dieses letztern „Herbal" (1596)[18]), weil er behauptet, die aus Muscheln entstandenen Vögel selbst gesehen zu haben.

Ferner berichtet der Basler T h o m a s P l a t e r der Jüngere 1599 in seiner englischen Reise, die handschriftlich auf der Universitätsbibliothek Basel aufbewahrt wird, daß er sowohl die Muscheln als einen Kopf dieser B. gesehen habe:

„Der Baumgänsen, wie ich naher Basel aus Languedock einen Krug voller Muschlen verschickt habe, hadt es in Engellandt, sonderlich aber in Schodtlandt auch viel. Und wagsen solche muschlen an alten beümen, schiffen, steinen und anderstwo, da sich der samen hinsetzen (?), werden erstlich kleine muschlen, die nach vnndt nach zunemmen biß endtlich die muschlen aufgeht vnndt wie auß einem Ey ein Baumgans (Bernick) herfür kompt vnndt schön groß halb weiß halb schwartz oder eschenfarb wirdt, wie dann solches glaubwirdige leut, vnndt ich einen rechten kopf solcher gans gesehen hab."

Die Anschauung schleppte sich weiter durch das 17. u. 18. Jh.; ja noch i. J. 1801 war in London „the wonderful goosetree or barnacle-tree, a tree bearing geese" ausgestellt.

Vermutlich handelte es sich bei diesen gänseerzeugenden Muscheln um die sog.

Entenmuscheln, die Pedunculaten, eine Unterordnung der Cirripedien, welche jedem Badegast am Meere bekannt sein dürften und in großer Menge an Pfählen und Baumstämmen hängen. Da nun die Gänse plötzlich an jenen Küsten an den Orkadeninseln erscheinen und bald wieder verschwinden, glaubte das Volk, jene Muscheln mit den federartigen Füßchen wären die jungen Gänschen, die dann schließlich aus der Schale hervorkröchen. Der Forscher Wilhelm B a r e n t z , ein Holländer, sah jedoch 1595 diese Rotgänse in Grönland brüten und klärte die Sage auf.

Ausführlich handeln ferner über die B.e: Mich. M a i e r *Tractatus de volucri arborea absque patre et matre in insulis Orcadum forma anserculorum proveniente...* Francof. 1619 (zitiert P l u t a r c h, der aber, wie A r i s t o - t e l e s, nur von der Entstehung [19]) der Insekten aus oder in Bäumen spricht); F. B a s - s e t t *Legends and Superstitions of the Sea and of Sailors.* Chicago 1885, revised 1892, der die älteren Berichte zusammengestellt hat oder aus L a n d r i n *Les monstres marins* entnimmt. Auch M a x M ü l l e r hat in seinen *Lectures on the Science of Language*, 2nd series, 1864, 533—51 die Sage und den Namen von der Bernikelgans behandelt.

Der von Liebrecht [20]) beigezogene Bericht Wilhelms v. Malmesbury (c. 1095 bis c. 1142) l. 2, c. 8, 58, wonach König Edgar von England, „dum ad cacumen arboris oculos intendit, vidit poma, unum et alterum, delapsa in fluvium, quorum collisione bullis aquatilibus inter se crispantibus, vox articulata insonuit: ‚Well is thee‘, i. e. bene est tibi‘‘, scheint fernzuliegen.

[1]) *Tierleben* 6, 263. [2]) *Synopsis* § 332, 2. [3]) *Zoologie* 190. [4]) Heute heißt die auf Bäumen nistende Gans *Alopochen Stejn* (B r e h m 6, 250), die aber offenbar mit unserer sagenhaften auf Bäumen w a c h s e n d e n B. nichts zu tun hat. [5]) C a r u s *Zoologie* 193 f. zitiert ein andern *Zoologie* 193 f. zitiert unter P e t r u s D a m i a n u s („Insel Thilon in Indien‘‘), die cabbalistische Schrift S o h a r und S c h u l c h a n A r u c h , was auf Ausbreitung im Orient schließen läßt. [6]) G e o r g J a c o b *Arabische Berichte von Gesandten an germanische Fürstenhöfe aus dem 9. u. 10. Jh.* (Berlin 1927) S. 32. [7]) In „Schâschîn‘‘ vermutet Jacob „Sachsen‘‘ = England, H o l t - h a u s e n in Germ.-Rom. Monatschrift 15 (1927), 380: Irland. [8]) *Tertia Decisio*, cap. 123. Dazu die Anm. von L i e b r e c h t in s. Ausgabe, S. 163. [9]) *Topographia Hiberniae* cap. 11: De Bernacis ex abietibus nascentibus (nach C a r u s *Zoologie* 191 A. 162). [10]) In der *Historia Hierosolymitana*, abgedruckt in den *Gesta Dei per Francos.* Hanoviae 1611, 1112 (n. C a r u s

192, A. 163). [11]) *De natura rerum* (n. C a r u s 192, ohne genaues Zitat). [12]) Bei Aristoteles ist nur die Entstehung von I n s e k t e n aus faulendem Holz erwähnt. [13]) *Speculum naturale* 16, 40. [14]) *De animalibus* ed. Stadler 23, 22. [15]) *Vogelbuch.* Frankf. 1600, 73 (zitiert in einem längeren Bericht T u r n e r u s , G y r a l - d u s , E l i o t a , O l a u s , M ü n s t e r , S a x o , A r i s t o t e l e s , A l b e r t u s [als ablehnend], B o e t h i u s [d. i. B o è c e *Cosmographie of Albioun* 1541]). [16]) *Cosmography* Basel 1544, 40, wo noch ein Holzschnitt beigegeben. [17]) Über die Verbreitung der Überlieferung im 16. u. 17. Jh. s. G. F u n c k (resp. G. S c h m i d t) *De avis britannicae vulgo anseris arborei ortu et generatione.* Regiomonti 1689; J. E. H e r i n g (resp. Joh. Junghans) *De ortu avis britannicae.* Witebergae 1665. — Ferner G r ä s s e *Beitr. z. Kunde des MA.s* 1850, 80 (nach L i e b r e c h t *Gervasius* 163). [18]) s. K. K n o r t z *Vögel* 37 f.; S w a i n s o n *Folk-Lore of British Birds* (London 1886) 150. [19]) *Vögel* 38 Anm. [20]) *Gervasius* 163 unten.

Hoffmann-Krayer.

Baumhacker s. S p e c h t.

Bauopfer. Das B.[1]) ist ein über die ganze Erde und bei Völkern aller Kulturstufen verbreiteter Brauch. Wir finden ihn in China, Japan, Indien, Siam, Borneo, in Afrika, bei den Semiten, auf Neuseeland, Tahiti, Hawaii, den Fidschi-Inseln und den Chibchas in Südamerika. Bei allen europäischen Völkern ist es im MA. verbreitet und lebt vielfach noch bis zur Gegenwart in einzelnen Bräuchen [2]). Der Glaube, jeder Neubau fordere ein Opfer, beruht auf dem Gedanken, daß dämonische Mächte (Erd- und Flußgötter) versöhnt werden müssen, in deren Herrschaftsbereich der Mensch durch seine Bauten eingreift. So besteht in Schottland der Glaube, daß bei großen Bauten, z. B. alten Burgen, Menschenopfer Gebrauch seien. Eine gaelische Tradition, daß zur Versöhnung der Geister des Bodens bei einem Klosterbau ein Mensch eingemauert sei, zeigt noch deutlich den ursprünglichen Sinn des B.s [3]).

Besonders bei slawischen Völkern ist das B. bis zur Gegenwart als Brauch erhalten [4]).

Zweifellos waren die ursprünglichen B. Menschen, die lebend in die Fundamente eingemauert wurden [5]). Besonders das Opfer von Kindern ist hier außerordentlich häufig [6]). Bei weiterer Entwicklung

mildert sich der Brauch; es treten Tiere [7]),
Eier, Geld [8]), Spielkarten [9]), sogar der
Schatten [10]) als B. auf und allerlei Ab-
lösungsbräuche [11]) lassen das Opfer ganz
zurücktreten.

Besonders das Kinderopfer bei Bauten
tritt stark hervor in Sagen wie auch
in Funden. Durch Einmauern eines Kindes wird eine Burg unüberwindlich gemacht [12]), und bei Dammbrüchen gelingt
das Schließen der Lücke erst durch das
Hineinwerfen eines Kindes, das bisweilen
von armen Müttern oder Zigeunerinnen
dazu gekauft wird [13]). Das Kinderopfer
soll öfter freiwillig gebracht sein [14]). Auch
zum Tode Verurteilte kommen als B.
vor [15]).

S. a. A b w e h r z a u b e r 5 (1, 146 f.);
E i n m a u e r n; K i n d e r o p f e r.

[1]) Als allgemeine Darstellungen vgl. T y l o r
Cultur 1, 94 ff.; F r a z e r 3, 90 ff.; A n d r e e
Parallelen 1 (1878), 18 ff.; G r i m m *Myth.* 1,
37; 2, 813. 956 ff.; 3, 451 Nr. 499; R. M. M e y e r
Relig.gesch. 200 f. 426; R e u s c h e l *Volkskunde* 2, 61; B ö c k e l *Volkssage* 144 f.;
S c h w e n n *Menschenopfer* 197; J a h n *Opfergebräuche* 340; S o l d a n - H e p p e 2, 425;
L e w a l t e r - S c h l ä g e r 2, 254 A; K u h n
u n d S c h w a r t z 77. 479; M e i c h e *Sagen*
444 Nr. 580, 933 Nr. 1140; H e l l w i g *Aberglaube* III ff.; S t r a c k *Blut* 203; S a r t o r i
2, 195; ZfEthnol. 30 (1898), 1 ff.; Kurt K l u s e -
m a n n *Das Bauopfer. Eine ethnographisch-
prähistorisch-linguistische Studie.* Graz 1919.
[2]) L i e b r e c h t *Zur Volksk.* 287. Für Indien:
Urquell 4 (1893), 195; C r o o k e *Northern
India* 297; ZfVk. 23 (1913), 149. Semiten:
M a r t i *Altes Testament* 27; Urquell 5 (1894),
188; S e l i g m a n n 2, 291; Siam: L i p -
p e r t *Christentum* 457. [3]) L i e b r e c h t *Gervasius* 170 [4]) K r a u ß *Religiöser Brauch* 158 ff.;
Mitteil. d. Anthropol. Ges. in Wien 17 (1887),
16 ff.; K a i n d l *Hausbau und Bauopfer bei den
Ruthenen* in Urquell 1, 83 f. und ZfVk. 1 (1891),
114; für Polen: Urquell 3 (1892), 165; S t r a u ß
Bulgaren 511. [5]) Einmauerung eines Gefangenen
im Detmolder Schloß: ZfrwVk. 9 (1912), 229.
Menschenopfer bei Deichbruch im friesischen
Recht: Urquell 2 (1891), 190. [6]) Kinderopfer
bei Bauten: A n d r e e *Parallelen* 1 (1878), 18;
Urquell 2 (1891), 110; S t r a c k e r j a n 1,
126. 133; B a r t s c h *Mecklenburg* 1, 283;
S c h u l e n b u r g *W. S.* 39; K u h n *Westfalen* 1, 115 Nr. 122. Bei Brückenbau: W u t t k e
§ 440; W i t z s c h e l *Thüringen* 1, 281 Nr. 5;
2, 63 Nr. 74; B e c h s t e i n *Thüring. Sagenbuch* 1, 92. 246. [7]) Urquell 2 (1891), 110; 3
(1892), 165. 209. 233; 4 (1893), 195; D r e c h s -
l e r *Schlesien* 2, 1; J o h n *Oberlohma* 164;

Frischbier *Hexenspr.* 106; S c h e f t e l o -
w i t z *Huhnopfer* 20. 66. [8]) Urquell 2 (1891),
190. [9]) Karten verschiedener Farben bei Stall-
bau eingemauert: J o h n *Westböhmen* 245.
[10]) W i t t s t o c k *Siebenbürgen* 60; ZfVk.
21 (1911), 111. [11]) S e l i g m a n n 2, 285;
ZfEthnolog. 1898, 49; ZfrheinVk. 5 (1908), 173.
[12]) S c h a m b a c h u. M ü l l e r 326 Nr. 6
(Anm.); G r i m m *Myth.* 2, 956; M ü l l e n -
h o f f *Sagen* 331; G r i m m *D. S.* 182. [13]) Urquell 2 (1891), 189 f. 25; S t r a c k e r j a n 1,
127 f.; W u t t k e 300 § 440; [14]) M ü l l e n -
h o f f *Sagen* 242 Nr. 331 [15]) W i t z s c h e l
Thüringen 1, 282 Nr. 280.　　　　　Stübe.

bäuten s. b e s p r e c h e n.

Bazarachiel, Stammgeist [1]), einer der
mit El-Gott zusammengesetzten Geister-
und Engelnamen. Es ist wohl eine mit
Einfügung der Silbe ζα gebildete Erweiterung von בְּרַכְאֵל Βαραχιήλ, Vulg. Barachel
Hiob 32, 2, d. i. „Gott hat gesegnet".
Oder es ist an den Namen des Engels
Baragiel Βαραχιήλ [2]) zu denken, der auf
בְּרַקִי־אֵל „mein Glanz, Blitz ist Gott", vgl.
auch בָּרָק „Morgenstern", zurückgeht;
א und χ werden oft vertauscht. Die Zu-
satzsilbe ζα z. B. in dem Gottesnamen
Βαχυχ — Βαζαχυχ [3]) oder in dem Engelnamen Ἰαζαχαήλ [4]) usw.

[1]) K i e s e w e t t e r *Faust* 446. [2]) *Das Buch
Henoch* ed. F l e m m i n g - R a d e r m a c h e r
(1901), 24. 25. 87; vgl. MjdVk N. F. 2 (1906),
117; R e i t z e n s t e i n *Poimandres* (1904),
292. [3]) *Le Musée Belge* 18 (1914), 23 ff.
[4]) R e i t z e n s t e i n a. a. O. 298.　　　Jacoby.

Beatrix s. A b d o n t a g.

Beatus, hl. Bekenner, Fest 9. Mai, gehört zu den alten Patronen des Schwei-
zerlandes [1]), wo er als Einsiedler lebte
und seine Zelle in dem später nach ihm
benannten Sankt Batten (Beatushöhle)
am Thunersee hatte, einer uralten Sied-
lungs- (und Kult-?)stätte, geschichtlich
dunkel, da eine alte Vita fehlt und eine
solche erst in des Basler Minoriten Agricola Heiligenbüchlein, der 1511 in Basel
gedruckten Vita Beati, vorliegt. Seit Beginn des 13. Jh.s als Patron der Kirche
von Beatenberg nachweisbar. Das Augu-
stinerkloster Interlaken hatte die Gebeine des Heiligen mit Silberdraht an-
einanderfügen und in einem silberbe-
schlagenen Sarg in der Höhlenkapelle
Beatenberg beisetzen lassen [2]). Um 1300
wurde er auch durch einen Altar im

Fraumünster zu Zürich geehrt. Das alte Sankt Batten war bis 1528 der größte Wallfahrtsort Berns. Besonders in Pestzeiten wallfahrtete man zum Haupt und zu den Gebeinen des hl. Beat, sonst auch wegen Heilung erkrankter Kinder oder Erwachsener, wie das Sprüchlein eines Knaben zeigt: „Gott grüeß di, Sant Batt! Diesen Chääs schickt dir myn Att. Er het böösi Scheichen, Weltist (wollest) Besserung verleichen" [3]).

[1]) S t ü c k e l b e r g *Die schweizer. Heiligen* 14 f.; K ü n s t l e *Ikonographie* 122; vgl. weiter R. S t e c k *Zur Beatusfrage* in BlfBernische Gesch. 12 (1916), 273—295; B ä c h t o l d *Stretlinger Chronik* (Frauenfeld 1877), LII; B u c h m ü l l e r *Beatenberg* 26 ff.; G e l p k e *Sagengeschichte* 1—24; W y ß *Reise* 1, 297 ff.; N i d e r b e r g e r *Unterwalden* 3, 5 ff. [2]) S t ü k - k e l b e r g *Reliquien in der Schweiz* 1, XXXVI 80. 104; 2, 32. [3]) B u c h m ü l l e r a. a. O. 52.

                            Wrede,

Becher. Auf Grund der genaueren Fundkritik in der Vorgeschichtsforschung kann es als erwiesen gelten, daß die Sagen von B., die den Elben, Zwergen und Geistern, oft bei Gelegenheit eines Gelages in einem Grabhügel, entführt wurden, auf tatsächliche Bodenfunde zurückgehen, wenn auch das Motiv in seiner volkstümlichen Entwicklung zunächst als Wandermotiv überprüft werden muß [1]). Der aus vorgeschichtlicher Zeit fortgeerbten Form des Maserb.s schrieb man vielleicht giftabwehrende Kräfte zu [2]). Außer den ledernen oder hölzernen B.n zum Würfeln kennt unser Volk diesen Gefäßtypus aber kaum. Seit der Vorgeschichte ist er vielmehr den höheren Ständen eigen [3]), und so ist denn der B. auch in den hergebrachten Komplex magischer Handlungen nicht einbezogen worden. Trünke aus einem B. schildert uns das Volksmärchen freilich oft genug als verhängnisvoll oder irgendwie bedeutsam, doch eigentlich nur in jener lebensnahen Art, in der sie in älterer Zeit tatsächlich im gesellschaftlichen und politischen Leben Europas und namentlich des Orients eine solche Rolle spielten [4]). Es ist wohl kein Zufall, daß eine Sage von einem in neun Ecken gearbeiteten wundertätigen Pokal der Familie

Neuneck in Württemberg diesen als Geschenk des Patriarchen von Konstantinopel an einen Vorfahren des Geschlechts gelegentlich eines Kreuzzugs bezeichnet [5]).

[1]) W o l f *Beitr.* 2, 154; M ü l l e n h o f f *Sagen* 293 ff. 576 f.; L i e b r e c h t *Gervasius* 129; R a n k e *Volkssagen* 131; S e p p *Sagen* 26 Nr. 10; H e y l *Tirol* 409 Nr. 95; K ö h l e r *Voigtland* 554; M e i c h e *Sagen* 31 Nr. 29; M ü l l e r *Siebenbürgen* 140 f. [2]) IllVk. 3, 374. [3]) Vgl. W o l f *Beitr.* 2, 275. [4]) M e y e r *Germ. Myth.* 218; S c h u l t z *Zeitrechnung* 32 ff.; S é b i l l o t *Folk-Lore* 4, 296. [5]) B i r l i n g e r *Volksth.* 1, 228.   Haberlandt.

Becherpilz s. P i l z.

Becherwahrsagung s. L e k a n o m a n - t i e.

Becken (Musikinstrument). 1. Ausschwärmenden Bienen (s. d.) soll man, damit sie sich sammeln und anlegen, mit klingenden B. folgen [1]). Die Ansicht geht auf Angaben antiker Naturforscher [2]) zurück und wird auch durch Vergil und Ovid [3]) vertreten; ein Teil der Schriftsteller rät unbestimmt oder allgemein zu Geklingel mit Erz [4]). Furcht oder Musikliebe der Bienen soll der Grund für die Wirksamkeit des Mittels sein. Tharsander [5]) bezweifelt aus rationalistischen Gründen die Richtigkeit der Anschauung; Réaumur [6]) hat sie experimentell widerlegt.

[1]) [N i k e l J a c o b] *Gründtlicher vnd nützlicher vnterricht von wartunge der Bienen* (Görlitz 1593) cp. V; A n d r e a s P i c u s *Ein Büchlin oder Tractetlin / von den Ihmen / . . .* o. O. 1595, der ander Theil, Kap. 2 (Bl. B V); J o h. C o l e r u s *Oeconomia ruralis* 1 (Mayntz 1645), 547 u. 554; B e c h e r *Erster Theil des klugen Hausvaters* (1708), 186 = BlPomVk 2 (1893), 22 = H e c k s c h e r 2, 384; Z e d - l e r *Univ. Lex.* 2 (1732), 980; s. L e x e r B a r t h o l o m a e i A n g l i c i *de . . . rerum proprietatibus* (Francofurti 1601) lib. XVIII cp. 11 (S. 1019); [F i s c h a r t] *Bienenkorb deß heil. Röm. Immenschwarms* [1588] 7. Stück 6 Kap. S. 265 b; bildlich dargestellt auf dem Titelblatt von T h o m a e C a n t i - p r a t a n i *Bonum Vniversale de Apibus* (1627). *DFr veldtbaw od' das buch von der veld arbeyt . . . von dem Kayser Constantino dem vierdten / . . . beschriben, Vnd yetz newlich durch D. Michael Herren / . . . vertolmetscht.* Straßburg 1545 Bl. cxxxj v⁰; U l y s s i o A l d r o - v a n d i *Philosophie de Animalibus insectis libri septem.* Francofvrti M.DC. XXIII S. 38,

Sp. b; in einem Gedichte Harsdörfers von 1657 auf die Bienen, s. a. Idunna und Hermode, hgg. von Gräter, Jg. 1814, 109. Angeblich noch heute geübt: J a k o b M a y e r *Fachlicher Sachkommentar zu Vergils Preisgedicht auf die Bienen* (Budweis 1902), 29; H. S e e m a n n *Annotationes in Vergilii Georgicon . . .* (Neisse 1870), 5; Hmtl. 11 (1924), 40 mit weiterer Literatur. ²) Geoponicorum lib. XV, cp. 3, 7; V a r r o *rerum rusticarum* lib. III, 16, 7. ³) V i r g i l *Georgicon* lib. IV, 64; O v i d *fasti* lib. III, 739 ff. ⁴) Belege aus der Antike bei P a u l y - W i s s o w a 3, 444; V i n c. B e l l o v a c e n s i s *Spec. nat.* (s. l. e. a.) lib. XXX, cp. 77 u. 86; M e g e n b e r g ed. Pfeiffer 292; A l b e r t u s M a g n u s *de animalibus* lib. VIII tract. 4, cp. 4 (ed. Stadler 1, 645/6); J o h. J o n s t o n u s *Historiae Natvralis de Insectibus* lib. III, S. 12; *Insectorvm sive minimorum Animalium Theatrvm* T h o. M o v f e t i (London 1634), S. 17 usw. ⁵) *Schauplatz* 3, 383. ⁶) *Mémoires pour servir à l'histoire des Insectes,* Tome 5ème sec. Partie (Amsterdam 1741), 299. — s. w. B i e n e § 4.

2. Bei vielen Völkern herrscht der Glaube an die d ä m o n e n a b w e h r e n d e Kraft des B.klangs⁷); er war auch in der Antike verbreitet und führte zu kultischer Verwendung des B.s⁸). Die Herstellung aus Erz (s. d. und Glocke) und der lärmende Klang des Instrumentes (s. Lärm) gaben Anlaß zu dieser Vorstellung. Wenn bei manchen deutschen, der Dämonenabwehr dienenden Umzügen Blechdeckel als Lärminstrumente Verwendung finden⁹), so gibt sich darin ein auf gleicher Grundlage erwachsener Aberglaube zu erkennen.

⁷) Beispiele bei S a m t e r *Geburt* 58 ff.; dazu ARw. 3, 108, 141; F r a z e r *Scapegoat* 147. ⁸) P a u l y - W i s s o w a 11, 2152 ff. (Pfister); R o s c h e r *Lex. d. Myth.* II, 1. 1615; C u r t S a c h s *Reallex. d. Musikinstrumente* (Berlin 1913) 42 b; D e r s. *Die Musikinstrumente* (Breslau 1923), 22. ⁹) Z. B. „Martiniweiwel": BadHmt. 14, 278; Einglöckeln des Kasmandels: A d r i a n *Von Salzburger Sitt und Brauch* (Wien 1924), 211; bei Hochzeitsgebräuchen: ZfVk. 10, 202. 402.   Seemann.

Beckenzauber s. H y d r o m a n t i e.

Beda venerabilis s. K r e u z w ö r t e r, sieben.

bedauern, beklagen, beweinen. Wie man Sterbende (s. d.) nicht beklagen darf, weil es das Sterben erschwert ¹), und die Mutter das Kinderwehe nur vergrößert, wenn sie ihren Säugling mitleidig anblickt ²), darf man auch Vieh, das ge-

schlachtet wird, nicht bedauern, weil es sonst nicht sterben kann ³) und dadurch zu lange gequält wird ⁴).

s. a. s c h l a c h t e n, S t e r b e n d e r, T r ä n e n k r ü g l e i n, w e i n e n.

¹) S t r a c k e r j a n *Oldenburg* 2, 215; A n d r e e *Braunschweig* 315. ²) R o c h h o l z *Kinderlied* 334 Nr. 906. ³) Rockenphilosophie 561 Nr. 19 (Nr. 319) = G r i m m *Myth.* 3, 444 Nr. 297; W o l f *Beiträge* 1, 220 Nr. 218; F o g e l *Pennsylvania* 160 Nr. 758; W u t t k e 450 § 710; S é b i l l o t *Folk-Lore* 3, 89. ⁴) G r o h m a n n 143 Nr. 1049; M ü l l e r *Isergebirge* 13.
            Bächtold-Stäubli.

bedecken. Im religiösen K u l t hat das B. und Verhüllen der Häupter eine ebenso tiefe Wurzel in der Scheu vor der Majestät des Göttlichen, wie die Barhäuptigkeit; Moses verhüllt sein Antlitz vor Gott¹); denn der Mensch kann nicht Gott sehen und leben²); so wurde auch Tiresias nach einer von Callimachus³) überlieferten Version in seiner Jugend geblendet, als er Athene nackt im Bade sah; während die Griechen aperto capite beteten, führte nach Varro⁴) Aeneas die Sitte velandi capitis ein, „zur Abhaltung profaner Eindrücke" und innern Sammlung; im Germanischen Kult waren die Priester der Goten nach Jordanis' Getica c. XI: pilleati geheißen: „sacerdotes, nomen illis pilleatorum contradens, ut reor, quia opertis capitibus tyaris, quos pilleos alio nomine nuncupamus, litabant"⁵); bei Leutkirch⁶) im bayrischen Allgäu umschreiten die Verwandten beim Seelenamt für einen Verstorbenen mit bedecktem Haupt den Altar (Verhüllen bei Trauerfällen?), ebenso im badischen Kinzigtal⁷). Im R e c h t s l e b e n finden wir einen eigentümlichen, nur durch Sagen belegten Brauch; darnach kann man eine solche Fläche Landes in Besitz nehmen, welche mit Erde, Samen oder einer Tierhaut (Dido!)⁸) bedeckt werden kann; Widukind von Corvey beschreibt in seinen Res gestae Saxonicae⁹), wie nach der Landung ein junger Sachse von einem Thüringer Erde kaufte, einen „sinus" voll; „sumpta humo per vicinos agros quam potest subtiliter sparsit et castrorum loca occupavit" ¹⁰); neben dem Bestreuen mit

Erde ist bezeugt: Besäen mit Gerste oder Leinsamen und B. mit Ochsenhaut [11]. Außerdem wird als B u ß e für einen erschlagenen Hofhund auferlegt: man soll den Hund aufhängen, bis er mit der Schnauze den Boden berührt, und er soll mit rohem Weizen begossen werden, bis er bedeckt ist [12]. Der heutige Primitive kennt das B. des Körpers oder der Körperteile vor allem als Hauptmittel gegen den b ö s e n B l i c k oder sonstigen Schadenzauber von Dämonen und bösen Menschen; und auch im deutschen Aberglauben haben sich Reste erhalten. Seligmann hat hier das meiste Material zusammengestellt; ob sich die Süditalienerin [13] die S c h ü r z e über den Kopf deckt, wenn sie einen Fremden sieht, und die Frau auf Neuguinea [14] vor dem Weißen das Gesicht mit den Händen bedeckt, oder ob viele Stämme Afrikas die T r i n k g e f ä ß e verdecken und das Gesicht verhüllen, wenn der Häuptling speist [15], oder ob die B r a u t [16] mit einem r o t e n S c h l e i e r verdeckt wird, oder ob in Schweden [17] und auch sonst [18] beim Eintritt verdächtiger Personen das K i n d mit einem Tuch bedeckt wird, immer ist die Angst vor dem bösen Blick die Ursache. Zimmermann berichtet (l. c. 4) als eine der Maßnahmen nach dem Genuß des Abendmahles, man dürfe drei Tage nicht mit bloßen Füßen gehen und „man müsse etliche Tage noch darnach eine w e i s s e (s. weiß) Haube aufsetzen / und dörffe 3 Tage nicht mit blossem Haupte gehen"; hier ist die w e i ß e Farbe apotropäisch und das Bedecken. Zimmermann faßt die Zeremonie im Sinne der jüdischen Vorschrift auf (vgl. A 1). Als apotropäische Maßnahme ist wohl ursprünglich auch die bei Buxtorf [19] und auch in der Schweiz [20] belegte Vorschrift zu erklären, daß die Wöchnerin die Brust und das Haupt nicht entblößen soll; Buxtorf erklärt dieses Gebot mit der Achtung vor der göttlichen Majestät. In Deutschland bedeckt man die B u t t e r , M i l c h oder Milch- und Buttergefäße, die man über den Hof oder die Straße tragen muß, mit einem Tuch oder der Schürze [21] (vgl. Butter, Milch), und

im Norden deckt man über das B i e r , sobald man das böse Auge fürchtet, ein Tuch [22] (vgl. Backen, Brauen). In Oldenburg [23] und Ostpreußen [24] bedeckt man die S c h w e i n e mit einem Stück Zeug. In Norwegen [25] wird das W a s s e r zugedeckt, das für die kalbenden Kühe bestimmt ist, während man in Estland [26] die F i s c h e mit einem Tuch oder einer Schürze zudeckt. Entsetzliche Angst haben die meisten Völker vor dem Auge der T o t e n : der Grieche [27] bedeckte die Leiche, das altindische [28] Zeremoniell schreibt Bedeckung aller Gesichtsöffnungen vor, die Mongolen [29] nähen die Augen der Leiche zu und b. sie mit einem schwarzen Tuch, der Kroate [30] bedeckt das Auge mit einem Kreuzer, bei den Germanen [31] mußte der Leichnam unbedingt bedeckt werden, sogar der Mörder achtete dieses Gebot; der Nordländer [32] nähert sich der Leiche nur von rückwärts und mit bedecktem Kopf; in Mecklenburg [33] muß in dem Zimmer, in dem eine Leiche liegt, sofort nach dem Tode der Spiegel verhängt werden, damit die Leiche nicht durch Abspiegelung sich verdoppelt, d. h. jemand im Hause stirbt. Die Juden in Galizien b. den Kranken mit einem schwarzen Tuch [34].

Menschen, besonders F r a u e n , welche sich bewußt sind, einen gefährlichen Blick zu haben, b. selbst das Gesicht oder man verbindet ihnen die Augen (Hexen [35], Verbrecher); das ist besonders bei den Frauen in menstruis der Fall; der Römer glaubte ja, daß der Blick der menstruierenden Frau bewirken könne, daß trächtige Stuten abortieren; Frazer [37] und Seligmann [38] bieten alles Material, besonders für primitive Völker. In der nordischen Sage [39] wird erzählt, wie Svanhild von Pferden zertreten werden soll, wie aber die Pferde ihren Blick fürchten, worauf man ihr Haupt mit einem Sack bedeckt; eine Hexe in Norwegen [40], der man die Binde von den Augen nimmt, versengt Felder und Wiesen; ebenso macht Stigandi in der Laxdœla-Saga [41] durch ein Loch des Sackes, den man über seinen Kopf geworfen hat, eine Wiese unfruchtbar.

Im Fruchtbarkeitsritus finden wir das rituelle B. anläßlich des Einholens des Kreuzbaumes bei den Elbwenden [42]). Der gefällte Baum wird, mit den Röcken der Hauswirte bedeckt, ins Dorf gefahren. Die Rockenphilosophie schreibt vor: „Wer großköpfigte Hühner wünscht, tue beim Ansetzen der Gluckhenne einen feinen großen Strohhut auf" [43]); derselbe Gebrauch lebt noch in Baden [44]). Im Heilzauber erwähnt Seligmann [45]) das B. des Gesichtes eines Kranken mit einem weißen Tuch (Indier). Der Gespensteraberglaube der Böhmen [46]) schreibt vor, daß man das Gesicht b. muß, sobald man ein Irrlicht verspottet, sonst kratzt dies einem die Augen aus (vgl. dagegen barhaupt A 5).

Vgl. barhaupt, bloß, entblößen, verhüllen.

[1]) Moses II. Buch 3, 6; vgl. III, 21,10; über die Entblößung des Hauptes als Zeichen der Ehrfurcht vgl. Brevinus Noricus Fago Villanus 5 f.; der Bramane bedeckt das Haupt beim Verrichten der Bedürfnisse: Seligmann 1, 173. [2]) Moses II, 33, 20; vgl. III, 16, 13; Richter 13, 22; Seligmann Blick 1, 184—185. [3]) Hymnus auf das Bad der Pallas: 5, 75—82, p. 47 Wilamowitz; vgl. Anchises: Roscher Lexikon 1, 337 ff. [4]) Bei Macrobius Saturnalien 3, 6, 17 = 181, 9 ff Eyssenhardt; Sittl Gebärden 177; vgl. dagegen die berühmte Stelle Paulus an die Korinther I, 11, 3—8; dazu Brevinus Noricus 6; vgl. Fehrle Keuschheit 39 A; über andere Kultgebräuche vgl. Pley de lanae usu 12. 14; Cassel Kirchenbuch 83 ff. [5]) Grimm Myth. 1, 26; Jordanis Getica MG. auctores antiquissimi 5, 74. 22; Rochholz Glaube 2, 233; die Seher auf den Hebriden aber amtieren mit unbedecktem Haupt: ZfVk. 1917, 1; vgl. ZfVölkerpsych. 18, 260. [6]) Reiser Allgäu 2, 302 ff. [7]) Meyer Baden 595. [8]) Vergil Aeneis 1, 368. [9]) MGSS. 3, 418, 16 ff. [10]) l. c. 418, 32. [11]) Grimm RA. 1, 124—127; Kloster 9, 992. [12]) Grimm l. c. 2, 239 ff.; Kloster 12, 1125 (B. mit Gerste). [13]) Seligmann Blick 2, 280; Fehrle Keuschheit 39 A. [14]) Seligmann 1, 47, vgl. 46. [15]) l. c. 1, 239; Frazer 2³, 117 ff. 120. [16]) Seligmann 2, 252 (Tartaren); vgl. 254. 224; 1, 101. 103; 2, 278 (zusammenfassend); Rochholz l. c. 2, 284. [17]) l. c. 2, 279. [18]) l. c. 2, 248 (Böhmen); vgl. 1, 132; auch die Wöchnerin: 2, 280; 2, 70 (hier auch Knoblauch als Apotropaion); 2, 243; W. 575. [19]) Buxtorf Judenschul 151—152. [20]) Lütolf Sagen 550. 535—36: die Wöchnerin, die noch nicht ausgesegnet ist, nimmt beim Verlassen des Hauses eine Schindel oder ein Brett auf den Kopf;

eine schwangere Frau darf nicht mit unbedeckten Haaren ausgehen, sonst würde eine Frühgeburt erfolgen: Grohmann 114 Nr. 847; ebenso darf eine Wöchnerin nicht mit unbedecktem Haupte ausgehen: ders. 115 Nr. 863; den Kopf mit dem Tuch b., bedeutet bei den Südslaven das Ende der Mädchenzeit: Krauß Anthropophyteia 8, 118 ff. In Niedersachsen durfte früher keine Frau mit unbedecktem Haupte, ohne Mütze, vor die Haustür treten, sonst war sie den Zwergen verfallen: Schambach-Müller 300. 23; vgl. Frazer 7, 1³, 22. 24. 25. 29. 44 ff. 48 ff. 90—92; wenn im Norden ein Verbrecher die bloße Brust einer Wöchnerin anschaut, geht die Milch aus: Seligmann Blick 1, 93. [21]) Liebrecht Zur Volksk. 318, 45; Bartsch Mecklenburg 2, 136, 599; Seligmann 1, 167. 226. 236. 235. 280; W. 706. 709; Bavaria 2 a, 303; aber die Gefäße der Holdae müssen unbedeckt sein: Nach einem vor allem in französischen Quellen überlieferten, aber auch in Deutschland nachweisbaren Aberglauben vermehren die Dominae oder Holdae die Opferspeisen, si vasa escarum sint discooperta et vasa poculorum non obstructa eis in nocte relinquantur; die Stellen aus Guilelmus Alvernus bietet Grimm Myth. 1, 237—38; weitere Parallelen auch für Deutschland: MschlesVk. 1915, 47—49 mit Literatur; l. c. 1926, 67 Nr. 17; auch der Tisch darf nicht über Nacht bedeckt bleiben, weil sonst die Engel, die daran wachen, im Himmel zu lange beiten müssen: Drechsler 2, 12; W. 461. [22]) ZfVk. 1901, 306. 321; Seligmann 1, 236. [23]) Strackerjan 1, 372 Nr. 210. [24]) Lemke Ostpreußen 1, 85; Seligmann 1, 215; der Araber bedeckt sein Pferd: Seligmann 1, 214; vgl. 171. [25]) Ebd. 2, 226: mit Kittel, Hose oder Schürze; in Backnang muß eine frischmelkige Kuh zugedeckt werden, wenn man sie aus dem Stall führt; Eberhardt Landwirtschaft Nr. 3, 18. [26]) Seligmann 2, 279; auch in Ägypten: 1, 237. [27]) Sophokles Aias 915 ff.; Wächter Reinheit 45 A. 53; in Rom bedeckte man die Leiche vor dem Pontifex Maximus: Seligmann 1, 185. [28]) Ebd. 1, 161; [29]) Ebd. 1, 160. [30]) Ebd. 1, 160; vgl. 1, 181; 2, 454. [31]) Paul Grundriß 3, 427. [32]) Seligmann 1, 160, [33]) Bartsch 2, 89, 278; 90, 279; ZfVk. 1891. 157 (Südslaven); 1, 185 (Mark Brandenburg); Frazer 2, 94 ff; vgl. Grimm Myth. 3, 492, 2 (Litauer); Fox Saarland 371. [34]) Urquell 4 (1893), 170. 124; in der alten christlichen Kirche bedeckte man den Kranken mit dem cilicium, das man auch über den Kopf des Toten legte: Pley de lanae usu 18 u. 20 A. [35]) Schindler Aberglaube 292: Die Hexen werden rückwärts zum Verhör geführt wegen des bösen Blickes. [36]) Plinius 28, 79 = 4, 303. 14 Mayhoff: equas si sint gravidae, tactas abortium pati. [37]) 2, 7, 1³, 22—25. 44 ff. 48 ff. 55, 92. [38]) 1, 95—96. 213; 2, 132. 279—284. 286. [39]) Seligmann 1, 213; 2, 285. [40]) Ebd. 2, 284; in Schweden bedeckt man den Kopf des Zau-

berers mit einem Seehundsfell: l. c. 2, 232.
[41]) l. c. 1, 223; 2, 284 Laxdæla-Saga, hrsg.
von K r. K a l u n d (Halle 1896), 112—113.
[42]) M a n n h a r d t 1, 174. [43]) G r i m m *Myth.*
3, 435. 19; F i s c h e r *Aberglaube* 197; nach
der alten Weiber Philosophy (1612) muß man
,,den sack auff das haupt setzen, dass die
zipfelein über sich gewendet sind'': ZfdMythol.
3, 315. 68; dagegen G r i m m l. c. 454. 575 (Ersatz für Nacktheit) vgl. ZfVk. 1893, 38 u. 91.
[44]) M e y e r *Baden* 412. [45]) *Blick* 1, 331.
[46]) G r o h m a n n 232, 1682.   Eckstein.

Beer, J o h a n n e s, Sohn eines Schweid-
nitzer Bäckers, hat in Krakau die schwarze
Kunst studiert, dann aber die Bücher der
heidnischen und fürwitzigen Künste hin-
weggetan, fleißig die heilige Schrift und
Thauler gelesen. Um 1570 lebte er nicht
weit von Bolkenhain, war Schulmeister
in Reichenau und hauste in Schönberg.
1600 starb er und hinterließ eine Tochter,
die mit dem Prediger in Adelsbach verhei-
ratet war [1]). Sein Schüler Johannes Springer, in schlechtgemeinem Dorfhabit nichtsdestoweniger ein gelehrter Philosophus
und geübter Medikus, bewahrte eine von
B. hinterbliebene Handschrift ,,Gewinn
und Verlust'' auf, die er 1624 Abraham
v. Franckenberg übergab, der sie veröffentlichte. Springer war es auch, der
über B.s Gang zu den drei Männern im
Zobten berichtete [2]).

B. gehörte zu den Pansophen des
16. Jh., die des Mysterii biblici und Ma-
gisterii philosophici nicht unkundig waren,
die Gottes Wunder in der Natur auf
philosophische Weise beschauten, und
die durch Gebet endlich neben göttlicher
und natürlicher Erkenntnis der Arznei
auch die Gabe bekommen, in die untersten Orte der Erde einzugehen und den
Geistern im Gefängnis zu predigen [3]).

[1]) B o h n in MschlVk. 20, 109 ff.; P e u k-
k e r t *Leben J. Böhmes* 110 ff. Vgl. auch
P e u c k e r t *Rosenkreutzer* 1928, Register.
[2]) G r i m m *Sagen* 144 = P e u c k e r t *Schlesien* 66; ausführlicher: K ü h n a u *Sagen* 1,
540 ff. = MschlVk. 20, 109 ff. Der allein noch
benützbare Text P e u c k e r t *Leben J. Böhmes*
111 ff. [3]) Vgl. Pansophie.   Peuckert.

Beere. 1. Die eßbaren B.n des Waldes
bildeten in der Urzeit eine wichtige und
jedenfalls allgemein gesammelte Zukost.
Funde in den steinzeitlichen Pfahlbauten
beweisen ihre Beliebtheit [1]). Es kommen

vor allem in Betracht Erd-, Heidel-,
Preisel- und Himbeere (s. d.).

[1]) H o o p s *Reallex.* 1, 203 f.; H ö f l e r
Botanik 57.

2. Weit verbreitet ist die Sitte der
Kinder beim B.nsammeln die (drei)
ersten gefundenen B.n auf einen Baumstumpf oder einen Stein zu legen oder über
den Kopf (oder die linke Schulter) zu
werfen; dann glauben sie, viele B.n zu
finden. Diese ersten B.n ,,gehören den
armen Seelen''. In all diesen Bräuchen
dürfen wir wohl den Rest eines Opfers
an die Waldgeister sehen. Auch in den
zahlreichen B.nliedern, wie sie beim
Sammeln der Waldbeeren von den Kindern gesungen werden [2]), finden sich oft
noch Anspielungen auf die Waldgeister.
Über all diese Bräuche hat in ausgezeich-
neter Weise Hepding [3]) gehandelt.

[2]) Vgl. z. B. M a r z e l l *Bayer.Volksbot.* 75 ff.
[3]) H e p d i n g *Die Heidelbeere im Volksbrauch*
in: HessBl. 22, 1—58. Mit reichen Literaturangaben.   Marzell.

Befana, Befania, die Fee B., eine der
Holda, Perchta, Abundia (s. d.) verwandte, italienische Dämonin der Adventszeit, scheint auf den ersten Blick
nichts anderes als die Personifikation
eines Kalenderbegriffes, nämlich des Epi-
phaniasfestes (6. Jan.) zu sein, womit
ihr Name natürlich auf jeden Fall zusammenhängt [1]). Schon J. Grimm äußert
die Vermutung, daß ebenso auch die Figur
der engverwandten Perchta im Deutschen aus der ahd. Übersetzung des Epi-
phanienfestes *zi deru perchtun naht, perh-
tenabend, perchtentag* abgeleitet sei [2]);
der Name des Tages ist dann als Tag der
Perchta verstanden worden. Wenigstens
was den Namen anbelangt, so ist diese
Ableitung ebenso wahrscheinlich [3]), wie
die Ableitung der B. aus dem Epipha-
niasfest sicher ist. Aber man darf nicht
glauben, daß mit dem Namen auch schon
die Figur der Dämonin selbst erklärt und
gegeben sei. Es liegt in beiden Fällen
der ältere Glaube an ein weibliches Gespenst, eine Totenführerin zugrunde,
deren Erfindung der Name des Festes
natürlich nicht erst veranlaßt hat, wie
schon J. Grimm gleichfalls vermutete.

Er verlieh ihr nur einen neuen Namen; der unbestimmt kollektive Charakter solcher Gespenster und die numinose Scheu, ihren eigentlichen Namen zu nennen, mag diesen Umstand begünstigt haben.

[1]) G r i m m *Mythol.* 1, 234; L i e b r e c h t *Gervasius* 184; U s e n e r in Rhein. Museum 30, 197; *Kl. Schr.* 4, 500; F e d o r S c h n e i d e r *Rom u. Romgedanke* 31. 33. [2]) G r i m m *Mythol.* 1, 233; vgl. M a n n h a r d t 2, 185, woselbst weitere derartige Personifizierungen. [3]) W a s c h n i t i u s *Perht* 148. 149.
H. Naumann.

Befleckung s. u n r e i n.

begegnen s. A n g a n g.

begießen s. W a s s e r g u ß.

begleiten, Begleiter. In zahllosen Geister- und Gespenstergeschichten berichtet das Volk von Geistern, die nachts in die Nähe derjenigen kommen, die noch außerhalb des schützenden Hauses sind und sie in Menschen- oder Tiergestalt eine Strecke weit begleiten, um dann plötzlich wieder zu verschwinden [1]). In einer bergischen Sage sah ein abends heimkehrender Weber einen Mann „an der andern Wegseite dahinschreiten. Ging unser Weber schneller, so ging der geheimnisvolle Mann auch schneller, und ebenso verlangsamte er seinen Schritt, wenn jener weniger schnell ging. Blieb der Weber stehen, so ahmte sein Begleiter das sofort nach. Danach wurde der rätselhafte Fremde immer größer und größer, bis zum Schultenhof, wo er plötzlich verschwand" [2]). Nachtbuben oder Mörder, die einem Geistlichen auflauern, sehen ihn plötzlich nicht allein, sondern in Begleitung Unbekannter (d. h. Engel) [3]).
s. a. S c h u t z g e i s t.

[1]) Vgl. z. B. R e i s e r *Allgäu* 1, 304 Nr. 387; 1, 336 Nr. 4; S c h e l l *Berg. Sagen* 168 Nr. 69; J e g e r l e h n e r 1, 69 Nr. 13 und Anmerkung 2, 298. [2]) S c h e l l *Berg. Sagen* 167 Nr. 68. [3]) Ebd. 167 Nr. 68; 183 Nr. 109 und Anmerkung S. 580; vgl. C a e s a r i u s v. H e i s t e r b a c h 8, c. 43; G r i m m *Mythol.* 2, 729 f.
Bächtold-Stäubli.

Begonie (Schiefblatt; Begonia-Arten). Häufig gezogene, aus den Tropen stammende Zimmerzierpflanze mit ungleichseitigen, schief-herzförmigen, oft ge-

fleckten Blättern. Wenn sie im Frühjahr nicht mehr austreibt, bedeutet das den Tod eines Hausmitgliedes [1]). Die B. stört, im Zimmer gehalten, den Frieden bei Brautleuten und Jungvermählten (vgl. Hortensie) [2]).

[1]) M e y e r *Baden* 577. H a n d t m a n n *Märk. Heide* 178. Marzell.

Begräbnis.

I. 1. Allgemeines. 2. Teil- u. Doppelbestattung. 3. Lebendig begraben. 4. Grab machen. 5. Offenes Grab. 6. Grab schließen. 6. Umwandlung. 7. Schießen. 8. Vorzeichen. — II. B.ort. — III. B.zeit. — IV. B.wetter. — V. B.-kosten.

I. 1. Das B. unter Beobachtung aller Riten hat ursprünglich den Zweck, die Überlebenden von der Befleckung durch den Leichnam zu befreien und zugleich dem Verstorbenen den Übergang in eine andere Welt, zu dem Volk der Toten, zu erleichtern, damit er nicht weiter die Überlebenden beunruhige oder gar durch seine Bosheit schädige (Trennungsriten). Darum finden wir zweierlei Gefühle, die oft noch sehr deutlich aus den Bestattungsriten durchschimmern: einerseits F u r c h t v o r d e m T o t e n, der sehr oft als böse vorgestellt wird, anderseits L i e b e u n d P i e t ä t ihm gegenüber [1]). Eine psychologische Erklärung dieser entgegengesetzten Gefühle, dieser Ambivalenz, versucht Freud [2]). Aus beiden Gefühlen erklärt sich die große Sorge der Hinterbliebenen, daß bei der Bestattung alles richtig, der alten Sitte gemäß, hergehe, wobei oft noch der Glaube herrscht, der Tote beobachte und fühle alles, was um ihn her geschieht. Darum bemerkt man auch gerade bei den B.gebräuchen ein besonders zähes Festhalten an alter Sitte [3]). Heutzutage ist es unmöglich bei jedem Brauch zu bestimmen, ob er durch Furcht oder Liebe veranlaßt sei, weil oft dieselbe Handlung von dem einen noch als Abwehr gegen den Toten, von dem andern aber als pietätvolle Pflicht zur Ehrung des Verstorbenen empfunden oder erklärt wird.

Schon der Lebende sorgt, daß für seinen Tod alles Nötige bereit sei (Bruderschaften), und daß alles nach altem Brauch und nicht zu ärmlich zugehen werde (s. Leichenmahl). Das ist auch die Sorge der Hinterbliebenen, meist mit der Begründung, es sei eine Ehrung des Toten. Doch glaubt man auch, der Tote müsse sonst zurückkehren [4]). Darum hat alles, was beim B. unerwartet, gegen den gewöhnlichen Brauch geschieht, schlimme Vorbedeutung.

Vor allem war und ist es wichtig, daß der Tote überhaupt b e g r a b e n w e r d e n k a n n (s. unbegraben), und daß er i n d e r H e i m a t bei seinen Angehörigen liege. Drum werden alle Anstrengungen gemacht, z. B. die Leiche eines Ertrunkenen (s. d.) zu finden [5]). Bleibt die Leiche aber verschwunden, so soll ein S c h e i n b. dem Toten Ruhe verschaffen. Aus alter Zeit stammt der Bericht des Paulus Diaconus, daß bei den Langobarden, wenn einer im Kriege oder sonstwo umgekommen, seine Verwandten auf ihre Gräber eine Stange (perticae, id est trabes erectae) aufstellten, auf deren Spitze eine hölzerne Taube befestigt war, die nach der Gegend schaute, wo der Betreffende gestorben (ut sciri possit, in quam partem his qui defunctus fuerat quiesceret) [6]). Als Seelenvogel, als eine Bannung des Toten in die Stange, wird man das kaum auffassen können. Eine sichere Deutung scheint mir unmöglich; wahrscheinlich soll es ein „Heimweisen" des Toten sein, damit er bei seinem Geschlechte ruhe. Am nächsten damit verwandt scheint mir ein bei Crooke erwähnter indischer Brauch [6]). In Siebenbürgen begräbt man ein Kleidungsstück des in der Fremde Verstorbenen in die Erde eines Berges beim Heimatdorf [7]). Auf Föhr hält man einen Trauergottesdienst [8]), in Frankreich eine eigentliche Leichenfeier, wobei ein Kreuz den Toten vertritt [9]), ein Zeichen, daß man nur durch Ausführung der B.riten dem Toten zur Ruhe verhilft [10]). Die B.pflicht liegt den Verwandten ob, aber auch jedem, der eine Leiche antrifft (Sagen vom dankbaren Toten) [11]). Die Angehörigen sind am meisten den Angriffen des Toten ausgesetzt, und es heißt darum bis heute sehr oft, daß der Tote einen von ihnen nachholt, falls irgend etwas beim B. versehen wird.

Seit der Einführung des Christentums legte man Wert auf regelrechte Bestattung, weil man die Auferstehung des Leibes davon abhängig ansah, und dann besonders, weil alle die Riten der Kirche, insbesondere die Bestattung in g e w e i h t e r E r d e, als Hilfe für das Seelenheil des Toten betrachtet wurden [12]). In Sagen spuken Ermordete oder andere Tote, die in ungeweihter Erde begraben worden sind, bis man ihre Gebeine auf den geweihten Friedhof bringt [13]). Die Juden glaubten, wer in fremden Ländern sterbe, müsse sich durch unterirdische Klüfte wälzen bis ins gelobte Land, sonst werde er nicht auferstehen [14]). Verweigerung des „ehrlichen" Begräbnisses galt immer schon als Bestrafung und wurde gegen Verbrecher angewandt. Der Brauch geht in heidnische Zeit zurück und bestand wohl in der Versagung der üblichen Riten und im B. abgesondert von den Toten der Sippe [15]). In der christlichen Zeit liegt die Bestrafung darin, daß der Tote ohne die kirchlichen Zeremonien und in ungeweihte Erde bestattet wird, ein Vorgehen, an dem auch die protestantische Kirche anfangs festhielt [16]). Eine Verschärfung (in heidnischer und christlicher Zeit) war es, wenn die Leiche noch vernichtet oder weggeschafft, d. h. dem Feuer oder Wasser übergeben wurde; denn sie einfach liegen zu lassen, wäre zu gefährlich gewesen, da man gerade solche Tote besonders fürchten mußte. S. Leichenverbrennung, Selbstmörder, Wiedergänger [17]).

[1]) ERE. 4, 419. 426; 2, 21 f.; v. G e n n e p Rites de passage 209 ff.; L é v y - B r u h l Fonctions mentales 352 ff.; S c h e r k e Primitive 156 ff.; W a s m a n s d o r f f Die religiösen Motive d. Totenbestattung (Progr. Berlin 1891); Lehrbuch d. Rel.gesch.[4] 2, 563 ff. [2]) S. F r e u d Totem u. Tabu (1922) 70 ff. [3]) M e y e r Germ. Myth. 61 f. [4]) W i t t s t o c k Siebenbürgen 100; J o h n Erzgebirge 115; S t r a c k e r j a n 2, 217; B a u m g a r t e n Aus der Heimat 3, 112; H o o p s Sassen 119; L u c i u s Heiligenkult 26; vgl. P a u l y - W i s s o w a 3, 333. 347; F e i l b e r g Dansk Bondeliv 2, 111 f. [5]) MschlesVk. 9. Heft 21. 53. 87; S a r t o r i Sitte u. Brauch 1, 154; K ü h n a u Sagen 2, 281; W i t t s t o c k Siebenbürgen 60; F o g e l Penn-

sylvania 135 Nr. 622; L e B r a z *Légende* 1, 395; vgl. D i e t e r i c h *Mutter Erde* 52. ⁶) P a u l u s D i a c o n u s 5, 34; vgl. M e y e r *Germ. Myth.* 63; E b e r t *Reallex.* 4, 2, 492; W e i c k e r *Seelenvogel* 10; G r i m m *Kl. Schr.* 5, 447; C r o o k e *Northern India* 223 f. ⁷) W l i s l o c k i *Magyaren* 12; vgl. FFC. 41, 182; Mélusine 2, 418. ⁸) ZfVk. 19, 277. ⁹) RTrp. 12, 396; 14, 346; L e B r a z *Légende* 1, 424 ff. ¹⁰) ERE. 4, 428; S c h e r k e *Primitive* 60 u. 170; ZfVk. 14, 401; 15, 5; L i e b r e c h t *Z. Volksk.* 398 f.; P a u l y - W i s s o w a 3, 333 f.; C r o o k e *Northern India* 230 f.; FL. 8, 334 f.; 15, 123; Z e l e n i n *Russ. Volksk.* 326. ¹¹) S i m r o c k *Mythologie* 117 f.; B r u n n e r *Deutsche Rechtsgeschichte*² 1, 127; P a u l y - W i s s o w a 3, 347; ERE. 4, 420; ZfVk. 14, 30 ff.; B o l t e - P o l i v k a 3, 490 ff. 511 f.; S c h w e b e l *Tod u. ewiges Leben* 328 f.; ZfvglRechtswiss. 33, 359. ¹²) L u c i u s *Heiligenkult* 25 f.; W a s m a n s d o r f f *Die religiösen Motive der Totenbestattung* 17 f. ¹³) M e y e r *Aberglaube* 351; K ü h n a u *Sagen* 1, 44. 46 ff. 56; H a u p t *Lausitz* 1, 148 Nr. 169; M e i c h e *Sagen* 183 Nr. 251; S t e m p l i n g e r *Aberglaube* 60; M e i e r *Schwaben* 1, 303; F e i l b e r g *Dansk Bondeliv* 2, 128 f. u. 132. ¹⁴) B u x t o r f *Judenschul* 617. ¹⁵) B r u n n e r *Deutsche Rechtsgeschichte*² 1, 244. 246 f.; A m i r a *Grundriß* 238. ¹⁶) B o d e m e y e r *Rechtsalterth.* 176 ff. ¹⁷) AfdA. 28, 315 ff.; SAVk. 26, 145 ff.

2. T e i l - und D o p p e l b e s t a t t u n g kommen in älterer Zeit noch vor. Bei Fürstenleichen wurden etwa Herz, Eingeweide, Kopf oder Gebeine besonders begraben. Dies wird z. B. von Barbarossas Leichnam berichtet ¹⁸). Oder nur der Kopf wurde begraben, wahrscheinlich, weil er als Sitz der Seele galt ¹⁹). Noch Durand erklärt: „Religiosa sunt, ubi cadaver hominis integrum, vel etiam caput tantum sepelitur ... corpus vero vel aliquod aliud membrum absque capite sepultum, non facit locum religiosum" ²⁰) (s. Totenschädel).

Doppelbestattung kann man es nennen, wenn nach der Verwesung die Gebeine wieder begraben oder sorgfältig in einem B e i n h a u s gesammelt werden. Es scheint noch etwa der Glaube zu herrschen, daß an den Knochen etwas vom Toten haftet (s. Totenknochen). Ein Totengräber legt die Gebeine seiner Verwandten in das Grab eines unschuldigen Kindes mit der Behauptung, das tue den Toten noch im Himmel wohl, und es verkürze die Büßung ²¹).

¹⁸) Chron. d. Otto v. St. Blasien c. 35; Sitzb. Berlin 1920, 478; L ü n i g *Theatr. Ceremon.* 2, 765 f.; S i m r o c k *Myth.* 577; S c h w e b e l *Tod u. ewiges Leben* 244 f.; W i t z s c h e l *Thüringen* 2, 17; S c h u l t z *Höfisches Leben* 2, 464 f.; noch bei Franz Joseph (nach Zeitungsberichten Nov. 1916). ¹⁹) D e o n n a *Croyances* 457; A m i r a *Todesstr.* 212; W e i n h o l d *D. heidn. Totenbestattung* 42 u. 128; E b e r t *Reallex.* 4, 455 f.; H e l m *Religgesch.* 1, 132 f.; vgl. G r a b e r *Kärnten* 168 Nr. 218. ²⁰) D u r a n d *Rationale* (1565) 21b. ²¹) Alpenrosen, ein Schweizer-Almanach 1813, 180; vgl. J ö r g e r *Vals* 54; ERE. 4, 442; S c h e r k e *Primitive* 74 ff.; L a m m e r t 109; P a u l y - W i s s o w a 3, 357; ZfVk. 18, 360; R o c h h o l z *Sagen* 2, 159; ZfVk. 14, 33; ARw. 9, 385 ff.

3. Daß Leute l e b e n d i g b e g r a b e n wurden, findet sich in sagenhaften Berichten; besonders wird es von den alten „Heiden" erzählt, oder es hat den Sinn eines Opfers (Bauopfer) ²²). Als Rechtsstrafe kam es früher häufig vor ²³).

²²) S c h e l l *Berg. Sagen* 506 Nr. 24; K o r t h *Jülich* 117 f.; D e r s. *Bergheim* 26 f.; M ü l l e n h o f f *Sagen* 537 Nr. 530; L ü t o l f *Sagen* 253; K u h n *Westfalen* 106 Nr. 109; K u h n u. S c h w a r t z 72 Nr. 74; T e t z n e r *Slaven* 377; G r a b e r *Kärnten* 208 Nr. 281; 423 Nr. 576; vgl. A m i r a *Todesstr.* 214. ²³) G r i m m *RA.* 2, 274 ff.

4. Schon das G r a b m a c h e n ist mit Gefahr verbunden. Wenn es nicht Aufgabe eines besonderen Totengräbers ist, so besorgen Nachbarn ²⁴) oder die Träger ²⁵) diese Arbeit. In Schwaben und Anhalt kam es vor, daß der jüngstverheiratete Bürger den Totengräberdienst übernehmen mußte, dafür aber jemand anstellte ²⁶). Seltener wurde es durch Verwandte besorgt ²⁷), es ist Angehörigen im Gegenteil verboten, beim Graben und Zuwerfen des Grabes beschäftigt zu sein, sonst stirbt bald jemand aus der Familie ²⁸). Manchmal bestimmt der Sterbende selbst noch die Leute, die das Grab fertig machen sollen, und keiner darf sich dieser Pflicht entziehen ²⁹). Die Grabmacher essen und trinken fleißig; doch darf von den Speisen und Getränken, die man ihnen auf den Friedhof schickt, nichts ins Trauerhaus zurückgebracht werden, sonst stirbt bald jemand aus dem Haus ³⁰). Die Nachbarn gossen von dem gespendeten Branntwein ins offene Grab, wenn sie mit der Arbeit

fertig waren [31]). Es kommt auch vor, daß
den Leuten eine Spende an Geld oder
Brot und Bier verabreicht wird [32]).

Als Abwehr ist es aufzufassen, wenn
zu Beginn oder Ende der Arbeit, oder
wenn das Grab zur Hälfte gegraben ist,
mit der Glocke ein Zeichen geläutet
wird [33]), oder wenn der Totengräber seine
Arbeit mit einem Gebet beendigt [34]).

Das Grab darf nicht zu früh gegraben
werden, erst am B.tage, sonst hat man
vor dem Toten keine Ruhe [35]), oder es
soll nicht an einem Tag fertig gemacht
werden, die Arbeit muß dreimal unterbrochen und erst am Beerdigungstag
fertiggestellt werden, damit der Tote
seine Ruhe habe [36]). Schaufelt man alle
Erde heraus, so fährt ein feuriger Drache,
der „gehen" muß, ins Grab, und das hat
die Folge, daß die ganze Ortschaft aus-
stirbt [37]). Es liegt hier die Furcht vor
bösen Geistern zugrunde, die sich im
offenen Grab verstecken könnten. Umgekehrt heißt es auch, man müsse das
Grab womöglich noch am Abend des
Todestages beginnen, sonst könnte die
arme Seele keine Ruhe finden, müsse umherirren oder Angehörige und Totengräber belästigen [38]); der Tote oder die
Seele muß also sofort die Wohnung bereit finden.

Stößt einer der Nachbarn beim Grabmachen auf einen Knochen, so stirbt er
im selben Jahr [39]).

Wichtig ist auch, daß das Grab tief
genug sei; alte Verordnungen verlangen
es meist aus sanitären Gründen [40]); es
heißt aber auch, der Tote könne sonst
umgehen [41]); drum findet ein spukender
Toter Ruhe, als man seine Gebeine tiefer
begräbt [42]). Wenn das Grab zu klein gemacht worden, so gehört der Tote nicht
hinein, d. h. er ist scheintot [43]).

[24]) J o h n *Westböhmen* 176; A n d r e e
Braunschweig 317; ZfVk. 1, 220; W r e d e
Eifler Volksk. 128; HessBl. 10, 109; Bavaria 1,
411; ZfVk. 19, 275; G a ß n e r *Mettersdorf*
87; W i r t h *Beiträge* 2/3, 61; F o n t a i n e
Luxemburg 153; B a u m g a r t e n *Aus der
Heimat* 3, 115; S t r a c k e r j a n 2, 218;
SchwVk. 12, 5; *Volkskunde* 13, 98; D i e n e r
Hunsrück 182; B o d e m e y e r *Rechtsalter-
tümer* 195; *Volksleven* 8, 17 u. 19; vgl. T h u r -
s t o n *Southern India* 210. [25]) HessBl. 6, 102;
ZfVk. 8, 437. [26]) B i r l i n g e r *Volksth.* 2, 208;
W i r t h *Beiträge* 2/3, 61; vgl. *Argovia* 4, 421.
[27]) D r e c h s l e r *Schlesien* 1, 304; A n d r e e
Braunschweig 317; S c h u l l e r Progr. v.
Schäßb. 1863, 61; L e B r a z *Légende* 1, 294;
B r a n d *Pop. Ant.* 2, 240; vgl. *Globus* 89, 197.
[28]) B a r t s c h *Mecklenburg* 2, 98; Graubünden
mündl. [29]) T e t z n e r *Slaven* 160. [30]) HessBl.
6, 102; W i t z s c h e l *Thüringen* 2, 259; W i r t h
Beiträge 2/3, 61; vgl. F r a z e r 3, 142.
[31]) W i t z s c h e l *Thüringen* 2, 258 f. [32]) Bavaria 1, 411; Graubünden mündl. [33]) HessBl. 6,
102; B r u n n e r *Ostd.Vk.* 192; L e B r a z *Lé-
gende* 1, 357; O t t e *Glockenkunde* 41; Volksleven 8, 20; ZfVk. 30/32, 119. [34]) H ö h n *Tod*
348; vgl. ZfVk. 18, 368; vgl. F r a z e r 3, 141 f.;
ZfEthn. 8, 190; *Globus* 69, 90. [35]) G r i m m
Myth. 3, 469 Nr. 935; T e t z n e r *Slaven* 85;
Volksleven 8, 19. [36]) H ö h n *Tod* 344;
D r e c h s l e r *Schlesien* 1, 288; P a n z e r
Beitrag 1, 263. [37]) H ö h n *Tod* 344; L e B r a z
Légende 2, 312; ZföVk. 7, 122. [38]) H ö h n
Tod 326. [39]) ZfrwVk. 15, 109. [40]) L a m m e r t
111; Zürcher Stadtbücher 1, 62; N i d e r b e r -
g e r *Unterwalden* 3, 178 f.; HessBl. 24, 88 f.
[41]) W u t t k e 466 § 739; SAVk. 21, 5;
S t r a c k e r j a n 1, 196. [42]) G a n d e r *Nie-
derlausitz* 83 Nr. 211. [43]) Bern schriftl.

5. **Ein offenes Grab** ist gefährlich;
denn, wie oben bemerkt, können sich
böse Geister drin verbergen, besonders
wenn es über Nacht offensteht [44]), speziell über die Neujahrsnacht [45]). Dasselbe
ist wohl gemeint, wenn es heißt, es sterbe
bald jemand, falls der Mond in ein offenes
Grab scheine [46]). Man legt daher Bretter
drauf [47]) oder einen schwarzgestrichenen
Deckel als Schutz gegen böse Geister [48]).
Der Gräber muß seine Grabwerkzeuge
kreuzweis drüber legen, dann haben die
Hexen keine Macht über das Grab [49]).
Fällt eines der Werkzeuge hinein, so stirbt
bald jemand aus der Familie; Hacke oder
Schaufel weisen auf Mann oder Frau wie
beim Grabschließen [50]). Besonders über
Sonntag soll kein Grab offen sein, sonst
stirbt noch in derselben Woche jemand
aus der Pfarre [51]), oder in den nächsten
4 Wochen [52]), speziell ein Verheiratetes [53]).
Auch über Freitag soll kein Grab offen
sein, sonst erfolgt in der nächsten oder in
den 3 folgenden Wochen ein Todesfall [54]),
ebenso wenn am Karfreitag ein Grab offen
steht [55]), und wenn dies in den Zwölften
der Fall ist, gibt es im nächsten Jahr
viel Leichen [56]). Weiteres siehe bei B.zeit
(III, 4).

Ist während einer Hochzeit ein Grab offen, so stirbt bald ein Teil des Brautpaares, oder die Kinder werden ihm sterben [57]), im Thurgau heißt es: Brut und Bohr, Lich übers Johr [58]). Der Mann stirbt zuerst, wenn ein weibliches oder auch ein männliches Grab offen ist [59]). Ist am Tauftag ein Grab offen, so stirbt der Täufling bald [60]).

Regnet oder schneit es in ein offenes Grab, so stirbt bald wieder jemand [61]). Was die Witterung beim B. für das Schicksal der Toten bedeutet, siehe unter B.wetter (unten IV).

[44]) K ö h l e r *Voigtland* 442; vgl. K ü h - n a u *Sagen* 3, 255. [45]) ZAlpV. 54, 14. [46]) P o l - l i n g e r *Landshut* 295; vgl. S c h i l l e r *Braut v. Messina* V. 2611. [47]) C a m i n a d a *Friedhöfe* 40. [48]) Bern schriftl. [49]) Z i n g e r l e *Tirol* 50; W u t t k e 467 § 740; M ü l h a u s e 80; K n o o p *Hinterpommern* 166; K u h n *Westfalen* 2, 52 Nr. 147. [50]) Ebd. [51]) B a u m g a r - t e n *Aus der Heimat* 3, 103; W u t t k e 467 § 740; T h i e r s *Traité* (1679), 270; BF. 2, 364. [52]) M e i e r *Schwaben* 2, 491; B i r l i n g e r *Aus Schwaben* 1, 395; W u t t k e 214 § 299; S t a u b e r *Zürich* 1, 30; SchweizId. 2, 677; L ü t o l f *Sagen* 552; SAVk. 21, 201; H ö h n *Tod* 345; RTrp. 15, 152. [53]) H ö h n *Tod* 345. [54]) R e i s e r *Allgäu* 2, 313; H ö h n *Tod* 344; RTrp. 15, 152; vgl. Le B r a z *Légende* 1, 357. [55]) B i r l i n g e r *Aus Schwaben* 1, 386. [56]) W u t t - k e 215 § 300. [57]) P o l l i n g e r *Landshut* 256; B a u m g a r t e n *Aus der Heimat* 3, 93; MschlesVk. 11, 94; R o t h e n b a c h *Bern* 47 Nr. 438; S t r a c k e r j a n 1, 31; K ö h l e r *Voigtland* 438; D r e c h s l e r *Schlesien* 2, 200; J o h n *Erzgebirge* 96; J o h n *Westböhmen* 181; L a m m e r t 154; SAVk. 21, 50; P e t e r *Österr.-Schlesien* 2, 226. [58]) Mündl. [59]) J o h n *Erzgebirge* 96. [60]) K ö h l e r *Voigtland* 436; J o h n *Erzgebirge* 62; vgl. H ö h n *Tod* 270; M e n s i n g *Schlesw. Holst. Wb.* 1, 754. [61]) ZfVk. 14, 429; 8, 290; H ö h n *Tod* 344.

6. Das S c h l i e ß e n d e s G r a b e s ist ein wichtiger Augenblick, weil nun der Tote endgültig in seine neue Wohnung verwiesen wird und man sorgen muß, daß ja nichts unterlassen werde, ihn darin festzuhalten. Nicht mit dem Tod, sondern erst mit der Bestattung erfolgt die Trennung des Toten von den Lebenden. Das Grab wird noch manchmal im Beisein der Trauerversammlung geschlossen, die Träger besorgen es, indem sie ein Kirchenlied singen, oder die jüngsten Männer des Geleites [62]), bei den Juden die männlichen Glieder der Gemeinde [63]).

Der Rest einer älteren Sitte, daß alle Angehörigen, das ganze Gefolge oder die ganze Gemeinde, sich am Zuschütten des Grabes beteiligen mußten [64]), wie es noch in einer Kärntner Sage vorkommt, wo jeder Soldat einen Helm voll Erde auf einen Toten wirft [65]), ist wohl in dem weitverbreiteten Brauch erhalten, dem Toten einige Handvoll Erde nachzuwerfen. Der Priester [66]), die Verwandten [67]) oder alle Teilnehmer [68]) werfen eine oder 3 Hand oder Schaufeln voll Erde in Kreuzesform [69]) auf den Sarg, damit man den Toten leichter vergesse [70]), um die Ruhe des Toten zu befördern [71]), damit der Verstorbene weniger Langeweile habe [72]), in Bulgarien, damit die Verwandten hiermit die Seele loskaufen [73]). Die Seele verläßt den Leichnam, wenn der Priester eine Handvoll Erde ins Grab wirft [74]). Zwar wird dabei der Wunsch ausgesprochen: „Möge dir die Erde leicht sein", und es kommt vor, daß sogar zuerst Heu auf den Sarg geworfen wird, damit diesem Wunsch Genüge getan werde [75]); doch wird der wahre Zweck im Gegenteil sein, den Toten festzuhalten [76]); darum sind vielleicht auch die Verwandten als die am meisten Gefährdeten von der Pflicht ausgenommen [77]). Bei den Huzulen sprechen die 2 Männer, die zuerst eine Schaufel voll Erde ins Grab werfen: „Damit du nicht wegläufst" und: „Damit du nicht heraufsteigst" [78]). Nach dänischem Glauben soll das Gebet des Geistlichen den Toten ins Grab bannen [79]). Auch Kränze und Blumen werden hinuntergeworfen [80]).

Wenn man von der Erde, die der Priester ins Grab geworfen, nimmt, sie in der Messe segnen läßt und über die Kirchtürschwelle legt, so können Hexen nicht drüber gehen, ein Glaube, der von der Friedhoferde (s. d.) her übertragen ist [81]).

Die Männer, manchmal nur Verwandte und Träger, müssen mit entblößtem Haupt das Grab umstehen. Die Angehörigen bleiben bis zuletzt auf dem Kirchhof, oder sie gehen zuerst hinaus [82]). Als Vorsichtsmaßregel aufzufassen ist es auch, wenn die Trauernden das Grab dicht umstellen müssen, weil sonst bald jemand nachstürbe[83]), oder daß früher 2 Träger beim Zuschütten zugegen sein mußten, für den Fall, daß etwas vorkommen sollte[84]).

Über das Klagen der Angehörigen, das die Wichtigkeit des Vorgangs beweist, siehe Totenklage.

Kirchliche Maßnahmen, die Ruhe des Toten zu sichern, sind das Besprengen des Grabes mit Weihwasser, im Wallis mit der Absicht, daß Gras und Blumen darauf gedeihen[85]), das Aufstellen des Grabkreuzes[86]), und auch wohl das Andauern des Glockengeläutes, bis die letzten Rasenstücke aufs Grab gelegt sind[87]).

Das Grab muß geschlossen bleiben, der Tote darf nicht herauskommen; es ist ein schlimmes Zeichen, wenn eine Stelle des Grabes sich nicht schließen will[88]). Darum werden noch verschiedene Maßregeln ergriffen. Wird einer in einem Erbbegräbnis beigesetzt, so muß man den Schlüssel wegwerfen, sonst sterben die andern bald nach[89]). Schaufel oder Spaten und Hacke werden nach dem Zuschütten des Grabs darein gesteckt oder kreuzweise draufgelegt[90]), damit der Tote Ruhe habe und der Böse nicht Macht darüber erlange[91]). Das zuletzt benutzte oder hingeworfene Werkzeug deutet auf das Geschlecht der nächsten Leiche, meist bedeutet Hacke = Mann, Schaufel = Frau[92]); dasselbe gilt je nach dem Werkzeug, das beim Zuschaufeln zuerst benützt wird[93]). Die Richtung, in der zuletzt gehauen wird, oder in der der Schaufelstiel liegt, zeigt an, woher die nächste Leiche kommen wird[94]). Geräte, die beim Grabmachen benutzt worden sind, werden unrein, oder erhalten Zauberkraft[95]). Auch die Bahre bleibt 8 Tage, oder Bahre samt Werkzeugen einige Tage[96]) auf dem Grab stehen, damit der Tote nicht wiederkomme[97]); ferner ebenfalls das Heck mit den Kränzen[98]). In Sargans wird ein Deckel, in Hannover ein schwarzes Holzkreuz in Rahmen auf das fertige Grab gelegt[99]); in Braunschweig wurde ein Totengestell aus Weidenruten, mit buntem Papier umwickelt und einer Wetterfahne aus Knittergold an der Spitze, aufgepflanzt. An andern Orten geschieht dies nur bei ledigen Toten (s. Totenkrone); auch eine Art Netz von farbigem Papier wird übers Grab gelegt[100]). Auch als Abwehr zu verstehen ist es wohl, wenn Kohlenstaub, Hammerschlag oder Eisenfeilspäne aufs Grab gestreut[101]) und brennende Lichter aufgestellt werden. Wenn im Kt. Graubünden die Butter aus der Lampe, die bei der Totenwache brennt, aufs fertige Grab geschüttet wird, muß man es eher als Totenspeisung betrachten[102]). Nach Durand wurden ins Grab Weihwasser, Weihrauch und Kohle geworfen, letztere „quod terra illa ad communes usus amplius redigi non potest. Plus enim durat carbo sub terra quam aliud"[103]). Das Verschließen des Grabes sollte wohl auch dadurch verdeutlicht werden, daß man die ausgestochenen Rasenstücke über dem Grab sorgfältig zusammenlegte, oder ein Rasenstück auf den Platz setzte, wo das Gesicht lag[104]).

Daß solche Vorkehrungen zur Abwehr dienen, ersieht man deutlicher aus den Ausnahmeriten, besonders bei Wöchnerinnen. In Schlesien wurden anfangs des 18. Jh.s ihre Gräber mit „Gegitter" umgeben[105]), in neuerer Zeit werden vier Holzpflöcke ins Grab geschlagen und durch weiße Leinenbänder oder Faden verbunden, das soll die Ruhe der Toten sichern[106]). Oder es wurde ein Garngewinde um 4 aufs Grab gesteckte Spindeln geschlungen, ein sog. Garnschneller, den die Tote bei ihrer kirchlichen Aussegnung zu opfern gehabt hätte[107]). Anderswo wurde das Bettuch, worauf sie verstorben, aufs Grab gelegt, 3 Löcher hineingeschnitten und das Tuch mit Pflöcken oder Steinen befestigt; es blieb auf dem Grab, bis es vermodert war[108]); in Meiderich wurde nur ein weißes Läppchen mit Schleifen an den 4 Enden aufs Grab gelegt[109]). In Graubünden müssen einige Jungfrauen während der Leichenrede das weiße Tuch, das man sonst ums Bett der Wöchnerin hängt, über ihr offenes Grab halten[110]). Tote Wöchnerinnen kehren besonders gern zurück, sie gehörten früher bei uns wie heute noch bei andern Völkern zu den gefürchteten Toten, nach Burchard v. Worms wurden ihre Leichen gepfählt. Die Fäden und Tücher sollten also wohl denselben Zweck erfüllen wie anderswo aufs Grab gelegte Dornbüsche [111]) (vgl. Grabbeigabe A 7).

Auch Gräber **ungetauft oder sehr früh verstorbener Kinder** (die nach weitverbreitetem Glauben als Irrlichter herumstreifen müssen) wurden ähnlich verwahrt, indem man eine Windel drauf befestigte, auch Tränentüchlein genannt [112]). Fetzen davon hatten Heilkraft, besonders gegen Zahnweh [113]).

Drastische Mittel, um den Toten im Grab zu halten, waren außer dem Pfählen das Bedecken mit Gestrüpp oder **Dornen**, das man gegen gefährliche Tote anwandte. Es hat sich beim Lebendigbegraben von Verbrechern bis übers Mittelalter hinaus erhalten. Mit dieser Dornenbedeckung wird man auch das Pflanzen von Dornbüschen auf Gräbern zusammenstellen müssen, wie es noch in Bosnien vorkommt [114]); noch deutlicher ist der Zweck ersichtlich, wenn in Bulgarien eine Vampirleiche mit wilden Dornrosen umgürtet wurde, um ihr das Aufstehen zu verunmöglichen [115]).

[62]) H ö h n *Tod* 347; J e n s e n *Nordfries. Inseln* 345; G a ß n e r *Mettersdorf* 93; ZfVk. 8, 437. [63]) H ö h n *Tod* 347; vgl. B u x t o r f *Judenschul* 608. [64]) R o s é n *död och begravning* II; F e i l b e r g *Dansk Bondeliv* 2, 118; W e l l h a u s e n *Reste* 180; ZfVk. 14, 34; K r ü n i t z *Encyclop.* 73, 615; K o c h *Animismus* 96; ZfEthn. 30, 354; ERE. 4, 437. [65]) G r a b e r *Kärnten* 399 Nr. 552. [66]) Egerl. 9, 32; J o h n *Westböhmen* 176; S e e f r i e d - G u l g o w s k i 223; J e n s e n *Nordfries. Inseln* 344; B r a n d *Pop. Ant.* 2, 284; Globus 69, 198; L e B r a z *Légende* I, 365. [67]) Bern u. Graubünden schriftl.; SAVk. 24, 63; ZfVk. 6, 410; G a ß n e r *Mettersdorf* 93; ZfVk. 14, 30 ff.; ZföVk. 7, 123; M e y e r *Baden* 594; Volksleven II, 57; F e i l b e r g *Dansk Bondeliv* 2, 118; T h u r s t o n *Southern India* 166. [68]) B r ü c k n e r *Reuß* 195; G r i m m *Mythol.* 3, 458; Globus 78, 322; L e m k e *Ostpreußen* 2, 279; W i r t h *Beiträge* 2/3, 66; J o h n *Erzgebirge* 128; F o n t a i n e *Luxemburg* 153; H ö h n *Tod* 346; BF. 2, 363; ZföVk. 10, 106. [69]) N i d e r b e r g e r *Unterwalden* 3, 163. [70]) K ö h -

l e r *Voigtland* 254. [71]) G r i m m *Mythol.* 3, 458; W i r t h *Beiträge* 2/3, 66. [72]) SAVk. 24, 63. [73]) ZfVk. 14, 34. [74]) S e e f r i e d - G u l g o w s k i 223; vgl. L e B r a z *Légende* I, 211 u. 234; RTrp. 12, 447; S é b i l l o t *Folk-Lore* 3, 250; A n d r e e *Juden* 184; FL. 18, 366. [75]) ZfVk. 13, 390; vgl. BF. 2, 362. [76]) NieddZ. I, 93 ff.; ZfVk. 14, 30; vgl. S c h e r k e *Primitive* 64; H e y l *Tirol* 313 Nr. 130. [77]) MschlesVk. 3, 7. [78]) Globus 69, 91; vgl. Z e l e n i n *Russ. Volksk.* 326. [79]) F e i l b e r g *Dansk Bondeliv* 2, 119 u. 132; vgl. ZfVk. 10, 106. [80]) J o h n *Erzgebirge* 128; B r a n d *Pop. Ant.* 2, 312; RTrp. 11, 311. [81]) Theatrum Diabol. (1569), 121[a]; BF. 2, 363. [82]) H ö h n *Tod* 346 f.; vgl. G a ß n e r *Mettersdorf* 93; B r a n d *Pop. Ant.* 2, 274. [83]) D r e c h s l e r *Schlesien* I, 304. [84]) H ö h n *Tod* 347; vgl. MschlesVk. 25, 124; [85]) O s e n b r ü g g e n *Wanderstudien* 4, 24; H o m e y e r *Dreißigste* 156; BF. 2, 363; ZfVk. 18, 367; SchwVk. 17, 13. [86]) N i d e r b e r g e r *Unterwalden* 3, 171; T h a l h o f e r *Liturgik* 2, 473. [87]) SAVk. I, 46; W i r t h *Beiträge* 2/3, 63. [88]) ZfdMyth. I, 189; M e i c h e *Sagen* 522 Nr. 668; K ü h n a u *Sagen* I, 183 f. [89]) K u h n *Märk. Sagen* 387 Nr. 101 = W u t t k e 468. [90]) HessBl. 6, 102; B a r t s c h *Mecklenburg* 2, 98; E n g e l i e n u. Lahn 249; W i r t h *Beiträge* 2/3, 63; vgl. F e i l b e r g *Dansk Bondeliv* 2, 119. [91]) W i t z s c h e l *Thüringen* 2, 253. [92]) E n g e l i e n u. Lahn 249; B a r t s c h *Mecklenburg* 2, 98; K n o o p *Hinterpommern* 167; SAVk. I, 46; W u t t k e 214 § 299; Wallis u. Graubünden schriftl.; W o l f *Beiträge* I, 215 f.; K u h n *Westfalen* 2, 51 Nr. 146; W i r t h *Beiträge* 2/3, 52. [93]) J o h n *Erzgebirge* 117; K u h n u. S c h w a r t z 436 Nr. 303; L a m m e r t 106. [94]) K u h n *Märk. Sagen* 368; G a ß n e r *Mettersdorf* 81; R o c h h o l z *Glaube* I, 198; W u t t k e 214 § 299. [95]) W i r t h *Beiträge* 2/3, 63; K r a u ß *Relig. Brauch* 135; S c h e r k e *Primitive* 74; vgl. W i t z s c h e l *Thüringen* 2, 129; F e i l b e r g *Dansk Bondeliv* 2, 119. [96]) ZfVk. 8, 437; W i r t h *Beiträge* 2/3, 63; A n d r e e *Braunschweig* 318; K r ü n i t z *Encyclop.* 73, 411; Z e l e n i n *Russ. Volksk.* 326. [97]) ZfVk. 13, 390. [98]) S a r t o r i *Sitte u. Brauch* I, 157; vgl. BF. 3, 32; F e i l b e r g *Dansk Bondeliv* 2, 119. [99]) SAVk. 6, 41; T e t z n e r *Slaven* 376; vgl. R e i s e r *Allgäu* 2, 304. [100]) A n d r e e *Braunschweig* 318; HessBl. 10, 112; Volksleven 8, 20; 10, 75; vgl. ZföVk. 6, 65. [101]) SchweizId. 3, 1014; H o v o r k a - K r o n f e l d I, 188 f.; R e i s e r *Allgäu* 2, 304; vgl. Z e l e n i n *Russ. Volksk.* 326. [102]) R e i s e r *Allgäu* 2, 304; vgl. ZfVk. 17, 375 ff.; SAVk. 14, 81. [103]) D u r a n d *Rationale* (1565) 454; vgl. ZfVk. 18, 367. [104]) W i r t h *Beiträge* 2/3, 63; HessBl. 10, 112; vgl. F e i l b e r g *Dansk Bondeliv* 2, 119. [105]) MschlesVk. 7, Heft 13, 101 ff. [106]) Ebd. 7, Heft 14, 59 f.; H ö h n *Tod* 356; vgl. C r o o k e *Northern India* 225. [107]) M e y e r *Baden* 586; vgl. R o c h h o l z *Kinderlieder* 354. [108]) K o l b e *Hessen* 74; M ü l h a u s e 80; HessBl. 6, 106; Volksleven

8, 20. [109]) ZfrwVk. 5, 270. [110]) SAVk. 18, 165 f.
und mündl. Mitteilungen. [111]) Globus 80, 111;
NJbb. 49, 214 ff. [112]) M ü l h a u s e 80;
HessBl. 6, 106; 10, 112. [113]) HessBl. 10, 112.
[114]) ZföVk. 6, 65; B r u n n e r *Deutsche Rechts-
gesch.*[2] 1, 246; G r i m m *Kl. Schr.* 2, 244;
G r i m m *Myth.* 3, 353; AfdA. 28 (1902), 316 f.;
ZRG. 35, 354 ff.; 39, 264 ff.; U n w e r t h
Totenkult 54; P f a n n e n s c h m i d *Weih-
wasser* 53; NieddZschr. 1, 88 ff.; NJbb. 46,
205 ff.; K o c h *Animismus* 98; L é v y - B r u h l
Fonctions mentales 399 f.; C r o o k e *Northern
India* 170. [115]) ARw. 13, 159 f.

7. Ein selten gewordener Ritus ist die
U m w a n d l u n g . Der Sarg wird ein-
oder dreimal um die Kirche getragen [116]),
speziell wenn die Tote eine Wöchnerin
ist [117]); die Angehörigen oder nur die
Frauen [118]) gehen dreimal um das zu-
geschüttete Grab; den Hügel Beowulfs
umritten 12 Edelinge [119]). Der ursprüngliche Zweck ist Abwehr; der Tote soll an
den Ort (Friedhof, Kirche, Grab) gebunden werden [120]). Die Ausübung ist
aber mit Gefahr verbunden, eine Schwangere darf die Umwandlung nicht mit-
machen, sonst stirbt ihr Kind [121]). Eine
richtige E i n h e g u n g durch Zaun, Wall
oder Graben wird in alter Zeit noch als
Abwehr gebraucht [122]).

[116]) K n u c h e l *Umwandlung* 38 ff. (mit
Lit.); Urquell 3, 300; C a m i n a d a *Friedhöfe*
193; R o c h h o l z *Glaube* I, 198; S a r t o r i
Westfalen 106; F i n d e r *Vierlande* 23; L e
B r a z *Légende* 1, 296; Volksleven 8, 21; vgl.
ARw. 17, 486; B r a n d *Pop. Ant.* 2, 268.
[117]) T e m m e *Pommern* 338. [118]) S t r a c k e r -
j a n 2, 218. [119]) K n u c h e l a. a. O. 43 f.;
D i e n e r *Hunsrück* 185. [120]) RTrp. 15, 154;
K n u c h e l a. a. O. [121]) W i t t s t o c k *Sieben-
bürgen* 72. [122]) Thule 7, 88; D i e n e r *Hunsrück* 186; K n u c h e l *Umwandlung* 116;
ZfVk. 11, 266; K o c h *Animismus* 98; NJbb.
49, 214 ff.

8. Nicht als Ritus, sondern nur als
Ehrung empfunden wird das dreimalige
S c h i e ß e n beim B. eines Soldaten [123]).
Der Brauch kommt in unserer Zeit auch
noch vor.

[123]) ZföVk. 4, 294; H ö r m a n n *Volksleben*
428; T e t z n e r *Slaven* 326; vgl. F i s c h e r
SchwäbWb. 3, 777; K r ü n i t z *Encyclop.* 73,
828; vgl. Soldatenlieder z. B. B ö c k e l *Handbuch* 271.

9. Wie mit allen wichtigen Handlungen,
die mit dem Toten vorgenommen werden,
sind auch mit der Beerdigung allerlei

V o r z e i c h e n verbunden. Jede Störung im Lauf der B.handlungen wird als
schädlich, gefahrbringend für den Toten
oder die Überlebenden empfunden. So
heißt es, wenn beim offenen Grab Erde
herunterfällt, ein Stück, eine Seite ein-
stürzt, wenn beim Herausschaufeln die
Erde immer wieder zurückfällt, so stirbt
bald wieder jemand aus der Familie, der
Tote holt einen nach [124]). Die Seite, die
einfällt, weist drauf hin, woher der
nächste Tote aus dem Dorfe kommt [125]).
Wenn die Erdschollen, die man ins Grab
wirft, auf dem Sarg dumpf oder stark
poltern, so stirbt bald jemand aus der
Familie oder dem Orte [126]) (vgl. die Vorbedeutung des dumpfen Tons beim B.-
läuten (s. d.)). Fällt die erste Scholle aufs
Fußende des Sargs, so ist die nächste
Leiche ein Kind, wenn aufs Kopfende,
ein Erwachsener [127]); wer von den Angehörigen die erste Schaufel Erde auf
den Sarg wirft, stirbt zuerst [128]).

Reißt beim Hinabsenken des Sargs
das Seil, so stirbt die ganze Familie
aus [129]); geht der Strick vom Sarg nicht
los, so verwest der Tote bald [130]). Man
muß den Sarg recht grad ins Grab senken,
damit der Körper nicht schief liege [131]).
Dreht sich der Pastor beim B. um, so
stirbt bald jemand aus der Familie [132]).
Schlägt die Kirchenuhr, solange der Sarg
noch nicht unter der Erde ist, so stirbt
vor dem 30. Tag jemand aus der Verwandtschaft [133]). Auf ein fröhliches Leichenbegängnis folgt ein trauriges [134]).

Ein übles Vorzeichen ist auch das
E i n s i n k e n   d e s   g e s c h l o s s e -
n e n   G r a b e s . Tritt dies bald ein, so
stirbt bald jemand aus der Familie [135]),
oder die ganze Familie stirbt aus [136]); oder
man sagt, der Tote habe Grenzsteine verrückt [137]), er war ein Geizhals [138]), der
Tote sei in die Hölle gekommen [139]). Hier
liegt wohl der Glaube zugrunde, das
Einsinken sei ein Zeichen, daß der Tote
das Grab verlassen habe und umgehe.

[124]) B a u m g a r t e n *Aus der Heima.*
3, 104; S c h m i t t *Hettingen* 15; K u h n
u. S c h w a r t z 436 Nr. 302; S c h u l l e r
Progr. v. Schäßb. 1863, 30; T e t z n e r
Slaven 339; W i t z s c h e l *Thüringen* 2, 257;
MschlesVk. 8, Heft 15, 74; S t r a c k e r j a n

1, 33; SAVk. 21, 32; Rothenbach *Bern* 43 Nr. 390; Schulenburg 114; Manz *Sargans* 122; Meyer *Baden* 595; Andree *Braunschweig* 314; Lemke *Ostpreußen* 1, 59; Toeppen *Masuren* 110; Schweizer. Merkur 2 (1835), 236; Graubünden mündl. [125]) Bartsch *Mecklenburg* 2, 97. [126]) Meyer *Baden* 595; Baumgarten *Aus der Heimat* 3, 104; Witzschel *Thüringen* 2, 253; Lammert 107; Urquell 1, 17; Krünitz *Encyclop.* 73, 359. [127]) Wuttke 214 § 299. [128]) Drechsler *Schlesien* 2, 200. [129]) John *Erzgebirge* 128; Mensing *Schlesw.Holst.Wb.* 1, 754. [130]) Tetzner *Slaven* 375. [131]) Keller *Grab d. Abergl.* 3, 57. [132]) Tetzner *Slaven* 239. [133]) Hartmann *Dachau u. Bruck* 228. [134]) Unoth 1, 189; Stoll *Zauberglauben* 141 f. [135]) ZfrwVk. 15, 110; MschlesVk. 8, Heft 15, 74; Fogel *Pennsylvania* 126 Nr. 577; Brückner *Reuß* 195; Reiser *Allgäu* 2, 314; Meier *Schwaben* 2, 511; Höhn *Tod* 357; SAVk. 12, 214; Lammert 107; Birlinger *Volksth.* 1, 474; Zingerle *Tirol* 47; Schultz *Alltagsleben* 235; SchweizId. 2, 352; Kuhn *Westfalen* 2, 52 Nr. 148. [136]) Meyer *Baden* 595 = Rochholz *Glaube* 1, 203. [137]) Drechsler 1, 305. [138]) Grohmann 193. [139]) Höhn *Tod* 357; umgekehrt RTrp. 15, 152.

II. B.ort.

1. Der B.ort ist wichtig, weil bei Einhaltung aller Riten der Tote oder die Seele an den Ort, wo der Körper liegt, gebannt bleibt. Je nach den Gefühlen, die man beim Toten vermutet, oder die die Überlebenden ihm gegenüber haben, wird man den B.ort wählen, falls ihn nicht der Verstorbene zu Lebzeiten selbst bestimmt hat wie Hrappr in der Laxdælasaga [140]).

In alter Zeit scheinen Gräber und Friedhofe an Straßen und Kreuzwegen gelegen zu haben; später galten letztere als entehrende B.plätze [141]) (s. Selbstmörder).

Seit der Einführung des Christentums suchte man in oder bei der Kirche begraben zu werden [142]), und bis ins 19. Jh. hielt sich der Brauch, daß vornehme Personen und Geistliche in der Kirche oder wenigstens außen an der Mauer begraben wurden [143]). In Graubünden soll es bis in die neueste Zeit vorgekommen sein, daß alle Leute in der Kirche begraben wurden (mündl. Mitt.). B. in der Kirche sollte es der Seele erleichtern, in den Himmel zu kommen [144]). Wenn dies nicht möglich war, so wollte man wenigstens in geweihter Erde, im Friedhof (s. d.) ruhen.

Nur in Ausnahmefällen und in Sagen finden wir andere B.orte. Nach mündlichen Mitteilungen wurden im letzten Jahrhundert im Thurgau und Bern Frühgeburten und ungetaufte Kinder nachts im Keller beerdigt, in Schlesien (16. Jh.) unter der Schwelle [144 a]). Die Tiroler Sage berichtet, man habe in alter Zeit ein Kind getötet und unter dem Herd begraben, das habe Glück gebracht [145]); nur komisch gemeint ist jedenfalls der Spruch der Pennsylvania-Deutschen: Wenn der Koch sich tot frißt, begräbt man ihn unter dem Herd [146]). Sagenhaft ist auch das B. bei oder in dem Haus bei boshaften Menschen angewendet; sie werden dadurch des Vorteils der geweihten Erde beraubt und an ihr Haus gebannt [147]). (Vgl. Arme Seelen.) Schreuer vermutet, die Sitte der Friesen im 13. Jh., den Leichnam eines Erschlagenen im Hause über den Rauch zu hängen, bis Blutrache geübt war, sei noch ein Rest des Brauchs, den Toten im Hause zu behalten und zu bestatten [148]). Um eine alte Bestattungsart handelt es sich wohl auch, wenn Alboins Leiche unter einer Treppe am Palast begraben wurde; der Tote wurde als Hüter des Palastes betrachtet [149]); ein Ausnahmeritus war am Platz aus zwei Gründen: es betraf einen König und einen gewaltsam Getöteten. Ein ähnlicher Ausnahmeritus einem toten König gegenüber war es wohl, wenn die Westgoten den Alarich im Flußbett des Busento begruben und den Fluß wieder drüber leiteten; genau dasselbe Verfahren, auch beim Tode eines Häuptlings, wird aus Afrika berichtet, sogar mit derselben Begründung: daß man dadurch die Grabstelle geheimhalten wolle [150]). Und in einer jüdischen Schrift des MA. (Toledoth Jeschu) heißt es, Judas habe die Leiche Christi in seinem Garten unter einem Wasserfluß begraben, den er zuerst ab- und dann wieder darüber geleitet habe [151]). Der ursprüngliche Grund wird wohl in einer Abwehr des mächtigen Toten durch das Wasser

liegen, eine Vereinigung von Begraben
und Wegschwemmen [152]).

[140]) C. 17; ZfvglRw. 34, 102 ff.; ZfrwVk. 14,
1 ff.; ERE. 4, 422; Urquell 3, 118. [141]) ERE.
2, 26 ff.; MschlesVk. 11, 74; A m i r a *Todesstr.*
215. [142]) L i p p e r t *Christentum* 263 f.;
P f a n n e n s c h m i d *Weihwasser* 61;
K o n d z i e l l a *Volksepos* 37; HessBl. 24,
65 ff.; W e t z e r u. W e l t e 7, 718 f.; H e r -
z o g - H a u c k 10, 494; P a u l u s D i a c o -
n u s 4, 47. [143]) MschlesVk. 25, 87; C a m i n a -
d a *Friedhöfe* 22; N i d e r b e r g e r *Unterwal-*
den 3, 177; SAVk. 24, 75; O s e n b r ü g g e n
Der Gotthard (1877) 112; P u p i k o f e r *Gesch.*
d. Thurgaus[2] 2, 805. [144]) K e l l e r *Grab d.*
Abergl. 3, 104; 5, 4; L u c i u s *Heiligenkult* 305.
[144a]) MschlesVk. 27, 143. [145]) H e y l *Tirol* 597
Nr. 59; vgl. S c h r a d e r *Reallex.*[2] 1, 334;
F r a z e r 1, 104 f. [146]) F o g e l *Pennsylvania*
187 Nr. 909. [147]) M ü l l e n h o f f *Sagen* 191
Nr. 262; E i s e l *Voigtland* 225 Nr. 572.
[148]) ZfvglRw. 34, 91. 105. 128 f.; vgl. ZfEthn.
42, 231; ERE. 4, 423; W e i n h o l d *Altnord.*
Leben 502 f. [149]) ZfvglRw. 34, 102 ff.; K o c h
Animismus 78 ff.; ZfEthn. 30, 352. [150]) J o r -
d a n e s c. 30; S p e n c e r *Prinzipien* 1,
199; R a t z e l *Völkerkunde* 1, 121; Journal
Anthrop. Instit. 15, 65 f.; F r a z e r 3, 15.
[151]) S c h w a r t z *Volksglaube* 271; The Jewish
Encyclopedia 7, 170; vgl. Arch. f. Anthrop.
NF. 12, 190 f. [152]) Vgl. ERE. 4, 421; B r u n n e r
D. Rechtsgesch.[2] 1, 249 f.; Germania 17, 215.

2. Besondere B.orte erhielten auch
V e r b r e c h e r, H i n g e r i c h t e t e,
S e l b s t m ö r d e r, A n d e r s g l ä u -
b i g e, in christlicher Zeit immer in dem
Sinne, daß ihnen die geweihte Erde und
somit jede Hilfe zur Erlangung des Seelen-
heils verweigert wurde [153]). Doch geht
aus den Spukgeschichten klar hervor, daß
man den Toten damit an einen besonderen Ort gebannt glaubte.

B.ort der Verbrecher ist meist
die H i n r i c h t u n g s s t ä t t e, der
S c h i n d a n g e r (vgl. Selbstmörder).
Wenn geländete Leichen nicht im Friedhof, sondern im D ü n e n s a n d begraben wurden, so kommt dies wohl von
der Furcht der Leute, es könnte sich um
einen Selbstmörder oder um einen auf
andere „schlechte" Art Verstorbenen
handeln [154]).

Über Unterschiede, die man auch beim
B. innerhalb des Friedhofs machte, siehe
Friedhof.

Ein in Sagen und Legenden häufig
vorkommender Zug sind die w e i s e n -

d e n T i e r e, die anzeigen, wo der Tote
begraben sein will. Oder der Tote findet,
wohl mit göttlicher Hilfe, selbst den
Weg, wie die Leichen, die man der Sage
nach im Sarg die Rhone hinunterschwim-
men ließ, bis sie von selbst bei Arles in
Alischanz (= Campus Elisius) halt-
machten und in dem besonders geheiligten Friedhof begraben wurden [155]).

[153]) RGG. 1[1], 1011; K l a p p e r *Erzählungen*
114 Nr. 104; 164 Nr. 171; vgl. R o s é n *Döds-*
rike 57. 67; Z e l e n i n *Russ. Volksk.* 328 f.
[154]) J e n s e n *Nordfries. Inseln* 352; vgl.
M e y e r *Baden* 595; F e i l b e r g *Dansk Bon-*
deliv 2, 132. [155]) L i e b r e c h t *Gervasius* 3, 90;
M a n n h a r d t *Germ. Mythen* 360.

III. B. z e i t.

1. Hie und da erkennt man noch, wie
sich die zwei Auffassungen bekämpfen:
entweder den Toten, dessen Unreinheit
man fürchtet, möglichst schnell zu begraben, oder ihn möglichst lange bei sich
zu behalten, im Glauben, er könnte über-
große Hast übel empfinden, man müsse
der Seele Zeit lassen, sich vom Körper zu
trennen; die Ausführung der verschiedenen Riten beansprucht an sich schon
eine gewisse Zeit. Nach kirchlicher Lehre
soll eine Frist eingehalten werden, damit man sicher den Tod konstatieren
könne [156]). Vielleicht liegt in älteren, obrigkeitlichen Verboten, den Toten vor Ablauf einer bestimmten Frist zu bestatten,
ein Hinweis, daß das Volk es eilig
hatte [157]). Bei Wasserscheuen gestattete
die württembergische Regierung rasche
Beerdigung [158]). Lange Fristen bis zu
5 Tagen kamen im Bergischen vor, und
in Württemberg wird ausnahmsweise
eine Wöchnerin, deren Kind lebt, 3
Nächte im Hause behalten, andere Tote
nur 2, vielleicht eine Vorsichtsmaßregel,
um ihre Wiederkehr unnötig zu machen [159]).

[156]) ZfVk. 11, 19 ff.; 14, 23; A n d r e e *Juden*
165. 184; W e l l h a u s e n *Reste* 178; ZfÖVk.
7, 122; B r a n d *Pop. Ant.* 2, 249; T h a l -
h o f e r *Liturgik* 2, 466; T h u r s t o n *Southern*
India 207. [157]) L a m m e r t 112; F r i c k a r t
Kirchengebräuche 139; B o d e m e y e r *Rechts-*
alterth. 188 f.; K r ü n i t z *Encyclop.* 73, 172
(damit der Tote zur Ruhe komme). [158]) B i r -
l i n g e r *Aus Schwaben* 2, 318. [159]) ZfrwVk. 5,
258; H ö h n *Tod* 334.

32

2. Als Tageszeit wird meist der V o r - m i t t a g [160]), auch der M o r g e n [161]) gewählt, selten der Nachmittag [162]). Man zog wahrscheinlich die zunehmende Hälfte des Tages vor. A b e n d s o d e r n a c h t s werden nur besondere Tote begraben. So die Selbstmörder. Kleine (ungetaufte) Kinder werden abends, während des Abendläutens, oder nachts bestattet [163]), ein Abortus wird nachts auf den Kirchhof gebracht und neben einem Freunde begraben; man darf dabei niemand grüßen, dem man begegnet [164]). Abend und Nacht werden wohl als gefährlich für den Toten oder auch für das Gefolge angesehen [165]).

[160]) Wallis, Thurgau schriftl.; S c h ö n - w e r t h *Oberpfalz* 1, 253; ZföVk. 4, 268; H ö h n *Tod* 335; SAVk. 25, 72; R e i s e r *Allgäu* 2, 298; S p i e ß *Fränk. Henneberg* 154; S e e f r i e d - G u l g o w s k i 222; B i r - l i n g e r *Aus Schwaben* 2, 315. [161]) Unterwalden u. Luzern schriftl.; v. R o d t *Bern i. 19. Jh.* 91; ZföVk. 4, 294; ZfrwVk. 4, 280; W r e d e *Eifler Volksk.* 127; H ö r m a n n *Volksleben* 427; B e c k e r *Pfalz* 237 f. [162]) G a ß n e r *Mettersdorf* 90; ZfrwVk. 5, 255. [163]) G a ß n e r *Mettersdorf* 86; S t r a c k e r j a n 1, 33; J. S t a f f e l b a c h *Reiseskizzen* (Luzern 1882) 31; vgl. Le B r a z *Légende* 2, 36; L ü t o l f *Sagen* 554; Wallis, Graubünden, Thurgau mündl. Mitt. [164]) J e n s e n *Nordfries. Inseln* 341. [165]) RTrp. 15, 152; FFC. 41, 96; ERE. 4, 426; P a u l y - W i s s o w a 3, 336; S c h e r k e *Primitive* 62.

3. Gewisse T a g e werden für B. vor-gezogen oder vermieden: So ist der Sonn-tag beliebt [166]), gemieden werden Mon-tag [167]), Mittwoch [168]), Freitag [169]), Sams-tag [170]), sonst stirbt jemand aus der Fami-lie oder aus dem Dorf [171]), oder es wird eine Ehe durch Tod geschieden (Mittwoch oder Freitag) [172]). Doch kommt auch um-gekehrt der Freitag als bevorzugter Tag vor [173]).

[166]) J e n s e n *Nordfries. Inseln* 341; ZfVk. 19, 277; Appenzell u. Thurgau mündlich; im Gegenteil: B a u m g a r t e n *Aus der Heimat* 3, 103; H ö h n *Tod* 345. [167]) ZfVk. 19, 276; Thur-gau mündlich; H ö h n *Tod* 345; BF. 2, 364; ZföVk. 10, 106; F l a c h s *Rumänen* 55. [168]) ZfVk. 19, 276; H ö h n *Tod* 345. [169]) Glo-bus 59, 381; H ö h n *Tod* 344; BF. 2, 364; Graubünden mündlich; FL. 10, 268. [170]) ZfVk. 19, 276; Thurgau mündlich; H ö h n *Tod* 345. [171]) H ö h n *Tod* 344; Globus 59, 381; BF. 2, 364; ZföVk. 10, 106. [172]) H ö h n *Tod* 344 f.

[173]) J e n s e n *Nordfries. Inseln* 341; ZfVk. 19, 276.

4. B. am Neujahr läßt im kommenden Jahr 12 Ehepaare auseinander sterben; wenn der Kirchhof offen ist zwischen Weihnacht und Neujahr, gibts viel Lei-chen im nächsten Jahr [174]). „Eine Leiche auf der Bahre zur Himmelfahrt — Be-deutet: die Gewitter haben keine Art", oder B. an Himmelfahrt, Karfreitag oder in der Marterwoche hält schwere Ge-witter vom Orte fern [175]).

Wird eine Leiche im Vollmond be-graben, so nimmt sie den Segen aus dem Hause [176]).

[174]) J o h n *Erzgebirge* 128; F o g e l *Pennsyl-vania* 128 Nr. 584. [175]) J o h n *Erzgebirge* 128. [176]) W u t t k e 58 § 65; M e n s i n g *Schlesw.-Holst.Wb.* 1, 754; L ü t o l f *Sagen* 552 f.

IV. B.wetter.

Das Wetter beim B. wird meist als An-zeichen für das Schicksal des Toten, der Seele, aufgefaßt. Manchmal aber steht es in anderem Zusammenhang, besonders mit der Todesart (Selbstmörder), und es ist der Tote selbst, der das Wetter macht.

Weit verbreitet ist der Glaube, daß der Tote selig sei, wenn es vor oder beim B. ins Grab regnet, „dem Gerechten, Glücklichen regnets ins Grab" [177]), oder „die Engel weinen über den Tod" [178]). Zu-grunde liegt ursprünglich der Glaube an die dämonenabwehrende Macht des Was-sers [179]), was später nicht mehr verstanden und anders ausgedeutet wurde. Drum heißt es auch: Regen am B.tag ist ein Zeichen, daß der Tote viel gelitten hat und nicht gern gestorben ist [180]), oder ein Zeichen, daß über den nächsten Toten viel geweint wird [181]), oder daß der Tote gern Bier getrunken habe [182]), auch, daß ein naher Freund sterben wird [183]).

Unwetter beim B. bedeutet fast immer, daß der Tote böse war und in die Hölle kommt [184]). Ausnahmsweise verkünden Donner und Blitz, daß der Seele die himm-lische Pforte geöffnet werde [185]). Weht der Wind nach dem Gehöfte, so bleibt die Wirtschaft im alten Geleise, weht er vom Gehöft weg, so kommt sie zurück [186]).

[177]) G r o h m a n n 189; S c h m i t t *Het-tingen* 18; K o l b e *Hessen* 82; W o l f *Beiträge*

1, 216; 2, 367; L a m m e r t 105; M e y e r
Baden 595; F o g e l *Pennsylvania* 91 Nr. 361;
135 Nr. 620; R o c h h o l z *Glaube* 1, 198; Globus 59, 381; ZföVk. 3, 373; ZfrwVk. 2, 498;
B r a n d *Pop. Ant.* 2, 285; L e B r a z *Légende*
1, 365. [178]) G r o h m a n n 189. [179]) ARw. 13,
20 ff. [180]) J o h n *Erzgebirge* 128. [181]) T e t z-
n e r *Slaven* 375. [182]) G r o h m a n n 189.
[183]) F o g e l *Pennsylvania* 126 Nr. 575.
[184]) R o c h h o l z *Glaube* 1, 198; SAVk. 8, 274;
Bern mündl.; G r o h m a n n 198; FL. 15, 453.
K ü h n a u *Sagen* 1, 464; M ü l l e n h o f f
Sagen 32 Nr. 30; M e i c h e *Sagen* 175 Nr. 238;
628 Nr. 773; L e B r a z *Légende* 2, 313; vgl.
K l a p p e r *Erzählungen* 176 f. Nr. 180.
[185]) G r o h m a n n 189. [186]) T o e p p e n
Masuren 109.

V. B.kosten.

Um anständig begraben zu werden,
sparen sich die Leute schon bei Lebzeiten
das Geld zusammen; niemand will „von
Armen wegen" bestattet werden [187]).
„Was von Toten herkommt" muß ehrlich
erworben und bar bezahlt werden [188]).
Die Gebühren an Pfarrer und Lehrer
sollen möglichst bald, schon am Beerdi-
gungstage, erlegt werden [189]), damit der
Tote seine Ruhe habe und nicht wiederkommen müsse [190]). Man fragt den Schreiner nicht nach der Schuldigkeit, sondern
gibt eine angemessene Belohnung [191]).
(Vgl. Sarg.)

[187]) S t r a c k e r j a n 2, 217. [188]) HessBl. 4,
10; 10, 110. [189]) G a ß n e r *Mettersdorf* 93;
M e y e r *Baden* 596. [190]) K e l l e r *Grab d.
Abergl.* 5, 42; H ö h n *Tod* 348. [191]) B i r-
l i n g e r *Volksth.* 2, 405.   Geiger.

Begräbnisläuten. I. Selten wird das
Geläute mit einem kurzen einseitigen Anschlagen der Glocken (Kleppen, Klenken)
begonnen [1]). Häufig wird je nach Alter
oder Geschlecht der Leiche mit einer
größeren oder kleineren Glocke angefangen [2]). Das Geläute erfolgt einige Zeit
vor Beginn des Leichenzugs [3]), oder beim
Aufbruch [4]), während des Zuges [5]), bis
die Leiche zum Dorf hinaus ist [6]), wenn
der Zug ins Kirchdorf kommt [7]), solange
er ein Dorf passiert [8]) oder bei einem
Gotteshaus vorbeikommt [9]), und wenn
die Leiche ins Grab gesenkt und mit Erde
bedeckt wird [10]).
Die Glocken sind geweiht, wehren daher Dämonen ab [11]); das Geläute wird
als Hilfe für den Toten aufgefaßt, so wohl

auch, wenn seine Freunde es besorgen [12]).
Die Verweigerung des Geläutes wird als
Strafe empfunden [13]); ungern hat man
einen Todesfall in der Karwoche, weil
dann nicht geläutet werden darf [14]). Die
Seele verläßt die Erde in dem Augenblick, wo der Sarg unter Glockengeläute
aus dem Hause gehoben wird; man läutet,
um die arme Seele leichter aus dem Fegfeuer zu lupfen [15]); der Tote verändert
seine Farbe erst, wenn das Glockengeläute
verkündet, daß das Grab fertig ist [16]).
Bei der Beerdigung besonders frommer
Menschen beginnen die Glocken von
selbst zu läuten [17]).

Das Geläute soll aber auch die Lebenden vor dem Toten oder den Totengeistern schützen, so wenn beim Passieren
eines Dorfes geläutet wird. Denn wenn
man einen Toten über die Feldmark
führt, ohne daß in dem Orte geläutet
wird, so wird der Hagel die Felder zerschlagen [18]).

[1]) ZfVk. 15, 93; SchweizId. 3, 660; O t t e
Glockenkunde 44; Volksleven 8, 20; ZfVk. 30/32,
119. [2]) H ö h n *Tod* 335. 341; M e r z *Rechtsquellen d. Kt. Aargau* I, 6, 115; SAVk. 6, 41;
Volksleven 8, 20; S t a u b e r *Zürich* 1, 41 ff.
[3]) H ö h n *Tod* 335; Bavaria 1, 994. [4]) H ö h n
Tod 335; J o h n *Erzgebirge* 126; ZfVk. 19,
275; DHmt. 4, 4; Egerl. 9, 30 f. [5]) D u r a n d
Rationale (1565), 20 b; W i t t s t o c k *Siebenbürgen* 101; H ö r m a n n *Volksleben* 427;
Volksleven 8, 20. [6]) J e n s e n *Nordfries. Inseln* 350; Egerl. 9, 31. [7]) H o o p s *Sassenart*
120. [8]) R e i s e r *Allgäu* 2, 299. [9]) N i d e r-
b e r g e r *Unterwalden* 3, 163. [10]) Unterwalden
schriftl.; ZfVk. 13, 390; 30/32, 120; H ö r-
m a n n *Volksleben* 427; B o d e m e y e r *Rechtsalterth.* 171 f.; W i r t h *Beiträge* 2/3, 62.
[11]) T h a l h o f e r *Liturgik* 1, 474 ff.; L a v a-
t e r *Von Gespänsten* (1569), 119; M e y e r
Aberglauben 185. [12]) Bern schriftl.; H ö h n
Tod 335; Volksleven 8, 20; vgl. D i e n e r
Hunsrück 183; ZfVk. 30/32, 119; ZfrwVk. 6,
207; 7, 170. [13]) S a r t o r i *Sitte u. Brauch* 1,
153; O t t e *Glockenkunde* 43; ZfVk. 8, 30.
[14]) H ö r m a n n *Volksleben* 424; Eidgenöss.
Abschiede VI, 1, 1254. [15]) W i t t s t o c k *Siebenbürgen* 62; Bavaria 1, 412; S c h u l e n-
b u r g *Wend. Volksth.* 113; vgl. F e i l b e r g
Dansk Bondeliv 2, 117; G r i m m *Myth.* 3, 417.
[16]) ZfVk. 8, 35. [17]) S c h e l l *Bergische Sagen* 8;
H e y l *Tirol* 570 Nr. 25; B a u m g a r t e n
Aus der Heimat 1, 71. [18]) H a l t r i c h *Siebenb.
Sachsen* 301.

2. Beim B. wird H e i l z a u b e r getrieben; denn die Glocken haben, weil

32*

dämonenabwehrend, Heilkraft, und durch Spruch, Nachwerfen, Begraben, Wegschwemmen, wird dabei symbolisch das Leiden der Leiche mit ins Grab gegeben [19]). Um Schmerzen zu beheben, reibe man den leidenden Teil mit dem Innern einer Speckschwarte und spreche: „Böses und Unrat, du sollst vergehn wie der Tot' im Grabe", und 3 Vaterunser; die Schwarte vergrabe man unter einer Dachtraufe [20]). Wenn man Hühnerwurzeln hat, eile man während des Läutens hinter dem Sarg her, reiße die Hühnerwurzeln ab und werfe sie mit den Worten: „Sie läuten einer Leiche, ich meine Hühnerwurzel streiche. Im Namen Gottes usw." in der Richtung auf die Leiche zu [21]). Um Gewächse oder Hühneraugen zu vertreiben, muß man, wenn man einen alten Menschen begräbt und es läutet, sprechen: „Man läutet zu der Leich, und was ich greif das weich, und was ich greif nimm ab, wie der Tote im Grab †††". Dabei muß man den Schaden in der Hand halten oder mit dem Finger drüber streichen, und solange es läutet den Spruch wiederholen. Wie der Tote verwest, so vergeht das Leiden. Bei einem Mann muß ein Mann begraben werden, bei einer Frau eine Frau [22]). Gegen Hühneraugen nimmt man ein Fußbad und sagt den Spruch [23]). Einen Leibschaden oder Geschwüre wäscht man mit Bachwasser [24]), oft genügt der einfache Spruch [25]).

Besonders häufig werden W a r z e n während des B.s vertrieben. Man reibt sie während des Läutens und sagt dazu den Spruch:

> Sie läuten einer Leiche,
> Meine Warze zu gleiche,
> Sie läuten ins Grab,
> Meine Warze geh ab [26]).

Man bestreicht die Warzen 3mal mit Speck und vergräbt ihn während des Läutens unter Hersagen des Spruchs [27]), oder man bestreicht sie mit Speichel und sagt den Spruch [28]). Häufig muß man dabei die Hände waschen [29]) im fließenden Wasser [30]), worüber die Leiche gefahren wird [31]), im Brunnen bei der Kirche [32]), im Bachschaum [33]), dazu den Spruch

hersagen: „Sie läuten den Toten wohl in das Grab, ich wasche mir meine Warzen ab" [34]). Es muß bei einer weiblichen Leiche geschehen [35]). Eine alte Vorschrift von 1790 lautet, man solle einem Toten zu Grabe läuten und dann die Warzen an fließendem Wasser waschen [36]).

[19]) ZfVk. 8, 35; S e y f a r t h *Sachsen* 212. [20]) H o v o r k a u. K r o n f e l d 2, 362. [21]) MschlesVk. 25, 89. [22]) L a m m e r t 184 u. 219; BayHfte. 6, 203. [23]) S t o l l *Zauberglauben* 77. [24]) G r i m m *Myth.* 3, 462 Nr. 798; W o l f *Beiträge* 1, 256 Nr. 15; Z a h l e r *Simmental* 51. 100 f.; W i t z s c h e l *Thüringen* 2, 273 Nr. 71. [25]) ZfVk. 7, 165. [26]) S e y f a r t h *Sachsen* 213 f.; B o h n e n b e r g e r Nr. 1, 14; W e t t s t e i n *Disentis* 174; V e r n a l e k e n *Mythen* 314; W u t t k e 173 § 234; 335 § 497; W i r t h *Beiträge* 2/3, 58. [27]) J o h n *Erzgebirge* 110; W u t t k e 331 § 492. [28]) T e t z n e r *Slaven* 163. [29]) Blätter f. Bernische Gesch. 9 (1913), 9; SAVk. 2, 280; ZfVk. 1, 203; 4, 325; ZfrwVk. 20/1, 44; H e s e m a n n *Ravensberg* 91; P o l l i n g e r *Landshut* 290. [30]) ZfrwVk. 5, 97. 270; W o e s t e *Mark* 55 Nr. 14; W i t z s c h e l *Thüringen* 2, 291. [31]) S t r a c k e r j a n 1, 90. [32]) SAVk. 15, 8; Zug schriftl. [33]) SAVk. 8, 147; Aargau mündl. [34]) SAVk. 8, 147; 2, 280; S t r a c k e r j a n 1, 90; ZfrwVk. 5, 97; 20/1, 44; ZfVk. 4, 325; 1, 203; H e s e m a n n *Ravensberg* 91. [35]) SAVk. 15, 8. [36]) HessBl. 15, 130.

3. Die Zeit, da der Tote hinausgetragen und begraben wird, ist besonders gefährlich; daher finden wir auch das V e r b o t , während des B.s zu e s s e n , sonst bekommt man Zahnweh [37]) oder die Zähne fallen einem aus [38]). Ebensowenig soll man s c h l a f e n , sonst stirbt man [39]). Doch heißt es auch, man solle während des B.s Obstbäume rütteln, um sie tragbar zu machen [40]). (s. Leichenzug.)

[37]) G r i m m *Myth.* 3, 435 Nr. 39; S a r t o r i *Totenspeisung* 59; V e r n a l e k e n *Alpensagen* 349 Nr. 77; F o s s e l *Volksmedizin* 109 f.; W o l f *Beiträge* 1, 224; W u t t k e 310 § 459; W i r t h *Beiträge* 2/3, 63; W i t z s c h e l *Thüringen* 2, 259 Nr. 73. [38]) S p i e ß *Fränkisch-Henneberg* 153; H ö h n *Tod* 345; ZfVk. 8, 30. [39]) W u t t k e 313 § 462. [40]) W i r t h *Beiträge* 2/3, 63.

4. Aus dem B. entnimmt man allerlei V o r z e i c h e n , teils für den Toten, teils für die Hinterbliebenen. Tönt das Geläute hell, so ist der Tote „an einem guten Ort" [41]), tönt es dumpf, so ist der Tote schlecht gestorben [42]). Zerspringt

gar die Glocke, so wird ein Mensch mit schwerbelastetem Gewissen begraben [43]). Wenn es dumpf tönt, folgt bald ein Todesfall in der Familie [44]), es stirbt einer von den Begleitern [45]), oder es wird beim nächsten Todesfall große Trauer sein [46]). Aber auch wenn die Glocken hell läuten, folgt bald ein Trauergeläute [47]). Wenn eine Glocke ein wenig nachläutet, stirbt bald jemand [48]). Tönt die große Glocke zuletzt, so ist die nächste Leiche ein Mann, ist's die kleine, eine Frau [49]); oder Nachklingen der großen Glocke zeigt Tod einer ältern Person an, das der mittlern: Tod einer jüngern, das der kleinen: Tod eines Kindes, oder es betrifft Standesunterschiede [50]).

Auf welche Seite der Klöppel zuletzt anschlägt, von der wird die nächste Leiche im Dorf kommen [51]). Schlägt eine Glocke an, wenn die Leiche schon ins Grab versenkt worden ist, so folgen bald Verwandte [53]). Wenn ein Hund ins Grabgeläute heult, stirbt bald jemand [53]), ebenso wenn das Glockenseil beim Läuten sonderbar zittert [54]).

Wenn die Uhr ins Grabgeläute schlägt, so stirbt bald jemand aus der Familie [55]) oder aus der Gemeinde [56]). (Vgl. Sterbegeläute.)

[41]) B a u m g a r t e n *Aus der Heimat* 3, 124; P e t e r *Österreichisch-Schlesien* 2, 247; Rockenphilosophie 630. [42]) Wallis schriftl.; M e y e r *Baden* 595; vgl. L e B r a z *Légende* 2, 4. [43]) J o h n *Erzgebirge* 128. [44]) Ebd.; W i r t h *Beiträge* 2/3, 50; Rockenphilosophie 535; F e i l b e r g *Dansk Bondeliv* 2, 98. [45]) P e t e r *Österreichisch-Schlesien* 2, 247. [46]) Schweizer.Merkur 2 (1835), 235. [47]) ZfrwVk. 4, 271; vgl. ZfVk. 8, 33; S c h u l e n b u r g *Wend. Volksth.* 236. [48]) S p i e ß *Fränkisch-Henneberg* 153; J o h n *Erzgebirge* 116; W i r t h *Beiträge* 2/3, 50. [49]) B ü h l e r *Davos* 1, 365; W i r t h *Beiträge* 2/3, 50. [50]) J o h n *Erzgebirge* 117; W i t z s c h e l *Thüringen* 2, 259; P e t e r *Österreichisch-Schlesien* 2, 247. [51]) G r i m m *Myth.* 3, 476; B a r t s c h *Mecklenburg* 2, 95. [52]) R o t h e n b a c h *Bern* 43. [53]) Ebd. [54]) Graubünden mündl. [55]) S c h i l d *Grossätti* 127; W i t z s c h e l *Thüringen* 2, 257; B r ü c k n e r *Reuß* 195; K e l l e r *Grab des Aberglaubens* 3, 64. [56]) G r i m m *Myth.* 3, 450; B ü h l e r *Davos* 1, 368; H ö h n *Tod* 345; M e i e r *Schwaben* 2, 491; ZfVk. 8, 34; 13, 390; P f i s t e r *Hessen* 165; HessBl. 15, 129; SchweizId. 2, 677; M e n s i n g *Schlesw.Holst.Wb.* 1, 754.
Geiger.

Behemoth, das biblische Fabeltier, das Hiob 40, 15 ff. mit orientalischer Phantasie zur Verherrlichung Gottes geschildert wird, ist für den Aberglauben insofern von Bedeutung, als es die Entwicklung der volkstümlichen Drachenvorstellung beeinflußt hat [1]). Diese Beeinflussung zeigt sich vielleicht weniger in der Übertragung einzelner Züge, als vielmehr darin, daß in B. und seinem Genossen Leviathan die Existenz des Drachens biblisch sanktioniert ist und so der Glaube an das Vorhandensein ungeheuerlicher Drachenwesen auch in der Gedankenwelt christlicher Kreise lebendig blieb. B. selbst ist nicht zu einem Bestandteil des Volksaberglaubens geworden. Das unverletzbare, schnaubende Ungetüm Bemoth, von dem die isländische Novellistik des 14. Jh.s weiß [2]), steht vereinzelt da. Ob der nordische Fenriswolf Züge von B. übernommen hat, wie Elard Hugo Meyer meint [3]), ist doch recht zweifelhaft. Beiden sind vielmehr nur die allgemeinen Wesensmerkmale des Drachen gemeinsam, ohne daß unmittelbare Abhängigkeit anzunehmen ist. Wir können heute mit Sicherheit sagen, daß B. ein Nilpferd ist, das in die Sphäre des Mythischen erhoben wurde — ein Motiv, das die alten Israeliten aus Ägypten übernommen haben. Frühere Geschlechter hatten in völligem Mißverstehen des Textes in B. den Teufel gesehen, z. B. Gregor der Große [4]) und noch Luther [5]), auch an den Elefanten hatte man gedacht [6]).

[1]) E. H. M e y e r *German. Mythol.* 96. [2]) G e r i n g *Aeventyri* 1, 308 f.; 2, 244. [3]) E. H. M e y e r *Mythol. der Germanen* 346. [4]) M i g n e *Ser. Lat.* 76, 644 ff. [5]) K l i n g n e r *Luther* 26. [6]) B r a e u n e r *Curiositäten* 584.   Rühle.

behexen s. v e r h e x e n.

Beichtbücher s. P o e n i t e n t i a l e.

Beichte (ahd. bi-jiht-Bekenntnis, zu bijehan) ist das vor dem Priester abgelegte Bekenntnis der Sünden. Zuerst geschah dies öffentlich; seit dem 9. Jh. ist jedoch die geheime B. und Buße im Abendland völlig eingebürgert. Von alters her ist die Quadragesimalzeit (Aschermittwoch-

Gründonnerstag) für B. und Buße reserviert. Seit 1215 ist jeder verpflichtet, um die österliche Zeit [1] zu beichten. Sonstige Anlässe, bei denen das Volk in größerer Anzahl zur B. geht („B.tage") [2] sind: die Adventszeit, Anfang August (Portiunkula), das Kirchenpatronsfest und Allerheiligen; der Einzelne geht auch gerne vor Antritt eines wichtigen Geschäftes [3]. Für die Osterb. erhält mancherorts der Pfarrer noch seine „B.-eier" [4], wohl die Ablösung des früher üblichen „B.pfennigs". Andere Naturalien erhält er mancherorts bei der Erstb. der Kinder [5]. Kann ein Schwerkranker nicht mehr beichten, so bekennt er wohl auch einem Laien seine Sünden. Diese „Laienb." war im Orient schon frühe beliebt, auch das MA. kannte und übte sie, jetzt ist sie wohl in Abgang gekommen und dient nur noch Schwänken als Unterlage [6]. Von besonderer Bedeutung sind die frühen Bußbücher [7] und B.-spiegel [8].

Zahlreich sind die Wirkungen, die man nach dem Volksglauben von der B. erwartete. Cäsarius v. Heisterbach erzählt viele Geschichten von solchen, denen ihre — meist sexuellen — Sünden von einem Besessenen vorgehalten werden. Gehen sie aber dann zur B., so muß der Besessene nachher bekennen, daß er gelogen und der Betreffende rein sei [9]. Ähnlich liegt der Fall bei den Ordalien. Wer sich einem solchen unterziehen mußte, der hoffte, trotz aller Schuld die Probe getrost bestehen zu können, wenn er seine Sünde vorher beichtete. Nur mußte er sich dann vor Rückfall hüten, sonst kam die Wahrheit doch noch ans Licht [10]. Ferner glaubt man, wer ohne B. zum Abendmahl gehe, dem bleibe der Mund offen bis er gebeichtet [11]. Hexen, welche an einem Wallfahrtsort zur B. gehen, verlieren ihre Kunst [12]. Der Sage nach sitzt auch der Teufel hie und da einmal im B.stuhl [13].

Aus altdeutschem Glauben (Feueranbetung) ist es zu erklären, wenn ein drückendes Geheimnis in den Ofen „gebeichtet" wird oder in die Erde, einem Stein, einer Pflanze [14].

Die B. bei nichtchristlichen Völkern s. Hastings s. v. Confessions.

[1] Meyer Baden 522. [2] Rosegger Steiermark 225 f. [3] Meyer l. c. 522. [4] Wrede Rhein. Volksk. 186; auch vielerorts im Badischen. [5] Pollinger Landshut 245. [6] ZfVk. 8, 329. [7] Schmitz Bußbücher u. Bußdisciplin 1883 und Bußbücher u. Bußverfahren 1898. [8] MSD. 1892; ZfVk. 22, 241 f. [9] Cäsarius v. Heisterbach 3, 2; 6 u. ö. [10] Franz Benediktionen 2, 330 ff. [11] Argovia 9 Nr. 1. [12] SAVk. 3, 298. [13] Meiche Sagen 462 Nr. 599. [14] Grimm Myth. 1, 523 f.; vgl. Bächtold-Stäubli Ofenbeichte in SchwVk. 14, 73 ff.   Schneider.

Beifuß. (Buck, St. Johanniskraut, -gürtel, Sonnwendgürtel; Artemisia vulgaris.)

1. Botanisches. — 2. B. als Apotropaeum. — 3. B. am Johannistag. — 4. B. gegen Müdwerden. — 5. B. im Liebeszauber. — 6. Volksmedizinisches. — 7. B. verhindert das Abziehen des Bienenschwarmes. — 8. Kohlen unter dem B.

1. Botanisches. ½ bis 1½ m hoher Korbblütler mit fiederteiligen, auf der Oberseite dunkelgrünen, unten weißfilzigen Blättern. Die kleinen unscheinbaren Blütenköpfchen sind ährig oder traubig angeordnet. Der B. ist meist häufig auf Schutt, in Hecken, an Wegen, Zäunen und Mauern [1]. Bei den antiken Schriftstellern [2] stand die „artemisia" [3] als Heilpflanze in hohem Ansehen; unter diesem Namen erscheint der B. auch öfter im deutschen Volksaberglauben (z. B. in Segensprüchen) [4].

[1] Marzell Kräuterb. 360 f. [2] Dioskurides Mat.med. 3, 113; Plinius Nat. hist. 25, 73. [3] Bezeichnung für den B. und verwandte Arten, vgl. auch Demitsch Russ. Volksheilmittel 182. [4] Marzell Heilpflanzen 222 ff.

2. Die „artemisia" ist (wohl wegen ihres aromatischen Geruches) zeitlich und örtlich als zauberwidriges Mittel weit verbreitet. Ein griechischer Zauberpapyrus erwähnt ihren Saft als Zaubermittel [5] und nach dem Kräuterbuch des (Pseudo-)Apuleius (4./5. Jh. n. Chr.) soll die im Hause aufgehängte artemisia die Dämonen vertreiben und den bösen Blick abwenden [6]. Ebenso erwähnt Vintlers Aberglaubenliste [7] den „pipffis", was möglicherweise den B. (ahd. pipôz) bedeuten könnte [8]. Eine Gießener Hs. v. J. 1400 [9] und eine solche aus

dem Schlosse Wolfsthurn bei Sterzing aus dem 15. Jh.[10]) kennen gleichfalls die „artemisia" als Mittel gegen Zauberei[11]). Die Kräuterbücher des 15. und 16. Jh.s erwähnen, jedenfalls auf Apuleius zurückgehend, den B. als zauberwidriges Mittel[12]). Wenn auch der B.aberglaube zum Teil auf antike Überlieferung zurückgeht[13]), so scheint der B. doch auch eine echt germanische Zauberpflanze gewesen zu sein[14]). Der B. wird gegen angezauberte Krankheiten verwendet (Solingen)[15]). Behexte Milch und Eier werden durch B. entzaubert[16]). Wenn das Vieh bezaubert ist, wird der am Philippus- und Jakobustag gesammelte B. im Stall aufgehängt[17]). In Mittelfranken und im Fichtelgebirge[18]) sowie in Tirol[19]) hält der B. bösen Zauber fern. Gegen Blitz und Seuchen schützt der am Dachfirst aufgehängte B. (Steiermark)[20]). Auch bei anderen germanischen Völkern stand der B. in hohen Ehren. Im altenglischen Neunkräutersegen (s. d.) wird er als „Mutter der Kräuter" („mater herbarum" im Mittellateinischen) angerufen[21]), und auch in Dänemark[22]) vertreibt er den Teufel. Ähnliches gilt auch für Frankreich[23]), Belgien[24]), für die Isle of Man[25]). Die Ainos in Japan und die Chinesen verwenden eine Artemisia-Art gegen Dämonen[26]).

3. Die apotropäische Verwendung des B.es gegen Krankheiten wird besonders mit dem Johannistag, bzw. dem -feuer in Verbindung gebracht[27]). Beim Tanz um das Johannisfeuer umgürtete man sich mit den Stengeln des B.es und warf diese dann ins Feuer. Das schützte das ganze folgende Jahr gegen Krankheiten[28]). Das Umgürten mit der vor Sonnenaufgang mit der linken Hand ausgerissenen artemisia als Mittel gegen Lendenschmerzen erwähnt schon der Gallier Marcellus von Bordeaux (4. Jh. n. Chr.)[29]). Heutzutage scheint die Verwendung des B.es beim Johannisfeuer nicht mehr bekannt zu sein, jedoch weisen Volksnamen wie Sonnwend- oder Johannisgürtel auf die alte Sitte hin. In Niederbayern werden zur Sonnwendzeit B.-kränze in den Ställen aufgehängt[30]). Auch in anderen Ländern werden dem an Johanni gesammelten B. besondere Kräfte (vor allem gegen Zauberei und Krankheiten) zugeschrieben, so auf Sizilien[31]), in Frankreich[32]), in Mähren[33]), in Böhmen[34]). Als „Johanniskraut" (s. d.) schützt der an Johanni gesammelte B. das Haus gegen den Blitz, wenn die Pflanze über die Haustür gelegt wird[35]), oder das Feld gegen Hagelschlag, wenn die vier Ecken mit B. besteckt werden (vgl. Arnika)[36]). In Vorarlberg schützt das aus dem B. verfertigte und über die Haustür gehängte „Johannisschäppel" das Haus vor Gefahren[37]).

[5]) Denkschr. Akad. Wiss. Wien. Phil. hist. Kl. 42 (1893), 15. [6]) Apuleius De medicam. herbarum rec. Ackermann 1788, 165 = Thesaurus pauperum 1576, 112. [7]) Pluemen der Tugent V. 7795. [8]) ZfVk. 23, 118. [9]) Zfd-Myth. 2, 172. [10]) ZfVk. 1, 323. [11]) Vgl. auch Schönbach Berthold v. R. 148. [12]) Z. B. Hortus Sanitatis, Mainz 1485, cap. 1: Tabernaemontanus Kreuterbuch 1588, 37. [13]) Hoops Pflanzennamen 48 f. [14]) Höfler Botanik 74 ff.; ZfVk. 24, 14. [15]) ZfrwVk. 11, 172. [16]) Montanus Volksfeste 141. [17]) Saaltal: Schrift. d. Ver. f. Sachs.-Mein. Geschichte 1898, 54; Württemberg: Eberhardt Landwirtschaft 211; Anhalt: Mitteil. Anhalt. Gesch. 1922, 20. [18]) Marzell Bayer. Volksbotanik 201. 204. [19]) ZfVk. 15, 59. [20]) Kronfeld Zauberpflanzen 1898, 18. [21]) Hoops Pflanzennamen 47. 57. [22]) Feilberg Ordbog 1, 506. [23]) Sébillot Folk-Lore 3, 483. 486; Frazer Balder 2, 58. [24]) Reinsberg-Düringsfeld Ethnogr. Kur. 2 (1879), 142; Frazer Balder 2, 60. [25]) Frazer a. a. O. 59. [26]) Frazer a. a. O. 60; Seligmann Blick 2, 55 f.

[27]) Grimm Myth. 1, 514; Zingerle Johannissegen 212 f.; Meyer Germ. Myth. 99. [28]) Brunfels Kreuterbuch 1532, 237; Fuchs New Kreuterbuch 1543 cap. 13; Matthioli Kreuterbuch 1563, 357; Sebastian Frank Weltbuch 1534, 51 b; Boemus Omnium gentium mores 1539, 219; vgl. auch ZfVk. 24, 13 f.; 29, 41 f.; Schmeller Bair.Wb.² 2, 302; Jahn Opfergebräuche 42; Grimm Myth. 2, 1013. [29]) De medicamentis ed. Helmreich 26, 41; vgl. Höfler Kelten 245. [30]) Marzell Bayer. Volksbotanik 43. [31]) Pitrè Usi 3, 257. [32]) Frazer Balder 2, 59; RTrp. 25, 464. [33]) Hoelzl Galizien 153. [34]) Grohmann 90; Hovorka u. Kronfeld 2, 193; FL. 35, 43. [35]) Montanus Volksfeste 141; ebenso in Frankreich: Rolland Flore pop. 7, 64. [36]) Sebizius Vom Feldbau 1598, 10 = Meyer Baden 366. [37]) Vonbun Beiträge 131.

4. Als „Machtwurz", wie Höfler[38]) das englische mug-wort (vgl. auch die niederdeutschen Bezeichnungen Mâgert, Muggerk, Müggerk) deutet (ob mit Recht?), verleiht der B. K r a f t und S t ä r k e. Nach einem verbreiteten Zauberrezept gibt der Saft vom B., wenn die Glieder damit eingerieben werden, große Stärke[39]). Es geht dies wohl auf die Angabe des Plinius[40]) zurück, daß die an die Füße gebundene artemisia den Wanderer vor M ü d i g k e i t schütze. Das Mittel ist (oft in der Form, daß der B. im Schuh getragen werden müsse) allgemein in die mittelalterliche Zauber- und Medizinliteratur übergegangen[41]) und erscheint häufig als „deutscher" Aberglaube[42]). Der Name B. wird (wohl volksetymologisch) mit diesem Aberglauben in Verbindung gebracht (weil man die Pflanze „bei Fuß" tragen müsse). Der gleiche Aberglaube gilt auch vom Eisenkraut (s. d.), das übrigens ebenfalls ein „Johanniskraut" ist. Möglicherweise ist der den Wanderer vor Müdigkeit schützende B. ursprünglich ein Apotropaeum.

[38]) *Botanik* 75. [39]) J a h n *Hexenwesen* 356; B u c k *Volksmedizin* 33; W i r t h *Beiträge* 6/7, 31. [40]) *Nat. hist.* 26, 150. [41]) Vgl. z. B. M e g e n b e r g *Buch d. Natur*, hrsg. von P f e i f f e r 385; Meddygon Myddfai, transl. by P u g h e 1861, 422; Hortus Sanitatis, Mainz 1485, cap. 1. [42]) Z. B. Z i n g e r l e *Tirol* 1857, 64; SAVk. 7, 48; 19, 216; ZfrwVk. 8, 146; H ö h n *Volksheilkunde* 1, 158; B o h n e n b e r g e r 113; W o e s t e *Mark* 56; F o g e l *Pennsylvania* 284 (von der ähnlichen Ambrosia artemisifolia!); vgl. auch ZfVk. 4, 154.

5. Als „Johanniskraut" (s. d.) wird der B. auch im L i e b e s z a u b e r gebraucht. Auch die antike Verwendung der artemisia als gynäkologisches Mittel[43]) dürfte hier mitbestimmend gewesen sein. Als Zaubermittel, um Liebe und Freundschaft zu erlangen (vgl. Eisenkraut), wird die artemisia in einem griechischen Zauberpapyrus (Pap. Lugdunensis) genannt[44]). Heiratslustige Witwen tragen den B. als Liebeszauber bei sich (Posen)[45]). Das „Bifotbrecken" (B.-brechen) der Mädchen an Johanni, um einen Blick in die Zukunft, besonders in Liebesangelegenheiten, zu tun, dürfte

ebenfalls hierher gehören[46]). Auch sonst wurde anscheinend die artemisia in der Wahrsagerei benutzt[47]).

[43]) P l i n i u s *Nat. hist.* 25, 73. [44]) Fleckeisens Jahrb. 16. Suppl. Bd. 1888, 784 = A b t *Apuleius* 92. [45]) W u t t k e 106. [46]) B r u n n e r *Ostd. Vk.* 234. [47]) P h i l o *Magiologia* 1675, 316.

6. In der antiken M e d i z i n war die artemisia (Kraut der Artemis!) vor allem ein g y n ä k o l o g i s c h e s Mittel[48]). Sie wird daher in den alten Kräuterbüchern[49]) ein „sonderlich frawenkraut" genannt. Ein Kranz davon gemacht, auf den Nabel gelegt und hernach bald wieder abgenommen, hilft in Kindsnöten[50]); auch zur Hervorrufung der Menses dient der B. in der Volksmedizin[51]). Wenn man den B. nach o b e n zu abschneidet, so stillt er den zu starken Monatsfluß, wenn nach unten (gegen die Erde), ruft er diesen hervor[52]). Überhaupt ist der B. ein Mittel, das Blut (auch bei Verwundungen) z u s t e l l e n (Simmental)[53]), was offenbar auf die Signaturenlehre zurückgeht, da die Stengel öfter r ö t l i c h überlaufen sind (daher auch in alten Kräuterbüchern als „r o t e r Buck" bezeichnet). In Schottland verkündet eine Meermaid die Heilkraft des B.es (mugwort)[54]), vgl. Bibernelle. Wenn der B. einem Kranken, ohne daß er davon weiß, unter das Haupt gelegt wird und der Kranke einschläft, so wird er genesen. Wenn kein Schlaf kommt, wird der Kranke sterben[55]). Das gleiche gilt vom Eisenkraut (s. d.), mit dem ja der B. öfter zusammengeworfen wird. Vereinzelt steht der Aberglaube, daß die am Tag der hl. Rosalie gesammelte Wurzel des B.es unter das Kopfkissen gelegt gegen Zahnschmerzen gut sei[56]). Vielleicht darf man hier an die nicht seltene Verbindung Feuer (B. als Pflanze des Johannisfeuers!) — Blitz — Zahn denken[57]).

[48]) M a r z e l l *Heilpflanzen* 222. [49]) Z. B. B r u n f e l s *Kreuterbuch* 237. [50]) S c h r o e d e r *Med.-Chym. Apotheke* 1693, 881; nach P l i n i u s *Nat. hist.* 25, 73 führt die Pflanze ihren Namen nach der Artemis Ilithya, der Geburtshelferin! [51]) D i o s k u r i d e s *Mat. med.* 3, 113; Z a h l e r *Simmenthal* 64; S t o l l *Zauberglauben* 108. [52]) G o c k e l *Tractatus* 1717, 99; M o s t *Sympathie* 161; M o n t a n u s *Volksfeste* 141; L a m m e r t 147. [53]) SAVk.

19, 230. ⁵⁴) G r i m m *Myth.* 1014; D y e r
Folkl. of plants 296; B r i t t e n a n d H o l -
l a n d *Plant-Names* 346. ⁵⁵) L a m m e r t 98.
⁵⁶) G r o h m a n n 91. ⁵⁷) Vgl. auch M a r -
z e l l *Bayer. Volksbotanik* 45.

7. Um das A b z i e h e n d e s B i e -
n e n s c h w a r m e s z u v e r h i n d e r n
legt man B. in den Stock ⁵⁸). Zu dem gleichen Zweck werden auch andere aroma-
tisch riechende Pflanzen wie die Melisse
und der Quendel verwendet ⁵⁹).

⁵⁸) Urquell 5, 22. ⁵⁹) M a r z e l l *Heilpflanzen*
151. 158.

8. Der Glaube, daß man am Johannistag unter dem B. Kohlen, die gegen Epilepsie und Fieber wirksam seien, finde,
ist häufig in der älteren botanischen und
medizinischen Literatur verzeichnet ⁶⁰).
Der Aberglaube wird auch aus der neuesten Zeit noch vielfach angegeben. Mit
diesen unter dem B. gegrabenen Kohlen
bestreicht man ein Stück Vieh, das man
zum Markte führen will, tags zuvor, dann
erhält es auf 48 Stunden ein feistes, statt-
liches Aussehen ⁶¹). Sie helfen gegen Epilepsie und Krampf ⁶²). Man findet diese
Kohlen am Johannistag, während es
12 Uhr mittags schlägt; hat die Glocke
ausgeschlagen, sind sie verschwunden ⁶³).
Auch bei den Litauern helfen die in der
Johannisnacht zwischen 11 und 12 Uhr
gegrabenen Kohlen gegen Fieber. Sie
werden von einem schwarzen Hund bewacht ⁶⁴). Die „B.kohlen" kennt auch
der russische Aberglaube ⁶⁵). In England
werden diese Kohlen im L i e b e s z a u -
b e r gebraucht ⁶⁶). Da der B. häufig auf
Schuttstellen, verlassenen Kulturstätten
und an ähnlichen Orten wächst, wäre der
Fund von Kohlenresten erklärlich. Nach
anderen sollen unter den „B.kohlen" die
abgestorbenen Wurzelreste zu verstehen
sein ⁶⁷). Vielleicht weisen aber diese
„Kohlen", die ab und zu als „glühend"
bezeichnet werden, auf den Feuerkult der
Sommersonnenwende hin ⁶⁸). Nach einem
böhmischen Aberglauben kann man am
Karfreitag an der Wurzel vom B. ein
s c h w a r z e s Würmlein (Gegenstück
zur schwarzen Kohle?) finden, das man
in ein Fläschchen tun und sorgfältig auf-
bewahren muß. Der Besitzer des Würm-

leins darf neun Tage lang nicht beten,
sich nicht waschen und muß jeden Tag
beim Mittagessen einen Bissen Brot unter
den Tisch werfen. Am neunten Tag fängt
das Würmchen zu reden an und gewährt
dem Besitzer alles, was er will ⁶⁹). Hier
spielt deutlich der Glaube an den Alraun
(s. d.) herein („Geist in der Flasche"!).

⁶⁰) Z. B. B r u n f e l s *Kreuterbuch* 237;
W o l f f *Scrutinium amulet. medic.* 1690, 371;
S c h r o e d e r *Med.-Chym. Apotheke* 1693,
881; Ephemerides naturae Curiosorum 1706,
243 ff.; W o l f *Beiträge* 1, 235; B r a n d *Pop.
Ant.* 183; SAVk. 15, 180. ⁶¹) F r i s c h b i e r
Hexenspr. 154; ähnlich auch im oberen Frankenwald: M a r z e l l *Bayer. Volksbotanik* 43.
⁶²) Urquell 3, 67; K n o o p *Hinterpommern* 181;
J a h n *Hexenwesen* 361 = K n o r r n *Pommern* 123. ⁶³) B a r t s c h *Mecklenburg* 2, 290.
⁶⁴) B e z z e n b e r g e r *Lit. Forsch.* 76. ⁶⁵) Y e r -
m o l o f f *Volkskalender* 295. ⁶⁶) K u h n *Westfalen* 2, 176. ⁶⁷) M a r z e l l *Heilpflanzen* 224.
⁶⁸) M a r z e l l *Volksleben* 92. ⁶⁹) R e i n s -
b e r g - D ü r i n g s f e l d *Böhmen* 130; vgl.
M a r z e l l *Heilpflanzen* 225.   Marzell.

Beil s. A x t.

Bein. Der Ausdruck: „Der Storch hat
die Mutter ins Bein gebissen" scheint auf
die mythologische Vorstellung von der
Geburt aus dem Bein zurückzugreifen ¹).
Ob es sich dabei ursprünglich um einen
Adoptions- bzw. Legitimationsritus handelt ²), oder dieser später erst angeknüpft
wurde, ist nicht zu erweisen.

Jedenfalls weisen manche altertümlichen Bräuche noch auf einen solchen
Ritus hin. So muß in norddeutschen
Gegenden das Kind zwischen den B.en
des Vaters hindurchgehen ³); im MA.
mußte die Dienerschaft zwischen den
B.en der Herrschaft durchkriechen ⁴);
beim Tierkauf soll das betreffende Tier
dreimal um das rechte B. des Käufers
gehen ⁵) (s. a. durchziehen).

Einer ganz andern Sphäre gehört der
Brauch an, bei gewissen Zaubereien zwischen den B.en hindurchzuschauen. Ursprünglich spielt der Abscheuzauber herein ⁶); später blieb diese Geste nur mehr
beim Zukunftsorakel erhalten.

Wenn ledige Leute erfahren wollen, ob
sie im kommenden Jahr sich verheiraten
oder nicht, müssen sie in der Silvesternacht sich rückwärts vor den brennenden

Ofen stellen und zwischen den B.en hindurch ins Feuer schauen (Pommern, Westfalen) [7]). Geht ein Mann am Karfreitag in Hemd und Unterhose auf den Friedhof und schaut durch die gespreizten B.e hindurch, sieht er seine zukünftige Frau (Ungarn) [8]); auch in Niederbayern hat sich ein schwacher Anklang an diesen Brauch erhalten [9]).

[1]) M a n n h a r d t *Germ. Myth.* 305. Dionysos reifte im Schenkel des Zeus (μηροτρεφής); schon Euripides (Bakch. 285) hatte eine rationalistische Deutung dieser Schenkelgeburt versucht. Ebenso ward nach iranischer Sage Aurva von seiner Mutter Vâmôru (d. i. Linksschenkel) in ihrem Schenkel verborgen gehalten worden; aus dem geriebenen linken Schenkel des toten Vena kam ein Mann hervor. L i e b r e c h t *Z. Volksk.* 490; SchwVk. 15 (1925), 21 ff. [2]) B a c h o f e n *Mutterrecht* § 16. [3]) K u h n u. S c h w a r t z 462. [4]) M e y e r *Abergl.* 222. [5]) G r i m m *Myth.* 3, 474 Nr. 1061. [6]) So schreitet das isländische Zauberweib heute noch gebückt und durch ihre B. hindurchschauend rückwärts (ZfVk. 2, 426); in Rußland geht man am Johannisabend in den Wald, fällt eine junge Espe, sodaß sie nach den Osten zu liegen kommt, bückt sich und spricht zwischen die B. hindurchschauend: „Onkel Ljeshy, erscheine nicht als Grauwolf, auch nicht als schwarzer Rabe oder als Föhre zum Brennholz, sondern in der Gestalt wie die meinige." (Ebd. 429). [7]) ZfVk. 11, 430; K u h n *Westfalen* 2, 111. [8]) ZfVk. 11, 430. [9]) P o l l i n g e r *Landshut* 135 [22].
Stemplinger.

Beinbruch. Die Spur, welche ein Ehebrecher eingedrückt hat, heißt im Saterland eine „quade"; wer hineintritt, bricht ein Bein [1]). Vor B. schützen in Albeins bei Brixen die Papierschnitzel, die man in den Fußspuren des „Kerzengeistes" finden kann [2]). In Hanstedt (Lüneburg) sammelt man Gaben für den „Pingsvoss", da er ein Bein gebrochen habe [3]). Die Mittel, gebrochene Beine zu heilen, sind recht mannigfaltig. Volksmedizinische [4]) werden oft verstärkt durch Segen (s. d.), wie z. B. den folgenden aus dem obersten Murtale:

> B., ich segne dich auf diesen hl. Tag,/ daß du wieder werdest gerad,/ bis auf den 9. Tag,/ wie nun der liebe Gott Vater, Gott Sohn und Gott heiliger Geist es haben mag./ Heilsam ist diese gebrochene Wunde,/ heilsam ist dieser Tag,/ da Jesus Christus geboren ward./ Jetzt nehme ich diese Stunde, stehe über diese gebrochene Wunde,/ daß diese gebrochene Wunde nicht schwelle [5]).

Außerordentlich weit verbreitet ist der Analogiezauber, unter Anrufung der hl. Dreifaltigkeit ein vorher zerbrochenes Stuhlbein wie ein gebrochenes Bein zu binden und zu verschindeln und den Stuhl so in die Ecke zu stellen; das Bein des Patienten heilt dann in ganz kurzer Zeit [6]). Der „Walstein" oder „B." bei Besko (Lausitz) ist „auf mancherlei Art gestaltet, bald wie ein Arm, bald wie ein Bein, oder auch ein Finger; ja einer dieser Steine soll ganz die Gestalt eines Menschen gehabt haben. Er ist besonders heilsam für die, welche einen Arm oder ein Bein gebrochen haben" [7]).

[1]) S t r a c k e r j a n I, 53 § 50. [2]) H e y l *Tirol* 143 Nr. 35. [3]) S a r t o r i *Sitte* 3, 196 Anm. 21 = K ü c k u. S o h n r e y [2] 134. [4]) Über volksmedizinische Mittel vgl. H o v o r k a - K r o n f e l d 2, 408 ff.; F o s s e l *Volksmedizin* 161 f.; H ö f l e r *Volksmedizin* 214 ff.; F l ü g e l *Volksmedizin* 75 f. [5]) F o s s e l a. a. O.; J a h n *Hexenwesen* 88 f. Nr. 157 f. [6]) G r i m m *Myth.* 2, 897; S e y f a r t h *Sachsen* 177; K o h l r u s c h *Sagen* 340; B u c k *Volksmedizin* 70; ARw. 5, 3; ZfEthnol. 17, 230; vgl. M a n n h a r d t *Germ. Mythen* 72. [7]) H a u p t *Lausitz* 246 f. Nr. 300.
Bächtold-Stäubli.

Beinkleid s. H o s e.

Beine kreuzen, verschränken. Ein mehrfach überlieferter Glaube besagt, es sei nicht gut, beim Essen die Beine über's Kreuz zu legen [1]). Tut man es doch, so bekommt man in Mecklenburg Leibschmerzen [2]), oder wird bewirkt, daß die am Tische sitzende Gesellschaft nicht mehr spricht oder in Streit gerät [3]). Deshalb pflegt man in der Oberpfalz [4]) und in Tirol [5]), wenn in einer Gesellschaft die Unterhaltung stockt und Stille eintritt, zu sagen: „H a t   g e w i ß   j e m a n d   d i e   B.   ü b e r e i n a n d e r g e s c h l a g e n!", ähnlich wie anderwärts spaßhaft erklärt wird: „Es geht ein Engel durchs Zimmer" [6]).

Der zauberische Zweck des B.kreuzens tritt bei den weitern Beispielen sofort klar zutage: „Wenn jemand in der Mark [7]) schnell reich wird, so sagt man von ihm, er habe einen Kobold, welcher ihm Geld und Getraide zubringe, und zwar fliegt er dann als feuriger Drache durch die

Luft; das Feuer ist von rother Farbe, wenn er Geld bringt, von blauer, sobald er Getraide trägt. Es gibt auch Mittel, um den durch die Luft ziehenden Draak oder Drachen festzumachen; es müssen nämlich z w e i m i t g e k r e u z t e n B. s i c h g e g e n e i n a n d e r s t e l - l e n , dann wird der Drachen gezwungen, etwas von dem, was er trägt, abzugeben." Das B.kreuzen findet sich auch als Schutzmittel. Wiederum in Norddeutschland[8]) hilft gegen das M å r d r ü c k e n (Alpdruck) besonders, daß man Arme und B. vor dem Schlafengehen kreuze. Wenn man in Niederösterreich der wilden Jagd (dem Helljäger) begegnet, muß man sich schnell mit dem Angesicht zu Boden werfen und Hände und Füße kreuzen[9]). Im Badischen legten die Leute früher im Wirtshause gern die Füße in Kreuzform übereinander und tranken nie aus dem Glase eines andern, ohne zu sagen: „St. Johannessegen", wegen der Hexen, und noch machen sie ein Kreuzzeichen über den Mund, wenn sie nachts draußen gähnen. Als (ebenfalls im Badischen) einem Bauern zu Anfang der 1860iger Jahre alle Schweine krepierten, riet ihm einer, am nächsten Sonntag Nachmittag ein Päckchen in die Hände zu nehmen und die Füße übers Kreuz zu stellen, wenn die (von ihm auf diese Weise) „gestellte" Person erschiene. Bei der Mahlzeit fing nun daraufhin die gestellte Frau zu zittern an und stürzte fort. Von da an war alles in Ordnung im Schweinestall[10]).

Auch bei anderen Zaubereien spielt das B.kreuzen eine Rolle. Der Zauberer Hans Träxler aus dem Lungau[11]), gegen den im Jahre 1603 ein Prozeß geführt wurde, erzählte in gütlichem Verhör, daß ihm der böse Feind erschienen sei und von ihm begehrt habe, daß er sich in seinen Schoß setze, die Füße über den Stuhl kreuzweise halte und mit ihm ins Lurnfeld fahren solle. „. . . In ähnlicher Weise ist es ein Zauber", schreibt Agrippa von Nettesheim in seinen „Magischen Werken"[12]), „wenn man die Füße übereinander schlägt, und es ist dies deshalb bei den Beratungen der Fürsten und anderer Machthaber verboten, als etwas, das allen

Handlungen ein Hindernis entgegensetzt". Agrippa schöpfte diese Stelle aus der Naturgeschichte des Plinius, der Buch XXVIII, cap. 17 sagt: „. . . Noch schlimmer ist's, wenn man die Hände um ein oder beide K n i e l e g t , auch wenn man die B. übereinander schlägt. Daher haben die Alten verboten, dies in den Versammlungen der Feldherrn und Staatsmänner zu tun, weil dadurch jede Handlung vereitelt würde; ferner, in solcher Stellung Opfern und Gelübden beizuwohnen." „Der wahrhaftige feurige Drache", eines der Zauberbücher, aus denen das 6. und 7. Buch Mosis zusammengesetzt ist, empfiehlt (S. 64), beim Anschlagen des Gewehres „das linke Bein kreuzweise über das rechte" zu stellen und dazu einen Zauberspruch zu sprechen. Mehr als zweifelhaft ist ein Zeugnis aus Johann Fischarts „Philosophisch Ehzuchtbüchlein" (Straßburg 1578), wo uns Fischart die „Mäßigung" wie folgt schildert[13]): „Was dan die Mäsigung berürt, hat man sie ganz schlecht vnd aynfaltig in Jungfrauengestalt angebildet, beydes an kleydern vnd geberden, auf dem Haupt mit eim kranz von allerhand Blumen, ausserhalb der Rosen, dieweil dieselben der Veneri verwandt sint: vnd war solcher kranz mit jrem eygenen Haar vmflochten, wie die Bräut des Landes pflegten: auch hett sie die Recht Hand auff die Brust gelegt, vnd mit der Lincken hielte sie das weisse dünne Gewand an sich, w i d e r d a s s t ü r m e n d a n - w ä h e n d e r W i n d , s c h r e n c k e t a u c h z u m b e h e l f f d a r w i d e r d i e F ü s s , w e l c h e s o n d e r l i c h v o r andern beschucht waren . . ." Goldmann gibt diese Fischartstelle so stark gekürzt wieder, daß sie ganz aus dem Zusammenhang gerissen ist und die Meinung entstehen kann, die „Mäßigung" kreuze ihre B., um eine Art von Windzauber auszuüben. Uns scheint aber hier von einem Zauber keine Rede zu sein; die Beine werden wohl nur deshalb gekreuzt, um zusammen mit der linken Hand zu verhüten, daß „das stürmend anwähen der Wind" „das weiße dünne Gewand" zum Aufflattern bringe.

Gefährlich wirkte das B. als Zauberhandlung namentlich bei der Geburt. Der Verfasser des „Grab des Aberglaubens" teilt mit: „Bey Gebährenden soll man weder mit ineinander geschlagenen Händen, noch mit übereinander gelegten Füssen sitzen. Ein Spruch, der in den Ohren der alten Wehemütter ein Silberton ist." Er führt darauf die Stelle aus Plinius (XXVIII, 17) an: „Wenn man bey schwangern Weibern, oder wenn man jemand Arzney eingibt, mit ineinander geschlagenen Fingern, wie ein Kamm, sitzt, so ist dies eine schändliche Zauberey, und wie man sagt, hat solches die Erfahrung gezeigt, als Alkmene den Herkules zur Welt gebracht; noch schlimmer ist es, wenn man die Hände über eines oder beyde Knie zusammenschlägt"[15]). Reste dieses alten Glaubens finden sich noch da und dort. Alte Hebammen, erfuhr Panzer[16]) in Niederbayern, rieten den Männern, deren Frauen schwere Geburten hatten, die Knie aneinander zu drücken, in Unterfranken muß der Mann in solchen Fällen seine Frau so lange auf seinen Schoß setzen, bis die Geburt erfolgt, und oft werden die Knie zusammengebunden, „damit er länger aushalten kann"[17]). Dadurch soll wohl das B. unmöglich gemacht werden? In einer norwegischen Sage kneift ein Mann seine Hände über die Knie, damit die Frau nicht gebären kann. Es wird ihm nun vorgegeben, sie habe geboren, da läßt er los und die Geburt geht von statten[18]). Das B. ist eine alte Zauberhandlung (Hemmungszauber) und verwandt mit dem Flechten, Binden, Knüpfen oder Verschlingen (s. dd.). Dem Richter war nicht nur vorgeschrieben, daß er sitzen, sondern auch daß er „ain pain auf das ander legen" müsse, gleich wie Walther von der Vogelweide in der Liederhandschrift dargestellt ist und wie der „Herzogsbauer" bei der Kärntner Herzogseinsetzung sich mit überschlagenen B.n auf den Fürstenstein setzen und den neugewählten Herzog so erwarten mußte[19]).

[1]) W o l f Beiträge 1 (1852), 217 Nr. 188 (rheinisch). [2]) B a r t s c h Mecklenburg 2, 133 Nr. 574. [3]) S c h ö n w e r t h Oberpfalz 3, 273

§ 43; G r o h m a n n 222 Nr. 1550. [4]) P a n z e r Beitrag 2, 303. [5]) A l p e n b u r g Tirol 372. [6]) SchwVk. 4 (1914), 95. [7]) K u h n Märk. Sagen 373; vgl. die etwas andere, unklarere Redaktion bei K u h n u. S c h w a r t z 422 Nr. 219 = B a r t s c h Mecklenburg 2, 202 Nr. 976 b. [8]) K u h n u. S c h w a r t z 419 Nr. 189. [9]) L a n d s t e i n e r Niederösterreich 22 f.; vgl. auch als Schutz vor dem Teufel: K ü h n a u Sagen 2, 691 Nr. 1316. [10]) M e y e r Baden 559; vgl. weiter ausländische Parallelen bei S e l i g m a n n Blick 2, 354. 289; SAVk. 14, 264. [11]) G o l d m a n n Einführung 214. [12]) 1 (Berlin 1916), 233 f. [13]) G o l d m a n n Einführung 214; S c h e i b l e Kloster 10 (1848), 530. [14]) K e l l e r Grab d. Aberbens 5 (Stuttgart 1786), 257 ff. [15]) S a m t e r Geburt 121 f.; P a n z e r Beitrag 2, 336 ff.; ZfVk. 25 (1915), 28 f. Nr. 28; F r a z e r Taboo (London 1919), 298 f. (= The golden Bough³ III). [16]) P a n z e r Beitrag 2, 347. [17]) Ebd. 2, 306 Nr. 72. [18]) G r i m m Myth. 3, 345; L i e b r e c h t Zur Volksk. 322 Nr. 72; vgl. F r a z e r Taboo 295. 298. [19]) G r i m m RA. 2, 375 § 17; G o l d m a n n Einführung 209 ff.; B ä c h t o l d - S t ä u b l i in SAVk. 26 (1925), 47 ff.

                                     Bächtold-Stäubli.

Beinverrenkung s. V e r r e n k u n g.

Beinwurm. Diese Art Knochenfraß (Caries) wurde vom Volk einem fressenden und zehrenden Wurm zugeschrieben; da vom kariösen Bein Splitter abgehen, ähnlich denen eines wurmstichigen Holzes, kam man zu dieser Anschauung[1]) (vgl. Wurm). Man sucht dem Leiden durch Beinsegen (s. Segen) und sympathetische Mittel beizukommen. So nimmt man in Steiermark um Mitternacht schweigend vom Friedhof weg ein Totenbein, bekreuzt damit dreimal die leidende Stelle und verscharrt den Knochen wieder nach einem Gebet für die arme Seele[2]).

[1]) H ö f l e r Krankheitsnamen 823. [2]) F o s s e l Steiermark 314.   Stemplinger.

Beischlaf s. G e s c h l e c h t s v e r k e h r.

beißen s. j u c k e n.

beißen[1]), **Biß.** 1. Beim Z a h n e n gibt man dem Kinde schon seit dem Altertum Iriswurzeln u. ä. zum B. in den Mund[2]); ein Aberglaube ist es, wenn man dafür in der deutschen Schweiz Jungfernwachskerzen (s. Jungfernwachs) wählt[3]). In Durlach heißt es, ein Kind zahne leicht, wenn man es auf ein Ei b. läßt, das dann gebacken und von ihm verzehrt wird[4]), eine Vorstellung, die sich offenbar aus dem bekannten Brauch entwickelt hat, dem Säugling beim ersten Besuch in einem befreundeten Haus ein oder drei Eier zu schenken und sie dabei ihm an den Mund zu drücken oder darin herumzudrehen [5]). Im Zürcher Oberland beißt man mit den eigenen Zähnen einem lebenden Hasen die vorderen Zähne aus und hängt diese dem Kind um, damit das Zahnen leicht vor sich gehe [6]), also ein ähnliches Amulett wie der abgebissene Mauskopf und die Maulwurfspfote (s. abb., Maus, Maulwurf). In Kurhessen bestreicht die Mutter dem Kind vor dem ersten Zahnen die sog. „Bälle" stillschweigend mit drei Weckbrocken, die sie an ihrem Hochzeitstag von dem ihr beim Empfang in ihrem neuen Heim gereichten Milchbrot abgebissen und für diesen Zweck aufbewahrt hat [7]). Das abgebissene oder abgeschnittene Brautränftel hat ja Heilkraft und bringt Segen [8]).

[1]) Vgl. SchwVk. 6, 14 f. [2]) Hovorka u. Kronfeld 2, 832. [3]) Ebd. 831 f. [4]) Meyer Baden 50. [5]) Z. B. Wuttke § 599; Pröhle Harzbilder 83. [6]) SAVk. 8, 144. [7]) Mülhause 10. [8]) MschlesVk. 4, H. 8, 31 f.; Höser Volksheilkunde 20; Knoop Hinterpommern 160.

2. Wenn bei Zahnweh in Biel empfohlen wird, auf ein Nägeli (Gewürznelke) zu b. [9]), so ist das kein Aberglaube. Das B. auf einen harten Gegenstand kann wohl in manchen Fällen ein Nachlassen der Schmerzen bewirken. Aber meist werden solchen volksmedizinischen Ratschlägen irgendwelche abergläubische Bestimmungen beigefügt, so heißt es z. B. in einer Predigt des Bernardino da Siena von 1443: „cum pulsantur campanae in die sabbati sancti, ponunt ferrum inter dentes" [10]) (also in heiliger, durch Glockenklang geweihter Stunde), oder in der Mark Brandenburg: man zerbeißt auf dem Kirchhof Erbsen und wirft sie in ein frisches Grab [11]); hier wird durch das B. der Zahnschmerz auf die Erbsen übertragen und mit ihnen in das Grab geworfen, um dort zu vergehen oder zu ersterben [12]). Ganz ähnliche Mittel gegen Zahnweh kommen auch ohne die Vorschrift des B.s auf den Zwischenträger vor [13]). Auch der Berührung mit Leichen-

teilen, besonders mit Totenknochen, schreibt man Heilkraft zu [14]); statt des bloßen Berührens wird gelegentlich das B. auf ein Totenbein empfohlen, und zwar unberufen nachts 12 Uhr oder vor Sonnenaufgang [15]). Besonders beliebt bei Zahnschmerz ist natürlich die Verwendung eines Leichenzahns [16]), der aber nicht mit den Händen berührt werden darf [17]), im 17. Jh. sogar einer aufgebahrten Leiche ausgebissen werden mußte [18]), ein Aberglaube, der ganz ähnlich auch für Nordengland bezeugt ist: Man trage immer einen auf dem Kirchhof einem Schädel ausgebissenen Zahn in der Tasche zum Schutze gegen Zahnschmerzen [19]). Auch hier genügt es nach anderen Vorschriften, den kranken Zahn mit dem Leichenzahn zu berühren [20]) oder diesen (in Island) in den Mund zu nehmen [21]) (s. Totenzahn).

In der Provinz Namur beißt man bei Zahnschmerzen in ein am Weg errichtetes Sühnekreuz [22]). Auch das beliebte Krankheitsübertragen auf Bäume wird bei Zahnschmerzen in verschiedenen Formen geübt [23]), eine besonders intensive Verbindung wird dabei durch B. in den Baum hergestellt [24]), wobei neben dem Holunder [25]) gern ein durch Blitzschlag geheiligter Baum gewählt wird [26]). Schon im Altertum wurde bei Zahnschmerzen empfohlen, die Hände auf dem Rücken, ein Stück von blitzgetroffenem Holze abzub. und an den Zahn zu bringen [27]), und noch heute findet sich bei der Gewinnung von Zahnstochern aus Blitzbäumen [28]) bisweilen der Brauch, sie mit den Zähnen herauszub. [29]). In Hirschberg (Schlesien) geht man an einen Bach, an welchem Weiden stehen, und umbeißt von einem Weidenbaum drei Ruten mit den Zähnen und trinkt darauf drei Schluck Wasser aus dem Bach [30]) (häufiger ist das Verknoten des Zahnwehs in Weidenruten) [31]). In Warmbrunn geht man vor Sonnenaufgang an eine Stelle, wo drei zusammenstoßende Raine mit Getreide besät sind, und beißt die keimende Saat mit den Zähnen ab [32]). Zugrunde liegt wohl dieselbe Vorstellung, die wir für das Verzehren der ersten Blüten gewisser Pflanzen [33]) voraussetzen müssen, denen man besondere Heil- und Schutzkräfte zuschreibt. So schützt man sich auch in der Gironde gegen Zahnweh, wenn man in das erste Farnkraut im Frühling beißt (dasselbe Mittel soll in der Bretagne vor Fieber bewahren) [34]). Im Spreewald beißt man einem Rietwurm oder einem Molch den Kopf ab und spuckt ihn schnell aus [35]). Im Voigtland glaubt man sich von Zahnschmerzen befreien zu können, wenn man beim Genusse des Abendmahls hinter dem Altar in eine mitgenommene Semmel beißt [36]). Wenn man damit z. B. den aus Belfort belegten Brauch gegen Zahnschmerzen, einen Apfel in die Mitternachtsmesse mitzunehmen und dann zu Hause zu essen [37]), vergleicht, so darf man wohl annehmen, daß in dem voigtländischen Aberglauben das Abendmahl an die Stelle der heiligen Messe getreten ist.

[9]) SchwVk. 10, 33. [10]) ZfVk. 22, 122. [11]) ZfVk. I, 193 = Correspondenzbl. f. Zahnärzte 34, 247. [12]) Vgl. S e y f a r t h *Sachsen* 210 ff. [13]) Z. B. S e y f a r t h a. a. O. 215; BayHfte 1, 231 Nr. 42. [14]) Vgl. S e y f a r t h a. a. O. 286 ff., für Zahnschmerzen z. B. T ö p p e n *Masuren* 54. [15]) B i r l i n g e r *Volksth.* 1, 482 f.; L a m m e r t 237. [16]) Vgl. S e y f a r t h 290. [17]) K ö h l e r *Voigtland* 418. [18]) S e y f a r t h a. a. O. [19]) W. H e n d e r s o n *Northern countries of England* 145. [20]) S e y f a r t h a. a. O. [21]) ZfVk. 8, 287. [22]) H a r t l a n d *Perseus* 2, 166. [23]) S e y f a r t h 196 ff. [24]) HessBl. 22, 21. [25]) D r e c h s l e r 2, 300. [26]) Urquell 1, 19. [27]) P l i n. *nat. hist.* XXVIII 45; vgl. HessBl. 22, 21. [28]) Ebd. A 3. [29]) K r o h n *Die folklorist. Arbeitsmethode* 31. [30]) ZfVk. 4, 270. [31]) S e y f a r t h 196. [32]) D r e c h s l e r 2, 301 (B. in die Saat im finnischen Schadenzauber s. FFC. 55, 17). [33]) HessBl. 22, 38 f.; 23, 124. [34]) S é b i l l o t *Folk-Lore* 3, 490. [35]) S c h u l e n b u r g 224. [36]) K ö h l e r *Voigtland* 412. [37]) S é b i l l o t a. a. O. 3, 422.

3. Auch bei anderen Krankheiten kann man durch B. i n e i n e n B a u m das Übel auf diesen übertragen (Estland, Sizilien, Frankreich) [38]), und v o n B l i t z b ä u m e n a b g e b i s s e n e S p ä n e sind für vieles gut (Schweiz) [39]). Gegen Keuchhusten läßt man in Posen das Kind vor Sonnenaufgang i n d e n S c h w e i n e t r o g b. [40]).

[38]) F r a z e r 6³, 54; S é b i l l o t *Paganisme* 137. 138. [39]) HessBl. 22, 21; vgl. auch unten § 10. [40]) W u t t k e § 544; vgl. den Brauch der Maori ARw. 10, 555.

4. „Gegen B i ß hilft B." nach altnordischer Überlieferung. Und in Schweden glaubte man noch in der neueren Zeit, ein erstgeborenes Kind, das mit Zähnen auf die Welt gekommen sei, könne durch B. über einen schlimmen Biß diesen heilen [41]). Gegen den Biß toller Hunde schützt man sich in Böhmen, wenn man sich sofort in den Daumen der rechten Hand beißt [42]). Nach norwegischem Aberglauben soll ein Hirte, wenn ihn der W o l f zuerst sieht und dadurch bezaubern kann, sich über die beiden Gelenke des Daumens oder auch in den Rockkragen oder Handschuh, kurz in etwas Wollenes, b. [43]). Die Südslaven lassen ein Ü b e r b e i n dreimal von einem nachgeborenen (posthumen) Kind behauchen und darein b. [44]).

[41]) G r i m m *Myth.* 3, 344 zu 982; 2, 964 und 3, 478 Nr. 29. [42]) W u t t k e § 450. [43]) L i e b r e c h t *Zur Volksk.* 334; vgl. ZfVk. 11, 316. [44]) Urquell N.F. 1, 24.

5. Wenn im Frühjahr infolge schlechten Futters ein Stück Vieh so abgemagert war, daß es vor Schwäche nicht aufstehen konnte, sagte man (am Hellweg): „He hett'n Wulf in'n Stiärt". Man ließ dann eine gewisse alte Frau kommen, die mußte dem Tier in den Schwanz b. Dann sprang die Kuh auf, und man glaubte, die Frau hätte d e n „W o l f" w e g g e b i s s e n [45]).

Im Visitationsbuch der Grafschaft Nassau-Idstein-Wiesbaden aus dem Jahre 1594 gesteht jemand, „wan ein gaul den Unflat hab, so b e i ß er denselben i n e i n O h r vnd sprech einen gutten Segen" [46]).

[45]) ZrwVk. 17, 41; vgl. das Zehenb. bei epileptischen Anfällen in Südslavien: Urquell N.F. 1, 25. [46]) Volk und Scholle 5 (1927), 101 f.

6. Die Z w i e b e l spielt in der Volksmedizin eine große Rolle (s. Zwiebel). Im Land ob der Enns ließ man um 1787 die Wöchnerin sofort nach der Geburt des Kindes dreimal in ein Zwiebelhaupt b. [47]).

[47]) G r i m m *Myth.* 3, 460 Nr. 732.

7. Für das Z e h e n b. bei Leichen sowohl, wie in Fastnachts- und Erntebräuchen s. Zehe, vgl. auch oben Anm. 44.

8. Auf Regenbogen, Sonne, Mond und Sterne soll man nicht mit den Fingern deuten [48]). Hat man es aus Versehen doch getan, so muß man sich sofort i n d e n F i n g e r b., dann schadet es nichts (Westfalen, Rheinland) [49]). Man will wohl durch Bestrafung des Fingers eine Genugtuung geben.

[48]) Vgl. z. B. Volkskunde 17, 46 f. [49]) W u t t - k e § 11.

9. Wenn einem das linke Ohr klingt, soll man in der französischen Schweiz es mit dem F i n g e r berühren und dann auf diesen b., dann wird sich der Verleumder auf die Zunge b. [50]). In Schwaben beißt man sich dagegen auf die Z u n g e, dann soll der Tadler davon eine Blatter auf die Zunge bekommen [51]), und in Oldenburg beißt man in den linken Rock- oder Schürzenzipfel oder in den Ellenbogen, dann beißt sich der Verleumder auf die Zunge [52]).

[50]) SAVk. 25, 282. [51]) M e i e r Schwaben 2, 503 Nr. 362. [52]) W u t t k e § 421; vgl. ZfVk. 20, 386.

10. Für den Hänselbrauch des „K e t - t e n b.s", der heute fast nur noch in der scherzhaften Drohung weiterlebt, mit der man Kinder, die zum erstenmal in die Stadt mitgenommen werden wollen, schreckt und hier sogar zu abergläubischem Tun führen kann [53]), s. Kette. Hierhin gehört auch das Ängstigen der Kinder von Schönau mit dem sog. Klepfstein, der von einem Bären bewacht werde: jeder, der zum erstenmal ins Todtmoos pilgert, muß durch einen B i ß i n d i e s e n S t e i n seine Würdigkeit erproben [54]), und wohl auch der Glaube in Ostfranken, es verirre sich nicht beim Beerensuchen, wer in einen Stein beißt [55]). Denn in Hergersdorf (Oberhessen) muß das Kind, das zum erstenmal mit in die Heidelbeeren geht, in einen der Nägel einer alten Hainbuche am Wege b., „sonst hat es Unglück auf dem Wege". Aus derselben Gegend wird berichtet, daß Kinder beim ersten Gang in die Beeren von zwei alten Bäumen B l ä t - t e r a b r e i ß e n u n d z e r b. mußten. Das könnte eine abgeschwächte Form jenes Brauchs sein [56]). Auf dem Wege in

die Zerzeralpe steht der sog. D u n d e r - b a m, der Stumpf eines Baumes, den der Donner gespalten hat; davon muß das Kind, das zum erstenmal auf die Alpe geht, zwei Splitter wegb., um vor dem Donner gesichert zu sein (Burgeis) [57]). Hier hat sich das Necken des Neulings mit dem Glauben an die Schutz- und Heilkraft eines Spans aus einem Blitzbaum [28]) [39]) verbunden. Mit Recht wird auch das in der Basler Schmiedezunft 1674 geübte „I n d e n S c h l ü s s e l b." mit solchen Hänselbräuchen, die sehr nahe mit manchen Bräuchen bei der Aufnahme in Zünfte u. ä. verwandt sind, zusammengestellt [58]).

[53]) SAVk. 7, 305. [54]) W a i b e l u. F l a m m 2, 162. [55]) SchwVk. 6, 15. [56]) HessBl. 22, 20; 23. [57]) Z i n g e r l e Tirol 101 Nr. 866 = Hess-Bl. 22, 21. [58]) SchwVk. 6, 14 f.

11. Wer den e i s e r n e n K n o p f am Elisabethentor des Heidelberger Schlosses zu z e r b. vermag, wird Herr über das Schloß mit allem seinem Reichtum. Deutliche Beißspuren seien daran zu sehen [59]). Ich könnte mir denken, daß diese Vorstellung auch auf einen Hänselbrauch, wie die in § 10 behandelten, zurückgeht, halte aber Hoffmann-Krayers Zusammenstellung mit dem im folgenden Paragraphen besprochenen Luxemburger Brauch unter dem Gesichtspunkt der Sicherung des Reichtums [60]) nicht für richtig.

[59]) SAVk. 8, 224. [60]) SchwVk. 6, 14 f.

12. In Luxemburg biß das Volk früher auf die größeren G e l d s t ü c k e, namentlich auf die Kronentaler, in der Meinung, sich hierdurch ihren Besitz zu sichern; es geschah dies größtenteils aus Furcht vor den Zigeunern, denen man die Macht zutraute, sich fremdes Geld durch Zauberkräfte anzueignen [61]).

[61]) L a F o n t a i n e Luxemburg 157. Entzauberndes B. auf Sichel oder Sense in Finnland s. FFC. 62, 16.

13. Hat man sich einen D o r n oder S p l i t t e r ausgezogen, so muß man ihn z e r b., daß er nicht noch mehr schade [62]), die Wunde nicht schmerze und eitere (Schlesien, Schwaben, Bayern, Pommern) [63]), oder damit er nicht noch andere Personen steche (Württemberg) [64]).

[62]) Rockenphilosophie Cent. 4 Kap. 94 = G r i m m *Myth.* 3, 446 Nr. 362. [63]) W u t t k e § 516; B i r l i n g e r *Aus Schwaben* 1, 405; *Volksth.* 1, 486; M e i e r *Schwaben* 2, 511 Nr. 426; R e i s e r *Allgäu* 2, 445 Nr. 213; J a h n *Hexenwesen* 154 Nr. 477. [64]) B o h n e n b e r g e r Nr. 1, 19.

14. Das „S e m m e l b." heiratslustiger Mädchen in Hof gehört zu den Liebesorakeln des Andreasabends (s. Andreas): man aß auf der Straße in der Dämmerung, solange der Verkehr noch nicht ganz erstorben war, auf drei Bissen eine halbe Kreuzersemmel; dann ging man lautlos auf der Straße hin. Der erste Mann, welchem das Mädchen nun begegnete, mußte aufmerksam betrachtet werden, denn ganz nach seinen Verhältnissen im bürgerlichen Leben gestalteten sich auch die des künftigen Ehemannes [65]).

[65]) K ö h l e r *Voigtland* 380.

15. Heiratslustige Mädchen b. in das e i s e r n e G i t t e r v o r d e m H e i - l i g e n b i l d in der Wallfahrtskapelle N.-D. de Nabléhaye (zwischen Herve und Bolland, Liège) [66]). Man sieht darin — ob mit Recht? — eine Nachwirkung des Glaubens an die magische Kraft des Eisens. Auch hier könnte vielleicht ursprünglich ein Hänselbrauch wie das „Kettenb." (§ 10) zugrunde liegen, das wir auch bei Wallfahrtskirchen und Kapellen finden [67]).

[66]) RTrp. 22, 457; H a r t l a n d *Perseus* 2, 213, 1 spricht von einer St. Josephskapelle bei Herve mit demselben Brauch [67]) B i r - l i n g e r *Volksth.* 1, 249 Nr. 390.

16. In Schweden soll eine Braut, nachdem sie beim Hochzeitsmahl von allen aufgetragenen Speisen gekostet hat, i n s T i s c h t u c h b., dann wird sie nicht lüstern [68]).

[68]) D ü r i n g s f e l d *Hochzeitsbuch* 2.

17. Wenn auf der Hochzeit die H u n d e s i c h b., so schlagen später die Eheleute einander [69]).

[69]) G r i m m *Myth.* 3, 448 Nr. 433 (aus der Rockenphilosophie). Hepding.

Bekker, Balthasar. Reformierter Prediger zu Amsterdam, gest. 1698 [1]). In seinem vierteiligen Werk *De betoverde wereld* (Die bezauberte Welt) [2]) bekämpft er, vom Teufelsglauben ausgehend, die gesamte Dämonologie. Der Teufel ist nach ihm keine Macht, sondern ein hilfloser gefallener Engel ohne besonderes Wissen und ohne die Fähigkeit, sich dem Menschen in sinnlich wahrnehmbarer Gestalt zu zeigen oder gar in seinem Dienst handelnd aufzutreten. Der ganze Glauben vom angeblichen Teufelspakt, von Zauberern und Hexen sei hinfällig.

Wegen dieser Ansichten wurde B. als Leugner des wahren Glaubens durch die Synode von Alkmaar 1692 seines Amtes enthoben. Doch datiert von seinem Auftreten der Umschwung in der Stellung der protestantischen Theologie zum Hexenglauben.

[1]) S o l d a n - H e p p e [2] 2, 233—243; M e y e r *Aberglauben* 333 ff. [2]) Leeuwen 1691 bis 1693; deutsch Leipzig 1693.   Helm.

beklagen s. b e d a u e r n.

bekleiden s. K l e i d.

bekränzen s. K r a n z.

bekreuzen s. K r e u z.

belecken s. l e c k e n.

Belemnit. Griech. βελεμνίτης (τὸ βέλεμνον = τὸ βαλλόμενον), das Geschleuderte, Geschoß, Blitz.

Als vom Himmel unter Blitz und Donner herabgeschleuderte und gegen den Blitz schützende Steine gelten im Volksaberglauben die prähistorischen Donnerkeile, die Echeniten und B.en [1]). Unter B.en versteht man die in der Jura- und Kreideformation häufig sich findenden versteinerten Reste von Vorläufern der Tintenfische. Es sind schlanke, nach oben spitz zulaufende, außen mit einem festen Feuersteinmantel bedeckte, innen meistens mit Kreidekalk gefüllte Hohlkegel, die genau der Form einer Zigarre gleichen [2]). Bei den Badegästen auf Rügen und an der Ostseeküste gelten sie noch heute als Blitzröhren, die durch die Glut einschlagender Blitze aus Kies und Sand zusammengeschmolzen sind [3]). Das Volk aber glaubt, sie seien beim Gewitter herabgeschleudert worden; als Schutz gegen das Gewitter legt man sie deshalb, wenn ein Wetter heranzieht, auf den Tisch, Herd oder auch auf das Fensterbrett [4]). Im Unterelsaß und Schaffhausen nennt man den B.en wegen seiner Gestalt „Teufelsfinger", im Aargau kommt daneben der Name „Stechehörndli" vor (Vergleich mit den spitzen Hörnlein des Hörndlimâ = Teufels), auch „Hämmerle", „Galützelstein", „Donnerstein". Nach dem Glauben des Aargauer Landvolkes sollen die B.en vor ihrer Versteinerung Kohlen gewesen sein und den Zwergen gedient haben [5]). In Schwaben hält man den B. für Abdrücke (Finger) einer Hand oder (der Zehen) eines Fußes; man nennt sie „Schrettelfüße" (Füße eines elbischen Wesens) [6]). In der Oberpfalz heißen sie „Teufelszehe", im Jura „Alp- oder Strahlsteine", in Ostpreußen „Pillersteen", „Ottertött" (Otterzitze), „Mohrenzitzchen", „Marezitze" [7]). Gesner sagt: Der B. stellt die Figur eines Pfeiles dar, weshalb ihn die Sachsen „Alpfescht", „Alpschoß" nennen und behaupten, er helfe bei Alpdrücken, gegen Behexung und nächtliches Blendwerk [8]). Wahrscheinlich hielt man sie in der Urzeit für Geschosse elbischer Geister, die im Gewitter einherfuhren [9]); an ihre Stelle traten später die Hexen (Hexenschuß!). Bei den Angelsachsen herrschte z. B. der Glaube, stechende Schmerzen rührten von dem Geschoß der Elfen oder Hexen her [10]). Auch Gesner berichtet, daß man die „Schoßsteine" (= B.) gegen die immer an einer Stelle stechenden Schmerzen der Pleuritis verwendete [11]). Einen gefundenen B.en soll man aufheben, denn er bringt Glück [12]). Als vorzügliches Heilmittel galten die B.en bei den Nordgermanen, besonders wenn Runen darauf geritzt waren [13]). Heute tragen in der Mark Brandenburg, wo B.en sich häufig im Kiessande finden, säugende Mütter sie als Schutzmittel gegen plötzliches Erschrecken, damit den Kindern die Milch nicht schadet [14]) (vgl. Schreckstein). Im Jura und Harz gibt man kranken Kindern etwas vom B.en abgeschabtes Pulver ein [15]); solches Pulver verwendet man in der Oberpfalz und in der Gegend von Wehdem zur Heilung von Wunden [16]). Zu gleichen Zwecken benutzten es früher die Ärzte in Preußen und Pommern, in Sachsen zum Brechen des Blasensteins [17]).

Als Phallussymbole wurden B.en auch gegen Geschlechtskrankheiten, Sterilität usw. verwendet [18]). Der Name Donnerkeil ist außer für die Steinbeile auch für die B.en in Gebrauch, und mit dem Namen werden diesen auch fast genau dieselben Eigenschaften beigelegt [19]).

Zu Gesners Zeiten hielten einige Ärzte den B.en für den „Luchsstein" der Alten [20]). In der Tat entsteht, wenn man den B.en stark reibt, ein leichter, an Öl oder Ammoniak erinnernder Geruch; Abel bringt damit die Entstehung des Aberglaubens zusammen, die durch ihre hellgelbe, durchscheinende Farbe sich auszeichnenden B.en in der norddeutschen und niederländischen Kreide seien versteinerter Luchsurin, den diese Tiere in der Erde verscharrten [21]). Schade berichtet, daß in den alten Offizinen weinklare B.en unter dem Namen „Luchsstein" verkauft wurden [22]). Auch ein Bergmännisches Wörterbuch verzeichnet unter Luchsstein und Alpschoß den B.en [23]). Zu der vielseitigen Anwendung des B.en gegen mancherlei Krankheiten, besonders bei Harn-, Stein- und Blasenbeschwerden, vgl. M. B. Valentini Natur- und Materialienkammer (1705), s. v., u. P. Pomet, Histoire générale des Drogues (1694), 107, desgleichen Zedler s. v. Alpschoß 1, 1040 f.

[1]) S a r t o r i 2, 13 f.; S e l i g m a n n 2, 25. [2]) Abbildungen bei S e l i g m a n n 1, 233; G e s n e r d. f. l. 91; W o s s i d l o Zoologie 322; Beschreibung bei H o v o r k a - K r o n f e l d 1, 59. [3]) mündlich; vgl. M ü l l e n h o f f Natur 21 Nr. 33 und H o v o r k a - K r o n f e l d 2, 564. [4]) F i n d e r Vierlande 2, 243 u. 1, 226. [5]) S t ö b e r Elsaß 445 Nr. 330; R o c h h o l z Sagen 1, 193 Nr. 155 u. 2, 205; Naturmythen 118 oben; G r i m m Myth. 1, 149 u. 2, 860; M ü l l e n h o f f Natur 15 Nr. 23. [6]) M e i e r Schwaben 172. [7]) S c h ö n w e r t h Oberpfalz 2, 248; M e y e r Germ. Myth. 119 § 162; F r i s c h b i e r Hexenspr. 107; ZfVk. 15 (1905), 92. [8]) G e s n e r a.a.O. 89; S c h ö n w e r t h a. a. O.; vgl. A g r i p p a v. N. 1, 93 (Luchsstein); S c h w e n k f e l d Catalogus 3, 369. [9]) G r i m m Myth. 1, 149. 381 u. 3, 363; vgl. M e y e r a. a. O. 91 § 126; M a n n h a r d t Germ. Myth. 48; S c h w a r t z Studien 410; A n d r e e - E y s n 25; S e y f a r t h 42. [10]) F i s c h e r Angelsachsen 15. [11]) G e s n e r a. a. O. 92. [12]) ZfVk. 20 (1910), 384; vgl. Ausland 63 (1890), 534. [13]) W e i n h o l d Altnord.

Leben (1856), 386. [14]) P l o ß *Weib* 2, 399.
[15]) R o c h h o l z a. a. O. 2, 205; ZföVk. 13
(1908), 95; vgl. S a r t o r i *Westfalen* 71;
L e m k e 2, 278. [16]) S c h ö n w e r t h a. a. O.;
ZfrwVk. 5 (1908), 95; vgl. ZfVk. 15, 92 (Mohrenzitzchen). [17]) G e s n e r a. a. O. 91; H a a s
Rügen 157. [18]) Vortrag in der Züricher Ges. f.
Volksk. 16. 12. 1919. [19]) ZfVk. 13 (1903), 352;
S e y f a r t h 261. [20]) G e s n e r a. a. O. 89 f.;
vgl. P l i n. *nat. hist.* 37 § 52 und 8 § 137;
R u s k a *Aristoteles* 4 u. 5 [1]. [21]) A b e l *Fossi-
lien* 114. [22]) S c h a d e s. v. Luchsstein 1394.
[23]) B e r g m a n n 336 u. 17.　　　　　Olbrich.

Belial oder Beliar, Name des Satans
II. Kor. 6, 15 Βελίαρ, aus hebr. בְּלִיַּעַל
„Nichtsnutz", häufig in den jüdischen
Apokryphen [1]); nach Bousset [2]) Name
des Antichrist. Greßmann [3]) vermutet
Zusammenhang mit der babylonischen
Unterweltgöttin Belili (בליל). Aus dem
NT. übergegangen in den Volksglauben
und Zauber [4]). Der Augsburger Büchsen-
meister Zimmermann [5]) bildete davon das
Wort „Belialia" zur Bezeichnung von
Zaubermitteln.

[1]) H a u c k *RE.* 2, 548. [2]) B o u s s e t *Der
Antichrist* (1895), 86 ff. 99 ff.; D e r s. *Die Religion des Judentums* (1906), 292. 384 ff. [3]) *RGG.*
1, 1021. [4]) A g r i p p a v o n N e t t e s h e i m
3, 109; K i e s e w e t t e r *Faust* 201; B a n g
Hexeformularer 647. 650 (bilial). 648 (Balligel,
verstümmelt); F r a n z *Benediktionen* 2, 431.
569; O h r t *Trylleformler* 1, 521 Reg. [5]) Bezoar,
Hd. Gotha Nr. 566 (ca. 1591) fol. 75 b (Ab-
schrift in meinem Besitz).　　　　　Jacoby.

Belomantie, Wahrsagung durch Pfeile
(βέλος = Wurfgeschoß, Pfeil). Die Bezeichnung findet sich in der ausgehenden
Antike nur einmal bei Hieronymus [1]) zu
Ezechiel 21, 26: „Denn der König zu
Babel wird sich an die Wegscheide stellen,
vorn an den zwei Wegen, daß er sich
weissagen lasse, mit den Pfeilen das Los
werfe, seinen Abgott frage und schaue
die Leber an. Und die Wahrsagung wird
auf die rechte Seite zu Jerusalem deuten . . ." So Luther; Joh. Herrmann
übersetzt [2]): „Der König . . . um das
Losorakel einzuholen, hat die Pfeile geschüttelt . . . In seiner Rechten ist das
Los Jerusalem". Hieronymus erklärt
die Stelle so, daß die Pfeile mit dem
Namen der anzugreifenden feindlichen
Städte bezeichnet seien; der zuerst aus
dem Köcher gegriffene Pfeil gäbe den

Aufschluß. Er fügt hinzu, die Griechen
hätten dafür die Bezeichnung B. oder
Rhabdomantie. Über ihre Anwendung
bei den Griechen ist sonst nichts bekannt,
auch der Bericht Herodots [3]) über die
Losbräuche der Skythen, der öfters in
diesem Zusammenhange angeführt wird,
spricht nicht von Pfeilen, sondern von
Stäben. Dagegen war die B. im Orient
seit alters weit verbreitet. Für die baby-
lonisch-assyrische Kultur beweist es die
Ezechielstelle, andere Belege, wie angebliche bildliche Darstellungen von Los-
pfeilen in der Hand von Göttern [4]), werden heute bezweifelt, auch die keilschrift-
lichen Quellen schweigen davon [5]). Die
Kulte des Hubal bei der Kaaba und des
Dhu 1 Chalaça in Tabâla und andere vor-
islamitische Kulte waren ebenfalls mit
einem Pfeilorakel (Istiqsâm) verbunden;
die Pfeile waren hier mit „ja" und „nein"
und anderen allgemeinen Aufschriften versehen und wurden aus einem Sack gezogen [6]). Die 5. Sure des Koran verbietet diesen heidnischen Brauch [7]). Die Lospfeile
waren stumpf und ohne Federn [8]), also
Stäbchen, so daß hier in der Tat zwischen
B. und Rhabdomantie kein wesentlicher
Unterschied besteht. Doch gab es bei den
Arabern auch eine andere Methode, nach
der ein Priester aufs Geratewohl zwölf mit
brennendem Werg umwickelte Pfeile ab-
schoß, um je nach der Art ihres Nieder-
fallens die Zukunft vorauszusagen [9]). Ob
diese Form an zwei Stellen des AT. [10])
vorauszusetzen sei, wie meist geschieht,
erscheint zweifelhaft. Von einer dritten
Form der B. endlich berichtet der französische Reisende Thevenot († 1697), die
bei den berberischen Seeräubern Sitte
war: zwei Leute fassen je ein Paar Pfeile,
von denen eins die Türken, eins die Christen bezeichnet, an den Spitzen an und
haken die Kerben gegenseitig ineinander;
beim Verlesen einer Zauberformel beginnen die Pfeile sich spontan zu bewegen, das eine Paar erhebt sich über
das andere, und dementsprechend wird
der Ausgang des bevorstehenden Ge-
fechtes gedeutet. Eine nach Marco Polos
Bericht vor Tschingiskhan mit einem gespaltenen Rohr in ähnlicher Weise vor-

genommene Divination sah P. della Valle
(† 1652) in Aleppo mit vier Pfeilen ausgeführt, deren Spitzen sich unter den
Beschwörungen eines Zauberers spontan
näherten. In Indien wurde eine fast genau entsprechende B. mit zwei Pfeilen
unter dem Namen „damo" noch 1833
zwecks Ermittlung eines Diebes angestellt [11]).

In der Divinationsliteratur der neueren
Zeit wird die B. nur selten genannt [12]).
Auf divinatorischen Gebrauch der Pfeile
im deutschen Aberglauben des Mittelalters weist anscheinend nur das Verbot
des Lanzkranna in der „Hymelstraß"
(1484) gegen „verborgen schåcz mit
pfeilen såchen oder mit andern vnzimlichen dingen" [13]).

Vgl. a. L o s e , R h a b d o m a n t i e.

[1]) M i g n e *PL.* 25, 125 b. [2]) E. S e l l i n
Komm. z. AT. 11, 130. [3]) IV 67. [4]) L e n o r -
m a n t *Magie u. Wahrsagekunst der Chaldäer,*
Dt. Ausg. (Jena 1878) 432. [5]) U n g n a d *Deu*
tung der Zukunft 15; M e i ß n e r *Babylonien*
und Assyrien 2 (1925), 275. [6]) B a t e in Indian Antiquary 12, 1 ff.; W e l l h a u s e n *Reste*
45 ff. 131 ff. [7]) v. 4, 92. [8]) L e n o r m a n t
a. a. O. 433. [9]) Ebd. 436. [10]) I. Sam. 20, 20—22;
II. Reg. 13, 14 ff. [11]) H. Y u l e *The Book of Ser*
Marco Polo 1 (London 1874), 237 f. [12]) F a -
b r i c i u s *Bibliogr. antiqu.* [3] (1760) 597.
[13]) SAVk. 27, 132.   Boehm.

Belzebub, Name des Teufels, der im
Volksmund durch das bekannte „den
Teufel mit B. austreiben" allgemein gebräuchlich ist. Er entstammt dem NT.
Mrk. 3, 22; Mt. 10, 25; 12, 24. 27; Luk. 11,
15. 18. 19, wo aber in den Hdd. Βεελζεβούλ
neben dem weniger häufigen Βεελζεβούβ
steht; dagegen hat Vulgata und Syrus B.
und בעל זבוב, auch belzebud. Nach der Erzählung der Evv. ist er ἄρχων τῶν δαιμονίων,
woraus seine Rolle als Satan, Oberhaupt der Teufel, sich erklärt [1]). Merkwürdig ist nur, daß der Name Beelzebul
sich nicht außerhalb des NT. findet, es
sei denn, daß er deutlich auf die nt. Stellen zurückgehe [2]). Das macht auch die
Ableitung aus בעל זבול „Mistbaal" als
Spottname [3]) schwierig; nirgends verraten die Rabbinen oder die jüdisch- apokryphe Literatur eine Kenntnis des Namens. Auch Reitzensteins [4]) Hinweis auf
jüdische Planetengebete, wo er als Dämon

des Saturn erscheint, kann nicht helfen,
weil die Gebete doch spät sind; daß der
Dämon einer astrologischen Geheimlehre
angehört, läßt sich nicht erweisen. Andererseits ist auch die Form בעל זבוב der
Vulg. und des Syrers kaum ursprünglich,
sondern wohl eher eine Angleichung an
den phönizischen Beelzebub, den Gott
von Ekron. II. Kön. 1, 2. 6, wo Symmachus Βεελζεβούβ transskribiert, die Septuaginta Βάαλ μυῖα, θιὸς Ἀκαάρων, also
„Fliegenbaal", von זְבוּב „Fliege", übersetzen [5]). Man sieht nicht ein, wie und
warum der Stadtgott von Ekron im NT.
zum Haupt der Dämonen wurde. Nach
mittelalterlichen arabischen Berichten ist
Beelzebul der König der Dschinnen, der
stirbt und beklagt wird, vgl. das Motiv
vom toten Pan, vielleicht ein Nachklang
des Tammuz- oder Adoniskults [6]). Bar
Bahlul erläutert B. als elaha aziza verabba d. i. „starker und großer Gott" [7]).
Möglicherweise ist auch an das Wort זְבֻל
„Wohnung" zu denken im Sinne der
Wohnung Gottes, des Himmels, also
„Herr des Himmels", oder im Sinne von
οἰκοδεσπότης Mt. 10, 24 „Hausherr" (Formen Baals); der vierte Himmel heißt so
זְבוּל [8]). Nebenformen sind Belzebuth, Belzebuc, Besebuci usw. Im Zauber begegnet
der Name oft [9]).

[1]) H a u c k *RE.* 1, 514 ff.; RGG. 2, 1223;
P a u l y - W i s s o w a 3, 1, 185. [2]) Z. B. H i p -
p o l y t *Refut. omn. haer.* 6, 34, 1 Wendland 162;
Ev. Nicod. 1, 1: T i s c h e n d o r f *Evangelia*
apocrypha (1876), 216; Testamentum Salomonis: M i g n e *PG.* 122, 1329; L. A l l a t i u s
de templis Graecorum (1645), 126 f. [3]) B u x -
t o r f *Lexicon Chaldaicum* etc. ed. Fischer (1879),
175; D a l m a n *Grammatik des jüd.-pal. Ara*
mäisch (1905), 137; K l o s t e r m a n n im
Handbuch z. NT. hrsg. von Lietzmann 2 (1919),
31. [4]) *Poimandres* 75. [5]) Auch im Targum D a l -
m a n *Aram.-neuhebr. Handwörterbuch* (1922),
123. [6]) G r a f B a u d i s s i n *Esmun und Ado*
nis (1911), 119. [7]) C a s t e l l i *Lexicon Syriacum*
ed. Michaelis (1778), 290. [8]) K l o s t e r m a n n
a. a. O.; D a l m a n *Handw.* 123. [9]) H e e g
Hermetica 38 Z. 5; V a s s i l i e v *Anecdota Graeco-*
Byzantina 1 (1893), 336; R e i t z e n s t e i n *Poi*
mandres 299; L i e b r e c h t *Gervasius* 182;
G o l t h e r *Mythologie* 410; G r i m m *Myth.*
3, 295; A g r i p p a v o n N e t t e s h e i m 3,
108; Z a c h a r i a e *Kl. Schr.* 377 ff.; S e p p
Religion 321 ff.; S c h m i d - S p r e c h e r 30;
ZfVk. 22 (1912), 124. 237 f.; G o e d e k e *Every-*
Man (1865), 99; K r o n f e l d 90; B a n g *He-*

xeformularer 647. 648; O h r t *Trylleformler* 1, 521 Reg.   Jacoby.

bemalen s. B i l d , t ä t o w i e r e n.

Benedikt, hl., Abt, Vater des abend-ländischen Mönchtums, geb. 480 zu Nursia (Umbrien), Einsiedler in der Nähe von Subiaco, gründete 530 zu Monte Cassino das Stammkloster des nach ihm genannten Benediktinerordens, gest. ebenda 543, Fest 21. März. Übertragung eines Teiles der Reliquien des Heiligen nach Fleury (St. Benoît-sur-Loire) 653. Partikeln in Benediktbeuern, Einsiedeln, Metten bei Straubing a. d. Donau und anderswo [1]).

[1]) P o t t h a s t *Bibliotheca historica medii aevi* 2 (1896), 1199; K o r t h *Kirchenpatrone im Erzbistum Köln* 33; N o r k *Festkalender* 227—230; S a m s o n *Die Heiligen als Kirchenpatrone* 143—144; L'H u i l l i e r *St. Benoît* (1905); H e r w e g e n *Der hl. Benedikt* (1921).

1. Der Lebensbeschreibung des Heiligen hat Gregor d. Gr. das ganze zweite Buch seiner Dialoge (594) gewidmet [2]). In dieser Vita sind eine große Fülle bekannter und sich in der Hagiographie wiederholender Legendenmotive über B. ausgebreitet. Der Heilige macht ein zerbrochenes Gefäß wieder ganz, heißt einen Bruder über einen See eilen, um einen Ertrinkenden zu retten, füllt durch Gebet die leeren Ölfässer des Klosters, bewirkt durch sein Vertrauen und Ausharren im Glauben an Hilfe für die darbenden Brüder 200 Säcke Mehl, findet Goldstücke im Getreidekasten, um einem Armen zu helfen, befreit durch einen Blick einen gefangenen armen Bauer von seinen Fesseln, rettet sich selbst vor dem ihm zugedachten Giftbecher und wirkt vieles andere an Wundern und Taten, wie sie dem Zeitgeist gefielen oder gar Bedürfnis waren. Infolgedessen werden B. außer Abtsstab und Weihel mancherlei Attribute beigesellt: Dornbusch, Becher mit Schlange, Kind das er segnet, aufgeschlagenes Buch, Rabe mit Brot im Schnabel u. a. [3]), und findet er sich auch im Eingang von Zaubersprüchen [4]).

[2]) M i g n e *Patrol. lat.* 77, 149—429. Auszug daraus MG SS. rer. Langobard. 6—10 (1878), 525—540. [3]) K ü n s t l e *Ikonographie* 123—125. [4]) A c k e r m a n n *Shakespeare* 100.

2. Durch den von ihm gegründeten, weitverbreiteten Orden gelangte der Heilige in der Andacht des Volkes zu hohen Ehren. Der reiche Legendenkranz machte ihn zu einem zugkräftigen Volksheiligen, besonders in ländlich-bäuerlichen Kreisen. Weil er sich neun Tage vor seinem Tode das Grab öffnen und sich am sechsten in die Kirche tragen ließ, um sich dort mittels Empfangung des Altarssakramentes auf die „Reise zu richten", also in ebenso vorbildlicher wie vorsorglicher Weise sich auf den Tod vorbereitete, empfahl man sich ihm für die Sterbestunde und erbat ihn als „Schildwächter" für die Stunde von „9 Uhr des Tages bis auf 10 Uhr" im Falle des Todes [5]).

[5]) Geistl. Schild 113.

3. Der Festtag des Heiligen fällt in die Zeit der Frühlingssonnenwende, der Tag- und Nachtgleiche des Frühlings und des Frühlingsanfangs. Was dieser Tag als Einschnitt in das Kalender- und Wirtschaftsjahr im Glauben und Brauch des Volkes besonders an sich trug oder noch trägt, wurde gutenteils an den Namen des Heiligen geknüpft oder zu dem Heiligen in Beziehung gebracht. Es ist nicht unwahrscheinlich, daß das dem Namen B. zugrunde liegende benedicere, segnen, in der Form benedeien, mhd. benedîen in den deutschen Wortschatz aufgenommen, den Glauben bestimmter Volksteile und Volkskreise an die apotropaische und überhaupt an die magische Kraft des Tages oder der Zeit stärkte und stützte, wie dies in Vorschriften für die Landwirtschaft hervortritt. Zwar wenn es z. B. nach dem Volksglauben der Esten [6]) heißt, am B.tag erwachen die Schlangen, oder wenn man bei den Kroaten in Muraköz [7]) an diesem Tage die Rosse nicht aus dem Stall läßt, damit sie nicht behext werden, so spielt hier ohne Zweifel der eigentliche Kalendertag die bestimmende Rolle, ebenso wenn nach der Meinung der Gurkfelder die jungen Hühner der am B.tag gelegten und ausgebrüteten Eier besonders fleißig legen [8]), oder wenn man in Tschernembl meint, Schnee am B.tag

deute auf eine gute Heuernte [9]). Wenn dagegen die steirischen und kroatischen Slowenen am B.tag verschiedene Kräuter und Wurzeln weihen lassen, um mit diesen die Viehställe auszuräuchern und alles Hexenwerk zu vertreiben [10]), dann eben spielt wohl mehr Benedictus-benedicere eine Rolle oder überdeckt Älteres in Glaube und Brauch. Halb Ernst, halb Scherz mag die Vorschrift oder Empfehlung sein, Mohrrüben am B.tag zu säen, damit sie dick werden, „benedik" (beinedick) [11]). Auch setzt der Bauer Zwiebeln oder Knoblauch an diesem Tage um so lieber, als er, durch den Namen Benedikt verleitet, wünschend glaubt, daß solche Gewächse dann besonders dick werden. „Benedict, macht Zwiebel dick", sagt man geradezu, oder ähnlich „Benedik macht Zwiewele und Knowli dick" [12]). Man erkennt, wie die naive Buchstabenoder Namensexegese vielleicht zunächst vom Scherzhaften aus allmählich sich zu Glaubensvorstellungen entwickelt. Ähnlich wie an andern Heiligentagen, früher und vielfach noch jetzt, wurden auch am B.tag im Kloster Chiemsee die sogenannten B.zeltel gereicht, kleine süße Brötchen in flacher Form, deren Genuß Segen bringen sollte [13]).

[6]) B o e c l e r *Ehsten* 81. [7]) Ethnolog. Mitt. a. Ungarn 4, 173. [8]) ZföVk. 4 (1898), 145. [9]) Vgl. andere Wetterregeln: B a u m g a r t e n *Heimat* 1, 45; W e t t s t e i n *Disentis* 164. [10]) ZföVk. a. a. O. [11]) E n g e l i e n u. L a h n 271. [12]) L e o p r e c h t i n g *Lechrain* 167; M e y e r *Baden* 423; S c h m i t t *Hettingen* 18; L a c h m a n n *Überlingen* 401. [13]) H ö f l e r *Fastengebäcke* 96; Bavaria 1, 367.

4. Das sogenannte B e n e d i k t e n - k r a u t , spätmhd. benedictenkrût, eine besonders in ihrer Wurzel heilkräftige Pflanze (Geum reptans L.), sowie die B e n e d i k t e n w u r z (Geum montanum L.), auch Blutwurz, Petersbart genannt, haben als vermutlich alte Kultpflanzen ursprünglich zu dem Tag der Frühlingstag- und Nachtgleiche Beziehung [14]) und wahrscheinlich mit fortschreitender volksmedizinischer Verwendung in christlicher Zeit ihre Anlehnung an B. erhalten. Erwähnt wird die „Benedictenwurzel" in einem magischen Mittel,

gestohlenes Holz (Stämme) wieder zu erlangen [15]).

[14]) ZfVk. 1 (1891), 295. [15]) W o l f *Beiträge* 2 (1854), 117.

5. Durch des Heiligen Namen sind wie durch eine Art Marke mehrere Dinge besonders charakterisiert, die zu bestimmten abwehrenden, schützenden und heilwirkenden Zwecken verwandt wurden und noch werden, die B. s c h e l l e sowie das B. k r e u z und der B. p f e n n i g oder die B. m e d a i l l e. Mit ersterer klingelte man in der Eifel [16]) dem Sterbenden oder um das Bett des Sterbenden in der Meinung und Absicht, böse Geister fernzuhalten. Auch in Westböhmen [17]) ging man (geht man?) klingelnd mit einem Glöckchen um das Bett des Kranken. Maß oder mißt man der Schelle allgemein apotropäische und ähnliche Wirkungen zu (s. Glocke), wie dies aus Umzügen, z. B. aus dem Perchtenlaufen bekannt ist, so konnte man dies bei einer B.schelle genannten Schelle wegen des im Namen steckenden benedicere-segnen um so mehr.

[16]) S c h m i t z *Eifel* 1, 65. [17]) ZfVk. 17 (1907), 362.

6. Sehr starke Verbreitung gewannen das B. k r e u z und der B. p f e n n i g im Volk und spielten besonders in der Zeit der Hexenprozesse (17. Jh.) eine große Rolle [18]). Über die Kräfte dieses zweigestaltigen (Kreuz- und Pfennigform) Amulettes verbreiten sich ältere Zusammenfassungen und Beschreibungen ausführlich. Nach dem Volksglauben eignen ihnen therapeutische und prophylaktische Kräfte mit Wirkung bei Menschen und Tieren, bei Wetter und Zauber aller Art. Man trägt die Medaille, hängt sie auf in Räumen und an Gegenständen oder an Tieren, vergräbt sie unter der Schwelle oder anderswo usw. Infolge ihrer großen Beliebtheit ist die literarische Überlieferung stark [19]). Nach der geographischen Seite sind volkstümlicher Gebrauch und Überlieferung vorzüglich in Süddeutschland im weitesten Sinne nachweislich.

[18]) SAVk. 15 (1911), 182; D e t t l i n g *Hexenprozesse* 40. [19]) Geistl. Schild 36; SAVk. a. a. O.;

üblich [40]). In einer Beichtfrage des Burchard von Worms († 1024) wird verboten, Steine zu Hügeln zusammenzutragen [41]).

e) **O p f e r u m F r u c h t b a r k e i t.** Die alten Isländer, wie heute noch die Dänen und Schweden zur Julzeit (s. d.), brachten Hügeln Opfer dar, um Fruchtbarkeit zu erlangen [42]). Die Opfer gelten den Alven, Vegetationsdämonen, in alter Zeit auch Gräbern von Königen, in deren Regierungszeit besonders fruchtbare Jahre waren; diese Fruchtbarkeit sucht man sich durch Opfer zu erhalten [43]).

f) **S a l b e n b.e.** Von großer Wichtigkeit für das Verständnis der nordischen Vorstellungen ist der Glaube der Lappen. Sie verehren heilige B.e, in denen die Toten wohnen. Sie dürfen nur in Feiertagskleidern zum hl. B., auf ihm kein Tier töten, nicht da schlafen. Frauen dürfen den B. nicht ansehen [44]). Um ihrer Bewohner willen wurden die B.e mit Opfern geehrt, auf ihnen stand oft ein großer Stein, der mit Blut, vor allem mit Fett eingerieben wurde [45]). Einzelne Züge dieser B.verehrung finden sich auch bei den alten Isländern: für den heiligen B. Helgafell hegte Thorolf so große Verehrung, daß niemand dorthin sehen sollte, ohne sich vorher gewaschen zu haben. Man sollte nichts auf dem B. töten, weder Mensch noch Tier [46]). Fettopfer sind im Norden, z. T. in den Alpenländern, bis in die neuere Zeit üblich geblieben, sie gelten Steinen und Hausgötzen [47]). Aber die in Schweden vorkommenden B.-namen smörkulle, Salbenb. [48]), lassen den Schluß zu, daß solche Opfer früher auch in Schweden auf B.en dargebracht wurden. Im ganzen muß man annehmen, daß die Opfer auf B.en nicht nur Toten, sondern auch Vegetations- und B.dämonen galten und daß sich der germanische B.-kult, wie die angeführten Beispiele zeigen, nicht ausschließlich vom Totenkult ableiten läßt, wie Mogk annimmt [49]).

[17]) H e l m *Relig.gesch.* 1, 260 = PBB. 35, 21 ff. [18]) Eyrbyggjasaga 28; Gunnlaugssaga 4; ZfVk. 12, 206. [19]) G r i m m *RA.* 2, 421 ff.; vgl. Eyrbyggjasaga 4; G r i m m *Myth.* 1, 126. [20]) M e y e r *Germ. Myth.* 251. [21]) H o o p s *Reallex.* s. v. B.kult. [22]) MschlesVk. 27, 20 ff.

[23]) H o o p s *Reallex.* s. v. B.kult. Im späteren nordischen Volksglauben steigt Thor als B.-schmied mit Zange und Hammer in der Hand aus dem B. Ek 63. [24]) M e y e r *Relig.gesch.* = G o l t h e r *Mythol.* 289. [25]) Reginsmál 18. [26]) D e t t e r - H e i n z e l zu Reginsmál 18 = AfnF. 14, 200. Das von G o l t h e r *Mythol.* 298 herangezogene *fjallgautr,* Snorra Edda, Skaldskaparmál 4 Vers 55, bezieht sich nicht auf Odin; es bleibt ein Beiname Odins *fjallgeigupr* Snorra Edda (Arnamagnaeanische Ausg.) 2, 555, einem Fragment aus der Mitte des 14. Jh.s, auf das man kein Gewicht wird legen können. [27]) L a m m e r t 24; S e p p *Sagen* 140 Nr. 43; H ö f l e r *Waldkult* 36 ff.; ZfVk. 5, 207 ff. [28]) ZfVk. 5, 208. [29]) T y l o r *Cultur* 2, 261; A n d r i a n *Höhenkultus* 343 ff. [30]) K u h n *Westfalen* 2, 142 Nr. 412. 413; M e i e r *Schwaben* 2, 401 Nr. 88. [31]) M e i c h e *Sagen* 656 Nr. 814; R o c h h o l z *Tell* 12. [32]) M e i e r *Schwaben* 2, 431; R o c h h o l z *Tell* 12. [33]) M e i e r *Schwaben* 2, 431. [34]) F e h r l e *Volksfeste* 31 ff. [35]) G r i m m *Myth.* 1, 511; F e h r l e *Volksfeste* 57 f. [36]) G r i m m *Myth.* 1, 513. [37]) S c h m i t z *Eifel* 1, 46. [38]) W o l f *Beiträge* 2, 279; ähnlich M e i e r *Schwaben* 3, 4. [39]) A n d r e e - E y s n *Volkskundliches* 13 ff. [40]) A n d r e e *Parallelen* 1, 46; L i e b r e c h t *Zur Volksk.* 267 ff. [41]) ZfVk. 12, 209 = G r i m m *Myth.* 3, 407 Nr. 195 b. [42]) Fornaldarsögur 2, 132. [43]) Heimskringla 40 f.; vgl. FoF. 12, Heft 2, 15. [44]) U n w e r t h 8 ff. [45]) Ebd. 10. [46]) Eyrbyggjasaga 4. [47]) NdZfVk. 4 (1926), 12. 13; Mitt. d. Anthr. G. Wien 56, 2. [48]) Fataburen 1910, 193 ff. [49]) H o o p s *Reallex.* B.kult; vgl. FoF. 13 (1926), 169 ff.

3. **T o t e n b.e.** Besonders zahlreich sind die Zeugnisse, nach denen die Toten in B.en hausen [50]). Im Altnordischen findet sich daher gelegentlich der Ausdruck „in den B. gehen", bzw. „in den B. sterben" [51]). Das in den B.-Gehen wird aber öfter auch von Lebenden berichtet [52]) (s. b.entrückt). Den Felsen, an dessen Fuß er sich auf Island ansiedelte, nannte Thorolf Helgafall (Heiligenb.). Er glaubte nach seinem Tode in ihn einzugehen (er wurde aber nicht in H. begraben) und ebenso alle seine Verwandten [53]). Als sein Sohn Thorstein später ertrank, sah man, wie sich der B. öffnete und seine Insassen am Feuer fröhlich lärmend den Ertrunkenen empfingen [54]). Flosi träumte, der B. öffne sich, ein Mann trete heraus, der die Namen der Leute rief, die dann im bald darauf folgenden Kampfe fielen [55]). Noch heute heißen mehrere B.e in Skandinavien Walhall, d. i. Halle der Schlachttoten [56]). Z. T. auf diesen Vor-

stellungen bauen die über das ganze germanische Gebiet verbreiteten Sagen von Königen, Helden und Heeren, die im B.e fortleben sollen, sich auf, z. T. handelt es sich dabei um B.entrückungen (s. d.). Nach deutschem Glauben ruht der Sturm, d. s. die Seelen, das wilde Heer, im B., z. B. im Harlungen- und Eckartsb. [56a] Im B. ist das Totenheim (s. Berchta, Holda, Hörselb, Rosengarten, Venusb.). Die Totenschar im B.e kann von Lebenden besucht werden, z. B. im Untersb. [57]. Auch die Heimchen kann man im B. aufsuchen und dann wieder herauskommen [58], allerdings oft mit verstörtem Aussehen [69]. Ein Wilddieb hat die Toten in einer Nebelkirche auf dem B. Messe halten sehen und hören, er mußte aber neun Tage nachher sterben [60]. Mit diesen Vorstellungen und der vom offenen B. hängt es zusammen, daß man am Karfreitag auf einem B. alle Engel und alle Verstorbenen sehen kann [61]. Soll der Burgbesitzer sterben, so löst sich im B. ein mächtiger Fels und poltert in den Burghof [62].

[50] Mannhardt *Germ. Mythen* 240; Meyer *Germ. Myth.* 72; Golther *Mythologie* 88 ff.; Meyer *Germanen* 43. 126; Meyer *Relig.gesch.* 82; Ranke *Sagen* 95 ff. [51] Eyrbyggjasaga 4; Landnàmabòk 2, 5. 16; 3, 7. [52] Neckel *Walhall* 65 ff. [53] Eyrbyggjasaga 4. [54] Ebd. 11; ähnlich Njàlssaga 14. [55] Njàlssaga 133. [56] Neckel *Walhall* 51 ff. [56a] Panzer *Heldensage*. [57] ZfdA. 47, 67 f. [58] Eisel *Voigtland* 101 Nr. 260. [59] Schambach u. Müller 397. [60] Laistner *Nebelsagen* 123 = Pröhle *Harz* 1, 96 ff. [61] SchwVk. 10, 30. [62] Kuoni *St. Galler Sagen* 40 Nr. 87.

4. Das B.innere. Im Innern des B.es wird oft eine schöne Wiese, die zur germanischen Unterweltsvorstellung gehört, geschildert [63]. Häufig ist das B.-innere ganz aus Gold und Silber [64]. Diese Vorstellung erklärt sich einerseits aus der wunderbaren Schönheit des Paradieses, oft wird die andere Welt als Gold- oder Glasb. [65] (s. u. 14) beschrieben, andererseits hängt sie mit dem B.segen, den die Zwerge verwalten (s. 5), zusammen. Durch christliche Umdeutung wird die Hölle in den B. verlegt [66].

[63] Kuhn u. Schwartz 217 Nr. 247; Mannhardt *Germ. Mythen* 447; ZfdA. 47,

67 ff.; Neckel *Walhall* 65 ff.; Siuts *Jenseitsmotive* 55 ff. [64] wie Anm. 63; Bechstein *Thüringen* 2, 215 Nr. 355. [65] Liebrecht *Gervasius* 152; Wlislocki *Zigeuner* 275. 325. [66] Wolf *Beiträge* 2, 154; SAVk. 25, 131; besonders Krater feuerspeiender B.e hielt man für Zugänge zur Hölle. Meyer *Aberglaube* 126; Grimm *Sagen* 227 Nr. 283. Außereuropäisch: Andrian *Höhenkultus* 143. 305. 330.

5. Der hohle B. Im hohlen B. wohnen die Zwerge [67] mitten unter Gold und Edelsteinen [68] in einem B.-palast [69] und haben oft ihre Schmiede da [70]. Man kann auch aus dem B. öfter klopfen und hämmern hören, wahrscheinlich werden dann die Schätze anders aufgestapelt [71]. Im Jura begann man im Glauben an die Zwergenwirtschaft, in den Strichenb.en nach Gold zu graben und stellte das Unternehmen aus Angst vor den Erdmännlein wieder ein [72]. Der hohle B. ist auch noch der Sammelplatz von Kobolden, Erd- [73] oder Graumännchen [74]. In oder auf dem B. kann man sie mit goldenen Kegeln spielen sehen [75]. Aus dem hohlen B. kam früher täglich ein Bulle und weidete mit der Herde [76]. Ein Mann sah einmal eine ganze Stadt im B. liegen [77]. In heilige B.e, z. B. in den Untersb., verlegt der christliche Glaube große Dome [78], oder einen goldenen Altar [79]. (Tiere, besonders Drachen im B. u. 7 und 15; s. B.werk.)

[67] Grimm *Myth.* 1, 376; Schambach u. Müller 133 Nr. 149; Mannhardt *Germ. Mythen* 209, 450; Schönwerth *Oberpfalz* 2, 235; Lützens *Zwerg* 88 ff. 104; Ranke *Sagen* 122 ff. [68] Kuhn u. Schwartz 217 Nr. 247; Mannhardt *Germ. Mythen* 447. [69] Sommer *Sagen* 3. [70] Grimm *Myth.* 1, 379; Ranke *Sagen* 132. [71] Kühnau *Sagen* 1, 231. [72] Rochholz *Sagen* 1, 271. [73] Vernaleken *Alpensagen* 291 Nr. 209. [74] Eisel *Voigtland* 47 Nr. 105; 48 Nr. 106. [75] Grimm *Myth.* 2, 796; Bechstein *Thüringen* 2, 109 Nr. 242. [76] Kuhn *Westfalen* 1, 287 Nr. 333 ff. [77] Ranke *Sagen* 109. Vgl. Lehmann-Filhés *Isländische Volkssage* 2, 75 f. [78] Sepp *Sagen* 3 Nr. 1 = Grohmann 298. [79] Ebd. = Pröhle *Harz* 156; Witzschel *Thüringen* 1, 190.

6. B.klingeln. Die Musik [80], manchmal auch den Gesang [81] der B.männlein kann man hören, mancherorts nennt man es B.klingeln oder Schellenpeter, es kündet gutes Wetter [82].

[80]) W o s s i d l o *B.sagen*; K u o n i *St. Galler Sagen* 41. 134; B i r l i n g e r *Volkst.* 1, 239 = R o c h h o l z *Sagen* 1, 371. 368; F e i l b e r g *Bjaergtagen* 122. [81]) B e c h s t e i n *Thüringen* 2, 179 Nr. 316; W o s s i d l o *B.sagen*. [82]) R o c h - h o l z *Sagen* 1, 371.

7. S c h a t z i m B. Vor allem sind im B.e reiche Schätze verborgen [83]). Der Glaube steht z. T. in engster Verbindung mit den Zwergen, oft aber liegt das Gold in einem versunkenen Schloß [84]). Der Schatz wird von einer Jungfrau, einer weißen Frau, einem schwarzen Hund, mitunter von Drachen behütet. Der Eingang zum B. zeigt sich nur zu bestimmten Zeiten, s. 9 (s. Schatz, Schatzhüter).

[83]) Z. B. B e c h s t e i n *Thüringen* 2, 254 Nr. 391; S c h m i t z *Eifel* 2, 53 ff.; W o s s i d l o *B.sagen*. [84]) Z. B. B e c h s t e i n *Thüringen* 2, 162 Nr. 300; W i t z s c h e l *Thüringen* 2, 60 Nr. 71; K ü h n a u *Sagen* 1, 231.

8. B.ö f f n e n. Zwerge öffnen den B. mit der blauen Blume [85]). Auch Menschen können mit Hilfe der blauen Blume [86]), einer Springwurzel [87]), dem Kraute Lunaria [88]), mit einem Zwergenhut [89]) den B. aufmachen. Eine Kröte öffnet ihn mit den Worten: „Epraim tu dich auf" [90]). Der B. öffnet sich auf das Wort der Venediger [91]), mitunter können nur sie (s. Venediger) den Schatz heben [92]) (s. Schatzheben). Für ihr Musizieren [93]), Flötenblasen [94]) werden manche im B. bewirtet und beschenkt.

[85]) S c h a m b a c h u. M ü l l e r 133 Nr. 149. [86]) *ZfdMyth.* 3, 384. [87]) K u h n u. S c h w a r t z 178 Nr. 200, 2; B e c h s t e i n *Thüringen* 2, 254 Nr. 391. [88]) M e i c h e *Sagen* 28 Nr. 27. [89]) M a n n h a r d t *Germ. Mythen* 449 = W o l f *Deutsche Märchen u. Sagen* 13, 67 b. [90]) M ü l - l e n h o f f *Sagen* 287 Nr. 393; vgl. Sesam öffne dich. [91]) S o m m e r *Sagen* 66 Nr. 158. [92]) S c h ö n w e r t h *Oberpfalz* 2, 238. [93]) B e c h - s t e i n *Thüringen* 2, 14 Nr. 159; E i s e l *Voigtland* 98 Nr. 252. [94]) P o l l i n g e r *Landshut* 58 c.

9. D e r B. s t e h t o f f e n. An bestimmten Stunden, oft über Mittag [95]), um Mitternacht [96]), meist zu heiligen Zeiten [97]), zu Weihnachten, am Karfreitag während der Passion [98]), am Ostersonntag [99]), wenn zum Hochamt geläutet wird (Salzkammergut) [100]), am Walpurgis- [101]) und Johannistage [102]) steht der B., mancherorts nur alle drei [103]) oder sieben [104]) Jahre, offen.

Wer da hineingeht, kann so viel Geld nehmen, als er tragen kann [105]). Viele wagen aber nicht im rechten Augenblick zuzugreifen [106]), andere, die sich Geld holen, kommen schwerkrank heraus [107]), manche müssen sterben, wenn sie davon erzählen [108]). Eine Mutter vergaß über dem Gelde ihr Kind im B., erst nach 100 Jahren (gewöhnlich nach 1 Jahr) kam es wieder heraus, es war gut gepflegt und nur um ein Jahr älter geworden [109]). Verwandt ist die Erzählung, ein Schwein einer Herde sei in einen B. gegangen und später wohlgemästet zurückgekommen [110]) (s. B.entrückt). Zu Zeiten öffnet sich der B. und man sieht auf einige Minuten einen Kaufladen [111]).

[95]) K u h n u. S c h w a r t z 50 Nr. 54; E i s e l *Voigtland* 173 Nr. 468. [96]) B e c h s t e i n *Thüringen* 2, 80 Nr. 210. [97]) M e i c h e *Sagen* 740 Nr. 911. [98]) K ü h n a u *Sagen* 1, 558 = G r o h - m a n n *Sagen* 57. [99]) W o s s i d l o *B.sagen*. [100]) V e r n a l e k e n *Mythen* 135. [101]) B e c h - s t e i n *Thüringen* 1, 219 Nr. 123. [102]) Ebd.; K u h n. S c h w a r t z 50 Nr. 54; V e r n a - l e k e n *Mythen* 109. [103]) B e c h s t e i n *Thüringen* 1, 219 Nr. 123. [104]) Ebd. 2, 179 Nr. 316. [105]) S o m m e r *Sagen* 3; E i s e l *Voigtland* 48 Nr. 108; M ü l l e r *Siebenbürgen* 93. [106]) P a n - z e r *Beitrag* 2, 198 f.; B e c h s t e i n *Thüringen* 2, 80 Nr. 210. [107]) E i s e l *Voigtland* 47 Nr. 105. [108]) Ebd. 48 Nr. 106. [109]) M ü l l e r *Siebenbürgen* 93; S c h ö n w e r t h *Oberpfalz* 2, 241; V e r - n a l e k e n *Mythen* 129. [110]) K u h n *Westfalen* 1, 327 Nr. 3. [111]) M ü l l e r *Siebenbürgen* 95.

10. W e t t e r b.e. B.e, die durch ihre besondere Lage und Höhe Wolken an ihrem Gipfel ansammeln oder Gewitter teilen, Hut- oder Wetterb.e, gelten als Wetterpropheten. Der Alte zieht seine Kappe über, das bedeutet Regen, sagt man [112]). Vom Kyffhäuser, heißt es z. B.: „Steht Kaiser Friedrich ohne Hut, so wird gewiß das Wetter gut. Ist er mit dem Hut zu sehen, wird das Wetter nicht bestehen" [113]). Solche B.e heißen Hutb.e (s. d.), Eisenhut (Dänemark), Sturmhaube (Steiermark), Nebelhelm (Cumberland) [114]). Auch die zahlreichen Donnersb.e gehören hierher. Man hört im B. arges Brausen und Tosen bevor ein Gewitter ausbricht (s. o. 2 a) [115]). Viele Wetterb.e sind seit alters heilige B.e wie der Kyffhäuser, Brocken, Zobtenb., Untersb. Die Gewitter abwehrende Kraft wird in spä-

terer Zeit einem Stein, der auf dem B.
liegt, einem im B.innern schlafenden Ein-
horn [116]), oft den auf Gipfeln errichteten
Kreuzen [117]) zugeschrieben.

[112]) K u h n *Westfalen* 2, 89 Nr. 276; W i t z-
s c h e l *Thüringen* 1, 275 Nr. 285; 2, 56 Nr. 64;
L a i s t n e r *Nebelsagen* 244; B a u m g a r t e n
Aus der Heimat 1, 56; L a u b e *Teplitz* 47;
K ü h n a u *Sagen* 2, 447; S é b i l l o t *Folk-
Lore* 1, 249. [113]) *Urquell* 5, 213. [114]) R o c h-
h o l z *Naturmythen* 205 ff. [115]) R a n k e *Sagen*
96. [116]) *BlBayVk.* 8 (1920), 24. [117]) *Ebd.* 22.

11. P e r s o n i f i k a t i o n. Gerade
Wetterb.e werden leicht personifiziert
(s. u. 12 b). Die verschiedenen Lagerun-
gen und Gestalten der Wolken werden
Mantel, Kragen, Degen genannt [118]). Bezeichnend sind Namen wie Altvater,
Mönch, Jungfrau und zahlreiche B.namen
auf -er wie Glockner, Eiger, die wie Personennamen gebildet sind.

[118]) R o c h h o l z *Naturmythen* 205 ff.

12. Ä t i o l o g i s c h e S a g e n: a) B.-
r i e s e n. Nicht zum eigentlichen Volksglauben, sondern zur Volksdichtung gehören die B.riesen. Aus der Größe gewisser Felsbildungen, die man als Fußspur, Fingereindruck, Wohnstätten, auffaßt, schließt man auf riesische Urheber [119]). Zu diesen Erklärungssagen gehören die verbreiteten Erzählungen von
der

b) E n t s t e h u n g d e r B.e. B.- und
Talbildungen werden als Fußstapfen von
Riesen [120]), alleinstehende B.e oft als von
Riesen [121]), noch häufiger vom Teufel [122])
(s. d.) geschleudert gedacht. B.e werden
auch als versteinerte Riesen (Watzmann)
oder Menschen (Frau Hütt) angesehen [123]).

c) B.s t u r z. Erklärungssagen halten
B.stürze für die Strafe einer gottlosen
Gemeinde [124]). Auf Volksglauben beruht
die Erzählung, ein B.sturz sei von B.-gei-
stern aus Rache an einem Menschen verursacht (s. 15 b) [125]).

[119]) S y d o w *Jättarna* 21 ff.; W u n d t *Mythus u. Religion* 1, 642 f; R a n k e *Sagen* 216.
[120]) S e p p *Sagen* 446 Nr. 120 = S c h ö n-
w e r t h *Oberpfalz* 2, 263 ff.; R a n k e *Sagen*
216. [121]) S é b i l l o t *Folk-Lore* 1, 213 ff. [122])
E i s e l *Voigtland* 4 Nr. 5; S é b i l l o t *Folk-
Lore* 1, 214. [123]) G o l t h e r *Mythologie* 191.
[124]) B e c h s t e i n *Thüringen* 1, 46; S é b i l-
l o t *Folk-Lore* 1, 220. [125]) A l p e n b u r g
Sagen 106 f.

13. H e i l i g k e i t bestimmter B.e
wird im Volksglauben anschaulich gemacht durch Erzählungen, er könne nicht
abgetragen werden, was tagsüber weggenommen wird, ist am nächsten Morgen
wieder da, oder wird von Kröten wieder
zusammengetragen [126]). Verbreitet ist die
Sage, der hl. B. dulde nicht, daß eine
Kirche auf ihm erbaut werde; trotz der
Wächter wird bei Nacht der hinaufge-
führte Baustoff immer wieder herunter-
geschafft [127]). Hierher gehört wohl auch
die verbreitete Vorstellung, B.e seien mit
Ketten umgeben; die Kette scheint als
Umfriedung des heiligen B.es vorgestellt
zu werden (s. u. 15 c) [128]).

[126]) W o s s i d l o *B.sagen.* [127]) B e c h-
s t e i n *Thüringen* 2, 213 Nr. 352. [128]) M a n n-
h a r d t *Germ. Mythen* 647; M e i e r *Schwaben* 5
Nr. 3; P a n z e r *Beitrag* 155; S c h ö n w e r t h
Oberpfalz 3, 346; L ü t o l f *Sagen* 259 Nr. 195;
K ü h n a u *Sagen* 2, 82; N i d e r b e r g e r
Unterwalden 1, 90.

**14. W e l t b. u n d H i m m e l s-
s t ü t z e.** Bei den asiatischen Völkern
ist die Vorstellung, im Mittelpunkt der
Erde stehe ein hoher B. [129]), auf dem die
Gottheit wohnt [130]), der sog. Weltb., weitverbreitet. Das Paradies [131]) liegt auf
ihm, er ist von Gold [132]) oder Eisen [133]),
das Lebenskraut [134]) wächst da, das Lebenswasser [135]) oder der Göttertrank [136]) quillt
aus ihm. Oft wird das Weltzentrum mit
der Weltsäule, die den Himmel trägt, mit
dem Weltb. vereinigt. Entsprechende Vorstellungen finden sich im altnordischen
Himmelsb. (*himinbjörg*), dem Wohnsitze
Heimdalls, der der östlichen Vorstellung
von der Himmelsstütze entspricht [137]);
oder vom Dichtermet, den Odin aus dem
B.e holt [138]); oder auf deutschem Gebiet
vom B., auf dem der Himmelsvater seit
Jahrtausenden thront, und auf dem der
hl. Oswald einen Jungbrunnen er-
weckte [139]). Im Märchen kommt der goldene B., auf dem das Lebenskraut wächst,
vor [140]). So entspricht auch die Vorstellung, B.e ruhen auf 4 goldenen Säulen [141]),
Pfeilern, Füßen [142]), den Stutzen des
Himmels bzw. der Weltsäule [143]) (s. First-
säule), oder den Stützen der Erde [144]).
Wie die Erde von verschiedenen Tieren [145]), besonders Fischen [146]), getragen

wird, so sind auch unter dem B. oder in
ihm solche Tiere (u. 15). Wahrscheinlich
gehört die goldene Ente oder Gans, die
auf ihren Eiern unter dem B. sitzen soll,
in diesen Vorstellungskreis [147]).

[129]) H o l m b e r g *Baum des Lebens* 33 ff.
[130]) Ebd. 37 ff. [131]) T y l o r *Cultur* 2, 60 f.;
G u n k e l *Märchen* 46. 50. [132]) R a d l o f f
Sibirien 2, 6; in den Himmel verlegt: H o l m -
b e r g *Baum des Lebens* 39 ff. [133]) H o l m -
b e r g a. a. O. 52. 65. [134]) Ebd. 64. [135]) Ebd.
[136]) K u h n *Herabkunft* 178. [137]) Studier i nordisk Filologi 16 (1925), 2; 17, 3; Budkavlen 6
(1927), 1 ff. [138]) Snorra Edda Skaldskaparmàl 1.
[139]) S e p p *Sagen* 16 Nr. 6. [140]) L i e b r e c h t
Gervasius 152; S é b i l l o t *Folk-Lore* 1, 251;
S i u t s *Jenseitsmotive* 42 ff. 57. [141]) S e p p
Sagen 1 Nr. 1. [142]) Ebd. 5 Nr. 1;
H o l m b e r g *Baum des Lebens* Reg. unter
Weltsäule. [143]) In Norwegen z. T. verbunden
mit Weltuntergangsvorstellungen s. 15; Budkavlen 6, 1. 3. [145]) O l r i k *Ragnarök* 278.
[146]) ObZfVk. 2 (1928), Heft 1. [147]) S o m m e r
Sagen 63 Nr. 56.

**15. W e l t u n t e r g a n g s v o r s t e l -
l u n g e n.** Auch Weltuntergangsvorstellungen sind an zahlreiche B.e geknüpft.

a) G e f e s s e l t e U n g e h e u e r i m
B. Wenn der in einer B.höhle gefesselte
Loki loskommt, so tritt nach nordischer
Überlieferung der allgemeine Weltunter-
gang ein [148]). Wenn in Dänemark der
Lindwurm [149]), in Schweden eine gefes-
selte Kuh [150]) aus dem B. bricht, geht die
Welt unter.

b) B. s t u r z. In örtlich begrenzten
Weissagungen heißt es: Wenn der Drache
im B. den Schweif bewegt, wird das ganze
Dorf verschüttet werden [151]). Drei Drachen höhlen den B. aus, bis er zusammen-
stürzt [152]).

c) W a s s e r i m B. i n n e r n. Wenn es
einmal ausbricht, wird die ganze Gegend
überflutet [153]). In anderer Fassung heißt
es: ganz Thüringen werde einst durch aus
dem B.e hervorbrechenden Wein aus ver-
schütteten Kellern überflutet werden [154]).
Auf einem B. im Sumpf haust ein Drache;
einst wird er aufsteigen und dann wird
alles überschwemmt [155]). Zum Teil gehören vielleicht auch die mit Ketten umgebenen B.e hierher (o. 13); auf diese
Weise wird der gespaltene Bürgenb. zu-
sammengehalten, oder mit einer Eisenstange. Wenn einmal das Stück in den

See fällt, wird die Stadt Luzern untergehen [156]).

[148]) O l r i k *Ragnarök* bes. 282. [149]) Ebd. 99.
[150]) Ebd. 323 f. [151]) K u o n i *St. Galler Sagen* 75
Nr. 156. [152]) V e r n a l e k e n *Alpensagen* 259
Nr. 180. [153]) K r u s p e *Erfurt* 1 Nr. 11/1 =
Bechstein *Thüringen* 2, 153 Nr. 5; K u n z e
Suhler Sagen 46 f. [154]) W i t z s c h e l *Thü-
ringen* 2, 71 Nr. 82. [155]) R a n k e *Sagen* 206.
[156]) L ü t o l f *Sagen* 259 Nr. 195.

16. V o r b e d e u t u n g. Aus dem
Ringb. (Steiermark) sah man früher alle
sieben Jahre in der Silvesternacht ein
Schwein herauskommen. War es mager
und hatte Stoppelhalme im Maul, so bedeutete es sieben Hungerjahre; war es
fett und trug goldene Ähren im Rachen,
eine segensreiche Zeit [157]).

b. a u f. Träumt man, man gehe b.auf,
so bedeutet es etwas Gutes, geht man aber
abwärts, das Umgekehrte [158]). Das vergebliche B.aufwälzen schwerer Gegenstände gilt als Strafe nach dem Tode für
Viehschinder und ähnliche Übeltäter [159]).

[157]) ZföVk. 2, 300 f. [158]) S p i e ß *Henneberg*
151. [159]) L a i s t n e r *Nebelsagen* 41, 43 ff.
Weiser.

Bergentrückt.

1. Geographische Übersicht. — 2. Namen und
Stand der B.en. — 3. Gefolge und Heer. —
4. Betätigung im Berg; Schlaf. — 5. Langer
Bart. — 6. Die Besucher. — 7. Zeitbegriff im
Berg. — 8. Gründe der Entrückung. — 9. Ziel
der Entrückung. — 10. Mythische Wurzel:
Totenreich im Berg. — 11. Mischung mit an-
deren Motiven.

1. Allenthalben auf germanischem Boden existieren Sagen, die vom Fortleben
Einzelner, Mehrerer oder ganzer Scharen
und Heere in Bergestiefen berichten. Wie
weit dieser Glaube sich ausdehnt, mag
eine knappe, topographische Übersicht
lehren. Wir finden ihn: in Schleswig-
Holstein [1]) bis nach Dänemark [2]), in
Ostfriesland und Niedersachsen [3]), im
Harzgebiet [4]), in Westfalen [5]), in Hessen
und Nassau [6]), in Thüringen [7]) und in
der Provinz Sachsen [8]), in Franken [9]),
Schwaben [9a]), Bayern [10]) und Tirol [11]),
im Salzburgischen [12]) und im Allgäu [13]),
in der Schweiz [14]) und im Elsaß [15]),
in Baden [16]) und in der Rheinpfalz [17]),
in der Eifel [18]) und im Rheinland [19]).

Ebenso kehren diese Sagen auf dem Kolonialboden wieder: in der Mark Brandenburg[20]) und in Mecklenburg[21]), in Obersachsen[22]), in der Lausitz[23]) und in Niederschlesien[24]), im Sudetengebiet[25]), im Österreichischen[26]) und in Kärnten[27]) bis hin nach Siebenbürgen[28]), auf Rügen[29]), in Pommern[30]) und Ostpreußen[31]). Gerade auf polnischem Boden hat sich der Glaube zäh erhalten: in Oberschlesien[32]), im Posenschen[33]) und bei Krakau[34]).

[1]) M ü l l e n h o f f *Sagen* Nr. 504—507; *Urquell* 2, 42; M e y e r *Rendsborg* Nr. 9. [2]) K r o n f e l d *Krieg* 131; F e i l b e r g in DanSt. 1920, 97 ff. [3]) L ü b b i n g *Fries. Sagen* 85 f.; S c h a m b a c h u. M ü l l e r 328; K u h n u. S c h w a r t z Nr. 267; H a r r y s *Niedersachsen* 1 Nr. 2; K u h n *Westfalen* Nr. 365; K a h l o *Harz* Nr. 131; M a c k e n s e n *Nds. Sagen* Nr. 2. 8. 16. 47. [4]) K u h n u. S c h w a r t z Nr. 208; P r ö h l e *Harz* 2 f. 28 f.; V o g e s *Braunschweig* Nr. 19; K a h l o *Harz* Nr. 19; S i e b e r *Harzlandsagen* 70. [5]) S e p p *Sagen* 619; K u h n *Westfalen* Nr. 49. 58. 233. 312; Z a u n e r t *Westfalen* 15 f. 38. 69 ff. 82 f. 162 ff. 245. 331. [6]) L y n c k e r *Sagen* Nr. 6—8. 14; W o l f *Sagen* Nr. 1. 2; P f i s t e r *Hessen* 18; W e h r h a n *Hessen-Nassau* Nr. 170. [7]) W i t z s c h e l *Thüringen* 1, 126. 143 f. 180. 183 f. 258 f. 265 ff. 269; 2, 1. 74. 108; B e c h s t e i n *Thüringen* Nr. 158. 300. 303; W u c k e *Werra* 3 Nr. 79. 728; Q u e n s e l *Thüringen* 160 f. [8]) S o m m e r *Sagen* Nr. 60; K a h l o *Nds. Sagen* Nr. 28. 70. 311. [9]) G r i m m *Sagen* Nr. 22; P a n z e r *Beitrag* 2 Nr. 56; B a a d e r *Sagen* Nr. 434. 481. [9a]) *Zimmerische Chronik* 2, 155; K a p f f *Schwäb. Sagen* 15 f. [10]) P a n z e r *Beitrag* 2 Nr. 436; S c h ö p p n e r *Sagen* Nr. 476; Q u i t z m a n n 17 f.; S c h ö n w e r t h *Oberpfalz* 3, 344 ff. 351 ff. [11]) A l p e n b u r g *Tirol* 232. [12]) G r i m m *Sagen* Nr. 28; P a n z e r *Beitrag* 1 Nr. 15; 2 Nr. 54; W o l f *Beiträge* 59 f.; V e r n a l e k e n *Alpensagen* Nr. 49. 50; *ZfVk.* 1, 215. [14]) *Journal des Luxus und der Moden* 1805, 38; V e r n a l e k e n *Alpensagen* Nr. 231; L ü t o l f *Sagen* 56 f. 86 f. 91 ff.; R o c h h o l z *Sagen* Nr. 167; M ü l l e r *Urner Sagen* 1, 14 f. Nr. 9. 10; R o c h h o l z *Tell* 133 ff.; S e p p *Sagen* Nr. 142; K u o n i *St. Galler Sagen* 134; N i d e r b e r g e r *Unterwalden* 1, 126 f. 191 f.; 2, 16. 62 f. [15]) G r i m m *Sagen* Nr. 21; S t ö b e r *Elsaß* (1852) Nr. 34. 35. 244; R o c h h o l z *Sagen* 1, 379; M e i e r *Schwaben* Nr. 137. [16]) B a a d e r *Sagen* Nr. 40. 67. [17]) K u h n u. S c h w a r t z 497 f.; *Zfd.-Myth.* 1, 189. [18]) S c h m i t z *Eifel* 2, 57 ff. [19]) S c h e l l *Berg. Sagen* Nr. 54. 55. 58; D e r s. *Rheinland* Nr. 12. 13; Z a u n e r t *Rheinland* 2, 251 f. [20]) K u h n u. S c h w a r t z Nr. 63. [21]) B a r t s c h *Mecklenburg* Nr. 440.

B ä c h t o l d - S t ä u b l i, Aberglaube I.

[22]) G r a e s s e *Sachsen* 1, 516; M e i c h e *Sagen* Nr. 26—28. 32. 35. 36; S i e b e r *Sachsen* 313. 315 ff. 342. [23]) H a u p t *Lausitz* 1 Nr. 198. 247. 258. 259. 263. 270. 271; 2 Nr. 135; K ü h n a u *Sagen* 3, 613 f.; S i e b e r *Sachsen* 315. 317. [24]) K ü h n a u *Sagen* 1, 537 ff. [25]) V e r n a l e k e n *Mythen* 109 ff. 113. 116. 139; Q u i t z m a n n 47 f.; S e p p *Sagen* Nr. 142; G r o h m a n n *Sagen* 8 ff.; Egerl. 8, 22; K ü h n a u *Sagen* 1, 554 f.; K r o n f e l d *Krieg* 131; S i e b e r *Sachsen* 151. 315 f. [26]) *Journal des Luxus und der Moden* 1806, 151 f.; M a i l l y *Nied.-Öst. Sagen* Nr. 18—20; H e l l e r Nr. 43. 66 c. [27]) G r a b e r *Kärnten* 96 ff. 100 f. [28]) M ü l l e r *Siebenbürgen* 29 f. 43 f. [29]) *ZfdMyth.* 2, 500 ff. [30]) S e p p *Sagen* Nr. 142; T e t t a u u. T e m m e Nr. 265; K n o o p *Hinterpommern* Nr. 51. [31]) R e u s c h *Samland* 130. [32]) K n o o p *Posen* Nr. 51; K ü h n a u *Sagen* 3, 519 f.; D e r s. *Oberschles. Sagen* Nr. 291. 329. 399. 516; P e u c k e r t *Schles. Sagen* 66. 68 f. [33]) K n o o p *Posen* Nr. 52—54. 58—60. Vgl. C l a r a V i e b i g s Roman *Das schlafende Heer* (1904). [34]) V e r n a l e k e n *Mythen* 121.

2. Wechselnd ist der N a m e der b.en Person; doch meist ist der Einzelne ein Held, ein Herrscher oder sonst ein Mächtiger der Erde. Häufig heißt er nur: ein Kaiser (so in Österreich, Franken, Thüringen, Harz)[35]), ein König (Posen, Hinterpommern, Sudeten, Rheinland, Fichtelgebirge)[36]), eine Königin (Posen)[37]), ein Herzog (Mähren)[38]), ein Ritter (Österreich, Niedersachsen, Thüringen, Holstein)[39]), der Burg- oder Schloßherr (Oberschlesien, Sudeten, Schweiz, Prov. Sachsen, Thüringen, Westfalen)[40]), der Amtmann (Niedersachsen)[41]), die Bürgermeister (Lausitz)[42]). Auch Heidenkönige (Hinterpommern, Rheinland, Westfalen)[43]) und Riesen (Posen, Sudeten)[44]) werden erwähnt. Doch in sehr vielen Fällen ist dem B.en ein bestimmter Name gegeben, der an historische Persönlichkeiten anknüpft. K a i s e r K a r l d e r G r o ß e lebt auch da am wirksamsten in der Erinnerung fort (Schweiz, Rheinpfalz, Fichtelgebirge, Franken, Salzburg, Hessen, Westfalen)[45]), auch als *König Karl* oder einfach *der Karle* bezeichnet (Salzburg, Franken, Hessen)[46]); an ihn dachte wohl auch das Volk meist, wenn es von „dem Kaiser" sprach. In katholischen Gegenden wurde Karl der Große in K a r l V. umgewandelt, der als Vorkämpfer des katholischen Glaubens im Bewußtsein der Unterschicht fortlebt

(Salzburg) [47]); er heißt mitunter direkt *Karlquintes* (Hessen) [48]) oder *Karl Quint* (Westfalen) [49]). Eine merkwürdige Abspaltung von Karl dem Großen ist der P r i n z K a r l , der im Fichtelgebirge und in der Schweiz erscheint [50]). Hier liegt wohl eine Erinnerung an den österreichischen Erzherzog Karl vor, welcher Süddeutschland und die Schweiz von der Franzosenherrschaft befreite und Napoleon I. bei Aspern schlug. Nächst Karl dem Großen ist K a i s e r F r i e d r i c h B a r b a r o s s a (R o t b a r t) der populärste b.e Herrscher (Elsaß, Rheinpfalz, Salzburg, Kärnten, Harz, Prov. Sachsen) [51]). Bei Harzburg sitzt er mit K a i s e r O t t o und K a i s e r H e i n r i c h im Berg [52]). Der Sachse Heinrich I. taucht als K a i s e r (!) H e i n r i c h d e r V o g l e r bei Goslar und bei Hildesheim auf [53]), während man in Wien von K a i s e r J o s e f spricht [54]) und ein K ö n i g O t t e r (O d e r) sich im Otterberg (N.-Ö.) verbirgt [55]); sollte bei diesem eine letzte Reminiszenz an den einst mächtigsten böhmischen König Ottokar, den Gegner Rudolfs von Habsburg, nachspuken? Daß Westfalen seinen K ö n i g W i t t e k i n d (W e k i n g), Jever sein F r ä u l e i n M a r i a hat [56]), erscheint ebenso begreiflich wie der W e n d e n f ü r s t Z i s z i b o r in der Lausitz [57]). Wenn H e r m a n n d e r C h e r u s k e r in westfälischen Bergen schläft [58]), scheint das erst durch gelehrten literarischen Einfluß geweckte Sage zu sein, und wenn gar im Elsaß des 17. Jh.s A r i o v i s t , A r m i n , W i t t e k i n d u n d S i e g f r i e d als gemeinsam entrückte Helden genannt werden, so handelt es sich zweifellos um bewußte barockale Aufschwellung oder gar Erfindung [59]); treten doch gerade diese vier Helden häufig in barocken Dicht- und Romanwerken als Mahner deutscher Vergangenheit und Größe auf. Bayern hat seinen vor dem Staufenkaiser in den Berg fliehenden W e l f e n E t t i c h o [60]), die Schweiz ihren W i l h e l m T e l l , der auch in der Dreizahl erscheint (s. u. § 3) [61]). In Schleswig und Dänemark sitzt H o l g e r D a n s k e verzaubert im Berg [62]), der in Dithmar-

schen zum K ö n i g D a n verkürzt erscheint [63]). Der im Fichtelgebirge ruhende K ö n i g S a l o m o n und der in den Nürnberger Schloßbrunnen gebannte K a i s e r N e r o [64]) gehen wohl auf gelehrte ma.liche Erfindung zurück. Und ebenso wird der b.e Heerführer G o i M a g o i in Mähren [65]), in Böhmen zu *Meinhart* umgedeutet [66]), dem riesigen biblischen Volk der Gog und Magog, das in der ma.lichen Alexandersage eine große Rolle spielt, seine Bezeichnung verdanken. Auch die ritterlichen Herren erscheinen mitunter benamst: so der alte S c h l i p p e n b a c h in der Mark Brandenburg [67]), in der Altmark H a c k e l b e r g [67a]), G r a f B o d o v o n H o m b u r g [68]) und der R i t t e r T i l l (T i l s , D i l l) in Niedersachsen [69]). Aus der Legende ist d e r h e i l i g e D o m i n i k u s in eine Schweizer Bergentrückungssage hinübergewandert [70]). Hie und da sind es auch einmal Gestalten aus der sozialen Unterschicht, die in den Berg gebannt sind: in Nebra an der Unstrut ein D i e n s t m ä d c h e n (*Schlüsselkathrine*) [71]), im Osnabrückischen ein S c h m i e d [72]), in der Lausitz ein W e b e r [73]).

[35]) P r ö h l e *Harz* 28 f.; S i e b e r *Harzland* 207 f.; B a a d e r *Sagen* Nr. 434; W i t z s c h e l *Thüringen* 1 Nr. 270; H e l l e r Nr. 660; M a i l l y *Nied.-Öst. Sagen* Nr. 19. [36]) S c h ö n w e r t h *Oberpfalz* 3, 351; ZfdMyth. 1, 189; S c h e l l *Berg. Sagen* Nr. 55; D e r s. *Rheinland* Nr. 12. 13; Z a u n e r t *Rheinland* 2, 251 f.; S i e b e r *Sachsen* 315 f.; S e p p *Sagen* Nr. 142; T e t t a u u. T e m m e Nr. 265; K n o o p *Posen* Nr. 60. [37]) Ebd. Nr. 59. [38]) V e r n a l e k e n *Mythen* 139. [39]) M e y e r *Rendsborg* Nr. 9; B e c h s t e i n *Thüringen* Nr. 158; Q u e n s e l *Thüringen* 161; K a h l o *Nds. Sagen* Nr. 131; M a i l l y *Nied.-Öst. Sagen* Nr. 18. [40]) Z a u n e r t *Westfalen* 162 ff.; K a h l o *Nds. Sagen* Nr. 28; S o m m e r *Sagen* Nr. 60; V e r n a l e k e n *Alpensagen* Nr. 231; S i e b e r *Sachsen* 151; K ü h n a u *Oberschles. Sagen* Nr. 291. 399. [41]) M a c k e n s e n *Nds. Sagen* Nr. 2. [42]) H a u p t *Lausitz* 1 Nr. 247; M e i c h e *Sagen* Nr. 35. [43]) Z a u n e r t *Westfalen* 15; S c h e l l *Berg. Sagen* Nr. 58 a; K n o o p *Hinterpommern* Nr. 51. [44]) Egerl. 8, 22 (deutliche gelehrte Erfindung mit dem Ziel auf Wodan); V e r n a l e k e n *Mythen* 121. [45]) S c h ö n w e r t h *Oberpfalz* 3, 353 f.; Z a u n e r t *Westfalen* 82 f.; S e p p *Sagen* 619; P a n z e r *Beitrag* 2 Nr. 56; G r i m m *Sagen* Nr. 22. 28; V e r n a l e k e n *Alpensagen* Nr. 49. 50; M e i e r

Schwaben Nr. 137; K u h n u. S c h w a r t z
497 f. [46]) L y n c k e r *Sagen* Nr. 6; P f i s t e r
Hessen 18; V e r n a l e k e n *Alpensagen* Nr.
49 d und e. [47]) Ebd. Nr. 4 a; P a n z e r *Beitrag*
2 Nr. 54; G r i m m *Sagen* Nr. 28. [48]) L y n c k e r
Sagen Nr. 6—8. [49]) Z a u n e r t *Westfalen* 245.
[50]) S c h ö n w e r t h *Oberpfalz* 3, 353; L ü-
t o l f *Sagen* 93. [51]) ZfVk. 1, 215; W o l f *Beiträge* 59 f.; P a n z e r *Beitrag* 1 Nr. 14. 15;
G r i m m *Sagen* Nr. 28; S i e b e r *Harzland*
207; R o c h h o l z *Sagen* 1, 379; S t ö b e r
Elsaß (1852) Nr. 35. 244; G r a b e r *Kärnten*
100 f. [52]) P r ö h l e *Harz* 2 f.; Kaiser Otto
allein im Kyffhäuser und unter dem Qued-
linburger Schlosse: S i e b e r *Harzland* 207.
[53]) S c h a m b a c h u. M ü l l e r 328; K u h n
u. S c h w a r t z Nr. 208. [54]) Journal des Luxus
und der Moden 1806, 151 f. [55]) H e l l e r Nr. 43;
M a i l l y *Nied.-Öst. Sagen* Nr. 20. [56]) K u h n
Westfalen Nr. 312; Z a u n e r t *Westfalen* 69 f. 82;
L ü b b i n g *Fries. Sagen* 85 f. [57]) H a u p t *Lausitz* 1 Nr. 258; dazu 2, 231. [58]) Z a u n e r t *Westfalen* 16. [59]) M o s c h e r o s c h *Gesichte Philan-
ders von Sittewald* 2 (1665), 32. [60]) MGH.SS. 6,
761; S c h ö p p n e r *Sagen* Nr. 476; Q u i t z-
m a n n 17 f. [61]) Journal des Luxus und der
Moden 1805, 38; R o c h h o l z *Tell* 133 ff.
[62]) M ü l l e n h o f f *Sagen* Nr. 504; K r o n-
f e l d *Krieg* 131; DanSt. 1920, 97 ff. [63]) M ü l-
l e n h o f f *Sagen* Nr. 505; vgl. S i m r o c k
Mythologie 200. [64]) S c h ö n w e r t h *Oberpfalz* 3, 354 f.; R o c h h o l z *Tell* 136; S i n g e r
in ZfdA. 35, 177 ff. [65]) V e r n a l e k e n *Mythen*
109 ff. 113. 116; Q u i t z m a n n 47 f. [66]) V e r-
n a l e k e n *Mythen* 109. [67]) K u h n u. S c h w a r t z
Nr. 63; S c h w a r t z *Mark Brandenburg* Nr. 81.
[67a]) S i e b e r *Harzlandsagen* 70, [68]) M a c k e n-
s e n *Nds. Sagen* Nr. 47. [69]) H a r r y s *Niedersachsen* 1 Nr. 2; K u h n *Westfalen* Nr. 365;
K a h l o *Harz* Nr. 131. [70]) R o c h h o l z *Tell*
136. [71]) K a h l o *Nds. Sagen* Nr. 70. [72]) K u h n
Westfalen Nr. 49; Z a u n e r t *Westfalen* 38.
[73]) S i e b e r *Sachsen* 317.

3. Meist ist dem b.en Herrscher ein G e-
f o l g e beigegeben. Dies schläft, gleich
dem Herrn, mit oder auf den Pferden, und
erwacht nur zu bestimmten Zeiten, um
zu spielen oder zu schmausen; an manchen Orten reitet der Herrscher oder Feldherr nachts mit dem Gefolge aus [74]).
Oder eine, nicht zahlenmäßig angegebene,
Anzahl von Personen ist in den Berg gebannt: entweder Ritter, die sich mit Kegeln, Würfeln, Kartenspielen, Zechen und
Schmausen die Zeit vertreiben [75]), oder
eine höfische Gesellschaft von Herren und
Damen, die sich im Tanze drehen [76]), oder
auch überhaupt nur alte Männer, Jünglinge, Jungfrauen, Kinder ohne nähere
Bestimmung [77]).

Eine besondere Stellung nimmt unter
diesen unbestimmten Mengen d a s
s c h l a f e n d e H e e r ein. Der Glaube,
daß in irgendeinem Berg ein gewaffnetes
Heer, mit oder ohne Anführer, schlafe,
findet sich allenthalben und ist in der
mannigfachsten Art ausgestaltet worden.
Entweder wird nur allgemein von einem
schlafenden Heer oder von schlafenden
Rittern und Soldaten gefabelt [78]). Mitunter wird dem Heer ein ungenannter
König, Feldherr oder Offizier beigegeben [79]) oder über seine Herkunft (Polen
vor den Tataren oder Schweden oder
Russen fliehend; Reiter von den Hussi-
ten verfolgt; Schweden aus dem 30jäh-
rigen Kriege) einiges erzählt [80]). Am häufigsten jedoch wird ein bestimmter Feldherr oder Herrscher an die Spitze des
Heeres gestellt: Karl der Große [81]) oder
„Prinz Karl" [82]), die Söhne Ludwigs des
Frommen [83]), Friedrich Barbarossa [84]),
Holger Danske oder „König Dan" [85]), die
heilige Hedwig und ihre Söhne [86]), Goi
Magoi oder „Meinhart" [87]).
Schließlich gehören noch hierher die
b.en Klöster [88]) und Dörfer [89]), die samt
ihren ruchlosen Bewohnern in solcher Art
bestraft wurden und eine Parallele zu
den versunkenen Ortschaften bilden
(s. Vineta).

Daneben stehen die B.en in b e s t i m m-
t e r Mehrheit. Zunächst treten die „abergläubischen" Zahlen stark hervor: drei [90]),
sieben [91]), zwölf [92]), dreißig [92a]) (vgl. auch
Zahlen B 3, 7, 12, 30). Für Bösewichter
findet sich auffallenderweise zweimal die
Zahl zehn [93]). Der Welfe Etticho mit
seinen 12 Vasallen liefert einen Beitrag
zur Geschichte des „Dreizehnten" [94]).

[74]) G r i m m *Sagen* Nr. 28; P a n z e r *Beitrag* Nr. 56; W i t z s c h e l *Thüringen* 1, 267;
P f i s t e r *Hessen* 18; Z a u n e r t *Westfalen*
69 f. 82 f.; M a i l l y *Nied.-Öst. Sagen* Nr. 19.
20; H e l l e r Nr. 43. 66 c. [75]) B e c h s t e i n
Thüringen Nr. 158; W i t z s c h e l *Thüringen*
1, 276; K u h n u. S c h w a r t z Nr. 63; W u c k e
Werra [3] Nr. 79; M e i c h e *Sagen* Nr. 26; H e r-
z o g *Schweizersagen* 1, 191 f.; K ü h n a u *Sagen*
3, 613 f.; S i e b e r *Sachsen* 315; Z a u n e r t
Westfalen 162 ff.; Q u e n s e l *Thüringen* 161.
[76]) S i e b e r *Sachsen* 313; W i t z s c h e l *Thüringen* 1, 258. [77]) H a u p t *Lausitz* 1 Nr. 270;
R o c h h o l z *Sagen* Nr. 167; K a p f f *Schwäb.
Sagen* 15 f. [78]) ZfdMyth. 2, 146; Egerl. 8, 22;

34*

K ü h n a u *Sagen* 1, 554 f.; **H a u p t** *Lausitz* 2
Nr. 135; **M e i c h e** *Sagen* Nr. 36; **B a a d e r**
Sagen Nr. 40. 481; **Q u e n s e l** *Thüringen* 160 f.;
L y n c k e r *Sagen* Nr. 14; **W e h r h a n** *Hessen-Nassau* Nr. 170; **K u h n** u. **S c h w a r t z**
Nr. 267; **G r a b e r** *Kärnten* 96 ff.; **S c h e l l**
Berg. Sagen Nr. 55; **N i d e r b e r g e r** *Unterwalden* 1, 126 ff.; **R e i s e r** *Allgäu* 1, 297 f.;
W i t z s c h e l *Thüringen* 1, 183; *Urquell* 2, 42 f.;
V e r n a l e k e n *Mythen* 109 ff. [79]) **B a a d e r**
Sagen Nr. 434; *ZfdMyth.* 1, 189; **S c h ö n-
w e r t h** *Oberpfalz* 3, 351 f.; **S c h e l l** *Rheinland* Nr. 12. 13; **D e r s.** *Berg. Sagen* Nr. 54. 55;
Z a u n e r t *Rheinland* 2, 251; **S i e b e r** *Sachsen*
315 f.; **K n o o p** *Posen* Nr. 59. 60; **M ü l l e r**
Siebenbürgen 43 f.; **M ü l l e n h o f f** *Sagen* Nr.
506. 507; **V e r n a l e k e n** *Mythen* 113. 116.
[80]) **K n o o p** *Posen* Nr. 51—54. 58; **S i e b e r**
Sachsen 316. 342; **H a u p t** *Lausitz* 1 Nr. 198.
[81]) **V e r n a l e k e n** *Alpensagen* Nr. 49 c;
K u h n u. **S c h w a r t z** 497 f.; **S c h ö n-
w e r t h** *Oberpfalz* 3, 353 ff.; **M e i e r** *Schwaben*
Nr. 137; **G r i m m** *Sagen* Nr. 26; **L y n c k e r**
Sagen Nr. 6. [82]) **L ü t o l f** *Sagen* 93; **S c h ö n-
w e r t h** *Oberpfalz* 3, 353. [83]) **S t ö b e r** *Elsaß*
(1852) Nr. 34. [84]) **P a n z e r** *Beitrag* 1, 14 f.;
ZfVk. 1, 215; **G r a b e r** *Kärnten* 100 f. [85]) **M ü l-
l e n h o f f** *Sagen* Nr. 504. 505; **K r o n f e l d**
Krieg 131. [86]) **K ü h n a u** *Sagen* Nr. 1929;
D e r s. *Oberschles. Sagen* Nr. 329. 516; **P e u k-
k e r t** *Schles. Sagen* 68. [87]) **V e r n a l e k e n**
Mythen 109. 113. 116. [88]) **P a n z e r** *Beitrag* 2
Nr. 436; **H e r z o g** *Schweizersagen* 2, 16.
[89]) **A l p e n b u r g** *Tirol* 232. [90]) Drei Telle:
Journal des Luxus und der Moden 1805, 38;
R o c h h o l z *Tell* 133 ff.; **M ü l l e r** *Urner
Sagen* 1, 14; **S e p p** *Sagen* Nr. 142. Ferner:
M e i c h e *Sagen* Nr. 34; **H a u p t** *Lausitz* 1
Nr. 259; **K ü h n a u** *Sagen* Nr. 590; **P e u k-
k e r t** *Schles. Sagen* 66. Vgl. **W e i n h o l d**
Festschrift 138. Die Dreizahl verdoppelt auf
sechs Männer: **B e c h s t e i n** *Thüringen* Nr.
300; **W i t z s c h e l** *Thüringen* 2 Nr. 108;
Q u e n s e l *Thüringen* 161. [91]) **W o l f** *Sagen*
Nr. 2; **H a u p t** *Lausitz* 1 Nr. 263; **M e i c h e**
Sagen Nr. 32. 34; **S i e b e r** *Sachsen* 315; **d e r s.**
Harzland 207. [92]) **B a a d e r** *Sagen* Nr. 67;
K a h l o *Harz* Nr. 19; **W o l f** *Sagen* Nr. 1;
W u c k e *Werra* 3 Nr. 728; **Q u e n s e l** *Thü-
ringen* 160; **M e i c h e** *Sagen* Nr. 28; **G r a e s s e**
Sachsen 1, 516; **S i e b e r** *Sachsen* 315; **K ü h-
n a u** *Sagen* Nr. 587; **M ü l l e r** *Siebenbürgen*
29 f. [92a]) **S i e b e r** *Harzland* 206. [93]) **M e i c h e**
Sagen Nr. 27; **S i e b e r** *Sachsen* 317. [94]) S.
Anm. 60. Vgl. **W e i n r e i c h** *Triskaideka-
dische Studien* (1916).

4. Verschieden ist, wie schon angedeutet wurde, die Existenz, welche die Entrückten im Berge führen. Mitunter wird bloß erzählt, daß sie unten um einen Tisch stehen oder sitzen, der hie und da schwarzverhangen ist [95]). Aber auch Tätigkeit herrscht. Die Bewaffneten exer-

zieren oder lärmen mit ihren Waffen, dann gibt es Krieg [96]). Oder man tanzt, schmaust und zecht [97]), kegelt [98]), würfelt [99]) und kartet [100]). Geizhälse, Räuber oder Münzfälscher müssen (feuriges) Geld zählen [101]), Handwerker ihr Amt ausüben [102]). Dreimal kehrt der schreibende Mann wieder [103]), ohne daß ersichtlich wird, was und wozu er schreibt.

Aber die meisten befällt nach ihrer Entrückung der **m a g i s c h e S c h l a f**. Die Herrscher und Feldherren mit Gefolge und Heer sind sämtlich in Schlaf versenkt, ebenso die Bewohner des entrückten schweizer Dorfes [104]), die drei Telle [105]), die zwölf Tempelritter im Drachenberg bei Meiningen [106]) usw. Manche wachen zu Zeiten von selbst auf [107]), andere müssen daraus geweckt werden [108]). Dies kann aus Versehen und Unachtsamkeit geschehen [109]). Werden sie durch einen Unbefugten aufgestört, so erfolgt ihrerseits die Frage nach der Zeit oder nach bestimmten äußeren Umständen (Raben oder Elstern um den Berg fliegend); ist es noch nicht so weit, versinken sie wieder in Schlaf [110]). Manchmal ist eine Glocke dazu bestimmt, die Schläfer zum letzten Gericht, zur letzten Schlacht zu wecken [111]). Doch auch zum Jüngsten Tag, zum letzten Kampf erwachen manche von selbst [112]). Mitunter können die Schläfer durch einen bestimmten Gruß, eine bestimmte Wahl, ein bestimmtes Tun für immer erweckt und damit erlöst werden [113]).

[95]) **V e r n a l e k e n** *Alpensagen* Nr. 231;
H a u p t *Lausitz* 1 Nr. 259. 270; **H a r r y s**
Niedersachsen 1 Nr. 2; **K a h l o** *Harz* Nr. 19.
131; **S c h m i t z** *Eifel* 2, 57 ff.; **W o l f** *Sagen*
Nr. 1; **K ü h n a u** *Sagen* Nr. 590. [96]) **H a u p t**
Lausitz 2 Nr. 135; **L y n c k e r** *Sagen* Nr. 14;
B a a d e r *Sagen* Nr. 40; **L ü t o l f** *Sagen* 93;
R e i s e r *Allgäu* 1, 297 f.; **V e r n a l e k e n**
Mythen 109 f.; **S c h ö n w e r t h** *Oberpfalz* 3,
351. 353; **K n o o p** *Posen* Nr. 52 ff.; **P a n z e r**
Beitrag 1, 15. [97]) Zu Anm. 75 und 76 noch fol-
gende Belege: **P r ö h l e** *Harz* 2 f. 28 f.; **M a i l l y**
Nied.-Öst. Sagen Nr. 20; **H e l l e r** Nr. 43;
H a u p t *Lausitz* 1 Nr. 198; **M e i c h e** *Sagen*
Nr. 28; **B a a d e r** *Sagen* Nr. 67. [98]) **P f i s t e r**
Hessen 18 f.; **S i e b e r** *Sachsen* 315; **Q u e n-
s e l** *Thüringen* 161; **B e c h s t e i n** *Thüringen*
Nr. 158; **W i t z s c h e l** *Thüringen* 1, 267;
B a a d e r *Sagen* Nr. 67. [99]) **M e i c h e** *Sagen*
Nr. 26. 32; **S i e b e r** *Sachsen* 315. [100]) **H a u p t**

Lausitz 1 Nr. 247; K ü h n a u *Sagen* 3, 613 f.; K u h n u. S c h w a r t z Nr. 63; W i t z - s c h e l *Thüringen* 2 Nr. 108; B e c h s t e i n *Thüringen* Nr. 300; Q u e n s e l *Thüringen* 161; S o m m e r *Sagen* Nr. 60. [101]) H a u p t *Lausitz* 1 Nr. 263; M e i c h e *Sagen* Nr. 27. 34. 35; S i e b e r *Sachsen* 317; T e m m e *Pommern* Nr. 211. [102]) Vgl. Anm. 72 und 73. [103]) H a u p t *Lausitz* 1 Nr. 271; K u h n *Westfalen* Nr. 58 (über dem Schreiben eingeschlafen!). 365. [104]) Vgl. Anm. 89. [105]) Vgl. Anm. 90. [106]) Q u e n - s e l *Thüringen* 160. [107]) K u h n u. S c h w a r t z Nr. 267. 497; S c h ö n w e r t h *Oberpfalz* 3, 353; M a i l l y *Nied.-Öst. Sagen* Nr. 18. 19; H e l l e r Nr. 66 c. Bestimmte Zeiten: P a n - z e r *Beitrag* 1, 14 f.; M a c k e n s e n *Nds. Sagen* Nr. 47; Z a u n e r t *Westfalen* 15; K a h - l o *Nds. Sagen* Nr. 28 (jede Mitternacht). 70 (jede Fastnacht); Z a u n e r t *Westfalen* 82 f. (jede Osternacht); H a u p t *Lausitz* 1 Nr. 270 (jede Christnacht); V e r n a l e k e n *Mythen* 116 (jedes Jahr einmal); M e i e r *Schwaben* Nr. 137 (alle 7 Jahre); L y n c k e r *Sagen* Nr. 6 (alle 7 oder 100 Jahre); P f i s t e r *Hessen* 18 f.; M e y e r *Rendsborg* Nr. 9 (alle 100 Jahre). [108]) M ü l l e n h o f f *Sagen* Nr. 507; V e r n a - l e k e n *Alpensagen* Nr. 49 c; K ü h n a u *Ober- schles. Sagen* Nr. 516. [109]) M ü l l e n h o f f *Sagen* Nr. 505; S t ö b e r *Elsaß* (1852) Nr. 34. [110]) Journal des Luxus und der Moden 1805, 38; S e p p *Sagen* Nr. 142; *Alpenburg Tirol* 232; *Urquell* 2, 42 f.; M ü l l e n h o f f *Sagen* Nr. 506; S c h e l l *Rheinland* Nr. 12; D e r s. *Berg. Sagen* Nr. 55; Z a u n e r t *Rheinland* 2, 251 f.; Q u e n s e l *Thüringen* 160 f.; M e i c h e *Sagen* Nr. 36; *ZfdMyth.* 2, 146; K n o o p *Posen* Nr. 52 f.; K ü h n a u *Ober- schles. Sagen* Nr. 329; D e r s. *Sagen* Nr. 1929; V e r n a l e k e n *Mythen* 109. Eine Mischung aus eigenem Erwachen und Frage: K u h n u. S c h w a r t z Nr. 267; M a c k e n s e n *Nds. Sagen* Nr. 2. [111]) K n o o p *Posen* Nr. 51. 54. 59. [112]) P a n z e r *Beitrag* 1, 15; *ZfVk.* 1, 215; B a a d e r *Sagen* Nr. 40; S i e b e r *Sachsen* 315 f. 342; K u h n u. S c h w a r t z Nr. 208; Z a u n e r t *Westfalen* 16. 69 f.; L ü - t o l f *Sagen* 93; *Rochholz Tell* 133 ff.; M ü l l e n h o f f *Sagen* Nr. 504; K r o n f e l d *Krieg* 131. [113]) W e h r h a n *Hessen-Nassau* Nr. 170; W u c k e *Werra* 3 Nr. 728; Q u e n - s e l *Thüringen* 160; S i e b e r *Sachsen* 151; K u h n. S c h w a r t z Nr. 208; S c h m i t z *Eifel* 2, 57 ff.; K a h l o *Nds. Sagen* Nr. 28; M e i c h e *Sagen* Nr. 31; R o c h h o l z *Sagen* Nr. 167; M e y e r *Rendsborg* Nr. 9.

5. Als Sinnbild des langen Schlafs gilt vielfach d e r l a n g e B a r t , der dem B.en durch oder um den steinernen Tisch gewachsen ist, an welchem er sitzt [114]). Im Elsaß hört man sogar den Bart Bar- barossas wachsen, der unter dem Bibel- stein bei Sennheim ruht [115]). Die Er-

lösung oder die letzte Schlacht werden mitunter damit verbunden: wenn der Bart dreimal [116]) oder siebenmal [117]) oder neun- mal [118]) um den Tisch gewachsen ist, naht das Jüngste Gericht oder der Entschei- dungskampf gegen den Antichristen oder den Türken.

[114]) G r i m m *Sagen* Nr. 22. 28; Z a u n e r t *Westfalen* 82 f.; Q u e n s e l *Thüringen* 160 f.; K a h l o *Harz* 131; H a r r y s *Niedersachsen* 1 Nr. 2; P r ö h l e *Harz* 2 f.; M ü l l e n h o f f *Sagen* Nr. 505; P f i s t e r *Hessen* 18. Nur lange Bärte: M ü l l e r *Siebenbürgen* 29 f. (golden!); M e i c h e *Sagen* Nr. 28. 36; B o c h h o l z *Tell* 134; M e i e r *Schwaben* Nr. 137; W o l f *Sagen* Nr. 2. [115]) S t ö b e r *Elsaß* (1852) Nr. 35. [116]) G r i m m *Sagen* Nr. 28; V e r n a l e k e n *Alpensagen* Nr. 49 a; B a a d e r *Sagen* Nr. 434; V e r n a l e k e n *Mythen* 109 ff.; Q u i t z - m a n n 47 f.; *ZfdMyth.* 1, 189; S c h ö n - w e r t h *Oberpfalz* 3, 351; P a n z e r *Beitrag* 2 Nr. 56; *ZfVk.* 1, 215. [117]) S e p p *Sagen* 619; S c h ö n w e r t h *Oberpfalz* 3, 355 f. [118]) Ebd. 3, 353 f.

6. Manche der Besucher erhalten Schätze oder Gold zum Lohn [119]), manche kehren auch nicht wieder [120]). Eine be- sondere Rolle spielt unter ihnen der Schmied, welcher in den Berg geholt wird, um die Pferde der B.en zu beschla- gen; auch er erhält seinen Lohn [121]). An manchen Orten muß heimlich ein Bäcker- junge (oder ein Mädchen) [122]) jeden Morgen Brötchen oder Bretzeln in den Berg tragen und wird dafür mit uralten Münzen be- zahlt; als er das gelobte Schweigen seinem Meister gegenüber bricht, findet er den Eingang zum Berg nicht mehr [123]) oder kommt nicht mehr von dort zurück [124]). In Ostdeutschland verkauft ein Bauer Hafer oder Heu an das schlafende Heer [125]).

[119]) M e i c h e *Sagen* Nr. 28. 34. 35; P f i - s t e r *Hessen* 18 f.; P a n z e r *Beitrag* 2 Nr. 56; K a h l o *Harz* Nr. 131; H a u p t *Lausitz* 1 Nr. 259. 263. 270; W e h r h a n *Hessen-Nassau* Nr. 170; Q u e n s e l *Thüringen* 160 f.; Z a u - n e r t *Westfalen* 82 f.; B a a d e r *Sagen* Nr. 67; K ü h n a u *Sagen* 3, 613 f.; S i e b e r *Sachsen* 313. 315; P r ö h l e *Harz* 28 f.; S i e b e r *Harz- land* 208; W o l f *Sagen* Nr. 1; K u h n *West- falen* Nr. 312; L y n c k e r *Sagen* Nr. 8. [120]) M ü l l e r *Siebenbürgen* Nr. 44. Tod nach drei Tagen: M a c k e n s e n *Nds. Sagen* Nr. 2; K a p f f *Schwäb. Sagen* 15 f.; nach 30 Tagen: Z a u n e r t *Westfalen* 162 f.; nach drei Jah- ren: R e i s e r *Allgäu* 1, 297 f.; R o c h h o l z *Tell* 136; nach 33 Jahren: H a u p t *Lausitz*

1 Nr. 198. [121] S c h ö n w e r t h *Oberpfalz* 3, 351 f.; S i e b e r *Sachsen* 316. 342; Urquell 2, 42 f.; S c h e l l *Berg. Sagen* Nr. 54; D e r s. *Rheinland* Nr. 13; Z a u n e r t *Rheinland* 2, 251 f.; M e i c h e *Sagen* Nr. 36; K ü h n a u *Oberschles. Sagen* Nr. 329; D e r s. *Sagen* 1, 554 f.; 3, 519 f.; Egerl. 8, 22; K n o o p *Posen* Nr. 60; H a u p t *Lausitz* Nr. 247; W i t z s c h e l *Thüringen* 1, 267. [122] M e i e r *Schwaben* Nr. 137. [123] B a a d e r *Sagen* Nr. 434. Vgl. G r i m m *Mythol.* 2, 796. [124] B a a d e r *Sagen* Nr. 481; P a n z e r *Beitrag* 2 Nr. 56. [125] ZfdMyth. 2, 146 f.; K n o o p *Posen* Nr. 52—54; K ü h n a u *Oberschles. Sagen* Nr. 329.

7. Manche der Besucher glauben nur wenige Stunden weggewesen zu sein; als sie wieder ans Tageslicht gelangen, sind indes drei Tage [126], sieben [127], zehn [128], hundert [129] Jahre oder gar mehrere Jahrhunderte [130] verflossen.

[126] B a a d e r *Sagen* Nr. 67. [127] L y n c k e r *Sagen* Nr. 7; M e i c h e *Sagen* Nr. 36; H a u p t *Lausitz* 1 Nr. 247; K u h n u. S c h w a r t z Nr. 247. [128] S c h ö n w e r t h *Oberpfalz* 3, 351 f. [129] V e r n a l e k e n *Alpensagen* Nr. 49 e; W i t z s c h e l *Thüringen* 2, 74. 108; P r ö h l e *Deutsche Sagen* Nr. 220. [130] B a r t s c h *Mecklenburg* Nr. 440.

8. Die G r ü n d e der Entrückung gehen mannigfach auseinander. Entweder sollen dadurch Bösewichter, Verbrecher, Raubritter, Gotteslästerer gestraft werden [131]. Auch hohe Herren können deshalb verdammt sein [132]. Oder Herrscher, Feldherren, Ritter mit ihren Scharen flüchten sich in den Berg vor den verfolgenden Feinden [133]. Aus dem Märchen ist der Sage das Motiv der Verzauberung in den Berg einverleibt worden [134].

[131] M a c k e n s e n *Nds. Sagen* Nr. 2. 16; M e i c h e *Sagen* Nr. 26. 27; A l p e n b u r g *Tirol* 232; K a h l o *Nds. Sagen* Nr. 28. 70; S c h m i t z *Eifel* 2, 57 ff.; V e r n a l e k e n *Alpensagen* Nr. 231; Zschr. d. Histor. V. f. Niedersachsen 1877, 95 f.; K ü h n a u *Oberschles. Sagen* Nr. 291. 399; S i e b e r *Sachsen* 317; K a h l o *Harz* Nr. 131; B e c h s t e i n *Thüringen* Nr. 158; Q u e n s e l *Thüringen* 161; Z a u n e r t *Westfalen* 38; M e i e r *Schwaben* Nr. 137; K ü h n a u *Sagen* 1, 540 ff.; P a n z e r *Beitrag* 2 Nr. 436; H e r z o g *Schweizersagen* 2, 16. [132] Kaiser Karl: S c h ö n w e r t h *Oberpfalz* 3, 353 f.; Kaiser (!) Heinrich der Vogler: K u h n u. S c h w a r t z Nr. 208; Graf Bodo von Homburg: M a c k e n s e n *Nds. Sagen* Nr. 47. [133] L y n c k e r *Sagen* Nr. 6; G r i m m *Sagen* Nr. 26; Urquell 2, 42 f.; S i e b e r *Sachsen* 316. 342; Q u i t z m a n n 17 f. 47 f.; V e r n a l e k e n *Mythen* 109 ff.; K ü h -

n a u *Oberschles. Sagen* Nr. 516; K n o o p *Posen* Nr. 51. 58; S c h ö p p n e r *Sagen* Nr. 476. [134] V e r n a l e k e n *Mythen* 121; M e i c h e *Sagen* Nr. 32; M ü l l e n h o f f *Sagen* Nr. 507; S i e b e r *Harzland* 207.

9. Dagegen ist das Z i e l , die Erlösung oder das Ende der Bergentrückung, stets dasselbe: die Befreiung des Landes von seinen Feinden [135] oder der Welt vom Türken [136] oder Antichristen [137]. In letzterem Falle trifft das Ende der Bergentrückung zusammen mit der Schlacht am Birkenbaum oder auf dem Walser Feld und mit dem Jüngsten Tag. Vgl. Kaisersage.

[135] Für das Deutsche Reich: G r i m m *Sagen* Nr. 21 (vgl. oben Anm. 59 und Text dazu); B a a d e r *Sagen* Nr. 67; S c h ö n w e r t h *Oberpfalz* 3, 353 ff.; S c h e l l *Berg. Sagen* Nr. 55; D e r s. *Rheinland* Nr. 12; Z a u n e r t *Westfalen* 16, 82 f. (Modernisierung: „bis Deutschland einig"!); S i e b e r *Sachsen* 316. — Österreich: V e r n a l e k e n *Alpensagen* Nr. 50. — Stadt Goslar: K u h n u. S c h w a r t z Nr. 208. — Stadt Löbau: H a u p t *Lausitz* 1 Nr. 247. — Schleswig: M ü l l e n h o f f *Sagen* Nr. 506. — Böhmen und Mähren: S i e b e r *Sachsen* 315 f.; V e r n a l e k e n *Mythen* 109. 116. — Schweiz: R o c h h o l z *Tell* 133 ff.; S e p p *Sagen* Nr. 142. — Dänemark: M ü l l e n h o f f *Sagen* Nr. 504. 505; DanSt. 1920, 97 ff. [136] B a a d e r *Sagen* Nr. 40; ZfdMyth. 1, 189; M ü l l e n h o f f *Sagen* Nr. 507; K ü h n a u *Oberschles. Sagen* Nr. 516. [137] G r i m m *Sagen* Nr. 28; V e r n a l e k e n *Alpensagen* Nr. 49 u. 50; P a n z e r *Beitrag* 1, 15; ZfVk. 1, 215; K u h n u. S c h w a r t z Nr. 208; S c h ö n w e r t h *Oberpfalz* 3, 355 f.; L ü t o l f *Sagen* 93; DanSt. 1920, 97 ff.

10. Nachdem derart das Material bereitgestellt und analysiert ist, erhebt sich die Frage nach dem mythischen Fundament dieses Glaubens. Rohde [138] war der Meinung, daß diese b.en Helden an die Stelle alter Göttergestalten getreten seien, denen ewiges Leben in der Erdtiefe von jeher eigen gewesen wäre; die Götter seien vergessen worden, an ihre Stelle Helden getreten. Diese Deutung trifft nicht zu. Denn, wie wir gesehen haben, sind es keineswegs nur Helden, sondern ebensogut Menschen aus mittleren und unteren sozialen Schichten sowie minderwertige und zweifelhafte Gestalten, die in den Bergen sich aufhalten müssen. Vielmehr lehren uns die Vergleiche mit anderen Völkern, daß der

Berg das T o t e n r e i c h , den Aufenthaltsort der Gestorbenen, in sich birgt. Schon bei den Babyloniern wird der Lichtgott Bel (Marduk) eine bestimmte Zeit des Jahres im Berg, d. i. im Totenland, festgehalten [139]. Nach Herodot 4, 93. 94 glaubten die thrakischen Geten, daß die Toten ihres Stammes zu dem Gott Zalmoxis gelangten, der im Berge sitze. Ewiges Leben nach dem Tode führen viele griechische Sagenhelden in Bergen [140]. Heilige Männer leben entrückt in Bergen fort (wie die christliche Heilige Thekla) und kommen dereinst wieder nach Sagen mohammedanischer Völker [141]; bei den Zulus leben die Toten als Zwerge in der Erde [142], und bis nach Mexiko hin kennt man b.e Heroen [143].

Nach dem Hinscheiden verschwinden die Seelen der Toten in den hohlen Bergen und halten sich dort auf. Der Schlaf symboliert das Gestorbensein. Im Berge feiern die Toten Gelage, von dort brausen sie im Sturm als „wütendes Heer" (s. d.) durch die Luft [144]. Wenn man es in den Bergen brodeln oder singen hört [145], so deutet das auf dieselbe Eigenschaft als Seelenaufenthalt hin. Thorolf Mosterbart hofft mit all seinen Verwandten nach dem Tod in den „Heiligen Berg" *(Helgafell)* einzugehen (Eyrbyggjasaga c. 4 u. 11); auch Snorres Vorfahren nimmt *Helgafell* auf, und in der Haraldssaga geht König Herlaug mit zwölf Mannen in den Hügel, um sich Haralds Alleinherrschaft nicht unterwerfen zu müssen (vgl. oben den Welfen Etticho, Anm. 60 und 94 mit Text). In die Schatzhöhle von Stubbenkammer auf Rügen kehren die 1000 hingerichteten Genossen des Seeräubers Störtebeker, mit dem Kopf unter dem Arm, zurück und zählen ihre Schätze [146]: ebenfalls eine Erinnerung an das Totenreich im Berge. Ein Ritter flucht seinem Kutscher: „Fahr mich zum Teufel!", sofort öffnet sich der Berg und verschlingt das Fuhrwerk mit den Insassen [147]. 1257 sah ein Mönch in Sizilien, wie der verstorbene Kaiser Friedrich II. mit einem glänzenden Gefolge von 5000 Rittern in den Ätna hineinritt [148]. Und es gibt der Berichte noch mehr, nach denen Verstorbene in

Bergen verschwinden. An den Tod des U-Bootführers Weddigen glaubte man vielfach nicht in Westfalen, sondern versetzte ihn in einen Berg [149].

Außerhalb der irdischen Zeit leben die Toten im Berge. Daher stammt die Unwissenheit in der Zeitberechnung, welche der Eindringling hegt (vgl. oben § 7). Daher rührt es, daß manche Besucher nach der Rückkehr dahinsterben (vgl. Anm. 120): sie haben im Totenreich geweilt und können das Licht der Sonne und die Luft der Erde nicht mehr vertragen. Den plauderhaften Bäckerjungen halten die Toten fest (oben § 6 und Anm. 124). Das Kind, welches die schätzegierige Mutter oder Magd im Berge versehentlich zurückläßt, stirbt nach der Wiederfindung [150], und der glückliche Ausgang der Sage [151] repräsentiert nur eine verchristlichte Abschwächung des ursprünglichen Gedankens. Im Untersberg begehen die Zwerge den Geburtstag des entrückten Kaisers Karl durch eine feierliche Prozession; der Mensch, welcher dazwischen gerät, wird getötet [152]; denn er ist der Macht des Totenreiches verfallen. In der Prinzenhöhle bei Sundwig versammeln sich um Mitternacht die Toten aller Stände mit Kerzen zur Messe [153].

An feurigen Getränken, Speisen, Kleidungsstücken erkennt der menschliche Besucher die Versammelten als verdammte Seelen: das heidnische Totenreich ist zum Fegfeuer oder zur Hölle christianisiert [154].

Auch die als Wache oder zur Begleitung dienenden H u n d e , welche typisch chthonische Tiere sind, bezeugen die Unterwelt [155].

[138] *Psyche* I, 124 f. [139] H. Z i m m e r n Berichte der Sächs. Gesellsch. d. Wissensch. zu Leipzig, Phil.-histor. Kl. 70 (1918), Heft 5. [140] R o h d e *Psyche* I, 113 ff.; P a u l y - W i s s o w a I, 2, 1886 ff.; 10, 2, 1504 f.; 11, 2, 2013; B e r t h o l d *Unverwundbarkeit* 20 f. [141] A. v. K r e m e r *Kulturgeschichtliche Streifzüge auf dem Gebiete des Islams* 50; D e r s. *Geschichte der herrschenden Ideen des Islams* 375 ff. [142] H. S c h u r t z in: Das Ausland 1891, 43. [143] M ü l l e r *Geschichte der amerikanischen Urreligion* 582. [144] M e y e r *Germ. Myth.* 43; S i m r o c k *Mythologie* 610; S c h w e d a *Wilder Jäger* 59 ff.; M a n n h a r d t *Götter* 149 f.;

D e r s. *Germ. Mythen* 263. [145]) E i s e l *Voigt-land* (1871) Nr. 631; B e c h s t e i n *Thüringen* Nr. 316; Q u e n s e l *Thüringen* 158. Vgl. auch Venusberg. [146]) T e m m e *Pommern* Nr. 211. [147]) K a h l o *Nds. Sagen* Nr. 311. [148]) MGH.SS. 18, 568. [149]) B a r t s c h *Mecklenburg* Nr. 440; Vaterländ. Archiv 2 (Hannover 1820), 251 f.; M a c k e n s e n *Nds. Sagen* Nr. 16. 137; Upstalsboomblätter 8, 44 f. [150]) B e c h s t e i n *Thüringen* Nr. 303; Q u e n s e l *Thüringen* 250; S i e b e r *Sachsen* 156. 330; M ü l l e n - h o f f *Sagen* Nr. 472. [151]) L y n c k e r *Sagen* Nr. 8; W o l f *Sagen* Nr. 2; K ü n z i g Nr. 255; K ü h n a u *Oberschles. Sagen* Nr. 52. [152]) V e r - n a l e k e n *Alpensagen* Nr. 49 d. [153]) Z a u - n e r t *Westfalen* 331. [154]) S o m m e r *Sagen* Nr. 60; H e r z o g *Schweizersagen* 1, 191 f.; Z a u n e r t *Westfalen* 163 f. Vgl. die Ballade der A n n e t t e v. D r o s t e - H ü l s h o f f *Das Fegefeuer des westfälischen Adels* (Ausgabe von Arens 2, 16) und die des B ö r r i e s v. M ü n c h h a u s e n *Das Fegefeuer des hanno-verschen Adels im Süntel* (*Das Herz im Har-nisch* 1911, 64). [155]) S c h ö n w e r t h *Oberpfalz* 3, 351; K u h n *Westfalen* Nr. 365; K ü h n a u *Sagen* 3, 613 f.; M a i l l y *Nied.-Öst. Sagen* Nr. 18.

11. Im Laufe der Entwicklung haben die verschiedensten Mischungen und Kreuzungen der Bergentrückungssage mit anderen Motiven stattgefunden: Schätze, (weiße) Jungfrauen, Zwerge sind beigetreten, das Erlösungsmotiv (vgl. Anm. 113 mit Text) hat sich eingedrängt. Das alles darf an dem ursprünglichen Charakter der Bergentrückungssage als mythischen Unterwelt- und Totenglaubens nicht irre machen.

Vgl. ferner H ö r s e l b e r g, K a i - s e r s a g e, K y f f h ä u s e r, R a t - t e n f ä n g e r, R o d e n s t e i n e r, T a n n h ä u s e r, V e n u s b e r g, W ü t e n d e s H e e r. Stammler.

Berggeister.

I. Bergwerksgeister: 1. Grundlagen. — 2. B. allgemein menschlicher Gestalt. — 3. Bergmönch. — 4. Bergmännchen. — 5. Weibliche B. — II. B. bäuerlicher Art: 1. Bergmännchen. — 2. Bergfräulein, Bergmütter. — 3. Bergriesen. — 4. Bergfeen, Weinbergsgeister.

I. 1. Die oft geheimnisvolle, seltsam belebte Welt des B e r g i n n e r n von Geistern anthropomorpher Gestalt bevölkert zu glauben, dieser Gedanke lag für den nach einer Erklärung unverständlicher Geräusche suchenden Volksmenschen von jeher nahe. Es muß eine Person sein, die in verlassenen Gängen, in denen niemand sonst weilt, klopft und hämmert, die zu Zeiten, in denen keine Menschenseele im Bergwerk ist, dort herumpoltert, deren Licht plötzlich am Ende des Ganges, wo bestimmt kein Gefährte arbeitet, aufblitzt, die Gruben verschüttet, schlagende Wetter schickt und ihren Lieblingen vergönnt, kostbare Metalladern im Gestein zu finden. Daß es sich dabei um Naturerscheinungen handeln könnte, diese nüchterne Erklärung genügt dem Bergarbeiter nicht; selbst beseelt, beseelt er auch seine Umwelt, und Klopf- und Poltergeräusche können für ihn, der aus seiner eigenen Arbeit weiß, wie solche Geräusche entstehen, nur von einer menschenähnlichen Hand erzeugt werden. Das Geheimnis, das diese Hand und die Person, der sie gehört, umgibt, befruchtet die ausschmückende Phantasie, die nun den B. mit allen bunten und erstaunlichen Farben umkleidet, die ihr nur irgend zu Gebote stehen.

Damit sind die Grundlagen für den Glauben an die B. kurz umrissen. Eine Entwicklung etwa dieses Glaubens aufzeigen zu wollen, wäre vergebliche Mühe: er ist nicht nur alt, sondern er ist ewig; er muß, wo immer ein Bergwerk neu entsteht, aufkeimen; daher gleichen sich auch die B.sagen der verschiedenen Länder so weitgehend. Dabei ist es natürlich, daß an den verschiedenen Orten verschiedene andere Sagenkreise befruchtend und ausschmückend den B.glauben beeinflußt haben: auch in dieser Hinsicht wird eine einheitliche fortlaufende Entwicklungslinie nicht festzustellen sein. So ist auch die Frage nach dem Alter der einzelnen Sagen geklärt: vor der Entstehung des Bergwerks kann es keine B. geben, wie sie auch den Bewohnern der Ebene naturgemäß unbekannt sind. Aber in allen deutschen Gebirgen, in denen Bergbau getrieben wird oder wurde, sind sie zu Hause und treiben ihr gespenstiges Wesen.

2. In den ostdeutschen Mittelgebirgen hat dieser B. zumeist menschengleiche Gestalt; er sieht aus „wie ein richtiger Bergmann, nur hat er rote Augen" [1]),

oder er nimmt die Gestalt des Steigers [2]), eines Bergamtsobern [3]), eines Markscheiders [4]) an. Sein Licht brennt heller als das anderer Bergleute [5]); zu gelben Lederhosen trägt er große Stulpstiefel und Blechhandschuhe, deren spitze Haken beim Ohrfeigengeben besonders schmerzhaft wirken [6]), oder er trägt zwar dunkle Bergmannstracht, aber weiße Strümpfe, glänzend schwarze Schuhe und einen Napoleonshut; auch hat er einen langen weißen Bart [7]). Im Erzgebirge stellt man sich ihn mit ungewöhnlich großem Kopf und herkulischem Oberleib, jedoch kurzen Beinen vor [8]). Gestalt und Eigenschaften gehen oft ins Riesenhafte, Furchteinflößende [9]); der Herr der Kohlen und Metalle (poln. *Skarbnik* = Schatzmeister) [10]) hat, wenn er zürnt, ein „Maul wie ein Spaten" [11]). Man tut deshalb gut, ihn nicht zu reizen: man soll seinen Namen nicht unter Tage aussprechen und sagt statt dessen lieber nur „Er" (poln. *on*) [12]); wenn er um Feuer bittet, tut man gut, es ihm auf einer Schaufel [13]) oder dem Stiel der Keilhaue [14]) zu reichen, sonst reißt er dem Dienstbeflissenen die Hand ab oder ohrfeigt ihn, daß das Gesicht anschwillt. Wer sich weigert, weiter zu arbeiten, wenn er es befiehlt, den frißt er lebendig auf [15]); wer ihn nicht grüßt, den züchtigt er [16]). Andern Orts wiederum heißt es, daß man seinen Gruß nicht beantworten dürfe [17]). Er hält strenge Zucht im Bergwerk: Eigennutz, Trunkenheit, Wortbruch, Untreue, Faulheit, ganz besonders aber Pfeifen und Fluchen bestraft er streng [18]); trifft man ihn etwa in Steigers Gestalt bei der Arbeit, so darf man diese beileibe nicht tadeln [19]); seinen Befehlen muß man unverzüglich Folge leisten [20]). Zuweilen geht er auch geradezu darauf aus, die Bergleute zu töten, oder er setzt sie so kräftig auf einen Stein, daß alle Rippen krachen [21]). Man kann jedoch, um sicher vor ihm zu sein, auch einen Vertrag mit ihm schließen: man bringt ihm täglich eine Semmel [22]), wehe aber, wenn man dies einmal vergißt: der Tod ist dem Säumigen sicher, den seine Kameraden dann inmitten der vertrockneten Semmeln mit zerschmetterten Gliedern

auffinden! Seine Begegnung bedeutet meist Unglück [23]); schon Paracelsus weiß, daß er den Bergleuten den Tod ankündigt [24]). Wen er um Feuer bittet, der muß sterben [25]); andrerseits ist ein dreimaliges Klopfen an der Wand ein gutes Omen [26]). So fehlen auch liebenswürdige Züge dem Bilde nicht: er singt mit hoher, schöner Stimme [27]), zeigt seinen Lieblingen versteckte Metalladern: man braucht nur die Hacke in die Gesteinsöffnung, die sich auf sein Geheiß auftut, zu werfen, so bleibt sie offen [28]); er schenkt auch Zauberschlägel und Zaubereisen armen Häuern als Patengabe [29]), und wem er von seinem Öl abgibt, der braucht seine Lampe nie wieder aufzufüllen [30]). Andere führt er stunden-, tage- oder gar jahrelang durch sein an Schätzen reiches unterirdisches Reich und erlaubt ihnen gar, sich die Taschen mit Gold zu füllen [31]). Zuweilen hält man ihn für den Geist eines alten Bergmannes, der sich — ähnlich wie Hackelbernd — im Tode selbst nicht von seiner geliebten Tätigkeit trennen mochte [32]); so verschwindet er nach Geisterart wohl auch, wenn man an ihn herantritt [33]). Nachts hört man ihn im Bergwerk rumoren [34]), doch ist das Mundloch des Schachtes die Grenze seines Reiches [35]).

Daß dieser ostmitteldeutsche B., dessen einzelne Wesenszüge ihre Herkunft leicht verraten, eine Mischung von Natur- und Seelengeist darstellt, zeigt auch der Umstand, daß er neben seiner menschlichen Gestalt sich zuweilen als Tier (Roß mit feurigen Augen, Fliege, Spinne, Maus) [36]), oder gar als Metall (Gold) [37]), als Flamme oder Feuerrad oder -kugel [38]) zeigt.

[1]) K ü h n a u *Sagen* 2, 409 f. [2]) Ebd. 2, 419. 420; MschlesVk. 18 (1907), 71; E n d t *Sagen* 188 ff. u. ö. [3]) B e c h s t e i n *Thüringen* 1, 248. [4]) K ü h n a u *Sagen* 2, 422 f. [5]) Ebd. 2, 420; M e i c h e *Sagen* 401. [6]) K u h n u. S c h w a r t z 207. [7]) M e i c h e *Sagen* 401. [8]) E n d t *Sagen* 188 ff. [9]) B e c h s t e i n *Thüringen* 1, 248; K ü h n a u *Sagen* 2, 410. [10]) D r e c h s l e r *Schlesien* 2, 169. [11]) K ü h n a u *Sagen* 2, 415. [12]) Ebd. 2, 408. [13]) Ebd. 2, 412. [14]) Ebd.; D r e c h s l e r *Schlesien* 2, 170. [15]) K ü h n a u *Sagen* 2, 415. [16]) E n d t *Sagen* 188 ff. [17]) K ü h n a u *Sagen* 2, 409 f. [18]) MschlesVk. 18 (1907), 71; B r ä u n e r *Curiosi-*

täten (1737), 203 f.; D r e c h s l e r *Schlesien* 2, 170; G r i m m *Sagen* Nr. 3; K ü h n a u *Sagen* 2, 413. 414 f. 415; W u t t k e 47 § 51. [19]) K ü h - n a u *Sagen* 2, 415. [20]) M e i c h e *Sagen* 400. [21]) Ebd. 402. [22]) Ebd. 401; G r i m m *Myth.* 1, 370; K ü h n a u *Sagen* 2, 426. 427. [23]) Mschles- Vk. 18 (1907), 71; K ü h n a u *Sagen* 2, 409 f. 422 f. 424. 416 f. 418 f.; E n d t *Sagen* 188 ff.; D r e c h s l e r *Schlesien* 2, 170. [24]) Vgl. M e y e r *Mythologie der Germanen* (1903), 65. [25]) M- schlesVk. 18 (1907), 71. [26]) E n d t *Sagen* 188 ff. [27]) Ebd. [28]) M e i c h e *Sagen* 403; K ü h n a u *Sagen* 2, 415 f. [29]) M e i c h e *Sagen* 317. [30]) D r e c h s l e r *Schlesien* 2, 171; K ü h n a u *Sagen* 2, 419. [31]) Ebd. 2, 442. 443. 419; Mschles- Vk. 13 (1905), 71. [32]) B e c h s t e i n *Thüringen* 1, 248; K ü h n a u *Sagen* 2, 421 f. 408. [33]) D r e c h s l e r *Schlesien* 2, 170. [34]) E n d t *Sagen* 188 ff. [35]) MschlesVk. 18, 71. [36]) M e i c h e *Sagen* 403; D r e c h s l e r *Schlesien* 2, 170; K ü h n a u *Sagen* 2, 409. [37]) K ü h n a u *Sagen* 2, 411. [38]) Ebd. 409.

3. Diesem B. ist der B e r g m ö n c h nah verwandt, der im Harz [39]), in Ba- den [40]), Graubünden [41]), Siebenbürgen [42]) und Sachsen [43]) sein Wesen treibt: auch er meist von übermenschlicher Größe, mit grauem oder weißem Haar, der Unrecht bestraft, besonders Pfeifen, Fluchen und Leuteschinden nicht duldet, dessen Hauch aber auch zuweilen grundlos Bergleute tötet. Seine Erscheinung bringt Unglück, sein Pochen kündigt ein Grubenunglück an. Am Freitag tollt er neckend in den Siebenbürger Bergwerken; verirrten Ar- beitern gibt er neues Öl, doch verlangt er, daß sie über seine Hilfe strengstes Schwei- gen bewahren. Gespenstergleich haust er mit vielen Schicksalsgenossen auch in unterirdischen Klostergängen: mit To- tengesichtern hocken da die Bergmönche an langer Tafel, die Wachskerzen schmük- ken; deutlich zeigt sich hier (Sachsen) [43]) ältere Berggeistsage und jüngere Seelen- sage vermischt, und fast möchte man an- nehmen, daß diese Sagenform eine sozu- sagen volksetymologische Umbildung einer Zeit darstellt, die keine Beziehung mehr zum Bergbau hatte. Auch die Mönchsgestalt scheint aus der ursprüng- lichen Bergmannstracht, die die Kapuze gegen Feuchtigkeit und zum Schutz gegen herabschlagendes Gestein kennt, ent- stellt zu sein: aus dem kapuzentragenden Bergmann entwickelt sich, wiederum gleichsam in volksetymologischer .Ent- stellung, der Bergmönch, der somit die sagengeschichtlich jüngere Erscheinungs- form darstellen würde [44]).

[39]) G r i m m *Sagen* Nr. 3; E c k a r t *Süd- hannover. Sagen* 6. 31. 33. [40]) W a i b e l u. F l a m m 2, 250. [41]) G r i m m *Sagen* Nr. 3. [42]) M ü l l e r *Siebenbürgen* 218. [43]) G r i m m *Sagen* Nr. 3; M e i c h e *Sagen* 307. [44]) Vgl. fer- ner: M e y e r *Myth. d. Germanen* (1903), 63; S i m r o c k *Mythologia* 486; M e y e r *German. Mythologie* 128; B ö c k e l *Volkssage* 74.

4. Gleichen oder doch ähnlichen Gei- stes, aber in der Gestalt an die Zwerge an- gelehnt und vielfach von deren Wesen be- einflußt, sind die B e r g m ä n n c h e n (Bergteufelchen, Stollen-, Schacht-, Gru- ben-, Kêwesmännlein). Schwenkfeld schil- dert sie, die Bewohner der Abendburg, als „kleine graue männdel", kaum drei Spannen lang [45]), und die Beschreibung des Georg Agricola [46]) trifft in ihren Hauptzügen auch heute noch zu: „dae- mon subterraneus truculentus bergteufel, mitis bergmenlein, kobel, güttel. Oder daemon metallicus bergmenlein, dessent- wegen man eine fundige zech liegen läßt" [47]). Auch sie tragen Bergmanns- tracht mit spitzer Kapuze [48]), auch sie verrichten polternd bergmännische Ar- beit [49]), oft freilich nur zum Schein [50]), auch sie töten Knappen, die unziemlich lärmen [51]) und bestrafen eitle Verschwen- dung streng [52]), warnen vor Gefahr [53]) und zeigen den Tod des Bergknappen durch Pochen oder Erscheinen an [54]), empfangen Opfer, über deren genaue Einhaltung sie eifersüchtig wachen [55]); auch sie werden zuweilen als Totengeister angesehen [56]), und durch das Zeichen des Kreuzes schützt man sich gegen sie [57]). Eine Reihe liebenswürdiger Züge haben sie von den Zwergen übernommen: sie zeigen bereit- williger als jene zuvor besprochenen B. die Schätze des Berges [58]), besonders gern armen oder kranken, frommen Berg- leuten [59]), die ihnen dann wohl gelegent- lich ein Ständchen bringen, um belohnt zu werden [60]). Durch den Klang einer Schafglocke können sie herbeigerufen werden [61]); auch Zauberbücher verschen- ken sie ihren Lieblingen [62]) und weis- sagen ihnen [63]). Verirrten zeigen sie den rechten Weg [64]); Holz, das zu Gold wird,

ist manchmal ihr Geschenk [65]), und ihr Erscheinen bringt Glück [66]). Wie die Zwerge werden sie vom Glockenklang oder durch die Täppischkeit der Menschen vertrieben [67]), vom Kobold haben sie die Vorliebe für Neckerei und Schabernack [68]), vom Schatzzwerg die Sucht nach Edelmetall, das sie auch wohl stehlen [69]), und mit den Wasserzwergen stehen sie in freundnachbarlichen Beziehungen [70]): es ist deutlich, woher diese Wesenszüge stammen. Zu ihnen gehören auch z. T. die V e n e d i g e r m ä n n l e i n (s. d.). Daß sie gelegentlich in Roßgestalt erscheinen [71]), erinnert uns an früher besprochene B.: so zeigt sich auf Schritt und Tritt die Mischung von Bergwerksgeist und Zwerg, und wir werden vom sagengeschichtlichen Standpunkt aus die Bergmännlein für die jüngere Gestaltungsform halten müssen: Berggeist + Zwerg = Bergmännchen. — In der Schweiz soll neuerdings der Glaube an sie schwinden [72]).

[45]) W e i n h o l d *Festschrift* 145. [46]) *De re metallica libri XII* (1657), 704 b. [47]) Vgl. G r i m m *Sagen* Nr. 37; DWb. 1, 1515; S c h e l l *Sagen* 527; H e y l *Tirol* 390; M e i c h e *Sagen* 120. 195 ff. 404; L ü t o l f *Sagen* 495; A l p e n b u r g *Tirol* 91 f.; ZfVk. 1, 216; V e r n a l e - k e n *Mythen* 232; K ü h n a u *Sagen* 2, 430 f. 444. 425 (Gestalt eines kleinen Kindes); D r e c h s l e r *Schlesien* 2, 169; S c h ö n - w e r t h *Oberpfalz* 2, 328 f. [48]) A l p e n b u r g *Tirol* 91 f.; W i t z s c h e l *Thür.* 1, 192; M e i c h e *Sagen* 120. 195 ff.; G r i m m *Sagen* Nr. 37. [49]) S c h ö n w e r t h *Oberpfalz* 2, 324. 328 f.; A l p e n b u r g *Tirol* 91 f. [50]) M e i c h e *Sagen* 120; G r i m m *Sagen* Nr. 37. [51]) L ü t o l f *Sagen* 495. [52]) ZfdMyth. 1, 267 f.; V e r n a - l e k e n *Alpensagen* 40. [53]) V e r n a l e k e n *Alpensagen* 40; A l p e n b u r g *Tirol* 91 f.; K u o n i *St. Galler Sagen* 83; Walliser *Sagen* 2, 50; 1, 225; G e m p e l e r 5, 104; K o h l r u s c h *Sagen* 21. 28. 29 f.; J e g e r - l e h n e r *Sagen* 2, 16. [54]) W u t t k e 47 § 51; G r i m m *Sagen* Nr. 37. [55]) ZfVk. 14, 258 f.; G r i m m *Sagen* Nr. 37; M e i c h e *Sagen* 404; J e c k l i n *Volkstümliches* (1916), 188. [56]) M e i - c h e *Sagen* 195 ff. 404; K u o n i *St. Galler Sagen* 83 f.; K ü h n a u *Sagen* 3, 746 f. [57]) K o h l r u s c h *Sagen* 321. [58]) M e i c h e *Sagen* 195 ff. 855 ff. [59]) ebd. 195 ff. 404; J e c k l i n *Volkstümliches* (1916) 188; Zfd-Myth. 1, 266; K ü h n a u *Sagen* 2, 444. 430 f. [60]) W i t z s c h e l *Thüringen* 2, 78. [61]) A l p e n b u r g *Tirol* 123 f. [62]) M e i c h e *Sagen* 195 ff. [63]) S e p p *Religion* 314 f. [64]) M e i -

che *Sagen* 326; A l p e n b u r g *Tirol* 91 f.
[65]) M e i c h e *Sagen* 326. [66]) S c h ö n w e r t h *Oberpfalz* 2, 328 f.; M e i c h e *Sagen* 120. [67]) A l p e n b u r g *Tirol* 125; B e c h s t e i n *Thüringen* 1, 264 ff. [68]) G r i m m *Sagen* Nr. 37; G r a b e r *Kärnten* 24; M e i c h e *Sagen* 143 f. [69]) S c h ö n w e r t h *Oberpfalz* 2, 324. [70]) Ebd. 2, 180. [71]) K ü h n a u *Sagen* 2, 425. [72]) SAVk. 21 (1917), 52 f.

5. All diese B. tragen männlichen Charakter. Weibliche Stollengeister sind sehr selten: als feenhafte Mädchen tanzten sie z. B., durch ihr Erscheinen reiche Ausbeute verheißend, vor den Stollen der Chemnitzer Bergwerke [73]). Das märchenhafte Kolorit und die Vereinzeltheit des Auftretens läßt Zweifel an der Echtheit des Zeugnisses nicht unberechtigt erscheinen.

[73]) ZfdMyth. 1, 266 f.

II. 1. Von diesen unter I besprochenen B.n, die den Bergwerken und Bergarbeitern ihre Entstehung und Ausschmückung verdanken, unterscheiden sich sehr deutlich andere, die offensichtlich bäurischer, dörflicher Kultur entstammen. Man darf sich nicht durch manche wesensverwandte Züge irre machen lassen; freilich gehen Beziehungen hinüber und herüber, aber die Unterschiede sind deutlich und schwerwiegend: während jene nur im Berginnern hausen und mit der Ausfahrt des Stollens ihre Macht verlieren, wirken diese hauptsächlich außerhalb der Berge, treten mit Menschen in mannigfachen Wechselverkehr, und nur ihre Wohnung, in die sie höchst selten einmal ein Glückskind mitnehmen, ist im oder am Berge gelegen. So zeigen diese B e r g m ä n n - c h e n schon meist durch ihre Tracht, daß sie nicht im Kreise der Bergleute, sondern der Bauern entstanden sind. Eine einheitliche Gattung bilden sie — wieder im Gegensatz zu jenen — nicht; meist kennzeichnen sie sich durch Gewandung und Gesittung als bloße Zwerge, Kobolde oder Hausgeister, und in diesen Artikeln wird also des Näheren von ihnen zu reden sein. Einzig die A l m g e i s t e r l e i n der Alpen haben eine individuellere Ausprägung erhalten: kleine, gesellige und gefällige Gesellen, die verstiegene Kühe retten und aus Dank von den Sennleuten

verpflegt werden, die sich auch wohl einmal Almvieh zu Arbeit ausleihen und
diesen Dienst reich lohnen durch Geld
oder unerschöpfliche Wundergaben, die
auch wohl selbst Kuh- oder Gemsen-
zucht treiben und dann, wie sie überhaupt leicht erregbar und reizbar sind,
die Verfolgung ihres Viehs streng und
grausam bestrafen. Sie locken wohl auch
Wanderer an Abgründe und spielen Menschen und Vieh mancherlei Schabernack,
doch zeigt ihr Erscheinen (Tanzen) im
allgemeinen ein fruchtbares Jahr an, daher man ihnen denn auch Korn und Ver-
pflegung beim Abzug von der Alm bereit-
stellt. Andere wieder werden durch Geschenke nach Zwergenart beleidigt und
vertrieben. Sie singen gern, aber nicht
immer schön; mitten im Heu können sie
(wie die Zigeuner) Feuer entzünden, ohne
Brandschaden zu stiften. Armen Kindern
und Sennen, auch Verirrten, zeigen sie
sich oft hilfreich [74]). Die anderen B. sind
nur Spielarten anderer Geister, von denen
sie meist nur der Name unterscheidet; es
genüge hier, die Fülle der Motive und ihre
Herkunft anzudeuten:

a) Z w e r g e : tragen Tarnkappe [75]),
Name: ,,Rotmännlein" [76]), leben in Familien [77]), können keinen Lärm vertragen [78]),
daher oft Auswanderung, schenken unscheinbare Kostbarkeiten [79]), helfen Armen
durch Geschenke oder Hilfeleistung [80]),
entleihen auf Wunsch und gegen strikte
zu bezahlenden Lohn kostbare alte Geräte (Braupfanne) [81]), schrecken Kinder [82]), bringen Wanderer zum Ver-
irren [83]), lassen sich nicht schlecht behandeln [84]).

b) Z w e r g s c h m i e d e : in Bergen
wohnend, erledigen für menschliche Kunden Reparaturen, die auf einen bestimmten Platz gelegt werden müssen, von wo
sie am nächsten Tage gegen Bezahlung
abgeholt werden können. Besonders ausgeprägt: der westfälische Grinken-
schmied [85]).

c) S c h a t z z w e r g e : hüten in Bergen oder Ruinen Schätze [86]), feurige Gestalt [87]), wohnen in prächtigen Palästen
oder Sälen [88]), hindern [89]) oder unter-
stützen [90]) Schatzgräber, können be-

schworen oder gefangen werden [91]), geben
3 Wünsche auf [92]), haben Zauberbücher [93]), sind verwunschen [94]).

d) S c h r a t , A l p : Kinderstehlen [95]),
Rumpelstilzchenmotiv [96]), Pferdefüße [97]).

e) H a u s g e i s t e r : nächtliche Hilfe [98])
gegen Lohn [99]); verbunden mit dem Gehöft, mit dessen Vernichtung sie verschwinden [100]); Opfer [101]); besonders ausgeprägt: Napfhans [102]). Zuweilen Annäherung an Teufel: Hilfe gegen Verschreibung
der Seele, Überlistung [103]).

[74]) Vgl. A l p e n b u r g *Tirol* 109. 112; G r a -
b e r *Kärnten* 29 f.; V e r n a l e k e n *Alpensagen* 204. 198. 223; W y ß *Reise* 2, 406; Alpenrosen 1826, 15; K o h l r u s c h *Sagen* 27 f.;
T i s s o t *La Suisse inconnue*; S a r t o r i 2, 83.
154; H e r z o g *Schweizersagen* 1, 107 ff. 150 f.
70. 71; K u o n i *St. Galler Sagen* 276; N i d e r -
b e r g e r *Unterwalden* 1, 27 f. 29 ff.; M a n n -
h a r d t *German. Mythen* 54. 472; J e c k l i n
Volkstümliches (1916), 155 f.; SAVk. 2, 2; 8,
297; V e r n a l e k e n *Mythen* 310; G r i m m
Sagen Nr. 299. [75]) K u h n u. S c h w a r t z
297 f.; K ü h n a u *Sagen* 2, 126 f.; R e i s e r
Allgäu 1, 147; mißverstanden: G r a b e r *Kärnten* 28. [76]) D r e c h s l e r *Schlesien* 2, 171
(Szarlin). [77]) MschlesVk. 18 (1907), 73; R e i s e r
Allgäu 1, 47. [78]) Ebd. [79]) Ebd.; R o c h h o l z
Schweizersagen 1, 2; V e r n a l e k e n *Alpensagen* 179 ff. u. ö. [80]) K ü h n a u *Sagen* 2, 123.
142 f.; 3, 745 f.; R e i s e r *Allgäu* 1, 146; L ü -
t o l f *Sagen* 54; G r a b e r *Kärnten* 23 ff.;
M e y e r *German. Mythol.* 127 f. [81]) M e i c h e
Sagen 209 ff.; W i t z s c h e l *Thüringen* 2, 87.
[82]) R o c h h o l z *Sagen* 1, 284. [83]) B i r l i n -
g e r *Volksth.* 1, 293; K ü h n a u *Sagen* 2, 142 f.
[84]) K n o o p *Hinterpommern* 33; M e y e r *Mythol. d. Germanen* (1903), 81; G r a b e r *Kärnten*
40. [85]) K u h n *Westfalen* 1, 84; M a n n h a r d t
2, 110; vgl. ferner S i m r o c k *Mythologie* 486;
M e y e r *German. Mythol.* 131; G r i m m *Myth.*
1, 379 ¹; G o l t h e r *Myth.* 149. [86]) ZfVk. 1,
216; H e r z o g *Schweizersagen* 1, 194; G r i m m
Myth. 2, 818 ³; M e i c h e *Sagen* 133. 209 ff.
[87]) Ebd. 133; B i r l i n g e r *Volksth.* 1, 287;
W u t t k e 47 § 51. [88]) M ü l l e r *Siebenbürgen*
52; M e i c h e *Sagen* 41 f. [89]) G r a b e r *Kärnten* 36 f.; V e r n a l e k e n *Mythen* 123.
[90]) G r a b e r *Kärnten* 23. [91]) G r i m m *Sagen*
Nr. 38; V o n b u n *Beiträge* 40; G r a b e r *Kärnten* 27 f. 25 f. [92]) G r a b e r *Kärnten* 23.
[93]) G r i m m *Sagen* Nr. 38; E n d t *Sagen* 177.
[94]) V e r n a l e k e n *Mythen* 123; M e i c h e
Sagen 41 f. [95]) SAVk. 24, 192; H e y l *Tirol*
500; K ü h n a u *Sagen* 2, 126 f. [96]) L ü t o l f
Sagen 475 f. [97]) K ü h n a u *Sagen* 2, 411 f.
[98]) SAVk. 23, 206; 21, 197; K u h n u.
S c h w a r t z 312; R o c h h o l z *Sagen* 1,
277; A l p e n b u r g *Tirol* 111 f. [99]) A l p e n -
b u r g *Tirol* 111 f.; ZfVk. 8, 137. [100]) A l p e n -

b u r g *Tirol* 111 f. [101]) L i e b r e c h t *Zur
Volksk.* 276 f. [102]) K o h l r u s c h *Sagen* 144;
„Hauri": ebd. 27; „Die frommen Leute":
R o c h h o l z *Sagen* 1, 335. [103]) G r a b e r
Kärnten 27. 28 f.

2. Zu dieser höchst uneinheitlichen,
mannigfach beeinflußten und durchaus
unselbständigen Gruppe von B.n gehören
auch die B e r g f r ä u l e i n (wilden
Frauen, Bergwibli), die in Ruinen oder
Bergen wohnen, nächtliche Wanderer
irreführen, Schätze hüten, Kinder ver-
sorgen, aber auch Kinder stehlen, fleißige
Spinnerinnen mit unerschöpflichen Wun-
derknäueln beschenken [104]). Hier wie dort
mischen sich die Züge verschiedenster
Herkunft. Sie sind völlig verschieden
von den B e r g m ü t t e r n , reinen Na-
turgeistern, die durch Brauen, Schießen,
Wasserkochen [105]) und lärmendes Um-
herlaufen [106]) Nebel in Wald und Gebirge
erzeugen: dies ihre einzige Betätigung,
von der man zu erzählen weiß. Sie sind
also lediglich zur Erklärung eines besonderen Naturvorgangs geschaffen und
spielen im übrigen keine Rolle im Volksglauben.

[104]) H e e r *Altglarner Heidentum* 20; M e i e r
Schwaben 1, 14; V e r n a l e k e n *Alpensagen*
224; W a s c h n i t i u s *Perht* 166; S i n g e r
Schweizer Märchen 1, 23. [105]) K u h n *Westfalen* 2, 88 = G r o h m a n n 32; M a a ß *Mistral* 8, 11. [106]) R e i s e r *Allgäu* 1, 139 f.

3. Wie die Bergarbeiter sich im Bergmönch, im gespenstigen Steiger, im Bergmännchen Personifikationen des Berginnern zur Erklärung der dortigen geheimnisvollen Geräusche und Vorgänge
gebildet haben, so mußte das Äußere der
(hohen) Berge, ihre vielfach zerklüftete
Gestalt, in die man menschliche Figuren
hineinsah, der sie umgebende Nebel, die
von ihnen herabpolternden Steinschläge
und Lawinen und die schauerlich-geheim-
nisvolle Einsamkeit ihrer Gipfel die Alm-
und Talbewohner zu parallelem Tun an-
regen. Die letzte Klasse der B., zu der wir
somit gelangen, umfaßt die P e r s o n i -
f i k a t i o n e n ganzer B e r g e oder
B e r g z ü g e , auch dies Gestalten des
Aberglaubens, die überzeitlich sind und
überall auftauchen, wo ragende Gipfel
der ewigen Primitivität des Volksmen-

schen eine Beseelung der Natur auf-
drängen. So stellen sich die Zeugnisse des
lebenden deutschen Volksglaubens neben
die altnordischen B e r g r i e s e n
(*bergrisar, bergbúar, bergjarlar, bergdanir,
bergmœri, bergstjórar, bjarga gætir* usw.);
schon der heilige Gallus soll in Bregenz
ein Zwiegespräch des dortigen „daemo
de culmine montis" mit dem Wasserdämon des Bodensees belauscht haben [107]).
Wenn wir in den Alpen den Watzmann,
Frau Hütt, den Serles [108]), im Voigtland
den Katzenveit, im Harz den Gübich, im
Riesengebirge den Rübezahl, im Böhmer
Bergland Hans Heiling [109]), in den Pyrenäen den „Geist der Pyrenäen [110]), in
Skandinavien den Dovrealten [111]) als
Personifikationen von Bergspitzen oder
-zügen antreffen — die Aufzählung ließe
sich leicht vermehren —, so wissen wir,
daß zwischen diesen allen keine andere
direkte Beziehung besteht als eben jener
eben angedeutete, ewig-menschliche Ge-
staltungs- und Beseelungstrieb. Diese
riesenhaften B. sind unverwundbar, Kugeln gehen durch sie hindurch, und wer
sie vernichten will, den stoßen sie in den
Abgrund [112]). Sie bewirken Steinschläge
und werden Kräutersammlern gefährlich [113]); sie machen das Wetter: wenn
sie backen, brauen oder rauchen, nebelt
es, und erhalten sie von den Almleuten
nicht die gewohnten Opfergaben (Käse,
Brot, Schnaps), so stopfen sie sich ihre
Tabakspfeifen, und es gibt ein Unwetter [114]). Die Gemsen sind ihre Herde;
wer sie jagt, wird verwarnt oder streng
bestraft [115]). Sie sind die Obersten aller
Geister und Bergschätze [116]), helfen wohl
gelegentlich in veränderter, vermensch-
lichter Gestalt Bedürftigen [117]), bestrafen
aber Vorwitzige streng [118]).

Diesen B.n verwandt ist zweifellos der
A l b e r , eine seltsame Mischung von
Bergriese und Gelddrache, bald als feuriger Schatzdrache, der sich nur von Gold
nährt, bald als täppisch-riesenhafter Alm-
geist geschildert, dessen schmalzige Füße
den Almwiesen Fruchtbarkeit spenden.
Er ist sehr häßlich, halb Mensch, halb
Pferd; jede Nacht läßt er sich vom Alm-
knecht den Rücken krauen. Manch-

mal heißt es auch, daß er hinten hohl sei [119]).

Die B e r g k ö n i g e Skandinaviens und der mhd. Epik sind wohl als verhöfischte Bergriesen dieser Gattung aufzufassen [120]).

[107]) W e t t i *Vita S. Galli* 7 = MG. Scrip. Mer. 4, 261. [108]) G o l t h e r *Mythol.* 185 u. ö. [109]) W u t t k e 47 § 51; MschlesVk. 18 (1917), 219 ff; M e y e r *Relig.gesch.* 101; K ü h n a u *Sagen* 2, 404 ff. [110]) S é b i l l o t *Folk-Lore* 1, 223 ff. [111]) M e y e r *Mythol. d. Germanen* (1903) 240. [112]) So der „Schwarzbart": V e r n a l e - k e n *Alpensagen* 195. [113]) So der „graue Mann" an der Gonzenwand: SAVk. 25, 230. [114]) J a h n *Opfergebräuche* 321 (Tirol); L a i s t n e r *Nebelsagen* 133 f. 307 f.; M e y e r *German. Mythol.* 158 f.; vgl. den Artikel „*Alte, der*". [115]) K. V. v. B o n s t e t t e n *Schriften* (1793), 118 f.; G r i m m *Sagen* Nr. 301; *Die Schweiz* 3, 142; H e r z o g *Schweizersagen* 1, 73 ff.; vgl. S c h i l l e r s Gedicht „*Der Alpenjäger*". [116]) G r a b e r *Kärnten* 31. [117]) Ebd. 24; K ü h n a u *Sagen* 2, 405 f. [118]) K ü h n a u *Sagen* 2, 404 f. [119]) Vgl. W a s c h n i t i u s *Perht* 175. 176; A l p e n - b u r g *Tirol* 283 f.; M a n n h a r d t 2, 104; R o c h h o l z *Naturmythen* 27; H ö r m a n n *Tiroler Volksleben* 199 ff.; Q u i t z m a n n *Baiwaren* 167. 175; G r a b e r *Kärnten* 31; G r i m m *Myth.* 3, 124; H e y l *Tirol* 36. 817; A m e r s b a c h *Lichtgeister* 8 f.; H ö f l e r *Waldkult* 27. 134. [120]) M e y e r *Mythol. d. Germanen* (1904), 155; *Urquell* 2, 193; S e p p *Altbair. Sagenschatz* 16; G r i m m *Myth.* 1, 386.

4. Kein Heimatrecht auf deutschem Boden haben anscheinend die in Frankreich [121]) und bei den Magyaren [122]) so beliebten B e r g f e e n, zu deren Geschlecht auch die Bergkönigin V i r g i - n a l der mhd. Dietrichepen gehört [123]). In einer Kärntner Sage lehrt eine solche Bergfee die Bauern, in deren Dienst sie tritt, das Singen; als sie's gelernt haben, verschwindet sie wieder [124]). Auch diese Sage scheint fremden Ursprungs.

Weinbergsgeister, wie das schweiz. T r u b a m a n n l i [125]), sind keine vollwertigen mythologischen Gestalten; sie dienen als Kinderschreck und sind nur zu diesem Zweck erfunden worden.

[121]) S é b i l l o t *Folk-Lore* 1, 224. [122]) W l i s - l o c k i *Magyaren* 175; D e r s. *Volksglauben* 25 ff. [123]) L ü t j e n s *Zwerg* 41. [124]) G r a b e r *Kärnten* 33 f. [125]) SAVk. 25, 238.

Mackensen.

Bergspiegel s. S p i e g e l.

Bergwerk. Die Überlieferungen der Bergleute, die aus dem alten Erzbergbau herstammen und in den eingesessenen Bergmannsfamilien von Kind auf Kindeskind weitergegeben wurden, bilden ein festgeschlossenes Ganzes, das durch eine Reihe mythischer Züge ein hohes Alter verrät. Hierher gehören: 1. Der Glaube an Berggeister, 2. die Vorstellung von einer Unterwelt, 3. die Walensagen. Häufig tritt auch eine Vermengung mit den Zwergen - und Schatzsagen auf.

Die mühevolle und gefährliche Arbeit in der Grube, wo die Abgeschiedenheit von der Oberwelt und dem Tageslicht einen mächtigen Einfluß auf den Menschen ausübte, machte die Phantasie des Bergmanns für abergläubische Vorstellungen empfänglich. Diese gipfeln im Glauben an den Berggeist [1]) (Bergmönch, s. Berggeister 3), der in verschiedenartiger menschlicher oder tierischer Gestalt, wie auch als Flamme erscheint [2]). Er ist der Herr des Bergsegens und tritt als solcher dem in sein Reich [3]) eindringenden Bergmann bald feindlich [4]) und bald freundlich [4]) entgegen. Seine Gaben behalten jedoch nur solange ihre Unerschöpflichkeit, als der Beschenkte das Geheimnis wahrt [5]); furchtbare Rache jedoch nimmt der Dämon an jenen, die seine Mithilfe bei der Arbeit verraten [6]) oder ihn höhnen wollen [7]). Wenn mehrere Berggeister (Bergmännlein) auftreten, so liegt eine jüngere Vermischung mit der Zwergensage vor, die leicht stattfinden konnte, da auch diese Wesen im Berge wohnend gedacht wurden und ihre Beschäftigung der des Bergmanns gleicht [8]).

Viele Traditionen der Bergleute, die ursprünglich in den Gold- und Silbergruben entstanden sind, lassen deutlich den Einfluß der Schatzsagen erkennen. Diese Beeinflussung erklärt sich aus dem Volksglauben, daß im Berge [1]) große Schätze zu finden sind, nach denen der Schatzgräber wie der auf Edelmetall schürfende Bergmann trachtet. Beiden dient dabei die Wünschelrute [8a]), die dem einen im realen und dem andern im magischen Sinne den Fundort erschließt. Bisweilen öffnet auch der Berggeist vor den Augen des erstaunten Bergmanns eine Gold und Silber bergende Kluft im Gestein [9]), aber wenn dieser nicht mit rascher Hand ein Stück des Gezähes hineinwirft, so schließt sie sich wieder, so wie der sichtbar gewordene Schatz dem Finder entschwindet, wenn er ihn nicht durch einen daraufgeworfenen Gegenstand bannen konnte. Das oftmals vergebliche Suchen des Bergmanns nach der Gold- oder Silberader wurde also im Volksglauben dem Schatzgraben gleichgesetzt und von der Sage mit denselben Einzelheiten ausgeschmückt. Ungehobenes edles Metall im Bergesinnern [10]) leuchtet und glüht wie ein verborgener Schatz [11]) und zuweilen deutet die Erscheinung eines goldenen Tieres [12]) bei beiden auf die Fundstelle hin. Damit stehen die Klumpen gediegenen Goldes in Tierform [13]) in Zusammenhang, deren Auffindung zur Errichtung von B.en Anlaß gab. Hierher gehören auch die goldenen Tiere der Venediger [1]), mit denen sie ihre Gäste aus Deutschland und den Alpen beschenken. Diese Einzelzüge leiten zu der mythischen Vorstellung von einer Unterwelt [14]) zurück, in der alles aus edlem Metall und Gestein besteht, in der auch goldene und silberne Tiere und Pflanzen leben. Der Glaube an ein organisches Wachstum der Erze und Gesteine kehrt noch in den Schriften der Gelehrten des ausgehenden MA. wieder [15]).

Zahlreiche Sagen berichten von der Entstehung der B.e [16]), wobei die zufällige Bloßlegung des Erzganges durch einen glücklichen Finder oder durch ein Tier oft in dem Namen des Schachtes zum Ausdruck kommt. Ein weiterer Sagentyp handelt von der glücklichen Errettung eingeschlossener Bergleute durch den Berggeist oder durch himmlische Mächte [17]). Häufig ist ein ethischer Grundzug zu erkennen, der sich in der Zerstörung eines B.s wegen Gottlosigkeit [18]) oder Frevelmut [18]) der Besitzer und in strenger Bestrafung unwürdiger Bergleute [19]) kundgibt. Der Bergsegen kann auch durch einen Meineid, Zauber oder Fluch [21]) zum Versiegen gebracht wer-

den. (Das Pfeifen und Fluchen ist in der Grube verboten.)

[1]) Siehe das betreffende Stichwort. [2]) W r u - b e l *Sammlung bergmännischer Sagen* 1883, 29 Nr. 1 ff. [3]) Das Machtgebiet des Berggeistes erstreckt sich auf die unterirdischen Räume und den Schacht bis zur obersten Fahrt (W r u - b e l a. a. O. 7). [4]) Sein Erscheinen zeigt Erz an (W r u b e l a. a. O. 40 Nr. 23; 78 Nr. 44); verkündigt aber auch Unglück (W r u b e l 54 Nr. 34. 35). [5]) W r u b e l 32 Nr. 9. 10. 14. 16. 18. 21. 33. [6]) Ebd. 46 Nr. 29; 57 Nr. 39; 81 Nr. 47. [7]) Ebd. 29 Nr. 3 mit Literaturangaben. [8]) Wie lebendig der Glaube an die Zwerge und ihre Betätigung war, geht aus der Nachricht hervor, daß Bauern auf Grund alter Sagen und geringer Goldfunde in den Strichenberg einen Stollen zu treiben begannen, aber aus Angst vor der Rache der Erdmännchen die Arbeit wieder einstellten (R o c h h o l z *Sagen* 1, 271 Nr. 184 c). [8a]) Vgl. ,,Wünschelrute": H e c k - s c h e r *Volkskunde* 386 Anm. 284; G o e t h e *Faust* II, 5898 ff. [9]) W r u b e l 32 Nr. 9. [10]) Z i n g e r l e *Sagen* 326 Nr. 569; vgl. G o e t h e *Faust* I 3913 ff. [11]) Z i n g e r l e 327 Nr. 572 ff. (u. d. Anm.). [12]) Ebd. 254 Nr. 447; 349 Nr. 615; 351 Nr. 620 u. d. Anm.; W r u b e l 31 Nr. 6. [13]) J. v. S p a r g e s *Tyrolische Bergwerksgeschichte* 1765, 24. [14]) K ü h n a u *Sagen* 3, 68; MschlesVk. 8 (1906), 127 ff.; Z i n g e r l e *Sagen* 96 Nr. 159 u. Anm. [15]) W r u b e l 154 Nr. 43. [16]) Ebd. 19 Nr. 1 ff. [17]) Ebd. 125 Nr. 13; 136 Nr. 22. [18]) Ebd. 143 Nr. 32. 33; 151 Nr. 39; 161 Nr. 49; M ü l l e r *Uri* 1, 272 ff. [19]) W r u b e l 38 Nr. 19. [20]) Ebd. 145 Nr. 36. [21]) Ebd. 139 Nr. 27.

Auch an dem Bergmannsgruß ,,Glück auf", der seit 1684 literarisch nachzuweisen ist [22]), haftet der Aberglaube; er ist glückbringend, während der gewöhnliche Gruß ,,Glück zu" Unheil auf das B. herabbeschwören würde.

Das Leben des Bergmanns entbehrt nicht der Frömmigkeit. Die besondere Schutzpatronin der Bergleute ist die hl. Barbara. Zu Beginn der Schicht wird meist von den Einfahrenden ein Gebet gesprochen. Kirchliche und weltliche Feiern [23] [24]) vereinigen die Bergleute in althergebrachter Weise zu gemeinsamer Begehung. Die Zunft der Bergleute bildet also seit alters eine geschlossene Körperschaft mit eigenen Sitten und Bräuchen, sowie eigener Sprache, in der die Wörter durchwegs deutscher Herkunft sind. Im Laufe des MA. wurden deutsche Bergknappen zur Einrichtung von B.en [25]) nach Südtirol, Böhmen,

Mähren, Schlesien, Ungarn, Toskana und Schweden [26]) berufen und brachten außer ihrer Fachkenntnis auch ihre Traditionen in die neue Heimat mit, so daß deutscher Einfluß für diese Gebiete als sicher angenommen werden kann. Ein Beispiel hierfür bietet der Berggeist Rübezahl, der, wie aus einer Tiroler Chronik des 17. Jh.s hervorgeht, im Harz heimisch war und von dort durch ausgewanderte Bergleute ins Riesengebirge übertragen wurde [27]).

[22]) D r e c h s l e r MschlesVk. 7 (1905), 69 ff.; K i r n b a u e r in Forschungen u. Fortschritte 4 (1928), 1. [23]) An ihrem Tage (4. Dez.) wurde dem Rauriser Bergmandl von den Bergleuten ein Speise- und Kleideropfer dargebracht. A n d r e e - E y s n Volkskundliches 205. [24]) S a r t o r i Sitte u. Brauch 2, 167 ff. 205. [25]) J o h n Erzgebirge 191. 207. [26]) [27]) K l o s t e r - m a n n ZfBergrecht 13 (1872), 48 ff. [27]) S. T u n - b e r g Stora Kopparbergets Historia 1 (1922), 93; MschlesVk. 7 (1905), 79 ff.   Schömer.

Bernardino (Albiceschi) von Siena.

T o u s s a i n t Das Leben des hl. B. Regensburg 1873; A l e s s i o Storia di S. B. di Siena e del suo tempore. Mondovi 1899.

B. 1380—1440, Franziskaner, berühmter Bußprediger. Seine Predigten [1]), namentlich die de Idolatriae cultu enthalten zahlreiche Zeugnisse [2]) zum ma.lichen Aberglauben, die zwar nicht direkt für Deutschland in Betracht kommen, aber als Vergleichsmaterial von Wert sind.

[1]) Hrsg. von P e t r u s R u d o l p h , 4 Bde. Venedig 1591; die italienischen von L. B a n - c h i , 3 Bde., Siena 1880—1888. [2]) T h e o d. Z a c h a r i a e Abergläubische Meinungen und Gebräuche des MA. in den Predigten B.s von Siena ZfVk. 22, 113—134. 225—244 = Kl. Schriften 339—386.   Helm.

Bernikelgans s. B a u m g a n s.

Bernhard

hl., Abt von Clairvaux, Kirchenlehrer, geb. 1090 bei Dijon aus burgundischem Hochadel, gest. 1153, vielgerühmt und vielgesucht, mit dem Beinamen „Doctor mellifluus" geehrt, Fest 20. August, Haupt im Dom zu Troyes, die andern Überreste zu Fontaines [1]).

[1]) AA SS. 20. Aug. 4, 256 ff.; MG SS. 26, 95 ff.; M i g n e Patrologia lat. 185, 469 ff.; P o t t h a s t Bibliotheca historica 2, 1206; D e r h l. B., Predigten in altfranzös. Übertragung (Stuttg. Litt. Ver. Bd. 203); A. N e a n - d e r Der hl. B. u. sein Zeitalter [4] (1891); E.

V a c a n d a r d Leben des hl. B. von Clairvaux, deutsch von M. S i e r p (beste Biographie); K a m p s c h u l t e Die westfäl. Kirchen-Patrocinien 181; K o r t h Die Kirchenpatrone im Erzb. Köln 34; K ü n s t l e Ikonographie 127 bis 130.

1. B. aus Berinhard (bärenstark) ist als Taufname ehedem sehr verbreitet gewesen, z. B. in der Kurzform Bernet, Bernt (Bernd) u. ä., übrigens einer der wenigen altdeutschen Namen, die sich unter hagiologischem Einfluß bis in die Neuzeit hielten [2]).

[2]) Vgl. dazu die allgemeinen Ausführungen bei N i e d Heiligenverehrung u. Namengebung 17. 26.

2. In einer aus dem Zisterzienserstift Hohenfurt in Böhmen stammenden lateinischen Segensformel für Gebärende wird neben der Geburt Samuels, Johannis d. Täufers, Mariae, Christi und des hl. Remigius auch die des hl. B. als Analogie zu dem Gegenstand der Bitte (leichte Entbindung) erwähnt, freilich nur hier ohne weitere Nachahmung [3]), ein Beweis für das Bestreben der einzelnen Zisterzienserklöster, den Glauben an die Macht ihres großen Ordensheiligen verbreiten zu helfen.

[3]) F r a n z Benediktionen 2, 201. 203.

3. Als Abzeichen (Attribut) führt B. außer andern einen Bienenkorb und wird nebst Ambrosius (s. d.) als Bienenpatron [4]) (s. Biene) aufgeführt. Er hat es freilich als solcher ebensowenig wie Ambrosius zur Volkstümlichkeit bringen können. In Wahrheit führt das Attribut auf B.s große Wirksamkeit als theologischer Schriftsteller und als hinreißender Redner zurück.

[4]) K e r l e r Die Patronate der Heiligen 27.

4. Unter den Taten und Wundern B.s treten Beschwörungen und Heilungen besessener oder dämonischer Menschen sehr hervor [5]). Am Beschwörungswesen selbst besitzt er einen besonderen Anteil. Mehrere Schriftverse, die Psalmen 12, 4. 5 (Illumina oculos meos) und 115, 16 f. (Dirupisti, domine, vincula mea) gehören zu den Psalmenstellen, die angeblich ein Dämon dem hl. B. als kräftige Abwehrmittel gegen Dämonen bezeichnete, in vielen Handschriften und gedruckten Gebetbüchern [6]) aus dem Anfang des

16. Jh.s überliefert. Ein Wettersegen, der aus einem Zisterzienserkloster der Salzburger Gegend stammt und dem 15. Jh. angehört, trägt den Namen des Heiligen wegen des ihm zugeschriebenen Exorzismus: Benedictio beati Bernhardi abbatis contra tempestates [7]).

[5]) F r a n z *Benediktionen* 2, 551. [6]) H a i n *Repertorium bibliographicum** 7507. [7]) F r a n z a. a. O. 2, 90.

5. Auch die Tierbannung, ein beliebtes Legendenmotiv, kehrt in B.s Vita wieder. Das Wort des Heiligen („Excommunico") genügte, bei der Einweihung des Klosters Foigny lästige Fliegenschwärme zu bannen [8]). Einer förmlichen Beschwörung (Adiuratio) bedurfte es nicht, ebensowenig anscheinend bei der Vertreibung von Mäusen, von der in einer Sage aus Freiburg (Baden) die Rede ist [9]). Hier hatte die bloße Anwesenheit B.s genügt, den Raum, den er bewohnte, für immer von der Plage frei zu machen.

[8]) F r a n z a. a. O. 2, 144. [9]) B a a d e r *NSagen* (1859), 35.

6. Aus dem Streben des Zisterzienserordens, die Verehrung für den großen Abt von Clairvaux möglichst zu verbreiten, mag der Brauch entstanden sein, B. im Todeskampf [10]) anzurufen, seiner Fürbitte besonders teilhaftig zu werden, wenn die Sterbestunde zwischen 3 und 4 Uhr nachts fallen sollte [11]). Sehr merkbar ist der Brauch in Wochern (Kr. Saarburg), die Hilfe des Heiligen bei Kinderkrämpfen zu erflehen, weshalb die Krankheit im Volksmund entweder Wochernkränkt oder nach dem Heiligen selbst Berenskränkt heißt [12]).

[10]) F o n t a i n e *Luxemburg* 112. [11]) Geistl. Schild 124—126. [12]) F o n t a i n e a. a. O. 107.

7. B.tag zählt am Rhein auch zu den Merk- oder Lostagen für die Landwirtschaft. „Berendsdag as den eschte (ist der erste) Sämann" [13]).

[13]) RheinWb. 1, 624.   Wrede.

Berndietrich s. D i e t r i c h v o n B e r n.

Bernhardsminne. Die Sitte, die Minne des heiligen B e r n h a r d v o n C l a i r v a u x zu trinken [1]), scheint verbreite-

ter gewesen zu sein, als die dürftigen Zeugnisse ausweisen. Der älteste Beleg, der dem 14. Jh. entstammt [2]), läßt erkennen, daß es üblich war, bereits am frühen Morgen Bernhards Minne auszubringen; woher diese Beschränkung auf eine bestimmte Tageszeit, die bei den Minnen anderer Heiliger völlig unbekannt ist, kommt, läßt sich nicht erklären. Doch scheint die Sitte, die durch die Tätigkeit der Zisterzienser verbreitet wurde, sehr bald Mißstände gezeitigt zu haben: aus dem Frühtrunk wurde ein Gelage, das oft sogar zur Versäumung der sonntäglichen Messe Veranlassung gab. Der hl. Bernhard geriet dadurch in den Ruf, Schutzpatron der Trunkenbolde zu sein, wie denn auch ein Schwank des 15. Jh.s („Ein pantaiding im Himmel") ihm aus diesem Grunde die größte Schuld an der Trunksucht zumißt. Die Zimmernsche Chronik deutet an, daß die B. zeitweise sogar der Beliebtheit der Johannisminne Eintrag getan habe: „Zu unser zeiten wil man an teil orten nit vergüt haben, da man eim Sant Johannessegen darbeut — —, sonder es ist von etlichen hofleuten ein anderer segen darfür uf die ban kommen, haißt Sant Bernhardtssegen. ich hab auch gesehen, das zu unser lebzeiten etliche, do Sant Bernhartsegen so überflüssig angenommen, derhalben unter die ros gefallen, arm und bain des segens wol empfunden haben" [3]). Man nannte diese Sitte „einen Bernhart trinken" [4]) und erhoffte von ihr Schutz gegen Unglücksfälle [5]) und — wie von der Gertruden- und Johannisminne (s. dd.) — einen kurzen und glücklichen Verlauf einer vorgenommenen Reise [6]). Diese letzte Bedeutung der B. ist zweifellos von der Johannisminne, mit der die Minne des Bernhard ja in Wettbewerb stand [7]), herübergenommen. Mit dem Beginn des 18. Jh.s scheint die Sitte auszusterben; der letzte Beleg stammt von 1729 [8]).

[1]) Vgl. den Artikel Minne. [2]) Bei F r a n z *Benediktionen* 1, 292 f. [3]) Vgl. B ö c k e l *Volkslieder* 39. [4]) Vgl. G o e d e k e in WeimJb. 6, 30; AltdBl. 1, 413; Z i n g e r l e *Johannissegen* 190 Anm. 1. [5]) Vgl. AltdBl. 1, 413: „se hin, trink ein guten Pernhart, das dir kein geluck

schad". [6]) Germania 21, 215: „was, sagt der andere, was schere ich mich um des Hänßl seinen seegen; ich halt mehr auf Bernhards namen, so kommen wir bald wieder zusammen" (Jahr: 1729). [7]) Vgl. Anm. 3 und 6. [8]) *Abrahamisches Gehab dich wohl;* vgl. Anm. 6.   Mackensen.

Bernkes Jagd s. w i l d e J a g d.

Bernstein, Agtstein. Die Griechen nannten das versteinerte Nadelholzharz aus der Tertiärzeit ἤλεκτρον, weil es dieselbe Färbung und Wertschätzung wie diese Goldsilbermischung besaß, die Römer succinum (Saft, Harz) oder mit Herübernahme der altgermanischen Bezeichnung glesum (Glas, Glanz). Die deutsche Bezeichnung war bis ins 18. Jh. (weißer) Agtstein (Achatstein, Achat?); daneben tritt seit dem 13. Jh. ndd. bornstein, börnstein (Brennstein) auf, das dann ins Nhd. als B. übernommen wurde [1]). Glanz, Farbe, Verbrennbarkeit, elektrische Eigenschaft hoben den B. vor anderen Steinen heraus und führten frühzeitig zu dem Aberglauben, er schütze gegen Krankheiten und Dämonen. Seine Verwendung als Gegenzauber war bereits im Altertum verbreitet [2]). Umgehängte Ketten aus B.perlen galten im frühen MA. als Schutzmittel. Kirchliche Verbote bekämpften es als heidnischen Brauch [3]). Noch heute wird in Dänemark ein B.herz den Kindern als Schutz gegen Beschreiung umgehängt [4]). Die bereits im Altertum geübte Sitte, Kindern B.-ketten um den Hals zu legen, lebt heute noch in ganz Deutschland weiter; ursprünglich ein Abwehrmittel, sollen sie jetzt das Zahnen erleichtern [5]). B. gilt besonders als Vorbeugungs- und Heilmittel bei gichtig-rheumatischen Leiden, dem Fluß, dem Reißen und Ziehen in den Gliedern; der Kranke trägt ihn im Ring, als Kette oder im Hemd oder in ein Säckchen eingenäht [6]). In Norddeutschland trägt man ein Stück gelben B. am Halse oder am bloßen Leibe gegen Gelbsucht (similia similibus curantur) [7]). B.ketten gelten auch als wirksam bei Kopfweh, Ohrenfluß, Augenentzündungen und Zahnschmerzen [8]). Überhaupt wird dem B. eine anhaltende Kraft beigemessen, die sich bei übermäßigem Harnen, Samen-

und Blutfluß und Durchlauf bewähren soll [9]). Im MA. wurde B. innerlich gebraucht bei Herzzittern, Magenschmerzen, Wassersucht; B.öl wird bei hohem Zahn und als Abortivum verwendet, B.rauch als geburtsförderndes Mittel [10]). In Westfalen tragen Frauen und Mädchen B.ketten als Schutz gegen allerlei Übel, vornehmlich Halsbeschwerden [11]); im Kanton Bern trägt man B.halsbänder gegen den Kropf [12]).

Lonicer bringt den Agtstein mit dem ebenfalls gelbfarbenen Luchsstein zusammen und behauptet, er ziehe das Eisen aus den Wunden, sei heilsam bei Gelbsucht, Verstopfung usw. [13]). (Vgl. Luchsstein s. v. Belemnit.)

Sagen des Samlandes, Pommerns und Mecklenburgs zeigen, wie der B. die Phantasie des fabulierenden Volkes lebhaft anregte [14]).

[1]) P l i n i u s *n. h.* 37 § 20 ff.; S c h r a d e r *Reallex.*[2] 1, 94 ff.; K l u g e *EtWb.*, s. v. Bernstein und Glas; F i s c h e r *Altertumsk.* 90 f.; G r i m m *DWb.* 1, 1526 u. *Myth.* 2, 1019[1]; K a u f f m a n n *Altertumsk.* 1, 113; M ü l l e r *Nord. Altert.* 2, 110; M u c h *Heimat d. Indogerm.* 140; H o o p s *Reallex.* 1, 260; B e r g m a n n 14 s. v. Agtstein; H o v o r k a - K r o n f e l d 1, 59 f. [2]) P l i n i u s a. a. O. § 51; D a r e m b e r g - S a g l i o 2, 535; M e y e r *Aberglaube* 258. [3]) SchwVk. 10, 13 (8. Jh.); G r i m m *Myth.* 3, 402 u. 407; S a u p e *Indiculus* 14; B o e s e *Superst. Arelat.* 15, 24. 28; 55 cap. 33. [4]) F e i l b e r g *Dansk Bondeliv* 2, 84. [5]) P l i n i u s *n. h.* 37, § 50 = M e y e r *Aberglaube* 257; B o e s e a. a. O. § 69 f.; ZföVk. 13 (1907), 113; J o h n *Erzgeb.* 54; H o v o r k a - K r o n f e l d 1, 60. [6]) H o v o r k a - K r o n f e l d 2, 282; 1, 60; L a m m e r t 269; S c h u l e n b u r g 100; M o s t *Encyklopädie* 582. [7]) W u t t k e 355 § 531; S t e m p l i n g e r *Sympathie* 86; vgl. H o v o r k a - K r o n f e l d 2, 115 (Rußland). [8]) H o v o r k a - K r o n f e l d 2, 785; L a m m e r t 229 u. 232; Frauenzimmerlexikon 42 s. v. Agtstein; Urquell 4 (1893), 211 und 1 (1890), 19. [9]) Z e d l e r 2, 1397; Kenntmanni *Nomenclaturae rer. foss.* (1565), 10. [10]) H o v o r k a - K r o n f e l d 1, 164 u. 2, 838; M e g e n b e r g *B. d. N.* 384 u. 397; L o n i c e r 62; S e y f a r t h 231; H ö h n *Volksheilkunde* 1, 99; S t a r i c i u s *Heldenschatz* (1679), 409; L a m m e r t 169; F r a n z *Benediktionen* 2, 499; Urquell 5 (1894), 252; L e m k e *Ostpreußen* 1, 53. [11]) S a r t o r i *Westfalen* 35; vgl. M e y e r *Aberglaube* 258 (Italien). [12]) SAVk. 8, 152 u. 272. [13]) L o n i c e r 62 f.; vgl. P l i n i u s *n. h.* 37 § 52. [14]) R e u s c h *Sagen* 52 Nr. 46; B a r t s c h *Mecklenburg* 1, 390 f.; J a h n *Pommern* 492

Nr. 612 u. 194 Nr. 244; H a a s *Rügen* 612. Zu der Bezeichnung des B.s als gelbe Ambra vgl. Ambra und ZfdA. 18 (1875), 409 c. 14.

Olbrich.

Berserker, altnord. *ber*- Bär und *serkr* Hemd, also B ä r e n h ä u t e r (s. d.), gleich dem Werwolf (s. d.) eine Gestaltnahme der in der Ekstase (s. d.) ausgesandten menschlichen Seele. In der altnord. Saga ist B. schon meist verblaßt zum Helden, der sich in „Ekstase" und tierische Raserei, eine Art A m o k laufens von oft krankhafter Entstehung, zu versetzen vermag, oder zum prahlerisch einen jeden herausfordernden Kämpfer, schließlich zum tapfern Streiter überhaupt [1]). In Deutschland findet sich nur die Vorstellung des Werwolfs; die besondere Art des B.tums ist rein nordisch (auch irokeltisch), in Deutschland erst seit Beginn des 19. Jh. bekannt [2]). Doch eine Art wilder B e r u f s k ä m p f e r , ähnlich den altnord. B., erwähnt Tacitus bei den Chatten [3]).

Der B.w u t (berserksgangr) entspricht bei den deutschen Germanen noch später einigermaßen die fast berufsmäßige Tollheit mancher leidenschaftlicher Raufer in gewissen Gegenden, besonders in Bayern und Tirol, die gleich den wikingischen B.n um jeden Preis „anbandeln" wollen [4]). Auch tirolische Frauenzimmer können in solche unbändige, wahnsinnige Raserei verfallen und, alles scheltend, mit zerrauften Haaren und zerrissenen Kleidern herumlaufen, eine „Füa" oder „Fuire" [5]). Schon vor Tacitus hat Lucanus den Ausdruck f u r o r T e u t o n i c u s geprägt [6]), der um 1100 nach ihm in der lateinisch gebildeten Welt recht geläufig geworden ist und gerne die oft sinnlose Kampfeswut der Deutschen bezeichnet, in Deutschland mit trotzigem Stolz genannt, im Ausland ringsum aber mit verächtlichem Haß, bis diese Wendung im 15. Jh. allmählich wieder in Vergessenheit gerät, um im 19. Jh. eine zweite, politisch - gelehrte Auferstehung zu erfahren [7]). Sie erweist eine der nordischen verwandte Anlage auch der deutschen Germanen.

[1]) H o o p s *Reallex.* 1, 260 f.; H. G ü n t e r t *Über altisländische B.geschichten.* Progr. Heidelberg 1912, bes. 9. 19. 23. 27; W e i s e r *Jünglingsweihen* 43—61: Weiser faßt, im Gegensatz zu Güntert u. a., die B. nur als „in Bärenfell gekleidete Krieger" auf und versucht, sie gleich den Chattenhelden als Männerbünde kultischen Ursprungs zu deuten, die einst in Tiermasken das Totenheer darstellten, später zu rein kriegerischen Verbänden wurden, zuletzt durch die Wikingerbünde ersetzt; G o l t h e r *Mythologie* 100 ff.; M e y e r *Germ. Myth.* 69 § 99; F i s c h e r *Altertumsk.* 119; M a n n h a r d t *Götter* 166; M e y e r *Relig.gesch.* 78. 130; v. d. L e y e n *Sagenbuch* 75. 172; K e l l e r *Tiere* 121; MschlesVk. 18 (1917), 14 f.; ZfVk. 7, 342. 347. [2]) G o e t h e s *Werke* 29, 87 (Dichtung und Wahrheit). [3]) *Germania* c. 31; M ü l l e n h o f f *Altertumsk.* 4, 418; W e i s e r a. a. O. 35 ff. [4]) ZfVk. 7, 343. [5]) V e r n a l e k e n *Mythen* 45; vgl. schwäb. fure[n]; Furie! [6]) *De bello civ.* 1, 255 f. [7]) E. D ü m m l e r *Über den furor Teutonicus,* Sitzb.Berl. 1897, 116—124; F. V i g e n e r *Bezeichnungen für Volk und Land der Deutschen vom 10. bis zum 13. Jahrhundert.* Heidelberg 1901, 69. 86 ff. 261; vgl. ferner MG.SS. 25, 351 f.; ZfGORh. N. F. 22, 311.

Müller-Bergström.

Berthold von Regensburg.

Jac. G r i m m *Kleine Schriften* 4, 296—360; H a m b e r g e r in ADB. 2, 546—549; K. R e h o r n in *Germania* 26, 316—338; Ant. E. S c h ö n b a c h *Studien zur Geschichte der altdeutschen Predigt* Stück 2—5. 7. 8 in Sitzb. Wien 142. 147. 151. 152. 154. 155 (1900—1907).

Geb. um 1220 wahrscheinlich zu Regensburg, Schüler des Predigers David von Augsburg, Franziskanermönch zu Regensburg, dann etwa seit 1250 ·als Wanderprediger in einem großen Teil Deutschlands (Mittelrhein, Oberdeutschland, Schweiz, Österreich, Böhmen, Mähren, Schlesien, Thüringen, Franken) tätig und weit berühmt. Gest. zu Regensburg 1272.

B.s Predigten [1]) sind voll von Zeugnissen zur Volkskunde, die von Schönbach zusammengetragen und z. T. erläutert [2]) sind. Außer Nachrichten über Spielleute, Volkslieder, Sprichwörter und mancherlei Volksbrauch enthalten sie vieles über abergläubische Vorstellungen, die der Bußprediger bekämpft (a. a. O. S. 7—55). Er spricht von Geistern und gespenstischen Tieren, u. a. vom Werwolf, von Wahrsagerei, Wahrsagerinnen und ihrem betrügerischen Treiben, von Hulden und Unhulden, von nächtlichen Dämonen böser und freundlicher Art, von Krankheilung, von Angang, Orakel

35[*]

und Unglückstagen, von incantatio, Zauber und Besprechung aller Art, Zauber mit Pflanzen (wichtig die Betonie [3])) und Tieren, Bildzauber, Mondzauber, Zauber mit Totenknochen, Gebetzauber (Mordbeten) usw.

Die Frage nach den Quellen all dieser Angaben ist noch nicht voll befriedigend beantwortet. In vielen, ja den meisten Fällen wird B. von Dingen sprechen, die ihm und seinen Hörern aus den Erfahrungen des wirklichen Lebens bekannt waren. Hinzu tritt aber mit Sicherheit in noch nicht festgestelltem Umfang auch Material, das aus literarischer Überlieferung (Beichtbüchern u. a.) stammt [4]).

[1]) Vollständig herausgegeben sind nur die deutschen, von Franz Pfeiffer und Jos. Strobl, 2 Bde., Wien 1862 und 1880; von den weit zahlreicheren lateinischen nur die *Sermones ad religiosas XX* von Hötzl. München 1882. Vgl. ferner dazu Georg Jakob *Die lateinischen Reden des seligen Berthold von Regensburg.* Regensburg 1882; Schönbach *Über eine Grazer Hs. lateinisch-deutscher Predigten* 1890 und desselben *Studien* (s. o.), Stück 2—5. [2]) *Studien* Stück 2. [3]) a. a. O. 35—50. [4]) a. a. O. 121 ff.; Zachariae *Kl. Schr.* 334.
Helm.

Berufe. Zu den ältesten B.n, die durch die Eigenart ihres Brauchtums noch an primitive Kulturstufen gemahnen, zählen der Hirt, Fischer und Jäger, wie auch der Bauer, der seit alters in seiner Wirtschaft viele Tätigkeiten ausübt, die mit fortschreitender Besiedelung eigenen Handwerken [1]) zugewiesen wurden.

Alter Glaube und Brauch sind vielen B.n eigen, so daß eine stattliche Anzahl von ihnen in diesem Werke behandelt wird und zwar:

Abdecker (Schinder), Advokat, Amtmann, Arzt, Bäcker, Bader und Barbier, Bauer [2]), Bergmann [3]) s. Bergwerk, Bettler [4]), (Bierbrauer, s. Bier, brauen), Briefträger, Buchdrucker, Dachdecker, Dieb, Dienstboten [5]) (Gesinde), fahrendes Volk, Fährmann, Feilenhauer, Fischer, Förster, Fuhrmann, Gärtner, Gauner, Geistlicher (Pfarrer, Priester), Hausierer (Mausfallenhändler), Hebamme, Hirte (Hüter, Schäfer, Senne) [6]), Jäger [7]), Kaminfeger, Koch [8]), Köhler, Küfer, Küster (Meßner, Sigrist), Landmesser, Maurer [9]), Metzger,

Mönch, Müller [10]), Nachtwächter, Nonne, Richter, Scharfrichter (Henker, Nachrichter), Schiffer [11]), Schlosser, Schmied [12]), Schneider [12]), Schreiner, Schuhmacher [13]), Schüler, Soldat [14]) (Heer, Militär), Spielmann, Steinhauer, Taucher, Tischler, Totengräber, Waschfrau (Wäscherin), Weber, Wilderer, Wirt und Zimmermann [14]).

Zahlreiche B. haben sich, oft an die Heiligenlegende anknüpfend, bestimmte Schutzpatrone [15]) erkoren, z. B.: St. Leonhard (u. a.) [2]), Barbara [3]), Martin [4]), Notburga [5]), Isidor [5]), Wendelin [6]), Hubertus [7]), Laurentius [8]), Johannes d. T. [9]), Katharina [10]), Nikolaus [11]), Eligius [12]), Crispinus [13]), Josef [14]).

Die für den künftigen Lebensgang des Kindes wichtige B.swahl suchte man durch Orakel [16]) zu erforschen. Einzelne B. haben Sondersprachen [17]) ausgebildet, denen bei Fischern, Schiffern und Jägern zum Teil magische Bedeutung zukommt (s. Handwerker, Heilige, Orakel, Sondersprachen, Tabu). Volkskundlich wichtig sind die B.sschelten, von denen manche als Deckname für die eigentliche, jedoch anstößig gewordene Bezeichnung dienen [18]).

[1]) s. Handwerker. [2]) bis [14]) Diese Verweise beziehen sich auf die im nächsten Absatz angeführten Schutzpatrone. [15]) Vgl. Andree *Votive* 10 ff.; s. Heilige. [16]) Wuttke 241 § 346; John *Westböhmen* 2; Wettstein *Disentis* 174, 43; Fogel *Pennsylvania* 43 ff.; s. Orakel. [17]) s. Sondersprachen, Tabu. [18]) s. Abdecker, Scharfrichter; Klenz *Schelten-Wb.* [4].
Schömer.

berufen, beschreien. 1. Allgemeines: b. (auch behexen, verhexen, bezaubern, verschreien, bereden, vermeinen [1]), vermälen [2]) u. ä. genannt) bedeutet: be- oder verzaubern (s. a. verhexen), ist also ein Besprechen im bösen, Schaden zufügenden Sinn (s. besprechen, bes. 1 und 'B'.).

Der bloße Wortzauber erscheint hier sehr häufig mit Blickzauber (dem bösen Blick) verbunden, dem mitunter allein schon die Wirkung des B.s zugeschrieben wird.

Die Bezeichnungen besprechen, berufen, beschreien, lassen sich nicht immer streng auseinanderhalten. Mitunter wird

b. auch für Dämonenvertreibung gebraucht [3]), während umgekehrt besprechen auch Be- oder Verzauberung bedeuten kann. Im allgemeinen hat jedoch
besprechen neben der umfassenden Bedeutung von Wortzauber überhaupt die
besondere von Entzauberung (s. besprechen), während B. für Be- oder Verzaubern gebraucht wird.

[1]) Z. B. S c h ö n w e r t h *Oberpfalz* 1, 185 ff.
310; 3, 260; A l p e n b u r g *Tirol* 291;
B r o n n e r *Sitt'* u. *Art* 158. [2]) S c h ö n -
w e r t h a. a. O. 1, 188 Nr. 13; 3, 260. [3]) S e y -
f a r t h *Sachsen* 45; H o v o r k a - K r o n f e l d
1, 62.

2. W i e w i r d b e r u f e n ? Das B.
kann durch böse W o r t e (Zaubersprüche, abfällige Bemerkungen u. ä. m.),
aber auch durch gute Worte, insbes.
durch Lob und unvorsichtiges Bewundern
erfolgen. Es geschieht also absichtlich
wie auch unabsichtlich, ja wider Willen
der lobenden Person. Zur Verhütung von
Unheil pflegt man daher bei rühmendem
Hervorheben von Glück, Gesundheit,
Schönheit, Kraft oder guten Eigenschaften irgendwelcher Art, sei es bei andern
oder sich selbst, meist ein „unberufen,
unbeschrien" (s. d.; vgl. a. u. 5 a) hinzu-
zufügen. Erfolgt das B. durch bloßes
(blinzelndes, von der Seite her, düsteres,
scharfes, feindseliges, aber auch bewun-
derndes) Anschauen, so wird es gleichsam
als Ausfluß des bösen B l i c k s betrachtet, als der gewissermaßen in Worte übersetzte böse Blick [4]). Die Verbindung von
Wort- und Blickzauber ist beim B. die
denkbar engste.

[4]) D r e c h s l e r 2, 258; *Alemannia* 37
(1909), 4; W u t t k e 165 § 224; K r a u ß
Relig. Brauch 41.

3. a) W e r b e r u f t ? B. kann jeder
den andern, wie auch sich selbst. Besonders
ders verstehen es die Hexen, zu deren
Haupttätigkeiten es gehört, sowie jene
Menschen, die mit dem bösen Blick behaftet sind; daneben alte Weiber, insbesondere, wenn man ihnen morgens,
beim Ausgehen begegnet, und unreine
oder ungewaschene, sowie auch nicht zum
Haus gehörige Personen. Mitunter erscheint diese Fähigkeit an besondere Umstände geknüpft: so beschreit, wer in ein

fremdes Haus tritt und unter der Stubentür stehen bleibt, alle Menschen, deren er
drinnen ansichtig wird [5]), kann b., wer
zweimal Muttermilch getrunken hat [6]),
u. dgl. m.

b) W e r w i r d b e r u f e n ? B. werden
kann jedermann und alles. Ganz besonders gefährdet erscheinen Kinder, vor
allem Neugeborene und im Schlafe befindliche, dann Wöchnerinnen, Verlobte,
Brautleute, wie überhaupt Personen in
Übergangsstadien [7]). Mit besonderer Vorliebe wird auch das Vieh im Stall, besonders Jungvieh, b. und dadurch den
Kühen, bzw. Ziegen die Milch entzogen
und anderswohin übertragen, „verhext" [8]). Laufende Pferde werden durch
B. zum Stehen [9]), bellende Hunde zum
Schweigen gebracht [10]). Auch der Wetter-
und der Liebeszauber (s. d.) gehört zum
Teil hieher (vgl. besprechen 7 b). Aber
auch leblose Gegenstände sind dem B.-
werden ausgesetzt, z. B. Waffen, Getreide [11]), Butter [12]), trocknende Wäsche,
die bis Sonnenuntergang auf den Stangen
hängen gelassen wurde — wer sie anzieht, b. alles [13]) u. dgl. m.

[5]) S c h ö n w e r t h a. a. O. 3, 261 Nr. 5.
[6]) G a ß n e r *Mettersdorf* 19. [7]) Vgl. S a r -
t o r i *Sitte u. Brauch* 1, 19. 50. 59. 124.
[8]) G r i m m *Myth.* 3, 409 Nr. 199 d. [9]) S a r -
t o r i *Westfalen* 74. [10]) ebd. [11]) z. B. H e l l -
w i g *Aberglaube* 9. [12]) G r o h m a n n 155.
[13]) G r i m m *Myth.* 3, 447 Nr. 406; S c h ö n -
w e r t h a. a. O. 1, 188 Nr. 15.

4. D i e W i r k u n g e n des B.seins
machen sich rasch bemerkbar. Kleine
Kinder beginnen abzunehmen, gähnen
viel und weinen häufig, werden immer
schwächer und siechen endlich ganz dahin [14]). Auch Erwachsene werden von
allerlei Übeln befallen; insbesondere gelten als beschrien: Hexenschuß, Hitz-
schlag, Seitenstechen, Gicht u. ä. plötzlich
und ohne erkennbare Ursache auftretende Krankheiten und Leiden [15]). Wöchnerinnen verlieren durch B. die Milch und
werden schwindsüchtig [16]). In manchen
Gegenden ist es geradezu sprichwörtlich,
Menschen, deren Aussehen sich plötzlich verschlechtert, zu sagen: „Du siehst
aus, wie wenn du b. wärest" [17]). Beschriene Tiere beginnen zu zittern und

zu schwitzen, werden immer magerer, bis sie hinfallen und verenden[18]. Leichtere Symptome sind: Verweigerung der Nahrungsaufnahme, Lockerwerden der Zähne, wodurch sie am Fressen gehindert werden, oder, wenn die Kühe keine, oder auffallend wenig, oder rötliche Milch geben[19]. So verwandelt sich Gesundheit in Krankheit, Glück in Unglück, Gutes in Böses.

[14] H a l t r i c h *Siebenbürger Sachsen* 259 f. [15] S e y f a r t h *Sachsen* 44; vgl. H e l l w i g *Aberglaube* 9. [16] H a l t r i c h a. a. O. [17] S c h ö n w e r t h a. a. O. 1, 185 Nr. 1. [18] D r e c h s l e r a.a.O. 2, 252; S t r a c k e r j a n 1, 374. [19] S c h ö n w e r t h a. a. O. 1, 310; L e h m a n n *Sudetend. Volksk.* 118; H e l l w i g *Aberglaube* 9 u. 11.

5. Die Zahl der S c h u t z m i t t e l gegen das B. ist außerordentlich groß. Sie lassen sich naturgemäß in 2 Hauptgruppen teilen: in die prophylaktischer und in die therapeutischer Natur. Es kehren die auch gegen andre Übel und Gefahren immer wieder angewendeten zauberischen Mittel hier wieder.

a) Als v o r b e u g e n d gilt: Das Räuchern, insbesondere mit Kehricht aus den 4 Winkeln, Abschabseln von den 4 Tischecken, mit neunerlei Holz[20] u. dgl. m., das Tragen bestimmter Kräuter, z. B. von Wermut[21] und verschiedener Amulette, unter denen metallene Gegenstände eine besondere Rolle spielen. So werden dem Kind alte Münzen[22] um den Hals gehängt, oder am Häubchen über der Stirn aufgenäht, Messer, verrostetes Eisen, Stahl, Scheren[23] u. ä. m. in die Wiege oder ins Bett gelegt. Als schützend wird auch Korallenpulver oder Korallenschnüre[24] angesehen, auch sog. „Beschreibändchen"[25], die den Kindern ums Handgelenk gebunden, — gewöhnlich 3 eckige — Stoffsäckchen, die, mit stark riechendem Gewürz, oder Weihrauch oder Getreidekörnern u. dgl. m. gefüllt[26], auch mit eingesticktem Natternkopf versehen[27], umgehängt werden; kleine Kinder, besonders Säuglinge, nicht allein zu lassen[28]; das Lecken des Kreuzzeichens[29] auf die Stirn des Kindes durch die Mutter oder Amme; das Aussprengen von Weihwasser, Kreuze schlagen[30] und

verschiedene, teils obszöne (Dämonenabwehr[31]), teils segnende Redensarten, vor allem aber das apotropäische Ausspucken[32] des Besuchenden beim Anblick des Säuglings. Die wirksamste Vorbeugung bei gehörtem oder gesprochenem Lob ist die sofortige Verwahrung, das Hinzusetzen von „unberufen, unbeschrien" (s. d.) verbunden mit meist 3maligem an den Tisch (besonders die untere Seite der Tischplatte) klopfen (s. abklopfen), ausspucken, an anderes denken, Abwehrworte murmeln, auf das vorher Gelobte schimpfen, Daumen halten, u. ä. m.[33].

Gegen das B. ist weiters gefeit, wer ein Stück Wäsche verkehrt, oder von links anzieht[34], wer unter seiner eigenen Tür steht[35], Brautleute, die sich am Hochzeitstag übers Kreuz waschen[36], u. dgl. m. Auch Schweigen, Verweigerung der Antwort an fremde Besucher der Wöchnerinnenstube[37], die Anwendung bildlicher Ausdrücke bei den Verlobungs- und Hochzeitsgebräuchen[38], dient als Schutzmittel.

b) h e i l e n d: Ist das B. bereits erfolgt, sucht man den Schaden teils durch Worte, teils durch Manipulationen, bzw. durch beides, wieder gut zu machen. Hieher gehören:

Verschiedene Zauber- und mehr noch Segensformeln und Gebete, meist wieder mit Ausspucken, Bekreuzen u. ä. m. verbunden. Die Sprüche weisen den charakteristischen Aufbau der Zauberformeln überhaupt (s. d.) auf; nach Aufzählung der verschiedenen Möglichkeiten, durch die das B. erfolgt sein konnte, wird diese, meist unter Anrufung göttlicher Personen, vor allem der hl. Dreifaltigkeit, zum Schwinden aufgefordert[39]. Auch Beschwören und Verwünschen[40] des B.s wird erwähnt.

Die Wirkung des B.s wird aufgehoben, wenn man dem Beschreienden ins Gesicht sagt, daß er beschrien habe[41], oder wenn man dem Frevler etwas Böses anwünscht[42].

Unter den Handlungen begegnet wieder: Räucherung[43] des Kindes mit neunerlei Holz, Umhängen von Amuletten,

z. B. sog. „Froaszetteln"[44]), Umhüllung
mit dem sog. „Chrisamhemd" (d. i. ein
Hemd, das 3 ehrliche Mütter für ihre
Knaben gebraucht haben)[45]), Verwendung
von (Pflug-) Eisen[46]), Belecken der
Stirn[47]), wiederholtes Spucken[48]) über
Kopf und Rücken, auf die Seite, meist
mit Hersagen eines Spruches verbunden.
Als Heilmittel dient weiters: das Streichen
oder Abwischen[49]) von Gesicht,
Rücken usw. mit Windeln, nassen, in
ekelerregende Substanz getauchten Tüchern[50]),
Auflegen von Hühnerdarm[51]),
Kot[52]) u. dgl. m., Baden in einem Absud
von sog. „Beschrei- und Berufkraut"[53])
(s. d.), in gekochtem Frauenflachs, Süßholz
u. ä. m.[54]), Waschen des Kopfes oder
anderer Körperteile in Wasser, in welchem
glühende Kohlen gelöscht wurden[55]),
Trinken davon[56]), Eingeben von sog.
„Äscherchen"[57]), von Geschabsel, Kehricht
aus den 4 Winkeln, Abgeschabtem
von den 4 Tischecken[58]), von pulverisierten
Teilen der getrockneten Nabelschnur[59]),
Riemenstückchen[60]), sowie
endlich die Backofenprodezur[61]): das
Kind wird 3mal schnell in den Backofen
hinein- und wieder herausgelegt. Es stirbt
dann entweder bald, oder gedeiht wieder.
Dies ist eine uralte, heidnische Sitte,
filium in fornacem ponere[62]).

[20]) G r i m m *Myth.* 3, 434 Nr. 2; V e r n a -
l e k e n *Alpensagen* 413. [21]) G r i m m *Myth.*
3, 442 Nr. 234. [22]) W i t t s t o c k *Siebenbürgen*
73 f.; H a l t r i c h a. a. O. [23]) H a l t r i c h
a. a. O.; P l o ß *Kind* 1, 132 f. [24]) H o v o r k a -
K r o n f e l d a. a. O. [25]) D r e c h s l e r 2, 265.
[26]) H a l t r i c h a. a. O.; W i t t s t o c k a.
a. O.; S e l i g m a n n *Blick* 2, 98. [27]) W i t t -
s t o c k a. a. O. [28]) H a l t r i c h a. a. O.
[29]) Ebd. [30]) S c h ö n w e r t h a. a. O. 1, 185
Nr. 4. [31]) Ebd. 186 Nr. 5. [32]) Ebd.; K u h n
u. S c h w a r t z 459 Nr. 438. [33]) K u h n u.
S c h w a r t z 459 Nr. 438; S e l i g m a n n
a. a. O. 2, 287; L a n d s t e i n e r *Niederöster-*
reich 42. W u t t k e 282 § 413; 308 § 453.
[34]) G r i m m a. a. O. 3, 434 Nr. 3. [35]) S c h ö n -
w e r t h a. a. O. 3, 261 Nr. 5. [36]) G r i m m
a. a. O. 3, 450 Nr. 488. [37]) S c h ö n w e r t h
a. a. O. 1, 186 Nr. 7. [38]) S a r t o r i *Sitte u.*
Brauch 1, 54; vgl. auch 2, 81 und die dort angeführten Stellen. [39]) *Z. D. Urquell* 2 (1891), 63.
[40]) G r o h m a n n a. a. O. 157. [41]) Ebd. 155.
[42]) *ZfVk.* 23, 134. [43]) S c h ö n w e r t h a. a. O.
1, 187 Nr. 11. [44]) Ebd. [45]) Ebd. [46]) H a l t r i c h
a. a. O. [47]) S c h ö n w e r t h a. a. O. 1, 186
Nr. 10. [48]) Ebd. [49]) Ebd. Nr. 11, 310; H a l -

t r i c h a. a. O. [50]) ebd.; S c h ö n w e r t h
a. a. O. 1, 130. [51]) S c h ö n w e r t h a. a. O.
[52]) Ebd. Nr. 13. [53]) A l p e n b u r g a. a. O.
[54]) S c h ö n w e r t h a. a. O. 1, 187 Nr. 11.
[55]) H a l t r i c h a. a. O. [56]) Ebd. [57]) Ebd. 260;
W i t t s t o c k a. a. O. 78; H i l l n e r *Sieben-*
bürgen 22. [58]) S c h ö n w e r t h a. a. O. Nr. 11;
1, 310. [59]) H a l t r i c h a. a. O.; W i t t s t o c k
a. a. O. [60]) H a l t r i c h ebd. [61]) V e r n a l e k e n
Alpensagen 343; S c h ö n w e r t h a. a. O. 187
Nr. 13. [62]) S c h ö n w e r t h ebd.

6. Will eine Mutter w i s s e n, ob ihr
Kind b e s c h r i e n ist, so lecke sie an
seiner Stirn; ist es b., schmeckt die Stirn
gesalzen[63]). Daher lecken Mütter jeden
Morgen die Stirn ihres Kindes[64]). Auch
stellt man unter seine Wiege ein Gefäß
mit fließendem Wasser und wirft ein Ei
hinein; schwimmt es oben, dann ist das
Kind b., im andern Falle sinkt es unter[65]),
oder man steckt ein Messer ins Brot, wird
es rostig, ist das Kind b.[66]) u. ä. m.

[63]) G r i m m a. a. O. 3, 434 Nr. 2; S c h ö n -
w e r t h a. a. O. 186 Nr. 9. [64]) S c h ö n -
w e r t h ebd. [65]) G r i m m a. a. O. 3, 470
Nr. 966; H o v o r k a - K r o n f e l d a. a. O.
[66]) L e o p r e c h t i n g *Lechrain* 18.

7. Die Furcht vor dem B. werden läßt
sich psychologisch dahin erklären, daß,
wie bösen Worten: B o s h e i t s z a u b e r,
so Lob und Schmeichelei: versteckter
N e i d innewohnend gedacht wird. Dieser
Gedanke liegt dem Egoismus des Naturmenschen
besonders nahe, der, was er lobt,
was ihm gefällt, auch besitzen will. Wie
Fluch und Segen, so wird auch dem Neid
nach allgemeinem Volksglauben unmittelbare
Wirkung zugeschrieben. Man fürchtet
also, daß das gelobte Kind oder Vieh
oder sonstige Stücke des Eigentums infolge
des Neides des Lobenden zugrundegehen
müßten. Um dies zu verhüten,
muß der Lobende die früher erwähnten
Vorsichtsmaßregeln beachten[67]).

[67]) vgl. W u t t k e 166 § 224; H e l l w i g
Aberglaube 9; S t r a c k e r j a n 1, 47. Dazu
M e y e r *Relig.gesch.* 139.

8. Zur L i t e r a t u r (vgl. a. besprechen)
sei noch hingewiesen auf Pauly-Wissowa,
Art. 'fascinum'; Ploß, Kind
1, 122—136; Wundt, Mythus u. Religion
1, 488 ff.; *WS.* 7 (1921), 102 ff.; Schnippel
O.- u. W.preußen 1, 9 ff.

Perkmann.

Berufkraut (blaue Dürrwurz; Erigeron acer).

1. B o t a n i s c h e s. Korbblütler mit lineallanzettlichen Blättern und blaßrot oder lila gefärbten, innen gelben Blütenköpfen. Die Früchte tragen eine weißliche Federkrone. Häufig an Wegrändern, an Rainen, an Mauern, an sandigen Plätzen usw. [1]). Der Name B. gilt auch noch für eine Anzahl anderer Kräuter, die im Aberglauben gegen das „Berufen" gebraucht werden, so für das Christophskraut (Actaea spicata), die Dürrwurz (Inula conyza), den Frauenflachs (Linaria vulgaris), das Kreuzkraut (Senecio vulgaris), die Sumpfgarbe (Achillea ptarmica), den Wundklee (Anthyllis vulneraria), den Ziest (Stachys recta), s. diese. Im gleichen Sinn wird für die genannten Pflanzen die Bezeichnung 'Beschreikraut' gebraucht.

[1]) M a r z e l l *Kräuterbuch* 309 f.

2. Ist ein Kind beschrien, so wäscht es die Mutter mit dem Absud des „Beschreikrautes" (welche Pflanze?). Wird die Brühe nach dem Waschen gallertartig, so war das Kind beschrien, bleibt sie klar, so war dem Kind auf andere Weise etwas angetan [2]). Wer B. bei sich hat, dem kann niemand etwas antun. Wenn B. im Stall ist, ist auch das Vieh geschützt [3]). Das kanadische B. (Erigeron canadensis) wird als „Widerruf" zum Räuchern (des behexten Viehs) verwendet (Jena) [4]). Auch in Berliner Apotheken soll diese Art gegen das „Beschreien" verkauft werden. Die Verwendung des kanadischen B.s im deutschen Aberglauben ist insofern bemerkenswert, als diese aus Nordamerika stammende Art sich erst im 18. Jh. bei uns einbürgerte [5]).

[2]) W i t z s c h e l *Thüringen* 2, 251; ähnlich bei den Slowenen: H o v o r k a - K r o n - f e l d 2, 228 f.; vgl. auch M e y e r *Baden* 569. [3]) S c h u l e n b u r g *Volkstum* 162. [4]) Irmischia 2 (1882), 38. [5]) Über B.er im allgemeinen vgl. G r i m m *Myth.* 2, 1000; H o v o r k a - K r o n f e l d 1, 61 f.; S e l i g m a n n *Blick* 2, 56; M a r z e l l *Pflanzenwelt* 111 f.

3. Gegen den D o n n e r steckt man B. an die Fenster und in die Ställe (Oberösterreich) [6]), oder hängt es unter das Dach oder an den Dachsparren [7]).

[6]) H o e f e r *Etym. Wb. der in Oberdeutschl. üblichen Mundart.* 1 (1815), 146; B a u m g a r - t e n *Aus der Heimat* 1862, 129. [7]) Mitteil. Anhalt. Gesch. 14, 14.

Vgl. auch D ü r r w u r z.   Marzell.

berühren. 1. B. als magische Handlung gedacht, vermittelt den Übergang geheimer, einem überirdischen oder irdischen Wesen, bzw. leblosen Ding, innewohnender Kräfte auf ein anderes und stellt dadurch eine engere Beziehung zwischen diesen beiden, bzw. zwischen einer größern Gemeinschaft, her.

Die magische Kraft (das Orenda) ist nach primitiver Vorstellung etwas Körperliches, eine Art Stoff (Fluidum), der ausstrahlt und sich dem Berührten mitteilt; seine Rezeption glaubt man mitunter sogar durch Gewichtszunahme feststellen zu können [1]). Durch B. kann alles, körperliche und geistige Eigenschaften, übertragen werden, so z. B. auch die Weisheit des Lehrers auf den Schüler [2]); durch B. wird die persönliche Verbindung mit der Gottheit herbeigeführt [3]): „die Heiligkeit ist ein Fluidum, das durch B. übergeht" [4]).

Das B. wird vor allem unmittelbar gedacht, verstärkt wird seine Wirkung durch Essen und Trinken (s. d., vgl. auch Kommunion), kann aber auch mittelbar (durch Anwesenheit im selben Raum) erfolgen [5]).

Die Übertragung des Orenda erfolgt in erster Linie durch die Gottheit, bzw. das von göttlicher Kraft erfüllt gedachte Objekt selbst, weiterhin aber, in logischer Fortführung des Gedankens, auch durch Objekte, die mit jenem in B. gebracht wurden, also mittelbar. Darauf beruht die christliche Praktik der künstlichen Reliquien (s. d.; vgl. auch weihen, segnen). Aus der sakramentalen Bedeutung hat sich die kathartisch-apotropäische entwickelt.

Die magische Kraft geht auf alles über, was mit ihr in B. kommt. So z. B. haben Kleider und Marterwerkzeuge eines Märtyrers [6]), die Fußspur, die er getreten (vgl. den „Herrgottstritt") [7]), ja sogar sein Schatten [8]) Wunderkraft.

Durch gemeinsames B. eines von göttlichem Geist erfüllt gedachten Wesens oder Gegenstandes seitens mehrerer Menschen wird ein Bund dieser Menschen hergestellt[9]). Hieher gehört z. B. die Verwendung des Fürstensteins der Slovenen bei der Herzogswahl[10]) (vgl. a. die Kultsteine der Semiten)[11]), oder die Kettenbildung zwischen Lehrer und Schülern behufs Gedankenübertragung[12]).

[1]) vgl. Reliquien. [2]) ARw. 14, 314 f.; 17, 666 f. [3]) G o l d m a n n *Einführung* 148 und die dort zitierten Stellen. [4]) S m i t h *Rel. d. Semiten* 155 Anm. 304; O l d e n b e r g *Rel. d. Veda* 332. 482. 498 f.; vgl. ARw. 14, 314 f. [5]) ARw. 14, 314 f.; vgl. P f i s t e r in P a u l y W i s s o w a II (Kultus). [6]) Z. B. Matth. 9, 20; Marc. 5, 25; Luk. 8, 43; Apostelgesch. Act. 19, 12. [7]) z. B. P f i s t e r *Schwaben* 43 f. [8]) Apostelgesch. Act. 5, 15. [9]) P f i s t e r in P a u l y W i s s o w a ebd. [10]) G o l d m a n n ebd. [11]) S m i t h ebd. [12]) ARw. 17, 666 f.

2. Die **W i r k u n g** des B.s hängt von der Art der rezeptierten Kraft ab.

a) Das B. einer Gottheit bringt nach antikem Glauben den Tod[13]); hier ist das Orenda offenbar zu „stark", als daß es von einem Sterblichen ertragen werden könnte. Ebenso wirkt das B. eines von der Gottheit erfüllt gedachten Objekts (Nerthuswagen und -schiff[14]), Bundeslade der Israeliten[15]), Schmackosterrute[16]) u. ä. m.).

b) Das B. als **H e i l z a u b e r**, prophylaktischer wie auch therapeutischer Art gedacht, liegt den Bräuchen zugrunde, die sich auf den Zweigsegen beziehen (Schlag mit der Lebensrute, s. d.), verschiedenen Gebräuchen bei Geburt, Hochzeit und Tod[17]), Weihe- und Segnungsriten (vgl. Kuß), der Anwendung sympathetischer Mittel in der Volksmedizin[18]) (s. a. Amulett, Reliquien) und tritt am deutlichsten beim Handauflegen hervor (s. d.).

c) Als **S c h a d e n z a u b e r** verursacht das B. alle erdenklichen Übel und Schäden[19]), Krankheit[20]) und Tod[21]).

Hier sind es besonders bestimmte Wesen, die als Träger des schadenbringenden Orenda immer wiederkehren: Dämonen, geisterhafte Tiere (z. B. Frosch[22]), Kröte[23]), Eidechse[24]), Teufel[25]), Hexe[26])) bzw. in Verruf stehende Personen[27]).

d) Durch B. eines von göttlicher Kraft erfüllten Gegenstandes werden auch **D i e b e g e b a n n t**[28]).

e) Das B. kann auch Zauber[29]) und Heilkraft aufheben[30]), **e n t z a u b e r n d** und **e n t w e i h e n d** wirken (vgl. unten die Verbote).

f) Schließlich wird es als **G e g e n z a u b e r** gegen die Wirkung des bösen Blicks angewendet. Durch B. des Objektes, das er ansieht, verhindert der Besucher eine etwaige schädliche Beeinflussung desselben durch seinen Blick[31]).

[13]) M a n n h a r d t 1, 595 (vgl. den Schlag durch Erlkönigs Tochter! s. a. Schlag). [14]) T a c i t u s *Germ.* 40; dazu M a n n h a r d t 1, 575. 595. [15]) IV. Mos. 4, 15 u. 19 f.; II. Sam. 6, 6 f.; I. Chron. 14, 9; 16, 13. [16]) M a n n h a r d t 1, 595. [17]) Z. B. G r i m m *R.A.* 1, 96 ff. [18]) z. B. H e y l *Tirol* 788 Nr. 147. [19]) z. B. S t r a c k e r j a n 1, 345; M e y e r *Aberglaube* 253; H e y l *Tirol* 795 Nr. 207. [20]) S t r a c k e r j a n ebd.; B i r l i n g e r *Volksth.* 1, 145; ZfdMyth. 2 (1854), 69; F o g e l *Pennsylvania* 333 Nr. 1773; L e n g g e n h a g e r *Sagen* 57; K ü h n a u *Sagen* 2, 561. [21]) Alemannia 37 (1909), 9; SAVk. 2, 106; K ü h n a u *Sagen* 2, 562; M e i c h e *Sagen* 44; M e y e r *Aberglaube* 153. [22]) H e y l *Tirol* 787 Nr. 142. [23]) Ebd. [24]) S c h ö n w e r t h *Oberpfalz* 3, 259. [25]) K ü h n a u *Sagen* 2, 561. [26]) S e l i g m a n n 2, 561. 288; Alemannia 37 (1909), 9; M e y e r *Aberglaube* 253; ZfdMyth. ebd.; L o h m e y e r *Saarbrücken* 14; S t r a k k e r j a n 1, 345. [27]) S e l i g m a n n 2, 288. [28]) W o l f *Beitr.* 2, 50; Menschen sich willenlos zu eigen gemacht: H e y l *Tirol* 787 Nr. 142; vgl. dazu M e i c h e *Sagen* 44. [29]) G r i m m *Myth.* 3, 466 Nr. 884. [30]) L ü t o l f *Sagen* 139; vgl. auch Kuß. [31]) S e l i g m a n n 2, 288.

3. Die schädlichen Wirkungen des B.s haben die Aufstellung verschiedener **V o r s i c h t s m a ß r e g e l n u n d V e r b o t e** zur Folge gehabt. Träger des göttlichen Numens oder eines Dämons dürfen nicht mit bloßer Hand berührt werden, sonst stirbt der Berührende. Ebenso Gegenstände, die für Geister bestimmt sind, z. B. Nixenspeise, Allerseelenspeise u. ä. Den Körper der Drud darf man nicht anrühren, da sie sonst stirbt[32]) (Entzauberung). Zunder darf man nicht mit den Fingern b., sonst fängt er nicht[33]); gefundene Hufeisen[34]), sympathetische Mittel verschiedener Art[35]) verlieren durch B. ihre Kraft, wiederkehrende Tote entschwinden[36]).

Sieht man an Jemandem einen äußern Schaden, ein Geschwür u. ä. oder beschreibt man dies, so darf man weder sich noch andere an der betreffenden Stelle b., sonst bekommt man dasselbe Leiden [37]).

Unter den Schutzmaßregeln spielt das sofortige Zurückb. als Abwehrzauber eine besondere Rolle [38]). Gegenmaßregeln solcher Art treten im Zauber immer wieder hervor (vgl. den Art. besprechen).

[32]) S c h ö n w e r t h *Oberpfalz* 1, 217; vgl. dazu L ü t o l f *Sagen* 481. [33]) G r i m m *Myth.* 3, 443 Nr. 270. [34]) F o g e l *Pennsylvania* 332 Nr. 1764. [35]) G r i m m *Myth.* 3, 466 Nr. 884; H e y l *Tirol* 758 Nr. 41; ZföVk. 9, 216. [36]) K ü h n a u *Sagen* 2, 91. [37]) D r e c h s - l e r 2, 264 f. [38]) S e l i g m a n n 2, 288.

4. Der **G l a u b e** an den B.zauber ist sehr alt und weitverbreitet. Er findet sich bei Natur- [39]) und Kulturvölkern: in Ägypten [40]), Indien [41]), Griechenland [42]), bei Juden [43]), bei Germanen [44]), im alten Christentum [45]) wie im MA. [46]). Er lebt auf im Zeitalter der Renaissance [47]) und später zu Beginn des 19. Jhs. durch die Lehre vom tierischen Magnetismus und ist auch heute noch keineswegs ausgestorben [48]).

Die ursprüngliche Bedeutung des B.-aktes, durch welchen der rezeptierende Teil gänzlich dem Gebenden verfällt, in seine Gewalt übergeht (vgl. oben 2 d mit Anm. 29), hat sich am klarsten bei der Eidablegung erhalten: hier b. der Schwörende den von göttlicher Kraft erfüllt gedachten Stab (s. d.), wodurch er ihr verfällt. Ist er ein Meineidiger, wird er tabu im schlechten Sinne, stirbt. Die magische Kraft nimmt dann Besitz von ihm [49]).

[39]) L e h m a n n *Aberglaube* 28. [40]) F. P r e i - s i g k e *Vom göttl. Fluidum nach ägypt. Anschauung* (Papyr. Inst. Heidelb. 1, 1920). [41]) ARw. 14, 314 ff. [42]) Ebd.; ZfVk. 15, 76 u. die dort angeführten Stellen; P f i s t e r Art *Kultus*, P a u l y - W i s s o w a 11, 2, 2169 ff. [43]) ARw. 17, 666 f. [44]) T a c i t. *Germ.* 40; dazu M a n n - h a r d t 1, 575. 593. [45]) Z. B. Matth. 9, 20; Mark. 5, 25; Luk. 8, 43; Act. 3, 6 f.; 5, 15; 6, 6; C l e m e n *Reste* 119. 128. [46]) S t e m p l i n - g e r *Aberglaube* 40 f.; P f i s t e r *Schwaben* 42 ff.; D e r s., P a u l y - W i s s o w a a. a. O. 2158. [47]) S p r e n g e l in E r s c h - G r u b e r 1, 192 ff. [48]) Z. B.: B. im Kult zur Weihe

und Heilung, im Recht als Sicherung des Eides und der Besitznahme (vgl. G r i m m *RA.* 1, 96 ff.; 2, 126 ff. 545 ff.), im Symbol des Backenstreichs (bei der Firmung), des Ritterschlags, wie des Handschlags im Alltag. [49]) P f i s t e r in P a u l y - W i s s o w a a. a. O.

Als **E i d z e r e m o n i e** begegnet uns das B. bei den Indogermanen [50]) und in der Bibel [51]), und für ihre Wichtigkeit spricht auch die Möglichkeit einer Etymologie, die das Schwören geradezu nach dem Anfassen benennt [52]).

[50]) S c h r a d e r *Reallex.* 1, 66. [51]) I. Mose 24, 2; 47, 29. [52]) s. a. ARw. 15, 348; vgl. G r i m m *RA.* 2, 545 ff.   Perkmann.

berußen s. M a s k e , R u ß.

Beryll (Aquamarin). Griech. βήρυλλος lat. beryllus, mhd. berille, wegen seiner meergrünen Farbe auch Aquamarin genannt. Im MA. setzte man geschliffene durchsichtige Abarten des Halbedelsteins (ebenso wie den vielfach mit ihm verwechselten Bergkristall) in Monstranzen und Reliquienbehälter ein, um den Inhalt sichtbar zu machen. Dies führte durch Beobachtung der optischen Wirkung um 1300 zur Verwendung des B.s zu der nach ihm genannten Brille [1]).

Die Alten schrieben dem B. Heilkräfte bei Augenerkrankungen zu. Er sollte auch die Eigentümlichkeit haben, in den Händen falscher Zeugen schwarz zu werden [2]). Wie der Kristall wurde der durchsichtige B. als Zauberspiegel verwendet, der dem Hineinschauenden die Zukunft enthüllen sollte (vgl. Kristall) [3]). Paracelsus erwähnt wiederholt diese Verwendung des B.s in der Schwarzkunst [4]). Im MA. glaubte man, Wasser, in dem ein B. gelegen, sei gut für die Augen, beseitige, getrunken, den Schlucken, verhindere das Anschwellen der Halsdrüsen und heile Halsentzündungen. Auch andere Heilwirkungen, vor allem bei Krankheiten des Magens und der Leber, wurden ihm beigemessen [5]). Eine gelbgrüne Abart des B.s galt nach dem Grundsatze similia similibus curantur als besonders wirksam gegen Gelbsucht und Leberleiden [6]).

Der B. ist Monatsstein für die im Oktober Geborenen; noch heute wird er als solcher gern getragen. Er soll dem, der ihn trägt, Ansehen verleihen und Liebe und Einigkeit zwischen Eheleuten erhalten [7]).

[1]) S c h a d e s. v. berille 1324 f.; S c h r a d e r *Reallex.* 2, 1, 211; K l u g e *EtWb.* s. v. Brille; G r e e f Nic. v. Cusa *de beryllo* = Ztschr. f. ophthalmol. Optik 1917, 42 ff. [2]) P a u l y - W i s s o w a 3, 320 f.; S c h r a d e r *Reallex.* a. a. O.; G r i m m *Myth.* 2, 1019 f. [3]) S c h i n d l e r *Aberglaube* 253; G r i m m *DWb.* 5, 2483 s. v. Kristall. [4]) P a r a c e l s u s 125. 155. 114; vgl. P a n z e r *Beitrag* 2, 270. [5]) ZfdA. 18 (1875), 431 Nr. 11; M e g e n b e r g *Buch der Natur* 375; M a r b o d 203 f.; L o n i c e r 60; Z e d l e r 2, 1455 s. v.; S c h a d e a. a. O. [6]) H o v o r k a - K r o n f e l d 2, 107. [7]) L o n i c e r 60; M e g e n b e r g a. a. O.; s. Monatssteine u. Th. K ö r n e r *Die Monatssteine* Str. 10.   Olbrich.

beschreien s. b e r u f e n.

Beschreikräuter s. B e r u f k r a u t.

Beschwörung, beschwören.

1. Begriff. — 2. B. bei den Primitiven. — 3. B. bei den alten Kulturvölkern. — 4. B. im germanischen Altertum. — 5. Arten der B. — 6. Person des Beschwörers. Vorbereitung. — 7. Hilfsmittel zur B. — 8. B.sformel. a) Magische Kraft der Worte und Namen. b) Magische Kraft der Sprache und Musik. c) Die erzählende Formel. d) Die befehlende Formel. e) Christliche Elemente. — 9. Die begleitenden Handlungen. — 10. Erscheinung der beschworenen Macht. Rück-B. Gefahren der B. — 11. Ort und Zeit der B. — 12. Zweck der B.

1. B. ist die mit magischen Worten und Handlungen erfolgende Herbeirufung einer stärkeren Macht, um diese dem Willen des Beschwörers untertan zu machen. Häufig tritt hinzu ein Sichberufen auf ein noch Stärkeres, z. B.: „Ich beschwöre dich, du Gicht oder Gesicht, bei dem unschuldigen Blut unseres Herrn Jesu Christi" [1]). Von diesem Gesichtspunkte aus geschah im Deutschen die Wahl des Wortes: b. heißt, jemand unter Anrufung eines heiligen oder geliebten Gegenstandes dringend, inständig bitten [2]). Diese Bedeutung hat das Wort, neben der noch heute gebräuchlichen Bedeutung: beteuern, schon im Ahd. und wird so zugleich mit den Ausdrücken: *munigôn* und *manôn* gebraucht: „Sîs bimunigôt thuruh then himilisgon got, bisuoran thuruh thes forahta, ther alla worolt worahta!" [3]).

Die B. soll den Willen eines andern mit Gewalt beugen, sie ist ein aufgenommener K a m p f. Dadurch unterscheidet sie sich im Prinzip von B e s p r e c h u n g (s. d.) und S e g e n (s. d.), die, ohne persönliche Auseinandersetzung mit der beschworenen Macht und ohne den großen Hintergrund der Magie nur zu Heilzwekken geübt, stets volkstümliche Zauberhandlungen bleiben, während die Kunst der B. mehr den gesellschaftlich höherstehenden Kreisen, den Alchimisten und „Gelehrten", zukam und großen Anteil hat an den Geheimwissenschaften des MA.s, über die hinweg ihre Fäden zur Theurgie der Antike und Ägyptens laufen [4]). In der Praxis freilich gehen die genannten Übungen oft ineinander über. Doch haben Besprechung und Segen, wie auch der E x o r c i s m u s (s. d.) stets den Zweck, den beschworenen Dämon zu verjagen, während er bei der B a n n u n g (s. d.) festgehalten wird. Die B. ist auch dem G e b e t (s. d.) verwandt, doch tritt sie nicht demütig an die Gottheit heran, sondern fordert von ihr oder ruft ihre Hilfe im bevorstehenden Kampfe an [5]).

[1]) Formel aus d. Böhmerwalde s. ZfVk. 1, 210. [2]) G r i m m *DWb.* 1, 1607. [3]) O t f r. 4, 19, 47. [4]) L e h m a n n *Aberglaube* [3] 144. [5]) ZfVk. 5, 4 ff.

2. Die B. ist schon in den niedrigsten Kulturschichten vorhanden. Sie gehört zu den primitivsten menschlichen Affektäußerungen, die den Kultus erst vorbereiten [6]). Durch B. wird ein beliebiges Objekt zum F e t i s c h erhoben [7]), und sie bleibt stets ein wesentlicher Bestandteil des Fetischkults [8]). Die Intichiumazeremonien der Australier sind B.en der T o t e m - tiere und -pflanzen [9]). Auf a n i m i s t i s c h e r Stufe ist die B. eine dem Opfer ähnliche kultische Handlung, um Götter oder Dämonen zu gewinnen [10]). Die B. ist dem Primitiven Beherrschung der ihn umgebenden Welt. Nach australischen Mythen haben die Kulturbringer der früheren Zeit die Menschen die B. gelehrt [11]); namentlich die ärztliche Kunst des Primitiven ist reich an B.en [12]), und der Geist des Toten wird durch B. von

den Wohnstätten der Lebenden ferngehalten [13]).

[6]) W u n d t *Mythus u. Religion* 2, 62. [7]) V i s -
s c h e r *Naturvölker* I, 234. [8]) W u n d t I[2],
310. [9]) F r a z e r *Totemism* I, 105 ff. [10]) W u n d t
3, 26. 64. 78. 106 u. a. [11])Ebd. 2, 342. [12]) V i s -
s c h e r 2, 462. [13]) W u n d t I[2], 246.

3. Von den a l t e n K u l t u r v ö l -
k e r n hatten schon die vorgeschichtlichen Bewohner Mesopotamiens eine
reiche B.sliteratur entwickelt [14]), die alten
Ägypter besaßen eine ausgebildete Göt-
ter-B.skunst [15]), die Juden kannten, obwohl der Grundsatz des AT. war: alles
Zauberwesen ist Heidentum, doch To-
ten- und Dämonen-B. [16]), und besonders
reich ist unsere Kenntnis von B.en der
Griechen [17]) und Römer [18]). In der hellenistischen Zeit nahm der Neuplatonismus
die Götter-B., die Theurgie, in sein philo-
sophisches System auf, ja er machte sie
zur Gottesverehrung [19]). Von der Antike
hat das Christentum die Praxis der B.
übernommen [20]). Das Dämonenb. wurde
sogar zu einem Akte des kirchlichen Amtes gemacht [21]), und auch heute noch ist
eine der niederen Weihen des katholischen Priesters das Exorzistat.

[14]) L e h m a n n *Aberglaube* [3] 44 ff.; S o l -
d a n - H e p p e I, 16 f. [15]) L e h m a n n [3]
140 ff. [16]) I. Buch Samuelis, cap. 26.; S o l -
d a n - H e p p e I, 27 ff. [17]) *Odyssee* II,
23 ff.; P i n d a r *Pyth.* 4, 214; P l a t o n
Theätet 149; *Euthydem* 209; T h e o c r i t *Phar-
maceutriai*; A p o l l o n i u s *Argonaut.* 3, 1032.
[18]) O v i d *Fast.* 3, 321 ff.; P l i n i u s *nat. hist.*
28, 2; L u c a n *Pharsal.* 6, 554 ff.; V i r g i l
Ecloga 8. [19]) L e h m a n n [3] 83 f. 144 f. [20]) T e r -
t u l l. *Apol.* 23; S t e m p l i n g e r *Volksmedizin* 50 f. [21]) D ö l l i n g e r *Lehrb. d. Kirch.* I, 49.

4. Auch das g e r m a n i s c h e A l -
t e r t u m kennt B.en, wenn auch nicht
auf derselben dämonologischen Grundlage wie der Orient [22]). Der Zauberer der
eddischen Havamál rühmt sich, 18 B.s-
formeln zu wissen [23]); mit Drohung und
B. bricht Skirnir Gerdas Widerstand
gegen die Vereinigung mit Freyr [24]), in
der Eirikssaga stellt die Zauberin einen
magischen Kreis von Menschen her und
läßt ein Mädchen ein Geisterlied, vardh-
lok(k)a, singen, das Geister herbeizieht,
aus deren Erscheinen sie die Zukunft
weissagt [25]). Besonders häufig aber wer-

den Totengeister beschworen [26]). Diese
altgermanische B., die sich auch in den
beiden Merseburger Zaubersprüchen [27])
und einigen gleichzeitigen angelsächsischen Zauberliedern [28]) widerspiegelt,
mischte sich im MA. mit der kirchlichen
B.sübung [29]). Aus diesen Quellen fließt
also die B.spraktik des deutschen Volkes.

[22]) L e h m a n n *Aberglaube* [3] 107. [23]) v. 147
bis 164. [24]) Skirnisför, v. 25—36; M e y e r
Relig.gesch. 134. [25]) Ebd. 146 f.; ZfVk. 27, 98 f.;
MoM. 1916, I ff. [26]) G r i m m *Myth.* 2, 1027 f;
3, 368. [27]) Ebd. 2, 1029 f. [28]) M e y e r *Mythol.
d. Germanen* 33. [29]) Ebd. 33 f. 58 f.

5. Die A r t e n der B. richten sich nach
dem beschworenen Objekt. Es gibt:
Krankheits-, Toten-, Geister- und Teu-
fels-B.en, B.en zur Bannung von Dieben
und Herbeizitierung geliebter Menschen,
B.en von Feuer und Wetter, Haftlieder
und ähnliche Formeln zum Öffnen ver-
schlossener Dinge, Waffenb.en, B.en von
Tieren, insbesondere Schlangen, und von
Pflanzen.

Krankheitsb.en s. ZfVk. 5, 1—40; W u t t k e [4]
§ 227 ff.; B i r l i n g e r *Aus Schwaben* I, 442 ff.;
F r i s c h b i e r *Hexenspr.* 27 ff.; H o v o r k a -
K r o n f e l d 2, 861 ff.; Urquell 2 (1891), 43 f.;
5 (1894), 225; ZfVk. 8, 56 ff. 379 ff.; S e y f a r t h
Sachsen 72 ff.; vgl. W u n d t *Mythus u. Religion*
I[2], 280; s. auch die Artikel Krankheitssegen
und besprechen. Zum weiteren s. auch die Artikel Toten-B., Geister-B., Diebssegen, Liebes-
segen, Feuersegen, Wettersegen, Schlangen-
segen, Wünschelrute (Segen). Toten-B.en s.
Vegtamskvidha, v. 4; G r i m m *Myth.* [4] 2, 1027 f.;
vgl. *Odysee* 11, 23 ff.; B o l l a n d *Acta Sanctor.
Mart.* I, 438. 439; Vitae patrum 2, 37; K l a p -
p e r *Erzählungen* Nr 24. 158; ZfVk. 27, 100 f.
A.1.; K ü h n a u *Sagen* 3, 191 f. 203. 214 f.
Geister-B.en s. HessBl. 4, 167 ff.; B i r l i n g e r
Aus Schwaben I, 360 ff.; K l a p p e r *Schlesien*
236 f.; vgl. Lukian *Philopseudes* cap. 30 u.
P l i n i u s *Ep.* 7, 27; C ä s a r i u s v. H e i -
s t e r b a c h *Dialogus* 5, 3; B e n v e n u t o
C e l l i n i *Selbstbiogr.* übers. v. Goethe 2, c. 1. 2.
Teufels-B.en s. V i n t l e r *Pluemen* v. 35 ff.;
ZfVk. 9, 271. 361 f.; K l a p p e r *Erzählungen*
Nr. 63. 120. 194; G r a b e r *Kärnten* 34 f. 281 f.
289 f. 304 f.; SAVk. 14, 233 f.; G r o h m a n n
211; K i e s e w e t t e r *Faust* 499 f.; K ü h n a u
Sagen 2, 690. Diebssegen s. F r i s c h b i e r
Hexenspr. 112 ff.; B i r l i n g e r *Aus Schwaben*
I, 452 f.; F e h r l e *Zauber u. Segen* 58 f. Feuer-
segen s. F r i s c h b i e r *Hexenspr.* 109 f. Wet-
tersegen s. G r i m m *Myth.* 1028; F e h r l e
ebd. 58; P a n z e r *Beitrag* 2, 272 Nr. 13; S é -
b i l l o t *Folk-Lore* I, 108. Liebessegen s.
F r i s c h b i e r *Hexenspr.* 161 ff.; ZfVk. 8,

398; D r e c h s l e r 1, 13; K ü h n a u *Sagen* 3, 260 f.; M e y e r *Baden* 167 f.; ZfVk. 26, 194 ff.; vgl. K r a u ß *Sitte u. Brauch* 168 f. Haftlieder s. G r i m m *Myth.* 1029. B. von Schloß und Riegel s. G r i m m *Myth.* 1028. B.en der Schatzsucher und -gräber s. K ü h - n a u *Sagen* 3, 772 f. und 769; G r a b e r *Kärnten* 227. 234 f.; B i r l i n g e r *Aus Schwaben* 1, 456; P a n z e r *Beitrag* 2, 279 Nr. 22; M ü l - l e r - B ä c h t o l d *Uri* 1, 276 Nr. 384; vgl. S é b i l l o t *Folk-Lore* 1, 775. Waffen-B. s. K l a p p e r *Schlesien* 233; Ztschr. f. histor. Waffenkunde 8 Heft 1. 2; F r i s c h b i e r *Hexenspr.* 121 f. B. von Tieren s. A t t e n - h o f e r *Sursee* 94; *Zimmerische Chronik* hrsg. v. B a r a c k 3 (Stuttgart 1869), 272 ff.; MSD. 8; F r i s c h b i e r *Hexenspr.* 137 f.; P a n z e r *Beitrag* 2, 272; SAVk. 14, 214 f.; vgl. auch die feierliche Verfluchung der Würmer zu Lau- sanne: A n s h e l m *Berner Chronik* 1 (Bern 1825), 206 und S t e t t l e r *Schweitzer Chronic* 1 (Bern 1626), 278; Zbornik za nar. živ. 15, 132—140; F r a z e r *Totemism* 1, 105 ff. Schlangen-B. s. RhMus. 1905, 315 ff.; vgl. R e i t z e n s t e i n *Wundererz.* 4; L u k i a n *Philopseudes* c. 12; Philipp-Acten, Bonnet- Lipsius 102, 39 f. B.sformel beim Ausgraben von Heilkräutern s. K l a p p e r *Schlesien* 99 f.; B i r l i n g e r *Aus Schwaben* 1, 458. Beim Ab- schneiden der Wünschelrute s. MschlesVk. 7 Heft 13, 53 ff.; B i r l i n g e r *Aus Schwaben* 1, 455 f.; vgl. F r a z e r *Totemism* 1, 107.

6. Der B e s c h w ö r e r selbst eigne sich geistig und körperlich zur B. Er trage ein bestimmtes G e w a n d , das nach Agrippa von Nettesheim von reiner weißer Leinwand und nach allen Seiten geschlossen sei [30]). Nach dem Aberglauben in Böhmen darf ein Hagelbeschwörer kein gestärktes Hemd anhaben [31]). Auf ehemalige N a c k t h e i t des Beschwö- rers geht wohl die Forderung im Aber- glauben Preußens zurück, die B. ent- blößten Hauptes vorzunehmen [32]), ferner einige Bräuche im badischen Liebeszau- ber, wenn das Mädchen nackt oder im bloßen Hemd in der Andreas- oder Tho- masnacht ihr Sprüchlein sagt oder die Stube kehrt, um die Erscheinung des Geliebten herbeizubeschwören [33]). Auch wenn nach jütischem Aberglauben ein unheilbar Kranker, während der Priester auf der Kanzel steht, ganz nackt in die Kirche treten muß, dreimal auf die Altar- stufen laufen und den Namen der Krank- heit laut sagen muß [34]), liegt wohl eine B. des Krankheitsdämons durch einen nackten Beschwörer vor dem Angesichte

Gottes, also unter Beistand Gottes, vor. Besonders wichtig ist die geistige Eig- nung des Beschwörers, der sich vor allem durch R e i n h e i t d e r S i t t e n aus- zeichnen soll [35]). In Sagen aus Kärnten, Südtirol, Schlesien usw. werden ihm vom erschienenen Geiste seine Sünden vorge- worfen [36]), und bei Caesarius von Heister- bach ist das Motiv dahin umgebildet, daß der Dämon eines Besessenen jedem die noch nicht gebeichteten Sünden vor- wirft [37]). Ja, dem sündigen Beschwörer kann der beschworene Geist sogar ge- fährlich werden; so wird bei den Darm- städter B.en von 1717 und 1718 ein Kreis gezogen, „damit wan einer darbey, so nicht in statu gratiae, nicht etwan ihm durch den geist ein schaden geschehe" [38]). Oft wird auch das Rück-B. des gerufenen Geistes schwierig, da sich dieser nur von einem Beschwörer abdanken läßt, von dem er nicht den geringsten Fehltritt weiß. S. darüber unter Rück-B. Der Be- schwörer darf auch k e i n e B e l o h n u n g annehmen [39]) oder erst nach glücklichem Gelingen der B. [40]). Mit der geistigen Eignung des Beschwörers hängt auch die Vorbereitung zusammen, die zuweilen der B. vorangeht.

Nach einer Hs. der Breslauer Stadtbi- bliothek aus dem 16. Jh. muß der Be- schwörer 7 Tage und Nächte keusch und züchtig leben [41]), und nach den Gerichts- akten von Blankenburg a. d. Sieg gilt 3tägiges Fasten als V o r b e r e i t u n g zur B. [42]). Diese Anordnungen gehen auf die Magie des MA. zurück, wie Agrippas von Nettesheim ähnliche Forderungen beweisen [43]), und finden sich im Volks- glauben dahin weitergebildet, daß einer, der den Teufel b. will, 9 Tage nicht beten und Weihwasser nehmen darf [44]). Die Vorbereitung ist nach Agrippa notwendig, „um die nötige Disposition zu erhalten, einen Geist zu sehen und dessen Gedan- ken in sich aufnehmen zu können" [45]). Die Zeit der Vorbereitung ist bei ihm gar ein Monat [46]).

Der B. k u n d i g gelten im Volke na- mentlich gewisse Stände, so die Hirten und die Abdecker [47]). Besonders Frauen sind in dieser Kunst erfahren [48]). In manchen Häusern vererbt sich durch Zauberbücher die Kunst der B. [49]). Auch Geistliche gelten als der B. kundig [50]). Bei Besessenen wandte man sich im MA. lieber an den Geistlichen als an den Arzt [51]). Besonders den katholischen Geistlichen, und unter diesen namentlich den Kapuzinern, traut man geheime Kenntnisse zu und wendet sich an sie auch in protestantischen Gegenden [52]). Zuweilen nimmt der Geisterbeschwörer ein M e d i u m mit in den Kreis, das die dem Beschwörer unsichtbaren Geister wahrnimmt. Bei den Darmstädter B.en ist es ein Mann, der im Quatember geboren ist [53]), in der Magie meist ein reiner, unschuldiger Knabe [54]).

[30]) A g r i p p a v. N e t t e s h e i m ⁴ 4, 97. [31]) G r o h m a n n 34. [32]) F r i s c h b i e r Hexenspr. 26. [33]) M e y e r Baden 168 f.; s. auch G e r h a r d t Franz. Novelle 129. [34]) M e y e r a. a. O. 575. [35]) Für das MA. s. M e y e r Aberglaube 294. [36]) G r a b e r Kärnten 35. 169; M ü l l e r Uri 1, 290 Nr. 405; ZfVk. 9, 77 f.; K ü h n a u Sagen 2, 690. [37]) C a e s a r i u s v. H e i s t e r b a c h Dialogus 3, 1. 2. [38]) HessBl. 4, 169. [39]) Urquell 2, 14. [40]) K ü h n a u Sagen 3, 203. [41]) K l a p p e r Schlesien 236. [42]) ZfVk. 16, 174. [43]) A g r i p p a v. N e t t e s h e i m ⁴ 4, 95 f. [44]) ZföVk. 3, 279 Nr. 9. [45]) A g r i p p a v. N e t t e s h e i m ⁴ 4, 95 f. [46]) Ebd. 96. [47]) F r i s c h b i e r Hexenspr. 24; HessBl. 15, 18 f. [48]) F r i s c h b i e r Hexenspr. 24; vgl. ZfVk. 8, 379 u. H o v o r k a - K r o n f e l d 2, 863. [49]) M e y e r Baden 573. [50]) Für Frankreich s. G e r h a r d t Franz. Novelle 127 ff. [51]) M e y e r Aberglaube 292 f. [52]) Ebd. 295 f.; F r i s c h b i e r Hexenspr. 24 f.; HessBl. 4, 174; S é b i l l o t Folk-Lore 1, 108 ff. [53]) HessBl. 4, 169. [54]) K i e s e w e t t e r Faust 421 ff.; B r u g s c h - P a s c h a Aus dem Morgenlande 44.

7. Der Beschwörer verwendet bei seiner B. gewisse H i l f s m i t t e l. In einer Kärntner Sage hält jeder der drei Beschwörer ein T a l g l i c h t in der Hand [55]), und in schlesischen Sagen werden schwarze und andere Kerzen zur B. verwendet [56]). Bei der sog. „Jenaischen Conjuration", einer 1715 in einem Rebhäuschen bei Jena um eines angeblichen Schatzes willen vorgenommenen B., wurde ein großes K o h l e n f e u e r entfacht; als infolge des dabei entstandenen Kohlendampfes mehrere Teilnehmer erstickten und auch die in der folgenden Nacht aufgestellte Totenwache in Ohnmacht fiel,

schrieb man dies alles dem Teufel zu [57]). Auch in der Antike nimmt der Geisterbeschwörer ein Licht zu seiner B. mit [58]), und ebenso werden in der gelehrten Magie des MAs. bei der B. Lichter nach den vier Weltgegenden aufgestellt [59]). Licht und Feuer scheinen einen Schutz des Beschwörers darzustellen; daher drehen im Märchen die Gespenster jedem den Hals um, der versucht Feuer zu machen [60]). Das in der ma.lichen Magie, bei Agrippa von Nettesheim [61]) und in Fausts „Höllenzwang" [62]) geforderte R ä u c h e r - w e r k, „eine starke Geißlung der Geister, damit man sie zwingen kann", hat sich vielleicht in einem Brauch des preußischen Landvolkes erhalten, schädliche Tiere im Felde auszuräuchern [63]).

Das wichtigste Hilfsmittel des Beschwörers ist der K r e i s. Er hat sich auch der Volksphantasie am schärfsten eingeprägt und fehlt selten in Sagen und Berichten, die eine B. erwähnen. Der Kreis dient zum Schutze des Beschwörers vor den gerufenen Mächten. Besonders bei Geister- und Teufels-B.en tritt oft sinnfällig hervor, wie die Macht der Dämonen am Rand des gezogenen Kreises endet (s. Asyl, Kreis). Meist steht der Beschwörer in dem Kreis, doch kann der Kreis auch der Aufenthalt sein, den der Beschwörer dem beschworenen Dämon anweist, um ihn darin festzuhalten. Bei den Darmstädter B.en wird ein Kreis für den Beschwörer, ein zweiter für den Dämon gezogen [64]). In einer schlesischen B. aus dem 16. Jh. wird der Geist in ein mit Wasser gefülltes Glas beschworen [65]), vgl. Flaschengeister. An Stelle des Kreises findet sich bei nordischen Toten-B.en ein viereckiges Gehege, das zur Verstärkung des Schutzes von neun Linien umzogen wird [66]), und im faerörischen Aberglauben sitzt der Beschwörer auf einem Tierfell [67]). Bei einer spätgriechischen B. gräbt der Beschwörer eine Grube [68]). Zuweilen hat der Beschwörer ein Z a u b e r b u c h bei sich, aus dem er die B. abliest [69]) (s. Zauberbuch). Von den Gegenständen, die nach ma.licher Magie der Beschwörer als weitere Hilfsmittel bei sich haben soll, wie heilige Tafeln, Bilder, Szepter, ein

Schwert, Kleider usw. [70]), ist nichts in den Volksglauben übergegangen. Nur im eben erwähnten faerörischen Aberglauben hat der Beschwörer eine A x t und ein S c h w e r t bei sich [71]).

[55]) G r a b e r *Kärnten* 289. [56]) K ü h n a u *Sagen* 3, 192. 769. 772 f. [57]) K e i l *Geschichte d. jenaischen Studentenlebens* 189 ff. [58]) P l i - n i u s *Ep.* 7, 27. [59]) K i e s e w e t t e r *Faust* 397; A g r i p p a v. N e t t e s h e i m [4] 4, 100. [60]) B o l t e - P o l í v k a 1, 25 f. [61]) A g r i p p a v. N e t t e s h e i m 4, 97 ff. [62]) K i e s e - w e t t e r *Faust* 398 f. [63]) F r i s c h b i e r *Hexenspr.* 138; vgl. K i e s e w e t t e r *Faust* 502 A. 1. [64]) HessBl. 4, 169. [65]) K l a p p e r *Schlesien* 236. [66]) ZfVk. 27, 100 f. A. 1. [67]) Ebd. 103 f. [68]) L u k i a n *Philopseudes* c. 14. [69]) K ü h n a u *Sagen* 3, 192. 769. 773; G r a b e r *Kärnten* 289. [70]) A g r i p p a v. N e t t e s - h e i m [4] 4, 105. [71]) ZfVk. 27, 103 f.

8. a) Die B. selbst zerfällt in das Her-sagen der B.sformel und in die beglei-tenden Handlungen. Von der B.s f o r -m e l sei nur soviel erwähnt, als zum Ver-ständnis der B.sformel als magischen In-struments in der Hand des Beschwörers notwendig ist. (Weiteres s. Segen, Be-sprechung.) Die aus Worten bestehende Formel ist ein starkes und keineswegs geistiges, sondern durchaus materielles Zaubermittel [72]). „Noch stärkere Macht als in Kraut und Stein liegt in dem Wort" [73]), groß ist die Gewalt der verba et incantamenta carminum auch in der Antike [74]), und dem indischen Magier ist die B.sformel eine „mächtige Waffe", mit der er den Beschworenen zwingt: „Die Alâṇḍu und Çalanu (d. s. Würmer) zermalmen alle wir durchs Wort! Mit mächtiger Waffe töt' ich die Alâṇḍu —" [75]) (s. Wort). Nicht selten ist jeder Buchstabe des Zauberwortes das S y m -b o l u m eines ganzen Wortbildes, wie dies bei den Abracadabra-, Sator- und ähnlichen Formeln der Fall ist. Doch gibt es auch B.s- und überhaupt Zauberfor-meln, denen Sinn und Verständlichkeit gänzlich mangeln, deren geheimnisvolle Macht aber für den Abergläubischen ge-rade in der U n v e r s t ä n d l i c h -k e i t liegt und die vergleichbar sind dem Zaubergerät, das sonst zu keinem sinnvollen, alltäglichen Gebrauche dient. Solche unverständliche Formeln sind

Griechen [76]) und Römern [77]), dem deut-schen Volke [78]) und anderen Völkern [79]) bekannt.

Besonders die N a m e n d e r b e -s c h w o r e n e n M a c h t sind starke Waffen in der Hand des Beschwörers. Wer den Namen kennt, hat Macht über seinen Träger, denn der Name drückt das Wesen des Trägers aus (s. Name). Im täglichen Gebrauch scheut man sich oft, die Namen gewaltiger Mächte zu nennen, daher die Geheimnamen der Dä-monen [80]), bei der B. aber wird der Name ausdrücklich genannt und wirkt schon so als B. So zwingt der griechische Ma-gier nur mit „7 heiligen Namen" die Schlangen des ganzen Umkreises her-bei [81]). Um sich eines Dämons besonders gut zu versichern, werden alle seine Na-men genannt, z. B.: „N. N. ich begreife deine Gicht, die Markgicht, Beingicht, Adergicht, Blutgicht, Fleischgicht" [82]). Mit der möglichst vollständigen Aufzäh-lung der Namen im Zusammenhang steht auch das Nennen von „neunerlei Feuer" und andere Zahlenangaben [83]). Die zu be-schwörende Macht wird auch „gefaßt" durch Nennung ihrer Eigenschaften [84]), ihres Geschlechts und ihrer Herkunft [85]), Schilderung ihrer Wirkungen [86]) und Er-wähnung ihres Sitzes, weshalb bei Krank-heits-B.en zuweilen zahlreiche Körper-teile aufgezählt werden [87]). Doch auch der Mensch ist mit seinem Namen innig ver-knüpft; daher wird bei Krankheits-B.en oft der Name des Kranken genannt und zwar wird er meist an den Anfang ge-setzt [88]). Auch die N a m e n G o t t e s u n d a n d e r e h e i l i g e N a m e n wer-den von den „Beschwerern und Segen-sprechern mißbraucht" [89]), um Gott und andere heilige Mächte zum Beistand in dem aufgenommenen Kampfe anzurufen (s. unten Christliche Elemente).

[72]) W u t t k e [4] § 225. [73]) G r i m m *Myth.* 1023. [74]) P l i n i u s *nat. hist.* 28, 2. [75]) Julius G r i l l *Hundert Lieder des Atharva-Veda* 6. [76]) W e s s e l y *Ephesia grammata* 22 Nr. 210. [77]) C a t o *De re rustica* 160. [78]) ZfVk. 8, 60 f.; F r i s c h b i e r *Hexenspr.* 52. 104; ZfVk. 20, 385 Nr. 3, 3 u. 10. [79]) ZfVk. 5, 39 f. [80]) G ü n - t e r t *Göttersprache* 5 ff. [81]) L u k i a n *Phi-lopseudes* c. 12. [82]) ZfVk. 1, 209 Nr. 10; s. auch

208 Nr. 6 u. 9; F r i s c h b i e r *Hexenspr.* 49.
74; S t e m p l i n g e r *Volksmedizin* 46.
[83]) F r i s c h b i e r *Hexenspr.* 63. 101; ZfVk.
5, 33; ebd. I, 194 d. 211. [84]) Vgl. die christlichen Litaneien. [85]) ZfVk. 5, 32 f. [86]) S o l -
d a n - H e p p e I, 17. [87]) H o v o r k a -
K r o n f e l d 2, 864; B i r l i n g e r *Aus Schwaben* I, 450; ZfVk. I, 210 f. [88]) S t e m p l i n -
g e r *Volksmedizin* 45 f.; F r i s c h b i e r *Hexenspr.* 27. 30. 58. 74. 82. 92. [89]) Conrad Wolff
P l a t z *Kurtzer, nothwendiger und wolgegründ-
ter Bericht von dem Zauberischen Beschweren
und Segensprechen.* Nürnberg 1681, 6 f.

b) Die B.sformel war ursprünglich in
g e b u n d e n e r R e d e abgefaßt und
wurde g e s u n g e n (vgl. lat. carmen
„Zauberformel", franz. enchanter). So
sang in der altnordischen Eirikssaga Gu-
drid ein Geisterlied [90]); so ist es auch gekommen, daß viele Ausdrücke des Be-
schwörens und überhaupt des Zauberns
von solchen des Singens und Sagens abgeleitet sind [91]). Diese gebundenen, feierlich gefaßten Worte (verba concepta)
erklären auch den Zusammenhang alles
Zaubers mit der Poesie [92]). Beide Momente, gebundene Rede sowie Verbindung mit Musik, erhöhen die suggestive
und damit auch magische Kraft der B.
Doch ist jetzt die gebundene Form der
B. zumeist der prosaischen gewichen, und
ein Singen der B.sformel findet sich nur
noch bei den Primitiven [93]). Einen gewissen Ersatz bietet die M o n o t o n i e
mancher Formeln, die durch Wiederholung von gleichen Worten [94]) oder ähnlichen Wortgruppen [95]) eine suggestive
Wirkung ausüben, die die Kraft und Ein-
dringlichkeit der B. in hohem Maße verstärkt.

[90]) Cap. 4; M e y e r *Relig.gesch.* 146 f.
[91]) G r i m m *Myth.* 2, 1023. [92]) Ebd. [93]) F r a -
z e r *Totemism* I, 105 f. [94]) Substantiva: bên zi
bêna, bluot zi bluoda, etc. s. G r i m m *Myth.*
2, 1030 f.; Adjectiva: ZfVk. I, 207 Nr. 4;
ZfVk. 8, 384 Nr. I; Numeralia: S t e r n *Türkei*
I, 355; Verba: ZfVk. I, 209 ff.; K l a p p e r
Schlesien 235. [95]) ZfVk. I, 203 Nr. 6; H o -
v o r k a - K r o n f e l d 2, 864.

c) Die B.sformel ist als Anrufung und
Zwang einer Macht ihrer Natur nach befehlend. Doch ist sie zuweilen auch e r -
z ä h l e n d, d. h. sie weist, meist am
Anfang, einen epischen Teil auf, der dann
in die befehlende B. übergeht, doch auch

allein vorkommt. Die erzählende Formel, deren klassische Beispiele die 2 Merseburger Zaubersprüche [96]) sind, beruht
auf der Anschauung von der Sympathie
alles Seins: aus der Erzählung einer früheren Heilung, Diebsbannung usw. leitet
sich die magische Kraft für den vorliegenden Fall ab. So hat auch bei den
Primitiven die bloße Erzählung schon
Zauberwirkung [97]). Wuttke [98]) hält daher
die erzählende Form für die ältere, während Hälsig [99]) und Seyfarth [100]) die befehlende für ursprünglicher ansehen. Die
Erzählung hat gewisse stereotype Formen angenommen. Gerne wird, namentlich in Krankheits-B.en, ein D i a l o g gebracht: Gott, Jesus, Maria oder ein Heiliger, die alle den alten Wodan der 2. Merseburger Formel verdrängt haben, begegnen dem Krankheitsdämon [101]), dem Erkrankten [102]), einer erkrankten göttlichen
Person [103]), 3 Brüdern, die ein Heilkraut
suchen [104]), einer göttlichen Person, die
eben heilen geht [105]), dem Beschwörer [106])
usw. Zuweilen wird auch von einem
S t r e i t zwischen der Krankheit und
einer anderen Sache, wobei die Krankheit verdrängt wird, erzählt [107]). Von
magischer Kraft ist auch die Anführung
eines V e r g l e i c h e s [108]), der am häufigsten mit dem ab- und zunehmenden
Monde, der auf- und untergehenden
Sonne angestellt wird und zwar nach dem
Schema: „Wie der Mond abnimmt, so
soll die Krankheit abnehmen", oder „wie
der Mond zunimmt, so soll umgekehrt die
Krankheit abnehmen". Auch der Vergleich setzt eine Sympathie des Seins
voraus.

[96]) G r i m m *Myth.* 1029 f.; s. auch F e h r l e
Zauber u. Segen 35 ff. [97]) W u n d t *Mythus u.
Religion* 2, 110. [98]) W u t t k e [4] § 226. [99]) *Zauberspruch* 8. [100]) *Sachsen* 73. [101]) F r i s c h b i e r
Hexenspr. 59 Nr. I; M e y e r *Baden* 574;
W u t t k e [4] § 228; H o v o r k a - K r o n f e l d
2, 865. [102]) F r i s c h b i e r *Hexenspr.* 90 Nr. 2;
91 Nr. 3; H o v o r k a - K r o n f e l d 2, 863.
[103]) ZfVk. 8, 289. [104]) s. Dreibrüdersegen
[105]) F r i s c h b i e r *Hexenspr.* 55 Nr. 11; 57.
[106]) Ebd. 83 Nr. 4. [107]) G r i m m *Myth.*
1043; F r i s c h b i e r *Hexenspr.* 57. 80 f.;
M e y e r *Baden* 574. [108]) S t e m p l i n g e r
Volksmedizin 46 f.; F r i s c h b i e r *Hexenspr.*
61. 95 f. 99 f.; B i r l i n g e r *Aus Schwaben* I,
443. 445. 448. 450; S e y f a r t h *Sachsen* 94 ff.

d) Die **b e f e h l e n d e** B.sformel wendet sich direkt an die zu beschwörende Macht und teilt in klaren Worten den Willen des Beschwörers mit: „Ich beswer ewch ruetten pey der macht des vaters ... ..., das Ir mich firt und laittet" [109], „Nun ruffe ich N. dich Hölle, das Höllische Feuer und alle höllischen Quahlen und Martern und euch vorgesetzten der Hölle ... ..., daß ihr alsobald vor meinem Creysse erscheinet" [110], „Herzwurm und Fruchtwurm und Darmgicht, ich gebiete dir bei Gottes Gericht, daß du dich sollst legen" [111], „Ich gebiete dir, Feuer ... ..., du wollest stille stehen und nicht weiter gehn" [112], „Ihr Immen, Wis' und Bienen ... ..., ich gebiete euch und beschwöre euch, daß ihr herunter kommt" [113]. „Somit beschwöre ich allen Stahl und Eisen, Pulver und Blei ... ..., damit sie mir keinen Schaden noch Leid thun!" [114]. Noch unmittelbarer ist der bloße Imperativ: „Gang ut nesso mid nigun nessiklinon" [115], „Fahr' aus Gicht, alle böse Gesicht" [116], „Schwinden, du sollst stille stehen" [117]. Bei Verletzungen und Verrenkungen taucht eine alte, scheinbar indogermanische Formel immer wieder auf, die ebenfalls befehlend ist: „Bein zu Beine, Blut zu Blute, Glied zu Gliede" [118]! Namentlich die Krankheits-B.en sind reich an Variationen des Befehls: die Krankheit wird **h ö f l i c h** aufgefordert sich zu entfernen, ihr wird zur Sicherheit ein ferner **A u f e n t h a l t s o r t** angewiesen (s. Verbannung), der Wald, das Meer, „Unstätten", d. s. unwirtliche Gegenden, und andere Orte, ihr wird schließlich **g e d r o h t** [119]. Die Drohung wird weiter zur **B e s c h i m p f u n g, V e r - w ü n s c h u n g** [120] und **V e r f l u c h u n g**: „Du verfluchtes Fieber, ich beschwöre dich ... ..." [121]. Die magische Kraft des Fluches beweist der Aberglaube in Böhmen, daß einer, der den Teufel b. will, diesen in einem Kreise 24 Stunden lang verfluchen muß [122]

e) Wie in der Antike Dichterverse in die B.sformeln aufgenommen werden [123], so sind in späterer Zeit **B i b e l s p r ü c h e** und **c h r i s t l i c h e   G e b e t e** von großer magischer Kraft. Durch das Evangelium Johannis wird das Fieber vertrieben [124], das Vaterunser, Ave Maria, De Profundis, Avete omnes, Requiem hilft bei Geister-B.en [125], die Passio Christi heilt den Krampf [126] und beschwichtigt das Wetter [127], nach dem Walenbüchlein des Hans Man von Regensburg aus dem Jahre 1615 verhelfen 5 Paternoster, 5 Ave Maria und 1 Credo dem Schatzsucher dazu, den Schlüssel zur Felsentür zu finden [128]. Conr. Wolff Platz [129] zählt als die „guten und göttlichen Wort", welche zum „Beschweren und Segensprechen" benutzt werden, noch folgende auf: „die 7 Wort Christi, da er am Stamm des heiligen Creutz gesprochen, die Uberschrifft, welche Pontius Pilatus an das Creutz oberhalb Christo gehefft hat. Item das Evangelium Johannis am 1. Cap. und andere Sprüch aus dem Evangelisten. Item der Englische Gruß, das Ave Maria, das heilige Vatter Unser und wer kann es alles erzählen Diese gute, gottselige, göttliche Wort?" Andere christliche Elemente in B.sformeln sind folgende: Bei Krankheits-B.en wird gern das **G e - t a u f t s e i n** des Kranken betont [130]; denn über den Getauften hat der „heidnische" Dämon keine Gewalt. Häufig werden auch **G l o c k e n g e l ä u t e** und **k i r c h l i c h e   Z e r e m o n i e n** erwähnt [131]. Die B. beginnt oft mit einer Anrufung Gottes [132] und endet „Im Namen G. d. V., d. S. u. d. h. G." [133].

Zahllos aber sind die **h e i l i g e n   N a - m e n** und **D i n g e**, die der Beschwörer **a n r u f t**, um **H e l f e r** im B.skampfe zu gewinnen: „Das unschuldige Blut

[109] MschlesVk. 7, Heft 13, 54. [110] **K i e s e - w e t t e r** *Faust* 406 f. [111] **S e y f a r t h** *Sachsen* 75. [112] **B a r t s c h** *Mecklenburg* 2, 357 f. [113] Ebd. 2, 452. [114] **F r i s c h b i e r** *Hexenspr.*

121. [115] **G r i m m** *Myth.* 1032. [116] **S e y - f a r t h** *Sachsen* 79. [117] Ebd. 81; weitere Beispiele s. **F e h r l e** *Zauber und Segen* 6 ff. [118] **G r i m m** *Myth.* 1030 f.; **G r i l l** *Hundert Lieder des Atharva-Veda* 18 Nr. 4, 12. [119] **S e y - f a r t h** *Sachsen* 78 ff.; ZfVk. 5, 14 ff.; zur Drohung vgl. **A g r i p p a v. N e t t e s h e i m** [4] 4, 109. [120] *Skirnisför* v. 25 ff.; s. **S i m r o c k** *Mythologie* [4] 62. [121] **F r i s c h b i e r** *Hexenspr.* 55 Nr. 10. [122] **G r o h m a n n** 211.

Christi, die hl. 5 Wunden, das hl. Grab, die Stricke, Bande und Nägel, das Kreuz, Christi Marter, diejenigen die das Kreuz umstanden, die hl. Namen Christi" [134]), „die hl. Dreifaltigkeit, die Menschheit Christi, seine Geburt, Beschneidung, Taufe, seine Predigten, seinen Tod, sein Begräbnis, seine Himmelfahrt, die Gewalt Gottes, der Tag des Urteils" [135]) u. a. m. [136]). Überhaupt alles Christliche ist zur B. gut [137]). Das alles erklärt sich wohl damit, daß sich so manches abergläubische Gemüt über das Sündhafte seines Tuns beruhigt fühlte, wenn es die B. in ein christliches und kirchliches Gewand gehüllt sah. Die Kirche selbst erklärt die Verwendung heiliger Namen und christlicher Gebete zur B. einerseits für Aberglauben und S ü n d e [138]), andererseits sucht sie die alten Formeln mit christlichem Gehalt zu erfüllen [139]) und sieht nur solche B.en für sündhaft an, die nicht durch Gottes „heiliges Wort" [140]) oder mit „christlichen geistlichen zulässigen Mitteln" [141]) geschehen und wird schließlich mit ihren ma.lichen Benediktionen und Exorcisationen V o r b i l d für die volkstümlichen B.en [142]).

[123]) S t e m p l i n g e r *Volksmedizin* 48. [124]) P i s a n s k i *Von einigen Überbleibseln des Heidenthums u. Pabstthums in Preußen*, Königsberg 1756, Nr. 24 § 15. [125]) G e r h a r d t *Franz. Novelle* 124. [126]) ZfVk. 22, 123 f. [127]) S é b i l l o t *Folk-Lore* I, 109. [128]) K ü h n a u *Sagen* 3, 750. [129]) *Bericht v. d. zauberischen Beschwören u. Segensprechen* p. 6 f. [130]) F r i s c h b i e r *Hexenspr.* 33. 35. 61. 63. 65. 67. [131]) S e y f a r t h *Sachsen* 91 f.; F r i s c h b i e r *Hexenspr.* 59 Nr. 1; 101 Nr. 7. [132]) Vgl. K l a p p e r *Schlesien* 236 f. [133]) S e y f a r t h *Sachsen* 75 ff. [134]) ZfVk. 1, 209 ff. [135]) K l a p p e r *Schlesien* 237. [136]) S. auch ebd. [137]) ZfVk. 2, 385. [138]) Conrad Wolff P l a t z *Bericht v. d. Zauberischen Beschweren u. Segensprechen* p. 7 u. 33. [139]) M e y e r *Mythologie der Germanen* 31 ff. [140]) ZfVk. 9, 271; vgl. die Rück-B.sformel. [141]) P a n z e r *Beitrag* 2, 271 Nr. 8. [142]) S c h i n d l e r *Aberglaube* 114 ff.; K l a p p e r *Schlesien* 234.

9. Die H a n d l u n g e n, die die B. begleiten, stehen natürlich mit dem Zweck der B. in einem gewissen Zusammenhang, der zuweilen noch deutlich erkennbar ist. So hat Bartels [143]) nach der B.s-

handlung einer alten sumerischen Formel die darin beschworene Krankheit Tiu als Kopfrose diagnostizieren können. Die Handlung ist nämlich da in der B.s-formel selbst überliefert, sie wird v o r - g e s a g t und b e s c h r i e b e n, was bei Krankheits-B.en öfters vorkommt. Diese Beschreibung ist entweder ein Bericht darüber, was jetzt während der B. geschieht [144]), oder eine Erzählung, was ein heilender Gott befohlen [145]) oder einst selbst getan. Namentlich letzteres scheint dem Volke eine eigene B.shandlung zu ersetzen, daher die Häufigkeit der erzählenden Formel (s. oben). B.shandlungen finden sich meist bei Krankheits-B.en. Der Krankheitsdämon wird g e s c h l a g e n, g e s c h n i t t e n, g e b u n d e n [146]). Andere begleitende Handlungen sind: A n h a u c h e n, B l a s e n, A n s p e i e n, B e r ü h r e n, H a n d a u f l e g e n, S t r e i c h e n, K n e t e n, D r ü c k e n und namentlich B e k r e u z e n (s. die betr. Art. Im altgermanischen Zauber s c h n e i d e t Skirnir während seiner B. Runen [147]). Schatzsucher s c h l a g e n unter B. an den Felsen [148]), welchen Berg- und Waldgeister durch bloßes S c h w e n - k e n des Zauberstabes oder B e r ü h - r e n ohne B. öffnen [149]). Um Gewitter zu b., s c h l a g e n im französischen Aberglauben die Winzer mit Rebpfählen auf ihre Kiepen und die Schnitter lassen ihre Sensen k l i r r e n [150]). Auch Ä h n l i c h - k e i t s z a u b e r wird mit der B. verbunden [151]). Doch handelt es sich in allen den Fällen, wo die Zauberhandlung in den Vordergrund tritt und nicht dem Spruch, sondern ihr die magische Wirkung zugeschrieben wird, nicht mehr um B., sondern um Zauber. S. die Artikel Schlagen, Lärmzauber, Analogiezauber. Die B. wird mit einem O p f e r verbunden in einer von Fausts „Höllenzwang" beeinflußten Sage, nach welcher bei der B. von Zwergen für diese ein Mahl gerichtet wird, das sie anlocken soll [152]).

[143]) Zeitschr. f. Assyriologie 8, 179 ff. [144]) ZfVk. 5, 26 f. 34 ff.; S e y f a r t h *Sachsen* 84 ff.; Skirnisför v. 34—36; s. S i m r o c k *Mythologie* [4] 217 f. [145]) ZfVk. 5, 39; F r i s c h b i e r 47.

[146]) S e y f a r t h *Sachsen* 85 u. 87. [147]) Skirnisför v. 34—36. [148]) K ü h n a u *Sagen* 3, 773. [149]) Ebd. 3, 746; G r a b e r *Kärnten* 112. [150]) S éb i l l o t *Folk-Lore* 1, 108. [151]) ZfVk. 26, 194 f.; vgl. K r a u ß *Sitte und Brauch* 168 f. 620, A. 1; Tonpuppe bei Krankheits-B.en s. ZföVk. 8, 240. [152]) K i e s e w e t t e r *Faust* 280.

10. Im B.skampfe weigert sich oft die beschworene Macht zu gehorchen. Dann wird die B. 2—3mal w i e d e r h o l t [153]), ja auch öfter; denn Beharrlichkeit vermehrt die Kraft und Autorität des Beschwörers [154]). Daher werden viele Formeln gleich 3mal gesprochen. Die Weigerung eines zitierten Dämons zeigt sich auch darin, daß er in seltsamen, furchterregenden Gestalten e r s c h e i n t: als feurige Kugel [155]), in einem Flammenmeer [156]), als mächtiger König, von einer Ritterschar umgeben [157]), in Tiergestalt [158]) und anderen abenteuerlichen Gestalten [159]), als Räuber, als Heuwagen [160]), als Kutsche, die über den Beschwörer zu fahren scheint oder als Reiter, der ihn überreiten will [161]). Andererseits erscheinen oft auch u n g e r u f e n e Geister bei einer B. [162]).

Bei Geister- und Teufels-B. ist eine R ü c k - B., d. i. eine ausdrückliche Entlassung des dämonischen Wesens durch den Beschwörer, notwendig. Nach den Lehren der ma.lichen Magie soll sie auch geschehen, wenn kein Geist erschienen ist; denn er kann unsichtbar vorhanden sein und um den aus dem Kreise Tretenden Schaden zufügen [163]). Die Rück-B. geschieht durch Rückwärtslesen der B.sformel [164]) oder durch eine eigene Formel, die die Entlassung ausdrückt [165]) (s. Abdankung). In der Magie kommt dazu noch Räuchern mit Dingen, deren Geruch dem Geiste widerwärtig ist [166]). Die Rück-B. ist oft sehr schwierig. In einer Kärntner Sage müssen die Beschwörer 3 Tage im Kreise bleiben, da die Geistlichen, die man holt, nicht imstande sind, die Rück-B. auszuführen, weil ihr Gewissen nicht rein ist; erst einem alten Klostergeistlichen gelingt es, den Bösen fortzuschicken [167]) (s. oben Sittenreinheit des Beschwörers). In einer andern Kärntner Sage nennt der zitierte Geist selbst den Geistlichen, der ihn wieder wegbringen

kann [168]). Häufig findet sich das Motiv, daß S c h ü l e r g e g e n V e r b o t d e s Z a u b e r m e i s t e r s oder Unberufene in Abwesenheit des Kundigen leichtfertig eine B. vornehmen und die Geister, die sie riefen, nicht mehr los werden können. Von einem Schüler der Magie Ägyptens wird solches erzählt [169]), ebenso von Agrippas [170]) und Fausts [171]) Schülern, und auch heute noch begegnen wir dem Motiv in einigen Alpensagen [172]).

Die B. birgt überhaupt große G ef a h r e n für den Beschwörer. Sie ist eben ein Kampf, und wie der Beschwörer dem Dämon droht, ihn zu töten [173]), so kann die B. ihm selbst das Leben kosten, wenn er sich entweder z u s c h w a c h erweist, wie in den unter Rück-B. genannten Beispielen, oder sich nicht genau an alle B.sregeln und -vorschriften hält. Hagelbeschwörer, die sich nur mit einem Wort versprechen, tötet der Hagel [174]), und Geister- und Teufelsbeschwörer, die aus dem Kreise treten, sind verloren [175]). Aber auch der Beschwörer, der keinerlei V e r s t ö ß e b e i m B.sr i t u a l begangen, schwebt bei der B. in Gefahr. Faust [176]) und Wagner [177]) werden von den beschworenen Geistern arg bedrängt und nach schlesischem und Tiroler Aberglauben nimmt sich der zitierte Geist einen der Beschwörer mit [178]). Auch Axt und Schwert, die im Färörischen Aberglauben der Beschwörer bei sich hat, waren wohl ursprünglich Verteidigungswaffen des Beschwörers im B.skampfe [179]).

[153]) K l a p p e r *Schlesien* 237; HessBl. 4, 170. [154]) A g r i p p a v. N e t t e s h e i m⁴ 4, 106 f. [155]) G r o h m a n n 1, 211. [156]) K i e s e w e t t e r *Faust* 499. [157]) K l a pp e r *Erzählungen* Nr. 120. [158]) HessBl. 15, 19. [159]) S o l d a n - H e p p e 1, 148 f.; Kiesew e t t e r *Faust* 102. 502. [160]) ZföVk. 3, 279. [161]) SAVk. 14, 189. [162]) K r o n f e l d *Krieg* 117 f. [163]) A g r i p p a v. N e t t e s h e i m⁴ 4, 107 f. [164]) ZfVk. 9, 271; M e y e r *Baden* 573; M ü l l e r - B ä c h t o l d *Uri* 1, 221 Nr. 325; G. L. W e i s e l *Aus dem Neumarker Landestor* 79. [165]) ZfVk. 9, 271; K l a p p e r *Schlesien* 237. [166]) A g r i p p a v. N e t t e s h e i m⁴ 4, 107. [167]) G r a b e r *Kärnten* 289. [168]) Ebd. 35. [169]) L u k i a n *Philopseudes* cap. 34 ff.; danach G o e t h e s *Zauberlehrling*. [170]) M e y e r *Aberglaube* 290 f. [171]) K i e s e w e t t e r *Faust* 499 f.

[172]) G r a b e r *Kärnten* 35; M ü l l e r - B ä c h -
t o l d *Uri* 1, 221 Nr. 325; vgl. 276 Nr. 384;
ZfVk. 9, 271 f.; s. auch M e y e r *Baden* 573.
[173]) ZfVk. 1, 208 f. Nr. 9. [174]) G r o h m a n n
34. [175]) Ebd. 211; C ä s a r i u s v. H e i s t e r -
b a c h *Dialogus* 5, 3; ZfdMyth. 2, 29; P a n -
z e r *Beitrag* 2, 72; vgl. K i e s e w e t t e r
Faust 503. [176]) W i d m a n n s *Faustbuch* von
1681, p. 44. [177]) K i e s e w e t t e r *Faust* 502 f.
[178]) K ü h n a u *Sagen* 3, 191 f.; Z i n g e r l e
Tirol 1 128. [179]) ZfVk. 27, 104; 2, 13 Nr. 15.

II. Der O r t der B. soll ebenfalls beitragen, die B. gelingen zu lassen. Im
germanischen Altertum werden Zauberhandlungen meist unter f r e i e m H i m -
m e l vorgenommen [180]). Die in der altnordischen Literatur oft erwähnte „úti-
seta" [181]), das „D r a u ß e n s i t z e n",
eine Art der Divination (s. d.), die der
B. nahekommt, hat sogar den Namen
davon erhalten. Auch im deutschen
Volke findet sich ein entsprechendes
„Sitzen" auf Kreuzwegen und an anderen Orten [182]) und überhaupt Zauberhandlung im Freien [183]). Zu Kreisstehen
s. Kreis. Unter freiem Himmel sind die
Geister leichter zu zwingen; daher beschwört der Faust des Faustbuches den
Teufel erst im Freien, um ihn zur fest-
gesetzten Stunde in seine Behausung zu
bestellen. Der Ort der B. soll aber auch
der N a t u r d e r b e s c h w o r e n e n
M a c h t entsprechen [184]). Die Toten-
B. erfolgt an den G r ä b e r n und Hügeln
der Toten [185]), und gespenstige Orte sind
der Geister- und Teufels-B. günstig, da sie
der Aufenthaltsort dieser Dämonen sind.
Namentlich der K r e u z w e g, der schon
von alters her [186]) Gespenster beherbergt,
ist ein häufiger B.sort. Ein „landtgebott" von 1611 kehrt sich gegen die,
„welche bey nächtlicher weil sich auf die
creutzstrassen begeben, dasselbs craiss
machen, inn denselben die böse geister
beschweren" [187]), und im heutigen Volksglauben wird der Teufel meist dort beschworen [188]) s. Kreuzweg. Besonders ein
Kreuzweg, der zugleich ein Totenweg ist,
d. h. zu Kirchen und also auch Fried-
höfen führt [189]), und ebenso F r i e d -
h ö f e [190]) sind zur B. geeignet. Der Ort
der B. soll auch e i n s a m sein, „heimlich" [191]), abgeschieden vom Welttreiben
und fremden Blicken unzugänglich" [192]).

Daher wird der Teufel zuweilen im K e l -
l e r [193]) beschworen, auch in einer alten,
abgelegenen S c h e u n e [194]). Höhlen als
Stätten der B. finden sich bei Primitiven [195]) und im französischen Aberglauben [196]), doch im deutschen nicht. Die
Wolfsschlucht des Kind'schen Freischütz
ist nur vom Dichter willkürlich gewählt,
während die Quellen Kreuzwege ha-
ben [197]). Dagegen sind B e r g g i p f e l,
die sowohl einsam als auch nach allen
Seiten frei sind und den Raum beherrschen, als B.sorte in Fausts „Höllenzwang" [198]) und im Wagnerbuche [199]) genannt, und auf dem Pilatus vermeint das
Volk heute noch die Kreise der Beschwörer zu sehen [200]).

Die Z e i t der B. ist meist die m i t -
t e r n ä c h t i g e Stunde [201]), zwischen
12 und 1 Uhr [202]), oder 11 und 12 Uhr [203]).
Auch v o r S o n n e n a u f g a n g oder
n a c h S o n n e n u n t e r g a n g wird
sie vorgenommen [204]), schließlich aber
auch „bey lichte und aller zeit" [205]). Gut
ist der Donnerstag [206]) zur B., ferner Tage
bei zunehmendem [207]), abnehmendem [208])
oder vollem Mond [209]). Die in Kinds „Freischütz" genannte totale Mondfinster-
nis [210]) dürfte konstruiert sein. Der B.
günstig sind ferner die W e i h n a c h t s -
n a c h t [211]), die Osternacht und O s t e r -
zeit überhaupt [212]) und die alte D r e i -
z e h n t e Nacht [213]) (s. Tagewählerei).

[180]) M e y e r *Relig.gesch.* 148. [181]) ZfVk. 27,
100 ff. [182]) Ebd. 27, 102. [183]) F r i s c h b i e r
Hexenspr. 26. [184]) Vgl. A g r i p p a v. N e t -
t e s h e i m 4 4, 104. [185]) G r i m m *Myth.* 1027 f.
[186]) Hekate am Kreuzweg: S o p h o k l e s
fragm. 491. [187]) P a n z e r *Beitrag* 2, 272.
[188]) W u t t k e 4 § 384; G r a b e r *Kärnten* 282.
[189]) ZfVk. 2, 13; 27, 104. [190]) ZfdMyth. 2, 29.
[191]) K l a p p e r *Schlesien* 237. [192]) A g r i p p a
v. N e t t e s h e i m 4 4, 96. [193]) G r a b e r *Kärnten* 289; vgl. K l a p p e r *Erzählungen* Nr. 120.
[194]) K i e s e w e t t e r *Faust* 499. [195]) F r a -
z e r *Totemism* 1, 105. [196]) S é b i l l o t *Folk-
Lore* 1, 478. [197]) K r o n f e l d *Krieg* 116.
[198]) K i e s e w e t t e r *Faust* 278. [199]) Ebd. 501 f.
[200]) SAVk. 14, 234. [201]) W u t t k e 4 § 384.
[202]) G r a b e r *Kärnten* 281. 289; K i n d s *Freischütz*; K i e s e w e t t e r *Faust* 402. [203]) Z i n -
g e r l e *Tirol* 1 97. 125; ebenso im Vorbild des
K i n d'schen *Freischütz*, der 1. Novelle des
1810 erschienenen *Gespensterbuches*. [204]) K l a p -
p e r *Schlesien* 237; F r i s c h b i e r *Hexenspr.*
26; K i e s e w e t t e r *Faust* 502. [205]) K l a p -

p e r *Schlesien* 237; HessBl. 4, 170; K i e s e -
w e t t e r *Faust* 278. 280. [206]) F r i s c h b i e r
Hexenspr. 7. 43. 77. [207]) Ebd. 61. 95 f. 99 f.
[208]) Ebd. 77. [209]) W i d m a n n s *Faustbuch* v.
1681, p. 43. [210]) 1, 6. [211]) K ü h n a u *Sagen* 1,
245; 3, 260; ZföVk. 3, 279; W u t t k e [4] § 384.
[212]) Z i n g e r l e *Tirol* [1] 1, 97. 125; M e y e r *Baden*
503. [213]) ZfVk. 2, 13.

12. Der Z w e c k der B. kann sehr verschieden sein, doch finden sich gewisse
Motive häufiger wiederholt. B.en werden
aus bloßer Neugier vorgenommen [214]), um
reich zu werden [215]) und geheime Kräfte
in seine Gewalt zu bekommen [216]), oder
um Aufklärung über die Zukunft [217]),
das Jenseits [218]) oder andere, dem Beschwörer unbekannte Dinge [219]) zu erlangen. Sehr oft bezweckt die B. etwas
N e g a t i v e s , nämlich die Verjagung
der beschworenen Macht [220]).

[214]) K ü h n a u *Sagen* 3, 191. 214 f.; C a e s a -
r i u s v. H e i s t e r b a c h *Dialogus* 5, 3.
[215]) V i n t l e r *Pluemen der tugent* v. 35 ff.;
ZfVk. 9, 271. 362; G r a b e r *Kärnten* 35. 281.
289 f.; vgl. K l a p p e r *Erzählungen* Nr. 120.
[216]) K l a p p e r *Schlesien* 99 f.; MschlesVk. 7,
Heft 13, 53 ff. [217]) *Vegtamskvidha* v. 4, s.
G r i m m *Myth.* 1028; vgl. *Odysee* 11, 23 ff.
[218]) K ü h n a u *Sagen* 3, 191. 203; vgl. K l a p -
p e r *Erzählungen* Nr. 24. [219]) ZfVk. 27, 100 f.
A. 1; SAVk. 14, 233 f.; G r o h m a n n 211;
vgl. K l a p p e r *Erzählungen* Nr. 194. [220]) Besonders Krankheits-B.en und Dämonen-Exor-
cismen.   Schusser.

Besen. Der B. ist nicht nur in Deutschland, sondern weit über Europa hinaus
Gegenstand reichlichen Aberglaubens. Es
leiten sich seine Bedeutungsgrundlagen
naturgemäß von der Funktion des Fegens
und Abstreifens her, soweit seine praktische Verwendung in Betracht kommt;
indes verblieben ihm dabei auch jene Qualitäten, die sich aus seiner Erneuerung aus
Baumreisern im Umlauf des Vegetations-
und Wirtschaftsjahres bei einer darauf
eingestellten Weltanschauung ganz folge-
richtig ergeben haben. Wir stecken zunächst den Umfang dieser Beziehungen
ab.

1. a) Das M a t e r i a l für den B. sind
im deutschen Volksgebiet in erster Linie
Birkenruten, doch wird auch die Buche
und Tanne herangezogen (Schweiz, Mecklenburg). E. Kunze [1]) hat sogar gemeint,
die magischen Eigenschaften des B.s

von denen, die dem Birkenreis und der
Birke (s. d.) im europäischen Volksglauben zugeschrieben werden, im besonderen
und elementar ableiten zu können, wobei
er die Birke als Baum des Donar, den B.
als sein Symbol auffaßte. Aber mit solchen
vereinheitlichenden Ideologien wird man
den komplexen und kollektivistischen
Gedankengängen, mit denen das Volk
arbeitet, nicht gerecht. Schon seit Jahrtausenden tritt zudem der B.aberglaube
in weitester V e r b r e i t u n g auf, im
griechisch - römischen Altertum sowohl,
wie in China und Japan, wo sich fast Zug
um Zug Entsprechungen zum europäischen Aberglauben nachweisen lassen,
von auffälligen Gleichungen auch in Indien, Indonesien, im Kongogebiet und
bei den Negern Jamaikas ganz zu
schweigen. Der deutsche Aberglaube ist
somit nur als ein Ausschnitt eines weit
verbreiteten Vorstellungskreises aufzufassen, für dessen Zusammenhänge und
Verbreitungswege uns vorläufig nur ge-
ringfügige Anhaltspunkte vorliegen. Einzelne Anschauungen scheinen allerdings
nur in Teilgebieten des deutschen Volks-
bereichs entwickelt zu sein [2]).

b) Mehrfache Beziehungen ergeben sich
zwischen dem Aufstecken von B. in den
Feldern, dem Abstreifen und Umschreiten u. dgl. (s. u.) und dem Aufstecken
und der Anwendung des Birkengrüns als
L e b e n s r u t e , Pfingstmai, und es
scheint auch der Erwähnung wert, daß
in Japan das Wort für B. „hahaki" sich
in „haha ki", d. i. „Mutter-Baum" auflösen läßt, was den ganzen Vorstellungskreis
dem des Lebensbaumes noch näher an-
gliedern würde [3]). Es geht aber doch zu
weit, wenn E. H. Meyer meinte, der gewöhnliche, meist aus Birkenreis gebundene
B. sei nichts anderes als die rohere, nicht
verkirchlichte Form der Palmen [4]). Er ist
vielmehr als Gegenstück dazu anzusehen
und darum ihnen in der Wirkung vielfach entgegengesetzt. Er ist der „Kehr-
aus" machende Wisch der Vergangenheit gegenüber dem zukunftverheißen-
den grünen Reis, darum auch Sinnbild
und Attribut winterlicher Gestalten, des
Krampus, Knecht Ruprecht usw., denen

Frühling und Sommer mit der Lebensrute und im grünen Laubkleid gegenüberstehen, wenn auch vielfach ein Ineinanderspielen ihrer magischen Beschaffenheit festgestellt werden kann und Eigenschaften des Baumes (Birke) auch am grünen und alten Rutenbündel als wirksam angenommen werden.

Im Faschingsaufzug wird in Tirol, Steiermark, in der Eifel, wie bei den Deutschen Ungarns ein B. vorangetragen; auch kehrt man den Weg mit ihm[5]). Mit k o t i g e n B. werden in Tirol die Zuschauer abgekehrt. Am I. Mai wird in Baden wie anderwärts unbeliebten oder anrüchigen Mädchen statt des Maibaums der Stallb. vor die Tür oder auf den Dunghaufen gesteckt[6]). Vermengung der Heilwirkung n e u e r B. mit dem P a l m - b r a u c h ist mehrfach eingetreten. Im Lüdenscheidschen werden am ersten Pfingsttage den Kühen weiße B. mit weißem Stiel ans Horn gebunden, manchmal zwei, ein großer und ein kleiner. Mit diesen B. wird in manchen Ortschaften einmal durchs Haus gekehrt, worauf man sie vor, über oder neben der Haus- oder Kuhstalltür aufhängt[7]).

Sie werden mit Eichen- oder Stechpalmenzweigen, sowie mit goldsmeele (Briza) geschmückt. Ähnlich werden im Braunschweigischen zur Fastnacht von den Gaben sammelnden Knechten B. mit Bändern und Schleifen herumgetragen und in der folgenden Nacht als heilkräftig verkauft[8]). In Westfalen gab es unter den Knechten und Mägden des Klosters Welwer eine B.f a s t n a c h t. Der Hauptscherz bestand in einem Wettziehen an einem großen B.[9]).

Ungleich dem Maiengrün erscheint der B. nur ganz ausnahmsweise als A b - w e h r m i t t e l g e g e n G e w i t t e r[10]), was um so auffälliger ist, als er als Schutzmittel gegen Hexen aller Art eine besondere Rolle spielt. Auch wird das Aufrühren eines Gewitters im Wassertopf mit B. viel seltener vorgenommen als mit Ruten, Reisern u. dgl.[11]).

c) Die Stellung im Ü b e r g a n g s r i t u s von jederlei Art im Menschendasein wird letzten Endes durch den schlesischen B.t a n z verdeutlicht. Ein überzähliger Partner im Kreis junger Leute hält einen B. in der Hand und tanzt zunächst allein mit diesem. Plötzlich wirft er ihn weg und ergreift das ihm passende Mädchen, alle andern Paare trachten sich zu finden, der Überzählige behält den B., worauf sich das Spiel bei der nächsten Runde wiederholt[12]). Im deutschen Recht ist ferner das B.t r a g e n eine Ehrenstrafe namentlich für Ehebrecher und scheltende Weiber geworden. Über letztere konnte jedermann auch hinwegschreiten, während sie an der Kirchentür lagen, und sie dabei mit einem B. schlagen. In Holland wurde dem vor Gericht geschleppten Dieb Schere und B. (Sinnbild des Stäupens!) auf den Rücken gebunden[13]).

d) P e r s o n i f i k a t i o n e n d e s B.s treffen wir nur vereinzelt an. Man erinnere sich an Goethes Zauberlehrling, bzw. dessen Vorbild aus dem Altertum. Eine Erzählung aus dem Riesengebirge kennt den B. als Helfer einer Bäuerin, an Stelle der im Walpurgistreiben entrückten Magd. In der Oberpfalz erzählt man vom Tanz eines B.s mit der Ofengabel, und im Erzgebirge meint man, daß V e r - s t o r b e n e ihre Strafe unter anderm in B., Strohbündeln (!), Misthaufen ausstehen müssen und daß man sie durch Zerstörung des B.s erlösen kann[14]).

In anderer Art verbindet der deutsche Aberglaube den B. mit H a u s g e i s t e r n, sofern man den Kehricht als Seelensitz ansieht und meint, daß sich beim Kehren die Geister in den Ruten verfangen und dann in irgendeiner Gestalt (Nadel) sichtbar werden[15]). Nach schlesischer Vorstellung sitzen die a r m e n S e e l e n mit Vorliebe im Kehrb. Man darf darum nie einen B. werfen noch mit einem harten Gegenstand darauf schlagen[16]).

[1]) IAE. 13 (1900), 81 ff. 125 ff. [2]) S a m t e r Geburt 29 ff.; FL. 30, 169 ff.; Anthr. 12/13, 709 f. [3]) Ausland 52 (1879), 908 f.; FL. 30, 201. [4]) Baden 97. [5]) H ö r m a n n Volksleben 12; ZfVk. 8, 441; S c h m i t z Eifel 1, 20; 2, 41 = S a r t o r i Sitte u. Brauch 3, 99; Anz. Ungar. Mus. 6, 145; K u h n Westfalen 2, 168; R e i n s - b e r g Festkalender 213. Auch in Schottland trägt der Anführer den „Guisars" an manchen Orten einen B. voran, mit dem er hernach einen magischen Kreis ausfegt, in dem er mit

seinen Genossen tanzt: H e c k s c h e r 10.
[6]) M e y e r *Baden* 223; Mannhardt 1, 167.
[7]) ZfdMyth. 2 (1857), 86 = K u h n *Westfalen*
2, 167 = S a r t o r i *Sitte u. Brauch* 3, 195.
[8]) A n d r e e *Braunschweig* 238. [9]) S a r t o r i
Westfalen 146. [10]) G r o h m a n n 37. 38 =
W u t t k e 131 § 178; 303 § 445; IAE. 13,
93 ff. 145 ff.; Ausland 52, 908 f. [11]) G r i m m
Myth. 2, 897, 910; L i e b r e c h t *Gervasius* 218
(Thiers Nr. 7). [12]) MschlesVk. 21, 175 f.
[13]) G r i m m *Weist.* 1, 504; d e r s. *RA.* § 714 g.
[14]) K ü h n a u *Sagen* 3, 102; E i s e l *Voigtland*
167; S c h ö n w e r t h *Oberpfalz* 1, 387;
G r o h m a n n 198 = W u t t k e § 755.
In Japan werden an aufrecht stehenden B.,
denen man ein Kopftuch, auch Gürtel oder
Schürze umbindet, regelrecht Beschwörungen
zur Abschaffung lästig werdender Gäste, auch
zur Eintreibung von Schulden, wenn sie abge-
reist sind, sowie zur Übermittlung von Nachrichten entfernter Hausangehöriger vollzogen.
FL. 30, 187 f. 193 f. [15]) ZfVk. 11, 263; M e s s i -
k o m m e r 1, 189. [16]) D r e c h s l e r 2, 236.

2. D e r n e u e u n d d e r a l t e B.
a) E r n e u e r u n g d e r B. Brachte ein
rauher Frühlingstag in der Schweiz nochmals Schnee, so blieben die Kleinen in der
Stube, spielten und sangen im Ringel-
reihen den „Zug ins B.reis", mit einem auf
den noch nicht vollendeten Jahresüber-
gang anspielenden Text [17]. Für das praktische Leben gilt Erneuerung in den Jah-
resanfangszeiten. In Mecklenburg, Westfalen und wohl auch anderwärts schützen
B., in den Zwölften gebunden, gegen Hexen, helfen die Milch entzaubern, kurzum
bringen Glück [18]. In Böhmen findet die
Erneuerung zu Ostern statt, in Oberösterreich auch zu Georgi. In Rom werden
zu Johanni neue B. mit der Eigenschaft,
Hexen zu vertreiben, verkauft [20]. Um die
gleiche Zeit findet das V e r b r e n n e n
der alten B. in den kultischen Feuern
statt, zu Ostern in Oberschlesien wie im
wendischen Gebiet [21]), zu Walpurgis
(„Hexenbrennen") in Tirol, im Erzgebirge, Voigtland, Altenburg, Mecklenburg [22]), zu Johanni in den Sudetenländern, auch in Oberösterreich [23]); in der
Eifel erscheinen sie als Fackeln zu Michaeli [24]).
b) A u f s t e c k e n v o n B. Bei den
Jahresfeuern s c h w e n k t man die brennenden B. im Kreis, w i r f t sie in die
Luft, der Aberglaube macht sie in Polen
zum Teufel, oder T e u f e l s g e f ä h r t

bei den Slowenen, in Steiermark usw.[25]).
Man schwenkt sie beim nächtlichen F a k -
k e l l a u f durch die Fluren (Thüringen,
Sachsen, Böhmen, Niederschlesien) [26]) und
steckt die halbangebrannten Stumpen
gleich den Palmbuschen in die Felder, so
allgemein in den Sudetenländern zu Johanni, um U n g e z i e f e r ferne zu halten. Dasselbe geschieht auch sonst (Oberösterreich, Böhmen, Lausitz) mit alten
B.; in der Lausitz, „damit der böse Anblick nicht schadet" [27]). Bezeichnenderweise sind es außer den Äckern immer
wieder die Flachsfelder und die hausnahen,
den Weibern überantworteten Krautgär-
ten, denen dieser Schutz zuteil wird. Im
Erzgebirge steckt man, wenn Kraut gepflanzt wird, in eine Ecke des Feldes einen
B. bis zum Oswaldtage (5. August), so
kommen die Raupen nicht hinein, und
auch in der Schweiz muß man, wenn man
den Kabis und Kohl vor den Graswürmern
bewahren will, am Freitag vor Sonnenaufgang vier B.stiele kreuzweise gegeneinander in den vier Ecken des Platzes aufstellen [28]). Weitergehende magische Handlungen sind das S t r e i c h e n über die
Felder (s. u.) und das Umreiten mit dem
B. (s. B.ritt). Es knüpft diese B.magie
übrigens noch des öftern an Jahresfeiern
und Hauptstufen des Menschendaseins
an. In der Walpurgisnacht darf man
keinen B. im Freien lassen, damit ihn die
Hexen nicht brauchen. Auch das Kreuzweislegen der B. vor der Haus- oder Stalltür, auf dem Dunghaufen, wird in manchen Gegenden Deutschlands für diesen
Termin, wie das Aufstellen in der Küche zu
den Zwölften, besonders hervorgehoben.
In Ostpreußen und der Lausitz gilt dies
für Johanni [29]). Auf Rügen stellt man
sie ohne solche Zeitbeschränkung in die
Getreidehaufen, da ziehen die Unterirdischen fort. In Böhmen schützt der B.,
unter Dach gestellt, gegen Hagel und
böses Wetter. Auch bei Sturm stellt man
einen B. vors Haus (ähnlich bei rumänischen Zigeunern) [30]). In nördlichen
Gauen Deutschlands wird anstatt des
sonst üblichen Kranzes oder Bäumchens
ein B. auf die Giebelspitze gesteckt. In
und bei Hamburg tut man es aber nur,

wenn beim Richtfest die Bauleute nicht bewirtet werden [31]). In der Wesergegend bindet man beim Verkauf eines (alten) Schiffes einen alten B. an den Mast [32]). In der englischen Marine führten ihn die Schiffe solchermaßen auch bei kriegerischer Fahrt in den Seeschlachten [33]). Im preußischen Werder wird der vom Altar heimkehrenden Braut zuvörderst ein B. überreicht, ganz so wie in Unterkrain und bei den Slawen Istriens. Der Brauch, der sich auch auf anderes Hausgerät erstreckt, hat Entsprechung auch im Westen, wo der B. ganz besonders bunt ausgeputzt und von einem Knaben oder Mädchen der Brautfuhre vorangetragen wird. Am Niederrhein prangt er, mit bunten Bändern geschmückt, auf dem Kammerwagen selbst (so auch in der französischen Schweiz). In den Niederlanden wiederum wird das „Fürziehen" mit ihm geübt [34]).

Unheilvoll offenbart sich seine Handhabung aus dem B. s t e h e n. Um Schaden tun zu können, stellt man sich auf einen Misthaufen, nimmt einen B., nach oben gekehrt, in die Hand und ruft: „Hier steh ich auf dem Mist und entsage Jesum Christ." In der Thomasnacht stecken die Mädchen in Österreich einen B. in die Erde und stellen die Schuhe unten hin; man findet sie am Morgen nach einer bestimmten Richtung (gegen den Kirchhof zu usw.) verschoben. Auf dem B. stehend kann man losen, oder in Böhmen die Smrt (Drud) den Kranken bearbeiten sehen [35]).

c) Der aufrecht an die Haustür oder vor den Stall gestellte B. gewährt nun auch dem Hause ganz im allgemeinen Schutz. Die vorangestellten Gepflogenheiten des Aufsteckens und aufrechten Tragens, den Palmbuschen analog, erklären zur Genüge die Bedeutsamkeit dieser Stellung, wogegen die Vermutung, es handle sich dabei um eine Abschwächung des Fegeritus, ebensowenig als befriedigend angesehen werden kann, wie die, daß die Hexen, denen diese Abwehr gilt, im B. einfach ihr eigenes Wahrzeichen achten [36]).

d) Als Abwandlung des Aufrechtstellens des B.s an der Tür, aber auch im Winkel der Stube (Schlesien, Rußland), kann das „Kreuzweislegen" zusammen mit einer Axt u. dgl. angesehen werden; auch kommt Verdoppelung der B. an der Türe vor. Alt bedeutungsvoll ist auch das Bestreuen der B. mit Salz (s. u.). Auch der vor den Eingang oder unter das Bett, in, über und unter die Wiege einfach hingelegte B. bewahrt letzten Endes in Deutschland seine Wirksamkeit [37]).

Daß sich das Aufrechtstellen vor der Tür besonders zäh im Haushalt erhält, zeigt, ist wohl nicht zuletzt praktischen Erwägungen zuzuschreiben, die den B. vor unnötiger Abnützung bewahren wollen und so dem Aufrechtstellen über allen Aberglauben hinaus in jedem ordentlichen Haushalt Fortdauer sichern. Schutz wird nach dem alten Aberglauben damit Mensch und Tier (besonders der Wöchnerin und dem Neugeborenen) [38]) gewährt vor Hexen, den Druden und Alpen, vor einer Wöchnerin [39]), schließlich überhaupt vor lästigen Gästen, so Zigeunern [40]). In Westfalen und Niedersachsen verschließt der aufrecht an die Tür gelehnte Besen, oder eine Rute wie auch ein grünes Reis im Türring, in Abwesenheit seiner Bewohner nach altem Herkommen das Haus jedem Fremden [41]).

d) Aus dem Voranstehenden erklärt sich eine ganze Reihe von kleinen Zügen im Hausbrauch, die zugleich auch das Obsoletwerden der Bedeutung veranschaulichen. In Westfalen soll der B. des Abends nicht verkehrt gestellt werden, sonst zieht das die Hexen herbei [42]). Der Segen des Hauses schwindet, wenn der B. in der Stube bleibt (Erzgebirge); man kann nicht schlafen (Bayern). Dagegen hält man ihn in Franken, Hessen und Tirol ständig in der Stube. Einen auf der Straße liegenden B. darf man nicht in die Stube tragen, sonst kommen einem die Hexen bei; ein Fremder bringt damit Zank ins Haus (Erzgebirge) [43]). In ein neues Haus muß man einen alten B. tragen, dann entsteht kein Heimweh; doch ist man auch gegenteiliger Ansicht [44]). Sucht man eine Wohnung und es stehen Schaufel und B. vor der Tür, so bekommt man sie nicht [45]).

In Mecklenburg lockt ein aufrechter B. Hühner zurück; im Rudolstädtischen erfüllt ein an die Raufenkette gebundener B. bei verirrten Rindern den gleichen Zweck. In Pommern wird der B. unter das Butterfaß gelegt (gegen das Verhexen der Butter), auch in der Schweiz braucht man die noch grünen, neuen B. bei der Milch- und Butterwirtschaft [46]).

[17]) SAVk. 25, 120; Z ü r i c h e r *Kinderlieder* Nr. 2572 ff.; W o l f *Beiträge* 1, 120; 2, 127. [18]) B a r t s c h *Mecklenburg* 2, 231. 248 f.; K u h n *Sagen* 286 Nr. 79; D e r s. *Westfalen* 2, 28 Nr. 75 = K u h n u. S c h w a r t z 410 Nr. 155 = S a r t o r i *Sitte u. Brauch* 3, 23. [19]) B a u m g a r t e n *Jahr u. s. Tage* 23. [20]) S e l i g m a n n *Blick* 2, 93. [21]) ZfVk. 1, 233. [22]) ZfdMyth. 2 (1854), 89; G r i m m *Myth.* 1, 522; W u t t k e § 89; K u h n und S c h w a r t z 377 Nr. 37, 512; IAE. 13, 151. [23]) V e r n a l e k e n *Mythen* 307; P e t e r *Österr.-Schlesien* 2, 287; E n d e r s *Kuhländchen* 77 = W u t t k e § 658; B a u m g a r t e n *Jahr u. s. Tage* 26. [24]) S c h m i t z *Eifel* 1, 44; 2, 45; K u h n *Westfalen* 2, 99. 135. [25]) B a u m g a r t e n *Heimat* 1, 26; K ü h n a u *Sagen* 2, 31; S t r a c k e r j a n 2, 233 Nr. 493; H e y l *Tirol* 221 Nr. 31; IAE. 161, Anm. 3; BlfH. 2 (1924), 9 ff. [26]) ZfdMyth. 1, 79; Urquell 6, 155 ff.; R e i n s b e r g *Böhmen* 221 ff. = IAE. 13, 151. [27]) B a u m g a r t e n *Jahr u. s. Tage* 24. 28; R e i n s b e r g *Böhmen* 307; S c h u l e n b u r g *Wend. Volkstum* 117 = S a r t o r i *Sitte u. Brauch* 2, 69; Ausland 52, 908. [28]) W u t t k e 425 § 665; SAVk. 21, 51; Frankreich: L i e b r e c h t *Gervasius* 231. 241 (Thiers Nr. 147, 264); Finnland: FFC. Nr. 55, 96 ff. [29]) B a r t s c h *Mecklenburg* 2, 265; J o h n *Erzgebirge* 197; Urquell 5, 107; ZfVk. 4, 84; 12, 424 ff.; W u t t k e § 17. 24. [30]) ZfdMyth. 2, 145; G r o h m a n n 38 Nr. 222; Ausland 52, 909; W l i s l o c k i *Zigeuner* XIII. [31]) IAE. 13, 153; S a r t o r i *Sitte u. Brauch* 2, 7. [32]) S t r a k k e r j a n 2, 233. [33]) H e c k s c h e r 485. [34]) IAE. 13, 159 f.; R e i n s b e r g 103; d e r s. *Hochzeitsbuch* 77. 87. 92. 106. [35]) SAVk. 2, 269; W u t t k e 333 § 332; V e r n a l e k e n *Mythen* 345; ZfVk. 1, 162; Rogasener Familienblatt 3 (1899), 12. Gleichfalls hierher gehört es wohl, wenn in der talmudischen Tosefta (3. Jahrh. n. Chr.) heißt: „Setze dich auf den Kehrb., damit du Träume habest" (oder): „Setze dich nicht auf den Kehrb., damit du keine Träume habest" — das gehört zu den emoritischen Gebräuchen, womit zugleich Licht auf das Alter des Gebrauches fällt: ZfVk. 3, 32. [36]) W u t t k e 330 § 178; IAE. 137. [37]) W u t t k e 286 § 420 (allgemein); IAE. 136; W o l f *Beiträge* 1, 226; G r i m m *Myth.* 3, 477 Nr. 1007; K u h n u. S c h w a r t z 215, 494; B a r t s c h *Mecklenburg* 2, 132; K ü h n a u *Sagen* 3, 108, 125; D r e c h s l e r

1, 188; 2, 177. 250; J o h n *Erzgebirge* 52. 55; ZfVk. 11, 263; G r a b e r *Kärnten* 34; R e i s e r *Allgäu* 2, 426; H a l t r i c h *Siebenb. Sachsen* 73. So auch in Frankreich, Italien, Zakynthos, Indien, Japan. In China hängt man sie zu Neujahr vor die Tür, begnügt man sich damit, sie zur Wöchnerin hinzulegen u. dgl. mehr. [39]) G r ü n e r *Egerland* 35; M ü l h a u s e 3; M e y e r *Baden* 36; W u t t k e 382 § 581; H ö h n *Geburt* 4, 261; S a m t e r *Geburt* 35, 36; H i l l n e r *Siebenbürgen* 28; FL. 30, 202 f. [40]) D r e c h s l e r 1, 204. [41]) V e r n a l e k e n *Alpensagen* 417 f.; M ü l l e r *Isergebirge* 35; V e c k e n s t e d t *Sagen* 468; G r o h m a n n Nr. 830. [42]) ZfdMyth. 2 (1854), 861; W u t t k e 397 § 609; England in Abwesenheit der Frau auf Hauskamin, im Fenster FL. 30, 181; ZfVk. 5, 416. Ostengl. Abergl.: Stellt man den B. in eine Zimmerecke, so kommt Besuch, FL. 30, 187. [43]) J o h n *Erzgebirge* 35 f.; P a n z e r *Beitrag* 1, 259. 266 = W u t t k e 397 § 610. [44]) F o g e l *Pennsylvania* 147 Nr. 166; 148 Nr. 693; W i t z s c h e l *Thüringen* 2, 285; K ö h l e r *Voigtland* 429; S p i e ß *Fränkisch-Henneberg* 148. [45]) W u t t k e § 222. [46]) B a r t s c h *Mecklenburg* 2, 334; K n o o p *Hinterpommern* 171; R o c h h o l z *Glaube* 2, 42. [47]) L i e b r e c h t *Gervasius* (Thiers Nr. 308); S a m t e r *Geburt* 36; FL. 30, 202 ff.

3. **Ü b e r s c h r e i t e n d e s B.s.** a) Schon in den pythagoräischen Lehren begegnet das Verbot, den B. zu überschreiten [48]). Nach deutschem Volksglauben überschreiten die Hexen keinen B., wohl aber wird es sonst in der verschiedensten Art nicht nur ausgedeutet, sondern auch angewendet. Man darf in dem Glauben, daß die Hexen dieses Tabu streng befolgen, vielleicht die Anschauung lebendig sehen, daß die Hexen eben dem vorchristlichen Gedankenkreis sich durchaus ergeben zeigen. Der Aberglaube betont auch, daß sie an diesem Vermeiden erkennbar werden (Hexenprobe). Des Hexens verdächtigen Personen wirft man deshalb einen B. vor den Zugang; in Polen hält man einen in einen Bären verwandelten Bauern in gleicher Weise vom Hause fern [49]).

V e r k e h r e n bzw. Aufrechtstellen des B.s, während die Hexe im Haus ist, hindert diese am Weggehen [50]). Während oben die Hexe daran kenntlich wird, daß sie den B. meidet, einen Umweg macht, einen andern Eingang benützt, ihn aufhebt oder ihn wegstößt [51]), hat der nüchterne Hausverstand des Landvolkes aus dem Hinlegen des B.s aber auch ein D i e n s t b o t e n o r a k e l gemacht, bei dem der Sinn des Aberglaubens stellenweise völlig in sein Gegenteil verkehrt ist. So erzählt eine Bauerngeschichte aus dem Voigtland von der Brautschau eines reichen Bauern für seinen Sohn, es sei ihm bekannt gewesen, daß alle Hexen über einen hingelegten B. springen müßten. Das letzte Mädchen, das beim Besuche im Hause dies nicht tat, ihn vielmehr aufhob und in die Ecke stellte, wurde des Sohnes Frau [52]). Ebenso glaubt man in Böhmen und Kärnten, daß der neu einstehende Dienstbote, der einen eigens zu diesem Zweck hingelegten B. nicht liegen läßt, sondern aufhebt und ins Haus trägt, fleißig wird [53]). Zur B e g r ü n d u n g dessen, daß Hexen durch den B. aufgehalten werden, spinnt man den Gedanken so aus, daß sie die Ruten des Bündels oder auch die ausgestreuten Salz- oder Hirsekörner zählen müßten, ein Zug, der auch in Sizilien wiederkehrt [54]).

Nur aus Franken belegt ist die B e - g r ü n d u n g, daß man über einen B. nicht hinwegschreiten solle, sonst können einem die Hexen etwas anhaben [55]). Besonders während der Entbindung darf niemand über einen B. schreiten, sonst gebiert die Frau schwer — genau so in Bombay —, und das Kind wird ein Büttling (bleibt klein mit dickem Kopf); ist aber doch jemand darübergeschritten, so muß er wieder rücklings zurückschreiten [56]). Rücklings über den B. schreitet man in Böhmen auch, um es wieder gut zu machen, wenn man in der Früh ein altes Weib begegnet hat [57]). G e b o t e n ist der Wöchnerin, über den B. zu schreiten, wenn sie zur Vorsegnung das erste Mal in die Kirche geht (Oberösterreich) [58]). Auch wenn der Taufzug in Ostpreußen und Westfalen zur Kirche geht, müssen alle Teilnehmer über einen auf die Schwelle gelegten B. schreiten; ebenso vielfach das Brautpaar in Hessen beim Heraustreten aus dem Hause oder bei der Rückkehr aus der Kirche [59]), in Tirol beim Eintritt ins neue Haus. In Böhmen, Schlesien, Mecklenburg, Siebenbürgen läßt man das Vieh beim ersten Weidegang ebenso wie neugekauftes Vieh oder solches, das man zum Markt treibt, gleichfalls an der Schwelle über einen B. schreiten [60]).

b) Die Hintergründe dieses Aberglaubens dürften verschieden sein. Scheint es sich in den letzterwähnten Fällen um einen typischen Übergangsritus zu handeln, sofern man üblen Einwirkungen, wenn man sich verändert, damit eine Schranke setzt, so deutet anderseits ein englischer Aberglaube darauf hin, daß hier magische Einwirkungen des B.s selbst in Frage kommen; man befürchtet dort vom Ueberschreiten des B.s unerwünschte Schwangerschaft [61]). Am Rhein herrscht der Glaube, daß man Zahnschmerzen loswerden und auf andere übertragen kann, wenn man einen B. in die Kirche legt; sie gehen auf denjenigen über, der zuerst darüber hinwegschreitet [62]). In Schlesien legt, wer aus Rache einem andern etwas antun will, unter Verwünschungen einen alten B. aus. Schreitet der Betreffende darüber, so wird er krank. Man nennt das die böse Spur [63]). Im Sarganserland stellt man, offenbar mit dem gleichen Hintergedanken, gegen Furunkulose einen B. hinter die Türe, oder einen neugekauften B. des Morgens vor dem Betzeitläuten in die Kirche [64]). Es geht auch hier kaum an, das häufig vorkommende „Kreuzweis"-legen als das primär Wirksame anzusehen; vielmehr hängt der Brauch mit dem Abstreifen (s. d.) zusammen (s. 4 c).

[48]) ZfVk. 3,33; P l u t a r c h Qu. Rom. 112. [49]) F r i s c h b i e r Hexenspr. 10; H ü s e r Beiträge 2, 10. [50]) ZfVk. 8, 397; ZfrwVk. 2, 202 f.; K ü h n a u Sagen 3, 129; B i r l i n g e r Volksth. 1, 329. [51]) ZfVk. 4, 304; ZfrwVk. 3, 202; S t r a c k e r j a n 1, 422 f.; J o h n Erzgebirge 27; D r e c h s l e r 2, 236; W u t t k e 258 § 376. [52]) K ö h l e r Voigtland 646. [53]) J o h n Westböhmen 29; S c h r a m e k Böhmerwald 124; Carinthia 92 (1902), 107. In den französischen Alpen und der Lombardei gehört das Aufheben des B.s durch die Braut zum Hochzeitsbrauch: R e i n s b e r g Hochzeitsbuch 104. 254. [54]) SAVk. 2, 270; K ü h n a u Sagen 256; R o c h h o l z Glaube 2, 177; D r e c h s l e r 1, 30; S c h r a m e k Böhmerwald 256; FL. 30, 198. [55]) W u t t k e 397 § 610. [56]) D e r s. 378 § 578;

FL. 30, 201. [57]) G r o h m a n n 220. [58]) G r i m m
Myth. 3, 460 Nr. 746. [59]) C u r t z e *Waldeck*
376; M ü l h a u s e *Hessen* 200; Z i n g e r l e
Tirol 21; W u t t k e § 563; F o g e l *Pennsylvania* 72 Nr. 245 ff. [60]) W o l f *Beitr.* 120;
ZfVk. 8, 391; 23, 182; 26, 61; B o h n e n b e r
g e r I, 24; S c h m i t t *Hettingen* 15; D r e c h s
l e r 2, 103. 236; S c h r a m e k *Böhmerwald*
241; J o h n *Erzgebirge* 226; H a l t r i c h
Siebenb. Sachsen 276 f.; W u t t k e 452 § 713;
S e l i g m a n n 2, 92 f. [61]) FL. 30, 201 (mit
Anm.). [62]) W u t t k e 130 § 178. [63]) D r e c h s
l e r 2, 236; ZfVk. 4, 312. [64]) M a n z *Sargans* 68.

4. S t r e i c h e n, A b s t r e i f e n,
S c h l a g e n. a) Im F l u r r i t u s ergeben sich hier mehrfache Übereinstimmungen mit dem Umschreiten und Schlagen mit dem Maienbuschen, Schlagen mit
Birkenruten u. dgl. Mit dem Zwölftenb.
oder überhaupt einem neuen B. hält man
Maulwürfe vom Garten ab (Tirol) und
jagt Raupen aus Rüben und Kohl, indem
man an einem Freitagmorgen vor Sonnenaufgang (Schweiz), Sonnabend nach Sonnenuntergang (Baden und Mecklenburg),
darüber hinwegstreicht; in Solothurn
glaubt man damit auch den Mehltau abzuhalten [65]). Im Spreewalde fegt man die
Raupen vom Kohl, wenn eine Leiche vorbeikommt und spricht: „Nimm mit, nimm
mit" [66]). Im Brandenburgischen werden
vor Sonnenaufgang die Obstbäume prophylaktisch mit einem B. umkehrt, so
kommen keine Raupen in den Garten [67]).
Im Oldenburgischen wird der Kohl zu
Johanni gefegt [68]). Nach Berliner Aberglauben bindet man den B. an einen Fuß
und zieht ihn so auf dem Acker herum
(Abklingen des B.rittes?) [69]). In Westfalen kehrt man das Getreide mit dem
Zwölftenb. nach dem Dreschen zusammen, dann kommt kein Brand hinein [70]).
Im Unterharz wird es vorsichtiger beim
Kalken mit einem neuen B. gewendet.
Selbst vor Käsemaden schützt der Besen:
„Man lege Birkenlaub oder einen neuen
Besen auff die Kese" [70a]). Dieser Schutz
vor Ungeziefer begegnet auch beim Fegen
des Hauses.

b) Bei M e n s c h u n d T i e r hat
das Streichen Heilwirkung. Schon 1584
ist für Mecklenburg das Kurieren von
Pferden bezeugt, indem man ihnen mit

einer Segensformel über den Leib fegt [71]).
In Ostpreußen steckt man einen Kranken
unter ein Tischtuch und streicht mit dem
B. kreuzweis darüber [72]). In der Priegnitz
wird eine Kuh, wenn sie von einem Wiesel
ins Euter gebissen wurde, dreimal mit
einem Zwölftenb. gestrichen und dieser
schweigend unter die Krippe gelegt. Auch
wenn die Milch einer Kuh lang ist, heilt
man sie in Mecklenburg durch dreimaliges
Streichen über den Rücken, der B. wird
hinter die Kuh gestellt [73]). In Oldenburg
streicht man die Kuh, die kalben soll, mit
dem B. über den Rücken, streut kreuzweis Salz darüber und murmelt einen
Segensspruch. Hier begegnet sich der
Ritus mit dem des Schlagens; die Esten
schlagen die Hühner, damit sie Eier
legen [75]).

c) S c h l a g e n schafft im übrigen
überall Schwundwirkung. Kinder darf
man nicht mit Rutenb. schlagen, sonst
wachsen sie nicht mehr, magern ab, siechen hin (Westfalen, Baden, Lausitz,
Sudetenländer) [76]), Erwachsene heiraten
nicht oder bekommen die Auszehrung [77]),
das Vieh siecht hin, oder es stirbt Hausherr oder Hausfrau im neuen Jahr [78]).
In der Schweiz soll man das Vieh mit
einem B. nicht einmal jagen (Bern) [79]).
Schweine soll man nicht schlagen, sonst
bekommen sie Finnen und es sitzen die
Würmer im Speck (Unterharz) [80]). Wohl
aber schlägt man den Wechselbalg, der
dann schleunigst von den Geistern umgetauscht wird, oder schlägt ein Kind, das
Fraisen hat, mit den Worten: „Wie der
Gast, so die Bewirtung" [81]). In Bayern
schützt das Schlagen („Kindeln") mit B.-
reisern die Frauen vor dem Aussätzigwerden [82]). Milch, die gerinnt, schüttet
man in Ostpreußen auf drei Schwellen
und schlägt mit einem B. solange darauf,
bis sie trocken ist [83]). Warzen werden in
Böhmen vertrieben, indem man sie mit
einem B. streicht, den man vor dem Brotbacken zum Ausfegen des Backofens verwendet hat. In Westpreußen soll man
das Streichen dreimal üben und den B.
schweigend wieder zurücklegen [84]). So erklärt es sich wohl, wenn in Schwaben
(auch im bayrischen Anteil) und in der

Schweiz B. gegen Aißen in Kapellen, namentlich des heiligen Veit, geopfert werden; man trägt sie heimlich hin und steckt sie an einen Ort, wo weder Sonne noch Mond hinscheint, oder legt sie zu Haufen [85]). Auf einen B. zu urinieren und diesen wegzuwerfen, wird Frauen empfohlen bei Schrecken und Brennen in der Vagina [86]). Auch wird der B. nachgeworfen. Das geschieht auch beim Ausgang zu wichtigen Unternehmungen (Schweiz) [87]). Bei den Wenden soll man jemand, der zum Fischen ausgeht, einen B. nachwerfen, doch so, daß er es nicht merkt [88]). Führt der Abdecker ein Stück gefallenes Vieh zum Hofe hinaus, so soll man ihm einen alten B. nachwerfen, dann führt er nichts mehr aus diesem Haus hinaus [89]). In Schottland wirft man gleicherweise einen alten B. auf das Vieh, wenn man es zum Markte führt [90]). Noch deutlicher wird der Gedanke endgültiger Verabschiedung in Schlesien: einem Fremden, dem man nicht traut, einem unbeschenkten Bettler, der eine Verwünschung ausspricht, muß man einen alten B. oder eine Handvoll Salz nachwerfen oder Wasser kreuzweise hinter ihm hergießen, dann kann man nicht behext werden [91]).

d) Durch den B. wird in Unterfranken bei Urinverhaltung geharnt [92]); ein alter Aberglaube empfiehlt ähnliches, um die Manneskraft wiederherzustellen [93]). In Schlesien werden Kühe, wenn sie ein krankes Euter haben oder blutige Milch geben, in Mecklenburg auch solche die lange Milch geben, durch einen B. gemolken, in Mecklenburg füttert man auch Hühner, die Schaleier legen, durch einen B., d. h. man streut das Futter auf einen solchen [94]). Auch wird in Mecklenburg das Futter durch einen Zwölftenb. gegossen (Krankheitsschutz), ebenso Wasser gegen die Behexung [95]).

5. Fegen s. kehren, Kehricht.

6. Wie die Erneuerung der B. ist auch ihre Vernichtung dem Volksempfinden nach ursprünglich anscheinend so stark im Jahresbrauch verwurzelt, daß ein Abweichen von dieser Ordnung ohne Not mit abergläubischer Scheu und positiver Bedeutsamkeit umgeben wurde.

a) In leicht erklärlicher Gedankenverbindung wurde in Frankreich (Dep. Loire et Cher) das B.brennen auf die Hochzeit übertragen. Es begleitet dort den Abschied der Tochter vom Elternhaus. Alle erreichbaren B. im Dorfe werden auf einen Haufen zusammengeschleppt, und der Brand wird im Reigen umtanzt [96]). In Deutschland heißt es allgemein, man solle alte B. nicht verbrennen, und in Bayern heißt es, wenn man alte B. nicht verbrennt, dann bleibt man vor Rotlauf geschützt [97]). Im Egerlande geht 1823 der Aberglaube bei den Hausmüttern der Stadt und des Landes so weit: sie lassen nicht zu, daß jemand im Haus einen alten B. ganz verbrenne, sondern man muß allzeit das Bundwerk aufschneiden und öffnen; denn sie behaupten, daß in dem B. die armen Seelen zu leiden haben und auf diese Weise erlöst werden [98]). In Schwaben wie in Mecklenburg zieht das B.verbrennen Unglück herbei: die Hexen bekommen Macht, man bekommt „Besuch"; im Berner Oberland gibt es, mit Stallb. geübt, Höllenfeuer. In Schwaben schränkt man das Brennen auf den Herd ein, verbrennt man sie im Ofen, so können Hexen und böse Leute einem etwas antun. In Münchingen wurde noch vor 20 Jahren beim Sieden des Brühwassers ein alter B. verbrannt, um Hexen zu verscheuchen [99]). Anderseits glaubt man in Mecklenburg, Thüringen, Böhmen, Schlesien, man bekäme Besuch von Frauensleuten, wenn man alte B. verbrennt [100]). In Schwaben verbrennt man gegen Frostbeulen einen alten B. bei Nacht ungesehen auf dem Herd und hält den Fuß über das Feuer. Dann wird der Fuß gesund. Mit einem angebrannten B. heilt man in Böhmen auch Warzen. Umrühren des Kotes einer verhexten Kuh, Räuchern und Vergraben des B. bringt der Hexe im Samland sicheres Verderben. In Skandinavien wurde ein Kranker mit einem brennenden B. dreimal der Sonne entgegen umkreist und sein Haar etwas angesengt [101]).

b) Schließlich findet man das Besenverbrennen auch als W i n d z a u b e r in Frankreich, Norddeutschland wie in

Pommern, wo der Stiel in die Richtung des erwünschten Windes gestellt wird, in Schlesien oder etwa in Oberösterreich um gutes Wetter zu erlangen [102]). Ferner wird der Besen gegen den Wind geworfen (ebenda und in Brandenburg) [103]). Typisch ist im Nordseegebiet wie an der Ostsee schließlich auch das Windmachen dadurch, daß man einen B. vom Schiff aus ins Meer wirft [104]); man wirft ihn nach der Seite, von der man den günstigen Wind herbeiwünscht, und die Schiffer auf der Weser und Elbe (Hamburg) glauben sogar, daß man damit den Wind drehen und einem entgegenfahrenden Schiff abwendig machen könne, was zu allerhand Mißhelligkeiten Anlaß gibt und als unerlaubtes Manöver gilt [105]). Auf sprachliche Beziehungen („Donnerb.", „Himmelsb.") in diesem Vorstellungskreis hat bereits Wuttke hingewiesen [106]).

Früher wurden neue Reisb. auch dadurch eingeweiht, daß man sie über das Feuer hielt, neuerdings ist Einschneiden eines Kreuzes hinzu oder an die Stelle getreten [107]). Schließlich waren und sind wohl noch im Böhmerwald beim Gang zur Christmette alte B. zur Wegbeleuchtung in Gebrauch — ein Sinnbild überwundenen Heidentums [108]).

[65]) B.H.V. 1, 230 Nr. 36; SAVk. 24, 64; Meyer Baden 422 = Wuttke 425 § 664; Bartsch Mecklenburg 2, 249, 458 = Wuttke 64 § 74, 2; Strackerjan 2, 233; Mitt. Anhalt. Gesch. 14, 18; IAE. 13, 146. [66]) Schulenburg Wend. Volkstum 242. [67]) Engelien und Lahn 273. [68]) Strackerjan 1, 76. Ähnliche Riten übt man in Frankreich mit B., die in besonderer Art gebunden werden müssen, auch in Finnland. [69]) ZfVk. 264. [70]) ZfdMyth. 1, 394. [70 a]) „Des deutschen Landmanns Practica" von Grässe. S. 60. [71]) Bartsch Mecklenburg 2, 26. [72]) Frischbier Hexenspr. 27. [73]) Bartsch Mecklenburg 2, 248. [74]) Liebrecht Gervasius (Thiers Nr. 197, 264); FFC. Nr. 55, 96 ff. [75]) Strackerjan 1, 433 Nr. 231; Boecler Ehsten 35. 123. [76]) Grimm Myth. 3, 475 Nr. 1096; ZfdMyth. 2 (1854), 86; Urquell 3, 41; Kuhn Westfalen 2, 189 Nr. 535 a; Meiche Sagen 126; John Erzgebirge 56; Grohmann 112; Drechsler 1, 211 = Wuttke 393 § 603. [77]) ZföVk. 3, 22. [78]) Bartsch Mecklenburg 2, 144; Enders Kuhländchen 79; Drechsler 2, 103; John Erzgebirge 224; [79]) Rothenbach Bern 35. [80]) ZfVk. 8, 307; 10, 209. [81]) Kühnau Sagen 2, 158;

Urquell 1, 203. [82]) Panzer Beitrag 2, 307. [83]) Wuttke § 706. [84]) IAE. 13, 147; Vekenstedt Wend. Sagen 457. [85]) Birlinger Volksth. 1, 484 f.; 2, 444; Ders. Aus Schwaben 1, 55. 66 f.; Meier Schwaben 389 Nr. 54; Lütolf Sagen 367; Lammert 206; Höfler Waldkult 138. [86]) Rockenphilos. II Nr. 3 = Urquell 4, 141. [87]) Stoll Zaubergl. 194. [88]) Schulenburg Wend. Volkstum 114. [89]) John Westböhmen 242. [90]) Seligmann 2, 93. [91]) Drechsler 2, 251. [92]) Lammert 286. [93]) Jahn Hexenwesen 188. [94]) Wuttke § 700; Bartsch Mecklenburg 1, 227 ff.; 2, 248. [95]) Bartsch Mecklenburg 2, 278. [96]) RTrp. 15, 375. [97]) Panzer Beitrag 1, 267; Grimm Myth. 3, 458 Nr. 693; 460 Nr. 731; 477 Nr. 388. [98]) ZföVk. 6, 110. [99]) Birlinger Volksth. 1, 495; Meier Schwaben 2, 498; Meyer Baden 334; SAVk. 8, 271; Bartsch Mecklenburg 2, 132. [100]) Bartsch a.a.O.; Wuttke 212 § 296; Dähnhardt Volkst. 1, 97 Nr. 90; John Erzgebirge 33; Drechsler 2, 199. [101]) Birlinger Volksth. 1, 485; Grohmann 173; Frischbier Hexenspr. 91; ZfVk. 7, 52. [102]) Sébillot Folk-Lore 1, 103; Wuttke 302 § 443; Kuhn u. Schwartz 454 Nr. 401; Lemke 2, 289; Heims Seespuk 70; IAE. 13, 160; Engelien-Lahn 283; Ausland 52, 882; Drechsler 2, 199; Baumgarten Aus der Heimat 1, 57. [103]) Baumgarten a. a. O. 1, 39. [104]) Heims Seespuk 70. [105]) Strackerjan 1, 106; 2, 233 Nr. 493; Wuttke § 326; Lübbing Fries. Sagen 184. [106]) Wuttke 131 § 178. [107]) Liebrecht Zur Volksk. 314. 320. [108]) John Westböhmen 20.

7. Die sympathische und homöopathische Medizin machte auch von den Teilen des B.s Gebrauch. In Österreich wird in das zum Schutze bei einer Geburt entzündete Feuer ein Reis des Hausb.s gegeben; auch in den Wundsegen bindet man eines ein (Westfalen) [109]). Jungen, siechen Hunden legt man den Weidenreif eines noch ungebrauchten B.s um den Hals (Schaffhausen) [110]). Wenn ein Mädchen sich eine vom B. eines Essenkehrers heimlich losgelöste Rute in den Schuh steckt, vergnügt es sich trefflich beim Tanze [111]). Neun oder drei Knospen vom (Zwölften-) B. gibt man der Kuh ein, wenn ihre Milch „lang" ist (Mecklenburg, Hessen) [112]).

Die Asche des B.s, auf Flechten gestreut, macht diese schwinden (Siebenbürgen) [113]). B. begegnet als Schimpfwort für alte Weiber in der älteren Studentensprache. Der Volkswitz ist kaum ur-

sprünglich auf die Zusammenstellung gekommen [114]).

[109]) G r i m m *Myth.* 3, 460 Nr. 731; K u h n
und S c h w a r t z 438 Nr. 313.   [110]) Unoth
184. [111]) J o h n *Erzgebirge* 76. [112]) B a r t s c h
Mecklenburg 2, 248, 434; W u t t k e § 406.
[113]) W l i s l o c k i *Siebenb. Volksgl.* 91.
[114]) S c h ö p p n e r *Bayr. Sagenb.* 2, 228;
S c h o l l e m *Volkstümliches* Nr. 50; P e n t h e
Deutscher Slang 1892 Nr. 7; R o c h h o l z
Glaube 2, 82.   Haberlandt.

Besenginster s. G i n s t e r.

Besenritt. Der B. darf nicht ohne
weiteres von den magischen Eigenschaften des Reisbesens, wie wir sie oben
(s. Besen) kennengelernt haben, abgeleitet werden. Er ist vielmehr anscheinend ursprünglich an den Gebrauch einer
Zaubergerte, eines Stengels oder Stabes
geknüpft, wobei sich allerdings der Stiel
des Reiserbesens ob dessen vielseitiger
und bedeutsamer Wirksamkeit besonders
empfohlen haben mag. Dazu kommt
dann noch das Besenwerfen, die Vorstellung von fliegenden, feurigen Besen
(s. d.) und anderes.

I. a) In besonders u r s p r ü n g -
l i c h e r Form begegnen Vorstellungen
von einem magisch-kultischen Durch-
die-Lüfte-Reiten auf einem Stock noch
heute im Osten Europas und in Zentral-
asien [1]). Auch die indischen Hexen fahren
auf Besen durch die Luft [2]). Bei den Bai-
kalburjäten haben die Schamanenstäbe
am oberen Ende einen Pferdekopf und
am unteren einen Huf, um die schnelle
Fortbewegung der Schamanen zu verkörpern, wenn sie zu den Geistern fahren [1]). Die Inselesten behaupten gleichfalls im Besitz von Stöcken zu sein, die
sich in Pferde verwandeln, wenn sie auf
Locksberrile reiten (wörtliche Entsprechung zum Blocksberg), und der Lappen-
zauberer reitet auf einem Stock, den er
mit Zauberöl bestreicht, so wie die Hexe
hiezu eine Zaubersalbe verwendet [3]).

b) Bezüglich der V o r g e s c h i c h t e
des deutschen Aberglaubens sind wir, abgesehen von solchen rezenten Zeugnissen
altartiger Vorstellungen, in weiterer Verbreitung kaum über die seinerzeitigen
Feststellungen von J. G r i m m hinaus-
gelangt, der sagt: „ich kann wirklich

nur ein ziemlich altes Zeugnis für das Reiten auf Rohr und Binsen, die sich aber
in ein leibliches Pferd verwandeln, bei-
bringen. Guilelmus alvernus pag. 1064:
„si vero quaeritur de equo quem ad vec-
tigationes suas facere se credunt male-
fici, credunt inquam facere de canna
per characteres nefandos et scripturas,
quas in ea inscribunt et impingunt,
dico in hoc, quia non est possibile malig-
nis spiritibus de canna verum equum
facere vel formare, neque cannam ipsam
ad hanc ludificationem eligunt, quia ipsa
aptior sit, ut transfiguretur in equum,
vel ex illa generetur equus, quam multae
aliae materiae. Fortisan autem propter
planitiem superficiei et facilitatem haben-
di eam alicui videatur ad hoc praeelecta...
sic forsan hac de causa ludificationem
istam efficere in canna sola et non alio
ligno permittuntur maligni spiritus, ut
facilitas et vanitas eorum per cannam
hominibus insinuetur... si quis autem
dicat, quia canna et calamus habitationes
interdum malignorum spirituum sunt. . .
ego non improbo."

Schließlich werden in künftige Untersuchungen auch die seit der Antike bekannten S t e c k e n p f e r d r i t t e in
allerlei Festbrauch einzubeziehen sein.

Auch hiefür hat J. Grimm schon die
geistige Brücke auf Grund der nordischen
Ueberlieferung geschlagen (Sage von
Thorsteinn boearmagn, 15. Jh.?): „Thorsteinn lag im Ried verborgen und hörte
einen Knaben in den Hügel rufen: „Mutter, reiche mir Krummstab und Band-
handschuhe, ich will auf den Zauberritt
(gandreid), es ist Hochzeit unten in der
Welt!" Da wurde aus dem Hügel alsbald
der krôkstafr gereicht, der Knabe bestieg ihn, zog die Handschuhe an, und
ritt wie Kinder pflegen. Thorsteinn nahte
sich dem Hügel und rief dieselben Worte:
sogleich kam Stab und Handschuh heraus,
Thorsteinn stieg auf den Stab und ritt
dem Knaben nach. Sie gelangten an einen
Fluß, stürzten sich hinein und fuhren zu
einer Felsenburg, wo viele Leute an Tafel
(sic!) saßen und alle Wein tranken aus
Silberbechern, König und Königin waren
auf einem goldnen Thron. Thorsteinn,

den sein Stock unsichtbar gemacht hatte, erkühnte sich, einen kostbaren Ring und ein Tuch zu ergreifen, verlor aber darüber den Stock, wurde von allen erblickt und verfolgt. Glücklicherweise kam jedoch sein unsichtbarer Reisegefährte auf dem andern Stock, den nun Thorsteinn mit bestieg, und so entrannen beide" (fornm. sög. 3, 176—178).

„Hat auch diese Dichtung kein echt-nordisches Gepräge" fährt Grimm fort, „so lehrt sie nichtsdestoweniger, welche Ansicht man im 14. oder 15. Jh. mit solchen Zauberritten verband; kein Teufel tritt dabei auf". Wir dürfen hinzufügen, daß mit dem „Hügel" offenbar ein vorgeschichtlicher Grabhügel gemeint war, wie ihn die Volksüberlieferung ganz richtig auch mit dem Beiwerk zum Festmahl in der Totenwelt ausstattete. „Aber Stab und Stock scheinen erst spätere Behelfe des Hexentums. Weder die Nachtfrauen, noch das wütende Heer, noch das valkyrien bedürfen eines Geräts, um die Lüfte zu durchziehen, den Nachtfrauen wurden schon Kälber und Böcke beigelegt." Hiezu wäre zu bemerken, daß der B. eine schamanistische, nicht aber eine Geisterhandlung ist, wenn sie auch manchen vorzeitlichen Geschlechtern zugeschrieben wurde. Auch die „Guten Leute" schneiden sich aus Gerten Rosse (Erin 1, 136). So bedarf es nur einer Formel, einen Zaunstecken zu wecken, der zum Bock werden und die Geliebte herholen soll, und in bayrischen Akten ist oft des sogenannten Mäuse- oder Fackel- (Ferkel-)Machens erwähnt, wobei von der Hexe ein dunkelgelbes, hartes, unbiegsames, vierbeiniges Gestell mit übergeworfenem Tuch durch Besprechung zum Tier gemacht wird. Auch die irische Sage kennt Binsen und Halme, aus denen, sobald man sie beschreitet, Rosse werden[4]). In neuerer Zeit sind es dann eben Haus- und Wirtschaftsgeräte, die als Fahrzeuge dienen, so nach dem Zeugnis des Stricker oder eines seiner Lands- und Zeitgenossen Hausbesen, auch Ofenstäbe, nach Hartlieb (1455) Bänke, Säulen, Ofengabeln oder Rechen, in Böhmen auch (Ofen-)

Krücken oder Spinnrocken[5]). „Besenreiterin" ist aber örtlich geradezu ein Synonym für Hexe geworden[6]).

[1]) N i o r a d z e *Schamanismus* 78 f. [2]) *Nature* 25 (London 1863). [3]) *Ausland* 52, 882. [4]) G r i m m *Myth.* 2, 906 ff. [5]) Ebd.; K u h n u. S c h w a r t z 478; S t r a c k e r j a n 2, 233 Nr. 493; K ö h l e r *Voigtland* 418; J o h n *Westböhmen* 73; W. 130 § 178. [6]) G r i m m *Myth.* 2, 895; H e c k s c h e r 122, 468 Anm.; JAE. 13, 139.

2. **M a g i e des B.s**: In Böhmen umreitet der Bauer am Karfreitag die Wiesen, damit sie die Maulwürfe nicht durchwühlen (etwas anders in Schlesien). Analog bannt man in Serbien zu Weihnachten die Felddiebe[7]).

Gegen Fieber muß man in Ostpreußen auf einem Besen schweigend zu einem Kreuzwege reiten und den B. liegen lassen oder zweimal durch die Stadt reiten, ohne sich umzusehen, dann verliert man es[8]). Um zu „losen" reiten Mädchen vielfach in der Nacht auf einem B. zum Stall, wo die Laute der Tiere den Zukünftigen kennzeichnen. So reiten die Mädchen in Mecklenburg zum Schweinstall (in der Uckermark tun das auch die Burschen), in Ostpreußen (Samland) zum Pferdestall, in Hessen zum Hühnerstall oder sie bleiben hier im Ofenheck[9]). In der Ukraine reitet die Bräutigamsmutter, bevor der Hochzeitszug sich auf den Weg begibt, auf Gabel oder Rechen dreimal um den Backtrog und „tränkt ihr Roß"[10]).

[7]) G r o h m a n n 59; MschlesVk. 1, 52; 4, 63 = W. 416 § 647; S c h n e e w e i s 7. [8]) F r i s c h b i e r *Hexenspr.* 51 = W. 339 § 508; Urquell 3 (1892), 68. [9]) B a r t s c h *Mecklenburg* 2, 490; F r i s c h b i e r *Hexenspr.* 163; W. § 341; § 358. [10]) Z e l e n i n *Russ. Vk.* 308.   Haberlandt.

Besenstiel wird manchmal in der gleichen Anwendung wie der B e s e n (s. d.) an und für sich erwähnt. Also: Ein Tier soll man nicht mit einem B. schlagen[1]); der Jäger darf seine Flinte nicht neben einem B. aufhängen oder hinstellen, sie trifft sonst neun Tage nicht[2]). B.e kreuzweise in den Ecken von Kohlpflanzungen schützen diese vor Graswürmern[3]).

[1]) K o h l r u s c h *Sagen* 341. [2]) B a r t s c h *Mecklenburg* 2, 128. [3]) SAVk. 21 (1917), 51.   Haberlandt.

Besessenheit. Das ganze Altertum war von der sog. B. einzelner Menschen überzeugt, d. h. von dem Glauben, man könne Dämonen durch geschlechtliche Vereinigung oder durch den Genuß ihnen eigentümlicher Objekte in sich aufnehmen, oder dämonische Wesen könnten direkt und von selbst von Menschen Besitz ergreifen. Denselben Glauben treffen wir im NT. an: Hellseherei, Tobsucht, Epilepsie, Stummheit u. dgl. gelten als dämonisch; Jesus treibt wiederholt die „unreinen Dämonen" aus.

Das Christentum übernahm diese Ansichten [1]). Karl, Ludwigs des Deutschen Sohn, galt dem Chronisten als teufelsbesessen [2]). In Frankfuit a. M. steckte eine besessene Magd (1536) Kleidungsstücke, Münzen, Nadeln, Nägel u. dgl. in den Mund [3]). „Ein halbjährig Knäblein, einem Burger zu Lucern ao 1590 gebohren, ward verzauberet durch Hundshaar, in einem Müeßlein gegeben, und also ist es mit dem bösen Geist besessen worden" [4]). Ungeheures Aufsehen erregte ein 12jähriges Mädchen zu Löwenberg in Schlesien, „welche der vermaledeyte Schandteufel 1605 . . . leibhaftig besessen" [5]). Ebenso bekannt wurde 1892 der Fall eines angeblich besessenen Knaben in Wemding (Bayern), den ein Kapuzinerpater exorzisierte, der noch mehr Aufsehen erregte, als die Teufelaustreibung in Unterwalden 1848 [6]); vgl. auch die Heilung der Gottliebin durch Chr. Blumhardt senior [7]).

Von der eigentlichen Geisteskrankheit wird im Volke die B. streng geschieden und gilt für viel schrecklicher [8]). Die B. äußert sich in sehr mannigfaltiger Weise: Der Besessene redet in Sprachen, die er nie erlernt [9]), er heult wie ein wildes Tier [10]), bellt wie ein Hund [11]), weiß künftige und verborgene Dinge [12]), hat Riesenkräfte, weigert sich beharrlich, den Namen Christi oder Gottes auszusprechen [13]), läuft an den glatten Wänden hinauf [14]). Die Hexenprozesse lieferten massenhaftes Material von Besessenen, die andere der Verzauberung beschuldigten. So erklärten mehrere Nonnen des Klosters Unterzell bei Würzburg 1749 durch die aus ihnen redenden Dämonen, die Subpriorin Maria Renata habe durch böse Praktiken den Teufel in sie gezaubert. Die Angeschuldigte wurde verbrannt [15]).

In verschiedener Gestalt nimmt der Teufel von den Besessenen Besitz [16]). Er kommt als Fliege aus den Nasenlöchern eines Exorzisierten [17]), er erscheint als Fledermaus [18]), fährt als „blauer Dunst" aus [19]).

Der Teufel oder der Dämon wird durch Priester gebannt (s. Exorzismus), seitdem die Kirche „das Dämonenbeschwören zu einem Akt des kirchlichen Amtes gemacht und schon im 3. Jh. eine Klasse von Exorzisten zum Klerus gerechnet hat" [20]). Der Teufel kann in Grashalme gebannt werden oder fährt aus Besessenen dahinein (besonders in das Schmielengras), weil er auf diese Weise ins Vieh und durch den Fleischgenuß wieder in Menschen gelangen kann; man darf daher solche Grashalme nicht als Zahnstocher benützen, warnt man in Tirol [21]) und Schwaben [22]).

[1]) Über die kirchliche Auffassung und Behandlung der B.: F r a n z *Benediktionen* 2, 514; RGG. 1 [2], 948 f.; auch H o v o r k a - K r o n - f e l d 2, 233. 243. [2]) P e r t z *MG.* 1, 495. [3]) S t e m p l i n g e r *Aberglaube* 83. [4]) C y s a t 60. [5]) „Überaus schreckliche Historie" . . . Zu Wittenberg erstlich gedruckt 1605. [6]) N i d e r - b e r g e r *Unterwalden* 3, 555. [7]) s. Z ü n d e l *Leben Chr. Bl.s.* [8]) H ö h n *Volksheilk.* 1, 135. [9]) S c h o t t *Physica curiosa* 4, 7; 4, 9. 1. [10]) Ebd. 4, 9. 2. [11]) So heilte der hl. Bernhard einen solchen (W i l h e l m u s abbas *Vita S. Bernardi* 2, 3). [12]) S c h o t t a. a. O. 4, 7; 4, 9. 2; M e i c h e *Sagen* 452 Nr. 590. [13]) S c h o t t 4, 9. 2. [14]) Dies erzählt W e i e r *de praestig. daemon.* 4, 10 von einer Klosterfrau im Brigittenkloster bei Xanten. [15]) H o r s t *Zauberbibl.* 3, 165. [16]) G r i m m *Myth.* 2, 848; 3, 299. [17]) Acta Benedict. 1, 238; M e i c h e *Sagen* 57 Nr. 65. [18]) L e o p r e c h t i n g *Lechrain* 133. [19]) So beim Räuber Hardemente im Osnabrückischen: S t r a c k e r j a n 1, 319. [20]) D ö l l i n g e r *Reden* 1, 216. [21]) Z i n - g e r l e *Tirol* 63. [22]) M e i e r *Schwaben* 247.
Stemplinger.

Besitz. Die Begriffe B. und Eigentum decken sich nicht. Mit B. bezeichnet man das Verhältnis tatsächlicher Herrschaft, welches der Besitzer über Dinge oder Personen ausüben will, ausübt.

Nach moderner Rechtssprache wird es charakterisiert durch den animus possedendi, den „Willen zum B.". Selbstverständlich muß aber dieser Wille auch der Außenwelt gegenüber in sichtbarer und eindeutiger Weise zum Ausdrucke gebracht werden. Dies muß nicht nur zum Schutze des Besitzers geschehen, sondern auch zum Schutze der Fremden. Denn wer sich aus dem B.e eines andern etwas aneignet, kann durch dessen Seelenstoff, der sich an alles Eigen des Menschen anhängt, geschädigt werden. B. und Tabu hängen eng zusammen [1]. Das Besessene steht mit dem Besitzer in magischer Wechselbeziehung, die auch durch den Tod nicht ohne weiteres gelöst wird. Der vergrabene Schatz hält die Seele fest [2] (s. Animismus II). Ebenso ist der Besitzer bei Lebzeiten und auch noch nach dem Tode mit seinem teuersten B. verbunden, insbesondere Eheleute, Brautleute untereinander, Mutter und Kind, so, daß eine Einwirkung auf das B.tum auch den Besitzer trifft. Die Loslösung des Besitzers vom B. herbeizuführen, wenn man es will, ist gar nicht leicht. Es muß deshalb den Bienen und anderem Hausvieh der Tod von Hausvater und Hausmutter angesagt werden, damit sie nicht sterben, ihnen nicht weiterhin (in das Totenreich) nachfolgen. Wenn ein Toter im Hause liegt, muß man den Leinsamen verkaufen oder vertauschen oder rütteln, oder dem Toten einige Körnlein in den Sarg geben; das Mehl muß man umschaufeln, den Blumentopf von der Stelle rücken, die Bierfässer rühren, alles Mittel, um die Dinge vom Toten zu lösen. Wo man der Natur der Sache nach solche Loslösung nicht vornehmen kann oder will (die tote Wöchnerin und das mitsterbende Kind), muß man dem Toten seinen ganzen B. oder die ihm liebsten, am häufigsten benützten Sachen (Weib, Kind, Knechte, Hausgeräte, Arbeitsmaterial) in das Grab mitgeben. Bei primitiven Volkern wird das Haus, in welchem ein Toter gelegen ist, zerstört [3]. Zur Lösung solcher Verbindung dient z. B. auch der Brauch, ehe man fremden Leuten Milch gibt, oder

verkauft, die Kanne, worin man sie forträgt, zu weihen [4]. Was man am Weg findet (s. finden), soll man deshalb auch nicht ohne weiteres aufheben [5]. In primitiven Verhältnissen entschließt man sich daher nur sehr schwer, fremde Sachen an sich zu nehmen und aufzuheben. Der Fluch, der an einem Haus oder Gegenstande (vgl. das Rheingold) haftet, ergreift nämlich alle Besitzer oder doch eine Reihe von Generationen kraft der oben erwähnten sympathetischen Wechselwirkung [6]. Ein Bananenschnitzelmesser würden viele des besonders starken, ihm anhaftenden Tabus wegen nicht aufzuheben wagen [7]. Deswegen verwendet man zum Zaubern womöglich Erbsachen (s. Erbe), von denen man weiß, daß an ihnen kein hausfremder und daher möglicherweise widriger Stoff hängt.

[1] Lang *Magic and Religion* 261 und passim. [2] Lütolf *Sagen* 61 Nr. 22. [3] Schönwerth *Oberpfalz* I, 247. [3] Spencer and Gillen *Northern Tribes of Central Australia* 517 f. [4] Liebrecht *Zur Volksk.* 315. [5] Schönwerth I, 380. [6] Heyl *Tirol* 168 Nr. 77. [7] Gutmann *Recht der Dschagga* 423.

2. Das Wesen der B.ergreifung und -festhaltung besteht daher darin, daß der Besitzer das betreffende Objekt mit seinem Seelenstoff erfülle, es tabu mache. Dies geschieht sehr häufig, indem das betreffende Familienzeichen oder ein heiliges Zeichen an dem Tier angebracht wird. So werden Kreuze, wahrscheinlich Abänderungen der früher verwandten Hammerzeichen, aber auch die drei heiligen Namen, Kaspar, Melchior und Balthasar sowohl als Schutz- (s. Abwehrzauber) wie als B.ergreifungszeichen durch die heilige Kraft des Christentums an Haus- und Stalltüren angebracht [8]. Auch das Brot wird mit dem Kreuzeszeichen besegnet. Junge Enten werden durch den Bausch des Gewandes durchgezogen [9], ehe man sie zum ersten Male zum Bache treibt. Fremde Hühner gewöhnt man ans Haus durch den Spruch: „peleib hie haim als die fut (vulva) pei meinem pain" [10]. Damit die Hühner die Eier nicht verlegen, macht man an Fastnacht ein Nest aus Stroh, steckt es drei-

mal durch die Beine und spricht: „Bleib beim Haus, wie's Bein beim Leib" [11]). Nicht nur zufällig erinnern diese Bräuche so auffallend an Adoptionsriten (s. Adoption); in beiden Fällen soll bisher Fremdes mit dem Seelenstoff des Besitzenden, bzw. des Hauses, erfüllt werden.

In anderen Bräuchen muß sich die B.ergreifung von Grund und Boden vollziehen. Für die älteste Zeit kommt an diesem ein Individualb. überhaupt nicht in Betracht. Der Gemeinb. der Gemeinschaft wird auf die Gottheit zurückgeführt. Gott Thor erwarb den B. der Erde, welchen er den Menschen vermittelt durch den Hammerwurf [12]). Hammerwurf bestimmt daher auch die Mark (Grenze) des anzusiedelnden B.es. Mit dem Werfen des Hammers (Blitzhammer) hängt auch die B.ergreifung durch Feuer, Notfeuer (Blitz) zusammen [13]). Hammer bedeutet ursprünglich Stein, hängt also mit Steinmesser zusammen [14]). Der Messerwurf dient daher demselben Zweck wie der Hammerwurf [15]), eine Vorstellung, die sich auch heute noch im Kinderspiel erhalten hat [16]). Auch Stahl und Schwert fungieren als Symbole dieser Art [17]). Frau Huldra geht einer Herde voran, deren Eigentum der erwirbt, welcher einen Stahl über sie wirft [18]). Auch wer einen Schatz sieht, muß etwas darauf werfen, um ihn dauernd zu erwerben [19]).

Sollen Landstriche aus der im Gemeinb. befindlichen Flur an einzelne Gemeindemitglieder für längere oder kürzere Zeit zur Bebauung oder zu dauernder B.nahme (Allod, Sonnenlehen) überlassen werden [20]), so erfolgt dies durch Einhegung. Diese typische Einhegung geschah in mannigfachen Formen; meist durch Umreiten [21]), durch Umpflügen [22]), auch durch Umgehen [23]), wobei die Zeit, innerhalb welcher die B.nahme erfolgen muß, meist begrenzt ist. So umspannte Dido mit einer Ochsenhaut das Gebiet von Karthago [24]). Nicht hierher gehören die verschiedenen Sagen, in denen ein Streit über die Grenze zwischen benachbarten Kantonen dadurch entschieden werden soll, wo sich die beiden Boten

begegnen. Denn dies ist keine eigentliche B.nahme, sondern eine Wette.

Machtsymbol [25]) bei der B.ergreifung ist auch das Aufsetzen des Fußes auf das betreffende Land [26]), ein Ritus, der ebenfalls bei der Adoption vorkommt; auch haftet an der Fußspur der Seelenstoff [27]), so daß die indischen Gurus mit der Fußsohle den Segen erteilen.

[8]) Liebrecht *Zur Volksk.* 311. [9]) Urquell 4 (1898), 143. [10]) Liebrecht a. a. O. 356. [11]) Wuttke § 674. [12]) Mannhardt *Germ. Mythen* 132. [13]) Simrock *Mythol.* 243. [14]) Grimm *Myth.* 1, 165. [15]) Liebrecht *Gervasius* 98 ff. [16]) Rochholz *Sagen* 2, 67. [17]) Goldmann *Einführung* 20 ff. [18]) E. H. Meyer *Germ. Mythol.* 281. [19]) Lütolf *Sagen* 66 Nr. 25. [20]) Max Weber *Agrarverhältnisse des Altertums* im Handwb. der Staatswissenschaften; August Meitzen *Siedlungs- u. Agrarwesen der Germanen*; Karl Lamprecht *Deutsches Wirtschaftsleben im MA.* [21]) Kuhn u. Schwartz 77, 479; Schambach u. Müller 15. 330; Eckart *Südhannov. Sagen* 131. [22]) Müllenhoff *Sagen* 65 Nr. 70. [23]) Grimm *RA.* 1, 119 ff. [24]) Knuchel *Umwandlung* 106. [25]) Hoops *Reallex.* Art. Rechtssymbole. [26]) *ZfVk.* 4 (1894), 173. [27]) Schönwerth *Oberpfalz* 3, 200.

3. Eine magische Abart der B.ergreifung ist das Ziehen eines Zauberkreises, in den nichts Fremdes, Feindliches eindringen kann (s. Asyl und Abwehrzauber). Der Graf von Wolffstein zieht durch einen Schwertwurf einen magischen Kreis eine halbe Stunde im Umkreis von seinem Schloß, damit der Teufel sich nicht nähern und das ihm verfallene Kind nicht holen könne [28]).

[28]) Ebd. 3, 65 f.

4. Zufolge des Wesens des B.es muß bei jeder Änderung in der Person des Besitzers aufs neue eine B.ergreifung stattfinden. Der Erbantritt geschieht in feierlicher Weise. Ererbtes Land wird auch vom König [29]) feierlich umwandelt und umritten. Bei B.übernahme von Fremden wurde ein besonders ausführliches Zeremoniell geübt, bei dem das Auslöschen und Wiederanzünden des Feuers eine große Rolle spielte [30]). Es wurde dabei besonderes Gewicht darauf gelegt, alle wichtigen Einzelbestandteile besonders in B. zu nehmen, seine Verfügungsgewalt zu zeigen [31]). Der Erwerber eines

Grundstückes mußte sich auf diesem als Herr benehmen, indem er auf dreibeinigem (d. h. altväterlichem, zum Melken wie zu allerlei Zauberbrauch ebenfalls verwendetem) Stuhle dort saß und Gäste bewirtete oder Feuer anzündete. Das Ackergrundstück wird in gleichem Sinne mit einem Pflug oder Wagen befahren. Oder man tritt über die Schwelle des Hauses [32]). Bezieht man ein Haus und will sich vergewissern, daß die früheren Mieter nicht das „Glück" weggenommen haben, so läßt man eine Henne vorher hineinflattern [33]).

[29]) K n u c h e l *Umwandlung* 107. [30]) ZrwVk. 11 (1914), 222 f. [31]) S t r a c k e r j a n 2, 222 Nr. 469. [32]) H o o p s *Reallex.* 3, 478. [33]) L i e b - r e c h t *Zur Volksk.* 358.   M. Beth.

besprechen.

1. Begriff. — 2. Bezeichnungen. — 3. Besprechende Personen. — 4. Vorgang. — 5. Zeit und Mittel. — 6. Formeln. — 7. Anwendung. —8. Erklärung. — 9. Geschichte und Literatur.

1. B e g r i f f. B. bedeutet: Ausübung des W o r t z a u b e r s (s. a. Wort, Zauberformel, -segen, -spruch, Zauber und Zauberei), vielfach begleitet von H a u c h - und B e r ü h r u n g s z a u b e r und bildet schon in den ältesten Zeiten einen wesentlichen Bestandteil des Zauberns überhaupt.

J. Grimm schreibt hierüber [1]): „Noch stärkere Macht als in Kraut und Stein liegt in dem Wort [2]) und bei allen Völkern geht aus ihm Segen oder Fluch hervor. Es sind aber gebundene, feierlich gefaßte Worte, wenn sie wirken sollen, erforderlich, Lied und Gesang. Darum hängt alle Kraft der Rede, deren sich Priester, Arzt, Zauberer bedienen, mit den Formen der Poesie zusammen. Ausdrücke des Sagens und Singens treten über in den Begriff des Zauberns, die ἀοιδή wird ἐπαοιδή (Od. 19, 457), ἐπῳδή, sprechen, singen, wird b., besingen, cantare, incantare. Dem Segen gegenüber steht der Fluch, dem Heil der Schade" [3]).

B. kann sowohl b e z a u b e r n oder v e r z a u b e r n (s. a. verhexen), als auch e n t z a u b e r n bedeuten. Weitaus überwiegend wird es im zweiten (guten) Sinne gebraucht.

A. Unter b. im Sinne von e n t z a u - b e r n (s. a. Zauber, -kunst) versteht man nach antikem wie christlichem Glauben das Vertreiben eines Dämons, der in einem Menschen, Tiere oder Gegenstand hausend als die unsichtbare Ursache eines dort vorkommenden oder von dort ausgehenden Übels angesehen wird.

Als solches ist es das ä l t e s t e m a - g i s c h e H e i l v e r f a h r e n. Denn Krankheit oder Gebrechen aller Art galten, auch wenn die Ursache deutlich erkennbar war, im Volksglauben von jeher als durch einen bösen Geist (Dämon) hervorgerufen, „angehext". Zahlreiche Bezeichnungen, wie: Hexenbanner, Teufelsbanner, Geisterbanner, Hexenmeister u. ä. [4]) für den das B. Ausübenden, sowie das Anreden des Übels mit Schmeichelworten, um die feindlichen Mächte nicht zu erzürnen [5]), weisen auf die Auffassung der Krankheit als Dämonenwirkung noch deutlich hin. Sie zu vertreiben, d. i. den bösen Geist (Dämon) zu überwältigen, bedurfte es daher besonderer, übernatürlicher Mittel: des Zaubers und zwar des entsprechenden Gegenzaubers. Gelang es, den Geist — sei es im Guten, sei es im Bösen — zu entfernen, so erfolgte die Genesung. Die Heilung ist im Grunde also immer ein Kampf [6]), eine Dämonenbändigung bzw. -austreibung, oder eine Dämonenversöhnung, ein „Büßen", wie es der märkische Bauer noch nennt [7]). Nächtliche Beklemmung verursacht der Alp, er heischt ein Opfer, eine „Buße". Dies bezeichnet Lippert [8]) als die älteste Auffassung einer Krankheit und ihrer Heilung.

Besprechung und Zauberspruch wurde als heidnischer Brauch vom Christentum bekämpft, „meist freilich mit dem geringen Ergebnis, daß die Sprüche entweder christianisiert oder durch christliche Gebete und Sprüche ersetzt wurden, oder sich gar völlig unverändert, mehr oder minder verborgen, im Gebrauch erhielten" [9]). Prinzipiell ist zwischen Zauberspruch und Gebet kein Unterschied, da beide Sprüche oder Worte enthalten, die mit wunderbarer Kraft erfüllt sind. Das Heidentum bannt die Dämonen durch Zaubersprüche, das Christentum durch Gebete. Nur daß im Gebet eine höhere Macht angerufen und zur Ausführung des Gewünschten veranlaßt wird, während der Zauberer es aus eigener Machtvollkommenheit unmittelbar erreichen kann [9a]).

[1]) *Myth.* 2 [4], 1023. [2]) Vgl. auch L e h m a n n *Aberglaube* [3] 101; S t e m p l i n g e r *Aberglaube* 81 f.; P f i s t e r *Schwaben* 31. [3]) Vgl. W u n d t *Mythus u. Religion* 1, 499. [4]) z. B. H ö h n *Volksheilkunde* 1, 78; S a r t o r i *Westfalen* 74. [5]) M a n z *Sargans* 68. [6]) P f i s t e r a. a. O. 53; L i p p e r t *Christentum* 177; J o h n *Westböhmen* 268; L a u f f e r *Niederd. Volksk.* 73. 77. 79. [7]) L i p p e r t a. a. O. [8]) ebd. [9]) P f i s t e r in P a u l y - W i s s o w a Suppl. Bd. 4 (1924) ,Epode'; vgl. dazu: S c h ö n w e r t h *Oberpfalz* 3, 230; L a m m e r t 28; Hess. Bl. 1 (1902), 2; F o x *Saarl. Volksk.* 300; S t e m p l i n g e r *Volksmedizin* 50. [9a]) P f i s t e r ebd.

2. Vielerlei B e z e i c h n u n g e n sind für das B. im Gebrauch, aus denen allein schon die mannigfaltigen Formen, in denen es geübt wird, erkennbar sind. Z. T. tritt aus ihnen der bloße Wortzauber, z. T. der damit verbundene ganze Handlungskomplex hervor; manche Bezeichnungen sind von einem bloßen Bestandteil des Heilverfahrens her genommen.

Bloßer W o r t zauber, später allerdings vielfach auch mit Handlung verbunden, liegt folgenden Bezeichnungen zugrunde:

B. (über die Etymologie des Wortes ,sprechen' (,b.') s. F. Sommer, Beschreien und B. beim idg. Urvolk) [10]), ansprechen [11]), versprechen [12]); anreden [13]), bereden [14]), reden [15]); abraten [16]), raten [17]); ansegnen [18]), besegnen [19]), segnen [20]), versegnen [21]); daneben verschiedene Dialektformen wie ,utsiägen' (aussegnen) im Landkreis Dortmund [22]) u. ä.; beten (davon Beter, Beterin) [23]), mit verschiedenen mundartlichen Nebenformen wie ,biän', wiägbiän' [24]) u. ä.; verbeten [25]); vertreiben (syn. mit verbeten) [26]); festsetzen (syn. mit b., besegnen) [27]); binden (syn. mit segnen und versprechen) [28]); bannen [29]); berufen [30]) (s. a. dieses); pröpeln [31]) (nach J. Grimm [32]): murmeln, verwirrt und unverständlich reden, plappern); bewispeln [33]), pischbern [34]), pespern [35]) (flüstern) u. ä. m.

Auf H a n d l u n g e n, die das Wort begleiten, deutet eine Reihe von Bezeichnungen hin, die absichtlich ganz allgemein und unbestimmt gehalten sind, wie es im Zauber mit Vorliebe geschieht:

B r a u c h e n (nach J. Grimm [36]): uti, anwenden, üben) im Sinne von ,zaubern', durch Sympathie heilen, ist besonders im Schwäbischen, aber auch in andern deutschen Gegenden bekannt, davon die Subst. ,Braucher', ,Brauchbüchlein' (Büchlein mit solchen Rezepten) [37]), Brauchspruch, Brauchebaum (vgl. unten 4). Das Wort [die nächstliegende Herleitung von ,gebrauchen', d. i. Sprüche u. ä. gegen Krankheit gebrauchen, vertritt neben Grimm u. a. Massing in Zfrw. Vk. (2, 141, vgl. Helm ebd. 5, 287 f.), während es von Esser (ebd. 5, 102. 207) künstlich von ,berauchen' = ,beräuchern' unter Annahme des Beräucherns als ursprünglicher Begleithandlung hergeleitet wird. In jüngster Zeit wird die in den Kreuzn. Heimatbl. 1 (1921) Nr. 12 vom 11. August ausgesprochene Vermutung, wonach deutsch ,brauchen' mit hebräisch ,berech', d. i. ,segnen', zusammenhängen solle, von A. Becker befürwortet [38]). Vgl. dagegen die klare Behandlung bei F. Pfister a. a. O.] wird in mannigfacher Weise angewendet. Niederd. ,wat brûken' bedeutet: Arznei nehmen [39]), die Kranken ,lent sich brüche' [40]) (lassen sich brauchen), alte Frauen brauchen d e n (Dat.!) Leuten, der Sympathiedoktor braucht d e m (Dat.!) Kranken [41]).

Pfister [42]) weist auf die verblüffende Übereinstimmung zwischen dem deutschen Wort ,brauchen' und der entsprechenden Bezeichnung im Griechischen (χρᾶσθαι) hin, die auch neben der gewöhnlichen Bedeutung ,machen', ,tun', die magische: weissagen und zaubern hat und gibt eine geniale Interpretation von Od. 8, 79; 5, 396; 10, 64. Ebenda wird auf den Zusammenhang von χρᾶσθαι mit χείρ als dem Organ, mit dem vorzüglich gebraucht wird, hingewiesen.

Für ,brauchen' wird noch angewendet: (im elsäß. Sundgau) schirmen (mit ,retten, conservare' zusammengestellt) [43]);

‚schurmen' (Breisachisch) aus dem frz.
‚charmer' abgeleitet [44]), jüd. ‚schormen'
= massieren [45]); ‚stillen' (ältere Bezeichnung für br. [46]), ferner: dafür tun, was
tun, dafür können, an einen Ort gehen
u. dgl. unbestimmte Bezeichnungen
mehr [47]).

Daneben tritt ‚büssen' (ahd. puo-
zan, betan = emmendare aber auch me-
deri, dem Übel abhelfen, heilen [48]). Mhd.
büezen, bûzen (mit Dat.!): das Kopfweh
durch B. heben [49]).

Die buoze (das Zaubermittel) versuo-
chen, Morolf 916. Sühte büezen, Freidank 163, 16; de tene böten (Zahnschmerz
stillen) bei J. Grimm [50]). Büßen heißt
‚heilen', ‚sanare' wie Buße: Heilmittel.
Nebenformen: niederd. böten, boeten
(im Teuthonista ‚zaubern'), mnl: ut boeten = sanare. Gefken boiten, bäute daun
= eine Besprechung vornehmen [51]), beu-
ten, altn. byta [52]), bäuten u. a. m.

Von einem T e i l v e r f a h r e n her-
genommen sind die Bezeichnungen: anblasen [53]), blasen [54]), Blaser [55]), anhauchen [56]), anpusten [57]), pusten, streichen [58]),
von damit verbundenen Hantierungen:
messen [59]) u. ä. m.

[10]) WS. 7 (1921), 102 ff. [11]) S c h r a m e k
Böhmerwald 284, auch ‚onsprechen' ebd. 280;
ZfrwVk. 5 (1908), 207; J o h n ebd.; S c h ö n -
b a c h *Berthold v. R.* 35. [12]) S e y f a r t h *Sach-*
sen 68; H a l t r i c h *Siebenb. Sachsen* 274;
ZfrwVk. ebd.; J o h n a. a. O.; S c h u l l e -
r u s *Siebenb.-Sächs. Volksk.* 41 f. [13]) Vgl.
P r e u ß *Psych. Forsch.* 2 (1922), 170 ff. [14]) S e y -
f a r t h a. a. O. [15]) S c h u l l e r u s a. a. O.
[16]) F r i s c h b i e r *Hexenspr.* 26. [17]) Ebd.;
U r q u e l l 1 (1890), 204; S c h u l l e r u s
a. a. O. [18]) P a n z e r *Beitrag* 2, 265. 275.
[19]) Z a h l e r *Simmenthal* 96; M a n z *Sargans*
61. 68; F r i s c h b i e r a. a. O.; ZfVk. 16
(1906), 170; B r u n n e r *Ostd. Volksk.* 247.
[20]) H a l t r i c h a. a. O.; G r ü n e r *Egerland*
36; B a r t s c h 2, 318 f. [21]) H e l l w i g
Aberglaube 57 f. [22]) S a r t o r i a. a. O. 72.
[23]) Allgemein, z. B. S t r a c k e r j a n 1, 78;
P f i s t e r a. a. O. [24]) S a r t o r i a. a. O.
[25]) J o h n a. a. O. 268; W e i s e l *Landstor*
(Beitr. z. sudetend. Volksk. XVII) 35. [26]) W e i -
s e l ebd. [27]) ZfVk. 16 (1906), 170. [28]) H a l -
t r i c h a. a. O. [29]) B r u n n e r a. a. O.
[30]) H o v o r k a - K r o n f e l d 1, 62; B r u n -
n e r a. a. O. [31]) S e y f a r t h a. a. O.
[32]) G r i m m *DWb.* [33]) S a r t o r i a. a. O.
[34]) D i e n e r *Hunsrück* 93. [35]) S c h u l l e r u s
a. a. O. [36]) G r i m m *DWb.* [37]) z. B. P f i -

s t e r a. a. O. [38]) B e c k e r *Pfalz* 137. Vgl.
D i e n e r *Hunsrück* 92; F o x *Saarl. Volksk.*
296 ff. [39]) M e y e r *Baden* 563. [40]) Ebd. [41]) P f i -
s t e r a. a. O.; M e y e r a. a. O.; B a r t s c h
a. a. O. [42]) a. a. O. [43]) ZfrwVk. 3 (1908), 207.
[44]) M e y e r *Baden* 563. [45]) F o x a. a. O.
[46]) B a r t s c h 2, 318 f. [47]) B o h n e n b e r -
g e r 1, 12; L i p p e r t a. a. O. 177; Z a h l e r
a. a. O. 96; E n g e l i e n u. L a h n 251; S e y -
f a r t h a. a. O. 68. [48]) G r i m m *Myth.* 2 [4], 866.
[49]) L e x e r *Mhd.Wb.* u. ‚büzen'; s. ZfrwVk.
1908, 207. [50]) *Myth.* 3 [4], 304 f.; vgl. S c h m i t t
Hettingen 16. [51]) A n d r e e a. a. O.; L a u f -
f e r a. a. O. [52]) G r i m m *DWb.* [53]) L a u f f e r
a. a. O. 84. [54]) H ö h n a. a. O. 72. [55]) Ebd.;
B o h n e n b e r g e r 1, 12; P f i s t e r a. a. O.
27 f. [56]) Allgemein, z. B. B o h n e n b e r g e r
a. a. O.; P f i s t e r a. a. O. [57]) E n g e l i e n
u. L a h n a. a. O.; B r u n n e r a. a. O. [58]) B o h -
n e n b e r g e r ebd. [59]) B r u n n e r ebd.

3. B e s p r e c h e n d e P e r s o n e n.
Nur wenige verstehen die geheimnisvolle Kunst des B.s und erfreuen sich
daher sehr starken Zuspruchs [60]). Häufig
sind es Schäfer, die durch ihre innige Berührung mit der Natur über die wunderbare Gabe verfügen [61]). Daneben verstehen sich aber auch Schmiede [62]), Metzger [63]), Scharfrichter [64]), Schinder, Hebammen [65]), Bauern [66]), Kapuzinermön-
che [67]) u. a. m. auf diese Kunst. Solche
Leute haben eine förmliche Praxis und
daher auch eine Berufsbezeichnung wie:
B r a u c h e r [68]), B l a s e r [69]), B ü s -
s e r [70]), B e t e r [71]) (auf das Analogon
im griechischen ἀρητήρ s. bei Beter), oder
einfach, wieder möglichst unbestimmt:
„d e r M a n n" [72]). Sie halten Sprech-
stunden ab wie berühmte Ärzte und haben
einen ausgedehnten Kundenkreis [73]). Der
Ruhm vieler von ihnen ist weit über die
Grenzen der Gemarkung hinausgedrun-
gen und lockt oft aus weiter Entfernung
Rat- und Heilungsuchende herbei [74]). Es
gibt Leute, die nur für dieses oder jenes
Übel, andere, die „für alles können" [75]).
Das B. kann in der ganzen Gegend oft
nur eine Person, die die Formel sehr ge-
heim hält [76]). Man weiß auch in der Umgebung: dieser kann für das, jener für
jenes, und die Leute helfen sich gegenseitig aus [77]).

Nach einigen Gewährsmännern besorgen das Brauchen „fast ausschließlich Männer" [78]), nach andern hingegen

„ältere Personen, namentlich Frauen" [79]), endlich „meist alte Leute beiderlei Geschlechts" [80]).

Das B. ist eine g e h e i m e K u n s t, die e r b l i c h ist und sich oft durch Generationen in einer Familie forterbt [81]). Der berühmte Bauer von Feichten (Bayern) erweist urkundlich, daß seine Ahnen seit 200 Jahren durch heilkünstlerische Tätigkeit sich auszeichneten [82]). Sie kann aber auch d u r c h M i t t e i l u n g ü b e r t r a g e n werden, jedoch nur von Mann auf Frau und umgekehrt, wie mitunter auch nur ein Mann „am Weibsbild braucht" und umgekehrt [83]).

Nach der Meinung mancher dürfen die Formeln nur Jüngern mitgeteilt werden, aber nicht zu vielen, sonst verlieren sie ihre Kraft [84]). Nach Ansicht andrer sind sie „zu stark", als daß man sie jedem preisgeben könnte [85]). Ihre wunderbare Kraft kommt auch in der Sage zum Ausdruck, daß sie von Göttern oder Heroen den Menschen offenbart worden seien. — Das Brauchen soll den Brauchenden sehr angreifen [86]). Manche sind darum nicht gern geneigt, eine Besprechung vorzunehmen, weil die Gefahr besteht, daß sie selbst vom Übel befallen werden [87]). Für das B. d a r f n i c h t s v e r l a n g t w e r d e n, sonst hilft es nicht [88]). Wohl aber darf der Besprechende das, was man ihm unaufgefordert und freiwillig gibt, annehmen [89]). Früher hieß es allerdings, sie dürfen nicht mit Geld bezahlt, ja nicht einmal bedankt werden [90]). (Ein Heilmittel, für das man dem Geber dankt, hilft nicht) [91]). „Heute schaut man darauf schon weniger, doch wird ihnen vielfach noch das Geld nicht direkt in die Hand gegeben, sondern irgendwo, wo man glaubt, sie finden es leicht, liegen gelassen" [92]).

[60]) M a n z a. a. O. 61; ZfrwVk. 1907, 121; ebd. 1908, 93 und die dort angeführten Stellen. [61]) L a u f f e r a. a. O.; P f i s t e r a. a. O. 26; ZfVk. 23, 59; Höhn a. a. O. 77; F o x a. a. O. 297. [62]) H ö h n ebd.; F o x a. a. O. 297. [63]) H ö h n ebd. [64]) B e c k e r a. a. O. 134. [65]) F o x a. a. O.; H ö h n ebd. [66]) H ö h n ebd. [67]) S a r t o r i Westfalen 72. [68]) ZfrwVk. 1908, 206; H ö h n a. a. O.; P f i s t e r a. a. O. 24; B o h n e n b e r g e r a. a. O. [69]) H ö h n 72; P f i s t e r ebd. 27; B o h n e n b e r g e r a. a. O.

[70]) H a l t r i c h 258; ZföVk. 6, 115; J o h n a. a. O. 268; P f i s t e r ebd. 31; ZfrwVk. ebd. [71]) Höhn a. a. O. 70; P f i s t e r 29. [72]) B o h n e n b e r g e r a. a. O.; H ö h n ebd. 72. 78. [73]) H ö h n ebd.; B o h n e n b e r g e r ebd. [74]) B o h n e n b e r g e r a. a. O.; ZfVk. 23 (1913), 290 f.; Urquell 4 (1893), 25 f. [75]) H a l t r i c h a. a. O.; W e i s e l a. a. O. 76. [76]) ZfrwVk. 1908, 93; SAVk. 17, 63. [77]) Z a h l e r a. a. O. 97. [78]) B o h n e n b e r g e r a. a. O.; S t r a c k e r j a n a. a. O. 73; S c h r a m e k a. a. O. [79]) S t r a c k e r j a n. a. a. O.; ZfrwVk. 1905, 141; 1913, 194; A n d r e e Braunschweig 417; W r e d e Rhein. Volksk. 132. [80]) S e y f a r t h a. a. O. 68; M e y e r a. a. O. 565. [81]) Allgemein, z. B. A n d r e e a. a. O.; ZfrwVk. 1907, 121; Z a h l e r l. c. u. Anm. 4; P f i s t e r a. a. O. 31; ZfVk. 23 (1913), 290 f.; D i e n e r Hunsrück 42. [82]) Bavaria 1, 1, 460. [83]) M e y e r a. a. O.; d e r s. Volksk. 266; F r i s c h b i e r Hexensp. 26; ZfrwVk. 1905, 74; ZfVk. 16 (1906), 170; A n d r e e a. a. O.; S t r a c k e r j a n a. a. O.; L a u f f e r a. a. O. 85; W r e d e Rhein. Volksk. 132; Bavaria 4 (1866), 222; S a r t o r i Westfalen 72. [84]) M a n z a. a. O. 58; B a r t s c h Mecklenburg 2, 323; Z a h l e r a. a. O. 97. [85]) Vgl. P r e u ß Relig. u. Mythol. 1 (1921), 16. [86]) ZfrwVk. 1920, 56. [87]) ZfVk. 7 (1897), 411; M a n z a. a. O. 68. [88]) G r i m m Myth. 975; ZfVk. 1 (1891), 198; 9 (1899), 210; 23 (1913), 290 f.; M a n z a. a. O. 59; S t r a c k e r j a n a. a. O. 1, 72; S e y f a r t h a. a. O. 70 mit Anm. 2; Z a h l e r a. a. O. 97 und die dort angeführten Stellen. [89]) ZfVk. 1 (1891), 198; S e y f a r t h a. a. O. [90]) Z a h l e r a. a. O. 97; S t r a c k e r j a n ebd. [91]) SchweizId. in Z a h l e r a. a. O., Anm. [92]) Z a h l e r a. a. O.; ZfVk. a. a. O.

4. Der V o r g a n g findet gewöhnlich i n A n w e s e n h e i t des Patienten (in seinem Haus, beim Arzt, aber auch andernorts, z. B. im Wirtshaus) statt, kann aber auch a u s d e r F e r n e erfolgen.

Als Vorbereitung wird mitunter erwähnt: eine Räucherung des Hauses, bzw., wo es sich um Viehkrankheit handelt, des Stalles [94]); das Entzünden eines Feuers am offenen Herd, das mit bestimmten Kräutern, z. B. Wermuth, Fitzbohnenkraut u. ä., genährt werden muß [95]) u. dgl. m.

Anwesende werden meist vorher hinausgeschickt. Wenn sie geduldet werden, müssen sie sich ganz ruhig verhalten, mitunter sogar das Haupt entblößen [96]). Der Erfolg der Behandlung wäre gefährdet, wenn jemand während des B.s hineinredete [97]). Kinder dürfen der Besprechung nicht beiwohnen [98]). Die helfende Person darf auf dem Wege zum Kranken, während sie die Besprechung vornimmt und manchmal sogar beim Weggehen, keinen Menschen anreden und auch nicht grüßen, da die Handlung sonst erfolglos wäre [99]). Auch der Kranke soll während des Vorgangs schweigen und von der Kur, die oft Wochen und Monate in Anspruch nimmt, niemandem etwas mitteilen [100]). So muß alles möglichst unauffällig und geräuschlos vor sich gehen [101]). Das Geheimnis spielt, wie im Zauber überhaupt, so auch hier eine hervorragende Rolle (Verhütung von Gegenzauber).

In unzähligen Formen und Variationen wird das B. geübt. Selten ist es ein bloßes M u r m e l n [102]) geheimnisvoller Sprüche [103]) und Gebete [104]); meist sind mit dem gesprochenen Wort allerlei Handlungen verbunden. Als solche sind zu nennen:

A n h a u c h e n der leidenden Körperstelle [105]) (s. a. Hauch, hauchen, Atem), B e n e t z e n [106]) und B e s t r e i c h e n d e r s e l b e n m i t S p e i c h e l [107]), auch bloßes B e r ü h r e n [108]), K n e t e n [109]), U m k r e i s e n der kranken Teile mit den Fingern [110]), A u f l e g e n d e r H ä n d e [111]) (s. Handauflegung), M e s s u n g e n [112]) (so z. B. Abzählen des Geäders der Hand des Kranken zur Feststellung des Übels und Heilmittels dagegen) [113]) u. dgl. m. Sehr häufig ist das, gewöhnlich wiederholte, K r e u z - s c h l a g e n [114]) und A n r u f e n h e i - l i g e r P e r s o n e n [115]), wie sich überhaupt Christliches und Heidnisches in buntem Gemisch teils nebeneinander findet, teils ineinander aufgegangen ist [116]).

Wurde beim B. der Name dessen genannt, ‚für den‘ gebraucht wurde, so mußte es der richtige Taufname sein, nicht der Ruf- oder der Name, unter dem die Person sonst wohl bekannt war. Deshalb kamen in früheren Zeiten oft die Leute und ließen sich im Kirchbuche nachschlagen, mit welchem Namen die einzelnen Personen in der Taufe belegt waren [117]).

Mehrfach wird erwähnt, daß der Besprecher den Patienten während der Behandlung s c h a r f f i x i e r t [118]); auch erhält dieser mitunter die Aufforderung, dem Arzt ins Auge zu sehen, bis er sein ‚Augen-Mannli‘ (Spiegelbild im Auge) sieht [119]). In Vilters warf sich ein des Warzenvertreibens Kundiger vor Vornahme der Besprechung in einen mit einem auffallend großen Knopf versehenen Rock, worauf der Patient den Knopf fixieren mußte [120]) (über Mittel zur Förderung der Hypnose vgl. u. 8.). Wo Frauen die Kunst ausübten, bestand sie gewöhnlich darin, daß die Beterin die rechte Hand auf die kranke Stelle legte und betete, oder daß sie, nachdem sie die kranke Stelle berührt hatte, hinausging und draußen betend auf und ab wandelte [121]).

Häufig äußert sich die Vorstellung, daß die Krankheit auf andere, selbst leblose Gegenstände übertragen, so z. B. auf ein Stück Baumstamm, genannt „Brauchebaum“ [122]), verpflöckt werden kann [123]) (s. verpflöcken).

Die Behandlung kann auch durch F e r n w i r k u n g erfolgen, auf Grund genauer Beschreibung der Art und des Sitzes des Übels [124]).

Spruch und Gebet wirken aber nicht nur gesprochen; sie können, da die ihnen innewohnende magische Kraft auf Gegenstände übertragbar ist, a u c h i n g e - s c h r i e b e n e r F o r m mit Speise und Trank eingenommen, bzw. als Amulette getragen werden [125]).

Zur Verstärkung der Wirkung dient d i e W i e d e r h o l u n g [126]). So wird die Behandlung auch mehrmals hintereinander vorgenommen.

[94]) J o h n a. a. O. 268; ZfrwVk. 1908, 208. [95]) ZfrwVk. 1909, 293. [96]) E n g e l i e n u. L a h n 251 Nr. 130; F r i s c h b i e r a. a. O. [97]) S e y f a r t h a. a. O. [98]) ZfrwVk. 13, 121; W r e d e *Rhein. Volksk.* 96; H o v o r k a - K r o n f e l d 1, 63; ZfrwVk. 1913, 194; nach der Behandlung ist das Reden erlaubt: S t r a k - k e r j a n 1, 73. [100]) H o v o r k a - K r o n - f e l d a. a. O. ZfrwVk. 1913, 194. [101]) ZfVk. 16 (1906), 170. [102]) Geschrei und lautes B. zur Vertreibung der Krankheitsdämonen wird erwähnt bei H o v o r k a - K r o n f e l d 1, 62. [103]) S c h r a m e k a. a. O. 280. 284; ZfrwVk. 1908, 206; H o v o r k a - K r o n f e l d 1, 104; *Urquell* 1 (1890), 204; S e y f a r t h a. a. O. 68; M a n z a. a. O. 61; H ö h n 74; ZfrwVk.

1905, 142; 1908, 101; 1909, 293. 107. 121.
[104] ZfrwVk. 1907, 121; 1908, 101; S c h r a m e k
a. a. O. 284; S t r a c k e r j a n 1, 73. [105] ZfrwVk.
1907, 121; 1908, 101; 1909, 293; 1913, 194 mit
Anm. 38; ZfVk. 5 (1895), 34. [106] ZfrwVk. 1908,
101. [107] ZfVk. ebd.; ZfrwVk. 1905, 142.
[108] S c h r a m e k a. a. O. 280; S t r a c k e r j a n
a. a. O. 1, 78; ZfrwVk. 1907, 121; 1908, 101;
1909, 293. [109] ZfVk. ebd. [110] M a n z a. a. O. 67.
[111] ZfrwVk. 1908, 206; ZföVk. 6 (1900), 115;
S t r a c k e r j a n a. a. O.; H o v o r k a -
K r o n f e l d 1, 144. [112] S c h r a m e k
a. a. O. [113] Urquell 4 (1893), 25 f. [114] L a m -
m e r t 28; ZfrwVk. 1913, 194; S t r a c k e r -
j a n 1, 73; ZfVk. ebd.; ZföVk. 6 (1900),
115; H o v o r k a - K r o n f e l d a. a. O.
[115] ZfVk. ebd.; H ö h n 74; ZfrwVk. 1905, 280.
[116] A n d r e e a. a. O. 303; L a u f f e r a. a. O.
86; L a m m e r t a. a. O.; ZfrwVk. 1905, 280.
[117] ebd. [118] Z. B. M a n z a. a. O. 61. 67.
[119] D e r s. und die dort angeführten Stellen.
[120] M a n z a. a. O. 61; vgl. dazu L e h m a n n
a. a. O. 647; B r u n n e r Ostd. Volksk. 251.
[121] S t r a c k e r j a n 1, 78. [122] ZfVk. 19
(1909), 246. [123] H o v o r k a - K r o n f e l d
1, 184; L a u f f e r a. a. O. 85. Auf eine Axt
„aus dem Glied und ins Holz" ZfVk. 5 (1895),
195; u. Anm. 4; auf ein Beil: B a r t s c h 2, 111
u. a. m. [124] S t r a c k e r j a n 1, 72; ZfVk. 9
(1899), 209. [125] P f i s t e r in P a u l y - W i s -
s o w a 11, 2156 (Kultus). [126] ebd. 2155.

5. Z e i t u n d M i t t e l. Auch für die
Z e i t, in welcher eine Besprechung vorgenommen werden soll, gelten verschiedene Bestimmungen. Von ausschlaggebender Bedeutung für die Wirkung ist
Phase und Stand des M o n d e s. Krankhafte Auswüchse werden mit Vorliebe
in der Zeit des abnehmenden Mondes
zum Schwinden gebracht [127], auch Zahnschmerz [128] (Analogiezauber) u. ä. m.
Freilich mitunter auch bei zunehmendem
Mond [129]. Daneben gilt als günstig für
die Besprechung: Vollmond [130], Neumond [131] oder ganz allgemein: die zweite
Monatshälfte [132].

Unter den Wochentagen spielt der
F r e i t a g [133] die Hauptrolle, insbesondere die Karfreitagnacht [134] als besondere Hexennacht.

Als günstigster Zeitpunkt wird überhaupt die N a c h t z e i t (der Abend
nach Sonnenuntergang [135], der Morgen
vor Sonnenaufgang [136], um Mitternacht) [137] betrachtet.

Als ein besonders heilkräftiges M i t -
t e l zum B. wird der Überrest des Schmal-
zes gerühmt, „in dem an Fastnacht oder

Aschermittwoch die Schmalzküchlein gebacken wurden" [138]). Auch Butter oder
ein Becher voll Branntwein, vor der
Handlung in die Hand genommen [139]),
fördert die Wirkung. Außerdem spielt
die Verwendung gew. Kräuter, z. B. des
Dills [140] (vgl. auch oben 4), von Erde
aus einem neuen Grabe (Strackerjan
a. a. O.), sowie von allerlei Talismanen,
sog. „Brauchsteinen" [141]), deren es eine
große Zahl gibt, eine Rolle.

[127] M a n z a. a. O. 58; H o v o r k a -
K r o n f e l d 1, 63; P a n z e r Beitr. 2, 300.
[128] L a u f f e r a. a. O. 85. [129] Z. B. Warzen
L a u f f e r ebd. [130] S t r a c k e r j a n 1, 78.
[131] A n d r e e a. a. O.; ZföVk. 6 (1900), 115;
H o v o r k a - K r o n f e l d 1, 144; D i e n e r
Hunsr. Volksk. 93 f. [132] Urquell 4 (1893),
25 f. [133] A n d r e e a. a. O.; ZföVk. a. a. O.;
H o v o r k a - K r o n f e l d a. a. O.; H ö h n
a. a. O. 74. 88. 102. 108. [134] K a p f f Festgebräuche 2, 14; H a l t r i c h a. a. O. [135] L a u f f e r
a. a. O.; S c h u l l e r u s a. a. O.; A n d r e e
a. a. O.; F r i s c h b i e r a. a. O.; H a l t r i c h
a. a. O. [136] F r i s c h b i e r a. a. O.; H o -
v o r k a - K r o n f e l d a. a. O.; S t r a k -
k e r j a n 1, 72. [137] H a l t r i c h ebd.;
S t r a c k e r j a n ebd. Zu allen 3 Zeiten
wird die Handlung vorgenommen Haltrich
ebd.; S t r a c k e r j a n ebd.; H o v o r k a -
K r o n f e l d ebd. u. a. [138] B o h n e n -
b e r g e r 1, 24. [139] Urquell 4 (1893), 8.
[140] L a u f f e r a. a. O. 86. [141] ZfrwVk. 1911,
65; B e c k e r Pfalz 116; D i e n e r Hunsrück 93.

6. Unübersehbar ist die Zahl der B.-
f o r m e l n, die noch heute im Volke im
Umlauf sind. Wie das B. ein Bestandteil
des Zauberns, so ist die B.formel ein Teil
der Zauberformel, s. daher Beschwörung
Sp. 1117 ff. und Zauberformel, Segen.

7. A n w e n d u n g. a) Ein Überblick
über die K r a n k h e i t e n u n d L e i -
d e n bei Mensch und Tier, gegen die das
B. angewendet wird, zeigt, daß es so
ziemlich alle, namentlich auf dem Lande
vorkommen, sind. Am häufigsten
werden genannt: Blutungen [142], Wunden [143], insbesondere Brandwunden [144],
Brand [145], Fieber [146], Rose (Rotlauf) [147],
insbesondere Gesichtsrose [148], Auswüchse und Hautkrankheiten, wie Flechten [149], Hautausschlag [150], Geschwülste [151], Grind [152], Räude [153], Fingerwurm [154], Zitterrochen [155], „Schuß-
plattern" [156], Warzen [157], Kropf [158],
Leichdorn [159], dann: Schlangenbiß [160],

Zahnschmerzen [161]), Augenübel [162]). An inneren Krankheiten und Leiden: Scharbock (Skorbut) [163]), abzehrende Sucht [164]), Wassersucht [165]), Gicht [166]), Muskelzerrung [167]), Knirrband [168]), Brüche [169]), Verstauchungen [170]), Fluß [171]), Nagelfluß [172]), Drüsenschwellungen [173]), Gliederreißen [174]), Kopfschmerz [175]), Magen- und Gedärmegrimmen [176]), Rachitis [177]) und alle übrigen K i n d e r krankheiten [178]); Unfälle, z. B. ein im Halse stecken gebliebener Knochen (oder eine Gräte) [179]). — Auch bei Erkrankung des V i e h s nimmt man mit Vorliebe seine Zuflucht zum B., z. B. bei Milzbrand [180]), „Wild- und Zwangwürzen" (das sind schmerzhafte Gebilde zwischen den Klauen des Rindviehs, welche die Tiere am Laufen hindern) [181]), geschwollenen Eutern [182]), gegen das „Wambet" der Kühe (d. i. ein Anfall von Wildheit, in dem sie an den Wänden emporspringen) [183]), bei Säuen, die ihre neugebornen Ferkel auffressen [184]) und unzähligem anderm [185]).

b) A n d e r e F ä l l e, in welchen das B. angewendet wird, zeigen deutlich dessen eingangs erwähnten Doppelsinn und somit die Begriffsgleichheit von B. mit Zaubern überhaupt. Dämonen v e r t r e i b u n g (Entzauberung) bezweckt das B. einer Feuersbrunst [186]), h e r b e i r u f e n (Ver- oder Bezauberung, s. u. Abschnitt B) das B. von laufenden Pferden, um sie zum Stehen [187]), von bellenden Hunden, um sie zum Schweigen zu bringen [188]); von Waffen, damit sie nicht losgehen [189]); hieher gehört auch der Glaube, sich durch B. unsichtbar machen zu können [190]), der Liebeszauber (s. d.) u. a. m. Das B. von Sturm und Wetter kann sowohl Ver- als auch Entzauberung bezwecken.

[142]) ZfrwVk. 1907, 120; 1913, 194; M e y e r Baden 566; M a n z a. a. O. 72; S t r a c k e r j a n 1, 72 u. 74; Urquell 3 (1892), 116. 236; H o v o r k a - K r o n f e l d a. a. O. 1, 63; Z a h l e r a. a. O. 54; H ö h n a. a. O. 69; S c h r a m e k a. a. O. 284; ZfdU 6, 2, 124 ff.; B r u n n e r a. a. O.; L a u f f e r a. a. O. 85. [143]) ZfrwVk. 1913, 194. [144]) Z a h l e r a. a. O.; H ö h n a. a. O.; ZfrwVk. a. a. O.; W r e d e Eifler Volksk. 91 [145]) ZfdU. ebd.; Urquell a. a. O. 236; D i e n e r Hunsrück 93 f. [146]) ZfrwVk. 1907, 120; 1913, 194; S t e m p l i n g e r

Aberglaube 82. [147]) K u h n u. S c h w a r t z 440 Nr. 324; ZfrwVk. 1909, 293; HessBl. 1920, 120; ZfVk. 7 (1897), 411; K u h n u. S c h w a r t z ebd.; S c h n i p p e l Volksk. 1, 56. 134. 136. [148]) M e y e r Baden 566; ZfrwVk. ebd. [149]) ZfrwVk. 1905, 142; M a n z Sargans 67 u. die dort angeführten Stellen. [150]) ZfrwVk. 1907, 120. [151]) Urquell 1 (1890), 204; S t r a c k e r j a n a. a. O. 1, 73; ZfVk. 9 (1899), 209; H o v o r k a - K r o n f e l d a. a. O.; D i e n e r Hunsrück 94. [152]) Z a h l e r a. a. O. 54. [153]) Ebd. [154]) M e y e r a. a. O. [155]) S c h r a m e k 281. [156]) M e y e r ebd. [157]) M a n z a. a. O. 58. 61; Z a h l e r ebd.; L a u f f e r ebd.; H ö h n a. a. O. 69; M e y e r a. a. O.; S t o l l Suggestion 414 ff. 542 f. [158]) Z a h l e r ebd.; Bavaria 3, 2 (1865), 944. [159]) L a u f f e r ebd. [160]) W u t t k e 346 § 517. [161]) S t e m p l i n g e r a. a. O. 82; Z a h l e r ebd.; ZfrwVk. 1913, 194; M a n z a. a. O. 57 (und die dort zitierten Stellen). ZfdU. ebd.; Urquell ebd.; S c h m i t t Hettingen 16; F r i s c h b i e r a. a. O. 100; L a u f f e r a. a. O. [162]) M e y e r a. a. O.; H o v o r k a - K r o n f e l d 1, 144; ZföVk. 6 (1900), 115; ZfrwVk. 1908, 206; Z a h l e r a. a. O.; Urquell a. a. O.; ZfdU. a. a. O.; P f i s t e r a. a. O. 27; S t e m p l i n g e r a. O.; L a u f f e r a. a. O. 84. [163]) M e y e r a. a. O. [164]) E n g e l i e n u. L a h n 251; L i p p e r t a. a. O. [165]) ZfrwVk. 1907, 120. [166]) Ebd.; S c h r a m e k a. a. O. 284; S t e m p l i n g e r a. a. O.; vgl. L e s s i a k Gicht; Urquell a. a. O.; ZfdU. a. a. O.; S c h r a m e k a. a. O. 93. [167]) ZfrwVk. 5 (1895), 195. [168]) Ebd.; B a r t s c h 2, 111. [169]) H ö h n 69. [170]) Hess. Bl. 1 (1902), 2 ff.; S a r t o r i Westfalen 72. [171]) W u t t k e 356 Nr. 533. [172]) M e y e r a. a. O. [173]) Ebd. [174]) ZföVk. a. a. O.; H o v o r k a - K r o n f e l d 1, 144; ZfrwVk. 1908, 206 f. [175]) Ebd.; H o v o r k a - K r o n f e l d 1, 144. [176]) ZföVk. a. a. O.; ZfrwVk. a. a. O.; H o v o r k a - K r o n f e l d a. a. O.; H ö h n 69; M e y e r a. a. O. [177]) H ö h n a. a. O. [178]) S c h u l l e r u s a. a. O. 40; D i e n e r Hunsrück 93 f.; ZfrwVk. 1913, 194 f.; 1918, 194; W r e d e Rhein. Volksk. 153. [179]) Urquell 1 (1890), 204. [180]) F e h r l e Baden 1, 65. [181]) SAVk. 17, 63. [182]) F e h r l e a. a. O. [183]) L a u f f e r a. a. O. 86. [184]) ZfrwVk. 1908, 99; Urquell 3 (1982), 256. [185]) ZfrwVk. 1905, 141 u. 280; 1907, 121; 1908, 13 u. 101; 1918, 194; M e y e r a. a. O. 563; H o v o r k a - K r o n f e l d 1, 184; P a n z e r Beitrag 2, 265; S c h r a m e k a. a. O. 280; ZfdU. a. a. O.; Z a h l e r a. a. O. 54 u. Anm. 4; Urquell a. a. O. [186]) G r i m m DWb.; D r e c h s l e r 2, 141; L a u f f e r a. a. O.; M o g k Mythologie 404; ZfrwVk. 1907, 121; D i e n e r a. a. O. 95. [187]) S a r t o r i a. a. O. [188]) Ebd. [189]) G r i m m ebd. [190]) L a u f f e r a. a. O. 86.

8. E r k l ä r u n g. Die Tatsache, daß sich das B. bis auf unsere Zeit erhalten konnte und noch weit verbreitet ist, fin-

det ihre Erklärung darin, daß in vielen Fällen wirkliche Heilerfolge damit erzielt wurden [191]). Sie beruhen auf Wesen und Wirkung der S u g g e s t i o n , die sowohl aus dem Fixieren der Aufmerksamkeit [192]) als aus der übereinstimmenden Angabe erwiesen ist, daß der Glaube an die Heilkraft die unerläßliche Vorbedingung für deren Wirksamkeit sei [193]). Man versteht ja unter Suggestion „eine solche Einwirkung auf einen Andern, daß durch Mitteilung, Überredung, mit und ohne angeschlossenen Befehl, Auftrag usw. sich ein fremdes Erlebnis derart in den geistigen Besitzstand des Suggestiblen einfügt, als ob es ein Selbsterlebtes, Selbsterlittenes, eine durch die Evidenz erwiesene Tatsache sei, welche sogleich oder später bestimmend auf sein Handeln einwirkt" [194]).

Wir sehen vom Volk unwillkürlich die Besprechung mit Zeremonien umgeben, die der Suggestion entgegenkommen. Dahin gehört außer dem Fixieren der Aufmerksamkeit auch das Geheimnis, mit dem man die Formel und die Handlung umgibt [195]). — Die meisten Heilerfolge wurden bei Krankheiten nervöser Art, dann aber auch besonders bei, selbst lebensgefährlichen, Blutungen [196]) und Hautübeln erzielt, wie z. B. bei Warzen, deren Heilbarkeit „mit Umgehung des medikamentösen und chirurgischen Weges durch Suggestivbehandlung auch die exakte Wissenschaft ohne weiteres zugibt" [197]).

Es darf im übrigen nicht übersehen werden, „daß sich die Natur oft auch selbst hilft und Heilung herbeiführt" [198]) und daß wohl die verschiedenen Heilerfolge, nicht aber die unzähligen Nieten bekannt geworden sind, die auch die magische Behandlung zweifellos zurückgelassen hat.

[191]) Vgl. S t o l l *Suggestion* 414 ff.; H e l l w i g *Aberglaube* 74; Z a h l e r a. a. O. 96; ZfrwVk. 1905, 142; 1913, 194 f.; Urquell 3 (1892), 256; S t r a c k e r j a n a. a. O. 1, 73. [92]) M a n z a. a. O. 61. 67; Lehmann a. a. O. 642. [193]) A n d r e e a. a. O.; S e y f a r t h a. a. O. 70; M a n z a. a. O. 58 u. die dort angeführten Stellen; ZfrwVk. 1905, 74. 142; Z a h l e r a. a. O. 96 f.; S t r a c k e r j a n a. a. O. 1, 78. [194]) R e i n

Enz. Hdb. d. Pädag. 9 [2], 73 ff.   [195]) M a n z a. a. O. 58; Z a h l e r a. a. O. 97 u. die dort angeführten Stellen; ZfrwVk. 1911, 65; SAVk. 17, 63. [196]) S t o l l *Suggestion* 542; *Geschlechtsleben* 234; M a n z a. a. O. 72. [197]) M a n z 61. [198]) S c h r a m e k a. a. O. 280.

9. G e s c h i c h t e und L i t e r a t u r . Die G e s c h i c h t e des B.s ist so alt wie die Geschichte des Zaubers überhaupt. Das älteste Zeugnis bietet die B. der Wunde des Odysseus bei Homer (Od. 19, 457). Eine ausgezeichnete und erschöpfende Bearbeitung des griechischrömischen Materials mit reichen Literaturnachweisen bietet Pfister in seinem Artikel „Epode" in Pauly-Wissowa, Erg.-Bd. 4 (vgl. ders. Artikel „Kultus" § 9, ebd. Bd. 11), worin er als die einzigen zusammenfassenden Behandlungen des antiken Stoffes: Welcker, Kl. Schriften 3, 64 ff. und Abt, Apuleius, erwähnt; vgl. noch: Stemplinger, Sympathie 76 ff. — Bei den Germanen ist das B. nicht etwa als aus dem klass. Altertum übernommen, sondern als bodenständiger Brauch anzusehn, wie überhaupt schon bei den ältesten Natur- und Kulturvölkern Spuren davon nachweisbar sind. Über das B. im germanischen Altertum und MA. vgl. Hälsig, Zauberspruch; s. auch Fox a. a. O. 300. Weitere einschlägige Literatur: Ebermann, Blutsegen; Bartels, Medizin; Stoll, Suggestion; Sudhoff, Hdb. d. Gesch. d. Medizin (1922); Flügel, Volksmedizin; Lessiak, Gicht.

Für das Studium des B.s im MA. und in der Neuzeit bis J. Grimm sei vor allem auf theologische Handbücher, insbesondere auf Hefele, Conciliengeschichte verwiesen.

B. Über B. im Sinne von b e - oder v e r z a u b e r n (vgl. 1) s. berufen, beschreien.   Perkmann.

besprengen s. W a s s e r g u ß .

Bestattung s. B e g r ä b n i s .

Bestiarien s. T i e r b ü c h e r .

Besuch, besuchen. 1. Außerordentlich zahlreich sind die V o r z e i c h e n , die kommenden Besuch anzeigen. Fast allgemein verbreitet ist die Meinung, daß die sich putzende K a t z e Besuch ankünde[1]); wäscht sie sich von vorne, dann kommt ein Mann, wäscht sie sich von hinten, eine alte Frau[2]); leckt sie sich am Schwanz, so kommt ein unwerter Gast, schleckt sie sich aber am ganzen Leib, kratzt mit der Pfote hinter dem Ohr und streicht sich über die Nase, dann kommt werter Besuch[3]) usw. (s. a. Katze). Wenn die E l s t e r n ungewöhnlich lebhaft um das Haus fliegen, bedeutet es die Ankunft eines Bekannten oder Verwandten[4]). Nach der Berner Chronik Justingers sind H e u s c h r e k - k e n z ü g e und reicher S a l m e n f a n g Vorzeichen fremder Gäste[5]). Die Deutschen Pennsylvaniens haben noch die Kenntnis einer Reihe anderer Besuche anzeigender Tiere bewahrt: Wenn morgens eine S p i n n e gegen einen kommt, kann man B. erwarten[6]). Dasselbe trifft ein, wenn der H u n d sich in der Stube wälzt[7]), der H a h n in die Stube kommt[8]) usw. — B. ist ferner zu erwarten, wenn man etwas S p i t z i g e s (s. d.) fallen (s. d.) läßt und es dort stecken bleibt, sich „aufspießt"[9]); wenn sich am Stubenboden S p l i t t e r ablösen[10]); wenn morgens beim Kehren ein S t r o h h a l m in der Stube liegen bleibt[11]); wenn das F e u e r im Ofen prasselt[12]) oder brennende Kohlen oder Scheiter aus dem Ofen fallen[13]). Die Rockenphilosophie (898 Nr. 28)[14]) berichtet: „Wenn sich Abends der Respel am Span l i c h t sperret, so kommt des andern Tages ein Gast; und wenn man Salz darauf streuet, so muß sich derselbige Gast am Hindern kratzen", während „Das Grab des Aberglaubens" 4 (1778), 246 bezeugt: „Wenn sich eine Krone von allerhand Farben, wie ein Regenbogen, um das Licht zeiget, und die Flamme am Tocht schwarz scheinet: so bedeutet es den B. eines Gastes." — Fällt einem während des K a f f e e t r i n k e n s das Brot in die Tasse, so kommen Gäste[15]); bei den Deutschen Pennsylvaniens[16]) kündet ein T e e b l a t t im Tee dasselbe an, die Zahl der Kaffeeringe in der Untertasse, die sich nach dem Kaffeetrinken gebildet haben, gibt die Zahl der Gäste an[17]), usw. [18]).

[1]) M e i e r *Schwaben* 2, 493 Nr. 306; SAVk. 21 (1917), 59 (mit weiterer Literatur); R e i s e r *Allgäu* 2, 436 Nr. 110; Alemannia 33 (1905), 303; F i s c h e r *Oststeirisches* 114; B a r t s c h *Mecklenburg* 2, 131 Nr. 556; D ä h n h a r d t *Volkst.* 1, 97 Nr. 9; J o h n *Erzgebirge* 33; K u h n *Märk. Sagen* 386 Nr. 87; M ü l l e r *Isergebirge* 13; G r i m m *Myth.* 1, 422 Anm. 2; 3, 437 Nr. 72 = Rockenphilosophie 95 Nr. 74; d e C o c k *Volksgeloof* 1, 100 (mit Literatur). [2]) SAVk. 24 (1922), 66; vgl. B a r t s c h *Mecklenburg* 2, 131 Nr. 556 c; vgl. J o h n *Erzgebirge* 33. [3]) SAVk. 12, 151 Nr. 450; vgl. 12, 279; S t o l l *Zauberglaube* 135; M a n z *Sargans* 118. [4]) R a n k *Böhmerwald* 1, 160; G r o h m a n n 67 Nr. 468; F i s c h e r *Oststeirisches* 114; G r i m m *Myth.* 3, 437 Nr. 73 = Rockenphilosophie 97 Nr. 75; 3, 467 Nr. 889; 3, 473 Nr. 1028. [5]) Nach G r i m m *Myth.* 2, 951; 3, 328. [6]) F o g e l *Pennsylvania* 80 Nr. 288; 95 Nr. 384. [7]) Ebd. 92 Nr. 365 u. 366. [8]) Ebd. 87 Nr. 337. [9]) Alemannia 33 (1905), 303; M e i e r *Schwaben* 2, 493 Nr. 306; S c h m i t t *Hettingen* 18; S c h ö n - w e r t h *Oberpfalz* 3, 281; P o l l i n g e r *Landshut* 166; B a r t s c h *Mecklenburg* 2, 131 Nr. 557; K u h n *Märk. Sagen* 386 Nr. 88; D ä h n - h a r d t *Volkst.* 1, 97 Nr. 8; J o h n *Erzgebirge* 33; K ö h l e r *Voigtland* 395; E n d e r s *Kuhländchen* 90; F o g e l *Pennsylvania* 94 Nr. 379. [10]) P a n z e r *Beitrag* 1, 262 Nr. 89; G r i m m *Myth.* 3, 437 Nr. 71 = Rockenphilosophie 94 Nr. 73. [11]) B a r t s c h *Mecklenburg* 2, 132 Nr. 558a; D ä h n h a r d t *Volkst.* 1, 97 Nr. 7; 2, 86 Nr. 344; D r e c h s l e r 2, 199 Nr. 569; K u h n *Westfalen* 2, 60 Nr. 180; M ü l l e r *Isergebirge* 34. [12]) G r o h m a n n 42 Nr. 261. 264; Urquell 4 (1893), 159 Nr. 153. [13]) Urquell 4 (1893), 274 Nr. 16; 4, 74 Nr. 15; J o h n *Erzgebirge* 33. [14]) = G r i m m *Myth.* 3, 448 Nr. 435; s. a. weiter 3, 475 Nr. 1094; vgl. R a n k *Böhmerwald* 1, 159; S c h ö n w e r t h *Oberpfalz* 3, 274 § 44, 5. [15]) SAVk. 12 (1908), 279; P o l l i n g e r *Landshut* 167. [16]) F o g e l *Pennsylvania* 87 Nr. 336 (mit weiterer Literatur). [17]) Ebd. 378 Nr. 2032. [18]) Vgl. weitere Orakel bei S a r t o r i *Sitte u. Brauch* 2, 178; F o g e l *Pennsylvania* 81 Nr. 294; D ä h n h a r d t *Volkst.* 2, 86 Nr. 343 f.; J o h n *Erzgebirge* 33. 252; K ö h l e r *Voigtland* 395; Urquell 4 (1893), 74 Nr. 21.

2. Man hat die ganze Woche auf Gäste zu rechnen, wenn am M o n t a g sich ein solcher eingestellt hat[19]); dagegen herrscht auch der Glaube, daß, wenn man jemanden Montag vormittags besucht, man ihm Unglück ins Haus bringe[20]). Wenn man jemanden im Z e i c h e n d e s F i - s c h e s besucht, so regnet es immer[21]).

[19]) Urquell 1 (1890), 46; vgl. D ä h n h a r d t *Volkst.* 1, 97 Nr. 6. [20]) ZfVk. 1 (1891), 219 (Obersteiermark). [21]) F o g e l *Pennsylvania* 245 Nr. 1273.

3. Wenn man in einen Ort kommt, und die S c h a f e ziehen zugleich von der Weide ein, so ist man ein willkommener Gast [22]. Stolpert der B. beim Eintritt ins Haus mit dem rechten Fuß, so ist er willkommen; stolpert er mit dem linken, so geht er besser wieder heim [23]. Ein leer entgegenkommender Wagen läßt unsern B. nicht willkommen erscheinen [24]. Will man B. haben, so muß man drei Besen in den Ofen stecken, dann kommt welcher [25].

[22] K u h n u. S c h w a r t z 463 Nr. 468. [23] F o g e l Pennsylvania 85 Nr. 324. [24] J o h n Erzgebirge 33. [25] D ä h n h a r d t Volkst. 1, 97 Nr. 10; D r e c h s l e r 2, 199 § 569.

4. Es ist eine weitverbreitete Vorschrift, daß der B.er sich s e t z e n muß, und wäre es auch nur für einen Augenblick, weil er sonst die „Ruhe verträgt"; das gilt namentlich dann, wenn eine Wöchnerin und ihr Neugeborenes besucht werden [26]. Der Glaube ist schon aus dem 18. Jh. als verbreitet belegt [27]; wenn man, wie es auch heißt, bei einem B.e das Haus der B.ten schnell wieder verläßt, so nimmt man ihnen den sanften Schlaf [28]. Ein Mädchen darf sich aber gelegentlich eines B.es nicht auf das Kanapee setzen, sonst heiratet es erst in sieben Jahren [29]. — Eine weitere Vorschrift überliefert die Rockenphilosophie (823 Nr. 88): „Wenn jemand bey gehaltener Mahlzeit in die Stube kommt, so soll es mit e s s e n , und solte es auch nur ein einiger Bissen seyn" [30]. Es ist strenge Regel, daß man dem B.e etwas zum Essen und Trinken vorsetzt [31] (s. u. 6); läßt der B.er das vorgesetzte Essen stehen, so wird schlecht Wetter [32] oder bekommt er Zahnweh [33]. — Wenn jemand auf B. kommt, wo Federn gerissen werden und hilft nicht, so bekommt er einen Ausschlag [34]. Wenn man abends jemanden besucht, so darf man nicht a n k l o p f e n , es würde sehr übel aufgenommen werden; auch ruft niemand herein, es möchten Hexen oder gar der Böse hereintreten [35].

[26] M e y e r Baden 36. 391; S c h m i t t Hettingen 14; B o h n e n b e r g e r 18; L a m m e r t 91; R o s e g g e r Steiermark 64; F i s c h e r Oststeirisches 116; K ö h l e r Voigt-

land 424; D r e c h s l e r 2, 22; J o h n Erzgebirge 55; H i l l n e r Siebenbürgen 21; G a ß n e r Mettersdorf 17; M ü l l e r Isergebirge 34; G r o h m a n n 139 Nr. 1017; S t r a c k e r j a n 1, 51; A n d r e e Braunschweig 405; ZfVk. 24 (1914), 155; ZföVk. 13 (1907), 133; F o g e l Pennsylvania 51 Nr. 139 f.; 105 Nr. 440 f.; Urquell 3 (1892), 247 Nr. 23; S a r t o r i Sitte u. Brauch 2, 176. [27] B r ä u n e r Curiositaeten (1737), 489; Rockenphilosophie 26 Nr. 15 = G r i m m Myth. 3, 435 Nr. 15; Grab des Aberglaubens 4 (1778), 249. [28] ZfVk. 1 (1891), 219. [29] ZföVk. 13 (1907), 135. [30] = G r i m m Myth. 3, 447 Nr. 407; vgl. auch das Orakel: Rockenphilosophie 622 Nr. 55. [31] S a r t o r i Sitte u. Brauch 2, 177; B i r l i n g e r Aus Schwaben 2, 379; M e y e r Baden 347; G r o h m a n n 146 Nr. 1080; D r e c h s l e r 2, 22. [32] K ö h l e r Voigtland 395. [33] P a n z e r Beitrag 1, 258 Nr. 34. [34] E n g e l i e n u. L a h n 273 Nr. 208. [35] M e i e r Schwaben 2, 492 Nr. 303 = S a r t o r i Sitte u. Brauch 2, 177.

5. Ehe die Gäste das Haus verlassen, soll die Hausfrau den Tisch abzuräumen versuchen, damit jenen auf dem Heimwege nichts Übles widerfahre [36]. Geht der B. fort, so muß man an der Tür um ihn herumgehen, ohne ihn zu berühren, damit er das Glück nicht forttrage [37]; es hütet sich der Begleiter, zuerst hinauszukommen, weil dann der B. nicht wieder käme [38]. Schaut der B.er beim Weggehen oft zurück, so lebt er nicht mehr lang [39]. Bei den Siebenbürger Sachsen wirft man Salz auf den Rücken des Gastes, so kann er das Glück nicht aus dem Hause forttragen [40]. In Norwegen öffnet man nach des Gastes Abschied nochmals die Tür, damit dessen Fylgje nachkommen könne [41].

[36] J o h n Erzgebirge 31. [37] W u t t k e 404 § 624. [38] K ö h l e r Voigtland 424. [39] SchwVk. 8, 71. [40] H a l t r i c h Siebenb. Sachsen 298. [41] M e y e r Germ. Myth. 67; L i e b r e c h t Zur Volksk. 323.

6. Wenn in Lippborg (Westfalen) jemand zum ersten Male einen Bauernhof betritt, so werden ihm zwei gekochte Eier vorgesetzt. Hat er keinen guten Eindruck gemacht, so wirft man ihm die Schalen der verzehrten Eier nach, das heißt: „Du brukst mi nich wier int Hus to kuomen." Ein Ei empfängt auf dem Helweg auch derjenige, der einen B., den man erwarten durfte, erst allzu spät macht. Das Geschenk bedeutet eine

scharfe Rüge, die so peinlich empfunden wird, wenn es in Gegenwart vieler Zeugen überreicht wird [42]). Auch das Kind erhält, wenn es an einem Orte seinen ersten B. macht, ein Ei, das sog. „Plauderei" (s. a. Ei). Die Deutschen Pennsylvaniens schmieren dem Kinde, das seinen ersten B. macht, den Gaumen mit Bratenfett aus der Pfanne ein; dann zahnt es leichter [43]).

[42]) S a r t o r i *Westfalen* 130. [43]) F o g e l 311 Nr. 1652.

7. Eine besondere Stellung nehmen die B.er einer W ö c h n e r i n ein (s. a. d.). In der Oberpfalz bleiben sie an der Türe stehen und sprechen: „Zayges Christes!", worauf die Wöchnerin: „In Aiwigkeid, Amen!" erwidert. Nun fährt der B., noch immer unter der Türe stehend, fort:

> I winsch da Glick in Winkl,
> Mach di bal vira
> Und afs Gauar wida hinti.

Dann erst tritt er vor. Wer auf B. kommt, darf nicht schwarz gekleidet sein, vor allem nicht die Hebamme; es wäre der Mutter wie dem Kinde zum Tode. Damit bei den B.en nicht Drud, nicht Hexe sich einschleichen könne, steckt in der Tür das Messer und liegt in der Lade das Brot auf dem Gesichte [44]). Wird bei den Siebenbürger Sachsen eine Wöchnerin von einer säugenden Frau besucht, so kann ihr diese die Milch nehmen; um dieses zu verhüten, muß die Besuchende aus ihren Brüsten ein paar Tropfen auf das Bett der Wöchnerin drücken. Unterläßt sie es, sich zu setzen oder irgend etwas (etwa ein entbehrliches Stückchen von ihrer Kleidung) „abzuzupfen" und auf das Wochenbett zu legen, so nimmt sie dem Kinde den Schlaf [45]).

[44]) S c h ö n w e r t h I, 158. [45]) H i l l n e r *Siebenbürgen* 21.

S. weiter F r e m d e r , B e t t l e r .

Bächtold-Stäubli.

beten s. a b b e t e n , Amen, G e b e t .

Beter. In Württemberg wird der Wunderdoktor gelegentlich auch B. genannt [1]).

Diese Bezeichnung ist von einem wesentlichen Bestandteil des Heilens und Zauberns genommen, dem Sprechen der Gebete (s. d.) und Zaubersprüche (s. d.). Die Kenntnis solcher Sprüche ist immer und überall eine Hauptsache für den Zauberer, Medizinmann und Priester. Daher finden wir genau so wie beim württembergischen B. es auch in andern Sprachen, daß die Bezeichnung eines solchen Mannes etymologisch mit einem Wort zusammenhängt, das auf Gebet und Zauberspruch hinweist. So heißt im homerischen Epos [2]) der Priester Ἀρητήρ = der B. (zu ἀράομαι, ἀρά, *orare*). Das Wort γόης (Zauberer) und γοητεία (Zauberei) gehört zu γόος (Geheul), γοάω (klagen), altindisch *havas* (Ruf, Anrufung). Weiter gehören hierher ἐπῳδός und ἐπαστής (zu ἐπῳδή Zauberspruch) und ϑηρεπῳδός (Tierbeschwörer). Letzteres Wort entspricht dem angelsächsischen *wyrmgalere*; denn *galan* (s. auch galstern) heißt singen, insbesondere Zauberlieder singen, *galend* ist der Zauberer, eigentlich der Singer [3]). Genau ebenso im Lateinischen *incantator* der Zauberer von *incantare* besingen. Ebenso sind ὅρκοι die Zaubersprüche, wonach der Zauberer ἐπορκιστής und ἐξορκιστής genannt wird [4]). Weiterhin ist auf das altindische *brahman* zu verweisen, das Zauberspruch und Zauberer, Priester bedeutet [5]). Im Mhd. hieß die Zauberformel *segen*, der Zauberer *segener*, die Zauberin *segenerin* [6]). Im Altbulgarischen bedeutet *bajati* sprechen und besprechen, *balija* ist der Zauberer [7]). Überall also (einiges andere führt noch O s t h o f f an) weist hier die Bezeichnung des Zauberers etymologisch auf den Zauberspruch hin [8]). Und wie die aktive Bezeichnung des Zauberers der B. ist, so ist das passiv Besprochene und Angerufene, *Gott*, in seiner Etymologie wahrscheinlich auch als „das angerufene Wesen" *incantatus* zu erklären [9]).

[1]) H ö h n *Volksheilkunde* I, 78; P f i s t e r *Schwaben* 29. [2]) Ilias I, 11; 5, 78; P a u l y - W i s s o w a II, 2133. [3]) P a u l y - W i s s o w a Suppl. 4, 323; J e n t e Anglist. Forsch. 56, 315 f.; B r i e Engl. Studien 41, 20 f. [4]) P a u l y - W i s s o w a Suppl. 4, 340. [5]) O s t h o f f Bezzenbergers Beiträge 24 (1899), 113 ff.; O l d e n b e r g *Weltanschauung der Brahmana-*

Texte 1919, 133 ff. [6]) O s t h o f f 124. [7]) D e r s.
124; W a l d e *Latein. EWb.* 273 [8]) S. auch
L e s s i a k ZfdA. 53 (1912), 144 f. [9]) O s t -
h o f f 191 f.; D e l i t z s c h *Babel und Bibel*
1921, 76. Pfister.

Betglocke. Die Glocke (s. d.) hat nach
katholischem Glauben durch die bischöf-
liche Weihe, die sog. Glockentaufe, besondere Kräfte erhalten, die im Bund mit
dem Gebet der Gläubigen apotropäisch
gegen Unwetter und böse Geister wirken. Die protestantische Kirche schließt
sich diesem Glauben nicht an und kennt
deshalb auch nicht den solche Kräfte
verleihenden Weiheritus. Gleichwohl vermochte der Protestantismus z. B. das
Läuten der Wetterglocke (s. d.), das auf
dem Glauben an die apotropäische Kraft
der Glocke beruht, nicht völlig abzu-
schaffen. Und so ist auch heute noch, unabhängig von der Konfession, der Glaube
an die magische Kraft der Glocke weit
verbreitet. Die zweite Bedeutung der
Glocke ist die zeichengebende. Beide Bedeutungen spielen auch bei der B. eine
Rolle, d. h. bei dem allgemein verbreiteten Morgen-, Mittag- und Abendläuten
(Angelusläuten), das je nach der Gegend
zu verschiedenen Zeiten stattfindet. Die
Sitte der B. reicht bis ins spätere MA. zurück[1]). Die B. zeigt einmal die Zeit an,
Anfang der Schulstunde, Mittagspause,
Feierabend und mahnt zum Gebet[2]),
aber die der Glocke innewohnende Kraft
heiligt auch die Zeit durch ihr Läuten.
Insbesondere morgens und abends scheidet die B. den Tag von der Nacht, das
Licht von der Dunkelheit und bezeichnet dadurch die gefährliche Zeit des
Spuks; s. auch Abend und Morgen.

[1]) Über geschichtliche Entwicklung und
kirchliche sowie volkstümliche Anschauung:
O t t e *Glockenkunde* [2] (1884), 36 ff.; W e t z e r
u. W e l t e 1, 846 ff.; 5, 697 ff.; H e r z o g -
H a u c k 6, 703 ff.; P f i s t e r *Schwaben* 58 ff.;
K l a p p e r *Schlesien* 264. [2]) M e y e r *Baden*
530; ZfVk. 6 (1896), 15 f.; B i r l i n g e r
Volksth. 2, 442; P a n z e r *Beitrag* 2, 12; H e y l
Tirol 115. 116 f.

S. w. A b e n d -, M i t t a g -, M o r -
g e n l ä u t e n. Pfister.

Bethor, einer der „Olympischen Geister", der Planet Jupiter nach der „olym-

pischen Sprache" (s. Geheimsprachen)[1]).
Der Name begegnet in der Clavicula
Salomonis (s. d.)[2]), ferner im Buch Arbatel (s. d.)[3]); in der erstern sind die
7 Planetengötter nach altem alchemi-
stischem Schema mit den 7 Metallen
verbunden, B.-Jupiter mit dem Zinn[4]).
B. ist hebräischen Ursprungs und wohl
als בֵּית אוֹר „Lichthaus" (gr. heißt Jupiter Φαέϑων „der Leuchtende") zu erklären.

[1]) K i e s e w e t t e r *Faust* 2 (1921), 72.
[2]) S c h e i b l e *Kloster* 3, 200. 210. [3]) Ebd. 3,
243. 246; A g r i p p a v. N e t t e s h e i m 5,
110. 112. [4]) E. O. v. L i p p m a n n *Entstehung
und Ausbreitung der Alchemie* (1919), 210 ff.
Jacoby.

Betonie (Zehrkraut; Betonica officinalis). 1. B o t a n i s c h e s. Lippenblütler mit unverzweigtem Stengel, eiförmigen, am Rande gekerbten Blättern
und purpurroten Blütenähren. Die B.
ist besonders in Mittel- und Süddeutschland auf trockenen Waldwiesen, an sonnigen Hängen usw. häufig[1]). Ob die
vettonica (betonica) der Antike wirklich
unsere Art ist, bleibt sehr zweifelhaft.
Vielleicht ist darunter ein verwandter
Lippenblütler (Stachys alopecurus?) zu
verstehen. Als „w e i ß e B." erscheint
in den Kräuterbüchern des 16. Jhs. die
Schlüsselblume (Primula officinalis), die
ja noch heute im Oberdeutschen als
Platenigl, Badenkeli (aus „betonica")
usw. bezeichnet wird.

[1]) M a r z e l l *Kräuterbuch* 464.

2. Im klassischen A l t e r t u m genoß die
„vettonica" als Heilpflanze ein großes Ansehen. P l i n i u s[2]), der ihren Namen von
dem Volksstamm der Vettonen in Spanien
ableitet, nennt sie „ante cunctas (herbas)
laudatissima" und sagt, daß das Haus, in
dem sie gepflanzt sei, vor allem Unge-
mach („a piaculis omnibus") geschützt
sei. Wenn die Schlangen in einen Kreis
aus B. eingeschlossen sind (vgl. Esche),
töten sie sich selbst[3]). Auch das κέστρον des
D i o s k u r i d e s[4]), das der vettonica der
Römer entsprechen soll, wird als schlan-
genwidrig gerühmt. Danach erscheint die
B. als ein Apotropaeon. Die noch erhaltene Schrift „De Vettonica", in der

47 Heilkräfte der B. aufgezählt werden, wurde dem Leibarzt des Kaisers Augustus, A n t o n i u s M u s a , zugeschrieben, ist aber jedenfalls viel jünger. Auch im P s e u d o - A p u l e i u s [5]) spielt die B. eine große Rolle. Der „Hortulus" des Mönches W a l a h f r i d von der Reichenau vom Jahre 827 [6]) handelt im 20. Kapitel ausführlich von den Heilkräften der „bettonica", die im Klostergarten angepflanzt wurde.

[2]) P l i n i u s *Nat. hist.* 28, 84. [3]) Ebd. 25, 101; vgl. auch H e r t z *Abhandl.* 178; auch in handschriftliche Arzneibücher übergegangen: SAVk. 6, 57. [4]) *Mat. med.* 4, 1. [5]) *De medic. herbarum rec.* A c k e r m a n n 1788, 128 ff. [6]) Münchn. Beitr. z. Gesch. u. Literat. d. Naturwissensch. u. Medizin. 1. Sonderheft 1926, 19 f.

3. Auf die antike Wertschätzung der B. geht m a.er A b e r g l a u b e , der mit der Pflanze getrieben wurde, zurück [7]). Das „B a t h o n i e n g r a b e n" (offenbar zu zauberischen Zwecken) wurde im MA. häufig geübt, „patonnyerinn" war die Bezeichnung für Weiber, die sich mit Zauberei abgaben [8]). „Vnd etlich kindent patonicken graben" heißt es in V i n t l e r s „Pluemen der Tugent" (v. 7758) [9]). In alten Gewissensspiegeln wird das „Patonigengraben" als sündhaft verboten (14. Jh.) [10]). Eine „precatio Vettonicae" aus dem 11. Jh. bringt der Cod. Vind. Nr. 93 [11]). Die hl. Hildegard (12. Jh.) [12]) empfiehlt die „bethania" gegen Liebe, die durch Zauberworte erregt worden ist. Ebenso deutet eine Bemerkung in einem Gedichte der Klara H ä t z l e r i n (15. Jh.) darauf hin, daß die B. im Liebeszauber verwendet wurde [13]). Auch A l b e r t u s M a g n u s (13. Jh.) berichtet, daß die B. von den „nigromantici" viel gesucht und mit einer Beschwörung des Äskulap gepflückt werde [14]). Ähnlich drückt sich der mittelbar vielfach auf A l b e r t u s M a g n u s zurückgehende K o n r a d v o n M e g e n b e r g (14. Jh.) aus; er sagt zudem, daß er eine „mairinn" (Meicrin) wisse, „die vil mit dem kraut würkt und gar wunderleichen dinch". Er wolle aber davon nicht reden [15]). Die Kräuterbücher des 16. Jhs. kennen die B. nur mehr als Heilpflanze.

Heutzutage scheint die B. nirgends mehr im Volksglauben eine Rolle zu spielen [16]), nur hie und da wird sie noch als Heilpflanze gegen Auszehrung usw. verwendet. In einer altenglischen Bearbeitung des Kräuterbuches des Apuleius (vgl. oben) wird die im August ohne Anwendung von Eisen gegrabene B. (ae. bêtônice) gegen nächtliche Visionen empfohlen [17]). Ebenso scheint der altengl. Name þêos wyrt (= Bischofswurz) auf hohe Verehrung hinzuweisen. Wie hoch die B. im Volksglauben der Italiener geschätzt wird, zeigt das Sprichwort „Venda la tonica e compra la betonica" (Verkauf dein Gewand und kauf B.). Zusammenfassend kann gesagt werden, daß die B. ein Schulbeispiel gibt für den gelehrt-literarischen, auf die Antike zurückgehenden Pflanzenaberglauben.

[7]) H o o p s *Pflanzennamen* 44 f.; S c h r a d e r *Reallex.* [2] 1, 136. [8]) S c h ö n b a c h *Berthold v. R.* 35 ff. 138; F r a n z *Benediktionen* 1, 420; MschlesVk. 15 (1905), 24; 16 (1906), 81. [9]) Vgl. G r i m m *Altdeutsche Wälder* 2, 56. 68; ZfVk. 23, 16. [10]) Germania 2 (1837), 64; G r i m m *Myth.* 3, 411. [11]) H e i m *Incantamenta* 503. [12]) *Physica* 1, 128. [13]) AfdA. 24, 335. [14]) *De Vegetabilibus* 5, 118; 6, 289. [15]) *Buch der Natur.* Hrsg. v. P f e i f f e r 386. [16]) Der Naturforscher 2 (1925/26), 81 f. [17]) G r i m m *Myth.* 3, 355; C o c k a y n e *Leechdoms* 1, 71; P a y n e *Engl. Med. in the Anglo-Saxon Times* 1904, 119; H o o p s *Pflanzennamen* 47.   Marzell.

Betruf. In verschiedenen Alpenländern besteht die Sitte des abendlichen B.es. Der Senne stellt sich dazu auf einen Hügel und ruft durch den Milchtrichter ein Gebet um Schutz der Alpe [1]), das die Form einer Litanei hat, an die auch der singende Tonfall erinnert. Im ganzen wird der Text in gleicher Tonhöhe ausgerufen, stellenweise sinkt die Stimme um eine Terz oder Quart [2]). Die Absicht des B.s ist die Abwehr feindlicher Gewalten, gegen die der Schutz Gottes, Jesu, der Maria und vieler Heiligen angerufen wird für Mensch und Vieh, Hütte und Matte, Grund und Grat [3]). Gefährlich ist es, den B. zu vergessen; der Senne muß es schwer büßen [4]). Auch daß die Kühe nach solcher Versäumnis Kornähren zwischen den Klauen hatten (s. Viehrücken), wird berichtet [5]). Öfter wird dem B. eine Verfluchung angefügt [6]). Als z. B. ein Älpler beim B. einen auf die Alp getriebenen Schimmel von dem Schutz für „Leute und Vieh" ausnahm, lag das Tier am nächsten Morgen tot [7]). Der Text des B.es hat in verschiedenen Gebieten etwas abweichende Gestalt. Ein altertümlicher Text aus dem Oberwallis ist in einer Handschrift vom Ende des 16. oder Anfang des 17. Jhs. erhalten [8]). Gelegentlich treten Züge aus der Sage im B. auf [9]).

Im allgemeinen: N i d e r b e r g e r *Unterwalden* 3, 441 ff.; V e r n a l e k e n *Alpensagen* 417; H o f f m a n n - K r a y e r 67; W e t t - s t e i n *Disentis* 162 ff.

[1]) SAVk. 6, 294 ff. (mit reicher schweiz. Lit.); 11 (1907), 251; M a n z *Sargans* 89; H o f f m a n n - K r a y e r 67; N i d e r b e r - g e r *Unterwalden* 2, 42; A l p e n b u r g *Tirol* 77 u. 143; B a u m b e r g e r *St. Galler Land* 159. [2]) S a r t o r i 2, 149; N i d e r b e r g e r *Unterwalden* 3, 377; ZfVk. 12 (1902), 13; R e i - s e r *Allgäu* 2, 379 f. [3]) SAVk. 11 (1907), 251; W o l f *Beiträge* 2, 149. [4]) N i d e r b e r g e r *Unterwalden* 1, 29; L ü t o l f *Sagen* 50; SAVk. 2, 252. [5]) Alpsegen aus Sargans: L. T o b l e r *Schweiz. Volkslieder* 1, 197 f. [6]) R o c h h o l z *Schweizersagen* 1, 326. 387; SAVk. 6, 295. [7]) SAVk. 1, 240. [8]) ZfVk. 8 (1898), 339. [9]) W o l f *Beitr.* 2, 149; SAVk. 2, 295 f. [10]) H o f f m a n n - K r a y e r 67 f.

Der schönste unter den deutschen B.en ist der von den Sarganser Alpen:

Ave Maria! usw.
B'hüet's Gott und üser lieb Herr Jesu Christ,
Liber, Hab und Guet und alles, was hier um ist!
B'hüet's Gott und dr lieb heilig Sant Jöri
    (Georg),
Der wohl hier uf wachi und höri!
B'hüet's Gott und dr heilig Sant Marti,
Der wohl hier uf wachi und warti!
B'hüet's Gott und dr lieb heilig Sant Gall
Mit sinen Gottsheiligen all!
B'hüet's Gott und dr heilig Sant Peter!
Sant Peter! Nimm die Schlüssel wohl in die
    rechti Hand:
B'schließ wohl uf dem Bären sin Gang,
Dem Wolf dr Zahn,
Dem Luchs dr Chräuel (Klaue),
Dem Rappen dr Schnabel,
Dem Wurm (Drache) dr Schweif,
Dem Stein dr Sprung!
B'hüet üs Gott vor solcher böser Stund,
Daß solche Tierli mögen weder kratzen noch
    biissen.
So wenig als die falschen Juden unsern liebe
    Hergott b'schiissen!
B'hüet Gott Alles hier in üserm Ring
Und die liebe Mueter Gottes mit ihrem Chind!

B'hüet Gott Alles hier in üserm Tal,
Allhier und überall.
B'hüet's Gott und das walt Gott und das tue
    der lieb Gott!
      Ave Maria! usw.

S. a. A l p s e g e n.   Stübe.

Bett. 1. Auf den Besitz eines eigenen guten B.es hielt man auf deutschem Volksboden seit alters her ein gutes Stück. Das Capitulare de villis Karls des Großen schreibt es als s t ä n d i g e n E i n r i c h t u n g s g e g e n s t a n d vor, und wie man es bei Lebzeiten nicht missen wollte, so begegnet eine B.statt als B e i g a b e („Sarg") in den frühger- manischen Gräbern von Oberflacht in Württemberg, was gewiß keine verein- zelte Erscheinung bedeutet [1]). Daß auch vorgeschichtliche Gräber selbst von der Volksüberlieferung als „B.en" angespro- chen wurden, ist bekannt und der Schritt zu den Steinb.en und G e i s t e r b.e n (s. d.) der Sage nicht weit [2]). Die Be- gründung des Eheb.es im Hause erscheint nicht nur in der antiken Überlieferung der Odyssee als besonders bedeutsam, sondern auch in der germanischen des Nordens, wo das Holz für das Brautb. trocken, aber von lebenden Bäumen ge- wonnen sein soll [3]).

[1]) H e y n e *Wohnungswesen* 56 f. 111 f.; S t e p h a n i *Wohnbau* 308 f.; F o r r e r *Real- lex.* s. u. Oberflacht. [2]) S i m r o c k *Myth.* 407; S é b i l l o t *Folk-Lore* 1, 392 ff. [3]) G r i m m *Myth.* 2, 933.

2. a) Beim Schlafen, das die Brücke zur Geisterwelt schlägt und das Traum- erlebnis auf den Alltag sich auswirken läßt, erscheinen S c h u t z m i t t e l (Pan- toffel verkehrt unterm B., kein leerer Stuhl daneben) zumal aber für das B. von Kindern und sonst gefährdeten Per- sonen angezeigt (vgl. Axt, Besen, Mes- ser, Schneidendes, Spiegel, Drud, Dru- denfuß), auch gegen Hexenkränze muß man sich vorsehen [4]). Tief ist hierin das G e b e t verwurzelt, das sich gegebenen- falls auf eine Schutzformel beschränkt [5]).

b) Bei B e g r ü n d u n g e i n e s n e u e n H a u s s t a n d e s wird im Erzgebirge, wie vielfach anderwärts, das B. zuerst in das neue Heim getragen [6]); man darf damit nicht auf dem halben

Wege umkehren, sonst muß man früher oder später in das alte Heim zurück. Auch legt man die B.en, d. h. wohl das B.zeug, erst einmal auf den Tisch oder die Stubendiele[7]). Das **B r a u t b.** richten die weiblichen Paten zurecht und jede Handvoll Stroh wird einzeln eingelegt, aufs B. darf nicht geschlagen, nur darüber gestrichen werden, sonst bekommt die Frau Schläge. Träume im neuen B. sind vorbedeutend (heute noch allgemein). Wer zuerst von den Eheleuten aus dem B. steigt, stirbt zuerst[8]).

c) Ähnlich bedeutsam bis in den Glauben der Gebildeten hinein erscheint allenthalben die **O r i e n t i e r u n g   d e s** B.es im Schlafraum, wobei die Art des Hinaustragens des Toten aus der Tür mit dem Kopf oder den Füßen voran zuvörderst für die stets gegensätzlich erwünschte Stellung des B.es zur Tür, bzw. zum Friedhof, der manchmal ausdrücklich genannt wird, maßgebend erscheint[9]). Die Nachrichten widersprechen sich dabei in einigen Landschaften. Das Fußende soll man nicht nach der Tür stellen, noch das B. so tragen in Schlesien, im Erzgebirge, Voigtland, Hessen, im Harz, Braunschweig, Lauenburg[10]), ja man stellt im Erzgebirge das B. eines Sterbenden absichtlich so, um ihm das Sterben zu erleichtern[11]). Dagegen soll in Oldenburg nicht das Kopfende zur Tür stehen, ähnlich in Lübeck, Böhmen, Slawonien, auch in Österreich[12]). In Oldenburg soll der darin Liegende nicht ins Licht schauen, weil Leichen so aufgebahrt werden, in Württemberg das Fußende nicht gegen das Fenster stehen, sonst bekommt man die Auszehrung (1788)[13]).

d) Das B. einer **W ö c h n e r i n** soll nicht von der Stelle **g e r ü c k t** werden, sonst erhält das Kind im Leben keine Ruhe, bei Kinderkrämpfen der Wöchnerin stellt man das B. über einen Wechsel[14]). Einem Kranken macht es Schmerzen, wenn das B. unter dem Tragbalken in der Stube steht, wohl aber stellt man das B. **e i n e s   S t e r b e n d e n** (s. sterben) unter den Hauptbalken oder unter den Hausfirst (Glarus); mindestens rückt man es von der Wand weg oder es wird

dreimal umgewendet[15]). Man wechselt dem Sterbenden auch das B. (vgl. B.-stroh)[16]). In einem **E r b b.** kann man nicht sterben (so schon 1786)[17]).

e) An der **G e w o h n h e i t   d e s   Z u - b e t t e g e h e n s** hält offenbar auch der **G e i s t** des Verstorbenen noch zäh in formelhaft festgelegten Fristen fest[18]), man scheut sich — begreiflicherweise — eine Zeitlang, das B. eines Verstorbenen zu benützen[19]). Sagen erzählen von B.en, die einem Geist täglich frisch gemacht werden müssen[20]) und Schläfer, denen die Decke entrutscht, besorgen, daß ein Geist sie ihnen wegziehe[21]).

[4]) M ü l l e n h o f f Sagen 220 Nr. 304. 558 ff.; ZfVk. 4, 304 f.; R o s e g g e r Steiermark 64; S t r a c k e r j a n 1, 382; 2, 227 Nr. 480; S c h e l l Berg. Sagen 132 Nr. 27; M e y e r Baden 107. [5]) SAVk. 2, 271; 21, 217. [6]) J o h n Erzgebirge 105; ZfVk. 6, 256. [7]) J o h n Erzgebirge 28. [8]) G r i m m Myth. 2, 960; 3, 450 Nr. 485. 486. [9]) W o l f Beiträge 1, 214; W. 313 § 463; ZfrwVk. 2, 121. [10]) D r e c h s l e r 1, 287 f.; 2, 266; J o h n Erzgebirge 28. 103; K ö h - l e r Voigtland 426; G r i m m Myth. 3, 461 Nr. 779; A n d r e e Braunschweig 404. [11]) J o h n Erzgebirge 120. [12]) S t r a c k e r j a n 2, 227; ZfVk. 1, 157; 24, 55; G r o h m a n n 224. [13]) S t r a c k e r j a n 1, 53; G r i m m Myth. 3, 457 Nr. 655. [14]) H ö h n Geburt 4, 260; J o h n Erzgebirge 53. [15]) W. 343 § 511; ZfdMyth. 4, 4; K ö h l e r Voigtland 440; G r o h m a n n 187; J o h n Westböhmen 166. [16]) Urquell 1, 9. [17]) G r i m m Myth. 3, 459 Nr. 723; P a n z e r Beitrag 1, 259. [18]) G r ü n e r Egerland 40. [19]) G r o h m a n n 192. [20]) R o c h h o l z Sagen 1, 379; 2, 135; M e i c h e Sagen 228 Nr. 289; 249 Nr. 320; V e r n a l e k e n Alpensagen 89; S c h a m b a c h u. M ü l l e r 25 f. 331 f.; K ü h n a u Sagen 1, 119; L i e b r e c h t Gervasius 112 f. [21]) S c h e l l Berg. Sagen 167 Nr. 61; M ü l l e r Siebenbürgen 59.

3. Der **p ä d a g o g i s c h e** Aberglaube gebietet darum, das B. tagsüber nicht offen zu lassen, sonst legt sich ein Geist hinein[22]); einem Kinde macht man damit das Grab auf, in der Osterwoche legt man sich überhaupt ins ungemachte B.[24]). Wenn der Bauer in Island eine Reise macht, darf die Frau sein B. am ersten Abend nicht machen, sonst kommen sie nie wieder zusammen[25]). Werden die B.en abends gemacht, kommt Ungeziefer ins Haus[26]). Unter dem B. darf man nicht fegen, wenn jemand darin liegt, sonst schläft er neun Tage nicht mehr (Lauenburg)[27]). Hand-

werkszeug darf nicht aufs B. gelegt werden, Gegenstände von fremden Personen
auf dem B. soll man weglegen, sonst
wird einem die Ruhe genommen, Kauf-
mannsware wird im gleichen Fall nicht
verkauft, d. h. die G e i s t e r e r g r e i -
f e n v o n i h n e n B e s i t z [28]). Wenn
dem Kinde ein Zahn beim Wechsel früh
ausfällt, wirft ihn die Mutter unter die
B.statt, damit das Kind kein Zahnweh
bekomme, d. h. wohl als Opfer an die
Geister [29]). V e r k e h r t mit beiden Beinen zugleich oder mit dem linken Fuß
aus dem B. gestiegen zu sein, ist als ungünstiger Tagesanfang sprichwörtlich geworden [30]). In Angeln muß man sich
stets rückwärts zubette legen, was sich
wohl auf die dortigen Schrankb.en bezieht [31]).

[22]) ZfVk. 23, 289; W. 286 § 419; 385 § 586.
[23]) J o h n *Erzgebirge* 55 = W. 385 § 586.
[24]) K a p f f *Festgebräuche* 2, 14. [25]) ZfVk. 8, 162.
[26]) J o h n *Erzgebirge* 37; vgl. S t r a c k e r j a n
2, 227 Nr. 480; F o g e l *Pennsylvania* 372 Nr.
1994; 364 Nr. 1945; 365 Nr. 1950. [27]) W. 313
§ 463. [28]) L i e b r e c h t *Zur Volksk.* 314;
B a r t s c h *Mecklenburg* 2, 132; K ö h l e r
Voigtland 431; D r e c h s l e r 2, 194. [29]) M e y e r
Baden 50. [30]) G r i m m *Myth.* 3, 436 Nr. 61;
Rogasener Fam.Bl. 3, 40; A n d r e e *Braunschweig* 403; Urquell 1, 65. [31]) ZfVk. 24 (1914),
55.

4. Die B.statt oder B.l a d e braucht
man nur zu r ü t t e l n oder zu treten,
um die Geister zu wecken, bzw. den
Wunschtraum nach dem Zukünftigen
herbeizuführen, was besonders in der
Thomas- oder in der Andreasnacht von
Mädchen, aber auch von jungen Burschen (Baden) geübt wird [32]). Der Spruch:
„B.lad (oder B.staffel) i tritt di, — Hl.
Thomas i bitt di — laß mir erschein' —
den Herzallerliebsten mein", kehrt mit
unbedeutenden Abwandlungen von Nord
bis Süd wieder.

Die B.lade wird entweder gerüttelt,
man stößt dreimal mit den Füßen an das
untere Ende, tritt wohl auch auf ein oder
zwei herausgezogene und angelehnte, bzw.
übers Kreuz gelegte, Kopfbretter, während man den Spruch hersagt [33]). Letzterer für die Oberpfalz und Österreich zuvörderst charakteristische Brauch hält
die Erinnerung an die h o h e n B.s t e l -

l e n d e s a u s g e h e n d e n M A. fest,
zu deren Besteigung ein Schemel oder
Staffel nötig war.

Ganz rationalistisch ist die Gepflogenheit in Schlesien dem nüchternen Ar-
beitsleben der Gegenwart angepaßt: wenn
man sich nicht verschlafen will, muß
man mit der großen Zehe so oft an den
B.pfosten klopfen, als die gewünschte
Stunde ist, zu der man erwachen soll [34]).

[32]) SAVk. 21 (1917), 42; 24 (1922), 65;
M e y e r *Baden* 168; Urquell 1 (1890), 65.
[33]) V e r n a l e k e n *Mythen* 336; B a u m-
g a r t e n *Jahr u. s. Tage* 1860, 5; L e o-
p r e c h t i n g *Lechrain* 205; S c h ö n w e r t h
Oberpfalz 1, 141 ff.; Mitt. Anh. Gesch. 14, 18.
[34]) D r e c h s l e r 2, 265 f. Haberlandt.

betteln. Gebetteln wie gestohlenen
und gefundenen Dingen [1]) werden vom
Volk besondere Kräfte zugeschrieben,
und sie finden in der volkstümlichen Heilkunde häufig Verwendung. Weit verbreitet ist der Glaube, daß man Kindern,
die schwer reden lernen, Bettelbrot [2]) oder
Bettelbutter [3]) geben solle; das erstere
Mittel hilft auch gegen Zahnweh [4]).
Drüsen werden mit erbetteltem Speck [5])
geheilt, gegen Abzehrung hilft erbetteltes Fleisch [6]); in einem Ameisenhaufen
vergraben, ist erbetteltes Kalbfleisch [7])
für entzündete Augen gut. Gegen Warzen wird erbetteltes (oder gestohlenes)
Schweinefleisch [8]) angeraten. Ein aus erbettelten Münzen angefertigter (silberner) Ring [9]), am Finger getragen, hilft
wider allerlei Krankheit, besonders gegen
Gicht [10]). Diese Krankheit vertreiben auch
3 gebettelte Kartoffeln, am bloßen Leib
getragen [10]). Ein Kuchen aus gebetteltem
Mehl [11]), auf einen Kreuzweg gelegt, ist
ein Mittel gegen Abmagerung. Ohren-
schmerz vergeht durch Umschläge mit
heißen Brosamen erbetteltter Wecken [12]),
3 Schluck erbettelten Weines [13]) vertreiben den Schlucken. Gegen Geschwulst
soll der Urin des Kranken in einer erbettelten Schweinsblase [14]) geräuchert werden. Gebettelter Käse [15]) und solches
Brot sind gut gegen Eiterungen an der
Handfläche (panaritium). Wird das für
die Opfergabe bei Krankheiten nötige
Geld oder Getreide [16]) erbettelt, so kommt
ihm besondere Heilkraft zu.

Gegen das gefürchtete Versiegen der Milch soll man der Kuh Bettelbrot [17]) geben oder 3 Stücke gebetteltes Holz [18]) in die Milchhäfen legen. Ist die Milch fettarm, so wird geraten, Rahm von einer gestohlenen, einer gebettelten und einer gekauften Milch [19]) hineinzuschütten. Bettelbrot [20]) hilft auch, wenn die Büchse „beschissen" ist, und nach der Volkssage benötigt der Schatzgräber zu seinem Vorhaben einen mit solchem Brot [21]) gemästeten Ziegenbock. Manchmal muß auch das zur Erlösung einer armen Seele nötige Geldopfer [22]) zusammengebettelt werden. Ferner heißt es, daß gebettelter Schnittlauch [23]) gut gedeihe, und die Braut soll Glück haben, wenn sie sich die Federn [24]) zum Brautbett erbettelt. Häufig glaubt man durch Anwendung gewisser Zaubermittel die Hexe zum Erscheinen im Hause des Geschädigten zwingen zu können, wo sie sich durch ihr Verlangen, etwas zu erb. oder zu leihen, verraten müsse [25]). Mit vielen volkstümlichen Bräuchen, die meist die Förderung der Fruchtbarkeit bezwecken, sind Heischegänge [26]) der Jugend und bestimmter Berufe verbunden, wobei mit formelhaften Sprüchen und Liedern hauptsächlich Lebensmittel gesammelt und dann gemeinsam verzehrt werden. Auch das Holz für das Sonnwendfeuer wird auf diese Weise zusammengebracht [27]).

s. a. Bettler.

[1]) Vgl. den Artikel „Almosen"; Grimm *Myth.* 2, 952; ZfVk. 14 (1904), 139; Bohnenberger Nr. 1, 25. [2]) Grimm a. a. O. 3, 435 Nr. 13 (aus d. Chemnitzer Rockenphilosophie); Panzer *Beitrag* 1, 261; Wuttke 395 § 606; Alpenburg *Tirol* 350; Drechsler 1, 214; Müller *Isergebirge* 22; Strackerjan 1, 48; Bartsch *Mecklenburg* 2, 53 Nr. 136 (nach Raabe *Plattdeutsches Volksbuch* 35). [3]) Meyer *Baden* 32. [4]) Zahler *Simmental* 90. [5]) Höhn *Volksheilkunde* 1, 139. [6]) Bohnenberger 1, 25; Jühling *Tiere* 345; Schönwerth *Oberpfalz* 3, 258. [7]) Bohnenberger Nr. 1, 25. [8]) a. a. O. 1, 104. [9]) Grimm a. a. O. 3, 446 Nr. 352 (Rokkenphilosophie); Seyfarth *Sachsen* 268. [10]) Wuttke 356 § 531. [11]) a. a. O. 361 § 545. [12]) Lammert 231. [13]) a. a. O. 241. [14]) a. a. O. 204. [15]) Vonbun *Beiträge* 132. [16]) Andree *Votive* 33; Fontaine *Luxemburg* 106; Hovorka u. Kronfeld 1, 335; ZfrwVk. 11 (1914), 174. [17]) Hüser *Beiträge*

2, 26. [18]) Eberhardt *Landwirtschaft* Nr. 3, 18. [19]) a. a. O. Nr. 3, 17. [20]) SAVk. 19 (1915), 229 Nr. 76; Baumgarten *Aus der Heimat* 2, 94 (ähnlich). [21]) Schell *Bergische Sagen* 85 Nr. 4; Eisel *Voigtland* 182 Nr. 484. [22]) Baader *Sagen* 42; vgl. den Artikel „Almosen". [23]) Vonbun *Beiträge* 132. [24]) Wuttke 374 § 568. [25]) Vgl. den Artikel „Hexe". [26]) Vgl. den Artikel „Bettelumzüge"; Meuli in SAVk. 28 (1927), 1 ff.; Panzer *Beitrag* 2, 251; SAVk. 11 (1907), 257; ZfVk. 11 (1901), 462; Meier *Schwaben* 2, 375; Kapff *Festgebräuche* Nr. 2, 18; Meyer *Baden* 116. [27]) Grimm a. a. O. 1, 514.   Schömer.

Bettag s. Bußtag.

Bettelumzüge werden zu verschiedenen Zeiten und Gelegenheiten meist von jüngeren, noch nicht ganz selbständigen Personen allein oder in Gruppen unternommen, um unter Absingung herkömmlicher Lieder meist Eßwaren, an deren Stelle auch Geld tritt, einzusammeln und gemeinschaftlich zu verzehren [1]). Oft wollen Geber und Empfänger auf diese Weise ein enges Gemeinschaftsgefühl bekunden, wie z. B. beim Ersatz aufgezehrter Speisen während der Hochzeitsfeier [2]), oder bei der Besteuerung Neuvermählter oder bei Schlachtfesten. Das Einsammeln des Brennstoffes für die verschiedenen Jahresfeuer, wozu jede Haushaltung beizutragen verpflichtet ist, gehört ebenfalls hierher. Auch zur Vergütung für gewisse der Gemeinde geleistete Dienste sind Heischegänge durch die Sitte verstattet. So den Mädchen und Burschen nach der Brunnenreinigung [3]) und den Vertretern einzelner Handwerke und Berufe zu Neujahr und Fastnacht, auch den Frauen bei bestimmten Veranlassungen [4]). Oft ist aber auch der Ertrag von Bettelgängen eine Belohnung für Leistungen, die auf dem Gebiete magischer Hilfe liegen. Dahin gehört die Umführung der Mai- und Pfingstbraut und des Pfingstbutzen und was damit zusammenhängt, sowie das zu verschiedenen Zeiten auf mancherlei Weise geübte Sommereinbringen in Gestalt des Maibusches (wozu vielleicht auch das Spießeinrecken bei der Hochzeit [5]), bei Schlachtfesten, zu Fastnacht [6]) usw. zu rechnen ist) oder

38*

in Gestalt eines T i e r e s [7]). Oft erwerben sich die Bettelnden ein Anrecht auf die Gabe durch den „S c h l a g m i t d e r L e b e n s r u t e“[8]), durch dämonenscheuchenden L ä r m mit K l o p f e n (s. Klopfnacht), Peitschenknallen[9]), Herumstampfen auf den Äckern [10]) u. ä. Manchmal stellen diese Lärmmacher selbst G e i s t e r dar, um dadurch um so besser die bösen Mächte verscheuchen zu können und ihre eigenen Anrechte um so stärker zu betonen. Sie sind dann m a s k i e r t und oft tritt an die Stelle des Bettelns R a u b und D i e b s t a h l. Wenn an einer Tür eine A b w e i s u n g erfolgt, so pflegt das mit groben V e r - w ü n s c h u n g e n beantwortet zu werden, und man glaubte einst gewiß an die Möglichkeit ihrer Verwirklichung.

Vgl. die grundsätzlich bedeutungsvolle Arbeit von M e u l i *B. im Totenkultus, Opferritual u. Volksbrauch* im SAVk. 28 (1927), 1—38.

[1]) S a r t o r i *Sitte u. Brauch* 3, 314, Reg. unter „Heischegang“. Für das Altertum: R a d e r - m a c h e r *Beiträge* 114 f. [2]) S a r t o r i 1, 118. [3]) Ebd. 3, 174. 207. [4]) Ebd. 3, 119; M e i c h e *Sagen* 963; W r e d e *Rhein. Vkde* 245 f.; S a r - t o r i *Westfalen* 147. [5]) S a r t o r i *Sitte u. Brauch* 1, 73. [6]) Ebd. 3, 93 f. [7]) Ebd. 3, 50. 96. 127. 140. 155. 269. [8]) Ebd. 3, 101. 154 f. [9]) Ebd. 3, 11 f. 45. 58. 160. 168. 191. [10]) Ebd. 3, 14. 78.

Sartori.

Bettfedern vgl. B e t t s t r o h, K i s s e n.

Bettler. Der milde Gaben heischende B. spielt im Volksglauben vieler Länder eine große Rolle, die auf alte Überlieferungen zurückführt. Bei den alten Griechen stand er, wie der Gast, unter dem besonderen Schutze des Zeus[1]), und bei den orientalischen Völkern genießt er heute noch gewisse Vorrechte. Der B. erscheint auch in germanischen Ackerbauriten alter und neuer Zeit; so nennt schon der ags. Pflugsegen [2]) aus dem 10. Jh. neben anderen magischen Mitteln von B.n genommenen, unbekannten Samen, dem wohl besondere Eigenschaften zugeschrieben wurden. Der vielgestaltige Vegetationsdämon wird auf deutschem und nordischem Gebiet auch als B.[3]) (armer Mann, arme Frau) vorgestellt, weil ihm durch die Ernte sein Eigentum geraubt wurde. In mehreren deutschen Gegenden ist der (1. vorüber-

kommende) B. der Empfänger des Pflugbrotes [4]), das im Frühjahr zu Beginn der Pflügezeit auf den Pflug, unter denselben oder in die erste Ackerfurche gelegt wird. Hier zeigt sich ein uralter Fruchtbarkeitsbrauch, denn dieses Brot stellt den künftigen Erntesegen dar, wie aus der schwedischen „såkaka“ [5]) und den damit verbundenen Bräuchen noch deutlich hervorgeht. Vielfach wird diese Brotspende heute als Almosen [6]) im christlichen Sinne aufgefaßt, und derselbe Bedeutungswandel hat bei den Armenspenden stattgefunden, die nach Beendigung der Ernte und des Drusches ausgeteilt werden. Es sind ursprünglich alte Opfergaben, die B. und Arme heute stellvertretend empfangen. Sicher ist es ein alter Zug, wenn häufig der 1. des Weges kommende B. die Spende erhalten soll und wenn mit dem Austeilen des Weihnachtsbrotes [8]) an B. in Oberösterreich für die betreffende Magd ein Heiratsorakel verbunden ist. Auch bei dem Allerseelengebäck, das in vielen Gegenden an die Armen verteilt wird, ist ein altes Seelenopfer unverkennbar, dessen ursprünglichere Form in dem mit Speisen besetzten keltisch-germanischen Seelentisch seit 1300 Jahren bekannt ist[9]). Auch zu anderen heiligen Zeiten und bei wichtigen Anlässen wird der Armen und B. gedacht [10]).

[1]) D a r e m b e r g - S a g l i o 3, 1710. [2]) G r i m m *Myth.* 2, 1035 ff.; ZfVk. 14 (1904), 139 ff. [3]) Die letzte Garbe und der Binder derselben führen diesen Namen. Vgl. M a n n - h a r d t *Forschungen* 48 ff.; F r a z e r 5, 1, 231 ff.; F e i l b e r g *Jysk Ordbog* 3, 581. [4]) J a h n *Opfergebräuche* 74 ff.; ZfVk. a. a. O.; S a r t o r i *Sitte und Brauch* 2, 62; manchmal kommt zu dem Brote noch Ei und Geld: J o h n *Westböhmen* 186. [5]) C e l a n d e r *Från Midsommar till Kyndelsmässa* 20 ff. 50 ff. (Västsvensk forntro och folksed). [6]) S a r t o r i a. a. O. 2, 60. [7]) Vgl. d. Art. „Almosen“ 1, 276 ff. [8]) B a u m g a r t e n *Das Jahr* 21; H ö f l e r *Weihnacht* 21. [9]) N i l s s o n *Studien z. Vorgesch. d. Weihnachtsfestes* ARw. 19 (1919), 122 ff.; W e i s e r *Jul* 45 ff.; S a r t o r i a. a. O. 3, 262 ff.; vgl. d. Art. „Arme Seelen“ 1, 590 ff. [10]) Vgl. u. a. die Art. Neujahr, Fastnacht, Ostern, Kirchweih, Weihnachten, Hochzeit, Leichenmahl. Ferner ZfVk. 3 (1893), 53 u. S c h r a d e r *Reallex.* 1, 35: Ahnenkultus § 16.

Das Volk sieht in dem B. manchmal einen Glücksbringer, öfter aber einen

Träger von Unheil und richtet sich darnach. Gern gesehen ist er daher während
des Hochzeitsessens [11]) oder als Angang [12])
(erste Begegnung) am Morgen, besonders
Neujahrsmorgen, doch kann auch das
Gegenteil eintreten. Eine übelabwehrende
Kraft wird dem Almosen [13]) im allgemeinen, wie insbesondere der Gabe zugeschrieben, die der erste bei wichtigen Anlässen auftretende B. empfängt (Geburt
eines Kindes [14]), erstes Bad des Neugeborenen [15]), erste Milch einer jungen
Kuh [16]), Viehkauf [17])). Brot, das einem B.
geschenkt, um Gotteswillen zurücker-
beten und gegen 3 Pfennige umgetauscht
wird, schützt das Vieh vor allem bösen
Einfluß [18]). Es kommt auch vor, daß der
Bauer seinem jungen Hunde von dem
ersten des Weges kommenden B. den
Namen geben läßt [19]). Ein Kreuzer, als
Almosen gegeben, hilft etwas Verlorenes
wiederfinden [20]). Aber man darf einem B.
weder das Oberste noch das Unterste von
einem Brote geben, sonst muß man selbst
betteln gehen [21]), und es heißt auch, wenn
eine Leiche im Haus ist [22]) oder eine Kuh
gekalbt hat [23]), darf kein B. etwas bekommen.

[11]) J o h n *Erzgebirge* 101. [12]) G r i m m
Myth. 2, 942; S a r t o r i a. a. O. 3, 64
Anm. 41 u. 43; W u t t k e 208 § 288; D r e c h s-
l e r 1, 48; M ü l l e r *Isergebirge* 32. [13]) S. d.
Art. „Almosen". [14]) J o h n *Westböhmen* 108;
S a r t o r i a. a. O. 2, 170; S e l i g m a n n
Blick 2, 290. [15]) G r i m m a. a. O. 3, 460
Nr. 735: Oberösterreich 1787. [16]) G r i m m
a. a. O. Nr. 736 (1787); ZfVk. 24 (1914), 62;
B o h n e n b e r g e r Nr. 1, 24. [17]) K u h n
Westfalen 2, 63 Nr. 192; S a r t o r i a. a. O. 2,
170 Anm. 10. [18]) A l p e n b u r g *Tirol* 349;
S e l i g m a n n *Blick* 2, 94 u. 290. [19]) K u h n
Westfalen 2, 62 (188 a); ZfdMyth. 2, 98;
R o c h h o l z *Kinderlied* 294; W u t t k e 434
§ 680; S a r t o r i a. a. O. 2, 128 Anm. 2.
[20]) B i r l i n g e r *Volksth.* 1, 125. [21]) B a r t s c h
Mecklenburg 2, 135, 587; D r e c h s l e r 2, 16;
W u t t k e 405 § 625. [22]) G r i m m a. a. O.
3, 465 Nr. 860; W u t t k e 461 § 730.
[23]) G r i m m a. a. O.; K ö h l e r *Voigtland*
426; ZföVk. 4 (1898), 215.

In vielen Ländern hält man die B. für
zauberkundig [24]), man glaubt ihnen, wenn
sie sich für Werwölfe ausgeben [25]), auch
hütet man die kleinen Kinder und das
Vieh vor alten Bettelweibern aus Furcht
vor dem bösen Blick [26]). Ein Almosen

bietet Schutz gegen solches Unheil, dann
kann einem kein B. mehr etwas anhaben [27]), oder ein alter Besen, eine Handvoll Salz soll ihm nachgeworfen, Wasser
kreuzweise hinter ihm hergegossen werden [28]). Es gilt aber auch im christlichen
Sinne jedes Vergeltsgott des Beschenkten
als eine Stufe zum Himmel [29]), und dem
Gebet der Armen wird besondere Kraft
beigemessen [30]). Zur Ausrüstung des B.s
gehören seit alters der Bettelstab [31]) und
-sack, denen wie ihrem Träger Zauberkräfte zugeschrieben werden. Gegen
schweißige Hände wird empfohlen, an
einen Bettelsack [32]) zu greifen; Kropf [33]),
Überbein [34]), großer Nabel [35]) (stillschweigend, dreimal kreuzweise) mit
einem Bettelstab gedrückt, sollen vergehen, eine störrische Kuh damit geschlagen [36]), soll sich fortan ruhig melken
lassen. Der Bettelstab teilt diese Eigenschaft mit dem Wanderstab [37]), von dem
er herstammt, und wie bei diesem wird die
magische Kraft durch die Entblößung
von der Rinde bewirkt. Abergläubische
Furcht schützt die Lappen und Fetzen,
die von herumziehenden B.n als Ver-
ständigungsmittel für die nachkommen-
den aufgerichtet werden [38]). Die alte
Pharmakopöe kennt eine B.salbe [39]) (unguentum mendicorum) und die Volksmedizin, die vor nichts zurückschreckt,
empfiehlt eine B.laus als Heilmittel gegen Zahnweh [40]). Von diesem Ungeziefer,
das wohl besonders häufig bei B.n vorkommt, heißt es auch, daß es seinen
Wirt bei herannahendem Tode verlasse [41]).

[24]) G r i m m e l s h a u s e n *Wunderbarl. Vogelnest* 1672 (Bibliothek d. Litter. Vereins in Stuttgart 66, 698); S e l i g m a n n *Blick* 1, 91. 271 u.
Zauberglaube 125 ff.; S t r a c k e r j a n 1, 374;
ZfVk. 6 (1896), 252 u. 11 (1901), 321; W u t t k e
156 § 213. Die slavischen Sprachen zeigen einen
interessanten Bedeutungsübergang von B. zu
Zauberer: russ. kaléka u. sbkrt. koldu\u0161 gegenüber russ. koldováti (S c h r a d e r *Reallex.* 2,
228). [25]) W u t t k e 279 § 408. [26]) S t r a k-
k e r j a n 1, 373; W u t t k e 156 § 213;
ZfVk. 11 (1901), 319. 321; S e l i g m a n n
Blick 1, 216. [27]) Z i n g e r l e *Tirol* 222;
S a r t o r i a. a. O. 170 Anm. 10. [28]) D r e c h s-
l e r 2, 251. [29]) J o h n *Westböhmen* 253.
[30]) M e y e r *Baden* 347. [31]) Die Bezeichnungen für den B. in den nordischen Sprachen
(dän. „stakkel", schwed. „stackare" u. norweg.

„stakkar") gehen auf altnord. „stafkarl", um-
herziehender B., zurück, von „stafr" in der
Bedeutung B.-Stab u. „karl" (alter Mann).
S. F a l k - T o r p *Norweg.-dän. etymol. Wb.* 2.
1146; H e l l q v i s t *Svensk etymol. ordbok*
855. Auch der B. Skiđi kommt mit Bettelstab
und Stangen nach Walhall, Skiđarime 104—05.
³²) D r e c h s l e r 2, 288 (670). ³³) Ebd. 2,
295. ³⁴) a. a. O. 294 (676); W u t t k e 341
§ 508 u. 348 § 521; S e l i g m a n n *Blick* 1,
336. ³⁵) G r i m m a. a. O. 3, 474 Nr. 1068;
D r e c h s l e r 1, 210 (238). ³⁶) Nach dem Geständnis eines hess. Hexenmeisters i. J. 1628
soll eines „Siechmanns Stecken" verwendet
werden: ZfdMyth. 1 (1853), 276; K e l l e r
Grab d. Abergl. 2, 199; D r e c h s l e r 2, 106
(478); H ü s e r *Beiträge* 2, 27; P a n z e r
Beitrag 2, 297; R o t h e n b a c h *Bern* 33
Nr. 268. ³⁷) A m i r a *Der Stab* 5 ff.; G o l d -
m a n n *DLZtg.* 31 (1910), 2565 ff.; P u n t -
s c h a r t *Mitteil. d. Instit. f. österr. Gesch.-
Forsch.* 35 (1914), 339 ff. ³⁸) S c h u k o w i t z
Globus 74, 5 ff.; S c h w i c k e r *Die Deutschen
in Ungarn und Siebenbürgen* 384. ³⁹) B a u m -
g a r t e n *Aus d. Heimat* 1, 153; Hovorka u.
K r o n f e l d 2, 24. ⁴⁰) W u t t k e 352 § 527.
⁴¹) M ä n n l i n g 337; M e y e r *Aberglaube* 138.

Die Gestalt des B.s tritt auch in Sagen
und Märchen auf, die häufig eine ethische
Tendenz enthalten: Mildtätigkeit ⁴²) wird
belohnt, Hartherzigkeit ⁴³) schwer bestraft. Volksglaube und -sage stehen auch
hier in enger Beziehung zueinander: Der
Fluch ⁴⁴) des B.s, vor dem man sich in
abergläubischer Furcht schützen will,
geht in der Sage wirklich in Erfüllung.
Aber auch den B., der ohne Not Almosen
heischte und dadurch wirklich Bedürftigen die Gabe entzog, ereilt die Strafe;
nach seinem Tode kann er keine Ruhe
finden ⁴⁵). Mehrfach wird der Ursprung
frommer Stiftungen zugunsten von Armen und B.n auf ein Gelöbnis ⁴⁶) zurückgeführt, das in schwerer Bedrängnis abgelegt wurde. Verspricht der vom Alp
Befallene diesem eine bestimmte Gabe,
so läßt der Druckgeist von seinem Opfer
ab und erscheint am anderen Morgen als
B., um das Versprochene zu holen ⁴⁷). Andere Sagen berichten, daß Bettelkinder
bei der Belagerung eines Schlosses ⁴⁸) oder
in Pestzeiten geopfert wurden ⁴⁹), wohl
aus dem Grunde, weil sie rechtlos waren
und man für sie keine Buße zu gewärtigen
hatte. Dem Namen „Bettelmann" ⁵⁰) für
einen Felsblock in Schwaben, bei dem
sich schon viele Wanderer verirrten, muß

eine vergessene Sage zugrunde liegen.
Beim Schneien sagt man in Schwaben
„es fliegen Bettelleut" oder „es kommen
Bettelbuben" ⁵¹).

s. a. b e t t e l n.

⁴²) W o l f *Beiträge* 2, 41: Die gutherzige,
arme Frau darf bis zum Sonnenuntergang Tuch
herabschneiden. ⁴³) B o l t e - P o l i v k a 3,
462: Das aus Geiz zurückgehaltene Brot verwandelt sich in Kröten, von denen die schuldige
Frau schrecklich getötet wird; S t r a c k e r -
j a n 1, 47: Die reiche Frau, die freventlich
eine Ladung Weizen ins Meer schütten läßt,
statt sie den Armen zu schenken, verarmt zur
Strafe gänzlich und muß selbst betteln gehen;
vgl. den Artikel „Bäcker". ⁴⁴) S t r a c k e r -
j a n 1, 131: Die Geschichte von den 7 Welp-
ches; V e r n a l e k e n *Alpensagen* 11 Nr. 4;
22 Nr. 13 b; 28 Nr. 19; 30 Nr. 21; R a n k e
Sagen ² 241 ff. ⁴⁵) SAVk. 2 (1898), 6; auch
11 (1907), 132 dürfte hieher gehören. ⁴⁶) S. d.
Art. „Almosen" 1, 274 ff.; P f i s t e r *Hessen*
135; Walliser Sagen 2, 25 Nr. 34; V e r n a -
l e k e n *Alpensagen* 253. ⁴⁷) K ü h n a u *Sagen*
3, 135; vgl. d. Artikel „Almosen". ⁴⁸) B o h-
n e n b e r g e r 1, 21. ⁴⁹) G r i m m *Myth.* 2,
994. ⁵⁰) B i r l i n g e r *Volksth.* 1, 165.
⁵¹) M e i e r *Schwaben* 1, 261.   Schömer.

Bettnässer. Die Volksphantasie beschäftigt das lästige Bettnässen ¹) der
Kinder ganz besonders. Verschiedene
Ursachen werden angegeben. Die Paten
dürfen, solange sie das „Dotengeld" in
der Tasche haben ²) (Schweiz, Württemberg) oder den Patenzettel bei sich tragen
(Samland) ³) nicht pissen oder müssen
zur Taufe ein frisches Hemd anziehen ⁴),
sonst wird der Täufling ein B. Fährt der
Taufzug über eine Brücke und das Kind
schläft, so gibt es einen B.⁵). Kinder dürfen
nicht „zündeln", d. h. mit Feuer spielen,
sonst können sie das Wasser nicht halten ⁶). „Welcher mit einem finger, oder
stecken, in die äsch schreibet, oder mit
dem feuwer spielet, das ist ein wahr-
hafftig zeichen, dass er ins beth gebronzt
hat, oder wirdts thun", erklärt der Alten
Weiber Philosophey ⁷). Die Kinder sollen
auch nicht mit dem Löwenzahn spielen
(Urinaria, franz. Pisse-en-lit) ⁸). Wenn
man das Kind in einem rinnenden Gefäße
badet, mag es später das Wasser nicht
halten ⁹). Wird das Neugeborene vom
Monde beschienen, wird es zum B. ¹⁰).
Verschiedene M i t t e l dagegen werden genannt. Insbesondere gilt die Maus

als spezifisches Gegenmittel [11]). Der B. soll einer lebenden Maus den Kopf abbeißen [12]), oder man fängt Mäuse, tötet und schindet sie, siedet sie weich, nimmt aus dieser Suppe ein Beinchen heraus und gibt dies dem Patienten ein (Isental) [13]). Ein anderes Mittel ist, in ein leeres Grab zu pissen [14]), oder ein Glas mit dem Urin des Kranken einer Leiche ins Grab mitzugeben (Ostfriesland, Oldenburg) [15]), oder einen Totenkopf in den Strohsack des B.s zu stecken (Schwaben) [16]). Im Amt Crailsheim soll der B. seinen Urin in einen Spalt zwischen zwei Steinen im Wasser, wo Leid und Freud (Leichen- und Hochzeitszug) darübergehen, vor Sonnenaufgang machen und 3 Vaterunser dazu beten [17]).

In Steiermark [18]) und im Alemannischen [19]) rufen B. den hl. V i t u s (Veit) (s. d.) oder die armen Seelen an.

Im Badischen ruft der B. während der Wandlung in der Christmette seinen Fehler laut in die Kirche hinein und bittet die Anwesenden laut um ihre Fürbitte zum hl. Veit [20]) oder bläst am Freitag vor Sonnenaufgang dreimal ins Schlüsselloch der Kirche oder läßt, während der Prediger den Segen spendet, dreimal sein Wasser kreuzweis an die Kirchentüre [21]).

Nach siebenbürgischem Glauben hilft es dem B., wenn man ihm Taufwasser, das beim Taufen im Taufstein oder Schüsselchen zurückbleibt, fleißig zu trinken gibt oder ihn durch einen Donnerstein pissen läßt [22]). Im schweizerischen Freiamt steht ein „Bettsaierchäppili", in dem für B. gebetet wird und Leute, die daheim solche Patienten haben, pflegen das Kapellchen mit frischen Blumen zu zieren [23]). Im Böhmerwald und bei den pennsylvanischen Deutschen nimmt man zwei Laibe Brot, die beim Backen im Ofen so zusammenkleben, daß sie aneinanderhaften, und zerbricht sie über dem Kopfe des B.s [24]). Ein um 1602 angeklagter Zauberer in Luzern hatte in seinem Inventar eine „Ruthe, womit einer ausgestrichen worden. Sollte verbrannt und die Asche einem Kinde wider das Bettpissen eingegeben werden" [25]).

Gegen Bettnässen dienen weiter Kellerasseln [26]), der Kopf der Weinbergschnecke [27]), Hasenhirn [28]), Urin eines verschnittenen Schweines [29]), die Geschlechtsteile eines Schweins (für Knaben) oder Bären (für Mädchen) [30]). Schon Staricius [31]) empfiehlt 1679 Schweine usw. [32]).

[1]) L a m m e r t 135 f.; H o v o r k a - K r o n f e l d 2, 672. [2]) H ö h n Volksheilk. 1, 116; SAVk. 24, 62; MschlesVk. 9 (1902), 48; K u h n Westfalen 2, 34 Nr. 93. [3]) Urquell 1, 152 Nr. 39; W u t t k e § 593; vgl. S t r a c k e r j a n 1, 53. [4]) H o v o r k a - K r o n f e l d 2, 673; L a m m e r t 135. [5]) S e e f r i e d - G u l g o w s k i 122. [6]) So in Schlesien, Thüringen, Erzgebirge, Rheinland: W u t t k e § 606; L a m m e r t 135; H i l l n e r Siebenbürgen 52 Nr. 16; W o l f Beiträge 1, 209 Nr. 65; F o g e l Pennsylvania 359 Nr. 1914; S t r a c k e r j a n 1, 49; de C o c k Volksgeloof 1 (1920), 231 Nr. 242; S p i e ß Fränkisch-Henneberg 101; das Zündeln als Ursache des Bettnässens erwähnt bereits Aristoteles (Aul. G e l l i u s noct. Att. 19, 4). [7]) Zfd-Myth. 3, 312 Nr. 33. [8]) L a m m e r t 135 Anm. 2; H o v o r k a - K r o n f e l d 2, 672. [9]) W e t t s t e i n Disentis 172 Nr. 67; P o l l i n g e r Landshut 243. [10]) S c h ö n w e r t h Oberpfalz 2, 66. [11]) S t o l l Zaubergl. 79; M e s s i k o m m e r 1, 173; ZrwVk. 11 (1914), 166; DG. 12, 149; L a m m e r t 135; nach Plinius (30, 47) suchte man in Rom das Bettnässen durch Verabreichung gekochter Mäuse zu heilen. [12]) W u t t k e § 540; R e i s e r Allgäu 2, 445; S c h ö n w e r t h Oberpfalz 3, 270; P o l l i n g e r Landshut 285; F o g e l Pennsylvania 281 (1480). 282 (1483); H o v o r k a - K r o n f e l d 2, 273. [13]) SchwVk. 11, 47; vgl. S t o l l Zaubergl. 79. [14]) S c h ö n w e r t h Oberpfalz 3, 270; Urquell 3 (1892), 247 Nr. 26; S t r a c k e r j a n 1, 89 Nr. 98; MschlesVk. 9 (1902), 84; DG. 12, 149; W u t t k e § 496: Mecklenburg, Schlesien, Schwaben, Franken; F o g e l Pennsylvania 281 (1481). [15]) W u t t k e § 496. [16]) H o v o r k a - K r o n f e l d 2, 273. [17]) H ö h n Volksheilk. 1, 117. [18]) F o s s e l 216. [19]) SchwVk. 7, 31; hier betet man:

> „Heiligi Sant-I d d a
> weck mi bi Zite
> nöt z'früeh ond nöt z'spot,
> Wenn s'Sääche-n-aagoht."

Das I d d a ist vielleicht aus „Vite" verdorben; vgl. F i s c h e r SchwäbWb. 2, 1030; SchweizId. 1, 1134; L a m m e r t 135 f. [20]) W u t t k e § 198; H o f f m a n n Ortenau 113; SchweizId. 7, 146. [21]) M e y e r Baden 576; dasselbe von Mecklenburg: B a r t s c h Mecklenburg 2, 103. [22]) H a l t r i c h Siebenbürgen 268. [23]) SAVk. 21 (1917), 207 f. [24]) S c h r a m e k Böhmerwald 283; F o g e l Pennsylvania 283 Nr. 1488. [25]) L ü t o l f Sagen 234 Nr. 168 b. [26]) S t o l l Zaubergl. 78; s. a. unter Assel Sp. 628. [27]) Stein am Rhein,

mündlich. [28]) **H ö f l e r** *Organotherapie* 60. [29]) **S t r a c k e r j a n** 1, 97. [30]) **F o g e l** *Pennsylvania* 282 Nr. 1482; **L a m m e r t** 136. [31]) *Heldenschatz* 441 f. [32]) **F o g e l** a. a. O. 282 f. 1484 ff.; *Urquell* 3 (1892), 15; **L a m m e r t** 136.
Stemplinger u. Bächtold-Stäubli.

Bettstaffel vgl. **B e t t**.

Bettstroh. Ein Streu- oder Laublager, wie es als Unterlage in der Bettlade, als Füllung von Polstern noch heute vielfach volkstümliche Geltung hat, muß als Lagerstätte für weitaus ursprünglicher angesehen werden, als das Liegen zubett (s. Bett) [1]). Im „Weihnachtsstroh“ — wie im Hochzeitsstroh [2]) — sehen wir kultische Bedeutsamkeit daran angesponnen, und auch der Sterbende findet sich mancherorts auf dieses Lager zurück [3]). Erzählt Neocorus (16. Jh.) doch von einem pestkranken Dithmarscher, den die Leute nicht zu pflegen wagten, daß er sich selbst das Stroh geholt, ausgebreitet und sich daraufgelegt habe und alsbald verschieden sei.
In Siebenbürgen und auch anderwärts ersetzt man dem Todkranken das Federbett durch einen Strohsack, auf dem sichs leichter stirbt [4]) (s. sterben). Pflanzen mit übernatürlichen Kräften bezeichnet man als das Lieb-Frauen-B. u. dgl. M. Höfler sieht darin Erinnerung an ein kultisches Streulager für den Geisterbesuch [5]). Löst man nicht die Knoten an den Bändern des B.s, so kann man nicht schlafen [6]). Die Rockenphilosophie meinte auch, man solle das B. nicht verbrennen, sonst hätte man keine Ruhe. Insbesondere soll man dies nicht auf einem Kreuzweg tun, man bekommt sonst die Fallsucht [7]). An Walpurgis zum Nachbarn geworfen, nimmt es die Flöhe mit [8]). Dagegen wird das Stroh, auf dem der Tote gelegen, weitum noch heute auf dem Felde verbrannt, damit der Tote Ruhe habe, ähnlich an der Dorfgrenze, auf dem Grabe; es wird nicht angefaßt, man „verliert“ es bei der Rückkehr vom Wagen (s. Leichenstroh) [9]). Steckt man Wische davon auf das Feld, so kommt kein Vogel in die Saat [10]). Hühner, die sich ein Nest aus des Mannes oder Weibes B. machen, werden je nachdem einen

Hahn oder Hühner ausbrüten [11]). In einer Sage rettet eine Sechswöchnerin, die auf einen Kirschbaum stieg, Stroh aus dem Wochenbett, das sie in die Schuhe gegeben hatte, vor dem Teufel [12]).

[1]) **W e i n h o l d** *Frauen* 2, 106. 108. [2]) **S c h n e e w e i s** *Weihnachtsbräuche* 212 f.; **L i p p e r t** *Christentum* 394 f. [3]) **S a r t o r i** *Sitte u. Brauch* 1, 126 Anm. 13; **D i e t e r i c h** *Mutter Erde* 268 ff.; **M e y e r** *Volkskunde* 268; *W.* 457 § 723. [4]) *ZföVk.* 18, 146 ff. [5]) **G r i m m** *Myth.* 3, 438 Nr. 113. [6]) Ebd. 3, 443 Nr. 268; vgl. *W.* § 729; **H ü s e r** *Beiträge* 2, 29 Nr. 34. [7]) **D ä h n h a r d t** *Volkstümliches* 2, 78 Nr. 312. [8]) **G r i m m** *Myth.* 3, 464 Nr. 846; **R o c h h o l z** *Glaube* 1, 179 f.; **V e r n a l e k e n** *Mythen* 312; **S c h ö n w e r t h** 1, 251; **K n o o p** *Hinterpommern* 164; **D r e c h s l e r** 1, 293; **B a r t s c h** *Mecklenburg* 2, 97; *Urquell* 3, 300; *ZfrwVk.* 5, 256 f.; *W.* § 739. [10]) **M e y e r** *Aberglaube* 226. [11]) **G r i m m** *Myth.* 3, 474 Nr. 1069. [12]) **K ü h n a u** *Sagen* 2, 582.   Haberlandt.

Bettzaierli. Einige in Südwestdeutschland (durch junge, schriftliche Verpflanzung auch in Schlesien) [1]) verbreitete Fassungen des Alpdrucksegens (s. d.) reden anstatt des Alps, Trudenkopfes oder dgl. das B. an, das also als Alpdämon gedacht ist [2]). Die Etymologie ist dunkel; weder **F i s c h e r s** [3]) Herleitung aus dem Hebräischen (b'z'r „bedrängen“) noch **H ö f l e r s** [4]) Anlehnung an Zarge (= Bettgestell) befriedigen. Da der B.-segen auch gegen das Bettnässen gesprochen wird [5]) und auch vom Alp berichtet wird, daß er „pißt“ [6]), ist B. vielleicht als Bettseicherli zu erklären [7])?

[1]) **D r e c h s l e r** 2, 264. [2]) **L e o p r e c h t i n g** *Lechrain* 26; *SAVk.* 13, 151 (= *AfRw.* 13, 160); *SchwVk.* 12, 47; *HessBl.* 19 (1920), 126 Anm. [3]) **F i s c h e r** *SchwäbWb.* 1, 977. [4]) **H ö f l e r** *Krankheitsn.* 844. [5]) **M e y e r** *Baden* 53. [6]) **L a i s t n e r** *Sphinx* 2, 233. [7]) Zum Lautlichen vgl. das Bettsaierchäppeli im schweizer. Oberfreiamt (*SAVk.* 21, 207) und die im *SchweizId.* 7, 146 angeführten Formen.
Ranke.

Bettzeug. Daß Dinge, die mit den physischen Gewohnheiten so verwachsen sind und mit dem körperlichen Ich Tag um Tag in so innige Berührung treten wie das B. zählebigster Beachtsamkeit unterworfen werden, darf nicht wunder nehmen. In Schwaben durften früher die Männer nicht zugegen sein, wenn die Betten mit Federn gefüllt wurden; die alteingelebte Weiberarbeit, die dies vorstellt, hat Tabucharakter gewonnen [1]). Nach schon altdeutscher Gepflogenheit sind es Gänsefedern, auf denen man zu ruhen liebt [2]). Man soll sie aber nicht bei wachsendem Mond ins B. füllen, sonst schliefen sie wieder heraus [3]). Auch aufgelesene Federn soll man nach der Rockenphilosophie nicht nehmen, ein Kind kommt darin nicht zur Ruhe, Eheleute laufen sonst auseinander [4]). Auch Federn von anderm Geflügel (Tauben, Hühner) darf man nicht heranziehen, besonders die des unruhigen Hühnervolkes bringen Zank und Streit, man kann auf ihnen nicht ruhig sterben [5]). Auf neuem ungewaschenem B. zu schlafen, läßt Epilepsie befürchten [6]). In Ungarn soll man B. am Georgstag nicht lüften noch im Freien liegen lassen, damit die Hexen keinen Schaden stiften können [7]), so wie man in Dithmarschen glaubt, daß in den Zwölften oder (pädagogisch!) auch des Abends sonst der Vogel „Kräf" darüber hinwegfliege [8]). Wird das B. der Eheleute am Sonntagsmorgen gelüftet, so gibt es eine Ehescheidung (Island) [9]), kommt es in den Monaten, die ein „r" haben, ins Freie, so stirbt der darin Schlafende eines schnellen Todes [10]) (Erzgebirge). Doch hängt man oder hält man B. zum Fenster, um bei einem Gewitter die Gefahr zu entfernen — aus diesem Grund soll man auch bei einer Feuersbrunst das B. nicht zuerst retten — oder umherlaufende Hühner und Katzen zurückzubekommen [11]). Viele schwarze Kreuzchen oder ins Kreuz gelegte Falten, die man zufällig im Bettuch findet, bedeuten Tod [12]). Ist es aber auch Aberglaube, daß ordentlich geplättete Deckbetten einen offenen und geraden Sinn ergeben, und daß B., in dem jemand verschieden ist, eine Zeitlang aufgehoben und unbenützt gelassen werden [13])?

s. F e d e r.

[1]) B i r l i n g e r *Schwaben* 1, 414 [2]) H e y n e *Wohnungswesen* 57. [3]) G r i m m *Myth.* 3, 468 Nr. 914. [4]) Ebd. 2, 953; 3, 445 Nr. 346. [5]) S c h ö n w e r t h *Oberpfalz* 1, 353 f.; ZfVk. 8, 162; A n d r e e *Braunschweig* 291; G r i m m *Myth.* 3, 443 Nr. 281; 454 Nr. 593; W o l f

Beiträge 1, 221; B a r t s c h *Mecklenburg* 1, 133. 159; T ö p p e n *Masuren* 106. [6]) H o v o r k a - K r o n f e l d 2, 226. [7]) ZfVk. 4, 397. [8]) Ebd. 23, 282. [9]) Ebd. 8, 162. [10]) J o h n *Erzgebirge* 38. [11]) Ebd. 26; M e i c h e *Sagen* 563 Nr. 699; B o h n e n b e r g e r 1, 21; MschlesVk. (1905), 87 f. [12]) W o l f *Beiträge* 1, 213; W. 213 § 297. [13]) J o h n *Erzgebirge* 54; H ö h n *Tod* 7, 322. Haberlandt.

Beulen. Man darf in den Zwölfnächten keine Hülsenfrüchte essen, sonst bekommt man B.; das gleiche hat man zu gewärtigen, wenn man am Himmelfahrtstag näht [1]).

Um B. zu vertreiben, martert man in Böhmen ein Wiesel langsam zutod [2]); in Schwaben heißt es [3]): „Geh zu einem Metzger, der eine Sau metzget, sprich ihn an, aber bitte ihn dreimal um Gottes willen, gebt mir die Blater mitsamt dem Wasser, laß das Wasser auslaufen, hernach laß dem kranken Menschen sein Wasser in die Blater laufen, danach hänge die Blater in den Rauch samt dem Wasser, es hilft gewiß."

Eine B. soll man mit einem Geldstück [4]), mit einem breiten Messer [5]) oder Schlüsselbart [6]) eindrücken; dadurch mag wohl eine sofortige Kompression bewirkt werden, die einen größern Blutaustritt verhindert. Abergläubisch ist es aber, wenn man das Messer kreuzweise darauf drückt [7]), oder wenn man es dreimal tun und dabei ebenso oft auf die Erde spucken muß [8]), wenn man es mit einem „Dreikreuzmesser" ausführen muß, wie die Rockenphilosophie (372 Nr. 25) empfiehlt [9]). In Ostpreußen werden B. mit einem stählernen Messer, überhaupt mit Stahl gestrichen. Dies erregt eine angenehm kühlende Empfindung, und der Druck verteilt zugleich die Beule [10]).

Segen gegen B. s. z. B. G r o h m a n n 182 Nr. 1275; S c h u l e n b u r g 98.

[1]) W u t t k e § 519. [2]) Ebd. § 170. [3]) H o v o r k a - K r o n f e l d 2, 394. [4]) M e i e r *Schwaben* 2, 510 Nr. 418. [5]) ZrwVk. 11, 173; Urquell 4 (1893), 155. [6]) P o l l i n g e r *Landshut* 280. [7]) F o g e l *Pennsylvania* 286 Nr. 1515. [8]) L i e b r e c h t *Zur Volksk.* 312 Nr. 5. [9]) G r i m m *Myth.* 3, 441 Nr. 211. [10]) Urquell 3 (1892), 15. Stemplinger u. Bächtold-Stäubli.

Beutelmann, Personifizierung des Fiebers in Bayern [1]), s. R i t t.

[1]) S c h m e l l e r *BayrWb.* 1, 215.
             H. Naumann.

Bewegungswahrsagung. Die spontane Bewegung unbelebter Gegenstände wird vielfach als zukunftweisendes Zeichen angesehen. Auch die Antike kannte diese Vorstellung: in Rom galt es als besonders bemerkenswertes Prodigium, wenn sich die heiligen, in der Regia aufbewahrten Lanzen des Mars [1]) oder die heiligen Schilde (ancilia) [2]) bewegten, wenn die Türen eines Tempels [3]) oder eines Gemaches [4]) plötzlich aufsprangen, wenn bei der Götterbewirtung (lectisternium) eine Schüssel hinunterfiel [5]), wenn Waffen auf den Boden fielen oder Mauerzinnen hinunterstürzten [6]). Für diese antiken Vorstellungen bietet der deutsche Aberglaube z. T. genaue Entsprechungen: Das Handwerkszeug des Totengräbers oder des Sargtischlers [7]) oder des Scharfrichters [8]) bewegt sich, wenn neue Arbeit bevorsteht, das Hinabfallen eines heiligen Gerätes beim Abendmahl [9]) oder des Weihwasserkessels [10]), das selbsttätige Aufspringen oder Zuschlagen einer Tür [11]) gilt als unheilvolles, meist als todkündendes Vorzeichen.

Die am häufigsten in diesem Vorstellungskreise auftretende Form der Bewegung ist das spontane Um- oder Auf-die-Erde-fallen vorher feststehender Gegenstände, das als unheilvolles Zeichen angesehen wird, entweder ohne Unterschied des fallenden Gegenstandes [12]) oder mit Bevorzugung gewisser Objekte. Unter diesen tritt besonders häufig das von der Wand fallende Bild [13]) auf, wobei es besonders übel ist, wenn es sich um das Bild eines Kranken [14]) oder um ein Heiligenbild [15]) handelt; schon das bloße Schwanken eines Jesusbildes [16]) ist ein schlimmes Vorzeichen. Desgleichen das Hinabfallen des Spiegels oder Glases [17]), der Uhr [18]), des Wappens in der Kirche [19]). Das Hinabfallen eines Löffels oder anderen Eßgeräts wird meist ebenfalls ungünstig oder gar auf einen bevorstehenden Todesfall gedeutet [20]), doch werden hier bisweilen auch harmlosere Deutungen zugelassen [21]). Todkündend ist ferner das Umfallen des unter dem Hausdach aufbewahrten Besens, mit dem bei der letzten Leiche ausgekehrt worden ist [22]),

eines Grabsteins oder eines Totenbrettes [23]), das Hinabfallen eines Kranzes vom Sarge vor einem Hause [24]), der Türklinke [25]), des Ofenrohrs [26]), des Lampenzylinders, wenn er dabei nicht zerbricht [27]), eines Strohbündels vom Boden oder eines Brotes von der Brothänge [28]), der Kette vom Fuhrwerk [29]), ungünstig auch das des Eherings bei der Trauung [30]). Andere Arten unheil- oder todbedeutender Bewegungen sind: das Wackeln von Decksteinen auf einem Erbbegräbnis [31]), das Zuklappen eines Sitzbrettes während der Mettenpredigt [32]), das Herumspringen auf den Tisch gefallener Nähnadeln [33]), die Bewegung des an der Wand aufbewahrten Geschirrs [34]) oder des Pferdegeschirrs im Stall [35]), das Zerspringen von Spiegeln, Fensterscheiben, Lampenzylindern, Trinkgläsern [36]), das Nachsinken der Erde in ein frisches Grab [37]). Eine Neuigkeit kündet nach heutigem Wiener Glauben das Herunterfallen einer festgeschraubten Jalousie [38]). Auch das unvermutete Aufhören einer Bewegung ist ein schlimmes Vorzeichen, so das Stehenbleiben einer Uhr [39]). In vielen Fällen sind die Bewegungen auch mit Geräuschen (s. d.) verbunden.

[1]) L i v i u s 40, 19, 2; vgl. a. 22, 1, 11; 24, 10, 10; G e l l i u s 4, 6. 2; C a s s i u s D i o 54, 17, 2; O b s e q u e n s 6. 36. 44. 47. 50. [2]) Ebd. 44 a. [3]) Ebd. 13. [4]) Ebd. 67. [5]) Ebd. 7. [6]) C i c e r o ad Att. 15, 9, 2; de divin. 1, 74; O b s e q u e n s 48; weiteres s. S c h i n d l e r Aberglaube 215. Auch die spätere Divinationsliteratur kennt diese Form, s. C a m e r a r i u s Commentarius de generibus divinationum (1575), 6. Für die B. bei den Chaldäern vgl. M a u r y Hist. des rel. de la Grèce 2, 442. [7]) A n d r e e Braunschweig 376; B a r t s c h Mecklenburg 2, 95; D r e c h s l e r 1, 286; S t r a c k e r j a n 1, 143; SAVk. 21, 32. [8]) P r a e t o r i u s (1678) in MsäVk. 7, 202; H u ß Aberglaube 21; K r i e g k Deutsche Kulturbilder (1874) 120. [9]) J o h n Erzgebirge 114. [10]) M e y e r Baden 579. [11]) D r e c h sler 1, 286; WZfVk. 32, 85. [12]) A n d r e e Braunschweig 372; J o h n a. a. O. 116; MsäVk. 7, 113; MschlesVk. 7, 76 Nr. 65 h. [13]) D r e c h s l e r a. a. O.; F o g e l Pennsylvania 118 Nr. 527; J o h n Westböhmen 165; K l a p p e r Schlesien 300; vgl. die bekannte Szene in Webers Freischütz. [14]) J o h n Erzgebirge 113. [15]) M e y e r Baden 579. [16]) J o h n a. a. O. [17]) D i e n e r Hunsrück 180; M e y e r a. a. O.; WZfVk. 33, 13. [18]) J o h n a. a. O. 252. [19]) B i r l i n g e r Schwaben 1, 275 (aus

der Zimmernschen Chronik 2, 46; 3, 132). [20] J o h n *Erzgebirge* 31; A n d r e e *Braunschweig* 315. [21] F o g e l *Pennsylvania* 83 Nr. 308: Teelöffel = Ärger, Nr. 309: großer Löffel = bevorstehender Besuch eines großmäuligen Menschen, 94 Nr. 377: Gabel = einer Mannsperson, Nr. 378: Schlachtermesser = eines Pfarrers, Nr. 379: Messer = einer Weibsperson; vgl. WZfVk. 32, 85: Wenn ein Deckel vom Hafen fällt, kommen Gäste. [22] J o h n *Erzgebirge* 114. [23] D e r s. a. a. O.; J o h n *Westböhmen* 165. 168; D r e c h s l e r 1, 286; K l a p p e r *Schlesien* 300. [24] J o h n *Erzgebirge* 115. [25] Ebd. 113. [26] Ebd. [27] Ebd. 114. [28] ZfVk. 3, 381; D r e c h s l e r a. a. O. 1, 287; WZfVk. 32, 82. [29] ZfrwVk. 5, 245. [30] B o d i n - F i s c h a r t *Dæmonomania* (1698) 78; J o h n a. a. O. 97. [31] B i r l i n g e r *Schwaben* 1, 275 (aus der Zimmernschen Chronik 3, 131). [32] J o h n a. a. O. 117. [33] M e y e r *Baden* 579. [34] J o h n a. a. O. 252. [35] ZrwVk. 5, 245. [36] D r e c h s l e r 1, 286; J o h n a. a. O. 113. 114; WZfVk. 33, 13. [37] A n d r e e *Braunschweig* 314; B a r t s c h *Mecklenburg* 2, 97 Nr. 345; B i r l i n g e r *Schwaben* 1, 474 Nr. 700; F o g e l *Pennsylvania* 126 Nr. 577; D r e c h s l e r 1, 286; M a n z *Sargans* 122; M e y e r *Baden* 595; R o c h h o l z *Glaube* 1, 203; SAVk. 12, 214; 21, 32. [38] WZfVk. 32, 90. [39] D r e c h s l e r 1, 286; F o g e l *Pennsylvania* 118 Nr. 532; J o h n *Erzgebirge* 113; J o h n *Westböhmen* 165.

Der Glaube an die Vorbedeutung zufällig eintretender, spontaner Bewegungen ist in einer Anzahl von Weissagungsarten in ein System gebracht worden, in denen unter Vornahme bestimmter Zeremonien auf magischem Wege Bewegungen lebloser Körper herbeigeführt werden; meist handelt es sich hier um Nachklänge niederer Formen antiker Mantik.

s. A x i n o m a n t i e , D a k t y l i o - m a n t i e , K l i d o m a n t i e , K o s - k i n o m a n t i e , T o d e s v o r z e i c h e n , W ü n s c h e l r u t e .   Boehm.

beweinen s. b e k l a g e n .

bewundern s. l o b e n .

bezahlen. Nach allgemein verbreiteter Anschauung darf der Zauberer (Braucher, Quacksalber, Zauberer, s. d.) für seine Arbeit keine Bezahlung verlangen, sondern nur annehmen, was man ihm freiwillig schenkt; sonst helfen seine Kuren nichts [1]. Vielleicht beruht auf diesem Glauben derjenige der Deutschen in Pennsylvanien, daß man den Arzt nicht ganz b. dürfe, weil man ihn sonst sofort wieder brauche [2]. In Berlin ging man nach

Wuttke (132 § 181) s. Z. um Heiserkeit, bösen Hals, Kehlkopfkrankheit u. dgl. zu heilen, in einen Posamentierladen unter den Linden und forderte ein Stückchen Floretband, man erhielt ein solches schweigend, bezahlte nichts und dankte auch nicht — es soll ein Vermächtnis sein — und machte sich oder einem andern das Bändchen um den Hals, worauf die Schmerzen verschwanden; wenn man bezahlte oder dankte, so wirkte es nicht [2]. Gegen Fieber trinkt man in einem Wirtshaus Wein und geht dann weg, ohne etwas zu sagen und ohne zu zahlen [4]. Eine neugekaufte Katze darf man, soll sie nicht davonlaufen, nicht sofort bezahlen [5].

[1] F o g e l *Pennsylvania* 382 Nr. 2050; W u t t - k e 324 § 480. [2] F o g e l 283 Nr. 1490. [3] Vgl. ähnlich ebd. 337 Nr. 1794. [4] H a l t r i c h *Siebenb. Sachsen* 272 Nr. 12; Germania 29 (1884), 86 Nr. 2. [5] M ü l l e r *Isergebirge* 13.

s. a. d a n k e n , k a u f e n , v e r k a u - f e n , f e i l s c h e n , b e s p r e c h e n , Z a u b e r e r .   Bächtold-Stäubli.

bezaubern s. v e r h e x e n .

Bezoarstein. (Gamskugel.) Persisch *bazahar* „gegen Gift". B.e sind kugelförmige oder ovale Gebilde von der Größe einer Erbse bis zu der eines Taubeneis. Sie finden sich im Magen oder in den Gedärmen verschiedener Säugetiere. Der echte B. stammt von der Bezoarziege. In Deutschland finden sich B.e bei Gemsen und Steinböcken, selten bei Pferden. Sie bestehen aus Haar- und Pflanzenresten, die durch eindringende Salzlösungen Kalk absonderten, der sie steinartig zusammenkittete. B. oder Tränenstein heißen auch die zu festen Massen zusammengeballten Drüsenausscheidungen in den Tränenhöhlen der Rothirsche [1]. Der Stein, der sich in der Blase eines Ochsen befindet, reinigt, gepulvert an sich oder mit Rautensaft vermischt, den Kopf (wohl Gehirn) [2]. Steinchen, manchmal von gelber Farbe, finden sich im Balg des Ochsen; zerkleinert und getrunken, verkleinern sie den Blasenstein, heilen Stöße, werden, mit Betensaft zerrieben, gegen Epilepsie verwendet und stärken das Sehen [3]. Steine in Rossen, nicht genau rund, aber glatt und wie künstlich po-

liert, gleichen dem B. [4]). Auch in der
Blase von Schweinen findet sich manchmal ein Stein von dunkler Wasserfarbe [5]).
Alle echten B.e sind nach dem Volksglauben ein unfehlbares Mittel gegen Gift.
Viel gerühmt wurden seit jeher die Tiroler
„Gamskugeln". Sie gelten dort als wert-
voller als jedes andere Schutzmittel
wegen ihrer Zauberkraft gegen Gift und
böse Geister; auch sollen sie den, der sie
bei sich trägt, für vierundzwanzig Stunden hieb- und schußfest machen. Sie
werden auch gegen fast alle Krankheiten
verwendet. Wirft man eine Gamskugel
gegen die Mauer, so kann man durch-
schauen und alle Geheimnisse des Hauses
wissen. Vergoldete B. trug man in einem
Beutelchen bei sich, damit sie gegen den
Sturm schützten [6]). In der Volksheilkunde wurde der orientalische B. viel verwendet, so gegen Übelwerden, Magenbeschwerden, Ruhr, Schwindelanfälle,
Vergiftungen, Pest, Epilepsie u. a.; man
bereitete auch eine Bezoartinktur [7]). In
den alten Apotheken wurde er (oft verfälscht) dauernd geführt und wegen seiner vielseitigen Wirkungen, auf die das
Volk großes Vertrauen setzte, viel begehrt. Heute ist er völlig vergessen [8]).
Zu den heilkräftigen B.en rechnete man
früher auch den lapis porcinus oder lapis
Malacensis, einen seltenen Stein, den die
Portugiesen aus Ostindien nach Europa
brachten. Er stammte vom Stachel-
schwein und führte seinen Namen Malacensis nach seiner Heimat [9]).

[1]) P i e r e r *Universallex.* s. v. Haarballen;
P e t e r s *Pharmazeutik* 2, 47 ff.; G e s n e r
d. f. l. 160 f. mit Abbildung; Bressl. Samml. 5,
1529 f. u. Regb. 424 f. u. 598 s. v. Haarballen.
[2]) S c h w e n c k f e l t *Catalogus* 2, 64. [3]) Ebd.
2, 73. [4]) Ebd. 2, 91. [5]) Ebd. 2, 127. [6]) S t a r i-
c i u s *Heldenschatz* (1706), 424; A l p e n b u r g
Tirol 381 f.; H o v o r k a - K r o n f e l d 1, 64;
G r ä s s e *Jägerbrevier* 1, 210; Jägerhörnlein
132 f.; B e c h s t e i n *Mythen* 1, 172 f.; Z e d-
l e r 3, 1659. [7]) Z e d l e r 3, 1656; H o v o r k a-
K r o n f e l d 1, 65 u. 2, 836; ZfrwVk. 2 (1908),
100; vgl. S t e r n *Türkei* 1, 210 f. u. 664 (B.
im Orient Amulett und Heilmittel); H e l l w i g
24 u. 74; P o r t a *Magie* 252. [8]) P e t e r s
a. a. O.; S t e m p l i n g e r *Sympathie* 40;
vgl. ZfdA. 18 (1875), 404 ff. [9]) Z e d l e r 3,
1661 f.; 16, 748; Breßl. Samml. 16, 22 u. 24.
　　　　　　　　　　　　　　　　　Olbrich.

Bibel.

1. Einleitendes. — 2. Die B. und das deutsche
Volk. — 3. Inspiration: Die B. als heiliges Buch.
— 4. B. und Volksglaube. — 5. Die B. im Aberglauben. — 6. B.orakel. — 7. B.ordal.

1. Die B., die heilige Schrift der Chri-
stenheit, ist das weitaus am meisten verbreitete Buch der Weltliteratur. In etwa
835 Sprachen und Dialekte übersetzt, ist
sie, d. h. ihr wichtigster Teil, das NT.,
ungefähr vier Fünfteln der Menschheit
zugänglich [1]). Und ihr Inhalt ist eine
einzigartige Macht im geistigen Leben
der Völker geworden. Die biblisch-christ-
liche Gedankenwelt ist neben Antike und
Germanentum das entscheidende Bil-
dungselement der abendländisch-fausti-
schen Kultur.

Religionsgeschichtlich ist die B. als
Quelle von unschätzbarem Wert, weil
wir in ihr eine religiöse Entwicklung von
der primitiven Stammesreligion der alten
israelitischen Nomaden bis zur Höhe der
christlichen Erlösungsreligion verfolgen
können. Auch an religiös unterwertigen,
abergläubischen Vorstellungen ist die B.
reich und als Quelle für folkloristische
Forschungen sehr ergiebig [2]). Indessen
gehen wir darauf nicht näher ein, vielmehr soll im folgenden gezeigt werden,
welche Bedeutung der B. in ihrer Gesamtheit für Volksleben und Volkstum
zukommt, welche Vorstellungen sich an
sie als Gegenstand des Aberglaubens
knüpfen.

[1]) Einzelheiten bei R. K i l g o u r *The Gospel
in many years.* London 1925. [2]) J. G. F r a z e r
Folk-Lore in the Old Testament. 3 Bde. 1918;
P. S a i n t y v e s *Essais de Folklore biblique.*
Paris 1922.

2. Abgesehen von den Anregungen,
Vorwürfen und Motiven, die biblische
Stoffe der deutschen Kunst von ihren
ersten Anfängen bis zur Gegenwart gegeben haben, ist die B. für das deutsche
Volkstum insofern in hervorragendem
Maß bedeutsam geworden, als an ihr
diejenige deutsche Sprache erwachsen
ist, die alle deutschen Stämme mit ihren
verschieden gearteten Dialekten als einheitliches Band umschließt: die Schriftsprache der lutherischen B.übersetzung.

Welch hervorragenden Einfluß die B. auf die Volkssprache übt, zeigen die vielen biblischen Redewendungen, die ins Deutsche übergegangen und noch heute gebräuchlich sind, ohne daß man immer daran denkt, woher sie stammen. At.liche Wendungen wie Fleischtöpfe Ägyptens (Ex. 16, 3), ägyptische Finsternis (Ex. 10, 22), der Tanz um das goldene Kalb (Ex. 32, 4 ff.), das gelobte Land (Deut. 34, 4), um ein Linsengericht verkaufen (Gen. 25, 33 f.), sind dem Volksmund ebenso geläufig wie etwa aus dem NT. das Heulen und Zähneklappern (Luk. 13, 28), von Pontius zu Pilatus laufen, sein Licht unter den Scheffel stellen (Matth. 5, 15) oder ein Buch mit sieben Siegeln (Offbg. Joh. 5, 1). Auf Herz und Nieren prüfen ist Psalm 7, 10 entnommen; Krethi und Plethi, häufig gebraucht für Hinz und Kunz, hießen die Leibwächter des Königs David (I. Sam. 30, 14). Wenn ein Vorrat über Erwarten lange ausreicht, spricht man vom nie versiegenden Ölkrüglein der Witwe (I. Kön. 17, 14). Einen ins Tal Josaphat (s. d.) laden bedeutet: die Entscheidung irgendeiner Streitsache dem Gottesgericht überlassen (Joël 3, 7: Gott als Richter der Völker im Tale Josaphat). Viele unserer gebräuchlichsten Namen sind biblischen Ursprungs; genannt seien nur Jakob, Joseph, Maria, Elisabeth, Anna, oder sind biblische Namen zu Bezeichnungen für menschliche Typen geworden; am bekanntesten ist Eva, die mit ihren guten und weniger guten Eigenschaften zum Prototyp des Weibes wurde; ferner der alte Methusalem (Gen. 5, 27), der haarige Esau (Gen. 25, 25), der weise Salomo (I. Kön. 3, 28), der arme Lazarus (Luk. 16, 20), der ungläubige Thomas (Joh. 20, 25). In ähnlicher Weise spricht man vom heuchlerischen Pharisäer (Matth. 23, 13 ff.), von Kainstat, Hiobsbotschaft, Judaslohn. Im Vogtland sagt man von einem, der nie genug kriegen kann, er ist vom Stamme Ham (Dialektform für Haben) oder Nimm (vgl. die Völkertafel Gen. 10). Der Spitzname der eingesessenen Tübinger Weingärtner, „Gogen", wird mit hoher Wahrscheinlichkeit auf den mythi-schen König Gog (Ezech. 38 f.) zurückgeführt. Das semitische Gog bedeutet soviel wie Nordländer, Barbar, „Rauhbein" — in der Tat ein sinniger und treffender Name, den die allezeit zum Spott geneigten Tübinger Stiftler den derbrassigen Tübinger Bürgern angehängt haben [3]).

[3]) F i s c h e r *SchwäbWb.* 3, 16.

3. Es gehört zum Wesen heiliger Schriften, daß sie für i n s p i r i e r t, d. h. von Gott eingegeben, gehalten werden. Das Avesta der Perser, die vedische Literatur der Inder, der Koran gelten ihren Gläubigen gleicherweise für göttliche Offenbarung wie etwa den Juden ihr Gesetz und ihre prophetische Literatur. Das werdende Christentum hat jüdisches Erbe übernommen, indem es die Schriften des AT. zur geistgewirkten Offenbarung Gottes machte. Als sich die Bildung des nt.lichen Kanons im 2. Jh. vollzogen hatte, war auch die Lehre von der göttlichen Inspiration der heiligen Schrift fertig. Schüchterne Versuche, verschiedene Grade von Inspiration zu unterscheiden, scheiterten; das ganze MA. hindurch wird die B. als einheitliches Offenbarungsbuch betrachtet. Auch der Reformation ist die Tatsache der Inspiration selbstverständlich. Luthers Stellung ist nicht ganz eindeutig; auf der einen Seite macht er Unterschiede in der Würdigung der biblischen Schriften, erklärt z. B. den Jakobusbrief für eine „strohene Epistel"; auf der anderen Seite kann er sagen: „An einem Buchstaben, ja an einem einzigen Titel der Schrift ist mehr und größeres gelegen, denn an Himmel und Erde" (Erklärung des Galaterbriefs). Calvin hält an der unbedingt göttlichen Lehrautorität der Schrift fest. In der lutherischen Orthodoxie des 17. Jhs. wird die Lehre von der Verbalinspiration (d. h. wörtliche Eingebung) geradezu zum Hauptpunkt der ganzen Dogmatik. Auch heute noch gehört Inspiration zu den dogmatischen Leitbegriffen. Doch scheiden sich hier die Geister der Theologen. Während die rechtsgerichteten Gelehrten mindestens die Personalinspiration (d. h. Erleuch-

tung der biblischen Schreiber) festhalten, lehnt die historisch-kritische Theologie der letztvergangenen Generation jede Lehre von der Schrift schlechthin ab; denn die Schrift als solche ist Menschenwerk, kann demnach nur literarisch beurteilt, nicht aber dogmatisch gewertet werden. Die jüngste Entwicklung, die dialektische Theologie, scheint sich wieder zur Lehrautorität der Schrift als Wort Gottes hinzuwenden. Der Katholizismus hat die Angriffe des Modernismus auf das Inspirationsdogma siegreich abgeschlagen.

4. Das Dogma von der Inspiration der B. durch Gott oder den heiligen Geist wirkt sich naturgemäß im V o l k s - g l a u b e n dahin aus, daß die B. als absolut geltende Norm für alles menschliche Tun anerkannt wird. Durch das ganze MA. hindurch bis herauf zur Schwelle der neuen Zeit ist die B. selbstverständliche Richtschnur für das private wie für das öffentliche Handeln, so weitgehend, daß selbst B.stellen zur Rechtfertigung der scheußlichsten Grausamkeiten herhalten müssen. Die offizielle Kirche scheut sich z. B. nicht, die massenhaften Verbrennungen von Weibern, die das Unglück hatten für Hexen gehalten zu werden, unter Berufung auf Ex. 22, 18 („Die Zauberinnen sollst du nicht leben lassen") gutzuheißen. Um ähnliche Mißbräuche der B. für den gemeinen Mann auszuschließen, hat die Kirche vom Ende des 12. Jhs. an das B.lesen unter Kontrolle gestellt. Ein allgemeines B.verbot, von dem vielfach geredet wird, hat es indessen nie gegeben, wenn auch die Zensur verschärft wurde, nachdem Reformatoren und Ketzer sich für ihre häretischen Lehren auf die B. beriefen. Heute wenden sich große Teile des Volkes mit verächtlichem Lächeln von dem Kinderglauben der B. ab. Aber in den Kreisen, die von Überkultur und Zivilisation noch nicht ganz zersetzt sind, also in weiten Schichten des Bauerntums vor allem, gilt die B. als Richtschnur für die Lebenshaltung, wie es bei den Vätern Sitte gewesen ist. In allen Lebenslagen wendet man sich an die B., im Leid um Rat, Trost und Hilfe,

in der Freude mit Dank. Dem Bauern ist die B. das Familienbuch, das von Geschlecht zu Geschlecht vererbt wird und damit die Familienchronik, die hinten drin steht, späteren Geschlechtern kündet. An langen Winterabenden sitzt der Bauer hinter dem warmen Ofen und liest seine B. Bauern, welche die B. mehrere Male von Anfang bis zu Ende durchgelesen haben, sind keine Seltenheit, wohl aber solche Theologen! Es ist noch heute in den meisten deutschen, evangelischen Landeskirchen Sitte, daß jedes junge Paar bei der Heirat vom Pfarrer seine Traub. bekommt. Die B. als Hochzeitsgeschenk ist übrigens vereinzelt schon im ausgehenden MA. bezeugt [4]). Die B., zumal ein altes vererbtes Stück, gilt als unantastbar. Man gibt sie nicht gern aus dem Haus [5]). Selbst vor dem Zugriff des Gesetzes ist die B. sicher. Neben einem Tisch und zwei Stühlen bleibt sie beim Verkauf des Hauses Inventar [6]). Diese Vorkehrungen, sich die Hausb. unter allen Umständen zu erhalten, haben ihren Grund nicht so sehr in einer Anwandlung von Pietät, als vielmehr in einer durchaus dinglich-magischen Vorstellung von der H e i l i g k e i t der B., in dem naiven Glauben, mit der B. „den Herrn selbst" realiter zu besitzen [7]). Diese Auffassung bedingt die häufige Verwendung der B. zu abergläubischen Zwecken.

[4]) F a l k *Ehe* 10 ff. [5]) Christl. Welt 1908, 450. [6]) ZfVk. 1896, 15. [7]) Christl. Welt 1908, 450.

5. Die B. wird ebenso wie das Gesangbuch oder andere Erbauungsbücher häufig im Z a u b e r zur Abwehr böser Geister und als Heilmittel bei Krankheit [8]) gebraucht. Je älter die B. ist, desto stärkere magische Kräfte birgt sie. Auch herrscht mancherorts der Glaube, daß bestimmte B.drucke besonders wirksam seien. Ein Schatzgräber in Augsburg brauchte zur Hebung eines geheimnisvollen Schatzes neben einer reinen Jungfrau und einem Geistlichen eine Meibomische B. [9]). Aus Kärnten ist überliefert, daß herumziehende Italiener alte Weimarer B.n teuer bezahlen, um sie zu Teufelsbeschwörungen zu benützen [10]).

Ganz allgemein wird die B. zum Geisterbannen verwendet. Wer sein Vieh vor dem Einfluß böser Geister bewahren will, hängt ein Stück von einer B. im Stall auf [11]). B. oder Psalmbuch in der Tasche schützt vor Geistern [12]). Spukgeister werden dadurch gebannt, daß ein Prediger die Nacht mit B.lesen an dem gefährlichen Ort verbringt [13]). In Thüringen geht eine Sage: In einer Hütte im Wald wohnte ein Mann mit seiner Frau. Oft kam ein Feuermann, der immer winkte. Die Leute hatten große Angst. Endlich faßte sich die Frau ein Herz und folgte dem Geist, nahm aber zum Schutz die B. mit. Plötzlich machte der Feuermann halt und deutete auf eine Stelle hin. Da vergrub die Frau die B. und lief nach Hause. Sie erzählte alles ihrem Mann, starb aber noch in derselben Nacht. Der Mann grub an der Stelle, wo die Frau die B. vergraben hatte und fand einen großen Schatz [14]). Eine B. vor dem Schlüsselloch aufgehängt, schützt vor Alpdrücken [15]).

Ungetaufte Kinder bewahrt man vor bösen Geistern, indem man ihnen die B. unterlegt [16]). So sind sie sicher vor Hexen und Zwergen, die sie „verwechseln" könnten [17]). Wenn die Mutter das Kind allein läßt, muß sie die B. auf das Bettchen legen [18]). Justinus Kerner, ein feinfühliger Kenner des schwäbischen Volkslebens, sagt von einer Amme in den „Höllenbildern":

> Manches Kind verhexte sie,
> Daß es zappelte und schrie,
> Bis man schob dem armen Tropf
> Eine Bibel untern Kopf [19]).

In Württemberg kommt es vor, daß zum Schutz vor Hexen auf dem Gang zur Taufe ein Blatt aus dem NT. in das Tragkissen gelegt wird [20]), wie überhaupt Blätter aus der B. zu Wunderzetteln aller Art benützt werden [21]). In der Kirchheimer Gegend wird zum Unterlegen gerne das Blatt mit dem Spruch „Ich will Feindschaft setzen zwischen dir und dem Weibe" benützt [22]). Will ein Kind nicht schlafen, liest man ein Kapitel in der B. und läßt sie aufgeschlagen über Nacht liegen. Dann bekommt das Kind

Ruhe [23]). Daß die B. aufgeschlagen untergelegt oder überhaupt benützt wird, ist vielfach Vorbedingung für die rechte Wirkung [24]). Aus Marokko wird berichtet: An den ersten 8 Abenden nach der Geburt eines Knaben versammeln sich die nächsten Verwandten im Zimmer der Wöchnerin. Der Vater verschließt sorgfältig die Türen, liest mehrere Stunden lang aus der B. vor und zieht dann mit der Spitze seines Degens einen Kreis um das Bett von Mutter und Kind [25]). Hier ist also ganz deutlich die B. wesentlicher Bestandteil eines Abwehrritus. Gegen Geister und Krämpfe, die als dämonische Wesen gelten, hilft bei kleinen Kindern die B. oder das NT. im Kinderkorb [26]). Auch Erwachsenen legt man bei Krankheit die B. unter, gegen Gicht wird etwa das Kapitel von der Heilung des Gichtbrüchigen aufgeschlagen [27]). Die B. unter dem Kopfkissen hilft der Kindbetterin zu leichter Geburt [28]). Wenn die Wehen beginnen, legt man der Kreißenden die Erbbibel unter [29]).

Der Abwehr von Unheil dient auch der weitverbreitete Brauch, beim Gewitter in der B. zu lesen, um die Gefahr zu bannen [30]). Ein Mann, dessen Küche immer wieder einstürzte, mauerte schließlich eine B. ein [31]) (Bauopfer).

Aber nicht nur zur Verhütung von Unheil, auch zur Erlangung von Heil wird die B. benützt. Der Segen Gottes zieht mit ein, wenn man neben Salz und Brot die B. als erstes in das neue Haus trägt [32]). Ein Kind wird gelehrt und fromm, wenn man es nach der Taufe auf die B. legt [33]), oder wenn man es zum erstenmal auf der B. wickelt [34]). Auch wenn man die B. ins Bettchen oder unter das Kopfkissen legt, wird das Kind fromm [35]). Oder man bindet ihm ein Blatt aus der B. auf die Brust [36]). Die untergelegte B. vermittelt dem Kind Schriftkenntnis [37]) und macht es geschickt [38]). In der Schweiz wurde mit dem ersten Brei ein aus der B. gerissenes Blatt in ganz kleinen Stücken gekocht; dadurch wird das Kind fromm [39]). Dieser höchst primitive Brauch scheint schon im frühen MA. im Schwange gewesen zu sein. Die trullanische Synode von 692 verbietet nicht nur das Vernichten und Zerreißen von B.blättern, sondern auch den Verkauf an solche, die sie vernichten, z. B. Salbenhändler [40]).

Als Besonderheit sei noch erwähnt, daß in der Neckarsulmer Gegend früher den Verstorbenen ein NT. aufs Herz gelegt wurde [41]), als Talisman für eine gute Reise ins Jenseits, vielleicht auch als eine Art Legitimation vor dem göttlichen Richter. In Schlesien legt man dem Sterbenden zur Erleichterung des Todeskampfes eine B. unter das Kissen [42]). Einen ähnlichen Brauch kennen die Deutschen in Pennsylvanien [43]). Dieselbe Rolle wie die B. selbst spielen im Volksglauben allerlei Auslegungs- und Erbauungsbücher, allen voran das „Starkenbuch" (Joh. Friedr. Starks Tägliches Handbuch) und Arndts „Wahres Christentum" [44]).

⁸) Wuttke 455; Seyfarth *Sachsen* 150. ⁹) Birlinger *Aus Schwaben* 1, 269. ¹⁰) Wuttke 144. ¹¹) SAVk. 2, 272. ¹²) Zahler *Simmenthal* 41 = Wuttke 144. ¹³) Müllenhoff *Sagen* 194 Nr. 266 = 258 Nr. 348 = Kuhn *Westfalen* 1, 357 Nr. 396. ¹⁴) Bechstein *Thüringen* 1, 82 f. ¹⁵) Wuttke 285. ¹⁶) John *Erzgebirge* 52. ¹⁷) Müllenhoff *Sagen* 310 Nr. 421 = Wuttke 383. ¹⁸) Meyer *Baden* 39. ¹⁹) *Werke* (Ausg. Hesse) 2, 247. ²⁰) Höhn *Geburt* 269. ²¹) Eberhardt *Landwirtschaft* 13. ²²) Höhn *Geburt* 262. ²³) Zfrw-Vk. 1905, 180. ²⁴) Höhn *Geburt* 262 = Wuttke 483. ²⁵) Seligmann *Blick* 2, 339. ²⁶) Meyer *Baden* 40 = John *Erzgebirge* 52 = SchwVk. 10, 4. ²⁷) Meyer *Baden* 39. ²⁸) Höhn *Geburt* 265 = Meyer *Baden* 389. ²⁹) Seyfarth *Sachsen* 150. ³⁰) Wuttke 305. ³¹) ZfEthnologie 1898, 26. ³²) Mündlich aus dem Vogtland; ähnlich John *Erzgebirge* 28. ³³) SchwVk. 10, 37 = SAVk. 24, 62 = Rothenbach *Bern* 14. ³⁴) Hoffmann-Krayer 25 = Rochholz *Kinderlieder* 282 = Kohlrusch *Sagen* 339. ³⁵) Höhn *Geburt* 232 = John *Erzgebirge* 52 = Wolf *Beiträge* 1, 207. ³⁶) Keller *Grab des Abergl.* 5, 69. ³⁷) Höhn *Geburt* 262. ³⁸) Rothenbach *Bern* 14 = SAVk. 21 (1917), 39. ³⁹) SAVk. 24, 61. ⁴⁰) Hefele *Conziliengeschichte* 3, 339. ⁴¹) Höhn *Tod* 321. ⁴²) Drechsler *Schlesien* 1, 290. ⁴³) Fogel *Pennsylvania* 133. ⁴⁴) SAVk. 25, 118; vgl. Bohnenberger 24 und Höhn *Geburt* 133.

6. Ein Kapitel für sich ist das B.-orakel, d. h. diejenige zauberische Praxis, die mittels der B. die Zukunft erforschen will. Man schlägt aufs Geratewohl die B. auf und schließt aus der Stelle, auf die das Auge oder der Finger zuerst trifft, auf die Zukunft. Man heißt das im Volksmund „Däumeln". Diese Art des Losorakels aus heiligen Schriften ist uralt; begreiflicherweise, denn die heiligen Bücher eignen sich zum Wahrsagen vermöge der ihnen innewohnenden Heiligkeit und Kraft besonders. Die Chinesen wahrsagen seit Jahrtausenden aus dem uralten „Buch der Wandlungen" (Yih King) [45]), die Mohammedaner aus dem Koran [46]). Von den Griechen wissen wir, daß sie mit Homer orakelten [47]); die Römer benutzten vornehmlich die sibyllinischen Bücher und Vergil (s. d.) [48]); die alten Germanen übten in ähnlicher Weise Runenzauber [49]). Nach der Christianisierung der abendländischen Welt ersetzte die B. die mancherlei Losbücher. Das Wahrsagen mit heidnischen Zauberbüchern verwerfen die Christen [50]); denselben Unfug treiben sie aber unbedenklich mit ihrer B. und suchen diese Übung durch Vergewaltigung von B.stellen wie Luk. 4, 17 (wo es von Christus heißt „Und da er das Buch aufschlug") oder Apostelgesch. 1, 26 (wo der durch Judas' Selbstmord freigewordene 12. Platz unter den Aposteln durch das Los besetzt wird) zu rechtfertigen [51]). Schon im frühen MA. spielt das B.orakel eine hervorragende Rolle, von Geistlichen und Laien wird es gleicherweise geübt [52]). Kirchliche Autoritäten wie Augustin [53]), Hieronymus [54]), Gregor der Große [55]), wandten sich gegen diesen Aberglauben, vom 5. Jh. an wurden auf zahlreichen Synoden Verbote gegen das sortilegium erlassen [56]), Karl der Große bestimmte im Capitularium vom 23. März 789: ut nullus in psalterio vel in euangelio vel in aliis rebus sortire praesumat [57]). Alle diese obrigkeitlichen Maßnahmen waren umsonst. Der Volksglaube ließ sich nicht mit Gewalt brechen. Bei der Installation von Bischöfen und Äbten wurde feierlich das „Prognostikon" nach der B. gestellt [58]). Und selbst ein religiöser Heros wie Franz von Assisi kam zu seiner Ordensstiftung erst auf Grund eines dreifachen B.orakels [59]). Berthold von Regensburg predigt gegen

das „Däumeln" [60]), auf der Synode von Trier 1310 werden scharfe Maßnahmen gegen die sortes sanctorum, apostolorum vel psalterii beschlossen [61]), das Tridentinum wendet sich gegen den abergläubischen Mißbrauch der heiligen Schrift [62]). Nicht minder lebendig als im katholischen Volk blieb das B.orakel beim evangelischen [63]). In pietistischen Kreisen wird es vielfach geübt, um Gottes Willen zu erforschen und die Heilsgewißheit zu erproben [64]). Die täglichen Losungen der Herrenhuter Brüdergemeinde als abgeklärte Form des B.orakels anzusehen [65]), geht zu weit. Schließlich muß nicht jede gute, christliche Sitte auf einen alten Aberglauben zurückgeführt werden. Warum können die täglichen Losungen nicht aus dem Grundsatz nulla dies sine linea entstanden sein? Sicherlich werden viele Leser die Sprüche als Vorbedeutungen betrachten, aber das ist nicht der Sinn des Losungsbüchleins.

Noch heutigen Tags ist es vielfach üblich, daß man am Neujahrsmorgen die B. aufs Geratewohl aufschlägt und den ersten besten Spruch als zielgebend für das neue Jahr betrachtet [66]). Vor allen wichtigen Entscheidungen wird „der Herr" in der B. befragt, vor jeder Reise, jedem Geschäft [67]), besonders gern wird an kirchlichen Festtagen gedäumelt [68]). Wenn man von der Kindstaufe aus der Kirche nach Hause kommt, schlägt die Mutter die B. auf; aus dem gedäumelten Vers wird auf das Leben des Kindes geschlossen [69]). An die Entscheidungen des B.orakels glauben die Leute, und mögen sie noch so abenteuerlich sein. Schlägt man etwas vom Tode auf, so ist dies eine Todesvorbedeutung [70]). Aus Regensburg wird von einer Frau im Wochenbett berichtet, daß sie beim Däumeln etwas vom Tod aufschlug; die suggestive Kraft ihres Glaubens war so stark, daß sie bald darnach starb [71]). Um Träume zu deuten, wird mit dem Psalter gedäumelt [73]). Will man ganz präzis zu Werke gehen, so nimmt man nicht den Finger, der doch immerhin gleich mehrere Verse auf einmal zeigen kann, sondern durchsticht eine Lage Blätter mit einer Nadel. Der

Vers, auf den die Nadelspitze auftrifft, ist ein zuverlässiger Künder der Zukunft [72]). Besonderer Beliebtheit erfreute sich das B.orakel im Kriege [74]).

[45]) R. W i l h e l m *Y Ging* I [2], 234 ff. [46]) Vgl. W. L a n e *An account of the manners and customs of the Modern Egyptians* Ch. 11. [47]) S o l d a n - H e p p e I, 98. [48]) G e r h a r d t *Franz. Novelle* 104. [49]) S a u p e *Indiculus* 19 f. = Q u i t z m a n n *Baiwaren* 284. [50]) Vgl. A u g u s t i n *Konfessionen* 4, 3. [51]) M e y e r *Aberglaube* 146; H e r z o g - H a u c k [3] 18, 537. [52]) Vgl. G r e g o r v. T o u r s *Hist. Franc.* 4, 16; 5, 14. [53]) *Epist.* 55, 37. [54]) MSG. 25, 1180. [55]) *Epist.* 9, 204. 11, 33. [56]) Mansi *Coll. Conc.* 7, 955; 8, 332; MGLL. III 1, 9 (can. 180). [57]) MGLL. II 1, 64 (can. 20). [58]) S t e m p l i n g e r *Aberglaube* 52. [59]) *Legenda secunda* des T h o m a s v. C e l a n o 15. [60]) Schönbach *Berthold v. R.* 33. [61]) H e f e l e *Conziliengeschichte* 6, 492. [62]) Sess. 4. [63]) F r i c k a r t *Kirchengebräuche* 160 f. [64]) A. R i t s c h l *Gesch. des Pietismus* 2 (1884 ff.), 160 ff.; 3, 155. [65]) v. D o b s c h ü t z in H e r z o g - H a u c k 18, 579. [66]) Messikommer I, 135. [67]) Zrw-Vk. 1914, 268 = W u t t k e 242 = S t e m p l i n g e r *Aberglaube* 52. [68]) W u t t k e 242. [69]) R o t h e n b a c h *Bern* 14. [70]) SAVk. 2, 217. [71]) K e l l e r *Grab des Abergl.* 5, 397. [72]) P r a d e l *Gebete* 70 f. [73]) S t r a c k e r j a n I, 107. [74]) MschlesVk. 1918, 60 f.

7. War bei der bisher besprochenen Form des B.orakels der Inhalt der B. und B.stellen das wesentliche, so soll im folgenden noch kurz die Rede sein von einem B.orakel, bei dem die B. als heiliger, kraftgeladener Gegenstand dazu benutzt wird, um etwas **V e r b o r g e - n e s a n s T a g e s l i c h t** zu bringen. Um dies zu ermitteln, nahm man in der Wesselburener Gegend eine B., legte einen Schlüssel hinein und rief die Namen der Verdächtigen auf. Und richtig! bei einem Namen fiel der Schlüssel heraus. Das war der Dieb [75]). In einem andern Fall wird der Schlüssel auf Ps. 50, 18 („Wenn du einen Dieb siehst, so läufst du ihm nach") gelegt, die B. zugebunden und an einer Schnur aufgehängt. Die Person, zu der der Schlüssel sich hinwendet, ist der Dieb [76]). Oder man hängt die B., in der ein Schlüssel festgebunden ist, an der Decke auf, nennt die Namen aller Hausbewohner. Wenn man den rechten sagt, dreht sich die B. [77]). In Mecklenburg fragt man die aufgehängte B.:

Arfbok, ik frag di
De Worheit sag mi:
Hat N. N. dat un dat verbraken?

Ist der Verdacht unbegründet, so hängt die B. ruhig. Hat man den Namen des Verbrechers getroffen, fällt sie zur Erde [78]). Auf ähnliche Weise sucht man in Westfalen herauszubringen, wer die Kühe verhext hat [79]). Von ausschlaggebender Wichtigkeit ist es, daß man zu diesen B.ordalen alte Erbb.n und Erbschlüssel benutzt, deren Fähigkeiten erprobt sind. Wo der Zauber mit Erbsieb und Erbschlüssel geübt wird, hat die Erbb., die nicht fehlen darf, den Sinn, dem Sieb und dem Schlüssel magische Kraft zu spenden [80]).

Weiter befragt man die Erbb., die mit einem Erbband an einem Erbschlüssel befestigt ist, wieviele Jahre man noch zu leben hat. Die Zahl der Drehungen des Buches gibt die Zahl der Jahre an [81]). Auf dieselbe Weise sucht man zu erkunden, wie lange wichtige Ereignisse noch auf sich warten lassen [82]). Mädchen befragen etwa am heiligen Abend die Erbb., die mit einem Erbband kreuzweise verschnürt am Erbschlüssel hängt, wie lange sie noch ledig bleiben müssen [83]).

[75]) Urquell 2 (1891), 126. [76]) T y l o r *Cultur* 1, 128. [77]) S c h e l l *Bergische Sagen* 210. [78]) B a r t s c h *Mecklenburg* 2, 341. [79]) H. S t a h l *Westphälische Sagen* 1831, 127. [80]) M ü l l e n - h o f f *Sagen* 200 = W u t t k e 255. [81]) J o h n *Erzgebirge* 118. [82]) B a r t s c h *Mecklenburg* 2, 235. [83]) |J o h n *Erzgebirge* 152.   Rühle.

Bibelamulett [1]). Seit dem christlichen Altertum bis zur Gegenwart galt die Bibel, einzelne Bücher daraus oder einzelne Bibelstellen, als Schutz- und Abwehrmittel. So läßt sich z. B. der Gebrauch des 90. Psalms als B. von den frühchristlichen Papyri bis zum Weltkrieg verfolgen.

s. auch A m u l e t t , B i b e l.

[1]) W i l c k e n Arch. f. Pap. 1, 429 ff.; E. N e s t l e ZfneutWiss. 7, 96; D e i ß m a n n *Licht vom Osten* 32. 167. 297; E i t r e m u. F r i d r i c h s e n *Ein christl. Amulett auf Papyrus* (Videnskapsselsk. Forhandl. 1921 Nr. 1) 16; S c h ä f e r *Papyri Jandanae* 1 (1912); F r a n z *Benediktionen* 2, 57. 436; B e i ß e l *Gesch. der Evangelienbücher* (Stimmen aus Maria-Laach Erg.-H. 92—93, 1906), 1 ff.; P a u l y - W i s -

s o w a 11, 2156 f.; H e l m HessBl. 10 (1911), 40 ff.; P f i s t e r *Schwaben* 35; Philol. Wochenschr. 1925, 921 f.   Pfister.

Biber (Castor fiber) [1]). 1. Der B. war in früherer Zeit, wie zahlreiche Ortsnamen, z. B. Biberach, Bibern, Bebra, Beverley (England) usw. bezeugen [2]), in Europa stark verbreitet (nur im eigentlichen Griechenland und Italien kam er nicht vor) und seines Pelzes und des B.geils (s. u.) wegen sehr geschätzt; heute ist er bei uns fast ganz ausgerottet. Megenberg [3]) berichtet von ihm, daß der B. „mag niht lang beleiben", er „hab denne den zagel oder den sterz in dem wazzer, wan der geleicht ains visches zagel"; er wurde deshalb von den alten Zoologen meist zu den Amphibien gerechnet [4]).

In der V o l k s m e d i z i n alter und neuerer Zeit spielt der B. eine sehr große Rolle [5]). „Des B.s renne (d. h. Gerinsel, Coagulum, das in seinem Darme vorkommt) ist für die vallenden suht guot", erklärt Megenberg [6]). Die G a l l e wird in Westböhmen gegen „Herzschmerz" (d. h. Magenkrampf) verwendet [7]); die K n i e s c h e i b e schützt vor Zahnschmerzen [8]); ein Rezeptbuch des 16. bis 17. Jhs. empfiehlt: „Vor die Rothe wehe (Ruhr, Dysenterie): Nim die L e b e r aus einem Bieber. Zu Stich (zerstich) die woll mit einer grossen Nadell vnnd Lege die In wein, das der wein gar vber die Leber gehet vnnd Lass Eine Nacht darinnen Liegen. vf den Magen thue Sie in cincm Nctzlcin" [9]). Eine Hs. des 16. Jhs. rät: „vor das feber. nim die schoppen (S c h u p p e n) von einem beberschwantz, die polfer das klein, das dringke mit karlebenedigkte wasser" [10]). Das F l e i s c h hilft gegen Gallfieber [11]), aus den Haaren machte man Hüte, welche gegen Krankheiten schützten [12]). Wie bei uns die Maus mit ihren scharfen Zähnen im Analogiezauber des Zahnens eine große Bedeutung hat, so bei außereuropäischen Völkern der B. mit seinen Zähnen [13]).

[1]) Vgl. im allgem. E b e r t *Reallex.* 2, 14 f.; H o o p s *Reallex.* 1, 277 f.; P a u l y - W i s s o w a 3, 1, 400 ff.; S c h r a d e r *Reallex.* 85. [2]) H o o p s 1, 277; F i s c h e r *Altertumsk.*

13; DWb. 1, 1806 f. [3]) *Buch d. Natur* ed. Pfeiffer 127, 9 ff.; vgl. B r ä u n e r *Curiositäten* (1737), 633. [4]) P a u l y - W i s s o w a 3, 1, 400; B r ä u n e r a. a. O. 633; BlpommVk. 4, 60. [5]) Vgl. P a u l y - W i s s o w a 3, 1, 401 f.; H ö f l e r *Organotherapie* 114. 181 usw.; H o v o r k a - K r o n f e l d 1, 65 f. [6]) 127, 8 f. [7]) H o v o r k a - K r o n f e l d 2, 85. [8]) J ü h l i n g 10 = M a r s h a l l *Arznei-Kästlein* 28. [9]) J ü h l i n g 9 = H ö f l e r *Organother.* 181. [10]) J ü h l i n g 9. [11]) H o v o r k a - K r o n f e l d 2, 106. [12]) Ebd. 1, 66. [13]) Ebd. 1, 66; F r a z e r 1, 180.

2. Eine der verbreitetsten naturgeschichtlichen Fabeln des Altertums ist die Geschichte von der Klugheit des B.s: „Wenn er verfolgt wird, beißt er sich seine Hoden selbst ab und opfert sie so seinen Verfolgern, weil er weiß, daß ihm deshalb nachgestellt wird; denn, so glaubte man, die Hodensäcke sind der Sitz des so begehrten Heilmittels, des B.geils" [14]). Die Geschichte findet sich auch im MA. und geht bis in die neue Zeit hinein [15]). In Wirklichkeit wird das B.geil in besondern Drüsen des männlichen und weiblichen B.s, die im Unterteile der Bauchhöhle neben den Geschlechtsteilen liegen, abgesondert; es ist eine wachsähnliche Masse, von starkem Geruch und bitterem Geschmack, das in der Volksmedizin der Antike, des MAs. und auch der Neuzeit eine große Bedeutung hatte [16]); es enthält größtenteils Harz, dazu etwas ätherisches Öl, Cholesterin, Kastorin, Fette usw. Das beste B.geil kam aus Pontos, Galatien und Afrika; das spanische wurde geringer geschätzt; heute unterscheidet man russisches und englisches B.geil [17]).

„Daz pibergail ist ze vil erznei guot", schreibt Megenberg [18]), es „macht haiz und trucken und hât die Kraft, daz ez die gaist und die fäuhtin vertreibet, die den krampf machent. ez ist auch nütz den die hend pidment von der krankheit der âdern. sô man wein wellt mit dem b.gail und sich der siech dâ mit salbt und bestreicht und das b.gail pei im helt und dar zuo oft smeckt, daz ist den siechen glidern von dem paralis guot." Hugo von Trimberg erklärt im Renner (V.9933):

Vür gegihte wart nie niht sô guot
Als lützel sorgen und frôer muot,
Dar nâch bringet ein ander heil
Warm ziegel, haber und b i b e r g e i l.

Die handschriftlichen und gedruckten Arzneimittelbücher des 16.—19. Jhs. empfehlen das B.geil für mannigfache Leiden: Es wird, schon im Gargantua, zur E r l e i c h t e r u n g d e r G e b u r t eingegeben [19]), bei F r a u e n l e i d e n verschiedenster Art, auch nur als Riechmittel, verwendet [20]), es wirkt heilsam bei I m p o t e n z [21]), „so die zung vom S c h l a g getroffen, lege man jm gepülfferte B.geylin under die zungen" [22]), es hilft bei F a l l s u c h t [23]) und W a h n s i n n [24]), M a g e n l e i d e n [25]), namentlich Verstopfung [26]) und „Kröten im Bauch" [27]), bei K o l i k [28]), P o d a g r a und Ischias [29]); auch H e r z g e s p e r r und Atemnot heilte man mit B.geil [30]), ebenso Z a h n w e h [31]) usw. [32]). Im Osterspiel von Muri (13. Jh., Vers 43) wird es als Mittel zum Liebeszauber aufgeführt. Auch zur Abwehr der Raubbienen und zur Produktionssteigerung der Bienen ist B.geil ausgezeichnet [33]).

[14]) P a u l y - W i s s o w a 3, 1, 400 f.; P l i n i u s *Nat.Hist.* 32, 12; 8, 47; H ö f l e r *Organother.* 114. [15]) I s i d o r *Etymol.* 12, 2: castores, quum praesenserint venatorem, ipsi se castrant; M e g e n b e r g ed. Pfeiffer 127; Physiologus in H o f f m a n n *Fundgruben* 1 (1830), 31; lat. Text: *Münchener Texte* ed. F r. W i l h e l m 8 (München 1916), 33 f.; H u g o v. T r i m b e r g *Renner* V. 19 529 ff.; K o n r a d v. W ü r z b u r g MSD. 2. 335; F r i d a n k s *Bescheidenheit* 139, 5 f.; C a r u s *Zoologie* 124; BlpommVk. 4, 60; A g r i p p a v. N e t t e s h e i m 1, 255; Schatzkammer der Kauffmannschaft 1 (1741), 507: (Es gibt zweierlei B.geil): „eines kommt von dem B. selbst, das andere aus denen sogenannten B.Geilen. Beyde werden ausgeschmolzen und äußerlich wider Nerven-Krankheiten, Glieder-Reissen und Schmerzen, wider Mutter-Weh, fallende Sucht, Schlag, Krampff, etc. gebrauchet; wiewohl das letztere durchdringender, aber auch viel theurer ist." [16]) B r ä u n e r *Curiositäten* (1737), 633 f.; H o v o r k a - K r o n f e l d 1, 65 f. [17]) P a u l y - W i s s o w a 3, 1, 400; H o v o r k a - K r o n f e l d 1, 66. [18]) Ed. Pfeiffer 127. [19]) F i s c h a r t *Gargantua* (ed. Alsleben) 156; J ü h l i n g 9 (16./17. Jh.); F o s s e l *Volksmedizin* 88. [20]) J ü h l i n g 6. 7. 9; F o s s e l 55; H o v o r k a - K r o n f e l d 1, 164. [21]) J ü h l i n g 5. 9 f.; Kräutermann 164; H ö h n *Volksheilkunde* 1, 120. [22]) J ü h l i n g 5; F o s s e l 90; S c h m i d t *Mieser Kräuterbuch* 37 Nr. 13; H o v o r k a - K r o n f e l d 2, 247. [23]) J ü h l i n g 5. 8. [24]) Urquell 3 (1892), 4. [25]) J ü h l i n g 8. 9. [26]) Ebd. 6. (Gesner). [27]) Alemannia 26, 264. [28]) J ü h -

ling 9; K ö h l e r *Voigtland* 353. [29]) J ü h -
l i n g 8. [30]) Ebd. 6. [31]) Ebd. 5. [32]) Ebd. 5. 7.
8. [33]) Urquell 5 (1894), 22 Nr. 11. 12.
Bächtold-Stäubli.

Bibernelle (Pimpinella saxifraga).

1. B o t a n i s c h e s. Doldengewächs mit
einfach gefiederten Blättern, deren Fie-
derblättchen eiförmig und am Rande ge-
zähnt sind. Dolden und Döldchen entbehren der Hüllblätter. Die Blüten sind
weiß. Nah verwandt mit der kleinen B.
und vom Volk meist nicht weiter unterschieden, ist die große B. (P. magna)
mit kantig gefurchtem, oben unbeblätter-
tem Stengel. Beide Arten sind auf trocknen Wiesen, an Rainen und lichten Waldstellen meist nicht selten [1]). Als welsche,
schwarze oder Gartenb. wird auch ab und
zu der ähnliche Blätter besitzende Wie-
senknopf (Sanguisorba officinalis) bezeichnet, der jedoch als Rosengewächs
mit der obengenannten B. nicht verwandt ist. Bei den antiken Schriftstellern
wird die B. nicht erwähnt [2]). Der Name
„pipinella" wird anscheinend zum erstenmal von dem Arzt B e n e d i c t u s
r i s p u s (7. Jh. n. Chr.) erwähnt.

[1]) M a r z e l l *Kräuterbuch* 245 f. [2]) D e r s.
Heilpflanzen 104.

2. Im späten MA. erscheint die B.
häufig als Pestpflanze [3]). Ungewöhnlich
häufig (besonders im südlichen und östlichen Deutschland) sind Volkssagen, in
denen die B., oft zusammen mit anderen
Pflanzen wie der Blutwurz („Armetill"),
dem Baldrian, dem Wacholder („Kra-
newitt"), der Eberwurz, der Strenze,
bei einer Pestepidemie von einer geheimnisvollen Stimme (einem Vogel,
einem Zwerg) als Heilmittel empfohlen
wird. Über die B. in der Pestsage haben
T r e i c h e l [4]), E. L e m k e [5]), H o f f -
m a n n - K r a y e r [6]) und in letzter Zeit
besonders M a r z e l l [7]) gehandelt. Der
Spruch des rettenden Vogels, Zwerges
usw. lautet z. B. im Prättigau (Graubünden) [8]):

> „Esset Eberwurz und Bibernell,
> Damit ihr sterbet nit so schnell!"

in Owen (Schwaben) [9]):

> „Bibernell, ist gut für äll".

Im Riesengebirge verrät Rübezahl das
Pestmittel mit den Worten [10]):

> „Kocht Bibernell und Baldrian
> Wird die Pest ein Ende han!"

und in Tempelburg (Kr. Neustettin) ruft
die geheimnisvolle Stimme [11]):

> „Brûkt Bibernell, brûkt Bibernell,
> Dat ji nich stärft so schnell!"

Ähnliche Sagen sind auch im Slavischen
bekannt [12]).

[3]) z. B. B r u n f e l s *Kreuterbuch* 1532, 244;
F u c h s *New Kreuterbuch* 1543 cap. 232.
[4]) *Armetill, Bibernell und andere Pestpflanzen.
Eine ethnologisch-botanische Skizze.* 1887.
[5]) Brandenburgia 18 (1909), 33 ff. = *Asphodelos*
1 (1914), 65—75. [6]) SchwVk. 1, 19 f. [7]) *Heilpflanzen* 104 ff.; *Bayr. Volksbotanik* 183—187;
ZfVk. 35/36, 164—174, an letztgenannter Stelle
mit reichlichen Literaturangaben. [8]) U l r i c h
Volksbotanik 30. [9]) M e i e r *Schwaben* 248.
[10]) ZfVk. 11, 141. [11]) J a h n *Pommern* 1886,
38. [12]) G r o h m a n n 14; K r a u ß *Slav.
Volkforschung* 95.

3. Im Busen getragen, gilt die B. als
Mittel, die Milch zu vermehren [13]). Die
B. soll die Schwangerschaft verhüten,
wenn eine Frau sie bei sich trägt [14]).
Die Wurzel, einem Mädchen in die Tasche
getan, ohne daß es davon weiß, bewirkt,
daß es der betreffenden Person nachlaufen muß (vgl. Knabenkraut) [15]). Hier
erscheint die B. offenbar wegen des
bocksartigen Geruches ihrer Wurzel (der
Bock als geiles Tier!) als Aphrodisiacum.

[13]) Stettin: Urquell 6, 172; Ungarn: T e -
m e s v a r y *Geburtshilfe* 108. [14]) M a n z *Sargans* 85. [15]) W a r t m a n n *St. Gallen* 56.

4. Das „Pimpinellengraben", wie es
früher am Himmelfahrtstag in der Mark
stattfand [16]), weist vielleicht darauf hin,
daß die B. eine alte Zauberpflanze ist
und in Fruchtbarkeitskulten Verwendung
fand (vgl. oben ihre Anwendung als
Aphrodisiacum, ferner den ebenfalls am
Himmelfahrtstag gegrabenen Aronstab,
s. d.). Ein aus Oderberg in der Uckermark stammender Alraun (s. d.) war aus
der B.wurzel gefertigt, die man zu bestimmter Zeit feierlich auszugraben
pflegte [17]). Die Pflanze „bibenella" (ob
hier allerdings unser Doldenblütler gemeint ist?) erwähnt die hl. H i l d e -
g a r d [18]) als zauberwidriges Mittel. Als
solches gilt die B. auch in England [19]).

[16] Kuhn *Märk. Sagen* 328 ff. [17] ZfVk. 19, 127. [18] *Physica* I, 131. [19] Northall *Folk-Rhymes* 1892, 143 = MschlesVk. 16, 34. Marzell.

Bibi [1] (von 'bibelot'?), eine kleine Figur mit fratzenhaftem Gesicht, die im Kriege Glück bringen soll und während des Weltkrieges viel verkauft wurde.

[1] Vgl. Kronfeld *Krieg* 75.
　　　　　　　　　　　Bächtold-Stäubli.

Bibiabinka, Babiabinka, ein Eigenname in Kinderliedern, den Mannhardt, Mythol. Forschungen 464 ff. 656. 663 ff., aus mhd. *babe*, avus, avia, mater [1] herleitet und dem er den Sinn von *parca* gibt. s. a. Baba.

[1] DWB. I, 1057.　　　　Bächtold-Stäubli.

biblische Worte im Zauber. Wie man im Altertum Verse aus Homer und Virgil als Amulette und sonst zu magischem Gebrauch benutzte [1]), was auch noch im MA. [2]) und darüber hinaus in neuerer Zeit [3]) üblich war, so hat man auch schon frühzeitig Sprüche und Verse der Bibel in gleicher Weise verwendet. Chrysostomus [4]), Isidor von Pelusium [5]), das Opus imperf. in Matth. [6]) sprechen von kleinen Evangelienzetteln (δέλτια ἐυαγγέλια), die man als Schutz trug, Gregor der Große [7]) von einer „lectio sancti evangelii theca persica inclusa". Besonders gern gebrauchte man das Johannesevangelium (s. d.) und die Psalmen (s. d.), die noch heute im Zauber eine große Rolle spielen. Gegen Nasenbluten, Wetterschaden usw. diente Joh. 19, 30: consummatum est [8]); gegen Verrenkung usw. Joh. 19, 36, vgl. Lev. 12, 46, Num. 9, 12: os non comminuetis ex eo [9]). Der Todesschrei Jesu Mt. 27, 46, Mc. 15, 34: Eli, Eli, lamma sabacthani (auch in der griech. Form) begegnet schon in einem koptischen Zaubertext [10]), in einem griech. Wettersegen [11]), dann in lateinischen Exorzismen und Wettersegen [12]), Luk. 1, 79: illuminare his qui etc. in einem Geburtssegen [13]), Luk. 4, 30: Jesus autem transiens etc. als Schutz gegen Feinde in Waffensegen, Geburtssegen usw. [14]). Act. 9, 4: Saule, Saule, quid me persequeris? fand Verwendung gegen Feuerwaffen [15]), Jerem. 10, 2: a signis coeli quae timent gentes etc. gegen Pest und Waffen [16]),

Mk. 5, 6—9 gegen Bezauberung des Viehs [17]). Die Beispiele zeigen die weite Verbreitung des Gebrauchs von Bibelworten im Zauber [18]).

[1] Heim *Incantamenta* 514 ff.; Stemplinger *Aberglaube* 82. [2] Franz *Benediktionen* 2, 201. 203. [3] Thiers I, 362. 363. 378. 406. [4] Ad pop. Antioch. hom. 19 Migne *P. Gr.* 49, 195; in Matth. hom. 72 Migne *P. Gr.* 58, 669. [5] Epist. l. 2, 150 Migne *P. Gr.* 78, 604; Opp. Chrysostomi ed. Montfaucon 6 (Paris 1724), 184 des Anhangs. [7] Ep. 14, 12 Migne *P. lat.* 77, 1316. [8] Cardanus *De varietate rerum* (Basel 1581), 1042; Ludolphus de Saxonia *Vita Jesu Christi* (Antwerpen 1618), p. 2. c. 63, 127 S. 658; Thiers I, 361. 377. 413; Delrio *Disquisitiones magicae* (Köln 1679), 492; SAVk. 15 (1911), 179; Seyfarth *Sachsen* 152; John *Westböhmen* 274; Köhler *Voigtland* 409; Germania 24, 73; Bartsch *Mecklenburg* 2, 376; Ons Hémecht Festschrift 18; Ohrt *Trylleformler* 2, 26 Nr. 1128; Hauck *RE.* 1, 475. [9] Thiers I, 356. 365; Seyfarth *Sachsen* 174; Wier *De praestigiis daemonum* (Basel 1583), l. 5 c. 4, S. 511; Kiesewetter *Die Geheimwissenschaften* 653; Revue archéologique 1 (1892), 56. [10] Gnost. Traktat von Turin fol. 9 (Rossi *Cinque manoscritti,* in: Mem. Accad. Tor. ser. 2 vol. 43). [11] E. Legrand *Bibliothèque grecque vulgaire* 2 (1881), 20 ff. (zu Ps. 102 u. 103). [12] Franz *Benediktionen* I, 431; 2, 77. 80; Aufruf 16. [13] Franz a. a. O. 2, 200. [14] Wackernagel *Altdeutsche Predigten* 611; v. d. Hardt *Historia litteraria reformationis* 3 (in einer Synodalrede des 15. Jhs.); Franz a. a. O. 2, 431; Thiers I, 365. 411; Kiesewetter *Die Geheimwissenschaften* 653; Ohrt *Trylleformler* 2, 70 Nr. 1263; The Reliquary 1893, 201; Württ. Vjh. 13 (1890), 252 Nr. 382. 247 (im Colomansegen). [15] Thiers I, 365. [16] Ders. I, 355. 378. [17] Württ. Vjh. 13, 231 Nr. 336. [18] Vgl. noch Hauck *RE.* 1, 469. 475; Franz *Benediktionen* I, 469; 2, 90; Kronfeld *Krieg* 95; Franz *Nicolaus von Jawor* 159. 186; Gerhardt *Franz. Novelle* 123; Ganzlin *Sächs. Zauberformeln* 19 Nr. 28; Bischoff *Kabbalah* 2, 191 f.; Seligmann *Blick* 2, 340; Wuttke 72; Meyer *Aberglaube* 103; Lammert 193. 272; Zahler *Simmenthal* 109.
　　　　　　　　　　　　　　　　Jacoby.

Biene. I. B.zucht. In deutschen und überhaupt in germanischen Landen ist die B.nzucht sehr alt. Bestimmte Nachweise reichen bis ins 4. Jh. v. Chr. zurück (Pythias von Massilia), wie auch die Namen ‚B.', ‚Imme', ‚Drohne', ‚B.nmutter', ‚Weisel', ‚Wabe', ‚Huve' echt germanischen Ursprungs sind. Honig, Met und Wachs fanden schon früh Verwendung.

Müllenhoff *Zur Gesch. d. B.nzucht in Deutschland* : ZfVk. 10, 18 ff. (mit Notizen über B.nzucht aus germ. Rechtsquellen; vgl. Müllenhoff *Altert.* 1, 396. 398); A. Gmelin *Die B. von d. Urzeit bis z. Neuzeit*, in: Witzgall *Das Buch von d. B.* Stuttg. 1899 (dazu vgl. AfKultg. 7, 142); Beßler *Gesch. d. B.nzucht.* Ludwigsburg 1886; Heyne *Das deutsche Nahrungswesen.* Leipzig 1901, 214 ff.; Hoops *Reallex.* 1, 277. — Altertum: Pauly-Wissowa 3, 450 ff. — Mittelalter: Thomas Cantimpratensis (13. Jh.) *Liber qui dicitur bonum universale de proprietatibus apium;* Albertus Magnus *De Anim.* (ed. Stadler) Index; ausführlich, aber fast ganz auf antiker Literatur beruhend: Vincentius Bellovacensis *Speculum Naturale* cap. 77—96; Megenberg *Buch d. Natur* (ed. Pfeiffer) 287 ff. Vgl. auch die Literatur am Schluß.

2. Naturgeschichtlicher Aberglaube. a) Entstehung der B. Von der antiken Vorstellung, daß sich die B. aus dem Aas (s. d.) von Rindern bilde [1], finden sich auch auf deutschem Boden vereinzelte Spuren. Megenberg, Buch der Natur (Pfeiffer) 292: „Ez werdent peinen (B.) aus frischen waltrinder päuchen, die man aurochsen haizt .. aber man muoz die päuch mit mist bedecken, so komment die peinen da von." Ohne Angabe der Quelle Aegidius Albertinus in der ‚Welt Tummel- und Schauplatz' (München 1612) S. 372: ‚man sagt, daß die Impen auß den todten Leibern der Ochssen wachsen / Deswegen pflegt man die Kälber zuschlachten vnd jhr Fleisch vnnd Blut verfaulen zu lassen, auff dass Würm darin wachsen / welche hernacher Flügel vberkommen vnd Impen werden.' Und das Zauberbuch eines Heinrich v. Gerstenbergk enthält die Notiz: „In vielen Gegenden Deutschlands herrscht unter den Landleuten der Glaube, daß, wenn man ein Stück Aas von einem Rindvieh in wohlriechendes Gras, Blumen oder Heu legt, B.n daraus entstünden" [2].

Die Parthenogenesis der B.n [3] spricht Fr. Spee in seiner „Trutz Nachtigal" aus:

Sie häuffig sich vermehren,
Doch keusch, ohn heyrath sein;
Ohn lieb sie sich beschwären
Mit süssen Kinderlein.

b) Gestorbene B.n können noch stechen (Pom.) [4].

c) Die Ansicht, der Weisel sei ein Männchen („König", „Kaiser") herrschte bei den Naturforschern seit Aristoteles bis in die zweite Hälfte des 17. Jhs. [5]. In Unterprechtal (Baden) heißt die Königin „der Meister" [6]. Anderseits schon ags. *beomôdor* „B.nmutter"; mlat. *mater apis;* tschech. *matka* [7].

d) Nach alter Volksanschauung ist die B. ein Vogel [8].

e) Von den Drohnen glaubte man, daß sie die B.n aus brüten (holl. *broetbyen*) [9].

f) Gut mit Haaren bewachsene B.n haben gute Art [10].

[1] Pauly-Wissowa 3, 434. 447; Grimm *Myth.* 2, 579; 3, 202; Globus 39, 221; ZfVk. 10, 19. B.n entstehen aus dem Blut geopferter Stiere oder hausen im Haupt des Onesilos, Küster *Schlange* 63 A. 2 (zit. Weicker *Seelenvogel* 29); ausführlich in einem Vieharzneibuch von 1535 („ausz Varrone, Plinio, Vergilio, Palladio"): Alemannia 3, 73 f. Vgl. die B.n im Aas des von Simson getöteten Löwen: Richter 14, 8. [2] Schramek *Böhmerw.* 262. [3] Pauly-Wissowa 3, 334; Franz *Bened.* 2, 135 A. 2 (zit. Ambrosius und Rufinus; vgl. auch Isidorus *Etym.* [Migne *P.L.* 82, 470]); Grimm *Myth.* 3, 202: „wird âne hîleichiu dinc geborn"; Albertus M. *Anim.* 17, 51 ff.; Megenberg (ed. Pfeiffer) 288; vgl. noch Gihr *Meßopfer* 263. [4] BlPomVk. 9, 174. [5] Noch Andr. Picus *Von den B.n* (Erfurt 1677), lt. Carus *Zool.* 460. — Vgl. ferner Grimm *Myth.* 2, 580; 3, 203; Pauly-Wissowa 3, 433; ZfVk. 10, 20. In Ägypten wurde das Bild der B. als Hieroglyphe für den König gebraucht: Pauly-Wissowa 3, 447. [6] Meyer *Baden* 415. [7] Grimm *Myth.* 2, 580; 3, 203; SAVk. 16, 20. [8] Sartori 2, 132; vgl. Jes. Sirach 11, 3. [9] Cock *Volkgeloof* 1, 145. [10] BlpomVk. 2, 42.

3. Kult und Ehrung. Die Organisation, die lange Zeit rätselhafte Sexualität (s. o. Anm. 3) und der nutzbringende Fleiß der B.n haben naturgemäß zu dem Glauben geführt, daß sie mit höheren, übernatürlichen Eigenschaften begabt seien. Sie können reden (Westf.) [11], in der Christnacht zwischen 11 und 12 Uhr wachen die B.n auf und kriechen trotz der Kälte aus dem Stock [12], oder sie singen (Meckl.) [13] oder summen zum Preise des Erlösers ein Lied (Schles.) [14]. Auch vermögen die B.n zu unterscheiden zwischen guten und bösen Menschen: Leichtsinnige Weiber (s. u. A. 22—27) und Trinker werden von ihnen gern gestochen, während gute Menschen verschont bleiben (verbr.) [15]; geschminkte Mädchen und Dirnen sind ihnen zuwider [16]. Fluchen und Streiten ist in ihrer Nähe zu vermeiden (Baden, Schwaben, Schweiz) [17]. Fluchende werden gestochen oder haben als Züchter kein Glück (ObPf., Württ., Schwz.) [18], und von einer unfriedlichen Familie ziehen die B.n weg (Bad., Schwb., Pom., Erzgeb.) [19]. Entsteht wegen der B.n Streit, so fallen sie ab (Bad., Pom., Schwz.) [20]. Da man im MA. (wie im Altertum) an eine geschlechtslose Erzeugung der B.n glaubte (s. o. A. 3), was dann weiterhin die B. zum Symbol für die jungfräuliche Geburt des Erlösers machte (s. u. Nr. 9) [21], gilt die B. als besondere Beschützerin der Keuschheit. Keusche Jungfrauen (Meckl.) [22] und Jünglinge werden nicht gestochen (Pos., Bö.) [22], Unzüchtige (s. o. 5) dagegen gehaßt (Schwb.) [24]. Beim Einfangen der B.n muß ein Keusches anwesend sein (Bay.) [25]; Mädchen geben wohl auch ihren Geliebten eine Tugendprobe, indem sie sich zu einem Bienenschwarm stellen (Pos.) [26]. Alles Unreine ist den B.n zuwider [27]. Kommt eine Menstruierende in ihre Nähe, so sterben sie (Schles., Öst.) [28] (ihr Pfleger ist daher stets ein Mann, mit dem ehrenden Namen „Bienenvater"). Überhaupt sind sie gegen üble oder starke Gerüche (Schweiß, Knoblauch u. ä.) sehr empfindlich [29].

B.n sind prophetisch. Dem Herzog Leopold von Österreich verkündeten sie 1386 die Niederlage bei Sempach: „do kam ein imb (Schwarm) geflogen . . . ans hertzogen waffen . . . das dütet frömbde geste, so redt der gmeine man" [30]; auch wenn sich die B.n verfolgen und totbeißen, bedeutet das Krieg (Schwz.) [31]. Vor dem Bergsturz von Plurs (Graubünden) flogen alle B.n weg [32]. Seuchen oder Unglück gibt es, wenn die B.n in großer Zahl sterben (ObPf., Schwz.) [33], wenn sie hoch fliegen (Ob.-Öst.) [34] oder sich an einen ungewöhn-

lichen Ort setzen (Voigtl.) [35]. „So ein mann, auff dem seinen einen binenschwarm findt, in einem baum, so ist es ein böß zeichen, es sey dann, daß er sie behandgabe mit einem stück geldts. wo einer anderst die binen neme, dem würden sie nimmermehr gut thun" [36]. Anderseits bedeutet das Ansetzen eines fremden Schwarms Glück [37]. S. auch unten Nr. 4, A. 159 ff. Nach einer vereinzelten Angabe ist auch der ein Glückskind, an den im Schlafe eine B. fliegt [38]. Hängt sich ein Schwarm an einen Gartenbaum, besonders an einen dürren Ast, so bedeutet es Tod im Hause [39]; fliegt ein Schwarm fort und kommt in 3 Tagen nicht wieder, so deutet das auf den Tod der Kinder des Hauses (Schwz.) [40]. Den Tod des Imkers zeigen die B.n an, wenn sie unruhig werden und stark summen [41]. Wenn die B.n verderben (Tir.) [42] oder wenn man von schwärmenden B.n träumt, stirbt jemand aus der Familie [43], oder es gibt sonst ein Unglück in ihr [44]. Die B.n merken den Tod des B.nvaters, kommen vors Fenster geflogen und nehmen mit jammernden Tönen Abschied (Schwz.) [45]. „Vorfälle" im Haus des Meisters sind zu erwarten, wenn die Waben in der Mitte verbunden sind [46]. Feuersbrunst bedeutet es, wenn ein Schwarm sich an ein Haus hängt (Schl., Tir.) [47] oder man von B.n träumt (Pos., Sieb.) [48]. Starke Brut zeigt ein fruchtbares Jahr an (Schwz.) [49]; ebenso, wenn die B.n summen [50]. „Ein B.nschwarm im Mai / Ist wert ein Fuder Heu; / Doch am Johannestag / Ich keinen geschenkt mehr mag" (Inntal) [51]; ähnlich im OA. Ellwangen [52], in Pommern (ohne Johannis) [53], im Odenwald [54]. Besonders glückbringend sind Himmelfahrtschwärme (OA. Weinsberg) [55]. Einen strengen Winter gibt es, wenn die B.n ihren Korb dicht verschließen und umgekehrt (Schl., Fland.) [56]. Wenn die B.nvölker den Winter über keine Nahrung haben, so daß sie mit Honig gefüttert werden müssen, so wird es auch den Menschen im nächsten Jahre unglücklich gehen [57]. Alle 7 Jahre gibt es ein gutes Honigjahr, wenn die B.n am Klee saugen, was nur alle 7 Jahre geschehen darf [58]). ‚Stehen die B.n spät auf‘, so bleibt das W e t t e r , ‚spannen sie vor‘ (beeilen sie sich), so ändert es, ‚stürmen sie lang‘, so gibt es rauhes Wetter (Schwz.) [59]), ‘machen die B.n arges Gesumm, gar bald schlägt dann das Wetter um’ (Pos.) [60]). Fliegen die B.n morgens hastig aus und kehren schnell wieder, so wetterts bald; sind sie zornmütig und gereizt, so wird es heiß und bleibt einige Tage so [61]). Wenn ein Schwarm sich nicht niederläßt, sondern zum Muttervolk zurückkehrt, steht heißes, trockenes Wetter in Aussicht [62]). Der Beginn der Drohnenschaft wird als das Vorzeichen ungünstiger Witterung betrachtet [63]). Wenn die B.n ihre Drohnen bald töten, rechnet man auf einen schlechten Nachsommer und umgekehrt [64]). Ein Gewitter befürchtet man, wenn die schwärmenden B.n gemeinschaftlich in den Stock zurückkehren und nicht, wie meist, eine natürliche Wasserstelle aufsuchen, sondern von dem bereitgestellten Wasser saugen. Als Anzeichen eines Wetterwechsels oder nahen Sturmwindes betrachtet man das Bemühen der im Kasten befindlichen B.n, diesen an Rißstellen, statt durch das Flugloch, zu verlassen [65]). Wenn die B.n leer zum Bau zurückkehren, so ist Gewittersturm im Anzuge [66]). Manche Parallelen bietet die Antike [67]).

Vereinzelt ist die Voraussage der K i n - d e r z a h l: Eine Bauernmagd half einst einer B. auf die Beine. Als die Magd später heiratete, summte ihr eine B. bei der Vorsegnung vor der Kirche ins Ohr: „Sieb’n, sieb’n“. Die Bäuerin bekam 7 Kinder [68]). Zu der Prophezeiung der D i c h t e r g a b e s. u. Nr. 8 A. 245 ff.

Die übertierisch scheinenden Eigenschaften machen aus der B. ein höheres, ja geradezu h e i l i g e s W e s e n [69]) (vgl. u. Nr. 4, A. 123 f. und Nr. 7). Hiefür kommt besonders in Betracht, daß sie der Kirche das Wachs für die geweihten Kerzen liefert [70]). Man glaubt sogar, daß sie an Fronleichnam eine Monstranz, an Johannis einen Kelch aus Wachs baue [71]); dazu vgl. unter Nr. 8 die Sage von dem Wachstempel um die Hostie.

Die B.n heißen Herrgotts- oder Marienvögel [72]) und werden mit E h r f u r c h t behandelt [73]). Man darf n i c h t nach ihnen s c h l a g e n [74]), oder sie gar t ö t e n [75]). Wie von Menschen, sagt man von der B.: sie ‘s t i r b t’, ‘i ß t’, ‘t r i n k t’ (verbr.) [76]); Leute, die gröbere Ausdrücke brauchen, werden von den B.n gestochen oder haben kein Glück [77]). Vor B.n wird das H a u p t e n t b l ö ß t (Schwz.) [78]), die C h r i s t n a c h t wird ihnen angezeigt (Schles.) [79]), ebenso das N e u j a h r durch Schießen (Odenw.) [80]); an L i c h t - m e ß , wo ja die Wachsweihe gefeiert wird, klopft man an die Körbe mit dem Spruch: „Bineli freued-ich (euch), Lichtmess ist do“ (Bad.) [81]), und im preuß. Kreise Braunsberg sagt man den B.n sogar a l l e F e i e r t a g e an [82]). Der T o d [83]) des B.n v a t e r s [84]) oder anderer Familienglieder [85]) wird den B.n gemeldet. Gewöhnlich geschieht diese Meldung durch (meist dreimaliges) Klopfen [86]) an den B.nstöcken und Sprechen eines Spruches (Prosa oder Vers) [87]), die Stöcke werden auch angerührt [88]), von der Stelle gerückt oder geschüttelt [89]), „gelüpft“ [90]); in Posen wird 3mal in das Flugloch geblasen [91]). Geschieht die Ansage nicht, so sterben die B.n [92]), leiden Schaden [93]), ziehen weg [94]), oder es stellt sich ein Unglück ein [95]), oder es gibt „Meisterb.n“ [96]). Seltener werden die Stöcke zum Zeichen der Trauer mit einem schwarzen Läppchen oder Flor versehen [97]). In einem Fall war die Folge der Unterlassung die Geburt eines taubstummen Kindes [98]). Zuweilen geschieht das Klopfen, Rücken, Lüpfen der Stöcke auch, wenn die L e i c h e d a s H a u s v e r - l ä ß t , über die Dachtraufe hinaus kommt [99]). Im Tirol heißt es: Wenn eine Leiche bei einem Hause vorübergetragen wird, muß man die B.nstöcke umkehren, sonst werden sie „malefiziert“ [100]). Ebenda werden die B.n zur S e e l e n m e s s e eingeladen [101]). Wenn der Hausvater gestorben ist, muß sich der neue Hausherr d e n B.n v o r s t e l l e n [102]).

Hier sei auch die Gewohnheit und der Glaube einer Witwe in Neckargartach (Heilbronn) angeführt, welche, so oft sie in ihren B.nstand geht, sagt: „Der Heinrich (Name ihres verstorbenen Mannes) ist bei mir", dann tun ihr, wie sie glaubt, die B.n nichts, vergesse sie es aber zu sprechen, so werde sie unfehlbar gestochen[103]).

In Forstweiler (Ellwangen) werden die B.n nach Eintritt des T o d e s a u s d e m H a u s geschafft, weil sie sonst keinen Honig mehr geben oder gar zugrunde gehen; auch in Fachsenfeld (Aalen) werden sie an einen andern Ort gebracht, und nur, wenn dies nicht möglich ist, sollen sie gelüpft werden[104]).

Die Pennsylvania-Deutschen glauben, daß, wenn einer nicht sterben könne, man zur E r l e i c h t e r u n g d e s T o d e s die B.nstöcke rücken solle[105]). In der Schweiz: Nachdem der Hausvater den B.n seinen n a h e n T o d angezeigt, verlassen die B.n ihre Stöcke[106]) B.n, deren Herr gestorben, soll man n i c h t k a u f e n, denn sie sterben ihrem Herrn nach (ObPf., Pos.)[107]). B r a u t l e u t e werden den B.n mit einem Spruche vorgestellt (Westf.)[108]); auch von einer H o c h z e i t erhalten sie Kunde[109]) und die B.nstöcke werden mit einem roten Tuche geschmückt (Bay., Bö.)[110]). Die junge Frau stellt sich den B.n vor[111]). Überhaupt werden ihnen Familienereignisse (auch Geburten) gemeldet[112]). B.n, die man sich s c h e n k e n läßt, gedeihen nicht; denn das ist eine Mißachtung[113]), anderwärts sollen im Gegenteil B.n n i c h t g e k a u f t (s. o. Anm. 107) oder verkauft werden; geschenkte oder geerbte B.n gedeihen am besten[114]); namentlich aber hat man Unglück mit B.n, deren Besitzer innert Jahresfrist gestorben ist[115]). Jedenfalls darf beim Kauf nicht b e t r o g e n oder g e f e i l s c h t werden (verbr.)[116]). Bei g e i z i g e n Menschen gehen die B.n ein[117]), und wer B.n s t i e h l t, hat Unglück, wird durch Krankheit bestraft, kann nicht ruhig sterben oder muß gar nach dem Tode umgehen (Westf., Pom.)[118]). Wenn ein B.nkorb gestohlen ist, und man hat noch etwas von dem Werg aus dem Korbe, so legt man dieses mit etwas Quecksilber in ein Glas oder in einen hohlen Knochen, pfropft das Behältnis fest zu und wirft es in ein fließendes Wasser. Dann wird der Dieb fortan von Angst und Unruhe gequält. Um das Mittel mit Sicherheit anwenden zu können, nehmen B.nhalter aus jedem Korb etwas Werg und stellen es in einer Reihe auf, damit, wenn ein Korb gestohlen wird, das Werg gleich zur Hand ist[119]). Die Pennsylvania-Deutschen sagen umgekehrt, man solle B.n stehlen, damit die eigenen gedeihen (s. a. Nr. 4 Anm. 52)[120]). Im bad. Bauland gedeiht ein g e f u n d e n e r Schwarm (doch s. Nr. 4 Anm. 152) nicht, wenn man ihn nicht dem rechtmäßigen Besitzer zurückgibt[121]). Während man einen bevölkerten B.nstock über die Straße t r ä g t, soll man sich weder umsehen, noch ein Wort sprechen, noch einen Gruß erwidern, sonst fliegen die B.n fort[122]).

[11]) K u h n *Westf.* 2, 65. [12]) F o g e l *Pennsylv.* 216. [13]) W o s s i d l o *Meckl.* 2 Nr. 1062. [14]) D r e c h s l e r 2, 86; vgl. G r e g o r *Folk-Lore of the N.-E. of Scotland* 1881, 147; H e n d e r s o n *Folk-Lore* (1879) 311. [15]) ZfVk. 10, 18; M e i c h e *Sagen* 567; vgl. S é b i l l o t 3, 318. [16]) H o v o r k a - K r o n f e l d 1, 67. [17]) M e y e r *Baden* 414; Urquell 6, 20; K i r c h h o f e r *Wahrheit und Dichtung* (Zürich 1824) 359; SchweizId. 1, 235; SAVk. 2, 223; vgl. Ons Volksleven 11, 32; S é b i l l o t 3, 317 f. [18]) S c h ö n w e r t h *Oberpf.* 1, 354; L ü t o l f *Sagen* 358; SAVk. 2, 223; 16, 20; E b e r h a r d t *Landw.* Nr. 3, 21; Germania 36, 385; vgl. S é b i l l o t 3, 318. [19]) M e y e r *Baden* 414; Urquell 6, 20; E b e r h a r d t l. c.; M e i e r *Schwaben* 1, 223; SAVk. 25, 216; K n o o p *Hinterpom.* 175; BlPomVk. 2, 42; J o h n *Erzgeb.* 121; streitsüchtige Klosterbrüder: M e y e r *Abergl.* 154; vgl. H e n d e r s o n a. a. O. 309; L e a t h e r *Folkl. of Herefordshire* (1912) 28. [20]) S c h m i t t *Hettingen* 15; BlPomVk. 6, 74; SchweizId. 4, 909. [21]) P a u l y - W i s s o w a 3, 434; F r a n z *Bened.* 2, 135. [22]) W o s s i d l o *Meckl.* 3 Nr. 1188. [23]) W u t t k e § 284. [24]) B i r l i n g e r *Vt.* 1, 127; Germania 36, 385; schon bei Aelian 5, 11; vgl. G r e g o r *N.-E. Scotland* 147; S é b i l l o t 3, 318; F e h r l e *Keuschheit* 56 ff. 101. 156. 209. [25]) P a n z e r *Beitr.* 2, 173. [26]) Urquell 6, 20. [27]) Alemannia 39, 45; vgl. S é b i l l o t 3, 320. [28]) D r e c h s l e r 2, 86. [29]) Schon im Altertum: P a u l y - W i s s o w a 3, 453. — Ferner: M e y e r *Abergl.* 154; H o v o r k a - K r o n f e l d 1, 67; ZföVk. 4, 216; [30]) L i l i e n c r o n *Hist. Volksl.* 1, 125; vgl. G r i m m *Myth.* 2, 951 (Plin. 11, 18; Cassius Dio 54, 33; Julius Obsequens *de prodig.* 1, 132); vgl. weiter: K r o n f e l d *Krieg* 193. 195; S t e m p l i n -

ger *Abergl.* 32; H o p f *Tierorakel* 205 f. Auch allg. auf das Herannahen von F r e m d e n deutend: V e r g i l *Aen.* 7, 64 f.; σειρήν (Wildbiene) μήν φίλον ἀγγέλλει, ξεῖνον δὲ μέλισσα. P h o t i o s s. v. σειρήν. [31]) L ü t o l f *Sagen* 358; J o s. I n e i c h e n Luzern, hs. [32]) R o c h h o l z *Naturmythen* 84 (nach B. A n h o r n *Zornzeichen Gottes* a. 1665). [33]) S c h ö n w e r t h 1, 355; L ü t o l f *Sagen* 358. [34]) B a u m g a r t e n *Aus d. Heimat* 1, 109. [35]) K ö h l e r *Voigtl.* 587; ZfVk. 9, 337 (Engl.). Schon in der A n t i k e bedeutet es Unheil, wenn sich ein Schwarm irgendwo, aber besonders an einem Altar, anhängte. H o p f *Tierorakel* 205. [36]) ZfdMyth. 3, 311. [37]) M e y e r *Baden* 415; F o g e l *Pennsylv.* 102. 217; ZfVk. 9, 337. Vgl. S é b i l l o t *Folk-Lore* 3, 308. [38]) S t e m p l i n g e r *Abergl.* 50. [39]) SchwVk. 5, 1; M e i c h e *Sagen* 11. [40]) R o c h h o l z *Glaube* 1, 148; vgl. L i v i u s 21, 46; T a c i t u s *Ann.* 12, 64; H e n d e r s o n *Folk-Lore* 309. [41]) H ö h n *Tod* 308. [42]) Z i n g e r l e *Tirol* 45; H ö h n *Tod* 308; L a m m e r t 100; SAVk. 25, 283. [43]) K n o o p *Tierkult* 4. [44]) Veckenstedts Zs. 3, 395; Rogas. Fam.bl. 2, 48. [45]) SchweizId. 1, 235. [46]) J o s. I n e i c h e n Luzern, hs. [47]) G r i m m *Myth.* 3, 439, Nr. 160 (aus Rockenphilos.). 3, 328 (Claudian); W u t t k e § 284; D r e c h s l e r 2, 86; Z i n g e r l e *Tirol* 91; H o p f *Tierorakel* 207. [48]) K n o o p *Tierwelt* 4; Wlislocki *Siebenb.* 185; ZfVk. 4, 86; Rogas. Fam.bl. 2, 48; Veckenstedts Zs. 3, 395. [49]) L ü t o l f *Sagen* 358. [50]) D r e c h s l e r *Haustiere* 10; guten Honigertrag: ZöVk. 6, 174. [51]) Z i n g e r l e *Tirol* 1331; vgl. R o l l a n d *Faune* 3, 266 (Engl.). [52]) E b e r h a r d t *Landw.* 22. [53]) BlPomVk. 2, 42. [54]) Hmtl. 11, 41, wo auch Trinitatis- und Jakobischwärme als glücklich bezeichnet werden. [55]) E b e r h a r d t l. c. [56]) D r e c h s l e r 2, 86; W a n d e r *Sprichw.* 1, 373 Nr. 38; Ons Volksleven 11, 31; „Habent autem industriam apes praesentiendi hyemem et qualitates eius et praesentiendi pluvias. Huius autem signum est, quoniam ante pluviam non evolant longe ab alveari." A l b e r t u s M. *Anim.* 8, 183. [57]) D r e c h s l e r 2, 86. [58]) SAVk. 21, 58. [59]) SchweizId. 1, 231. [60]) K n o o p *Tierw.* 4; vgl. M e g e n b e r g (ed. Pfeiffer) 289. [61]) B a r t s c h *Meckl.* 2, 206 [62]) DG. 14, 277. [63]) BlPomVk. 2, 27. [64]) H o p f *Tierorakel* 205. [65]) M ü l l e r *Isergebirge* 15. [66]) BlPomVk. 2, 26; ZfVk. 10, 211. [67]) P a u l y W i s s o w a 3, 447; H o p f *Tierorakel* 204; G r u p p e *Griech. Myth.* 801 ff. [68]) R e i t e r e r *Ennstalerisch* 100. [69]) K o l b e *Hessen* 27; S c h l o s s e r *Galgenmännlein* 99; Antike: P a u l y - W i s s o w a 3, 447; Sonstiges: D ä h n h a r d t *Nat. Sag.* 1, 127. [70]) SAVk. 16, 20; B l a s s *Die B.* 2; F r a n z *Benediktionen* 2, 709 (Register). [71]) S c h m i t z *Eifel* 1, 40. 43; F o n t a i n e *Luxemb.* 119; S c h e l l *Berg. Sagen* 521; Hmtl. 11, 41; vgl. RTrp. 17, 219. [72]) M e i e r *Schwaben* 1, 223. [73]) S a r t o r i *Sitte* 2, 132 (mit Literatur). [74]) SAVk

16, 20. [75]) D r e c h s l e r *Haustiere* 10 (man verfällt dem Teufel); R o c h h o l z *Kinderlied* 319 (Kinder bekommen graue Haare). [76]) S a r t o r i *Sitte* 2, 132; S c h m i t t *Hettingen* 15; L e o p r e c h t i n g 80; E b e r h a r d t *Landw.* Nr. 3, 21; P a n z e r *Beitr.* 2, 173; S c h ö n w e r t h 1, 354; B i r l i n g e r *Vt.* 1, 126; DG. 5, 200; M e y e r *Baden* 414; D r e c h s l e r 2, 85; K n o o p *Tierw.* 3; G r o h m a n n 84; J o h n *Westböhmen* 214; L ü t o l f 358; SchweizId. 1, 235; 4, 909; SAVk. 16, 20. [77]) R o c h h o l z *Kdl.* 333; R o t h e n b a c h 36. [78]) Schweiz.Id. 4, 909; SAVk. 16, 20. [79]) D r e c h s l e r 1, 38; 2, 86. [80]) Hmtl. 11, 40. [81]) M e y e r *Baden* 415; F e h r l e *Volksfeste* 29. [82]) M e y e r *Vkde* 216. [83]) Todansagen überhaupt, und den B.n insbesondere: S a r t o r i in ZrwVk. 1, 39 (mit reicher Lit.). [84]) G r i m m *Myth.* 3, 202 (auch aus England); B i r l i n g e r *Aus Schw.* 1, 400; D i r k s e n *Meiderich* 49; F l ü g e l *Volksmed.* 80; F r i s c h b i e r *Hexenspruch* 132; H ö h n *Tod* Nr. 7, 324; H o v o r k a - K r o n f e l d 1, 67; K n o o p *Tierwelt* 3; K ö h l e r *Voigtl.* 254; K u h n *Westfalen* 2, 47. 65; K u h n u. S c h w a r t z 435; K ü h n a u *Sagen* 3, 470; L a m m e r t 105; M a a c k *Lübeck* 57; M e y e r *Baden* 414; S c h ö n w e r t h 1, 248; S t r a c k e r j a n 2, 175. 215; W o e s t e *Mark* 52; W o l f *Beitr.* 2, 450 (Westf.); W r e d e *Rhein.Vkde* 136; W u t t k e *Sächs. Vkde* 565; Zeitschriften Deutschl.: Alem. 27, 240 (Baden); BlPomVk. 2, 27; DG. 14, 277; Urquell 1, 10 (Ditmarschen); Veckenstedts Zs. 3, 395 (Posen); ZfVk. 4, 327 (Rheinl.); 16, 174 (Rheinl.); ZrwVk. 2, 195; 4, 273; 5, 247; 9, 444. — A n d r i a n *Altaussee* 118; B a u m g a r t e n *Aus der Heimat* 1, 109; G r ü n e r *Egerland* 60; H a l t r i c h *Siebenb.* 295; H a r t m a n n *Dachau* 228; J o h n *Oberlohma* 161; D e r s. *Westböhmen* 214; V e r n a l e k e n *Mythen* 314; Wittstock *Siebenb.* 60. — SchweizId. 4, 909; H o f f m a n n - K r a y e r 43; L ü t o l f *Sagen* 358; R o t h e n b a c h 36; V o n b u n *Beiträge* 114; SAVk. 15, 11; 12, 154; 13, 182; 16, 20; 25, 215; ZfMyth. 4, 180 (Luzern; Unterwalden). — Vgl. S é b i l l o t *Folk-Lore* 3, 315; D e r s. *Paganisme* 231; H e n d e r s o n *Folk-Lore* (1879) 309; L e a t h e r *Folk-Lore of Herefordshire* (1912) 28. [85]) H ö h n *Tod* Nr. 7, 324; M e y e r *Baden* 414; S a r t o r i *Sitte* 196; *Alemannia* 25, 43; BlPomVk. 2, 43; ZrwVk. 4, 121. 273; ZfdA. 3, 366 (Thür.); V e r n a l e k e n *Alpens.* 401; S t a u b e r *Zürich* 1, 28; SAVk. 8, 274; 10, 279; F o g e l *Pennsylv.* 216. 217. F r a n k r e i c h : W o l f *Beitr.* 2, 456; M e y e r *Abergl.* 232 (n. G r i m m *Myth.*); SAVk. 25, 282 (franz. Berner Jura). [86]) H ö h n; K n o o p; K u h n *Westf.*; K u h n und S c h w a r t z; L a m m e r t; M e y e r *Baden*; S c h ö n w e r t h; W o l f; W r e d e; Alemannia 27, 240; DG. 14, 277; ZfVk. 16, 174; ZrwVk. 4, 273; 5, 247; G r ü n e r; H a l t r i c h;

John *Westböhmen*; V e r n a l e k e n *My-*
then; W i t t s t o c k; SAVk. 16, 20. [87]) K u h n
Westf.; K u h n u. S c h w a r t z; M e y e r
Baden; W o l f; W o e s t e; W r e d e;
W u t t k e *Sachsen*; Urquell 5, 21; 6, 20;
ZfVk. 10, 16; 16, 174; ZrwVk. 5, 247; G r ü n e r;
J o h n *Oberlohma.* [88]) BlPomVk. 2, 27;
ZrwVk. 4, 273. [89]) F l ü g e l; H ö h n; M a a c k;
M e y e r *Baden*; S t r a c k e r j a n 2, 175;
Alemannia 25, 43; ZfdA. 3, 366 (Thür.).
ZrwVk. 2, 195; 4, 121; J o h n *Westböhmen*;
SchweizId. 4, 909; H o f f m a n n - K r a y e r;
L ü t o l f; R o t h e n b a c h; S t a u b e r;
SAVk. 12, 154; 25, 215; ZfdMyth. 4, 180;
F o g e l. Vgl. B r a n d *Pop. Ant.* 2 (1841), 183.
[90]) B i r l i n g e r; H ö h n; H a r t m a n n;
SchweizId. 4, 909; R o t h e n b a c h; SAVk.
10, 279; 13, 182; 15, 11. [91]) Veckenstedts
Zeitschr. 3, 395. [92]) G r i m m; B i r l i n g e r;
D i r k s e n; F r i s c h b i e r; H ö h n; H o-
v o r k a - K r o n f e l d; K n o o p; K ü h n a u;
L a m m e r t; M a a c k; S t r a c k e r j a n 2,
215; Alemannia 27, 240; ZfVk. 4, 327; 5, 455
(Bay.); 16, 174; ZrwVk. 2, 195; 4, 273; 5, 247;
ZfdA. 3, 366 (Thür.); G r ü n e r; H a l t r i c h;
J o h n *Oberlohma*; V e r n a l e k e n *Mythen*;
SchweizId. 4, 909; H o f f m a n n - K r a y e r;
R o t h e n b a c h; S t a u b e r; SAVk. 8, 274;
12, 154; 13, 182; 15, 11; 16, 20; M e y e r *Aber-*
gl.; B r a n d *Pop. Ant.* 2 (1841), 183. [93]) H ö h n;
L a m m e r t (ihr Honig unbekömmlich);
S a r t o r i *Westf.*; R o t h e n b a c h; F o g e l.
[94]) K u h n u. S c h w a r t z; K ü h n a u *Sag.*
3, 470; V e r n a l e k e n *Alpensagen*; Schweiz-
Id. 4, 909; L ü t o l f; V o n b u n; ZfMyth. 4,
180; S é b i l l o t; Leather. [95]) H a l t r i c h.
[96]) SchweizId. 4, 909. 911. [97]) F r i s c h b i e r;
H o v o r k a - K r o n f e l d; K ü h n a u; Bl-
PomVk. 2, 43; M e y e r *Abergl.* 232; W o l f
Beitr. 2, 456; ZrwVk. 1, 47 (mit Lit.); HmtKiel
24, 300; Volkskunde 23, 124. Vgl. S é b i l l o t
3, 315; SAVk. 13, 182 (franz. Schweiz).
[98]) S t r a c k e r j a n 2, 215. [99]) M e y e r
Baden 414; H o f f m a n n *Ortenau* 19;
P a n z e r *Beitr.* 2, 303; P o l l i n g e r *Lands-*
hut 299; ZfVk. 5, 455 (Bay., wo aber die B.n,
durch die Störung gereizt, über den Leichenzug
herfallen; ein ähnlicher Vorfall bei B r a n d
Pop. Ant. 2 [1841], 183 f.); DG. 5, 200 (Oberpfalz); 12, 147 (Mainburg); F o g e l *Pennsylv.*
134 Nr. 615. [100]) H e y l *Tirol* 781 Nr. 101.
[101]) Z i n g e r l e *Tirol* 49. [102]) H ö h n *Tod*
324. [103]) Ebd. [104]) Ebd. [105]) F o g e l 132.
[106]) SAVk. 10, 20. [107]) S c h ö n w e r t h;
K n o o p *Tierw.* 3; schon C o l e r 1645 (Rochholz *Glaube* 1, 148). [108]) W o e s t e *Mark*
53; S a r t o r i *Westf.* 196; W e i n h o l d
Frauen 1, 382; BlPomVk. 2, 43. [109]) ZrwVk.
1, 48. [110]) ZfVk. 10, 16; G r o h m a n n 84.
Vgl. S é b i l l o t *Folk-Lore* 3, 315 (bei Geburt,
Hochzeit, reicher Ernte wird der Stock rot oder
weiß geschmückt). [111]) F e h r l e *Volksfeste*
99. [112]) M e y e r *Baden* 414; H ö h n *Tod*
324. Vgl. S é b i l l o t *Folk-Lore* 3, 315.
[113]) ZfVk. 10, 225; Urquell 6, 20; C u r t z e

Waldeck 402; BlPomVk. 2, 25; England:
W o l f *Beitr.* 2, 456. [114]) S c h ö n w e r t h
1, 355; K n o o p *Tierw.* 3; ZrwVk. 2, 208;
vgl. B r a n d *Pop. Ant.* 2 (1841), 183; ZfdMyth.
2, 419. [115]) R o t h e n b a c h 36 Nr. 306.
[116]) S a r t o r i *Sitte* 2, 132; K n o o p *Hinter-*
pommern 175; BlPomVk. 2, 42; B i r l i n g e r
Aus Schw. 1, 399; S c h ö n w e r t h 1, 355;
M e y e r *Baden* 414. [117]) G r o h m a n n 233.
[118]) F r o m m a n n *Mundarten* 6, 49; Urquell
5, 21; K u h n *Westf.* 2, 65; S t r a c k e r j a n
2, 175; E c k a r t *Südhann. Sg.* 57; BlPomVk.
2, 25. Vgl. H e n d e r s o n *Folk-Lore* 309.
[119]) S t r a c k e r j a n 1, 122 f.; ähnlich, mit
Varianten: B a r t s c h *Meckl.* 2, 331 f.
[120]) F o g e l 217 Nr. 1099. [121]) S c h m i t t
Hettingen 15. [122]) W u t t k e § 671; ZrwVk. 2,
208; SchweizId. 4, 910.

4. **P f l e g e.** Damit die B.n gedeihen
und reichen Ertrag liefern, muß man sie
vor Gefahren schützen und um ihr Wohl
besorgt sein. So werden sie der Fürbitte
der **H e i l i g e n** (s. 3, Anm. 69) empfohlen, wie sie schon im römischen Altertum und anderwärts unter dem besonderen Schutze von Göttern standen
(Pan, Priapus, Mellona) [123]. Ihr Haupt-
patron ist Ambrosius (s. d.) [124], in Luxemburg Johannes d. T. zu Gentin-
gen [125]. Daher werden auch **V o t i v -**
B.n aus Eisen (Böhmerwald), Votivkörbe
aus Blech (Oberbayern), Votivwaben aus
Wachs (Tirol) dargebracht [126]. Als
G r a b b e i g a b e sind goldene B.n im
Grabe des fränkischen Königs Childerich
in Doornik gefunden worden [127]. Zum
S c h u t z e gibt es manche Vornehmungen. Bevor die B.n am „Gertrudatag"
(17. März) ausgestellt werden, besprengt
man den Stock mit **D r e i f a l t i g -**
k e i t s w a s s e r; auf das Bodenbrett
legt man gerade vor das Flugloch **D r e i -**
k ö n i g s s a l z [128]. An Lichtmeß werden die Stöcke mit brennenden Kerzen-
lichtern **u m s c h r i t t e n** [129], an Ostern
mit **O s t e r w a s s e r** besprengt [130];
neue Stöcke werden mit **W e i h w a s s e r**
besprengt und mit **W e i h r a u c h** beräuchert [131]. **P a l m s o n n t a g s p a l -**
m e n werden auf die B.nstöcke gesteckt [132], ebenso geweihte Zweige von
F r o n l e i c h n a m [133]. Auch sonstiger
B l u m e n s c h m u c k (s. u. Anm. 189)
mag dem Schutze dienen oder als Ehrung
aufgefaßt werden [134]. Damit sie der Ha-

bicht nicht hole, soll man die B.n am
A s c h e r m i t t w o c h mit Speiseresten füttern [135]), um sie vor Ameisen zu
schützen, F i s c h e i n g e w e i d e vor
das Flugloch legen [136]), gegen R a u b -
b.n (über diese s. u. Anm. 191 ff.) bestreiche
man das Flugloch mit Biestmilch (Co-
lostrum) oder Zimmt, oder füttere die B.n
mit Honig, dem Bibergeil, Kampfer,
Pfeffer beigemischt ist [137]). Damit sie
nicht die Ruhr bekommen, gebe man
ihnen Honig mit Menschen- oder Ochsen-
haaren [138]). Totenhaare werden in den
Korb geflochten [139]), ein „Krötenstein"
(versteinerter Seeigel) unter oder in den
Korb gelegt [140]).

G e d e i h e n. Bekommt man einen
Stock aus dritter Hand, so muß man
beim H e i m t r a g e n recht laufen, damit
er fleißig arbeitet [141]) (s. o. 3, Anm. 122).
Wenn die B.n m i t e i n e m A n d e r n
zur Hälfte gehalten wurden, so haben sie
bessere Art (Pom.), das Gegenteil glaubt
man in Schlesw. [142]). Eine H o r n i s s e,
in Stücke gerissen und unter den Honig
gemischt, veranlaßt die B.n zum Ansetzen recht vieler Weiselzellen [143]). Wessen B.n durch eine W o l f s g u r g e l
fliegen, der bekommt fette Schwärme [144])
(s. u. 193). Am K a r f r e i t a g werden
die Körbe mit S c h r o t m e h l (s. u.
Anm. 174) umstreut, das bringt Glück,
am K a r s a m s t a g s c h ü t t e l t
oder b e g i e ß t man beim 'Auferstehen
der Glocken' die Stöcke, damit sie schwer
werden (Bo.) [145]). G e r e i n i g t werden
die Stöcke an P e t r i S t u h l f., was
in Mecklenburg scherzhaft als P. „Stuhl-
fege" gedeutet wird [146]); in Ungarn gilt,
daß B.n, deren Körbe am K a r f r e i t a g
geputzt werden, reichlichen Honigertrag
bringen [147]). Nach dem „klugen Hausvater" von Becher (1708) muß man, um
viele B.n zu bekommen, die Bruten mit
M e n s c h e n f e t t bestreichen, das
man vom Scharfrichter erhalten hat [148]).
Stirbt jemand im Hause, so muß man der
L e i c h e etwas aus dem B.nstock mit
in den Sarg legen, dann geraten die B.n
und werden nicht gestohlen (Old.) [149]);
anderseits heißt es, wenn man einem
S t e r b e n d e n Honig gebe, so ster-

b e n die Bienenstöcke aus (Bad., Bay.,
Schl.) [150]). Glück hat man in der B.n-
zucht, wenn man Honig v e r s c h e n k t
(doch s. u. Anm. 190) [151]), aber auch wenn
man den ersten B.nstock s t i e h l t (vgl.
o. 3, Anm. 120, aber auch 118) oder
einen auf dem Felde g e f u n d e n e n
B.nschwarm einstockt (doch s. o. 3,
Anm. 121); wer dagegen später B.n stiehlt,
hat Unglück [152]).

G e s t o h l e n e B.n erlangt man zurück, indem man Wachs vom Stande
an ein M ü h l r a d, eine A l t a r k e r -
z e und einen P e r p e n d i k e l streicht
(Rhl.?, Meckl.) [153]) oder von dem 'Rast'
(Werg) eines gestohlenen B.nstocks unter
die M ü h l e n w e l l e legt [154]) oder etwas Werg aus dem Korb mit Q u e c k -
s i l b e r in ein Glas oder einen hohlen
Knochen legt und in ein fließendes Wasser wirft (Old.) [155]). Wenn im Gifhorni-
schen (Braunschweig) B.nkörbe gestohlen
werden, so nehmen alte Imker den an der
Stelle des gestohlenen B.nkorbes zurück-
bleibenden M ü l l (Strohabfälle usw.)
und hängen ihn in einem Säckchen in den
Herdrauch. Nun vergeht der Dieb an der
Auszehrung [156]). Aus dem germanisierten
Wendland sind 2 Rezepte des 18. Jhs.
überliefert: „Wenn dir ein immenstock
gestohlen ist, so mußt du dich bemühen,
daß du einen n a g e l krigst, der auf
einer (!) kirchhof ausgegraben von einen
s a r g. dieser nagel wird auf der stelle, wo
der gestohlene stock gestanden, vor der
sonnen aufgang eingeschlagen, bis es der
dieb nicht mehr aushalten kann, wenn er
nicht sterben wil. — Auf eine ander art ..:
so suche zusammen das schrottels oder die
t o d t e n i m m e n, die auf der stelle
ligen; aber nicht mit blossen händen ange-
fasset, in einen läppchen gemachet, einem
todten i m s a r g unter die arme geleget,
so muss der dieb vergehen, wie der stock
im zaun. meldet er sich aber, so kann er
wider geholfen werden, so muss er drei
messer-spitzen voll erden von den (!)
grab, wo es eingebracht, einnehmen und
solches drey mal; die erde muss vor der
sonnen aufgang geholet werden" [157]).

Besondere Aufmerksamkeit wird dem
S c h w ä r m e n gewidmet, d. h. dem

Ausziehen der alten Königin mit ihrem
Schwarm, wenn im Stock eine neue Königin mit einem Neuvolk herangewachsen
ist. Bei den sich an das Schwärmen knüpfenden Anschauungen ist es unmöglich,
Wahnglauben und Erfahrungsglauben
zu scheiden, wie hier auch die Imker selbst
vielfach in ihren Meinungen auseinandergehen.

Über V o r b e d e u t u n g e n schwär-
mender B.n s. o. Nr. 3 Anm. 30 ff. Gehen
die B.n beim Schwärmen durch, so bedeutet das ein schlechtes Honigjahr [158]).
Wenn man am C h r i s t a b e n d die
B.nstöcke an einen andren Ort trägt oder
sie schüttelt, so werden sie zwar viel
Honig haben (Meckl.), aber nicht schwärmen (Böhmen) [159]). Die B.n schwärmen
gern im Sternbild der W a g e [160]). Um sie
frühzeitig zum Schwärmen zu bringen,
bestreicht man die Körbe im Mai mit
S c h a f m i l c h [161]), daß sie schon vor
Pfingsten schwärmen, wirft man vor
Ostern eine Handvoll A m e i s e n in
den Stock [162]), daß sie „gut" schwärmen,
bespritzt man sie am 1. Mai mit Z i e -
g e n m i l c h (Pom.) [163]). Wenn man
beim ersten Füttern der B.n etwas E r d e
unter den Futterhonig mischt, so verhütet man dadurch, daß der künftige
Schwarm sich an einen zu hohen Gegenstand setzt (Dötl.). Künstlicher heißt es
in Visbeck: Wenn ein Imker am Gründonnerstag morgen vor Sonnenaufgang seine
B.n füttert und etwas Erde von einem
Maulwurfshaufen, welcher in der letzten
Nacht aufgeworfen ist, in das Futter
gibt, so fliegen ihm im ganzen Jahre
keine B.n weg, und seine B.n setzen sich
beim Schwärmen niedrig [164]). Zum gleichen Zweck müssen die K o r b s p i e -
t e n nicht hoch von Stämmen und Bäumen abgeschnitten werden, sondern stets
an der Erde [165]).

An D r e i e i n i g k e i t s f e s t e
gehen die Schwärme meist durch; gelingt
es aber doch, einen zu fassen, so sind es
die besten Honigb.n, da sie auch den
Rotklee befliegen können (vgl. u. 8
A. 238) [166]).

An P e t r i S t u h l f e i e r oder
L i c h t m e ß soll der B.nvater n i c h t

v e r r e i s e n, sonst schadet er den
B.nvölkern oder sie ziehen aus [167]).

Sehr verschieden sind die Mittel, das
W e g f l i e g e n des Schwarms aus dem Be-
sitztum des B.nvaters zu verhindern [168]).
Am häufigsten ist das Erzeugen von G e -
r ä u s c h e n: sei es nun ein „fein Ge-
töne", sei es der Lärm auf metallenen Geräten (s. Becken), seien es gar Schüsse [169]).
Zuweilen wirft man E r d e [170]), Sand [171]),
den Staub von der Spur einer Schlange [172])
unter die B.n, oder W a s s e r in die
Luft [173]), dabei wird manchmal ein
Zaubersegen gesprochen (s. Bienen-
segen). In Masuren nimmt man zur
Vermeidung des Wegflugs einen Teller
S c h r o t m e h l vor Sonnenaufgang,
umwandelt damit die B.nstöcke, indem
man das Mehl in den B.ngarten streut
und den Spruch sagt: „Ihr B.n und
Königinnen, setzt euch auf eures Herren
Acker und Wiesen, wie es der Herr
Christus geboten, zum Sammeln von
Wachs und Honig. Im Namen … † † †"
(s. o. Anm. 145) [174]).

Verbreitet ist das Einlegen von Wurzeln
weißer oder blauer L i l i e n in die
Stöcke [175]) oder man bestreicht den Stock
mit T h y m i a n [176]) oder F e n c h e l [177]).
Der Korb, in dem die B.n gefaßt werden,
muß vorher mit Kümmel- oder Haber-
stroh ausgebrannt und mit Q u e n -
d e l, Honig und süßer Milch eingerieben werden [178]). In Schleswig (?) wird
von einer S t e i n a x t der abgeschabte
Staub in den schwärmenden Stock geschüttet, oder es wird B e i f u ß in den
Stock oder S t a h l darauf oder eine
ungebrauchte N ä h n a d e l darein gelegt, oder vor das Flugloch wird Mist von
einem 'F ä h r k a l b' (Stierkalb?) geschmiert (Schlesw.?) [179]). Wenn eine junge
Kuh das erste Kalb kriegt, so nimm die
Nachgeburt und ziehe damit dreimal um
das B.n s c h a u e r herum, so können die
B.n nicht wegziehen [180]). In Dithmarschen
steckt man ein B r o t m e s s e r dicht
vor dem Korbe in die Erde, mit der
Schneide dem Korbe zugekehrt [181]). Wenn
die B.n recht hoch fliegen oder sich zum
Wegfliegen anschicken, kehrt man den
Brotlaib um (und steckt ein Messer hin-

ein [Pennsylv.]), so kommt der Schwarm zurück (Baden, ObPf., Rhl., Schwaben, Pennsylv.) [182]). Ist der Schwarm unruhig, so nimmt man in Dörnbach (Mittenberg) den B a c k o f e n w i s c h, steckt ihn umgekehrt in den Backofen und schlägt drei Kreuze; dann setzt sich der Schwarm [183]). Im Oberamt Mergentheim nimmt man zu diesem Zweck 3 Z i e g e l vom Dache des B.nhauses heraus [184]).

Gegen die tückischen Dämonen richtet sich das E n t b l ö ß e n   d e s   H i n - t e r n und zwar muß das, um wirksam zu sein, von einem Weibe geschehen [185]), oder man ziehe das Hemd aus und blicke dem Schwarm durch den Ärmel nach (Siebenb.) [186]).

Rinde einer E i c h e, die vom B l i t z getroffen ist, im Garten aufgehängt, verhindert das Wegfliegen des Schwarms über den Zaun (Schlesw.) [187]). An Mariä Verkünd. werden die t o t e n B.n gesammelt, am Karfreitag vor Sonnenaufgang an jeder Ecke des Gartens vergraben, dann fliegen die B.n beim Schwärmen nicht weg (Pom.) [188]). Jeder Stock, aus dem ein 'Bien' schwärmt, wird mit einem Kränzchen aus F e l d b l u m e n geschmückt (Bad.; vgl. o. Anm. 134) [189]). Ein einfaches Mittel das Durchgehen zu verhindern ist es auch, das V e r s c h e n - k e n des Honigs zu unterlassen (OA. Weinsberg) (doch s. o. Anm. 113) [190]).

Es kommt vor, daß B.n in fremden Stöcken auf Honigraub ausgehen (,. R a u b - b.n"). Um das zu veranlassen, werden die Stöcke an Silvester zwischen 11 und 12 Uhr angerührt oder Habichtsfedern hineingelegt [191]), oder es wird im Flugloche die Luftröhre eines Marders (Pomm.) [192]) oder Fuchses (Brandenb.) [193]) so befestigt, daß die B.n beim Aus- und Einfliegen durchkriechen müssen, oder man nehme einen kleinen Handbohrer („Frittbôr"), stecke denselben in das Flugloch und drehe damit, je nachdem die B.n rauben sollen oder nicht, vorwärts oder rückwärts (Pom.) [194]). In Mecklenburg hält man einen Fuchskopf im Schauer (B.nhütte) [195]). In Polen glaubt man, daß B.n, welche im Rachen eines getöteten Wolfs nisten, ungemein

stark seien, in andere B.nstöcke einbrechen und den Honig rauben [196]). Zum Schutz vor Raubb.n vgl. oben Anm. 137. Rezepte zum Rauben aus dem 18. Jh. s. MsäVk. 3, 120. 140 f.

Die B.n s t e r b e n (s. o. 3, Anm. 92. 104, 107; 4, Anm. 150), wenn der B.nvater gestorben ist (Obpf.) [197]), oder wenn er eine Leiche berührt hat (Polen) [198]); auch soll der Schreiner nicht gleichzeitig einen Sarg und einen B.nkasten machen (Württ.) [199]). Wenn sich die B.n an dürres Holz setzen, so sterben sie bald (Bern) [200]), ebenso, wenn sie auf die letzten Herbstblumen fliegen [201]). Um einem weisellosen Volke zu einer K ö n i g i n zu verhelfen, nehme man eine tote Königin, zerstoße diese fein in einem Mörser, rühre etwas Honig und Wasser auf einer Untertasse zusammen und schütte die pulverisierte Königin dazu. Dieses Futter reiche man den B.n, welche sich sofort beruhigen, und in 8 Tagen ist Brut im Stock (Pom.) [202]).

[123]) P a u l y - W i s s o w a 3, 454. Über Götter in B.ngestalt und B.ngötter s. G r i m m Myth. 2, 580 f.; 3, 203. [124]) K e r l e r Patronate (1905) 37. [125]) F o n t a i n e Luxemb. 107. [126]) A n d r e e Votive 155; ZföVk. 10, 132. [127]) G r i m m Myth. 2, 580; abgebildet in Eccard Fr. Or. 1, 39. 40. [128]) B i r l i n g e r Aus Schw. 1, 400. [129]) R e i n s b e r g Böhmen 40 A. 1. [130]) K n o o p Hinterpommern 179. [131]) S c h r a m e k Böhmerw. 243. [132]) M a n n - h a r d t 1, 289 (nach K u h n Westf. 145); S a r t o r i Westf. 196; Urquell 5, 21; J o h n Westböhmen 214. Französ. Vogesen: S a u v é 110. [133]) J o h n Westböhmen 83; S c h r a - m e k Böhmerwald 156; S a r t o r i 3, 220 (nach Els. Jahrb. 10, 229). Vogesen: S a u v é 166. [134]) M e y e r Baden 415; E b e r h a r d t Landw. 22. [135]) B o h n e n b e r g e r 20. [136]) BlPomVk. 2, 42. [137]) Urquell 5, 22. Ein Rezept gegen Raubb.n: MsäVk. 3, 117. [138]) Urquell 5, 23. [139]) Ebd. 4, 98. [140]) Ebd. 6, 20; BlPomVk. 2, 42. [141]) S c h ö n w e r t h 1, 355. [142]) Urquell 6, 20; BlPomVk. 2, 42; vgl. G r i m m RA. 2, 138. [143]) Urquell 5, 22. [144]) H a l t r i c h Sieb. 295; W l i s l o c k i Sieb. 122; vgl. W l i s l o c k i Magyaren 150. [145]) J o h n Westböhmen 63. 214. [146]) B a r t s c h Meckl. 2, 253. [147]) ZfVk. 4, 395. [148]) BlPomVk. 2, 26. [149]) W u t t k e § 671 (nach S t r a c k e r - j a n 1, 68). [150]) ZfVk. 5, 213; M e y e r Baden 414; D r e c h s l e r 2, 86; vgl. SAVk. 14, 291. [151]) G r i m m Myth. 3, 476 Nr. 1102; D r e c h s - l e r 2, 86. [152]) Urquell 5, 21; s. a. Nr. 3 A. 120. [153]) Urquell 3, 249; B a r t s c h Meckl. 2, 331.

[154]) Urquell 5, 22. [155]) S t r a c k e r j a n 1, 123. [156]) A n d r e e Braunschw. 406. [157]) M-säVk. 3, 141 f. [158]) M e y e r Baden 415. [159]) B a r t s c h Meckl. 2, 228; G r o h m a n n 84. [160]) F o g e l Pennsylv. 216 Nr. 1094. [161]) A m e r s b a c h Grimmelshausen 2, 59. [162]) W l i s l o c k i Magyaren 149. [163]) Bl-PomVk. 2, 26. [164]) S t r a c k e r j a n 1, 67; Urquell 4, 243. [165]) Urquell 5, 22. — Ein Rezept aus d. 18. Jh.: MsäVk. 3, 140. [166]) E b e r-h a r d t Landwirtsch. 22. [167]) H e ß l e r Hessen 2, 383; ZrwVk. 2, 208; F o g e l Pennsylv. 216. [168]) Vermischtes in ZfVk. 7, 359. [169]) P a n-z e r Beitr. 2, 173. 388 (mit antiker Lit.); S c h ö n w e r t h 1, 355; B i r l i n g e r Aus Schw. 2, 526; B i r l i n g e r Volkstüml. 1, 126; M e s s i k o m m e r 1, 22; BlPomVk. 2, 26 (1708); DG. 14, 277 (Odenwald); Alemannia 15, 114; F o g e l Pennsylv. 217 Nr. 1098; F r. S p e e Trutz Nachtigal: „Her, her nun pfann und becken, / Schlagt auf, dass gütlich kling, / Und laßt den Schwarm erschröcken, / Daß nit er gar entspring. / Schlagt auff ting-tang: ting-tyren: / Ting-tang: ting-tyren-tang! / Laß ihm noch baß hoffieren / Mit lindem becken-klang." — Mittelalter: Est autem communis opinio, quod strepitus delectat apes exeuntes: et ideo in emissione examinis custodes plaudunt manibus et tinnitum faciunt conpercussione aeramentorum, bei A l b e r t u s M. Anim. 8, 179; Die peinen fräwent sich, wenn man die hend ze samen klopfet, und wenn man klingelt mit gesmeid, so sament si sich, bei M e g e n b e r g (Pfeiffer) 292; L e x B a-j u v. (Mon. Germ. Leges 3, 333). Altertum: P a n z e r l. c.; P a u l y - W i s s o w a 3, 447. Vgl. A u b r e y Remaines of Gentilisme (Ausg. von 1881) 15. 87; S é b i l l o t Folk-Lore 3, 319; R o l l a n d Faune 3, 266 f. [170]) BlPom-Vk. 2, 26 (1708). 44. Bei den Angelsachsen: F i s c h e r Angelsachsen 21. Römer: V e r g i l Georgica IV, 87; P l i n i u s NH. XI, 58. [171]) ZfVk. 7, 359. [172]) A g r i p p a v. N. 1, 215. [173]) ZfVk. 7, 359. [174]) T o e p p e n Masuren 102. [175]) E b e r h a r d t Landw. 22; Urquell 5, 22; 6, 21; BlPomVk. 2, 26; SAVk. 25, 155. [176]) F r. S p e e Trutz Nachtigal: „Der stock soll sein bestrichen / Mit edlem Thymian; / Wans nur das Kräutlein riechen, / Sie gern sich halten lan." [177]) SAVk. 27, 89. [178]) E b e r-h a r d t Landw. 22. [179]) Urquell 5, 22. [180]) E n g e l i e n und L a h n 273. [181]) Ur-quell 6, 21. [182]) S c h ö n w e r t h 1, 355; ZrwVk. 2, 208; M e i e r Schwaben 2, 514; P o l l i n g e r Landshut 157; Hmtl. 11, 41; F o g e l Pennsylv. 217 Nr. 1097. [183]) DG. 14, 277; Hmtl. 11, 41. [184]) E b e r h a r d t Landw. 22. [185]) L i e b r e c h t Z. Volksk. 355 f. (nach Germ. 1, 109); E b e r h a r d t Landw. 22; W e i n h o l d Ritus 45; J a h n Pommern 17; BlPomVk. 2, 26; 6, 75; W l i s l o c k i Siebenb. 121; ZfVk. 11, 428. [186]) W l i s l o c k i Siebenb. 121. [187]) Urquell 6, 21. [188]) Ebd. 6, 71; BlPom-Vk. 2, 26. [189]) M e y e r Baden 415. Die Angel-sachsen hingen die B i e n e n w u r z (beowyrt,

Kalmus) an den B.nkorb, um das Schwärmen zu verhindern: F i s c h e r Angelsachsen 32. [190]) E b e r h a r d t Landw. 22. — R e z e p t e aus dem 18. Jh.: MsäVk. 3, 141. [191]) BlPomVk. 2, 26; S c h u l e n b u r g Wend. Sagen 267 (Habichtsflügel). [192]) BlPomVk. 2, 42. [193]) E n-g e l i e n und L a h n 273. [194]) BlPomVk. 2, 42; 6, 72. [195]) B a r t s c h Meckl. 2, 160. [196]) Urquell 3, 272. [197]) S c h ö n w e r t h 1, 248. [198]) Urquell 3, 53. [199]) H ö h n Tod 332. [200]) R o t h e n b a c h 36 Nr. 307. [201]) Msä-Vk. 3, 117. [202]) Bienenwirtschaftl. Centralbl. 29 (1893), 278, zit. in: BlPomVk. 2, 25, wo auch auf B e c h e r Kluger Hausvater 1 (1708), 156 verwiesen ist.

5. Z a u b e r. Am Karfreitag wird der Z w e i g von einem Baume, an welchen sich ein Schwarm angesetzt hatte, abge-schnitten und aufgehoben. Beim Markt-treiben wird das V i e h damit gepeitscht, dann stellen sich viele K ä u f e r ein (Voigtl., Schles.) [203]). Er dient auch zum L i e b e s z a u b e r [204]): im Voigtlande nehmen Mädchen Stücke davon mit auf den Tanzboden, um viele T ä n z e r zu finden [205]). Wer vor G e r i c h t eine un-gerade Zahl B.n bei sich trägt, findet sein Recht (wo?) [206]). Wenn man den ersten S c h m e t t e r l i n g, den man im Früh-jahr sieht, fängt und durch das Armloch des Rockes fliegen läßt, so fängt man im Sommer einen B.nschwarm [207]).

B.nz ü c h t e r stehen im Rufe, zaubern zu können (Old.) [208]) und mit dem Teufel im Bunde zu stehen, der ihnen zu einer reichen Honigernte verhilft (Braun-schw.) [209]). Hatte eine H e x e, bevor sie ergriffen wurde, eine B.nkönigin gegessen, dann konnte sie der Tortur wider-stehen [210]). Hexen, wenn man sie in der Kirche sieht, sind oben wie B.nkörbe gestaltet (Old.) [211]).

Auf (nicht deutschen) A m u l e t t e n ist zuweilen eine B. dargestellt [212]).

Über B i e n e n s e g e n s. d.

[203]) K ö h l e r Voigtl. 371. 412; D r e c h s-l e r 2, 86. 108. 220. [204]) D r e c h s l e r l. c. (ohne nähere Angaben). [205]) K ö h l e r l. c. 417. [206]) Urquell 5, 22. [207]) S t r a c k e r j a n 1, 124. [208]) Ebd. 1, 60; 2, 176. [209]) A n d r e e Braunschw. 398. [210]) W o l f Beitr. 2, 455 (n. W i e r De praestigiis daemonum VI c. 7). [211]) S t r a c k e r j a n 1, 420; 2, 175. [212]) S e-l i g m a n n Blick 2, 13 (zu Fig. 24 in Bd. 1, 180). 152 (zu Fig. 120 in Bd. 2, 101).

6. V o l k s m e d i z i n. B.n s t i c h ist
nach allgemeiner und wohl kaum abergläubischer Ansicht [213]) gut gegen R h e u-
m a t i s m u s und Gicht [214]). Auf Ü b e r-
b e i n e lege man tote, zerquetschte B.n
(Tir., Schwz.) [215]). Ein Dutzend lebende
B.n in Wasser gekocht, heilen die M a-
g e n krankheit kleiner Kinder (Pom.) [216]).
Waben sind gut gegen G e s c h w ü l s t e
(ObÖst.) [217]). Bei G e s c h w ü r e n empfiehlt Bock als Zugpflaster die B.narznei,
die aus dem Kitt hergestellt ist, mit dem
die B.n an den Standbrettern die Öff-
nungen verstopfen [218]). Gegen H a a r-
a u s f a l l (?): „nim B.n, tödte sie vnnd
tuncke sie vnnd reibe sie zu pulver, darnach temperier sie mitt honig vnnd salbe
damitt die glatzende stadt" (Stelle) [219]).
Eine Frau, die eine B. ißt, wird nicht
s c h w a n g e r (Pom., Schwz.) [220]) (vgl.
o. 3 Anm. 21), in Pommern aber auch
umgekehrt: Wenn eine unfruchtbare Frau
B.n verzehrt, wird sie bald schwanger [221]).
Flieder, der über B.nstöcken wächst,
ist besonders heilkräftig (nordisch?) [222]).
Im F i e b e r segen: 'Die B.n ohne Lungen' usw. (Pom.) [223]). — G e g e n B.n-
s t i c h soll man dreimal an den —
(penis?) greifen (Wend.) [224]). Sonst werden als Mittel genannt: Tabaksaft oder
Erde, mit Speichel vermischt [225]), Zigar-
renasche oder Erde oder Ohrenschmalz
mit Speichel [226]), schwarze Erde oder
Kuhkot auflegen, oder mit dem eigenen
Urin waschen [227]), Tabak oder mit Urin
vermischter Ton [228]), den Stachel ausziehen und die B. auf dem Stich zerquet-
schen [229]), Schöllkrautmilch auflegen [230]).
Während man gestochen wird, soll man
nicht lachen, sonst bleibt der Stachel
stecken [231]).

In älterer Zeit mag es auch ein Volksglauben gewesen sein, daß sich der B ä r
von der B. s c h r ö p f e n ließ [232]).

[213]) H o v o r k a - K r o n f e l d 1, 67 f.
[214]) H ö f l e r Volksmed. 153; J ü h l i n g
Tiere 88 f.; 6. u. 7. Buch Mosis 42; B u c k
Volksmedizin 42; H ö h n Volksheilkunde 142;
ZrwVk. 10, 186; BlPomVk. 2, 27. [215]) J ü h-
l i n g Tiere 88; ZfVk. 8, 176; SAVk. 10,
268. [216]) J ü h l i n g 89; BlPomVk. 2, 43.
[217]) B a u m g a r t e n Aus d. Heimat 1, 109.
[218]) Urquell 3, 69. [219]) J ü h l i n g 88. [220]) Bl-

PomVk. 6, 74; M e s s i k o m m e r 1, 176.
[221]) J ü h l i n g 88; vgl. dieses Wb. 1, 530
s. v. Aphrodisiaca. [222]) G r i m m Myth. 2, 979.
[223]) W u t t k e § 227. [224]) S c h u l e n b u r g
267. [225]) M a n z Sargans 70. [226]) P e l l i n g e r
Landshut 280. [227]) S c h m i d t Kräuterb. 48.
[228]) F o g e l Pennsylv. 290 Nr. 1535. [229]) 6. u.
7. Buch Mosis 43. [230]) F o g e l 289 Nr. 1532.
[231]) R o s e g g e r Steiermark 66. [232]) G r i m-
m e l s h a u s e n Simplizissimus 2. B. 12. Kap.

7. S e e l e n t i e r [233]). Die menschliche Seele erscheint nach dem Tode als
B. (Schwb.) [234]); als solche wandert sie in
24 Stunden zum Himmel (Sieb.) [235]).
Auch aus lebenden Körpern, namentlich
von H e x e n, fliegt sie zeitweilig aus,
währenddessen der Körper leblos liegt
(Schwz.) [236]).

Vgl. H e x e, H u m m e l, S e e l e.

[233]) Allgemeines: W e i c k e r Seelenvogel
29; A l y Volksmärchen 147; M e y e r Germ.
Myth. 63; N o r d e n Aeneis VI 17[1]. 306;
ARw. 16, 353; ZfVk. 15, 2. [234]) W u t t k e
§ 62. [235]) W l i s l o c k i Sieb. 185; W i t t-
s t o c k Sieb. 60. [236]) R o c h h o l z Glaube 1,
147; K o h l r u s c h Sagen 245; H e r z o g
Schweizersagen 1, 128; J e c k l i n Volkstüml.
1, 59; F i e n t Prättigau 250. Vgl. W l i s-
l o c k i Sieb. 184 (Mücke).

8. L e g e n d e u n d S a g e. Die B.
ist das einzige Lebewesen der Schöpfung,
das unverwandelt aus dem Paradies übrig-
geblieben ist [237]). Das Vermeiden des R o t-
k l e e s wird, mit unwesentlichen Varianten, nach einer weit verbreiteten Legende
dadurch erklärt, daß Gott wegen ihrer
Sonntagsarbeit die B. mit dem Verbot,
den süßen Rotklee auszubeuten, bestraft
habe (Schwb., Sachs., Schl., Pos., OPr.,
Pom., Meckl., Öst., Schwz.) [238]). Die B.n
hat J e s u s e r s c h a f f e n, indem er
ein Hölzchen in einen Korb warf. Petrus
wollte es ihm nachmachen, da entstanden
Wespen (ObÖst.) [239]); nach einer deutschböhmischen Legende hat Jesus eine Made
in einen hohlen Stamm gesetzt, woraus
die B. entstand [240]).

Verbreitet ist die Legende von der
H o s t i e, um die die B.n eine Kapelle
(var.: einen Altar, einen Behälter) aus
Wachs bauen [241]). Nach der einen Version
ist die Hostie von einer Frau (var.: einem
Klosterbruder) zur Mehrung des Honig-
ertrags in den B.nstock gelegt [242]), nach
der andern von einem Diebe weggeworfen

worden [243]). Nach einer schweizerischen Alpensage machen B.n in einer Höhle Waben so groß wie S t a d t t o r e, nach griech. Sage einen T e m p e l aus Wachs und Federn, und im Märchen „Die beiden Wanderer" (Grimm Nr. 107) ein S c h l o ß aus Wachs [244]).

Dagegen scheint die Legende von Ambrosius [245]), auf dessen L i p p e n sich B.n gesetzt haben und ihre antiken Vorbilder [246]) auf deutschem Boden nicht vorzukommen; eine schwedische Version erwähnt Grimm [247]).

In dem Märchen von der „B.nkönigin" (Grimm Nr. 62) setzt sich diese auf den Mund desjenigen Mädchens, das Honig gegessen hat.

Alt scheint die Sage von den B.n, welche den F e i n d a n g r e i f e n oder a b w e h r e n. Eine belagerte Stadt wird befreit, indem B.nkörbe auf die Angreifer geschleudert werden [248]). Die Nonnen des Klosters Beyenburg setzten B.nkörbe vor das bestürmte Kloster, und als diese von den angreifenden Rittern umgestoßen werden, vertreiben die gereizten Bienen den Feind [249]), nach einer andern Fassung waren die Feinde Schweden [250]). Andernorts sind es Pfarrhäuser, die verteidigt werden [251]). Seltener ist es der belagernde oder angreifende Feind, welcher B.nkörbe in die Stadt oder auf den Gegner schleudert [252]). Die Festung „D e r H o h e S c h w a r m" hat ihren Namen von den B.n, die bei der Gründung aus der umgehauenen Eiche flogen [253]). Nach einer alten Sage, die in das Jahr 770 verlegt wird, habe ein armer Mann einmal einen B.nkorb mit Honig gestohlen und dem Kloster St. Gallen als Weihegabe gebracht; aber der H o n i g wurde in eine h a r t e M a s s e verwandelt [254]).

In einem B.nkorbe befindet sich verzaubertes G o l d der Zwerge [255]). Ein B.nkorb mit darinhängendem Fuchsschwanz dient als G l o c k e [256]). B.n wohnen im T u r m h e l m des Doms von Regensburg [257]). In Röttingen (Bay.) sitzt seit dem Schwedenkrieg hinter einem Steinwappen ein B.nstock, der „S c h w e d e n - B i e n" genannt [258]). Der F r ü h l i n g erscheint in Gestalt

einer B. Dazu findet sich eine Parallele bei Pausanias [259]). Andere a n t i k e Mythen s. bei Pauly-Wissowa 3, 448 f. und Roscher, Lex. 2, 2641 (mit Literatur). A u ß e r d e u t s c h e B.nlegenden und -sagen auch bei Dähnhardt, Natursagen 1 (Altes Test.) 2 f. 42 f. 127—130. 166 f. 215. 231. 333 f.; 2 (N. Test.), 129. 225. 285; 3, 158. 170. 189. 214. 250. 467 f.; 4, 200. 203. 208. 266 ff.

[237]) D ä h n h a r d t Natursagen 1, 215 (G r i m m Myth. 755; H. L e o Die malbergische Glosse 119; L e o p r e c h t i n g Lechr. 80). [238]) D ä h n h a r d t Natursagen 3, 306; M ü l l e n h o f f Natur 68; B a e s s l e r Legenden 488 ff.; K n o o p Hinterpom. 87; Bl-PomVk. 2, 42; B a r t s c h Meckl. 2, 160; M e i e r Schwaben 1, 222; Alemannia 16, 73; Germania 36 (1891), 385 (Steiermark); P e t e r Oesterreichisch-Schlesien 2, 32; SchweizId. 4, 910; K u o n i St. Gallen 57; E s t e r m a n n Rickenbach 188; SAVk. 21, 57 f. [239]) B a u m g a r t e n Aus d. Heimat 1, 108. Vgl. D ä h n h a r d t Nat. S. 1, 167; S é b i l l o t Folk-Lore 3, 300. [240]) ZfdU. 14, 416. [241]) S. namentlich K l a p p e r Erzählungen 82 (deutscher Text). 288 (lat. Text nach der Breslauer Hs. I. F. 115, aus dem 14. Jh.), wo 10 mittelalterliche Quellen angegeben sind; AnSpr. 118 (1907), 335; W. M e n z e l Christl. Symbolik 1, 130. Die Geschichte soll auf einem Bild in S. Antonio zu Padua dargestellt sein (M ü l l e r und M o t h e s Archäol.Wb. 1, 195). [242]) K l a p p e r l.c.; M e y e r Abergl. 183 f. (n. T h o m a s C a n t i m p r a t e n s i s Bonum universale de proprietatibus apum II, 40, 1); W o l f Beitr. 2, 452 (n. C a e s a r i u s v. H e i s t. Dial. 2, 172 (Dist. IX, c. VIII) und M o n t a n u s Die Vorzeit der Länder Cleve-Mark usw. 2 [1837], 191, der auch von G r ä s s e Preußen 1 Nr. 7 und B e c h s t e i n Dt. Sagenb. 100 benutzt ist); Z a u n e r t Rheinland 1, 213 f. Vgl. auch W o l f 2, 451. [243]) G r i m m Myth. 3, 202 (nach ZfdA. 7, 533); Predigermärchen 10, 12; B o y e s Rod. de Habsb. 257); P a n z e r Beitr. 2, 8 (n. I c h t e r s h e i m Elsäss. Topogr. 2 [1710], 19.) 381; W o l f Beitr. 2, 435; S t r a c k e r j a n 2, 7 f.; S c h e l l Bergische Sagen 349. Ähnlich H e n d e r s o n Folk-Lore 310. [244]) G r i m m Myth. 2, 580; 3, 202; S i e c k e Götterattribute 209. [245]) S. dieses Wb 1, 360 (s. v. Ambrosius); P a u l i n i Vita S. Ambrosii 3 (vgl. die Sage von Sophokles: P a u l y - W i s s o w a 3, 448); Passional (ed. Köpke) 241, 24 ff. [246]) P a u l y - W i s s o w a 3, 447; P a n z e r Beitr. 2, 385; U s e n e r Kl. Schr. 4, 400 f.; S t e m p l i n g e r Antiker Abergl. 9. 50 (auch hl. Isidorus, Dominicus und Rita). [247]) Myth. 3, 202. [248]) L i e b r e c h t Zur Volksk. 75 (erwähnt K u h n Westf. 1, 161; B a a d e r Sagen 157 [„Muckensturm"]; S i m r o c k Rheinland [4] 326 [nicht eingesehen];

W i d u k i n d *Res gestae Saxon.* l. II c. 23); **S c h u l t z** *Höf. Leben* 2, 437 (nach *Ann. Austriae* 1289). [249]) **S c h e l l** *Berg. Sag.* 170. [250]) *Ebd.* 171. [251]) **M ü l l e n h o f f** *Sagen* 81; **G r ä s s e** *Preuß. Sg.* 1, 427. [252]) **L i e b - r e c h t** l. c. 75 (nach *Chevalier au Cygne* v. 26793 ff.; **E l l i s** *Specimens of Early English Metrical Romances* 299); **S c h u l t z** *Höf. Leben* [2] 2, 401 (nach *Guil. Tyrius* V, 9; *Godefr. de Bouillon* v. 26887); **S é b i l l o t** *Folk-Lore* 4, 313. [253]) **W i t z s c h e l** *Thüringen* 1, 203. [254]) **B i r l i n g e r** *Volkst.* 1, 431 (n. **G o l d a s t** *Alem. rer. script.* I, 260; **R u c k - g a b e r** *Gesch. v. Rotweil* 1, 20. [255]) **S t r a k - k e r j a n** 1, 494. [256]) *Ebd.* 2, 426. [257]) **P a n - z e r** *Beitr.* 2, 477. [258]) **S c h ö p p n e r** *Sagen* 3, 71. [259]) Dazu die Parallele aus Pausanias. **P a n z e r** *Beitr.* 2, 477.

9. **S y m b o l i k** [260]). Wegen ihrer vermeintlich ungeschlechtlichen Erzeugung ist die B. das Sinnbild der Keuschheit [261]). (s. o. Nr. 3 A. 22 f.) und der **j u n g - f r ä u l i c h e n G e b u r t** des Erlösers [262]) (s. o. Nr. 3 A. 21), wegen ihrer staatlichen Organisation das der **e i n i - g e n G e m e i n d e** [263]). Schon Ambrosius vergleicht die **K i r c h e** mit einem B.nkorb, und dieses Bild hat sich bis in die neuere Literatur erhalten [264]). In die Antike reicht zurück der Vergleich der **S t e r n e** mit goldenen B.n [265]).

[260]) Verschiedenes: **P a u l y - W i s s o w a** 3, 446 f.; **R o s c h e r** *Lex.* 2, 2641 (mit Literatur); **M e n z e l** *Christl. Symbolik* 1, 130. [261]) **F e h r l e** *Keuschheit* 57 f. [262]) **F r a n z** *Benediktionen* 2, 135. [263]) **P a u l y - W i s - s o w a** 3, 446. [264]) Vgl. die Lit. in ob. Abschn.; **P h. v. M a r n i x** *De Biënkorf der Heilige Roomsche Kercke* (1569); darnach **F i s c h a r t** *Binenkorb des Heyl. Römischen Imenschwarms* (1579). [265]) **S c h w a r t z** *Volksglaube* 23 f.; **d e r s.** *Studien* 118.

10. **R e c h t.** Das B.nrecht enthält nichts für den Aberglauben Bemerkenswertes, sondern betrifft vorwiegend eigentums- und besitzrechtliche Fragen, von denen diejenige nach dem Eigentum des sich niederlassenden Schwarms im Brennpunkte steht [266]). Nach den alten Bußordnungen sollen B.n, die einen Menschen getötet haben, selbst getötet werden [267]).

[266]) **B r u n n e r** *Rechtsgesch.* 2 (1892), 639. 641. 644 A. 49; **A m i r a** *Germ. Recht* [3] 203; **H e u s l e r** *Privatrecht* 2, 194; **G r i m m** *RA.* 2, 135 f.; *ZfVk.* 10, 225 f. (N.-Österr.); **S a r t o r i** 2, 132; **B i r l i n g e r** *Aus Schw.* 2, 526; *Alemannia* 15, 114. [267]) **F r i e d b e r g** 17.

A l l g. L i t. J. **W i t z g a l l** *Das Buch von der B.* Stuttg. 1899; J. d e **S o i g n i e** *L'Abeille à travers les âges.* Bruxelles 1900; **M a e t e r - l i n c k** *Vie des abeilles* (1901); **S c h r a d e r** *Reallex.* 85. 1012; *Archiv f. B.nkunde.* Neumünster i. H. 1919 ff. Vgl. ob. Lit. zu 1.

V o l k s k u n d e: A l l g.: G r i m m *Myth.* 2, 579; **R o l l a n d** *Faune* 3, 262 ff.; **H a - b e r l a n d** *B. und Honig im Volksglauben:* *Globus* 39 (1881), 220. 235. 268; J. Ph. **G l o c k** *Die Symbolik der B.n u. ihrer Produkte in Sagen, Dichtung, Kultus, Kunst und Bräuchen der Völker.* 2. A. Heidelberg 1891; *Urquell* 3, 95. 205. 249; 4, 50. 66. 98. 144. 243; 5, 21. 280; 6, 20. 70. 140; *Ons Volksl.* 4, 85; 11, 31. **Ä g y p t e n:** *Arch. f. B.nkunde* III, H. 1/2. **A n t i k e: R o b e r t - T o r n o w** *De apium mellisque apud veteres significatione et symbolica et mythologica.* Berl. 1893; **P a u l y - W i s s o w a** 1, 68; 3, 431 ff.; **R o s c h e r** *Lex.* 2, 2641 (beide mit reicher Lit.). Bei Aristoteles: *Arch. f. B.nkunde* 1, H. 6; bei Varro u. Virgil, ebd. 2, H. 7; bei Columella u. Plinius, ebd. 3, H. 8. Antike Beziehungen zu **M a r i a: P a n z e r** *Beitr.* 2, 382 ff. Eine gute Zusammenfassung der antiken Anschauungen bei H. O. **L e n z** *Zoologie d. alten Griechen und Römer* (1856) 562—599. — **D e u t s c h l a n d: B l a a s** *Die B. in der deutschen Volkssitte und Meinung.* Progr. v. Stockerau in NÖsterr. 1883 (nicht erhältl.); G. **D e i l e** *Aus dem Immenheim.* Progr. Realgymn. Erfurt 1911 (populär); **H o o p s** *Reallex.* 1, 277 ff. **E n g l a n d: B e r g e n** *Animal and Plant Lore* 1899. **F r a n k r e i c h: S é b i l l o t** *Folk-Lore* 3, 315 ff. **S l a v e n: V i n o g r a d o v** *Abergläubisches aus der B.nzucht (russ.).* Kostroma 1905; **B l ü m m l:** *ZföVk.* 5, 187 ff. (tw. wörtlich = **K r a u s s:** *Urquell* 3, 95 ff.). — Vermischtes, namentlich Mythen, bei **G u b e r - n a t i s** *Tiere* 506 ff.   Hoffmann-Krayer.

Bienenfresser, Immenwolf, Seeschwalbe, Spint, Merops apiaster (Linn.). Da dieser Vogel erst im 16. Jh. nördlich der Alpen beobachtet worden ist [1]), lassen sich abergläubische Vorstellungen von ihm auf deutschem Sprachgebiet nicht mit Sicherheit nachweisen. Gesner hat über ihn, aus unbekannter Quelle, die **v o l k s m e d i - z i n i s c h e** Notiz: ,,er ist dienstlich für die bösen bläst (Winde) im leyb. Sein gall mit baum öl auß vnzeytigen oliven vermischt, machet das haar seer schwartz''.

Verwechslungen des Merops mit dem **S p e c h t** (s. d.), speziell mit dem **G r ü n s p e c h t** (s. d.), sind im MA. vielfach vorgekommen [3]). Albertus Magnus [4]) übernimmt mit dem Namen Merops die auf ihn bezügliche äußere und biologische Beschreibung der antiken Naturforscher (Aristoteles [5]), Aelian [6]), Plinius [7])), identifiziert ihn aber mit dem Grünspecht. Der Bericht Konrads v. Megenberg [8]) über den Merops, den er mit „B a u m h ä c k e l" verdeutscht, beruht mittelbar auf Plinius [9]), der aber den Picus Martius (s. S p e c h t) und nicht den B. meint.

[1]) B r e h m⁴ 8, 159 f.   [2]) *Vogelbuch* 1582 fol. 160 b.   [3]) D i e f e n b a c h *Glossarium lat.-germ.* (1857) S. 358 c; Merops.: specht, groner speht, poumheckel usw.; S u o - l a h t i *Vogelnamen* 33.   [4]) *De anim.* 23, 128. Auch I s i d o r *Etym.* 12, 7, 34 beruht wohl auf Aristoteles.   [5]) *Hist. An.* 9, 13. (40).   [6]) *De an.* 11, 30.   [7]) *N. H.* 10, 51, 1; V i n c e n z v. B e a u v a i s *Speculum naturale* l. 16 c. 106 stimmt zu Plinius und zitiert insbesondere Isidor u. Jorath.   [8]) *Buch d. Natur* ed. Pfeiffer 380.   [9]) *N. H.* 10, 20.   Hoffmann-Krayer.

Bienensegen.

Diese wollen verhindern, daß die Bienen fortziehen oder sich zu hoch ansiedeln, und mahnen sie zu fleißiger Arbeit [1]). Daß schon die Antike Bienensprüche verwendete, ist wahrscheinlich [2]). Im MA. sind die B. fast durchgängig von christlichem Gepräge und sicher von Klosterleuten, den Imkern jener Zeiten, verfaßt. Nur ein altenglischer, stabreimender Spruch ist nichtchristlich [3]). Gern wird die Produktion von Wachs für geweihte Lichter betont. Kirchlich rezipiert wurde aber im Westen keiner von diesen recht volkstümlich gefaßten Segen [4]). Von lat. Texten liegen zwischen 800—1200 fünf vor; zwei vom 9. Jh. bezeichnen den Weiser als weiblich (*mater*) gegen die von der Antike ererbte Anschauung; in dem einen steht u. a. „non te in altum levare nec longe volare" und „habeo bona vasa parata"; in dem anderen u. a.: „mater matricula, qui ceram candidam facis et lumen ueracis ante dominum portacis" [5]). Eine Formel des 10. (?) Jh. sagt: „Uos estis ancille domini, vos faciatis opera domini" etc. [6]); ein paar Texte sind aus dem 14. Jh.

Ältester d e u t s c h e r Text ist der liebliche „Lorscher B.", 10. Jh.[7]), der die Immen, des Gebotes S. Marias eingedenk, heimkommen heißt und in die Worte ausläuft: „sizi vilu stillo, uuirki godes uuillon".

Von diesem und von wenigen Texten um 1500 abgesehen sind aber die meisten deutschen B. erst in den letzten Jh. aufgezeichnet, vorwiegend im protestantischen Norddeutschland; diese Fassungen sind kürzer und dürftiger als die alten. Eine Form ohne kirchl. Gepräge ist die folgende: „Bien' und Wies' — setzt euch an Baum und Ries — setzt euch an Lov und Gras — und traget ein Honig und Wachs" [8]). Ein Zusatz kann noch immer den k i r c h l i c h e n Brauch des W a c h s e s hervorheben, z. B. „damit alle Kirchen und Klöster gezieret werden" [9]) (ähnlich in französischen [10]) und dänischen [11]) B.) oder „zu Mariä Wachslicht" [12]). Erst im 15. Jh.[13]) wird in den B. der H o n i g genannt, doch wird nie sein alter kultischer Gebrauch (für die Neugetauften) erwähnt, dagegen öfters sein weltlicher Nutzen, z. B. „den Honig für Menschenspeis — das Wachs zu Gottes Ehr und Preis" [14]), oder „dat Wass fö de Hilligen un Honnig fö uns Kinne" [15]).

Ein besonderes Motiv ist B i e n e und P a r a d i e s: „Die Bienen und Wiese(n) — die kommen a u s dem Paradiese" [16]), oder „ . . . fliegt n a c h dem Paradis' . . . holet Honig und Wass" [17]). Hier klingen die alten Vorstellungen von der Heiligkeit und Frömmigkeit der Bienen (s. d.) nach. Ein französischer B. schildert die Geburt der Bienen aus den Wassertropfen, die am Jordan von Jesus fielen [18]); in finnischen Zauberliedern soll die Biene aus Gottes Keller oder aus dem Himmel Salbenhonig holen [19]).

Einige B. betonen die Macht M a r i a s über die Biene; man vergleiche, daß auch die lieblichen und heilsamen Kräuter unter ihrem Schutze stehn. Der Lorscher Segen: „sizi, sizi, bina, inbot dir sancte Marja". 16. Jh.: „Maria stund auf eim sehr hohen berg; sie sach einen suarm bienen kommen phliegen . . . sie sazt im dar ein fas, das Zent Joseph hat gemacht" [20]). Die Biene darf nicht ohne Gottes und Marias Genehmigung ausfliegen [21]).

[1]) M ü l l e n h o f f ZfVk. 10, 16 ff.; F r a n z *Benediktionen* 2, 135 ff.; bes. wichtig E b e r m a n n in Festschrift für Ed. Hahn (Stuttg.

1917) 332 ff. (nebst Nachtrag in Mitt. z. Gesch. d. Medizin 19, 267 f.) mit vielen Texten und Hinweisen. [2]) Urquell 6, 141. [3]) Zupitza in Angl. 1, 190; Grendon in JAmFl. 22, 168. 216; Meissner in Angl. 40, 375 ff. [4]) Byzant. kirchl. Text, 15. Jh.: Urquell 3, 205 verdeutscht. [5]) Neues Archiv für ältere deutsche Geschichtsforsch. 8, 357; SitzbWien 69, 35 f. Das Motiv „Nicht zu hoch", deutsch Ebermann l. c. 338 Nr. 23. [6]) MSD. 2, 92; vgl. Gallee *Die altsächsischen Sprachdenkmäler* 208; ZfdA. 52, 17. [7]) MSD 1, 34 Nr. XVI. Erläut. u. Lit. Pfeiffer SitzbWien 52, 3; MSD. 2, 90 ff.; Kögel *Gesch. d. deutschen Lit.* I, 2, 154 ff.; Steinmeyer 396 f.; Grienberger PBB. 45, 415 ff. [8]) Urquell 6, 21; vgl. 5, 22; Kuhn *Westfalen* 2, 208 Nr. 592; Germania 1, 109. [9]) Wolf *Beiträge* 2, 451; Nds. 15, 306. Flämisch: ZfdA. 7, 533. [10]) Sébillot *Folk-Lore* 3, 319. [11]) Ohrt *Danm. Trylleſml.* Nr. 736 f. [12]) Frischbier *Hexenspruch* 131. — Vgl. noch BlPommVk. 9, 3 (J. 1539). [13]) MschlesVk. 13 (1905) 28 lat. [14]) Andree *Braunschweig* 387; Strackerjan 1, 125 Nr. 146; Jahn *Hexenwahn* 142. [15]) BlPommVk. 2, 43; Urquell 6, 21; Woeste *Mark* 53. [16]) Bartsch *Mecklenburg* 2, 451 Nr. 2073; Strackerjan 1, 78; BlPommVk. 2, 27; Jahn *Hexenwahn* 142. [17]) Bartsch *Mecklenburg* 2, 450 Nr. 2071; BlPommVk. 2, 43. [18]) Rolland *Faune* 13, 32. [19]) Krohn *Magische Ursprungsrunen der Finnen* (FFC. Nr. 52) 267. [20]) Grimm *Myth.* 3, 371 (J. 1570); vgl. Wlislocki *Sieb. Volksgl.* 125. [21]) ZfVk. 2, 86. Ohrt.

Bier.

1. Geschichtliches. — 2. B. u. Brauen in der Mythologie. — 3. Das Brauen der Vegetationsdämonen. — 4. B. und Hexe. — 5. Abwehrmittel gegen den Schadenzauber der Hexen. — 6. Mittel gegen Sauerwerden. — 7. Gebräuche und Aberglauben beim Ausschenken. — 8. Gebräuche und Aberglauben beim B.-trinken. — 9. B. bei Rechtsgeschäften. — 10. Allerlei Aberglaube. — 11. B.opfer. — 12. B. bei Hochzeit und Schwangerschaft. — 13. B. im Liebeszauber. — 14. B. im Schadenzauber. — 15. Bier im Wider-, Schieß-, Diebeszauber. — 16. B. in Volksmedizin und Heilzauber.

1. Geschichtliches[1]). Auf Grund von Hehns Forschungen [2]) und der bis zu intimen [3]) Einzelheiten bekannten Bedeutung des B.es in der ägyptischen [4]) und babylonisch-assyrischen [5]) Kultur, wobei uns vor allem der Ethnograph Hekataeus v. Milet als ältester Zeuge für die Ägypter [6]), Thraker und Phryger [7]) hilft, ist erwiesen, daß das B., dessen Domäne heute im Norden und Nordosten Europas zu suchen ist, einst von Osten über Ägypten und Spanien zu den Kelten und Germanen kam [8]). Die Spanier und Gallier [9]) hatten zu des Plinius Zeiten eine hohe Vollkommenheit in der Bereitung eines Weizengetränkes erreicht, das cerevisia bei den Galliern genannt wird und bei den Numantinern celia, später (9. Jh.) hören wir von cerbesia [10]). Über das B. der Kelten gibt Julianus Apostata [11]) in einem erhaltenen Epigramm ein interessantes Urteil ab [12]). Abgesehen von der ganz allgemein gehaltenen Notiz des Pytheas von Massilia [13]) bietet Tacitus' Germania das erste Zeugnis für einen aus Getreide bereiteten Gärtrank bei den Germanen [14]): potui humor ex hordeo aut frumento in quandam similitudinem vini corruptus. Die B.bereitung mit Hopfenzusatz lernten die Germanen in der Zeit der Völkerwanderung von den Slaven kennen [15]). Das deutsche Wort B. steht zuerst als 'beor' in der Zusammensetzung 'peorfaȥ' = cadus in dem rhabanischen Glossar [16]); es drang in das slavische Sprachgebiet und ins Romanische ein, wo es die bodenständigen Ausdrücke verdrängte (bière, birra). Bei den Ostfranken stieg das B. erst allmählich zu der Stellung empor, die es im MA. bekam [17]). Daß aber die Bedeutung des B.s als Volksgetränk und Nahrung auch bei den Deutschen im frühesten MA. größer war als Schrader [18]) meint, scheint die berühmte Brot-B.-Vermehrung in der Vita Columbani anzudeuten, wo Brot und B. als die Nahrung bezeichnet werden [19]), wie diese Vorstellung etwa heute in holsteinischen [20]) Wendungen lebendig ist. B. ist ja auch in der lex Alamannorum tributum der servi an die Kirche [21]). Wenn die Ansprüche der Beamten in der Karolingerzeit geregelt werden, so wird immer B. erwähnt, so im Capitulare: tractoria de coniectu missis dando (829) [22]); bei Fastenvorschriften finden wir B. neben Fleisch, so in einem Brief des Erzbischofs Richolfus von Mainz an den Suffraganbischof Egino v. Konstanz (810) [23]); sonst ist bei schwerer Buße Enthaltung von cervisa mellita vorgeschrieben [24]).

[1]) Die 1913 gegründete Gesellschaft für die Geschichte und Biblio-

g r a p h i e d e s B r a u w e s e n s hat bisher 3 Hefte herausgegeben: *Bier und Bierbereitung bei den Völkern der Urzeit*. Berlin 1926 ff.; eine Art Vorarbeit ist die von F. S c h o e l l h o r n , dem Begründer dieser Gesellschaft f. d. G. u. B. d. B., verfaßte *Bibliographie des Brauwesens*, I. Teil, 1926, gedruckt als Manuskript bei Benziger in Einsiedeln. ³) H e h n *Kulturpflanzen* ⁵ 141 ff.; S c h r a d e r *Reallex.* 88—92; H o o p s *Reallex.* I, 279 ff.; S c h r a d e r *Sprachvergleichung* 2, 253—4; P a u l y - W i s s o w a 5, 457 ff.; W e i n h o l d *Frauen* 2, 57—61; C o l e r *Oeconomia* 20; E b e r t *Reallex.* 2, 20 ff. ³) Zeitschr. f. ägypt. Spr. u. Altert. 28, 66 ff.; 17, 79; M e i ß n e r *Babylonien und Assyrien* 1 (1925), 406. 419; Ausland 64, 929 ff.; E b e r t l. c. 2, 21—22. ⁴) P a u l y - W i s s o w a 5, 457—60; Aeg. Zeitschr. 17, 79. ⁵) M e i ß n e r l. c. 1, 239—41; 2, 70. ⁶) fr. 323 = J a k o b y *Fragm. hist. Graec.* 1, 41. ⁷) fr. 154 = J a k o b y l. c. 1, 27; S c h r a d e r *Sprachvergleichung* 2, 254. ⁸) H e h n l. c. 141—142. ⁹) D e r s. l. c. 143—44; P a u l y - W i s s o w a 5, 462 bis 463; Ausland 64, 931; I s i d o r *Origines* 20, 3, 18; V i n z e n z v. B e a u v a i s l. XII. c. 109. ¹⁰) P a u l y - W i s s o w a 5, 463—64. ¹¹) Anthologia Palatina IX, 368 = 3, 1, 338 Z. 10 ff. Stadtmüller. ¹²) Übersetzung bei H e h n l. c. 147; F i s c h e r *Altertumsk.* 58 bis 59. ¹³) bei S t r a b o 4, 201. ¹⁴) c. 23; ¹⁵) Ausland 64, 613—16 (mit Lit.); Globus 60 Nr. 24, wo Argumente für und wider erörtert werden; H o o p s *Waldbäume* 614 ff.; 649 ff.; H e h n l. c. 473—480; H e y n e *Hausaltertümer* 2, 341 ff.; Annalen d. hist. V. f. d. Niederrhein 85, 133 ff.; weitere Literatur bei S c h ö l l h o r n (s. A. 1) 34 ff. ¹⁶) S t e i n m e y e r - S i e v e r s *Ahd. Glossen* 1, 83; die ganze Frage ist von G ü n t e r t *Göttersprache* 150 ff. eingehend geprüft und entschieden worden gegen S c h r a d e r in H o o p s *Reallex.* 1, 279—80. ¹⁷) Lehrreich ist hier eine Stelle im zweiten Buch der *Causae et curae* der hl. H i l d e g a r d i s , ed. Kaiser (L. 1903) 150, 16 ff.; vgl. 169, 16 ff. ¹⁸) H o o p s *Reallex.* 1, 279. ¹⁹) MG Scr. rer. Merov. 4, 84 Z. 11: ait (Columbanus zu den ackernden Mönchen): Sit vobis a Domino conlata refectio; minister ait: non sunt nobis amplius quam duo panes et paululum cervisae. ²⁰) M e n s i n g *Schleswig-Holst. Wb.* 1, 525 (vgl. 265): den Beerpott höger hangen = den Brotkorb höher hängen; vgl. M e i c h e *Sagen* 135 Nr. 179. ²¹) MG leg. sect. I tom. 5, 1, 82 Z. 15. ²²) Ebd. II tom. 2, 11 Z. 6. ²³) l. c. tom. 1, 249 Z. 26. ²⁴) l. c. tom. 2, 189 Z. 19; 242 Z. 26; 244 Z. 16; 245 Z. 20—21.

2. Wie das Backgeschäft überträgt der Germane auch das Braugeschäft auf die kosmisch-mythologischen Vorstellungen; denn backen und brauen gehören zusammen ²⁵) und sind wichtige Geschäfte der Hausfrau ²⁶), und zu dem, womit sich die

Phantasie immer beschäftigen muß, sieht sie überall Analoga. Natürlich soll nicht behauptet werden, daß jedes witzige Bild in das Gebiet der kosmischen Mythologie fällt.

Die Wolken am Himmel sind ein gewaltiger Braukessel, in dem Thor beim Gewitter braut, der herabströmende Regen ist das Wolkenb. (vgl. Wolkenwasser = Milch) ²⁷); oder die Riesen brauen in einem gewaltigen Kessel B.²⁸); solch einen Kessel nimmt Thor dem Riesen Hymir im Gewitterkampfe ab; dieser Kampf zwischen Thor und dem Riesen spielt besonders beim Gastmahl der Asen eine Rolle; Thor muß mit Tyr zusammen den gewaltigen Braukessel des Riesen Hymir holen, damit man B. brauen kann; es gelingt ihm mit Hilfe von Tyrs Mädchen, sich als den stärkeren zu zeigen, und er stülpt den Kessel über den Kopf und geht zu den Asen zurück ²⁹). Die Verbindung von G e w i t t e r vorgängen und Backen = Brauen erkennen wir besonders in W e t t e r r e g e l n und volkstümlichen W e t t e r s p r ü c h e n . Der Mecklenburger sagt: Wenn der Scharpenwewer ³⁰) am Abend brummt, trägt er ,,Süerborn" (= Hefe zum Brotbacken), es wird heiß; brummt er aber am Morgen, so trägt er ,,Brugborn" (= Hefe zum B.brauen), ,,denn ward't denn' Dag noch regen, wil he brugen will" ³¹); in Schleswig ³²) sagt man im Volkswitz: ,,de Voß bruut Beer", wenn abends die Nebel steigen; in der Oberpfalz brauen beim Nebel die Berge ³³); in Waldheim hat Petrus ,,de B.teppeln umgeschmissen", wenn ein Gewitter donnert ³⁴); wenn der Nebel steigt, braut die Hexe ³⁵). Zu beachten ist auch, daß die Wolken einen Goldschatz in sich bergen ³⁶), und daß der Braukessel der Riesen mit Gold gefüllt ist ³⁷).

²⁵) In Mecklenburg backen und brauen die Unterirdischen: B a r t s c h *Mecklenburg* 1, 41 Nr. 61; interessant ist, daß die Litauer, wie P r ä t o r i u s *Deliciae Prussiae* 32 erwähnt, einen Gott R a u g u p a t i s verehrten, der ,,hilft, wenn das bier wohl giret, der teich wohl säuret"; er heißt auch ,,Herr des Sauerteiges": U s e n e r *Götternamen* 100, vgl. 85. ²⁶) Vgl. den alten Brautspruch in B a r t s c h *Mecklenburg* 2, 65 Nr. 236; vgl. M e n s i n g *Schleswig-Holstein. Wb.* 1, 536 ff. In einem finni-

schen Epos ist die Erfindung des Bierbrauens schön beschrieben; zur Gährung verwendet man zuerst vergeblich Schaum des Bären, zuletzt Honigseim: R o c h h o l z *Glaube* I, 28 bis 29. [27]) M a n n h a r d t *Germ. Mythen* 92 ff. 101. 103—104. 235; vgl. 234.; K u h n *Herabkunft* 64. 164 ff.; Edda 50 (Simrock); S c h w a r t z *Studien* 153—154; P f a n n e n - s c h m i d *Erntefeste* 138. 429—30; vgl. R o c h - h o l z *Glaube* I, 29. 267. [28]) M e y e r *Germ. Mythen* 89 ff.; vgl. den B.saal in Okolni in der Voluspa Strophe 43 = 8 Simrock; in der Olaf Trygja-Saga wird dem Odin B. gegeben und den Asen zugetrunken: Kloster 9, 193. [29]) S i m r o c k *Mythologie* 4 263—65; E. H. M e y e r *Myth. d. Germanen* (1903) 238 ff.; M o g k *Mythologie*; D e r s. *Relig.gesch.* 91 ff.; S c h w a r t z *Mythologie* (1860) 201. 223. 226; Edda Hymiskvidha 46 ff. Simrock; Kloster 9, 309; M e y e r *Germ. Mythol.* 145; das Brauen nehmen die Götter überhaupt sehr wichtig: W e i n h o l d *Altnordisches Leben* 153. [30]) B a r t s c h *Meckl.* 2, 187 Nr. 897 a. [31]) D e r s. 2, 210 Nr. 1044. [32]) M e n s i n g *Schleswig-Holst. Wb.* I, 537; vgl. M e i e r *Schwaben* I, 264 Nr. 296: die Hasen oder Füchse backen; ebenso im Rheinland: den Foss braut: M ü l l e r *Rhein. Wb.* I, 929; vgl. S c h w a r t z *Mythologie* 223. [33]) S c h ö n w e r t h *Oberpfalz* 2, 133 Nr. 15, 1; ebenso in Obersachsen M ü l l e r - F r a u r e u t h *Wb.* I, 146. [34]) M ü l l e r - F r a u r e u t h I, 106. [35]) *Z.f.Völkerpsychol.* 18, 399. [36]) M e y e r *Germanische Mythol.* 91. [37]) D e r s. 89; vgl. S c h w a r t z *Myth.* 248. 273.

3. Entsprechend dem kosmischen Braugeschäft der Riesen brauen auch die **V e g e t a t i o n s d ä m o n e n** B. Verbreitet ist die Sage, daß die Zwerge, Bergmännlein, Hollen, die grauen Männlein, ihren Braukessel herleihen; als Lohn verlangen sie gewöhnlich eine Semmel und eine Silbermünze wie die Bergmännlein auf dem Stromberge in der sächsischen Lausitz; fast immer wird die gute Freundschaft dadurch zerstört, daß einer die Semmel herausnimmt und einen Dreck hineinlegt [39]); in Pommern [40]) wird ein weniger feiner Lohn verlangt: ein Brot und eine Flasche B.; auch hier hört die Freundschaft auf, als jemand zum Schabernack Brot und B. fortnimmt; zu betonen ist, daß z. B. in der Lausitzer Sage das Brauen und Backen der Zwerge zusammen erzählt werden [41]). In Mecklenburg leihen die Unterirdischen die Braupfanne und bringen sie blank geputzt zurück [42]. Knechte bekommen auf dem Acker B. und Brot [43]); im Voigtland ha-

ben die grauen Männlein eine Braupfanne mit B.[44]); in der sächsischen Schweiz trinken die Querxe B. und schieben Kegel [45]). Die Osenberger Zwerge in Oldenburg [46]) kaufen vom warmen Hausgebräu; ein Männlein, das über den Durst getrunken hat, läßt den Krug stehen [47]), an dem der Segen des Hauses hängt; ähnliches wird aus Pinnow in Mecklenburg berichtet [48]). In Oldenburg [49]) naschen die Zwerge B., in Schleswig-Holstein [50]) lecken sie als Kröten [51]) (vgl. Butter und Milch) das verschüttete B. auf oder stehlen für den Kranken „Pingel" B. vom Faß [52]); in Husum [53]) stehlen die Puke vom Gebräu, auf Sylt [54]) die „Önnerkens", die, von der Bäuerin beim B.hahnen ertappt, zum Dank, daß sie unbelästigt bleiben, bewirken, daß die B.-tonne nie leer wird. Im Voigtland schützen sich die, welche im Keller B. holen, mit Dost und Dorant gegen die b.gierigen Kobolde [55]). So trinkt die wilde Jagd [56]) in Thüringen einem Manne die B.flasche aus, welche nie leer wird (vgl. Goethes Getreuer Eckart) [57]), und die Weiber aus Frau Holles [58]) Zug lassen die B.kanne nie versiegen. Im Voigtland trinkt die Percha den Mädchen das B. aus; zum Dank läßt auch sie das B. nie ausgehen; als aber das Geheimnis verraten wird, ist der Krug leer [59]). Die Elben verlangen das B.[60]) als ständiges Opfer (vgl. auch II b), wie der B.wetzel [61]) im Riesengebirge, der alles zusammen wirft, wenn er sein B. nicht bekommt, ebenso der B.esel [62]) (s.d.); diese treten wie die Kobolde und Elfen in Eselsgestalt auf und hocken dreibeinig auf dem Rücken der Wirtshaushocker [63]); und den Studenten in der Mühle zu Rinteln [64]) geht es sehr übel, als sie dem Kobold das B. austrinken (vgl. den Chimmeke, Milch). Zu den Elben gehören auch die herumgeisternden **S e e l e n V e r - s t o r b e n e r** , die nach der Labe des Lebens lechzen (vgl. Butter, Milch). Im Anfang des 19. Jhs. bettelte in Ratibor ein Gespenst B. von den Vorübergehenden und trank gierig [65]); in Schwaben geht der „B.appel" um [66]); daher fängt man Geister gerne in B.flaschen, weil sie nach B. gieren, wie ein Geistlicher in

Cament die Seele einer Geizigen in einer
B.flasche fing [67]); daß in Bayern und im
Voigtland ein Geist als B.faß herum-
poltert, ist nicht erstaunlich [68]). Die
w e i ß e   F r a u   im Kloster Lehnin
spukt im Brauhaus, und wenn es mit dem
B. nicht geheuer ist, gibt man ihr die
Schuld [69]); im Voigtland hockt ein Gespenst den b.holenden Mägden auf [70]).
Sonst hören wir von g e i s t e r h a f t e n
B r a u e r e i e n [71]), oder man deutet
Gesteinbildungen als Braupfannen [72]).
Wenn wir an die goldgefüllten Braukessel
der Wolkenriesen denken, so paßt es auch
zum Bilde der Erdmännlein, daß diese in
der Johannisnacht im Herrlaberg [73]) bei
Langenbielau Braukessel mit Gold zeigen,
oder im Stromberg [74]); freilich überwiegt
hier die Vorstellung von den die Metall-
schätze der Erde bearbeitenden und
hütenden Zwergen; Schätze in Braupfannen finden sich sehr häufig, so der
Schatz in einer großen Brauhütte bei
Königsmartha [75]); ein Brauer in Vogtsdorf
hatte den Bund mit dem Teufel und eine
ganze Braupfanne voll Gold [76]).

[38]) K ü h n a u Sagen 2, 72 Nr. 739 =
M e i c h e Sagen 210 Nr. 276 [1]; vgl. H a u p t
Lausitz 1, 37 Nr. 39; R o c h h o l z Sagen
1, 365; W i t z s c h e l Thüringen 2, 87
Nr. 107; K u h n Westfalen 1, 200 Nr. 224.
[39]) K ü h n a u Sagen 2, 67 Nr. 733 = M e i c h e
Sagen 337 Nr. 438 vgl. R o c h h o l z Sagen 1,
282 Nr. 1095. [40]) BlpomVk. 3, 38 Nr. 18;
K n o o p Hinterpommern 32 ff. [41]) M e i c h e
l. c. 210; vgl. B a r t s c h Meckl. 1, 80.
[42]) D e r s. 1, 80—81. 82. 89. [43]) D e r s. 1, 41
Nr. 61, vgl. backen. [44]) E i s e l Voigtland 43
Nr. 94. [45]) M e i c h e Sagenb. d. sächs. Schweiz
21 Nr. 8. [46]) G r i m m Sagen 30 Nr. 43; vgl. die
Unterirdischen in Mecklenburg: B a r t s c h l. c.
1, 80 Nr. 88. [47]) B a r t s c h l. c. 1, 88 Nr. 94;
vgl. M ü l l e n h o f f Sagen [2] 310 Nr. 464.
[48]) B a r t s c h l. c. 1, 80 Nr. 88. [49]) S t r a k-
k e r j a n 2, 226 Nr. 476. [50]) M ü l l e n h o f f
Sagen 343 Nr. 508. [51]) Sonst als dreibeinige
Hasen: M a n n h a r d t Germ. Mythen 411;
B a r t s c h Meckl. 1, 168 Nr. 207; E i s e l
l. c. 120 Nr. 311—12; 139 Nr. 371; 140 Nr.
376; 141 ff.; 289—290 Nr. 726. [52]) M ü l-
l e n h o f f l. c. 310 Nr. 464; vgl. 309 Nr. 463.
[53]) D e r s. 352 Nr. 518. [54]) Ebd. 355 Nr. 521.
[55]) E i s e l Voigtland 31 Nr. 61; 53 Nr. 118;
vgl. 85. [56]) W i t z s c h e l Thür. 1, 189
Nr. 184. [57]) Eckart mit seinem Zug begegnet
b.holenden Kindern; die Weiber des Zuges
trinken das B. aus, das nicht mehr versiegt:
W a s c h n i t i u s Perht 106. 174. [58]) W i t z-

schel 2, 76 Nr. 89 = 1, 189 Nr. 184. [59]) E i s e l
Voigtland 104 Nr. 264. [60]) Über Gebäcknamen
als Reste alter Opfer an Kobolde: NddZfVk.
1926, 14. [61]) K ü h n a u Sagen 2, 50 Nr. 710.
[62]) H. L. F i s c h e r Aberglauben (1790) 65;
noch heute im Voigtland: E i s e l l. c. 123
Nr. 318. [63]) M a n n h a r d t Germ. Mythen
411. [64]) G r i m m Sagen 52—53 Nr. 73.
[65]) K ü h n a u Sagen 1, 210 Nr. 198. [66]) B i r-
l i n g e r Schwaben 1, 227; F i s c h e r Schwäb.
Wb. 1, 1101; vgl. den Kophamel in Mecklenburg: B a r t s c h l. c. 1, 168 Nr. 207. [67]) K ü h-
n a u Sagen 1, 463 Nr. 491; ferner 1.—2. 117
Nr. 129. 465—66. 469. 483. 489; 3, 215; vgl.
MschlesVk. 13—14 (1911—1912) 113 ff. 98 ff.;
L e o p r e c h t i n g Lechrain 76 erzählt, wie
ein Branntweingeist in einer Flasche täglich
einen Groschen für eine Halbe erhält; vgl.
R o c h h o l z Sagen 1, 186; K ü n z i g
Badische Sagen 8 Nr. 11; 11 Nr. 19; 16 Nr. 32.
[68]) P o l l i n g e r Landshut 128—129.
[69]) S c h w a r t z Sagen d. Mark Brandenburg [7]
(1921) 78, 44. [70]) E i s e l l. c. 85, vgl. 31
Nr. 61; 53 Nr. 118; M a n n h a r d t Germ.
Mythen 411. [71]) K ü h n a u Sagen 3, 565
Nr. 1969; E i s e l Voigtland 66 Nr. 156; vgl.
R o c h h o l z Sagen 1, 365. [72]) K ü h n a u
2, 621, 1271. [73]) Ebd. 2, 84, 747. [74]) Ebd. 3,
618, 2020. [75]) Ebd. 3, 620 ff., 2022; vgl. 3, 565;
sonstige Belege für Schätze in Braupfannen:
1, 240, 9. 243; 3, 166, 1546. 557, 1969. 613, 2019.
622, 2025. 738 ff., 2147; M e i c h e Sagen 135,
179. 691, 855. 703, 871. 718, 889. 738, 908;
M e i c h e Sagenbuch d. sächs. Schweiz 55
Nr. 46; sehr häufig im Voigtland: E i s e l l. c.
43 Nr. 94; 47 Nr. 105—106; 74 Nr. 185; 81
Nr. 208; 173 Nr. 468; vgl. Index 403;
T h a r s a n d e r Schauplatz 1 (1737), 537;
S c h i n d l e r Aberglaube 143; W a s c h-
n i t i u s Perht 125; Schatz im Brauhaus:
E i s e l l. c. 147 Nr. 402; 185 Nr. 492; M ü l-
l e n h o f f 102, 118; 583, 600; M a n n h a r d t
G. M. 193; K ö h l e r Voigtland 56; H a a s
Rügensche Sagen [5] 36, 65; P r ö h l e Harz [2]
217; M e y e r Germ. Myth. 102 § 137; vgl.
B a r t s c h 1, 247, 322; K ü n z i g Sagen 93,
249. [76]) K ü h n a u 2, 665 ff. Nr. 1298.

4. Wie sehr die H e x e n nach dem
stärkenden Seelen- und Geistertrunk
verlangen, zeigt eine Wismarer Sage [77]):
Eine Milchhexe war durch Verpflöckung
(s. d.) herbeizitiert; der Gegenzauber war
aber machtlos, sobald es ihr gelungen war,
von dem im Hause stehenden B.humpen
zu trinken. Eine Mecklenburger Hexe bekennt 1576 [78]), „und hetten (beim Hexenmahl) roth bier getrunken uth glesern";
ein Jahr später sagt eine Hexe aus, es
habe Magdeburgisches und Garlebesches
B. gegeben [79]); nach Oberpfälzer [80]) Glauben finden die B.- und Weinreste, die

man im Glase stehen läßt, beim Hexenmahl Verwendung. Auch nach dem Aberglauben in Schleswig-Holstein trinken die
Hexen beim Mahl B.; in der Johannisnacht verbrennt man die Hexen, indem
man warmes B. trinkt und den Hexen
zuruft: „Kommt her, ihr alten Hexen ins
Feuer"[81]); nach dem „höllischen Proteus"
trinken die Hexen die B.fässer leer[82]).
Praetorius berichtet, daß Werwölfe =
Hexen ganze Fässer B. und Meth aus-
saufen[82a]); durch Austrinken eines mit
Bier gefüllten Glases und durch ein Zauberwort wird ein Mann zum Werwolf[82b]).
Wie die Milchhexen treiben sie mit B. allerlei Schadenzauber; so wird eine Hexe in
Eberswalde[83]) wegen Zauberei mit B.
und Molke angeklagt; nach dem Aberglauben in Mecklenburg machen die H.
das B. sauer und die Milch lang[84]); nach
Gockelius werden die B.sieder durch die
Ligaturen der Hexen in ihrem Handwerk
behindert[85]); eine andere wurde zum
Feuertod verurteilt, weil sie fliegende
Geister ins Brauhaus sandte. In Leobschütz[86]) verbrannte man 1581 zwei
Frauen, welche volle Fässer mit B. aus
den Kellern der Bürger gezogen hatten,
darauf eine Luftfahrt gemacht und sie
auf den Turmspitzen ausgesoffen hatten;
eine Königsberger[87]) Hexe fährt mit
andern Weibern als Katze in Brau-
kübeln auf der Pregel, bis sie der Braubursche mit dem Kreuzzeichen zwingt,
sich ins Gebräu zu stürzen; in einer andern Brauerei in Königsberg schlug immer
das Gebräu um, bis die Hexe als Katze
entlarvt wurde und zwar wieder von
einem Brauburschen, der ein Sonntagskind war[88]). Ein alter Braubursche verhexte aus Rache zu Brambach[89]) durch
ein Gartenkraut das B., daß es als braune
Eiszapfen am Balken hing, und ein
Schwarzkünstler verzauberte zu Freystadt[90]) das B., daß es wie ein Ballen
Wolle in den Sparren hing. Zu Budissin[91]) in der Lausitz suchte eine Wirtin
(1677) ihrer Konkurrentin die Gäste zu
entziehen (vgl. Milchhexe), indem sie sich
Kehricht vom Kegelloch und der Haus-
schwelle verschaffte. Der Brechschmied,
ein Zauberer im Isergebirge[92]), holte auf

Grund einer Wette in seinem Mantel in
Münchengrätz ein Faß B.; aber unterwegs zog ihn der Teufel aus der Luft
herunter und soff mit ihm das Faß aus.
Wie bei der Milch muß man sich auch
beim B. an Hexentagen in Acht nehmen,
so bei den Esten am Thomastage[93]).

[77]) B a r t s c h 1, 117, 135. [78]) B a r t s c h
2, 9; ebenso eine hessische Hexe (1597): Zfd-
Myth. 2, 66; vgl. P r a e t o r i u s Blockesb.
Verrichtung 576. [79]) Ebd. 2, 13; vgl. 9 u. 20.
[80]) S c h ö n w e r t h Oberpfalz 3, 179, 8.
[81]) M ü l l e n h o f f Sagen² 229 Nr. 336.
[82]) F r a n c i s c i Der höllische Proteus (Nürnberg 1690) 279. [82a]) l. c. 148. [82b]) l. c. 269.
[83]) S o l d a n - H e p p e 1, 488. [84]) B a r t s c h
l. c. 2, 244 Nr. 1266; vgl. 148 Nr. 1283.
[85]) G o c k e l Tractatus polyhistoricus magicomedicus curiosus (1699) 63. [86]) K ü h n a u
Sagen 3, 6, 1352; 7, 1353. [87]) R e u s c h Samland 130, 1. [88]) Ebd. 130, 2. [89]) M e i c h e
Sagen 494, 643. [90]) K ü h n a u 3, 197—8, 1569.
[91]) H a u p t Lausitz 1, 195, 228 = M e i c h e
493, 641. [92]) K ü h n a u 3, 239, 6. [93]) B o e c l e r
Ehsten 93.

5. Gegen solchen S c h a d e n z a u b e r
legt man in Schlesien schon im 16. Jh.
eine von einer Schlange selbst abgestreifte
Haut unter das Faß und wirft eine
Schnur roter Korallen (vgl. Milch) in das
verhexte B.[94]). Auch sonst treibt man
allerlei Zauber, um das B. vor Hexerei zu
bewahren, es wohlschmeckend zu erhalten und Käufer (Gäste) anzuziehen: „Eines Gehangenen Finger im B.fass aufgehängt schafft dem B. guten Abgang" (aus
der neuen Bunzlauischen Monatsschrift
1792)[95]); ebenso zieht ein Lappen mit
dem Blut eines armen Sunders im B. die
Kundschaft an[96]), oder gar das membrum
virile eines Gehängten (!)[97]). Harmloser
ist das Glückssäckchen, das die geschäfts-
tüchtige Wirtin zu Budissin unter das
Schenkfaß legt[98]). In der berühmten Sage
vom Wunderblut zu Zehdenick wird erzählt, daß 1249 ein Weib, das einen B.-
schank hatte, „eine geweihte Hostie genommen, in Wachs gedrückt und vor
ihrem B.fasse vergraben, im Aberglauben,
daß sie so die Güte ihres B.es mehre und
die Leute ihr B. lieber holen und trinken
würden"[99]). Nach schwäbischem Aberglauben hat jeder B.brauer einen B.-
molch bei sich, der das B. säuft, es wieder
von sich gibt und es so berauschend

macht; noch 1873 wurde ein Ravensburger Braumeister deswegen verrufen und mußte sich in der Zeitung wehren [100]).

[94]) D r e c h s l e r 2, 255. Als erster empfiehlt dieses Mittel Justus S t e n g e l: *Bewerte B.künste; welcher Maßen das B. in diesem Lande allerhand auffmerkungen.* Erffurdt 1616, cap. 4; Stengel rät das Mittel gegen die Bezauberung gottloser Leute; auf Knaust und Stengel beruhen Colers Darlegungen. [95]) G r i m m *Myth.* 3, 474, 1065; E c k a r t *Südhannov. Sagenbuch* 83—85; E i s e l *Voigtland* 277, 698; D r e c h s l e r 2, 239; vgl. S c h ö n b a c h *Berthold v. R.* 148—49; 50—51; vgl. B r ä u n e r *Curiositäten* (1737) 236 ff.; nach Schweizer Aberglauben wird das B. dadurch schmackhaft: SAVk. 1900, 2. [96]) S t r a c k *Blut* 45. [97]) D r e c h s l e r 2, 239; aus M ä n n l i n g 301; ebenso im Voigtland: E i s e l l. c. 277 Nr. 698. [98]) M e i c h e 493, 641. [99]) S c h w a r t z *Sagen d. Mark Brandenburg* [7] 146, 97. [100]) F i s c h e r *Schwäb.Wb.* 1, 1103.

6. Gegen das S a u e r w e r d e n des B.es erwähnen schon die B.schriftsteller des 16. u. 17. Jhs. verschiedene Mittel [101]). Stengel befaßt sich besonders mit den Mitteln gegen saures und verdorbenes B., „denn man findet bißweilen lose Leute, die einem ein Bubenstück tun" [102]); wenn das B. im Bottich nicht gärt, so soll man eine heiße, neue Pflugschar hineintun oder einen heißen Kieselstein [103]); viele Mittel schöpft Stengel aus Knaust, so das Hineinhängen eines Haferbüschels. Die Gefahr des Sauerwerdens tritt vor allem bei Gewittern ein; schon Coler [104]) rät, zum B. Brennesseln zu legen, wenn ein Gewitter heraufzieht; und auch in der Rockenphilosophie heißt es [105]): „beim Brauen lege man einen Strauß großer Brennesseln aufs Faß, so schadet kein Donner dem B."; in Mecklenburg [106]) legt man einen Besen auf das B., „dei in de Twölften bunnen is". Nach Stengel soll man reine Tücher auf den Bottich und darauf Salz, Kieselsteine und Lorbeerblätter legen [107]). Wenn ein Toter im Haus ist, besonders wenn der Brauer stirbt, muß man in der Oberpfalz die Fässer rühren oder dreimal daran klopfen, damit das B. nicht abstehe [108]). Um schlechtes B. wieder schmackhaft zu machen, soll man nach Staricius [109]) zerstoßenen Weizen mit der Hefe vermengen und ins Faß schütten; nach dem schlesischen Wirt-

schaftsbuch (1712) soll man frischgebackenes Hausgerstenbrot auf den Spund legen [110]); in Pommern hängt man gegen Faßgeschmack ein Bündel Weizen ins Faß [111]); und dasselbe Neustettiner Zauberbuch rät prophylaktisch: „wirf einen spannlangen Kienspan in das B., wenn es noch warm ist oder tue ein Ei von demselben Tage hinein und mache den Spund fest mit Lehm zu" [112]).

[101]) C o l e r (407 c. 59) empfiehlt Nelkenöl; vgl. K r ü n i t z *Enzyklopädie* 5, 201; K n a u s t führt 63 ff. verschiedene Mittel an: wenn B. „abfelt oder sich verkehret", frisches Gerstenbrot auf den Spund; wenn das B. sauer ist, ein Büschel reifen Haber ins B. gehenkt; Centaurien und Bertram verhüten das Sauerwerden. [102]) l. c. cap. 3 u. 8. [103]) l. c. cap. 4. [104]) C o l e r 32; S t e n g e l cap. 8 empfiehlt Auflegen von Lorbeer. [105]) G r i m m *Myth.* 3, 445, 336; aus der Rockenphilosophie schreibt Fischer ab: F i s c h e r *Aberglaube* 73; „bei entstehendem Gewitter legt man zum B. ein Stück Eisen, Nesseln oder andere Dinge": T h a r s a n d e r *Schauplatz* 2, 311; M a n n h a r d t *Germ. Myth.* 101; K e l l e r *Grab* 2, 147 ff. (mit Erklärung!); S a r t o r i *Sitte und Brauch* 2, 16 u. 32; B a r t s c h 2, 133, 578 und 189, 907; M a n n h a r d t l. c. 101 bis 102; W i t z s c h e l *Thüringen* 2, 276, 1; D r e c h s l e r 2, 210; R o c h h o l z *Glaube* 2, 43. [106]) B a r t s c h 2, 249, 1283 f. u. g. [107]) l. c. cap. 8. [108]) S c h ö n w e r t h 1, 248, 13. [109]) *Heldenschatz* 572 ff. [110]) D r e c h s l e r 2, 15 = Wirtschaftsbuch 657; ebenso K n a u s t 63; vgl. auch: J. W. G u l d e n s c h r e i b e r *Ein schönes herzliches und Nützliches auch Bewertes Weinbüchlein . . .* (Ettlingen 1607) 96; Guldenschreiber schreibt Knaust von Teil wörtlich ab. [111]) Schon K n a u s t p. 65 rät, ein Bündel von 35 Weizenkörnern ins Faß zu legen. [112]) BlPomVk. 4, 7 f.

7. Gebräuche und Aberglaube beim A u s s c h e n k e n des B.es. Als noch jeder Haushalt das Recht hatte, zu brauen, wechselte das Recht, B. auszuschenken, von Haus zu Haus: Reihenschank; Köhler [113]) und John [114]) beschreiben diese Sitte genau; nach John war man im Erzgebirge an keinen Tag gebunden, in Blomberg (Lippe) [115]) wechselte man gewöhnlich am Montag; die Reihenfolge bestimmte der Brauausschuß durch das Los; manche verkauften dies; wer an der Reihe war, steckte das B.r e i s zum Dachfenster heraus, einen Kranz [116]) aus Blech oder Holz, auf dem ein B.glas aufgemalt war (im Rheinland:

B.wisch [117]), in Horn [118]) bei Dortmund war es ein Hülsenbusch, in Lippe [119]) ein Strohbusch, in Preußen ein B.zweig (Tannen- oder Fichtenstrauß) [120]), in Schlesien der B.kegel [121])); die Frist betrug 20 Tage, dann wurde das Haus „übersteckt" (in Lippe wechselte die Brauereigerechtigkeit jede Woche [122]); die Preise [123]) waren genau vorgeschrieben. Ebenso war beim Wirtschaftsbetrieb die Zeit vorgeschrieben, bis zu der B. getrunken werden durfte; sobald die B.-glocke ertönte, durfte nichts mehr ausgeschenkt werden [124]). In der sächsischen Schweiz [125]) durfte jeder Bürger, dessen Frau ein Kind geboren hat, sechs Wochen lang ausschenken; das Zeichen war ein Strohwisch. Wie wichtig das B.ausschenken war, zeigt der Streit (1450) im Voigtland [126]). Solche, die zum erstenmal B. schenkten, gaben etwas zum Besten. Dafür mußte jeder Gast auf den Ofen steigen und dabei wurde er wacker mit „Schleußen gepeitscht"; dieses hieß das Ofenbesteigen [127]) (Thüringen); „wer B. schenkt, lege die erste Losung unter den Zapfen, bis ausgeschenkt ist" [128]); ebenso findet sich in der Rockenphilosophie auch folgender Rat: wer die erste Kanne B. aus dem Faß bekommt, soll geschwind fortlaufen, so geht dies B. bald ab [129]). Die Rockenphilosophie rät [130]) auch: Wer aus einer mitten in einem Ameisenhaufen gewachsenen Birke einen hölzernen Schlauch oder Hahn drehen läßt und zapft Wein oder B. hindurch, der wird geschwind ausschenken; derselbe Glaube lebt noch in Thüringen [131]). Wenn ferner eine reine Jungfrau das erste B. vom Faß holt, geht es gut ab; vgl. auch die in 6 aufgezählten Mittel [132]) (siehe Backen). Genau schrieben die Gesetze richtiges Maß beim Ausschenken vor [133]). Welchen Wert das Volk auf die Ehrlichkeit beim B.brauen und Ausschenken legt, beweisen die S a g e n , die wir in den Gegenden, wo das B. als Volksnahrung eine große Rolle spielt, finden; das Ethos dieser Sagen ist den Strafen der geizigen Brotschänder sehr ähnlich; die städtische Taberne zu Glatz hatte einen Brauer angestellt, der greulich fluchte und furchtbar betrog; der

liebe Gott konnte das Treiben nicht mehr dulden, und zur Strafe mußte der unehrliche Brauer nach dem raschen Tode herumgeistern [134]). Im Braunauer Ländchen nennt man die dämonischen Gespenster „unehrlicher Wirte" „B.esel" [135]) (s. d.); sie gehen in furchtbarer Gestalt um und lärmen und brechen jedem das Genick, der sich in ihre Nähe wagt [136]); natürlich gibt es auch in Bayern unehrliche Wirte; so geht der Braumeister der Schloßkellerei zu Oberköllnbach [137]), der falsches Maß ausschenkte, nachts im Schloßkeller um und sagt immer: „Zehn Daumen sind auch ein Maß." Interessant ist zum Vergleich eine Sage aus Duisburg, welche Caesarius v. Heisterbach in seinem Dialogus miraculorum erzählt [138]): „In Episcopatu Coloniensi opido imperiali, quod Duseburg dicitur, vidua quaedam cervisiam braxare ac vendere solebat. (Als ihr Haus vom Feuer bedroht ist), omnia sua vasa, quibus cervisiam emptoribus mensurare solebat, ad ostium domus contra flammas ponens . . . sic oravit dicens: Domine Deus iustus et misericors, si unquam aliquem hominum his mensuris decepi, volo ut domus haec comburatur" . . . . das Haus wird gerettet, während alles ringsum abbrennt. Nach Maennling läßt der Teufel einer gewinnsüchtigen B.schenkin Hufeisen aufschlagen [139]).

---

[113]) *Voigtland* 208 ff.; aus K n a u s t 64 vgl. 65; bei S t e n g e l cap. 6. [114]) *Erzgebirge* 217—219; vgl. W u t t k e *Sächs.Vk.* 448; H e y n e l.c.; JAFl. 15, 40—44; Globus 82, 19. [115]) ZrwVk. 4, 226. [116]) Das war auch das Wirtshauszeichen: ZfVk. 17, 195 ff. (m. Lit.); MschlesVk. 1900, Heft 7, 13 ff.; S a r t o r i *Sitte u. Brauch* 2, 185. [117]) M ü l l e r *RheinWb.* 1, 681. [118]) ZrwVk. l.c. [119]) l.c. Nach einer alten Vorschrift (1450) mußte in Arnsberg der B.wisch (Strohbusch an einem Stock) ausgesteckt werden: P i c k *Aachen* 8 ff. [120]) F r i s c h b i e r *PreußischesWb.* 1, 83 nach H e n n i g s *Preuß.Wb.* 1785. [121]) MschlesVk. 1900 Heft 7, 13 ff.; 1698 wurden in Döbeln die grünen Reiser durch hölzerne oder blecherne ersetzt: M e r b i t z *Chronica Doebelensia* 1727 bei M ü l l e r - F r a u r e u t h 1, 106. [122]) ZrwVk. l.c. [123]) L a m m e r t 43; K ö h l e r l.c.; J o h n l.c. [124]) H e y n e l.c. 1, 302 A. 304; L a m m e r t 43; H o v o r k a - K r o n f e l d 2, 349. [125]) M e i c h e *Sagenbuch d. sächs. Schweiz* 119—20. [126]) E i s e l *Voigtland* 312 Nr. 791.

127) W i t z s c h e l *Thür.* 2, 287 Nr. 125.
128) G r i m m *Myth.* 3, 447 Nr. 394. 129) Ebd.
440 Nr. 164 (vgl. § 6) = F i s c h e r l. c. 212.
130) 2. Hundert p. 263—66 = Grimm l. c. 437
Nr. 98. 131) W i t z s c h e l l. c. 2, 277 Nr. 13.
132) F i s c h e r *Abergl.* 212. 133) L a m m e r t
l. c. 134) K ü h n a u *Sagen* 1, 581—615; vgl.
die Sage vom umgehenden Weinfälscher und
der ungerechten Müllerin bei K ü n z i g *Bad.*
Sagen 14 Nr. 28; 15 Nr. 51. 135) M ü l l e r -
F r a u r e u t h 1, 105. 136) K ü h n a u
l. c. 1, 144—46 Nr. 156. 137) P o l l i n g e r
Landshut 95. 96; ebenso in Kärnten G r a -
b e r *Kärnten* 194 Nr. 256; der Wucherer
in der Bergischen Sage mißt als Geist nach dem
Tode Getreide: S c h e l l *Berg. Sagen* 92
Nr. 16. 138) X, 31 = II, 240 Stange; S c h e l l
Berg. Sagen 465, 2; ebenso bittet die braxatrix
zu Köln: Sancti Apostoli, si unquam vobis digne
fideliterque servivi, custodite domum meam
et vasa vestra: VIII 62 = 2, 134—5 Stange.
139) M a e n n l i n g 390.

8. B.t r i n k e n : Wer das B. bis auf
den letzten Tropfen austrinkt, trinkt
seine und eines andern Kraft 140); andererseits sammeln, wie wir sahen, die Hexen
alle B.reste (Oberpfalz). Wenn man den
Schaum vom B.glas, bevor man trinkt,
nicht abbläst, so haben die Hexen Gewalt
über den Trinker 141); wenn man beim B.-
trinken den „Hetscher" bekommt, steckt
man das Messer ins Glas und läßt es ziehen 142). „Bist du auf der Hochzeit und
dein Glas ist noch nicht leer, so laß nichts
zugießen, sonst gibt es unglückliche Liebe"
(Pommern) 143). Damit kommen wir zu
den O r a k e l n : Zeigt sich beim Ein-
schenken von B. oder Wein ein Schaum-
ring, so bedeutet das Glück 144). Wirft ein
Mädchen in einer Gesellschaft B. um, so
bekommt sie ohne Heirat ein Kind 145).
Über die Z e i t , da das B.trinken besonders anschlägt, weiß das Journal 1790
aus dem Saalfeldischen zu berichten 146):
„Wer Neujahrstag zum B. geht, verjüngt
sich und wird roth" (Anfangsfruchtbar-
keitsaberglaube vgl. die Lucia-Bier-Bowle
in Schweden 11 c); in Westböhmen geht
man an Neujahr „aufs neue Blut" 147); an
Fastnacht trinkt man in Norddeutschland viel B., um ein langes Leben zu erhalten 148). Im Egerland trinkt man am
Aschermittwoch B., damit die Gerste
gerät 149).

140) G r o h m a n n 226 Nr. 1604. 141) H o -
v o r k a - K r o n f e l d 2, 350. 142) P o l -

l i n g e r *Landshut* 278—9. 143) BlPomVk. 4,
48 Nr. 18, 1. 144) W o l f *Beiträge* 1, 218 Nr. 191.
145) G r o h m a n n l. c. 223 Nr. 1566; ZfVölkerpsychol. 18, 362. 146) G r i m m *Mythol.* 3,
452 Nr. 527. 147) J o h n *Westböhmen* 28.
148) W. 454 vgl. 97. 149) Egerl. 4, 36.

9. Der feierliche B.trunk bei R e c h t s -
g e s c h ä f t e n : B. oder Wein dürfen
bei einem wichtigen Rechtsakt (auch
V e r b r ü d e r u n g s zeremonien) 150)
nicht fehlen 151); im Altnordischen heißt
die bei der V e r l o b u n g übliche Bewirtung „Befestigungsb." (*festar-ol*), im
Angelsächsischen „Brautb." (*bryd-ealu*,
neuenglisch *bridal* „Verlobung"), im Trie-
rischen *lovel-beer*, *jevel-beer*, in Hessen
Weinkauf 152); Knoop hat aus M. v. Nor-
manns Wendisch-Rügianischem Landge-
brauch (1530) nachgewiesen, daß man mit
dem „Weddelb." eine W e t t e oder einen
Pfandvertrag bekräftigte 153): „Thom
Weddelb. gehört Nemand, ahne de Parte
und de Börgen, sonst mögen se van beiden Siden Fründe bidden; Drünke sonst
yemand ungebeden, deit Unrecht, möste
ok dat B. op sin Andeel betalen." In einer
schlesischen Quelle des 17. Jhs. machen
zwei Verbrecher aus, daß sie sich nicht
verraten wollen: „die giessen B. auff den
Tisch und tippen ein" 154). In Ingerda
(Albenburg) gibt es jedes Jahr nach dem
Dorfgericht einen B.trunk 155). Im Erzgebirge gibt man beim Grundstückkauf
B. zum besten 156), und in Schwaben
gibt es B. bei der feierlichen Einholung
der neuen D i e n s t b o t e n am „Bün-
telistag" 157).

150) In Ägypten gab es ein Freundschaftsb.:
Veröffentl. d. Ges. f. Gesch. des Brauwesens
1. Heft, 43. 151) Über Wein u. B. bei Eid-
opfern und Verbrüderungszeremonien: K i r -
c h e r *Wein* 22. 80. 86. 152) ZföVk. Suppl. 7
(1911), 5. 153) BlPomVk. 3, 37. 154) MschlesVk.
11 (1909), 208—9; über das Stupfen mit den
Fingern: G r i m m *RA.* 2, 146—47. 155) ZfVölkerpsychol. 18, 383. 156) J o h n *Erzgebirge* 17.
157) B i r l i n g e r *Schwaben* 2, 334—5.

10. A l l e r l e i A b e r g l a u b e :
T r ä u m e n von B. bedeutet im Rheinland Streit 158); Coler in seinem Traumbuch erwähnt das B. nicht. Wasser, das
man zum Brauen braucht, soll man nicht
Wasser heißen, sonst wird das B. schlecht,
man muß es „Lon" heißen (Dänisch) 159).

Wenn der Hausherr stirbt, muß man nach der Rockenphilosophie die B.fässer im Keller rücken [160]).

[158]) ZrwVk. 1915, 58.   [159]) J. M. T h i e l e *Den danske Almnes overtroiske Meninger* 49 Nr. 225. [160]) F i s c h e r l. c. 268.

II. B.o p f e r: a) In der vita Columbani [161]) wird erzählt, daß der Heilige zu den Südschwaben kam: „repperit eos sacrificium profanum litare velle vasque magnum, quam vulgo cupam vocant, qui XX modia amplius minusve capiebat, cervisa plenum in medio positum"; und Laricius [162]) „de deis Samotigarum" berichtet von den Litauern: „Rauguzemapati offerunt posteaque ebibunt primum vel cervisae vel aquae mulsae et dolio haustum quem nulaidimos cognominant." Bis zum Ende des 17. Jhs. brachten die Einwohner der Hebriden den Meeresgeistern ein Opfer dar; an Allerheiligen braute man Starkb., und der Priester goß davon mit einem Gebet ins Meer [163]). Als ein Opfer an den Wasserdämon ist wohl der Brauch auf den Orkneyinseln gedacht: die Schiffer besprengen ihre Boote, wenn sie sie am Peterstag zu neuer Fahrt rüsten, mit B. [164]). Die bei Telemarken aufbewahrten Donnersteine werden jeden Julabend mit B. übergossen [165]). B.opfer für die in Bäumen wohnenden Geister werden im Norden erwähnt [166]); für die Zeit 1526—1530 wird von einem unbekannten Autor über ein Opfer der Letten berichtet, das sie in Gestalt von B. und Brot unter einem Holunderbaume dem Erdgott Puschkaitis darbrachten [167]). Den Brunnendämonen opfern im wendischen Mollen [168]) die Frauen das erste Glas B. vom Faß. Gelegentlich des Bockopfers tranken, wie Waisselius [169]) berichtet, die alten Preußen B. aus Hörnern; und Sepp [170]) führt auf den Opfertrank beim Opfern des Antlaßwidders das Bockb. zurück; bis zum Jahre 1854 trank man in der Jachenau im Iserwinkel beim Schlachten des Widders stark gebrautes B.; mit Unrecht aber vergleicht Sepp das Epigramm Julians (vgl. § 1), wo dieser das B. der Kelten wegen des Geschmackes als Bock bezeichnet. Wahrscheinlicher ist die von Kluge [171]) und Weigand [172]) verteidigte Herleitung: Der Name findet sich seit dem 16. Jh. gekürzt aus „Aimbock" = B. aus Einbeck [173]); Harring [174]) lobt den „Bock" neben dem Stettiner B.

Verbreitet über die ganze Erde und bei den Völkern der alten und neuen Welt ist das B. a l s T o t e n o p f e r g a b e; den Sinn dieser Opfer beleuchtet ein Brauch der Permier in Rußland am besten: man gießt in eine Höhlung des Grabes B. und ruft: „Trink, Trink, wie Du früher getrunken hast [175])." Material für dieses weit verbreitete Opfer bietet reichlich Sartori, Die Speisung der Toten; schon in einer altbabylonischen Inschrift lesen wir [176]) zur Zeit von Urukagina (2900 v. Chr.): „Wenn ein Leichnam ins Grab gelegt wurde, für sein Getränk 3 Urnen sikaru (= Rauschtrank aus Getreide), für seine Nahrung 80 Brote"; und in Phrygien sind B.-service als Totengaben gefunden worden [177]); der Ägypter redet den Toten an: „Empfange dein Brot, das nicht vertrocknet und dein B., das nicht sauer wird" [178]) (Pyramideninschrift v. Sakkára um 3100 v. Chr.). Bei den Nordgermanen finden wir unter den üblichen Julopfern für die Toten-Vegetationsgeister auch das B.opfer; da stellt man im festlich gereinigten und gastlich offenen Hause für die Verstorbenen das „Engelsbier" [179]) auf den Weihnachtstisch und für die A l f e n eine Oese B. neben die Speise [180]). In Schweden bekommen am Julabend die Wichte B. und Milch von einer schwarzen Kuh [181]); ein norwegischer Bauer ließ an Weihnachten für das H u l d r e f o l k B. und Essen auf einen Birkenhügel tragen; am andern Morgen war alles leer [182]). Beim Begräbnis war das B.opfer besonders bei den hannoverschen Wenden üblich (um 1700), bei denen überhaupt das B. in Kult und Fest eine große Rolle spielte: nachdem man auf Kopf, Brust und Füße des Toten B. gegossen hat, wirft man nach dem Toten „sein warm B.topf"; nach dem Begräbnis spenden die Angehörigen B.; auf die letzte leere Tonne setzt man 2 Lichter, ein Glas B. und eine Semmel für das Seelchen [183]); die Litauer [184]), die auch sonst viele Gebräuche mit den Wenden gemeinsam haben, setzen dem Toten Brot und eine Flasche B. zu Häupten, ähnlich die Liven [185]). Bei den Esten goß man, bevor der Tote aus dem Hause getragen wurde, eine Kanne B. vor die Tür als „Kolls Gabe" [186]). Alte Totenopfer leben im L e i c h e n s c h m a u s fort [187]): in der Oberpfalz [188]) gibt es beim Leichentrunk Leichenbrot und B.[189]), je mehr man trinkt, um so besser ist es für den Toten; das ist eine uralte Anschauung, daß, je mehr man ißt und auf das Wohl der Toten trinkt, „plenius recreantur inde mortui" [190]); nach altem preußischen Brauch [191]) trank man in der Totenstube mit Schalen B. aus dem Backtrog, trank auch dem dabeisitzenden Toten zu mit den Worten: „Warum bist du denn gestorben . . . ?" „Setzten auch zu den Gräbern der Verstorbenen Brodt und eine Flasche Bier, damit die Seele nicht Hunger noch Durst leiden dürfe" (Maennling l. c.). Noch heute gibt es bei den Ostpreußen einen Leichenschmaus mit Kuchen und B.[192]); die Oldenburger [193]) versammeln sich nach der Beerdigung beim „Tröstelb." [194]), auf Sylt [195]) hieß früher der Leichenschmaus „Ehrb.", ein Beweis, welche Rolle das B. beim Totenmahl spielte, wenn das ganze Mahl davon seinen Namen hat; im Voigtland vereinigt die B.suppe die Leidtragenden [196]); in Westschleswig [197]) trinkt man am Schluß des Leichenmahles auf das Wohl der seligen Leiche und löffelt schweigend das Warmb. aus; bei den Letten [198]) wird beim Leichentrank etwas B. auf die Erde gegossen.

c) B. im F r u c h t b a r k e i t s o p f e r : Eine Verbindung von Fruchtbarkeits- und Anfangszauber haben wir am Luciatag in Schweden; da tritt, wie Hammarstedt [199]) erzählt, die Luzienbraut mit dem ersten Hahnenschrei in die Wohnstube und bringt eine Bowle von Starkb.; je mehr man trinkt, um so üppiger wird das folgende Jahr. „Credentes quod hoc illis Kalendae Jan. praestare possint, ut per totum annum convivia illorum in tali abundantia perseverent", sagt ja Caesarius von Arles [200]) von den „mensulae" in der Neujahrsnacht. Das älteste norwegische

Gesetz bestimmt, daß man an Allerheiligen und am heiligen Abend das B. Christo segnen soll und der heiligen Jungfrau, um einen guten Jahrwuchs zu erhalten [201]); sogar die Pferde bekamen früher vom Julb., wie sie vom Julbrot erhielten [202]). Opfer an Bäume kennt man im Norden ebenfalls: am Donnerstag opfert man unter Gebet einem bestimmten beim Hofe stehenden Laubbaum Milch und B., um das Unglück abzuhalten [203]). Fruchtbarkeitsübertragende B.spenden treffen wir auch beim M a i b a u m und Erntemaien. Wenn in Schönfeld (Bezirk Falkenau) der Maibaum gefällt wird, übergießt man die Säge mit B.[204]); die Wenden opferten beim Aufrichten des Kreuzbaumes an Mariä Himmelfahrt [205]) und des Kronenbaumes an Johanni [206]) gewaltige Mengen B., beim Kreuzbaumsetzen besprengten sie das Vieh mit B.[207]). Im Rheinland führt man beim feierlichen Einfahren des Erntemais ein Faß Beub.[208]) mit, oder man begießt den Maien mit B. und Wein [209]); in Schweden bindet man in die erste Garbe eine B.flasche [210]). Münchhausen beschreibt ein Opfer im Schaumburgischen, wo nach dem letzten Sensenschlag neben Milch und Branntwein auch B. geopfert wurde, das man auf die Erde goß [211]); der schwedische Bauer [212]) stellt, schon wenn die Saat reift, Grütze und B. schweigend vor Sonnenaufgang aufs Feld. Auf alten Opferspenden beruht das Pfingstb. beim Aufrichten der Pfingsttanne in Mecklenburg [213]), die B.gabe an den Graskönig in Stotternheim (Thüringen) [214]), das auf einem Hügel abgehaltene B.fest in Gödewitz [215]). Das Erntefest heißt direkt „Weizenb." [216]), Ernteb. [217]) (in Lauenstein, auch sonst [218])); in Anhalt [219]) gibt es am Martinsfest immer Bitterb. In Thüringen brauen die Dorfburschen das Kirmesb., und die Mädchen tragen es in ein Faß [220]). In Altenmuhr [221]) (Unterfranken) wird beim Kirchweihbegraben ein Kutterkrug mit B. feierlich vergraben, um im nächsten Jahr wieder ausgegraben und getrunken zu werden; in Schalkhausen wird beim „Körbe"-Begraben ein Faß B. eingescharrt [222]).

[161]) MG. scr. rer. Merov. IV, 102, 15 ff.;
W e i n h o l d *Frauen* [3] 2, 58; S a u p e *Indiculus* 14; H o o p s 283; L i p p e r t *Religionen d. europ. Kulturvölker* 1881, 176; K i r c h e r *Wein* 4; G r i m m *Myth.* 1,45—46; Kloster 9, 193; 12, 242—43. Im heiligen Opferb. ruht der Gott: C h a n t e p i e 2, 579. [162]) U s e n e r *Götternamen* 100, vgl. 85. [163]) H e c k s c h e r 137. [164]) K u h n *Westfalen* 2, 122; S a r t o r i *Sitte und Brauch* 3, 90 A. 18. [165]) M a n n h a r d t *Germ. Mythen* 101. [166]) Ebd. 59—60. [167]) Ebd. 63. [168]) Globus 81, 271. [169]) *Chronica alter Preusscher, Eifflendischer und Curlendischer Historien* 1599; bei T e t z n e r *Slaven* 383 A. 1. [170]) S e p p *Religion* 144 ff. [171]) K l u g e *Studentensprache* 22. [172]) *Wb.* 1, 260; vgl. S c h m e l l e r *Bayr.Wb.* 1, 204. [173]) Nach der Sage hat Einbeck den Namen davon, daß ein Kind, das eingemauert wurde, einen Zwieback erhielt und sagte: Nur ein Back?: S c h a m b a c h und M ü l l e r 17 Nr. 23, 1. [174]) *Faust im Gewande der Zeit* (1831) 67. [175]) Globus 71, 372 ff. bei S a r t o r i *Totenspeisung* 39 [1—2]; vgl. die Weiber am Nyassa, die mächtige B.krüge ausschütten und den Häuptlingsseelen zurufen: Schlaft wohl, ihr Götter, schlaft wohl: S a r t o r i 38 [1]; bei den Bagananoa führt eine Röhre auf den Schädel des Toten, durch die man ihm B. hinabträufelt: Ausland 48, 668; vgl. L i p p e r t *Der Seelenkult in seiner Beziehung zur althebräischen Religion* 29 ff.; L i e b r e c h t *Zur Vk.* 399, 6; Globus 71, 380; ARw. 12, 89. Eine Verbindung von Ernte- und Totenfest feiern die Bari in Ostafrika; sie stellen beim Erntefest Krüge B. auf das Grab und trinken sie später aus: T y l o r *Cultur* 2, 35; S a r t o r i 1, 53; auch die Russen schütten nach der großen, pompösen Zeremonie des Leichenmahles B. aufs Grab: Globus 71, 372 ff.; vgl. das Hahnenb. bei den Tschuwaschen: Globus 63, 324; S a r t o r i 34 f. 19 [2]. [176]) Vorderasiatische Bibliothek I, 1, 47; M e i ß n e r l. c. I, 239; Lit. auch bei S a r t o r i 37—38. [177]) ARw. 8, 153. [178]) Deutsche Rundschau 84, 266. [179]) Globus 72, 375; HessBl. 5 (1906), 31. 35. [180]) M a n n h a r d t *Germ. Mythen* 725; ZfVk. 1900, 199—200; vgl. HessBl. 5 (1906), 31: *Julbier*; ZfVölkerpsychol. 18, 371; R o c h h o l z *Glaube* 1, 324. [181]) ZfVk. 1900 l. c. [182]) Ebd. 1898, 138. [183]) Globus 81, 271; S a r t o r i *Totenspeisung* 26 [2], vgl. 24 [2]. [184]) Globus 69, 375; vgl. 73, 114; S a r t o r i l. c. 12 [1]; ebenso M a e n n l i n g 372 von den Preußen. [185]) S a r t o r i l. c.; S c h w e n k *Mythol. der Slaven* 302. [186]) B o e c l e r *Ehsten* 58; Kloster 12, 243. [187]) Ausland 1874, 682. [188]) S c h ö n w e r t h l. c. 1, 257 § 5; vgl. P o l l i n g e r *Landshut* 300; berühmt ist das Leichenb. in Belgien (Brabant): Ausland 1874, 472; S a r t o r i 23 [2]. [189]) Die Bauern in Skjave hielten früher das „G r a b b." vor dem Friedhof ab, eine Art Übergang vom Grabopfer zum Leichenschmaus: S a r t o r i 19 [2]. [190]) ZfVk. 1902, 496; R o c h h o l z *Glaube*

1, 306. [191]) T e t z n e r *Slaven* 23 mit Lit.; Ausland 1874 Nr. 1, 211; vgl. Kloster 9, 193. [192]) Globus 75, 146. [193]) S t r a c k e r j a n 2, 131 ff.; M e y e r *Myth. d. Germanen* 116 ff.; ZfVk. 1903, 268 ff.; über die Ostfriesen: Globus 8, 346; S a r t o r i 25 [1]. [194]) Die Skandinavier halten ein E r b b. ab.: S a r t o r i 37 [1]. 68 [1]; vgl. 19 [2]; über Erbb.: Arch. f. Anthropologie NF. 6, 96; E. H. M e y e r *Mythologie* 213; vgl. 73. [195]) J e n s e n *Nordfries. Inseln* 348; S a r t o r i 24 [2]; R o c h h o l z *Glaube* 1, 302; vgl. das G r a b b. in Schweden A. 189. [196]) K ö h l e r *Voigtland* 256. [197]) S a r t o r i 6 [2]. [198]) Ebd. 24 [1]; Ausland 1874 Nr. 1, 213. [199]) *Sveriger Rike* 3, 6, 477 ff.; ZfVk. 1902, 436. [200]) MG. Script. Merov. 3, 479 A. 6; vgl. R a d e r m a c h e r *Beiträge* 106. [201]) ARw. 19, 140; vgl. H ö f l e r *Weihnachten* 29. [202]) Globus 72, 375. [203]) ZfVk. 8, 141—142. [204]) J o h n *Westböhmen* 75. [205]) Kloster 9, 290 ff.; vgl. die B.spende in Thüringen: S o m m e r *Sagen* 149; R o c h h o l z *Glaube* 2, 294. [206]) Vgl. das B.heischen am Johannistag: B a u m g a r t e n *Jahr* 27. [207]) Ausführlich wird diese Sitte von dem Obersuperintendenten Hildebrand in einem Visitationsbericht vom Jahre 1672 beschrieben, zitiert v. T e t z n e r im Globus 81, 269—71; D e r s. *Slaven* 382 bis 385; M a n n h a r d t *W.F.* 1, 173—74; K u h n *Märkische Sagen* 331 ff. [208]) M a n n h a r d t l. c. 1, 200; M ü l l e r *Rhein.Wb.* 678; vgl. das Maisb.fest der Indianer: ZfEthnol. 49 (1917), 31. [209]) M a n n h a r d t 215. [210]) Ebd. [211]) J a h n *Opfergebräuche* 167—68; dem „Aswald" opfert man Brosamen und B.: R o c h h o l z *Glaube* 1, 333. [212]) ZfVk. 1898, 135. [213]) B a r t s c h *Meckl.* 2, 275 Nr. 1411; das Pfingstgelage hieß Lümmelb. ebd. 2, 284 Nr. 1424 A. [214]) W i t z s c h e l *Thür.* 2, 204—5 Nr. 14. [215]) J a h n *Opfergebräuche* 316 = S o m m e r *Sagen* 149—50; vgl. das Fest an Himmelfahrt im Mansfeldischen: Kloster 9, 290—91. [216]) So in Österreich: ZföVk. 10 (1904), 109. [217]) Gewöhnlich wird auch das schon von F r a n k *Altes und neues Mecklenburg* 1, 57 erwähnte Wodelb. oder W e d d e l b. als Ernteb. mit Wodan zusammengebracht (M e y e r *Germanische Mythen* 255; B a r t s c h l. c. 2, 301 Nr. 1480); dagegen hat K n o o p (BlPomVk. 3, 20—21. 36 ff.) das Weddelb. als den feierlichen Trank nachgewiesen, mit dem man ein Rechtsgeschäft oder eine Wette feiert; vgl. § 9; J a h n l. c. 164. 170. [218]) P f a n n e n s c h m i d *Erntefeste* 420 ff.; vgl. BlPomVk. 3, 90. [219]) ZfVk. 10, 90. [220]) W i t z s c h e l *Thür.* 2, 323 Nr. 3; vgl. E i s e l *Voigtland* 299 Nr. 757. [221]) P f a n n e n s c h m i d l. c. 306 f., nach P a n z e r *Beitr.* 2, 243 ff.; S a r t o r i *Sitte und Brauch* 3, 255 A. 61; vgl. 254 A. 58. [222]) P f a n n e n s c h m i d l. c. 307.

12. B. bei Hochzeit [223]) **u n d S c h w a n g e r s c h a f t.** Das B., von dem Kraft ausströmt (Brood un suur Beer gifft'n starken Minschen) [224]), das für den nordischen Bauern wie das Brot zur Nahrung gehört, überträgt schon in den Frühjahrsgebräuchen, wie wir sahen, Fruchtbarkeit, und so spielt es auch besonders auf Grund dieser Eigenschaft in den Hochzeitsgebräuchen eine Rolle. Natürlich soll nicht gesagt werden, daß jedes B.gelage bei der Hochzeit ein Fruchtbarkeitsopfer ist; oft gibt es B. an Stelle des teuren Weines („B.hochzeiten")[225]), oder es ist eben einfach der beliebteste Festtrank; nach Zimmermann ist B.-hochzeit = mariage par conscience[226]). Bei der Mahlzeit (der Esten) geht man mit dem B. vorsätzlich verschwenderisch um und gießt es bald hier bald dahin aus, damit auch bei dem neuen Ehepaar Überfluß eintrete[227]); die Rockenphilosophie berichtet[228]): „Vor der Trauung soll der Bräutigam das B.faß anzapfen und den Zapfen zu sich stecken, sonst können ihm böse Leute etwas antun" (Kraftspender als Apotropaion). Andererseits sollen die Brautleute nach Ch. Weise[229]) den Zapfen vom ersten B. und Wein in Acht nehmen; in der Altmark[230]) trinkt der Brautvater der Braut mit einem Glas B. zu, die Braut gießt den Rest über den Kopf; auf dem Heimweg bittet die Brautjungfer den Bräutigam um ein Glas B. (Saalfeld[231]) 1790). Bei Bautzen[232]) läßt die Braut die Gäste aus Milchgefäßen B. trinken. In Pommern setzt man dem Brautpaar feierlich B. vor[233]). In der Oberpfalz[234]) wird der Braut, wenn sie den Brautsprung über den Tisch macht, ein Glas B. nachgegossen, das heißt man das Jungfernwasser. Eigenartig ist das B.stehlen in Schleswig-Holstein[235]): Die glückliche junge Mutter verteidigt einen Krug heißes B. mit einem Knüppel gegen die Junggesellen, die ihr das B. zu rauben suchen. Eine Wöchnerin durfte bei den Wenden (um 1700) nicht in die Fußstapfen eines Mörders treten; um keinen Schaden zu nehmen, trank sie B., das der Mörder zuvor in der Hand hatte[236]). Bei den Wenden gibt es zur Feier der Kindstaufe das „Paggeleitzenb."[237]), die Mecklenburger nennen die Kindstaufe Kindelb.[238]). Das erste Warmb. für die Wöchnerin darf niemand kosten, es muß

mit den Fingern versucht werden, sonst bekommt sie Leibreißen[239]). Geht die Wöchnerin das erstemal zur Kirche, so wirft man ihr auf der Diele den Topf nach, aus dem sie die sechs Wochen über Warmb. getrunken hat[240]).

[223]) Vgl. den berühmten Vers des „Liubene" bei S t e i n m e y e r - S i e v e r s *Ahd. Sprachdenkmäler* 401 Nr. LXXXII, 1. [224]) M e n s i n g *Schleswig-Holst.Wb.* 1, 525. [225]) S a r t o r i *Sitte und Brauch* 1, 91. [226]) B r e v i n u s N o r i c u s F a g o - V i l l a n u s *Den allzuabergläubischen Christen* (1721) 310; vgl. G o e d e c k e *Grundriß* 3, 242. [227]) G r i m m *Myth.* 3, 488 Nr. 14. [228]) Ebd. 446 Nr. 354 = H. L. F i s c h e r *Aberglauben* 134; Kloster 12, 208. [229]) G r i m m *Myth.* 3, 469 Nr. 942. [230]) Kloster 12, 176. [231]) G r i m m l. c. 3, 451 Nr. 514. [232]) Kloster 12, 168; in England verkauft die Braut das Brautb.: Imago 1, 459; vgl. die Wotjäken: ZfVölkerpsychol. 18, 385. [233]) T e m m e *Pommern* 338. [234]) S c h ö n w e r t h l. c. 1, 110. [235]) M e n s i n g l. c. 1, 268. [236]) Globus 81, 271. [237]) T e t z n e r *Slaven* 380. [238]) B a r t s c h l. c. 1, 237 Nr. 308. [239]) G r i m m l. c. 3, 461 Nr. 765. [240]) Ebd. 3, 467 Nr. 885.

13. B. im L i e b e s z a u b e r. Wenn in Kottbus[241]) das Mädchen heimlich ins B.glas des Geliebten speit, so gewinnt sie ihn für sich; gießt in Böhmen ein Bursche Fledermausblut ins B., das ein Mädchen trinkt, so ist ihm das Mädchen verfallen[242]).

[241]) S t r a c k *Blut* 31. [242]) G r o h m a n n 203 Nr. 1455.

14. Im S c h a d e n z a u b e r spielt das B. als Medium oft in den Hexenprozessen eine Rolle: In einem Prozeß in Schlawe (1538) wird die Bürgermeisterin angeklagt, ihrer Stieftochter ein dickes schwarzes B. „Momye" gesandt zu haben, worauf diese in Raserei ausbrach[243]).

[243]) M. v. S t o j e n t i n *Aus Pommerns Herzogssagen* (Stettin 1910) 4; S o l d a n - H e p p e 1, 491; vgl. 287.

15. B. im G e g e n z a u b e r, Schieß- und D i e b e s z a u b e r: Im G e g e n z a u b e r verwendet man das B. in Preußen: wenn ein Kind beschrien ist, so gieße man auf die Stelle des Hemdes, wo das Herz ist, B., verbrenne den herzförmig ausgeschnittenen Stoff zu Asche und gebe das dem Kind in Wasser[244]) zu trinken. Nach böhmischem Aberglauben kann man den Spund eines B.fasses im

S c h i e ß z a u b e r verwenden, indem man heimlich einen Splitter hinter das Zentrum der Scheibe steckt [245]). In einem Prozeß zu Wohlau (1661) kamen furchtbare Einzelheiten über V e r b r e c h e r - a b e r g l a u b e n (Diebeskerzen!) zutage; u. a. hatten die Unmenschen die Herzen von 3 genotzüchtigten Mädchen pulverisiert und in B. getrunken und andern zu trinken gegeben, teils um sich beherzt und fest zu machen, teils im Glauben, daß die, welche davon getrunken, ihnen nachlaufen würden, um sie dann zu ermorden [246]).

[241]) S e l i g m a n n *Blick* I, 304. [245]) J o h n *Westböhmen* 324. [246]) MschlesVk. 1919, 110.

16. B. in H e i l k u n d e und H e i l z a u - b e r: 400 Jahre bevor Knaust und Coler über die heilsame Kraft des B.es schreiben, preist die hl. Hildegard in ihren causae et curae das B.[247]): „cerevisia autem carnes hominum incrassat et pulchrum colorem faciei eius praestat propter fortitudinem et bonum sucum frumenti"[248]); für einen homo de gutta paralysi [249]) fatigatus empfiehlt sie [250]): „cerevisiam de hordeo aut de siligine ieiunus bibat"; im Kapitel de amentia heißt es [251]): „... cerevisiam bibat (der Kranke), quae destitutos humores et sensus ipsius in rectitudinem continent et furorem amentiae ab ipso evertunt." Coler, welcher das „feine Büchlein des Herrn H. Knaust" ausgiebig benutzt [252]), schreibt schon den gewöhnlichen B.en Heilkraft [253]) zu: der Güstrower „Knysenak" ist gut gegen Stein, Hamburger B. mit frischer Butter genossen macht eine schöne glatte Haut und verhütet den Stein [254]); ebenso erhält man eine schöne Haut, wenn man sich mit Weißb. wascht; „ein Brei von Brot und B. gekocht und feist mit Butter und Öl gemacht und gewermet und des Morgens nüchtern gegessen .. erweichet den Leib und machet gelinde sanffte Stulgänge [255]); im „andern Teil" der oeconomia erwähnt Coler den Wundertrank: warmes Hamburger B. und Maienbutter [256]). Besonders nahrhaft ist das Erfurter B. [257]); dann aber kennt er eine Reihe von Kräuterb.en [258]), die gegen bestimmte Leiden verordnet werden, so z. B. das

Wermutb.[259]): „es stärket den Magen, macht Lust zu essen, treibt die Bilem durch, den Urin ab, vertreibt die Verstopfung der Leber und Miltzes, vertreibt und tödtet die Würm mit seiner Bitterkeit, hindert die Fäule, fördert die menses; ist auch ein guter Trank den Febrizianten und Wassersüchtigen, sonderlich wann die febres beginnen abzunehmen; so heilt jede Art der cerevisiae medicatae besondere Krankheiten: Salbeyenb.[260]) „stärket Haupt und Magen ... nimbt das Zittern der Kniescheiben, Beyfußb. ist gut für Frauenleiden, Roßmarinb. ist den „Melancholicis und Cordiacis" sehr gut, Lavendelb. stärket das Mark im Rückgrat und die Nieren, Melissenb.[261]) „machet aus traurigen und melancholischen Leuten fröhliche Leute, Haselwurtzb. „ist gesund ... den Geelsüchtigen und Podagrischen Leuten, den es nimbt den Tartarium, der sich zwischen die Gelenke gelegt hat"; „Wacholderb.[262]) ist gut ... zu Mängel der Nieren und Blasen und provoziert den Weibern menstrua gewaltig"; so zählt Coler an die 20 Sorten auf, meist mit Angabe der Zubereitungsart. Gegen die medizinische Überschätzung des B.es schreibt Homeyer seine Dissertation; „mit Gottes Hilfe" legt er dar, wie die „Bachivisia" für verschiedene Krankheiten schädlich ist, so für Fieberkranke (s. § 3—5), bei Nephritis, Kolik und Podagra (s. § 6) [263]).

Im Henkenhagener Arzneibuch [264]) wird für ein G e s c h w u r folgendes Rezept empfohlen: Betonienblätter und Kümmel in altem B. gekocht [265]); dasselbe Arzneibuch empfiehlt Disteln in B. gesotten gegen Gicht [266]). Im zweiten Teil der Oeconomia verordnet Coler ferner: Warmes B. mit Butter oder Tormentill als Wundtrank [267]), B. mit Eichenblättern gegen Dyssenterie [268]), Eberraute in B. gesotten gegen die aufsteigende Mutter [269]); Fischer [270]) kennt Feuerstein in B. gekocht gegen Rose, im Rheinland [271]) kennt man Leberkraut in B. abgekocht gegen Stein; die Magyaren [272]) empfehlen neun Flaschen B. mit neun Süßigkeiten gegen Syphilis. Im Elsaß gebrauchen Mädchen das Jungb. zum Abtreiben [273]). Gegen

Bettnässen brät man nach mecklenburgischem Aberglauben eine Maus zu Pulver und gibt das Pulver in warmem B. zu trinken [274]). Auch gegen katarrhalische Erkrankungen [275]) verordnet die Volksmedizin mit heißem Stahl erwärmtes B., die Mädchen verwenden das Tropfb. zum Haarkräuseln [276]); die Viehmedizin kennt B. als Mittel gegen Blutharnen der Pferde. Ein Arzneibuch vom Niederrhein (15. Jh.) rät [277]): „nem bechelen eyn loit gewicht inde ein krusen guets biers, werme dat e wenich inde guyst de perde in den hals; dat dö dicke, so wirt eme bas." Coler empfiehlt, das Euter der Kuh mit B. einzureiben [278]). Im Heilzauber finden wir z. B. in einem Hexenprozeß zu Mecklenburg das B. erwähnt (1584) [279]): eine Hexe rät, Herzspannkraut in einer Kanne B. zu sieden gegen Schwulst; gegen Magenbeschwerden gießt man auf ein glühendes, halbes gefundenes Hufeisen B. und trinkt es [280]). Gegen Abzehrung verschreibt in Mecklenburg [281]) die Volksmedizin morgens nüchtern B., welches über eine Adder, einen Schweinigel und eine Kröte abgezogen ist oder über Urtica dioica gestanden hat (auch gegen Würmer) [282]). Eine Krankheit, welche das Volk kaltem B. zuschreibt, ist unter dem Namen „B.tripper" bekannt [283]).

[247]) Lib. II de cerevisia = 150, 16 ff. K a i s e r vgl. 114, 24. [248]) In einem etymologischen Werk des 13. Jhs. heißt es: cerevisium quasi dicitur Cereris vis in aqua: S c h m e l l e r Bayr.Wb. 1, 265. [249]) In demselben Werk heißt es: homines habitantes in locis, ubi est cerevisia, raro incurrunt paralysim et lepram: S c h m e l l e r l. c. 114, 32 ff. K a i s e r [251]) l. c. 169, 16 ff. K. [252]) C o l e r l. c. 20. [253]) Über die Volksansicht von der Heilkraft des B.s vgl. F i n d e r Vierlande 2, 254. [254]) C o l e r l. c. 23. [255]) l. c. 24; vgl. K r ü - n i t z 5, 38—39. [256]) p. 244. [257]) C o l e r l. c. 22. [258]) Ebd. 24 ff. [259]) K n a u s t 67. [260]) K n a u s t 68. [261]) C o l e r 26. [262]) Ein Wacholderb. als Ernteb. wird jetzt noch in Pommern gebraut: BlPomVk. 4, 71. [263]) Dissertatio inauguralis medica de cerevisiae potu in nonnullis morbis insalubri et adverso v. P. G. H o m e y e r. Magdeburg 1743. [264]) BlPomVk. 3, 69; die römischen Mediziner verschrieben gegen geschwollene Drüsen Umschläge v. Attichblättern mit B.hefe: P a u l y - W i s s o w a 5, 464. [265]) BlPomVk. 8, 128 Nr. 107. [266]) Ebd. 136 Nr. 115. [267]) Oeconomia 2. Teil, 244.

[268]) Ebd. 2, 206. [269]) Ebd. 2, 213. [270]) F i s c h e r l. c. 180. [271]) ZrwVk. 1923—24, 37. [272]) W l i s - l o c k i Magyaren 143. [273]) Anthropophyteia 2, 260. [274]) B a r t s c h Meckl. 2, 102 Nr. 1377. [275]) H o v o r k a - K r o n f e l d 2, 19 ff.; auch in der römischen Medizin gegen Husten: P a u - l y - W i s s o w a 5, 464. [276]) S t o l l Zauberglauben 96; K r ü n i t z 5, 38—39. [277]) ZfVk. 1916, 199. [278]) C o l e r l. c. 407 cap. 59. [279]) B a r t s c h l. c. 2, 16. [280]) S e l i g m a n n Blick 1, 275. [281]) B a r t s c h l. c. 2, 118 Nr. 459. [282]) Vgl. P a u l y - W i s s o w a 5, 464. [283]) H ö h n Volksheilkunde 115 ff.

Eckstein.

Bieresel. Spuk in Tiergestalt (drei- oder vierbeiniger Esel) nach Art der Dorftiere (s. d.). In Thüringen, Sachsen und im Voigtland hockt der B. verspäteten Wirtshausgästen und Betrunkenen auf (s. Aufhocker), kommt aber auch ins Wirtshaus und trinkt den Gästen das Bier aus [1]). Sein Gelächter ist sprichwörtlich (Voigtland). Bei Torgau schafft er wie ein Kobold Bier ins Haus und verrichtet andre Hausarbeit, verlangt dafür jeden Abend sein Glas Bier und poltert, wenn es ihm entgeht[2]). In Deutschböhmen heißen die Geister gewissenloser Schankwirte, die im Wirtshaus als Poltergeister umgehen, B.; Beschreibung: grauer Ochse mit dickem rotem Menschenkopf und riesigen Hörnern; Begegnung mit dem B. bringt geschwollenes Gesicht und Fieber oder Tod [3]).

[1]) Rockenphilosophie V, 37; W i t z s c h e l Thüringen 1, 120; B e c h s t e i n Thüringen 1, 128. 204; M e i c h e Sagen 57 f. (= G r ä s s e Sachsen 1 Nr. 313; 2 Nr. 709); E i s e l Voigtland 123 Nr. 318. [2]) K u h n und S c h w a r t z 423 Nr. 221; vgl. 203 Nr. 225, 2. [3]) K ü h n a u Sagen 1, 146; L a u b e Teplitz 103 Nr. 2.

Ranke.

Biereule s. P i r o l.

Bild (= B.) und **Bildzauber** (= Bz.) [1]). I. B. u n d   p r i m i t i v e   K u l t u r. Ebensowenig wie heute ein primitives Volk existiert, das keine Religion besitzt, gibt es ein Volk, das nicht die Anfänge einer bildenden Kunst kennt. Wir finden eine solche daher bereits im Paläolithikum. Und zwar dient die primitive bildliche Darstellung einem dreifachen Zweck: A. Sie ist entsprungen dem ä s t h e t i - s c h e n   B e d ü r f n i s; sie dient der Freude, der Unterhaltung, dem Schmuck; der Spieltrieb macht sich hier geltend, oft auch die Langeweile. In diese Klasse der B.er gehören u. a. die zahlreichen sog. Petroglyphen, die sich in allen Erdteilen, zum Teil auch aus neuester Zeit, finden[2]). — B. Die bildliche Darstellung hat im **praktischen und logischen Bedürfnis** ihren Grund; sie dient der Mitteilung. Das Mitteilungsb. gibt eine ausgeführte Darstellung, und aus ihm entwickelt sich durch Abkürzung und dadurch, daß lediglich einiges Wesentliche hervorgehoben wird, die Bilderschrift (s. d.). Beispiele bei den nordamerikanischen Indianern, den Azteken, in der vorhieroglyphischen ägyptischen Schrift[3]) usw. — C. Die bildliche Darstellung geht aus dem **metaphysischen Bedürfnis** hervor und gehört dem Gebiet der Religion und Magie an. Als älteste B.er fallen in diese Gruppe die eiszeitlichen Höhlenb.er, die dem Analogiezauber (s. d. Anm. 22) dienen, und die sog. Inselidole (s. B.opfer Anm. 7), ferner die menschlichen B.er, meist in Wohnstätten des Paläolithikums und Neolithikums gefunden, die als Träger der „Kraft" des Verstorbenen aufzufassen sind, die Vorläufer etwa der chinesischen und römischen Ahnenb.er[4]); denn als Götterb.er möchte ich diese steinzeitlichen B.er nicht auffassen. — Gelegentlich bewirkt die zentripetale Kraft der Religion, d. h. diejenige Kraft der Religion, die ursprünglich profane Dinge und profane Kulturfaktoren in den Bereich der Religion zieht, auch, daß bildliche Darstellungen der unter A. und B. genannten Gruppe in die Sphäre der Religion gerückt werden. Im folgenden sind also im wesentlichen die bildlichen Darstellungen der dritten Gruppe zu berücksichtigen.

[1]) Zur gesamten Vorstellung: v. N e g e l e i n ARw. 5 (1902), 1 ff.; P f i s t e r Bayerischer Heimatschutz 23 (1927), 29 ff. Speziell über die Vorstellungen vom Götterbild: C l e r c *Les théories relatives aux cultes des images* 1915; P a u l y - W i s s o w a 11, 2143. [2]) A n d r e e *Parallelen* 1, 258 ff.; D a n z e l *Anfänge der Schrift* (Beitr. z. Kultur- u. Univ.-Gesch. 21, 1912), 11 ff. [3]) J e n s e n *Gesch. der Schrift* 1925, 13 ff. [4]) P a u l y - W i s s o w a 11, 2145.

2. B. u n d R e l i g i o n. Da das B. sowohl in der Religion als auch im Aber-

glauben eine Rolle spielt und beide Gebiete hier, wie auch sonst, nicht ganz scharf zu trennen sind, ist zunächst zu sehen, welche Bedeutung das B. in der Religion hat. Unter Religion verstehe ich das in Handlungen (d. h. im Kultus) oder in Erzählungen (d. h. im Mythus) oder in **künstlerischer Gestaltung** (d. h. i n d e r b i l d e n d e n K u n s t) oder in begrifflicher Reflexion (d. h. in der Theologie) sich äußernde Verhältnis des Menschen zu einer nach dem Glauben des Menschen in irgendwelchen Wirkungen sich kundtuenden oder offenbarenden Kraft oder zu solchen Kräften[5]). Die mannigfache Bedeutung, die das B. in der Religion hat, läßt sich in drei Gruppen gliedern:

A. Das B. ist ein krafterfüllter (orendistischer) Gegenstand; es ist also tabu oder heilig; es ist (zum mindesten für primitive Religiosität) selbst ein „Gott". Dabei kann das B., wenn es eine Person darstellt, entweder einen Menschen darstellen; dann ist es im primitiven Glauben ein Doppelgänger dieses Menschen und ist zugleich Träger seiner Kraft, wie z. B. bei den oben genannten steinzeitlichen menschlichen Figuren; auch im Bz. tritt uns diese Anschauung entgegen. Oder das B. gibt einen anthropomorphen Gott wieder und enthält ebenfalls die Kraft dieses Gottes. — Da das B. Doppelgänger des Abgebildeten ist und über dieselbe Kraft wie das Abgebildete verfügt, so sind auch Nachbildungen heiliger B.er ebenso wundertätig wie diese selbst, zumal wenn man sie mit dem Urbild in Berührung gebracht hat, so daß dessen Kraft auf das Abbild übergehen konnte[6]). So werden auch gerne Nachbildungen heiliger B.er als Amulett (s. d.) getragen. Ebenso erhält ein Brot (s. d.) oder Gebäck (s. d.) wunderbare Kraft, wenn es mit einem heiligen Bild verziert ist und kann etwa als Medizin eingenommen werden[7]). Götzenb.er aus Teig wurden z. B. durch das Konzil von Leptinae (743) verboten[8]). Und wie das ganze B. so ist auch der einzelne Teil desselben krafterfüllt, so daß man etwa abgeschabte Holzspäne eines Heiligenb.es als Medizin einnehmen kann (u. Anm.

39 f.). Das Verhältnis des Menschen zum „heilige" B., insbesondere zur Kraft des B.es, äußert sich in dreifacher Art: 1. Im Mythus; es werden B.wunder erzählt; s. u. Nr. 4. — 2. Im Kultus; es werden irgendwelche Handlungen, die sich auf das B. beziehen, vorgenommen; s. u. Nr. 5. — 3. In der begrifflichen Reflexion; es wird theoretisch der B.erdienst erörtert, begründet oder verworfen, was bis zum B.erstreit und B.ersturm führen kann; s. u. Nr. 6.

B. Das B. wird als Opfer der Gottheit dargebracht; s. Art. B.opfer Nr. 1 und 2. — Bei diesen beiden Gruppen ist das B. selbst das Wesentliche.

C. Nicht das B. an sich ist die Hauptsache, sondern der Gegenstand, der durch das ad hoc angefertigte B. dargestellt wird. Das B. ist Ersatz für das Dargestellte. So spielt das B. in der Religion eine Rolle als Ersatzopfer; s. Art. B.opfer Nr. 3.

⁵) Pfister Schwaben 97; BlBayVk. 10 (1925), 47. ⁶) Pollinger Landshut 77 f.; Fox Saarländ. Volksk. 254 f.; Klapper Schlesien 35; s. u. Nr. 5 A. ⁷) Pollinger 83. ⁸) Fehr Der Aberglaube und die kathol. Kirche des MA.s. 1857, 74 f.; Widlak Synode v. Liftinae 33; Weinhold Frauen 2 ², 61.

3. B. und Aberglaube. Was von dieser dreifachen Bedeutung des B.es in der Religion auch als Aberglaube aufzufassen ist, hängt zum Teil von der Stellung des Beurteilenden ab. Der Rationalist, der B.erstürmer, wird jeden B.erglauben als Aberglauben bezeichnen; dem gläubigen Anhänger einer Religion, die die Kraft des B.es anerkennt, ist das B. ein Gegenstand seiner religiösen Verehrung. Dazu kommt, daß auch der kirchlich gebilligte Glaube an B.er und der kirchlich gebilligte Gebrauch von B.ern nicht selten im volkstümlichen Glauben und Brauch derart sich ändert, daß das Gebiet der Religion unmerklich verlassen und das Gebiet des Aberglaubens betreten wird. Bei dieser unsichern Abgrenzung ist es das Beste, das oben gegebene System kurz durch Beispiele zu erläutern, zumal durch solche, die der volkstümlichen Überlieferung entnommen sind.

Dazu kommt nun aber noch ein weiterer B.erglaube, der unbestritten dem Gebiet des Aberglaubens angehört, der eigentliche Bz. Wir haben gesehen, daß das B. als solches selbst eine Rolle im Glauben spielen kann, aber auch als Ersatz für etwas Wirkliches, das durch das B. dargestellt wird. Dies letztere ist auch beim Bz. der Fall. Das B. vertritt hier in irgendwelchen Handlungen, die mit ihm vorgenommen werden, einen Gegenstand, den es darstellt, in der Regel ein Lebewesen, Mensch oder Tier. Es dient als Mittel, um einen Zweck zu erreichen, der das Dargestellte betrifft; s. u. Nr. 7.

So haben wir also der Reihe nach zu betrachten:

1. Das heilige B. in der Legende.
2. Das heilige B. im Kult.
3. Das heilige B. in der theologischen Erörterung.
4. Das B. als Opfer. (Ist im Art. B.opfer behandelt; s. a. B.stock.)
5. Das B. als Ersatzopfer. (Ist im Art. B.opfer behandelt; s. a. B.stock.)
6. Das B. im Bz.

Bei den vier ersten Punkten ist das B. an sich das Wesentliche und die Hauptsache, bei den zwei andern tritt das B. für die Wirklichkeit ein. Das heilige B., von dem zuerst zu handeln ist, kann je nach der Religion, der es angehört, das B. eines Gottes, einer göttlichen Person, eines Heros oder Heiligen sein, aber auch ein heiliges Zeichen (Symbol, sagt man gewöhnlich) wie die Doppelaxt bei den Hethitern und in der altkretischen Kultur, oder die Darstellung einer Szene aus der heiligen Überlieferung, aus dem Mythus oder der Legende. Bei heiligen B.ern ist die Kraft ⁹) das wesentliche, die sich in Wirkungen und Offenbarungen äußert, von denen die Legende erzählt, an die der Kult sich richtet und die in den theologischen Erörterungen verteidigt und angegriffen wird; s. auch Bildstock, Götterb., Heiligenb.

⁹) Pfister Reliquienkult 2, 531 f. 615 f.; Pauly-Wissowa 11, 2143.

4. Das heilige B. in der Legende. In ihr wird das B. und seine Kraft gefeiert; Legende ist ideeller Kult.

Es werden B.erwunder berichtet. Häufig ist schon der Ursprung des B.es von der Legende verklärt. Das B. ist vom Himmel gefallen oder von Engeln vom Himmel herabgetragen; es ist überhaupt nicht von Menschenhänden gebildet [10]); es ist in einem Baum gefunden worden [11]), von Tieren gezeigt worden [12]); es ist von selbst herbeigeschwommen [13]); es zeigt den Ort an, meist durch Tiere, wo es aufgestellt werden soll [14]), und kehrt, hinweggebracht, wieder an seinen alten Ort zurück und darf nicht von hier entfernt werden [15]), oder es hat sonstwie wunderbaren Ursprung [16]). Ganz ähnliche Sagen erzählt man auch von Glocken und andern heiligen Gegenständen. Ferner berichten Sagen von solchen B.ern, daß sie, verspottet oder mißhandelt, sich an dem Missetäter rächen und ihn bestrafen [17]), daß sie sich bewegen, sich umwenden, mit dem Finger oder den Augen winken [18]), daß ihnen ein Bart wächst [19]), daß sie bluten [20]), schwitzen oder Blut schwitzen [21]), weinen [22]), sprechen [23]), singen [24]), schreien [25]), im Feuer nicht verbrennen [26]), vom Wetter nicht getroffen werden. Mit letzterer Eigenschaft hängt der Glaube zusammen, daß B.er vielfach das Unwetter abhalten, daher man gelegentlich auch beim Herannahen eines solchen ein heiliges B. ins Freie stellt [27]). Zu allen diesen Sagenmotiven lassen sich Parallelen aus allen Zeiten stellen [28]). — Über B.er, mit denen nach der Sage das Schicksal eines Hauses oder einer Stadt verknüpft ist, s. Talisman.

[10]) v. D o b s c h ü t z *Christusbilder* (Texte u. Unters. zur Gesch. der altchristl. Lit. 3, 1899), mit viel Material; M ü l l e n h o f f *Sagen* 121 f. [11]) B i r l i n g e r *Volksth.* 1, 374. 380; M e i c h e *Sagen* 631 Nr. 777; P a n z e r *Beitr.* 2, 15; M e i e r *Schwaben* 323; W o l f *Niederl. Sagen* 264; R e i s e r *Allgäu* 1, 388 f.; P a u l y - W i s s o w a 3, 157. [12]) B i r l i n g e r *Schwaben* 1, 69; *Volksth.* 1, 387 ff.; P f i s t e r *Reliquienkult* 1, 231; 2, 440; R e i s e r *Allgäu* 1, 384 ff. [13]) B i r l i n g e r *Schwaben* 1, 58; *Volksth.* 1, 379 f. 389 f. 416 f.; P f i s t e r *Reliquien* 1, 211 ff.; G ü n t e r *Buddha in d. abendl. Legende* 156 f.; M e i c h e 259; H e y l *Tirol* 45; P a n z e r 2, 4 f.; S c h a m b a c h und M ü l l e r 26; O b e r h o l z e r *Thurgau* 64. [14]) B i r l i n g e r *Volksth.* 1, 403 f. 413 f.; G ü n t e r *Buddha* 174 f.; D e r s. *Die christl.*

Legende 81 f.; P f i s t e r *Schwaben* 62 f.; P a n z e r 2, 14 f.; W o l f *Niederl. Sagen* 267. 423 f.; D e r s. *Beiträge* 1, 152; H e y l 114 f. 324; R e i s e r 1, 378 ff.; S c h m i d t *Kultübertr.* 94 ff.; R i t z *Bayer. Heimatschutz* 22 (1926), 82 ff.; P o l l i n g e r 74 f.; M ü l l e n h o f f *Sagen* 111 ff. 114 f. [15]) B i r l i n g e r *Schwaben* 1, 61 ff. 64 ff.; *Volksth.* 1, 374. 399 ff. 418. 421; P a n z e r 2, 39; P f i s t e r *Schwaben* 59 ff.; W o l f *Niederl. Sagen* 265. 270 f.; R e i s e r 1, 387 f. 403 ff.; H e y l 327 f. 442. 550 f.; B a r t s c h *Mecklenburg* 1, 351 f.; K ö h l e r *Voigtland* 610; E i s e l *Voigtland* 201 f.; s. auch Art. B.stock, Anm. 11. [16]) B i r l i n g e r *Schwaben* 1, 65; *Volksth.* 1, 416; K ü h n a u *Sagen* 2, 101; R e i s e r *Allgäu* 1, 389 ff.; W o l f *Niederl. Sagen* 265 f.; D e r s. *Beitr.* 1, 153; H e y l 549 f.; P a n z e r 2, 39; M ü l l e n h o f f 115. [17]) B i r l i n g e r *Schwaben* 1, 81 f.; *Volksth.* 1, 423 f. 426 f. 428 ff.; M e i e r *Schwaben* 1, 291 f.; W o l f *Niederl.* 416. 657 f.; R e i s e r 1, 379; E i s e l 199 ff.; H e y l 556; M e i c h e 256. 267; S t r a c k e r j a n 2, 263; M ü l l e n h o f f 126 f. [18]) B i r l i n g e r *Volksth.* 1, 376. 378. 428; W o l f *Beitr.* 2, 257 f.; D e r s. *Niederl.* 420 f. 657; E i s e l 200; H e y l 42 f.; P o l l i n g e r *Landshut* 72 f. 89; S a i n t y v e s *Les reliques et les images légendaires* 1912. [19]) P o l l i n g e r 72; H e y l 398 f. [20]) B i r l i n g e r *A. Schwaben* 1,81; *Volksth.* 1, 427; W o l f *Niederl.* 416; M ü l l e n h o f f *Sagen* 126 f.; R o c h h o l z *Glaube* 1, 48. [21]) B i r l i n g e r *Schwaben* 1, 79; M e i c h e 252 f.; R o c h h o l z *Sagen* 2, 128; M ü l l e n h o f f 124. [22]) B i r l i n g e r *A. Schw.* 1, 58 f. 64; *Volksth.* 1, 379; J ö r g e r *Vals* 14. [23]) W o l f *Niederl. Sagen* 271. 425 f.; B e c k e r *Pfalz* [3] 140 f.; Schwankhaft: B o l t e - P o l i v k a 3, 120 ff. [24]) B i r l i n g e r *Volksth.* 1, 374. [25]) D e r s. *Volksth.* 1, 427 f.; E i s e l 200. [26]) B i r l i n g e r *A. Schw.* 1, 66 f.; *Volksth.* 1, 425; P a n z e r 2, 9; R e i s e r 1, 391 f.; L ü t o l f *Sagen* 530 f.; H e r z o g *Schweizersagen* 2, 247 f.; B e c k e r *Pfalz* [3] 141. [27]) B i r l i n g e r *Volksth.* 1, 192. 195 f.; P f i s t e r *Schwaben* 62 f. [28]) Beispiele aus dem Altertum: W e l c k e r *Griech. Götterlehre* 2, 121 ff.; W e i n r e i c h *Heilungswunder* 146; P a u l y - W i s s o w a 11, 2143. Aus dem MA.: M e y e r *Aberglaube* 178 ff.

5. **Das heilige B. im Kult.** Es werden irgendwelche Handlungen vorgenommen, die sich auf das heilige B. und seine Kraft beziehen, und mit diesen Handlungen wird ein bestimmter Zweck verfolgt, der vierfacher Art sein kann:

A. Die Kraft des B.es strahlt von ihm aus wie ein Fluidum, und diese Kraft ist übertragbar [29]). Insbesondere durch Berührung kann diese Kraft übertragen werden. Man berührt also das B., ein Gestus beim Beten, der weit verbreitet ist [30]). Oder das B. wird geküßt: Auch der Kuß (s. d.) als sakrale Handlung hat ursprünglich den Zweck, solche Kraft zu übermitteln, sich anzueignen, wenn das Geküßte über die heilige Kraft verfügt, zu übergeben, wenn der Küssende sie besitzt [31]). Oder man trägt das heilige B. bei sich [32]); dann wirkt es ebenfalls stärkend oder übelabwehrend, s. Amulett, Heiligenb. Zeichnet man sich das B. oder Charaktere (s. d.) oder Zauberzeichen (s. d.) auf den eigenen Körper, so hat das dieselbe Bedeutung; s. Tätowieren. Natürlich kann man solche Zeichen und B.er auch an andern Gegenständen, Haustüren, Ställen usw. anbringen, um diese zu „weihen" oder um Böses von ihnen abzuwehren (s. Amulett, Talisman). Ferner kann man B.er, Zauberzeichen usw. essen oder in Wasser aufgelöst trinken, um sich ihre Kraft zuzufügen [33]). Und schließlich können B.er umhergetragen oder -gefahren werden (s. Prozession, Umgang), damit das von ihnen ausgehende Fluidum sich heiligend auf die Umgebung verbreitet [34]). — Was hier von B.ern allgemein gesagt ist, gilt auch im Besonderen für das Heiligenb. (s. d.). Kranken bindet man ein solches um den Hals, insbesondere das B. des Heiligen, der für die betr. Krankheit besonders hilfreich ist (Bayern) [35]). Kleinen Kindern legt man Heiligenb.er ins Tragkissen, damit sie brav werden und gut lernen [36]) oder zum Schutz gegen Hexen [37]). In Bayern werden vielfach bei Wallfahrtskirchen kleine Heiligenb.er verkauft, die bei Krankheiten verschluckt werden, „um durch die besondere, dem betreffenden Heiligen innewohnende Kraft die Heilung herbeizuführen. Zu Mariazell in Steiermark werden derartige verkauft, welche das Gnadenb. der dortigen Muttergottes zeigen. Es sind Abdrücke von einem alten Holzstock, auf dem mehrere der ungefähr 2 cm im Geviert enthaltenden B.chen vereinigt sind. Man schneidet sie je nach Bedarf mit der Schere ab und verschluckt sie [38])." Im Badischen gibt man gelegentlich Holzspäne von einem Heiligenb. dem Kind

im Brei zu essen [39]). Denn auch ein Teil des B.es ist von derselben Kraft erfüllt wie das ganze. So ist wohl auch die Stelle aus der Aberglaubenliste des Tirolers Hans Vintler [40]) um die Wende des 14. zum 15. Jh. zu erklären, wo es kurz heißt: „etleich die sneiden ainen span aus unsers herren marter." Wozu dieser Span aus dem Kruzifix verwendet wird, wird hier nicht gesagt; aber diesem Brauch liegt sicher der Glaube zugrunde, daß auch ein kleiner Teil eines B.es wie auch der einer Reliquie (s. d.) mit der gleichen Kraft wie das ganze erfüllt ist. In einem Hexenprozeß von 1546 kam zur Sprache als Mittel, sich unsichtbar zu machen: Die eine Angeklagte bohrte einem Kreuzb.e die Augen aus und sagte, wenn sie diese Augen bei sich habe, könne niemand sie sehen [41]). Die Congregatio S. Officii hat in der Sitzung vom 29. Juli 1903 entschieden, daß es gestattet sei, *parvas imagines chartaceas Beatæ Mariæ Virginis in aqua liquefactas vel ad modum pillulae involutas ad sanitatem impetrandam deglutire,* falls jeder Aberglaube und die Gefahr eines solchen dabei ausgeschlossen sei [42]). Bei allen diesen Bräuchen gilt der Zweck, die Kraft des B.es auf sich selbst oder auf etwas andres zu übertragen, sich selbst oder etwas andres mit der Kraft des B.es zu vereinigen. Wir nennen dies den s a k r a m e n t a l e n Zweck.

Die Übertragbarkeit der Kraft des B.es ermöglicht es auch, diese Kraft in irgendwelchen Gegenständen, etwa Tuchlappen, einzufangen, die man mit dem heiligen B. in Berührung gebracht hat und die hierdurch „geheiligt", d. h. ebenfalls mit heiliger Kraft erfüllt werden. So haben z. B. die Polynesier Götterb.er, die als Sitz wunderbarer Kräfte gelten. Bei einem Fest werden sie aus ihrem Tempel herausgetragen, die Priester legen rote Vogelfedern, die ihnen von den Leuten übergeben werden, in eine Höhlung der B.er. Hier saugen sie sich gewissermaßen voll an der Kraft dieser B.er und können dann als ebenfalls krafterfüllte Substanzen (Amulette, Fetische) mit nach Hause genommen werden [43]); vgl. die „angerühr-

Geliebten aus Wachs oder Stroh in Japan [67]). — Richtiger Liebeszauber: Etliche machen sich B.er aus Erde, Wachs, Edelsteinen oder Mischungen von gewissen Dingen, taufen dieselben mit dem Namen der Person, der sie Liebe einflößen wollen, und dieses zwar mit denselben Zeremonien, welche die Priester bei der wirklichen Taufe gebrauchen, nur daß sie dabei den Teufel anrufen und beschwören; auch fügen sie dazu noch gotteslästerische, schändliche Worte. Alsdann schmelzen sie dieselben, und zu gleicher Zeit wird das Herz des bis dahin nicht Liebenden, dessen Namen das B. trägt, mit Liebe entzündet [68]). — Andere Form [69]): Liebende verfertigten Wachsb.er und gaben diesen den Namen der geliebten Person. Man öffnete alsdann die Brust des B.es, verfertigte aus irgendeinem vorgeschriebenen Material ein Herz und verschloß dieses unter allerlei Zauberformeln in das betreffende B. — Arabisch: Man macht zwei Wachskerzen und gibt ihnen die Gestalt zweier Menschen. Dann vergräbt man sie insgeheim. Wenn dies nun so geschieht, daß ihre Gesichter einander zugewendet sind, dann neigen sich die dargestellten Personen einander in Liebe zu; wenn sie einander den Rücken kehren, dann hört die Liebe der beiden auf [70]). — Auch solcher Bz. als Liebeszauber ist weit verbreitet [71]).

C. **Heilzauber.** „Andere, wann etwa ein Mensch beschädiget worden, so machen sie ein B. von Wachs, darüber drey Messen an dreyen Freytagen gelesen werden; hat nun der Mensch den Schaden im Auge, so stechen sie es in die Augen, ist's aber an den Schenkeln, Armen oder anderswo, so stechen sie auch das B. daselbst hin; darauf müsse dann die Hexe wider helffen und den Schaden wegnehmen" [72]). Auch Paracelsus kennt den Heilzauber durch Wachsb.er [73]). Andere Art: Ist ein Kind krank, so wird ein Abdruck von ihm aus Brotteig gemacht und in den Backofen geschoben; dann wird es gesund; weit verbreitet [74]). Man nennt dies kranke Kinder „backen" (s. d.).

D. **Lekanomanteia.** Eine besondere Art der Lekanomanteia (s. d.)

wird im Eingang des in der gesamten Weltliteratur, auch im MA. bekannten Alexanderromans geschildert, in den einzelnen Rezensionen freilich verschieden [75]). Wenn der ägyptische König Nektanebos von einer feindlichen Flotte angegriffen wurde, setzte er Wachsmodelle von Schiffen und Menschen unter Zaubersprüchen [76]) in eine Wasserschüssel. Dann versenkte er die B.er und ebenso ging auch die feindliche Flotte unter; nach andrer Version zogen seine B.er gegen den Feind.

E. **Abbildungsfurcht.** Da der Bz. als Schadenzauber allgemein verbreitet ist, so findet sich auch häufig die Furcht, sich abbilden oder photographieren (s. d.) zu lassen. Denn der Besitzer des B.es hat den Abgebildeten in seiner Gewalt oder, wie es auch ausgedrückt wird, das B. raubt die Seele. Diese Scheu ist bei Naturvölkern wie in Europa lebendig [77]). Diese Furcht findet sich auch in der Form, daß man sich nicht malen lassen soll, sonst muß man sterben [78]). Oder: Wer sein eigenes B. zeichnet, stirbt bald [79]). Oder: Wenn sich Familien zusammen photographieren lassen, muß ein Glied der Familie in nächster Zeit sterben [80]). Insbesondere soll man Kinder unter einem Jahr nicht abbilden lassen, sonst sterben sie [81]). S. auch Spiegel.

F. **B. an der Wand.** Auf dem Glauben an die engen Beziehungen der Person zu ihrem B. beruht der Glaube, daß das Herabfallen des B.es eines Kranken dessen Tod anzeigt [82]) oder allgemein Unglück bedeutet [83]). Auch glaubt man gelegentlich, daß die B.er Verstorbener blaß werden und „absterben" [84]). Die Sitte, bei einem Todesfall B.er und Spiegel (s. d.) zu verhängen oder umzukehren, „damit die Seele ungehindert entweiche" [85]), schafft die Kraft des Toten oder die Seele dadurch aus dem Haus, daß man das B. oder Spiegelb. beseitigt.

G. Daher soll man auch **den Teufel** (s. d.) **nicht an die Wand malen**, sonst kommt er [86]). Er ist mit seinem B. eng verbunden. Vgl. die Geschichte von dem Maler, der ein B. des Teufels malte und dadurch in Unannehmlichkeiten geriet, die ihn fast zum Galgen brachten[87]).

N a c h t r a g : Es ist weit verbreiteter Glaube, daß gerade Bilder von hohem Alter über besondere Kraft verfügen[88]). Aber wie ist der Glaube[89]) zu verstehen, daß B.er erst 60 Jahre nach ihrer Herstellung Kraft erhalten?

[58]) M e y e r *Aberglaube* 261; ZfVk. 23 (1913), 14. [59]) S c h i n d l e r *Aberglaube* 350 f. [60]) Viel bei A b t *Apuleius* 82 ff.; dazu Globus 79, 109 ff.; Philol. 61 (1902), 61 ff.; SAVk. 2, 270; ZfdMyth. 1 (1853), 6. 242; ZfVk. 7, 252; 9, 332 f.; 12, 10; 13, 440 f.; 23, 14; ARw. 5, 8 ff.; 14, 223; 19, 286 ff.; MschlesVk. 13/14, 525 ff.; 17, 35; Arch. f. Anthrop. 34 (1912), 104 f; B a r t s c h *Mecklenburg* 2, 355 Nr. 1664; S e y f a r t h *Sachsen* 50 ff.; K ü h - n a u *Sagen* 3, 195; D r e c h s l e r *Schlesien* 2, 257. 261; S t r a c k e r j a n *Oldenburg* 1, 376; P a n z e r *Beitr.* 2, 272 f.; S c h i n d l e r *Aberglaube* 132 ff.; M e i c h e *Sagen* 488 f.; S t e m p l i n g e r *Aberglaube* 69 ff.; G r o ß *Handbuch* 1, 542; A n d r e e *Parallelen* 2, 8 ff.; G r i m m *Myth.* 2, 913 f.; M ü l l e n h o f f *Sagen* 223; P f i s t e r *Schwaben* 45 f.; Gesta Roman. c. 102, übers. von G r ä s s e 1, 181; 2, 266; H a n s e n *Zauberwahn* 252. 260; D e r s. *Hexenwahn* 702. [61]) ZfrwVk. 4 (1907), 118 f. [62]) J o h n *Erzgebirge* 27; S e y f a r t h *Sachsen* 53; ZfrwVk. 1905, 291. [63]) B a r t s c h *Mecklenburg* 2, 329. [64]) ZfVk. 13 (1903), 441. [65]) S e y f a r t h *Sachsen* 53; M e i c h e *Sagen* 576; Urquell 3 (1892), 4 f.; MschlesVk. 12 (1905), 68; S c h ö n w e r t h *Oberpfalz* 3, 171 f.; M ü l l e r - B ä c h t o l d *Uri* 1, 245; A n d r e e *Parallelen* 2, 9. [66]) S e y f a r t h 53; J a c o b y ARw. 16, 122 ff.; 18, 586 ff.; P r e i s e n d a n z Hess.Bl. 12, 139 ff.; Arch. f. Anthrop. 34 (1912), 104; v. K ü n s s b e r g JbhistVk. 1 (1925), 91. [67]) Urquell 3 (1892), 84 f. [68]) D e l r i o *Disquisitiones magicae* 364 bei W o l f *Niederl. Sagen* 367 f.; vgl. ZfVk. 23 (1913), 14. [69]) A n h o r n *Magiologia* bei M e y e r *Aberglaube* 263. [70]) ZfVk. 13 (1903), 441. [71]) K u h n e r t *Rhein. Mus.* 40 (1894), 34 ff.; A b t *Apuleius* 239 f.; F a h z *Doctrina magica* 19 f.; D e d o *De antiquor. superstit. amatoria.* Diss. Greifsw. 1904, 23 ff.; S t e m p - l i n g e r *Aberglaube* 70 f. [72]) H a r t m a n n *Greuel des Segensprechens* (1680) 95 bei E b e r - m a n n ZfVk. 23 (1913), 14. [73]) S t e m p l i n - g e r *Aberglaube* 71; H e c k e r *Tanzwut* 19 f. [74]) D r e c h s l e r 1, 211; K l a p p e r *Schlesien* 289. [75]) A u s f e l d *Der griech. Alexanderroman* 30 ff.; P a u l y - W i s s o w a II, 2178 f. Ähnliches: Arch. f. Anthropol. 39 (1912), 97. [76]) P a u l y - W i s s o w a Suppl. 4, 335. [77]) T y l o r *Culture* (engl. Ausg.) 2[4], 169 ff.; L u b b o c k *Entstehung der Civilisation* 17 ff.; A n d r e e *Parallelen* 2, 18 ff.; L e v y - B r ü h l *Das Denken der Natur-*

völker 32; ARw. 5, 10 f.; S e l i g m a n n *Zauberkraft* 221 f.; S a m t e r *Geburt* 135, 2; S e y f a r t h *Sachsen* 54; ZfVk. 1 (1891), 152; G r o ß *Handbuch* 1, 524, 2. [78]) K ö h l e r *Voigtland* 423. [79]) B a r t s c h *Mecklenburg* 2, 126. [80]) S e y f a r t h 54. [81]) Ebd.; D r e c h s - l e r 1, 212; W o l f *Beiträge* 1, 206; ARw. 5, 24. [82]) J o h n *Erzgebirge* 113; F o g e l *Pennsylvania* 118 Nr. 527. [83]) S t r a c k e r j a n 1, 38; 2, 233; Egerl. 3 (1899), 59; G r o h - m a n n 219. [84]) M e y e r *Baden* 581. [85]) D r e c h s l e r 1, 290 f.; N e g e l e i n ARw. 5, 33; F o g e l *Pennsylvania* 135 Nr. 618. [86]) ARw. 5, 11 f. [87]) V e r n a l e k e n *Mythen* 378 f. [88]) P f i s t e r *Reliquienk.* 1, 340 ff. [89]) ZfVk. 11 (1901), 277; 19 (1909), 145.

Pfister.

Bilderhändler, Verkäufer von heiligen oder magischen Bildern, die sie häufig im Umherziehen oder auch an Wallfahrtsorten feilhalten. Ein solcher B., der aufgegriffen wurde, hatte einen ganzen Sack voll Hexenmittel, darunter geschnitzte hölzerne Bildchen, mit Ton überzogen und vergoldet, die man in Mörsern zerstoßen mit einer gewissen Tinktur einnehmen sollte[1]). Eine andere Person, die fast immer auf der Wanderschaft von einem Wallfahrtsort zum andern war, trug Pilgerstäbe, Weihwasser, Zellerrauch usw. bei sich und machte auch ein gutes Geschäft mit Amuletten, besonders Bildern, von denen eines als Krankheitsschützer verschluckt werden mußte[2]).

s. auch B i l d .

[1]) SAVk. 21 (1917), 49. [2]) ZföVk. 10 (1904), 107 f.

Pfister.

Bilderschrift. Alle eigentlichen Buchstabenschriften (Alphabete) haben sich durch Vermittlung der altsemitischen Schrift aus der ägyptischen Hieroglyphenschrift entwickelt[1]). Diese ist keine reine B., aber sie ist aus einer B. durch Hinzutreten phonetischer Konsonantenzeichen und der Determinative entstanden. So ist also eine B. die Urmutter der uns bekannten Alphabete. Soweit wir die ägyptische B. kennen, wurde durch sie eine Geschichte oder ein Vorgang zwar durch ein Bild erzählt, aber nicht durch ein den Vorgang vollkommen darstellendes Mitteilungsbild, sondern in mehr oder minder abgekürzter, konventioneller, symbolischer Weise, so daß das Bild nur von dem ganz zu deuten war, der die Symbolik

Zwecken dienen und aus verschiedenen Gründen errichtet sind, so seien die wichtigsten Gruppen hier kurz zusammengestellt. Es finden sich hierfür u. a. die Namen B., Bußkreuz, Cholerastein, Denkstein, Feldkreuz, Franzosenkreuz, Gedächtniskreuz, Hagelstein, Hussitenkreuz, Kreuzstein, Malefizkreuz, Marterl, Memorienkreuz, Pestkreuz, Pfaffenkreuz, Rabenkreuz, Rebellionskreuz, Schauerkreuz, Schwedenkreuz, Steinkreuz, Sühnekreuz, Tartarenkreuz, Wallfahrerstein, Wetterstein, Zigeunerstein usw., Namen, die oft unterschiedslos für die verschiedenen Gattungen gebraucht werden. Vielfach haben sich Sagen an diese Bildwerke angeschlossen, die, häufig nicht richtig, den Grund ihrer Erstellung angeben oder von Erscheinungen und Wundern, die sich bei ihnen ereigneten, berichten. Wir können folgende Hauptarten solcher Bildwerke unterscheiden:

1. **H e i l i g e   B i l d e r**, B. im engeren Sinn, Christus oder Heilige oder Szenen aus der heiligen Überlieferung darstellend, oder lediglich ein Kreuz. Häufig weisen Inschriften auf ihre Bedeutung hin, welche zu Gebet und Frömmigkeit auffordern oder selbst ein Gebet enthalten. Oft ist auch Stifter und Jahreszahl genannt [1]. Manchmal stellt ein solches Bild auch einen Stationspunkt eines alten Wallfahrtsweges dar [2].

[1] H e u f t ZfrwVk. 1909, 284 ff.; 1911, 59 ff.; P o l l i n g e r *Landshut* 47 ff.; F o x *Saarland* 249 f. [2] K ö h l e r *Voigtland* 598 Nr. 249; M e i c h e *Sagen* 927 Nr. 1130; K ü h n a u *Sagen* 1, 311 Nr. 284.

2. **S ü h n e k r e u z e** [3], meist einfache steinerne Kreuze (s. d.), Monolithe, in der Regel ohne weitere Zeichen, manchmal aber auch mit Jahreszahl, Inschrift oder figürlichen Zeichen. Sie sind, wie erhaltene Urkunden lehren und wie häufig im Volksbewußtsein noch lebendig ist [4], vom Mörder zur Sühne seiner Tat errichtet, meist an der Stelle der Mordtat, manchmal aber auch an der Straße, um die Vorübergehenden zum Gebet für den Ermordeten aufzufordern. Das älteste, sicher datierbare Sühnekreuz findet sich bei Varmissen im Hannoverschen mit der Jahreszahl 1260; im 14.—16. Jh. sind sie besonders häufig. — Hier haben wir wahrscheinlich den letzten Rest eines uralten Glaubens, nach welchem gewaltsam ums Leben Gekommene noch ganz besonders auf die Hinterbliebenen wirken und ihnen schaden können, daher sie vielfach einen besonderen Toten- und Heroenkult erhielten. Hat der Ermordete sein Recht nicht bekommen, d. h. ist, was germanische wie griechische Anschauung verlangte, die Blutrache nicht ausgeübt worden, so irrt der Geist des Erschlagenen ruhelos und zürnend umher. Nur durch einen Seelenkult oder, abgeschwächt, durch ein Sühnekreuz als Opfer kann sein Groll beschwichtigt werden [5]. Gelegentlich herrscht noch der Brauch, an solchem Kreuz einen Zweig niederzulegen [6]. Die Sühnekreuze sind über ganz Deutschland, Österreich, die Schweiz, Oberitalien, Frankreich und England verbreitet.

[3] F r. W i l h e l m MVerBöhm. 39 (1901), 195 ff.; A n d r e e - E y s n ZföVk. 3 (1897), 65 ff.; R a i c h in Katholik 84 (1904), 42 ff.; N e u m a n n *Steinkreuze*; N ä g e l e Württemb. Jbb. f. Statistik 1913, 377 ff. und ZfVk. 1912, 253 ff., wo weitere Lit.; DG. an vielen Stellen; L a m m e r t 113; E i s e l *Voigtland* 288; K l a p p e r *Schlesien* 49 f.; F r a u e n s t ä d t *Blutrache u. Totschlagsühnen im deutschen Mittelalter* 1881. [4] B i r l i n g e r *Volksth.* 1, 173 Nr. 267. [5] P f i s t e r *Schwaben* 77 ff. [6] B a r t s c h *Mecklenburg* 1, 455 f.

3. **E r i n n e r u n g s b i l d e r   u n d   U n f a l l k r e u z e**, die an ein Unglück erinnern, das an dem Ort stattgefunden hat, wo der B. steht, oft als Marterl im engeren Sinn bezeichnet. Vielfach ist eine bildliche Darstellung des Unglücksfalles angebracht, ebenso Inschriften, die Name, Zeit und Art des Unglücks angeben [7].

[7] P o l l i n g e r *Landshut* 50 ff.; E i s e l *Voigtland* 287. 291; M ü l l e n h o f f *Sagen* 83 f.; N e u m a n n a. a. O. 8.

4. **D e n k s t e i n e** für Gefallene, nach der Überlieferung häufig an der Stätte ihres Grabes errichtet. Solche B.e werden besonders oft auf die Zeit des Dreißigjährigen Kriegs zurückgeführt [8]. Vielfach führen sie die Bezeichnung Schwedenkreuze oder Franzosenkreuze [9].

In letzter Linie sind alle diese Bild-
zeichen Opfer, die Gott, den Göttern, Heiligen, den Seelen der Ermordeten oder
Verunglückten dargebracht wurden. Häufig wird es ausdrücklich berichtet, daß sie
zum Dank für Hilfe oder Heilung errichtet
wurden [10]; s. auch Bildopfer. Da aber die
eigentlichen B.e in der Regel mit einem
Bilde Christi oder eines Heiligen geschmückt sind, so werden sie vielfach
selbst aus Opfern zu Heiligtümern, bei
denen gebetet und Gelübde abgelegt
werden. Der wirkliche Grund für die Errichtung des einzelnen B.s läßt sich oft
nicht mehr mit Sicherheit feststellen. Um
so mehr haben sich volkstümliche S a g e n
dieser B.e bemächtigt, die gelegentlich
wohl das Richtige treffen können, in
ihrer Mehrzahl aber keine historische
Überlieferung bieten [11]. So kehrt häufig
die Sage von der verfolgten Jungfrau
wieder, die sich zu Tode stürzt [12]. Vielfach weiß auch die Überlieferung von
mancherlei Spuk zu erzählen, der sich an
solchen B.en ereignete [13], oder der sich
dann einstellte, wenn man das Bild weggeschafft hatte, und erst wieder aufhörte,
wenn es am alten Platze wieder stand [14].
Über Bildlegenden s. auch Bild § 4.

[8] B i r l i n g e r *Volksth.* 1, 171 Nr. 266;
P o l l i n g e r 53 f.; K ö h l e r 594 ff.;
M e i c h e 921 Nr. 1120; ZfrwVk. 9, 298;
E i s e l *Voigtland* 63. 283. [9] N ä g e l e a. a. O.
400. [10] ZfrwVk. 7, 112 f.; B i r l i n g e r
Volksth. 1, 375 f. [11] N ä g e l e a. a. O. 400.
[12] M e i c h e 914 ff.; G r i m m *Sagen* Nr. 142.
321; P f i s t e r *Reliquienk.* 1, 360. [13] K ü h -
n a u 1, 60 ff. 307 ff.; M e i c h e 921 Nr. 1120.
[14] K ü h n a u 1, 58 Nr. 59; M e i c h e 244
Nr. 312; 246 Nr. 315; 258 Nr. 335 f.; 268
Nr. 345; 270 Nr. 348; 930 Nr. 1135; B i r -
l i n g e r *Volksth.* 1, 297; K u h n und
S c h w a r t z 167 f. 171 f.　　　　Pfister.

Bildzauber s. B i l d.

Billeweis s. B i l w i s , S i b y l l e W e i s.

Bilsenkraut (Hyoscyamus niger).
1. B o t a n i s c h e s. Zu den Nachtschattengewächsen (Solanazeen) gehörige,
stark narkotisch wirkende, widrig riechende Giftpflanze, deren Stengel und
Blätter mit klebrigen Drüsenhaaren besetzt sind. Die trichterförmige Blüten-
krone besitzt einen fünflappigen Saum,

ist schmutzig gelb und von violetten
Adern durchzogen. Die Frucht ist eine
mit einem Deckel aufspringende Kapsel,
die zahlreiche Samen enthält. Das B.
wächst zerstreut und meist unbeständig
auf Schuttstellen, an Dorfstraßen, an
Mauern usw. Seine Verbreitung verdankt
das aus dem Osten stammende B. vielleicht z. T. den herumziehenden Zigeunern, die unsere Pflanze zu verschiedenen ,,Zauberkünsten" benutzt haben
mögen [1].

[1] M a r z e l l *Kräuterbuch* 346 f.

2. Das B. ist sicher eine der ä l t e s t e n
den Indogermanen bekannte und von
ihnen benutzte Gift- und Zauberpflanze [2].
Als Mittel gegen Z a h n s c h m e r z e n ,
als welches es sich vom Altertum bis in die
heutige Volksmedizin nachweisen läßt,
erscheint es nach v. O e f e l e bereits in
einem altbabylonischen Rezept [3]. Da
der Genuß des B.es Sinnestäuschungen,
Halluzinationen und andere Erregungs-
zustände hervorruft, tritt es als ein Bestandteil der mittelalterlichen ,,Hexen-
salben" auf (vgl. Stechapfel): Die während der akuten Vergiftung erfolgten
Halluzinationen (Fliegen in der Luft,
Verwandlung in Tiergestalt) mögen nach
dem Aufhören der Giftwirkung von dem
Betreffenden als tatsächlich erlebt geglaubt worden sein [4].

[2] H o o p s *Reallex.* 1, 284; S c h r a d e r
Reallex.[2] 1, 146; F o n a h n *Histor. Bemerkn. om
bulmeurten.* In: Pharmacia 2 (Kristiania 1905),
197—205. 213—217. 224—227; T s c h i r c h
Pharmakognosie 3, 293 f.; M a r z e l l *Heilpflanzen* 165—170. [3] H ö f l e r *Botanik* 91.
[4] Vgl. auch F ü h n e r *Solanazeen als Berauschungsmittel.* In: Arch. f. exper. Pathologie u.
Pharmakologie 11 (1925), 281—294.

3. B u r c h a r d v o n W o r m s
(† 1024) berichtet von einem Regenzauber,
der anscheinend im Anfang des 11. Jhs.
in Hessen oder am Rhein bei großer Dürre
geübt wurde: Ein nacktes Mädchen mußte
mit dem kleinen Finger der rechten Hand
B. (belisa) ausreißen und es an die kleine
Zehe des rechten Fußes binden. Das
,,Regenmädchen" wurde dann zum nächsten Fluß geführt, mit dessen Wasser besprengt und dabei wurden Beschwörungen gesungen, um Regen zu erlangen [5].

weissen [34]), in einer Dresdener Hs. des 16. Jhs. *Pielweiszen* [35]), in einer schwäbischen *Bihlweisen* [36]). Die oberpfälzische und tirolische Form *Willeweis* [37]) zeigt im Anlaut *w* für *b*, was sonst nur bei fremdsprachigen Eigennamen eintritt [38]), und was Laistner geistreich durch Annahme einer Verschmelzung mit der Gestalt der *Sybilla weis*, der *Sibylla sapiens* erklärt. Älter als diese Anlehnungen des zweiten Teils ist die an *wiht*, Wichtelmännchen, die der Steiermärker Albrecht von Scharfenberg schon in der zweiten Hälfte des 13. Jhs. in seinem Titurel 4116 durch den Reim auf *pflihten* belegt [39]).

Wieder einfach lautlich ist der Übergang von *lw* zu *lm*: wir finden ihn in Bayern, speziell in der Oberpfalz, in Böhmen, Sachsen, Thüringen, Voigtland in *Bilmes - Bilmers - Bilmen - Bilm - Bilets-Bilmaz - Bilmizschnitter* [40]). Anderseits wird *Bilwes* zu *Bils* synkopiert und dann entweder das *s* vor dem zweiten Kompositionsglied ausgeworfen [41]) oder volksetymologisch das Wort durch Anlehnung an Bilsensamen usw. zu *Bilsen* erweitert [42]), dieses später neuerdings zu *Binsen* umgedeutet [43]). Entstellungen sind *Bilgen-Biber-Hilpertschneider* [44]), selten sind ganz abweichende Namen wie *Bockschneider, Bockreiter* [45]), *Getreideschneider* [46]), *Johannesschnitter* [47]), *Durchschnittler* [48]).

Heutzutage sind Wort und Begriff hauptsächlich im deutschen Osten, in Bayern, Sachsen, Schlesien, Thüringen lebendig. Man hat daraus schließen wollen, daß es aus dem Slavischen entlehnt sei. Mit Unrecht; denn, wie aus obigen Zusammenstellungen erhellt, galt Wort und Begriff in älteren Zeiten auch am Westrand des deutschen Sprachgebietes. Es erweist sich sonach als ein 'Randwort', was darauf schließen läßt, daß es in noch früheren Zeiten auf dem ganzen deutschen Gebiete gegolten habe und nur die mittleren Schichten eingestürzt sind [49]). Noch später ist auch der westliche Rand teilweise abgebröckelt, so daß es jetzt vor allem auf den Osten beschränkt ist. Dem skandinavischen Norden ist die Gestalt fremd, wenn man nicht in dem guten Ratgeber *Bilvisus* der Hagbardsage eine umge-

staltende Erinnerung an dieselbe sehen will [50]).

[1]) V e r d a m *Mnl.Wb.* 72. [2]) D i e f e n - b a c h - W ü l c k e r 247. [3]) U s e n e r *Götternamen* 83 f. 92. 98; F r i s c h b i e r *Preuß. Wb.* 2, 144. [4]) G r e i n *Sprachschatz* 54 f.; B o s w o r t h - T o l l e r 1, 101. [5]) Von den Hss. schreibt die eine *pilbiz*, die andere *bilwitz*, obwohl sie das Reimwort *bissz* schreibt. [6]) K e l l e r *Fastnachtspiele* 1463. [7]) ZfdA. 24, 70. 80; 41, 337, 80. [8]) W a n d e r *Sprichwörter-Lexikon* 3, 1346. [9]) *Schwäb.Wb.* 1, 1117. [10]) P o l l i n g e r *Landshut* 116 f.; L e o p r e c h t i n g *Lechrain* 192. [11]) S o m m e r t *Egerland* 118. [12]) Oberpfalz, bayr. Franken, Erzgebirge: W u t t k e §§ 378. 438. 661. [13]) E i - s e l *Voigtland* 209 Nr. 550. [14]) G r i m m *Mythol.* 393. [15]) P a n z e r *Beitrag* 1, 240. [16]) S c h ö n - b a c h *ZfVk.* 12, 6; S c h m e l l e r *Bayr.Wb.* 2, 1037 f. [17]) *Mhd.Wb.* 1, 127. [18]) S c h r ö e r *Beiträge zu einem Wb. d. Mundarten des ung. Berglandes.* [19]) G r i m m *Mythol.* 391. [20]) K e l - l e r *Fastnachtspiele* 1, 255, 20. [21]) G r i m m *Mythol.* 393. [22]) D i e f e n b a c h - W ü l c k e r *Hoch- und niederd.Wb.* 247. [23]) S c h m e l l e r a. a. O.; U n g e r *Steirischer Wortschatz* 84; W u t t k e *Sächs.Vk.* 325; M o n t a n u s *Volksfeste* 83 b. [24]) V i l m a r *Idiotikon von Kurhessen* 295. [25]) S c h u l l e r u s *Siebenbürgisch-sächs.Wb.* 1, 409. [26]) B r o n n e r 148. [27]) H ö f l e r *Wald- und Baumkult* 148. [28]) S c h l e i e r: *Altswert* 244, 12 ff. Da ihm bereits *z* und *s* im Auslaut zusammengefallen sind, läßt sich über die Art der Anlehnung nichts Näheres aussagen. [29]) W a c k e r n a g e l *Lesebuch* 1009. [30]) *Histor. Schauplatz der natürlichen Merkwürdigkeiten in dem meißnischen Obererzgebirg.* Leipzig 1699. [31]) H a u p t *Lausitz* 1, 68 Nr. 70. [32]) C o l e r u s *Hausbuch.* [33]) ZfVk. 12, 181. [34]) K ü h n a u *Sagen* 3, 12. [35]) S c h ö n b a c h *Wiener Sitzber.* 142, 1900, 132. [36]) *Schwäb.Wb.* 6, 1654. [37]) Z i n g e r l e *Sagen* 286 Nr. 517; H e y l *Tirol* 271 Nr. 85; 411 Nr. 97; 415 Nr. 100; L a i s t n e r *Nebelsagen* 315. [38]) *Wastl, Wabi* für Sebastian, Barbara. [39]) So wird daselbst 2534 auch *bilwiht* für *pilwit* zu lesen sein. [40]) S c h ö n w e r t h *Oberpfalz* 1, 420 f.; 2, 535; L e o p r e c h t i n g *Lechrain* 19 f.; H a s l *Bilmerschnitt*, Bayerwald 16 (1918), 29 ff.; K r a t z e r *Bilmenschnitt*, Bayerland 30, 363 ff.; R a b e *Pilmschnitter*, Urdsbrunnen 1885, 18 ff.; Volkskunst u. Volkskunde 9 (1911), 85. G r o h m a n n 16; J o h n *Erzgebirge* 134. 225. D e r s. *Westböhmen* 185. 198. 199. 255. 261. 267; J o h n *Oberlohma* 162; R a n k *Böhmerwald* 1, 160; S o m m e r t *Egerland* 118 ff.; M ü l l e r - F r a u r e u t h *Wb. d. obersächs. u. erzgebir. Mundarten* 1, 108; B e c h s t e i n *Thüringer Sagenbuch* 2, 59; G r i m m *Mythol.* 445; E i s e l *Voigtland* 209 Nr. 550; K ö h l e r *Voigtland* 373. 374. 412. 422. [41]) *Billschneider*: P a n z e r *Beitrag* 2, 210. 214; J a h n *Opfergebräuche* 112; *Billenschnitt* im Erzgebirge Zs. f. hd. Mund-

arten 1, 44; *Bielmann*: P a n z e r *Beitrag* 2, 210. 536; S c h u l e n b u r g 95. [42]) *Bilsenschneider, -schnitter:* fürs Erzgebirge bereits bezeugt durch F i s c h e r *Aberglauben* 1793, fürs Magdeburgische durch Z e r r e n n e r *Ackerpredigten* 1783, s. R o c h h o l z *Naturmythen* 30 f. Gegenwärtig: L a n d s t e i n e r *Niederösterreich* 53; M ü l l e r - F r a u r e u t h a. a. O. 1, 108; S e y f a r t h *Sachsen* 43; H e r t e l *Thüringischer Sprachschatz* 68; G r i m m *Myth.* 3, 452 Nr. 523. [43]) *Binsenschneiderschnitter:* J o h n *Erzgebirge* 134. 225; E i s e l *Voigtland* 209. 211 Nr. 550. 552; W i t z s c h e l *Thüringen* 2, 221. Rudolstadt bei H. L e o *Aus meiner Jugendzeit.* Gotha 1880, 8; Dürringleina in Thüringen: ZfVk. 21 (1911), 286. [44]) G r i m m *Myth.* 445; P a n z e r *Beitrag* 2, 211. [45]) L e o p r e c h t i n g *Lechrain* 19; ZfVk. 9 (1890), 252. [46]) M e y e r *Aberglaube* 246; M e i c h e *Sagen* 288 f. Nr. 377. [47]) W i t z s c h e l 2, 292 Nr. 149, vgl. 220 Nr. 57. [48]) P a n z e r *Beitrag* 2, 209 ff. 241. [49]) J u d *Probleme der altromanischen Wortgeographie,* Zs. f. rom. Phil. 38, 19; S i n g e r *Verlorene Worte,* Zs. f. hd. Mundarten 1924, 226. [50]) L a i s t n e r *Sphinx* 2, 267 ff.; H e r r m a n n *Die Heldensagen des Saxo Grammaticus* 494 f.   Singer.

II. 1. Die rätselhafte Figur des B. hat seit den Anfängen der mythologischen Forschung Interesse bei berufenen und unberufenen Deutern gefunden; eine endgültige Erklärung ist bisher nicht gefunden, und es fragt sich auch, wie weit sich eine solche überhaupt finden läßt. Jedenfalls zeigt die historische Untersuchung, daß eine einheitliche Entwicklungslinie nicht nachgewiesen werden kann; je weiter und je genauer wir die Gestalt des B. rückwärts verfolgen, um so deutlicher sehen wir, wie äußere Einflüsse, Kontaminationen mit anderen Sagengestalten und volksetymologische Umdeutungen zu der verwirrenden Fülle der Züge beitragen, die den B. im Volksglauben der letzten Jahrhunderte umkleidet.

Das Bild, das uns die ältesten Zeugnisse von ihm vermitteln, ist ziemlich einheitlich. In Wolframs Willehalm heißt es [51]):

> si wolten, daz kein pilwiz
> si dâ schüzze durh diu knie.

Zu diesem ältesten Zeugnis stellt sich eine Stelle des Cod. Vindob. 2817 [52]):

> dâ kom ich an bulwechsperg gangen,
> dâ schôz mich der bulwechs,
> dâ schôz mich die bulwechsin,
> dâ schôz mich als ir ingesind.

B ä c h t o l d - S t ä u b l i , *Aberglaube* I.

Eine zweite Wiener Handschrift vom Jahre 1387 ist noch deutlicher [53]): „vel sepe contigit, quod, qui sagittam Dyane patitur, quod dicitur in vulgari pilwizzschos, stuppam vel excipiunt, quod dyabolus occulte inmisit ad deceptionem videntium". In ganz ähnlicher Weise heißt es bei Eißlein [54]): *der pilwiss hat ihn geschossen.* Es kann kein Zweifel sein: in der frühesten Gestalt, in der wir den B. sehen, ist er ein menschenfeindlicher Naturdämon, männlichen und weiblichen Geschlechts, der durch seine Geschosse Krankheiten verbreitet. Beschwörende Zaubersegen sind im Umlauf, die den angeschossenen Spuk bannen sollen [55]), und mit bekannter besänftigender Methode nennt man ihn „gut", während er doch „ungut" ist [56]). Er wohnt meist in Bergen [57]), gelegentlich auch in Bäumen, denen man Kleider oder gar Kinder zur Abwehr oder um die Zukunft zu erforschen, opfert [58]). Er hat auch Alpcharakter: Berthold von Regensburg stellt ihn neben die *nahtvaren* [59]), und wie ein Alp verwirrt und verzottet er das Haar des Schläfers [60]); man tut daher gut, beim Nachtsegen um Schutz vor ihm zu flehen [61]). Er tritt allein, mit seinem Weib oder in Scharen auf; in nichts unterscheidet er sich in unsern frühesten Belegen, die fast alle ins bayrisch-österreichische Gebiet weisen, von andern tückischen Naturdämonen [62]).

[51]) 324, 6. [52]) 71 a bei G r i m m *Myth.* 1, 392. [53]) Bei S c h ö n b a c h *Berthold v. R.* 133. [54]) Bei W a n d e r 3, 1348. [55]) Vgl. ZfdA. 24, 70: „Der heilig christ selb gieng weter und wint. Er genietet sich ellender ding. Er chom gegangen hin vil verre Ze dem pilwizen berge. Do chomen die übelen wip und benamen im sinen lip." Folgt die Heilung durch den Segen der Mutter Gottes. [56]) Vgl. R ü d i g e r *Irregang und Girregar* (v. d. H a g e n *Gesamtabenteuer* Nr. 1) v. 1002 ff.: „er solde sin und gutir und ein pilewiz geheizen". [57]) Vgl. unter Anm. 52, 55. [58]) T h o m a s E b e n d o r f e r v o n H a s e l b a c h *De decem praeceptis* (15. Jh.): qui vestes suorum puerorum offerunt ad arbores vocatas pilbispawm, queritur quo, cum offerunt non Deo, sed malis spiritibus, ut circa eos volitent, ut dicunt; ZfVk. 12, 6 f.; vgl. S c h m e l l e r *Bay.Wb.* 2², 1037: *so man ein kind oder ein gewandt opfert zu aim pilbispawm und daselbs lugel machen und das pilbis ist nit anders dan der tewfel.* [59]) W a s c h -

nitius *Perht* 169 f.; Schönbach *Bert-hold v. R.* 21; Berthold v. Regens-burg 2, 70. [60]) C. v. d. Röhn *Heldenbuch* 156 b: sein part het manchen pilwisszoten; Grimm *Myth.* 3, 137; Sachs braucht *pil-mitz* = verworrene Haarlocke. [61]) Vgl. einen Münchner Nachtsegen: ZfdA. 41, 45 f.; eine B.beschwörung: Meyer *Germ. Myth.* 76: procul recedant sompnia et noxia phantasmata. [62]) Im jüngeren Titurel wurden v. 4116 *bil-*

B. — fast nur in weiblicher Gestalt — seit dem 14. Jh. am Niederrhein *(belu-witte, beelwitte, belewitte, billewits)* u. ä.[63]); der Ackermann von Böhmen stellt diesen weiblichen B. den Zauberinnen zur Seite: Bock- und Krückenritt ist beiden ge-meinsam [64]). In ganz ähnlicher Weise stellen die Gesetze des Hochmeisters Kon-

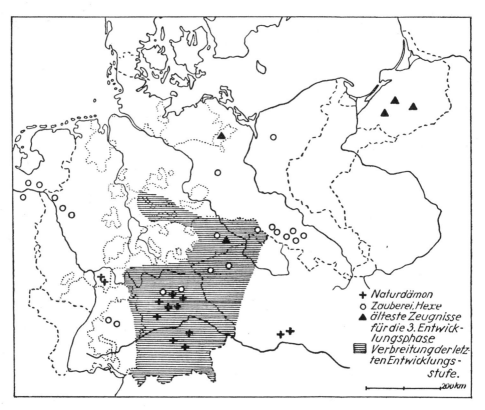

wihte = lärmmachende Dämonen, v. 2534 *pilwite* = schnelle Geister, beide Male in Ge-meinschaft mit den *chrabas*, genannt, ohne daß mehr über ihr Wesen ersichtlich wäre; Hans Sachs erwähnt *pilmitzen in der nasen* = Schleimkrusten? Höfler *Krank-heitsnamen* 810.

2. Vom 14. Jh. ab beobachten wir, wie christliche Umdeutung und theologische Abneigung — man könnte hier sehr gut von einer *interpretatio christiana* spre-chen — aus dem Dämon einen Zauberer, eine Hexe machen: dadurch kommen neue, von jenen nachmythischen Sagen-kreisen entlehnte Motive zu dem alten Bilde. In dieser Gestalt begegnet uns der

rad v. Jungingen (1394) die männlichen *pilwitten* zu den Schwarzkünstlern und Zauberern [65]). Bei Hermann von Sachsen-heim, der im „Schleier" die *billwiz* auch *unholde* genannt werden läßt (244, 12 ff.), ist kaum ein Unterschied zu den Hexen festzustellen; die Fastnachtsspiele stellen *perchten, bilbissen* und *truten* gleich, denen allen die Brockenfahrt gemeinsam ist [66]); so wird der Name B. auch Schimpfwort für üble Weiber [67]). Michel Beham läßt kleine Kinder zu *pilweissen* werden [68]); liegt hier eine Verwechslung damit vor, daß die B. nach Hexenart Kinder ver-zaubern und vertauschen [69])? Hexenbrauch ist es auch, wenn die B. es Kühen antun (man schützt sich und die Kühe davor durch zauberische Hausrezepte), wenn sie Milch stehlen [70]). Christian Lehmann spricht es geradezu (1699) aus: „die hexen werden bielweisen genannt" [71]). Einige schlesische Ratsprotokolle des 16. Jhs. erzählen von Fällen, in denen Frauen und Männer, weil sie *pilwissen* = Zauberer, Hexen, gewesen, zum Tode verurteilt wurden [72]); Gryphius bedient sich wiederholt des Wortes in gleichem Sinne [73]); aus der Mark besitzen wir aus der Mitte des 17. Jhs. ein völlig paralleles Zeugnis. Wenn Montanus uns berichtet, daß am Polterabend am Niederrhein alle Ritzen und Lücken des Hauses gegen die *pilwitze* verstopft wurden [74]), dürfen wir wohl auch hier die gleiche Anschauung voraussetzen: der Naturgeist ist zur Hexe, zum Schwarzkünstler geworden; die neuen Züge, die er nun aufweist, hat er von diesen Figuren übernommen.

Ein Blick auf die Karte lehrt, daß es von jenen älteren Wirkungskreisen ganz verschiedene Gebiete sind, in denen diese Umformung um sich griff: während der Naturgeist im bayrischen Gebiet seine besondere Ausprägung erhielt, sind es hier zwei andere Kulturkreise, die die Umwandlung des Naturgeistes zum Zauberer, zur Hexe zeigen: das Rheinland, besonders der Niederrhein, und das Land um Erzgebirge und Sudeten, von denen dann wenige Ausstrahlungen nach Norden ausgingen. Dies seltsame Verhältnis, das vor einer gründlichen Aufarbeitung des gesamten volkskundlichen Quellenmaterials, von der wir heute noch sehr weit entfernt sind, nicht gedeutet werden kann, ist keinesfalls durch Zufall zu erklären; es genüge hier die Feststellung der Tatsache.

[63]) Vgl. G r i m m *Myth.* 1, 391 f.; 3, 137; D i e f e n b a c h - W ü l c k e r 247; V e r - d a m *Mnd.Wb.* 72. In Kurhessen notiert V i l m a r S. 295 Namen, die vielleicht hierher gehören (perlebitz, berlewitchen, pilsenbaum u. ä.) [64]) VI, 13: die bilwis und die zauberinne kunnen vor uns nicht beleiben, sie hilfet nicht, daß sie reiten auf den krucken, das sie reiten auf den bocken. [65]) F r i s c h b i e r *Preuß.Wb.* 2, 144: auch wellen und gebieten wir, daß alle zauberer, weydeler, pilwitten,

schwarzkünstler undt wie diese gottslesterer megen genandt werden usw. [66]) K e l l e r 3, 1463; DWb. 2, 30. [67]) Ebd. 1, 250. [68]) W a k - k e r n a g e l *Lesebuch* 1009: etlich glaben daz kline kind ze pilweissen verwandelt sind, auch wie die schreczlin so geswind uf vich reiten und varen. [69]) Vgl. S c h m e l l e r 2, 1037: quidam credunt permutari infantes et eos laedi a pilwiz. [70]) Ein solches Rezept des 15. Jhs. aus Olmütz s. ZfVk. 22, 180; weitere vom Jahre 1656 bei K u h n *Märkische Sagen* 375 (Vieh am Walpurgisabend mit in Urin gekochtem Meerkraut waschen), ferner bei S c h ö n - b a c h *Berthold v. R.* 132 (Dresdener Hs. des 16. Jhs.: in der Fastenzeit Haselzweig an Melkkübel hängen, Stückchen vom Galgen unter Kuhstallschwelle vergraben, drei Dinge von der als B. verdächtigten Person borgen und diese mit Haselrute peitschen). [71]) Zf. s. hd. Mundarten 1, 44. [72]) 1567: Lauban (H a u p t *Lausitz* 1, 68 = K ü h n a u *Sagen* 1, 149 f.); 1597: Glatz (K ü h n a u *Sagen* 3, 12); 1529: Schweidnitz, 1582: Sagan (G r i m m *Myth.* 1, 392). [73]) Z. B. *Horribilicribrifax* Akt V; *Dornrose* Akt I u. III. [74]) *Volksfeste am Niederrhein* 83 b; eine Stelle aus einem schwäb. Lagerbuch von Horb (*Schwäb.Wb.* 1, 111): „gehn bilwiss usshin" ist unklar. Vgl. auch C r u s i u s *Ann. Suev.* 1, 303: „Du brächtests nit zuwegen, wann du schon so klug wärest als pipis oder bibbis" bei L a i s t n e r *Nebelsagen* 318.

3. Vom 16. Jh. ab taucht ein neues Element in der B.sage auf, und zwar weisen die ältesten Zeugnisse in den Osten. Die preußische Kirchenagende von 1530 identifiziert den *piluuytus* mit Ceres, versteht also zweifellos einen weiblichen Korngeist unter dem Wort. Wenig später nennt ein Lycker Pfarrer (Jan Malecki) den *piluitus* einen *deus divitiarum*, faßt ihn also als männlichen Geist, der Reichtum bringt. Hundert Jahre später setzt Praetorius in seinen Deliciae Prussicae die Pilwitten den slav. Kaukuczus = Heinzelmännchen gleich [75]). Die Chemnitzer Rockenphilosophie (III, 172) endlich erwähnt eine „art hexenschnitt, so auf dem felde geschen soll", ein Zeugnis, das zwar nicht den Namen B. erwähnt, aber inhaltlich voll hierher gehört. Am Ende des 18. Jhs. ist das Bild deutlich: dem *pilzerschnitter* fällt der Getreidezehnt zu [76]); in Bayern wird ein *hexengetraidschnitt* erwähnt [77]), in Thüringen gehen abergläubische Leute in der Johannisnacht, kleine Sicheln an den Füßen, durch die Felder und vermeinen, sie könnten dann das ganze Jahr

ohne Brotsorgen leben [78]). Die Entwicklung ist deutlich: der zum Zauberer, zur Hexe gewordene B. hat sich auf ostdeutschem Boden mit Korngeist- und Hausgeistmotiven vermengt, die sehr bald das alte Bild überwuchern, ohne es doch ganz verdunkeln zu können.

So können wir die einzelnen Elemente, aus denen sich seine Gestalt im Volksglauben der letzten 120 Jahre zusammensetzt, deutlich unterscheiden. Erasmus Alberus erzählt von Weibern, die mit Huldas Heer fahren, Sicheln an den Händen [79]): hier ist Hexe und Korngeist deutlich vergemeinschaftet. Im allgemeinen ist der B. des neueren Volksglaubens ein Mensch mit übernatürlichen Kräften, d. h. ein Zauberer oder eine Hexe, der fremde Felder durchquert und das Korn mit Sicheln oder sichelförmigen Scheren, die er an den Zehen befestigt hat, abschneidet [80]), entweder für sich selbst [81]) oder für andere [82]); das Korn fliegt ihm sofort zu, oder ein Teil hebt sich, nachdem es ausgedroschen ist, von der Tenne des Besitzers und schwebt zu ihm oder seinem Dienstherrn [83]). Er braucht auch nur drei Ähren von einem Felde zu nehmen [84]) oder den Raum, dessen Ertrag er sich anzueignen wünscht, zu umkreisen [85]), oder er geht unsichtbar oder nackt auf Stelzen seinem Gewerbe nach [86]). Er ist lang, hager und sehr häßlich [87]) oder im Gegenteil kurz und dick [88]); im gleichen Ort hielten ihn die einen für einen Vogel, die andern für einen unbekannten Bauern [89]). Oft wird sein Verhältnis mit dem Teufel ausdrücklich betont; er reitet auch auf einem Bock, oder ein Bock geht hinter ihm her [90]); Rauch steigt hinter ihm auf, und wo er lang ging, ist das Korn versengt. Bei seinen Raubgängen murmelt er Zaubersprüche [91]). Er geht nur zu bestimmten Zeiten: Johanni [92]), Walpurgis [93]), Pfingsten [94]), Ostern [95]), Georgi [96]), Veitstag [97]), Peter und Paul [98]), Karfreitag [99]), Karsamstag [100]), Pfingstsamstag [101]), Medardus [102]), Dreifaltigkeitstag, und auch da nur zu gewisser Stunde: früh vor Sonnenaufgang [103]), beim Glockenläuten [104]), um die 6. Stunde [105]), vor dem Avemaria-

läuten [106]); darum läutet man an solchen Tagen nur ganz kurz, denn mit dem Verstummen der Glocken erlischt seine Zauberkraft [107]). Man erkennt ihn an seiner Glatze und der hohen, spitzen Stirn [108]); ist er aber unsichtbar, so kann man durch allerlei Mittel versuchen, seinen unsichtbarmachenden Zauber zu zerstören: man soll in der Kirche auf neunerlei Holz knien, so sieht man alle B.e des Ortes, oder man gehe Ostern oder Pfingsten vor Sonnenaufgang betend über die Felder, so belauscht man sie bei der Arbeit [109]). Man bearbeite schweigend 7 Reisigbündel mit dem Dreschflegel; der Fremde, der dann in die Scheune kommt, ist der B. [110]). Man setze sich zu Trinitatis oder Johannis, wenn die Sonne am höchsten steht, mit einem Spiegel auf der Brust auf einen Holunderstrauch, so sieht man den B. [111]). Den gleichen Erfolg erzielt man, wenn man sich ein viereckig ausgestochenes Stück Rasen oder einen Maulwurfshügel verkehrt auf den Kopf setzt [112]). Spricht man dann den B. zuerst an, so muß dieser sterben [113]); gelingt es ihm jedoch, der Anrede zuvorzukommen, so stirbt der Horcher [114]). Manchmal trägt auch der B. einen Spiegel auf der Brust; wer sich in diesem schaut, muß sterben [115]). Sehr viele Mittel gibt es, den Schaden vom Felde abzuwenden: man vergrabe an den vier Ecken des Feldes kleine Kreuzchen [116]), benutze bei der Bestellung einen Pflug aus Ebereschenholz, der am Karfreitag vor Sonnenaufgang geschnitten ist [117]), sage beim Säen einen frommen Spruch [118]), schieße am Ostermontag vor Sonnenaufgang über die Felder [119]), beginne beim Säen mit dem 2. Ackerbeet [120]), nehme einige späterhin an den Ecken der Felder auszusäende Körnchen Karsamstags mit in die Kirche [121]), stecke den Ehering beim Säen an [121]), stecke geweihte Palmkätzchen aufs Feld [123]), umgehe segnend die Felder und besäe die Ränder zuerst [124]), besprenge die Felder mit Dreikönigswasser oder vergrabe Antlaßkreuz und -eier [125]), pflüge nach beendeter Frühjahrs- und Herbstbestellung noch dreimal rund um das Feld [126]), werfe dem B. ein Messer mit drei Kreuzen auf der Klinge entgegen oder schieße mit der Flinte über ihn hinweg [127]) oder spreche den Zauberspruch, den der B. gebrauchte, rückwärts nach [128]). Man nehme die Stoppeln der vom B. abgeschnittenen Halme und hänge sie in den Rauchfang: wenn sie verdorrt sind, ist der B. tot [129]). Wo der B. erst im Herbst seinen Raub holt (s. o.!), sucht man die eingebrachte Ernte durch Verbrennung der ersten Garbe samt dem in sie eingebundenen Antlaßkränzel und Palmzweig [130]), oder indem man sie mit Dreikönigswasser oder -salz oder Pfingsttaufwasser besprengt, für sich zu retten [131]); man zieht auch wohl den ersten Erntewagen verkehrt ins Stadel[132]). Besondere Vorsicht ist dann beim Dreschen geboten [133]).

In allen diesen Zügen lassen sich deutlich die einzelnen Elemente, die zur Bildung der B.sage beigetragen haben und die wir oben andeuteten (Abs. II 1, 2), unterscheiden. Der menschenfeindliche Naturdämon, der in Höhlen wohnt, wohin man ihm Kuchen oder ein weißes Huhn als Opfer bringt, ist in einer bayrischen Bielmannsage noch deutlich erkennbar [134]); die Messer an den Füßen, die er trägt, stammen freilich, wie wir sahen, aus jüngerer Zeit. In voigtländischen Sagen wiederum ist die Beziehung zum alten Zauberer- und Hexenglauben noch stärker gewahrt: wenn der Bilmschnitter durch eine Viehherde geht, geben die Kühe Blut statt Milch [135]); eine Binsenschneiderin verzaubert in kurzer Zeit sieben Kühe [136]). Über das ganze Gebiet aber zieht sich, in ziemlicher Einheitlichkeit, die neue Form des B., die wir als das Ergebnis einer langen und mannigfach beeinflußten Entwicklung erkannten. Wir können es auf eine Formel bringen: B. = Naturdämon > Zauberer (Hexe) + ostischer Korngeist; das umrankende und verwirrend bunte Beiwerk ist den verschiedensten angrenzenden Sagenkreisen entlehnt.

Dabei müssen wir uns, wie mir scheint, bescheiden. Eine etymologische Deutung des Namens, oft und stets mit unbefriedigendem Ergebnis versucht, scheint angesichts der Fülle der Namenvarianten, die mit den frühesten Belegen einsetzt, ausgeschlossen. Vergessen wir doch auch nicht, daß auch unsere ältesten Zeugnisse den B. wahrscheinlich nicht in ursprünglicher Gestalt zeigen: wie viel mag volksetymologische Entstellung an den Namen schon in vorliterarischer Zeit, d. h. ehe sie uns das erstemal begegnen, verändert haben! Erwähnt sei hier nur, daß außer den mit B. zusammenhängenden Namen (z. B. *bielmann, bulmuz, bilmerschnitter, binsenschnitter, bilgenschneider* usw.) auch Synonyma wie *hilpert-, wolfs-, wegele-, durch-, hexen-, bocks-, johannisschnitt(er)* auftauchen, alle bedingt durch die letzte, dritte Phase der Entwicklung. Wo die Erinnerung an den B. schwand, hat sich doch die Bezeichnung Binsenschnitzerweg, Bilsen-, Wolfs- usw. -schnitt für leere Streifen in den Getreidefeldern erhalten.

[75]) Diese Belege bei U s e n e r *Götternamen* 83 f. 92. 98. [76]) F i s c h e r *Aberglauben* 2 (1793), 124. [77]) E c k a r t s h a u s e n *Entdeckte Geheimnisse der Zauberey* (1790), 140. [78]) W i t zs c h e l *Thüringen* 2, 292 aus den Jahren 1796 bis 1804. [79]) Bei G r i m m *Myth.* 1, 394. [80]) E i s e l *Voigtland* 209; P a n z e r *Beitrag* 2, 211; 1, 240; D ä h n h a r d t *Volkstümliches* 2, 82; *Bavaria* 2, 251; R a n k e *Volkssagen* 283; J o h n *Oberlohma* 162; M e y e r *Germ. Myth.* 132; W u t t k e 268 § 394; R o c h h o l z *Schweizersagen* 2, XLVII f. = L e o p r e c h t i n g *Lechrain* 20; J o h n *Westböhmen* 198, 267; S c h ö n w e r t h *Oberpfalz* 1, 428 ff. = L a i s t n e r *Sphinx* 2, 262 ff.; K ö h l e r *Voigtland* 343; W i t zs c h e l *Thüringen* 2, 221; H e r t e l *Thür. Sprachschatz* 68; B r o n n e r *Sitt und Art* 146 ff.; M e i c h e *Sagen* 287; MdBlfVk. 2 (1927): Umfrage über B. [81]) S c h ö nw e r t h *Oberpfalz* 1, 427; B r o n n e r *Sitt und Art* 146 ff.; J o h n *Westböhmen* 185, 198 f.; M a n n h a r d t 1, 210; P a n z e r *Beitrag* 2, 209 f.; W u t t k e 268 § 394; K ö h l e r *Voigtland* 373, 374; R a n k *Böhmerwald* 1, 160. [82]) G r i m m *Myth.* 3, 452 (Saalfeld); J o h n *Westböhmen* 198; U n g e r *Steir. Wortschatz* 84; G r o h m a n n 16. [83]) Belege unter 81 und 82. [84]) J o h n *Westböhmen* 185. [85]) S c h ö n w e r t h *Oberpfalz* 1, 428. [86]) Ebd.; W u t t k e 268 § 394; W e i n h o l d *Ritus* 25 u. ö.; siehe unter 81 und 82. [87]) P a n z e r *Beitrag* 2, 210 f. [88]) M e ic h e *Sagen* 288. [89]) J o h n *Erzgebirge* 225; als Hirsch: W i t z s c h e l *Thüringen* 2, 221. [90]) Q u i t z m a n n *Baiwaren* passim; M a n nh a r d t 2, 176 ff.; S a r t o r i 2, 72; L e op r e c h t i n g *Lechrain* 20; M e y e r *Germ. Myth.* 132 u. ö. [91]) S e l i g m a n n 1, 156;

Meiche *Sagen* 288. [92]) H o o p s *Reallex.*
1, 284 f.; M e y e r *Germ. Myth.* 121. 132;
W u t t k e 268 § 394; W i t z s c h e l *Thü-
ringen* 2, 221; P a n z e r *Beitrag* 1, 240; 2, 210.
214. 240; M e i c h e *Sagen* 288 f.; M e y e r
Myth. der Germ. (1903), 164; P o l l i n g e r
Landshut 220 f. 116. 117; K ö h l e r *Voigt-
land* 343; B r o n n e r *Sitt und Art* 146 ff.;
E i s e l *Voigtland* 209; daher auch in Thüringen „Johannesschnitter": W i t z s c h e l
Thüringen 2, 220. [93]) E i s e l *Voigtland* 209;
B r o n n e r *Sitt und Art* 146 ff.; M e i c h e
Sagen 288 f. [94]) K ö h l e r *Voigtland* 373;
P a n z e r *Beitrag* 2, 211. [95]) Ebd. 2, 211;
P o l l i n g e r *Landshut* 117. [96]) P o l l i n-
g e r 213. [97]) W u t t k e 268 § 394. [98]) Ebd.
[99]) H ö f l e r *Ostern* 12. [100]) J o h n *Westböhmen* 198, 261. [101]) Ebd. [102]) J o h n *Erzgebirge* 225. [103]) E i s e l *Voigtland* 209.
[104]) P o l l i n g e r *Landshut* 116 f. 220 f.; P a n z e r
Beitrag 1, 240; 2, 210; W u t t k e 268 § 394;
ZfVk. 7, 362; L e o p r e c h t i n g *Lechrain*
19 ff. [105]) M e i c h e *Sagen* 288. [106]) P a n z e r
Beitrag 2, 214. [107]) Vgl. unter 104. [108]) L e o-
p r e c h t i n g *Lechrain* 10; W u t t k e 268
§ 394. [109]) S c h ö n w e r t h *Oberpfalz* 1, 429.
[110]) W i t z s c h e l *Thüringen* 2, 221; K ö h l e r
Voigtland 374. [111]) Thüringen: G r i m m
Myth. 1, 392; S o m m e r *Egerland* 119.
[112]) P a n z e r *Beitrag* 1, 240 f.; ZfVk. 9, 252;
L e o p r e c h t i n g *Lechrain* 21; R o c h h o l z
Sagen 2, XLVIII = P a n z e r *Beitrag* 2, 536 f.;
Bavaria 1, 320; S o m m e r *Egerland* 118 f.;
W u t t k e 259 § 378. [113]) Bavaria 1, 320;
a n z e r *Beitrag* 2, 536 f.; 1, 240 f.; W u t t k e
268 § 394; E i s e l *Voigtland* 209 f.; M e y e r
Aberglaube 229 (thür.); K ö h l e r *Voigtland* 374 (thür.); G r i m m *Myth.* 1, 394;
P o l l i n g e r *Landshut* 117; J o h n *Erzgebirge* 225. [115]) S e l i g m a n n 1, 178. [116]) E i-
s e l *Voigtland* 209 f.; J o h n *Westböhmen* 255;
Volkskunst und Volkskunde 9, 85; P a n z e r
Beitrag 2, 535; M e i c h e *Sagen* 287. 288.
[117]) L e o p r e c h t i n g *Lechrain* 21. [118]) B r o n-
n e r *Sitt und Art* 146 ff. [119]) H o o p s *Reall.*
1, 284 f.; Pfingsten: P a n z e r *Beitrag* 2,
210 f. = M e y e r *Germ. Myth.* 137; kreuzweis
schießen: D ä h n h a r d t *Volkstümliches* 2, 82.
[120]) J o h n *Oberlohma* 162; D e r s. *Westböhmen*
185. [121]) J o h n *Erzgebirge* 225. [122]) S c h ö n-
w e r t h *Oberpfalz* 1, 399. [123]) J o h n *Westböhmen* 267; R o c h h o l z *Naturmythen*
30 f.; H ö f l e r *Waldkult* 133; S c h ö n-
w e r t h *Oberpfalz* 1, 412; P a n z e r *Beitrag*
2, 210 f. [124]) M e i c h e *Sagen* 287. [125]) Bavaria 2, 251; S o m m e r *Egerland* 118; Karsamstagskohle: ebd. [126]) K ö h l e r *Voigtland* 412. [127]) B e c h s t e i n *Thüringen* 2,
59. [128]) P o l l i n g e r *Landshut* 117. [129]) M e i-
c h e *Sagen* 287; K ö h l e r *Voigtland* 374;
E i s e l Ebd. 209 f.; S o m m e r *Egerland*
118. [130]) J a h n *Opfergebräuche* 112. 158;
P a n z e r *Beitrag* 2, 214. [131]) L e o p r e c h-
t i n g *Lechrain* 21, 192 f. [132]) Ebd. [133]) Vgl.
P o l l i n g e r *Landshut* 117; P a n z e r

Beitr. 2, 210; J o h n *Westböhmen* 255;
W u t t k e 424 § 661; B e c h s t e i n *Thüringen* 2, 62; H o o p s *Reall.* 1, 284 f.; M e i-
c h e *Sagen* 288. [134]) P a n z e r *Beitrag* 2, 210;
oft wiederholt. [135]) K ö h l e r *Voigtland* 388.
[136]) E i s e l ebd. 211.

4. **Die Wilweisen Tirols**, verwunschene
hilfreiche, zukunftskundige Weiblein, die
wohl auch als letzte Angehörige eines
verwunschenen Geschlechts gelten und
ihre Kinder mit Menschenkindern vertauschen [137]), gehören nicht hierher, ebensowenig wie der wendische Bielmann
= weißer Star [138]).

[137]) H e y l *Tirol* 411. 271. 415 f.; Z i n-
g e r l e *Sagen* 288; L a i s t n e r *Nebelsagen*
315; S c h ö n b a c h *Berthold v. R.* 24.
[138]) S c h u l e n b u r g 95.   Mackensen.

Binde s. B a n d.

Bindebrief, namentlich aus dem 17. Jh.
belegt, doch z. T. bis heute erhalten, wird
zum Namens- oder Geburtstag überreicht.
„Wir pflegen unsere Geburtstage freudig
zu begehen", schreibt Samuel v. Butsch-
ky, Pathmos (1677), S. 5 [1]), „schicken
einander in gutem Anwunsche Bünde-
brieflein, geschenkte Bändlein". Wenzel
Scherffer, Gedichte (1652), 253 sagt in
einem „Schutz- und B. im Namen einer
Frauen gesetzet, als sie einen fürnehmen
Obristen an seinem Namenstag 1639 be-
schankte":

> „Möcht ich doch auch etwas finden,
> Euer Gnaden mitzubinden [2])."

In Baden [3]) hängte man früher die B.e
dem Gefeierten an die Kleider (s. anhängen) oder warf sie ihm um den Hals,
die Helsete oder Würgete. Daher stand
auf solchem Glückwunschzettel:

> „Ich binde dich nicht mit Seil und Bast,
> Sondern mit diesem Brieflein fast" (= fest).

Auf den nordfriesischen Inseln wurde
früher am Petritage Leuten, die Peter
hießen, von den Kindern ein B. ins Haus
getragen. Derselbe lautet:

> „Heute ist es Peters Tag,
> Da man Peter binden mag
> Wir binden ihn nicht mit Seil oder Bast,
> Sondern mit diesem Brieflein fast."

Der Gebundene mußte sich mit einem
Schilling zu Kuchenwerk lösen, „und so
scheint", meint Chr. Jensen [4]), „der Gebrauch eine Beziehung zum Amte Petri

zu binden und zu lösen gehabt zu haben".
Die Dienstboten in Angeln kennen eine
seltsame Art dieser B.e: Man macht in
einen seidenen Faden viele feste Knoten
und sendet ihn einem Freunde, dessen
Name an dem Tage im Kalender steht, in
einem Briefe. Gelingt es dem Empfänger,
die Knoten zu lösen, so ist er frei, sonst
muß er sich durch Kaffee und Kuchen
oder durch eine Bowle Punsch loskaufen.
Ähnliche Bräuche finden sich in England [5]).

Neben diesen Namens- und Geburtstags-
gebräuchen findet sich der B. auch in den
Erntebräuchen (s. b i n d e n II) [6]).

Vgl. zu diesen Bräuchen A n g e b i n d e
1, 435, wo es in Anm. 1 H a n u š und nicht
H o r n u s heißen soll; M a n n h a r d t *Germ.
Mythen* 698 ff.; R e u s c h e l *Volkskunde*
2, 33; W. S p a n g e n b e r g *Anbinde- oder Fang-
briefe*, hrg. v. Behrend (Lit. Ver. CCLXII 1914);
Els. Jb. 30, 109; BlpommVk. 9, 138.

[1]) DWb. 2, 31. [2]) Vgl. D r e c h s l e r 1,
219, wo noch weitere Literatur. [3]) M e y e r
Baden 107. [4]) J e n s e n *Nordfries. Inseln* 357;
S a r t o r i 3, 90. [5]) M a a c k *Lübeck* 82 f.
[6]) Vgl. auch das sog. Bindelieder, z. B. D r e c h s -
l e r 1, 219; ZfVk. 4, 85; 7, 153; M e i e r
Schwaben 2, 446; M a a c k *Lübeck* 82; P f a n -
n e n s c h m i d *Erntefeste* 94. 399 f. usw.

                          Bächtold-Stäubli.

binden.

I. A l l g e m e i n e s : Unter allen abergläubischen Vornahmen, die den Verkehr
mit Mächten, die nicht von dieser Welt
sind, bezwecken und den daraus entwickelten kultischen Vorschriften gehören B. und Lösen (s. d.) zu den be-
deutsamsten. Alle Mittel, die eine übernatürliche Fernwirkung schaffen, heißen
schlechthin vincula [1]). Bei der großen
Wichtigkeit, die man diesen Vorstellungen beilegt, sieht der Kultus oft die pein-
lichste Beseitigung alles Bindenden oder
auch den Gebrauch von bestimmten B.-
mitteln vor, wie besonders die Arbeit von
Heckenbach [2]) zeigt. Je nach den besonderen Formen der entsprechenden Handlungen vergleiche man die Art. Band,
bannen, Faden, Fessel, Knoten u. a. Hier
soll nur von der prinzipiellen Bedeutung
jedweden B.s die Rede sein; bei der unge-
heueren Masse des Materials kann nur ein
kleiner Ausschnitt gegeben werden. B.

ist ein Analogiezauber, indem jedes Festhalten, Behindern oder Vereinigen durch
ein konkretes B. dargestellt und zauberisch hervorgerufen wird. B. kann etwas
Wünschenswertes am Entweichen verhindern, etwas Gefürchtetes in seiner Be-
wegungsfreiheit aufhalten und zwei zu-
sammengehörige oder aufeinander bezogene Dinge zusammenbringen oder zu-
sammenhalten. Die Handlung kann das
Nichtlösenkönnen mit verschiedener
Stärke betonen. Das stärkste Band ist
wohl die Fessel, die ein Vonselbstlösen
praktisch unmöglich machen soll. Auch
der Knoten kann, wenn er fest angezogen
oder mehrfach (3fach oder 7fach o. ä.)
angebracht ist, stark b. Da es sich anderseits nicht um ein reales B. handelt, treten
alle jene Ersatzerscheinungen in ihr Recht,
die man zu Unrecht als Symbole zu bezeichnen pflegt, die für den Zaubergläubi-
gen aber vollen realen Wert besitzen. So
kann ein schwacher Faden durch die ihm
innewohnende Zauberkraft genügen;
wertvolles Material vor allem auch unter
Band. Selbst eine zauberkräftige Handlung oder Haltung, in weiterer Abschwächung das gesprochene oder geschriebene Wort, können dieselbe Wirkung haben. Wir nähern uns damit dem
Bereiche des Zauberkreises, des Ringes,
der Schlange, die sich in den Schwanz
beißt, u. ä. Symbole.

a) H e m m u n g e i n e r B e w e -
g u n g : So werden Defixionspuppen um-
schnürt oder dem zu Behexenden etwas
Umschnürtes ins Bett gelegt (s. Defixion),
so wird der Tote, dessen Wiederkehr man
fürchtet, gebunden (s. Fessel). In diesem
Bereiche hat das Netz- und Schlingenmotiv eine über die ganze Erde verbreitete Ausbildung erfahren [3]). Besonders
Krankheiten, d. h. die sie veranlassenden
Dämonen, werden gern so gehemmt [4]).
Gegen Malaria etwa werden entweder
Schultern und Lenden mit Binden umwickelt oder auch nur der linke kleine
Finger (für dessen Bedeutung vgl. Finger)
mit der inneren Eihaut, oder der Kranke
trägt den Strick eines Gehenkten um den
Hals, das schon kein B. mehr, sondern
nur die örtliche Nähe einer Schlinge

ist [5]); die ältesten Zeugnisse gerade dafür sind schon altassyrisch [6]). In ähnlicher Weise kann Gefangenschaft durch ein dingliches Symbol, wie durch das Tragen eines Ringes ersetzt werden (Prometheusmotiv) [7]) und dieses wieder durch die bloße Handlung des Umkreisens. Dahin gehören gewisse Formen des Abb.s (s. d.) in der Volksmedizin, aber auch jeder Flurumgang und viele andere Umwandlungen in Kult, Magie und Rechtsbrauch [8]). Dafür nur zwei Beispiele: Das Vieh löst sich nicht, wenn man des Abends um den Tisch geht; ein Trunkenbold bleibt daheim, wenn man mit seinem Hut dreimal den Rauchmantel umkreist [9]). Endlich genügt das bloße Wort in den zahlreichen Diebssegen (s. d.), die den Dieb am Fortlaufen hindern sollen [10]). Wie das einfache B., so wirkt auch jedes Verschränken. Einen Zwang übt das in Deutschland verbreitete, aber schon im römischen Altertum bezeugte Daumendrücken aus [11]). Auch das Falten der Hände oder Kreuzen der Arme bedeutet in den meisten Fällen eine Hemmung. Bei der Geburt des Herakles sitzen die Geburtsdämonen mit verschlungenen Händen da, um so die „Entbindung" unmöglich zu machen [12]), während umgekehrt die ausgestreckte Hand die Entbindung befördert [13]). Diese üble Folge des Händefaltens war in Rom bei allen offiziellen Akten verboten [14]). Der christliche Gebetsritus dürfte in irgendeiner Weise damit zusammenhängen. Soweit man sich auf die Vollständigkeit der Zeugnisse aus älterer Zeit verlassen kann, scheinen sie zu lehren, daß das Zusammenlegen der Hände alt ist in Indien. Die Haltung vor dem byzantinischen Kaiser mit gekreuzten Armen bezeichnete sicher eine Selbstfesselung. Unter Karl d. Gr. kommt das Händefalten im Verkehr mit dem Lehensherrn in gleichem Sinne vor. Dieser Ritus scheint um das Jahr 1000 von der weltlichen Obrigkeit auf den Herrgott übertragen zu sein [15]). Der Schluß Heilers freilich [16]), daß sich hier altgermanischer Brauch erhalten habe (er denkt an die Selbstfesselung der Semnonen, s. Fessel), ist nicht ganz zwingend, da am Hofe Karls

auch ein byzantinischer Brauch nicht ausgeschlossen ist. Vor allem aber hat der christliche Brauch mindestens Umdeutungen erfahren [17]). Der Gedanke, durch das Falten die anwesend gedachte Gottheit zu binden (etwa wie beim Daumendrücken) hat immer nahe gelegen. Die Wollbinde spielt im antiken Kultus eine große Rolle [18]); auch pflegen nicht bloß wir das Gebet mit einem bindenden Worte abzuschließen (s. Amen). Verpflichtende Kraft hat auch der Zwiesel (s. d.), die Form des griechischen Kerykeions [19]). Der antike Kult verwendet im gleichen Sinne den in sich zurücklaufenden Kranz, aber auch die Guirlande und Schlingpflanzen wie den Epheu [20]). Eine schöne Sammlung zum B. und Lösen göttlicher Mächte bietet Eusebios praep. ev. V 8 u. 9.

b) **Vereinigende Kraft**: Die letzten Beispiele haben bereits in den Bereich hinübergeführt, wo das B. eine Vereinigung zum Ziele hat. Schon Tylor bringt Beispiele dafür, daß ein einfacher Strick genügt, um den Zauberarzt mit dem Kranken in wirksame Verbindung zu bringen [21]). Das kann ebenso gut heilsame wie schädliche Wirkung haben. Auch die Hexe bindet ihr Opfer mit einem Faden und erlangt dadurch wirksame Verbindung [22]). Alt ist die Vorstellung, Gegenstände durch sichtbare Verbindung der Gottheit besonders ans Herz zu legen (s. Faden). Liebrecht [23]) erwähnt den französischen Brauch der Dedikation einer 'ceinture de cire', der sich bis ins Jahr 658 zurückverfolgen läßt (weiteres unter Angebinde). Etwas anders scheint die Vorstellung zu sein, wenn in Hessen das Patenkind zu Beginn oder bei Beendigung der Schulzeit eine rotseidene Schnur um den Hals gebunden und auf den Rücken der Länge nach angenestelt bekommt [24]) (s. auch Lebensfaden). Endlich beruhen auf wirksamer Bindung ebensowohl die römischrechtliche obligatio — hier verleihen die solemnia verba der Bindung des Schuldners volle Kraft — wie die päpstliche Schlüsselgewalt nach den Worten bei Matth. 18, 18: Was ihr auf Erden b. wer det, das soll auch im Himmel gebunden sein. Wie bei der Eheschließung überhaupt Bindebräuche regelmäßig auftreten, so vereinigt die christliche Form derselben mit dem bindenden Symbol des Ringes und der bindenden Handlung des Ineinanderlegens der Hände das bindende Wort, wozu im katholischen Ritus noch die sakramentale Handlung des Verbindens oder Umwickelns der Hände mit der Stola kommt. Ein besonderes Gebiet des B.s ist der Liebeszauber, der eine geliebte Person herbeiziehen oder festhalten soll (s. d.) [25]).

[1]) M a n n h a r d t *Zauberglaube* 53 ff. [2]) H e c k e n b a c h *de nuditate.* [3]) S c h e f t e l o w i t z *Schlingenmotiv.* [4]) S t e m p l i n g e r *Volksmedizin* 56. [5]) H o v o r k a - K r o n f e l d 2, 340 ff. [6]) Ebd. 878. [7]) G r i m m *RA.*⁴ 255. [8]) K n u c h e l *Umwandlung.* [9]) D e r s. 35. [10]) SAVk. 2, 264; H a l t r i c h *Siebenb. Sachsen* 274; Sammlung bei S c h i n d l e r *Aberglaube.* [11]) P l i n i u s *Naturgesch.* 28, 25; H o r a z *Epist.* 1, 18, 66. [12]) O v i d *Metam.* 9, 299 ff.; U s e n e r *Kl. Schr.* 4, 87; G o n z e n b a c h *Sizil. Märchen* 2, 210. [13]) W e i n r e i c h *Heilungswunder* 9. [14]) P l i n i u s *Naturg.* 28, 59. [15]) S i t t l *Gebärden* 175 f. [16]) H e i l e r *Gebet* 100 f. [17]) Vgl. z. B. Monatsschr. f. Gesch. d. Judentums 34, 43. [18]) P l e y *de lanae usu.* [19]) P a u l y - W i s s o w a 11, 335 f. [20]) K ö c h l i n g *de coronarum vi* 9 ff. [21]) *Anfänge* 1, 116. [22]) Z a c h a r i a e *Kl. Schr.* 229; P r a d e l *Gebete* 75; vgl. Luc. 13, 16 und den Choral: Ich lag in schweren Banden (P. Gerhard). [23]) *Z. Volksk.* 309. [24]) K o l b e *Hessen* 159; vgl. das hier abgedruckte Kinderlied: Storch, Storch, Steiner. [25]) Vgl. vor allem P l o s s *Weib* 1, 436; A b t *Apuleius* 71.

II. B. i m b e s o n d e r e n S i n n e : Die mannigfache Bedeutung des B.s erschwert die Deutung desjenigen Brauches, der speziell „B." genannt wird. Es handelt sich um einen Akt, der vorwiegend beim Kornschnitt, aber auch bei einigen Erntebräuchen und sonst vorgenommen wird. Es ist nicht sicher, ob alle diese Riten von vornherein dieselbe Erklärung zulassen. Beim Kornschnitt (beim Dreschen scheint seltenere, sekundäre Übertragung zu sein) wird ein am Acker zufällig vorübergehender Fremder oder der Herr oder Verwalter oder jemand aus seiner Familie von den Schnittern in örtlich wechselnder Weise mit einem Stroh-

seil gebunden und muß sich durch das Versprechen eines Trinkgeldes lösen. Der Brauch ist seit dem 17. Jh. nachzuweisen, offenbar aber viel älter und heute noch weitverbreitet. Wir kennen ihn aus Westpreußen [26]), Pommern [27]), Mecklenburg[28]), Lübeck [29]), Oldenburg [30]), Hannover [31]), Braunschweig [32]), Westfalen [33]), Rheinprovinz [34]), dem Erzgebirge [35]), Böhmerwald [36]) und Egerland [37]), Schlesien [38]), vereinzelt aus Baden (Tauberbischofsheim) [39]) und der Schweiz [40]). Für Hessen wird er ausdrücklich in Abrede gestellt [41]), für Bayern und Tirol fehlt es an Zeugnissen, vgl. aber die unten erwähnten anderen Bindebräuche. Das B. geschieht mit einem Strohband [42]), an dem sich gelegentlich noch Ähren befinden müssen [43]), um den Arm oder die Hände oder die Füße, so daß der Betreffende sogar umfällt [44]). Die Mäher streichen wohl dazu ihre Sensen [45]) oder es wird ein Hut auf die Sensen gesetzt [46]). Dazu wird regelmäßig ein Heischespruch aufgesagt.

Mannhardt hat zuerst auf diese Bräuche aufmerksam gemacht [47]) und daran erinnert, daß sie irgendwie mit dem im Kornbock verkörperten Erntesegen zusammenhängen müssen. Es scheint, daß man in dem Vorübergehenden den Dämon zu erkennen glaubte, der entweichen will, da der Kornschnitt seinen Tod bedeutet. Mannhardt hat bereits auf den Lityerses des griechischen Altertums hingewiesen und auf Bräuche, wo der Erwischte ins Wasser geworfen wird, und hält es für möglich, daß der Gebundene einst getötet worden sei. Diese Deutung wird durch die festgestellten Bräuche nicht eindeutig als richtig erwiesen [48]). Vor allem hat man auf die unten aufgeführten ähnlichen Vornahmen bei anderen Gelegenheiten hingewiesen [49]). Aber auch das älteste Erntelied, das wir besitzen, der Lityerses des Theokrit [50]), weist in etwas anderer Richtung. Lityerses ist der phrygische Kornbock [51]). Die 7 kurzen Strophen bitten Demeter, für den Griechen die Kornmutter, um Fruchtbarkeit, ermuntern zur Arbeit, raten, wie die Ernte am reichsten ausfällt, und sprechen von Hunger und Durst. In letzterem Punkte stimmt dieses

Lied mit den Arbeitsliedern der Neger überein, und tatsächlich ist das Ziel des norddeutschen Brauches immer ein Heischen. Es gibt Anhaltspunkte, daß auch beim Heischen gebunden wird, vgl. unten und im Rhodischen Schwalbenlied [52]). Aber das erklärt nicht alles. Der damit verbundene Wasserzauber ist doch nur verständlich, wenn er mit dem Dämon selbst vorgenommen wird, so wie man sich etwa des Nöcks oder des Silen bemächtigt, die sich durch Prophezeien loskaufen. Es gewinnt also den Anschein, als seien hier zwei Vorstellungsreihen kontaminiert, das Ergreifen des flüchtigen, im vorübergehenden Fremden erkannten Kornbockes und das B. des Herrn als Heischebrauch. Auf die Möglichkeit der Mehrdeutigkeit solcher Riten muß immer wieder hingewiesen werden [53]). Es ist merkwürdig, daß diesen Vorübergehenden, der seine Bemerkungen macht, schon Theokrit erwähnt, und daß dessen Worte die Deutung zulassen, daß der Erntesegen nicht eigentlich in den Ähren vorhanden ist, sondern (wahrscheinlich in Gestalt des Kornbocks) noch aus der reifen Ähre entweichen kann. Deshalb darf man ihn nicht entweichen lassen.

Das scheint auf andere Erntevorgänge übertragen zu sein. Beim Rapsdreschen, das auf dem Felde in Segeltüchern geschieht, wird der Herr auf ein solches Segeltuch gesetzt [54]). Beim Hanf- oder Flachsbrechen ist das B. eines Zuschauers belegt aus Westfalen [55]), Tirol [56]), vom Bodensee [57]), aus dem Böhmerwald [58]). Man sieht allerdings nicht recht ein, wie das Schnüren von dort auf den Besucher eines Bauplatzes übertragen sein soll, der dort gebunden wird in Baden [59]), Allgäu [60]), Böhmen [61]), in der Eifel [62]), in Westfalen [63]) und in Schlesien [64]). Die Schnürsprüche gehören nicht weniger zum Repertoire eines Zimmermanns wie die Richtsprüche [65]). Mit der Ernte hat dieser Brauch unmittelbar nichts zu tun. Man könnte ihn für ein bloßes Heischen halten, wie anderswo das „Schnüren" der Kinder, die im Erzgebirge den Weg mit einer Schnur sperren [65]), wenn nicht

dieser Brauch wahrscheinlich von einem alten Hochzeitsbrauch hergeleitet wäre. Denn in Schlesien und Hessen (mdl). wird dies besonders vor dem Brautwagen geübt [67]) und es ist wohl keine bloß äußerliche Ähnlichkeit, wenn das B. auch am Namenstage in Schlesien [68]), am Rhein [69]) und in Hessen [70]) belegt ist. Hier kann der Spruch durch einen Bindebrief (s. d.) ersetzt werden. Die weite Verbreitung dieser Bräuche zeigt, daß sie einst allgemein gewesen sind. Das wird kaum auf sekundärer Übertragung beruhen, sondern es muß ein gemeinsamer Gedanke diese Gelegenheiten vereinigen, die alle einen neuen Anfang bedeuten, die Ernte ebenso gut wie der Neubau, Hochzeit und Namenstag. Es ist nicht ausgeschlossen, daß man da Dämonen gegenwärtig dachte, die man festhalten oder gefangennehmen wollte. Daß besonders bei einem unfertigen Hause der Teufel sein Spiel treibt, zeigen zahlreiche Bausagen, wie etwa die vom Magdeburger Dom; nur beim Kornschnitt scheint sich mit diesen allgemeinen Vorstellungen die besondere des festzuhaltenden Kornbockes verbunden zu haben. Erst die Verdunkelung der ursprünglichen Absicht hat in allen Fällen den Heischebrauch in den Vordergrund treten lassen, der heute allein im Bewußtsein des Volkes lebt.

[26]) Urquell 1, 20. [27]) mdl. [28]) B a r t s c h *Mecklenburg* 2, 486 f. [29]) M a a c k *Lübeck* 80 f. [30]) S t r a c k e r j a n 2, 128. [31]) K r ü g e r *Landw. Bindebräuche* 15, 208; K ü c k *Lüneburger Heide* 75 f.; P f a n n e n s c h m i d *Erntefeste* 398 f. [32]) A n d r e e *Braunschweig* 363. [33]) ZfrwVk. 1909, 192. [34]) Ebd. 4, 53. [35]) J o h n *Erzgebirge* 221. [36]) S c h r a m e k *Böhmerwald* 232. [37]) J o h n *Westböhmen* 192. [38]) D r e c h s l e r 2, 62; ZfVk. 12, 337 f.; MschlesVk. 8, 70. [39]) M e y e r *Baden* 436. [40]) S t a u b e r *Zürich* 2, 79. [41]) mdl. [42]) Vgl. Anm. 35, 36, 37 u. ö. [43]) Vgl. Anm. 38 und 29. [44]) ZfrwVk. 1, 1910, 43. [45]) S a r t o r i 2, 77. [46]) B a r t s c h *Mecklenburg* 2, 487 f. [47]) *Korndämonen* 34 f.; P f a n n e n s c h m i d *Erntefeste* 400. [48]) S a r t o r i 2, 77. [49]) S a m t e r *Geburt* 162 ff. [50]) 10, 42—55. [51]) P a u l y - W i s s o w a 13, 806 f. [52]) Anthol. lyrica VI C 32, 16. [53]) A b t *Apuleius* 71. [54]) K u h n und S c h w a r t z 400. [55]) ZfrwVk. 1909, 192; 1910, 43 f. [56]) H e y l *Tirol* 795 Nr. 211. [57]) L a c h m a n n *Ueberlingen* 280 f. [58]) S c h r a m e k *Böhmerwald* 235. [59]) M e y e r

Baden 378. [60]) R e i s e r *Allgäu 2,* 395 f.
[61]) S a r t o r i a. a. O. [62]) Ebd. [63]) Ebd.
[64]) D r e c h s l e r 1, 258. [65]) R o w a l d
Bauleute 69; ZföVk. 10, 109; ZfrwVk. 1908,
173. [66]) J o h n *Erzgebirge* 206. [67]) D r e c h s-
l e r *Schlesien* 1, 258. [68]) Ebd. 1, 219.
[69]) W r e d e *Rhein.Vk.* 118. [70]) Hess. Chronik
9 (1920), 166 (Beleg für 1620).   Aly.

Bindfaden s. F a d e n.

Bindnagel

Pflock von 1—1 ½ Fuß
Länge, an beiden Enden zugespitzt, bestimmt, das Garbenband zu einer Schleife
zu binden. Das B.holz ist ein Zauber-
gegenstand, der die Garben vor Ungeziefer, die Scheunen besonders vor Mäusen
schützt. Es muß vor Sonnenaufgang oder
in der heiligen Nacht 12 Uhr in drei aufwärts geführten Schnitten unberufen in
den drei höchsten Namen im Walde geschnitten werden. Mit dem B. wird auch,
durch rasches Drehen mit einem Seil,
Feuer gebohrt [1]).

[1]) B i r l i n g e r *Aus Schwaben* 1, 386;
Volksthüml. 1, 334. 466; F i s c h e r *Schwäb.Wb.*
1, 1121.   Heckscher.

Binse (Juncus-Arten).

1. B o t a n i s c h e s. Die B.n, bei uns
durch eine Anzahl von Arten vertreten,
sind gekennzeichnet durch meist borsten-
oder pfriemenförmige, stielrunde Blätter
und die sechsblättrige, unscheinbare Blü-
tenhülle. Die B.n bewohnen meist feuchte
Standorte [1]).

[1]) M a r z e l l *Kräuterbuch* 400 f.

2. Nach einer verbreiteten Sage sind die
Spitzen der B.n(blätter) deshalb dürr,
weil der Herrgott damit den Blindschlei-
chen die Augen ausgestochen hat [2]). Mit
den B.n darf man sich nicht die Zähne
ausstochern, weil man sonst den Teufel
bekommen kann, der in diese dürren
Grashalme gebannt ist [3]).

[2]) M e i e r *Schwaben* 247 = D ä h n-
h a r d t *Natursagen* 3, 20; vgl. ebd. 2, 322;
ferner H a n d t m a n n *Märk. Heide* 43; T e i r-
l i n c k *Folk-Lore flamand* 1893, 37. [3]) M e i e r
Schwaben 247.

3. B.n, deren markige Stengel man zu
Dochten für Tranlampen benutzt, darf
man nur zur Zeit des Vollmondes pflükken, da sie dann voll Mark sind, bei abnehmendem Monde sind sie leer (Dithmarschen) [4]). Das gleiche gilt von den zum

Anbinden des Hopfens verwendeten B.n,
die bei abnehmendem Mond hohl und daher leicht zerreißbar wären [5]).

[4]) Dbot.Monatsschrift 4 (1886), 45; ebenso
Altpreuß. Monatsschr. N.F. 31, 444. [5]) M a r-
z e l l *Bayer. Volksbot.* 102.   Marzell.

Binsfeld, Peter,

Suffraganbischof zu
Trier. Schrieb 1589 einen Traktat *de con-
fessionibus maleficorum et sagarum* [1]),
worin er die Wahrheit der Hexenvorstel-
lung zu erweisen sucht.

[1]) Gedruckt Trier 1596; vgl. S o l d a n -
H e p p e 2,21 f.   Helm.

Birke (Betula verrucosa).

1. Botanisches. — 2. Mythologisches. B. als
hexenabwehrend. — 3. B. als „Lebensrute".
B. vertreibt Ungeziefer. — 4. B. im Ameisenhaufen. — 5. Volksmedizinisches. — 6. B. als
Orakelbaum. — 7. Schlacht am B.nbaum.

1. B o t a n i s c h e s. Die Weißb., die
an ihrer weißen Rinde und an den rau-
tenförmigen Blättern ohne weiteres zu
kennen ist, wird bei uns fast überall, besonders auf trockenem Boden, angetroffen. Die verwandte Moorb. (B. pubescens,
B. odorata) unterscheidet sich von der
Weißb. dadurch, daß die jungen Zweige
und Blätter weichhaart sind [1]). In der
antiken Volkskunde spielte die B. kaum
eine Rolle, da sie in Südeuropa selten ist.

[1]) M a r z e l l *Kräuterb.* 88 f.

2. Die B. ist ein von den nördlichen
Indogermanen (besonders auch von den
Slaven) seit alters h o c h v e r e h r t e r
Baum [2]). In Skandinavien wurde B.n geopfert [3]). Die von der Axt verletzte B.
jammert wie ein menschliches Wesen [4]).
Als Baum des Frühlings liefert sie die
„Lebensrute" (s. d.) [5]). Diese verleiht
dem Vieh Gesundheit, vertreibt Ungeziefer [6]) und schützt vor Hexen. Ab und
zu tritt der B.besen (s. Besen) an die
Stelle der B.nzweige [7]). Vielfach steckt
man am Walpurgisabend B.nzweige an
die Stalltüren oder auf die Düngerstätten,
um den H e x e n den Eintritt zu verwehren [8]). Im Volk wird diese hexenab-
wehrende Wirkung der B. öfter damit begründet, daß die Hexen die Blättchen der
aufgestellten B.nzweige zählen müßten
und es dabei Tag werde [9]). Wenn eine
Kuh gekalbt hat, nagelt man drei B.n-

zweige an die Stalltür (Mittelfranken) [10]) oder man schlägt einen Nagel aus B.nholz auf die Stelle, auf die das Kalb gefallen ist, so tief in die Erde, daß er nicht gesehen wird; das schützt gegen die Hexen [11]). Bei den Südslaven wird unter dem Lager der Kuh, deren Milch versiegt ist, ein B.nkeil in den Boden geschlagen. Ebendort wird die auf frischer Tat ertappte Hexe mit einem B.nbesen geschlagen, dann kann sie nicht mehr zaubern [12]). Wenn die Milch der verhexten Kuh mit B.nruten geschlagen wird, dann kommt am nächsten Tag die Hexe [13]). Wenn eine junge Fahrkuh aus dem Stalle geleitet wird, so muß sie über eine vor die Stalltür gelegte B.nrute schreiten [14]).

²) ARw. 2, 1—41. ³) ZfVk. 8, 142. ⁴) Mannhardt 1, 34; vgl. Baum. ⁵) Kuhn *Herabkunft d. Feuers* 189; Mannhardt 1, 261. ⁶) Marzell *Volksleben* 46 f. ⁷) Vgl. Kunze *Der Birkenbesen ein Symbol des Donars.* In: *Internat. Arch. f. Ethnogr.* 13 (1900), 81—97. 125—161. Eine fleißige, aber unkritische Arbeit, die zu dem Ergebnis kommt, daß der B.nbesen eines der vorzüglichsten Symbole des germanischen Donnergottes war und zwar deswegen, weil er eine bündelartige Vereinigung von Ruten der dem germanischen Blitzschleuderer geweihten B. darstellt. Vgl. dazu ZfVk. 10, 454. ⁸) Knoop *Pflanzenwelt* 11, 54; MschlesVk. 13, 86; Köhler *Voigtland* 427; Schönwerth *Oberpfalz* 3, 183. 314; Fischer *Schwäb.Wb.* 4, 1398 = Kapff *Festgebräuche* 60. ⁹) Schönwerth *Oberpfalz* 1, 314; MschlesVk. 13, 86 = Kühnau *Sagen* 3, 69. ¹⁰) Marzell *Bayer. Volksbot.* 203. ¹¹) Haltrich *Siebenbürger Sachsen* 277. ¹²) Krauß *Slav. Volksforschung* 74. ¹³) John *Westböhmen* 203. ¹⁴) Diener *Hunsrück* 97.

3. Besonders im Bayerischen und Böhmerwald wird am 1. Mai das **Vieh** mit einer **B.nrute ausgetrieben**, die mit Palmzweigen usw. geschmückt ist (vgl. Palm, Wacholder). Der Schlag mit dieser Rute („Lebensrute") soll das ganze Jahr ein Haustier vor tödlicher Verwundung schützen [15]). Um das Vieh gesund zu erhalten, schlägt man es in Slavonien mit B.nreisern [16]). Auch in Finnland wird vor allem ein B.nzweig als Peitsche für das Vieh benutzt, im Herbst wird er in die Decke des Kuhstalls gesteckt, um die Kühe zu beschützen [17]). Fegt man mit einem B.nbesen, der am Weihnachtsabend beim Geläut der Glocken geschnitten ist, den Kühen den Rücken, so bleiben alle Läuse und Krankheiten dem Vieh fern [18]). Mit einem in den Zwölften aus B.nreisern gebundenen Besen fegt man das Ungeziefer aus der Stube [19]). Steckt man in der Fastnacht B.n in den Hof, daß das Vieh sich daran reibt, so bleibt es vom Ungeziefer frei [20]). Mit den an Petri Kettenfeier vor Sonnenaufgang geschnittenen B.nbesen wird die Stube gekehrt, dann kommen keine Flöhe hinein [21]). Wer an Aschermittwoch mit B.nruten recht viele Hiebe bekommt, hat das ganze Jahr keine Flöhe [22]). Das gleiche gilt im Ermland von der „Osterrute" [23]). Übrigens sind auch die frischen B.nblätter (wegen des starken Geruches?) ein Mittel gegen Flöhe [24]), und in Pommern dienen Räucherungen mit den Blättern der B. (besonders der an Pfingsten als „Maie" verwendeten), um angehextes Ungeziefer zu vertreiben [25]). Damit der Kohl nicht von Erdflöhen befallen wird, steckt man „Maien", über die der Segen dreimal gesprochen ist, an Pfingsten ins Kappesland (Kohlfeld) (Rheingau im 17. Jh.) [26]). Ähnlich nimmt man gegen die Raupen auf dem Kohl einen B.nzweig, der an Pfingsten als „Maie" gedient hat, umgeht damit dreimal das Feld und spricht:

„Rupen packt ju.
De Mån geit weg
De Sunn kümmt" [27]).

Zu dem gleichen Zweck wird der Kohl mit B.nruten geschlagen (Provinz Sachsen, Nordthüringen) [28]), oder die „Maie" wird um das Feld getragen [29]). M. Luther [30]) verspottet den Aberglauben, mit den bei der Prozession am Markustag (25. April) herumgetragenen „Maien" über die Erbsen- und Bohnenäcker zu fegen, damit die Vögel den Früchten nicht schaden können. Die Ratten vertreibt man, indem man während des Glockenläutens um das Haus läuft, mit einer Birkenrute an jede Tür klopft und dabei ruft: „Hallo, Hallo, zur Kirche!" (Mark Brandenburg) [31]). Auch vor dem Einschlagen des Blitzes sollen die Fronleichnams- bzw. Pfingstbirken schützen [32]). In vielen der oben angeführten Beispiele läßt sich der Über-

gang der Gesundheit und Kraft spendenden B.nrute in das Apotropaeum deutlich
verfolgen.

[15]) R a n k *Böhmerwald* 1, 123; vgl. J o h n
Westböhmen 211; M a r z e l l *Bayer. Volksbot.*
59; Alemannia 23, 48. [16]) K r a u ß *Slav.
Volksforschung* 75. [17]) FFC. 30, 94. [18]) B a r t s c h
Mecklenburg 2, 227. [19]) W i r t h *Beiträge*
6—7, 18. [20]) D r e c h s l e r 2, 217. [21]) P f i -
s t e r *Hessen* 164. [22]) Niederlaus. Mitteil. 1
(1888), 276. [23]) P h i l i p p *Beitr. z. Erml.
Volkskde.* 1906, 135. [24]) W i r t h *Tiere* 26.
[25]) Balt. Studien 33, 145. [26]) Ztschr. f. Kulturgesch. 2, 188. [27]) K u h n *Märk. Sagen* 382.
[28]) Veckenstedts Zs. 4, 388; ZfVk. 10, 212.
[29]) W i r t h *Beiträge* 6—7, 18. [30]) Werke, hrsg.
v. Buchwald u. a. Volksausgabe [2] Berlin 1898,
7, 64 = K l i n g n e r *Luther* 118. [31]) ZfVk. 1,
188. [32]) MschlesVk. 4, 63; B a u m g a r t e n
Aus der Heimat 1862, 64; S a r t o r i *Westfalen* 161.

4. Wer aus einer B., die in einem Ameisenhaufen gewachsen ist, hölzerne Schläu-
che und Hähne dreht und damit Wein
oder Bier verzapft, der wird geschwind
ausschenken [33]). Vielleicht soll hier eine
Parallele zwischen dem Gewimmel des
Ameisenhaufens und dem schnellen Ausschenken gezogen werden?

[33]) Rockenphilosophie 2 (1707), 163 =
G r i m m *Myth.* 3, 437.

5. In der V o l k s m e d i z i n werden
Krankheiten wie G i c h t [34]) und Fieber [35]) auf die B. übertragen bzw. darin
verknotet. 1678 verknotete ein Hexenmeister Zettel in eine B., so daß eine
Frau in 14 Tagen sterben mußte [36]).
Seinem Feinde kann man schaden, wenn
man zur Mitternachtsstunde drei neue
Nägel in eine B. einschlägt (Nassau im
17. Jh.) [37]). Gegen das kalte Fieber uriniert man auf Blätter einer Hängeb.;
sind diese verdorrt, so ist auch die
Krankheit geschwunden [38]). Mit B.n-
ruten werden die W a r z e n vertrieben;
sobald die Reiser verfault sind, sind auch
die Warzen verschwunden [39]). Gegen
Warzen bricht man von einer B. neun
Zweigchen weg und schlägt damit die
Warzen, wenn es zur Kirche läutet [40]).
Mit cincm Holzsplitter von einer Fron-
leichnamsb. stochert man den schmerzenden Z a h n und vergräbt den Splitter
auf einem Kreuzweg [41]). Gegen i r g e n d -
w e l c h e S c h ä d e n wird eine B. an-

gebohrt, der Saft getrunken und das Bohr-
loch mit einem Zapfen verspundet. Wie
dieser anwächst, so heilt der Schaden [42]).
Um die v e r l o r e n e M a n n e s k r a f t
wieder zu erhalten, uriniert man auf einen
Kranz aus B.nzweigen [43]). Das Trinken
des B.nsaftes macht gesund und in der
Ehe fruchtbar [44]). Dagegen bekommen
die Kinder, die den B.nsaft viel lecken,
K o p f l ä u s e [45]) (vgl. Ampfer). Die getrockneten Blätter der Pfingstmaien
geben einen Tee gegen R h e u m a t i s -
m u s [46]). Eine besondere Rolle spielt in
der Volksmedizin der B.n b e s e n. Die
mit einem B.nbesen abgekehrten Spinnweben sind, übergelegt, gut für das „Ver-
gicht" (Tirol im 18. Jh.) [47]). Gegen Aißen
bettelt man einen B.nbesen, opfert ihn in
der Kirche und betet für die armen Seelen
(bayr. Schwaben) [48]), auch opfert man
den Besen dem hl. Rochus [49]), gegen Bettnässen dem hl. Sigismund [50]), gegen Drüsen dem hl. Fulgentius (Basler Jura) [51]).
Der ins Bett genommene B.nbesen ist gut
gegen Wadenkrampf [52]); schon M e g e n -
b e r g (14. Jh.) schreibt [53]): „pirkenholz
wer daz pei im tregt, daz ist für den
krampf guot". Im 17. Jh. erscheint das
B.nholz deshalb als „lignum nervinum";
es muß zu diesem Zwecke im Juli am
Gervasiustage gefällt werden [54]). Vielleicht liegt dem Aberglauben eine Homöopathie zwischen den beim leisesten
Windzug z i t t e r n d e n B.nblättern
und den im Krampf z i t t e r n d e n Glie-
den zugrunde [55]).

[34]) ZfrwVk. 5, 227. [35]) T ö p p e n *Masuren*
44; T r e i c h e l *Westpreußen* 9, 74. [36]) K ü h -
n a u *Sagen* 3, 9. [37]) Zeitschr. f. Kulturgesch.
N. F. 3 (1896), 225. [38]) Mnböhm. Exc. 20, 134.
[39]) S c h r a m e k *Böhmerwald* 282. [40]) S c h u -
l e n b u r g 103. [41]) H ö s e r *Volksheilkunde*
24. [42]) B o h n e n b e r g e r 103. [43]) J a h n
Hexenwesen 356. [44]) G r o h m a n n 102.
[45]) S c h u l e n b u r g *Wend. Volkstum* 163.
[46]) ZfrwVk. 12, 259; vgl. SAVk. 15, 242.
[47]) Bay.Hefte 1, 230. [48]) M a r z e l l *Bayer.
Volksbot.* 166. [49]) Bodenseebuch 2 (1915), 118.
[50]) M a r t i n u. L i e n h a r t *Elsäß.Wb.* 2, 98.
[51]) SAVk. 11, 233. [52]) S t r a c k e r j a n 1, 85.
[53]) *Buch der Natur* hrsg. v. P f e i f f e r 331.
[54]) F a b r i c i u s *De signatura plantarum* 1653,
34. [55]) M a r z e l l *Heilpflanzen* 47.

6. Die B. als O r a k e l b a u m. Drei
vor dem Johannistag geholte B.nzweige,

drückt den Schlüsselbart hinein, sonst ruht kein Segen darauf [9]). Wer in Baden „Bierewecke" vor Weihnachten ißt, bekommt Eselsohren [10]) (Ettenheim).

[1]) L ü t o l f Sagen 554, 565; R e i s e r Allgäu 2, 25, 29; K ö h l e r Voigtland 250; S e p p Altbayr. Sagenschatz 611 Nr. 166 (phantastisch!); D e r s. Religion 22 ff.; H ö f l e r Weihnachten 21. 29. 73—74; D e r s. Fastengebäcke 11; über Kletzenb. vgl. G r i m m DWb. 5, 1254. [2]) H ö f l e r Weihnachten 29—30. [3]) B i r l i n g e r Volksth. 2, 69; in Saulgau Spende ans Gesinde: B i r l i n g e r l. c. 7; vgl. B i r l i n g e r Schwaben 2, 11—12: „und sol im och ze Wihennächten weder Bimenzelten (= Birnenz.?) . . . senden" (Konstanzer Verbot v. 1460). [4]) L e o p r e c h t i n g Lechrain 210—11; H ö f l e r Weihnachten 28; W. 300; K n o o p Hinterpommern 178; Globus 42, 105; vgl. Backen 250; 240—42. [5]) H e r z o g Volksfeste 204—05. [6]) ZfrwVk. 17 (1920), 53. [7]) R e i s e r l. c. 2, 26—27; Bavaria 2 b, 830. [8]) H ö f l e r Weihnachten 73; Bavaria 1 a, 387. [9]) ZföVk. 1, 249. [10]) O c h s Bad.Wb. Zettelkasten.   Eckstein.

Bissen [1]). Mit der Vorstellung, daß der Mensch bei der Einnahme der Speisen am wehrlosesten den bösen Geistern und jedem Schadenzauber (vgl. Essen) preisgegeben ist [2]), hängen die meisten Gebräuche und Vorsichtsmaßregeln zusammen, welche sich auf den B. beziehen als die natürlichste und kleinste Mengebezeichnung fester Speisen; zugleich aber haftet an dem abgebissenen Stück das persönliche Fluidum des Menschen (vgl. A. 13—15).

1. **B. u n d E s s e n**: Ein zur Erde gefallener B. wird als schlimme Vorbedeutung bei fast allen Völkern aufgefaßt, dieser Glaube besteht auch für die Antike [3]) und die heutigen Primitiven [4]); fällt jemand ein guter B. zur Erde, so war er ihm nicht gegönnt [5]); dasselbe sagt man auch, wenn der B. drückt [6]); wenn an der Sklavenküste [7]) der König dem Gast den besten [8]) B. in den Mund steckt, darf dieser ihn weder fallen lassen, noch berühren. Bei den alten Preußen [9]) gehörten die zur Erde gefallenen B. den armen Seelen; die Südslaven [10]) werfen einige B. von jeder Speise auf den Weihnachtsklotz; bei den Juden [11]) darf man beim Essen nicht sprechen, damit der B. nicht in die falsche Kehle kommt. Wer Brot

isset, davon ein anderer gebissen hat, wird dem andern feind und gram [12]). Maennling [13]) stellt dem entgegen, daß man „einem Hund einen angebissenen B. Brot oder seinen Speichel reichet, nur damit man solchen per Sympathiam verbinde, daß er uns liebe und anhänge"; die Rockenphilosophie berichtet [14]): Steckt man eine Gans dreimal durch die Beine und gibt ihr drei B. gekautes Brot mit den Worten: „Lauf hin in Gottes Namen" zu fressen, so kehrt sie wieder heim. In Schweden [15]) gibt man dem Hund einen B. Weihnachtsbrot.

[1]) G r i m m DWb. 2, 47; Imago 1927, 244. [2]) H a b e r l a n d in: Z. f. Völkerpsych. 18 (1888), 13 ff. 22. 149; F r a z e r II [3] 117 ff. zählt die ängstlichen Vorsichtsmaßnahmen beim Essen der afrikan. Könige auf. [3]) P l i n i u s Nat. hist. XXVIII, 27 = IV, 284—85 (M a y h o f f); (vgl. Brosamen A. 21—23); Arch. f. Latein. Lexikogr. XV, 114; S a m t e r Familienfeste 108—09 und ARw. 10, 373, dagegen W i s s o w a in ARw. 7, 45; R o h d e Psyche I [6] 245; H a b e r l a n d l. c. 13 ff. 359. [4]) H a b e r l a n d l. c. 13 ff. 169. [5]) K e h r e i n Nassau 2, 255, 66; M e i c h e Sagenbuch der sächs. Schweiz 125, 50; W i t z s c h e l Thüringen 2, 295, 170: wenn der B. aus dem Mund, der Hand oder von der Gabel fällt. [6]) P a n z e r Beitrag 1, 266; M e i e r Schwaben 512, 430; B i r l i n g e r Schwaben 1, 413, 20; H a b e r l a n d l. c. 359; vgl. W i t z s c h e l Thüringen 2, 285, 102. [7]) H a b e r l a n d l. c. 169; vgl. 22; vgl. 149. [8]) Bei den Hiongnu erhielten die jungen Helden als Ehrung die besten B.; vgl. H a b e r l a n d l. c. 141; der Araber steckt auch seinem Gast den besten B. in den Mund; vgl. 169—70. [9]) R o h d e Psyche 1, 245; Arch. f. Anthrop. N. F. 6 (1907), 95. [10]) H a b e r l a n d l. c. 14; vgl. 360. [11]) B u x t o r f Judenschul 289; H a b e r l a n d l. c. 263; die Brahmanen müssen bei dem Opfern der Ehrenbissen zu gleicher Zeit schlucken; in Indostan glaubt man, daß Gott dem Adam, als er vom Apfel essen wollte, an die Kehle griff und daß ihm der B. im Halse stecken blieb: M a e n n l i n g 34; H a b e r l a n d l. c. 142. [12]) Rokkenphilosophie 2. Hundert 279—81 c. 54 = G r i m m Myth. 3, 439, 146; M a e n n l i n g 304; in Japan dürfen zwei Menschen denselben B. nicht mit den Eßstäbchen anfassen, sonst gibt es Streit: Anthropos 7 (1912), 398. [13]) M a e n n l i n g l. c. 3. Hundert 23 c. 7 = G r i m m Myth. 3, 441, 195. [15]) H ö f l e r Weihnachten 25 mit Lit.

2. **D e r e r s t e B.** Nach dem Aberglauben in Mähren [16]) kommt das Fieber meist mit dem ersten B. (vgl. den ersten Brei des Kindes) oder dem ersten Löffel

Suppe; in Westböhmen [17]) darf man den ersten B. Brot vom neuen Getreide nicht direkt in den Mund stecken, sondern man muß dabei mit der rechten Hand um den Kopf langen; unterläßt man das, so tritt Teuerung ein. Wer etwas Eßbares findet, der werfe nach ostfriesischem Glauben den ersten B. weg, sonst könnten die Hexen schaden (Grimm 3, 477, 1120). Wichtig ist der erste B., den man bei Tagesbeginn zu sich nimmt. Früh morgens, ehe man einen B. Brot genommen hat, soll man nichts in den Mund nehmen (Rockenphilosophie) [18]); der nüchterne B., durch den sich der Este vor dem Kuckuck schützt, heißt „Kuckucksmundvoll", bei den Schweden spricht man vom „Vogelb." [19]). In Pommern [20]) werden die ersten B., welche Braut und Bräutigam aus dem Hochzeitsbrot herausbeißen, aufgehoben. In Mecklenburg [21]) ist der erste „Hochtidenbeten" von großer Bedeutung: Die Brautleute beißen von der Hochzeitssemmel ein tüchtiges Stück an der Spitze ab; dieses Stück wird nach der Hochzeit nochmal gebacken, daß es nicht schimmelt; ist jemand krank, so bekommt er ein Stückchen davon als Heilbrot. In Thüringen steckt die Braut dem Bräutigam 3 B. Brot in den Rock, damit es nie an Brot fehlt [22]). Bei den Esten schneidet der Diener des Bräutigams einen kleinen B. von einem ganzen Brot, bestreicht ihn mit Butter und steckt ihn der Frau in den Mund; das verschafft den Kindern einen glatten Mund [23]).

[16]) Grohmann 163 Nr. 1147. [17]) Ders. 144—45 Nr. 1068. [18]) 3. Hundert 129 c. 53. = Grimm 3, 442, 236. [19]) Haberland l. c. 23; ZfdMythol. 3 (1855), 263. 279. 403. [20]) Kloster 12, 169; bei den Slaven steckt die Slonka der Braut von jedem Gericht den ersten B. in den Mund: l. c. 164. [21]) Bartsch Mecklenburg 2, 66, 238. [22]) Witzschel Thür. 2, 233, 65. [23]) Grimm 3, 488, 18 u. 24.

3. Im Heilzauber finden wir von der Rockenphilosophie folgendes Rezept empfohlen [24]): Für das Fieber: drei B. gestohlen Brot in zwei Nußschalen gespien und das Brieflein geschrieben: Kuh wilt du zu Stalle, Frörer so geh Du zu Walle. Gockelius [25]) erwähnt gegen Viehbezauberung: Nimm Weyhrauch und Myrrhen und rothen Knoblauch, zerstoße es alles untereinander an einem Donnerstag nachmittag, wenn das Vieh ausgehet, alsdann nimm einen neugebackenen Laib Brot und schneid etliche B. davon und thue in jedes ein wenig von selbigem darein, darauf auch ein wenig Salz gestreut.

[24]) 2. Hundert 365—69 c. 93 = Grimm 3, 440, 183; Fischer Aberglauben (1790) 178, wie das meiste aus der Rockenphilosophie abgeschrieben. [25]) Tractatus polyhistoricus 1699, 102—3; vgl. Lütolf Sagen 177, 113, i.

4. Aus den Saturnalia des Prätorius haben wir ein Augurium mit B. [26]): Einige kaufen Christnachts für drei Heller Semmel, teilen sie in drei B. und verzehren sie durch drei Gassen, in jeder Gasse ein Stück; in der dritten Gasse wird man den Liebsten sehen. Erasmus Francisci berichtet in seinem Höllischen Proteus (Nürnberg 1690), p. 815, daß in Wien drei Edeljungfrauen auf den Rat einer Köchin vom Mittag- und Abendessen einige B. aufhoben und diese am Abend „nebst einem Trünklein Weins" auf den Tisch stellten, um die zukünftigen Cavaliere zu zitieren (vgl. Essen).

[26]) Grimm 3, 470, 959.

5. Über Brotb. im Rätsel siehe Urquell [27]).

[27]) 4 (1893), 251.

6. Der geweihte B. [28]): Über die Geschichte des Gottesurteils mit dem g. B. (iudicium panis et casei, iudicium offae oder offa iudicialis) siehe Brot. Hier soll nur auf die Vorbereitung und die Hauptzüge dieser Zeremonie eingegangen werden. Das Material liegt in der Ausgabe von Zeumer [29]) in den Monumenta vor, ein guter Index hilft das Gewünschte leicht finden:

Das Gerstenbrot muß trocken sein und der Käse von Ziegenmilch gewonnen [30]); nach einem Codex des 14. Jhs. muß sogar der Priester mit dem Diakon das Gerstenmehl mit Weihwasser anmachen und unter Gebeten backen [31]); die B. wiegen gewöhnlich 9—12 [32]) denarii = 41 gr [33]). Soll das iudicium stattfinden, so möge der Priester sein Meßkleid anlegen und eine Messe mit besonderem Gebet zelebrieren

— gewöhnlich liegen die B., in ein Leintüchlein eingeschlagen, auf der rechten Seite des Altares [34] — finita missarum sollempnitate adportetur caseus et panis ordeaceus et inscribatur in eo oratio dominica [35] — oder pater noster [36] — et presentetur ante altare in patena argentea. Res enim, quae furata sunt, inscribantur in breviculo uno, simul et nomina eorum quibus furta imputantur [37]; eine andere Formelsammlung [38] beschreibt, unter welchen Zeremonien und Gebeten der B. gereicht wird: Et panem et caseum insimul debes ponere in os suum et facere duas cruces de tremulo et unam ponere sub pedem eius dextrum et aliam crucem sacerdos manu sua super caput eius teneat et furtum illud scriptum in tabula super caput illius iacere. Et quando ipsum panem in os eius mittis, debes coniurationem subscriptam dicere. Einen Rest dieses Gottesurteils haben wir bekanntlich in der Verwünschung: Der B. möge mir im Halse stecken bleiben [39].

[28]) Grimm *RA.* 2, 597; Ders. *Myth.* 2, 929; Matthias *Gottesurteile* 5; Glitsch *Gottesurteile* 30—31, Übersetzung von MG. legum sectio V (formulae) 645, 40—646; Kloster 12, 1097; weitere Literatur siehe Brot; Schindler *Aberglaube* 232; Pollinger *Landshut* 164. [29]) MG. leg. sectio V (formulae). [30]) Panis ordeatius esse debet siccus et caseus caprinus: Zeumer l. c. 650, 1 ff.; vgl. Tharsander *Schauplatz* 2, 279—82. [31]) Zeumer 691, 12 ff. [32]) l. c. 629, 18; 688, 10; 10 denarii: 671, 23. [33]) l. c. 645, 40; 690, 22. [34]) 646, 1 ff. [35]) 671, 22. [36]) 688, 9. [37]) 668, 40 ff. [38]) 688, 8 u. 671, 25 ff. [39]) Grimm *DWb.* 2, 47; Pollinger l. c.; vgl. Brot; Wander *Sprichwörterlex.* 1, 386. Eckstein.

bitten s. betteln.

Bittersüß (Alpranken, Hinschkraut, Mausholz; Solanum dulcamara).

1. Botanisches. Nachtschattengewächs (Solanazee) mit verholztem, windendem Stengel und herz-eiförmigen Blättern. Die violette Blumenkrone ist fünfzipfelig und radförmig ausgebreitet. Die Frucht ist eine rote Beere. Der Stengel schmeckt bittersüßlich. Das B. wächst nicht selten in feuchten Hecken, unter Gebüsch, an Ufern [1].

[1]) Marzell *Kräuterbuch* 431.

2. Der Name Alpranke (der aber auch für das Geißblatt und für die Mistel gilt) wird mit „Alp" (Dämon) in Verbindung gebracht [2]). Nach anderen soll der Name daher rühren, weil man mit dem am Johannistag gesammelten Samen der „Alfranke" (ob wirklich Solanum dulcamara?) den „Alf" [3]) zu heilen suchte [4]). Im 17. Jh. wurde B. den Kindern gegen „Zauberei" in die Wiegen gelegt [5]). Ist die Milch verhext, so daß sie sich nicht buttern läßt, so muß man sie durch die Stengel der Alpranke gießen [6]). Die Wenden geben die Pflanze den Kühen, damit diese besser Milch geben und die Sahne besser zusammengeht [7]). Im Ermland ist das B. ein Bestandteil des Kräuterbüschels [8]). Bei den Ruthenen in Galizien steht das B. als „matryguina" (= Mandragora, vgl. Alraun) in zauberischem Ansehen [9]).

[2]) Grimm *Myth.* 1, 371; 3, 126. 360; Hoops *Pflanzennamen* 49; vgl. auch Volkskunde 20, 52 f. [3]) Blutgeschwür an Händen und Füßen, vgl. Höfler *Krankheitsnamen* 13. [4]) Kuhn *Westfalen* 2, 54. [5]) Schroeder *Med.-chym. Apotheke* 1693, 977; vgl. auch Montanus *Volksfeste* 140. [6]) Urquell 5, 282; ZfrwVk. 10, 271. [7]) Schulenburg 229. [8]) Philipp *Beitr. z. ermländ. Volkskunde* 1906, 125. [9]) Hoelzl *Galizien* 158.
Marzell.

Bittgang.

1. Bei den Alten. — 2. In der christlichen Kirche. — 3. Heutiger Brauch. — 4. Bittwoche.

1. B.e sind zunächst alle Gebetsprozessionen, die das Herabflehen von Heil in irgendeiner Form zum Zweck haben. Solche Prozessionen finden sich bei allen Völkern der Erde. Doch hat der Sprachgebrauch den Ausdruck „B." allmählich beschränkt auf diejenigen Umzüge, die mit der Landwirtschaft in Verbindung stehen. Derartige Flurbegehungen, die dem Gedeihen der Feldfrüchte dienen sollen, sind uralt. Sie sind als Bittopfer aus dem Beschwörungsopfer hervorgegangen [1]), das dem Schutzdämon des Ackers dargebracht wird zur Versöhnung seines Zornes über die vermeintliche Verletzung seines Hoheitsrechtes durch den die Erde schürfenden Ackerbauern [2]). Besonders deutlich sind solche B.e in der

r ö m i s c h e n Religion erkennbar. Im Mai werden die Ambarvalien zu Ehren der Flurgöttin Dia Dea, die später mit Ceres verschmilzt, gefeiert. Es sind Flurumgänge zur Reinigung und Entsühnung der Felder, wobei als Priester die Arvalbrüder (fratres arvales von arvus = Ackerland) fungieren [3]). Sinn ihres Gottesdienstes und ihrer Opfer ist die Fürbitte für das Gedeihen der Felder [4]). Ihr Bittgesang, das Arvallied, ist uns als eines der ältesten lateinischen Sprachdenkmäler erhalten [5]), jedoch nicht recht verständlich. Offenbar ist der Text mit alten, sinnlosen Zauberworten durchsetzt. In alter Zeit wurde tatsächlich die ganze Flur in feierlicher Prozession umschritten, wobei auch als rein praktischer Grund die Festsetzung der Flurgrenze eine Rolle spielte. Als der Grundbesitz sich stark vergrößerte, wurde der Umgang um die ganze Flur aufgelöst in eine Anzahl Opfer, die an den Grenzstellen gebracht wurden. Am 25. April wurden in Rom die Robigalia gefeiert. Um den Rost von den Getreidefeldern abzuwehren, fand ein Zug zum Hain des Robigus statt, wo ein Hunde- und Schafopfer dargebracht wurde. Galten diese Robigalia dem Schutz des sprossenden Getreides, so die vom 28. April bis 3. Mai gefeierten Floralia dem Schutz des blühenden Getreides, wie überhaupt dem Wachstum der Blumen [6]).

Auch die G e r m a n e n kannten Flurbegehungen und -b.e. Zu Mittwinter feierten sie ein Bittopfer, um für die Felder Fruchtbarkeit zu erflehen. Die Schweden brachten den Sühneber dar zur Versöhnung der unterirdischen Götter, damit sie Mißwachs, Mäusefraß u. a. Schäden abhielten [7]). Die Nerthus-Umfahrt, von der Tacitus berichtet [8]), trägt unverkennbar die Züge einer Flurprozession; Nerthus wird als befruchtende Göttin durch die Felder gefahren [9]). Der Indiculus superstitionum notiert unter can. 28: de simulacro quod per campos portant [10]). Dieser Brauch, die Götterbilder durch die Felder zu schleppen, hat seine Wurzel in dem primitiven Grundsatz des pars pro toto. Man glaubt, das Bild berge die göttliche Kraft ebenso wie die Gottheit selbst.

Diese Kraft soll durch den Umzug auf die Saaten und Fluren zu gutem Gedeihen übertragen werden. In G a l l i e n pflegten die Bauern noch zur Zeit Gregors des Großen Götzenbilder, mit weißen Tüchern umhüllt, durch die Fluren zu tragen [11]). Ebenso wurde das Bild der Muttergottheit Berecinthia auf einem Wagen pro salvatione agrorum et vinearum herumgeführt [12]).

[1]) H e l m Religgesch. 1, 49. [2]) W u n d t Mythus u. Religion 1, 554. [3]) P a u l y-W i s s o w a 1, 1796. [4]) Ebd. 2, 1472. [5]) Cod. inscr. lat. 1, 28. [6]) W i s s o w a Religion 196. [7]) S i m r o c k Mythologie 506. [8]) Germ. 40. [9]) M e y e r Religgesch. 204 ff. [10]) S a u p e Indiculus 32. [11]) S u l p i c i i S e v e r i Vita S. Martini cap. 12. [12]) MGSS. rer. Merov. I, 2, 793.

2. Die c h r i s t l i c h e K i r c h e, der Bittprozessionen schon aus ihrem israelitisch-jüdischen Erbe [13]) her geläufig waren, hat die Bräuche bei Feldbegehungen, die sie vorfand, verchristlicht. Derartige Sitten als heidnischen Aberglauben auszurotten, hat sie gar nicht erst versucht; vielmehr hat sie sich mit der ihr in allen Situationen eignenden Anpassungsfähigkeit an die gegebenen Tatsachen gehalten und an vorhandene Vorstellungen angeknüpft. Die Prozession heißt in der christlichen Frühzeit litania, wohl von dem monotonen, aber gerade in seiner Monotonie ergreifenden Wechselgesang. Im Jahr 325 hatte Konstantin das Christentum zur Staatsreligion erhoben; und schon ein Menschenalter später hat Papst Liberius (352—366) an Stelle der römischen Robigalien eine Feldprozession zum heiligen Markus auf den 25. April festgesetzt (litania maior)[14]). An die Stelle der alten Ambarvalien treten die litaniae minores, die um Christi Himmelfahrt gefeiert werden.

Im Volksglauben gilt der heilige Mamertus als Erfinder der christlichen Flurprozessionen [15]). Richtig ist daran soviel, daß er als Bischof von Vienne im 5. Jh. die Sitte der Begehungen neu belebt hat [16]). Die Synode von Orléans ordnete für das fränkische Reich die drei Tage vor Himmelfahrt als Bittage (rogationes) an [17]). Gregor der Große gab genaue Vorschriften für die Handhabung des Zeremoniells [18]). Ein Kapitular aus der Zeit Karls des Großen verordnet, die B.e sollen demütigen und bußfertigen Herzens nach vorhergegangener Messe vollführt werden; aller Scherz und Unfug habe zu unterbleiben [19]). Von besonderem Interesse ist eine uns erhaltene Verordnung der Äbtissin Marksvith im westfälischen Kloster Schildesche aus dem Jahr 940, weil sie neben einem anschaulichen Bild von dem Flurumgang selbst in der Terminologie direkt an das altrömische Vorbild anknüpft: Statuimus ut annuatim secunda feria Pentecostes spiritu Sancto cooperante eundem Patronum in Parochiis vestris longo ambitu circumferentes et domos vestras lustrantes et pro gentilicis Ambarvali in lacrymis et et varia devotione vos ipsos mactetis et ad refectionum pauperum eleemosynam comportetis: et in hac curti pernoctantes super reliquias vigiliis et cantibus solennizetis ut praedicto mane determinatum e vobis ambitum pia lustratione complentes ad monasterium cum honore debito reportetis. Confido autem de Patroni huius misericordia quod sic ab eo gyrade terrae semina uberius proveniet et variae aëris inclementiae cessent [20]). Durch das ganze MA. herauf sind die B.e im Schwange. Die Reformation legt auf jede Art von Prozessionen keinen Wert. Luther hält nicht viel davon, da sie ja doch in ein großes Saufen ausarten. Wenn man die Flurprozession doch begeht, so soll es mit Fleiß geschehen nach 1. Tim. 4, 5: Die Kreatur wird geheiligt durch Gottes Wort und Gebet [21]). Die reformierten Kirchen haben alle Begehungen radikal abgelehnt. Einige lutherische Kirchenordnungen (z. B. die mecklenburgische von 1540) haben die alten Umgänge beibehalten [22]). Doch wurden in den evangelischen Kirchen die Umgänge mehr und mehr abgemildert und zu Ernte-Bettagen umgewandelt [23]).

[13]) Vgl. RGG.[1] 2, 872. [14]) U s e n e r *Weihnachtsfest* 294 ff. [15]) A l b e r s *Jahr* 215. [16]) S i d o n i i Apollin. *epist.* 5, 14; 7, 1. [17]) L i p p e r t *Christentum* 643. [18]) *Vita* 1, 42. [19]) B a l u z e *Capitularia regum Francorum* 2 (1677), 1376. [20]) E c k h a r t *Commentarii*

de Rebus Franciae Orient. 1 (1729), 437; vgl. J a h n *Opfergebräuche* 147; F r a n z *Benediktionen* 2, 9. [21]) *Sermon von dem gepeet und procession* (1529) Weimarer Lutherausg. 2, 178. [22]) H e r z o g *RE.* [3] 3, 249. [23]) P f a n n e n s c h m i d *Erntefeste* 391.

3. Beim katholischen L a n d v o l k Deutschlands sind die B.e noch heute allenthalben in der Übung [24]). Dabei ist die A b z w e c k u n g in den verschiedenen Gegenden je nach Klima verschieden. Steht in trockenen Gegenden die Bitte um Regen im Vordergrund, so in feuchten die Bitte um Sonnenschein. Vielfach wird um Schonung vor Hagel und Unwetter gefleht. Bei den Umzügen werden die geläufigen christlichen Lieder gesungen, die sich an Jesus und die Heiligen wenden. Lokal zugeschnittene Gesänge, wie der von den Lobensteinern überlieferte:

„Greiz, Schleiz und Lobenstein
Bitten dich um Sonnenschein.
Und wollen die andern auch was haben,
So mögen sie dirs selber sagen [25])"

sind verhältnismäßig selten. In Weingegenden wird zur Zeit der Rebenblüte das Bild des Rebenheiligen Urban in feierlicher Prozession durch die Weinberge getragen [26]). Vielerorts werden bei den Flurbegehungen die Haustiere mitgeführt, um sie nach dem Volksglauben gleichfalls des göttlichen Segens teilhaftig werden zu lassen. Doch ist das schwerlich der ursprüngliche Sinn. Vielmehr haben wir hierin einen Überrest vom heidnischen Mitführen der Opfertiere.

Wohl die bekannteste Flurprozession der Gegenwart ist der W e i n g a r t n e r B l u t r i t t am Tag nach Christi Himmelfahrt, dem sog. Blutfreitag. Seit Ende des 15. Jhs. nachweisbar, stand der Brauch bis Anfang des 19. Jhs. in hoher Blüte, wurde dann durch behördliche Maßnahmen so gut wie ausgerottet, bis der Blutritt durch königliches Dekret 1849 wieder freigegeben wurde. Heutigen Tages ist der Blutfreitag das größte Volksfest Oberschwabens. Bauern und Knechte aus weiter Runde beteiligen sich daran zu Pferd. Über das Zeremoniell im einzelnen gibt die noch heute im wesentlichen gültige Prozessionsordnung von 1778—81

Aufschluß: Die Feierlichkeit nimmt ihren Anfang am Freitag in der Früh um 6 Uhr. Die Mönche gehen zum Blutaltar, wo der Pater Custos, mit Chorrock und Stola angetan, das heilige Blut in einem silbernen Behältnis um den Hals hängt. Unter Gesang, Glockengeläut und Böllerschüssen steigt der Custos im äußeren Klosterhof, wo die Reiter ihn erwarten, zu Pferd. Dann bewegt sich der Zug in genau vorgeschriebener Rangordnung durch den Flecken in die umliegenden Felder, Musik erklingt, Standarten wehen. Während des Zuges werden viermal die heiligen Evangelien abgelesen und die Feldfrüchte mit dem heiligen Blut gesegnet, damit sie Gott vor Ungewitter bewahre. Unterdessen werden in der Kirche Messen gelesen, Beichten abgenommen, bis dann das heilige Blut von dem Konvent der Mönche nach dem Umzug feierlich eingeholt wird. Mit dem heiligen Blutamt findet die Feierlichkeit dann ihren Abschluß [27]).

[24]) P a n z e r *Beitrag* 2, 83 ff.; W u t t k e *Sächs. Volksk.* 307 ff.; K ö h l e r *Voigtland* 629; K a p f f *Festgebräuche* 15; E b e r - h a r d t *Landwirtschaft* 5; W r e d e *RheinVk.* 189; M e y e r *Baden* 505; F o n t a i n e *Luxemburg* 42 f.; S t r a c k e r j a n 2, 79; J o h n *Westböhmen* 76. 87; S c h r a m e k *Böhmerwald* 152; R e i s e r *Allgäu* 2, 354; H o f f m a n n - K r a y e r 94; SAVk. 2, 125; H ö r m a n n *Tiroler Volksleben* 86 ff.; S a r - t o r i *Sitte und Brauch* 3, 164; MschlesVk. 9, 176; Egerl. 5, 30; 8, 13; S é b i l l o t *Folk-Lore* 4, 480. [25]) K ö h l e r *Voigtland* 629. [26]) J a h n *Opfergebräuche* 221. [27]) Vgl. P. Alb. S c h m i t t *Die Benediktinerabtei Weingarten* (1924), 101 ff.

4. Die Z e i t , in der die B.e abgehalten werden, ist nicht ganz einheitlich: entweder am Markustag (25. April) oder in der Himmelfahrtswoche. Entscheidend ist, daß die Umgänge in der Frühlingszeit stattfinden, wenn die Natur zu neuem Leben erwacht. Die Himmelfahrtswoche heißt auch „Bittwoche", in Bayern „Schauerwoche" (Schauer = Hagel) [28]). Am Lechrain werden vom ersten Freitag nach der Heiligkreuz-Erfindung (3. Mai) an Schauermessen gelesen, wobei während der Wandlung die Wetterkerzen angezündet werden. Von jedem Haus geht mindestens eine Person zu diesen Messen [29]). In Baden heißt der Freitag nach Himmelfahrt der Hageltag [30]).

Charakteristisch sind auch die norwegischen Bezeichnungen. Der 23. April heißt *förste gangsdag* = erster Prozessionstag, der Markustag (25. April) heißt *store gangsdag* = großer Prozessionstag. An diesen Tagen arbeiten die Bauern nicht, damit die aus der Erde hervorkriechenden Würmer der Saat nicht schaden [31]). Ähnlich glaubt man in Mecklenburg, daß die in der Bittwoche gepflanzten Vietsbohnen mit schwarzen Köpfchen aus der Erde kommen [32]), d. h. also nicht gedeihen. Überhaupt begegnen wir häufig der Vorstellung, daß die Bittzeit unheilbringend ist. Das mag damit zusammenhängen, daß in diesen Tagen die bösen Geister besonders gereizt sind. Vor allem Heiraten in der Bittwoche bringt Unglück [33]). Ja, nicht einmal an dem den Bittagen vorhergehenden „Bittsonntag" lassen sich Brautpaare von der Kanzel verkünden [34]). Auch waschen darf man nicht in der Bittwoche, sonst stirbt der Hausherr [35]).

vgl. F l u r u m r i t t .

[28]) P f a n n e n s c h m i d *Erntefeste* 371 f. [29]) L e o p r e c h t i n g *Lechrain* 177 f. [30]) M e y e r *Baden* 505. [31]) P f a n n e n - s c h m i d *Erntefeste* 372. [32]) S t r a c k e r j a n 1, 54; 2, 79. [33]) J o h n *Westböhmen* 70; S t r a c k e r j a n 2, 191. [34]) J o h n *Westböhmen* 70. 129. 260. [35]) SchwVk. 4, 12. Rühle.

blasen (und h a u c h e n). Das B. hängt aufs Engste mit der Vorstellung von Seele oder Geist als Lufterscheinung zusammen [1]). Das unsichtbare Agens des Luftzuges wird zu einer Form des Geistes, griechisch Pneuma (s. G e i s t , h l.), um so mehr, als Leben und Atmen vielfach einander gleichgesetzt werden. Daher werden Geister im Winde gegenwärtig gedacht (s. Wind). Daraus erwächst die doppelte Bedeutung des B.s im Aberglauben: 1. A n b., d. h. Übertragung des eigenen Pneumas auf einen anderen, Erzeugung einer sichtbaren oder unsichtbaren Wirkung durch B., 2. F o r t b., d. h. Überwindung eines fremden Pneumas durch B., Beseitigung einer von diesem hervorgerufenen Erscheinung. Man spricht geradezu von einer B.kunst [2]); ein solcher Künstler heißt Blaser; man rühmt von ihm: Er kann b. [3]).

[1]) E i s l e r *Weltenmantel* 2, 786; H e l l - w i g *Aberglauben* 9; K ö c h l i n g *de coronarum vi* 55; L i p p e r t *Christentum* 351, P r a d e l *Gebete* 84; R e u s c h e l *Volksk.* 2, 24; S c h w e n n *Menschenopfer* 90; S t e m p - l i n g e r *Sympathie* 75; S t o r f e r *Jungfräul. Mutterschaft* 86; W u n d t 4, 420; *Alemannia* 37, 8; *ZföVk.* 1, 288. [2]) B e c k e r *Pfalz* 136. [3]) P f i s t e r *Schwaben* 27.

I. Zunächst besitzt der G o t t oder Dämon diese Macht. Die primitive Anschauung steckt in Gen. 2, 7: Gott bläst dem Menschen den Odem und damit die Seele ein. In der griechischen Anthropogonie ist diese Anschauung nur bei den Orphikern nachzuweisen; körperliches Gedeihen schafft das Anhauchen Demeters [4]); aber in Sparta heißt der Liebhaber eines Knaben, der ihm den rechten Geist einflößt, εἰσπνήλας „der Einbläser"[5]). Auch Namenstausch, d. h. Übertragung eines neuen Wesens, ist mit B. verbunden [6]). Vergeistigt und doch an das fühlbare Anb. gebunden ist der Vorgang schon im Johannesev. 20, 22: Er blies sie an und spricht zu ihnen: Nehmet hin den hl. Geist. Das ist in den Taufritus übergegangen, nachweisbar schon bei Augustin [7]), dann in der katholischen Lehre [8]) und bei Luther noch 1523, nicht mehr 3 Jahre später, wo er es auch verwirft, den Kindern bei Krankheiten in den Hals zu b.[9]) (s. Kuß und Speichel). Wenn jemand nach Empfang der Kommunion, also vom göttlichen Pneuma gesättigt, einem kleinen Kind nüchtern in den Mund haucht, lernt es früh reden [10]).

Im Aberglauben überwiegt die Furcht vor schädlichem Anhauch. Man spricht von Malaria, „böser Luft"; eine Krankheit „fliegt uns an", und Goethes Wagner läßt alle 4 Winde unsere Gesundheit bedrohen [11]); aber manches Unwohlsein ist auch wieder fort, „wie weggeb.". Manche Krankheitsnamen sind davon hergeleitet [12]) (vgl. Anwat). Aber auch das Neue Testament kennt schon die ἀκάθαρτα πνεύματα oder πνεύμα ἀσθενείας [13]). Von besonderer Kraft ist der Hauch dämonischer

Wesen, so der Berchta [14]), der Elben [15]), der weißen Frau [16]), der Holzweiblein [17]), der Zwerge [18]), des Berggeistes [19]), des sog. Wanzenschneiders [20]); er ist zumeist tödlich [21]) oder wenigstens betäubend [22]). Des Teufels Anhauch läßt die Menschen erblinden [23]); des Drachen Hauch zerstört alles Lebende [24]). Manchmal erscheint in Thüringen ein weißes Reh, das bei Nacht einem Reiter aufs Pferd springt und durch den bloßen Odem seine Haare plötzlich weiß werden läßt [25]). Wen der gespenstige Jäger anbläst, der bekommt einen geschwollenen Kopf [26]); wenn man Kinder anbläst, bekommen sie Ausschlag[27]); wenn man in ein Vogelnest schnauft, f a u l e n d i e E i e r [28]). In Mecklenburg darf man nicht in den Backofen b., sonst backt das B r o t ab [29]). Diese Wirkung wurde später von den Dämonen auf die Hexen übertragen, ihr Hauch ist giftig [30]), faszinierend [31]), manchmal tödlich [32]). Ein Zauberbegabter vermag sogar durch bloßes Anhauchen und den entsprechenden Zauberspruch dem Nächsten alle Kraft und Mannbarkeit zu nehmen[33]). Anb. durch einen Geist [34]), Teufel [34]) oder Wiesel, Katze, Hermelin [35]) (s. Name, Wiesel) ist ein Widerspiel zu dem belebenden Anhauche Gottes. Verwandt ist der Ausdruck: Einem das Lebenslicht (s. d.) ausb. So ist B. allgemein zum S c h a d e n z a u b e r geworden in Tirol: „So ein B. vergiftet die Luft" [36]). Man darf daher auch den Kindern nicht in den B r e i b.[37]). Das Anb. Berchtas macht b l i n d, das entspricht der in griechischer Mythologie häufigen Strafe der Blindheit (Teiresias, Phineus) [38]); dies „die Augen ausb." kennt Hans Sachs vom Teufel [39]), ebenso wie Goethe im Faust von Frau Sorge und der Verf. vom Weihnachtsmann [40]). Auch die S e e l e ausb. wird gesagt, weshalb der Jäger mit „Dunst" schießt [41]). Sehr bedenklich ist es, wenn zwei gegeneinander ins Feuer b.[42]); ins Feuer zu b. ist überhaupt unter Umständen zu vermeiden, Beispiele bei Primitiven bei Frazer, wo die Erklärung nicht eindeutig ist [43]).

[4]) Hymn. Hom. 5, 238. [5]) Kallimachos F. 169. [6]) *ZfVk.* 4, 104. [7]) *Ep.* 105; N i d e r -

ihnen
oder
weiht
oder
die R
der ,
Böhn
Sege
teilt
Hals
rufen
we h
der P
weih
Kerz
z e n
Viell
Heili
men:
sche
Spra
Sons
s c h
sen)
rufe
b r
und

1)
Me
Gri
Vk.
f e l
124;
Sage
I, 2
U s e
6) S
v o r
n e y
Fest
Aucl
Nan
l i n
Böh
dikt
B i l

2
t i e
beg
mit
Scl
den
ode
S t.
14.

berger *Unterwalden* 3, 13; S t e m p l i n -
g e r *Volksmedizin* 54. [8]) *Lehrbuch der kathol.
Religion.* München 1886. [9]) K l i n g n e r
Luther 114; K o h l r u s c h 339; K u h n u n d
S c h w a r t z 431 Nr. 270; S e l i g m a n n
2, 216; W u t t k e § 599. § 606; [10]) P e t e r
Österr.-Schlesien 2, 211; ZrwVk. 1, 59. [11]) *Faust*
I im Osterspaziergang. [12]) L e s s i a k *Gicht*
153; ZfVk. 8, 393. [13]) l.c. 13, 11. [14]) M e y e r
Germ. Myth. 276; G r i m m *Myth.* 2, 1120.
[15]) M e y e r *Germ. Myth.* 120. [16]) S o m -
m e r *Sagen* 22 Nr. 17. [17]) M e i c h e *Sagen*
352 Nr. 411. 461. [18]) G r i m m *Myth.* 1,
381; K o h l r u s c h 273. [19]) G r i m m
Sagen 2 Nr. 2. [20]) R o c h h o l z *Sagen* 2, 151.
[21]) H e r t z *Abhandl.* 190. [22]) K o h l r u s c h
25. [23]) E i s e l *Voigtland* 6 Nr. 8. [24]) H e y l
Tirol 484 Nr. 50. [25]) W u t t k e § 59. [26]) R e i -
s e r *Allgäu* 1, 35; S c h ö n w e r t h *Oberpfalz* 1, 267; K u o n i *St. Galler Sagen* 63.
[27]) R e i s e r 2, 232. [28]) F o g e l *Pennsylvania* 385 Nr. 2068 f. [29]) B a r t s c h *Mecklenburg* 2, 136. [30]) M e y e r *Aberglaube* 253.
[31]) L a m m e r t 82. [32]) M e y e r *Abergl.* 253;
B i r l i n g e r *Aus Schwaben* 1, 143. [33]) D r e c h s -
l e r 2, 262; F r i s c h b i e r *Hexenspr.* 6;
Geistl. Schild 167; H o v o r k a - K r o n f e l d
1, 64; K u h n *Westfalen* 2, 151 Nr. 542;
W o l f *Beiträge* 1, 257; W u t t k e § 627
= 399. [34]) K u o n i 54 f.; ZfdMyth. 2, 71
für das Jahr 1633. [35]) S i t t l *Gebärden* 121;
R a n k e *Sagen* 213; S c h ö n w e r t h
Oberpfalz 2, 298. [36]) A l p e n b u r g *Tirol* 348,
267. [37]) Rockenphilosophie 53 Nr. 37; B i r -
l i n g e r *Aus Schwaben* 1, 293. [38]) G r i m m
Myth. 1, 229; 3, 89. [39]) D e r s. *DWb.* unter
„ausblasen". [40]) *Faust* II 5 gegen Ende;
Weihnachtsgeister schon Rockenphilosophie 6,
353. [41]) G r i m m *DWb.* unter „ausblasen I".
[42]) G r o h m a n n 42, 263. [43]) F r a z e r 2,
136. 256, aus T a y l o r *New Zealand* 165.

2. In der Vorstellung des W e g b.s
kreuzt sich die bisher besprochene Reihe
mit dem Fortb. einer F l o c k e, antik
Zeichen der Verachtung [44]) und der physiologischen Tatsache, daß B. auf eine
s c h m e r z h a f t e S t e l l e, zumal
wenn sie angefeuchtet ist (s. lecken), den
Schmerz lindert. Auf der Grenze steht
der Kindervers: „Heile heile Segen, drei
Tag Regen, drei Tag Schnee, tut dem
Kindchen nicht mehr weh", der in vielen
Fassungen überliefert ist [45]). Wie konkret
das zu verstehen ist, lehrt der Zusatz:
Da fliegt's fort [46]), oder daß man gleichzeitig mit der Hand darüberstreicht, als
nähme man etwas fort. Ins Abergläubische übersetzt kann man alle Krankheiten, die angeb. sind, wieder fortb.[47]). Wir
kennen das schon aus den Zauberpapyri

von ägyptischen Zauberern des Altertums
und von den Arabern [48]). Damit verbinden sich gern die bekannten Riten: Nennung der 3 hl. Namen, B. übers Kreuz, Zeit
des abnehmenden Mondes oder Sonnen-
untergangs u. ä.[49]). Das gilt zunächst von
Brandverletzungen [50], dann von ähnlich
aussehenden wie Rotlaufen der Füße [51],
Fieber [52] oder Rose [53]. Bezeichnend ist
der aus Aschaffenburg belegte Glaube,
daß dann zwar Blasen entstehen, das
kann man nicht hindern, daß aber
die Verbrennung nicht zur Auszehrung
führe [53]. Ein Beleg von 1792 weiß noch,
daß man dabei nicht auf einen andern
zub. darf [54]. Weiterhin kommen Beulen
in Frage [55], die dann nicht anschwellen [56],
Zahnweh [57] und Schnittwunden [58], wo
bestimmte Verse das Blut stillen [59].
Kühner ist die Anwendung bei einem gebrochenen Bein, das gleichzeitig besproch-
en wird (s. besprechen). Ähnliches kennen die Magyaren [60]. Aber noch um 1850
hat ein Quacksalber in Halle solche Kuren
gemacht [61]. Hier ist das heilende Pneuma das entscheidende, das belebende Wirkung hat [62]. Etwas anders ist die Vorstellung, wenn eine Störung im Sehfeld
weggeb. wird [63]. Bei Mensch und Vieh
hilft es gegen drohende Erblindung, zuweilen mit gewiß ganz nützlichen Räucherungen verbunden [64]. Gelbsucht wird
in Mosbach i. B. weggeb.[65]); es hilft auch
gegen Gichter [66] und Halskrankheiten [67],
beim Vieh gegen Kolik [68], wobei die Bezeichnung „vent du chrétien" sehr hübsch
zeigt, daß man sich die Kolik als „vent
du diable" vorstellt.

An Stelle des B.s kann auch ein F ä -
c h e l n mit einem Blasebalg, Wedel
oder Meßbuch treten, letzteres schon bei
San Bernardino da Siena um 1400 [69]. Das
hilft allgemein gegen jede *fascinatio*, wie
bei den Wakambo gegen den bösen
Blick [70]. Eine ominöse Stelle ist der
B r o t a n b i ß, auf den man b. soll [71]
(umgekehrt verbietet schon Plinius, das
auf den Boden gefallene Brot abzub.,
weil der Lar von ihm Besitz ergriffen
hatte [72])). Dasselbe gilt vom W a s s e r
bei Nacht [73], dem fremden L ö f f e l [74].
Bei B r u n n e n schützt B. vor Gift [75],

wisse Vorstellungen und Erscheinungen (Anthropomorphismus) wie bei der Beurteilung farbiger Sinnestäuschungen.

[1]) K l u g e   *EtWb.* s. v. (zu flavus); vgl. F a l k - T o r p *Norw.-dän. etym. Wb.* 1, 78; H i r t *Etymol. nhd. Spr.* 239 (zu μέλας). [2]) S c h ö n w e r t h *Oberpfalz* 3, 176: b. gilt dem Volke stets als dunkelb. [3]) S c h w e n t - n e r *Sprachgesch. Untersuch. über Gebrauch u. Bedeutung d. altgerm. Farbenbezeichnungen* (Göttingen 1915), 69 ff. [4]) M e i c h e *Sagen* 182 Nr. 249. [5]) *Rhein.Wb.* 1, 761. [6]) K l u g e a. a. O.; G r i m m *DWb.* s. v. b.; S c h r a - d e r *Reallex.*[2] 1, 148 ff. (blau) u. 296 ff. (Farbe).

V o l k s g l a u b e n.

2. F e u e r und L i c h t erscheinen bald rot, bald b., bald b. und rot in einem. Da ist zunächst B l i t z (s. d.) = B.feuer[7]); man vergleiche im Sprachgebrauch: die Verstärkung blitzb., den Vergleich „b. wie en Gewidder"[8]), die Flüche „Potz B.feuer"[9]) und „donners blösken help!"[10]). Es macht Kreuzblitzer, daß einem das b.e Feuer vor den Augen herumfliegt[11]). Der Teufel ruft bei herannahendem Gewitter: „Nun ist's Zeit, daß ich mich fortpacke; denn da kommt der mit der b.en Peitsche"[12]). Der Dunnerpiel (s. Donnerkeil), ein Steinchen von grauer oder b.er Farbe, besitzt Heilkraft und wird für das einzige Mittel gegen Krämpfe gehalten[13]). Viele P f l a n z e n, wegen ihrer b.en (noch mehr natürlich wegen ihrer roten) Blüte mit dem Blitz in Beziehung gebracht, sind blitzabwehrend oder -anziehend, worauf mehrfach schon die Volksnamen hindeuten: Wetterbleaml, Donnerrebe, Hausanzünder usw.[14]). Viola odorata verliert nach dem ersten Donner den Geruch und wird zum Hundsveilchen[15]).

[7]) F i s c h e r *Schwäb.Wb.* 1, 1207. [8]) *Rhein-Wb.* 1, 759. [9]) Schärtlins Fluch; vgl. a. Hans S a c h s *Fastnachtsp.* 3, 127 und G o e t h e (Weim. Ausg.) 13, 1, 273. [10]) G r i m m *Myth.* 1, 148 und 3, 66. [11]) S c h ö n w e r t h *Oberpfalz* 2, 124; vgl. M e i c h e *Sagen* 640. [12]) R e u s c h *Samland* 95 Nr. 81, 5. Der Blitz wird an einem weißen und einem b.en Wollfaden gehalten: S é b i l l o t *Folk-Lore* 1, 106. [13]) BlpomVk. 10, 85. [14]) G r i m m *Myth.* 2, 1014 und 3, 357; B o h n e n b e r g e r 22; M a r z e l l *Kräuterbuch* 270 f. 277. 474 und *Volksbotanik* 132 ff; Weißenburger Hmtbüch. 1 (1921), 48 (Glockenblume). [15]) M a r z e l l *Kräuterb.* 474.

3. Auf Vorstellungen von Seele und Fegefeuer wie auf wirkliche Naturerscheinungen mannigfacher Art („b.es Holz", = in der Dunkelheit leuchtendes, vermodertes Holz[16])) oder entsprechende Sinnestäuschungen gehen die vielfältigen L i c h t g e s t a l t e n des Volksglaubens zurück[17]): die bläulich, „wie von einem Spanlicht" schimmernden und tanzenden Flämmchen der I r r l i c h - t e r, all die verwunschenen und verbannten Geister, die Seelen der Bösewichter wie der Unglücklichen, das in b.en Lichtschein gehüllte Geisterschiff der Meeresküste[18]). F e u e r m ä n n e r (Landsknechte), leuchtend wie eine Fakkel, ruft man an: „He, Landsmann, bal raud, bal b. ....."[19]). Das „Sengwarder Licht" zeigt sich nachts als Mann mit b.en Strümpfen, feurigem Oberkörper und einem Dreimaster auf dem Kopf[20]) (man sieht das Feuer von unten auf nach b., rot und Rauch z. T. der Tracht gemäß ausgedeutet). Zu den Füßen eines aufrechten Gerippes kommt ein kleines b.es Lichtlein aus dem Erdreich hervor, steigt bis zur Brust, verbreitet sich über den ganzen (vorher in seinen Umrissen von der Phantasie konzipierten) Körper zur großen heitern Flamme, bis endlich alles miteinander erlischt[21]). Auch der D r a k oder Drache, der nachts als b.er Streifen den Rauchfang ein- und auszieht[22]), zeigt häufig rot und b.: entweder sind die beiden Farben auf seine verschiedenen Körperteile verteilt (Kopf helleuchtend, Schwanz oder Flügel b. usw.[23])), oder aber er trägt rot: Gold, b.: Getreide oder Unglück[24]). Wir erkennen ihn, auch wenn als Teufel bezeichnet wird, was in Gestalt eines feurigen Wiesbaums daherstreicht und sich als b.er Gickel auf das Dach niederläßt[25]). Auch auf K o - b o l d e wird die b.e Farbe gelegentlich übertragen[26]). Wenn in den Rahen ein b.liches Licht auf- und abtanzt, kommt bald der K l a b a u t e r m a n n und holt sein Opfer[27]). Im Getöse der W i l - d e n J a g d zuckt todbringend das b.e Flämmchen empor, und den Hunden schlägt b.liche Glut aus dem Rachen[28]) (anders B.hütel; s. d.). Auch der B e r g -

g e i s t kommt in grauem Gewande mit b.lichem Lichte oder schwebt als b.e Flamme im Schacht auf und ab; wen er erwürgt, dessen Gesicht ist b. [29]). Der A l p zieht wie die Pest als b.er Rauch durchs Schlüsselloch [30]); b.e Lippen gelten als Alpmerkmal [31]). Die Z w e r g e tragen zu roten Hosen b.e Jacken oder umgekehrt [32]) (sind lichtb. oder stahlgrau gekleidet); [33]) man sieht von ihnen nur den großen b.en Edelstein, den sie auf den Kappen haben, so daß bei Nacht lauter b.e Flämmchen auf der Wiese zu tanzen scheinen [34]). Ähnlich stellt sich der norwegische Nisse graugekleidet dar, mit roter Pechhaube, ein b.es Licht bei Nacht tragend [35]). Ein b.er Mantel kommt bei elbischen Wesen vor [36]), wie das E l l e - f o l k auch Vieh von b.er Farbe hat [37]). — Selbst b.e T i e r g e s p e n s t e r kommen vor [38]).

[16]) *Rhein.Wb.* 1, 760. [17]) R a n k e *Volkssagen* 55 ff. [18]) L ü b b i n g *Fries. Sag.* 150 f. [19]) S c h ö n w e r t h *Oberpfalz* 2, 98. Zwei feurige Männer mit einem b.en Ring am Kopf: B ö r n e r *Im Bannkreis des Hesselbergs* (1927), 134. [20]) S t r a c k e r j a n 1, 220 f. = ZfVk. 4, 414. [21]) L ü t o l f *Sagen* 133 Nr.67. [22]) K u h n u. S c h w a r t z 421 Nr. 208; BlpomVk. 4, 94. [23]) S c h ö n w e r t h *Oberpfalz* 1, 393; W i r t h *Beiträge* 1, 10. 15. [24]) G r i m m *Myth.* 3, 492 Nr. 1; vgl. ebd. 491 Nr. 102 und R a n k e *Volkssagen* 159 ff. [25]) W o l f *Sagen* 75 Nr. 115. [26]) BlpomVk. 10, 36 (ein alter Mann in roter Jacke und roten Strümpfen verkauft Hausgeister); ebd. 10, 78; W i r t h *Beiträge* 1, 11; Z i n g e r l e *Tirol* 55 Nr. 470 (Pütze als b.e Flämmchen). [27]) Urquell 1 (1890), 135. [28]) G r a b e r *Kärnten* 84 Nr. 99; K n o o p *Hinterpommern* 131; M e i c h e *Sagen* 426 Nr. 561; vgl. 844 Nr. 1047. [29]) A n - d r e e - E y s n *Volkskundl.* 207; K ü h n a u *Sagen* 2, 410. 414; M e i c h e a. a. O. 405. [30]) G r a b i n s k i *Sagen* 40 f. [31]) MschlesVk. 7 (1905), 100. [32]) BlpomVk. 8, 2. [33]) T h i e l e *Folkesagn* 2, 194. [34]) K ü h n a u a. a. O. 2, 149. [35]) G r i m m *Myth.* 1, 420. [36]) U n - w e r t h *Totenkult* 152; b. als Farbe übernatürl. Wesen: F e i l b e r g *Ordbog* 4, 52. [37]) T h i e l e *Folkesagn* 2, 177. [38]) F o x *Saarland* 287; A n d r e e *Braunschweig* 379.

4. Im Walenbericht sieht einer den andern „ganz b. unter dem Angesicht von der großen Glut der Metallen" [39]); die Falschmünzerhöhle wird von b.em Feuer erleuchtet [40]). Wo die b.e Flamme brennt, liegt ein S c h a t z, gehütet von dem Teufel oder den armen Seelen; oder sie ist selber der Schatz, der gerade b l ü h t. Wer so ein Geldfeuer sieht, muß etwas hineinwerfen: es u. a. mit einer neuen b.en Schürze bedecken [41]). Die Schatzblüte wird, wie Ranke [42]) überzeugend dargetan hat, zu der (recht häufig b.en) W u n d e r b l u m e, die den Zugang zu unermeßlichen Schätzen (im Totenberg) erschließt (s. Schatzblume, -feuer) und zum Symbol romantischer Dichtung und Malerei geworden ist. Auch nimmt die b.e Flamme die Gestalt eines grauen Männchens an mit einem großen Schlüssel in der Hand [43]). B.e Zwetschgen, noch betaut, wandeln sich in der Tasche zu Talern [44]). Vom Kreuzweg blickt man nach der b.en Flamme aus [45]), sucht nach ihr während des Gottesdienstes am Palmsonntag (= B.ostertag?) [46]). Volksetymologisch wird die Schatzsage benutzt zur Herleitung des Namens Plauen < Blauen [47]). Geht es auf natürliche Gesteinsfärbung zurück, wenn der Totenberg als „b.er Felsen" bezeichnet wird [48])?

[39]) M e i c h e *Sagen* 895 Nr. 1101. [40]) S c h ö n - w e r t h *Oberpfalz* 2, 407. [41]) Annalen d. hist. Ver. Niederrhein 52 (1891), 44 Nr. 4 = K o r t h *Jülich* 123 Anm. 1. [42]) *Volkssagen* 114. 239 ff. 285 f. [43]) M e i c h e a. a. O. Nr. 928. [44]) S c h ö n - w e r t h a. a. O. 2, 260. [45]) W l i s l o c k i *Sieb. Volksgl.* 50. [46]) J i r a s e k Hmtkde Hohenelbe (1907), 661. [47]) M e i c h e a. a. O. 813 Nr. 994. [48]) G r a b e r *Kärnten* 109 Nr. 128.

5. Der schwarze Tod (vgl. frz. morbleu), die P e s t (s. d.), zuerst als roter, b. getupfter Flecken unter dem Herzen sichtbar [49]), zieht als b.er Dunst oder Rauch, b.es Wölklein oder Flämmchen heran [50]); sie heißt geradezu *et b.ə Flämmche* [51]). Sie wird u. a. verkündet durch eine b.e Taube [52]); die Einbeere, wegen ihrer b.schwarzen Früchte Pestbeere genannt, feit dagegen [53]). Auch wird im 11. Jh. die b.e Farbe für das A n t o n i t e r k r e u z (Thau) doch wohl zur Dämonenabwehr gewählt worden sein [54]).

[49]) S c h ö n w e r t h *Oberpfalz* 3, 19. [50]) G r i m m *Myth.* 2, 990; Z i m m e r m a n n *Volksheilkunde* 17. 95; J a h n *Pommern* Nr. 47. 48. 50; H a a s *Pom. Sag.*[4] Nr. 119; BlpomVk. 4, 50; B ö c k e l *Volkssag.* 32 (m. Lit.); E i s e l *Voigtland* Nr. 456—58; M e i -

Kleid im 17. Jh. für ungünstig [103]). Beim
L o s z i e h e n zu Neujahr bedeuten b.e
„Plëtz" (Zeuglappen), daß man im folgenden Jahr in die Hölle kommt [104]); mit
b.en Karten angeben bringt im Whistspiel Glück [105]). Aus der Reihe fällt nur,
daß ein günstiges Ereignis bevorsteht,
wenn die weiße Frau eine b.e Blume
trägt [106]) (es sind hier zwei weiße Frauen
zusammengefallen). Zu der ältesten und
verbreitetsten Schicht der hierher gehörigen Vorstellungen gehört es offenbar,
wenn b.e Flecken am Körper (morgens
beim Erwachen!) als *Dødningekneb* aufgefaßt werden, die den nahe bevorstehenden Tod von Verwandten oder Freunden
anzeigen [107]); sie führen auch sonst bezeichnende Namen: „Kummermosen" [108]),
„Totenbäumchen", „Duadenläddschen",
„Kißfatt" (Sarg) [109]), „Kirchhofblümlein" [110]) usw. Besonders achtet man bei
Kindern darauf und prophezeit solchen,
die b.e Adern auf der Stirn oder zwischen
den Augen haben, kein langes Leben [111]).
— Nur weniges noch mag kurz berührt
werden. B.es B l u t beim Aderlaß bedeutet nach der Kalenderweisheit Milzweh oder Melancholie [112]). Das adligb.e
Blut scheint ursprünglich durch die hellere Hautfarbe und das durchschimmernde Venenblut des Adels gegenüber der
maurischen Bevölkerung in Spanien veranlaßt zu sein [113]). Vom vielen Wassertrinken wird spaßhaft behauptet, bekomme man b.e Därme; dazu sei erinnert
an B.sucht = Bleichsucht [114]). — Wenn
im Spätherbst die Wolken stahlb. überlaufen, ist es die Blüte des Schnees [115]).
Gutes W e t t e r prophezeit der Bauer,
wenn man am Himmel soviel B. sieht,
wie zu einem Paar Hosen gehört [116]). Auf
Weiber t r e u e deutet es, wenn man im
Frühling zuerst eine b.e Blume sieht [117])
(auf Grund der bekannten Farbensymbolik) [118]).

[101]) B e r g e n *Superstitions* 125 Nr. 1167 u.
147 Nr. 1451. Ind. Belege für die Unglücksbedeutung der b.en Farbe s. Wiener Zs. f. d.
Kde. des Morgenl. 17 (1903), 222 f. [102]) ZfVk.
30/32 (1920—22), 151; ähnl. ZfrwVk. 4, 110.
[103]) A m e r s b a c h *Grimmelshausen* 2, 75.
[104]) SchweizId. s. v. b. [105]) S t r a c k e r j a n 2, 115.
[106]) ZfdMyth. 3, 173. [107]) T h i e l e *Folkesagn*
166 Nr. 657 (m. Lit.) = G r i m m *Myth.* 3, 483

Nr. 144. [108]) L ü t o l f *Sagen* 553 Nr. 553.
[109]) ZfrwVk. 10, 166. [110]) H ö h n *Tod* 313. [111]) S.
hier Art. Augenbraue; ferner: S c h ö n w e r t h
I, 180; MschlesVk. H. 14, 74; J e n s e n *Nordfries. Inseln* 304; B e r g e n *Superstit.* 34 Nr. 122
usw. [112]) ZfrwVk. 10, 230; P o l l i n g e r
Landshut 273 f.; SchweizId. a. a. O. [113]) P a u l
DWb. 85; H a b e r l a n d t *Deutschösterreich*
(1927), 197; G ü n t h e r *Rassenkunde* [3] 54.
[114]) F i s c h e r *Schwäb.Wb.* s. v. b.; vgl.
SchweizId. a. a. O. [115]) S c h ö n w e r t h I,
135. [116]) Z. B. T h i e l e *Folkesagn* 22, 111:
S é b i l l o t *Folk-Lore* I, 131 (Marias Mantel).
[117]) Hmtl. 11, 135. [118]) Lit. s. ZfVk. 23, 146;
vgl. a. B e r g e n *Superst.* 26 f. 30. 33; M e n s i n g *Schlesw.-Holst.Wb.* I, 376 (blaulacht). B.
als Neidfarbe geht wohl auf lat. lividus zurück.
Zur Verwandlung in eine b.e Blume: Wegwarte: E r k - B ö h m e I, Nr. 10; H e i n e
Werke (ed. Elster) I, 90 Nr. 62; B o l t e - P o l i v k a I, 501 ff.; vgl. 2, 125 f. u. 3, 259;
Greth im Busch: M a r z e l l *Volksbotanik*
229. Weitere Märchenmotive: das b.e Licht
B o l t e - P o l i v k a 2, 535 ff.; das b.e Band
A s b j ö r n s e n o. M o e 293 Nr. 58; Helge-Hal im b.en Berg: B e r g h *Folke-Eventyr*
(1879—82) 2, Nr. 42; der b.e Widder E l l e -
k i l d e *Danske Folkeaeventyr* (1928) 53.

10. F e u e r glaubte man stillen zu
können, indem man einen b.en Lappen
hineinwarf und dazu sprach:

> Jeg staaer paa Jorden, hin grønne,
> Og seer til Himlen, hin skjønne!
> Vi see den Ild at gjøre.
> O milde Gud Fader, Søn og Helligaand!
> Christus tog over sig kappen blaa,
> Slaa over Ilden og forbyd den længer at
>   gaa! [119]).

Auch warf man eine b.e Kornblume über
das Haus [120]).

[119]) T h i e l e *Folkesagn* 33 Nr. 141. [120]) ZfrwVk. I, 152.

11. Schon das neugeborene K i n d
legt die Hebamme in einem b.en Tuche
unter den Tisch [121]). Man bindet abends
die Tür mit einem b.en Schürzenbande zu
(zur Sicherung gegen kinderraubende
Wassermenschen oder Hexen) [122]); man
tut in die Wiege ein Band aus b.er Schafwolle (gegen Hexen) [123]) oder Orant,
b.en [!] Daust usw. (zum Schutz gegen
den Nickert) [124]). Kinder wie Tiere tragen
am Halse b.e Perlen [125]). Einem beschrienen Kinde legt man ein b.es Papierpflaster über den Magen, das man nach
drei Tagen unter einem Holunder vergräbt [126]). Ist das Kind vom b ö s e n
B l i c k einer Hure getroffen worden, so

muß am Schluß einer längeren Abwehr-
behandlung seine Brust mit Pflaumen
gerieben und mit einem Stück Zuckerhutpapier bedeckt werden [127]). Wenn ein
Kind gefallen ist oder sich gestoßen hat,
drückt die Mutter dreimal kreuzweise mit
dem Zipfel einer b.en Schürze auf die
Stelle, damit sich keine „Brausche"
bildet [128]). Einem stark h u s t e n d e n
Kinde schenkt die Patin ein b.seidenes
Band, das dann der Mutter Gottes geopfert wird [129]). Gegen die B r ä u n e (s. d.)
wickelt man die Kinder in ein b.es Tuch [130])
oder knüpft ihnen einen b.en Wollfaden
um den Hals [131]). Die Sympathie der
b.en Farbe wird angerufen gegen den gefürchteten Keuchhusten, weithin B.-
h u s t e n [132]) genannt, weil die Gesichter
im Erstickungsanfalle b. anlaufen. Ein
Mädchen, das den b.en Husten hatte, gelobte, Maria zu Ehren ständig b.e Kleider
zu tragen, niemals rote, die ihr doch besonders gut standen [133]) (s. § 7). Auch
hängt man „unberaffelt" einem Mutter-
gottesbild ein b.es Band um den Hals [134])
oder ans Gitter [135]); man trägt ein gestohlenes b.es Band, trinkt Tee aus b.en
Kleeblumen, trinkt aus einem gestohlenen b.en Glas, ißt aus b.em Geschirr,
küßt einen Neger [136]), atmet den Dampf
von b.en Kartoffeln ein [137]). Über ein in
K r ä m p f e n liegendes Kind breitet
man ein b.es Leinentuch [138]), hüllt es in
eine b.e Schürze [139]), legt ihm in „Ostertauf" getauchtes b.es Zuckerhutpapier
auf die Brust [140]). Oder man verbrennt ein
Stück von einer b.en Leinenschürze und
gibt dem Kind die Asche ein, darf es aber
nur mit der b.en Schürze anfassen [141]).

[121]) G r o h m a n n 107 Nr. 769. [122]) W i t z-
s c h e l *Thüringen* = S a r t o r i *S. u. Br.* 2,
24; W § 581 = M e y e r *Baden* 40. [123]) P l o ß
Kind 1, 135; S e l i g m a n n *Blick* 2, 246.
[124]) K u h n u. S c h w a r t z 431 Nr. 266.
Auch gegen die Wöchnerin können die Nicker
vor dem b.en Orant nichts ausrichten: ebd. 94 f.
Nr. 106; vgl. zu Dost u. Dorant M a r z e l l
SAVk. 23, 172 f. [125]) S t r a c k e r j a n I,
373. Eine Menge von Belegen sind, besonders
für die nahen Osten, zusammengetragen von
S e l i g m a n n in seinen Schriften; vgl. a.
ZfVk. 23 (1913), 263 ff.; SAVk. 17, 15; Wiener
Zs. f. Kde d. Morgenl. 17, 223f; S c h u r t z
Tracht 85 f. (Neger). [126]) D r e c h s l e r 1, 209.
[127]) ZfVk. 11 (1901), 328 (dän.). [128]) MdBlfVk.

2 (1927), 98; ähnl. HessBl. 6 (1907), 58.
[129]) M e y e r *Baden* 35. [130]) W e t t s t e i n
Disentis 172 Nr. 10. [131]) W § 537 = S e l i g-
m a n n *Blick* 2, 246 (Mecklenburg); vgl. H o-
v o r k a - K r o n f e l d 2, 697 f. [132]) Mittel
dagegen: F o g e l *Pennsylvania* 336 ff. Nr. 1781
bis 1806. [133]) Mündl. aus dem Schwarzwald;
vgl. W. § 424. [134]) M e y e r *Baden* 571.
[135]) Z i m m e r m a n n *Volksheilkunde* 29.
[136]) F o g e l a. a. O. Nr. 1790. 1786. 1797. 1804.
1791 f.; Blauklee (Trifolium melilotus coerulea),
geschätzt bei Brustkrankheiten: M ü l l e r
Kräuterbuch (1871), 324. [137]) Z i m m e r m a n n
a. a. O. [138]) L a m m e r t 125; K o l b e *Hessen* 75. [139]) M e y e r *Baden* 40 = W. § 542
= Z i m m e r m a n n a. a. O. 49. [140]) M e y e r
a. a. O. 37 = Z i m m e r m a n n a. a. O.
[141]) A n d r e e *Braunschweig* 421.

I 2. Wenn jemand durch Hexerei krank
ist, soll man drei dreieckige Papierblätter,
zwei schwarze und eins halb rot und halb
b., in den Schornstein hängen; der Hexe
werden dann auf ihrem gewöhnlichen
Wege die Augen und Zähne ausgerissen [142]). Leichtbewegliche Deckengehänge
mit roten und b.en Glanzpapierstückchen
zeigen durch ihre „Unruh" die Gegenwart
von Hexen an; auch ein ausgeblasenes
Ei, beklebt mit roten oder b.en Seiden-
oder Papierstückchen, hing man an die
Stubendecke oder an einem Pferdehaar
vor die Stalltür, um die Hexen am Eintritt zu hindern [143]). Ein Kranker durfte
nur unter einer Bettdecke von b.gedruck-
ter Leinwand liegen; auf e n t z ü n-
d e t e Stellen band man eine neue, b.-
gefärbte, leinene Schürze; auch die Ka-
millensäckchen machte man aus b.em
Leinen [144]).

Gegen ein „G e s c h w ü r r am H a l ß"
legte man, auf Zuckerhutpapier gestrichen, eine bestimmte Mischung auf [145]);
gegen H a l s w e h wurde während der
Nacht der Hals mit einem b.en Strumpf
umwunden [146]), oder man trug ein b.es
Schnürlein [147]), ein indigob.es Seiden-
band [148]). B.en Rittersporn gegen angezauberte Krankheiten in die Schuhe zu
legen, wird empfohlen [149]). B.e Kornblumen s t i l l e n das B l u t [150]); eine
am Fronleichnamstag mit der Wurzel
ausgeraufte b.e Kornblume soll das N a -
s e n b l u t e n stillen, „wenn man sie
in der holen Hand so lange an dieselbe
hält, bis sie erwärmt ist" [151]). Ein Arznei-

buch verordnet: „Nimm ein Stück b.
Laken, je höher die Färbe je besser es
ist; brenne es zu Pulver; ein wenig von
diesem Pulver in die Nase gezogen, stillet
das Bluten der Nase"[152]).

[142]) MschlesVk. H. 14, 74 (poln.). [143]) A n -
d r e e - E y s n *Volkskundliches* 93. 82. [144]) Hess-
Bl. 6 (1907), 58. [145]) ZfrwVk. 12 (1915), 116.
[146]) HessBl. a. a. O. [147]) Z i n g e r l e *Tirol* 29
Nr. 187. [148]) H ö h n *Volksheilkunde* 1, 84.
[149]) H a l t r i c h *Abergl.* 297. [150]) B a r t s c h
Mecklenburg 2, 372 Nr. 1740. [151]) F i s c h e r
Abergl. 228; vgl. M a r z e l l *Kräuterb.* 381;
S c h e f f e l *Ekkehard* Kap. 22 (vgl. Z i m m e r -
m a n n *Volksheilk.* 85). [152]) BlpomVk. 8, 158.

13. Neben b.en Steinen (s. Saphir,
Lasur) wurden, wie die wenigen heraus-
gehobenen Beispiele zeigen sollen, namentlich b.e P f l a n z e n und Früchte
in Fülle und mannigfacher Hinsicht ak-
zessorisch oder ausschließlich wegen ihrer
Farbe zu Abwehr und Heilung herangezogen. Der leicht adstringierenden, Geschwülste und Oedeme aufreißenden, Geschwüre zurückbildenden Heilkraft der
I n d i g o pflanze, die schon bei den
Ägyptern den Zunamen „vor Schaden be-
wahrend" trug[153]), und des daraus ge-
wonnenen, mit purpurner Flamme brennenden, b.en Farbstoffes — von wunder-
voll b.en (Indigo)Steinen und ihren glücklichen Findern wissen Sagen zu berichten[154]) — gedenken Dioskurides, Plinius, die Araber u. a.[155]); und ebenso bekannt ist, daß sich schon die alten Britannier mit dem altheilkräftigen Waid[156])
b. bemalten (s. Tätowierung): „atque hoc
horribiliores sunt in pugna aspectu"[157]).

Natürlich sind viele b.blühende Pflanzen
wie Vergißmeinnicht, Rittersporn, Kornblumen besonders zu A u g e n wässern
verwendet worden[158]). Im Egerland blik-
ken die Mädchen durch b.e Kornblumen-
kränze mit den Worten: „Johannes-
feuer, guck, guck! Stärk' mir meine
Augen . . ."[159]), was schon 1520 Joh.
Boemus aus Franken ganz ähnlich vom
Rittersporn erzählt[160]). „Rittersblumen
dry in jungfrawenwachs gewirckt und
an den Hals gehenkt....: seyn augen
blyben gesunt die wyle der mensch le-
bet"[161]). Ein Büschlein Rittersporn auch
hing man über die Tür der Stube, um
darin sehen zu können[162]).

Neben Kornblumen[163]) fanden noch
Veilchen[164]), Wegwarte[165]) und Teufelsabbiß[166]) mannigfache Verwendung. Wer
die Augenkrankheit hat, gehe in b.er
Schürze den Schafen beim Austrieb entgegen[167]). Ein Quacksalber verkaufte
eine Augensalbe, von der ein Teil in b.es
Zuckerpapier eingewickelt war[168]). Umgekehrt schützt man sich in Ländern, wo
B.äugige fremdartig wirken, wo man
sie für gefährlich hält, ja tötet — der
Teufel ist im Orient b.äugig — gegen den
b ö s e n B l i c k dieser b.en Augen
durch die b.e Farbe[169]). B.e Augen, heißt
es, sehen weiter als braune[170]). Und noch
etwas Vereinzeltes sei hier angeführt: die
Hochzeitsmesse muß möglichst laut gesungen werden, dann gibt es in der Ehe
lauter Buben mit b.en Augen[171]).

[153]) B r u g s c h - P a s c h a *Aus dem Morgenlande* 20. [154]) H e y l *Tirol* 379 f. Nr. 58
u. 651 f. Nr. 121. [155]) S c h r a d e r *Reallex.* 1,
539; P a u l y - W i s s o w a 9, 2, 1367 f.;
B l ü m n e r *Technologie der Griech. u. Röm.* 1²,
255. [156]) S c h r a d e r a. a. O. 2, 626 f.
Über Meletelle, die Göttin der b.en Farbe:
P r a e t o r i u s *Deliciae pruss.* 32. [157]) C a e s a r
De bell. Gall. V, 14. Die Belege für Tätowierung
in Alteuropa sind bequem zusammengestellt:
S c h r a d e r a. a. O. 2, 511. [158]) Schlern 1
(1920), 270. [159]) Land 18 (1910), 422 = M a r -
z e l l *Heilpflanzen* 207. [160]) Vgl. S c h m i d t
Volkskunde 103 f.; nach F r a n c k s *Weltbuch*
51 b, zitiert G r i m m *Myth.* 1, 514 f.; M a r -
z e l l *Heilpflanzen* 207; ZfVk. 24, 16. [161]) Gart
der Gesuntheit 1507, 50 a = ZfVk. a. a. O.
[162]) ZfVk. a. a. O. [163]) BlpomVk. 7, 102;
G r o h m a n n *Böhmen* 98 = M a r z e l l
Kräuterbuch 381; Oberpfalz 7 (1913), 216
= M a r z e l l *Volksbotanik* 179; Kuhländchen 9 (1927), 137. [164]) W i t z s c h e l *Thüringen* 2, 285 = M a r z e l l a. a. O. [165]) ZfVk.
24, 16. [166]) P a n z e r *Beitrag* 2, 205; gegen
allen Zauber: Balt. Stud. 33 (1883), 145.
[167]) G r o h m a n n 174 Nr. 1234 (tschech.)
= W. § 524. [168]) S t o l l *Zauberglaube* 86.
[169]) SAVk. 17 (1913), 15; ZfVk. 23 (1913),
263 f.; F r o b e n i u s *Atlantis* 2, 241; in
Arabien gibt es Leute, die einen großen Abscheu vor der b.en Farbe haben: M a e n n -
l i n g 113. [170]) Z i n g e r l e *Tirol* 48 Nr. 423.
[171]) H a g e r *Chiemgau* (1927), 273.

14. „I n s c h o t t" (Milchversatz in der
Brust) bespricht man:

De Inschott dei plagt di,
De blag Schört dei schad't di,
De Inschott dei verswinnt,
De blag Schört gewinnt[172]).

Nach einer bekannten Pflanzensage gab ein Waldfräulein einer kreißenden Tagelöhnersfrau die schöne b.e Blume „Nimmerweh" zu essen [173]). Wer am Ostermorgen die drei ersten Veilchen verspeist, bekommt das kalte F i e b e r nicht [174]), es hilft auch gegen den B i ß toller Hunde [175]); Gundermann, ins Badwasser getan, heilt alles R e i ß e n [176]); Kornblumentee wird gegen W a s s e r s u c h t empfohlen [177]). Zu dem bekannten W a r z e n zauber mit der Knotenschnur verwendet man b.seidene Bänder und versucht es so auch gegen H ü h n e r a u g e n [178]).

Gegen M a g e n schmerzen legt man einen erwärmten b.leinenen Lappen auf den Leib [179]); gegen O h r e n weh schreibt man seinen Namen mit b.er Kreide an die große Glocke im Kirchturm [180]). Gegen Z a h n weh windet man einen warmen b.en Lappen um den Kopf [181]; zum Festmachen der Zähne benutzt man Salz und eine b.e Schürze [182]). K o p f - schwären behandelt man mit einer Mischung, zu der auch ein Teelöffel voll geschabten b.en Dachziegel gehört, oder man legt einen in Rüböl getränkten b.- leinenen Lappen auf [183]). Bei Kopfweh ziehe man den Saft von b.en Lilien (Iris germanica) in die Nase [184]), oder man binde b.es Papier an den Kopf, das man vorher mit einer Nadel durchstochen und mit Weihrauch bestreut hat [185]); man trage eine Wegwurzel an b.em Bande [186]). Dem vom S c h l a g Getroffenen hält man ein angebranntes Band von einer b.en Schürze unter die Nase [187]). Ein Fieberkranker wickelt einen b.en Wollfaden neunmal um die Zehe des linken Fußes und bindet ihn dann unter Hersagen eines Spruches um einen Holunder [188]).

Das Mieser Kräuterbuch rezeptiert gegen R o t l a u f (s. § I): „Nim b.es Papier, thue ein wenig Rockenmehl darauf und lege es über oder streiche Silberklett Sälbel [189]) darüber und nim ein paar mal ein zu schwitzen." Oder man legt auf die kranke Stelle b.es Zuckerhutpapier, das auch mit Bleiweiß und Baumöl eingerieben wird [190]).

[172]) B a r t s c h *Mecklenburg* 2, 435 Nr. 2016

= MdBlfVk. 2, 100. [173]) P a n z e r *Beitrag* 2, Nr. 357 = R a n k e *Volkssag.* 172 = M a r z e l l *Volksbotanik* 228. [174]) B a r t s c h *Mecklenburg* 2, 261; F o g e l *Pennsylvania* 273 Nr. 1426. [175]) M ü l h a u s e 24. [176]) Balt. Stud. 33 (1883), 145. [177]) Kuhländchen 9 (1927), 137. [178]) Z i m m e r m a n n *Volksheilkunde* 73. 75. [179]) ZfrwVk. I (1904), 95. [180]) P o l l i n g e r *Landshut* 287. [181]) ZfrwVk. 14 (1917), 184. [182]) B a r t s c h *Mecklenburg* 2, 148. [183]) ZfrwVk. I, 202. [184]) D r e c h s l e r 2, 309. [185]) H o v o r k a - K r o n f e l d 2, 194. [186]) P o l l i n g e r a. a. O.; vgl. M a r z e l l *Heilpflanzen* 185. [187]) G r o h m a n n 184 Nr. 1292 = W. § 533. [188]) W. § 488 = W e i n h o l d *Neunzahl* 32 = H o v o r k a - K r o n f e l d 2, 878f. [189]) S c h m i d t denkt S. 61, Anm. 207 an eine Klettenart; allein es ist Silberglätte-Salbe gemeint, vgl. im folg. Rezept Bleiweiß. [190]) P o l l i n g e r *Landshut* 280.

15. Fand man im Magen verendeter T i e r e rote Zeuglappen, war also die Hexe schuld, dann sicherte der Abdecker vor seiner Hexenabwehrprozedur zunächst alle Fenster mit einem b.wollenen Faden und verstopfte auch die Schlüssellöcher damit [191]). B.en Rittersporn muß man über die Stalltüre (s. o. § 12) stecken, dann sprechen die Truden: „Hier sind b.e Rittersporn, hier haben wir unsere Spur verlorn" [192]). Um das Vieh vor Krankheiten zu schützen, legt man in der Neujahrsnacht eine Axt in die Viehkrippe, umwickelt mit einer b.en Schürze [193]). Man läßt das Vieh drei blühende Blumen fressen, worunter auch die b.e, daß es n i c h t i n d e n B e r g v e r - f ü h r t werde [194]). Beim ersten Austrieb im Frühling soll man die K ü h e durch einen Kranz von Gundermann (s. d.) melken [195]), auch über Beil und Feuerstahl, in eine b.e Schürze gewunden, schreiten lassen [196]) und ähnlich verfahren, wenn man gekauftes Vieh zuerst in den Stall führt [197]). Das schlimme Euter einer Kuh überstreicht man mit einer b.en Schürze [198]), die auch bei der Besprechung der Würmer eine Rolle spielt [199]). Ist das Euter einer Kuh behext, soll man ihr drei Kränzlein von Gundelreben zu fressen geben und einen jeden Strich dreimal hinten durch die Füße melken [200]). Die Erstlingsmilch einer Kuh muß man, mit einer b.en Schürze zugedeckt, aus dem Stalle tragen [201]). — S c h a f e n , die sich nicht

begatten lassen sollten, band man ein Stück b.e Schurzleinwand vor die Geschlechtsteile; ebenso den Böcken nach der Deckzeit [202]. H u n d e n gab man gegen die Seuche, mit Butter vermischt, neun Ellen b.e, mit Indigo gefärbte, gesponnene Wolle in drei Dosen ein [203]. Die brütende G a n s bedeckt man mit einer b.en Schürze, damit sie die Eier nicht ausschreie [204]. H ü h n e r zu gewöhnen, läßt man sie ebenfalls über eine b.e Schürze gehen und sagt: ,,Geh hinaus in Adamsgarten, heute Abend will ich deiner erwarten" [205]. Unter den B i e n e n - korb lege man eine Wurzel von b.en Lilien [206].

[191] V o g e s *Braunschweig* 83 f. Nr. 72. [192] H a l t r i c h *Abergl.* 297. [193] S e l i g - m a n n *Blick* 2, 17 = MdBlfVk. 2, 100. [194] G r i m m *Myth.* 3, 360. [195] Ebd. 3, 449 Nr. 462; vgl. 2, 1014; ähnl. Balt. Stud. 33, 145. [196] G r i m m *Myth.* 3, 460 Nr. 752; vgl. M a n n - h a r d t *Germ. Mythen* 10 ff.; R o c h h o l z *Glaube* 2, 275; Bauern-Philosophie 2, 76; M ü l - h a u s e 61. [197] ZfrwVk. 2, 293. [198] B a r t s c h *Mecklenburg* 2, 152. [199] K o l b e *Hessen* 90 f. [200] A l b e r t u s M a g n u s 2, 32 = M a r - z e l l *Kräuterb.* 352; MschlesVk. H. 6, 34; ZfrwVk. 12, 70. [201] M ü l h a u s e 59; vgl. ZfVk. 11, 329. [202] W i r t h *Beiträge* 4/5, 15 = MdBlfVk. 2 (1927), 98. [203] B a r t s c h *Mecklenburg* 2, 138. [204] Globus 34, 77 (Böhmen); man legt ihr Gundermann unter, sie vor Zauber zu schützen: D r e c h s l e r 2, 93. [205] M e y e r *Baden* 413; Dt. Volksliedarchiv A 15600; S c h m i t t *Hettingen* 15; ZföVk. 8, 175. [206] BlpomVk. 5, 107; ähnl. E b e r - h a r d t *Landwirtsch.* 22.

16. L e i n säe man aus b.er Schürze [207] oder am Tage Mariä Bekleidung (?) [208], man binde Fastnacht eine b.e Leinwandschürze um [209]; wenn die Veilchen lange Stiele haben, wird auch der Flachs lang [210].

[207] B a r t s c h *Mecklenburg* 2, 163 Nr. 765; J o h n *Westböhmen* 196. 251 = S a r t o r i *S. u. Br.* 3, 110; S c h ö n w e r t h *Oberpf.* 3, 176. [208] W. § 657. [209] S p i e ß *Obererzgeb.* 10 = J o h n *Erzgeb.* 191; D r e c h s l e r 1, 12. [210] M a r z e l l *Kräuterb.* 474.

S i t t e   u n d   B r a u c h [211].

17. In Basel ziert man bei der Taufe Knaben mit rosa, Mädchen mit b.en Schleifen, in Zürich ist es gerade umgekehrt [212]; erhält der T ä u f l i n g nicht die richtigen Armbändchen —

Knaben b., Mädchen rot — stirbt er bald [213]. B. ist mitunter die Farbe der J u n g f r a u e n : sie tragen eine Kappe mit b.en Bändern [214]; der Hochzeitsbitter trägt weiß-b.e Bänder (weiß-rote, wenn die Braut nicht mehr Jungfer ist) [215]; im ,,Dans der maegdekens" für eine gestorbene Gespielin spielt das Sargtuch von b.er Seide eine Rolle [216]; auf Rügen wurde die Braut durch eine b.e Schürze gekennzeichnet [217]. Darum hängten die Mädchen zum Zeichen ihrer Heiratslust gerade eine b.e Schürze vor die Tür [218]. Vielleicht ist zu vergleichen, wenn anderwärts die Frau (der Mann) eine b.e Hose (Schürze) vors Haus hängt, sobald die Ehehälfte mehr als einen Tag auf eine fremde Kirmes gegangen ist [219]. Oder wenn man dem Mädchen eine b.e Hose vors Fenster hängte, sobald ihm der Bräutigam untreu geworden [220]. Anderseits gilt b. auch für V e r h e i r a t e t e : sie tragen als Hochzeitsgäste b.e (Ledige rote) Markierung [221]; sind Braut und Bräutigam ledig, trägt man ihnen zwei Stangen mit roten Bändern voran, andernfalls ist ein Band oder sind beide Bänder b., je nachdem einer oder beide verwitwet sind [222]. Vielerorts besteht unter mancherlei Begründung ein ausdrückliches Verbot für die Braut, in b.em Kleide zu heiraten [223]; nur Müllersleute lieben einweg das B.e [224]. A b w e h r also wird es sein, wenn die Braut doch während der Trauung eine alte b.e Schürze unterbinden soll [225]. Geiger hat bereits darauf hingewiesen — T r a u e r - f a r b e (s. d.) ist ja ursprünglich überhaupt Gegenzauber —, daß es Abwehr sein wird, wenn gerade für Ledige, Wöchnerinnen und Kinder vielfach b.e Särge, Leichentücher, Grabkreuze usw. verwendet werden; oder wenn der Grund des Hochzeitbettes b. bemalt wird [226]. In der Oberpfalz soll am Ende eines jeden Zuges (nicht nur bei Leichenbegängnissen, sondern auch bei Feldumgängen, Wallfahrten usw.) ein altes Weib in b.em Schurze gehen; ,,die letzte vom Zuge muß ein b.es Fürtuch sein", ist das Sprichwort [227]. Für das Trauergeleit ist mit Recht an einen Rest der Klageweiber gedacht worden, aber da die Vorschrift für j e d e n Zug gilt, hat sie wohl auch Abwehrbedeutung: es soll sich nichts mehr anschließen. Denselben Sinn, wenn auch verdunkelt, scheint mir die Tiroler Meinung zu haben, bei jeder Prozession sei zuletzt ein altes Weib mit einer b.en Schürze, und das ist eine Hexe [228]. Wenn in Estland — das sei zum Vergleich herangezogen — der Leichenzug unter einem Baume haltmacht, bindet man einen b.en, roten oder gelben Wollfaden um den Stamm [229].

[211] Auf den b.en Montag, den B.ostertag, die b.en sechs Wochen usw. gehe ich nicht ein. [212] Freundl. Mitteilung von Frau Marguerite Bächtold-Stäubli; der Brauch ist (mit wechselnden Farben) allgemein bekannt. [213] J o h n *Erzgeb.* 61. [214] F o x *Saarland* 97. [215] S a r t o r i *S. u. Br.* 1, 63. [216] Erk-Böhme Nr. 1060. [217] Wilh. M ü l l e r *Gedichte* (ed. Hatfield) 284 (wohl nach Grümbkes Darstellung von Rügen). [218] H a a s u. W o r m *Mönchgut* 82; S a r t o r i *S. u. Br.* 2, 35. Vgl. a. H a a s *Plattd. Volksl. aus Pommern* Nr. 15; Wilh. M ü l l e r a. a. O. 279. Es gibt ein Gasthaus „Blaue Schürze" bei Nimtitz (Sachsen). [219] F o n t a i n e *Luxemburg* 91 = S a r t o r i 2, 35. [220] F o n t a i n e a. a. O.; Traditionisme 1906, 135. [221] SAVk. 20, 158; S a r t o r i 1, 81 (im südl. Luxemburg haben dagegen die jungen Leute ein b.es Band am Arm). [222] S c h ö n w e r t h *Oberpf.* 1, 80. [223] WZfVk. 32 (1927), 79; J o h n *Erzgeb.* 94; J o h n *Westböhmen* 144. 250; Dt. Hmt. 4, 151; W i r t h *Beiträge* 2/3, 35; ZfVk. 8 (1898), 398. [224] ZfVk. 21, 256; S c h ö n w e r t h 1, 69 Nr. 7 = S a r t o r i 1, 69. [225] G r i m m *Myth.* 3, 449 Nr. 456 (Rockenphilosophie). Über b. neben rot im Hochzeitsbrauch s. E. H. M e y e r *Der bad. Hochzeitsbr.* des Vorspannens im Freiburger Univ. Festprogr. 1896, 53. 56. 48 u. Z a c h a r i a e *Zum altind. Hochzeitsritual* in WZfdK. d. Morgenl. 17,135 ff. [226] SAVk. 20, 157 f. [227] S c h ö n w e r t h *Oberpfalz* 1, 255 u. 3, 175 f.; vgl. S a r t o r i 1,147. [228] Z i n g e r l e *Tirol* 60 Nr. 516. [229] B o e c l e r *Ehsten* 69 = S a r t o r i 1, 149 Anm. 26.

18. Ein Weib klagt dem großen Stein am Rathaus ihr unseliges Geschick (Ofenbeichte): da wird der Stein, ursprünglich rot, aus Mitleiden dunkelb.[230]. Gerade noch kenntlich ist in dieser Sage der alte Gerichtsstein, an den man in Köln und anderen rheinischen Orten den Verurteilten stieß, ihn dem Tode zu weihen: „Ich stüssen dich an de b.e S t e i n; do küs ze Lebdag no Vadder un Moder

nit mih heim" [231]. Er wird seine ursprüngliche Bedeutung als Kultstein in den Verhältnissen des Ahnenkultus haben [232], während für das Beiwort b. auch in diesem Falle (s. § 4) auf die natürliche Färbung (z. B. Basalt) verwiesen werden kann [233].

Bei dem Fehlen einer kritisch-umfassenden Untersuchung über die Bedeutung der b.en Farbe und deren Quellen — von einer wird man nicht sprechen können — kann zum Schluß nur noch ergänzend betont werden, eine wie alte und starke Wurzel aus dem Totenglauben heraufführt. Unholde Beobachtungen am lebenden und toten Menschenleib, die das Gemüt außerordentlich erregen, wurden in Beziehung gesetzt zu Erscheinungen der Natur und der Vorstellungswelt (Seele). Wer denkt bei der eigentümlich verhüllenden Kraft der b.en Farbe [234] nicht alsbald an den Totengott Odin, den Unwerth in Parallele setzt zu Rota, dem entsprechenden Gott der Lappen, von denen er den Zug erzählt, daß sie in der Nähe ihrer heiligen Totenberge ehrfurchtsvoll jedes b.e Kleidungsstück ablegen [235].

[230] K u h n u. S c h w a r t z 249 f. Nr. 279. [231] *Rhein.Wb.* 1, 761. [232] J o h n M e i e r im Sonntagsbl. der Basler Nachr. Nr. 50 vom 12. 12. 1926. [233] M a n s i k k a *Der „b.e stein"* in der finnischen volkstrad. geht auf die Farbe nicht ein: Finn.-ugr. Forschungen 11 (1911), 1 ff. [234] Nur was von der b.en Farbe bedeckt ist, kann von dem Hellseher nicht gesehen werden: L i e b r e c h t *Gervasius* 83 Anm. 18. [235] U n w e r t h *Totenkult* 8. Über „Blåkulla-dödsgudinnan" s. *Festskrift til Feilberg* 537 ff.   Schewe.

Blaubeere s. H e i d e l b e e r e.

Blauhütel, eine ganz lokale Bezeichnung des wilden Jägers, bezeugt nur in einer einzigen Sage aus der sächs. Lausitz, wonach der grausame jagdlustige Burgherr v. Biberstein vom Schönauer Hutberg bei Bernstadt, nach seinem Tode zur Nachtjägerei verdammt, den Namen Bl. im Munde der Leute führte [1]. Zur Lösung des Problems, ob etwa in diesem Namen eine ältere mythologische Vorstellung, nämlich die Wodans mit einer Kontamination aus dessen breitem Hut (s. Breithut) und blauem Mantel fortlebt [2], bietet die Sage selbst die Hand. Sie berichtet von einem alten Bild in der Kirche zu Schönau, darauf zu sehen sei, wie der Landvogt den Burgherrn zur Rede stellt, der in der Hand den gefürchteten blauen Hut hält und von Jägern und Jagdhunden umgeben ist. Daß dies Gemälde sich auf unsern mythischen Gegenstand wirklich bezog, ist kaum anzunehmen; es mag eine Fürstenbegegnung oder dgl. gewesen sein. Die Schönauer Kirchengemeinde aber bezog es auf ihren Nachtjäger und abstrahierte aus dem Bilde dessen ganz lokalen Namen. Dies ist wohl wahrscheinlicher als ein Zusammenhang mit Wodan. Der Hutberg selbst bleibt wohl aus dem Spiel.

[1] Haupt *Lausitz* I, 122; Kühnau *Sagen* 2, 447; Meiche *Sagen* Nr. 561, 1047. [2] E. H. Meyer *German. Mythol.* 237.
H. Naumann.

Blech, blechern. Im alten Herzogtum Berg gehen Sagen um, nach welchen Geister in B.schuhen umgehen, die ihnen zu bestimmten Zeiten erneuert werden müssen [1]. Der ewige Jäger hat dort und in der Rheinprovinz überhaupt oft einen eisernen Stock und ist mit einem blechernen Hute bekleidet, und heißt deshalb der b.e Jäger [2].

s. a. wilder Jäger.

[1] Schell *Bergische Sagen* 76 Nr. 8; 313 Nr. 41. [2] Ebd. 505 Nr. 23; ZfdMyth. 3 (1855), 53. 54. Bächtold-Stäubli.

Blei [1]. Im Altertum und MA. benutzte man B. zum Kühlen und Niederdrücken. Megenberg sagt: B. beseitigt durch seinen Druck Schmerzen auf einige Zeit [2]. Bei Reißen in den Gliedern wurde B. zum Aufbinden empfohlen [3]. Überbeine wurden durch daraufgedrücktes B. beseitigt; als besonders dazu geeignet galten breitgeschlagene, schon oft benutzte B.kugeln, vor allem wenn sie aus geschossenem Wild herausgeschnitten waren; solche verwendete man auch gegen Rotlauf und, unter die Zunge gelegt, gegen Zahnweh [4]. Auf Geschwülste legte man B.platten, um sie zu zerteilen; bucklige Leute schnürten die Chirurgen in B.platten ein, um den Buckel zurückzudrängen [5]. B.verbindungen wur-

den trotz ihrer Giftigkeit früher innerlich gegen Krankheiten verwendet. Das überaus giftige B.weiß gebrauchte man noch Anfang des 19. Jhs. bei Fluß im Bein, faulem Fleisch in Wunden, Warzen usw. [6]. Bei der Verwendung des B.s im Altertum spielte auch der Aberglaube eine Rolle, indem man auf dem Körper getragenen B.platten magische Wirkungen zuschrieb. Aber nicht nur bei den Griechen und Römern, sondern auch bei den Germanen galten mit magischen Zeichen und Worten beschriebene B.-täfelchen als Zaubermittel bei Beschwörungen [7]. Solche kreisrunde B.-amulette trug man im MA. gegen die Pest [8]. In das Gebiet des Vernagelns (s. d.) von Krankheiten fällt der von Nicolaus von Jauer (1355—1435) erwähnte Brauch, bei Zahnschmerzen B.-nägel in die Wand zu schlagen [9]. Der solchem Aberglauben vielleicht zugrunde liegende Gedanke, daß das B. das Gift an sich zieht, spiegelt sich in einer Tiroler Drachensage wieder [10]. Im Elsaß nagelt man ein Stück geweihtes B. an die Stalltür als Schutz gegen Hexerei [11].

B. im Orakel s. Bleigießen.

[1] Schrader *Sprachvergleichung* [2] I, 151; *Reallex.* [2] I, 194 ff.; Pauly-Wissowa 3, I, 56 ff.; Bergmann 97. [2] Plin. *n. h.* 34 § 166; Megenberg *B. d. N.* 413. [3] Zahler *Simmenthal* 85. [4] Schmidt *Mieser Kräuterbuch* 50 (Deutsch-Böhmen); Huß *Aberglauben* 5 Nr. 15; Staricius *Heldenschatz* (1706), 474 Nr. 8; Hovorka-Kronfeld I, 73; Fossel *Volksmedizin* II. [5] Zedler s. v. 2, 139; vgl. Plin. *n. h.* 34 § 166. [6] Hovorka-Kronfeld I, 164; Lonicer 51; Peters *Pharmazeutik* 2, 96 u. 99 letzte Zeilen. [7] Pauly-Wissowa 3, I, 564; Dieterich *Kl. Schr.* 44; Saupe *Indiculus* 14 f.; Pradel *Gebete* 147; Abbildungen Hov.-Kr. I, 26. [8] HessBl. 20 (1921), 2 ff. (1400); Agrippa *d. occ. phil.* 3, 308 u. 4, 419. [9] MschlesVk. 21 (1919), 100; vgl. 74. [10] Heyl *Tirol* 492 Nr. 54. [11] Stöber 6 Nr. 3. Olbrich.

Blei (Fisch) s. Brachsme.

bleichen. Schauerwetter sind zu erwarten, wenn man vor Georgi Leinwand bleicht oder die Bleichtücher nur auf grünem Wasen ausbreitet. In alter Zeit hat man um Linz solche Leinwand weggenommen und verbrannt; hätte man es nicht getan, wäre ein großes Sterben unter die Leute gekommen [1]. — Zahlreich kommen in Sagen Wäsche b.de Geister vor [2].

[1] B a u m g a r t e n *Aus der Heimat* 1, 61; andere Bleich-Tabutage s. ebd. 1, 18 Nr. 5. [2] M e i c h e *Sagen* 369 Nr. 487; K ü h n a u *Sagen* 2, 68; G r i m m *Myth.* 2, 804; W i t z - s c h e l *Thüringen* 1, 287 Nr. 5; L a i s t n e r *Nebelsagen* 99 f. 140. 165. 172.

Bächtold-Stäubli.

Bleichsucht [1]. Als das beste Mittel gegen B. der Mädchen gilt in Nieder- österreich, einen Draht aus reinem Du- katengold um den Hals zu legen [2]. In der Oberpfalz [3] rät man, sich von einem Ge- sunden ins Gesicht spucken zu lassen; in Niederbayern [4] legt man einen Toten- knochen der B.igen unters Bett. In Fran- ken und Steiermark [5] sticht die Patien- tin vor Sonnenaufgang im Freien ein Stück Rasen aus, uriniert hinein und setzt das Rasenstück wieder auf.

[1] H ö f l e r *Krankheitsnamen* 702. [2] H o - v o r k a - K r o n f e l d 2, 262. [3] S c h ö n - w e r t h *Oberpf.* 3, 270. [4] P o l l i n g e r *Landshut* 284. [5] H o v o r k a - K r o n f e l d 2, 262. 263.

Stemplinger.

Bleigießen. In ganz Deutschland ist seit alters der Brauch verbreitet, in der Zeit der geweihten Nächte geschmolzenes Blei (oder Zinn) in eine Schüssel zu gießen, um aus den sich im Wasser bildenden Fi- guren die Zukunft zu erfahren [1]. Freybe vermutet, daß die Thomasnacht (21. Dez., der kürzeste Tag; s. d.), die im Süden heute noch besondere Bedeutung hat, den Mittelpunkt bildete, von dem aus der Brauch sich rückwärts auf den Andreasabend, vorwärts auf den Christ-, Silvester- und Dreikönigsabend ver- schob [2]. Nach Grimm ist das B. vielleicht griechischer Herkunft [3]; dagegen spricht, daß aus dem Altertum nichts Gleiches be- kannt ist. Andere wollen es mit dem Los- zauber der Germanen zusammenbrin- gen [4].

Erhöhte Bedeutung wird dem B. bei- gemessen, wenn es durch den Kamm eines Kreuzschlüssels, d. h. dessen Bart ein Kreuz bildet, oder durch einen Erb- schlüssel oder durch den Griff einer Erb- schüssel oder aus einem Erblöffel durch einen Erbschlüssel in eine Erbschüssel

geschieht [5]. Aus den Figuren, die sich bilden, sucht man sein Schicksal im nächsten Jahr zu erraten, wobei manch- mal noch eine Kartenlegerin befragt wird. Sterne sollen z. B. Glück, Kreuze Leiden, Männchen oder Sackformen Reichtum, Tierchen Tod bedeuten (Schweiz) [6]. Auch sucht man aus den verschiedenen Gestalten den künftigen Beruf derer, die sie gegossen haben, zu er- mitteln; so bedeuten Nadeln oder Nägel- chen das Handwerk eines Schneiders oder Schusters, baumartige Formen den Be- ruf eines Gärtners, Landmannes, Förs- ters usw. [7]. Vor allem spielt das Liebes- leben beim B. eine große Rolle; es ist das Eheorakel und maßgebend für alle Hei- ratsfragen [8]. Aus Buchstaben, die das Blei bildet, will man den Anfangsbuch- staben des Vornamens des künftigen Freiers erraten [9], aus anderen Gebilden den Stand des künftigen Gatten; bilden sich z. B. Hämmer, so erhält das Mädchen einen Handwerker zum Manne usw. [10]. Ein Kranz bedeutet Heirat in Jahresfrist, ein Sarg den Tod [11].

[1] A l b e r s *Das Jahr* 297 u. 345; R e h m *Volksfeste* 45; B r o n n e r *Sitt' u. Art* 17; MschlesVk. 21 (1919), 82; ZfVk. 22 (1912), 128; SAVk. 21 (1917), 43; F o g e l *Penns.* 64 ff. und 202; A g r i p p a v. N. 1, 274; M e y e r *Aberglauben* 285; MschlesVk. 17 (1915), 52; A n d r e e *Parallelen* 2, 10; H a u f f e n *Gottschee* 66; *Frauenzimmerlexikon* 228; vgl. F r a z e r 10, 242. [2] F r e y b e *Volksabergl.* 59 f.; vgl. M e y e r *Baden* 166; W u t t k e 241 § 345; Thomasnacht (s. Thomastag): M e y e r ebd.; V e r n a l e k e n *Mythen* 352; M e i e r *Schwaben* 1, 456 Nr. 189; P a n z e r *Beitrag* 1, 256; vgl. F o n t a i n e *Luxemburg* 4; Andreasabend (s. Andreastag): Urquell N. F. 1 (1897), 71; L a c h m a n n *Überlingen* 396 f.; B i r l i n g e r *Volksth.* 1, 341; J o h n *West- böhmen* 2; M e i c h e *Sagen* 359 Nr. 471; L ü t o l f *Sagen* 103 f. u. a.; Weihnachten (s. d.): H e y l *Tirol* 764 Nr. 66; J o h n a. a. O. 19 u.a.; vgl. S c h u l e n b u r g *Wend. Volkst.* 129; Neujahrsnacht (s. Neujahr): A n d r e e *Braunschweig* 328; H o f f m a n n *Ortenau* 48; SAVk. 19, 21; ZfVk. 14 (1904), 424; F o x *Saarland* 4; J o h n a. a. O. 25; B a r t s c h *Mecklenburg* 2, 234 Nr. 1219; K ö h l e r *Voigtland* 378; S t r a c k e r j a n 1, 109; vgl. S c h u l e n b u r g a. a. O. 132 (Wenden); W o l f *Beiträge* 1, 122 (Belgien); Dreikönige (s. d.): H e y l *Tirol* Nr. 10; Matthiasnacht (23. 2.) (s. d.): L a u f f e r *NddVk.* 87; H e ß l e r *Hessen* 2, 94. 176 u.

535. [3]) G r i m m *Myth.* 2, 937; L e h m a n n
Aberglauben 182; vgl. P a u l y - W i s s o w a 3,
561 ff. [4]) Vgl. F r e y b e a. a. O. 55; K l a p -
p e r *Schlesien* 251. [5]) W u t t k e 241 § 345;
G r i m m *Myth.* 3, 454 Nr. 579; M e i e r
Schwaben 1, 468 f. Nr. 225; B i r l i n g e r
Volkst. 1, 342 Nr. 4; P f i s t e r *Hessen* 162;
W i t z s c h e l 2, 176 Nr. 43; A n d r e e
Braunschweig 355; L a u f f e r a. a. O. 87;
J o h n *Westböhmen* 2; H u ß *Aberglauben* 6
Nr. 4; L a u b e *Teplitz* 37; W i t z s c h e l
Thüringen 2, 176 Nr. 43; D ä h n h a r d t *Volkst.*
1, 77; K a p f f *Festgebräuche* 4; ZfdMyth. 1
(1853), 87; J a h n *Hexenwesen* 169 Nr. 572; vgl.
W o l f *Beitr.* 1, 122 (Belgien). [6]) V e r n a l e k e n
Alpensagen 344 Nr. 9; SchwVk. 3, 90. [7]) G r i m m
Myth. 3, 342 Nr. 96; V e r n a l e k e n *Mythen*
348; W i t z s c h e l *Thüringen* 2, 178 Nr. 55;
B a r t s c h *Mecklenburg* 2, 234; S t r a c k e r -
j a n 2, 118 Nr. 1, 109. [8]) G r i m m
Myth. 3, 437 Nr. 97 u. 323; B i r l i n g e r *Aus
Schwaben* 2, 413; R e i s e r *Allgäu* 2, 29
Nr. 4; K e l l e r *Grab d. Abergl.* 1, 162 ff. 166;
Urquell 1 (1890), 103. [9]) ZfrwVk. 3 (1906), 81
und 64. [10]) R e i s e r a. a. O. 2, 29; S t ö b e r
Elsaß 1, 25 Nr. 18; K e h r e i n *Nassau* 258
Nr. 112; F i n d e r *Vierlande* 2, 54 u. 183;
Alemannia 25, 52 (Siegelau); W i t z s c h e l
a. a. O. 2, 178 Nr. 55; M e i e r *Schwaben* 454
Nr. 186; SchwVk. 2, 9; vgl. 3, 87; J o h n
Erzgebirge 140; L a u f f e r a. a. O. 87; K a p f f
a. a. O.; K ö h l e r *Voigtland* 366; H e y l
Tirol 764 Nr. 66; H ö r m a n n *Tir. Volksl.*
204 u. 231. [11]) D r e c h s l e r 1, 7; M e y e r
Baden 199; J o h n a. a. O.; Alemannia a. a. O.;
vgl. H e y l *Tirol* 765 Nr. 66 und F r i s c h -
b i e r *Hexenspr.* 166 (Zinngießen).

An magischer Kraft gewinnt das B.,
wenn das Mädchen beim Brunnen rücklings Wasser schöpft, das ausgelassene
Blei hineingießt und, während des Gies-
sens und bis das Wasser gefriert, durch ein
Röhrchen hineinbläst (Schweiz) [12]). In
Niederösterreich stellen sich die Burschen
in der Thomasnacht auf ein am Boden gezeichnetes Kreuz vor der Tür ihres Mädchens, mit dem Rücken an die Tür gelehnt, und werfen das gegossene Blei dreimal gegen das Tor; dann vergraben sie es
an einem Zaune, an dem das Mädchen
oft vorbeigeht. Dort bleibt es bis Silvester liegen. Aus dem Ton, den das geworfene Blei hervorrief, und der Farbe
des ausgegrabenen Bleis schließen sie auf
Treue oder Untreue ihres Mädchens. Doch
ist bei diesen Handlungen größte Vorsicht vonnöten; denn der Teufel achtet
genau auf jeden dabei begangenen Fehler [13]). In Ostpreußen muß, wer sein

Schicksal erfahren will, die Schüssel über
seinen Kopf halten und ein anderer das
Zinn hineingießen; manchmal wird dazu
fließendes Wasser gefordert [14]). Das Zinn-
(Blei-) gießen zu dem Zwecke, künftige
oder vergangene Dinge zu erkennen,
wurde als Zauberei den Christen kirchlich untersagt [15]). Heute ist das Zinn-
und B. eine meist scherzhafte Unterhaltung und ein Zeitvertreib am Silvesterabend. Einst aber spielte es im Hexenhammer eine unheimliche Rolle; man
wollte dadurch herausbekommen, ob der
betreffende Kranke vom bösen Blick getroffen war, und unter Umständen auch,
wer ihn verhext hatte [16]). Uralt ist die
Beschwörung der die Kinder plagenden
Würmer durch B.; auch gegen Haupt-
schmerzen wurde es früher verwendet [17]).

[12]) SAVk. 21 (1917), 43 f. [13]) V e r n a -
l e k e n *Mythen* 341 und 350 f. [14]) W u t t k e
241 § 345; T ö p p e n *Masuren* 64. [15]) G r i m m
Myth. 3, 432 Nr. 96; MschlesVk. 21 (1919), 82;
T ö p p e n a. a. O. 61 [1]. [16]) S e l i g m a n n
1, 256; S c h e i b l e *Kloster* 2, 225; vgl. K n o o p
Hinterpommern 163; vgl. ZfVk. 10 (1909),
418 (Norw.); H o v o r k a - K r o n f e l d 2,
690 f.; J a h n *Hexenwesen* 194 Nr. 773;
H e s e m a n n *Ravensberg* 112; vgl. A n d -
r i a n *Altaussee* 137. [17]) ZfVk. 22 (1912), 128;
G r o h m a n n 161; Egerl. 5 (1901), 4.
Zu dem Bleigießen bei anderen Völkern vgl.
T e t z n e r *Slaven* 193; K r a u ß *Sitte u. Brauch*
181; ZfVk. 4 (1894), 318 (Ungarn); L i e b r e c h t
Gervasius 246 Nr. 329 (Frankreich). Olbrich.

blenden (s. a. blind). Bei der zauberhaften Blendung ist zu unterscheiden
zwischen k ö r p e r l i c h e m B., das
zur Erblindung des Auges führt, und
g e i s t i g e m B., das nur eine vorübergehende Täuschung der Sinne bedeutet.

1. K ö r p e r l i c h e s B. wird zunächst
nach allgemein menschlicher Ansicht
durch den bösen Blick (s. d.) hervorgerufen, wie er ausgeht von Augenkranken,
alten Frauen, Hexen und Zauberern
überhaupt [1]). Auch die Begegnung eines
Geistes kann zur Erblindung führen [2]).
Wenn einmal einem Scharfrichter nachts
um elf von einer acht Tage zuvor Hingerichteten in die Augen geblasen (s. d.)
wird, so daß diese erkranken, zeigt sich
eine Art rächender Strafe [3]). B. ist als
alte germanische Verstümmelungsstrafe
nicht sehr gebräuchlich gewesen [4]). Aber

als S t r a f w u n d e r begegnet B.
dennoch sehr häufig in der deutschen
Volkssage. Es scheint hier ein Einfluß
der Antike vorzuliegen, in der B. als eines
der gewöhnlichsten Strafwunder auftritt,
meist zur Bestrafung eines unerlaubten
Anblicks, der aus Vorwitz oder Neugier
ein göttliches Wesen gekränkt hat, das
dann straft, womit gesündigt worden [5]).
In gleicher Weise zieht frevelhafte Beobachtung der Berchta, des wilden Heeres,
des wilden Jägers, des Teufels, schließlich auch des Hexentanzes (s. d.), oft
durch ein Schlüsselloch oder einen Erbschlüssel versucht, Blendung durch Anblasen (s. blasen) nach sich, die genau
nach einem Jahr am gleichen Ort, zur
gleichen Zeit durch den wiederkehrenden
Dämon gelöst werden kann [6]). Beim B.
ruft zuweilen eine Geisterstimme dem
Späher etwas zu wie: „Deck d'Luck'n
zua" oder: „Streich dem da die Spältle
zu!" (und nach einem Jahr: „Streich dem
da auch die Spältle wieder auf!") [7]). Auch
andere Beleidigungen höherer Gewalten
können durch B. gerächt werden, so die
Verunreinigung von Nixenwäsche [8]), die
Verhöhnung des Weinwunders in der
Christnacht [9]). Hierher gehört auch der
Glaube, daß einem, der mit dem Finger
auf einen Stern zeigt, der Stern ins Auge
fällt, so daß er blind wird [10]); heidnische
Westfalen sind einst wegen der Mißhandlung eines christlichen Heiligen plötzlich
geblendet worden, bis die Taufe sie wieder geheilt [11]). M y t h i s c h e Blendung
spielt in die Vertreibungsschelte des Winters herein, wie sie in der Rheinpfalz noch
immer üblich ist: „Summerdag, Staab
aus, Blost em Winter die Aache (Augen)
aus!" (s. Sommer und Winter), vielleicht
verwandt mit den verschiedenen antiken
Blendungsmythen von Lykurgos, Orion,
Polyphem [12]). Weit verbreitet ist schließlich die Sage des um seines Wunder-
werkes willen geblendeten Künstlers, der
so kein zweites ähnliches mehr schaffen
können soll, welche Mär sich an viele Uhren, Orgeln, Schnitzbilder geheftet hat [13]).
B. als S t r a f z a u b e r durch Ausschlagen eines gemalten Auges (hellenistischen
Ursprungs) s. Dieb § 5 d.

[1]) S e l i g m a n n *Blick* I, 91. 197 f.; D e r s.
Zauberkraft 341; G r i m m *Myth.* 3, 318.
[2]) E i s e l *Voigtland* 96, 132; Beobachtung
eines Irrlichts, einer Fledermaus macht blind:
S é b i l l o t *Folk-Lore* I, 159; 3, 14. [3]) Eisel
90 f. [4]) G r i m m *RA.* 2, 295 f. (*RA.* [3] 707 f.);
H o o p s *Reallex.* I, 294; K o n d z i e l l a *Volksepos* 73. 175; K l a p p e r *Erzählungen* Nr. 76 f.
[5]) W e i n r e i c h *Heilungswunder* 56 f. 147.
189 ff.; A l y *Märchen* 217 f. 66. [6]) W a s c h-
n i t i u s *Perht* 18 (Steiermark). 30 (Tirol).
99 (Thüringen). 153; G r i m m *Myth.* 1, 229;
R e i s e r *Allgäu* I, 47 f.; E i s e l *Voigtland* 6.
104; M a c k e n s e n *Nds. Sagen* 93 Nr. 118,
I; H ü s e r *Beiträge* 2, 14 Nr. 22; Mann-
h a r d t *Germ. Mythen* 668 f. (dänisch); S é b i l-
l o t a. a. O. 2,117. [7]) W a s c h n i t i u s
Perht 153; G r i m m *Myth.* 3, 89; M e i e r
Schwaben 136. [8]) E i s e l *Voigtland* 36. [9]) B i n-
d e w a l d *Sagenbuch* 233; E i s e l 2, 374.
[10]) G r o h m a n n 32. [11]) S c h e l l *Bergische
Sagen* 9. [12]) U s e n e r *Kl. Schr.* 4, 254 f.
300 f.; M e y e r *Baden* 86; vgl. S i e c k e
Götterattribute 137. 166; S c h w a r t z *Volksglaube* 212; D e r s. *Studien* 248; G r i m m
Myth. 2, 792 Anm. 1. [13]) H e r t z *Elsaß* 115.
262 (Straßburg); G r o h m a n n *Sagen* 61
(Prag); S e p p *Sagen* 579 Nr. 158; M e i e r
Schwaben 2, 354 Nr. 391 (Blaubeuren).

2. Ein g e i s t i g e s B., eine zeitweilige
Verwirrung der Sinne, ist Zauberwerk.
Viel Wunderwerk ist nur „Blenderey
dess läidigen Satans" [14]). Spukende Geister suchen durch Blendwerk in die Irre
zu führen [15]). Zauberer vermögen eine
ganze Menge zu b., gegen solches Blendwerk schützt nur das Tragen von Heilkräutern (s. d.) oder eines vierblättrigen
Kleeblatts [16]). Diebe b. die Leute, indem
sie sie durch eine Diebskerze (s. Dieb § 6) in
Schlaf versenken [17]). Schon 1410 rügt
Vintler: „ettlich die lütt plendent mit
ainer hand von dem galgen" [18]). Man kann
auch einen Mörder b., daß er wieder zu
dem Ermordeten kommen muß: „so mach
ein feur von diehrem eichenholz und
würff in daß große hitz und nimb das
bluoth, so von ihm geronnen und verkehr
dem gestorbenen die schuh, den rechten
an den linkhen fuoß, so wirt der mörter
blindt und vermeint, er wate im wasser
und kombt wider zue dem ermörten" [19]).
Vgl. A u g e IV, 2 (Augen verblenden).

[14]) A n h o r n *Magiologia* 46. 249 ff. [15]) R e i-
s e r *Allgäu* I, 65. 93. 125. 285. [16]) B i n d e-
w a l d *Sagenbuch* 133 f.; M e i c h e *Sagen*
515 Nr. 660. [17]) H e y l *Tirol* 108 Nr. 73.
[18]) *Blume der Tugend*, G r i m m *Myth.* 3, 424.
[19]) *Alemannia* 2, 138 f.   Müller-Bergström.

Blendstein. B.e sollen nach dem Volks-
aberglauben den, der sie bei sich trägt,
unsichtbar machen. Im Oberinntal, in der
Oberpfalz, Böhmen und Schlesien glaubt
man, solche Steinchen fänden sich im
Neste der Zeisige und machten dies unsichtbar. Man sieht aber den Schatten des
Nestes und kann, wenn man sich die
Stelle genau merkt, hinaufsteigen und
den Stein herausnehmen. Man kann auch,
wenn man ein Zeisignest entdeckt hat, ein
Junges herausnehmen und mit einem
Faden an einem nahen Baum aufhängen.
Dann fliegt der alte Zeisig ans Meer, holt
dort den B. und steckt ihn dem jungen in
den Schnabel, damit man diesen nicht
sehen kann; man kann ihn dann herausnehmen, da der Faden sichtbar bleibt
(vgl. Rabenstein). Wer ihn oder das ganze
Nest bei sich trägt, ist für alle unsichtbar.
Im Vintschgau und in Westfalen vermeint man, solche B.e im Neste des Ei-
chelhähers zu finden [2]), in der Grafschaft
Glatz außer im Zeisignest auch in dem des
Finken (Finkenstein) [3]). Auch das „Gim-
matsteinchen", das man nach Tiroler
Aberglauben einem Vöglein durch Hersagen eines Zauberspruches abjagt, macht
unsichtbar [4]). Vielleicht auch das Steinchen, das im Magen einer Bachstelze
liegen soll [5]). Im „wunderbaren Vogelnest" benutzt Grimmelshausen den uralten Glauben an unsichtbar machende
Steinchen, um den Nachweis zu liefern,
daß der Besitz und die Benutzung solcher
Zaubermittel durchaus verwerflich sei und
den Eigentümer in zeitliches und ewiges
Verderben stürze [6]) (vgl. Rabenstein).
Veranlassung zu dem Aberglauben an
die unsichtbar machende Kraft des
Zeisig- und Hähersteines gab wohl der
Umstand, daß ein Zeisignest schwer zu
finden ist [7]), und der Häher seine Nest-
stelle so geschickt auswählt, daß sie selbst
einem geübten Auge nicht auffällt [8]).
Eine andere Deutung bei Grimm, Sagen
1 Nr. 86.

vgl. R o h r s p e r l i n g s t e i n.

[1]) W u t t k e 317 f. § 473; D r e c h s l e r
2, 228 Nr. 603; S c h ö n w e r t h *Oberpfalz* 3,
208; L i e b r e c h t *Gervasius* 111; V o n -
b u n *Beiträge* 113; A m e r s b a c h *Grim-
melshausen* 2, 56 f.; A l p e n b u r g *Tirol* 387;
Z i n g e r l e *Tirol* 90 f. Nr. 769. 770; K u h n
Studien 1, 190. [2]) K u h n *Westfalen* 2, 77 Nr. 23;
ZfdMyth. 1 (1853), 236. [3]) D r e c h s l e r a. a.
O. [4]) H e y l *Tirol* 795 Nr. 215 (vgl. altnord.
Gimstein = Edelstein). [5]) B e r g m a n n s. v.
Bachstelzenstein; vgl. M a u r e r *Isl. Sagen* 183.
[6]) A m e r s b a c h a. a. O. 1, 4. [7]) ZfVk. 8
(1898), 169. [8]) A. u. K. M ü l l e r *Wohnungen,
Leben und Eigentümlichkeiten der höheren Tier-
welt* (1869), 368.   Olbrich.

Blick, böser s. A u g e, Spalte 685 ff.

blind, Blindheit s. A u g e n k r a n k -
h e i t e n, Spalte 708 ff. 710. 711.

Blindschleiche.

1. B i o l o g i s c h e s. Die [1]) harmlose
B. (anguis fragilis), eine fußlose Eidechse,
gilt dem Volke als Schlange [2]). Als solche
galt sie auch den Alten, weshalb man sie
bei den antiken Autoren nicht konstatieren kann [3]), denn die serpentes caeci
des Plinius (IX, 11, 6) lassen sich nicht
auf die B. beziehen. Den Juden galt sie
als unrein (3. Mos. 11, 30). Man hält sie
allgemein für b l i n d [4]) (wegen der
schwer wahrnehmbaren Augen), häufig
auch für g i f t i g, so z. B. in Oberösterreich, wo das Tier auch Haselwurm
(s. d.) heißt (vgl. holl. hazelworm). Wer
darauf tritt, dem schneidet oder schießt es
durch den Leib [5]). Die Blindheit wird
ätiologisch gedeutet. Sie wird als eine
Strafe aufgefaßt, besonders für ruchloses
Verhalten gegen die hl. Maria, die das
Tier mit seinem Bisse bedrohte [6]). Oder
es heißt in französischen und deutschen
Gegenden (Westfalen), die ursprünglich
einäugige B. habe der gleichfalls einäugigen Nachtigall ihr Auge geliehen und
dieses nicht mehr zurückerhalten [7]). Auch
erscheint die Blindheit von Gott oder der
hl. Jungfrau verhängt als Prophylaxe
gegen die Gefährlichkeit des Tieres [8]).
Doch wußte schon der alte Geßner, daß
die B. nicht giftig sei [9]). Immerhin läßt
noch Shakespeare im Macbeth (IV, 1) die
Hexen unter anderen Ingredienzien aus
dem Tierreich auch den „Stachel" der
B. (the blindworm's sting) in den Zauber-
kessel werfen. — Nach schleswigischem
Volksglauben kann die B. in der Mittagsstunde sehen [10]). Bei Harburg glaubt man,
das Tier könne seine Blindheit auf den
Menschen übertragen [11]). Ruft auf der

Geest zwischen Stade und Harburg jemand: „de Hartwurm!", so rennt alles aus dem Wege, selbst ein Fuder Heu weicht ihm aus, denn „he springt", und wenn einer auf ihn tritt oder über ihn fährt, „dem springt he vör de boß (Brust) und he werd blind" [12]). In Tirol sagt der Bauer von der B.: „Wenn die Ludern sehen könnten, wär' der Reiter am Pferd nit sicher vor ihnen" [13]). Im Spreewald glaubt man, die B. habe neun Augen, aber brauche davon nur eines, und zwar nicht das beste. Sie bekommt nur einmal ein Junges, das sich aus der Mutter herausbeißt, die dann stirbt [14]). Auch für taub gilt die B., so in Holstein [15]), in Mecklenburg [16]) und auf der Insel Rügen [17]). In Tirol heißt es, sie sei gebrechlich, so zwar, daß sie in Stücke bricht, wenn sie sich im Zorn streckt [18]). Ähnliches wird aus Mecklenburg berichtet [19]) (vgl. die Namen Bruchschlange, Glaswurm, span. culebra vidriosa, serpiente quebradiza, katal. serp de vidre). Mancherorts hält man die B. für gutartig, wenn sie nicht geplagt wird. Wird sie gereizt, so beißt sie neun Wunden, von der jede ein Jahr zur Heilung braucht. Ist die letzte geheilt, so stirbt der Gebissene [20]). Schließlich schreibt man dem Tier auch wahrsagende Kräfte zu [21]).

[1]) Oberösterr. auch das B: Baumgarten *Aus der Heimat* 1, 120; nach Nemnich 1, 308 der Blindschleicher, blinder Schlicher im Schweizerdeutsch des 17. Jhs. nach SAVk 15, 183, vgl. ahd. *plintsliho*; in Mecklenburg *Blennling*: Natur u. Schule 6 (Leipz. 1907), 501. [2]) Noch Grimm *DWb.* 2, 126 definiert sie als „blinde, giftige Schlange", in jedem Wort ein Irrtum. [3]) O. Keller *Antike Tierwelt* 2, 303. [4]) Auch bei anderen Völkern: vgl. die Namen engl. *blind-worm*, holl. *blinde slang*, schwed. *blind-orm*, lat. *caecilia*, griech. τυφλίνος (diese beiden nur vermutungsweise auf die B. bezogen), analog die Namen des Tieres in den slavischen Sprachen: Edlinger *Tiernamen* s. v. B. und Nemnich 1, 308). Zu den französischen Namen *orvet* (< lat. *orbus*), *aveugle, borgne* usw. vgl. Rolland *Faune pop.* 11, 30 f. Die sehr interessanten italienischen Analoga (*bissa-sguèrssa, bissa-orba* usw.) findet man zusammengestellt und erläutert bei Garbini *Antroponimie* 266 ff. [5]) Baumgarten a. a. O. [6]) Drechsler 2, 223; SchweizId. 9, 9; Reiser *Allgäu* 2, 438; Birlinger *Aus Schwaben* 1, 381; Heyl *Tirol* 785 Nr. 126; Schneller *Wälschtirol* 246,

70 ff. — Im Dép. Gironde glaubt man, der Biß der B. schade nur am Freitag, daher heißt sie dort *dibendres < dies Veneris* (Gomis *Zoologia* Nr. 1573; vgl. auch Meyer-Lübke *REWb.* Nr. 9197). [7]) Nach Rolland und Dähnhardt bei de Cock *Volksgeloof* 135 Anm. 1. [8]) Grohmann 82; Urquell 3, 218; de Cock a. a. O.; Meier *Schwaben* 1, 244. [9]) Hovorka u. Kronfeld 1, 78. [10]) Urquell 2, 27. [11]) ZfdMyth. 2, 295. [12]) Nach Schiller *Tier- u. Kräuterbuch* 1, 2; bei Sloet *De Dieren* 303. [13]) Dalla Torre *Tiernamen* 22. [14]) Sloet a. a. O. [15]) Hovorka-Kronfeld 1, 78. [16]) Bartsch *Mecklenburg* 2, 181. [17]) Daher die Namen holl. *doofworm* (*doof* = taub), de Cock *Volksgeloof* 135 Anm. 1 u. engl. *deaf adder* (Nemnich 1, 747). [18]) Dalla Torre *Tiernamen* 22. [19]) Bartsch *Mecklenburg* 2, 484 f., 181. [20]) Sloet *De Dieren* a. a. O. [21]) Hopf *Tierorakel* 43.

2. In der **Volksmedizin** spielt die B. keine unbedeutende Rolle. Entweder wird das ganze Tier oder häufiger dessen Kopf in einem Säckchen um den Hals getragen, und zwar gegen Gelbsucht [22]), Rotlauf [23]), Trunksucht [24]), Lungenleiden [25]), beim Zahnen [26]).

[22]) Jühling 167. [23]) ebd. 162. 163; Lammert 220; SchweizId. 9, 9; SAVk. 15, 183; Schönwerth *Oberpfalz* 3, 256; Wuttke 398. [24]) SchwVk. 2, 78. [25]) ZföVk. 13, 130. [26]) Manz *Sargans* 55; SchweizId. 9, 9.

3. **Zaubermittel.** Der Kopf der B., in eine Jagdflinte geladen, verleiht Treffsicherheit (s. Schießzauber) [27]). Eine im Rauchfang getrocknete B. kann als Zauberstab verwendet werden [28]). Wer beim Kegeln gewinnen will, muß am Peter- und Paultage eine B. töten und sie mit Erbsen vergraben. Wenn diese gewachsen sind, soll man davon zum Kegeln in die Tasche nehmen. So viele Erbsen man nimmt, so viele Kegel trifft man [29]).

[27]) Brandenburgia 1916, 76; Sloet *De Dieren* 303; Strackerjan 1, 116; ZfVk. 8, 172; Wuttke 116 § 153; Alpenburg *Tirol* 357; Messikommer 1, 189. [28]) Urquell 3, 238. [29]) Hoffmann-Krayer 164; SchweizId. 9, 9.

4. **Sonstiger Aberglaube:** „Wenn d'Hägäse (Eidechse) oder B. über de Weg springt, na regnet's bald [30])."

Im Siegerland und anderwärts heißt es, die B. sterbe, wenn sie getötet wird, erst nach Sonnenuntergang vollends [31]) (der

Schwanz des getöteten Tieres zuckt nämlich noch einige Zeit). Der Körper einer
toten B. bewegt sich noch einen vollen
Monat lang in der Erde und verwandelt
sich dann in eine Otter [32]). Wer das ganze
Tier bei sich trägt oder davon ißt, kann
sich nach Tiroler Glauben unsichtbar
machen und selbst die Sprache der
Pflanzen verstehen und dadurch erfahren, wozu sie nützlich sind [33]). —
Wenn in einer hessischen Sage [34]) ein
Fäßlein voll B.n sich in Gold verwandelt,
so führt wohl folgende Gedankenreihe:
B. > Schlange > Drache > Schätzehüter
zum Verständnis dieses Symbols. Möglich
ist auch eine rationelle Deutung: die Vorstellung des Goldes, hervorgerufen durch
die leuchtenden Reflexe auf der Haut des
Tieres [35]). Wenn ein unverheirateter Mann
drei B.n zusammengerollt liegen sieht, so
kann er hoffen, daß er eine ruhige und
stille Frau bekommen wird. Wenn ein
verheirateter Mann drei B.n findet, die
sich in eins zusammengewunden haben, so
glaubt er, daß seine Frau einen Sohn gebären wird; denn man hält die B.n für
böse, des Weissagens kundige Tiere (Pol-
nische Dörfer bei Gnesen) [36]).

[30]) F i s c h e r *SchwäbWb.* 1, 1205. [31]) Natur u. Schule 6, 50. [32]) Urquell a. a. O. (Polen).
[33]) S l o e t *De Dieren* 303. [34]) W o l f *Sagen*
119. [35]) Vgl. den ital. Namen *lucignola*: G a r -
b i n i *Antroponimie* 2, 1370. [36]) K n o o p
Tierwelt 4 f. Nr. 31; Veckenstedts Zs. 3 (1891),
395.   Riegler.

Blitz.

I. Mythologisches. — II. Der B. im deutschen
Volksglauben und die germanische Religion.
1. Sagen u. ä. a) Auf Donar-Gott-Vater zurückgehende B.sagen. b) B.sagen, in denen Natur-
dämonenglaube enthalten ist. 2. B.zauber im
heutigen Volksglauben. a) Den Menschen schädigende Pflanzen und Tiere usw. b) Donar-
Thor als Schutzgott im B.zauber. Pflanzen,
Tiere, Stoffe. — III. Christlich-antiker B.aber-
glaube in Deutschland. — IV. In seiner Herkunft zweifelhafter B.volksglaube. — V. Er-
fahrungstatsachen als Ausgangspunkt für B.-
aberglauben.

I. M y t h o l o g i s c h e s. a) N a t u r -
d ä m o n e n g l a u b e. Die noch primitiven Zeiten angehörige Erkenntnis der
Abhängigkeit des Menschenlebens vom
Wetter führte den Menschen hinaus aus
dem sich dicht um ihn drängenden See-

lenglauben in die unendliche Weite der
Luftregion, die sehr bald zu einem alles
Denken beherrschenden Mittelpunkt mythischer Phantasie wird. Außer Gewölk
und Wind spielt vor allem das Gewitter
(s. d.) bei der Bildung der Naturmythologie
eine bedeutende Rolle. Die atmosphärischen Erscheinungen begreift man als
irdische Naturgegenstände, z. B. als Berge
oder Flüsse, dann bei steigender menschlicher Kultur als Geräte und Waffen, bis
eine ganze mythische Landschaft ausgebildet ist, die von mythischen Menschen
und Tieren bevölkert ist [1]).

Dem B. kommt in dieser mythischen
Himmelslandschaft der Germanen meist
entweder die Bedeutung einer B r ü c k e
oder einer W a f f e zu. Auch als
S c h l a n g e, springender G e i ß b o c k
und H o r n wird der B. angesehen [2]).
Andere Vorstellungen sind die glühender
G e s c h o s s e; als solche macht er alle
Wandlungen menschlicher Kultur vom
rohen Stein und der Keule der Urzeit
durch Hammer, Beil, Speer bis zum vom
Helden geführten Goldschwert [3]). Auch
als P e i t s c h e, R u t e u n d K u g e l in
der Hand mythischer Gestalten dient
der B. Dann wieder ist er die E i s e n -
s t a n g e, die ein Trollweib — so erzählt
ein nordisches Märchen — hinter einem
Mädchen her schleudert [5]), oder auch
der S c h l ü s s e l zu in Gewölben
und Burgen (Wolken) verborgenen
Schätzen, weil der B. die Wolken
spaltet [6]) (das irdische Abbild ist die
Haselnußgerte, s. u.). In einem schwedischen Märchen sind die B.e oder ihre
Zacken die in die Burgmauer (Wolke) geschlagenen E i s e n k e i l e, an denen
der Bräutigam hochklettern muß, wenn
er ein in der Burg eingeschlossenes Mädchen sich zur Gattin erobern will [7]); in
der Edda ist das Wetter- und B.leuchten
die L o h e, in der die Burgen (Wolken)
der Riesen erglühen [8]).

b) Z i u. D o n a r - T h o r (m e n -
s c h e n g e s t a l t i g e r G ö t t e r -
g l a u b e). Bei der Weiterentwicklung
des Glaubens vom Naturdämonenglauben
zum menschengestaltigen Götterglauben
wandelt sich der B. als Waffe, die von

Riesen und Elfen geschleudert, Krankheit und Verwüstung bringt, in das Attribut des höchsten Himmelsgottes [9]), der, um Adams von Bremen Charakteristik des germanischen Gottes Thor anzuführen, „in der Luft herrscht, Donner und B.e verwaltet, ferner die Winde und Regengüsse, das heitere Wetter und die Ackerfrüchte" [10]), und der der Menschheit und der Erde ein Schutz- und Segensgott ist. Nunmehr wird der B. zu einem segenspendenden Werkzeug; aus des Gottes Hand geschleudert wirft er jene Riesen nieder und schützt der Menschen Handel und Wandel. Wir kennen Märchen, in denen Thor ein dämonisches Wesen verfolgt, das er mit dem B. für seine bösen Taten bestraft (s. II b).

Dieser Thor ist schon früh, vor allem bei den West- und Nordgermanen, an die Stelle des altgermanischen Obergottes Ziu getreten. Trotz der Absplitterung schimmert auch in der Überlieferung über Ziu noch das Bild des i n d o g e r m a - n i s c h e n G e w i t t e r g o t t e s , mit dem auch Zeus, Jupiter und Digespitä in einer Linie stehen [11]), deutlich durch. Das charakteristische Zeichen des Gottes ist die B. w a f f e , die ihm die Alfar schmieden, um ihm die ewige Herrschaft zu sichern, wie ähnlich die Kyklopen in der griechischen Mythologie dem Zeus den B. anfertigen. Die Waffe des Gottes ist in ältesten Zeiten ein dreikantiger Stein [12]) oder Hammer und „wird vom Gotte gegen Unholde geschleudert, die den für Götter und Menschen so erquicklichen Sommerregen in einem Kessel oder Berge neidisch zurückhalten" [13]). Man verehrt den als Kriegs-, Rechts- und Ackergott angebeteten Ziu vor allem in der E i c h e , weil sie den B. anzieht; in Gotland hämmert man, wenn der Regen ausbleibt, mit schweren Thorshämmern; die Symbolik dieser Handlung ist klar: da der B. die Wolken spaltet, gewinnt man den Regen durch symbolisches Schwingen der göttlichen B.waffe [15]). Die Hauptverehrungsstätte des Gottes war der Eichenhain im Gebiet der Mark Brandenburg. Er lag im Suevenland, und stand in der Obhut des mächtigsten deutschen Stammes, der

sich über ganz Mitteldeutschland ausbreitete. Hier thronte der alte Gewittergott, dem man nur gefesselt nahen durfte [16]).

Weitaus stärker wird die Feuernatur des germanischen Gewittergottes bei seinem Sohn, D o n a r - T h o r , hervorgehoben, der Ziu ganz verdrängte und vor allem im Westen verehrt wurde, und dem man bis zum Jahre 1000 die meisten Tempel unter allen germanischen Gottheiten im Norden weihte [17]). Auch Thor schwingt den B.hammer; er fährt auf einem Wagen, den die beiden Böcke Tanngniostr und Tanngrisnir, „Zahnknirscher", ziehen [18]). Die B ö c k e sind wohl mythische Ausdeutung des springenden und knatternden B.e. Auf die Vorstellung des B.bockes gehen manche der noch in unsern Tagen Kindern bekannten Märchen zurück, in denen ein Goldbock vor einem Wagen, der geraubt wird, eine Rolle spielt; dies scheint eine letzte Erinnerung an die von Thor-Donar um ihrer bösen Absichten willen verfolgten Riesen- und Naturunholde (s. u. II b). Auch der rote Bart Donars weist auf seine Feuernatur und B.natur genügsam hin; so spiegeln die Thorgeschichten der Edda im Grunde die mannigfachen und eindrucksvollen Gewittererscheinungen des Nordens wieder. Vor allem im Sommer entfaltet der Gott, wenn lange Dürre die Menschen gequält hat, seine Kraft in B.en und Wetterleuchten: er spendet als segnender Himmelsherr das von Riesen und Drachen, die er im Kampfe besiegt, zurückgehaltene Naß.

Dieser Gott ist der kriegerisch - männliche Vorkämpfer der Menschen; der Vorstellung blieb das Volk noch lange nach der Christianisierung treu; manche Volksbräuche beim Gewitter sind nur aus der engsten Verbundenheit des Germanen mit seinem Donar zu erklären. Alles, was irgendwie der Form nach dem Donarhammer zu gleichen schien, hatte in dem Volksglauben schon der ältesten Zeiten segensreiche Wirkung. Pflanzen, wie die Haselrute, symbolisierten den B. und waren Donar heilig; an ihre glückbringende Wirkung glaubt man noch heute. Nicht anders geht es einer Masse Tieren, vor allem Vögeln, den Störchen, Hähnen usw., die mit ihrem Schnabel dem B., mit ihrer roten Farbe der Feuernatur des Donar-Thor entsprechen [18]). Doch führt das bereits in das Gebiet des heutigen Volksglaubens.

[1]) M e y e r *Germ. Myth.* 80. [2]) Ebd. 81. 100/101. [3]) D e r s. *Mythologie der Germanen* 145. [4]) Ebd. [5]) M a n n h a r d t *Germ. Myth.* 434. [6]) Ebd. 203. 341. [7]) Ebd. 212 Anm. 3. [8]) M e y e r *Germ. Myth.* 88/89. [9]) D e r s. *Mythol. d. Germ.* 356. [10]) Mon. Germ. hist. SS. T. VII 379, 17 ff. [11]) M e y e r *Mythol. d. Germ.* 159 ff. [12]) H e l m *Religgesch.* 187 ff. [13]) M e y e r *Mythol. der Germ.* 341. [14]) Die Erklärung dafür ist, daß der B. Bäume mit dicker und rauher Borke, da sie in ihren Ritzen Regenwasser festhalten, am ehesten zur Erdung benutzen kann. [15]) M e y e r *Mythol. d. Germ.* 341. [16]) Ebd. 342. [17]) Ebd. 348. [18]) Ebd. 349. [19]) Ebd. 357.

II. D e r B. i m d e u t s c h e n V o l k s g l a u b e n u n d d i e g e r - m a n i s c h e R e l i g i o n. Der Volksglaube von heute zeigt in ungemein starker Weise das Nachwirken germanischer Religion, deren Vorstellungen zwar zuweilen christianisiert sind, aber doch deutlich ihren Ursprung aus dem Donar-Ziuglauben verraten. Auch aus dem Naturdämonenglauben, dem der B. die Waffe in der Hand menschenfeindlicher böser Geister ist und dessen Nachwirken im Volksglauben zum B. gleichfalls noch spürbar ist, hat sich manches die Übertragung ins Christliche gefallen lassen müssen; wie an Stelle des germanischen Acker- und Fruchtbarkeitsgottes Donar, der die Menschen beschirmt, Gott-Vater trat, rückt an die Stelle der bösen Geister der Teufel.

1. S a g e n u. ä.

a) A u f D o n a r, G o t t - V a t e r geht offenbar eine B.sage zurück, in der erzählt wird, daß der B. den Menschen straft, der Brot (s. d.) mit Füßen tritt, eine Krume wegwirft oder Kügelchen aus Brot dreht [20]); denn Thor-Donar als Gott der Feldfrucht rächt mit dem B. jede Beleidigung und Mißachtung des Korns. Später wird Gott-Vater dem Donar als Feldgott substituiert, wie Maria die Göttin Freya als Feld- und Korngöttin ersetzt (s. Atmosphäre 2): ein bekanntes Zeugnis

ist die Tiroler Sage von der F r a u H ü t t (s. d.), deren Sohn sich einst eine Tanne zum Steckenpferd knicken wollte, dabei aber in einen Morast stürzte. Als er schwarz wie ein Köhler und heulend heimkam, wies Frau Hütt einen Diener an, den Buben mit weichen Brotkrumen sauber zu waschen. Kaum aber hatte dieser damit begonnen, so zog ein schweres schwarzes Gewitter auf, das den ganzen Himmel bedeckte. Plötzlich schlug grell der B. ein, ein furchtbarer Donner folgte — als es darauf klar wurde, war die Gegend in eine Wüste verwandelt, in deren Mitte Frau Hütt versteinert stand [21]). Auch andere V e r g e h e n werden durch B.schlag gestraft. Im Wendischen existiert ein Märchen, in dem ein Ludk vorkommt, dessen Genossenschaft „Sünde" getan hat, wofür jedes Jahr der B. ein Opfer fordert [22]). Kirchenraub, Sonntagsschändung, Meineid, Undank gegen Gott, Zauberei [23]), kurz alles, was die soziale Ordnung der menschlichen Gemeinschaft, die sich zu Gott als ihrem Schutzherrn bekennt, zu zerstören oder zu schädigen imstande ist, wird durch B.schlag gesühnt. In diesem Zusammenhang gehören noch zwei Sagen. Die eine stammt aus Hessen [24]): „Am Samstag vorm Pfingstenfeste des Jahres 1670 stieg ein Wetter auf. Eine Bäuerin aus Obersuhl nahm eine Ackes, drohte damit gen oben, machte wohl auch sonst allerhand Gaukelei, die Wolken zu zerteilen. In dem Augenblicke traf sie ein B., fuhr durch ihren Zopf, als wäre selber von einer Büchsenkugel durchlöchert, berührte auch ihren Schoß und zeichnete sie allda — tötete sie aber wunderbarlich nicht. Also daß sie erkennete und lebenslang sich danach entsinnen möchte: Gott lasse sein nicht spotten". Die andere, der vorigen ähnliche Sage stammt aus dem nordöstlichen Böhmen (Braunauer Ländchen) [25]): Im Dreißigjährigen Kriege verfolgte eine Abteilung des Lichtensteinschen Korps einen dänischen Hauptmann mit seiner Geliebten, die sich vor der Verfolgung der Kaiserlichen in die Felsenstadt zu einem protestantischen Priester gerettet hatten. Indes werden sie entdeckt, und schon will ein Verfolger den Hauptmann und seine Geliebte erschlagen, als ein fürchterlicher B. und Donnerschlag einen Felsen löste und den Verfolger mit sich in die Tiefe riß. Der Anführer der Krieger, des Hauptmanns Vater, erkannte Gotteshand, segnete das Paar und ließ in den herabgestürzten Felsen den Spruch eingraben: „Hier strafte Gott und warnte." Derartige Sagen sind über das ganze deutsche Sprachgebiet verbreitet [26]). Ganz christlich ist dann die Anschauung, daß, wo sich jemand e n t l e i b t hat, im gleichen Jahre in der Umgebung der B. einschlage. Hier liegt die christliche Verdammung des Selbstmordes zugrunde [27]).

Der Volksglaube läßt den Menschen die Sünde tun durch einen in ihm hausenden bösen Geist [28]). So sind es in Wahrheit die b ö s e n G e i s t e r , die von Gott im Gewitter verfolgt werden, damit sie die menschliche Gemeinschaft nicht schädigen und Recht und Sitte aufrecht erhalten bleiben. Auch dies ist ein letzter Rest uralter germanischer Mythologie von Thor-Donar. So ist der vom B. Erschlagene ein Bösewicht: Aus dem schwäbischen Ertingen wird die Anschauung mitgeteilt, daß ein vom B. Getöteter der Leute Lob nicht habe [29]). Wenn es dagegen in Böhmen als ein besonderes Glück gilt, vom B. erschlagen zu werden und man darin ein Seligwerden des Menschen sieht [30]), wenn man ebenda der Ansicht ist, daß dem Toten, bei dessen Begräbnis es blitzt und donnert, der Himmel zugesichert sei [31]), so geht das auf andere Wurzeln zurück und nähert sich vielmehr dem antiken, vor allem römischen Glauben, daß der B. von Gott Erkorenes weiht und heiligt. In Rom wurden Orte, in die der B. eingeschlagen hatte, als gottberührt und heilig dem Verkehr entzogen und eingehegt [32]). Verwandt mit den böhmischen Anschauungen ist der Glaube des Erzgebirges, daß der Tod eines Familienmitgliedes dadurch angezeigt werde, daß der B. im Hausgarten den Gipfel eines Baumes herunterschlägt [33]). Wie der B. als Warnungszeichen in der Hand Gottes ist, ist er auch W e i s s a g u n g s z e i c h e n . In Tirol bedeutet ein dicht neben einem einschla-

gender B. bevorstehende Hochzeit: es liegt ein Weissagungszeichen Thors vor, der wie Gott des Feldes, so auch Gott der Hochzeit ist [34]).

Lebendiger Glauben an die Allgewalt des Himmelsgottes und seine Sorge um der Menschen Wohlergehen läßt den B. zum heiligen Warnungszeichen und zur strafenden Waffe werden. Gott spricht durch ihn mit den Menschen. So wird es klar, daß man teilweise in dem Aufsetzen eines B.ableiters aus Eisen auf das Haus einen Frevel sieht, da ein solches Tun einen Eingriff in die Rechte Gottes bedeutet [35]).

b) S a g e n , die auf den N a t u r - d ä m o n e n g l a u b e n zurückgehen, gibt es nur noch in ganz geringer Zahl. Diese Sagen sehen den B. als Waffe (Kugel, Peitsche, Eisenstange) in der Hand eines bösen Geistes an, der mit derselben die Menschen, mit denen er in Berührung kommt, zu schädigen sucht: einige dieser Sagen s. I.

Der Sieg des Donarglaubens über den Naturdämonenglauben [36]) brachte Erzählungen vom Siege Donars über die bösen Riesen in Umlauf. Manche Sage bildete sich, in denen Donar den Unholden ihre Waffe, die sie nur zum Unrechttun gebrauchten, abjagte. In einem dänischen Märchen erobert der ausziehende Held (Donar) in einem Riesenhaus von einem Riesenweibe ein L i c h t (= B.), d a s o h n e L e u c h t e r b r e n n t , indem er sie in einen Brunnen stürzt usw.[37]). In dem schwedischen Märchen vom Pinkel besitzt ein Riesenweib einen G o l d b o c k (Bock als B. betrachtet s. I b). Der Bock hat goldene Hörner, an denen kleine Glocken befestigt waren, die einen schönen Klang gaben, wenn das Tier sich bewegte. Er mußte nachts immer in der eigenen Stube der Riesin schlafen. Pinkel, der nachher die Königstochter heiratet, erobert diesen Bock [38]). Derartige Sagen gibt es noch massenhaft; immer wieder sind es G o l d s c h ä t z e (Harfen, Böcke, Schwerter, Hügel, Felle, Pelze, Lampen, Pferde), die die Riesen oft zu Unrecht verbergen (meist symbolisieren sie den B.) und die zu erobern die rechttuenden Helden (Donar) ausziehen, wobei die Riesen sich zur Wehr setzen [39]). Schon in der Edda begegnet der Riese Thrymr (= Donner); er hat Thors Hammer gestohlen und tief in der Erde verborgen. Er begehrt die Wasserfrau Freyja, an deren Stelle Thor als Weib verkleidet zu ihm kommt, worauf ihm der Hammer auf den Schoß gelegt wird. Als sich Thrymr lüstern naht, ergreift der Gott den Hammer und erschlägt den Riesen samt seinen Genossen [40]). Deutung: Durch den Diebstahl des B.s hat der Riese dem Thor die Möglichkeit genommen, für die Befruchtung der Erde durch Gewitterregen zu sorgen. Im Kampfe (Gewitter) jagt der Gott seine Waffe dem Unhold ab und erschlägt ihn [41]). Die parallele Sage der Griechen vom Kampfe des Zeus mit Typhon [42]) ist bekannt.

Nach einer andern Version des Mythus kommt Thor zu einem Riesen, um ihm drei Haare, die gleichfalls den B. bedeuten, auszureißen. Dieser alte, schon von Saxo überlieferte [43]) Mythus, dessen Inhalt ohne weiteres verständlich ist, schimmert noch heute in der Volkssage vom Jüngling durch, der auszog, um drei goldene Haare eines bösen Dämons, Riesen oder Drachens (bzw. christianisiert des Teufels) zu erbeuten.

Nach mancherlei Fährnis findet der Jüngling den Bösen, der einen Schlüssel geraubt, einen Baum und Brunnen unfruchtbar gemacht hat, und zieht ihm die drei Haare aus. Nachdem er durch diese Schwächung [44]) (das Haar ein Symbol für den B., der dem Riesen abgejagt wird) gezwungen wurde, die Ursache jener Unfruchtbarkeit anzugeben, tötet der Jüngling den Riesen. Der Schlüssel wird gefunden, der Baum trägt wieder, der Brunnen fließt erneut [45]). An der Deutung des Schlüssels ist kein Zweifel: es ist der von Thor verlorene B., der wiedergewonnen wird, wie in der Eddasage der geraubte Hammer.

Auch diese Sagen haben sich die Übertragung ins Christliche gefallen lassen müssen. Noch heute erzählt man in Mecklenburg von den Guten oder Engeln, die den Teufel mit dem B. verfolgen [46]).

[20]) Mitteil. Anhalt. Gesch. 14, 16. [21]) *Deutsche Sagen*, ges. v. Gebr. G r i m m , nacherz. von R. Münchgesang. Reutlingen (Enßlin und Laiblin) 61 f. [22]) S c h u l e n b u r g *Wendisch. Volkstum* 172. [23]) Kirchenraub: M e i c h e *Sagen* 124 Nr. 161; ZfVk. 7 (1897), 272; Sonntagsschändung: B e c h s t e i n *Thüring. Sagen* 1, 45; Meineid: M ü l l e r *Siebenbürgen* 154; Undank gegen Gott (seitens der Wöchnerin, die ihren ersten Ausgang nicht in die Kirche macht): H ö h n *Geburt*, 266; Zauberei s. w. u. [24]) P f i s t e r *Hessen* 133. [25]) K ü h - n a u *Sagen* 3, 457 f. [26]) ZfVk. 9 (1899), 385 aus Stillfried in Österreich. [27]) W u t t k e 475 § 756. [28]) G r o h m a n n 36 Nr. 203. [29]) B i r - l i n g e r *Volksth.* 1, 194. [30]) G r o h m a n n 36 Nr. 204. [31]) S t e m p l i n g e r *Aberglaube* 28. [32]) Stellen bei W i s s o w a *Religion* 107. [33]) J o h n *Erzgebirge* 115. [34]) M e y e r *Germ. Myth.* 213. [35]) P a n z e r *Beitrag* 2, 297; S a r t o r i *Sitte u. Brauch* 2, 12; SAVk. 21 (1917), 45. [36]) H e l m *Religgesch.* 198. [37]) M a n n h a r d t *Germ. Mythen* 212. [38]) Ebd. 176. [39]) Ebd. 175. [40]) Thrymskvida 1 ff. (Übs. in der Thuleausgabe: Edda 2, 11 ff.). [41]) M a n n h a r d t *Germ. Mythen* 179 f.; H e l m *Religgesch.* 200 f. [42]) H e s i o d *Theog.* 820—868. [43]) M a n n h a r d t *Germ. Myth.* 203; J e g e r l e h n e r *Sagen* 1, 135 Nr. 29; 2, 304. [44]) S c h w a r t z *Ursprung d. Myth.* 143 f. [45]) W o l f *D. Hausmärchen* 184; M ü l l e n - h o f f *Sagen* 427 ff. Nr. 13. [46]) M e y e r *Myth. der Germanen* 356.

2. B. z a u b e r i m h e u t i g e n V o l k s g l a u b e n. Indes haben die meisten der heute noch im Volksmunde verbreiteten Meinungen über den B. einen mehr praktischen als moralischen Inhalt. Das führt hinüber in das Gebiet des Zaubers. Zauberei liegt mehr oder weniger allen im folgenden aufgezählten Bräuchen zugrunde. Auch hier dominiert die germanische Religion. Wie bei allem Zauber ist das ganze Pflanzen- und Tierreich, sind Mineralien, Metalle und Stoffe eingeteilt in solche, die den B. a n z i e h e n und solche, die ihn a b w e h r e n. Alle abwehrenden Kräfte stehen meist unter Donars Schutz; alle anziehenden gehen auf den germanischen Naturdämonenglauben und seine Anschauung vom B. als Waffe in der Hand der menschenfeindlichen Wesen zurück. So liegt im tiefsten Grunde auch diesen Zaubervorstellungen der alte mythische Kampf Donars gegen die Riesen zugrunde.

a) D e n M e n s c h e n s c h ä d i - g e n d e P f l a n z e n , T i e r e usw.

In erster Linie ist es gefährlich, gewisse **P f l a n z e n** zu brechen oder Tiere zu fangen und ins Haus zu bringen, da diese Handlung den mit der Pflanze oder dem Tiere in Sympathie stehenden Dämon ins Haus zieht und B.schlag verursacht. So wird aus Österreich berichtet, daß man bei Gefahr des B.es die **M ä n n e r t r e u** oder **D o n n e r b l u m e** genannte Pflanze nicht pflücken darf: ins Haus gebracht, verursacht sie B.schlag [47]). Aus Kärnten hören wir, daß man **F e u e r - l i l i e n** wegen drohenden B.schlages nicht abreißen darf [48]). In Westböhmen wird es streng gemieden, **H o l z** eines vom B. getroffenen Baumes ins Haus zu nehmen, da sonst der B. dort einschlüge [49]). Ebenda kann man Einschlagen des B.es verschulden oder veranlassen, wenn man **R e i s i g**, das der Regen im Walde zusammengeschwemmt hat, im Hause verbrennt. Es scheint sich um Holz zu handeln, das vom Gewitterregen berührt ist und dadurch in eine Beziehung zu der bösen Natur des dämonischen B.es getreten ist [50]). Ähnliches gilt unter den **T i e r e n** vom **H i r s c h k ä f e r** [51]), den die Heidebewohner für gefährlich halten. Man nennt ihn dort Fürbouter oder Füerklemmer (= Feueranzünder). Man warnt zuweilen die Kinder, das Tier ins Haus zu bringen, da es während des Gewitters mit seinen Zangen feurige Kohlen auf das Strohdach tragen und den B. anziehen soll. In Westböhmen ist die Ansicht verbreitet, daß ein **W ö c h n e r i n n e n k l e i d** den B. anziehe. Die Deutung ist unklar. Ist die Wöchnerin als unrein angesehen? Auch darf die Wöchnerin in Westböhmen nicht nähen bis zur Vorsegnung, weil Kleider, die in dieser Zeit gefertigt seien, der Trägerin den Tod durch B.schlag bringen würden [52]). Macht die Wöchnerin hingegen ihren ersten Ausgang nicht zur Kirche, so erschlägt sie der B., weil es ein Undank gegen Gott ist, s. o. Weiter vertreten die den Menschen feindlichen B.e **E u l e n** und **F l e d e r m ä u s e**. Um das Haus vor B.schlag zu bewahren, nagelt man Eulen, Eulenflügel oder Fledermäuse an die Haustüren [53]).

b) **D o n a r - T h o r a l s S c h u t z - g o t t i m B. z a u b e r.** Gegen diese bösen Geister setzt sich der Mensch zur Wehr, indem er sich unter Donar-Thors Schutz stellt und als äußeres Zeichen seiner Zugehörigkeit zum Himmels- und Hausgotte eine **d e m G o t t e h e i l i g e P f l a n z e** oder ein **T i e r** usw. als Amulet (s. B.amulett, B.baumhölzer) bei sich trägt bzw. auf sein Haus setzt. Diese b.abwehrenden Pflanzen, Tiere, Hölzer usw., die wir im folgenden durchgehen, haben alle auch ihrerseits eine Beziehung zum B., den sie als Schutzwaffe Donars symbolisieren.

P f l a n z e n: Weitaus am verbreitetsten ist der Glaube an die b.abwehrende Kraft des **H a s e l n u ß s t r a u c h e s** [54]), vor allem der **P a l m k ä t z c h e n** [55]), besonders wenn die Zweige in der Kirche am Palmsonntag geweiht sind. (Auch wirklichen Palmzweigen wohnt, wenn sie kirchlich geweiht sind, apotropäische Kraft inne). Man legt die Palmzweige in die Stube (Österreich) [56]); in den Niederlanden verbrennt man sie [57]), ebenso in der Heide [58]); ähnlich berichtet Leoprechting vom Lechrain, daß ein am Palmsonntag kirchlich geweihter und bei Unwetter ins Herdfeuer geworfener Palmbusch vor B. schützt [59]). Aus Grüt bei Geltwil (Schweiz) wird berichtet, daß hinter einem Häuschen noch Oktober 1913 ein am Palmsonntag des gleichen Jahres gesegneter Palmzweig mit drei Stechpalmenkränzen an einen Pfosten des Gartenzauns genagelt war [60]). Der Zweig soll dort bis zum folgenden Frühjahr bleiben, um dann durch einen neuen ersetzt zu werden [61]). Die Lechtaler essen am Palmsonntag drei von einem Palmboschen stammende Kätzchen mit dem Glauben, durch diese Zeremonie den B. fernzuhalten [62]).

In Achau (Allgäu) brechen viele Leute von den Bäumen, die am zweiten **F r o n - l e i c h n a m f e s t** die Kirche schmükken (meist sind es Buchen oder Espen), **Z w e i g e** ab, um sie an die Fensterscheiben zu heften und so das Haus vor B. zu schützen [63]). Ähnliches berichtet Wuttke von der b.abwehrenden Kraft der von der

Kräuterweihe stammenden Büschel [64]).
Bei diesem Brauche scheint es sich um
eine Übertragung des Palmsonntags-
brauchs zu handeln, die in die Zeit der
Christianisierung fällt [65]). Diese Entsteh-
ungsursache schimmert noch aus einem
anhaltischen Brauch durch: hier hängt
man Blumen an Stall und Haus gegen den
B. auf, die man am Tage der Abend-
mahlsfeier gepflückt und mit in die
Kirche genommen hat, darunter besonders Katzenpfötchen [66]).

Dagegen ist der Glaube an den Julblock vollkommen heidnisch. Das Julfest war das dem Donar-Thor heiligste
und lag um die Zeit des neu beginnenden
Sonnenlaufs. Es ist namentlich der Bitte
um Wachstum gewidmet und wird als die
Wiedergeburtszeit des Wachstumsgottes
Thor aufgefaßt [67]). Damit hängt zusammen, daß B. im Januar (schwed. Thors-
månad) gute Ernte bedeutet [68]). Das Jul-
feuer mit dem von einer Eiche genommenen Julblock bedeutet das wiedererweckte
B.feuer, das die Verderblichkeit des Gewitters abwehrt, aber den Feldern die
Fruchtbarkeit sichert [89]). Im Westfälischen nennt man solche Scheite Christ-
brand [70]). Bei Gewitter legt man dieselben
ins Feuer, um auf diese Weise dämonische
B.e vom Hause fernzuhalten. Ein ins Bett
gelegter Splitter des Brandes hat dieselbe
Wirkung [71]). Davon abgeleitet scheint der
Glaube an die den B. abwehrende Kraft
der Weihnachtstanne zu sein. Im
Erzgebirge hebt man sie in der Boden-
kammer auf [72]), im Kreise Ülzen (Lüneburger Heide) verbrennt man die Nadeln
vom letzten Weihnachtsbaum bei Gewitter
auf dem Herde [73]). Wenn man beim Richtfest eines Hauses ein Tannenbäumchen
auf dem First errichtet, so soll das in der
Schlußrede beschworene Bäumchen den
B. vom Hause fernhalten: das Haus ist
Donar als dem Schirmgotte der Familie
unterstellt [74]). Andere Pflanzen, die auf
den B. apotropäisch wirken, sind die sog.
„Hansblumen" [75]) = Kornblume,
Klatschrose oder Rittersporn. Bei den
beiden letzten ist die Beziehung zu Donar
und seiner Feuernatur durch die rote
Farbe der Blüten deutlich. Weiter zeigt

der Glaube an Donar als Schutzgott des
Feldes und Hauses der Brauch des Dorfes
Bodenteich (Kr. Ülzen, Lüneburger Heide), bei herannahendem Gewitter eine
doppelte Ähre hinter den Spiegel
zu stecken [76]). Uralt ist der Glaube an
die b.abwehrende Kraft der Hauswurz (Sempervivum tectorum), deren
Beziehung zum Gewittergotte Donar Namen wie Donnerstock (Oldenburg) [77]),
Dönnerkrut (Lüneburger Heide) [78]) verraten. Man setzt die Pflanze auf das Dach
des Hauses in ein Gefäß und läßt sie dort
wachsen [79]). Das MA. übersetzte ihren
germanischen Namen Donnersbart (od.
ähnl.) mit Jovis barba, Jupiterbart. Die
Sitte, den Donnersbart auf das Hausdach
zu setzen, ist für viele Gegenden des deutschen Sprachgebietes bezeugt; wir haben
in dem Capitulare de villis Karls des
Großen ein altes Zeugnis dieses
Brauchs: et ille hortulanus habeat super
domum suam Jovis barbam (Mon.
Germ. hist. ed. Pertz, Leg. tom. I 187, 1).
In der Lüneburger Heide ist der Glaube
im Abnehmen begriffen [80]).

Wie der Norden an die b.abwehrende
Kraft des Jupiterbartes glaubt das braun-
schweigische Gebiet an die schützende
Wirkung der Flechten an Kiefern und
Fichten [81]), deren Entstehung man dem
B. zuschreibt. Diese Donnerbesen
pflanzt man gegen den B. auf die Haus-
dächer [82]). Verbrennt man solche Flechten, so schlägt der B. ins Haus, wohl weil
sich darin eine Mißachtung Donars ausspricht, die er mit seinem B. rächt. Hier
sei auch die b.abwehrende Kraft des
Farnkrautsamens erwähnt, die uns
für die südl. Lüneburger-Heide und den
Kreis Burgdorf bezeugt ist [83]). Auch sonst
hat im Lüneburgischen der Farnkraut-
same amulettartige Bedeutung [84]). Ob Beziehung zu Donar auch hier maßgebend
ist, weiß ich nicht.

Tiere. Unter den Tieren haben vor
allen Dingen Vögel b.abwehrende
Kraft. Bald ist es die rote Farbe, bald der
scharfe Schnabel, der sie in Beziehung
zum B. treten läßt. So gilt vor allem der
Storch als Gewittervogel; ein Storch,
der auf einem Hause nistet, bringt diesem

nicht nur Kindersegen, sondern schützt auch vor B.[85]). Beim Storch wird der rote Schnabel als B. aufgefaßt; beim S p e c h t, der gleichfalls als Gewittervogel bekannt ist, der scharfe Schnabel und die rote Haube [85]). Weiter gilt als vor B. schützend die H e e r s c h n e p f e [85]), vor allem aber der H a h n [85]) (roter Kamm), dessen Verwendung als Wetterhahn auf Häusern und Kirchtürmen hinreichend bekannt ist. Ein eingemauerter oder im Keller gut unterhaltener Hahn bringt gutes Wetter. Bei Gewitter sieht man eine Henne auf goldenen Eiern sitzen; verfolgt man sie, so brennt einem das Haus nieder[86]). In engem Zusammenhang mit der Verehrung des Hahns als Donarvogel steht so der in Tirol und Böhmen verbreitete Glaube an die b.abwehrende Kraft eines G r ü n d o n n e r s t a g s e i s, welches man auf den Hausboden legen bzw. über das Haus werfen und an der der Stelle, wo es niederfiel, vergraben soll[87]). Nester von S c h w a l b e n gelten in Oldenburg und der Lüneburger Heide als Apotropaia (näm [= wo] aein Swoefelk nest, slait dai B. nich in: Amlinghausen, Kr. Lüneburg; in Brackel, Kr. Winsen, werden Schwalben als Gotteskinder bezeichnet)[88]).

Hier sei der Vollständigkeit halber gleich auch die K a t z e erwähnt, wenn auch ihre Beziehung zu Donar nicht nachzuweisen ist.

Eine in drei Farben blitzende K a t z e (blitzend = elektrische Funken aus dem Fell sprühend) nennt man Blitzkatze. Sie steht in dem Ruf, den B.schlag fernzuhalten. Die Tiere scheinen teuer bezahlt worden zu sein (bis zu 3 Mark)[89]). Die Wurzel dieses Glaubens ist vielleicht antik. Darauf führt weniger das „B.en" in den drei Farben als die Beziehung der Katze zu den Hexen und zur Hekate als der Göttin derselben[90]).

Auch die V e r s t e i n e r u n g e n sind zum Teil b.abwehrend. In Nordbaden (Helmstadt) steckt man versteinerte Muscheln, die sich gelegentlich auf den Feldern finden, wider den B. unter einen Dachsparren[91]). Die Beziehung zu Donar ist unsicher. Sicher aber ist sie bei den

sog. D o n n e r k e i l e n, d. h. Belemniten und Echineten (jene Versteinerungen der Arme des Tintenfischs, diese versteinerte Seeigel), die man in Oldenburg und der Lüneburger Heide von Donar während eines Gewitters herabgesandt glaubt; als Amulett getragen schützen sie gegen B. Wer einen solchen, in Oldenburg G r u m m e l s t e i n genannten[92]), Donnerkeil verschenkt, wird vom B. getroffen[93]). Vgl. die verwandte Lehre des antiken Amulettglaubens[94]). Auch Obstbäume werden durch Anhängen von Donnerkeilen gegen B. geschützt[95]).

S t o f f e. Der Idee nach heidnisch, dem Brauch und Zeremoniell nach wohl christlich, ist das Vertreiben des B.es durch Entzünden schwarzer (Gewitterfarbe) und roter (Feuerfarbe) K e r z e n[96]). Derartige Kerzen konnten noch bis vor 15 Jahren am Lichtmeßtag auf dem Markte gekauft werden (an diesem Zeitpunkt feierte man im Norden früher das Julfest[97])). Ähnliches wird aus E g e r l a n d berichtet[98]). Dem böhmischen Glauben, eine brennende während eines Gewitters zum Fenster herausgehaltene Kerze verhindere den B. am Einschlagen[99]), liegt Christliches zugrunde (Kerzenlicht als Reinheitssymbol Christi), wie wir überhaupt die interessante Wahrnehmung machen, daß Böhmen und das Erzgebirge eine Menge Volksaberglauben zum B.schlag kennen, der seine Wurzeln nicht im deutschen (germanischen) Götterglauben hat.

Im Basel-Land glaubt man, daß die b r a u n e F a r b e der Dächer den B. abhalte[100]).

47) ZföVk. 13 (1907), 134. 48) W u t t k e 304 § 447. 49) J o h n Westböhmen 240. 50) W u t t k e 304 § 447. 51) K ü c k Wetterglaube 145; M e y e r Germ. Myth. 113. 52) J o h n Westböhmen 240. Auch die Oberpfalz kennt den Glauben, daß das Wöchnerinnenkleid den B. anzieht: S c h ö n w e r t h Oberpfalz 1, 159 ff. 53) Nachteulen, in Bayern Holzweibel, sonst auch Nachtraben genannt, gelten als Unglücksvögel: M e y e r Germ. Myth. 112; Lüneburger Heide: K ü c k Wetterglaube 148 f.; Südbaden: Alemannia 24, 144. 54) M e y e r Germ. Mythol. 86. 55) ZfVk. 11 (1901), 5. 56) ZföVk. 13 (1907), 134. 57) V e r n a l e k e n Mythen 316. 58) K ü c k Wetterglaube 142. 59) L e o p r e c h t i n g Lechrain 169. 170; vgl. noch K a p f f Festgebräuche Nr. 2,

15. [60]) SAVk. 21 (1917), 202. [61]) Vgl. J o h n *Erzgebirge* 205: Gegen B. wird das Haus zu Johannis mit Kränzen behängt; s. a. K a p f f *Festgebräuche* Nr. 2 ,16 (Kranzmotiv). [62]) R e i s e r *Allgäu* 2, 108; ZfVk. 23 (1913), 117. [63]) R e i s e r *Allgäu* 2, 147; vgl. S c h r a m e k *Böhmerwald* 156. [64]) W u t t k e 304 § 448. [65]) B l u n t *Ursprung religiöser Zeremonien u. Gebräuche der röm.-kath. Kirche.* Leipz. und Darmst. (1826) 186. [66]) Mitteil. Anhalt. Gesch. 14, 15. [67]) M e y e r *Germ. Myth.* 197. [68]) Ebd. 218. [69]) Ebd. [70]) Ebd. [71]) M a n n h a r d t 1, 229. [72]) J o h n *Erzgebirge* 26. [73]) Jelmstorf Kr. Ülzen: K ü c k *Wetterglaube* 142. [74]) M a n n h a r d t 1, 220. [75]) K a p f f *Festgebräuche* 2, 19; s. a. 16. [76]) K ü c k *Wetterglaube* 148. [77]) S t r a c k e r j a n 2, 109. [78]) K ü c k *Wetterglaube* 146. [79]) Urquell N. F. 1 (1897), 268. [80]) Vgl. K ü c k *Wetterglaube* 145 ff. [81]) G r i m m *Mythol.* 1, 168. [82]) ZfVk. 19 (1909), 429. [83]) K ü c k *Wetterglaube* 149; Heimatklänge aus dem Kreis Burgdorf 5, 21. [84]) K ü c k a. a. O. [85]) M e y e r *Germ. Mythol.* 110; D e r s. *Mythol. der Germ.* 357. [86]) D e r s. *Germ. Myth.* 111. [87]) ZfVk. 8 (1898), 340. [88]) K ü c k *Wetterglaube* 148; S t r a c k e r j a n 2, 109. [89]) ZfVk. 21 (1911), 259. [90]) H o p f n e r *Offenbarungszauber* 1, § 437. [91]) M e y e r *Baden* 361. [92]) S t r a c k e r j a n 2, 178. [93]) Lüneburger Heide: K ü c k *Wetterglaube* 154. [94]) B o l l *Offenbarung* 28: Zitat aus Cat. cod. astr. VII, 179, 24. [95]) K ü c k *Wetterglaube* 150 ff. [96]) ZfVk. 15 (1905), 315. [97]) M e y e r *Germ. Myth.* 217. [98]) Egerl. 4 (1900), 33. [99]) S c h r a m e k *Böhmerwald* 237. [100]) SchwVk. 5, 2 (Baselland).

III. C h r i s t l i c h - a n t i k e r B.a b e r g l a u b e.

Wo wir christlichen oder auch durch das Christentum mitgebrachten antiken B.vorstellungen begegnen, faßt man den B. als bösen Dämon auf, den man mit allerlei Zauberhandlungen vom Hause fernhalten muß. In erster Linie soll man sich beim B.en b e k r e u z i g e n, ferner nicht unter d e r T ü r e s t e h e n b l e i b e n, F e n s t e r u n d T ü r e n s c h l i e ß e n [101]), ,,daß der Glast den Auge nit wehtuet" (Hebel) [102]). Es muß wohl daran gedacht sein, daß Gott sich im B. und Donner offenbart und es profan ist, dann nach ihm neugierig zu schauen oder nach ihm zu zeigen, d e n n w e r n a c h d e m B. m i t d e m F i n g e r z e i g t, dem wird derselbe verletzt [103]) (Öhlstorf, Kr. Winsen, Lünebg. H.). Andrerseits faßt man ihn als bösen Dämon, der vor dem Kreuzeszeichen weicht wie der Teufel. Der Glaube an die b.abwehrende

Kraft des Kreuzzeichens ist in ganz Süd- und Mitteldeutschland, der Schweiz, Böhmen und Schlesien verbreitet [104]). In Böhmen legt man S c h a u f e l n k r e u z w e i s e übereinander [105]).

Ein bekanntes Abwehrmittel alles Zauberglaubens ist das Rezitieren von heiligen S p r ü c h e n, d. h. B i b e l - u n d G e s a n g b u c h v e r s e n. Vor allem die Naturpsalmen mit Schilderungen Gottes im Gewitter haben beschützende Wirkung, weil der Inhalt dieser Verse stark die Donarfigur der germanischen Mythologie stützt [106]). In die gleiche Sphäre gehören die H i m m e l s b r i e f e [107]), die den Träger wie gegen Stich und Hieb, so auch gegen B.schaden schützen sollen. Endlich gewisse b.beschwörenden Charakter tragende W o r t e, die beim Aufleuchten des B.es zu sprechen sind und den Schutz Christi erflehen: ,,Helf is Gott" oder (bezeichnend!) ,,Helf is Gott un verzeih is Gott" [108]). Ähnlich im Kanton Schaffhausen: ,,Helfis Gott" [109]). Im Bergischen hat sich ein alter Spruch erhalten: ,, Jises Wahles! Herus Wahles! Jodes Wahles!", dessen Wortsinn indes unklar ist [110]).

Die Deutung des B.ens in einem religiös-christlichen Sinne ist mir nur aus dem Südosten Deutschlands und aus Böhmen (s. o. Sp. 1414) bekannt. Das B.en wird dort als Öffnen des Flammenhimmels angesehen. ,,Wenn es blitzt, tut sich der Himmel ganz auseinander, dann wird er frei", heißt es bei den Wenden [111]); ,,wenn es blitzt, dann öffnet Gott ein Fenster oder eine Türe des Himmels" (Böhmen) [112]). In Böhmen glaubt man auch, die Helligkeit des B.es entspreche der Helligkeit des Himmels; beim Öffnen des Flammenhimmels vermochte man Engelchöre zu sehen [113]). Zu dem letzten Glauben ist als Parallele zu notieren, daß man in jüdischen Schriften der nachtalmudischen Zeit die Engel als B.e bezeichnet [114]).

Rein antiker B.aberglaube hat sich nur sehr wenig erhalten, trotzdem im späten MA. [115]) und der Reformationszeit die antiken, vor allem etruskischen B.lehren verbreitet waren, wie die weitläufigen Auseinandersetzungen bei Conrad v. Megenberg [116]), die im wesentlichen aus Plinius [117]) stammen — dieser wieder excerpierte für die abergläubischen Vorstellungen den Etrusker Caecina [118]), — beweisen. Auch das W e t t e r b ü c h l e i n (s. d.) von 1549 bietet einiges: „Werden aber mer plitzem gesehen dann donner gehört, so wirt der wind von dem tail, da die plitzen hergeen" [119]); vgl. Cat. cod. astr. IV 129, 5: (ε)ἰ ἐν καρκίνῳ βροντήσῃ, ἄνεμοι μεγάλοι πνεύσουσι. Beziehungen zwischen B.richtung und Erdgegend spielen in der etruskischen B.literatur eine große Rolle [120]). Von sonstigen B.weissagungen ist wenig bekannt: in Schlesien prophezeit man aus B.wahrnehmung in der Kirschblütezeit ein kirschenarmes Jahr [121]), während man in Württemberg im Gegenteil darin ein Zeichen für großen Obstreichtum sieht (so in Geislingen) [122]).

Antik scheint mir aber ein Berner Brauch zu sein: Gegen B.schlag, heißt es da, muß man bei einem Gewitter ein L e i n t u c h mit drei Zipfeln unter die Dachtraufe halten [123]), dazu vgl. Geoponica I, 16: ἱπποποτάμου δέρμα κατόρυξον ἐντὸς τοῦ χωρίου, καὶ οὐ πεσεῖται κεραυνὸς ἐκεῖσε: hier wohnt einer Haut b.abwehrende Kraft inne.

Ob die Sitte, durch G e r ä u s c h den B. zu bannen (s. Wetterläuten), wie man einen Dämon bannt, dem antiken Zauberglauben entstammt [124]) oder aus einem allen Völkern in einer Stufe gemeinsamen Zauberglauben heraus bei uns bodenständig war, vermag ich nicht zu entscheiden. Man neigt dazu, sie als antik anzusehen. Pauken, Klappern und Bekken sind bei der Zeremonie von hervorragender Bedeutung [125]). Seit dem MA. verwendet man geweihte G l o c k e n zur Abwehr der B.dämonen. Viele Glockeninschriften sagten dies von ihren Glocken aus: Waldenburgertal: ad fugandos daemones; St. Martino zu Ponte Valentino: huius campanae sonus vincit tempestates, daemones repellit. Die Glokke des Erfurter Doms (1497) rühmt sich der B.- und Dämonenabwehr: fulgur arcens et daemones malignos. Schaffhausen (sog. „Schillerglocke") und St. Johann (Schweiz): fulgura frango [126]).

[101]) ZfVk. 11 (1901), 152; B a r t s c h Mecklenburg 2, 205. [102]) Statthalter v. Schopfheim Z. 6. [103]) K ü c k Wetterglaube 145; vergl. Alemannia 24, 155. Selbst nach B. wolken zu deuten ist gefährlich: S c h r a m e k Böhmerwald 236. [104]) J o h n Westböhmen 239; ZföVk. 13 (1907), 134; Urquell 3 (1892), 108; M a n z Sargans 87. [105]) W u t t k e 304 § 448. [106]) K ü c k Wetterglaube 145. [107]) S t r a c k e r j a n 2, 109; K ü c k Wetterglaube 149 f. [108]) Südbaden: H e b e l Statthalter v. Schopfheim Z. 5; M e y e r Baden 363. [109]) Unoth 188; SAVk. 11 (1907), 230. [110]) M o n t a n u s Vorzeit 1, 21. [111]) S c h u l e n b u r g Wend. Volksth. 164. [112]) G r o h m a n n 36 Nr. 205. Dort aus slavischer Mythologie erklärt; vgl. aber Chantepie de la S a u s s a y e Lehrb. der Relig. 2, 509 f. [113]) G r o h m a n n 37 Nr. 208. [114]) ZfVk. 7 (1897), 237. [115]) Vgl. auch E i n h a r d Vita Caroli c. 32: der B. schlägt vor dem Tode Karls d. Gr. in den Aachener Münster. [116]) M e g e n b e r g Buch der Natur 76 ff. [117]) P l i n. nat. hist. II, 112. 135. [118]) Ebd. II, 137—148; vgl. P a u l y - W i s s o w a 7, 2441 ff. [119]) Wetterbüchlein Ausg. v. 1510, S. 9 Mitte. [120]) P a u l y - W i s s o w a 7, 2442. [121]) Urquell 3 (1892), 108. [122]) E b e r h a r d t Landwirtschaft Nr. 3, 13; ZfVk. 4 (1894), 400. [123]) SAVk. 7, 139. [124]) S t e m p l i n g e r Aberglaube 86. [125]) Ebd. [126]) Ebd.

IV. I n s e i n e r H e r k u n f t z w e i f e l h a f t e r A b e r g l a u b e. Wuttke berichtet aus Baden u. der Lausitz: „Solange ein Kind im Hause ist, welches noch nicht sprechen kann", schlägt der B. nicht ein [127]). Verwandt ist die Scheu des B.-dämons (?) vor einem Leichenzug in Dimbach-Weinsberg (Württemberg) [128]). Höhn, der die letztgenannte Anschauung beibringt, glaubt, die B.sicherheit eines Leichenzuges auf das dabei stattfindende dämonenabwehrende Glockengeläute zurückführen zu können [129]). Wichtig ist auch der Glaube der Erzgebirgler, daß das Haus eines, der in der Passionswoche begraben wurde, vor B.schlag behütet ist [130]).

[127]) W u t t k e 305 § 448. [128]) H ö h n Tod Nr. 7, 345. [129]) S. oben unter III Ende. [130]) J o h n Erzgebirge 128.

V. Als E r f a h r u n g s t a t s a c h e endlich ist es aufzunehmen, wenn von der apotropäischen Wirkung des Eisens gesprochen wird. Es kann kaum Aberglaube in Betracht kommen, wenn man im Allgäu gegen B.schlag unweit vom Hause eine S e n s e aufstellt [131]). Diese stellt in ihrer Art einen primitiven Blitzableiter

in *Kleine Schriften* 440—448; B ä c h t o l d in SAVk. 20, 6 ff. [5]) G r o h m a n n l. c. 92, 640; ebenso im Schadenzauber: G r o h - m a n n 200, 1403. [6]) ZfdMyth. 3 (1855), 328. [7]) G r o h m a n n 209, 1451. [8]) D e r s. 92, 640. [9]) D e r s. 143, 1055. [10]) B u x t o r f *Ju- denschul* 151. [11]) G r o h m a n n 115, 859; vgl. barfuß A. 48 u. 49; S e l i g m a n n *Blick* 1, 93. [12]) B r e v i n u s Noricus 4 f.; siehe be- decken. [13]) H o v o r k a u. K r o n f e l d 2, 337; vgl. barfuß Λ. 66 u. 67.   Eckstein.

blühen.

1. Wenn ein (Obst-)Baum im Jahr (Herbst) zum zweitenmal, oder wenn er überhaupt zu einer ungewöhnlichen Zeit, blüht, so gilt dies als Zeichen, daß ein Familienmitglied bald stirbt [1]). Es be- deutet Krieg, wenn ein Kirschbaum zwei- mal blüht [2]). Blüht eine vereinzelte Blume auf unfruchtbarem Boden, so fällt die nächste Ernte reichlich aus [3]).

[1]) H ö h n *Tod* 309; ZrwVk. 4, 271; 5, 245; vgl. auch Hauswurz. [2]) G r i m m *Myth.* 3, 477. [3]) ZfdMyth. 2, 418.

2. Kinder dürfen nicht zur Zeit der Baumblüte entwöhnt werden, sonst be- kommen sie weißes Haar [4]). Ein Kind, das zur Zeit der Baumblüte geboren wird, be- kommt frühzeitig weiße Haare [5]).

[4]) G r i m m *Myth.* 3, 461; W u t t k e 393 § 601; F o g e l *Pennsylvania* 46. 49. [5]) J o h n *Erzgebirge* 50.   Marzell.

Blume.

1. Ebenso wie die Bäume (s. d.) so gel- ten im Volksglauben auch die B.n nicht selten als „b e s e e l t" [1]). Im Volkslied werden Menschen in B.n verwandelt [2]), die Seele erscheint als B.[3]). Aus dem Blute bzw. dem Grabe unschuldig Getöteter wachsen B.n [4]). Am hl. Abend werden die B.nstöcke (ebenso wie die Bäume) b e - s c h e n k t [5]); auch Neujahr wünscht man den B.nstöcken an [6]). Sieht man ei- nen B.stock mit neidischen Augen an, so s t i r b t er ab [7]). Eine W ö c h - n e r i n (die ja als unrein gilt) darf keine B.n begießen [8]). Besonders deutlich zeigt sich der Glaube an die Beseeltheit der B.n in verschiedenen Bräuchen beim T o d eines Menschen. Die B.n des Ver- storbenen gehen ein [9]); sie werden daher bei einem Todesfalle geschüttelt oder in ihren Töpfen von der Stelle gerückt [10]) oder aus dem Sterbezimmer hinausge-

tragen [11]). Umgekehrt stirbt auch jemand, wenn die B.n im Zimmer eingehen [12]). Man muß dem Toten sämtliche B.n-spenden mitgeben, sonst holt er sie sich [13]). Die dem Toten geschenkten B.n-stöcke setzt man teils auf den Grabhügel, teils pflegt man sie daheim. Damit sie nicht eingehen, werden sie 4 Wochen lang mit einem schwarzen Bändchen umwun- den [14]).

[1]) G r i m m *Myth.* 2, 689 f.; M e y e r *Religgesch.* 97. [2]) B ö c k e l *Handbuch* 57. [3]) H o c k e r *Volksglaube* 233. [4]) K o b e r - s t e i n *Über die in Sage und Dichtung gang- bare Vorstellung von dem Fortleben abgeschiede- ner menschlicher Seelen in der Pflanzenwelt.* In: Weimar. Jahrb. 1 (1854), 73—100, dazu Nachtr. v. R e i n h. K ö h l e r ebd. 479—483; G o l - t h e r *Myth.* 90; B e r t h o l d *Unverwund- barkeit* 53; B e c h s t e i n *Thüringen* 2, 3 f. [5]) J o h n *Erzgebirge* 163. [6]) F o g e l *Penn- sylvania* 214. [7]) ZfrwVk. 2, 207. [8]) H ö h n *Geburt* 266. [9]) M a a c k *Lübeck* 54 ff. [10]) B a r t s c h *Mecklenburg* 2, 89; S c h ö n - w e r t h *Oberpfalz* 1, 248; M e i e r *Schwaben* 489; M e y e r *Baden* 584; S t a u b e r *Zürich* 1, 28; F o g e l *Pennsylvania* 131. [11]) A n d r e e *Braunschweig* 315; H ö h n *Tod* 232. [12]) SAVk. 12, 150. [13]) ZfVk. 13, 390. [14]) J o h n *Erzgebirge* 129.

2. Einer besonderen Beachtung werden die G r a b e s b.n (s. d.) teilhaftig. Sie ge- hören dem Toten und dürfen nicht gepflückt werden, sonst erscheint einem der Tote im Traum [15]) oder streckt die Hand aus dem Grabe [16]). Wenn man an den Grabesb.n riecht, verliert man den Geruch [17]). Wenn man B.n von einem fremden Grabe pflückt, so bekommt man Kopfschmerzen und schwere Träume [18]), nimmt man sie mit nach Hause, kann man von der näm- lichen Krankheit, an der der Tote ge- storben ist, befallen werden [19]). Bei den Wanderzigeunern gilt es sogar als tod- bringend, B.n von einem Grabe zu pflücken [20]). Vielfach gelten B.n überhaupt als T o d e s z e i c h e n : einem Kinde unter einem Jahre darf man keine B.n geben, sonst stirbt es [21]), auch verliert es sonst den Geruch (Erzgebirge) [22]). Bei einer Taufe dürfen frische B.n nicht als Schmuck verwendet werden, das hieße dem Kind B.n aufs Grab streuen [23]). Wenn kleine Kinder mit B.n spielen, dann werden sie nicht alt [24]). Solange

man kleinen Kindern keine B.n in die Hände gibt, können sie sich in der Handfläche wie in einem Spiegel betrachten, nachher nicht mehr [25]). Auch dem Kranken darf man keine B.n bringen, sonst wird es schlimmer mit ihm [26]). B.n einer Wöchnerin geschickt, werden Nägel zu ihrem Sarg [27]).

[15]) S c h r a m e k *Böhmerwald* 248. [16]) M a r z e l l *Bayer. Volksbot.* 70. [17]) P a n z e r *Beitrag* 1, 262; L a m m e r t 232; Urquell 3, 41. 200; 4, 52; M a r z e l l *Bayer. Volksbot.* 70. [18]) SAVk. 8, 269. [19]) M a r z e l l *Bayer. Volksbot.* 70. [20]) ZfVk. 10, 133. [21]) D r e c h s l e r 1, 212; ZfVk. 3, 149; S p i e ß *Fränkisch-Henneberg* 100; SchwVk. 10, 32; H ö h n *Geburt* 277; man denkt hier wohl an die B.n als Schmuck der Kinderleiche. [22]) W u t t k e 394 § 604. [23]) ZfrwVk. 2, 183. [24]) E n g e l i e n u. L a h n 250. [25]) SAVk. 15, 10; SchwVk. 10, 37; vgl. auch R o c h h o l z *Kinderlied* 318. [26]) S t r a k k e r j a n [2] 1, 55; 2, 185; D r e c h s l e r 2, 283. [27]) S t r a c k e r j a n [2] 1, 55.

3. O r a k e l mit B.n werden vor allem in L i e b e s a n g e l e g e n h e i t e n befragt. Das Auszupfen der Strahlblüten der Wucherblume (s. d.) gibt den Stand der Liebe kund. Auch sonst werden B.n (z. B. Werfen eines B.nkranzes) als E h e o r a k e l benutzt [28]). Ein Kranz von neunerlei B.n wird an Johanni unter das Kopfkissen gelegt, dann träumt das Mädchen vom Bräutigam [29]). Ebenso erkennt man den Zukünftigen, wenn man sich in der Nacht vom Pfingstsonntag auf -montag einen Kranz von neunerlei B.n aufs Haupt setzt [30]). T r ä u m e von B.n bedeuten Freude [31]), aber auch Trennung einer Bekanntschaft [32]). Weiße B.n künden den bevorstehenden Tod (s. Rose).

[28]) G r i m m *Myth.* 2, 936; 3, 464; Mschles-Vk. 13, 46; F r a z e r 11, 52 ff. 61. [29]) K ö h l e r *Voigtland* 376; D r e c h s l e r 1, 145. [30]) M e y e r *Baden* 165. [31]) Urquell 1, 203; G a ß n e r *Mettersdorf* 46. [32]) M e y e r *Baden* 165.

4. In vielen Sagen wird die W u n d e r b. genannt, mit deren Hilfe man v e r b o r g e n e S c h ä t z e finden kann. Dabei wird meist erzählt, daß der Finder der Schätze vergißt, die B. wieder mitzunehmen, obwohl ihm eine Stimme zuruft: „Vergiß das Beste nicht!" Dann kann er den Eingang zur Schatzhöhle nicht mehr finden [33]). Der Besitz der

Wunderb. macht geistersichtig [34]). Vgl. auch Farn, Schlüsselblume.

[33]) G r i m m *Sagen* 169; M a n n h a r d t *Germ. Mythen* 153; S c h a m b a c h u. M ü l l e r 133; E i s e l *Voigtland* 195 f.; W o l f *Beitr.* 2, 242 f.; P f i s t e r *Hessen* 19; B e c h s t e i n *Thüringen* 1, 212; P a n z e r *Beitrag* 2, 159; B i r l i n g e r *Volksthüml.* 1, 78 f. (mit weiteren Literaturangaben); B a a d e r *N.-Sagen* 77; R o c h h o l z *Sagen* 1, 261. [34]) S o m m e r *Sagen* 4.

5. G a r t e n b.n, die am Gründonnerstag oder Karfreitag gesät wurden, erhalten schöne Farben oder werden gefüllt [35]). Auch Ableger nimmt man am Gründonnerstag von den B.n [36]). B.n, bei Vollmond gesät bzw. gesteckt, werden gefüllt („voll"), bei abnehmendem Monde werden sie einfach [37]), vgl. auch Levkoie, Nelke.

Vgl. noch b l ü h e n , H e i l k r ä u t e r , P f l a n z e n .

[35]) W u t t k e 73. 426; M a r z e l l *Bayer. Volksbot.* 23; S c h m i t t *Hettingen* 13; M e y e r *Baden* 502 f.; R e i s e r *Allgäu* 2, 116; F o g e l *Pennsylvania* 197. 205 f. [36]) W u t t k e 73. [37]) D e r s. 58. Marzell.

Blümlisalp. Die Sagen vom Untergange einer Alp wegen Sünde sind im Alpengebiete außerordentlich verbreitet [1]).

s. a. V e r g l e t s c h e r u n g .

[1]) J e g e r l e h n e r *Sagen* 2, 8 Nr. 11 u. Anm. S. 309; K u o n i *St. Galler Sagen* 123 f.; W y s s *Reise* 2, 902; V o n b u n *Beiträge* 133 f.; R o c h h o l z *Naturmythen* 224 ff.; R a n k e *Volkssagen* 234; S i m r o c k *Mythologie* 433; S é b i l l o t *Folk-Lore* 1, 217; SAVk. 19, 89 ff.   Bächtold-Stäubli.

Blut [1]). Das B. verkörpert nach alter, schon bei Moses (V, 12, 23; III, 17, 11) geäußerter Ansicht das Lebensprinzip; entfließt das B., entschwindet das Leben, sah schon der Urmensch und zog daraus den Schluß.

Diese primitive Anschauung kehrt wieder in den vielen Sagen von der S t i m m e des B.es [2]). Wenn das Kind seinen rechtmäßigen Vater sucht, der angeblich tot ist, so holt man aus seinem Grab einen Knochen und läßt des Kindes B. auf des angeblichen Vaters Knochen fließen. Saugts der Knochen auf, so war der Tote der Vater, sonst nicht [3]). Dieselbe Sympathie zwischen Mutter und Kind

verrät die Tiroler Sage von Andreas, dem
Kind von Rinn; es wurde 1459 von Juden
getötet und zur selben Zeit fiel der Mutter
auf dem Felde ein B.stropfen (s. d.) auf die
Hand; von schrecklicher Ahnung herumgetrieben fand sie ihr langgesuchtes Kind
endlich am sog. Judenstein [4]). Auch bei
Ehegatten zeigt sich die Seele des B.es.:
So erzählt man in Oldenburg von zwei
Ertrunkenen, deren Leichen unkenntlich
wurden. Da brachte man eine davon mit
einer der hinterbliebenen Witwen in Berührung und siehe, der Leiche floß warmes B. aus der Nase; so ward ihr Mann
erkannt [5]). Demselben Gedankenkreis
entspringt die B.probe beim sog. Bahrrecht (s. Gottesurteil) und die Sage von
dem b.enden Knochen (s. d.) eines Erschlagenen. Ist nun das B. die Verkörperung der
Persönlichkeit, so bringt jede künstliche
Vermischung verschiedener B.substanzen
eine Seelen- und B.sverwandtschaft. Auf
diesem Glauben beruht die B.sbrüder-
schaft (s. d.). Damit hängt der Aberglaube
zusammen, mit B. könne man sich d e m
T e u f e l   v e r s c h r e i b e n, d. h. mit
ihm einen Bund schließen. So schneiden
sich, sagt der sächsische Aberglaube [6]),
Leute, welche mit dem Bösen einen Pakt
schließen wollen, in den Finger und schreiben mit dem B. ihren Namen auf einen
Zettel. Mit andern Worten: sie überliefern
symbolisch ihre Seele dem Teufel.

In dem B.e liegt die Seelenkraft. Aus
diesem andern Grund war das B.-
t r i n k e n   üblich; denn man glaubte,
„durch das Trinken des B.es könne man
die seelische Kraft des Menschen oder
Tieres gewinnen" [7]). Davon erzählt schon
das Nibelungenlied, V. 2054: „Dâ von
gewan vil krefte ir etliches lîp." Von den
Ungarn schreibt die Chronik des Abtes
Regino von Prüm: „Sie trinken B.,
verschlingen als Heilmittel die in Stücke
zerteilten Herzen derer, die sie zu Gefangenen gemacht" [8]). Daher rührt auch die
Sitte, das B. gewisser Tiere zu trinken.
So trinkt der obersteirische Jäger das B.
des frisch aufgebrochenen Wildes, um
sich eine „feste Brust" zu erhalten [9]).
Ochsenb. mit Wein und Honig gemischt
ist ein altgermanischer Krafttrank [10]).

Moses verbot umsonst das B.trinken [11]);
auch der Koran untersagt den Genuß des
B.es [12]); ebenso kämpfen die Bußver-
ordnungen des MA.s aufs heftigste dagegen. Ein Zweig dieses Aberglaubens
blühte bis in die Neuzeit herein, das B.-
trinken im Liebeszauber. Das Poenitentiale Parisiense (18) sagt: „Wer sein B.
um der Liebe wegen einen Mann oder
eine Frau trinken macht, soll 3 Jahre
büßen." Diese Beichtvorschrift [13]) wurde
so streng eingehalten, daß eine damit zusammenhängende Bestimmung häufig
wiederkehrt: Sanguinem sine voluntate
sugere e dentibus non est peccatum [14]).
Noch heute wird das B. im Liebeszauber
getrunken: Im Badischen schreibt der
Bursche nicht bloß den ersten Brief an
sein Mädchen mit B., er tröpfelt ihr auch
davon in den Wein, während das Mädchen
ihr Menstrualb. (s. d.) zu gleichem Zweck
gebraucht [15]). In Hessen, Böhmen, Oldenburg schneidet sich das Mädchen in der
letzten Jahresstunde in den Finger, mischt
3 Tropfen in einen Trank und gibt diesen
dem Geliebten [16]); im Wendischen läßt
das Mädchen Tropfen des Fingerb.es in
ein Bierglas oder in einen Apfel oder eine
Semmel tropfen, damit sie der Bursche
trinkt oder ißt [17]); auch in der Steiermark will auf diese Weise das Mädchen
die Untreue des Geliebten verhüten [18]).

Weil dem B. eine besondere Kraft innewohnt, sind besonders die T o t e n darauf aus, damit gestärkt zu werden; diesem
Glauben entsprang der entsetzliche Glaube an V a m p i r e (s. Nachzehrer).

Andrerseits hat das B.o p f e r die Bedeutung, das Orenda (s. Orendismus)
der Götter und Dämonen wieder aufzu-
frischen; später verblaßte es zu der Meinung, man erfreue und versöhne sie damit (s. Opfer) [19]).

Ganz besonders aber ist das B. zu
H e i l z w e c k e n dienlich und wirksam [20]). In den „sieben weisen Meistern"
des MA.s lesen wir, daß „der Meister den
kranken König Alexander mit dem B.e
seiner 5 Kinder wusch"; „da ward er auf
einmal frisch und ganz gesund". In der
„Curiösen Hausapotheke" (1700 S. 40)
lesen wir von einem „Elixier vitae" aus

dem Geblüt eines jungen Menschen gemacht, das alte Männer wieder verjünge,
Sterbenden noch die Kraft verleihe, ihr
Testament aufzusetzen. Wer warmes B.
über einen unsichtbaren Schmerzensort
fließen läßt, heilt ihn, heißt es in Schwaben [21]). In Sachsen bestreicht man sich
die Warzen mit dem B. eines andern, dann
verschwinden sie [22]). Das Berliner Tage-
blatt vom 11. November 1891 brachte
eine Zuschrift aus Elbing in der Kassubei,
wonach die Nachbarn einer kranken
Frau von einem Anverwandten derselben
warmes, rotes B. forderten und nicht eher
nachließen, als bis er sich in den Mittel-
finger schnitt [23]).

Oft wird auch das e i g e n e B. in der
Volksmedizin verwendet [24]).

Der Glaube, daß Menschenb. den Aussatz (s. d.) heile [25]), kam vom Orient ins
Abendland; so rät ein Jude dem aussätzigen König Richard von England,
sich zur Lösung von der Krankheit im
frischen B. eines neugeborenen und getöteten Kindes zu baden [26]). Der Grund-
gedanke des armen Heinrich beruht auf
dieser Vorstellung [27]). Gegen Kinderkrämpfe sticht sich in Bayern der Vater
in den Finger und gibt dem Patienten drei
B.stropfen auf den Mund [28]); das gleiche
tut der Neustettiner Vater wider die
Staupe bei kleinen Kindern [29]).

Aber auch das B. gewisser T i e r e ist
heilkräftig [30]), zunächst der Opfertiere,
wie heute noch bei den Naturvölkern [31]).
Dioskurides (II 97) hebt bei den einzelnen
Tieren die Heilwirkungen hervor. Abgesehen von den Opfertieren, die durch
die Zuweisung an Götter ohnehin mit
einem außerordentlichen Orenda ausgestattet werden, werden einzelne Tiere
wegen ihrer besonderen Eigenschaften bevorzugt (s. d. einzelnen Tiere); noch Hufe-
land empfiehlt frisches Tierb. gegen Epilepsie. Einige Beispiele: Wer die Augenbrauen mit Fledermausb. bestreicht, sieht
nachts so gut wie bei Tag. Bocksb. ist
gut für Impotente. Die Wechselbeziehun-
gen sind offensichtlich [32]).

Insbesondere wurde das B. H i n g e -
r i c h t e t e r (s. d.) geschätzt [33]). Mit B.
einem gesunden Jüngling im Mai durch

Aderlaß entzogen — dasselbe Prinzip —
wurde das oleum rectificatum hergestellt
und damit wieder ein balsamus anti-
podagricus (gegen Gicht) und ein spiritus
antiepilepticus (gegen Fallsucht).

Eine bedeutende Rolle spielt der B.-
z a u b e r. Zunächst ist's ein mächtiges
Abwehrmittel gegen Dämonen und Hexen.
In Rom beschmierte man die Pfosten der
Haustüren deswegen mit B. und Fett.

Der Ritus der B.t a u f e wurde durch
orientalische Kulte weit verbreitet und
gelangte so zu den Germanen [34]). Nach
mittelalterlichem Glauben hielt das B.
der Hyäne, eines schwarzen Hundes, das
Menstruationsb., auf die Türpfosten gestrichen, alle Hexen fern [35]); das B. des
Basilisken schützte überhaupt vor jedem
Zauber [36]) — eine Übertragung antiken
Dämonenglaubens auf die Hexen. Am
13. Juli 1784 wurden in Hamburg zwei
Weiber gerädert, welche einen Juden umgebracht hatten, ,,um sein B. zur Bannung des Teufels und zu anderen Hexereien zu brauchen'' [37]). Ein mit Uterinb.
getränktes Hemd, heißt es in Franken [38]),
macht fest gegen Hieb und Stich und
stillt, in die Flammen geworfen, Feuersbrünste. In der Lausitz heißt es, Suppe
aus dem Herzb. ungeborener Kinder
mache stichfest [39]). Wenn eine Flinte behext ist, bestreicht man sie mit dem B.
eines erschossenen Tieres (Böhmen) [40]).
In Mittelfranken glaubte man, das B. aus
den Genitalien eines unschuldigen Knaben aufgefangen und mitgetragen mache
bei Diebstählen unsichtbar [41]). Als die
Stadt Crossen am 27. Juni 1481 abbrannte,
blieb nur die Sakristei stehen, weil man
das B. eines eiligst abgestochenen Kalbes
hineingoß [42]).

Die Hexe verliert aber auch ihre Macht,
wenn man ihr B. entzieht. Wenn man
also in Schweden [43]) auf eine Person den
Verdacht hat, sie habe den bösen Blick
und könne hexen, dürfe man sie nur bis
aufs B. schlagen und jede Gefahr sei
vorüber. Dasselbe glaubt man in England und Schottland [44]).

Mit dem B. eines Menschen kann auch
S c h a d e n z a u b e r getrieben werden [45]). Darum darf man z. B. Aderlaßb.

nicht in ein fließendes Wasser schütten, sonst können Hexen damit Unfug treiben [46]); wenn z. B. Vögel davon fressen, wird der Patient schwermütig oder verrückt [47]). Will man einer Person schaden, so eignet man sich unvermerkt etwas B. von ihr an und schmiert dies auf die linke Fußsohle eines Toten kurz vor der Beerdigung; dann magert die Person immer mehr ab und stirbt bald [48]). Stellt man Aderlaßb. in einem Gefäß in den heißen Ofen, so muß der Patient heftige Fieberschmerzen erdulden [49]). Es sind das lauter Belege für den festen Glauben, daß im B. die Lebenskraft des betreffenden Menschen oder Tieres wohnt.

Zweifellos sind schon viele Morde [50]) aus B.aberglauben begangen worden; im MA. beschuldigte man insbesondere die J u d e n dieses Verbrechens [51]). In Ungarn glaubt man heute noch, die Juden raubten jedes Jahr im Herbst eine christliche Jungfrau oder ein christliches Kind, welches sie dann mit ihren Gebetriemen erdrosseln; dann zapfen sie das B. ab, mit dem sie die Genitalien ihrer Kinder einschmieren, damit sie fruchtbar würden [52]). Juden müssen sich in Christenb. waschen, heißt es in Oldenburg [53]). Oder, sagte eine siebenbürgische Zigeunerin, die Juden gäben christlichen Weibern B. unschuldiger Kinder — mit einem Geheimmittel vermischt — ein, damit sie unfruchtbar würden. Daß die Frage der jüdischen Ritualmorde immer noch nicht verschwunden ist, lehren Prozesse neuerer Zeit [54]).

Daß u n s c h u l d i g v e r g o s s e - n e s B. sich durch wunderbare Erscheinungen äußert, ist ein uralter, weitverbreiteter Glaube. Vergossenes B. schreit zu Gott um Rache, sagt die Bibel [55]): „Die Erde gibt das B. wieder". In einer großen Zahl von Sagen kehrt der Zug wieder, daß B.flecken unschuldig Ermordeter sich nicht mehr austilgen lassen. So weiß die Zimmernsche Chronik (II 262) zu melden, daß an den „zwe Scheffellin" (lanceola), womit Graf von Sonnenberg 1511 ermordet worden war, „die Masen des Schweiß (Blut) nit megen ausgeputzt oder ausgefegt werden, da hat kein Ar-

beit an geholfen"; ebenso (I 333), daß „das unschuldig B. des alten Grafen (v. Kirchberg) etlich hundert Jahr uf der Stegen gesehen worden, das es nit megen außgedilket werden und also pliben ist bis um 1400". Auf den Färöerinseln heißt es, wo unschuldig B. vergossen wurde, wächst kein Gras mehr oder nur rotes, daß Quellen ausbleiben, die mit solchem Blut in Berührung kommen [56]). In amerikanischen Kreisen kursiert der B.zauber besonders stark. Auf einer neuschottischen Bark hatte um das Jahr 1870 die Besatzung den Kapitän nebst Familie, die Steuerleute, den Koch und Zimmermann umgebracht und dann das Schiff verlassen. Später suchte man die B.flecken durch Abhobeln der Bretter, ja durch neue Bretter zu entfernen, vergebens; die Flecken erschienen sofort wieder [57]).

Aber auch die B. s p u r e n d e r v o m T e u f e l g e h o l t e n M e n s c h e n bleiben erhalten [58]). Einen Herrn von Hagemeister (Mecklenburg) entführte der Teufel in einer stürmischen Nacht durch die Decke des Wohnzimmers; von ihm sah man nie mehr eine Spur; nur der große B.fleck an der Zimmerdecke zeigte die Stelle seiner Höllenfahrt an [59]). In einer Luzerner Sage fährt der Teufel mit einem Frevler durchs Fenster, daß das B. an den Scheiben hängen bleibt und nicht mehr abgewaschen werden kann [60]).

Der B.kultus, der aus dem Heidentum bewußt oder unbewußt im MA. weitergepflegt wurde, erklärt auch die verschiedenen B. w u n d e r. Dazu gehört in erster Linie, daß sich das B. unschuldig Hingerichteter in M i l c h verwandelt; das bekannteste Beispiel gibt G r i m m in seiner Sagensammlung (Nr. 97) von der Gemahlin Kaiser Ottos III. Aber auch die Heiligenlegende verwendet das Motiv: so floß z. B. Milch aus den Wunden der Märtyrerin Martina und aus dem Halse der hl. Katharina.

Daß verletzte H e i l i g e n b i l d e r b.e n , ist ein oft erwähntes Wunder [61]); ebenso daß durchstochene H o s t i e n b.en [62]). Im MA. wurden auch viele Legenden von b.schwitzenden C h r i - s t u s s t a t u e n erzählt, z. B. zu Wal-

persbach am Stainfeld (Österreich); der
Geschichtschreiber dieses Kirchleins
(Joh. Rasch 1588) führt viele andere derartige Beispiele auf und die vielen Kirchen „zum hl. B." (B.kirchen) waren ehemalige Wunderstätten [63]). Am meisten
Aufsehen verursacht heute noch das Wunderb. des hl. Januarius in der Kathedrale
zu Neapel [64]).

Endlich hat das B. p r o p h e t i s c h e
Bedeutung. In der Schweiz sagt man [65]),
B. von Verbrechern, das am zweiten
Januar fließt, künde Teuerung an. Träumt
man von B., so bedeutet das Feuer, heißt
es in Dithmarschen [66]), so wird ein B.s-
verwandter bald sterben, sagt man in
Thüringen [67]). Dagegen ist's ein gutes
Zeichen in Polen, wenn man träumt, man
trinke B. oder sammle solches [68]).

[1]) Das grundlegende Werk ist L. S t r a c k
*Das Blut im Glauben u. Aberglauben der Mensch-
heit* [7] (München 1900); vgl. W u n d t *Mythus
und Religion* 1, 578; 2, 484; H a s t i n g s 2,
714 ff. [2]) Vgl. Germania 7 (1862), 413: „das
schreiende Blut". [3]) H o v o r k a - K r o n -
f e l d 1, 87. [4]) SchweizVk. 5, 28. [5]) S t r a k -
k e r j a n 1, 34. [6]) S e y f a r t h *Sachsen* 39;
ausführlicher berichtet darüber W u t t k e
§ 381; S t r a c k e r j a n 2, 180. [7]) W u n d t
Elemente der Völkerpsychologie 207. [8]) H o -
v o r k a - K r o n f e l d 1, 80. Als der Herzog
von Montmorenci 1632 in Toulouse hingerichtet
wurde, tranken Soldaten sein Blut, um sich
seine Tapferkeit anzueignen (C h a t e a u -
b r i a n d *Mém. d'outre tombe* 3, 120). Als 1649
der Jesuit Jean de Brébeuf von den Irokesen zu
Tod gemartert ein einzigesmal zuckte, kamen die Indianer von allen Seiten herbei, um
die Tapferkeit eines solchen Feindes mit seinem
Blut einzuschlürfen (P a r k m a n *Jesuits in
North America* 389). Ein verwundeter Somali
trinkt sein eigenes Blut im Glauben, die ent-
strömende Lebenskraft dadurch wieder zu ersetzen (Ph. P a u l i t s c h k e *Ethnogr. Nord-
afrikas* 186). [9]) H o v o r k a - K r o n f e l d 2,
29. [10]) Ebd. 1, 79. [11]) 3. Mos. 17, 11. [12]) Sure
6, 146—47. [13]) S c h ö n b a c h *Berthold v. R.*
135. [14]) F r i e d b e r g 49. [15]) M e y e r *Baden* 171. [16]) W u t t k e § 552. [17]) S c h u l e n -
b u r g *Wend. Volkst.* 117. [18]) R e i t e r e r
Ennstalerisch 100. [19]) S t r a c k 10 ff. [20]) Ebd.
27 ff. [21]) B u c k *Volksmedizin* 44. [22]) S e y -
f a r t h *Sachsen* 276. [23]) Ähnliche „Heiden-
bräuche" werden vom nördlichen Italien erzählt
(A n d r e e *Parallelen* 1, 18). [24]) S t r a c k
40 ff. [25]) Ebd. 36 ff. [26]) Marbachs Volksbücher
(1841), 22. [27]) P. C a s s e l *Symbolik des B.s
u. der Arme Heinrich.* 1882; D. Med. Wochenschrift 44 (1918), 918 f.; M a r t i n *Badewesen*
203. [28]) H o v o r k a - K r o n f e l d 1, 81.

[29]) Ebd. [30]) S t r a c k 55 ff. [31]) B a r t e l s
Medizin 197. [32]) S t e m p l i n g e r *Volksmedizin*
62. [33]) S t r a c k 43 ff. [34]) Belege bei G r i m m
Myth. 1, 49. [35]) H o v o r k a - K r o n f e l d
1, 79. [36]) S e l i g m a n n 2, 217. [37]) G e i g e r
Gesch. d. Juden 5 (1892), 398. [38]) L a m m e r t
147. [39]) H a u p t *Lausitz* 1, 204. [40]) W u t t k e
§ 714. [41]) L a m m e r t 84. [42]) *Schles. Merk-
würdigk.* (1742), 28. [43]) Urquell 3 (1892), 1.
[44]) S e l i g m a n n 2, 218. [45]) Zu Verbrechen
verwendetes B.: S t r a c k 71 ff. [46]) D r e c h s -
l e r 2, 249. [47]) L i e b r e c h t *Zur Volksk.* 332.
[48]) Urquell 3 (1892), 268 f. [49]) B a r t s c h
Mecklenburg 2, 383. [50]) S t r a c k 58 ff. 71 ff.
[51]) Ebd. 85 ff. [52]) Urquell 3 (1892), 93.
[53]) S t r a c k e r j a n 1, 451 Nr. 247. [54]) Urquell 3 (1892), 94. [55]) 1. Mos. 4, 10; Jesai. 26,
21. [56]) Urquell 3 (1892), 5; vgl. W a i b e l und
F l a m m 1, 189. [57]) Urquell 4 (1893), 134.
[58]) H a u p t *Lausitz* 102. [59]) B a r t s c h
Mecklenburg 1, 104; G r a b e r *Kärnten* 295 ff;
vgl. weiter G r ä ß e *Preuss. Sagen* 38 Nr. 25;
Urquell 3 (1892), 5; SchwVk. 5, 29. [60]) W o l f
Beitr. 2, 18. [61]) M ü l l e n h o f f *Sagen*
126 Nr. 165. [62]) S t r a c k 34 ff.; S c h e i b l e
Kloster 12, 1048; ADB. 19, 369 von
L u d e c u s Math., der eine Geschichte der
Hostienblutsverehrung zu Wißnagk schrieb.
[63]) Vgl. auch F r i e d b e r g 60. Zu den Reliquien des Passionsb.es s. W e t z e r und
W e l t e [2] 2, 928 ff. [64]) Unter den ältern Nachrichten ist am objektivsten F l e c k *Wissenschaftl. Reise durch Italien* II, 1, 117 ff.
[65]) K o h l r u s c h *Sagen* 339. [66]) ZfVk. 20
(1910), 387. [67]) H ö h n *Tod* 311. [68]) Urquell
3 (1892), 147.   Stemplinger.
(mit Nachträgen von E. Hoffmann-Krayer).

Blüte s. b l ü h e n.

Blutegel.

1. B i o l o g i s c h e s. Ähnlich wie den
Aal (s. d.) glaubt das Volk auch den zu
den Ringelwürmern gehörigen B. (Hirudo
medicinalis) aus Pferde- oder Weiber-
haaren entstanden, die lange im Wasser
lagen [1]). Als imaginärer Gehirnwurm hat
er im Gehirn des Menschen seinen Sitz
(s. Wurm) und verursacht Geistesstö-
rungen [2]). Das realistische Vorbild dieses
imaginären Egels ist natürlich nicht der
B., sondern der zu den Saugwürmern gehörige Leberegel (Distomum hepaticum),
der zwar nicht im Gehirn, wohl aber —
wie schon der Name sagt — in der Leber
verschiedener Haustiere schmarotzt und,
wenn er sich vermehrt, namentlich bei
Schafen, die sogenannte Egelseuche oder
Leberfäule erzeugt [3]). Es gibt übrigens
einen wirklichen Gehirnwurm, d. i. die

Larve eines Bandwurms, der bei Schafen die Drehkrankheit hervorruft (s. Wurm). Auf diesen pathologischen Egel bezieht sich bayrisch e g e l n im Sinne von „besinnungslos sein", „taumeln", „phantasieren"[4]. Aber auch im Unterleibe des Menschen kann er sich einnisten und als „Feuerigel" („Igel" hier = Egel) Hitze und Kolik verursachen. Im Dorfe Langenholdinghausen (Siegerland), heißt er *âbißdîr*, d. h. Anbeißtier, in anderen Dörfern derselben Gegend *bloddîr* „Bluttier"[5].

[1] Urquell 4, 159. [2] H ö f l e r *Krankheitsnamen* 109; WS. 7, 135. [3] M a r z e l l *Pflanzennamen* 172 Nr. 76. [4] S c h m e l l e r *BayWb.* 1, 52. [5] J. H e i n z e r l i n g *Wirbellose Tiere* (Siegen 1879).

2. V o l k s m e d i z i n. Der B. spielt schon in der Medizin des Altertums eine sehr bedeutende Rolle. Bei den alten Juden wurden gegen Milzanschwellung getrocknete B. in den Wein gelegt und getrunken[6]. 63 v. Chr. finden wir ihn als gewöhnliches Mittel zur Blutentziehung[7] bei vielerlei Krankheiten, wie Pleuritis, Epilepsie, Hundswut. Plinius erzählt von einem Mann, der sich B. an die Knie gelegt hatte[8]. Bediente man sich so des Tieres einerseits als Heilmittels, so galt es andrerseits als lebensgefährlich. Viele klassische Schriftsteller wie Cassianus, Columella, Plinius geben Mittel an für den Fall, daß ein Mensch oder ein Stück Vieh beim Trinken einen B. verschluckt[9]. Im vorrömischen Germanien war der heilmäßige Gebrauch des B.s nicht üblich, wenn auch das Tier selbst, ahd. *egala* mhd. *egele, egel* wohl schon bekannt war[10]. Wann man anfing, ihn zu Heilzwecken zu gebrauchen, läßt sich nicht feststellen. So viel ist sicher, daß sowohl Ärzte wie Laien davon überzeugt waren, der B. sauge das ungesunde Blut weg, wie dies aus Stellen bei Thomas von Chantimpré und Konrad von Megenberg hervorgeht[11]. Bei den Nordgermanen war der Aderlaß durch B. sehr beliebt, worauf noch heute im Englischen der Name des B.s hinweist: *lech* < altengl. *læce* „Heilender, Arzt"[12]. Die Verwendung des Tieres zur Blutentziehung erhält sich nicht nur in der Volks-, sondern auch in der wissenschaftlichen Medizin

bis in die neuere Zeit. Welcher Mißbrauch mit dem „Egelsetzen" getrieben wurde, ist allgemein bekannt. Die Beliebtheit des B.s erklärt sich aus dem Glauben, mit dem Blute schwände jede Unreinigkeit aus dem Körper[13]. Hauptsächlich wandte man das Tier bei Lungenentzündungen oder sonstigen großen Entzündungen an[14]. Bei Zahnschmerzen setzte man den Egel in den Mund, sonst auch in den Schlund, ja selbst in die Vagina[15]. Dem Herzen durfte das Tier nicht nahe kommen, da man sonst befürchtete, es sauge das „Herzblut" aus[16]. Auch gegen Haarausfall[17] und Warzen[18] verwendete man den Egel.

[6] H o v o r k a - K r o n f e l d 2, 268. [7] Daher heißt der B. im Altgriech. βδέλλα von βδάλλειν „saugen", lat. *sanguisuga*, das das altital. *hirudo* verdrängte. Vgl. die steirischen Namen *Blutsugel, Blutsutzel* (U n g e r - K h u l l). [8] K e l l e r *Antike Tierwelt* 2, 502 f. [9] K e l l e r a. a. O. [10] H o o p s *Reallex.* 1, 295. [11] Ebd. [12] S c h ü t t e *Dänisches Heidentum* 143. [13] H o v o r k a - K r o n f e l d 1, 88. [14] ZföVk. 9, 241. [15] H o v o r k a - K r o n f e l d 2, 389. [16] Ebd. 2, 26. [17] S t a r i c i u s *Heldenschatz* 480 f.; ZfVk. 8, 179. [18] S t e m p l i n g e r *Sympathie* 15.

3. S o n s t i g e r A b e r g l a u b e. In Oldenburg hält man das Tier als Wetterpropheten in Wasserflaschen (Ruhe = gutes Wetter, Unruhe = schlechtes Wetter)[19]. Ähnliches wird aus Mecklenburg berichtet[20]. Von B.n zu träumen ist ein gutes Zeichen, es deutet auf pekuniären Gewinn[21]. Das Schrätteli (Alp) kann auch die Gestalt eines B.s annehmen[22].

[19] S t r a c k e r j a n 2, 17 Nr. 402. [20] B a r t s c h *Mecklenburg* 2, 206. [21] Urquell 1, 203 Nr. 3. [22] L a i s t n e r *Sphinx* 1, 44.
                                                            Riegler.

Blutkugel. Unter B.n versteht der Jäger Zaubergeschosse, die, losgefeuert, Blut haben müssen. Sie treffen, selbst blindlings in den Wald abgeschossen, das Wild; finden sie keines vor, so sausen sie gegen den Schützen und treffen diesen[1]. Nach Tiroler Aberglauben muß man die B. in der Christnacht auf einem Kreuzwege zur Mitternachtsstunde gießen, ohne sich von dem dabei auftretenden Teufelsspuk schrecken zu lassen[2]. Ein ausführliches Rezept zur Herstellung von B.n ist uns

aus Westböhmen überliefert [3]). In Steiermark verbindet sich die Anschauung von
den B.n in der Form mit dem Glauben an
Freikugeln (s. d.), daß man annimmt,
letztere müßten noch am Tage ihrer Ladung auf „etwas von Fleisch und Blut"
abgeschossen werden; wenn nicht, gehe
der Schuß auf den Jäger selbst und über-
liefere ihn dem Teufel [4]). In rheinischen
Sagen [5]) unterscheidet sich die B. nur
noch durch ihren Namen von einer Freikugel.

[1]) Joh. Ludw. H a r t m a n n Neue Teuf-
fels-Stücklein (Frankfurt 1678), 35; Der Gewehr-
gerechte Jäger (Stuttgart 1762), 239; vgl. noch
H a r t m a n n a. a. O. 19 = G r ä s s e Jägerbrevier [2] (Wien 1869), 154; F r. K i n d Frei-
schützbuch (Leipzig 1843), 223. [2]) Z i n g e r l e
Tirol 193. [3]) ZföVk. 11, 174 = J o h n
Westböhmen [2] 325 unten. [4]) A n d r i a n Altaussee 132. [5]) S c h e l l Bergische Sagen [2] 250
Nr. 668; Gottfried H e n ß e n Neue Sagen
aus Berg und Mark (Elberfeld 1927), 77; desgleichen in einer Ueberlieferung aus der Schweiz:
SchwVk. 17 (1927), 66.   Seemann.

Blutregen. Unter B. (auch Wunder-
regen, Staubregen usw. genannt) ist ein
meist rötlich gefärbter Staubfall zu verstehen, der sich aus Kieselsäure, Tonerde,
Eisen- und Kupferoxyden in feinsten
Teilen zusammensetzt. Er ist ein Ver-
witterungsprodukt der Sahara, wo er
durch ungeheure Winde in einer Ausdehnung von ca. 10 Breitengraden aufge-
wirbelt und im westlichen Küstengebiet
Afrikas niedergeschlagen wird. Durch
hohen Luftdruck wird zuweilen ein Teil
dieser Staubmassen in hohe Regionen
emporgehoben, hier von andern von S.
nach N. streichenden Winden mitgerissen
und über Südeuropa, gelegentlich auch
über Nordeuropa abgelagert, zuweilen
mit Regen untermischt, aber auch trok-
ken. Nach Verdunstung des Wassers
bleiben vom Staubregen die Staubsub-
stanzen in rötlicher oder gelblicher Farbe
zurück. Diesem durch P a s s a t s t a u b
gebildeten B. steht der d u r c h T i e r e
hervorgerufene B. gegenüber, der dadurch hervorgerufen wird, daß B i e n e n
und S c h m e t t e r l i n g e beim Ausfliegen bzw. Auskriechen aus der Puppe
einige Tropfen Blut lassen. Ferner veranlaßt das massenhafte Auftreten der B l u t -

a l g e sowie der Wundermonade roten
Flüssigkeitsfall [1]).

Der B. ist als P r o d i g i u m von allen
antiken Völkern, den Arabern und den
Völkern des abendländischen MA.s anerkannt worden. Vor allem den Römern
galt, wie aus der zu vielen Jahren römischer Geschichte von Livius gegebenen
Prodigienliste hervorgeht (XXII 1; XLIII
13), der B. — meist übrigens mit Meteor-
fall und Erdbeben verbunden — als Wunderzeichen des Himmels, das entweder
den Zorn der Gottheit ankündigte oder
Krieg bzw. ein anderes Unglück als dem
Staate drohend ansagte (vgl. die Prodigien bei Caesars Ermordung: Ovid.
Met. XV 788: saepe inter nimbos guttae
cecidere cruentae).

Die erste Nachricht von einem B. in
Deutschland stammt aus dem Jahre 640.
Auch in Deutschland wurde B. im allgemeinen als böses Wunderzeichen Gottes
aufgefaßt. Mit Weihungen und frommen
Stiftungen suchte man den Zorn Gottes
zu versöhnen. Da so die Kirche diesen
Wunderzeichen Beachtung zu schenken
scheint, wird der an den B. anknüpfende
deutsche Aberglaube auf antiken Einfluß
zurückgehen und mit der Christianisierung nach Deutschland gekommen sein.
Auch für die Deutschen bezeichnete B.
vor allem kommenden K r i e g. Als Guis
nach Spanien auszog, regnete es Blut, wie
wir in den Chansons de geste lesen. Erasmus Franziscus „Luftkreys" berichtet
zum Jahre 1668, daß auf den in dieser
Zeit beobachteten B. der Krieg zwischen
Deutschland und Frankreich gefolgt sei.
— Ob die Verse in Schillers Wallenstein:
„Und aus den Wolken blutigrot, hängt
der Herrgott den Kriegsmantel runter"
hierher gehören, bezweifle ich; ich möchte
sie lieber auf das Krieg kündende Abendrot (s. Abendröte) deuten.

Außer Krieg und Blutvergießen weissagte man aus niedergefallenem B. gelegentlich auch die P e s t. In diesem
Sinne deutete man den 1646 in Schäßburg in Siebenbürgen niedergegangenen
B. Den 1349 in Süddeutschland und Österreich beobachteten B. sühnte man in Kel-
heim a. Donau, wie Lycosthenes in seinen

Prodigia berichtet, durch einen steinernen Tempel, den man „zum heiligen Blute" benannte, wohl mit Beziehung des B.s auf das Blut Christi. Gelegentlich begegnet sogar die Nachricht, daß man die Erscheinung, zumal mit Blitz, Donner und Sturm wahrgenommen, als Ankündigung des jüngsten Gerichts auffaßte.

Die Vorstellungen sind bis auf unsere Zeit unverändert im Volksmunde weiter überliefert worden. Aus Böhmen-Mähren und andern deutschen Gebieten ist immer die Vorstellung vom Krieg und Blutvergießen als Folge von B. zu belegen [2]).

[1]) Ehrenberg *Passatstaub u. B.* in Abhdl. Berl. Ak. 1847; Hellmann und Meinardi *Der große Staubfall vom 9.—12. 3. 1901*. Abbdl. Berl. Ak. 1901; HandWb. d. Naturwiss. 1 (Jena 1912), 623 s. v. Passatstaub. Einzelbeobachtungen lokaler Art in Meteorol. Zeitschrift 1903. [2]) Viel Material zu datierten B.-erscheinungen findet man bei Ehrenberg l. c., ferner bei Lycostenes *Prodigia* (stets in Verbindung mit Krieg). Ich verweise auf die Notizen zu folgenden Jahren (die Angaben in der Klammer bezeichnen den Ort, wo der B. beobachtet wurde): 541 (Gallien), 1114 (Oberitalien), 1165 (Dall [England]), 1137 (ohne Ortsangabe), 1531 (Lissabon) 1539 (Belgien), 1542 (bei Warendorf [Westfalen]), 1552 (Frankreich). Vgl. auch Amersbach *Grimmelshausen* 2, 73 (mit vielen Zitaten); Keller *Grab des Aberglaubens* 3, 167 f.; 4, 90 ff.

Stegemann.

Blutsauger s. Nachzehrer.

Blutsbrüderschaft.

1. Der blutsfremde Gott Loki, der in die Gemeinschaft der Asen Aufzunehmende, wird Odins Blutsbruder [1]). Denn Blutmischung bildete bei den Germanen wie auch anderswärts das gebräuchliche Zeremoniell des Friedens- oder Freundschaftsschlusses (s. Frieden) [2]). Die zugrunde liegende Vorstellung ist uralt. Ein Blutbund umschließt die Volksgemeinschaft [3]) und umfaßt auch den Gott des Stammes [4]), von welchem die Helden und Könige oft direkt abzustammen glauben, ein Glaube, der auf totemistischer Stufe am deutlichsten ausgeprägt erscheint [5]). Gemeinsame sakramentale Mahle, bei welchen ein Opfertier (häufig der Gott selbst) verzehrt und sein Blut getrunken wird, dienten der Erinnerung und Verstärkung dieses Blutbandes. Wer

nun in ein enges Friedens- und Freundschaftsverhältnis mit einer Einzelperson, einer Sippe oder einem Volke treten will, muß künstlich gleichen Blutes gemacht werden, eben durch den Blutbund, der das wichtigste und älteste Element der Gruppenbildung gewesen ist [6]).

[1]) Simrock *Mythologie* 14. [2]) Ebd. 226; Visscher *Naturvölker* 2, 151. [3]) Hartland *Primitive Paternity* 1, 258 ff.; Wundt *Mythus u. Religion* 1, 431, 578. [4]) Reuterskiöld *Speisesakramente* 16. 76; 1. Mose 34, 15f. [5]) v. Gennep *Le problème du totemisme*. [6]) Gutmann *Recht der Dschagga* 252 ff.; *Urquell* 3 (1892), 82; Herodot 4, 70; Schwenn *Menschenopfer* 198.

2. Da nach animistischer Anschauung (s. Animismus) auch kleinste Teile den Seelenstoff übertragen, insbesondere beim Blut in jedem einzelnen Tröpfchen „die Seele", das „Leben" [7]) stecken kann [8]), so genügt schon der Austausch einer verhältnismäßig kleinen Blutmenge, um das Band der Bluteinheit um die Wahlbrüder herzustellen.

Als einseitiger Blutbund, wobei der andere Partner ein übernatürliches Wesen ist, ist die Beschneidung zu werten [9]). Beim zweiseitigen Bund besteht oft die Sitte, gegenseitig einige Tropfen Blutes zu trinken, ursprünglich ohne jede Beimischung [10]), später meist mit Wein [11]) vermengt. Ein Nachklang dieses Brauches ist das „Bruderschafttrinken", wobei noch in später Zeit studentische Kreise des Blutzusatzes nicht vergaßen. Einen einseitigen Blutbund schließt auch der Teufel mit dem Menschen, der sich mit seinem eigenen Blute in des Teufels Buch (das Gegenstück zu dem göttlichen Buch des Lebens) eintragen muß (Faust).

Echt germanisch ist der Ritus, daß beide Freunde ihr Blut in eine Grube zusammenrinnen lassen, daß es sich mit der Erde (ist die Erde hier der dritte Bundespartner?) vermische [12]). Oervarodd und Hjalmar treten unter den Rasen und lassen ihr Blut in ihrer Fußspur zusammenfließen. Solche Fußspur zeigt dann, je nachdem sie sich mit Erde, Wasser oder Blut füllt, das Ergehen des andern [13]). B. erzeugt das engste Freundschaftsband, das bis über den Tod verpflichtet [14]).

Wollen zwei Freunde in die Ferne sich Nachricht geben, so lassen sie in gegenseitig gemachte Narben Blut voneinander träufeln; wenn einer in vorher verabredeter Zeichengebung in die Narbe sticht, spürt es dann der andere.

[7] 2. Mose 4, 25 [8] R o c h h o l z *Glaube* I, 40 ff. [9] L i p p e r t *Christentum* 25. 83. [10] *Urquell* 3 (1892), 83. [11] L i p p e r t *Christentum* 687; C i s z e w s k i *Künstl. Verwandtschaft* 60 ff.; K i r c h e r *Wein* 79. [12] G r i m m *RA.* I, 265 ff. [13] R o c h h o l z *Glaube* I, 52. [14] E. H. M e y e r *German. Mythol.* 72; vgl. im allgemeinen: H e l l - w a l d *Ethnogr.* *Rösselsprünge* 327 ff.; H a m - m a r s t e d t *Brorskål och blodsfärbund* in *Fataburen* 1908, 220 ff.; S t r a c k *Blut* 22 ff.

                         M. Beth.

Blutschande ist eine Verletzung der von der Gesellschaft vorgeschriebenen Regeln der geschlechtlichen Beziehungen, insbesondere eine Übertretung der Eheverbote zwischen Verwandten gewisser Grade, wobei freilich der Kreis bei verschiedenen Völkern sehr verschieden weit gezogen wird. Schon die Primitiven legten der Korrektheit der sexuellen Beziehungen den größten Wert bei.

I. Die ganze totemistische Organisation ist auf der Voraussetzung aufgebaut, daß der Stamm mit seinen verschiedenen Unterabteilungen den Kosmos repräsentiert und daß es zur Erhaltung des Gleichgewichtes der Natur notwendig ist, daß immer ein Glied der einen Stammeshälfte ein Glied der anderen Stammeshälfte heirate, bzw. mit ihm in geschlechtliche Beziehung trete, damit der entsprechende magische Einfluß auf den Kosmos ausgeübt werde [1]. Tritt im Gegenteil ein Mitglied des Stammes in geschlechtliche Verbindung mit einem anderen Mitglied, das zu heiraten ihm verpönt ist, so ist die Folge davon ein vernichtender Einfluß auf die Harmonie des Weltalls, insbesondere auf die Wohlfahrt des Stammes [2]. Solche B. wird bei den primitiven Völkern mit grausamsten Mitteln ausgetilgt: die Frevler werden verbrannt [3], ertränkt [4], lebendig begraben [5]. Auch aus Irland sind Sagen überliefert, daß Münster im 3. Jh. unserer Zeitrechnung von einem schweren Mißwachs und anderem Unglück heimgesucht worden sei, und zwar infolge der von dem König mit seiner Schwester begangenen B. Diese konnte nur dadurch gesühnt werden, daß die zwei Sprossen dieser unheiligen Verbindung verbrannt und ihre Asche ins Wasser geworfen wurde [6]. Eine andere irische Legende erzählt von der B. des Cairbre Musc mit seiner Schwester. Hier mußten die Sprossen wohl außer Land gebracht werden, konnten aber durch einen merkwürdigen Ritus Entsühnung finden [7].

Auch nach deutschem Glauben bringt B. Unglück, nicht nur denen, die sie begehen, sondern auch denen, welche nach ihnen z. B. dasselbe Haus bewohnen [8]. Die Strafe der B. war der Tod durch Einmauern [9]. Über das Grab hinaus finden solche Frevler keine Ruhe [10]. Eine bezeichnende Sage erzählt, daß die Köpfe der Grabfiguren auf dem Leichenstein eines solchen Geschwisterpaares immer wieder verschwunden seien [11].

[1] B e t h *Die Exogamie bei den Naturvölkern.* Bericht der anthropologischen Gesellschaft (1912). [2] F r a z e r *Psyches Task* 44 ff.; S o p h o c l e s *Oedipus Tyrannus* 22 ff. 95 ff.; [3] *Leviticus* 20, 14; C. H. W. J o h n s *Babylonian and Assyrian Laws, Contracts and Letters* 54 und 56. [4] G. J. v a n D o n g e n *De Koeboes*, Bijdragen tot de Taal-, Land- en Volkenkunde van Neederlandsch-Indië (1910), 293. [5] G. A. W i l k e n *Verspreide Geschriften* 2, 481 f. [6] P. W. J o y c e *Social History of Ancient Ireland* 2 (London 1903), 512 ff. [7] J o h n R h y s *Celtic Heathendom* (London and Edinburgh 1888), 308 ff. [8] S t r a c k e r - j a n I, 46. [9] G r o h m a n n *Sagen* 42. [10] S c h e l l *Bergische Sagen* 405 Nr. 20. [11] G r i m m *DS.* 253 Nr. 357.

2. Die Gruppe jener Menschen, welche zueinander in einem solchen Verhältnis gedacht werden, daß eine geschlechtliche Beziehung zwischen ihnen ausgeschlossen werden soll, umfaßt bei totemistisch-exogamischen Stämmen sowohl Menschen, welche nach unseren Begriffen in einem ebenfalls die Ehe ausschließenden Verwandtschaftsverhältnis, wie auch solche, welche überhaupt nicht in einer Blutsverwandtschaft, sondern nur in einer totemistischen Verwandtschaft zueinander stehen. Andererseits kann es dort geschehen, daß Verbindungen gebilligt werden, welche nach unseren Begriffen ganz unmöglich sind, so daß der Großvater mit der Enkelin oder die Groß-

mutter mit dem Enkel in geschlechtliche Beziehungen treten können [12]). Aber nicht nur solche Totemverwandtschaft schafft Ehehindernisse, sondern auch das Blutband (s. Blutsbrüderschaft) durch Bündnis ohne wirkliche Verwandtschaft [13]), ja die zufällige Berührung mit dem Blute des anderen [14]). Weiterhin wird auch das Band, welches durch Schwägerschaft eintritt, als ein geschlechtliche Beziehungen ausschließendes sehr häufig aufgefaßt [15]). Auch die Milchbruderschaft wirkt bisweilen in dieser Richtung [16]). Bei den Südslaven ist Blutverwandtschaft Ehehindernis bis zum achten bzw. neunten Grad, eine nahezu Verwandte zu heiraten, bringt Unglück über das ganze Haus, verkrüppelte Kinder gelten noch heute dort als Strafe dessen.

[12]) S p e n c e r and G i l l e n *Native Tribes of Central Australia* 63, 73; W e s t e r m a r c k *History of Human Marriage 2*, 40 ff. [13]) H a r t - l a n d *Primitive Paternity* 1, 261. [14]) Ebd. [15]) W e s t e r m a r c k *History of Human Marriage* 151 ff. [16]) K r a u ß *Sitte u. Brauch* 14. [17]) Ebd. 172. 197. 221.

3. Andererseits aber gibt es genug Berichte von Verbindungen, welche wir als blutschänderisch auffassen würden. Eine der bekanntesten ist die von den Beziehungen Lots mit seinen Töchtern [18]), zwischen Smyrna und Myrha [19]). Diese Verbindungen sind zum Teile sicherlich dadurch erklärlich, daß gerade im Mittelmeerkulturkreis sich ziemlich lang die Endogamie (s. Mutterrecht) erhalten haben muß, welche in Ägypten bis in unsere Zeitrechnung hinauf im Königshause die Regel blieb [20]). Aber auch in streng exogamischen Ländern wird bei gewissen Feierlichkeiten und zu gewissen Zwecken, so insbesondere bei den magischen Fruchtbarkeitsriten und bei den Jünglings- und Mädchenweihen die sonst so strenge Trennung zwischen den verbotenen Graden aufgehoben und gerade die sonst verbotenen Beziehungen müssen zum magischen Zweck vollzogen werden. Freilich wird hiebei ein Verkehr zwischen wirklichen Blutsverwandten in unserem Sinne bisweilen noch immer vermieden [21]). Aber auch diese Regel gilt nicht ausnahmslos, und es ist eine ganze Reihe

von Fällen überliefert, wo zur Erzielung eines besonderen Effektes auf der Jagd [22]) oder bei anderen Gelegenheiten [23]) ein Akt wirklicher B. verübt werden muß. Auch in der deutschen Mythologie spielt die B. in der Wölsungensage eine eigentümliche Rolle, indem sie sowohl die höchste Blüte als auch den Untergang des Geschlechts herbeiführt.

[18]) Genesis 19, 30—48; G u n k e l *Genesis* 217 f. [19]) R o s c h e r *Lexikon* 1, 69. [20]) W i l - k e n *Die Ehe zwischen Blutsverwandten,* Globus 59, 8. 20. 35; E r n s t K o r n e m a n n *Die Stellung der Frau in der vorgriechischen Mittelmeerkultur* (Orient und Antike, Heft 4) 1927. [21]) S p e n c e r and G i l l e n *The Native Tribes of Central Australia* 92 ff. 97 ff.; D i e s. *The Northern Tribes of Central Australia* 136. [22]) F r a z e r *Psyches Task* 57. [23]) Ebd. 59. M. Beth.

Blutschink. Tiergestaltiger Wasserdämon in Tirol und Kärnten, erscheint als Bär, auch halb Bär, halb Mensch. Seinen Namen hat der B. nach seinen stets blutigen Füßen. Man warnt vor ihm die Kinder [1]). — Der B. überfällt die Menschen im Schlaf, würgt sie und schleppt sie in den See [2]). — Der Vergleich mit Grendel liegt nahe [3]).

[1]) ZfdMyth. 1, 237; 3, 30 Nr. 21. [2]) A l p e n - b u r g *Tirol* 58 ff. 421; H e y l *Tirol* 791 Nr. 179. [3]) S i m r o c k *Mythol.* 418; L a i s t - n e r *Nebelsagen* 90.   Ranke.

Blutsegen [1]). Segen, die rinnendes Blut (aus Wunden, Nase, menses) s t i l - l e n sollen (s. Wundsegen). Einige Segen werden bald als B.-, bald als Wundsegen verwendet. Deutsche und (christl.-) lateinische B.- und Wundsegen liegen durch tausend Jahre vor; ein deutscher aus dem 10. Jh. ist der Trierer: „Christ uuarth giuund" usw. [2]) (die Sprachform weist vermutlich auf eine ältere Vorlage); ein lateinischer um 900 der sog. „Jordansegen" (s. d.). — Die Hauptmotive lassen sich zum Teil nach dem Prinzip des zugrunde liegenden (ausdrücklichen oder latenten) Vergleiches ordnen.

[1]) Lit. s. Wundsegen. [2]) ZfdA. 52, 171.

1. Vergleich des S t e h e n s (Wasser o. a. stand oder steht, Blut steht). So schon in einigen Blutsprüchen aus dem klass. Altertum, z. B. „sisti debere cruo-

rem, ut lapis ille (ein Mühlstein) viae solitos iam destitit orbes"[3]); solche einfache Vergleiche sind aber in deutschen B. (und Wundsegen) sehr selten; fast immer gilt der Vergleich einem biblischen oder fiktiven Vorfall. Das Blut soll stehen

a) wie der J o r d a n (s. Jordansegen).

b) Wie C h r i s t u s am K r e u z e[4]), z. B. „Blude, du mußt stille stan, wie Jesus am Kreuze stand"[5]). Dieser weithin bekannte[6]) Segen ist urspr. sicher lateinisch, in dürftigen Reimen, verfaßt: „Stans (Sta) sangwis in te — sicut stetit Jesus in se, stans sangwis fixus — sicut J. stetit crucifixus, st. s. in tua vena (vena tua) — sicut J. stetit in morte sua (auch: in sua pena)", von 1349[7]). Fast in derselben lat. Form war er vom 14. bis ins 19. Jh. auch in Deutschland üblich. Deutsche Fassungen liegen seit dem 16. Jh. vor, gew. in gekürzter Form[8]). Das „stetit, stand" will natürlich sagen: (Jesus) „stand f e s t", wohl anstatt zu fliehen, oder: statt seiner früheren freien Beweglichkeit. Einige spätere Varianten setzen „mane" für „sta" oder sagen (Chr. ist) „gestanden mit hertten banden"[9]). Das Bild an sich, J. „stand", entspricht der bis um 1250 in der Kunst und noch viel später in der Andachtsliteratur üblichen Darstellung (resp. Ausdrucksweise), nach welcher Jesus am Kreuze nicht „hängt", sondern auf einem Fußbrett festgenagelt steht. In einigen modernen Formen, wo dies nicht mehr verstanden wurde, ist dann das „Stehen" auf die Wunden übergeführt, z. B. „Blut, stehe still . . . wie . . . Christi hl. fünf Wunden am Kreuze still standen"[10]).

c) „Zu H i e r u s a l e m im D o h m e dar steiht ein rosenen blome: so stil als die steith, so schal (soll) dith bluth" (J. 1584)[11]); der Segen scheint auf Norddeutschland begrenzt; hierzu paßt sehr wohl, daß hinter demselben nach Ebermann[12]) die norddeutsche Fassung des Rätsels vom Ei liegt: „To W i t t e n - b o r g in'n Doom, dar steit 'ne gäle Bloom" usw. (ganz anderer Schluß). Der Segner denkt wohl an eine „Blutrose" auf Jesu Grab (vgl. Dreirosensegen).

d) D r e i B r u n n e n. „In dem hai- ligen Jordan do stene drei edelen brunnen; der ein flos, der ander gos, der dritt stunde still; also verstehe" (usw.), 16. Jh.[13]), mit dem Anfang „In Gottes Reich stehen" später durch ein gedrucktes Buch verbreitet[14]) (die älteste bekannte Fassung, 15. Jh., scheint von den Dreiblumensegen beeinflußt)[15]). — Liegen die zwei Jordanquellen, über die im MA. öfters geschrieben wurde, dahinter?

[3]) S e r e n u s S a m m o n i c u s *De medicina* v. 651 (Poetae latini minores ed. B a e h r e n s III). [4]) Lit.: E b e r m a n n *Blutsegen* 75 ff.; O h r t *Vrid og Blod* 128 ff. [5]) B a r t s c h *Mecklenburg* 2, 375 Nr. 1754. [6]) Ital.: P r a d e l *Gebete* 24; ndl.: E b e r m a n n *Blutsegen* 77; engl.: G l y d e *The Norfolk Garland* 39; nord.: O h r t *Danmarks Trylleformler* 1 Nr. 100; B a n g *Norske Hexeformularer* Nr. 1255; finnisch: L e v ó n *Verensulkusanat* 58 ff. [7]) S c h ö n b a c h HSG. Nr. 848; vgl. z. B. B i r l i n g e r *Aus Schwaben* 1, 514; T h i e r s *Traité* 1, 469. [8]) Urquell N.F. 2, 102 und (als Wurmsegen) B a r t s c h *Mecklenburg* 2, 25 (16. Jh.); J a h n *Pommern* 69; K u h n und S c h w a r t z 438 usw. [9]) S c h ö n b a c h HSG. Nr. 918. [10]) W u t t k e § 230. [11]) B a r t s c h *Mecklenburg* 2, 18. Andere Belege: E b e r - m a n n *Blutsegen* 110 ff. [12]) E b e r m a n n ebd. [13]) Urquell N.F. 2, 105. [14]) Z. B. Württ-Vjh. 13, 218 Nr. 258. [15]) E b e r m a n n 70. 107.

2. G l e i c h h e i t im W i r k e n oder V e r l a u f (Heilung damals, Heilung jetzt o. ä.).

a) E l i a s: epischer deutscher Segen, im 14.—16. Jh. belegt. Elias „saz in der ainöde" und rief zu Gott wegen seines Nasenblutens: „betwing dicz pluot, als du betwunge den Jordan, ê daz dich S. Johans dar us tauffet"[16]). Vgl. 1. Kön. 19, 4 mit 20, 37 f. oder vgl. 1. Kön. 17, 1 (Luc. 4, 25)?

b) Der Name V e r o n i c a will an die Geschichte des blutflüssigen Weibes, Matt. cap. 9, erinnern; mit dieser Person wurde nämlich Veronica (das Weib mit dem Schweißtuch Jesu) schon in den Gesta Pilati[17]) gleichgesetzt. Als B. fast nur in (byzant.[18]) u.) lat. gefaßten Texten; in einer Trierer Hs. schon im 10. Jh. „nomen Beronice" mit Zitierung von Matt. 9, 21[19]).

c) Hierher gehört weiter das Wort „C o n - s u m m a t u m e s t" oder „Es ist vollbracht", (lat.) vom 14. Jh. an[20]); alte

Aufzeichnungen von „Christus w u n d
und wieder g e s u n d“, gew. als Wundsegen (s. d.); endlich D r e i f r a u e n -,
D r e i b l u m e n -, D r e i r o s e n s e-
g e n , P h i l i p p v o n F l a n d e r n
(T u m b o?) (s. diese).

16) MSD. 2, 275 f.; vgl. AfdA. 1865, 350;
Urquell N.F. 2, 105; J ü h l i n g *Tiere* 288
usw.; anders griech.: Catalogus codd. astrol. VI
App., 88. 17) Evang. Nicodemi A cap. 7. 18) Nicolai
M y r e p s i (13. Jh.) *Medicamenta*, trad. F u c h s
(Basel 1549), 118. 19) S t e i n m e y e r 392;
F r a n z *Benediktionen* 2, 510 f.; vgl. S c h ö n-
b a c h HSG. Nr. 730. 1009. 20) Vgl. J a c o b y
in Ons Hémecht 1924, 18; auch Germania 24,
73 (15. Jh.); B a r t s c h *Mecklenburg* 2, 376
Nr. 1764.

3. G e g e n s a t z. a) C h r i s t i Blut
— d i e s e s Blut: „Ich beudt... bei
dem hl. rosenfarben bluet, das ... Christo
durch sein hl. fünf wunden wndt (lies:
wudt „watete, floß“), das du still stest
...“ 21), 16. Jh.; eine Parallele aus dem
14. Jh.22) hat diese Pointe nicht.

b) A d a m s Blut — C h r i s t i Blut 23),
vgl. Röm. 5, 9. 12. 17. Von der hl. Hildegard im 12. Jh. empfohlen und vermutlich auch verfaßt: „In sanguine Adae
orta est mors, in sanguine Christi extincta
est mors; in eodem s. Chr. impero tibi“
etc. 24). Verdeutschungen 15.—19. Jh.;
auch englisch 25).

c) W a s s e r s t e h — B l u t g e h26)
(nach Joh. 19, 34?). Lat. vereinzelt im
14. Jh. „Sanguis (sc. *Veronicae*, von der
der Anfang des Segens spricht?) obstitit,
unda perfluit“ 27).

Deutsch viele aber späte Aufzeichnungen; entweder kurz: „Bl. steh, W. geh“;
oder mit epischer (recht ungeschickter)
Einleitung, wie „Ich ging durch eine
Gasse, da fand ich Blut u. Wasser“ 28);
auch „... Christus ging über die Brücke,
das Blut floß wie Wasser“ 29).

4. O h n e V e r g l e i c h einer heilkräftigen Macht wird erwähnt. Hier ist
bes. zu merken: Die „g l ü c k s e l i g e(n)
S t u n d e(n)“ oder Orte (s. d.)
s. a. B l u t s t e i n , B l u t s t i l l e n.

21) Urquell N.F. 2, 103. 22) ZfdA. 13, 216.
23) Lit. E b e r m a n n *Blutsegen* 78 ff. mit
Belegen; F r a n z *Benediktionen* 2, 511 f.
24) F r a n z ebd.; vgl. S c h ö n b a c h HSG.
Nr. 921 (14. Jh.). 25) D a l y e l l *The darker*

superstitions of Scotland 320. 26) Lit.: E b e r -
m a n n *Blutsegen* 64 ff. mit Belegen.
27) S c h ö n b a c h HSG. Nr. 730. 28) K u h n
Westfalen 2, 197 Nr. 555. 29) E n g e l i e n u.
L a h n 251.   Ohrt.

Blutstein (Hämatit). Griech. αἱματίτης
(τὸ αἷμα = Blut), mhd. emathites, nhd.
B., in der Bergmannssprache „Roter
Glaskopf“. Der echte B. ist ein Kon-
glomerat, dessen Hauptbestandteil Rot-
eisenstein ist. Seine schwarze Außenseite
gleicht geronnenem Blute, man glaubte
deshalb, er sei daraus entstanden. In
Leonberg heißt er „Geronnenblutstein“.
Wird der Stein abgeschabt oder zerstampft, so tritt seine innere blutrote
Farbe hervor, die ihm den Namen B.
verschaffte 1) und nach dem Grundsatze
similia similibus curantur Veranlassung
zu dem Aberglauben gab, der Stein sei ein
treffliches Mittel bei Blutungen jeder
Art 2). Diese Meinung herrschte bereits im
Altertum, geht durch das ganze MA. hindurch und reicht bis in die neuere Zeit
hinein 3). Man verwendete ihn bei Nasenbluten, vor allem aber bei starken Uterus-
blutungen der Frauen 4). Bei diesen Blut-
besprechungen wird er entweder in der
rechten Hand getragen 5) oder aufgelöst getrunken 6). Am Lechrain gehört er
zum Handwerkszeug der Hebammen, die
ihn, abgeschabt und aufgelöst, der Wöchnerin eingeben7). Auch wenn eine Frau die
Menstruation verloren hat, soll man ihr
gepulverten B. eingeben 8). In der Volksheilkunde wird der Stein außer gegen
Blutungen, Blutgerinnsel, Frauenleiden
auch bei Magen- und Nierenbeschwerden
u. a. verwendet 9). In das Magische gehört es, wenn man den blutigen Schaden
unter Hersagen eines Zauberspruches mit
dem roten B. bestreicht, oder über einem
Gewächse mit ihm das Kreuzeszeichen
macht und neunmal mit ihm über die
Stelle fährt 10). Die gelegentliche Wirkung
des echten Hämatits als blutstillendes
Mittel steht mit seinem Eisengehalt in
Verbindung; Eisenverbindungen sind ja
noch heute blutstillende Mittel11). Als B.
gelten auch der B l u t a c h a t , r o t e r
M a r m o r , der r o t e J a s p i s ; in der
Steiermark und Oberösterreich werden

diese Steine als Amulett gegen den Rotlauf getragen [12]).

[1]) Q u e n s t e d t 617; B e r g m a n n 102;
B o h n e n b e r g e r 1, 23. [2]) G e s n e r
d. f. l. 149; L a m m e r t 196; P o l l i n g e r
Landshut 282; ZfVk. 23 (1913), 256; S t e m p-
l i n g e r Sympathie 46; vgl. M a u r e r Isländ.
Sagen 184. [3]) P a u l y - W i s s o w a 7, 2215 f.;
P l i n. n. h. 36, § 144 f.; M e g e n b e r g Buch
der Natur 382; L o n i c e r 59; S c h a d e 1331 f.
s. v. ematites; D e M é l y 201. 179. 185; Z e d l e r
4, 269 f. s. v. Blutstein; G r i m m DWb. 2, 192 f.
[4]) Z e d l e r a. a. O.; Heimatgaue 1 (1919), 50;
A n d r e e - E y s n 139; ZföVk. 13 (1907), 102;
HessBl. 20 (1921), 33. [5]) L a m m e r t 167;
H o v o r k a - K r o n f e l d 2, 468 f.; ZföVk.
a. a. O.; F o s s e l Volksmedizin 147. [6]) Alemannia
31, 181 Nr. 15. [7]) L e o p r e c h t i n g Lechrain 92. [8]) Alemannia a. a. O.; ZföVk. a. a. O.
[9]) M e g e n b e r g a. a. O.; P e t e r s Pharmazeutik 2, 109; Z e d l e r a. a. O.; L e m k e 1, 54.
[10]) D r e c h s l e r 2, 288; H o v o r k a - K r o n-
f e l d 2, 395; F o s s e l a. a. O. 157. [11]) G r a-
b i n s k i Mystik 72. [12]) S t a r i c i u s Heldenschatz (1706), 467; ZföVk. a. a. O. 103 und
112 f.; Z a c h a r i ä Kl. Schr. 348. Über den
Blutstein als „Schreckstein" s. dort u. H o-
v o r k a - K r o n f e l d 2, 680; S e l i g m a n n
2, 30.   Olbrich.

Blutstillen. Blutungen zu stillen, gehört zu den wichtigsten Heilmethoden.
Das erste Bestreben zielt stets darauf hin,
den ausströmenden „Lebensgeistern" Einhalt zu tun, indem man das Entweichen
des kostbaren Lebenssaftes einzudäm-
men sucht. Die meisten Vorschriften der
volkschirurgischen Blutstillung beziehen
sich auf die am wenigsten gefährliche Ge-
webeblutung; spritzende Blutgefäße kommen ja meist nur bei schwereren Verletzungen vor.

Die Volksmedizin kennt eine sehr
große Zahl b. der Mittel; viele derselben
aus dem Pflanzen-, Tier- und Steinreich mögen tatsächlich wirksam sein,
viele andere aber abergläubischen (ana-
logischen) Anschauungen entspringen [1]).
In Landshut z. B. legt man auf die
blutende Stelle eine Kupfermünze, und
verwendet man Blutstein oder Hunds-
zunge [2]), anderwärts einfach etwas Rotes z. B. Blutstein (s. d.) [3]), Gauchheil
(mit roter Blüte) (s. d.) [4]), in Böhmen
bindet man einen Groschen oder Öhr auf
die Wunde, auf die ein Marienbild geprägt ist [5]), usw. Das „Artzney-Büchlein
vor Carl Ludwig Schneidemann Ao

1768 in Pforzheim" empfiehlt: „Nim
einen Kuchen Lumpen, je schmoziger er
ist je besser es ist, diesen verbrenne zu
Aschen, nim und streue sie in die Wunden so stehet das Blut zur Hand und
wann man ein Roß schneidet und das
Blut nicht kan gestilt werden, so ist es
gewiß gut. Oder auch vor Menschen und
Vieh: Schreibe untenstehende Buchstaben mit seinem eigenen Blut an die
Stirn und seye Menschen oder Vieh: I. N.
R. I." [6]). In der Grazer Gegend schreibt
man mit dem Blute o i p u l k (s. d.)
auf die Stirne. Wiederum um Landshut
fängt man, wenn die Menstruation (im
übrigen s. d.) krankhaft auftritt und der
Blutverlust zu groß ist, einen Löffel voll
des Blutes auf und verschluckt das Blut,
und, wenn bei Geburten (s. d.) ein so
starker Blutverlust eintritt, daß Gefahr
für das Leben besteht, muß man drei
Löffel voll davon auffangen und das Blut
der Gebärenden eingeben [7]). „Were es",
schreibt Staricius [8]), „daß man das Blut
nit stillen köndte / am Menschen oder
Viehe / so nimb einen Keyl aus einer
Sprossen von einer Leiteren / oder sonst
einen Keyl / da ein fuß eines Schemels /
oder eine Banck ist mit eingepflöckt /
besudel den Keyl mit dem Blut / schlage
ihn umgekehrt widerumb in das Loch /
da er vorhin gesteckt / so gestehet das
Blut / das ist gar gewiß / unnd ist mir
ein guter Freund bekandt / der mit Verwunderung vieler Leut einem Landherrn
in Mähren ein Roß durch diß Mittel bey
den Leben erhalten / so nach dem Schnitt
3. gantzer Tag geblutet hat". Ein weitverbreitetes Mittel ist, daß man ein Stück
von einem Obstbaumzweige aufwärts
abschneidet, dies an die frische Wunde
hält, so daß das Blut daran kleben bleibt,
und es dann an einen Ort des Hauses
legt, wo es ganz finster ist; dann hört die
Blutung auf [9]). Wer im Allgäu am Karfreitag vor Sonnenaufgang mit einem
Streich ein „eldernes" Ästle abhaut,
kann damit b.; er braucht das Ästle nur
auf die Wunde zu legen [10]), oder: Man
suche am Karfreitag vor Sonnenaufgang
Froschlaich und reibe damit eine Hand
ein, so erhält man in derselben die Kraft,

Blut zu stillen; man braucht mit dieser Hand nur die blutende Körperstelle zu bestreichen [11]). Nasenbluten (s. d.) wird im Baulande (Hettingen) [12]) gestillt, wenn man das Blut auf zwei übers Kreuz gelegte Strohhälmchen tropfen läßt. Ebenda werden Blutungen von Wunden gestillt mit einem Steinchen, das man unter der Dachtraufe wegnimmt und mit dem man die blutende Stelle in den drei höchsten Namen umfährt; das Steinchen muß genau an seinen früheren Ort wieder zurückgebracht werden. Die Deutschen in Pennsylvanien glauben, daß man B. könne, indem man das Taschenmesser aus dem einen Sack des Rockes in den andern tue [13]), oder indem man die Wand starr und ohne zu blinzeln anschaut und von fünfzig bis drei rückwärts zählt [14]). In der Oberpfalz verwendet man zum B. „alte Ehe", d. h. Leichenfett aus Gräbern, Öl aus Regenwürmern, Froschhaut usw. [15]), in Pommern „ein kleines Beinlein von einem Menschen" [16]).

s. a. B l u t s e g e n ,   G e b u r t , M e n s t r u a t i o n ,   N a s e n b l u t e n ,   v e r p f l ö c k e n .

¹) H o v o r k a - K r o n f e l d 2, 369 ff. ²) P o l l i n g e r 282. ³) W u t t k e § 477. ⁴) H o v o r k a - K r o n f e l d 2, 371. ⁵) H u ß *Aberglaube* 18 Nr. 9. ⁶) W e i n h o l d *Festschrift* 117 Nr. 12. ⁷) P o l l i n g e r 282. ⁸) *Heldenschatz* (1679), 123 f. ⁹) K u h n - S c h w a r t z 437 Nr. 308. ¹⁰) R e i s e r 2, 116 Nr. 25. ¹¹) Ebd. Nr. 26. ¹²) S c h m i t t 16; vgl. auch K u h n *Märk. Sagen* 384 Nr. 65. ¹³) F o g e l 289 Nr. 1528. ¹⁴) Ebd. 304 Nr. 1615 (schon 1820 belegt). ¹⁵) S c h ö n w e r t h 3, 233 ff.; H o v o r k a - K r o n f e l d 2, 371. ¹⁶) J a h n *Hexenwesen* 163 Nr. 535, nach Egypt. Geheimn. 2, 7.   Bächtold-Stäubli.

Blutstropfen.

1. „Nach einer besonders in Schwaben vielfach kreisenden Meinung sind im Gehirne an ganz feinen Fäden „drei B. aufgegangen", welche eine Reihe von Leiden hervorrufen. Fällt ein B. herab, so entsteht Schwindel, welchen ein Aderlaß beseitigt. Fällt der zweite herab, so wird der Betreffende vom Schlage „gerührt", „berührt" und, nach der seitlichen Richtung des Tropfens, die eine oder andere Körperhälfte gelähmt, wo noch ein ergiebiger Aderlaß gemacht werden muß. Fallen aber alle drei Tropfen zugleich herab, dann hat „der Schlag getroffen", und um diese Gefahr, in welcher alle Menschen wegen der zarten Fäden, die plötzlich zerreißen können, sich befinden, fernzuhalten, muß periodisch zur Ader gelassen werden" [1]). Im Kanton Bern herrscht der Glaube: Über den Augen in der Stirne hangen an einem Knöchlein drei B., davon fällt der erste ab nach Verlauf der Kindheit, der zweite, wenn die Jugend vorüber ist, der dritte beim Tode [2]). Eine Frau, die den Boden scheuerte, hielt sich plötzlich die Hände vors Gesicht und blieb einige Zeit ganz unbeweglich; als man sie frug, was sie habe, antwortete sie, sie habe sich in den drei höchsten Namen besegnen müssen, denn die drei höchsten B. seien „fürers gfalle" [3]). Ähnlich heißt es in Tirol: Im Kopfe hangen drei B. Fällt jener, der rechts ist, wird die rechte Seite gelähmt; fällt der linke Tropfen, ist die linke Seite lahm. Das Fallen des mittleren bringt den Tod [4]). Wenn das Ohr klingt, sagt man im Voigtlande, so hängt in demselben ein B. an einem Haar; fällt er herunter, so trifft einen der Schlag; man muß deshalb beim Klingen des Ohres ein Vaterunser beten [5]). Solcher Glaube scheint alt zu sein; denn schon Geiler schreibt im Evangelibuch: „Sie sagen das der brest im hirn sei, vnd die ederli, die zuo dem hirn gond, wenn sie gantz verstopffet sein von wuost, so werd sant Vcltins siechtag daruß, so sprechet ir, es hangen drei tropffen am hirn" [6]). Aus diesen Anschauungen konnte Schadenzauber entspringen, wie im westfälischen Segen z. B.: „Einem die Kraft zu nehmen:

Ich N. N. thu dich anhauchen,
Drei Blutstropfen thu' ich dir entziehen,
Den ersten aus deinem Herzen,
Den andern aus deiner Leber,
Den dritten aus deiner Lebenskraft,
Damit nehme ich dir deine Stärke und Mann-
[schaft.
Habi Massa denti lantien [7]).

Damit kontaminiert sich sehr oft der Segen von den hl. (drei) B. Christi (s. Christus in der Segen) [8]).

[1]) L a m m e r t 225 = H o v o r k a -
K r o n f e l d 2, 245; F o s s e l *Steiermark* 89.
[2]) R o c h h o l z *Glaube* 1, 40 = L i e b r e c h t
Zur Volksk. 352 Nr. 19. [3]) SAVk. 7, 139 Nr. 95.
[4]) Z i n g e r l e *Tirol* 48 Nr. 420. [5]) K ö h l e r
Voigtland 397. [6]) R o c h h o l z *Glaube* 1, 41
= L i e b r e c h t a. a. O. [7]) K u h n *Westfalen* 2,
191 Nr. 542; vgl. W o l f *Beiträge* 1, 257 Nr. 20;
G r i m m *Myth.* 3, 505 Nr. XLIX; H o c k e r
Volksglaube 220 Nr. 15; H a l t r i c h *Siebenb.*
275 Nr. 3. [8]) K u h n *Westfalen* 2, 196 Nr. 548;
L o s c h *Balder* 141 f.

2. Drei B. sind entsprechend dem oben
skizzierten, aber abgeschwächten Glauben auch vorbedeutend: Den Schleit-
heimer Wildschützen Strauhannes warn-
ten drei B., die er schwitzte, davor, an
das Freischießen nach Donaueschingen
zu gehen, wo er gerichtet werden sollte [9]).
Wer das „Steinenkreuz" bei Rüdlingen,
das zwei Brüder setzten, welche die Reformation getrennt hatte, entfernen will,
dem schießen drei B. aus der Nase, d. h.
er stirbt [10]).

Der alte Glaube entwickelt sich aber
noch weiter: Fast allgemein heißt es, daß,
wenn einem Familiengliede drei B. aus
der Nase tröpfeln oder ihm ein solcher auf
die Hand fällt, jemand aus der Familie
oder der Freundschaft stirbt oder gestorben ist [11]). Drei aus der Nase fallende
B. bedeuten auch einfach „was sonder-
lichs" [12]); einem Mädchen zeigen sie,
daß ihm der Schatz untreu ist [13]). Drei
B. am Messer beim Essen sind im isländischen Märchen dem einen Bruder ein
Zeichen, daß der andere in Gefahr
schwebt oder gar tot ist [14]).

[9]) Unoth 1, 127 f. = H e r z o g *Schweizersagen* 2, 240 f. [10]) Unoth 1, 128 f. [11]) Ur-
quell 4 (1893), 19; G a s s n e r *Mettersdorf* 81;
P e t e r *Österr.-Schles.* 2, 246; D r e c h s l e r 1,
288; L a m m e r t 99; S t r a c k e r j a n 1, 34;
R o t h e n b a c h *Bern* 45 Nr. 419; ZfdMyth.
2, 100; häufig auch in Sagen z. B. H e y l *Tirol* 18 Nr. 14; Z i n g e r l e *Sagen* 194 Nr. 323;
G r i m m *Sagen* Nr. 353; M ü l l e n h o f f
Sagen 184 Nr. 251. [12]) G r i m m *Myth.* 3, 477
Nr. 1130. [13]) B a r t s c h *Mecklenburg* 2, 58
Nr. 182; W o l f *Beiträge* 1, 210 Nr. 77. [14]) Ur-
quell 3 (1892), 5.

3. Drei B. des Vaters oder des Paten
dem Säugling eingegeben heilen ihn von
Gichtern [15]) (vgl. Spalte 1437), im Samlande verwendet man dafür 3 B. von einer
Sau, die zum ersten Male geferkelt hat,

oder aus dem linken Ohre eines schwarzen Schafes [16]). Um ihre Zauberkraft,
Feuersbrünste zu löschen, auf die Tochter
zu übertragen, tropfte die Siebenbürgerin
ihrer auf freiem Felde nackt vor ihr liegenden Tochter drei B. in die linke, offene
Hand [17]). Drei B., dem andern auf irgendeine Weise eingegeben, spielen auch eine
Rolle im Liebeszauber [18]) (s. d.).

s. a. F r e i s c h ü t z, H o s t i e, v e r-
p f l ö c k e n.

[15]) L a m m e r t 125; ZrwVk. 2 (1905), 181.
[16]) F r i s c h b i e r *Hexenspr.* 73, 22. [17])W l i s-
l o c k i *Siebenb. Volksgl.* 81 = W e i n h o l d
Ritus 35. [18]) SchwVk. 12 (1922), 66 (Beleg von
1588); SAVk. 7, 132 Nr. 7; Germania 37 (1892),
118 Nr. 34 (Lüneburger Heide); D r e c h s l e r
1, 231.   Bächtold-Stäubli.

Blutwurst [1]). B. aus Hafergrütze (Brot),
Rosinen, Korinthen, Gewürz und Fett mit
Ochsen- oder Schweineblut ist in Schleswig-Holstein [2]) ein beliebtes Winterge-
richt, in Ostpreußen [3]) ißt man an Weihnachten B. und Backobst, im Rheinland [4]) den Bönek, eine Speise aus Blut,
Mehl und Leber. Daß die Wertschätzung
der B. auf die Heiligkeit und Heilkraft [5])
des Blutes der Opfertiere zurückgeht,
möchte Höfler [6]) vermuten; für bestimmte
Fälle mag es zutreffen, und folgender
Glaube könnte darauf hinweisen, wenn
nicht auch von andern Fastnacht- und
Frühlingsspeisen die Heilkraft betont
würde (vgl. Bratwurst, Brei, Bretzel): Am
Fastnachtdienstag gibt man abends dem
Vieh in der Oberpfalz [7]) B. oder gebrate-
nes Blut, damit es keine Blattern im Maul
bekommt; wer in Bayern, Franken und
Niederdeutschland vor Sonnenaufgang
Hirsebrei und B. ißt, hat das ganze Jahr
Geld und ist fieberfrei [8]); wer in West-
böhmen und auch in Bayern nüchtern B.
ißt, der ist gegen Rotlauf [9]) geschützt und
gegen Flohstiche [10]).

[1]) G r i m m *DWb.* 2, 197. [2]) M e n s i n g
Schleswig-Holstein. Wb. 1, 399. [3]) H ö f l e r
Weihnachten 13. [4]) ZfrwVk. 1905, 39; H ö f-
l e r l. c. 18. [5]) J a h n *Opfergebräuche* 317 bis
318; S e l i g m a n n *Blick* 2, 217. [6]) *Organotherapie* 247 A. 1. [7]) S c h ö n w e r t h *Oberpfalz* 1, 311, 8. [8]) H ö f l e r *Fastnacht* 30;
P a n z e r *Beitrag* 2, 304; W. §§ 453. 97.
[9]) J o h n *Westböhmen* 41; J ü h l i n g *Tiere*
181; S e l i g m a n n l. c.; H ö f l e r *Fastnacht*
28. [10]) Bavaria 2, 300.   Eckstein.

Blutwurz (Armetill, Birkwurz, Tormentill; Potentilla erecta, P. tormentilla).

1. **Botanisches.** Rosenblütler aus der Gattung der Fingerkräuter mit schwarzbraunem, innen rötlichem Wurzelstock, drei- bis fünfzähligen Blättern und gelben vierblättrigen (nicht fünfblättrigen!) Blüten. Die B. ist häufig an lichten Waldstellen, an Waldrändern und in Mooren. In der Volksmedizin wird sie gegen Durchfall, Blutfluß usw. häufig gebraucht [1]).

[1]) **Marzell** *Kräuterbuch* 469; ders. *Heilpflanzen* 67.

2. In Hessen [2]) wird die B. am Himmelfahrtstag (vgl. Aronstab, Katzenpfötchen) zusammen mit „Manneskraft" (s. Nelkenwurz), in der Provinz Sachsen [3]) in der Johannisnacht gepflückt, was auf zauberische Verwendung (Liebeszauber?) schließen läßt. Auch auf Island wird die B. („blodrot") zu magischen Künsten gebraucht [4]). Das Tragen der Wurzel soll im Riesengebirge [5]) vor Zauber bewahren. Auch Alraune (s. d.) sollen aus der B. geschnitzt worden sein.

[2]) **Kolbe** *Hessen* 90. [3]) Veckenstedts Zs. 3, 308. [4]) **Maurer** *Isländ. Volkssagen* 1860, 179. [5]) **Schreiber** *Wiesen* 110.

3. In der Sympathiemedizin gilt die B. vorzüglich als ein Mittel gegen ansteckende Krankheiten (Pest usw.). Gegen diese wird sie angehängt [6]), auch kommt sie in die „Auge-Bündeli" [7]). Wenn eine Jungfer ihre Zeit (menses) nicht hat, soll sie ein Stück Mannshemd zu Zunder brennen, mit gleichviel Pulver vom Tormentillkraut, Hauswurz und Lilienöl mischen und einnehmen [8]). Auch Besegnungen der B. („crementilla") aus dem 15. Jh. sind bekannt [9]). Öfter wird die Tormentille (Armetill) zusammen mit der Bibernelle (s. d.) im „Pestspruch" genannt.

[6]) **Manz** *Sargans* 84. [7]) Schw.Id. 4, 1364. [8]) Zauberbüchlein der Iglauer Sprachinsel: ZföVk. 3, 277. [9]) **Schönbach** *Berthold v. R.* 148; MschlesVk. 13, 25.   Marzell.

Bobole s. Poppele, Boppelgebet.
Bochselnächte s. Klopfnächte.
Bock s. Ziegenbock.

Bocksmahrte s. Mahr.
Bocksschnitt s. Bilwis.
Boden s. Erde.

Bodensee. Ein Fußgänger oder Reiter soll über den gefrorenen B. gegangen sein, ohne es zu wissen, daß die glatte Fläche der See sei. Als man ihn am Ufer darüber aufklärte, fiel er vor Schreck über die bestandene Gefahr um und war tot.[1])

Die Sage, die durch G. Schwabs Gedicht namentlich weiter bekannt wurde, wird auch von anderen Seen erzählt.

Im B. soll ein Nebelmännlein wohnen (s. Nebelmännchen), im sog. Löchle, einem Fleck, der bei größter Kälte niemals zugefriert.

Nach einer schwedischen Volkssage steht der B. in geheimnisvoller Verbindung mit dem Wettersee.[2]).

[1]) **Paul Beck** *Eine Quelle für Gustav Schwabs Gedicht: Der Reiter und der Bodensee* in Alemannia 34, 225 ff.; vgl. weiter ZfVk. 18, 91. 305 f.; **Lachmann** *Überlingen* 26 ff. [2]) **Laistner** *Nebelsagen* 78. 258.   Fehrle.

Bodin, Jean.

F. von Bezold *Jean Bodin als Okkultist und seine Démonomanie*, Hist. Zeitschr. 105 (1910), 1—64; **Ders.** *Aus Mittelalter und Renaissance* (1918), 294 ff.

Der bekannte französische Philosoph (1530—1596). Er stellte sich in dem von Agrippa von Nettesheim (s. d.) und Joh. Weier (s. d.) eingeleiteten Kampf gegen die Hexenverfolgungen ganz auf den Boden der herrschenden Wahnvorstellungen. Von Jugend auf hatte er Informationen über Zauberei und Hexenwesen gesammelt, war dadurch zu der Überzeugung von der Realität dieser Dinge gekommen und faßte den Entschluß, mit dem ganzen Gewicht seines Ansehens diese Realität auch literarisch zu begründen und zugleich schärfste Maßnahmen gegen diese todeswürdigen Verbrechen zu fordern. Dies geschah in dem zuerst französisch geschriebenen Werk über die Dämonologie der Hexen [1]). Weiers Gegenargumente wurden in einem Anhang eifrig bekämpft. In den Beispielen ist reiches Material zur Geschichte der Hexenprozesse enthalten; deshalb ist bei der internationalen Verbreitung der Erscheinung das Werk des Franzosen von allgemeiner Bedeutung.

Wie viele andere galt auch B. seinen Zeitgenossen selbst als Schwarzkünstler, dem z. B. ein Dämon dienstbar gewesen sein soll [2]).

In Deutschland wurde B.s Werk bekannt durch die Übersetzung [3]) Joh. Fischarts (s. d.).

[1]) *Traité de la démonomanie des sorcières.* Paris 1580; lateinisch (von Franziscus J u n i n s) *De magorum demonomania et opinionum Jo. Wieri confutatio.* Basel 1581. [2]) B e z o l d in Hist. Zs. 105, 2 Anm. 1. [3]) *De Demonomania magorum. Vom ausgelassenen, wütigen Teufelsheer der Besessenen, Unsinnigen, Hexen und Hexenmeister, Unholden, Teufelsbeschwerer, Wahrsager, Schwarzkünstler, Vergifter, Nestelverknipfer usw.* Straßburg 1581; H a u f f e n in Euphorion 4, 1—16. 251—261.   Helm.

Boel[1]), **Booel**[2]), auch **Baël**[3]), Name des 7. Engels, des Planeten Saturn. Schon in den hellenistischen Zauberpapyri wird der Name genannt: ὁ ἔσωθεν, ὁ κύριος Βουήλ κτλ. [4]) und „der du thronst innerhalb der sieben Pole . . . . dein Name ist Βαρβαριήλ· Βαρβαραϊήλ· ϑεὸς Βαρβαραγήλ· Βήλ· Βουήλ" [5]). Danach ist es Dehnung aus Βήλ, der babyl.-assyr. Form des Namens Baal [6]); Baal wurde in der Tat mit Κρόνος, Saturn identifiziert [7]). Es dürfte Partizip von בַּעַל „herrschen" sein, בּוֹעֵל „der Regierende", κύριος, als Deutung von בַּעַל „Herr"; palmyrenisch hieß der Gott בּוֹל Βῶλ, auch Βόλ [8]); weniger wahrscheinlich ist Zusammensetzung aus der Kürzung des בעל in בּ oder בּוֹ, wie wir sie aus Eigennamen (בּוֹרפא = Βôl-rapha [9]), בּמלד und בּמלקרת = Βομίλκας Βουμίλκας [10]) kennen und אל = Gott. Baël ist wohl aram. Aussprache des Partizips בַּעַל. In einer Lekanomantie wird der Name Βελζεβούλ-Belzebul (s. d.) geschrieben Βερζεβουήλ [11]) (Βερ = Βελ mit Wechsel der Liquidae ρ und λ, wie oft); das ist wohl zu deuten als בַּעַל זֶה בּוֹעֵל „Bel, das ist der Herrschende"; vgl. der Teufel = der Fürst dieser Welt Joh. 12, 31. 14, 30. 16, 11 usw. Als préposé au 7e trône céleste ou à la 2e partie du 4e parvis céleste kommt nach Schwab [12]) ein Engel בּוֹאל vor, was Schwab als „in ihm (בּוֹ) ist Gott" erklärt; man kann dafür auf Ex. 23, 21

verweisen: „Mein Name ist in ihm (dem Engel)", aber vielleicht ist es auch nur andere Orthographie für בּוֹעֵל mit Vertauschung von ע und א, die nicht selten ist. Castelli [13]) nennt einen syrischen Namen בּוֹאלא, den er erklärt „i. q. Lacon. Βέλα, Sol" vgl. dazu die Hesychiusglosse [14]): Βέλα, ἥλιος καὶ αὐγή. Baal — Bêl ist auch Sonnengott [15]). Nicht zu verwechseln ist damit der Engelname Βαηλ auf einem koptischen Fresko [16]), dessen Bildung auf dem Alphabet beruht.

[1]) S c h e i b l e *Kloster* 3, 325 (im Buch Semiphoras Salomonis Regis). [2]) A g r i p p a v. N e t t e s h e i m 4, 148 (im Heptameron des Petrus von Abano). [3]) K i e s e w e t t e r *Faust* 2 (1921), 108 (in W i e r s *Pseudomonarchia Daemonum*). [4]) W e s s e l y 1, 69 Z. 972. [5]) Ebd. 1, 70 Z. 1030 f.; vgl. auch H o p f n e r *Offenbarungszauber* 2 (1924), § 216. 219. 264. 295. [6]) H a u c k *RE.* 2, 324. [7]) Ebd. 2, 331 333; M o v e r s *Die Phönizier* 1 (1841), 185 ff. [8]) H a u c k *RE.* 2, 324. [9]) v. B a u d i s s i n *Adonis und Esmun* (1911), 318. [10]) M. A. L e v y *Phönizisches Wörterbuch* (1864), 10. [11]) *ARw.* 12 (1909), 149. [12]) *Vocabulaire* 193. [13]) C a s t e l l i - M i c h a e l i s *Lexicon Syriacum* (1788), 85. [14]) M o v e r s a. a. O. 1, 169. [15]) H a u c k *RE.* 2, 330 ff. [16]) D o r n s e i f f *Alphabet* 143. 168.   Jacoby.

Bögg (alemann. Form). Die Bedeutungen sind: 1. Popanz, Schreckgespenst: gemein-schweiz. B.[1]), Lungern (Kt. Unterwalden) (Nacht-) Bökel[2]). 2. Maske: a) an Fastnacht: gemein-schweiz. B.[3]), daneben *Brögg*[4]); bei Seb. Brant: böuck: „jnn böucken wisz"[5]); Zusammensetzungen: *Blätzli-, Rölleli-B.*[6]); Eifel *Bokert*[7]) und *(Fastnacht-) Boak*[8]); bayr. (?) *(Fasnacht-) Böck*[9]); b) am Sechseläuten (s. d.) in Zürich[10]). 3. Die den Winter darstellende Strohpuppe, die am Sechseläuten auf öffentlichem Platze verbrannt wird[11]). 4. Trockener Nasenschleim[12]); vgl. dazu deutsch *Popel*, dän. *Bussemand*, in denen auch Bedeutung 1., 2. u. 4. enthalten ist. Vielleicht gehört hieher die Bedeutung: 5. Nachteule, Uhu: im kärnt. Lesachtal *pöggl*, im Tirol *bögl*[13]). E t y m o l o g i s c h wird B. weder zu *Bock*[14]) noch zu *Pauke*[15]) gehören, sondern symbolisch einen furchterregenden Laut ausdrücken, wie *Bölimann, Baubutz, (Bo-) Bau, Bobé, Babo, Butzibau, Baubau* u. v. a. Zu Bed. 5. vgl. lat. *bubo*, gr. βύας.

[1]) SchweizId. 4, 1083. [2]) L ü t o l f *Sagen* 125.
[3]) SchweizId. 4, 1082 f. (Luzern anno 1417 und
weiteres); SAVk. 1, 186 (Basel anno 1418); L ü -
t o l f 34; V e r n a l e k e n *Alpens.* 363. [4]) SAVk.
1, 184. [5]) *Narrenschiff* 110 b, 7 (dazu Z a r n c k e
in s. Ausg. 469). [6]) SAVk. 1, 184. [7]) ZfdMa.
(Frommann) 6, 13, wo auch nl. *bokene* „phan-
tasma, spectrum" erwähnt wird. [8]) S c h m e l l e r
BayWb. 1, 205; ZrwVk. 12, 103. [9]) S c h m e l l e r
l. c. [10]) V e r n a l e k e n *Alpens.* 361, nach
S e n n *Charakterbilder* 2 (1871), 151. [11]) Schw.
Id. 3, 1512; 4, 1083; SAVk. 1, 178; 11, 239;
H o f f m a n n - K r a y e r 137; S e n n l. c.
[12]) SchweizId. 4, 1083 u. Anm. [13]) F r o m -
m a n n *Dt. Mda.* 4, 493. 54. [14]) R o c h h o l z
Sagen 2, 201. [15]) Z a r n c k e zu B r a n t s *Narrenschiff* 464.   Hoffmann-Krayer.

Bohemus (Boemus), Johann,

geboren
zu Aub in Franken um 1485, Theologe
und Humanist, 1515 Deutschordensspre-
diger zu Ulm, später (nach 1522) luthe-
risch, gest. 1535 zu Rothenburg o. d. Tau-
ber. Über eine frühe Verwechslung mit
einem älteren Joh. Behaim, Cantor zu
Ulm, vgl. Schmidt a. a. O. 80 ff.

    S c h m i d t *Volksk.* 2, 60—107.

B. schrieb, außer einigen verlorenen
Werken, Briefe und Carmina, darunter
ein volkskundlich interessantes Gedicht
über die vier Jahreszeiten [1]). Sein Hauptwerk Omnium gentium mores leges et
ritus [2]) ist eine Völkerkunde, für die er
das Material einigen alten und neueren
Schriftstellern, soweit Deutschland insbesondere Schwaben, Franken und Sachsen in Betracht kommt, aber auch eigener
Erfahrung verdankt. Das dritte Buch
dieses Werkes ist eine Darstellung des
deutschen Volkes in seinen Lebensver-
hältnissen, eine systematische Darstellung der deutschen Volkskunde. In das Gebiet des Aberglaubens fallen seine Angaben
über Nixen, Teufels- und Hexenabwehr
und allerlei abergläubische Bräuche des
Volkslebens.

B.s Werk war mehrere Generationen
wohl bekannt [3]); auf seinem volkskundlichen Teil fußt [4]) sehr stark, oft in wörtlicher Übertragung, Seb. Franck (s. d.)
und durch diesen indirekt auch Seb.
Münster (s. d.).

    [1]) S c h m i d t a. a. O. 66—68. [2]) Zuerst
gedruckt 1520. [3]) S c h m i d t verzeichnet
S. 147 f. bis zum Jahre 1620 nicht weniger als
43 Drucke. [4]) D e r s. a. a. O. 119 ff.; vgl.
ZfVk. 3, 369—372.   Helm.

Böhme, Jakob.

B., der philosophus
Teutonicus, geb. 1575 in Alt-Seidenberg
OL., † 16. 11. 1624 zu Görlitz, jüngster
Sohn eines Bauern, erlernte das Schuh-
macherhandwerk, das er in Görlitz bis
etwa 1613 ausübte; später lebte er von
gelegentlicher Arbeit und von Unter-
stützungen seiner Anhänger. Seit 1600
verkehrt er mit Schwärmern und Pansophen und hat 1600 seine Erleuchtung,
nachdem er schon einmal sieben Tage entzückt gewesen sein soll. Bei dieser Erleuchtung 1600 sieht er durch das Äußere
ins Zentrum, durch den Schein ins Wesen
der Dinge (s. Signatur). Ein Melancho-
licus, zergrübelte er sich über den Gegensatz Gut und Böse, Gott und Teufel, bis
er Gott erkannte an allen Kreaturen, sowohl an Kraut und Gras, wer der sei und
wie der sei und was sein Wille sei. 1612
schrieb er diese seine Erkenntnisse im
Buch „Morgenröte" nieder, das aber
nicht vollendet wurde. Der Rat nahm
ihm das Manuskript fort. Doch war es
vorher von einem pansophisch interessierten Edelmann abgeschrieben worden.
Er geriet nun in dessen Kreis, wurde mit
den Büchern der Paracelsus, Weigel bekannt; ein Alchimist, Balthasar Walter,
teilte ihm aus der Kabbala, die er selbst
nicht lesen konnte, mit. Die späteren
Schriften (drei Prinzipien, dreifaches Leben usw.) zeigen den Einfluß dieser Studien. Endlich ringt er sich durch zum
Christosophen, der in Gottes Herz stille
ruht, dessen Begier nur noch auf meta-
physische Erkenntnis gerichtet ist. Den
Alchimisten vom Schlage des Staricius
wurde er ein Spott. Einer seiner adligen
Freunde ließ eine Schrift B.s drucken;
der Konflikt von 1613 wiederholte sich;
B. wurde auf Betreiben der Geistlichkeit
vor den Rat gefordert und ihm bedeutet,
er möge sich beiseite machen. Die seelische Erschütterung dieser Wochen ist
wohl die Hauptursache seines Todes gewesen [1]).

Schon zu Lebzeiten hat man gemun-
kelt, B. habe einen Geist, den er seinen
Anhängern durch Einblasen übermittle,

wobei er sich auf den Novizen lege, Glied auf Glied [2]). Ebenso wußten seine Anhänger, und er selbst glaubte es, daß er die Natursprache [3]) verstünde, in der die Eigenschaften der Dinge im Namen und Wort gekennzeichnet seien. Den Glauben Paracelsi an Gespenster, magische Künste, an elementarische Wesen, teilte er [4]); er war Alchimist [5]) und hielt die Astrologie hoch [6]). Eine Übersicht über das, was wir heut Aberglauben zu nennen pflegen, in B.s Schriften, habe ich gegeben [7]).

Die schönsten und bekanntesten B.-Sagen [8]) hat Abraham von Franckenberg, sein Schüler, 1651 in einer erneuten Ausgabe der von ihm verfaßten Vita gegeben: der Gang in den hohlen Berg (nicht die Landeskrone, sondern der Burgberg von Seidenberg [9]), die Begegnung mit dem Fremden und der Schuhkauf [10]), das Simon-Maguserlebnis [11]), B. weissagend bei David v. Schweinitz in Seifersdorf bei Liegnitz 1622/23 [12]); sein Tod bei himmlischer Musik [13]), — Sagen, wie sie zwar mehr oder weniger allen Propheten eigen sind, von Franckenberg aber pansophisch gewendet.

Heut erinnert man sich nur noch des Propheten B.[14]), obwohl er fast nie prophezeit hat, außer auf Drängen seiner Freunde [15]). Da man aber solche Propheten für von Gott inspiriert hält, schimmert noch etwas vom theosophischen Sinn seines Lebens durch [16]).

[1]) Festschrift d. Stadt Görlitz z. 300. Todestage 1924; P e u c k e r t *Das Leben Jakob Böhmes* 1924; ders. *Rosenkreutzer* 1928, 256 bis 294. [2]) P e u c k e r t *Leben* 63. [3]) Ebd. 60 ff. [4]) Ebd. 161 ff. Vgl. MschlesVk. 27, 99—130. [5]) D e r s. *Leben* 56 ff. 86 f. 164 ff.; A. v. H a r l e ß *J. Böhme u. d. Alchimisten* 1870 ist nicht immer zuverlässig. [6]) Vgl. *Morgenröte*, Einleitung. [7]) P e u c k e r t *Leben* 156 ff. [8]) Einige davon sind abgedruckt: H a u p t *Lausitz* 1, 265 ff. = K ü h n a u *Sagen* 3, 522 ff. = P e u c k e r t *Schlesien* 73 f. [9]) P e u c k e r t *Leben* 109 ff.; die Angabe, es sei die Landeskrone gewesen (K ü h n a u 3, 557 f. = H a u p t *Lausitz* 1, 219) ist falsch; G o e d s c h e *Riesengebirge* 3 mit 1575 als Jahr des Eingangs in die Höhle vollends unsinnig. B. wurde 1575 geboren! Vgl. auch S e p p *Altbayr. Sagenschatz* 1 f. Nr. 1. [10]) P e u c k e r t *Leben* 12 f.; vgl. 8. [11]) Ebd. 64; vgl. 8. [12]) Ebd. 138 f. 181 f. [13]) Ebd. 142 f. [14]) Ebd. 154 Nr. 3. [15]) Ebd. 6 ff. [16]) Man vgl. auch spätere Legenden aus

dem Kreise seiner Anhänger: P e u c k e r t *Leben* 148 ff.   Peuckert.

Bohne (Vicia faba und Phaseolus vulgaris).

1. B o t a n i s c h e s. Die meist im Großen auf Feldern angebaute Saub. (Vicia faba) ist eine der ältesten Ackerfrüchte der Indogermanen, während die aus Südamerika stammende Gemüseb. (Phaseolus vulgaris) erst seit dem 16. Jh. in Deutschland bekannt ist [1]). Unter der „B." der Antike sind die Saub. bzw. Vigna-Arten zu verstehen. Bei volkskundlichen Angaben wird häufig zwischen Sau- und Gemüseb.n kein Unterschied gemacht.

[1]) M a r z e l l *Kräuterbuch* 193. 234.

2. Die B. spielt im antiken T o t e n - k u l t eine große Rolle. Ihr Genuß war den Pythagoreern verboten [2]). In romanischen Ländern spielt die B. im Volksglauben eine größere Rolle, wie sich nach ihrer Verwendung im Seelenkult der alten Römer erwarten läßt [3]). Zur Zeit der fränkischen Christianisierung wurde die B. auch bei den Germanen ein häufiges Traueressen (z. B. in der Karwoche). In Wälschtirol ist die B.nsuppe eine Allerseelenspeise [4]). Auf die B. als Totenspeise geht vielleicht auch der Glaube in Kärnten zurück, daß die „Saligen" gern B.n essen [5]). An das antike Speiseverbot für B.n erinnert der deutsche Volksglaube, daß man in den „Zwölften" keine B.n (und andere Hülsenfrüchte wie Erbsen und Linsen, s. d.) essen dürfe, sonst bekomme man Geschwüre [6]). Andrerseits heißt es aber: Wer am Weihnachtsabend keine B.n ißt, wird zum Esel [7]). Auch a p h r o d i s i s c h e Bedeutung scheint die B. im Altertum gehabt zu haben, worauf vielleicht die B.nlieder, -feste usw. Bezug nehmen [8]).

[2]) Vgl. F. B o e h m *De symbolis Pythagoreis* 1905, 14 ff.; W i s s o w a *Religion* 235; C l e m e n *Pers. Religion* 188 f.; Wiener Zs. f. Kunde d. Morgenl. 15, 187—212; Fleckeisens Jahrb. 16. Suppl.-Band 1888, 784; W ä c h t e r *Reinheit* 102. [3]) ZfrwVk. 11, 34. [4]) S c h n e l - l e r *Wälschtirol* 238; vgl. auch S a r t o r i *Sitte und Brauch* 3, 362. [5]) G r a b e r *Kärnten* 55. [6]) H o v o r k a u. K r o n f e l d 2, 392. [7]) P r a e t o r i u s *Philosophia Colus* 1662,

226 (für Leipzig angegeben); Rockenphilosophie 3 (1707), 216; vgl. Grimm *Myth.* 3, 443; Mannhardt *German. Mythen* 412. [8]) ZfVk. 14, 272; 27, 35—48; Becker *Pfälzische Vk.* 117; Rochholz *Sagen* 1, 243.

3. **Saat und Gedeihen der B.n.** Durch das ganze deutsche Sprachgebiet ist der Glaube verbreitet, daß die B.n am Bonifaziustag (5. bzw. 14. Juni) gesteckt werden müssen (etymologischer Aberglaube!), sonst werden noch genannt der Gründonnerstag („dann erfrieren sie nicht") (Ravensburg), Karfreitag (Schweiz), Gordianstag (10. Mai) [9]), Mariä Verkündigung [10]), der Markustag [11]), die drei Tage vor Christi Himmelfahrt („dann steigen sie mit Christus in die Höhe") [12]), der Abend vor Himmelfahrt [13]). Was die Sternbilder betrifft, so ist günstig das der Wage („da werden die B.n dick und voll") [14]), der Zwillinge [15]), der Jungfrau [16]). Vielfach wird jedoch das letztgenannte Sternbild für ungünstig gehalten, weil die B.n „dann immer blühen und keine Früchte ansetzen" (s. Erbse) [17]). Zu vermeiden ist auch das Sternbild des Krebses, denn sie werden darin „krebsig" [18]). Im Steinbock gesetzt, werden die B.n hart [19]). Auch im zunehmenden „Lichte" (Mond) gesetzt, blühen die B.n immerfort [20]). Viele B.n gibt es, wenn sie zu einer „hohen Stunde" (zwischen 11 und 12 Uhr Vormittag), oder wenn sie in ungerader Zahl gesteckt werden (ganz Deutschland). Beim B.nstecken muß man recht viel l ü g e n [21]), vgl. Kümmel, Pilz, Zwiebel. Am Dachtag dürfen keine B.n gepflanzt werden [22]).

[9]) ZfrwVk. 12, 241. [10]) SchweizId. 4, 1310. [11]) ZfrwVk. 12, 129. [12]) Follmann *Wb. der deutsch-lothring. Mundarten* 1909, 505. [13]) Fischer *SchwäbWb.* 3, 1592. [14]) Wilde *Pfalz* 29; Fogel *Pennsylvania* 196; vgl. Kartoffel. [15]) Fischer *SchwäbWb.* 1, 1287. [16]) SAVk. 15, 7; Fogel *Pennsylvania* 196. [17]) Marzell *Bayer. Volksbot.* 100; Fischer *SchwäbWb.* 1, 128; JbElsLothr. 8, 179; Alemannia 19, 166; Fogel *Pennsylvania* 205. [18]) Bartsch *Mecklenburg* 2, 203; Andree *Braunschweig* 412; Veckenstedts Zs. 1, 399; ZfrwVk. 6, 184. [19]) Wilde *Pfalz* 29; vgl. Kartoffel. [20]) Wrede *Eifel. Vk.*² 176; bei den alten Römern mußten die B.n im Vollmond gesteckt werden: Pauly-Wissowa 1, 40. [21]) Ferk *Steiermark* 39. [22]) Fogel *Pennsylvania* 188.

4. **Orakel.** Bekommt eine B. weiße oder gelbe Blätter, so bedeutet das einen Todesfall in der Familie [23]), ein Glaube, der vom Auftreten weißer Blätter bei vielen Kulturpflanzen gilt, vgl. z. B. Klee, Kohl. B.n, die über die Stäbe hinauswinden, sollen ebenso hohen Schnee anzeigen (Gottschee) [24]). Um zu erfahren, welche Nummern beim Lotteriespielen Glück haben, werden mit Nummern versehene B.n neben einem Sarg eingegraben (z. B. eine Kapsel mit 90 B.n neben dem Sarg einer 90jährigen Frau) und nachher die Glücksnummern aus ihnen herausgelost (Kt. Zürich) [25]). Am Neujahrstag steckt man Saub.n für sich und die Geliebte unter den Balken der Stubendecke. Grünen beide, so erfolgt die Hochzeit, verdorren beide, so tritt der Tod zwischen das Paar, grünt eine B. und die andere verdorrt, so stirbt eines, das andere heiratet anderwärts (preuß. Samland) [26]). Träumt man von B.n, so gibt es Not und Zwietracht [27]) oder es stirbt jemand in der Familie (Kroaten in Niederösterreich) [28]).

[23]) Weit verbreitet, z. B. Bartsch *Mecklenburg* 2, 124; Pröhle *Harzbilder* 82; Stoll *Zauberglaube* 136; ZfVk. 5, 98; 30/32, 150; ZfrwVk. 5, 245; SAVk. 21, 202. [24]) ZföVk. 15, 176, ähnlich auch Wartmann *St. Gallen* 55. [25]) SchweizId. 4, 1311. [26]) Neue Preuß. Prov.-Bl. 1848, 219. [27]) Ryff *Traumbuch* 1551, 59. [28]) ZföVk. 3, 216.

5. **In der sympathetischen Medizin** dienen die B.n (ebenso wie die Erbsen, s. d.) vorzüglich zum Vertreiben der Warzen (Vergleich in der Gestalt!), indem man diese mit B.n (oder deren Hülsenschalen) reibt und die B.n dann unter der Dachtraufe vergräbt [29]). Auf ähnliche Weise werden die Hühneraugen durch Reiben mit B.nblättern vertrieben [30]). Den „Fingerwurm" (panaritium) heilt man durch Bähung mit einer ungeraden Zahl dicker B.n (Vicia faba) [31]). Gegen Zahnweh trägt man eine B. am Hals, in die man eine Kopflaus verbohrt hat [32]).

[29]) Z. B. ZfrwVk. 4, 301; 11, 28. 167; Fogel *Pennsylvania* 318. [30]) ZfVk. 7, 288. [31]) Urquell 4, 154 = ZfrwVk. 11, 167. [32]) Staricius *Heldenschatz* (1679), 27; als „Tiroler" Volksmedizin: ZfVk. 8, 177.

6. Verschiedenes. Als Mittel um Schätze zu sehen [33]), sich unsichtbar [34]) oder stichfest [35]) zu machen, dienen B.n, die auf einer in die Erde vergrabenen (schwarzen) Katze (bzw. aus deren Augen) gewachsen sind (wohl aus einem alten Sympathiebuch; vgl. Erbse, Knoblauch). Um jemand tot zu beten, muß man 7 Wochen lang jeden Morgen und Abend um die gleiche Zeit in den drei heiligen Namen drei dürre B.n über die Achsel auf den Mist werfen; so wie die B.n verfaulen, muß die betreffende Person auch verfaulen [36]).

[33]) ZfdMyth. 3, 331. [34]) Vonbun *Beitrag* 106. [35]) SAVk. 19, 217. [36]) SchweizId. 4, 1311.
                         Marzell.

Bohnengeld. Auf Thomas und Cyrill (7. u. 8. März?) nahm man, wie Cysat berichtet, um die Wende des 16. Jhs. in Luzern „das Bonengelt uff, uff der Hoffbrugk". Ein Stadtknecht hielt in einem Geschirr Bohnen. Wer nun für die in der Schlacht für das Vaterland Gefallenen beten wollte, nahm eine Bohne und legte dafür ein Geldstück hinein. Das gesammelte Geld gab man der Frau eines Schultheißen, und diese verteilte es unter andächtige Weibspersonen, um Gott für solche Abgestorbenen zu bitten [1]). Hier gilt die Bohne wohl als Totenspeisung. Wer in Venedig und den dalmatinischen Küstenstädten am Allerseelentage einem Bekannten begegnet, der bittet ihn, ihm etwas für die Toten zu geben, worauf er gewöhnlich eine Bohne (oder eine Feige) erhält [2]). s. auch Bohnensonntag.

[1]) SAVk. 14, 278. [2]) ZfVk. 14, 273.
                         Sartori.

Bohnenkäfer (Bruchus), im obern Illergebiet „Bohnenstier" genannt. Nach dem Analogieglauben ist es dort verboten, die Bohnen im Zeichen des Stiers zu legen, weil sonst der „Bohnenstier" hineinkommt [1]).

[1]) Reiser *Allgäu* 2, 353.
                       Bächtold-Stäubli.

Bohnenkönig. Nach einem bis in die erste Hälfte des 16. Jhs. zurückzuverfolgenden Brauche, der namentlich in Frankreich, Belgien, Elsaß, Deutschland und England geübt wird [1]), backt man am Dreikönigstage oder seinem Vorabend in einen Kuchen eine Bohne hinein, und wer in einer Familie oder größeren Gesellschaft beim Zerteilen das Stück mit dieser erhält, wird „König", wählt sich eine Königin (wenn diese nicht auf die gleiche Weise bestimmt wird) und hat gewisse Vorrechte, namentlich beim Tanze [2]). Statt der Bohne nimmt man oft eine Münze oder andere Dinge. Nicht selten wird der „König" auch durch Zettel oder sonstige Lose erwählt. Der B. wird emporgehoben und muß mit Kreide ein Kreuz oder die Namen C. M. B. an die Balken in Haus und Stuben schreiben, was alle Übel und bösen Geister abwehren soll [3]).

Man hat in der Bohne eine Erinnerung an Seelenspeisung gesehen, die sich in ein Geldopfer verwandelt habe [4]). Sie ist jedenfalls mit dem Brauche in Deutschland von außen eingeführt worden und wohl nur ein Losmittel, wie auch sonst oft [5]). Der B. ist wahrscheinlich eine Abart des Narrenkönigs der Saturnalien und ähnlicher Gestalten.

In Viersen (Rheinl.) wird das Bohnenfest von den Bruderschaften, z. B. den Schützen, am Ende der Ernte gefeiert [6]). In Ostpreußen ist der Brauch zu der Meinung abgeblaßt, daß die Jungfrau, die die Bohne im Kuchen trifft, die erste sei, die freien werde [7]).

[1]) ZfVk. 14, 271. [2]) Sartori *Sitte und Brauch* 3, 74 f.; Wrede *Rhein. Volksk.* 239 f.; ders. *Eifeler Volksk.* 205; ZfrwVk. 11, 30 ff.; Frazer 9, 313 ff. [3]) Jahn *Opfergebr.* 279; ZfVk. 14, 270; Hoffmann-Krayer 122; Nork *Festkal.* 63; Frazer 9, 314. [4]) ZfVk. 14, 272 f.; Nork *Festkal.* 64; ZfrwVk. 11, 32 f. [5]) Volkskunde 12, 169. [6]) ZfrwVk. 11, 31. [7]) ZfVk. 7, 316.   Sartori.

Bohnensonntag. So heißt im Luxemburgischen der erste Sonntag in der Fastenzeit (Invocavit) [1]). Desgleichen in Solothurn, weil man an diesem Tage allen Personen, die zum Gottesdienste in St. Ursen Münster kamen, zum Gedächtnis der Erhebung der thebäischen Legion eine Bohne gab, um dafür etwas zu beten [2]) (vgl. Bohnengeld).

Am Sonntag Lätare (Sonntag nach Mittfasten) müssen in Luxemburg die im letzten Jahre Verheirateten allen Hochzeitsgästen, die noch ein Stück des Strumpfbandes besitzen, das der Braut während des Hochzeitsmahles geraubt wurde, die sog. Fastenbohnen, d. h. frischgebackene Bretzeln, verabreichen. Auch die Kinder singen vor den Wohnungen der jungen Eheleute und erhalten dafür Fâschtebuonen, d. h. Bretzel und Geld. Auch der Sonntag Lätare heißt daher „Fastenb.". An der Mosel und Sauer heißt er dagegen Bratzelesonndéch, weil die Burschen ihren Mädchen Bretzeln schenken [3]).

[1]) ZfrwVk. 11, 35. [2]) V e r n a l e k e n *Alpensag.* 371. [3]) F o n t a i n e 32.   Sartori.

Bölimann. Poltergeist und Kinderschreck in der Schweiz [1]). Der B. sitzt (als ursprünglicher Korndämon?) [2]) im Getreidefeld und lauert den Kindern auf, poltert auch als Kobold nachts im Haus [3]); dem Heu- oder Strohdieb pflanzt man einen riesigen B. mit Stroh- und Heubündeln aufs Dach; desgl. dem ehrvergessenen Mädchen [4]). Name: von schweiz. *bolen* = poltern, werfen (ahd. *bolōn*) [5]); doch s. a. Bögg (Schluß).

[1]) L ü t o l f 125 Nr. 59 b; R o c h h o l z *Sagen* 2, 198 f.; SAVk. 22, 246. [2]) S i n g e r *Märchen* 1, 24. [3]) SchweizId. 4, 271. [4]) Ebd. [5]) Ebd.   Ranke.

Bolsternacht s. K l o p f n a c h t.

Bonifatius I, hl., Märtyrer in Tarsus auf Sizilien, enthauptet 307 nach einer Passio, deren romanhaft - dichterische Schilderung erst viel spätere Überlieferung ist, Fest 14. Mai [1]). Dieser italische B. aus der Zeit Diokletians bildet mit Pancratius (12. Mai) und Servatius (13. Mai) die Gruppe der sogenannten Lateiner [2]), der gestrengen Herren, der Eisheiligen, der Eismänner [3]), deren Tage wegen der häufig um diese Zeit eintretenden Spätfröste mit Recht sehr gefürchtet sind, weil die Hoffnungen auf mancherlei Ernte dann zerstört werden. Auch die Redensart „Vor Servaz kein Sommer — nach Bonifaz kein Frost" [4]) weist auf die natürliche Erscheinung und ihre Verknüpfung mit den Lateinern hin. Vgl.

auch die Redensart: „Ein guter Servatius macht einen guten Bonifacium" [5]). Um den Flachs recht hoch zu erhalten, werden „in Bonndorf (Überl.) zur Aussaat auch die drei Fazi (B., Pankratius und Servatius), der 11.—13. Mai, gewählt, weil sie die längsten Männer gewesen seien" [6]); der Brauch würde also in das Gebiet des Analogiezaubers hineingehören. In welcher Überlieferung die Vorstellung von der Länge und somit die Analogie beruht, ist freilich nicht zu erkennen.

[1]) N o r k *Festkalender* 346; G ü n t e r *Legenden-Studien* 22—23. 41. 83. [2]) H o f f m a n n - K r a y e r 162. [3]) R e i n s b e r g *Böhmen* 237. [4]) L e o p r e c h t i n g *Lechrain* 178 (1855); nach dem Neuen Prager Kalender von 1854, 20: Vor Servatius kein Sommer, nach Servatius kein Frost. Im RheinWb. 1, 868 „kene (kein) Rif no Servaz, kene Schni no Bonifaz" (Bonn-Dransdorf) auf Bonifatius 5. Juni bezogen. [5]) M e i s i n g e r *Hinz und Kunz* 88. [6]) M e y e r *Baden* 421. Die Reihenfolge der Eisheiligen wie der Maitage weicht von der sonst üblichen ab.   Wrede.

Bonifatius II, hl., Märtyrer, Apostel Deutschlands, ursprünglich Wynfreth (Winfrid), ungefähr um 675 im Königreich Wessex (Südengland) aus angelsächsischem Adel geb., versuchte zum ersten Male 716 als Mönch die Friesen zu bekehren, am 15. Mai 719 von Papst Gregor II. zum Apostolischen Missionar ernannt und mit dem römischen Namen des hl. Märtyrers B. [1]) geschmückt, dessen Fest am Tage vorher (14. Mai) gefeiert worden war, seitdem rastlos als Bekehrer und strenger Eiferer gegen die germanische Volksreligion wirksam in Thüringen und Friesland, im Lahn- und Hessengau, an der Sachsengrenze, in Franken und Bayern, dazwischen zum Missionserzbischof und Metropolitan für die östlichen (germanischen) Gebiete berufen, Bischof von Mainz seit 746, ermordet auf seiner letzten Friesenfahrt am 5. Juni 754 unweit der heutigen Stadt Dokkum, Fest 5. Juni [2]).

[1]) L e v i s o n *Neues Archiv* 33 (1908), 9—14 überzeugend zu der Frage: Wann und weshalb wurde Wynfreth Bonifatius genannt? [2]) H a u c k *Kirchengeschichte Deutschlands*[4] 1, 320—594, mit vollständiger Literaturangabe bis 1904; G. S c h n ü r e r *Bonifatius* (Welt-

geschichte in Charakterbildern) 1909; L a u x *Der heilige Bonifatius.* Freiburg i. Br. 1922, mit ausführlicher, kritischer Behandlung der Quellen (Vitae usw.), der neueren Literatur und strittiger Einzelfragen 271—283 bzw. 284 bis 297.

1. Unter den Werken des hl. B. sind die Briefe [3]) von ihm (und an ihn) wegen ihres hohen Quellenwertes ganz besonders zu nennen, zumal da sie manchen Einblick in die germanische Volksreligion gestatten. Wir erfahren aus ihnen von Göttern allgemein und hören von Jupiter [4]), wohl einer interpretatio für Donar, vgl. u. 2, Donareiche = arbor Jovis. Mehrfach ist die Rede vom Götterkult mit Opfern und Opferspeisen, vom Genuß des Fleisches bestimmter Tiere, vorzüglich der Pferde [5]), die in dem Antwortschreiben des Papstes Gregor III. v. J. 732 besonders als unrein und verabscheungswert bezeichnet werden, weiter von Totenopfern und Leichenmahlen, von „gotteslästerlichen" Feuern (Niedfyor), vom Osterfeuer, von Zauberei und Beschwörung, Losdeutung und Wahrsagerei, Amuletten und von anderm mehr. Das im April 742 einberufene erste fränkische Nationalkonzil, das sogenannte Concilium Germanicum, schritt unter besonderer Mitwirkung des hl. B. gegen diese Dinge mit strengen Verboten ein.

[3]) L a u x a. a. O.; T a n g l *Die Briefe des hl. B.* in Auswahl übersetzt (GddV. Bd. 92) 1912; M u u s *Altgerm. Relig.* (1914), 6. [4]) T a n g l a. a. O. 40, Brief des Papstes Gregor III. v. J. 732 als Antwort auf Anfragen des hl. B. „. . . solche, die von einem Priester getauft sind, der daneben dem Jupiter opfert oder Opferfleisch ißt, [sollen] wieder getauft werden". [5]) D e r s. a. a. O. 40. 193. Über die tiefeingewurzelte germanische Sitte des Pferdeopfers und Pferdeessens, die hier zugrunde liegt: G r i m m *Myth.* 2, 546; 1, 272; 2, 877; G o l t h e r *Mythologie* 565.

2. An des Heiligen Wirksamkeit, vorzüglich an die Zerstörung von Götzenbildern, an Taufen und Predigten und an die Errichtung von Kirchen knüpft sich ein reicher Legendenkranz. Hierhin gehört zu allererst der berühmte Bericht, wie B. die Donareiche (arbor Jovis) im Hain von Geismar wunderreich fällt [6]). Die meisten Legenden enthalten bekannte und beliebte Motive, z. B. die Bannung lästiger Tiere [7]), den grünenden Stab [8]), bestrafte Hartherzigkeit durch Verwandlung von Brot (des Geizigen) in Stein [9]), die Fußspur im Stein [10]), die von einem Vogel gebrachte Wunderspeise [11]), die Erweckung von Quellen [12]) durch Hufschlag des Rosses oder den Stab des Heiligen oder an der Stelle seines Martyriums, und andere. Besondere Gruppen bilden die Legenden, in denen die Entstehung von Kirchen, z. B. die auf dem sagenumsponnenen Christenberg bei Wetter, sowie die Benennung von Berghöhen, z. B. des höchsten Gipfels des Vogelsberges als Taufstein und der Herchenhainer Höhe als B.kanzel, auf B. zurückgeführt werden [13]). Neue Sagen woben sich in späteren kriegsreichen Zeiten um ihn, z. B. im Siebenjährigen Kriege [14]).

Das sehr verbreitete Legendenmotiv, dem gemäß die Reliquien von Heiligen an einem bestimmten Ort, an der gewünschten oder ausgewählten Grabstelle ruhen wollen, findet sich auch in den Berichten über die Übertragung der Gebeine des heiligen B. Weder in Utrecht, dem Stützpunkt der Friesenmission, an den sie zunächst gelangten und wo sie sehr begehrt wurden, noch in Mainz, das als sein Bischofssitz weit mehr Ansprüche geltend machte, konnten sie aus dem Schiff genommen oder festgehalten werden, da der Heilige in Fulda bestattet sein wollte [15]).

[6]) Aus der V i t a B o n i f a t i i. Vgl. dazu K ö h l e r *Bonifatius in Hessen* in Ztschr. f. Kirchengesch. 25 (1904), 204; v. d. L e y e n *Sagenbuch* 1, 24; M e y e r *Religgesch.* 288; Sagen über Zerstörung anderer Bäume und Abgötter bei W i t z s c h e l *Thüringen* 1, 24. 25. [7]) G r i m m *Sagen* 209 Nr. 290. Vgl. dazu G ü n t e r *Die christliche Legende* 57. 63. 82; ferner andere Heilige hier, z. B. Bernhard; F r e n k e n *Wunder u. Taten der Heiligen* 212. Die in der von G r i m m und W i t z s c h e l *Thüringen* 22 Nr. 15 angezogenen Sage erwähnten Vögel (Raben, Dohlen, Krähen) erinnern an die Dohlen, Krähen und Störche, deren Fleisch für den Genuß verboten sein soll, s. T a n g l a. a. O. 193. [8]) W i t z s c h e l *Thüringen* 1, 23 Nr. 16. [9]) W o l f *Beiträge* 2, 37. [10]) G r i m m *Sagen* 145 Nr. 180; L y n k e r *Sagen* Nr. 266; B i r l i n g e r *Volksth.* 1, 409. [11]) W i t z s c h e l a. a. O. 23 Nr. 16. [12]) W o l f *Beiträge* 1, 133; D e r s. *Niederländische Sagen* 28 Nr. 19; W i t z s c h e l

a. a. O. 1, 26; B i r l i n g e r *Volksth.* 1, 408.
Vgl. auch P f a n n e n s c h m i d *Weihwasser*
91. [13]) B i n d e w a l d *Sagenbuch* (1873), 19.
20. [14]) L y n c k e r a. a. O. Nr. 264. [15])V i t a
s. S t u r m i i (geschr. um 820) auctore Eigilio,
MG. SS. 2, 372; B e i s s e l *Heiligenverehrung*
1, 43.

3. Aus der legendären Überlieferung
gelangte B. in die mythologische. Wie der
getreue Eckart als Warner dem wilden
Heer voranschreitet, so reitet B. dem
wilden (Nacht-)Jäger als guter Geist zur
Seite und mahnt ihn zur Umkehr oder
schreitet ihm und seinem wilden Gefolge
voran, offenbar gelehrte oder pseudoge-
lehrte Übertragung oder Identifizierung[16]).

[16]) M e i c h e *Sagen* 422. 424 Nr. 555 u. 556;
M a n n h a r d t *Germ. Mythen* 94; M e y e r
Germ. Myth. 258.

4. Dem B.tage maß man in der Landwirtschaft gewisse Bedeutung zu. Ganz
seltsam erscheint die Meinung, alles Vieh,
das an diesem Tage zur Welt komme,
werde verunglücken [17]). Da man in dem
Namen B. das Wort Bohne (s. d.) wiederzufinden glaubte, galt der B.tag als am
besten geeignet für das Bohnensetzen, an
sich begreiflich, weil um diese Zeit Nachtfröste nicht mehr zu fürchten sind [18]).

[17]) H ü s e r *Beiträge* 2, 26. [18]) E b e r -
h a r d t *Landwirtschaft* Nr. 3, 2; R o c h h o l z
Naturmythen 7; F o g e l *Pennsylvania* 199
Nr. 976; ZfrwVk. 12 (1916), 129; RheinWb. 1,
837; SAVk. 25, 72. Wrede.

5. Kleine rundliche Steine, die abge-
lösten fossilen Stielglieder eines Haar-
sterns (Encrinas liliiformis), die sich
häufig in der Muschelkalkformation fin
den, werden in Thüringen B.pfennige genannt, weil der Heilige einst alles Gold
und Geld der Thüringer zu Stein verwünscht hatte und darauf jeder Pfennig
zu einer Linse wurde[19]).

[19]) B e c h s t e i n *Thüringen* 2, 263; M-
schlesVk. 2, Heft 3 (1896), 69; B a i l *Mineralogie* (Leipzig 1884), 90. Bächtold-Stäubli.

Boppelgebet. Die Seelenmutter zu Küß-
nacht, gegen die 1573 ein Prozeß wegen
Hexerei angestrengt wurde, verwendete
bei ihren Beschwörungen ein Gebet, B.
oder der „starke Bopfart" genannt [1]);
auch ihre Jüngerin Verena Lisibach ver-
richtete für Verstorbene Gebete, nament-

lich das B., das auch unter dem Namen
„der starke Bopfart" bekannt war [2]).
Nach dem Luzerner Thurmbuch 1573
ist der st. B. oder das B. ein Gebet, womit
man „die lüt sollt ze tod bětten" [3]). Poppart [4]) oder Pophart [5]) ist nach Fischart,
Gargantua 25 ein Klopfgeist; dort stehen nebeneinander: rumpelstilt (Rompele
stilt) oder der pophart (Poppart), jenes
der „Klopfgänger" von stelt, stilt, stelze,
Stelze vgl. Bach-, Wasserstelze [6]) und
rumpeln = poltern, Pophart eigentlich
der „starke Poppe" (rumpelstilt ist auch
aus Grimms Märchen Nr. 55 bekannt).
Auch als Popel, Pöpel, Poppele, Böppel,
Popelmann, Poepelmann, Poperlein, liv-
länd. Bubbul, wird der Poltergeist bezeichnet [7]), von popeln, boppeln = klopfen, poltern, bullern, zittern u. ä.[8]). Nach
Grimm und Weigand [9]) hängt damit auch
Popanz = Pophans zusammen, während
Kluge [10]) die Ableitung aus czech. bubak
empfiehlt. Es wird erklärt als larva, terri-
culamentum [11]), Butze, Wichtel usw. [12]),
im Schwäbischen als Teufel [13]). Appel-
lativ begegnet der „starke Boppe, Poppe"
(so heißt auch ein Basler Dichter) [14]) für
einen starken Mann, Großsprecher,
Schwelger [15]). Man wird danach das B.
als ein Gebet zu deuten haben, mit dem
die als Klopfgeister umgehenden Seelen
der Abgestorbenen erlöst werden [16]) und
das vielleicht auch durch die Beschwörung von Geistern zum Totbeten (s. d.)
Lebender benutzt wurde.

[1]) D e t t l i n g *Hexenprozesse* 17. [2]) a. a.
O. 22. [3]) SchweizId. 2, 1645. [4]) S c h e i b l e
Kloster 8, 309. [5]) DWb. 7, 2001; G r i m m
Myth. 1, 418; D e r s. *Grammatik* 3, 707.
[6]) F. K l u g e *EtWb.* (1915), 436. 30. [7]) P a n -
z e r *Beitrag* 2, 107; B a a d e r *Sagen* Nr. 5;
D e r s. *NSagen* Nr. 2; M e i e r *Schwaben*
76; S c h e r z *Glossarium German. med. aevi*
ed. J. J. Oberlin (1784), 1235; J. H. C a m p e
Wb. d. deutsch. Spr. 3 (1809), 673; DWb. 7, 2000.
[8]) DWb. 7, 2001; G r i m m *Myth.* 1, 418;
M a r t i n u. L i e n h a r t *Elsäss.Wb.* 2 (1907),
70. [9]) G r i m m *Myth.* 1, 418 A. 2; W e i g a n d
DWb. 2 (1910), 451. [10]) K l u g e a. a. O .349.
[11]) DWb. 7, 200; S c h e r z a. a. O.; W e i g a n d
a. a. O. [12]) E. H. M e y e r *Mythologie der Germanen* (1903), 213 f. 218. [13]) C a m p e a. a. O.
[14]) W a c k e r n a g e l *Altdeutsches Handwörterbuch* (1878), 40. [15]) D e r s. a. a. O.; L e x e r
MhdWb. 2 (1876), 285. [16]) D e t t l i n g a.a.O. 17.
Jacoby.

borgen s. l e i h e n.

Borggabe. „Wie von der weißen Frau,
die dem Landvolk Speisen verordnet, so
erzählt man von einer Frau B., die dürftigen Menschen Geld und Getreide gab
oder borgte, wenn sie zu ihrer Höhle gingen und riefen: gnädige Frau B. [1]“
[1] So G r i m m *Myth.* 3, 89 ohne Quellenangabe; weiteres Material fehlt. H. Naumann.

bös. Im Denken des schlichten Volkes
ist alles, was sich auf den Begriff des Bösen bezieht, praktisch bestimmt. Das
einfache Denken fühlt mit untrüglicher
Sicherheit heraus, daß das Böse das moralisch Gesetzwidrige, also das Verab-
scheuenswerte sei. Das ist ein sicherer
Besitz einfacher Gemüter, weil das Volk
gewillt ist, seine Pflicht, seine Schuldigkeit unter allen Umständen zu erfüllen [1].
Doch hält man sich frei von einer Über-
spannung, indem praktisch nach dem
Grundsatz gehandelt wird, daß Neigun-
gen erst da verwerflich werden, wo sie die
Erfüllung der Pflicht hindern [2]. Eine
philosophische Begriffsbildung [3] lehnt
das schlichte Denken durchaus ab. Die
praktischen Motive genügen zur Bestimmung der Handlung. — Aus früheren
heidnischen Zeiten lebt im Volke die Idee,
daß das Böse eine dem Menschen übel-
wollende Macht, die Macht der Dämonen
sei. Wenn auch diese Auffassung nicht
mehr klar vorhanden ist, so lebt sie doch
in den Vorstellungen vom bösen Sämann, der durch das Licht der Fackeln
vertrieben werden muß [4], ferner in den
Worten mancher Beschwörungsformeln,
z. B.: Böse Augen sahen dich, Falsche
Herzen gönnens dir, Jesus Christus helfe
dir [5], und in manchen Handlungen, die
beim Übergang vom Winter zum Frühling, etwa um die Fastenzeit, beobachtet
werden. Das Böse wird hier gleich dem
Schädlichen gesetzt, wobei die naive Meinung zum Vorschein kommt: Was dem
Menschen schadet, ist böse, was ihm nützt,
ist gut. Auf anderem Gebiete liegt es indes,
wenn in Tirol der Satz gilt: Wenn eine
Mutter ihrem Kinde etwas Böses anwünscht, vermag keine Kraft mehr, das
Kind davon zu befreien. Die Vorstellung
ist ursprünglich nach der Wirkung des

Zaubers gedacht, doch ist sie moralisch
nach dem Gesetz der Vergeltung weitergebildet [6].

Das Böse, das Widrige, das Unheil-
bringende und d e r B ö s e hängen eng
zusammen. Der Glaube an das Böse entwickelte sich zum Begriff der b.en persönlichen Macht [7]. Der Glaube an den
Teufel ist noch lebendig im Volk. Er ist
der b.e Feind. „An dieser Gestalt des
mittelalterlichen Teufels wiederholt sich
im wesentlichen die Entwicklung der
Tiergötter und Tierdämonen vom Tier
zum Menschen“ [8]. Ohne Zweifel ist der
Teufel dem Volke eine Gestalt, die aus
Furcht und Spott gemischt ist. Aber während die Satansvorstellungen des Alten
Testamentes unbestimmt verschwinden,
so trägt der Teufel im deutschen Volke
sehr bestimmte Züge und ist an bestimmten Zeichen zu erkennen [9]. Die
Personifizierung des Bösen nach Art des
Hexenglaubens [10] findet sich in der Vorstellung vom b.en Weibe Slaczona [11], an
den b.en Blick, oder im Glauben an den
b.en Wind [12] Siarkan. Solche Vorstellungen sind im Osten lebendiger als im
Westen. Doch fehlt es nicht an Sagen,
daß manche Menschen von starkem Willen und weitreichender Macht dem Volke
wie eine Verkörperung des Bösen, des
Teufels, erscheinen konnten [13].

[1] B o e t t e *Kants Erziehungslehre.* Diss.
Langensalza 1899, 92 u. 79. [2] D e r s. *Religiöse Volkskunde* 7—13. [3] R o h d e *Psyche* 2,
429; A g r i p p a v. N e t t e s h e i m 5, 333 ff.
[4] J a h n *Opfergebräuche* 340. [5] F r i s c h b i e r
Hexenspr. 31; B a r t s c h *Mecklenburg* 2, 16.
[6] H e y l *Tirol* 803 Nr. 263. [7] M e y e r
Abergl. 348. [8] W u n d t *Mythus u. Relig.* 1,
376; M e y e r *Abergl.* 237. [9] ZfVk. 7 (1897),
192; ZfdMyth. 2 (1854), 337. [10] G r i m m
Myth. 3, 434. [11] K ü h n a u *Sagen* 2, 47 f.
[12] H o v o r k a u. K r o n f e l d 2, 247 f.;
B a r t e l s *Medizin* 41. [13] K ü h n a u *Sagen*
3, 162.   Boette.

böser Blick s. A u g e, Spalte 685 ff.,
V e r h e x u n g (Segen).

Bosheitszauber s. S c h a d e n z a u b e r.

Bosselnächte s. K l o p f n ä c h t e.

Botanomantie, Kräuterweissagung (βο-
τάνη = Kraut).

Die für die Antike nicht zu belegende
Bezeichnung findet sich ohne weitere Er-

klärung bei Agrippa [1]); eine unklare Beschreibung bietet sein Schüler Pictorius[2]: man schrieb unter freiem Himmel auf Salbeiblätter unter Zauberformeln die Namen der befragenden Person und der Sache und glaubte auf diese Weise einen Diebstahl aufzuklären. Der Anonymus in Agrippas Werken [3]) nennt andere Kräuter [Verbena — Eisenkraut, Valeriana = Baldrian, Pervinca = Bärwurz (?), Filix = Farn, Lunaria = Silberblatt], bringt aber keinerlei spezielle Angaben über die Methode, sondern führt nur einige Stellen aus der antiken Literatur an [4]), in denen diese Kräuter bei magischen Handlungen vorkämen. Auch Delrio's Schilderung [5]), der zu den bei der B. verwendeten Pflanzen noch die Tamariske und die Feige hinzufügt, ist unklar; deutlicher berichten Bodin [6]) und besonders Boissard [7]): Auf Salbei- oder Feigenblätter, die man unter freiem Himmel nebeneinander legte, schrieb man den Namen der fraglichen Person oder Sache und setzte sie dem Wehen des Windes aus. Aus den nicht verwehten, z. T. an andere Stellen versetzten Blättern und Buchstaben kombinierte man die Antwort, also eine der Tephramantie (s. d.) verwandte Methode. Ob es sich um einen wirklich geübten Brauch oder um eine bloße Gelehrtenkonstruktion handelt, ist nicht festzustellen; die späteren Kompilatoren folgen, soweit sie sich nicht auf bloße Registrierung und Worterklärung beschränken [8]), der Beschreibung bei Bodin und Boissard [9]). Nur vereinzelt und nicht unter dem Namen B. findet sich ein Hinweis auf die bereits im Altertum bekannte mantische Bedeutung des Knallens von auf den Arm oder die Hand geschlagenen Blumenblättern [10]). Unter der Bezeichnung Phyllo- und Sykomantie (s. d.) beschrieb man andere mit Pflanzen geübte Wahrsagungsmethoden.

Es ist wohl anzunehmen, daß man ursprünglich unter B. jede mit Hilfe von Kräutern vorgenommene Mantik und nicht jene in ihrer tatsächlichen Ausführung schwer vorstellbare Schreibmethode verstand. So verurteilt schon im 15. Jh. ein Traktat des Thomas von Haselbach

die „qui querunt futura et occulta in herbis" [11]). Solche Zukunftsdeutungen aus Erscheinungen der Pflanzenwelt waren im Altertum und sind auch noch heute verbreitet; am häufigsten ist der Glaube, daß weiße, chlorophyllose Pflanzen auf dem Felde oder im Garten Unheil bedeuten [12]), andere Vorstellungen der Art knüpfen sich an den Mauerpfeffer (s. d.), der geradezu Prophetenkraut genannt wird, und andere Sedumarten, sowie das Johanniskraut (s. d.). Liegt z. B. ein Kranker im Hause, so wird ein Bündelchen Mauerpfeffer mit einem Faden an die Stubendecke gehängt: wächst und blüht er fort, so wird der Kranke gesund, wird er dürr, so stirbt er [13]). Zwei Exemplare von Sedum Teluphium werden von Verliebten in eine Mauer gepflanzt: wachsen sie aufeinander zu, so gilt es als glückliches Zeichen [14]). Am Johannistag pflückt man Johanniskraut oder Sedum: wessen Stengel zuerst verdorrt, der stirbt zuerst [15]). Oder man pflückt Hypericum am Johannisabend, legt es in ein weißes Tuch und zerdrückt es: ist der Saft rot, so bedeutet es glückliche Liebe, „ist die Liebe alle, kommt die grüne Galle!" [16]). Auch die Begonie [17]), Brennessel [18]), Orchis [19]), Petersilie [20]), Calla [21]) und der Flieder [22]) geben Vorzeichen; näheres s. bei den einzelnen Pflanzen. Diese Meinungen, vielleicht auch das bekannte Blumenzupforakel (s. Blume), mag der gelehrte Erfinder der Bezeichnung B. im Sinne gehabt haben.

Vgl. a. D a p h n o -, P h y l l o - und S y k o m a n t i e.

[1]) *Opera* ed. Bering 1, 529. [2]) *De speciebus Magiae* 1559 cap. XVI p. 67, bei A g r i p p a *Op.* 1, 486, Dt. Ausg. Berlin 1916, 4, 177; vgl. a. C a r d a n u s *De Sapientia* IV, Op. Lugd. 1663, 1, 566 a; R a b e l a i s *Gargantua* 3 cap. 25, Dt. Ausg. v. Gelbke 1, 399, vgl. G e r h a r d t *Franz. Novelle* 110. [3]) *Opera* ed. Bering 1, 6, 692, Dt. Ausg. 5, 362. [4]) O v i d. *Metam.* VII 224 ff.; L u c a n. *Phars.* VI, 438 ff.; V e r g i l. *Buc.* 8, 65 f. Die Verbena, im Altertum oft als Sammelbegriff für Zauberkräuter gebraucht, zeigt dem Arzt, ob sein Patient am Leben bleiben wird: Hs. des 13./14. Jhs. im Archiv f. d. Gesch. d. Medizin 12, 83. [5]) *Disqu. mag. lib.* IV cap. 2 quaest. 7 sect. 1, Mainz 1603, 2, 176. [6]) *Démonomanie* (Lyon 1598) 97. [7]) In dem posthum 1605 veröffentlichten *Tractatus de divinatione*

(Ausg. v. J. 1615) p. 97. [8]) Z a n c h i u s *De divinatione* (1610) 36; P f u e l *Electa Physica* (1665) 148; F a b r i c i u s *Bibliogr. antiqu.*[3] (1760), 597. [9]) B u l e n g e r u s *Opusc.* Lugd. 1621, 215; N e u h u s i u s *Divinatio sacra* (Amst. 1658) 333; P o t t e r *Antiquities* 1 (Oxford 1697), 321; F r e u d e n b e r g *Wahrsagekunst* 39. [10]) T h e o k r. 3, 28 f.; P o t t e r a. a. O.; F a b r i c i u s a. a. O. [11]) ZfVk. 12, 8. [12]) M e y e r *Baden* 576 f.; S t a u b e r *Zürich* 1, 30; *Frankenland* 2 (1915), 240. [13]) W i t z s c h e l *Thüringen* 2, 291 Nr. 146; G e ß m a n n *Pflanze* 44. [14]) ZfrwVk. 3, 64 Nr. 10, verboten durch ein Edikt des Großen Kurfürsten v. J. 1669, ähnliches Verfahren mit zwei Kohlstauden ebd. Nr. 11 und 12, 85. [15]) J o h n *Erzgebirge* 117. [16]) ZfrwVk. 12, 85. [17]) M e y e r *Baden* 576. [18]) M a r z e l l in *Naturwiss. Wochenschr.* N.F. 10 (1911), 405. [19]) H e y l *Tirol* 190. [20]) Unoth 1, 188. [21]) ARw. 12, 576 [22]) *Wiener ZfVk.* 33, 7.   Boehm.

Bovist (Lycoperdon-Arten).

1. B o t a n i s c h e s. Pilze (Ordnung der Bauchpilze) mit kugeligem oder eiförmigem Fruchtkörper, deren Inneres bei der Reife in die einen braunen Staub darstellenden Sporen verfällt. Verschiedene Arten sind auf trockenen Wiesen, auf Grasplätzen oder in Wäldern häufig [1]).

[1]) M a r z e l l *Kräuterbuch* 310.

2. Die B.e wachsen an den nächtlichen T a n z p l ä t z e n d e r H e x e n [2]) (vgl. Pilz). In England heißen die B.e „Elfenknöpfe". Wenn sie im Innern schwarz werden, hat der Teufel seine Hand aufgelegt und die Elfen vertrieben [3]). Deutsche Volksnamen wie Hexeneier, -staub, Trudengakele (= Trudenei), Teufelsfist für den B. (bzw. den Sporenstaub) weisen auf ähnliche Anschauungen hin.

[2]) B u c k *Volksmedizin* 71. [3]) B a r t e l s *Pflanzen* 11.

3. Allgemein glaubt man bei uns [4]), daß der in die Augen geratene Sporenstaub der B.e b l i n d mache [5]).

[4]) Auch in Dänemark: F e i l b e r g *Ordbog* 3, 972, auf Island: ZfVk. 8, 450, in England: B a r t e l s *Pflanzen* 11. [5]) Z. B. S t r a c k e r j a n *Oldenburg* 2, 132; W i l d e *Pfalz* 196; ZföVk. 11, 52; M a r t i n u. L i e n h a r t *ElsWb.* 1, 146; W a r t m a n n *St. Gallen* 47.

4. Als Sympathiemittel wird der B. zum Vertreiben verschiedener Krankheiten verwendet (Nordböhmen) [6]). Gegen Gelbsucht ißt der Kranke einen Eier-

pfannkuchen, in den B.pulver gebacken ist [7]).

[6]) ZföVk. 13, 132. [7]) H o v o r k a u. K r o n f e l d 2, 113.   Marzell.

Böxenwolf s. W e r w o l f.

Brachse s. B r a s s e n.

Brachvogel, R e g e n v o g e l, K i e l o c h, D o p p e l s c h n e p f e u. a.[1]), im Münsterlande W e h l o p, B r o d e r D i r k [2]); Numenius arquatus *Bodd.*[3]). Conr. Gesner [4]) sagt über ihn: „Die Teutschen vmb Oppenheim / nennend disen also („Brachvogel") vom Brachmonat / zů welcher zeyt er dann kumpt: wiewol ein anderer vogel kleiner dann diser / auch also genennt wird (Numenius phaeobus) [5]) .... Etliche nennend den Rägenvogel (windvogel) oder wättervogel / darvmb dasz man sich eines winds vnd vngewitters ausz seiner zůkunfft (Erscheinen) versiehet". Der Glaube, daß sein Ruf R e g e n oder U n w e t t e r v e r k ü n d e, ist auch heute noch verbreitet [6]). Nach einer bretonischen Legende haben B. der heiligen Familie vor der Seefahrt nach Ägypten Sturm verkündet und erhielten zur Belohnung von Jesus die Vergünstigung, daß ihr Nest von den Knaben unauffindbar sei [7]). In England bedeutet ihr unheimlicher Ruf, der wie ein heulendes Bellen klingt, sogar den T o d [8]), und wird mit der wilden Jagd in Verbindung gebracht [8]).

In Nordthüringen wird sein Ruf zur Erntezeit ausgelegt als „Kornriep, Kornriep" [9]).

Nach dem estnischen Glauben werden die alten Jungfern (s. d.) zu B.n, wie in andern Gegenden die Kiebitze (s. d.) [10]).

Von manchen wird der C h a r a d r i u s (s. d.) als B. bezeichnet [11]), doch wohl mit Unrecht; freilich gehen in älterer und neuerer Zeit verschiedenartige Vögel unter diesem Namen [12]).

[1]) S u o l a h t i *Vogelnamen* 281; G r i m m *Myth.* 2, 562; R o l l a n d *Faune pop.* 2, 351; S w a i n s o n *British Birds* (1886) 200. [2]) S t r a c k e r j a n 2, 167. [3]) B r e h m *Tierleben*[4] 7, 286 ff. [4]) *Vogelbuch* 1582, 23. [5]) Ebd. 107 b. [6]) G r i m m *Myth.* 2, 562; H o p f *Tierorakel* 171; S w a i n s o n l. c. 200. [7]) S é b i l l o t *Folk-Lore* 3, 170 f. Auch in England fahren die Fischer nicht gern

hinaus, wenn sie ihren Ruf hören: S w a i n -
s o n 201. [8]) S w a i n s o n 201. [9]) ZfVk. 10,
210. [10]) T o b l e r *Kl. Schr.* (1897), 140.
[11]) Z. B. ZfdMyth. 1, 319; H ö f l e r *Organother.* 131. [12]) S u o l a h t i 281; DWb. 2, 288 f.
                                    Hoffmann-Krayer.

Brand[1]) (einer Wunde). B. ist im Volks-
ausdruck ein sehr dehnbarer Begriff:
„kalter" B. in der Hauptsache Krebs,
wirkliche Gangraena „heißer" B.[2]); aber
auch Ruhr, Fieber, Knochenfraß u. dgl.
heißt B.[3]).
  Das beste Mittel dagegen sind B.-
s e g e n (s. d.).
  [1]) H ö f l e r *Krankheitsnamen* 66. [2]) So H o -
v o r k a - K r o n f e l d 2, 414 u. G r i m m
DWb. 2, 295; das SchweizId. (2, 99; 3, 240)
bezeichnet Gangrän als „kalten Brand".
[3]) W u t t k e § 476.   Stemplinger.

Brand s. F e u e r s b r u n s t, G e t r e i d e.
Brandader heißt ein unfruchtbarer
Fleck auf dem Acker, wo das Getreide
keine Körner ansetzt und trocknet[1]). Bei
den Wenden heißt sie „Dyter bernatowy
puc", d. h. D i e t e r   B e r n h a r d t s
W e g [2]).
  s. D i e t r i c h v. B e r n, B i l w i s.
  [1]) DWb. 2, 296. [2]) H a u p t *Lausitz* 1, 124
Nr. 138 = K ü h n a u *Sagen* 2, 446.
                                    Bächtold-Stäubli.

Brandopfer ist unter diesem Namen aus
dem Alten Testament bekannt, wo es
auch G a n z o p f e r heißt, weil gewöhnlich ganze Tiere auf dem Altar verbrannt wurden, damit der Gott Jahweh es
verzehre[1]), in späterer Zeit, um ihm
einen „süßen Geruch" zu bereiten[2]). Solche B. wurden in vielen Religionen vollzogen. Da die Opfer jedoch ursprünglich
feuerlos waren, so gehört das Verbrennen
nicht wesentlich zum Opfer, sondern verleiht ihm eine bestimmte Eigentümlichkeit[3]). Das F e u e r hat nämlich 1. eine
s u b l i m i e r e n d e   K r a f t: das
Stoffliche der Opfergabe wird durch das
Feuer so verfeinert, daß es „gleichsam
auf dem Wagen des Feuers" zum Himmlischen emporgetragen und mit ihm vermischt wird[4]); oder das den himmlischen
Göttern Gehörige wird, wie die in ge-
reinigter Dampfform aufsteigende ver-
feinerte Materie zeigt, durch das Feuer

unsterblich gemacht[5]); 2. eine a p o -
t r o p ä i s c h e   K r a f t, sofern es das
Unheilvolle abwendet; in diesem Sinne
wurden auch Speisen, von denen eine
Gottheit genossen hatte, wegen der nunmehr mit ihrer Wesenheit berührten oder
beteilten Bestandstücke für unheilvoll angesehen und deshalb ins Feuer geworfen.
Es werden aber auch 3. die S i n n b i l -
d e r   d e r   U n h e i l s d ä m o n e n
s e l b s t   v e r b r a n n t, damit der
Dämon selbst ausgetilgt werde. Das Feuer
v e r n i c h t e t überhaupt am wirksamsten gefährliche Substanzen und ist
daher das reinigende Element, die reinigende Gewalt an sich, stärker in dieser
Beziehung als Wasser, das von ihm nach
und nach verdrängt wird.
  Überreste von diesen religiösen Kulten
der B. finden sich in den Volksbräuchen,
zum Teil freilich so sehr verwischt, daß
nicht mehr zu ermitteln ist, welcher Sinn
des B.s zugrunde gelegen war, so daß wir
in der Regel nur durch vermutendes
Schlußverfahren die Grundbedeutung
des Näheren zu vermitteln vermögen.
  B e i   F e u e r s b r ü n s t e n wird in
Siebenbürgen B r o t in die Flamme geworfen, um sie zu stillen[6]), in Tirol N u -
d e l n und K r a p f e n[7]), in Belgien
und der Oberpfalz ein am Ostertag ge-
legtes E i, das rückwärts in die Flamme
geschleudert werden muß[8]), auch eine
d r e i f a r b i g e   K a t z e[9]). In Hessen
hilft gegen die Feuersbrunst das dem
Feuer übergebene Bettuch einer W ö c h -
n e r i n oder das Hemd einer r e i n e n
M a g d[10]). Um die Scheunen und die
Felder vor Brandschaden im vorhinein zu
schützen, wirft man in Böhmen, wenn
man vom neuen Korn das erstemal bäckt,
ein Stück des Gebäckes ins Feuer[11]).
  Ähnliche Bräuche des Opferns ins
Feuer verbinden sich mit den verschiedenen Feuerriten, die in der Bevölkerung
bewahrt worden sind. Im Elsaß soll es
noch vorkommen, daß beim Osterfeuer
eine lebendige Katze in die Flamme geschleudert wird, angeblich zu dem Zweck,
die Hexen zu verjagen; ursprünglich mag
es sich hier um die Verbrennung des Win-
terdämons gehandelt haben, damit der

Brandopfer

Frühlingsgeist ungehindert seinen Einzug halten kann [12]).

Zahlreich sind die B. gegen Hagelschaden in Verwendung. In der Rheinpfalz zündet die Jugend noch heute an vielen Orten am Sonntag Invocavit eine von ihr angefertigte Puppe aus Erbsenstroh zusammen mit einem strohumwickelten Faßreifen auf einer Anhöhe an und läßt das brennende Rad herablaufen, um auf diese Weise dem ganzen von der Anhöhe erspähbaren Umkreise und sonderlich den vom Feuerrade durchlaufenen Fluren Schutz gegen jeglichen Wetterschaden zu verschaffen [13]). Das ist eine der mannigfachen Formen des Hagelfeuers oder Halfeuers. Weiter nördlich am Rhein, in der Gegend von Düsseldorf, wird die Puppe zur Fastnachtszeit aus ungedroschenen Kornhalmen gemacht und verbrannt. Zu Dhorn und Pier im Kreise Düren wird ein Mann als Erbsenbär verkleidet und seine Erbsenhülle verbrannt [14]), oder ein Knabe wird als Winter eingekleidet und seine Hülle dann unter Jubel und Tanz verbrannt [15]). Im Nassauischen fällt man am Faschingsmontage drei Fichtenstämme und stellt sie auf einem Sandhügel pyramidenförmig aneinander, hängt oben einen verschlossenen Korb mit einer lebendigen Katze oder einen Strohmann auf und zündet das ganze am Dienstag unter Vaterunserbeten mit Strohfackeln an, unter dem Rufe: „Wir verbrennen den Hâl", d. i. den Hagel, zur Erzwingung eines fruchtbaren Jahres [16]). Ähnlich werden Katzen auf Holzpfählen in den Vogesen verbrannt [17]). Beim Amechtfest (s. d.) in Luxemburg wird ein Erntefeuer angezündet, indem eine in einem Korbe befindliche lebende Katze verbrannt wird [18]), während in anderen Gegenden des Rheinlandes ein leerer Korb verbrannt wird (offensichtlich also eine Herabmilderung des Ritus) [19]). Das Verbrennen des lebenden Tieres, der unausgedroschenen Korngarbe zeigt deutlich, daß es sich um alte Opferbräuche handelt, die sich in Bräuche umgewandelt haben, deren Opfercharakter zum Teil dem Bewußtsein entschwunden ist. Ehe-mals wurde beim Frühlingsfeuer dem Dämon des Winters oder des Frühlings geopfert, oder der Winterdämon zugunsten des Frühlingsdämons — in jedem Falle, um die volle Entfaltung der Spriessungskräfte zu ermöglichen. Daß das Opfer des Winters oder für den Winter sich auf den Gott Wodan bezogen haben mag, ist durchaus wahrscheinlich; noch heute wird hie und da dem „Helljäger" eine Kuh herausgelassen zur Zeit der wilden Jagd [20]), und man erzählt davon, daß „das nachtfahrende Volk", d. i. Wodans wilde Jagd, die schönste Kuh aus den Ställen des Ortes heraushole und bis auf die Knochen verzehre [21]). Gegen den Bilmesschnitt und den Hagelschaden hilft aber, wie sonst die Verbrennung oder Aufpfählung der letzten Garbe, so auch ein durch die erste Garbe gebundenes und geweihtes Brot oder Antlassei oder Antlaßkranzl, wenn diese Dinge ins Feuer geworfen werden [22]). Wie diese letzterwähnten ist auch im wesentlichen apotropäischer Ritus das Verbrennen der Strohhexe oder des „Alten Weibes" oder des Winters Großmutter in Schwaben am Fastensonntag, dem Funkensonntag. Die Reste der verbrannten Puppe werden in der Nacht auf den Flachsacker gesteckt. Woher der Wind während des Brennens der Hexe weht, daher weht er das ganze Jahr. In der Richtung, in welche die Hexe fällt, nehmen die Gewitter das ganze Jahr hindurch ihre Richtung, ohne zu schlagen. Die Saat wird gegen Blitz und Hagel auf diese Weise geschützt [23]). Ähnliches Fastnachtfeuer ist in Baden [24]) und der Schweiz [25]) aus früherer Zeit bekannt.

Wenn in Meißen und Thüringen das Volk um das Johannisfeuer tanzt und singt, schleudert einer einen Pferdekopf in die Flamme, um die „Hexen" zu zwingen, von dem Feuer zu nehmen und daran zugrunde zu gehen [26]). Auch aus dem Bergischen Lande wird das Hineinwerfen des Pferdekopfes bekundet [27]). Nicht sicher ist, daß dieses B. ursprünglich etwa zur Abwehr von Viehseuchen, vor allem unter den Pferden, veranstaltet wurde, wobei dann die

Darbringung des Hauptes des Tieres als Gabe für die Gottheit an heiliger Stätte, auf dem Dachfirst, zu gelten hätte. Wenn man beim Johannisfeuer das Haupt des Pferdes verbrennt, so wird man im Auge behalten, daß die reinigende und vertreibende Kraft des Feuers [28]) das Tier des Wodan, der zum Dämon des Winters und der Eiswinde geworden war, damit die Kraft des Wodan selbst, den Widerpart des sprießenden Lenzes, vernichtet. Aus der Grafschaft Mansfeld und der Mark wird berichtet, daß Tierknochen verbrannt wurden [29]). Noch 1462 klagt Bischof Gebhard von Halberstadt, daß die Leute einer Art Gottheit, dem „guten Lubben" auf dem Berge Schochwitz T i e r k n o c h e n darreichen [30]). Bedenkt man, daß in alter Religion die Knochen und unverzehrbaren Teile der Opfertiere deshalb verbrannt wurden, weil sie von den Göttern übrig gelassen, aber doch berührt und somit mit ihrer Wesenheit infiziert waren, so wird auch dieser übriggebliebene Ritus ursprünglich eine ähnliche Bedeutung gehabt haben und der Rest eines alten heidnischen B.s sein. In vielen Gegenden Mittel- und Süddeutschlands wird von den Kindern während der Ostertage das Osterfeuer oder d e r B o c k s h o r n unterhalten. In Braunschweig und Lüneburg wurde ebenfalls im 17. Jh. draußen vor den Städten und Flecken der „Bockshorn oder das abgöttische Osterfeuer" vorgenommen und noch jetzt steckt man im Oberharz am Abend des ersten Ostertages einen Scheiterhaufen an, in den man früher l e b e n d e E i c h h ö r n c h e n warf. Das Volk glaubte, daß die Raupen und Insekten von den Obstbäumen und Feldern dadurch vertrieben werden [31]). Am Johannistag wird nach Sebastian Francks „Weltbuch" ein S i m e t f e u e r gemacht und K r ä u t e r w i e B e i f u ß und R i t t e r s p o r n hineingeworfen mit den Worten: „Es gehe hinweg und werde verbrannt mit diesem Kraut all mein Übel" [32]). In Österreich, in Steiermark und auch in Schwaben werden unter ähnlichen Sprüchen dem Feuer Blumen übergeben [33]). Es sind lauter Kräuter, denen

große Heilkraft zugeschrieben wird, und darin, daß man sie den Göttern und Geistern zurückgibt, bekundet sich der alte religiöse (mystische) Gedanke der Reziprozität, der W e c h s e l b e z i e h u n g u n d W e c h s e l w i r k u n g z w i - s c h e n g ö t t l i c h e r u n d m e n s c h - l i c h e r K r a f t u n d W e s e n h e i t. Thietmar von Merseburg und Adam von Bremen erwähnen eine Reihe von Sühneopfern zur Sühnung des Landes, wobei „Hunde und Hühner an Stelle von Habichten" verwendet werden [34]).

Einige B.-Bräuche nehmen sich wie Darbringungen an die Elemente aus. So das Verbrennen von F a s c h i n g s - k r a p f e n in Österreich zur Fastnacht wie eine Spende an die Erde [35]); ähnlichen Sinnes ist vielleicht die schwedische Lichtmeßsitte, daß auf den Gütern vom „dricka Eldborgs skål" Kuchen und Getränke übrig bleiben, um ins Feuer geworfen zu werden [36]). Auch die Erstlingsopfer, deren schon eines erwähnt wurde, mögen zum Teil einen solchen Sinn gehabt haben. Die erste Garbe wird bisweilen, mit einem Tropfen W e i n bespritzt, in Niederbayern und Mittelfranken zuerst auf den Wagen geladen, ausgedroschen und dann im Ofen verbrannt. Gewöhnlich heißt es, „damit der Bilmesschneider den Saaten keinen Schaden tun kann". Der christliche Geist hat freilich dieses Opfer zu einem Dankopfer an Gott umgebildet, wie aus dem Spruche hervorgeht: „Gott wird uns wohl bewahren. Das ist unsere erste Garben" [37]). Zu erwägen ist, ob nicht die Besprengung der Garbe mit Wein gleichfalls einen spezifisch christlichen Zug des Volksgedankens bedeutet: Brot und Wein. Auch sonst werden die erste Garbe oder die zuerst geschnittenen Halme verbrannt [38]). In Loching in Oberbayern wurde ein rotes Gründonnerstagsei, ein Kranzl, geweihtes Salz, alles mit einigen Tropfen Johanniswein besprengt, in ein Päckchen zusammengebunden, in die erste Garbe gelegt und nach dem Dreschen ins Feuer geworfen [39]).

Der Darbringung der Erstlinge im B. reiht sich das Verbrennen der vom F l a c h s - u n d H a n f b r e c h e n übrigbleibenden Werghaufen durch die Mädchen unter jubelndem Umtanzen an (Allgäu, Oberbayern)[40]. Als Empfänger dieses Opfers müssen, nach Jahn[41]), Berchta, Freya, Holda angesehen werden, auf die auch der heilige Tanz hinweist. Ein ausgesprochenes Opfer des Erstlings des gesponnenen Flachses, des Hàrs, findet sich in Tirol und Elsaß für die „Waldfrau", wobei das Hàr im Ofen verbrannt wird. Die Waldfrau kann wieder nur jene Göttin sein, und der noch gebrauchte Name „das Opfer spinnen" zeigt, wie nachhaltig hier der Gedanke des Opfers geblieben ist [42]).

Die Verwendung des B.s bei V i e h -
s e u c h e n und K r a n k h e i t e n ist sicherlich zumeist aus der Vernichtung des Dämons durch das Feuer hervorgegangen. Bei Rinderkrankheit wird in Northamptonshire ein Feuer angezündet und dabei ein Kalb getötet, um die Herde vor dem gänzlichen Untergang zu bewahren [43]). In der Eifel wird bei einer Schweineseuche eines der gefallenen Tiere verbrannt, worauf die noch gesunden Tiere zu dieser Stelle getrieben werden, damit sie die Asche zusammen mit Hafer fressen [44]). Ähnlich wird auf dem Hunsrück ein gefallenes Tier auf einem Kreuzwege verbrannt und die Asche den anderen Tieren eingegeben [45]). In der Gegend von Speyer wurde noch gegen Ende des 18. Jhs. bei raschem Sterben von Geflügel und Schweinen ein Feuer im Backofen angezündet und eins der befallenen Tiere hineingeworfen. Nach dem Volksglauben wird dabei die Hexe mitverbrannt [46]). Das ist in der Tat ein genaues Überbleibsel des Gedankens, daß der Krankheitsdämon selbst mit dem Tiere zusammen vernichtet wird. Nicht unerwähnt möge sein, daß die Erinnerung an altheidnische Opferriten auch darin sich deutlich bewahrt hat, daß an vielen Orten noch bis in die jüngste Zeit das anzuzündende (Mai-, Johannis-) Feuer auf primitive Weise vor sich gehen muß, entweder durch Aneinanderreiben trockener Hölzer oder zumindest durch Stahlschlag am Feuerstein [47]).

[1]) 1. Mose 15, 10 f.; Richter 6, 19. [2]) 1. Mose 8, 21; 3. Mose 3, 16. [3]) G r u p p e *Griech.*

Mythol. u. Religgesch. 2, 729 f. [4]) E u s t a t h i u s *Kommentar z. Ilias* 1, 52. [5]) P o r p h y r i u s *Opera* 2, 5. [6]) P a n z e r *Beitrag* 2, 527; Bavaria 3, 1, 322 und 340. [7]) Z i n g e r l e *Tirol* 288 Nr. 933. [8]) W o l f *Beiträge* 1, 288 Nr. 333. [9]) W u t t k e § 300. [10]) W o l f *Beiträge* 1, 236 Nr. 423; D e r s. *Sagen* 129. 200. [11]) J a h n *Opfergebräuche* 249. [12]) B i r l i n g e r *Volksth.* 2, 82. 106; M e i e r *Schwaben* 395. [13]) Bavaria 4, 2, 356; G r i m m *Myth.* 594. [14]) M a n n h a r d t *Baumkultus* 499. [15]) M o n t a n u s *Volksfeste* 24 f. [16]) K e h r e i n *Nassau* 142 ff. [17]) M a n n h a r d t *Baumkultus* 515. [18]) G r e d t *Das Amecht* (1871), 56. [19]) M o n t a n u s 52. 55. [20]) K u h n u. S c h w a r t z Nr. 310, 3. [21]) J a h n *Opfergebräuche* 103. [22]) P a n z e r *Beitrag* 2, 214 und 535. [23]) B i r l i n g e r *Schwaben* 1, 384, 41. 54. 58. 62; D e r s. *Volksth.* 2, 108 f. 133 f.; P a n z e r 2, 240. [24]) B i r l i n g e r *Schwaben* 2, 31. [25]) V e r n a l e k e n *Alpensagen* 316 f. [26]) G r i m m *Myth.* 585; J a h n 40. [27]) M o n t a n u s 34. [28]) J a h n 41. [29]) K u h n *Märk. Sagen* 311. 323. [30]) J a h n 41. [31]) D e r s. 123; P r ö h l e *Harzsagen* 284 f.; *Harzbilder* 63. [32]) J a h n 43. [33]) B a u m g a r t e n *Aus der Heimat* 1, 29; M o n t a n u s *Volksfeste* 33; V e r n a l e k e n *Mythen* 307. [34]) J a h n 68. [35]) B a u m g a r t e n *Heimat* 1, 15. [36]) J a h n 120. [37]) P a n z e r 2, 211 ff.; Bavaria 3, 2, 937. [38]) J a h n 160. [39]) Z i n g e r l e *Tirol* Nr. 926; P a n z e r 2, 207. 362; 212, 379. [40]) Bavaria 3, 2, 969 f.; R o c h h o l z *Sagen* 2, XLI f. [41]) J a h n 203. [42]) D e r s. 204. [43]) D e r s. 25. [44]) S c h m i t z *Eifel* 1, 99. [45]) W u t t k e § 235. [46]) J a h n 25; K u h n *Westfalen* 2, 138 A. [47]) J a h n 133 f.   K. Beth.

Brandpilze s. G e t r e i d e.

Brandsegen [1]) werden teils gegen B r a n d w u n d e n, teils gegen den „Brand" (s. d.) als K r a n k h e i t verwendet; ersterenfalls können sie mit dem Spruch „Du sollst nicht ecken" usw. (o. ä.) verbunden sein (s. Wundsegen), letzterenfalls besprechen sie öfters den „kalten" und den „warmen" Brand; selten ist der Zweck das Stillen einer F e u e r s b r u n s t (s. u. 1). Die B., besonders die meisten nicht-epischen, tragen vielfach das Gepräge mündlicher Überlieferung und damit reicher Differenzierung im einzelnen, namentlich im Schluß. Neben zahlreichen wenig vertretenen Formen sind folgende die üb lichsten:

[1]) Lit.: S e y f a r t h *Sachsen* 102.

1. **Der Heilige und der Brand,** episch.

a) Ältester Beleg, kurz nach 1400: „Für den prand. Unser her gieng uber land, da sach er riechen (od. rauchen) ainen brand, uff huob er sin hand, er segnet den brand, daz er usroch" [2]). Der Text mag urspr. als Feuersegen verfaßt sein (?), wird aber vom 16. Jh. an durch Zusätze oder in Überschrift gewöhnlich als „B." im obigen Sinne bezeichnet, z. B. (16. Jh.): Vnser l. Fraw ginge . . . vff hube sie ir schneweis handt . . . sie sprach Brandt du solt aus richen vnd . . . werden glat als ein aichel (am Rande: äiche) vnd am dritten tage anheben zu heilen" [3]). Wenige Varianten gelten der Feuersbrunst [4]). — Die Normalform des epischen Teiles war bis heute im Gebrauch, also mit diesen Hauptzügen (jedoch nicht immer **alle** erhalten): Eine gute Macht (Gott, Christus, Maria, auch zwei, z. B. Gott und Petrus) geht über Land, sieht (findet) einen Brand, hebt die Hand, segnet ihn [5]).

b) Häufig hat sich das **Begegnungsschema** eingenistet (s. Segen § 5), seltener so, daß sich zwei Heilige oder ein Heiliger und ein Leidender begegnen [6]), öfter als Begegnung mit der bösen Macht, dem Brande selbst [7]).

Tiefer umgestaltend wirkt der sehr häufige Umtausch der Aussage „sah einen Brand" mit „hatte (trug o. dgl.) einen Brand in der Hand"; derselbe bewirkt Wegfall der Zeile vom Aufheben der Hand (oft auch derjenigen vom Segnen, Stillen des Brandes), z. B. „Gott der Herr ging über Land und hatte einen Brand in der Hand; Br. brenn nicht" usw.[8]). Ist hier an das Prinzip „similia similibus" gedacht? (In einer späten Aufzeichnung [9]) trägt Maria einen „Himmelbrand", Königskerze). Endlich trägt in einigen späten Varianten dieses Typus die hl. Person statt des Brandes einen „Brandbrief" oder ein Buch (auch einen Stock) zur Stillung des Brandes [10]).

2. **Laurentiussegen** (s. d.).

[2]) Birlinger *Aus Schwaben* 1, 459. [3]) Schönbach HSG. Nr. 194 (vgl. ZfVk. 5, 294). [4]) ZfdMyth. 1, 279; ZfdA. 32, 250 (beide

um 1595); Mitteil. Anhalt. Gesch. 14, 12. [5]) Z. B. ZfVk. 7, 66; Meier *Schwaben* 2, 517; Müllenhoff *Sagen* 517; vgl. SAVk. 2, 260; ZfrwVk. 4 (1909), 289; Mone *Übersicht der niederländischen Volksliteratur* 336. [6]) Birlinger *Aus Schwaben* 1, 462 f.; vgl. ZfdMyth. 1, 279; ZfrwVk. 1, 206; Köhler *Voigtland* 405; Frz.: Thiers *Traité* 1 (1720), 471. [7]) BlPommVk. 1, 110 Nr. 10; ZfVk. 7, 67; Köhler *Voigtland* 403. [8]) Seyfarth *Sachsen* 107. Vgl. ebd. 106; ZfdMyth. 1, 279; ZfdA. 32, 250; Köhler *Voigtland* 404; Bartsch *Mecklenburg* 2, 283 Nr. 1802 f.; John *Erzgebirge* 104; Birlinger *Volksth.* 1, 211. [9]) Panzer *Beitrag* 2, 13. [10]) Z. B. Jahn *Pommern* 86; Alemannia 25, 239. 241.

3. **Besprechungen,** fast lauter späte Aufzeichnungen. a) Die **kalte Hand** (Hand des Segners, Totenhand, oder beides); bes. in Norddeutschland vertreten. Einzelformen: „Kalt ist die Hand, kalt ist das Wasser (usw.) . . . der Sand . . . der Brand" [11]). „Brand, ik boet di, Mannes Dodenhand fot di" [12]). „Raut ist da Krebs (d. h. der kalte Brand), kolt is döi Tautnhand, damit stült ma(n) an kaltn Brand" [13]) (vorausgehn kann „Hoch ist der Himmel"; dann fehlt aber oft die Zeile von der Hand). Auch episch geformt, z. B.: „Ich ging mal einst an den Strand, da fand ich eines Mannes Totenhand, damit vertrieb ich diesen Brand"[14]) (s. Leiche). Der Spruch von der kalten Hand will, mit Anhauchen oder kühlender Handauflegung begleitet, suggestiv wirken. Vgl. noch Marias (später auch: Jesu) **schneeweiße Hand** oben u. 1. Ähnliches bes. im Finnischen, z. B.: „Reif-Mann, Eis-Frau ziehen Reif-Schlitten . . . tragen noch Eisblock in der Hand" usw.[15]). Wohl auch auf den Orkney-Inseln: „A dead wife out of the grave arose, and through the sea she swimmed" usw.[16]). Weniger deutlich in beliebtem englischem Segen, z. B.: „There came two Angels from the East, the one brought Fire, the other brought Frost. Out Fire, in Frost" [17]). Vgl. dagegen im römischen Spruch gegen Brandwunden: „Ferrem (*ferrum?*) candens linguam restringat, ne noceat" [18]).

b) „Brand, **fall in den Sand,** und nicht in Fleisch". In dieser oder ähnlicher Form in fast allen deutschen Gauen beliebt [19]). Die Worte „Brand, fall in den Sand" schon 1602 beurkundet [20]).

c) „W e i c h a u s , Brand, und ja nicht ein, du seiest kalt oder warm, so laß das Brennen sein" usw. Weit verbreitet in obiger Form des Romanusbüchleins [21]).

Auf seltenere Formen [22]) kann hier nicht eingegangen werden.

[11]) S t r a c k e r j a n 1, 76. [12]) ZfVk. 7, 65. [13]) H o v o r k a u. K r o n f e l d 2, 402 (Böhmen). Vgl. ZfVk. 7, 64 f.; B a r t s c h *Mecklenburg* 2, 387 Nr. 1811 ff.; 391 f. Nr. 1831 ff. [14]) ZfVk. 7, 64; B a r t s c h *Mecklenburg* 2, 390 Nr. 1824. [15]) H ä s t e s k o *Län-sisuomalainen loitsurunous* 36. [16]) County Folk-Lore (London) 3, 146. [17]) Notes and Queries V 2 (London 1858 bis 59), 84. [18]) H e i m *Incantamenta* 501. [19]) ZfVk. 7, 63 f.; B a r t s c h *Mecklenburg* 2, 389 Nr. 1820; Urquell 1, 186; K u h n *Westfalen* 2, 200 f. Nr. 567 f.; E n g e l i e n u. L a h n 256 f.; ZfVk. 1, 190 (Tirol). [20]) P a n z e r *Beitrag* 2, 13. [21]) Romanusbüchlein 15. [22]) So ZfVk. 5, 27; F r i s c h b i e r *Hexenspruch* 41; S t r a c k e r j a n 1, 76 Nr. 80; H o v o r k a u. K r o n f e l d 2, 419; W u t t k e § 235; ZfrwVk. 1905, 286; ZfdA. 7, 536 Nr. 14. S. auch Judas in den Segen.   Ohrt.

Brandwunde. B.n heilt man gern homöopathisch; z. B. hält man die verbrannte Stelle an ein heftiges Feuer [1]) oder reibt sie mit einer Kohle von einem abgebrannten Hause oder streut ein Pulver davon auf oder nimmt es ein [2]). Auch Befeuchten mit Branntwein wird geraten [3]). Im Zürcher Gebiet wird die Anrufung des hl. Lorenz empfohlen, der bekanntlich auf einem Rost gebraten worden sein soll [4]). In der Lausitz schmiert man das Ofenloch mit Butter ein [5]), in der Oberpfalz legt man das vordere Viertel einer Kröte auf [6]).

Vielfach braucht man gegen B.n den B r a n d s e g e n (s. d.).

[1]) H o v o r k a - K r o n f e l d 2, 416. [2]) W u t t k e § 477. [3]) H o v o r k a - K r o n f e l d 2, 417. [4]) M e s s i k o m m e r 1, 173. [5]) H a u p t *Lausitz* 1, 62. [6]) S c h ö n w e r t h *Oberpf.* 3, 266.   Stemplinger.

Branntwein [1]).

1. Die Kunst der B.destillation kam vom Orient über Italien [2]) nach Europa und Deutschland [3]); wie bei den arabischen Ärzten, so spielt er auch im Arzneischrank der deutschen Ärzte seit dem

14. Jh. eine große Rolle [4]). Aber sehr bald wird er auch als Genuß- und Berauschungsmittel geschätzt, und schon 1496 muß z. B. der Nürnberger Rat [5]) den Sonntagsverkauf wegen der schädlichen Wirkung auf die Gesundheit verbieten. Besonders seit dem 16. Jh. ist der Genuß des B.s in Verbindung mit dem Abnehmen des Hausbieres [6]) sehr verbreitet [7]); in den Vierlanden [8]) wird 1753 das Brennen untersagt. Zedler [9]) führt Belege für den übermäßigen B.genuß im 16. und 17. Jh. an. Auch jetzt huldigt man z. B. im badischen Kinzigtal und im Renchtal sehr dem B.[10]).

[1]) Über aqua vitae: D u C a n g e 1, 339; G r i m m *DWb.* 2, 305 (vinum stillatum); W e r n e r *Über zwei Handschriften der Stadtbibliothek in Zürich.* Diss. Zürich 1904, 155; De vino stillato: Mester Ypokrates . . . . nennet in den win des Lebens (Sammelmappe des G a l l u s K e m l y , geb. 1417). Im Schwäbischen heißt B. „Brennts": B i r l i n g e r *Volksth.* 2, 69; über Herstellung der verschiedenen B.-Arten: C o l e r *Oeconomia ruralis* 60 ff.; 29/30; Z e d l e r *Universallex.* 4, 1088 —91; Übersicht bei: H e y n e *Hausaltertümer* 2, 380 ff.; über die Geschichte des B. in Schleswig-Holstein: L o r e n z e n in: Die Heimat 1 (1891), 233—39; für Baden: M e y e r *Baden* 3. 341; nach K o h l *Nordwestdeutsche Skizzen* 2 (Bremen 1864), 191 sind die Schwarzbrotländer auch die ausgesprochenen B.länder, vgl. ZfVk. 1899, 291. [2]) 1320 wird gebranntes Wasser aus Modena in Deutschland gegen die Pest eingeführt: L a m m e r t 44; H o v o r k a - K r o n f e l d 2, 350; Genueser führten 1398 in Rußland unter andern Waren auch B. ein: Die Heimat 1 (1891), 237 f.; über B. in Rußland: Z e l e n i n *Russische Volksk.* 127. [3]) H e y n e l. c.; F i s c h e r *Altertumsk.* 60; in einem Frankfurter Statut zum erstenmal 1360 erwähnt: F i n d e r *Vierlande* 2, 254; vgl. F o n t a i n e *Luxemburg* 102. [4]) H o v o r k a - K r o n f e l d 2, 350; H e y n e l. c.; F i s c h e r l. c. [5]) H e y n e l. c.; ein ähnliches Verbot 1537 im dithmarsischen Landrecht: Heimat l. c. 234 f. [6]) Heimat l. c. 234. [7]) H e y n e l. c.; C o l e r l. c. 60 ff. [8]) F i n d e r l. c. [9]) l. c. 4, 1086. [10]) M e y e r *Baden* 3. 341; im Kinzigtal brannte man schon im 17. Jh. Kirschwasser: ZfdGesch. d. Oberrheins 13, 260 ff.; M e y e r l. c. 384; vgl. F o n t a i n e l. c.; für die Zeit J. Gotthelfs: SAVk. 18 (1914), 185; über die verschiedenen Bezeichnungen des B.s im Schweizer Volksmund: SchwVk. 10, 12.

2. B. a l s O p f e r f ü r K o b o l d e u n d a n d e r e G e i s t e r. B. ist der gierig ersehnte Trank der S e e l e n -,

Vegetations- und Hausgei-
ster (vgl. Bier). In Jütland [11]) gießt
man die letzten Tropfen Schnaps auf den
Boden; in Schweden [12]) will der Hauskobold am Julabend auf dem Platz des
Hausherrn sein Glas Schnaps sehen.
Diesem für seinen Herrn Butter und
Milch und Geld heranschleppenden Hauskobold entspricht der Spiritus familiaris
am Lechrain [13]), ein Käfer, der in einem
Glas mit scharfem Branntwein aufbewahrt ist. In Zell [14]) sollen einmal am
Dreikönigsabend drei „Pechtrne" mit
Schnaps bewirtet worden sein. Zu Win-
disch-Bleiberg [15]) nachte ein Zwerg aus
der B.flasche eines Bergmannes, bis er
von einem Liter B. berauscht am Boden
liegen blieb; entdeckt, versprach er dem
Bergmann, er werde ihm eine Goldader
für ein Fläschchen B. zeigen. Auch der
Waldmann [16]) im Rosental berauscht
sich mit Schnaps, den eine Bäuerin in die
Milch schüttet; der „wilde Mann" im
Sagwald [17]) trinkt ein ganzes Fäßchen
B. Den pommerschen Kobold [18]) lockt der
B. an.

[11]) L. Weiser in NiederdZfVk. 1926, 14.
[12]) l. c. 4. [13]) Leoprechting Lechrain 76;
in Hausen a. d. Möhlin badet eine Bauersfrau
täglich ihr Geldmännlein, eine Kröte, in einem
Glas Rotwein: Waibel-Flamm 2, 268;
über Geist im Glase vgl. Bier, Geist;
Künzig Badische Sagen 8. 11. 19. 16.
32; Meiche Sagenbuch d. sächs. Schweiz 37,
22 u. Bolte-Polivka 2, 414—16; in
Schlesien erscheint der Teufel als Käfer in einer
Flasche den Holzhauern und holzt den Wald
ab: Grabinski Sagen 25 f. [14]) Gra-
ber Kärnten 94, 115. [15]) l. c. 42, 49. [16]) l. c.
79, 94. [17]) l. c.; Heyl Tirol 240 Nr. 2.
[18]) BlpommVk. 4, 56.

3. B. als Totenopfer: Vor allem
verlangen die Totengeister nach diesem
Lebenstrank; in Ostpreußen [19]) trinkt
man bei der Leichenwache keinen B.; denn
man glaubt, daß der Geist des Toten die
Finger hineinstecke und davon koste; bei
den Kassuben [20]) in Pommern legt man
den Säufern eine Flasche B. in den Sarg;
in Königsberg [21]) legt man heimlich eine
Flasche B. dem Sarge bei, um in den Himmel zu kommen, ähnlich in Ungarn [22]), in
Kurland [23]) und Schweden [24]). In Schön-
born [25]) bei Neustadt an der Orla gossen

früher die Verwandten, die das Grab aus-
hoben, von dem bei dieser Arbeit genossenen B. in das fertige Grab; bei den
Letten [26]) wird am Grabe Erbsenbrei gereicht und B. ins Grab gegossen. In Ablösung dieses Opfers wird am Rhein [27])
bei der Totenwache und beim Begräbnismahl B. gereicht, auf Sylt [28]) bekommen
die Sargleger B., in Westschleswig [29])
gingen bei der Sarglegung Mädchen mit
Sirup-B. herum und reichten den Anwesenden einen Löffel davon; im Stubaital [30])
(Tirol) erhalten die Leichenwächter B.

[19]) Urquell 2, 80; Sartori Totenspeisung
8 [1]. 59 [2]; die Bulgaren glauben, daß die Totenseelen als Vampyre während der Fastenzeit B.
trinken: Stern Türkei 1, 381; auf Formosa
gießt man B. in den Mund des erbeuteten Chi-
nesenkopfes: Globus 77, 68; Sartori l. c.
44 [1]. [20]) Temme Pommern 337; Sartori l. c. 12 [2]. [21]) Urds-Brunnen 7, 154.
[22]) Vernaleken Mythen 312. [23]) Sartori l. c. 12 [1]. [24]) l. c. 12 [2]; Weinhold
Altnord. Leben 493; vgl. Sartori l. c. 3 [2].
5 [1]. 2 [2]. [25]) Witzschel Thüringen 2, 258,
69; in der Ukraine gießt man am Thomassams-
tag B. in den Grabhügel: Urquell 6, 26; Sartori l. c. 52 [2]; an der Wolga gießt man B. ins
Grab und sagt: „Da hast du B.! trink! möge
er bis zu dir gelangen": Sartori l. c. 19 f.;
vgl. 21 f.; vgl. Sartori 39 [1]. 53 [2]. 9 [1]. 13 [1];
Globus 74, 272; Sartori 10 [2]. [26]) Globus
82, 368; Sartori 19 [2]; beim Leichenschmaus
gießen die Letten B. auf den Boden: Sartori
24 [1]; die Zigeuner trinken bei dieser Gelegenheit B.: Sartori 6 [1]; vgl. 18 [2]. 23 [1].
[27]) Müller RheinWb. 1, 911. [28]) Jensen
Nordfriesische Inseln 337 ff.; Sartori 6 [2].
[29]) Feilberg Dansk Bondeliv 2, 106; Sartori 6 [2]. [30]) ZfVk. 1893, 175.

4. B. als Vegetationsopfer:
Nach dem Bericht von v. Münchhausen
tröpfelten die Schnitter im Schaumburgischen [31]) vor 150 Jahren nach dem letzten
Sensenschlag B. auf den Ackerboden für
den Wôld. Wenn der Bauer in Marksuhl [32]) am ersten Dienstag im Mai den
Lein sät, findet er als Frühstück neben
Eierkuchen B. im Leinsack; das Frühstück muß er, auf seinem Acker sitzend,
verzehren; in Mecklenburg [33]) suchen die
Mähder an dem Tag des Roggenschnittes
die B.flaschen in einem mit Wasser gefüllten Zuber zu erhaschen, der vor dem
Herrenhaus steht. Am Fastnachtmontag
gibt es, wenn die Lechrainer [34]) mit dem
Dreschen fertig sind, zu den „Loos-

kuechel" B.; in Tirol [35]) feiern die Sennen die letzten 8 Tage auf der Alm bei Melkermus und Schnaps; der „Brautträger" (Träger der letzten Getreidegarbe) wird in Tirol mit Schnaps und Honig festlich bewirtet [36]). Beim Kirmesbegraben wird in Thüringen [37]) ein Loch gegraben und B. hineingeschüttet oder eine Flasche mit B. wird vergraben; im Saarland [38]) ist B. das bevorzugte Kirmesgetränk.

[31]) J a h n *Opfergebräuche* 168. [32]) W i t z - s c h e l *Thüringen* 2, 218, 36. [33]) L e o p r e c h - t i n g *Lechrain* 166. [34]) Z i n g e r l e *Tirol* 173, 1454. [35]) l. c. 174, 1455. [36]) B a r t s c h *Mecklenburg* 2, 487; ganz klar ist das Opfer im Regierungsbezirk Gumbinnen, wo in die letzte Garbe eine Flasche mit B. oder Bier gebunden wird, die man beim Dreschen leert: M a n n - h a r d t 1, 215 mit weiteren Parallelen aus Dieppe und Schweden; vgl. S t r a c k e r j a n 2, 78, 362. [37]) W i t z s c h e l l. c. 331, 9; vgl. P r ö h l e *Harzbilder* 54; S c h m i t z *Eifel* 1, 50; M a n n h a r d t 1, 411. [38]) F o x *Saarland* 424.

5. B. u n d J a h r e s f e s t e : Am heiligen Abend trinkt man in Schlesien [39]) Schnaps, damit einem der Ärger im nächsten Jahr nichts schadet; das heißt man den Wurm „begießen"; im Erzgebirge [40]) trinkt man drei Schluck B., um gesund zu bleiben; in Schlesien wird das Schnapstrinken, um den Wurm zu ersäufen, auch auf den letzten [41]) Tag des Jahres gelegt. Wenn man in der Oberpfalz [42]) an Fastnacht Schnaps trinkt, beißen einen die Schnaken nicht, auch in Westböhmen [43]); im Böhmerwald [44]) schüttet der Knecht dem Vieh am Fastnachtdienstag B. in die Ohren, um den Mißbildungen am Huf vorzubeugen; in Tirol [45]) finden wir B. als Spende für den Faßreiter am Fastnachtdienstag.

[39]) D r e c h s l e r 1, 30. [40]) J o h n *Erzgebirge* 156; J o h n *Westböhmen* 17. [41]) D r e c h s - l e r l. c. 1, 45; vgl. ZfrwVk. 1907, 10. [42]) DG. 13, 183. [43]) J o h n *Westböhmen* 41; S a r t o r i *Sitte u. Brauch* 3, 112 A. 93. [44]) S c h r a m e k *Böhmerwald* 136. [45]) Z i n g e r l e l. c. 136, 1196.

6. B. u n d F a m i l i e n f e s t e : Wie bei den Sippenfesten und Hochzeitsfeierlichkeiten der Südslaven [46]), so spielt der B. auch in Deutschland besonders bei den Werbe- und Vermählungsgebräuchen eine große Rolle. Wenn auch die Stärkung des

Tirolerburschen [47]), der beim Fensterln von seinem Schatz B. bekommt, eine einfache, rein menschliche Erklärung finden kann, so ist die Bedeutung des B.s als Fruchtbarkeitssymbol bei den mecklenburgischen Bräuchen klar: Wenn die Brautleute zur Kirche fahren, reichen die Brautjungfern jedem Begegnenden ein Glas oder eine Flasche B. [48]). Bei der Rückkehr von der Trauung hielt man früher an der Grenzscheide bei Kritzkow [49]) an, aß wagenradgroße Kringel und trank B. aus einer Gießkanne. In Thüringen [50]) nehmen die Brautleute auf dem Wege zur Trauung eine Bouteille B. mit und lassen jeden Begegnenden trinken; weist jemand den B. zurück, so wird die Ehe unglücklich. In Westfalen [51]) reichte früher der Brautvater der Braut neben Brotrinde ein Glas B., die Braut warf das Glas B. über den Kopf weg auf die Erde. Im Saalfeldischen eilte früher eine Brautjungfer dem von der Trauung heimkehrenden Hochzeitszug voraus und bot dem Bräutigam ein Glas Bier oder B., dieser leerte das Glas aus und warf es rückwärts; zerbrach das Glas, so war es gut [52]). Bei der Werbung im Westerwald [53]) gibt der Bursche beim ersten Versuch der Annäherung Geld, damit das Mädchen Schnaps im Gasthaus hole; dieser Brauch ist wohl in der Vorliebe dieser ärmlichen Bevölkerung für B. begründet. In Ostpreußen [54]) flicht sich die Braut einen Groschen ins Haar und kauft dafür nach der Trauung B. und trinkt ihn aus; dann wird der Mann nie mehr als für einen Groschen trinken. Wenn an der Saar die junge Mutter beim „Kindches - Kafe" eingeweibert ist, muß sie den Freundinnen Zucker und Schnaps spenden [55]).

[46]) Dreimal gebrannter B. ist im Volkslied der größte Genuß: K r a u ß *Volksforsch.* 336 v. 22; zum Sippenfest lädt man zu einem Glas B. ein: K r a u ß *Sitte u. Brauch* 53; bei der Werbung (K r a u ß l. c. 375, 366), beim Brautlager (l. c. 225), bei der Hochzeit (l. c. 376) finden wir den B. in symbolischen Zeremonien. [47]) Z i n g e r l e *Tirol* 13, 108; die Südslavinnen verwenden Menstruationsblut in B. zum Liebeszauber: Anthropophyteia 5, 251, 18. [48]) B a r t s c h *Mecklenburg* 2, 62 Nr. 217. [49]) l. c. 83 Nr. 266. [50]) W i t z s c h e l *Thür.* 2, 233 Nr. 68. [51]) G r i m m *Myth.* 3, 466, 884.

[52]) G r i m m 3, 451, 514. [53]) ZfVk. 1903, 382. [54]) W. 562. [55]) A u b i n - F r i n g s - M ü l l e r *Kulturströmungen und Kulturprovinzen des Rheinlandes* (Bonn 1926), 191; eine B.-Spende der Frauen haben wir auch beim Frauenbier in Nordhastedt: Heimat 2 (1892), 44.

7. B. u n d B r ü d e r s c h a f t: Wie bei Bier und Wein, so schließt man auch bei B. Verträge und Freundschaften ab. Nach einem schlesischen Zeugnis aus dem 17. Jh. machen zwei Bauern, die ein Verbrechen begangen haben, aus, daß sie sich nicht verraten; „sie gießen Bier auff denTisch und tippen ein"; wenn jetzt noch zwei Männer zusammen Schnaps trinken, so halten sie das Glas empor und schauen sich an und lassen die Fingerspitzen sich berühren [56]); das Anstoßen mit den Fingern und Tipfen ist als Rechtsgebrauch auch sonst belegt [57]). Wenn bei den Kleinrussen zwei Männer ewige Brüderschaft schließen wollen, so schwören sie vor dem Heiligenbild Treue und trinken Schnaps; sie heißen Schnapsbrüder [58]).

[56]) MschlesVk. 11 (1909), 208—9. [57]) G r i m m *RA.* 2, 146—47. [58]) C i s z e w s k i *Künstl. Verwandtschaft* 55.

8. B. t r i n k e n: In Schlesien [59]) ist es Sitte, nach jedem Schluck sich zu schütteln und das Gesicht zu verziehen. Um einem B.trinker das Laster abzugewöhnen, gibt es verschiedene Mittel: ein Bauer in Wien probierte folgendes Rezept aus: er legte eine Nadel, mit der ein sezierter Körper zugenäht wurde [60]), in B. und trank davon; die Medici raten, Mäuse, Frösche oder Aale in B. zu ersäufen und davon dem Saufbruder vorzusetzen [61]); nach einem drastischen Rezept in Mecklenburg [62]) soll man im Munde eines Toten B. 24 Stunden lassen und davon dem Trinker geben; nach Fischer [63]) gibt man dem Säufer B. zu trinken, der durch einen Totenlappen geseiht ist; über andere ähnlich schmackhafte Mittel, die auch die Berauschung verhindern, siehe Hovorka-Kronfeld [64]).

[59]) D r e c h s l e r l. c. 2, 24. [60]) Z e d l e r *Universallex.* 4, 1086. [61]) l. c.; vgl. AfdA. 27, 220. [62]) B a r t s c h *Mecklenburg* 2, 355 Nr. 1668a; S a r t o r i *Sitte u. Brauch* 2, 32. [63]) F i s c h e r *Aberglauben* (1790), 270; H o v o r k a - K r o n f e l d 2, 350. [64]) 2, 350.

9. B. i m Z a u b e r: Wenn ein Mädchen einem Burschen gefallen will, muß es an einem Sonntag im Fasching mit der Mutter in Sonntagskleidern eine Tollkirschwurzel ausgraben und an Stelle der Wurzel Brot, Salz und B. in die Erde legen; auf dem Heimweg muß es die Wurzel auf dem Haupte tragen und darf mit niemand streiten [64a]). Im Schadenzauber wird B. als Medium der Hexen erwähnt: 1672 wurde eine Hexe zu Burkhardsfelden [65]) beschuldigt, einen Mann durch B. und eine Frau durch Sauerkraut zu Tode gehext zu haben; ein andermal wird ein Mann durch B. des Verstandes beraubt [66]). Im Waffenzauber gebraucht man B. z. B. in Mecklenburg [67]): „Nimm Blei und Kupfer nach Deinem Wohlgefallen, mache eine Kugel daraus und lösche sie in spiritus vini ab"; diese Kugel geht durch alle Harnische. Eine Art Liebeszauber treffen wir in Württemberg; um frisch eingestelltes Vieh an das alte zu gewöhnen, reibt man allen das Maul mit Schnaps ein [68]), ähnlich bei den Deutsch-Amerikanern [69]).

[64a]) ZföVk. 1897, 117. 174. [65]) S o l d a n - H e p p e 2, 87. [66]) l. c. 1, 287. [67]) B a r t s c h 2, 347 Nr. 1632. [68]) E b e r h a r d t *Landwirtschaft* Nr. 3, 15. [69]) F o g e l *Pennsylvania* 158 Nr. 748.

10. B. i m H e i l z a u b e r u n d i n d e r V o l k s m e d i z i n [70]): Wie alles Kraftspendende [71]) wird der B. als Lebenswasser zum Apotropaion und Abwehrer der Krankheitsdämonen. Rein apotropäisch ist der Vogelschluck in Schweden; man nimmt morgens zuerst einen Schluck B., um sich vor bösem Einfluß zu schützen [72]). Vor der Taufe wird das Kind in der Wetterau am Kopf mit B. gewaschen, damit die Hexen keine Gewalt haben [73]). Früher wurde B., mit Wachholder und andern Kräutern angesetzt, vor allem gegen die Pest und Seuchen verwendet, jetzt noch B. mit „Kranewit" gegen alle ansteckenden Krankheiten am Lechrain [74]); eine Handschrift des Schultheißen von Frickenhausen (1320) empfiehlt gebranntes Wasser, aus Modena eingeführt, gegen die Pest [75]). Nach Mylport [76]) ist der B. (aqua-vit

„schleimiger Brust und Magen am bequemsten, der Lebersüchtigen aber ärgster Feind und Widersacher". Zedler zählt mit Quellenangabe die unzähligen Tugenden des Spiritus vini auf [77]). Allgemein wendet man (Wachholder-, Enzian- [78]), Arnika-) B. oder Kornschnaps, Kirschwasser gegen erkälteten Magen und Kolik an [79]), „item, welcher mensch den steyn in der blasen hat", „item wer alle monat eyn mal trinkt gebranthen weyn, so stirbt der wurm, der den menschen wechst bey dem herczen [80])"; im Winter nüchtern ein Löffel aqua vitae mit Zucker und Brot erhält Hirn und Leber gesund [81]). B. schützt vor Schlag [82]), auch gegen Fieber nach Schnapsrausch [83]) (!), in Schlesien trinkt man gegen Fieber ein Glas B. und geht am selben Tage über neun Raine [84]). Gegen Epilepsie [85]) zieht man Katzen- oder Hasenkot über B. ab oder 7 Hasenknochen, 7 Krebssteine usw., oft wird B. als Mittel gegen Zahnweh erwähnt [86]). Äußerlich gebraucht man B. zum Einreiben [87]), „wer trube und rothe augen hatt" [88]), bei Magenweh [89]), für Aufschläge bei Brandwunden und Kontusionen [90]), hier bes. Franzbr. [91]), diesem mischt man Rotstein bei und reibt den Kopfwirbel bei Gelbsucht ein [92]). Ohrensausen vertreibt man in Schlesien, indem man die noch heiße Kruste eines neugebackenen Brotes mit B. begießt und ans Ohr hält [93]). Gockel verwendet B. bei einem Haupthäublein gegen Besessenheit [94]), oder Knoblauch mit B. auf den Kopf gebunden gegen zauberische Unsinnigkeit [95]). Verhängnisvoll ist die verbreitete Ansicht, daß die Schwangere B. trinken müsse, damit das Kind [96]) schön werde oder um die Entbindung zu erleichtern [97]). Bei der Kopfblutgeschwulst [98]) der Kinder macht man B.-Aufschläge, bei Soor (Aphthae) [99]) reinigt man die Mundhöhle mit B. Allgemein ist der heilsame Glaube, man dürfe den Kindern keinen B. geben, weil sie sonst nicht wachsen [100]). Wenn in Schleswig-Holstein eine Kuh gekalbt hat, bekommt sie eine Sechslingsschale (= Schale, die früher einen Sechsling kostete) B. und Brotkrumen [101]); um das Bullen zu verhindern, gibt

man der Kuh einen Schluck B. oder Essig [102]).

[70]) Darüber Hovorka-Kronfeld 2, 350/51; Höfler Volksmedizin 129; Romanusbüchlein 49 ff.; Arzneibuch aus dem 15. bis 16. Jh.: Wie man den branntweyn nutzen soll, ediert bei Jühling Tiere 283 ff.; Bartholomaeus Vogter Wie man alle gepresten und Krankheiten des menschl. leibs . . . vertreiben soll, mit ausgebranten Wassern. Augsburg 1541; Heinr. Mylport Gründliche u. nützliche Erklärung, anderer Teil, was wohl vom Gebrauch des Branntweins zu halten. Breslau 1624 c. 1; Coler Oeconomia 30—31; Zedler Universallexikon 4, 1083 ff.; viele Tränklein und Tinkturen mit B. erwähnt auch der württembergische Arzt Eberhard Gockel Tractatus polyhistoricus, magicomedicus curiosus (Anhang: Geheime Artzneymittel p. 135 ff.) Frankf. Leipz. 1699; H. Braunschweig Ars destillandi oder Diestellier-Kunst. Frankf. 1610; Joh. Jac. Bräuner Arczney-Mittel s. v. Branntwein; Schultz Höfisches Leben 2, 256. [71]) Im dänischen Märchen stärkt sich Hans Meernixensohn, als er Erich bekämpfen soll, mit einem Backofen Brot, einem Viertel Butter (siehe Butter § 4), einer Tonne Bier und einem Anker B.: ZfVölkerpsychol. 18 (1888), 5. [72]) ZfdMyth. 3 (1855), 247 u. 403. 263; ZfVölkerpsychol. 18 (1888), 23; vgl. Jühling Tiere 284. [73]) W. 591. [74]) Leoprechting Lechrain 96; nach einer slavonischen Sage sind Essig, Wachholder und B. die besten Mittel gegen Pest: Krauß Volksforschungen 102. 356; dagegen Zedler 4, 1086. [75]) Lammert 44. 256; Finder Vierlande 2, 254—55; Hovorka-Kronfeld l. c. 350. [76]) l. c. c. 1. [77]) l. c. 1083 f. [78]) Hörmann Volkstypen 152 f. [79]) Höhn Volksheilkunde 1, 102; Lammert 44; Manz Sargans 78; Lammert 252 ff.; Schramek Böhmerwald 281; Coler l. c. 31. [80]) Jühling l. c. 284; vgl. A. 40—41. [81]) Coler l. c. 30 f.; vgl. Jühling l. c. [82]) Coler l. c. 30 f. [83]) Hovorka-Kronfeld 2, 332: ὁ τρώσας ἰάσεται. [84]) Drechsler 2, 303. [85]) Bartsch l. c. 2, 106 Nr. 393; ein noch abstruseres Mittel bei Strack Blut 18: die Asche einer Krähe, einer Turteltaube, 2 Lot gebrannte Hirnschale eines Gehängten, 2 l. Löwenkot in B. [86]) Müller RheinWb. 1, 911; Pollinger Landshut 281 f.; ZfrwVk. 1 (1904), 93; 14 (1917), 183; Zedler l. c. 1087 mit Literatur. [87]) Höhn Volksheilkunde 1, 137; Meyer Baden 388; Romanusbüchlein 50—52. [88]) Jühling l. c. 284. [89]) ZfrwVk. 1 (1904), 95. [90]) Zahler Simmenthal 214; Lammert 214; Hovorka-Kronfeld 2, 374. [91]) Romanusbüchlein 49 bis 50; innerlich gegen Kolik, äußerlich zum Einreiben von Schläfen, Auswaschen der Wunden, Vollfüllen der Ohren, bei Geschwülsten; Werner l. c. zitiert aus Kemlys Sammelmappe: sin geschwolsch weschen damit. [92]) ZfrwVk. 1 (1904), 96. [93]) Drechsler 2,

298. [94]) l. c. 154. [95]) l. c. 170. [96]) M e y e r
l. c. 388; L a m m e r t 161; H ö h n *Geburt*
Nr. 4, 257. [97]) M e y e r l. c.; S t e r n *Türkei*
1, 311 erwähnt B. als Stärkungsmittel für Ent-
bundene; vgl. 1, 185. [98]) L a m m e r t 115.
[99]) l. c. 121. [100]) F i s c h e r *SchwäbWb.* 1,
1402; K n o o p *Hinterpommern* 158, 28;
R e i s e r *Allgäu* 2, 233; Z i n g e r l e *Tirol* 8,
57; ZfrwVk. 10 (1913), 182; ZfEthnologie 15
(1883), 85 (Berlin). [101]) ZfVk. 1914, 61 Nr. 19;
M e n s i n g *Schleswig-Holst.Wb.* 1, 506.
[102]) Heimat 37 (1927), 113, 21 (Lübeck).

                         Eckstein.

Brassen masc., B r a c h s (m) e (n),
B l e i ,   S u n n f i s c h ,   L e s c h ,
K l e s c h ;   A b r a m i s   b r a m a   *L.*
Der in die Familie der Karpfen gehörige
S ü ß w a s s e r - B. hat im neuzeitlichen
Aberglauben des deutschen Sprachge-
biets keine Bedeutung. Die Kaschuben
sagen von dem „Bressen" aus, er sei dem
Teufel verschrieben: man könne häufig
beobachten, wie er vom Satan scharen-
weise im See herumgetrieben werde [1]).

Gesner widmet in seinem Tierbuch
(deutsch 1575) dieser Art nur 3 Seiten [2]),
während er die zu der Unterordnung
S t a c h e l f l o s s e r gehörigen B.
(„Brachßfische") in zahlreichen Arten
zur Darstellung bringt [3]). Die bei ihm erwähnten biologischen und medizinischen
Anschauungen dürften aber zumeist auf
antiker Überlieferung beruhen. Wir führen sie in Kürze an.

B r a n d - B., Sparus Melanurus. M e d i -
z i n : schärft das Gesicht; seine Brühe ist
gut für das Bauchgrimmen oder „Mûter
vertreyben" (22 a).

B r a u n e r   M e e r - B., Cantharus
lineatus. B i o l o g i s c h e s : „Dise fisch
söllend eyfferen umb jre weyber / sich
artig paren / keine frömbde lieben / auch
gantz grausam ein yeder vmb die seine
kempffen: auch reinigkeit stetigklich
halten" (22 b). M e d.: „Gesotten bewegt
er den stûlgang" (23 a).

G o l d - B., Chrysophrys aurata. B i o -
l o g.: trägt Stein im Kopf (23 b). M e d.:
„hilft denen so vergifft / oder gifftig honig
gefrässen haben" (23 b).

S p a r - B., „Sparus stagni marini",
eine Species der Sparidae. M e d.: leicht
zu verdauen, „bewegt den harn" (24 a).

G e i ß - B., Sparus Sargus. B i o l.:

Von dem Geruch der Ziegen angezogen
(24 b; nach Aelian 1, 23. 424 u. Oppian 4,
308). M e d.: „Die zän von den fischen
angetragen / nemmend hin allen Schmert-
zen der zänen. Sein fleisch sol ein ge-
bürliche speyß seyn den wassersüchtigen" (25 a).

K l e i n e r   r o t e r   M e e r - B.,
„Erythrinus Rubellio" (Sparus erythrinus *L.*?). M e d.: Gut für das Fieber,
„gestellend den bauchfluß / bewegend zû
vnkünschheit. In weyn ertrenckt / der
selbig getruncken / sol bringen ein ver
druß weyn zetrincken" (25 b).

G r o ß e r   r o t e r   M e e r - B., Pa-
grus vulgaris. M e d.: „Die gall von den
fischen wirdt vnder etliche arztneyen gemischt / wider die stächenhaar der aug-
brawen" (26 a).

Z a h n - B., Dentex vulgaris. M e d.:
Gibt „gesund schön geblüet / vnd macht
einen satten stulgang" (26 b).

F l e c k - B., „Acarnan" (?). M e d.:
„gut geblüet" (26 b).

M ü n c h - B., „Orphus" (? vgl. Plin.
NH. 9, 54; Ovid. hal. 104). M e d.: „Sy
werdend gelobt zû den Kranckheiten so
von heisser / scharpffer / beyssender /gäl-
süchtiger feuchte entspringend" (27 a).

M e e r s c h a t t e n , „Umbra" (Um-
brina cirrhosa? Sciaena nigra? vgl. Varr.
LL. 5. 77; Ov. hal. 111; Col. 8, 16, 8;
Auson. Mos. 90). B i o l.: Stein im Kopf
(28 a). M e d.: Die Steine „werdend in
silber vnd gold eyngefasset / getregt als
ein sonder secret wider das bauch grim-
men vnd die Mûter / doch söllend sy
n i t t   k a u f f t / sonder geschenckt worden seyn" (28 b).

L a t - B., „Latus" (Sciaena?). M e d.:
„gebärend ein gût geblüet" (29a).

M e e r r a b e , „Coracinus" (Sparus
chromis). M e d.: „Das F l e i s c h der
fischen ist krefftig wider den stich der
Scorpionen aufgelegt. Sein g a l l in die
augen geschmiert / nimpt hin die tünckle
/ finstere der augen / die fläcken vnd
anmäler / stelt die flüß der augen (vgl.
Plin. NH. 32, 24, 1). Die s t e i n auß
seinem Kopff pflägt man in gold vnd silber eynzefassen / welche krafft söllend
haben wider den stich der seyten / das or

damit berüert / auch bauchgrimmen vnd mûter / söllend hindern die stein der nieren / vnd so sy gewachsen / außtreyben / gepülffert vnd eyngegeben" (29 b). Auch die Angaben von H ö f l e r [4]) über die volksmedizinische Verwendung des B.nkopfs gegen Geschwüre, Hühneraugen, Feigwarzen und einer Sulze von S c h n a u z e n - B. (Sparus smaris) gegen Ähnliches beruhen auf antiken Quellen (Dioscurides, Plinius, Marcellus Sidetes u. a.).

[1]) S e e f r i e d - G u l g o w s k i 102. [2]) Fol. 165 ff. [3]) Fol. 21 a—32b. [4]) *Organotherapie* 147 f.   Hoffmann-Krayer.

Braten [1]). B. ist der Hauptbestandteil der Festspeise und für den einfachen Mann auf dem Lande der Inbegriff alles Festlichen und Köstlichen, z. B. der W e i h n a c h t s -[2]) und O s t e r b.[3]), der B. beim E r n t e f e s t [4]) und H o c h z e i t s f e s t [5]); L i c h t b.[6]) ist ein Herbstfest der Handwerker auf Rügen gewesen, „B r o t i s g i g e r" heißt in Schlatt [7]) bei Staufen der an Festen aufspielende Musikant; auch die auf B. sich beziehenden Sagen [8]) und Sprichwörter [9]) beweisen diese Hochschätzung des B.s; das an das Brustbein des Gansb.s an Martini [10]) sich knüpfende O r a k e l deutet auf den einstigen Opfercharakter der Handlung des B.s. Wie die Z w e r g e und Unterirdischen backen und kochen, so ist auch B. ihre Lieblingsbeschäftigung: Auf Rügen [11]) duftet es in der Nähe eines Hünengrabes nach Schweineb.; der dort ackernde Knecht bekommt von den Zwergen B. vorgelegt (vgl. Backen, Brot, Kuchen); den Farnröder [12]) Neujahrssängern reicht ein Männlein B.; dieser wird bei dem, der davon ißt, zu G o l d (vgl. Brot, Kuchen); die wilde Jagd zu Schönermark [13]) gibt dem Bauern eine Ochsenkeule; in Mecklenburg [14]) versieht ein Unterirdischer das Geschäft des B.wenders in der Herrschaftsküche; dieses Geschäft war nach einer von Grimm [15]) ziticrten Urkunde (1454) früher ein besonderes Ehrenamt. Auch ein besonderer Glaube knüpft sich an die B.geräte: in Tirol [16]) läßt die Bäuerin den Pfannknecht nach dem Gebrauch nicht leer auf dem

Feuer, sonst müssen die armen Seelen darauf braten. Die Siebenbürger Sachsen legen den Bratspieß apotropäisch in den Ofen, um den Schaden vom Kind abzuwehren [17]). In Lichtenberg [18]) bei Ruppin gebraucht man das in der Pfanne haftende B.fett als E i n r e i b e m i t t e l gegen Herzgespann der Kinder; nach Ekkehards [19]) benedictiones ad mensas war B ä r e n b. h e i l k r ä f t i g.

[1]) G r i m m *DWb.* 2, 309 f.; G r a f f *Summarium Heinrici* in S t e i n m e y e r - S i e v e r s; E k k e h a r d *Benedictiones ad mensas* v. 117—135 in Mitt. d. antiquar. Gesellsch. Zürich 1846—47, 110 f. 118 f.; H e y n e 2, 290 ff.; S c h u l t z *Das höfische Leben* 1, 55. 384; D e r s. *Alltagsleben* 145; W e i n h o l d *Frauen* 2, 69. [2]) L e o p r e c h t i n g *Lechrain* 208. [3]) Der Osterbraten wird in Tirol geweiht: Z i n g e r l e *Tirol* 150, 1295. [4]) M e y e r *Baden* 434. [5]) Der Hochzeitsbraten wird in Thüringen wird am Ehrentisch vom Schulmeister zerlegt: W i t z s c h e l *Thüringen* 2, 237, 68; in Bayern bekommt die Braut vom Schweinebraten stets das Schwänzlein: DG. 13, 95; bei den Südslaven ist der B. als Fruchtbarkeitssymbol bedeutsam: vor dem Brautlager legt man einen Teller mit Wurst und einer gebratenen Henne auf den Schoß der Braut: K r a u ß *Sitte und Brauch* 460. [6]) Jahrb.d.Ver.f.ndd. Sprachforschung 1875, 111; Bremer Wb. 2, 889; BlpommVk. 3, 165 ff; Weiberb. heißt ein Fest für die Frauen zu Berghausen bei Speier: Bavaria 4 b, 388. [7]) M e y e r l. c. [8]) Die Greifswalder heißen Lammsbraten, weil sie 1429 dem dänischen Admiral Lammsbraten sandten: T e m m e *Pommern* 162, 121; den bekannten Brotsagen (vgl. Brot) anzugliedern, ist eine Erzählung bei K l a p p e r (343, 142): Der Sohn verweigert dem hungernden Vater den B., der B. wird zur Kröte. [9]) G r i m m l. c.; ZfVk. 1915, 301. [10]) G r i m m *Myth.* 3, 445, 341 (vgl. 433); 468, 911. [11]) H a a s *Pommersche Sagen* [4] 30, 59. [12]) W i t z s c h e l l. c. 1, 125, 123; dagegen kann der chinesische Wassergeist keinen B. riechen: M a e n n l i n g 128. [13]) S c h w a r t z *Sagen der Mark Brandenburg* 129, 81. [14]) B a r t s c h *Mecklenburg* 2, 469 Nr. 660; vgl. B o l t e - P o l i v k a 2, 298. [15]) *RA.* 1, 487; vgl. G r i m m *DWb.* 2, 311; S c h u l t z *Alltagsleben* 144—45; vgl. Walliser Sagen 123 Nr. 96; über B. als Apparat: Z e d l e r *Universallexikon* 4, 1122; G r i m m l. c. [16]) H e y l *Tirol* 783, 111; vgl. Z i n g e r l e *Tirol* 38, 306. [17]) M ü l l e r *Siebenbürgen* (1857), 44. 60. [18]) ZfVk. 1897, 288, 6. [19]) l. c. v. 119 = p. 110, 119.   Eckstein.

Bratwurst [1]). B.e werden in Anhalt [2]) bei den Weihnachts- und Neujahrsumzügen spendiert, meist zusammen mit

Hirsebrei; in der Gegend von Hilchenbach [3]) (Arnsberg) setzen die Wirte den Stammgästen B.e vor. In Saalfeld darf man am Weihnachtsabend nicht spinnen, sonst gibt es lauter B. [4]). An M a r i a - L i c h t m e ß [5]) muß man in Baden und Hessen Hirsebrei und eine lange B. essen, damit der Flachs recht gut gerät (vgl. Brei). An F a s t n a c h t gehört B. zu den besonders beliebten Speisen:

Ezt chund die lustig Fasnachtzit,
Wos Brotwürst regnet und Chüechli schnit [6]).

Im 16. und 17. Jh. trug man große Riesenwürste bei den Umzügen herum [7]). Im Pfingstzug reitet Luther mit ein paar B.en, welche er zu zahlen vergaß [8]). Der Stelle bei Tharsander [9]), wo die Zauberer sich in Katzen verwandeln und die B. auffressen, darf man wohl keine besondere Bedeutung beimessen (vgl. Wurst). Nach Rochholz [10]) legt man in Galizien den Verstorbenen B. in den Sarg neben Getreidekörnern. Über die B. im Märchen: B o l t e - P o l i v k a [11]).

[1]) Zur Geschichte der B.: H e y n e *Hausaltertümer* 2, 294; S t e i n m e y e r - S i e v e r s *Ahd. Glossen* 3, 613, 27 ff.; G r i m m *DWb.* 2, 313; A. S c h u l t z *Das höfische Leben* 1, 384; C o n r a d v. W ü r z b u r g *Von alten Wibes List* bei F. H. v. d. H a g e n *Gesamtabenteuer* 1, 196 v. 37 ff.; am Mittwoch vor Michaeli 1480 errichtete der Magistrat der Stadt Gerolshofen eine B r a t w ü r s t - O r d n u n g über Beschaffenheit und Preis der B.e: Archiv des historischen Vereins f. d. Untermainkreis 3 (1836), 1. Heft, 162; L a m m e r t 41; C o l e r *Oeconomia* 1, 78, 468. [2]) H a r t u n g in *ZfVk.* 1896, 429 31. Im Kalender des K. v. Dankrotsheim lesen wir: Do kam der heilige Sylvester und braht ein brotwurst in der hende: S c h m e l l e r *Bayr. Wb.* 1, 271; zum Sammeln der Würste bei Umzügen: J a h n *Opfergebräuche* 88. 104. [3]) K u h n *Westfalen* 2, 111, 331; S a r t o r i *Sitte u. Brauch* 3, 54; *ZrwVk.* 1907, 10. [4]) P r a e t o r i u s *Blocksberg* 457. [5]) *ZfVk.* 1905, 317 f.; M e y e r *Baden* 274; W. 95. 658. [6]) Der Kanton St. Gallen, Denkschrift zur Feier seines hundertjährigen Bestandes (St. Gallen 1903) 626; Rockenphilosophie 2. Hundert, 336. [7]) H ö f l e r *Fastnacht* 28. 61. [8]) Bavaria 1a, 376. [9]) T h a r s a n d e r *Schauplatz* 2, 475. [10]) *Glaube* 1, 325. [11]) 1, 204 ff. 3, 558 ff.   **Eckstein.**

Brauch und Sitte. Die eigentliche Volkssitte hat zum größten Teile ihre Wurzel in der R e l i g i o n (im weitesten Sinne), oder ist doch früher oder später eine enge Verbindung mit ihr eingegangen. Sie ist, wie man gesagt hat, „der Kultus des täglichen Lebens geworden" [1]). Darum können S. u. B. zu einer so zwingenden Macht werden, daß ein Verstoß gegen sie als „Sünde" betrachtet wird. Diese Anschauung hat nicht bloß etwa ein Volk wie die Batak, für die jeder, der „etwas tut, was noch nie da war", ein Verbrecher gegen Götter und Ahnen ist [2]); auch in Tirol heißt es, wenn jemand eine neue Mode aufbringt, muß er nach dem Tode so lange herumleiden, bis die Mode wieder abgekommen ist [3]).

Vielen Bräuchen liegen freilich am letzten Ende bloße äußerliche R e a k - t i o n e n gegen starke G e f ü h l s - r e i z e zugrunde [4]). Sobald aber die Reflexion in Tätigkeit tritt, stellen sich m a g i s c h - r e l i g i ö s e Beweggründe ein, die dann entweder die A b w e h r der bösen Mächte oder die Herbeiführung von F r u c h t b a r k e i t und G e d e i h e n im Auge haben und die, wenn der Glaube zur Anerkennung von Dämonen und Göttern vorgeschritten ist, deren Gunst zu gewinnen und Feindseligkeit zu brechen trachten. Namentlich alle Ü b e r g ä n g e im menschlichen Leben, in der Arbeit, in den Zeitabschnitten des Jahres pflegen von magisch-religiösen Formen umkleidet zu werden [5]) (s. Trennungsritus, Übergangsritus). Dabei macht sich eine starke Neigung zur H ä u f u n g der zauberischen Mittel geltend [6]). Groß ist auch die M a c h t d e s B e h a r r e n s in diesen Bräuchen, die sich durch allen Wandel des religiösen Bekenntnisses hindurch zu halten vermögen [7]), wenn ihnen auch oft ein anderer Sinn untergeschoben wird [8]).

[1]) S a r t o r i *Sitte u. Brauch* 1, 7 ff. [2]) W a r n e c k *D. Relig. der Batak* 114. 129. [3]) Z i n g e r l e *Tirol* 53 (453). [4]) V i e r - k a n d t im *Globus* 92, 21 ff. [5]) A. v a n G e n n e p *Les rites de passage.* Paris 1909. [6]) H e l m in *SAVk.* 20, 177 ff.; S a r t o r i 1, 8 f. [7]) A n d r e e in *ZfVk.* 21, 113 ff. [8]) S a r t o r i 1, 11 ff.   **Sartori.**

Brauchbüchlein. Die B. sind meist geschriebene und von Geschlecht zu Geschlecht überlieferte Bücher, die Heil- und Zaubermittel, Segen und Beschwörungsformeln usw. enthalten [1]). Das Wort

„brauchen" wird im Sinne von „besegnen, besprechen" verwendet [2]) und kann zurückgehen auf den Sondersinn des Wortes, wie er sich etwa aus einem Satze: „das man kein Zauberei, abersegen noch beschwerung, der creature soll prauchen" [3]) ergibt, oder auf das jüdisch-deutsche „Broche, Broiche, Bruche" aus בְּרָכָה berakha „Segen, Glück" [4]).

[1]) F e h r l e *Feste* 83. [2]) W u t t k e 166 § 225; B e c k e r *Pfalz* (1925), 134. 137; A. L a m b s *Über den Aberglauben im Elsaß* (1880), 51; M a r t i n - L i e n h a r t *ElsWb.* 2 (1904), 179; M e y e r *Deutsche Volksk.* (1898), 266. [3]) G r i m m *DWb.* 2, 317. [4]) M a r t i n - L i e n h a r t a. a. O.; B e c k e r a. a. O. 137. Dagegen vgl. *BlBayrVk.* 11 (1927), 64. Jacoby.

brauchen s. b e s p r e c h e n.

brauen.

1. Das Bierb.[1]) war ebenso Ehrenaufgabe der Hausfrau [2]) wie das Backen (s. d.): Als die beiden Weiber des Königs Alrek von Hördaland zankten, veranstaltete der König einen Wettbewerb im Bierb.; die jüngere siegte, da ihr Odin seinen Speichel zum Gären des Bieres gab [3]); auch sonst wird erwähnt, wie der Götterspeichel das Bier zum Schäumen bringt; nach der Sage der Esten brachte Noa das Bier mit dem Schaume des Ebers zum Gären [4]). Die Braut betet in Mecklenburg beim Eintritt ins Haus [5]):

> Help Herr Gott!
> Wenn ik bru, so hew ik Bier,
> Wenn ik back, so hew ik Brot
> Wenn ich starw, so bun ik dot.

Mit diesem Gebet will die eben getraute Hausfrau Gelingen und Glück erflehen für ihre Haupttätigkeiten: Backen und B.; wo wir in Schleswig-Holstein Aufzählungen von wichtigen Hausgeräten haben, werden immer die Braugeräte angeführt[6]). Natürlich ging das gewerbsmäßige Braugewerbe immer mehr auf Männer über, aber auch hier überwogen die Frauen oft, und sogar kirchliche Behörden mit Braurecht hatten braxatrices angestellt, wie die Erzählung von der wunderbaren Rettung des Hauses der braxatrix ecclesiae sanctorum Apostolorum bei Caesarius v. Heisterbach zeigt [7]); doch finden wir schon im Capitulare de villis Karls des

Großen (um 800) unter der Aufzählung der Handwerker, welche der iudex in seinem Dienstbereich haben soll, sicavatores, id est qui cervisam . . . . facere sciant [8]); für die Pfalz soll der iudex gutes Malz (bracios) stellen „et simul veniant magistri qui cervisam bonam ibidem facere debeant" [9]). Noch bis zum 15. Jh. weist Bücher [10]) für Frankfurt ein Überwiegen der Frauen im Braugewerbe nach. Im Norden haben wir 1282 das erste Edikt, das den Hausbesitzern das Braurecht zuerkennt [11]). In Westfalen braute bis ins 19. Jh. jede Hausfrau ihr eigenes Bier [12]). Im MA. blüht neben dem Hausb. ein bedeutendes Braugewerbe, das B. wird Privilegium der Klöster, Städte [13]) und Adligen [14]), eines der frühesten Privilegien ist das Grutrecht, das Otto II. am 11. April 999 der bischöflichen Kirche von Utrecht verleiht und das von Heinrich II. 1002 erneuert wird [15]); seit dem 13. Jh. entbrennt zwischen den durch gutes Bier berühmten Städten ein rühriger Wetteifer [16]); die Bierbrauer mußten als Abgabe den Bierpfennig[17]) (Ravensburg 1639) oder Bierheller [18]) (Aulendorf 1680) entrichten; neben diesen Einnahmen war vor allem das Grutmonopol, vergeben an Städte, Klöster und Adelige, eine gute Einnahmequelle [19]); der Hauptsitz des Grutbierb.s waren die Klöster; seit 1300 drängt aber das Hopfenbier das Grutbier zurück [20]); auch viele Dörfer hatten öffentliche Brauhäuser [21]); die Bauern brauten bis in die jüngste Zeit besonders zur Ernte [22]), bei Hochzeiten und Taufen [23]) ihr Bier selbst, oft nur aus Mohrrüben, Zucker und Hopfen [24]); schon Liubene braute sein Grutbier, als er seine Tochter verheiratete [25]). Über die Brauereianlagen der Klöster sind wir durch den St. Galler Plan sehr gut unterrichtet [26]); wie die Bauern Schleswig-Holsteins noch heute b., darüber gibt Mensing [27]) eine kurze Schilderung mit den volkstümlichen Bezeichnungen der Braugeräte, bei Jostes steht alles Wünschenswerte über Westfalen [28]).

Knaust befaßt sich weniger mit dem B. des Bieres [29]), dagegen geht Stengel näher auf die Braumaßregeln, auf Behandlung der Fässer und Lagerung des Bieres ein [30]), aus beiden schöpft Coler [31]).

[1]) In einer litauischen Version der Wechselbalgsage staunt der Wechselbalg die Hausfrau beim Brauen von alus an: ARw. 6 (1903), 160. [2]) W e i n h o l d *Frauen* [3] 2, 5. 9; H o o p s *Reallex.* 1, 283. [3]) Altnordische Sagabibliothek herausg. v. G. Cederschiöld, H. Gering und E. Mogk, Heft 14: *Halfs-Saga* v. A. Le Roy Andrews. Halle 1909, 69—71. [4]) E b e r t *Reallex.* 2, 21; ZfVk. 1906, 392—93; bei den Göttern spielen das B. und die Braukunst eine große Rolle: Edda: Die Sage von Hymir = 46 ff. Simrock u. Oegirs Trinkgelage = 52 ff. Simrock; vgl. Veröffentlichungen der Gesellschaft für die Geschichte und Bibliographie des Brauwesens: Bier und Bierbereitung bei den Völkern der Urzeit 1, Babylonien u. Aegypten (Berlin 1926) 24 ff. [5]) B a r t s c h *Mecklenburg* 2, 65, 236; F i n d e r *Vierlande* 1, 168. [6]) M e n s i n g *Schlesw.-H.Wb.* 1, 536 ff.; F i s c h e r *Schwäb.Wb.* 1, 1367 (Augsburg 1324). [7]) *Dialogus miraculorum* VIII, 62 = II, 134—135 Strange; vgl. X, 31 = II, 240 Strange. [8]) MG. legum sectio II tom. I, 87, 18. [9]) l. c. 88, 38 bis 39; vgl. 86, 11. [10]) B ü c h e r *Frauenfrage im Mittelalter* [2] 80, II. [11]) W e i n h o l d *Altnordisches Leben* 153. [12]) J o s t e s *Westfälisches Trachtenbuch* 81; S a r t o r i 2, 32; vgl. W u t t k e *Sächs. Volksk.* 188. [13]) H e y n e *Hausaltertümer* 2, 341 ff.; vgl. Bier A. 1; S c h u l t e in den Annalen des hist. Vereins f. d. Niederrhein, Heft 85, 130 ff.; W u t t k e *Sächs. Volksk.* 156. [14]) AKultg. 1919, 4; auch andere Güter: W u t t k e l. c. 448; 457—59. [15]) MG. Diplomata regum et imperatorum II, 739, 17/18 = III, 18, 5. [16]) H e y n e l. c. 349 ff. [17]) F i s c h e r *SchwäbWb.* 1, 1104. [18]) l. c. 1103. [19]) S c h u l t e l. c. 133—139. [20]) D e r s. 140. [21]) H e y n e l. c. 1, 195. [22]) M e n s i n g l. c.; J o s t e s l. c.; Blpomm-Vk. 4, 71. [23]) F i n d e r *Vierlande* 2, 207; ZfVk. 1893, 399 (Saterland). [24]) ZfVk. 1901, 469 (Mark); E b e r t *Reallex.* 2, 21. [25]) S t e i n m e y e r *Ahd. Sprachdenkmäler* (1916), 401 Nr. 82, 1. [26]) H e y n e l. c. 2, 343. [27]) l. c. 536 ff. [28]) J o s t e s l. c. 78 ff. [29]) K n a u s t *Fünff Bücher von der Göttlichen und Edlen Gabe, der Philosophischen, hochthewren und wunderbaren Kunst, Bier zu brawen.* 1573; hier wird die spätere Erfurter Ausgabe 1614 (Exemplar in der Frankfurter Stadtbibliothek) zitiert: p. 8 ff. u. 14 ff. [30]) *Bewerte Bierkünste; welcher Maßen das Bier in diesem Lande allerhand auffmerkungen . . . . . beschrieben* durch J u s t u m S t e n g e l, Erffurdt 1616; cap. 1—6; Stengel bringt auch viele Mittel gegen Schadenzauber böser Leute. [31]) C o l e r 20 ff.; 31 ff.

2. Das B., vor allem das B. der Hausfrau im Norden, wird infolge der Angst vor Dämoneneinwirkung und vor dem bösen Blick gehässiger Nachbarn zu einer mit Vorsichtsmaßregeln umrahmten Zeremonie, wie das Backen; beide Geschäfte stören die bösartigen Kobolde, diese werden beschuldigt, wenn das Brot oder das Bier nicht gerät; in Niederdeutschland heißt schlecht gebackenes Brot Quarges back (Quarg = Zwerg) und mißratenes Bier Quargesbier [32]); nach sächsischem Aberglauben wohnt die Braukatze [33]) im Brauhaus, ein Kobold, der aber besonders die Nachtwächter ärgert (vgl. Bier 4—5), und schon die alten Ägypter hatten ihren Bierdämon [34]); die Litauer verehrten einen besonderen Gott, „Raugupatis, der gott, der die gehr hilfft, wenn das bier wol giret, der teich wol säuret", nach Matthäus Praetorius [35]), und Lasicius berichtet [36]): Rauguzemapati offerunt posteaque ebibunt primum vel cervisiae vel aquae mulsae e dolio haustum. Heute wird Nikolaus [37]) von den Bierbrauern verehrt; in Flandern verehrt man den Gambrinus [38]) (s. d.); bei den Esten durfte man am Thomastag nicht b., weil sonst der schwarze Thomas im Küwen saß und das Gebräu verdarb [39]). Als Gegenmittel gegen Schadenkobolde legt man in Gotland ein Steinbeil in den Braukessel [40]); die Braugefäße werden aus Vogelbaumholz gemacht [41]) (vgl. Butter und Milch); der Kessel wird in Norwegen geweiht, bevor das Malz hineinkommt [42]). In Schleswig [43]) legte man beim B. ein Holzkreuz auf den Bottich und streute auf jedes Ende Salz gegen Verrufen des Bieres; Stengel [44]) empfiehlt gegen Donner, reine Tücher auf den Bottich zu legen und ins Gebräu Salz, Kieselsteine und Lorbeerblätter; auch stellte man einen Querbaum in die Türe, um Unreine fern zu halten, die das Bier verderben konnten [45]). Stengel [46]) bringt schon die Ansicht, daß eine foemina menstrualis das Bier sauer werden lasse, und in Thüringen heißt es: Wenn eine Frau die Menstruation hat, soll sie keine Brauerei betreiben, sonst schlagen Bier (s. Milch), Wein und Essig um [47]). Feilberg berichtet, wie sehr die nordische Hausfrau [48]) beim Bierb. (wie beim Backen) den bösen Blick fürchtet; eine Hexe kann bewirken, daß das Bier von Ungeziefer wimmelt; kommt eine verdäch-

tige Person, so deckt man rasch den Bottich zu [49]); der Schwede steckt beim Eintritt eines Fremden einen Feuerbrand in die Bierpfanne [50]). Ist ein Braugefäß in Estland beschrien, so läßt man ein Pferd darauf nießen [51]), ist es vom bösen Blick besehen, so rührt man mit dem Stock eines Bettlers darin [52]). „Beim B. lege man einen Strauß großer Brennesseln aufs Faß, so schadet kein Donner dem Bier", sagt die Rockenphilosophie [53]); diese rät auch: „beim B. gesungen, gerät das Bier" [54]) (vgl. Bier § 7). Ehe man die Bierhefe in die Maische legt, wird sie mit einem grünen Eichenzweige bestrichen [55]); wenn man die Hefe ins Bier wirft, muß man kreischen, damit das Bier gärt [56]). Wenn das Bierb. mißlingt, trifft Unglück ein [57]).

[32]) NddZfVk. 1926, 5; L a u f f e r *Ndd. Volksk.* 79. [33]) M e i c h e *Sagen* 53, 53. [34]) *Sphinx* 15, 130 ff.; ARw. 17, 208; über Bier im Götterkult der Babylonier vgl. die A. 3 zizierte Abhandlung. [35]) S. 32; U s e n e r *Götternamen* 100. [36]) J o h. L a s i c i i P o l o n i *de diis Samogitarum libellus* hg. v. W. M a n n h a r d t. Riga 1868, 122; U s e n e r l. c. [37]) A l b e r s *Das Jahr* 311. [38]) Ableitung von Herzog J a n p r i m u s von Brabant ist bestechend: Monatsschrift f. d. Gesch. Westdeutschlands 4 (1878), 88—89; K. G. A n d e r s e n *Über deutsche Volksetymologie* [5] 241; aber wahrscheinlicher ist die Herleitung von cambrarius: Thes. L. L. s. v. cambarius; S c h u l t e l. c. 145—146; H e y n e l. c. 2, 371f.; natürlich ist eine spätere volksetymologische Verbindung mit Jan primus nicht ausgeschlossen, vgl. C o l e r 20 ff.; über Dionysos als Gott des Bieres vgl. F r a z e r 5, 1, 2 A. 1; Classical Review 15 (1901), 23. [39]) B o e c l e r *Ehsten* 93; in Norwegen darf man am Sonnwendtage nicht backen und b., weil sich sonst der Rost im Brauhause umdrehen würde: L i e b r e c h t *Zur Volksk.* 315, 32. [40]) M o n t e l i u s *Kulturgeschichte Schwedens* 69; NddZfVk. 1926, 5 A. 1. [41]) *Germ. Mythen* 101. [42]) L i e b r e c h t l. c. 315, 30. [43]) M e n s i n g l. c. 537 mit Literatur; ZfVk. 1914, 56, 28; vgl. L i e b r e c h t l. c. 315, 31; H e c k s c h e r 383; S e l i g m a n n *Blick* 2, 16. [44]) l. c. cap. 8; vgl. C o l e r l. c. 406 c. 58. [45]) M e n s i n g l. c. 1, 537; vgl. A. 43. [46]) l. c. cap. 8. [47]) W i t z s c h e l *Thüringen* 2, 278 Nr. 24. [48]) Aus ähnlichen abergläubischen Motiven wird bei den Birmanesen das B. zur heiligen Aufgabe: Zwei Weiber werden ausgelost; sie dürfen nichts Saures essen und keinen Geschlechtsverkehr haben, sonst wird das Bier sauer: F r a z e r 2 [3], 200. [49]) ZfVk. 1901, 306; 321—22; F e i l b e r g *Dansk Bondeliv* 1 [3],

89 ff.; S e l i g m a n n *Blick* 1, 236; vgl. S a r t o r i *Sitte u. Brauch* 2, 32. [50]) M a n n h a r d t *GM.* 101. [51]) S e l i g m a n n 1, 289. [52]) D e r s. 1, 336. [53]) G r i m m *Mythologie* 3, 445, 336; vgl. Bier A. 134—135; S a r t o r i 2, 16 A. 34; vgl. A. 42 a. [54]) G r i m m l. c. 3, 445, 347. [55]) S t r a c k e r j a n 1, 126; W. 717; S e l i g m a n n l. c. 2, 60; S a r t o r i 2, 32; vgl. S t r a c k e r j a n 2, 226, 477. [56]) K n o o p *Hinterpommern* 183; BlPommVk. 4, 71; S a r t o r i 2, 32. [57]) Urquell 4 (1893), 159, 145.

3. Weniger romantisch und nicht abergläubisch, aber nicht weniger gewissenhaft war die Sorge der Stadtbehörden beim B.; nach den Nürnberger Polizeigesetzen wurde der Braumeister vereidigt; ungenießbares Bier schüttete der Henker öffentlich aus [58]); in Schwaben mußte der Bierküster [59]) das Gebräu besichtigen und prüfen (Verordnung von 1543); schlechtes Bier wurde durch die Polizei ausgerufen [60]); daher die Redensart: einander das Bier verrufen = einander schlecht machen (Augsburger Verord. v. J. 1552). Die Bierbrauer haben ihre besonderen Zunftgepflogenheiten, besonders die Brauburschen [61]), wenn sie auf Wanderschaft eine Gabe heischen.

[58]) P e t e r s *Pharmazeutik* 2, 209 ff. [59]) F i s c h e r *SchwäbWb.* 1, 1103. [60]) D e r s. 1, 1104. [61]) L a c h m a n n *Überlingen* 313; MschlesVk. 1897 Heft 4, 61; Erl. Hmtblt. 3 (1920), 154.   **Eckstein.**

braun. Für den Ursprung der Farbenbezeichnung b. im entsprechenden T i e r f e l l sprechen älteste und häufigste Verwendung wie auch Etymologie: zur nämlichen Wurzel gehören „Meister Braun" (s. Bär) und Biber (s. d.); vgl. auch φρύνη (s. Kröte) [1]).

V o r b e d e u t u n g. Alte Bauernbeobachtung schließt aus dem Winterpelz der Tiere auf das Eintreten rauher Witterung. Behalten im Spätherbst die Wiesel lange Zeit ihren b.en Pelz, wird der Winter mild; färbt sich der Pelz aber bald weiß, gibt es einen strengen Winter mit viel Schnee [2]). Aus dem Brustbein der Martinsgans, gegen das Licht gehalten, kann man schließen, wie der Winter werden wird: weiße Flecken deuten auf Schnee, b.e (seltener: rote) auf Frost und Kälte, und zwar so, daß der vordere (am

Halse) bzw. der hintere Teil des Brust-
beins die Winterzeit vor bzw. nach Weihnachten bezeichnet [3]). Die Bauernregel
weiß das auch in Reimen auszudrücken:

Ist's Brustbein der Gans b.,
Wirst du viel Kälte schaun,
Ist's aber weiß,
Viel Schnee und Eis [4]).

Schon 1455 klagt der Leibarzt des
Herzogs Albrecht von Bayern: „Vor-
zeiten giengen die alten pawren uff den
ainöden damit umb, nun ist der ungelaub
gewachsen in küngen fürsten und dem
ganzen adel, die an sölich sach ge-
lauben [5])." — Begegnet man einem
Schimmel und einem B.en, sieht man
heut noch seinen Geliebten [6]).

V o l k s m e d i z i n i s c h e s.   Man
nagle eine b.e Schnecke mit hölzernem
Hammer an den Türpfosten; sobald sie
vertrocknet, dörren auch die W a r z e n
ab [7]). Gegen die „häutige" B r ä u n e
(s. d.) [8]) kocht man sieben rote Schnecken
in Weinessig und bindet den darein getauchten Leinlappen möglichst warm um
den Hals mit den Worten:

Tod und Bräune gingen durch das Land,
Da begegnete ihnen der göttliche Heiland
Und jagte sie über die Felder
In alle Wälder [9]).

Der Saft der B r u n e l l e (s. d.), auch
„Braunheil" genannt, ist als Gurgelwas-
ser ein altbewährtes Mittel gegen Bräune
und Mundfäule [10]); auch gegen Frauenleiden [11]) und als Augenwasser [12]) fand
die Pflanze Verwendung. — Mit B r a u n -
k o h l — wer dies verbreitete Gericht zu
Weihnachten nicht ißt, bekommt Eselsohren — füttert der Knecht am Heilig-
abend oder in der Silvesternacht die
P f e r d e , möglichst mit gestohlenem,
um das ganze Jahr wohlgenährte, glänzende Tiere zu haben [13]); deutlich wird
gesagt: jede Kuh und auch jedes Pferd
bekam ein Blatt Braunkohl, die Schweine
dagegen nicht [14]).

V e r s c h i e d e n e s.   B.e A u g e n
behalten im Tode ihr Licht, blaue brechen [15]). Sonst ist die Wertschätzung b.er
und blauer Augen landschaftlich natürlich
sehr verschieden [16]). — Auf Rügen unterscheidet man neben weißen und schwarzen auch b.e U n t e r i r d i s c h e [17]).

— In Besprechungsformeln spielt die b.e
Farbe eine geringe Rolle einmal zur Bezeichnung der erkrankten Tiere, dann
um ja keinen der in Betracht kommenden,
durch die Farbe zu kennzeichnenden
Krankheitsdämonen   zu   übersehen
(Schlangen, Würmer, Rotlauf) [18]). —
Oft schwankt b. nach s c h w a r z (s.
Trauerfarbe), r o t (s. a. Anm. 8) und
g e l b , wie ja die Einzelsprachen das B.
oft im Hinblick auf diese Farben benennen [19]). Dafür noch einige Beispiele. Wer
träumt, er sehe viel schwarze oder b.e
Dinge, hat viel schwarze Galle oder Melancholie im Leibe [20]). Die Zigeuner ver-
nageln gegen Feuer b.e Kugeln an den
Hauptbalken der Scheune [21]). Gelbsucht
wird von Gegenständen gelber, b.er oder
schwarzer Farbe angezogen oder auf dieselbe übertragen [22]). Vereinzelt gegenüber
gelb (s. d.) heißt es: wer b.e Finger bekommt, stirbt bald [23]). Wo der Bilmschnitter ging, sind die Halme ganz b. [24]).

[1]) S c h w e n t n e r *Untersuch. über Gebrauch
u. Bedeutg. d. altgerm. Farbenbezeichn.* 56 ff.;
S c h r a d e r *Reallex.* [2] 1, 161; K l u g e *EtWb.*
67. Mhd. kann b. auch violett und purpurrot
bedeuten. [2]) P o l l i n g e r *Landshut* 229 und
230; vgl. Z i n g e r l e *Tirol* 92 Nr. 785 und
118 Nr. 1055. [3]) T h i e l e *Folkesagn* II Nr. 53
(m. Lit.); W i r t h *Beiträge* 4/5, 19 und 40;
ZfrwVk. 10, 22; F o g e l *Pennsylvania* 238 f.
Nr. 1233 (m. Lit.); G r i m m *Myth.* 3, 445 Nr.
341 (Rockenphilos.) und 468 Nr. 911; S t e i -
n e r *Tiere* 2, 245; T e t t a u u. T e m m e 279
Nr. 15; rot: Jahrb. d. Ver. f. mecklenb. Gesch.
u. Altertumskde 9 (1844), 219 (m. Lit.); Balt-
Stud. 33 (1883), 123; C u r t z e *Waldeck* 403
Nr. 164 (m. Lit.); K u h n u. S c h w a r t z
455 Nr. 414. [4]) BlpomVk. 8, 118 Nr. 16; vgl.
a. Nr. 17 und 18. [5]) G r i m m *Myth.* 3, 433.
[6]) M ü l l e r *RheinWb.* 1, 930. [7]) G r i m m
Myth. 3, 471 Nr. 975. [8]) Im allgem. bezeichnete
man mit Bräune eine ganze Anzahl von Krank-
heitserscheinungen, nicht nur Halserkran-
kungen; man „beutete" die Kopfrose noch 1905:
„O B r a u n , wo webst du? . . . Ich will Kräuter suchen und dich vertreiben." (ZfrwVk. 5,
94.) Bräune = Rotlauf: A r n d t s *Schrift.* 3,
512 f. (bei H e c k s c h e r 126. 140).
[9]) M e y e r *Baden* 575 = Z i m m e r m a n n
Volksheilkde 30. [10]) M ü l l e r *Kräuterbuch*
(1871), 528 f.; F r i s c h b i e r *Preuß. Wb.*
105; SchweizId. 5, 652; SchwVk. 7, 10 (15.
Jh.); M a r z e l l *Kräuterb.* 275. [11]) Z a h l e r
Simmenthal 68 f. Ist dabei etwa an die Gleichung mit mhd. briune (vulva) zu denken?
[12]) SchwId. 5, 187. [13]) K u h n *Märk. Sag.*
379 Nr. 27; Abergl. und Sympathie in d. Alt-

mark (Bismark 1894), 6; E n g e l i e n u.
L a h n 239; W i r t h *Beitr.* 4/5, 13; 6/7,
5. [14]) ZfVk. 1 (1896), 430. [15]) Z i n g e r l e
Tirol 48 Nr. 423. [16]) Vgl. z. B. F i s c h e r
SchwäbWb. 1, 1180 und SchweizId. 5, 647.
[17]) E. M. A r n d t (ed. Meisner u. Geerds)
5, 104; vgl. dazu und zu den schottischen
„brownies" G r i m m *Myth.* 1, 368; 3, 125;
H e c k s c h e r Reg.; B. als Farbe übernatürl.
Wesen: F e i l b e r g *Ordbog* 4, 67. [18]) ZfVk.
1895, 29; BlpomVk. 7, 114 Nr. 12; 117 Nr. 5.
[19]) S c h r a d e r a. a. O. [20]) M e g e n b e r g
Buch der Natur 41. [21]) F i s c h e r *Aberglaube*
280 f. [22]) L a m m e r t 248. [23]) R e i s e r *Allgäu* 2, 314. [24]) S c h ö n w e r t h *Oberpfalz* 1,
428; vgl. a. die Hexentanzringe (gelb und rot).
                              Schewe.

Bräune. Für Angina und Diphtheritis
gab es früher die Bezeichnung „Häutige
B." [1]).

Zunächst gilt die Homöopathie: Man
bindet ein mit Butter bestrichenes blaues
Zuckerpapier um den Hals des kranken
Kindes (Unterfranken) [2]) oder ein blaues
Tuch (Schweiz) [3]). In Mecklenburg be-
wahrt man sich vor der B., wenn man
einen blauen Wollfaden um den Hals ge-
bunden trägt [4]). In Tirol hängt man dem
Kranken einen roten Faden, mit dem eine
Kreuzotter erwürgt wurde, um den
Hals [5]).

Oder man macht einen Umschlag aus
einem frischen, in Wein oder Milch gekochten Schwalbenneste [6]) oder aus dem
Hirn einer schwarzen Katze [7]); oder man
ißt am Palmsonntag Palmkätzchen [8]).
Als Heilpatrone gelten St. Blasius [9])
und Jodocus [10]).

[1]) H ö f l e r *Krankheitsnamen* 65; H ö h n
Volksheilk. 1, 139; H o v o r k a - K r o n f e l d
2, 697; H o o p s *Reallex.* 1, 311. [2]) H o-
v o r k a - K r o n f e l d ebd. [3]) W e t t-
s t e i n *Disentis* 172. [4]) B u s c h *Volksabergl.*
76. [5]) ZfVk. 8, 172. [6]) S t a r i c i u s *Heldenschatz* (1679), 523; Schwalbennester empfehlen
schon C e l s u s (4, 4) u. P l i n i u s (30, 4).
[7]) W u t t k e § 537. [8]) F o s s e l *Steiermark*
99; S c h ö n w e r t h *Oberpfalz* 3, 262.
[9]) S c h l i c h t *Bayrisch Land und Volk* 72;
F o n t a i n e *Luxemburg* 19; [10]) W r e d e
Eifler Volksk. 65.   Stemplinger.

Braunwurz (Scrophularia nodosa).

1. B o t a n i s c h e s. Einen halben bis
einen Meter hohes, zu den B.gewächsen
(Skrofulariazeen) gehöriges Kraut mit
vierkantigem Stengel und gegenständigen,
eiförmigen Blättern. Die Blüten sind
schmutzig-braun. Die B. wächst häufig
an Gräben, Bächen und im feuchten Gebüsch [1]).

[1]) M a r z e l l *Kräuterb.* 359 f.

2. Die am Hals getragene B. soll ein
gutes Mittel gegen Kröpfe sein [2]). Sie
wird gegen Skropheln verwendet, und
zwar muß sie zu diesem Zweck zwischen
den beiden Frauentagen gesammelt sein [3]).
Jedenfalls gab der knollig verdickte Wurzelstock der B. Anlaß zu diesem Aberglauben (signatura rerum!). Aus dem
gleichen Grunde (oder wegen der Ähnlichkeit der Blüten) wird die B. gegen
Blutgeschwüre in der Tasche getragen [4]),
ferner wird sie beim Blutharnen der Kühe
gebraucht [5]). Früher scheint überhaupt
die B. häufig zu sympathetischen Kuren
gebraucht worden zu sein, denn Bock [6])
schreibt, daß die „Weiber seltzamer superstition" damit treiben. In der mährischen Walachei gebrauchen die Schafhirten die Pflanze gegen Verzauberung [7]).

[2]) Z. B. T a b e r n a e m o n t a n u s *Kräuterbuch* 1731, 930; ZföVk. 6, 111; vgl. Ampfer.
[3]) S a t t e r *Gottschee* 18. [4]) W a r t m a n n
St. Gallen 71; in Bosnien wird die B. auf Karbunkel aufgelegt: Wiss. Mitt. Bosn. Herceg. 7,
363. [5]) K r ü g e r *Mecklenburg* 77. [6]) *Kräuterbuch* 1551, 71 r. [7]) ZföVk. 13, 24.   Marzell.

Braut (= B.), **Bräutigam** (= Bg.).

1. Bedeutung des Brautstandes. — 2. In Erwartung der Brautzeit. — 3. Gewinnung der
Braut. — 4. Das glückhafte Brautpaar. —
5. Das gefährdete Brautpaar. — 6. Allerlei
Aberglauben im Hinblick auf die Ehe. —
7. Fortwirkendes Brautglück in der Ehe. —
8. Braut als Glückstitel, Maibraut. — 9. Gottes-
und Teufelsbraut.

1. Der B. s t a n d gilt als ein Stand des
Glückes, verleiht tieferes Lebensgefühl,
erhöhte Lebensmacht. Der Volksglaube
sucht das Wann und Wie dieser Glücks-
zeit zu erkennen, sie herbeizuführen, ihren
Segen für Gegenwart und Zukunft aus-
zunutzen und ihre Gefahren abzuwehren.
B.zeit ist mehr noch als Geburt der Ge-
genpol zu Sterbezeit; die Wege, auf denen
B. und Bahr kommen, sind bedeutungsvoll. Selbst die Kirche, wo sie den weltlichen Sinn gemeistert und das wahre
Leben ins Jenseits verlegt hat, führt die
Seelen als Bräute dem himmlischen Bg.

zu, so dem Volksglauben das tiefbegründete Recht auf eine besondere Beachtung der B.zeit als einer Zeit der notwendigen Erlösung des Ich im Du nachdrücklich bestätigend.

„Dat is man 'ne ulle slechte Dirn, de kenen Broegam hett", sagt man in der Lüneburger Heide [1]). Wie in Indien heute auch die untersten Kasten, vornehmlich aus abergläubischer Furcht vor der „Schande", ein unverheiratetes Mädchen im Hause zu haben, immer mehr zu den Kinderheiraten übergehen [2]), so duldet auch bei uns der Volksglaube keine L e - d i g e n (s. d.) [3]), daher gibt man dem unverlobt verstorbenen Jüngling eine schwarz-verschleierte „B." mit ins Trauergefolge [4]) und ledig gestorbenen Mädchen, ja selbst Kindern, den B.kranz ins Grab, oder man richtet zum Leichenbegängnis dem Toten die versäumte Hochzeit zu [5]). Andererseits glaubt man, daß Mädchen, die als Bräute sterben, auf Kreuzwegen so lange tanzen, bis ihnen der Bg. nachgestorben ist [6]). Der alte Aberglaube an die bindende Gewalt des gegebenen Versprechens und an die Notwendigkeit seiner Erfüllung, weniger aus sittlicher Freiheit als aus der zwingenden Wirkungskraft des gesprochenen Wortes selbst (vgl. Wikingergelübde, Weissagungen und Verwünschungen im anord. Schrifttum), zeigt sich hier noch wirksam. Ihren vor tausend Jahren gefallenen Verlobten erneuern nach französischer Sage die „Dames des Prés" alljährlich einmal das einst gegebene Gelöbnis [7]), und eine andere Sage deutet drei menschenähnliche Felsenriffe als drei treue Bräute, die hier einst am Meerstrand auf ihre Verlobten vergeblich warteten [8]). Das Märchen erzählt von verzauberter B. oder verzaubertem Bg. in Tiergestalt, die durch Treue erlöst werden, von vergessener und untreuer B.[9]). Eine B., die sich verschwur: „Wenn ich einen anderen denn Dich nehme, so hole mich der Teufel auf der Hochzeit", wird, da sie es dennoch tut, vom Teufel pünktlich abgeholt [10]), und Volkslieder singen vom höllischen Reiter, der die untreue B. in seinen ewigen Unfrieden entführt [11]).

[1]) K ü c k *Lüneburg* 154. [2]) J o l l y *Recht u. Sitte* 58; [3]) N a u m a n n *Gemeinschaftskultur* 38 ff. [4]) L a u b e *Teplitz* 33. [5]) SchwVk. 11, 13 ff. [6]) R o c h h o l z *Sagen* 1, 291. [7]) S é b i l l o t *Folk-Lore* 2, 204. [8]) Ebd. 2, 95. [9]) T e g e t h o f f *Amor u. Psyche* 27 ff. 50 ff. [10]) M e i c h e *Sagen* 466. [11]) E r k - B ö h m e 1, 625—631.

2. Wenn um das Haus die Schwalben fliegen, wird bald ein Mädchen darin B.; denn über jeder B., sie mag sein, wo sie will, fliegen die Schwalben [12]). In Dithmarschen glaubt man eine heimliche B. im Hause, wenn das Schüssel-Aufwaschwasser kocht [13]). In Weingarten (Schwaben) gibt's eine B. im Haus, wenn an einem Gefäß ein hölzerner Reifen springt [14]). Brennen drei Lichter in einer Stube, so wird ein Mädchen B.[15]), und wen's in der Nase juckt, der „riecht" eine B. oder erfährt sonst eine große Neuigkeit [16]).

Zerbrechen beim Nähen viele Nadeln, so wird das Mädchen B., noch ehe das Kleid abgetragen ist [17]). Bleibt ein Zweiglein am Kleid eines Mädchens hängen, so wird sie bald B.[18]); ein junges Mädchen, das Trauzeuge ist, wird binnen Jahresfrist B.[19]), desgleichen, wenn es beim Essen zwischen zwei Schwestern oder zwei Brüdern oder an der Tischecke zu sitzen kommt [20]). Hierher gehören auch die vielfachen Versuche bei Mädchenzusammenkünften (Flachsrupfen, Spinnen, B.kaffee u. a.), die nächste B. herauszubekommen. Wer in seinem Anteil (Kuchen u. a.) einen bestimmten, versteckten Gegenstand findet, wird die nächste B. Beim B.kranzaustanzen pflegt in Niederschlesien die B. mit verbundenen Augen einer Gefährtin den Kranz aufzusetzen, und diese ist dann die nächste B.[21]). Wer beim Zerreißen des Kranzes die erste Blume bekommt [22]) oder ein Stück vom Brautschleier erhascht [23]), hofft selbst bald solchen Schmuck zu tragen. Und Stücke vom B.kuchen, der über dem Kopf der B. zerbrochen und unter die Mädchen verteilt wird, legen sich die Heiratslustigen unter das Kopfkissen, um d e n Z u k ü n f t i g e n i m T r a u m zu sehen [24]). Von der Thomasnacht bis zur Weihnacht brauchen die Mädchen nur ein Wachskerzchen in den Schuhen zu tragen und es dann während der Mette anzuzünden, und der zukünftige Bg. stellt sich ihnen zur Seite [25]). Besonders sind die Andreas-, Matthias- und Thomasnacht (s. d.) geeignet zu solcher Bg.schau. Nacktheit und Wasser (Quell, fließendes, stehendes Wasser, Waschschüssel) [26]), aber auch Kranz, Laub und Lichter u. a. spielen dabei eine wesentliche Rolle [27]). Dem Mädchen, das sich im Bache wäscht, über den „B. und Bahr" ziehen, und sich mit nassem Gesicht ins Bett legt, wird im Traum der Zukünftige erscheinen, es abzutrocknen [28]). Die Vielfältigkeit dieser B.orakel und Vorstellungen vom Bg. als Traumgast macht vollständige Angabe unmöglich (s. a. Liebesorakel). Bedeutungsvoll ist der letzterwähnte Wunschtraum vom Zukünftigen als eine Wurzel des Märchentypus von Amor und Psyche [29]), in klassischer Dichtung verklärt durch Kleists Käthchen von Heilbronn (IV, 2).

[12]) G r o h m a n n 71. [13]) ZfVk. 24 (1914), 55. [14]) B i r l i n g e r *Aus Schw.* I, 415. [15]) Unoth 183 Nr. 61. [16]) Ebd. 184 Nr. 93. [17]) Ebd. 185 Nr. 55. [18]) SchwVk. 3, 74. [19]) S t r a c k e r j a n I, 31. [20]) Meier *Schwaben* 2, 506. [21]) D r e c h s l e r I, 277; J o h n *Erzgebirge* 101. [22]) ebd. [23]) Ebd. 102. [24]) Mannhardt *Forschungen* 361. [25]) F r a n z i s c i *Kärnten* 32. [26]) K u h n *Westfalen* 2, 123 ff. [27]) ZfrwVk. 3, 63 ff. [28]) F r a n z i s c i *Kärnten* 32. [29]) T e g e t h o f f *Amor u. Psyche* 85.

3. Die Worte „B." und „Bg.", heute bei uns vorwiegend auf die V e r l o b t e n angewandt, bezeichneten ursprünglich nur die B.leute am Hochzeitstage, daneben dann auch die Jungverheirateten. Erst im späten MA. kommt der Gebrauch der Worte für die „Verlobten" auf, in England und Skandinavien bleibt er überhaupt unbekannt [30]). Gleichwohl sind nach altgermanischer Sitte „Verlöbnis und Vermählung" durchaus nicht „eins" [31]); die anord. Quellen berichten viel volkskundlich Beachtliches über die B.zeit [32]), die durch bösen Zauber gestört, durch Treue geheilt wird. Die Form der B.-gewinnung, der B.k a u f (s. Verlobung), — das Wort „Kauf" gemäß der Bedeutung des anord. kaupa genügend weit gefaßt [33]), — hat als Unterhandlung zwischen Bg., bzw. Werber, und B.,

bzw. deren Sippenvertreter, in geschichtlicher Zeit keine wesentliche Änderung erfahren, und ist nur in Zeiten, wo eine strenge sittliche Ordnung und hohe Persönlichkeitsgeltung der Frau (wie im heidnischen Island) durch Sittenverfall und Herabsetzung der Frau abgelöst wird, von freier Übereinkunft zu rohem Geschäft ausgeartet.

Der B.p r e i s kann im Altgermanischen, wo jeder Gabentausch innerlich bindende Kraft hatte [34]), nur die nötige Gegenleistung der Sippe des Bg.s zur Vollendung des mit der Verlobung bedingten Sippenbündnisses gewesen sein [35]). „Es kann also nicht davon die Rede sein, daß der germanische Vater seine Töchter an die Schwiegersöhne verhandelt habe" [36]). Der in der B.zeit beliebte Austausch von Geschenken verrät gleichfalls nur das Bestreben, „ein künstliches Verwandtschaftsverhältnis zwischen den beiden Familien zu begründen und so fest wie möglich zu knüpfen" [37]).

Der B.r a u b (s. Verlobung) ist bei germanischen Völkern nicht als Entwicklungsstufe nachweisbar, sondern war immer nur eine je nach der herrschenden Gesellschaftsordnung und dem Stand der Sitten in verschiedenem Umfange mögliche Trotzhandlung abgewiesener oder aussichtsloser Bewerber, die im heidnischen Norden von Menschen und Gottheit (Thor) geahndet wurde. Wir deuten die im Volksbrauch fortlebenden B.-kaufbräuche und B.raubspiele falsch, wenn wir diese Bräuche als Reste einer „barbarischen" Sitte betrachten, und wir können die Glücksmacht, die der Volksglaube gerade der B. zuschreibt, und die sorgende Liebe, mit der die sie umgebende Gemeinschaft sie auf dem Wege zur Hochzeit begleitet, nicht verstehen, wenn wir sie statt aus ererbter Achtung vor jenem heidnischen „sanctum et providum" aus Veredelung durch christliche Zucht erklären. Der B.l a u f , ursprünglich der Zug des Bg.s mit der B. ins eigene Heim [38]), später vielfach ein feierlicher Umzug, wurde schließlich vielerorts ein Wettlaufspiel am Hochzeitstage (s. d.). Auch die merkwürdige Sitte der B.s-

s c h a u , im alten Testament erwähnt,
am byzantinischen Hofe im 8. und 9. Jh.
bezeugt, von da mit dem Byzantinismus
und der orientalischen Bewertung der
Frau an abendländische Höfe übertragen [39]), ist auf germanischem Boden
fremd. Die in der Snorra-Edda mitgeteilte Sage von der Riesentochter Skadi,
die sich aus der Schar der Götter einen
Gatten nach den schönsten Füßen wählen darf, und so statt dem erhofften Baldr
den Njörd bekommt, zeigt im Gegenteil
eine Art Bg.sschau, die sich aber freilich
ebensowenig als altgermanische Sitte
nachweisen läßt. Ländliche B.m ä r k t e
am Himmelfahrtstage, wie jener aus
Kindleben bei Gotha bezeugte [40]), sind
entsprechend zu beurteilen.

[30]) H o o p s *Reallex.* I, 510. [31]) M ü l l e n -
h o f f *Altertumskunde* 4, 304. [32]) Vgl. Kor-
mákssaga, Gunnlaugssaga, Bjarnarsaga Hít-
dœlakappa u. a. [33]) G. N e c k e l *Altgerm.
Kultur* 45; [34]) V. G r ö n b e c k *Vor Folkeaet
i oldtiden* 3, 60 ff. [35]) A m i r a *N. O. R.* I,
533 ff.; 2, 659 ff. [36]) N e c k e l *Altgerm. Kultur* 45. [37]) B ä c h t o l d *Hochzeit* I, 232 ff.
[38]) H o o p s *Reall.* I, 511. [39]) D i e t e r i c h
Byzanz 10. [40]) M a n n h a r d t I, 449.

4. Der im Germanischen so wichtige
Glücksbegriff [41]), „ein Punkt im Herz-
blatt germanischen Lebens" [42]), hilft den
Aberglauben an die besondere Glück-
haftigkeit von B. und Bg. erklären. Dem
B.paar mit seiner vereinigten und erhöhten Glücksmacht, die nach der Hochzeit hin ständig sich zu vermehren
scheint, kann, wie man im Allgäu glaubt,
selbst die Wilde Fahrt nichts anhaben [43]).
Gern wählt man aus demselben Grunde
ein B.paar zu Paten [44]) und glaubt, das
getaufte Kind werde nun besonders viel
Glück haben [45]). Wenn einem ein B.paar
begegnet, hat man Glück [47]), andererseits
schließt man, wenn einem Hochzeitszug
ein anderes B.paar begegnet, auf frühe
Trennung der geschlossenen Ehe durch
den Tod [47]). In Basel soll als altes Heilmittel gegen Überbeine empfohlen worden sein, das Überbein reibend auf ein
B.paar zu blicken, und diesem durch
einen Spruch das Übel anzuwünschen,
d. h., es damit aus der Welt zu schaffen [48]).
Sagen und Märchen knüpfen sich gern an

diese Zeit übernormaler Lebensmacht.
Das Fräulein von Karpfenstein (Grafschaft Glatz) erscheint alle hundert Jahr
einmal einer B., und diese zieht aus der
Art der Erscheinung Schlüsse auf den Ausfall der Ehe [49]). Und nach einer Thüringer
Sage ging ein armes B.paar, auf sein
Glück vertrauend, zur „Prinzessin" in
den Kyffhäuser, dort Teller und Schüs-
seln zum Hochzeitsschmaus zu leihen,
und kam nach kurzweiliger Bewirtung —
200 Jahre später — wieder ans Licht der
Sonne [50]).

[41]) G r ö n b e c h *Vor Folkeaet* I. [42]) A.
A n w a n d e r *Die Religionen der Menschheit*
128. [43]) R e i s e r *Allgäu* I, 45. [44]) M e y e r
Baden 22. [45]) H ö h n *Geburt* 207; ZfVk. 23,
279. [46]) D ä h n h a r d t *Volkst.* 2, 89.
[47]) J o h n *Erzgebirge* 96. [48]) SchwVk. 4, 46.
[49]) K ü h n a u *Sagen* I, 233 ff. [50]) B e c h -
s t e i n *Thüringen* 2, 252.

5. Man sagt, „B.leute dürfen einander
nicht zu sehr lieben, sonst gibt es eine
unglückliche Ehe" [51]). Wieweit hier Le-
benserfahrung , wieweit „Angst vor dem
Neid des Schicksals" den Aberglauben
gebildet hat, bleibe dahingestellt. Im
allgemeinen gilt nicht schon der B.stand,
sondern erst Hochzeitstag und Hochzeitsnacht (s. d.) dem Aberglauben als eine
besonders gefährliche Zeit, die dem Neid
des Schicksals und der Macht der bösen
Geister besonders ausgesetzt ist. Zumal
die Vermummung der B. und das Vertauschen der B. (bei Primitiven [52]) und
dann besonders auf slavischem Gebiet) [53])
gehören hierher. In der Angst davor, daß
Feinde der B. sie „berufen" und zur Ehe
untauglich machen könnten, zieht sich
die bulgarische B. schon tagelang vor
der Hochzeit abends sorgsam zurück [54]),
und auch der Bg. wird dort vielfach in
den letzten Tagen von ähnlicher Angst an
das Herdfeuer gebannt und darf nichts
arbeiten [55]). Die Angst vor der Behexung
(besonders vor der „impotentia ex male-
fico") ist auch in Deutschland, besonders
am Hochzeitstage, vielerorten groß gewesen (s. Hochzeit und Geschlechtsverkehr). Nach einem Schweizer Brauch soll
der Bg. zwei Wochen vor der Hochzeit die
Dachtraufe nicht überschreiten, und die
Sage weiß von einem, der das Gebot über-

trat und heimwärts dann von einem Dämon übel zugerichtet wurde [56]). Ob man
zum Vergleich auf gewisse Tabu-Vorstellungen Primitiver verweisen darf, wonach
der Bg. kurz vor der Hochzeit (Malabar)
oder das B.paar eine gewisse Zeit nach
der Hochzeit (Borneo) [57]) den Boden
nicht berühren darf, ist angesichts der
Tatsache, daß Tabu-Vorstellungen auf
germanischem Gebiete nicht einwandfrei
bezeugt sind, von vornherein zweifelhaft.

[51]) W u t t k e 367 § 553. [52]) F r a z e r *Totemism* 4, 256 ff. [53]) U s e n e r *Kl. Schr.* 4,
94 f. [54]) S t r a u ß *Bulgaren* 88. [55]) Ebd. 63.
[56]) R o c h h o l z *Sagen* 2, 24. [57]) F r a z e r
10, 5.

6. Künftiges Glück und Unglück, vor
allem in der erhofften Ehe, hängen von
allerlei Zufälligkeiten, aber auch vom
Beobachten oder Außerachtlassen bestimmter Vorschriften ab [58]). Sprichwörter wie: „Langer B.stand — kurzes
Ehglück" oder: „Aus einem langen B.-
stand wird kein Ehstand", mahnen zur
baldigen Heirat [59]). Nach Mitternacht
kann eine B. vor einem Haus, in dem keine
Mannsperson ist, erfahren, wie sich der
Bg. in der Ehe geben wird [80]). Wünscht
die B. einem Wiegenkind Böses, so stirbt
sie im ersten Kindbett [61]), und macht sie
einem Kind ein unfreundliches Gesicht,
so bekommt sie selbst böse Kinder [62]).
Das B.paar — oder nur die B. — darf an
den Sonntagen des Aufgebotes die Kirche
vielerorts nicht besuchen (Münsterland[63]),
Mecklenburg [64]) u. a. O.), sonst wird die
Ehe nicht glücklich [65]), oder es gibt viel
ehelichen Streit [66]). Bisweilen dürfen
selbst die Verwandten nicht beim Auf-
gebot zugegen sein [67]). Teilnahme des B.-
paares an einer Beerdigung hat baldige
Trennung der künftigen Ehe durch frühen
Tod zur Folge [68]).

Allerlei Vorschriften knüpfen sich an
die Vorbereitungen der Hochzeit (s. d.).
Die Ausstattungswäsche darf die B.
nicht mit dem künftigen Frauennamen
zeichnen, sonst geht die Partie auseinander [69]). Beim Nähen des B.h e m d e s
darf die B. nicht eher aufhören, als bis es
fertig ist, sonst stirbt sie beim ersten
Kind[70]), — und wenn sie einst Glück bei

den Gänsen haben will, muß sie es im
Gänsestall anziehen [71]). Sturmwetter bei
der B.w ä s c h e bedeutet Unfrieden in
der Ehe [72]). Dem Bg. ist jeder Blick in
das Zimmer, in dem der B.s t a a t angefertigt wird, streng verwehrt [73]), und die
B. darf sich ihm nicht vor der Zeit im
B.staat zeigen, sonst gibt es eine unglückliche Ehe [74]).

Vom B.k l e i d , das unbedingt ein
neues sein muß [75]), darf kein Flick fortkommen [76]); auch meint man (Bern), daß
es Unglück bringt, wenn eine B. ihr B.-
kleid selbst näht [77]). Auch den Hochzeits-
kuchen darf sie bisweilen nicht selbst
backen [78]); überhaupt darf, besonders auf
slavischem Gebiet, weder B. noch Bg. bei
der Zubereitung der Hochzeitsspeisen
helfen [79]). Aber man schenkt der B.,
wenn sie selbst (oder der Hochzeitslader)
die Gäste einlädt, aus jedem Haushalt
eine Schnitte Brot für die erste Suppe in
der Ehe, um ihr damit ein glückliches
Eheleben zu sichern [80]).

Wichtig ist das Wetter am Hochzeitstag (s. d.), denn Regen in den B.k r a n z
bedeutet zwar bisweilen (und wohl ursprünglich) Glück, Reichtum und Kindersegen [81]) (s. d.), meist aber Tränen und
Unglück [82]). Deshalb soll nach allgemeinem Brauch die Braut die Katzen gut
füttern [83]). Dabei an eine Beziehung zur
altgermanischen Göttin Frigg = Freyja
zu denken [84]), weil in spätnordischer Mythologie die Katzen als Zugtiere von
Freyjas Wagen auftreten, erscheint sehr
gesucht.

Von allen den Kleidungsstücken und
Gegenständen, die, von der B. am Hochzeitstage getragen, ihre abergläubische
Bedeutung außer durch die Trägerin
durch den festlichen Tag gewinnen, B.-
band (s. Band), B.gürtel, B.haube, B.-
hemd, B.kleid, B.ring (s. Trauring), B.-
schleier, B.schuhe, B.schürze, B.seide,
spielt der B.kranz eine besondere Rolle.
Er muß mit Fröhlichkeit gebunden werden, wenn die Ehe gedeihen soll [85]), er
muß frisch ins Haar kommen [86]); bekommt die B. zwei Kränze, so muß sie
beide in einen zusammenbinden [87]) und
Getreide aller Art soll, kommende Frucht-

barkeit wirkend, hineingeflochten werden [88]).

Dieser Schmuck, als Ehrenzeichen am
Ehrentag, steht nur Würdigen zu. Mit der
Drohung: „Wer einen B.kranz aufsetzt,
ohne B. zu sein, wird nie B.", verhütet der
Aberglaube jeden Mißbrauch [89]). Da die
Sitte dieses B.kranzes (u. der B.krone)
wahrscheinlich durch die Kirche vermittelt wurde [90]), um sich über germanisches
und slavisches Gebiet gleichmäßig zu verbreiten, lag seine Anwendung als Tugend-
zeichen aus erzieherischen Gründen nahe:
Der „gefallenen B." ist er verwehrt, und
die fromme Nachbarschaft wacht gern
darüber, daß keine ihn trägt, die ihn nicht
verdient. „Das Kränzel reißen die Buben
ihr, und Häckerling streuen wir vor die
Tür!" (Faust I, Am Brunnen). Nach
einer Sage aus Polnisch-Oberschlesien
sprachen die Leute einst einer tugend-
samen B. auf dem Wege zur Trauung die
Berechtigung, den Kranz zu tragen, ab.
„Da möge er verdorren" rief sie, und warf
ihn fort. Aber er grünte an der Kirchhofs-
mauer viele Jahre lang [91]) (vgl. a. August
Strindberg: Die Kronb.). Es ist in diesem
Zusammenhange bedeutsam, daß aus
Östergötland der Aberglaube bekannt ist,
daß ein Mädchen, das einmal die Pfingstb.
(s. d.) gespielt hat, nie eine wirkliche B.-
krone tragen wird [92]). (Weiteres s. u.
Trauung und Hochzeit.)

Eine reizvolle Dramatisierung des verbreiteten Volksliedes: „Es trieb ein
Schäfer oben rein" [93]), im Anhaltischen
beim Mädchentanz aufgeführt [94]), läßt
den Teufel der B., die durch ihr ver-
stecktes und vom Schäfer gefundenes
Kind als des Kranzes unwürdig erwiesen
wird, denselben wieder zum Vergnügen
der Zuschauer abjagen.

58) M e y e r *Aberglaube* 219. 59) W i t t -
s t o c k *Siebenbürgen* 91. 60) S t r a c k e r -
j a n 1, 109. 61) R o c h h o l z *Kinderlied*
316. 62) Ebd. 316. 63) S t r a c k e r j a n 2,
193. 64) B a r t s c h *Mecklenburg* 2, 58.
65) B i r l i n g e r *Volksth.* 2, 342; J o h n
Erzgebirge 89; J o h n *Westböhmen* 255.
66) W u t t k e 369 § 559. 67) A n d r e e
Braunschweig 298. 68) J o h n *Erzgebirge* 89.
69) *Urquell* 1, 12. 70) ZfrwVk. 5, 117.
71) B a r t s c h *Mecklenburg* 2, 60. 72) Ebd.
und A n d r e e *Braunschweig* 296. 73) ZfrwVk.

5, 119. 74) Ebd. 75) SAVk. 8, 268. 76) Urquell 1, 12. 77) SAVk. 7, 132. 78) W u t t k e
369 § 560. 79) T e t z n e r *Slaven* 258. 80) Höhn
Nr. 5, 14 (1). 81) W u t t k e 371 § 563;
D r e c h s l e r 2, 149. 82) A n d r e e *Braunschweig* 304; Urquell 3, 165; S t r a c k e r j a n
2, 199 u. a. 83) D i r k s e n *Meiderich* 48;
ZfVk. 4, 326; S t r a c k e r j a n 1, 21 u. a.
84) S i m r o c k *Mythol.* 601. 85) B a r t s c h
Mecklenburg 2, 60. 86) Ebd. 87) A n d r e e
Braunschweig 304. 88) B a r t s c h *Mecklenburg* 2, 60. 89) SAVk. 7, 134. 90) ZfVk. 12, 473.
91) K ü h n a u *Sagen* 3, 283. 92) M a n n -
h a r d t 1, 432 ff. 93) E r k - B ö h m e Nr.
212 a—f. 94) ZfVk. 7, 88.

7. Auch in der Ehe (s. d.) sucht sich
die Frau und Mutter die Glückskräfte
ihrer B.zeit und besonders des Hochzeits-
tages noch nutzbar zu machen. Sorgsam
werden B.hemd, Schürze, Band, Strümpfe,
Schuhe, Kranz, Strauß u. a. aufbewahrt;
die in diesen Dingen geborgenen Heils-
kräfte sollen die einstige Trägerin und
Urheberin dieser Kräfte bis ins Grab begleiten [95]). Das B.band der Mutter muß
zur ersten Windel genommen werden [96]);
das Halstuch der einstigen Braut heilt
jetzt das Kind von Beschwerden [97]), bes.
von „Gichtern" [98]). Das von Krämpfen ge-
quälte Kind erlöst die Mutter, indem sie
es mit ihrem Brautkleid zudeckt [99]).
Streifen davon, um die Handwurzel gebunden, heilen die Fraisen bei den Kindern [100]). Auch zieht die Bäuerin, um
Flachs zu säen, einen Teil ihrer Hochzeits-
kleidung an [101]).

Der B.kranz, der Gebärenden in die
Bettdecke genäht, befördert die Geburt;
dem Kinde aufgelegt, erleichtert er das
Zahnen [102]) und vertreibt Fieber, Krämpfe [103]) und jedes Gebrechen [104]). Auch zu
Viehkuren ist er zu gebrauchen [105]), und
die Milch, durch den B.kranz geseiht, gerinnt nicht [106]). Sein rasches Vergilben
kündigt baldigen Tod [107]).

Ähnliche Heilkraft hat außer dem
Trauring (s. d.) auch der B.schleier [108])
und die B.schürze [109]). In Siebenbürgen
(Propstdorf) muß der Täufling in die B.-
schürze gewickelt und mit dem B.tuch
zugedeckt werden [110]). Auch die Zöpfe der
„B.wocken" können „als Heilmittel gegen
das kalte Fieber" gelten [111]). Und von den
B.schuhen glaubt man hier und da, daß

sie, solange sie nicht zerrissen sind, die Frau vor Schlägen schützen [112]).

[95]) G a ß n e r *Mettersdorf* 84; H ö h n *Tod* Nr. 7, 320. [96]) K u h n *Märk. Sagen* 364. [97]) W u t t k e 360 § 542. [98]) M e y e r *Baden* 40. [99]) F r i s c h b i e r *Hexenspr.* 73; H o - v o r k a u. K r o n f e l d 2, 206. [100]) G r o h - m a n n 182; S c h r a m e k *Böhmerwald* 284. [101]) J o h n *Westböhmen* 196. [102]) D r e c h s - l e r 1, 279. [103]) J o h n *Erzgebirge* 53. [104]) W u t t k e 360 § 542. [105]) Ebd. 375 § 569. [106]) W u t t k e 448 § 406. [107]) H ö h n *Tod* Nr. 7, 313. [108]) S e y f a r t h *Sachsen* 274 u. a. [109]) M e y e r *Baden* 40; D r e c h s l e r 1, 211; W u t t k e 360 § 542. [110]) W i t t s t o c k *Siebenbürgen* 82. [111]) A n d r e e *Braunschweig* 302. [112]) ZfVk. 4, 160.

8. In teilweise übertragener Bedeutung erscheint der Glückstitel „B." in mancherlei Volkssitten. Wir haben vielleicht bei den vielfältigen **F r ü h l i n g s - b r ä u c h e n** die mimische Darstellung einer himmlischen oder dämonischen Hochzeit (s. d.), die bis zum symbolischen Beilager (s. d.) als Fruchtbarkeitszauber getrieben werden kann; aber die Tatsache ist beachtenswert, daß sich der deutsche Volksglaube dabei oft mit dem B.paar oder der B. begnügt, und also mehr an die der B. als solcher innewohnende Glücksmacht, als an eine grobe Beziehung zwischen menschlicher und „natürlicher" Fruchtbarkeit denkt. Ein „B.p a a r", nicht ein Ehepaar, sucht man „im Grünen" [113]) und holt es im fröhlichen Zug ins Dorf [114]). Oft sind dabei zur Erhöhung des Vergnügens (oder im Anklang an die Sitte des B.vertauschens [s. o. 5] zur Irreführung dämonischer Angriffe) die Rollen vertauscht, die B. stellt ein Bursche, den Bg. ein Mädchen dar [115]). Oft, besonders bei den „Mädchentänzen", sind beide B.leute Mädchen [116]). Ledig müssen die Spieler dieser Posse immer sein. Oft ist es auch nur die B. (s. Maib., Pfingstb.), die von Haus zu Haus ihren segnenden Umgang hält [117]), oder man trägt eine schön geschmückte Puppe als „B." umher [118]), wie man auf den Hebriden (am 2. Februar) die aus einer Hafergarbe hergestellte Puppe als B. willkommen hieß und sich von ihrer Gunst gute Ernte und glückliches Jahr versprach [119]). Innere Beziehungen zum

Grundgebet anord. Bauernfrömmigkeit: „til ars ok fridar" [120]) (um gute Ernte und Frieden) und zum saatensegnenden Umzug der Gottheit (Nerthus — Freyr) wie auch zum altgermanischen Glauben an die besondere Eignung des weiblichen Geschlechtes zur Vermittelung des Heiligen sind hier offenbar vorhanden. Beachtenswert ist die vereinzelte Darstellung einer verlassenen B.[121]) oder eines von seiner B. verlassenen Burschen [122]).

In Westböhmen bekommt das Mädchen, das zum Fest beim Johannisfeuer den schönsten Kranz beigesteuert hat, den Glückstitel „B." [123]), oft heißt die letzte, für das Glück des nächsten Jahres bedeutungsvolle Garbe die B. [124]), oder sie muß von einer B. gebunden werden, die dann als Roggen-, Weizen- oder Haferb. ausgeschmückt und gefeiert wird. Auch im letzten Büschel Flachs sitzt die „B." [125]), oder es heißt „Bg.", und gehört jener Brechlerin, die am letzten Brecheltage zuerst fertig war [116]); und im Chiemgau bindet ein Mädchen in eines der letzten Flachsbündel ein als „B." bezeichnetes Geschenk von Äpfeln, Birnen, Nüssen oder Zigarren für den zu erwählenden „Hochzeiter" (Brechelb.) [127]). — Auch die hübsche Sitte des B.e i n l ä u t e n s in einigen Alpentälern gehört hierher. Wer das letzte Bündel in die Scheune bringt, „hat die B. gekriegt" und wird gefeiert [128]). Daß auch diese Sitten, wie auch die Ehrungen der schlesischen W e i z e n b., der deutsch-ungarischen E r n t e b. usw. „auf der mythischen Grundlage des Dankes gegen die mütterliche Erde beruhen" [129]), also in altheidnische Frömmigkeit zurückweisen, ist möglich, wenn man auch jede direkte Anknüpfung an eine bestimmte mythologische Gestalt besser vermeidet.

Wie sehr aber noch religiöses Gefühl an den Maib.bräuchen beteiligt ist, beweisen die „B.p f a d e", die man am Himmelfahrtstage mit Blumen und Grün von Tür zu Tür legt oder streut [130]), zugleich eine Erinnerung an das Einholen der Maib. und eine Huldigung an den Auferstandenen.

[113]) M a n n h a r d t 1, 431 ff. [114]) D e r s. 1, 607; S o m m e r *Sagen* 151 f.; S a r -

t o r i *Sitte u. Brauch* 3, 204—205. [115]) ZfVk. 7, 88. [116]) Ebd. 7, 87 ff. [117]) M a n n h a r d t 1, 437. [118]) D r e c h s l e r 1, 71. [119]) M a n n h a r d t 1, 436. [120]) G r ö n b e c h *Vor Folkeaet* 4, 48 f. [121]) M a n n h a r d t 1, 435. 446ff. [122]) Ebd. 1, 434. [123]) J o h n *Westböhmen* 86. [124]) M a n n h a r d t *Forschungen* 173. [125]) Ebd. 112. [126]) S c h r a m e k *Böhmerwald* 235. [127]) ZfVk. 16, 322. [128]) ZfdMyth. 3, 340. [129]) Q u i t z m a n n *Baiwaren* 122. [130]) Urquell 2 (1891), 174; R e u s c h e l *Volkskunde* 2, 57.

9. Das alttestamentliche Bild von der Ehe Israels mit seinem Gott und von der Hurerei mit anderen Göttern [131]) hat ebenso wie der himmlische ἱερὸς γάμος der Griechen und ihre gottesbräutlichen Mysterien [132]) auf altgermanischem Gebiete aus einleuchtenden Gründen (s. Geschlechtsverkehr) kein Gegenstück. Daher hat , ob auch alte Kirchenschriftsteller argumentierten, daß die Kirche nicht nur B., sondern Fleisch Christi sei — damit die Forderung der Ehelosigkeit ihrer Diener begründend [133]) —, ob auch die fromme Andacht vor der unerkannten Erotik des Hohenliedes und seine Deutung als „unio mystica" die Grenzen zwischen Sinnlichem und Übersinnlichem stark verwischten und mittelalterliche Nonnen ihres Seelenbg.s Umarmungen „erlebten" [134]), sich doch bei uns die Vorstellung vom nur erwartenden B.stand der Seele gegen die andere vom sinnlichen Einswerden mit der Gottheit siegreich behauptet. Dieser abendländische Begriff der Gottesb. gehört aber in keiner Weise in das Gebiet des Aberglaubens. Auch eine „Liebesgeschichte des Himmels" im astralmythologischen Sinne (weißes und schwarzes Mondmädchen als B. des Sonnengottes u. a.) [135]) ist nur mit Gewalt dem wenig astrologischen Germanentum aufzudrängen und spielt deshalb im Volksglauben keine Rolle.

Die Teufelsb. dagegen (s. Teufel) erscheint hier und da. Wenn der Wirbelwind einherbraust, so sagt man, darin fahre die B., die sich der Teufel von der Erde holt (bes. in Böhmen) [136]). In Masuren meint man, „der Teufel fährt zur Hochzeit", in Rußland sieht man im Wirbelwind den Tanz des Waldgeistes mit seiner B. In Deutschland hieß die Erscheinung seit alters auch Windsb., Pfaffenhure, Concubina sacerdotis [137]), und der wilde Jäger, der verkommene Wodan, jagt noch hier und da seine B. im sturmgepeitschten Wald [138]); es ist gefährlich, dem Brautzug dieser unholden Geister zu begegnen [139]). Nach sächsischen Sagen [140]) sucht sich der Teufel auch gern ein braves Mädchen als B. durch außerordentliche Hilfeleistung zu verdienen, wird aber gleich jenem Riesen, der den nordischen Göttern um Freyjas Hand die Burg baute [141]), schließlich geprellt.

[131]) D i e t e r i c h *Mithrasliturgie* 131. [132]) Ebd. 124 f. [133]) H a r n a c k *Lehre der zwölf Apostel* 44 f. [134]) S. u. a. Weinhold *Frauen* 69. [135]) S i e c k e *Liebesgeschichte des Himmels* bes. 7 ff. [136]) G r o h m a n n 35; M a n n h a r d t 2, 96. [137]) M a n n h a r d t 2, 96. [138]) Ebd. 1, 445. [139]) Ebd. 2, 39. [140]) M e i c h e *Sagen* 462 f. Nr. 600. [141]) In. E. c. 41.   Kummer.

Braut in Haaren s. S c h w a r z k ü m m e l.

Brautbad s. H o c h z e i t s b a d.

Brautball s. B a l l s p i e l.

Bräutigamskraut s. E r d r a u c h.

bräutlen, Bräutlingsbaden. Dem B. oder Bb., besonders in Sigmaringen bekannt, müssen sich alle seit Jahresfrist verheirateten Männer unterziehen. Im Fastnachtszug und als Teufel und Hexen vermummt ziehen die Bräutler, den Narren voran, durchs Dorf, holen den jungen Ehemann aus seiner Wohnung oder einem Versteck und führen ihn zum Rohrbrunnen, ihn nach dreimaligem Umgang hineinzuwerfen. Wählt er auf die Frage: „Wasser oder Wein" das letztere, so muß er für das ihm ersparte Bad die Zeche im Wirtshaus bezahlen [1]).

Dieser Fastnachtsscherz, teilweise auf den Hochzeitstag und den jeweiligen Bräutigam übertragen [2]) (s. Hochzeitsbad), hat sicher nicht von je den ihm beigelegten sittlich-religiösen Sinn, daß der junge Mann nun „alles Unmännliche ablegen und ein rechter und ehrenfester Bürger werden soll" [3]), — wohl kaum aber auch eine Beziehung zum Regenzauber und Vegetationsritus [4]), sondern

gehört eher zu den Festen der Knaben-
weihe [5] (s. d.).

[1] B i r l i n g e r *Volkst.* 2, 49 ff. [2] Ebd. 2,
46. [3] Ebd. 2, 45. [4] M a n n h a r d t 1, 488 ff.
[5] G e s e m a n n *Regenzauber* 74.   Kummer.

brechen s. z e r b r e c h e n.

Brechomantie.
Wahrsagung aus dem
Regen (βρέχειν = regnen). Gelehrte Bezeichnung der aus dem Regen (s. d.) ge-
folgerten Witterungs- und sonstigen Voraussagen [1]. Als ὑετόμαντις wird die Krähe
bei Euphorion (3. Jh. v. Chr.) und der
Regenbogen bei Olympiodoros (6. Jh.
n. Chr.) bezeichnet [2]. Der 2. Teil des
auguralwissenschaftlichen Werkes des
Königs Sargon war anscheinend den Vorbedeutungen der Regengüsse gewidmet [3].

[1] F a b r i c i u s *Bibliogr. antiqu.*[3] (1760)
597. [2] M e i n e k e *Analecta Alexandrina*
(1843) 105; S c h e i d w e i l e r *Euphorionis
fragmenta* (Diss. Bonn 1908); L e n o r m a n t
Magie und Wahrsagekunst der Chaldäer[2]. Jena
1878, 455.   Boehm.

Brei.
1. Der B. war besonders im Altertum
und MA. die Hauptnahrung der germanischen und überhaupt der ackerbautreibenden Völker; viele Umstände weisen
darauf hin, daß die B.nahrung [1] älter ist
als das Brot, das zunächst nichts anderes
als in Asche gerösteter Getreideb. war [2]
(vgl. Brot); so bedeutet B. überhaupt
Nahrung [3]. Nach Plinius war die Hauptnahrung der Germanen Haferb.[4]: Primum omnium frumenti vitium avena est
et hordeum in eam degenerat sic ut ipsa
frumenti sit instar, quippe cum Germaniae populi serant eam neque alia pulte
vivant; und im Rheinland [5] war Haferb.
bis 1850 die Hauptnahrung der Bauern,
ähnlich der „Brie" in Schleswig-Holstein [6]. In der Edda wird der B. besungen [7], und nach der Sage des Saxo Grammaticus bekommt Baldr durch einen
Zauberb. gewaltige Kräfte [8]. Unter den
auffallend vielen Gottheiten, die Prätorius aufzählt, finden wir auch Wursz-
kaitis, den Gott der Milchspeisen [9].

[1] Auch für die Römer bezeugt P l i n i u s,
daß sie vor dem Brot die B.nahrung gekannt
haben: *Nat. hist.* XVIII, 83 = III, 165, 15
Mayhoff: pulte autem, non pane vixisse longo
tempore Romanos manifestum est; B l ü m -

ner *Römische Privataltertümer*[3] 162. [2] S c h r a -
d e r *Reallex.* 111; F i s c h e r *Altertumsk.* 56;
W e i n h o l d *Frauen*[2] 2, 58—59; ZfVk. 1904,
265; 1905, 318; Beilage zur allgemeinen Zeitung
1901 Nr. 271, 2; L i p p e r t *Christentum* 421.
[3] F r e i d a n k 58, 22 = 120 Bezzenberger;
83, 27 = 143 B.; B r a n t *Narrenschiff* 13, 2
= 15 Zarncke, vgl. 323; W e i n h o l d l. c.;
Kloster 6, 1078; B o l t e - P o l i v k a 2, 438
A. 1; Summarium Henrici bei S t e i n m e y e r -
S i e v e r s *Ahd. Glossen* 3, 284, 21; 306, 24;
G r a f f *Ahd. Sprachsch.* 3, 261; H e y n e
Hausaltert. 2, 266 u. 323; G r i m m *DWb.* 2,
353—4; die Beliebtheit der B.nahrung beweisen auch die B.sagen: M ü l l e n h o f f
Sagen[2] 71, 78; B a r t s c h *Mecklenburg* 1,
340, 464; L ü t o l f *Sagen* 381, 359; Heimat
2 (1892), 88; S c h a m b a c h - M ü l l e r 178,
3; M ü l l e r *Siebenbürgen* 106, 143 (Ausgabe
1857); H a a s *Rügen*[7] 26, 46; im Märchen
essen Königin und Magd von demselben B.
und gebären Söhne: B o l t e - P o l i v k a 1,
545; in Siebenbürgen heißt der Welschkornb.,
seitdem Paulus und Lukas damit bewirtet
wurden (Philemon - Baucis - Motiv), Palukes:
M ü l l e r *Siebenbürgen* 133, 173. [4] *H. N.*
XVIII, 149 = III, 183, 19 ff. Mayhoff; Kloster
l. c.; vgl. W e i n h o l d *Altnordisches Leben*
150; E b e r t *Reallex.* 5, 17 ff.; H ö f l e r
Weihnachten 18; S c h r a d e r l. c. 320 ff.;
über Hirseb.: H o o p s *Reallex.* 2,
529 ff.; H o o p s *Waldbäume* 235. 323. 355;
L ü t o l f 380, 359; in Süddeutschland heißt
die Hirse B.: H e h n *Kulturpflanzen*[6] 545;
Archiv für Anthropologie N. F. 6 (1907), 101;
M e y e r *Baden* 273 ff.; P f a n n e n s c h m i d
Erntefeste 603; C o l e r *Oeconomia* 47; E b e r t
Reallex. 5, 327 ff.; nach E k k e h a r d s *Bene-
dictiones ad mensas* ist Hirseb. für Fieberkran-
ke schädlich: v. 173—74 = Mitteil. der Anti-
quarischen Gesellschaft Zürich 3 (1846—47),
112. Für die Römer vgl. W ü n s c h s berühmten
Aufsatz: Glotta 2 (1909—10), 219—230;
B l ü m n e r *Technologie und Terminologie der
Gewerbe und Künste bei Griechen und Römern* 1[2]
(L. 1912), 95—96. [5] W r e d e *Rhein. Volksk.*
197. [6] M e n s i n g *Schlesw.-Holst. Wb.* 1, 519;
in Tirol gibt es jetzt das Mues zum Frühstück:
ZfVk. 1894, 78. [7] W e i n h o l d *Altnordisches
Leben* 150. [8] Ausgabe v. P. H e r r m a n n
2, 231. [9] *Deliciae pruss.* 25; U s e n e r *Götter-
namen* 104.

2. Wie bei den Römern [10], so ist auch
bei uns diese Hauptkraftnahrung die gegebene O p f e r s p e i s e für Götter,
Hausgeister, Kobolde und Vegetationsgeister; letztere backen und kochen ja
selbst gern (s. backen); in Oberhessen
sagt man den Kindern, das Hünnelche
koche am Hünnsteine Hirseb. [11]. In
Schwaben kochen die Engel dem Kind
B. [11 a]).

a) **Allgemeine Opfer für Hausgeister:** Vor allem im Norden ist dieser Kult noch sehr lebendig; Jahn [12]) hat die Literatur für seine Zeit vollständig zusammengestellt; zur Charakteristik dieser Hausgeister vergleiche man Feilberg [13]) und Lily Weiser [14]). Der Nische Puk in Husum [15]) half bei der Heuernte und wollte dafür seine Butter im B. haben; als er sie einst nicht fand, drehte er der Kuh den Hals herum. Da haben wir alle charakteristischen Züge dieser nach der Seelenspeise gierigen Seelen- und Hausgeister; sie werden boshaft, die als Heinzelmännchen gutartig im Hause helfen, sobald sie ihre Butter [16]) in B. und Grütze oder gar den B. nicht finden; der Onnerbänkis [17]) auf Amrum verschwindet, als die Frau die Butter vergißt; in Schweden und Norwegen erhält der Niß besonders am Julabend [18]) seine Grütze mit Honig. Auch Zwerge essen B. und machen den Rest zu Gold [19]); man opfert ihnen in den Zwölften [20]); die Billeweiß im Görtschitztal bekommt von der Bäuerin „Sterz" gekocht [21]); der hungernde Waldmann erhält vom Bauern Milchsuppe; ein andermal verbrennt er sich durch heißen B. die Hand [22]). Die unsichtbaren Zwerge in Kohnsen essen den Hochzeitsreisb. auf [23]). In Baabe auf Rügen bitten die „witten Wiwer" um Hochzeitsgrütze [24]). Auch der Wechselbalg will B., verschwindet aber, sobald Schuhsohlen anstatt Speck darin sind [25]). Ins Dämonische hinüber spielt die Erscheinung des Drachen im Erzgebirge, der Hirseb. bekommt und dafür Geld in die Schüssel legt [26]), oder er bringt Hirseb. an das Fenster [27]) (vgl. die Butterschlepper und -speier, s. Butter). So schleppt der Skratek [28]) in Görz (Steiermark) Geld herbei und alles, was man wünscht, indem er als glühender Besen durch die Luft saust; man muß ihm aber aufs Fenster Hirseb. stellen. Die Alraunwurzel, welche goldausbrütende Kraft besitzt, verliert diese Eigenschaft, wenn man sie nicht in Wein badet und mit Milchb. füttert [28a]). Nach Schweizer Prozeßakten (1454) macht eine Hexe aus wenig Hirse viel B. [29]); das nähert sich dem Motiv des Märchens vom Töpflein, das überkocht [30]). Im Blankenhäger Forst in Mecklenburg muß einem schatzhütenden Geist B. geopfert werden; als einer einen Topf mit steifer Grütze hinstellt, ist am andern Morgen Schatz und Topf verschwunden [31]).

b) Besonders an hohen Festen bekommen die Vegetations- und Seelengeister ihren Teil vom Festmahl, namentlich B. [32]). Die Hauptkultzeit fällt in die Rauchnächte, die ausgesprochene Domäne der Seelen- und Wachstumsdämonen, und da ist es fast ausschließlich die Perchta, der man Versöhnungs- und Huldigungsopfer darbringt.

α. **Opfer in der Zeit der Rauchnächte:** Während am Nikolausfest [33]) das B.opfer fehlt, opfert man im Bergischen [34]) den Zwergen in den heiligen Nächten B. Dagegen berichtet Fischer, der gewöhnlich die Rockenphilosophie abschreibt: wer in den Zwölften Erbsen ißt, wird krank [35]), und in der Christnacht darf man keine Erbsen, Linsen oder andere Früchte essen, sonst bekommt man Krätze und Schwären [36]), ebenso an Karfreitag [37]). Über das B.opfer an Weihnachten hat Höfler [38]) ausführlich gehandelt. Im Pinzgau [39]) ißt am Bachabend (24. 12.) die ganze Familie das „Bachlkoch"; wer bei diesem heiligen Kultmahl fehlt, dem zürnt die Perht; mit dem Rest des Koches tritt die Bäuerin unter die Bäume und ruft: „Bäum' eßt's"; auch Heyl [40]) berichtet von einem schneeweißen Weihnachtsb.; in Oldenburg [41]) treffen wir Milchreis mit Rullken (Röllchen aus Rindfleisch usw.); in Pommern [42]) gibt es am ersten Feiertag Buchweizengrütze, Fleisch und Mehlklöße, in Anhalt am zweiten Tag Hirseb. und Bratwurst [43]); in Schottland erhält jedes Familienmitglied am Weihnachtsmorgen süßen Haferb. [44]); in Neuhaus (Böhmen) muß jeder Bettler Semmelmilch essen [45]). In Glatz (Schlesien) hebt man Semmelmilchb. für „die Engel" auf [46]). Sogar die Tiere nehmen am Kultsegen teil: 1793 gab man den Hühnern Hirseb., damit sie viel Eier legten [47]). Wer am Neujahr Hirseb. ißt, hat das

ganze Jahr Geld[48]). Am heiligen Abend
des neuen Jahres muß man Polse[49])
(Zemmede)[50]) essen, sonst reißt die Werre
den Bauch auf und füllt Kieselsteine
hinein, und die Perht zürnt denen, welche
am Silvesterabend nicht Grütze und
Hering essen[51]). In Thüringen essen viele
Leute an Neujahr Klöße und Hering,
weil sonst die Perchta den Bauch aufschneidet und mit Pflugschar und Röhm-
kette zunäht[52]). Im Voigtland wird die
Rache der Werre auch auf Dreikönig
übertragen; sie füllt den Bauch mit
Häckerling und näht ihn mit Pflugschar
und Kette zu[53]). Über die B.opfer an
Lichtmeß handelt Höfler[54]); in Hessen
und Baden muß man Hirseb. und eine
lange Bratwurst verzehren, damit der
Flachs gut gerate[55]).

β. Der Hirseb. spielt auch an Fastnacht[56]) eine Rolle, daneben das Fasten-
mus[57]) aus Frühlingsgemüsen. Wer (nach
dem Journal) im Ansbachischen Hirseb.
aß, dem ging das Geld nicht aus[58]); und
die Rockenphilosophie rät: Fastnacht
Hirsen gegessen, quillt das Geld[59]); ein
gereimter Index superstitionum sagt[59a]):

Wer an Fastnacht Hirseb. ißt,
Dem wächst das Geld auf dem Mist.

Vor Sonnenaufgang muß man Hirseb. und
Blutwurst essen, das schafft Geld und bewahrt vor Fieber[60]). In Hessen[61]) ißt
man Erbsenb. und Schweinsrippchen; die
abgenagten Knochen steckt man in den
Leinsamen, um diesen durch die Opfer-
reste fruchtbar zu machen; auch im Egerland[62]) ißt man an Fastnacht Erbsenb.;
in Thüringen[63]) muß man an Fastnacht,
Aschermittwoch und Donnerstag B.,
Schmalzkrapfen und Sauerkraut mit
Schweinefleisch essen und die Knochen[64])
in den Samenlein stecken. Am vierten
Fastensonntag ißt man in England Weizenb. gegen Saatunglück[65]).

γ. Der Genuß von Erbsenb. am Gründonnerstag[66]) ist segensreich für das Gedeihen der Erbsen (Böhmen); nach A.
John[67]) bringt bei den Westböhmen
Linsenb.genuß an diesem Tage Geld
(vgl. Neujahr). Nach Chr. Weises Drei
Erznarren muß man an Aschermittwoch

„gelbe muß" essen, sonst wird man vor
Martini zum Esel[68]). Berühmt ist die B.-
stiftung der weißen Frau zu Neuhaus in
Böhmen, der Perhta von Rosenberg[69]);
diese baute als Witwe ein Schloß und versprach den Arbeitern einen süßen Brei,
wenn sie den Bau zu Ende führten
(= festl. Mahlzeit)[70]); sie hielt ihr Wort
und machte eine Stiftung, daß alljährlich
die Rosenberge den Armen B. spenden
sollten; in Teltsch wurde eine gleiche B.-
stiftung zuletzt 1783 erfüllt[71]); die Perhta
hält sehr auf die Erfüllung dieser Stiftung, und als einst im Dreißigjährigen
Krieg die Schweden das Schloß eroberten
und die B.spende unterblieb, machte sie
einen großen Tumult[72]); diese weiße Frau
v. Rosenberg ist auf irgendeine Weise
mit der Perhta und dem B.opfer an diese
zusammengebracht worden; eine genau
ebenso motivierte Holunderb.stiftung haben wir zu Spachendorf[73]). Ähnlich wie
in Neuhaus wurde auch zu Strakoniz in
Böhmen ein uraltes B.opfer für Seelen-
und Vegetationsgeister durch die Stiftung eines früheren Vorfahren der Besitzer motiviert[74]). Am Osterdienstag ißt
man in Westböhmen B. aus Milch und
Semmeln, um sich gegen Mückenbisse
bei der Heuarbeit zu schützen[75]).

c) B. als Wind- und Vege-
tationsopfer: Ein B.opfer am
Sonnwendfest erwähnt Jahn[76]);
in der Oberpfalz streut ein Sonntagskind,
wenn der Wind stark weht, eine Handvoll
Mehl für den Wind und sein Kind ins
Freie für einen B.[77]); in Munderkingen
stellte eine Frau schwarzes Mus zum
Dach hinaus, um die Windhunde zu füt-
tern[78]). In Bayern[79]) und am Nieder-
rhein genießt man nach dem Flachsbre-
chen Hirseb. und Mehlkuchen. Bei einem
Maivegetationsfest in Selva (Schweiz)
essen die Kinder auf einer Anhöhe süße
Polenta; dann singen sie ein Lied: „Der
Gedanke an die Rahmpolenta wird uns
Mut und Kraft stärken"; zum Schluß
fällen sie eine Lärche und hängen den
Mehlsack in die Krone[81]). Als Abschluß
der Almtätigkeit feiern die Sennen im
Unterinntal die Schoppwoche, wobei es
Braten, Melkermus und Schnaps gibt[82]).

d) B. als Totenopfer: Während
wir in Rußland [83]), bei den Albanesen [84])
und in Limburg [85]) deutliche Beweise von
B.opfern für die Toten haben, finden wir
in Deutschland [86]) nur spärliche Reste:
In Mecklenburg [87]) wird beim Leichenschmaus Erbsenb. aufgetragen, in der
Priegnitz [88]) Hirseb.; Heulgrütze [89]) heißt
ein pommersches Begräbnismahl. Die
Deutsch-Österreicher zwischen Brenta
und Dreve stellten bis zur Zeit Josefs II.
am Allerseelentag Bohnenb. in hölzernen
Töpfen auf das Grab der Angehörigen;
der B. blieb mehrere Stunden und wurde
dann an die Armen verteilt mit der Begründung, daß die Toten nichts genießen
wollten [90]); bei den Letten bekommen die
Toten von der Grütze ihren Teil [91]); in
Dänemark [92]) treffen wir auch die Grütze
beim Totenmahl an der Grabstätte.

e) B. als Hochzeitsfest-
speise: Diese uralte Kraftnahrung,
insbesondere der Hirseb., fehlt bei keiner
Festmahlzeit und spielt bei der Hochzeit
als Fruchtbarkeitssymbol eine große
Rolle [93]); die Absicht, mit dem Hirseb.
Fruchtbarkeit zu übertragen, ist ganz
klar, wenn z. B. die Brautleute mit Hirseb.
beworfen werden [94]) (vgl. das Überschütten mit Reis und Getreide); in Westböhmen [95]) wird der Hirseb. in der Stube
herumgeschleudert, das bedeutet für die
Brautleute Glück in der Ehe (Opfer, das
apotropäisch wirkt, da alles, was Fruchtbarkeit und Kraft spendet, apotropäisch [95 u]) wirkt); in Thuringen liest man
am Sonntag vor der Hochzeit Hirse für
den Hochzeitsb., in Hessen Erbsen [96]);
im Saarland gibt es als Nachtisch beim
Hochzeitsmahl stets Reisb.[97]).

[10]) Plinius N. H. XVIII 19 = Mayhoff:
et hodie sacra prisca atque natalium
pulte fritilla conficiuntur; der Opferb. wird
zum heilkräftigen Zauberbrei: Wünsch
l. c. 226—228; Wissowa Religion [2] 411;
Liebrecht Zur Volksk. 259; vgl. Frazer
3 (2), 112. 176 u. A.[95 a]: B. als Apotropaion.
[11]) HessBl. I, 10; Höfler Fastnacht 31;
in einer altenglischen Sage wird ein Kind von
zwei blondhaarigen Zwergen mit safrange-
färbtem B. bewirtet: Haupt's Zeitschr. 6,
534; Rochholz Glaube 2, 269; in Frankreich
löscht man auf dem Felde das Feuer nicht aus,
damit die Jungfrau dem Jesuskind seinen B.

kochen kann: RTrp.18, 122 Nr.4.[11 a]) Birlinger
Volksth. I, 198, 313, 1. [12]) Opfergebräuche 290 f.
A. 2. [13]) Hess. Bl. 5 (1906), 31. [14]) NddZfVk.
4 (1926), 4. [15]) Müllenhoff Sagen [2] 343,
507; vgl. 351, 517. 353, 518. 337, 499; Mensing l. c. I, 460; Weiser l. c. 9. [16]) ZfVk.
1898, 130 ff. 138. [17]) Müllenhoff l. c. 354,
520, 2. [18]) Weiser l. c. 3; Feilberg l. c.;
vgl. die schwedische Sage bei Weinhold
Weihnachtsspiele 15; Rochholz Glaube 2,
48. [19]) Schell Bergische Sagen 254, 4. Die
schweizer Erdmännchen essen gern Ziberli-
sturm, dafür besorgen sie das Vieh: Lütolf
Sagen 474, 436 a und b; vgl. 369, 335.
[20]) l. c. 374, 13 a. [21]) Graber Kärnten 66, d.
[22]) l. c. 75, 85 u. 86. [23]) Schambach-
Müller 124, 146, 1. [24]) Haas Rügen [5] 44,
79. [25]) Schwartz Sagen der Mark Brandenburg [7] 67, 39. [26]) Meiche Sagen 303, 394;
W. 49; Köhler Voigtland 360, 422; W. 126.
Eine Frau in einem Dorfe bei Hohnstein wird
von 2 Knechten beobachtet, wie sie zum Drachen sagt: „Matzel, Matzel, hier steht deine
Semmelmilch, gieb die Wurst her"; als es am
andern Tag Milchbrei und Wurst gibt, verlassen
die beiden den Dienst: Meiche Sagenbuch der
sächsischen Schweiz 19, 5. [27]) Meiche Sagen
303, 393. [28]) Krauß Volkforschungen 88 A. 1.
[28 a]) Rochholz Glaube 1, 8. [29]) SAVk.
1899, 36. [30]) Curtze Waldeck 170, 29;
Bolte-Polivka 2, 438; das gleiche Motiv
in der Erzählung von der überkochenden Milchsuppe: Kloster 9, 946—7. [31]) Bartsch
Mecklenburg 2, 471, 665. [32]) Grimm Myth.
I, 48; vgl. Jahn l. c. 290. [33]) ZfVk. 1902, 83.
[34]) Schell Bergische Sagen 374, 13 a; ZfVk.
9 (1903), 18. [35]) Fischer Aberglauben
(L. 1790), 337; vgl. Braunschweiger Anzeiger
1760, p. 1392 = Grimm Myth. I, 226 A. 3;
vgl. Brevinus Noricus 444; Rochholz Glaube 2, 47. [36]) Fischer 330 =
Rockenphilosophie 1. Hundert c. 57, p. 86;
Witzschel Thüringen 2, 174, 26; vgl.
156, 8; bei Grimm 3, 436, 56. 458, 687.
463, 814; Sartori Totenspeisung 59 A. 2;
Schwartz Sagen der Mark Branden-
burg [7] 70, 40; an einer andern Stelle heißt es
aber: Wer an Weihnacht- oder Christabend
keine Bohnen isset, der wird zum Esel: 3.
Hundert c. 94, p. 215 ff. = Grimm 3, 443,
274; wer in Anhalt in den Zwölften Hülsenfrüchte ißt, wird taub: ZfVk. 1896, 430; in
Thüringen muß man Linsen und Fische essen:
Witzschel Thüringen 2, 187, 85. [37]) Wolf
Beiträge 2, 324; Höfler Ostergebäcke 13.
[38]) Höfler Weihnachten 16—20; Grimm
Myth. I, 226—27. [39]) Andree-Eysn
Volkskundl. 160; Archiv f. Anthropologie 3
(1904), 125; Höfler Weihnachten 18;
Panzer Beitrag 2, 515; im Norden erhält der
Niss am Julabend Honig u. Grütze:
HessBl. 5 (1906), 31; Höfler Weihnachten
19; vgl. 17; vgl. den Segen des Grünkohl-
gerichtes (vgl. A. 67) und das Märchen bei Kuhn
Märk. Sagen Nr. 130; Kloster 9, 496 f.; Wei-

ser l. c. 3. [40]) H e y l *Tirol* 764, 65. [41]) H o o p s *Sassenart* 23. [42]) BlpommVk. 3, 184. [43]) ZfVk. 1896, 430. [44]) H ö f l e r l. c. 72. [45]) l. c. 19. [46]) l. c. 20; in Böhmen stellt man den Mäusen (Elben) Erbsenbrei hin: V e r n a l e k e n *Mythen* 315. [47]) T i l l e *Weihnachten* 179; M e y e r *Baden* 273. [48]) M e i c h e *Sagenbuch der sächsischen Schweiz* 124, 38; ZfVk. 1896, 432; H ö f l e r *Weihnachten* 16 f.; ZföVk. 9 (1903), 188 f.; ZfVk. 1904, 265; W. 451; M e y e r l. c.; L ü t o l f *Sagen* 381, 359; K u h n - S c h w a r t z 408, 145. [49]) E i s e l *Voigtland* 104, 262 A.; G r i m m *Myth.* 1, 226 A. 1; 3, 29; M e y e r *Germ. Myth.* 275; Kloster 9, 458; zur Gastrotomie: Kloster 9, 841 f.; W a s c h n i t i u s *Perht* 155; ZföVk. 1896, 303. [50]) G r i m m l. c. 227; W i t z - s c h e l *Thüringen* 2, 173, 13; E i s e l l. c. Beim Kindstaufschmaus wird der Mann gezwungen, die Schüssel mit Brotzemmede zu leeren: W i t z s c h e l l. c. 251, 68. [51]) Kloster 9, 457 f.; G r i m m l. c. 226; in Hessen Hering u. Haferb.: B a s t i a n *Elementargedanke* 1, 21; W. 25; W i t z s c h e l *Thüringen* 2, 187, 82; M ü h l h a u s e 119. 229; bei den Römern mußte man am 1. 6. Schweinefleisch mit Bohnen und Spelt essen, damit nicht die Eingeweide verletzt werden: O v i d *Fast.* 6, 181 ff.; P a u l y - W i s s o w a 1, 45. [52]) W i t z - s c h e l *Thür.* 2, 134, 166; G r i m m 3, 452, 525; Linsen und Fische essen bringt Geld: W i t z s c h e l 2, 187, 85. [53]) W e i n h o l d *Weihnachtsspiele* 25; G r i m m l. c. 1, 227; E i s e l l. c.; ZfVk. 1904, 265; G r i m m *Sagen* 197, 268; S i m r o c k *Mythologie* 394—95; Kloster 9, 458; vgl. die Sage von der Berchta in Kärnten: wer am Perchtentag keinen Mohnkuchen ißt, dem schneidet die Percht den Bauch auf: G r a b e r *Kärnten* 91, 111. [54]) ZfVk. 1905, 317 f. [55]) ZfVk. 1905, 317—18; M e y e r *Baden* 274; W. 95 u. 658, vgl. Bratwurst. [56]) Darüber ausführlich: H ö f l e r *Fastnacht* 30 ff. [57]) H ö f - l e r l. c. 72; M. J. K o c h *Coniecturae de spiris pistoriis vulgo von Bretzeln.* Dresdae 1733 (Exemplar in München): nach dem Todaustreiben bekamen die Knaben Bretzeln und *elixa legumina* p. 12. [58]) G r i m m *Myth.* 3, 458, 682; H a u p t *Lausitz* 320; L ü t o l f *Sagen* 381, 359; M a n n h a r d t *Germ. Myth.* 152; H ö f l e r l. c. 30; B o l t e - P o l i v k a 3, 438 A. [59]) G r i m m l. c. 442, 225 = Rokkenphilosophie 3. Hundert c. 40, p. 102—104. [59a]) B r e v i n u s N o r i c u s 444; vgl. R o c h h o l z *Glaube* 2, 49. [60]) H ö f l e r *Fastnacht* 30; W. 453. 97; P a n z e r *Beitrag* 2, 304. [61]) M ü h l h a u s e *Hessen* 111. 322; W. 98; J a h n l. c. 104—5 mit Literatur. In Marksuhl steckt man ebenfalls Knochen und Rippen des an Fastnacht verzehrten Schweinefleisches in den Leinsack: W i t z s c h e l *Thür.* 2, 218, 36. [62]) H ö f l e r l. c. 2. [63]) W i t z s c h e l *Thüringen* 2, 189, 11; vgl. K u h n - S c h w a r t z 411, 161: Schweinskopf in den Zwölften u. Grünkohl; dazu das Märchen bei K u h n *Märk. Sagen* Nr. 130;

Kloster 9, 496 f. [64]) In Österreich steckt man nach dem Pfingstritt die Knochen des geopferten Schafes ins Korn: V e r n a l e k e n *Mythen* 306, 28; M a n n h a r d t 1, 400; vgl. A. 51. [65]) H ö f l e r l. c. 89 f.; vgl. Erbsenb.: 90 f. u. 96; vgl. das B.opfer für die Erdgeister nach der Aussaat bei den Tschuwaschen: Globus 63, 322. [66]) R e i n s b e r g *Böhmen* 93; H ö f l e r *Ostergebäcke* 3; ebenso bringt der Genuß von Linsenb. (nach dem Journal für Pforzheim) am Karfreitag Geld: G r i m m 3, 454, 586. [67]) *Westböhmen* 61; H ö f l e r l. c.; vgl. den Gründonnerstagsb. aus 9 Kräutern: R o c h h o l z *Glaube* 2, 43; vgl. A. 39. [68]) G r i m m 3, 469, 940, vgl. A. 36. [69]) Sage und Quellen ausführlich bei K ü h n a u *Sagen* 1, 98—105 Nr. 115; G r i m m *Sagen* 197, 267; Kloster 7, 70; 9, 475, vgl. 458 u. 496; L i p p e r t *Christentum* 421 f.; E. H. M e y e r *Germ. Mythologie* 285; G r i m m *Myth.* 1, 232; S i m r o c k *Mythologie* 394—95; T h a r s a n d e r *Schauplatz* 1 (1737), 280; vgl. Kloster 9, 628; H ö f l e r *Ostergebäcke* 3; genaue Schilderung der Mahlszene im *Höllischen Proteus* (vgl. A. 70) 84—89. [70]) S i m r o c k l. c.; die Mahlzeit besteht aus folgenden Speisen: ,,erstlich wird ein dreipfündiges Brot aufgelegt, hernach eine Suppe von Bier oder anderer Brühe aufgesetzt, . . . demnächst zweyerlei Speisen von Karpffen und endlich der sogenannte süße Brey . . . . und zuletzt jedwedem auch sieben Pretzel von Semmel-Meel" nach: *Der höllische Proteus* durch Erasmum F r a n s c i s c i (Nürnberg 1690) 85 ff. [71]) Kloster 9, 628. [72]) B r ä u n e r *Curiositäten* 531 f.; K ü h n a u l. c. 104 f. [73]) K ü h n a u l. c. 2, 138, 5. [74]) Kloster 9, 839 f.; L i p p e r t l. c. 422. [75]) J o h n *Westböhmen* 69; H ö f l e r *Ostergebäcke* 61 und 63. [76]) J a h n *Opfergebräuche* 60. [77]) S c h ö n - w e r t h *Oberpfalz* 2, 105, 1. [78]) B i r l i n g e r *Schwaben* 1, 191 u. Nr. 301; R o c h h o l z *Gaugöttinnen* 22. [79]) J a h n l. c. 200; vgl. das B.opfer der Tschuwaschen nach der Aussaat: A. 65. [80]) Ebd. 202. [81]) H e r z o g *Volksfeste* 242 f. [82]) Z i n g e r l e *Tirol* 226, 1790. [83]) Der Tote bekommt eine Portion Reis- oder Weizenb.: T y l o r *Cultur* 2, 35; Kloster 12, 472; S a r t o r i *Totenspeisung* 68; vgl. 2—3. 4. 61 f.; vgl. H ö f l e r im Arch. f. Anthropol. N. F. 3 (1904), 99; N. F. 6 (1907), 101; vgl. Globus 66, 43 ff.; S a r t o r i l. c. 50 A. 1. [84]) Arch. f. Anthr. N. F. 3 (1904), 99; vgl. N. F. 6 (1907), 101; Globus 80, 381. [85]) S a r t o r i l. c. 23. [86]) Beilage zur Allgemeinen Zeitung 1901 Nr. 271, 2; Arch. f. Anthr. N. F. 6 (1907), 101. Am Lechrain opfert man an Allerseelen auf dem Seitenaltar Muesmehl: L e o p r e c h t i n g *Lechrain* 199 (Seelnapf). [87]) Kloster 9, 194; R o c h h o l z *Glaube* 2, 47. [88]) Kloster l. c. [89]) BlpommVk. 3, 112. [90]) Z i n g e r l e *Tirol* 226, 1790; R o c h h o l z *Glaube* 1, 318; vgl. 303. [91]) S a r t o r i l. c. 24; Globus 82, 367. 370. [92]) Archiv f. Anthrop. N. F. 6, 95. [93]) Darüber ausführlich: H ö f l e r in ZföVk. Suppl.

7 (1911), 13—16; M e y e r *Baden* 273 f.;
für das Rheinland: ZrwVk. 10 (1913), 87;
S a r t o r i *Sitte u. Brauch* 1, 92; vgl. Hirseb.
als besondere Festspeise an Mariä Geburt
in Unterfranken: Bavaria 4 a, 254. [94]) D ü -
r i n g s f e l d *Hochzeitsbuch* 125, 187. [95]) J o h n
Westböhmen 153; dieselbe Sitte in Mähren:
Kloster 12, 187; vgl. 205 f.; vgl. H ö f l e r
l. c. 14 u. 16. Bei den S e r b e n prophezeit man
am Vorabend des Barbaratages aus den Formen des aufkochenden B.s über den Ertrag
des Erntejahres: K r a u ß *Relig. Brauch* 165 f.;
vgl. das B.orakel bei den M a g y a r e n:
W l i s l o c k i *Magyaren* 83. [95a]) Interessant ist,
wie man in Afrika sich mit Mehlb. (weiße
Farbe!) beschmiert, wenn man auf die Reise
geht, und wenn man zurückkehrt: F r a z e r
3 (2), 112. 176; vgl. A. 10; für die weiße Farbe,
mit der man sich apotropäisch bestreicht:
ZfVk. 1913, 158. [96]) D ü r i n g s f e l d l. c.
149. 251. [97]) F o x *Saarland* 365. Der Kirch-
weihtag heißt an der Eifel B.tag (S c h m i t z
Eifel 1, 51), weil es früher am Kirmestag auf
dem Maifelde B. gab; in Eupen gibt es nach
dem Martinsfeuer B. und Waffeln: P f a n -
n e n s c h m i d *Erntefeste* 504.

3. B. o r a k e l : Diese beweisen, wenn
es noch nötig ist, den Opfercharakter des
Festb.s [98]). Im Papierkodex aus der Bibliothek zu St. Florian lesen wir [99]): Item
an dem vaschangtag, so werfeyt sy prein
an die dillen, velt er herab, so stirbt er
des jars. Für Dreikönig berichten Krainz
und Höfler von einer Sitte in Steiermark:
die Dirne, deren Löffel im Milchb. während der Nacht herunterfällt oder die
Lage verändert, muß sterben [100]). Am
Andreasabend gehen die Mädchen mit
einem Löffel Hirseb. vor die Türe; wer
zuerst von den ledigen Burschen vorbeigeht, der wird der Zukünftige [101]). In
Tirol essen die Mädchen am Weihnachtsabend auf 9 Türschwellen gesalzenes Mus,
wobei sie 9 Hüte auf dem Kopf haben;
darnach achten sie auf das Geräusch im
Mohnmörser [102]).
In Schweden stellen die Mädchen beim
„Jungfernb." Orakel an, ob sie in demselben Jahre noch Bräute werden [103]). In
der Rockenphilosophie lesen wir [104]): „Ißt
eine ledige Jungfrau das Angebrannte
vom B. aus dem Topf, so regnet's auf
ihrer Hochzeit und so es regnet, werden
die neuen Eheleute reich." Ißt eine Magd
gesotten Milch oder B. aus der Pfanne, so
regnet's bald und sie bekommt einen
Mann sauer wie Sauerkraut [105]). Wer nach

norwegischem Aberglauben zuerst aus der
B.schüssel ißt, wird nicht selig oder stirbt
von den Mitessenden zuerst [106]).

[98]) Vgl. das B.orakel der Serben und Magyaren: A. 95; wenn in der Bukowina der Maisb.
verschüttet wird und sich in zwei Hälften
teilt, stirbt jemand: ZföVk. 1897, 20, 98.
[99]) G r i m m *Myth.* 3, 415 F. 2; J a h n *Opfergebräuche* 117; H ö f l e r *Fastnacht* 30. [100]) Z-
föVk. 2 (1896), 303; W e i n h o l d *Weihnachtsspiele* 26; ZfVk. 1904, 265. [101]) M e y e r l. c.;
vgl. W i t z s c h e l *Thüringen* 2, 178 f.;
179; vgl. E b e r t *Reallex.* 5, 18. [102]) Z i n -
g e r l e *Tirol* 194, 1590. [103]) H ö f l e r *Hochzeit* 16. [104]) 3. Hundert c. 10, p. 31—34
= G r i m m 3, 441, 198. [105]) G r i m m 3, 462,
803; ZfVölkerpsych. 18 (1888), 272. [106]) L i e b -
r e c h t *Z. Volksk.* 337, 186; vgl. ZfVölkerpsychol. l. c. 167.

4. Besondere Gebräuche, meist abergläubischen Ursprungs, sind mit dem
(ersten) B.[107] des Kindes verbunden: Die
Furcht vor allerlei Schadenzauber (diese
Gefahr ist beim Essen [108]) besonders groß)
veranlaßt z. B. die Esten [109]), den ersten
B. mit einem fünfästigen Stab umzu-
rühren (die Zahl fünf schützt vor allem
Übel). Nach Zwickauer [110]) Aberglaube
darf der erste B. nicht kalt geblasen werden, sonst verbrennt sich das Kind den
Mund an der heißen Suppe. Gibt man
einem Säugling zuerst statt des B.s von
einem roten gebratenen Apfel zu essen, so
bekommt er rote Backen [111]) (Rockenphilosophie). Im Aargau [112]) muß man
immer der Katze (Hauskobold?) vom
Kinderb. übrig lassen; schnüffelt sie
hungrig am Pfännchen herum, so bekommt das Kind den Schnupfen. In
der Schweiz [113]) kocht man ein aus der
Bibel gerissenes Blatt in kleinen Stückchen im ersten B., damit das Kind
fromm wird (vgl. Essen); singt man
beim ersten B., so lernt das Kind schön
singen [114]). Gegen das Jüdel bläst man
Eier in den B. und hängt die Schalen
an die Wiege [115]).

[107]) R o c h h o l z *Kinderlied* 291 f. [108]) Vgl.
„Essen" u. F r a z e r 2 [3], 117 ff. [109]) S e l i g -
m a n n *Blick* 2, 259 f. [110]) F i s c h e r *Aberglauben* (1790) 203 = Rockenphilosophie
1. Hundert, c. 37, p. 61 f. = G r i m m 3,
435, 37; K ö h l e r *Voigtland* 437; ZfVölkerpsychol. l. c. 256; auch in Schwaben: B i r -
l i n g e r *Volksth.* 1, 392. [111]) 4. Hundert
c. 9, p. 259—61 = G r i m m 3, 444, 288.

[112]) R o c h h o l z l. c. 291; ZfVölkerpsychol.
l. c. 15. [113]) SAVk. 24 (1923), 61; D ö l l e r
Speisegesetze 168; Ezechiel 2, 8—3, 4; H e f e l e
Conziliengesch. 3, 339. [114]) SAVk. 24, 61. [115])
F i s c h e r l. c. 204 = Rockenphilosophie
1. Hundert c. 63, p. 98 = Grimm 3, 436, 62.

5. B. i n H e i l z a u b e r u n d
V o l k s m e d i z i n : Anthimus berichtet in seinem Brief an den Frankenkönig
Theuderich [116]): Fit etiam de hordeo opus
bonum, quod nos graece dicimus alfita,
latine [117]) vero polentam, Gothi vero bar-
barice fenea, magnum remedium cum
vino calido temperatum. Die Äbtissin
Hildegard empfiehlt in ihren Physica
einen Speltb. gegen allgemeine Schwäche
und zur Blutauffrischung [118]): accipe
integra grana speltarum et ea in aqua
coque, sagimine addito aut vitello ovi …
et da hoc infirmo comedendum et eum, ut
bonum et sanum unguentum, interius sa-
nat; ähnlich wirkt der cap. 4 beschriebene
Gerstenb.; Weizenb.[119]) mit Eiweiß empfiehlt Hildegard als Pflaster für Hunde-
bisse; ähnliche Rezepte gibt der von diesem Werk beeinflußte Vinzenz v. Beauvais
in seinem Speculum naturale [120]). Im Aargau [121]) gebraucht man Erbsenb., der
beim Johannisfeuer gekocht ist, als Salbe
bei Verletzungen. Gegen Durchfall [122]) der
Kinder gebrauchte man früher aufge-
wärmten Hirseb. Im Saarland [123]) nimmt
man 1 Pfund Mehl an den Wallfahrtsort
mit und kocht dort B., der besondere
Kraft hat. Die Magyaren [124]) kennen einen
B. aus Bohnen, Linsen und Hirse mit den
Knospen von 9 Bäumen zusammenge-
kocht als Mittel gegen Syphilis. Gockel[125])
erwähnt unter seinen abstrusen Arznei-
mitteln gegen Bezauberung der Kinder:
Kräuterpulver auf B. gestreut und 30
Tage dem Kind gegeben. Natürlich mischt
man dem B. gelegentlich Sympathie- oder
Antipathiemittel bei [126]).

[116]) A n t h i m i *de observatione ciborum
epistula* ed. Rose (L. 1877) 18, 7 ff. [117]) P l i -
n i u s *Nat. hist.* XXII, 127 = III, 480, 14
Mayhoff sagt: pulte corpus augetur; er erwähnt
auch Heilb. gegen morbus regius: XX, 52
— 3, 317, 18 Mayhoff vgl. XXVII, 49 = IV,
244, 22 M.; über den Heilb. in der Antike vgl.
die klassische Abhandlung von W ü n s c h in
Glotta l. c.; vgl. T h e o d o r u s P r i s c i a -
n u s = *Pseudo-Theodori Additamenta* XLVI,
p. 295, 3 Rose gegen Gicht: mense Martio

alicam coctam cum absinthio aut cum carceno
accipiat quasi jeiunus: HessBl. 5 (1906), 167;
H ö f l e r *Fastnacht* 72; über Speltb. vgl. H i l d e -
g a r d bei M i g n e 197, 1131 c. 5 u. V i n z e n z
über alica: lib. XII, c. 59; zu alica: J o h.
P l a c o t o m u s (B r e t t s c h n e i d e r) *De
tuenda bona valetudine, libellus Eobani Hessi
commentariis doctissimis illustratus* (Exemplar
in München) 61 f. [118]) S t. H i l d e g a r d i s
*Liber subtilitatum diversarum naturarum crea-
turarum* c. 5 = M i g n e *Patrologia latina* 197,
1131. [119]) l. c. 1129—30 c. 1; über Hafer als
Heilmittel vgl. c. 3 p. 1130—31; über Hirse
urteilt Hildegard sehr abfällig: l. c. 1133 c. 9.
[120]) V i n c e n t i i B e l l o v a c e n s i s *Opera:
speculi naturalis* tom. I, liber XII, c. 54—56:
amylum; c. 91: Gerstenb.; c. 108: Weizenb.;
c. 63 bis 64: Erbsenb.; c. 60: Haferrezepte.
[121]) R o c h h o l z *Sagen* 2, 227; J a h n l. c.
44. [122]) O e s t e r l e n *Handbuch der Heil-
mittellehre* 1861, 598; H ö f l e r *Fastnacht* 31.
[123]) F o x *Saarland* 323. [124]) W l i s l o c k i
Magyaren 143 f. [125]) G o c k e l i u s *Tractatus polyhistoricus* (1699), 102. [126]) G o c k e l
l. c. 112.

6. S o n s t i g e s : Wenn man von
Hirse- und Reisgemüse träumt, bedeutet
das Armut und Dürftigkeit [127]). Im Schadenzauber finden wir B. in Thüringen:
Um die Sperlinge auf das Weizenfeld
eines Feindes zu locken, kaut man fünf
Weizenkörner zu B. und spuckt diesen auf
den Acker des Feindes [128]).

[127]) *Traumbuch* A r t e m i d o r i *des
griechischen Philosophi, sampt einer Erinnerung
Philippi Melanchthonis.* Straßburg 1624, 183 f.
[128]) W i t z s c h e l *Thüringen* 2, 214, 7.

                         Eckstein.

Breithut. Eine mythische Figur dämonischer Art mit breitem Hut, B. oder
Langhut genannt, erscheint in mancherlei
Form: als Hockaufgeist [1]), als gespenstischer Baum oder Baumklotz [2]), und auch
Zwerge können so erscheinen [3]). Besonders aber erscheint der gespenstische Jäger, der Nachtjäger gern in dieser Gestalt.
Das Problem ist dann, ob hier von einem
Fortleben Wodans im deutschen Volksglauben die Rede sein kann oder ob die
Dinge so liegen, daß Wodan, der nach
nordischen Zeugnissen gleichfalls öfters
dämonisch mit breitkrämpigem Hut erscheint und deshalb auch *Síðhöttr*, der
Breithütige, heißt [4]), vielmehr selbst die
vielleicht ältere und verbreitetere Rolle
des mythischen B.s hier zeitweilig mit
übernommen hatte.

Zuweilen trägt der breite Hut merkbar jüngere modische Züge und verbindet sich an dem Gespenst mit Kniehosen, langen weißen Strümpfen, Schnallenschuhen und weitem Rock; der Dämon sitzt im Feuer, beschäftigt sich mit Goldmünzen oder verschenkt glühende Kohlen, die sich in Goldstücke verwandeln [5]). Es handelt sich dann um weitverbreitete Sagenzüge, die mit Wodan sicherlich nichts zu tun haben und um Gespenster, die, wie das oft der Fall ist, in Trachten des 17./18. Jhs. erscheinen. Diese Sagen sind wohl hier abzusondern. Aber es erscheint auch der Nachtjäger, der schwarze Mann [6]), der einäugige Kopflose [7]), der alte bösartige tote Burgherr, der Nachts mit vier schwarzen kopflosen Pferden daherrast [8]), den Kinder gelegentlich im Spiel nachahmen [9]), der allgäuische Jägerhansl und Schimmelreiter [10]) mit breitkrämpigem Hut, als Langhut oder B., und hier ist die Beziehung zu Wodan in der Form eines Fortlebens des Gottes stets mit großer Sicherheit angenommen worden [11]). Prüft man diese Sicherheit, so kann sie sich mit einiger Unangreifbarkeit wohl nur darauf stützen, daß im Aargauischen die Form des Wodansnamens *Muot* oder *Muet* direkt in Verbindung mit dem B. erscheint. So wird der Herr des wilden Heeres *der Muet mit dem breit Huet* genannt [12]), so begegnet die Verbindung in dem aargauischen Rätsel: *der Muot mit dem Breit huot hat mehr Gäste als der Wald Tannenäste*, dessen Auflösung der Sternenhimmel ist [13]). Hier mag also die direkte Beziehung zu dem Gotte wirklich noch vorliegen, wiewohl natürlich völlig unverstanden, so daß von einem Fortleben des Gottes selbst doch nicht die Rede sein kann, nur von einem Fortleben seines unverstandenen Namens und eines Zuges seiner Erscheinung. Eine ältere, verbreitetere dämonische breithutige Figur mag indessen dieser einzelnen Seite des Gottes sowie den eingangs erwähnten Erscheinungsformen sehr wohl gemeinsam zugrunde liegen. (S. noch B l a u h ü t e l.)

[1]) K ü h n a u *Sagen* 1, 511; B i r l i n g e r *Volksth.* 1, 9 f. [2]) B i r l i n g e r a. a. O.; danach M a n n h a r d t 1, 41. [3]) E. H. M e y e r *Germ. Myth.* 127. [4]) Die nordischen Zeugnisse bei G r i m m *Myth.* 1, 121. [5]) V e r n a l e k e n *Mythen* 11, 32. [6]) Ebd. 30. [7]) G r i m m *Sagen* 129; S e p p *Sagen* 160 f. [8]) B i r l i n g e r a. a. O.; M e i e r *Schwaben* 1, 23. 18. [9]) B i r l i n g e r u. M e i e r *Schwaben* a. a. O. [10]) H e r r m a n n *Deutsche Mythologie* 306; vgl. D r e c h s l e r 2, 156; B i r l i n g e r *Aus Schwaben* 1, 97. [11]) B i r l i n g e r und M e i e r a. a. O.; E. H. M e y e r *Germ. Myth.* 231. 237 f.; S e p p *Sagen* 160; Q u i t z m a n n 24 f.; W e i n h o l d *Weihnachtsspiele* 14; V o n b u n *Beiträge* 73; G o l t h e r *Mythol.* 285 f. [12]) R o c h h o l z *Sagen* 1, 122. 124; E. H. M e y e r *Germ. Myth.* 231. [13]) R o c h h o l z a. a. O.; H e r r m a n n *Deutsche Mythologie* 306.   H. Naumann.

brennen s. F e u e r s b r u n s t.

brennende Männer s. f e u r i g e M ä n n e r.

Brennessel (Urtica-Arten).

1. Botanisches. — 2. B. als antidämonisches Mittel besonders im Stallzauber. — 3. Beziehungen zu Blitz und Donner. — 4. B. als Aphrodisiacum. — 5. B. als Orakelpflanze. — 6. B. als Kultspeise. — 7. Volksmedizinisches.

1. B o t a n i s c h e s. Die große B. (U. dioica) ist wegen ihrer mit Brennhaaren besetzten Blätter allgemein bekannt. Die unscheinbaren Blüten stehen büschelig an herabhängenden Spindeln. An Zäunen und Hecken, aber auch an feuchten Waldstellen ist die große B. überall häufig. Die kleine B. (U. urens), auch Hitter- oder Eiternessel genannt, hat eiförmige, nicht zugespitzte Blätter. Sie wächst fast immer in der Nähe der menschlichen Siedelungen (an Mauern, auf Schutt, auf bebautem Boden) [1]). Die der Brennhaare entbehrenden Taubnesseln haben als Lippenblütler botanisch mit der B. nichts zu tun; sie gleichen dieser lediglich in der Form der Blätter. Die Taubnessel spielt (im Gegensatz zur B.) im Aberglauben nur eine untergeordnete Rolle. Die volkskundliche Stellung der B. wurde schon verschiedentlich behandelt [2]).

[1]) M a r z e l l *Kräuterbuch* 356 ff. [2]) O. K o e n e n *Über die B. im Volksglauben.* In: 40. Ber. d. westfäl. Prov.-Ver. f. Wissensch. u. Kunst 1911—12, 7—9; M a r z e l l *Die B. im Volksglauben.* In: Natw. Wochenschr. N. F. 10 (1911), 401—406; D e r s. *Heilpflanzen* 48 bis

50; D e r s. *Volksleben* 63—65; B. P. v a n
d e r V o o *De brandnetel als tooverplant.* In:
Vragen v. d. dag 30 (1915), 321—326; J. L.
H o l u b y *Die B. bei den Slovaken des Trent-
schiner Komitates.* In: DbotMonatsschr. 14
(1896), 138—140.

2. Ebenso wie stachlige oder dornige
Pflanzen (s. Dornstrauch) gilt die B. seit
alters als a n t i d ä m o n i s c h [3]).
Aus der alten Zauberliteratur (Hermes
Trismegistos?) stammt die Angabe, daß
B.n mit „Tausendblatt" (Schafgarbe?)
in der Hand gehalten gegen alle „Forcht
und Fantasey" (teuflische Anfechtungen)
schütze [4]). Auch das Rezept eines alten
Sympathiebuches: „Wär Neßlen Würtzen
bei im treit, so mag kein Wurm schaden"[5]),
dürfte hierher gehören. Vor allem gilt die
B. als antidämonisches Mittel im S t a l l -
z a u b e r. Ziegen sind vor dem „An-
daun" (Behexen) sicher, wenn man ein
Büschel B. im Stall aufhängt [6]). Wenn
dem Vieh etwas angetan ist, schlage B.,
Taubnessel und Natternesselwurz (?) mit
einem Stein breit, gehe damit zum Vieh
und streiche es dreimal im Namen Gottes
vom Maul bis zur Schwanzwurzel und
werfe dann die Wurzel hinter sich weg [7]).
Ein Amulett gegen das „Verschreien"
enthielt neben einem Strohhalm und einer
Hahnenfeder ein B.blatt [8]). B.n werden
in der Walpurgisnacht (vgl. Dornsträucher) auf den Düngerhaufen gesteckt und
mit einem Stock geschlagen; die Hexen
spüren diesen Schlag und haben dann
keine Macht mehr über das Vieh (Deutsches Westböhmen) [9]). Nach altem islän-
dischem Aberglauben läßt der Hexenmeister von seinem Treiben ab, wenn man
ihn mit B.n peitscht [10]). Der russische
Bauer hängt in der Johannisnacht an die
Fenster und Stalltüren B.n [11]). Auch in
Finnland [12]) und in Ungarn [13]) schützen
die B.n das Vieh vor Verzauberung. Vielfach wird die B. auch im M i l c h z a u -
b e r verwendet. Wenn sich die Butter
nicht ausrühren ließ, geißelte man das
Butterfaß mit B.n. War dann die Butter
gewonnen, so wurde die Buttermilch in
ein Loch gegossen, darauf ein Pfahl geschlagen und die gebrauchte Nesselrute
daneben vergraben (17./18. Jh.) [14]). In
einem siebenbürgischen Hexenprozeß v.

J. 1641 wird berichtet, daß die Milch der
Kuh auf eine B.staude geschüttet und
dann die Pflanze geschlagen wurde; die
Hexe, die das Vieh verzaubert habe, müsse dann erscheinen [15]). Wenn die Butter
nicht zusammengehen will, hole man eine
Nessel und spreche beim Holen:

„Grüß dich Gott, Nesselstrauch,
Hast 50 und sein (oder „kein") Rauch (?),
Gieb mir den besten, laß mich aufschließen,
       der Zauberin ihr Schloß,
Daß ich kann herausnehmen Butterkloß,
Das helfe mir Gott † † †" [16]).

In die zur Käsebereitung bestimmte Milch
wird am Weihnachtsabend eine B.wurzel
gelegt und das Ganze an Dreikönig in den
Mist gegossen, dann kann die Milchwirtschaft durch Behexung nicht geschädigt
werden [17]). Auch bei den Wenden [18]) und
bei den Slowaken [19]) dient die B. im Milchzauber. Die Praxis einer Berliner Milch-
händlerin, an einem heißen Sommertag die
Milch durch Einlegen von B.n vor dem
Sauerwerden zu bewahren (vgl. unten
d. B. als Mittel gegen das Sauerwerden
des Bieres), führte i. J. 1902 zu einer Klage
wegen Lebensmittelfälschung. Die Angeklagte wurde jedoch freigesprochen, weil
sie „ein allgemein geübtes Verfahren"
in Anwendung brachte [20]). Im A g r a r -
z a u b e r wird beim Setzen des Kohles
(Krautes) eine B.staude in die Erde gesteckt und mit einem Stein angedrückt,
das bewahrt den Kohl vor Raupenfraß [21]),
oder man steckt gegen Vogelfraß in eine
Ecke des Feldes einen B.stock und einen
Besenstiel mit den Worten:

„Da Krah, das ist dein
Und was ich steck', das ist mein!" [22])

Andrerseits ist aber auch die B. eine
Pflanze der Hexen, die pflücken sie zu
ihren Zaubertränken [23]). Von den Zusammenkünften der Hexen auf Kreuzwegen geben die dort stehenden B.n Kunde [24]).

[3]) M a n n h a r d t *Germ. Mythen* 102.
[4]) A l b e r t u s M a g n u s 1508, cap. 2;
M i z a l d u s *Centuriae* IX (1592), 91; Alpen-
b u r g *Tirol* 397 (kein Tiroler Volksglaube).
[5]) Z a h l e r *Simmental* 170. [6]) A n d r e e
Braunschweig 386. [7]) L o e b e *Altenburg* 448
= Veckenstedts Zs. 2, 360. [8]) A n d r i a n
Altaussee 153. [9]) Schaffende Arbeit 5 (1917),
448. [10]) O l a f s e n *Reise durch Island.* I

(1774), 10. [11]) Ausland 1835, 1301; Y e r m o - l o f f *Volkskalender* 295. [12]) FFC. 30 (1919), 57. [13]) ZfVk. 4, 401. [14]) MVerBöhm. 18 (1880), 204. [15]) KblndLkde 5 (1883), 100. [16]) MsächsVk. 2, 359; W i r t h *Beiträge* 6/7, 32. [17]) G r o h - m a n n 139. [18]) S c h u l e n b u r g *Wend. Volkstum* 162. [19]) DbotMonatsschr. 14 (1896), 139. [20]) T e i c h e r t in Milchzeitung, Leipzig 1903. [21]) F r i s c h b i e r *Naturkunde* 326; ebenso in Estland: FFC. 32, 31; an Stelle der B. wird auch die stechende Distel genommen: M a n n h a r d t 1, 15. [22]) S p i e ß *Obererz- gebirge* 28; J o h n *Erzgebirge* 220. [23]) K n o o p *Pflanzenwelt* 11, 80. [24]) J o h n *Erzgebirge* 133.

3. B. und Blitz (Donner, Gewitter) werden oft miteinander in Verbindung gebracht. „Wenn man Bier brauet, soll man einen guten Strauß B.n auf den Rand des Bottichs legen, so schadet der Donner dem Bier nicht" [25]). Eine rationalistische Erklärung dieses besonders in Mecklen- burg häufigen Aberglaubens versucht be- reits P a u l l i [26]), ebenso K e l l e r [27]). Möglicherweise hemmen tatsächlich die in der B. vorhandenen chemischen wirk- samen Stoffe (Ameisensäure, Glykoside?) die Entwicklung der Essigsäure- (Bac- terium aceti usw.) und der Milchsäurebak- terien (vgl. oben die Verwendung der B. im Milchzauber), die vor allem bei schwü- ler Witterung (also vor Gewitter) ihre Tätigkeit entfalten (Oxydation des Alko- hols zu Essigsäure). In der Antike legte man Lorbeerblätter zum Wein, damit dieser bei Gewitter nicht umschlägt [28]). Es bestehen jedoch sicher auch Beziehun- gen der B. (wegen des Brennens) zum Blitz (Feuer) [29]), daher auch der nieder- deutsche Volksname „Dunnernettel" [30]). Wo B.n stehen, schlägt der Blitz nicht ein [31]). Am Gründonnerstag (Tag des Gewittergottes!) gesammelte B.n, auf dem Dachboden verwahrt, schützen das Haus vor Blitzschlag [32]). Wenn es donnert, legt man den Eiern des Bruttieres Stahl und B.n unter, damit die Eier nicht taub wer- den [33]). Eine Beziehung zum Blitz (Feuer) ergibt sich auch, wenn am russischen Johannisfest über Feuer und Nesseln ge- sprungen wird [34]).

[25]) Rockenphilosophie 1707, 4, 364 = G r i m m *Myth.* 3, 445; ebenso D a n n e i l *Wb. der altmärk.-plattd. Mda.* 1859, 43; B a r t s c h *Mecklenburg* 2, 133; K n o r r n *Pommern* 145; D r e c h s l e r 2, 210. [26]) *Quadripartitum*

botanicum 1667, 519. [27]) *Grab des Aberglaubens* 2 (1785), 144. [28]) G e o p o n i c a 7, 11. [29]) M a n n h a r d t *Germ. Myth.* 102; D r e c h s l e r 2, 210. [30]) Auch bei den Mordwinen ist die B. die „Donnernessel": Journ. de la Soc. Finno-Ougrienne 12 (1894), 9. [31]) B a u m g a r t e n *Aus d. Heimat* 64; da- gegen gilt in Mittelfranken die B. als blitzan- ziehend: M a r z e l l *Bayer. Volksbot.* 134. [32]) Steierer Slovenen: ZföVk. 4, 148. 152; ebenso angeblich in Ungarn und Piemont: G u b e r n a t i s *Myth. des plant.* 2, 271. 274. [33]) T r e i c h e l *Westpreußen* 12, 426. [34]) Y e r - m o l o f f *Volkskalender* 292.

4. Die B. gilt schon in der Antike a l s a p h r o d i s i s c h e s (bzw. Fruchtbar- keits-)Mittel. Der Genuß des Samens reizt zum Beischlaf [35]), vierfüßigen Tieren, die sich begatten wollen, reibt man die Geni- talien mit B.n ein [36]), was auch ins ma.- liche Schrifttum übergegangen ist [37]). Von einem mannstollen Mädchen sagt man im Rheinischen, „dat let och en de Brennessle" [38]). Die B.samen gelten in Schwaben als fruchtbarmachend [39]). Um Liebe zu erwecken („ad amorem con- ciliandum") berührt man die zu gewin- nende Person mit einer am Johannistag unter Hersagung von drei Ave Maria ausgegrabenen B.wurzel, die unter das Altartuch gelegt wird [40]). In der Mark schwenkte das liebesdurstige Mädchen einen abends gebrochenen Nesselbusch vor Lippen und Augen mit den Worten:

„Kruskopp, treck den Kruskopp ran,
Huch, wat's allewiel fleddern kann!"

(Krauskopf [= Nessel], locke den Kraus- kopf [= Burschen] heran, ach, wie das jetzt flattern kann). Der besprochene Nesselbusch wurde dann auf die Tür- schwelle gelegt, die der Bursche am nächsten Morgen überschreiten mußte [41]). Auch die mohammedanischen Mädchen in Bosnien und in der Herzegowina be- nutzen die am Vorabend des Georgitages gesteckte B. als Liebesorakel [42]). Vielfach gibt man den Hühnern den im Dreißiger gesammelten [43]) B.samen, damit sie recht gut legen [44]). Auch ist die B.wurzel ein Trächtigkeitsmittel [45]).

[35]) D i o s k u r i d e s *Mat. med.* 4, 93. [36]) P l i n i u s *Nat. hist.* 22, 36. [37]) Z. B. „diu nezzel erwecket die unkäusch": M e g e n b e r g *Buch der Natur* hrsg. v. Pfeiffer 423. [38]) M ü l l e r *Rhein. Wb.* 1, 969. [39]) L a m -

mert 158. [40]) F r o m a n n *de Fascinatione* 1675, 704; vgl. auch Anz. f. Kunde d. Vorzeit 1854, 190; Alemannia 17, 240; ferner F r a n z *Frater Rudolfus* 426 in MschlesVk. 17, 34. [41]) H a n d t m a n n *Märk. Heide* 149. [42]) Wiss. Mitt. Bosn. u. Herceg. 3, 564; 4, 469; 7, 339. [43]) M a r z e l l *Bayer. Volksbot.* 58. [44]) Z. B. MsächsVk. 2, 359; W i r t h *Beiträge* 6/7, 33; D r e c h s l e r 2, 210. [45]) E b e r l i *Thurgau* 184.

5. D i e B. a l s O r a k e l p f l a n z e. In den alten Arznei- bzw. Sympathiebüchern ist das Rezept zu finden, um zu sehen, ob ein Kranker stirbt oder am Leben bleibt: Der Harn des Kranken wird auf grüne Nesseln gegossen. Bleiben diese frisch, so wird der Kranke am Leben bleiben, verdorren sie, so wird der Kranke sterben (12./13. Jh.) [46]), oder es wird unter das Bett des Kranken ein Topf mit Nesseln gestellt, bleiben sie grün, so wird er genesen, verwelken sie, so stirbt er [47]). Einer Nessel wird ein Zettel mit dem Namen der Hausfrau angehängt und die Pflanze dann in eine mit feuchtem Sand gefüllte Strohschüssel gesetzt. Am 1. Mai vor Sonnenaufgang sieht man nach: ist die Nessel verwelkt, stirbt die Hausfrau im Lauf des Jahres [48]). Wachsen im Sommer und Herbst die B.n recht hoch, so gibt es einen strengen Winter [49]). Blühen die Nesseln bald, so muß man bald säen; wie sie blühen, so fällt auch die Dinkelsaat aus, haben sie oben die meisten Samen, so wird die letzte Winterfrucht die beste [50]). Wenn im Frühjahr die B.n mit durchlöcherten Blättern (infolge von Insektenfraß?) emporwachsen, so wird es im Sommer Hagelschlag geben [51]). Wenn die Nesseln mit weißen Blättern (vgl. Bohne, Erbse, Kohl) am Haus oder Gartenzaun wachsen, so verkündigen sie einen Trauerfall [52]). Auch sonst wird die B. mit dem Tod in Verbindung gebracht, wie die aargauische Redensart: „er ist i d'Nessla cho" (= sterben), beweist [53]).

[46]) P f e i f f e r *Arzneibücher* 135; O e f e l e *Angebliche Practica des Bartholomäus* 1894, 95 b; W e c k e r u s *De Secretis* 1701, 124; W o l f *Beiträge* 1, 251; vgl. auch A l b e r t u s M a g n u s [20] Toledo 4, 14. [47]) G r i m m *Myth.* 3, 474; D r e c h s l e r 2, 210. [48]) R e i n s b e r g *Böhmen* 207. [49]) F i s c h e r *SchwäbWb.* 6, 858; ZföVk. 10, 53. [50]) F i s c h e r *SchwäbWb.* 1, 1402. [51]) SAVk. 2, 280. [52]) H ö h n

Tod 308. [53]) SchweizId. 4, 805; in Frankreich ist „jardin aux orties" (Nesselgarten) eine Bezeichnung für Friedhof.

6. D i e B. a l s K u l t s p e i s e. Als F r ü h l i n g s p f l a n z e ist die B., bzw. das aus ihr hergestellte Gemüse, eine Kultspeise, die Gesundheit und Kraft verleihen soll [54]). Bereits P l i n i u s [55]) erwähnt die i m F r ü h j a h r hervorsprießende Nessel als kultische Speise („multis etiam religioso in cibo"), die für das ganze Jahr die Krankheit fernhält. B.n sind ein häufiger Bestandteil der Gründonnerstagssuppe [56]). Ein Gemüse von Nesseln, die am Gründonnerstag geholt sind, schützt vor Geldmangel [57]). Unter den siebener- bzw. neunerlei Kücheln oder Krapfen (Kultspeise), die in Süddeutschland, Tirol usw. am Johannistag gebacken werden, befinden sich meist auch Nesselkücheln [58]). Wer ein gutes Jahr haben will, muß am ersten Januar B.kuchen essen [59]).

[51]) H ö f l e r *Botanik* 78. [55]) *Nat. hist.* 21, 93. [56]) Z. B. D r e c h s l e r 2, 210. [57]) M a r z e l l *Bayer. Volksbot.* 23. [58]) ZföVk. 16, 92; ZfdMyth. 3, 339; Heimatgaue. Linz 1 (1919 bis 20), 292; M a r z e l l *Bayer. Volksbot.* 49; M a n n h a r d t *Germ. Myth.* 102. [59]) L e i t h ä u s e r *Berg. Pflanzennamen* 10.

7. In der s y m p a t h e t i s c h e n M e d i z i n wird die B. häufig benutzt, um das F i e b e r zu bannen. P l i n i u s [60]) schreibt, daß die Wurzel der Herbstnessel („autumnalis urtica") aufgebunden das drei- und viertägige Fieber heile, wenn man beim Ausgraben den Namen des Kranken nenne und hinzufüge, wessen Sohn der Kranke sei. Mit verschiedenen Segensformeln (z. B. Nessel ich klage dir — Meine 77erlei Fieber plagen mich" usw. oder „Ich streue den Samen durch Christi Blut, es ist für 77erlei Fieber gut" usw.) wird Salz auf die Nessel („unter der Dachtraufe") gestreut. Vielfach heißt es, das Fieber vergehe, wenn die B. daraufhin vertrockne (osmotische Wirkung des auf die Blätter gestreuten Salzes!) [61]). Um G l i e d w a s s e r (Synovitis?) zu heilen, bespreche man die B.:

B. ich will dich behalten
Für das faule Fleisch
Und für die Mutter und für das Gliedwasser

Inwendig und auswendig
Daß du heilest allen Schmerz und alle Schäden.

(„Aus einem gedruckten Zauberbuch")[62]). Eine an G e b ä r m u t t e r k r e b s Leidende soll B.samen vor Sonnenaufgang nach den vier Himmelsrichtungen streuen und sie wird genesen (Oberbayern)[63]). Wenn man N e s s e l s u c h t (Similia similibus!) hat, so trinkt man Tee von B.n (Lunden)[64]) oder läßt seinen Harn auf B.n[65]). Bei den Marchfeld-Slowaken gilt letztgenanntes Mittel als wirksam gegen Unterleibsbeschwerden[66]), in den Vogesen gegen Gelbsucht[67]). Für „Hitze und Brand" bei Mensch und Vieh dient zusammen mit Schneckenschalenmehl und gepulvertem Schädelstück zerkleinerte B.wurzel, die unter der Dachtraufe gewachsen und an Maria Himmelfahrt (oder im Mai am ersten Tag des Krebses vor Sonnenaufgang) gesammelt sein muß[68]). Das Öl, in dem vor Sonnenaufgang gepflückte B.n abgesotten werden, schützt die Glieder vor dem Erfrieren[69]). Vielfach wird die B. gegen V i e h k r a n k - h e i t e n verwendet. Gegen Würmer und Maden beim Vieh knickt man drei Stengel der B. und spricht jedesmal:

Nettel knick di
Dat de oll Soeg (bzw. schwart Schap usw.)
De Purrik (= Wurm) rut geht[70]).

Gegen die Mauche bricht man durch den Zaun drei B.n und spricht dazu:

Die ist for den Ochs
Die andere ist for den Fuß
Die dritte ist, die heilen muß (Birkenfeld)[71]).

Hat ein Tier die Fußfäule, so schneidet man ein Stück Rasen aus, nimmt drei Nesseln, zieht sie dem Tier zwischen den Zehen durch, macht einen Schnitt in das Rasenstück, steckt die B. hinein und stellt alles über die Feuergrube und läßt es verdorren (Emmental)[72]). Die B. dient ferner zum „Verstellen" des Blutes beim Vieh[73]). Hat man sich mit B.n gebrannt, so reibt man die schmerzende Stelle mit „Heimina" (Chenopodium bonus Henricus) und spreche:

Nomini Patri
Neßje machund Blattre
Mit Heimina rib'n,
Das tüets sus vertrib'n (Wallis)[74]).

Ähnliche Beschwörungen sprechen die von B.n Gebrannten in England, wo die schmerzende Stelle meist mit den Blättern der großen Ampferarten gerieben wird[75]). Ein „wahrhafter" Jüngling oder eine solche Jungfrau können B.n angreifen, ohne sich zu brennen[76]). Die B.n brennen nicht, wenn man beim Berühren den Atem anhält (häufiger Volksglaube)[77]). Kein „deutscher" Volksglaube (sondern wohl aus alten Sympathiebüchern stammend) ist die Probe, um zu sehen, ob ein Mädchen noch Jungfrau ist: Man läßt es auf B.n pissen; verdorren die Pflanzen, so ist das Mädchen keine Jungfrau mehr[78]). Hängt damit vielleicht die schweizer Redensart zusammen: „Die Dochter hat villicht in die Nessle brunzelt" (d. h. einen Fehltritt begangen)[79])? Verdorrt die Nessel, auf die der Harn der Frau geschüttet wird, so ist diese unfruchtbar[80]).

[60]) Nat. hist. 22, 38. [61]) ZfVk. 7, 69; J a h n Hexenwesen 258; E n g e l i e n u. L a h n 259; Geschichtsbl. f. Stadt u. Land Magdeburg 16 (1881), 250; M a r z e l l Bayer. Volksbot. 160; H ö h n Volksheilkunde 1, 155; auch in England: Germania 7 (1846), 429. [62]) J a h n Hexenwesen 268. [63]) Originalmitteil. [64]) Urquell 4, 279; R e i c h b o r n - K j e n n e r u d Laegeurter 49. [65]) D r e c h s l e r 2, 288. [66]) D. Land 5 (1897), 384. [67]) S é b i l l o t Folk-Lore 3, 497 = R o l l a n d Flore pop. 10, 16. [68]) W a r t m a n n St. Gallen 80 = Schweiz-Id. 4, 805. [69]) Handschr. Brauchbuch aus Schlesien: D r e c h s l e r 2, 210; das Mittel geht zurück auf eine Schrift des mittelniederdeutschen Magister Bartholomaeus: H ö f l e r Botanik 77 f. [70]) B a r t s c h Mecklenburg 2, 459. [71]) ZfwVk. 8, 71; ähnliche Besegnungen gegen Viehkrankheiten auch bei den Siebenbürger Sachsen: H a l t r i c h Siebenbürgen 270, den transsilvanischen Zeltzigeunern: Ethnol. Mitt. aus Ungarn 1 (1887), 144 f. und den Kroaten in Niederösterreich: ZföVk. 3, 214. [72]) SAVk. 15, 8. [73]) W i l d e Pfalz 32. [74]) SchwVk. 4, 15; einen anderen Segen: Pfälz. Museum 43 (1926), 60. [75]) G r i m m Myth. 3, 507; Germania 7 (1846), 429; D y e r Folk-Lore of plants 1889, 298; G u t c h County folkl. of Yorksh. 1912, 70; MschlesVk. 16, 12. [76]) B a u m g a r t e n Aus der Heimat 1862, 129. [77]) Auch in der franz. Schweiz: SAVk. 25, 283. [78]) Vgl. G u b e r n a t i s Myth. des plant. 2, 273 f. [79]) SchweizId. 4, 805. [80]) Ebd. 4, 1415; vgl. damit den Glauben der Schwaben, daß die Empfängnis verhindert wird, wenn die Frau nach dem Beischlaf den Harn auf B.n läßt: D. bot. Monatsschr. 14 (1896), 139.

Marzell.

Brephomantie, Kinderwahrsagung (βρέ-φος = Kind). Gelehrte Bezeichnung der Wahrsagung aus den Eingeweiden von Kindern, s. A n t h r o p o m a n t i e, P a e d o m a n t i e.

[1]) F a b r i c i u s *Bibliogr. antiqu.*[3] (1760), 597.   Boehm.

Bretzel.

I. H e r k u n f t   u n d   N a m e dieses Gebäckes sind verschieden [1]) gedeutet worden; Koch [2]), A. v. Preter [3]), Höf-ler [4]) und F. Nork [5]) zählen die zum Teil lächerlichen Einfälle auf; v. Preter [6]) und Gräter [7]) deuten dieses Gebildbrot aus dem Sonnenrad [8]), wobei Preter noch auf das ptolemäische Münzzeichen ver-fällt (!) [9]); selbst ein Feind aller haltlosen Kombinationen wie A. Dieterich [10]) hielt den Zusammenhang der B. mit dem Sonnenrad für möglich; ihn leitete offen-bar der Gedanke, daß sich die Verwen-dung dieses Gebäckes beim Lätare-Um-zug am besten so erkläre. Höfler [11]) hat in einer besonderen Abhandlung das sprach-liche und bildlich-monumentale Material und die literarischen Zeugnisse zusam-mengestellt und die B. als Teigsubstitut des früher dem Grabe beigelegten To-tenschmuckes (Armring, Halsring und Spange) gedeutet. Das Glossarium Lin-denbrogi (10./11. Jh.) erklärt [12]): brecita: crustulum, genus panis oleo conspersus, in medio concavus et tortus. Diese Glosse fand nach den Angaben des Arevalo (1747/1824), eines spanischen Kommen-tators, Mazzocchi (1684/1771) in einer Handschrift der Origines [13]) XX c 2 des Isidor v. Sevilla (570/636): crustula dimi-nutivum est a crusta: panis oleo con-spersus in medio concavus et tortus [14]). Daraus kann man schließen, daß — was man bis jetzt nur vermuten konnte — die B. vor der Entstehung der deutschen Klöster im Süden bekannt war; oder der Autor des Glossarium Lindenbrogi über-trug die bei Isidor gefundene Erklärung der crustula einfach auf die B.; als Form dieser crustula torta ist wohl die der Mar-burger Neujahrskringel anzunehmen [15]); auch Ekkehard [16]) erwähnt eine torta panis in seiner benedictio ad mensas;

dagegen suchen wir bei ihm auffallender-weise das „brachiolum" vergeben. Eine andere Glosse (10. Jh.) lautet [17]): prezi-tella: collyridam [18]) panis, oder wir le-sen [19]): prezita: colliridam (12. Jh.), oder crustula [20]); auch das bekannte Summa-rium Henrici zitiert [21]): crustula: brezita, brezitella. Als erster leitete Wachter [22]) das Wort von brachile [23]) ab, dachte also an Arm, Armschmuck. Besser ist die Be-ziehung zu brachiale [24]), die auch Wachter freiläßt, und bracellus [25]) zu bracchium gehörig, vgl. ital. bracciatello; Höfler zieht noch das Beugel- [26]) und Kringelgebäck [27]) heran und kommt so auf die Deutung, daß die B. eine alte Totengabe ist und die bekannten den Toten beigelegten Ringe und Spangen ersetzt. Zwei Stellen hat Höfler nicht beachtet, Grimm [28]) und Du Cange [29]) zitieren sie: in den Gesta ab-batum Trudonensium (Kloster St. Trond im Haspengau) werden die Fastengerichte der Mönche aufgezählt [30]): Quatuor die-bus nativitatis Domini, paschae et pen-tecostes ad prandium duas portiones piscis . . . et ad cenam prima die placen-tam cum bracchiolo; und die direkte Bezeichnung bracellus finden wir in den veteres consuetudines Floriacensis coeno-bii, wobei bracellus gedeutet wird: sig-num . . . . ut de duobus bracchiis facias unum ponendo super aliud. Daraus ist klar, daß man das Gebäck als „Ärm-chen" [31]) deutete; B. gehört sprachlich einwandfrei zu bracellus und das ahd. brezitella zu ital. bracciatello [32]). Die Annahme, daß dieses klösterliche Fasten-gebäck ein von den Mönchen in frommer Phantasie als „Ärmchen" gedeutetes ur-sprüngliches Totengebildbrot und eine Ablösung der armillae und spirae ist, scheint manche Wahrscheinlichkeit für sich zu haben. Auch die Abbildungen [33]) sprechen zunächst nicht dagegen. Es ist kein Gebildbrot, das die Hausfrau zube-reitet, sondern erscheint immer als „genus pistorii operis" [34]); daraus schloß man, daß die B. aus dem Süden eingeführt wurde [35]).

[1]) Von den älteren Autoren sind besonders zu erwähnen J o. G e o r g i i   a b   E c k h a r t *commentarii de rebus Franciae orientalis et epi-*

scopatus Wirceburgensis tom 1 (1729), 435: tempore ieiunii quadragesimalis panis tortilis coquitur, quem Braetzel hoc est armillam nominamus; nam Barbaro-Latinis brachile et brachiale Gallice bracelet, Italice braccialetto denotat armillam. Panem hunc alii bracellum alii brachiolum ... vocant; er zitiert dann die von D u C a n g e 1, 729 zu bracellus und 730 zu brachiolum erwähnten Stellen u. möchte die B.n als ligamina superstitiosa erklären (vgl. 419). Da haben wir schon die ganze Argumentenreihe, die wir bei H ö f l e r antreffen werden, der dieses Buch aus der von ihm benutzten Literatur wohl gekannt hat, aber nicht zitiert. [2]) M. J o h a n n i s C h r i s t i a n i K o c h i i *Coniecturae de spiris pistoriis, vulgo von Bretzeln.* Dresdae 1733; in dieser wohl ältesten Spezialabhandlung über die Bretzeln erwähnt der Verfasser nach langatmigen Untersuchungen über „spira" die Ableitungen von preculae und Brechen (11—12) und deutet selbst (21 ff.) das Gebäck als „figura crucis"; ein Exemplar der seltenen Schrift ist in München. Die Ableitung des Wortes B. von preculae und pretiola bringt auch: B r e v i n u s N o r i c u s F a g o - V i l l a n u s *Den in vielen Stücken allzu abergläubigen Christen ...* Leipzig 1721, p. 139 (in München); vgl. P r a e t o r i u s *Blockesbergs Verr.* 491. [3]) Mitteilungen der K. K. Zentralkommission zur Erforschung und Erhaltung der Baudenkmale (Wien 1869) 14, 5; H ö f e r *Etymologisches Wb.* 1, 115; K o c h *Dissertatio de spiris pistorum* 22; zu brettstel: G r i m m *DWb.* 2, 378; Kloster 7, 135 A. [4]) Beilage zur Allgemeinen Zeitung 1901 (München) Nr. 272, 6; Arch. f. Anthropol. N. F. 3 (1905), 104, im folgenden zitiert: H ö f l e r *Brezel*; ZföVk. 9 (1903), 195 f.; Deutung des Wortes angenommen v. K l u g e *EWb.*[10] 73 und P a u l *DWb.*[3] 92; G r i m m *DWb.* 2, 378—79; H ö f l e r *Fastengebäcke* 72. 91 ff.; *Ostergebäcke* 19; B e c k e r *Frühlingsfeiern* 17; F r i s c h b i e r *Preußisches Wb.* 2, 179; F i s c h e r *Schwäb.Wb.* 1, 1412 ff.; M ü l l e r - F r a u r e u t h *Wb. der obersächsischen und erzgebirgischen Mundarten* 1, 152; A d e l u n g *Wb.* 1, 1192. [5]) Kloster 7, 133 ff.; noch A l b e r s *Das Jahr* 123 leitet Brezel von „pretiolum" ab; H ö f l e r *Fastengebäcke* 88; K o c h 14; zu brätstelle vgl. P f a n n e n - s c h m i d *Erntefeste* 495. [6]) l. c. 5—6. [7]) Iduna u. Hermode h. v. Gräter 1814 Nr. 5, 18—20. [8]) H ö f l e r *Weihnachten* 42 ff. [9]) D e r s. *Brezel* 104. [10]) ARw. 8, Beiheft 102 A. 1; ebenso F o x *Saarland* 417; R o c h h o l z *Glaube* 2, 157; K o l b e *Hessen* 36. [11]) *Brezel* = Arch. f. Anthr. N. F. 3, 94—110; vgl. die Rezension von Lauffer: ZfVk. 16 (1906), 234 bis 235; H o o p s *Reallex.* 1, 152. [12]) G r a f f *Ahd. Sprachschatz* 3, 317. [13]) L o b e c k *Aglaophamos* 2, 1074 Ax. [14]) Abgedruckt bei M i g n e *Patrol. lat.* 82, 1044 N. 18. [15]) H ö f - l e r *Brezel* 106 Nr. 22. [16]) *Benedictiones ad mensas Immoni abbati de sancto Gregorio fratri germano compacte roganti* in Mitt. d. antiquar.

Gesellschaft Zürich 3 (Zürich 1846—47), 106, v. 8. [17]) G r a f f l. c. [18]) Im *Glossarium Aynardi* ist collirida mit bracidelli erklärt: *Corpus glossariorum latinorum* ed. G o e t z 5, 618, 18; vgl. *Thesaurus linguae latinae* 3, 1667; *corpus gloss.* lat. ed G o e t z 5, 380, 25: panis collyri: panis quadrangulus. [19]) G r a f f l. c. [20]) l. c. [21]) S t e i n m e y e r - S i e v e r s *Ahd. Glossen* 3, 153. [22]) v. P r e t e r l. c. 5; W a c h - t e r *Glossarium germanicum* 212. [23]) bracile ist ein Gewandstück — zona, es kommt von braca: *Thesaurus linguae latinae* 2, 2162 und 2154; I s i d o r *Origines* 19, 33, 5; D u C a n g e 1, 731; MGS. 10, 315, 7; daher paßt die von L i p p e r t *Christentum* 604—5 und andern zitierte Stelle aus der lex salica nicht: H. G e f f k e n *Lex Salica* (L. 1898) 27 § 10. 141. [24]) D u C a n g e 1, 729 armilla; vgl. T o b l e r - L o m m a t s c h *Altfranzösisches Wb.* 1, 1104: bracel u. bracelet. [25]) D u C a n g e 1, 729 circuli ex auro. [26]) *Brezel* 95 f.; 109; v. P r e t e r l. c. 5 f. [27]) Dazu paßt die Glosse des M u r m e l l i u s (im *Pappa puerorum* cap. *de cibi generibus*) sehr gut: spira: bretschel oder r i n g, genus pistorii operis; vgl. S t e i n m e y e r - S i e v e r s l. c. 3, 153; 617, 42; 1, 414: colliridam-halstan als Glosse zur Vulgata 2. Reg. 6, 19; vgl. H o o p s *Reallex.* 1, 152; Arculata, spirae und circuli, στρεπτοί sind auch in der Antike belegt: L o b e k *Aglaophamos* 2, 1073—75; arculata (= fibulae) dicebantur circuli, qui ex farina in circulis fiebant (F e s t u s 16 = 15, 10 Lindsay); circuli sind Ringe aus Mehl, Käse und Wasser: V a r r o *Lingua latina* 5, 106 = 33, 17 G o e t z - S c h o e l l; in Schwaben heißen die Neujahrsb.n Neujahrsringe: M e i e r *Schwaben* 470, 228; zu den στρεπτοί sagt D e - m o s t h e n e s *Kranzrede* 260; A t h e n a e u s 4, 130 d = 1, 296, 8 Kaibel; B e k k e r *Anecdota* 1, 302; unseren B.n sind wohl die arculata am meisten zu vergleichen. [28]) *DWb.* 2, 379. [29]) 1, 729. [30]) MG. Hist. scriptores tom. 10, 314, 40. [31]) Vgl. W u t t k e *Sächs. Volksk.* 304; J o h n *Erzgebirge* 190; F i s c h e r *Altertumsk.* 57; Kloster 7, 134; H e y n e *Nahrungswesen* 277; A. S c h u l t z *Das höfische Leben* 1 (1889), 395; J. L. F r i s c h *Deutsch-Lat. Wb.* (1741), 136: spira pistoria panis figuram bracchiorum plicatorum habens; A d e - l u n g *Wb. der hochdeutschen Mundarten* 1, 1073. [32]) M. K r ä m e r *Dictionarium Teutsch-Italiänischer Sprache* 3, 297 f. [33]) H ö f l e r *Brezel* 105 ff.; zwei Abbildungen bietet uns die Äbtissin H e r r a d v o n L a n d s p e r g in ihrem *Hortus deliciarum* auf dem Bilde, das Esther und Mardochai an festlicher Tafel schmausend darstellt: E n g e l h a r d *Herrad von Landsperg* Tafel 4; H e n n e a m R h y n *Kulturgeschichte* 1 (1886), 205; A. v. P r e t e r l. c.; W e i n h o l d *Frauen*[2] 2, 60; H e y n e *Nahrungswesen* 272—277; A. S c h u l t z l. c. 376; vgl. Kloster 6, 1081 u. Abbild. 157 u. 159. Eine andere Abbildung zusammen mit andern Gebildbroten bei J o h a n n P l a c o t o m u s

(= Brettschneider) *De tuenda bona valetudine, libellus Eobani Hessi, commentariis doctissimis illustratus* p. 62; vgl. W r e d e *Rhein. Volksk.* 196. 237. [34]) M u r m e l l i u s l. c.; R e i s e r *Allgäu* 2, 86, 305; J o h n *Erzgebirge* 190; K o c h l. c. 11. 13. 22 ff. [35]) W u t t k e *Sächs. Volksk.* 304; Globus 80, 96.

2. Die Domäne der B. ist die F a - s t e n z e i t [36]) vor Ostern oder erweitert die Zeit von Neujahr [37]) bis Ostern. Sie kommt besonders häufig als Schmuck der bei den F r ü h j a h r s r i t e n umhergetragenen Baumsymbole [38]) (Lätare) [39]) neben andern Gebildbroten (z. B. Vögeln) [40]) und Eierschalen vor; und dazu paßt auch die Rolle der B. im F r u c h t - b a r k e i t s r i t u s des Schlages mit der Lebensrute, wobei sich die Mädchen

birge bekommen die Träger nach dem Begräbnis B.n [44]); in Bayern gibt es beim Totenmahl B.n [45]), Bier und Brot.

[36]) H ö f l e r *Brezel* 96 ff.; *Fastengebäck* 80 ff. 68; J o h n *Erzgebirge* 190. 219; W u t t k e *Sächs. Volksk.* 304. [37]) K ö h l e r *Voigtland* 170. [38]) B e c k e r l. c. 17; M a n n h a r d t 1, 155 ff. 157, 223, 288. [39]) Nach K o c h (12) erhielten die Kinder, nachdem sie an Laetare die larva mortis de stramine facta verbrannt hatten, nach der Zeremonie B.n als Geschenk neben elixa legumina; Bavaria 2 a, 273; 4 b, 358. [40]) C. C. v a n d e G r a f t in Die maandelijksche Bladen 7, 3 ff.; B e c k e r l. c. 17. [41]) M a n n - h a r d t 1, 545—46. [42]) B i r l i n g e r *Volkstüml.* 2, 63—64. [43]) D e r s. *Schwaben* 2, 136; Globus 80, 96; Beilage zur allg. Zeitung 1901 Nr. 272, 6; S a r t o r i *Totenspeisung* 68—69; H ö f l e r *Brezel* 102; G r i m m *DWb.* 10, 1, 6; E. H. M e y e r *Deutsche Volkskunde* 115.

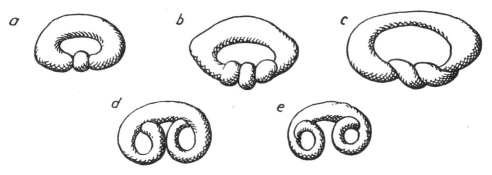

a) u. b) Formen im Vatic. 3867.   c) Nördlinger Brezgen [50]).
d) u. e) Formen bei Herrad v. Landsperg [51]).

durch B.n loskaufen [41]); das will aber zur B. als Substitut der Grabgaben gar nicht passen; besonders eine z. B. in Schwaben [42]) gebackene besondere Art der B., der „Funkenring“, den das Mädchen am Funkensonntag ihrem Burschen schenkt, ist doch niemals Substitut einer den Toten beigelegten Armspange gewesen, obwohl gerade diese nicht geflochtene Gebäckart der Armbandform äußerlich am ähnlichsten ist. Wir werden später sehen, wie B.n allgemein als Liebeszeichen verschenkt werden. Daß die B. auch als T o t e n g a b e vorkommt — das wäre für die Fundierung der Höflerschen Theorie besonders wichtig — zeigt ein Brauch, der früher im Wertachgebiete geübt wurde, wo man „Seelenbrezgen“ an den Grabkreuzen aufhängte [43]); im Erzge-

[44]) J o h n *Erzgebirge* 127. [45]) L e o p r e c h - t i n g *Lechrain* 252; vgl. G r i m m *DWb.* 10, 1, 6.

3. Gegen die Höflersche Theorie und die auf Eckhart fußende Erklärung der B. als Totenschmucksubstitut kann man zusammenfassend kurz folgendes vorbringen:

a) Das Wort halstan, mit dem collyridam in einer alten Glosse erklärt wird (vgl. A. 27), hat mit ags. heals nichts zu tun [46]), also fällt die Beziehung zu Halsring und damit das Hauptargument Höflers.

b) Wieso kommt die B. als Totengebildbrot in die Frühlingsriten?

c) Warum genügt die Deutung der Mönche als bracchiolum = Ärmchen nicht?

d) Die Behauptung, daß wir unter den
Abbildungen der römisch-christlichen Gebildbrote keine B.form finden, daß wir es
also mit einem erst in den Klöstern auf-
gekommenen Fastengebäck zu tun haben,
kann nicht aufrecht erhalten werden. Wir
besitzen nämlich eine Abbildung aus der
frühchristlichen Kulturepoche, die rund
700 Jahre älter ist als das Zeugnis mit
Illustration, welches wir der Herrad
v. Landsperg verdanken. Neben den
typischen runden Kreuzbroten [47]), die
uns bes. auf Skulpturen begegnen (Fisch
mit Broten), fällt eine Szene auf, die uns
eine illustrierte Handschrift, der cod.
Vaticanus 3867 (5. Jh.), bietet [48]); dargestellt ist eine Mahlzeit des Äneas und
der Dido; auf dem Tischchen liegt ein
Fisch, und am Rand im Halbkreis sehen
wir 3 Gebildbrote, von denen besonders
das mittlere der aus dem hortus deliciarum bekannten Form entspricht; zu betonen ist, daß auch bei Herrad v. Landsperg Fisch und Brote auf dem Tischchen
liegen; wir haben es also mit einem nach
Form und Inhalt durchgehenden Motiv
zu tun [49]).

Da haben wir also eine feste Überliefe-
rungskette vom 5. Jh. über die mittelalterlichen Klöster bis auf unsere Zeit;
darnach wäre die B. ein antik-christliches
Kultgebäck (vielleicht die arculata, vgl.
A. 28), das als Fastengebäck (in Ring-
und Ärmchenform) übernommen wurde.

[46]) K l u g e erwähnt in seinem *Angelsächsischen Lesebuch* 183 'halstan' s. v. ,healstan'
ohne Beziehung zu heals, ebenso O. G r ö g e r
in seinen *Ahd. Komposita.* [47]) Abbildungen bei
D ö l g e r ΙΧΘΥΣ III Tafel XXXVII Nr. 6;
XXXIX Nr. 3; XL Nr. 4; XLII Nr. 3 u. 4;
LI; LVI Nr. 1; LVII Nr. 2 u. 3; LVIII;
LXI Nr. 1; LXIII; LXXII; LXXVIII Nr. 7
u. 8; LXXX Nr. 4; XCI Nr. 1; die Haupt-
formen sind ⊗ oder ✳; vgl. Jahreshefte des
österreichischen Archäol. Institutes in Wien
17 (1914), 2. Heft 95 Tafel 70; 150 Tafel 135;
ARw. 15, 160 Tafel 1 Nr. 6. [48]) Abbildung bei
D ö l g e r l. c. Tafel LII; vgl. ARw. 15, 160
Tafel 1 Nr. 6: vielleicht sind hier die 3 läng-
lichen Gegenstände auf dem Tisch auch Gebildbrote dieser Art; J o s. W i l p e r t *Die
Malereien der Katakomben Roms.* Freiburg 1903,
292; Tafelband Tafel 133; W e n d l a n d *Hellenistisch-römische Kultur* [2] 428 Abb. 4. [9]) Auch
ein Bild des Codex Egberti (10. Jh.) hat dieses
Sujet: H e y n e 2, 272. [50]) H ö f l e r *Brezel*

106 Nr. 19; D e r s. *Fastnacht* 92 Fig. 47.
[51]) Vgl. die Krackeling in Friesland: H ö f l e r
Brezel Nr. 31.

4. N e u j a h r s b.n [52]): Besonders in
Baden [53]) schenken die Burschen beim
Neujahransagen dem Schatz B.n; diese
darf man am Kaiserstuhl [54]) und im Elsaß [55]) vor Dreikönig nicht anschneiden;
Neujahrsb.n schenken die Paten [56]) den
Kindern oder diese den Lehrern [57]), die
Bäcker [58]) den Kunden. In München
teilte der B.reiter in der Neujahrsnacht
B.n aus [59]). Zwischen Neujahr und Fastnacht liegt der Sebastianstag [60]); die B.-
händler hatten neben dem Stand den B.-
baum; man glaubte, daß der hl. Sebastian
die B.n segne; daher kaufte jeder Bauer
für Familie und Gesinde Sebastiansb.n;
man vergnügte sich mit dem B.reißen;
für die Bäcker war B.tanz; nach diesem
wurden die B.n an Musikanten, Mädchen
und Kinder verteilt.

[52]) H ö f l e r ZföVk. 9 (1903), 194; *Brezel* 103;
ZrwVk. 16 (1919), 47—49; Bavaria 3 b, 354.
[53]) M e y e r *Baden* 201. 235; S c h m i t t
Hettingen 20: eine B. aus Stroh wird dem
Mädchen ans Haus gehängt, das den Burschen
mißleidig ist; M e i e r *Schwaben* 470, 228.
[54]) M e y e r l. c. 201. [55]) JbElsaß-Lothr. 7, 202.
[56]) B i r l i n g e r *Schwaben* 2, 18; W r e d e
RheinVk. 238—39; F o x *Saarland* 404.
[57]) M e y e r l. c. 71. [58]) D e r s. 494; M e i e r
l. c. 470, 228; vgl. W r e d e l. c. über das
Herauskarten der Nb.: ZrwVk. 16 (1919), 47 u.
49; 13 (1916), 213 f.; M e y e r *Baden* 71—72;
M ü l l e r *RheinWb.* 1, 993. [59]) ZföVk. 9 (1903),
195; R a d e r m a c h e r *Beiträge* 107 A. 1;
vgl. die Wallerb.n: v. P r e t e r l. c. 5; ZföVk.
l. c.; S c h m e l l e r *BayrWb.* 1, 376. [60]) DG.
14, 145. 146 ff.

5. B.n d e r F a s t e n z e i t [61]): Im
Allgäu [62]) und im Erzgebirge [63]) wechseln
die Bäcker mit der „Bretzget" ab;
Koch [64]) bezeugt (1733), daß nur „tempore quadragesimali" die B.n gebacken
werden. Im Augsburger Jareinmal (um
1750) lesen wir [65]):

*Man hört in Reimen hübsch und fein
Den Sommer und den Winter streiten,
Welch'r besser sei zu diesen Zeiten.
Auch nimmt jetzt mancher für den G'schlier
Ein Fasten-Pretzen zu dem Bier.*

In der Gegend von Aschersleben [66]) heißt
es: Wer die Fastenb.n verachtet, bekommt Eselsohren [67]). Das hat doch wohl

den tieferen Sinn: Dieses spezielle Festgebäck bringt Glück und Gesundheit, wie die andern Fruchtbarkeitssymbole, mit denen zusammen die B. den Frühlingsbaum schmückt (vgl. Lätare- und Gründonnerstagsb.); die Fastnachtsspeisen [68]) sind zudem als Frühlingsspeise (vgl. A. 78) von großer Bedeutung und mit Opfern verbunden; nach Praetorius (Verrichtung 112. 115) vertreiben B.n an Fastnacht, Gründonnerstag und Dreikönig Hexen (vgl. A. 60).

Was in Anhalt [69]) Spiel ist, das Schenken der Fastenb. am Aschermittwoch für das Ausstäuben mit Ruten, war ursprünglich das Gegengeschenk für eine Fruchtbarkeitsübertragung; bei Hall in Tirol peitscht ein maskierter Bauer die Buben durch und wirft B.n unter die Kinder [70]). In Württemberg verteilen die Narren an Fastnacht B.n [71]). Eine große Rolle spielt dieses Gebildbrot beim Vegetationsritus an Invocavit; in Schwaben [72]) schenkt das Mädchen am „Funkensonntag" dem Burschen den Funkenring; beim Mädchenverschreiben an der Mosel [73]) brechen die Paare nach altem Brauch die B.; auch für das Rheinland [75]) sind solche uralte Gebräuche speziell für Fastnachtsdienstag und Lätare bezeugt: die Mädchen sandten (1579) den Burschen B.n, und die Burschen stifteten Würzwein. Noch heute kaufen die Burschen den Mädchen an Lätare B.n; lehnt das Mädchen diese ab, so bedeutet das eine Absage [75]). In Böhmen [76]) hängt man am Vorabend des „Fuchssonntages" B.n (Bängeln) in die Äste der Bäume; zu den Kindern sagt man: Der Fuchs [77]) hat die B.n verloren; die Kinder essen die B.n prophylaktisch gegen Zahnweh; also ruht auch hier Segen und Heilkraft auf der Opfergabe an die Vegetationsdämonen [78]). Am Gregoriustag, der in der Rhön der B.tag heißt, erhalten seit alter Zeit die Schulkinder B.spenden [79]); diese Gregoriusb.n erwähnt schon Koch [80]): „patroni pueris in diligentiae praemium spiras dabant"; in Donaueschingen [81]) bekommen die Schulkinder vormittags B.n, und am Nachmittag ist Volksbelustigung; über ein altes Schulfest am Gregoriustag mit

B.verteilung berichtet Vulpius in seinen Curiositäten [82]). An Lätare, dem „Bretzgensonntag" im Allgäu [83]) und sonst [84]), „sollen ... die Pretzel zuerst gebacken seyn, welche sie unter die Kinder außgetheilet und ihnen Anlaß gegeben fleißig zu beten oder precari und preculas oder precationes sonderlich umb selbige Zeit abzulegen, daher sie auch sollen benahmet seyn" [85]); im Rheinland ist am Sonntag nach Halbfasten B.ziehen zwischen Lehrer und Schülern [86]). An Lätare tragen nach dem Papistenbuch [87]) die Knaben Fastenb.n an langen Stecken herum. Diese Frühlingsbräuche sind in der Pfalz und am Rhein noch besonders lebendig, kein geringerer als A. Dieterich [88]) hat diesen Ritus eingehend untersucht. Früher und auch jetzt an manchen Orten trieben die Knaben, „die B. in der Linken und einen hölzernen Degen in der rechten Hand, den Winter aus" [89]); in Eisenach war früher der „Sommer" mit B.n und Eierschalen geschmückt [90]); in Luxemburg heißt der Sonntag Lätare Fastenbohnensonntag; die Verheirateten müssen allen Gästen, die ein Stück vom Strumpfband der Frau geraubt haben, B.n geben [91]). In Baden finden wir das B.umtragen auch an Judica [92]). Am Palmsonntag sind die Palmen [93]) in Tirol zuweilen mit B.n geziert, und beim Umzug ist der Zaum, den Christus auf dem Esel sitzend hält, mit einem Dutzend B.n geschmückt [94]). Bei Altenrieth (Schwaben) wird ein B.markt [95]) abgehalten, wobei die Burschen den Mädchen ganze Schürzen voll B.n schenken, dafür bekommen sie an Ostern Ostereier [96]); beim „Bratzeltanz" in Ottenhausen bei Neuenbürg holt der Bursch nur die Auserwählte zum Einzeltanz [97]). Im Gothaischen erhalten die Schulkinder an diesem Tag B. von den Jungverheirateten [98]). In der Gründonnerstagsnacht bringen die Burschen in Marbach den Mädchen B.n ans Fenster [99]); wenn die Mädchen nüchtern davon essen, bekommen sie das Fieber nicht, und solange die B. nicht schimmelt, ist die Liebe echt [100]) (vgl. die oben erwähnte Kraft der Fastenb. als Kultspeise und den Genuß des Eis) [101]); daß man am Gründonnerstag B.n gegen Fieber ißt, erwähnt schon J. Prätorius [102]), ebenso die Rockenphilosophie [103]); nach Prätorius hing man dieses Kultgebäck im Hause gegen Fieber und Zauberei auf, so noch heute in Braunschweig [104]). B.n als Geschenk der Paten am Gründonnerstag sind 1601 am Rhein (Rüdesheim) bezeugt [104 a]).

[61]) H ö f l e r *Brezel* 98 ff. 103 ff.; ZföVk. 9 (1903), 80 ff. 91 ff. An der Elbe gibt es nach dem Fastenbeten B.n: M e i c h e *Sagenbuch der sächsischen Schweiz* 115; P r e t e r l. c. [62]) R e i s e r *Allgäu* 2, 86; vgl. F i s c h e r *SchwäbWb.* 1, 1413. [63]) J o h n *Erzgebirge* 190. [64]) l. c. 20. 23; für Sachsen: M ü l l e r - F r a u r e u t h l. c. 1, 152. [65]) B i r l i n g e r *Schwaben* 2, 148. [66]) M a n n h a r d t *Germ. Myth.* 25. 412; W o l f *Beiträge* 1, 79; J a h n *Opfergebräuche* 117. 145; W. 97. [67]) Wer in Waldeck am Gründonnerstag kein „Grünes" ißt, bekommt Eselsohren: C u r t z e *Waldeck* 398, 134; J a h n l. c. 145; B e c h s t e i n 1, 161; im Rheinland muß man Lauch essen: ZrwVk. 18 (1921), 36. [68]) J a h n l. c. 116 f.; H ö f l e r *Brezel* 103. [69]) ZfVk. 1897, 75; M a n n h a r d t 1, 545; über die Ablösung des Schlages durch die B. an Aschermittwoch: Bavaria 2 a, 273. [70]) M a n n h a r d t 1, 269; Z i n g e r l e *Tirol* 139; im Rheinland finden wir das B.schleudern unter die Kinder am Fastnachtsonntag: M ü l l e r *RheinWb.* 1, 993, nachmittags ist Wettlauf, wobei der Sieger eine Bretzel erhält; vgl. SAVk. 1 (1897), 190 ff. [71]) K a p f f *Festgebräuche* Nr. 2, 11; für die schles. Fastnachtb.n: Mschles Vk. 1906 H. 15, 145. [72]) B i r l i n g e r *Volksth.* 2, 63 f.; *Schwaben* 2, 62 ff.; M a n n h a r d t 1, 539; H ö f l e r *Fastengebäcke* 80 f.; *Brezel* 99 f.; M e i e r *Schwaben* 383, 25; vgl. F o x *Saarland* 418. [73]) M a n n h a r d t 1, 453; vgl. F o n t a i n e *Luxemburg* 32; ZfVk. 1915, 301. [74]) W r e d e *RheinVk.* 248 49. [75]) M ü l l e r l. c. 994; für das Saarland: F o x *Saarland* 343: am Lehenfest gibt das Mädchen dem Burschen eine B. als Liebeszeichen. [76]) R e i n s b e r g *Festl. Jahr* 68; H ö f l e r *Brezel* 98; D e r s. *Fastengebäcke* 73. [77]) Über Opfer an den Fuchs: J a h n *Opfergebräuche* 118; M e i e r *Schwaben* 375, 9. [78]) Über Opfergaben für Vegetationsdämonen an Fastnacht: J a h n l. c. 116. [79]) H ö f l e r *Brezel* 100; D e r s. *Fastengebäcke* 87 f.; vgl. V u l p i u s *Curiositäten* im Kloster 7, 207; H i l s c h e r wollte allen Ernstes den Namen der B.n davon ableiten, daß die Praeceptores am Gregorsfest den Schülern B.n schenken *(Österlicher Aberglaube* 20; v. P r e t e r l. c. 5); A d e l u n g 1, 1073 wies auf „preciuncula": Die Schüler, meint er, mußten für die B.n beten: K o c h l. c. 13 f.; Kloster 7, 135 A.; vgl. A. 86; in Tirol gibt es Wein, Brot und Käse: Z i n g e r l e *Tirol* 142, 1231. [80]) l. c. 14. [81]) Alemannia 22, 145. [82]) Kloster 7, 206 f; vgl.

B.examen: M ü l l e r - F r a u r e u t h 1, 152. [83]) R e i s e r *Allgäu* 2, 112; vgl. 105; H ö f l e r *Brezel* 100. [84]) M e y e r *Baden* 90 ff. [85]) P r a e t o r i u s *Blockes-Berges Verrichtung* (L. 1668) 491; über die Ableitung von precari vgl. A 2. [86]) M ü l l e r l. c. 993. [87]) H ö f l e r *Brezel* 100; K o c h l. c. 12—13; H ö f l e r *Fastengeb.* 92. [88]) *Kl. Schr.* 324—352 = ARw. 8 (1905), Beiheft 82 ff.; B e c k e r *Frühlingsfeiern* 17; M e y e r l. c. 87. 90 ff.; H ö f l e r *Brezel* 100; D e r s. *Fastengebäcke* 88. 92; Bavaria 4 b, 358. [89]) D i e t e r i c h l. c. 325; auch am „Fähnleinstag" = St. Gregoritag hatten früher die Knaben Holzsäbel: H ö f l e r *Fastengebäcke* 88. [90]) M a n n h a r d t 1, 156 f. [91]) F o n t a i n e *Luxemburg* 32; vgl. den Brauch im Gothaischen: M e y e r l. c. 116. [92]) M e y e r l. c. 116; H ö f l e r *Brezel* 101. [93]) Z i n g e r l e *Tirol* 146, 1260; M a n n h a r d t 1, 288; H ö f l e r l. c. 94]) Z i n g e r l e 147, 1263; H ö r m a n n *Volksleben* 50 ff. 95]) M e i e r *Schwaben* 385, 36; B i r l i n g e r *Schwaben* 2, 65, 10; M e y e r l. c. 116; S a r t o r i *Sitte u. Brauch* 3, 136. 96]) M e i e r l. c. 393, 67; vgl. M ü l l e r *RheinWb.* 1, 994. 97]) K a p f f *Festgebräuche* 19; vgl. M ü l l e r l. c. 98]) M e y e r l. c. 116. 99]) B i r l i n g e r *Schwaben* 2, 71—72; M e y e r *Baden* 501. 100]) M e i e r l. c. 387, 40; 388, 48; vgl. W i t z s c h e l *Thüringen* 2, 195, 10. 101]) M e i e r 386, 39 u. 389, 55; J a h n l. c. 138 f. 102]) *Blockes-Berges Verrichtung* 214; H ö f l e r *Brezel* 101; D e r s. *Ostern* 9 f.; S e y f a r t h *Sachsen* 270; M a e n n l i n g 193. 103]) G r i m m *Myth.* 3, 436, 44; ZfVk. 1891, 191 e 1 (Brandenburg); M a n n h a r d t *Germ. Mythen* 134; K e l l e r *Grab des Aberglaubens* 5, 375; J a h n l. c. 145 mit Literatur; F i s c h e r *Aberglauben* (L. 1790), 228, schöpft fast alles aus der Rockenphilosophie; auch wer am Gründonnerstag fastet, ist fieberfrei; F i s c h e r l. c. 217 = Rockenphilosophie 1. Hundert c. 87, p. 130. 104]) A n d r e e *Braunschweig* 341. 104 a]) ARw. 24, 174; AfKultur. 2 (1895), 183 ff. 185.

6. An Ostern [105]), Johanni [106]), der Kirchweih [107]) und Martini [108]), an Weihnachten [109]), am Konfirmationstag [110]) und an der Hochzeit [111]) spielen die B.n eine weniger wichtige Rolle. Zu erwähnen ist noch ein eigenartiger Brauch in Möschlitz (Voigtland) [112]): man stellt hier die Gemeindebeamten durch Handschlag und Einhändigung von zwei Fastenb.n an, wie man etwa bei Wein und Bier Kontrakte abschließt. Ein eigentümliches Zeugnis über den medizinischen Wert der B. bringt Koch [113]).

[105]) H ö f l e r *Brezel* 103; D e r s. *Ostern* 18. 45 ff. 66. [106]) A l b e r s *Das Jahr* 250. [107]) M e y e r *Baden* 235—36; Bavaria 4 b, 387;

H ö f l e r *B.* 102. [108]) H ö f l e r *B.* 102—3;
M e y e r *Baden* 71 (Geschenk an die Paten).
[109]) H ö f l e r *Weihnachten* 43; ZrwVk. 2 (1905),
161; K ö h l e r *Voigtland* 171; K a p f f
Festgebräuche 8; am Lechrain gibt es am
1. Weihnachtstag nach der Vesper B. u. Bier:
L e o p r e c h t i n g *Lechrain* 209; vgl. G ü n -
t e r t *Kalypso* 242. [110]) M e y e r *Baden* 117;
vgl. B.spende beim Kirchgang: W i t z -
s c h e l *Thüringen* 2, 312. [111]) H ö f l e r
ZföVk. 1911 Suppl. 7, 39 ff.; *Brezel* 102; In
Mecklenburg aß man früher an der Grenzscheide zweier Dörfer bei der Rückkehr von der
Trauung Kringel, so groß wie Wagenräder, und
trank Branntwein: B a r t s c h *Mecklenburg*
2, 83, 266; über B. und Rad: v. P r e t e r
l. c. 5 mit Literatur; G r i m m *DWb.* 2, 378 f.
[112]) K ö h l e r *Voigtland* 230; ZfVölkerpsychol.
18 (1888), 384. [113]) l. c. 23 f.   Eckstein.

Breve (Zimmerische Chron.; tirol. *Brefe,*
bayr.-österr. Alpen *Breferl,* steir. auch
Brefel, kärnt. *Brefile,* schwäb. (16. Jh.?)
‚Brevi-Zettel').

1. Amulett mit geweihten Sachen,
welches man den Kindern umhängt [1]).
2. Gedenkpfennig, Anhängsel, Wall-
fahrtsandenken, Amulett, Agnus Dei
usw. [2]). 3. Ein Kindern umgehängtes
Amulett, Talisman, bestehend aus einem
geweihten viereckigen kleinen Pölster-
chen [3]).

Auch mhd. ‚brievelin' ist aus Glossen
in der Bedeutung „Amulett" bezeugt [4]).
Die Zimmerische Chronik kennt B. als
Zaubermittel [5]), und in einer schwäbischen Quelle des 17. (?) Jhs.[6]) heißt es:
„Von den Brevi-Zettel. Seynd gut, und
werden gebraucht, so wohl zum bey sich
tragen, alsz zu legen, und einzugraben."
Das Breferl ist heute noch in lebendem
Brauch im bayerisch-österreichischen Alpengebiet [7]), und als Sache, wenn auch
nicht als Wort, weit über dieses Gebiet
hinaus, wie süddeutsche und schweizerische Volkskundemuseen lehren. Sowohl
kleine k i s s e n - und t a s c h e n -
f ö r m i g e Amulette mit religiösen Zetteln und Dingen, als auch (meist neun-
teilige) F a l t z e t t e l mit in Kupfer
gestochenen Heiligenbildern, Segen usw.
und aufgeklebten Dingen (Kreuzchen,
Samen, Kräutern u. dgl.) werden Breferl
genannt. Zuweilen sind unter einzelne
Heiligenbildchen noch weitere Schutz-
zettel eingeschoben [8]), oder der mittlere

Teil mit den aufgeklebten Dingen ist von
einem Heiligenbild bedeckt [9]). Das bei
Andree-Eysn abgebildete B. enthält:
1. St. Franziscus Seraphicus, 2. ein Doppelkreuz mit den Initialen des Zacharias-
segens (s. d.) und des Benedictussegens
(s. d.) nebst den Pestpatronen St. Sebastian u. Rochus, Unterschrift ‚contra
pestem', darunter gelegt: Dreikönigs-
zettel (s. d.), 3. St. Antonius von Padua,
4. St. Ignatius, darunter: lat. Gebet gegen
Dämonen und in dieses eingeschlagen die
Früchte von Widerton (Polytrichum
commune), 5. St. Johannes von Nepomuk, darunter: Pestblatt [10]), 6. St. Fran-
ciscus Solanus, 7. Anastasiushaupt (s. d.),
darunter: Agathenzettel (s. d.), 8. Jacobus
de Marchia, 9. (im Mittelfeld) kleine Se-
bastianspfeile, Kreuzesnägel, Gnaden-
münzen, Nepomukszunge, Fetzchen von
Heiligengewändern, Benedictuskreuz, Agnus Dei, Palmkätzchen, Same von Litho-
spermum arvense, rotes Tuchfleckchen
(gegen Hexen), dreieckiges Zettelchen
mit lat. Gebet. Darüber gelegt: Marien-
bildchen (Kupferstich).

[1]) S c h ö p f *Tirol. Idiotikon* (1866), 56.
[2]) U n g e r u. K h u l l *Steir. Wortschatz* (1903),
113. [3]) L e x e r *Kärnt.Wb.* (1862), 40. [4]) L e -
x e r *Mhd. Wb.* 1, 353. [5]) 2, 380; nach F i -
s c h e r *Schwäb.Wb.* 1, 1413. [6]) *Carnifex
exarmatus,* bei B i r l i n g e r *Aus Schwaben* 1,
431. [7]) A n d r e e - E y s n *Volkskdl.* 67 ff.
100. [8]) Z. B. ein Pestblatt, ebd. 69. [9]) Ebd. 67.
[10]) Genaue Beschreibung ebd. 69 f.
             Hoffmann-Krayer.

Brief. Ein B. ist, wie die griechische
Bezeichnung ἐπιστολή, lateinisch *epistula*
lehrt, zunächst ein mündlicher Auftrag.
Diese Form ist nur bei Primitiven nachweisbar, wo die Kunst des Schreibens
noch unbekannt ist. So töteten die Geten
(in Thrakien) alle 4 Jahr einen Menschen
als Boten an ihren Gott Zalmoxis, nachdem sie ihm die erforderlichen Aufträge
gesagt hatten [1]). Sehr bald schreibt man
dem Boten seinen Auftrag auf. Dadurch
verbinden sich damit alle abergläubischen
Vorstellungen, die an dem geschriebenen
Wort haften. Solche Zettel — B., lateinisch *breve,* ist in der Erinnerung des Volkes ein kurzes Schriftstück — verleihen
dem gesprochenen Worte Dauer und

intensive Wirkung. Diese Anschauung ist älter als die Schrift; jedes Amulett (s. d.) spricht durch Bild oder Buchstaben [2]). Aber ein Fülle von Anwendungsmöglichkeiten ist daraus erwachsen, seit man mit Worten seine Absicht deutlicher auszusprechen gelernt hatte.

Das Altertum kennt vornehmlich den B. an die Unterirdischen, um einen Feind zu verfluchen (s. Defixion). Das MA. benutzt sowohl eigentliche Briefe (Auftrag, Mitteilung an eine höhere Macht) als auch amulettartige Zettel und andere Gegenstände mit Worten, Buchstaben oder Zeichen in mannigfachen Nöten. Das erstreckt sich von der Zeit, da die Schrift den Germanen bekannt wurde und in den Runen (s. d.) frühzeitig abergläubische Verwendung fand, bis in die Gegenwart. Ältester Beleg zufällig bei Beda,[3]). Jüngste Belege in der Literatur um 1900 [4]), ohne daß ein Aufhören dieses Glaubens anzunehmen ist. Die besondere Wirksamkeit in Beziehung auf eine bestimmte Person erhält der Brief durch Berührung, indem man ihn auf der bloßen Haut trägt oder indem er auch bloß im Hause des Betr. sich befindet [5]). Eine besonders intensive Sympathie besitzt natürlich der blutgeschriebene B., den die Faustsage [6]) aus der Zauberpraxis übernommen hat (s. Blut). Besonders hervorstechende Anwendungsbereiche sind der Blutsegen zum Stillen von Blutung [7]), eine intensivere Form des Besprechens (s. Blutsegen , besprechen). Daraus dürfte sich der kugelfest machende B. erst sekundär entwickelt haben, den man als „Anhängzettel" (s. d.) um den Hals trägt [8]) oder in eine Wunde einheilen läßt oder verschluckt [9]). Es ist das die sog. Passauer Kunst (s. d.), die 1611 aufgekommen sein soll [10]). Wie zäh dieser Glaube im Volke wurzelt, zeigt eine Züricher Handschrift von 1393, wo solche B.e nur verstattet werden, wenn sie Glaubensbekenntnis und Paternoster, d. h. christliche Texte, enthalten [11]). Konnte man sie nicht ganz verbieten, so zog man ihnen ein christliches Mäntelchen an. Es gab und gibt auch gedruckte Briefe, die für sehr verschiedenartige Sachen (Geburt [12]), Liebeszauber [13]), Fieber [14]),

kalten Brand [15])) angewandt werden. Ein schwacher Nachhall dieses schriftlichen Verkehrs mit den Unterirdischen, für den schließlich auch das Mene mene tekel ein Beleg sein dürfte, ist der B. an das Christkindchen, wie vielerorts der Weihnachtswunschzettel der Kinder genannt wird [16]).

Andererseits knüpfen sich an den gewöhnlichen B., der soviel Gutes und Schlechtes enthalten kann, mannigfache Vorstellungen. Ein B. kommt, wenn sich die Katze hinter den Ohren wäscht [17]), wenn ein Floh auf der Hand sitzt [18]), wenn das Licht eine Schnuppe (Rose, Stern, Butzen) hat [19]) oder einen zettelähnlichen Lappen [20]), oder wenn die Lampe flackert [21]), oder wenn man von einem Pferde (= reitender Bote) träumt [22]). Ein B. im Häubchen macht ebenso wie das Buch unter dem Kopf ein Kind klug [23]). Daß ein B. rasch und allen Schwierigkeiten zum Trotz befördert wird, erfüllt die Phantasie der Sage; so ist der B. am Pfeil ein altes und verbreitetes Wandermotiv [24]); auch Geister werden durch einen rasch beförderten B. erlöst [25]); der Uriasb.[26]) ist bekannt. Weiteres unter Bindeb., Freib., Gesundb., Hausb., Himmelsb., Michaelsb.e, Schutzb., Sonntagsb., Brevi-Zettel.

[1]) H e r o d o t 4, 94. [2]) P l i n i u s *NH.* 28, 29. [3]) *Hist. gentis Angl.* 4, 22 bei F r a n z *Benediktionen* 2, 299, 3. [4]) K o n d z i e l l a *Volksepos* 159 f. [5]) J o h n *Westböhmen* 278. [6]) Deutsche Volksbücher, herausg. von R. B e n z 1912: *Historia von D. Johann Fausten* 13. [7]) J ü h l i n g *Tiere* 282; S e y f a r t h *Sachsen* 173. [8]) K r o n f e l d *Krieg* 87. [9]) Ebd. [10]) H o v o r k a - K r o n f e l d 2, 370. [11]) G r i m m *Myth.* 3, 413. [12]) *ZfdMyth.* 2, 77. [13]) Im Volkslied: Ein Brieflein schrieb sie mir usw.; s. auch Defixion. [14]) *Alemannia* 27, 114. [15]) B a r t s c h *Mecklenburg* 2, 390. [16]) Verf. mündl. [17]) *SchwVk.* 10, 36. [18]) F i s c h e r *Oststeierisches* 114; F o g e l *Pennsylv.* 91 Nr. 356. [19]) S p i e ß *Fränkisch-Henneberg* 151; W o e s t e *Mark* 57 Nr. 28; M e i e r *Schwaben* 2, 504; *ZfVk.* 11, 448. [20]) *SAVk.* 21, 141. [21]) *ZfVk.* 24. 55. [22]) F o g e l *Pennsylv.* 78 Nr. 281. [23]) H i l l n e r *Siebenbürgen* 52 Nr. 17. [24]) R o c h h o l z *Tell* 28; vgl. A l y *Märchen* 51. 145. 187. [25]) S c h m i t z *Eifel* 2, 13; dazu auch S t r a c k e r j a n 2, 279. [26]) G u n k e l *Märchen* 132; A l y *Märchen* 136, 2; ältester Beleg H o m e r *Ilias* 6. Gesang V. 155 ff.   Aly

Briefträger. Der B. wird wie der Bettler, Glöckner oder Totengräber am Neujahrsmorgen als schlechter Angang betrachtet [1].

In einer schlesischen Sage verhindert der Teufel in Gestalt eines B.s einen Bauer an der Gewinnung eines Schatzes [2].

[1] S a r t o r i *Sitte u. Brauch* 3, 64 Anm. 41. [2] MschlesVk. H. 16 (1906), 94; K ü h n a u *Sagen* 3, 692.   Schömer.

Brigitta, hl.

1. Die h. B., geboren in Schottland oder Irland (Ulster), war (die erste) Nonne in Irland. Sie soll um 521 gestorben sein. Ihr Tag ist der 1. Februar, der Tag vor Mariä Lichtmeß. Das, sowie der Anklang ihrer englischen Namensform Bride (Bridget) an bright = Glanz, hat wohl ihre Beziehungen zum Feuer unterstützt. Über ihrem Wohnhause soll sich oft eine Flamme gezeigt haben, und bei dem Kloster Kildare soll ihr ewiges Feuer unterhalten worden sein [1]. Ihre Kirche lag unter einem Eichenbaum, und Frazer nimmt an, daß sie an die Stelle einer früheren Göttin getreten sei [2]. Zahlreiche Mirakel werden von ihr erzählt [3]. In Frankreich zeigt man Spuren ihrer Füße, Knie und Hände [4]. Auf den westlichen britischen Inseln gilt sie als Frühlingskünderin. Am 1. Februar legt die Hausfrau eine Puppe aus Hafer in einen Korb und einen Knittel daneben, und alle heißen Bride willkommen. Am andern Morgen sieht man nach der Herdasche, und wenn man den Eindruck von Brides Knittel darin gewahrt, so gilt das als Vorzeichen guter Ernte und eines gesegneten Jahres [5]. In der Erzdiözese Köln und im Bistum Trier, wo B. seit dem 10. Jh. Kirchen und Kapellen hat, vertraut man ihr besonders die Kühe an, und in den Legenden von ihr spielen die Haustiere eine große Rolle [6]. Die Bauern bei Lüttich holen von ihren Kapellen geweihte Erde für sich und ihr Vieh, um die Ställe vor bösem Zauber zu schützen [7]. Im 15. Jh. hinderte ein Gebet zur Sainte Bride allzu gewaltsame Bewegungen der Kühe beim Melken [8]. Auch in Tirol hilft ein Gebet zu ihr (und Kirchhofserde) gegen „Vermeinung" des Viehes [9]. Das Hersagen ihres Stammbaumes sichert (in England) gegen Verwundung und bösen Blick [10]). Die „Brigittenkrone" beten schützt vor allen Teufeln [11]. Sie füllt die leeren Scheunen mit Getreide und ist Nothelferin für gebärende Frauen [12]. Vielleicht sind Züge von ihr (und von der h. Elisabeth) auf die Sage von der Gattin des Ritters von Hohinrot übergegangen [13].

[1] N o r k *Festkal.* 140 f. [2] 2, 240. 242. [3] Lady W i l d e *Ancient legends of Ireland* 222 f.; R o c h h o l z *Naturmythen* 255 ff.; HessBl. 10, 72. [4] S é b i l l o t *Folk-Lore* 1, 366. 372. 376. [5] S a r t o r i *Sitte u. Br.* 3, 85. [6] W r e d e *EifelerVk.* 84; *RheinVk.* 333; in Belgien: v. H e u r c k u. B o e k e n o o g e n *Histoire de l'imagerie populaire flamande* 50 f. 363. [7] S é b i l l o t 1, 209. [8] Ebd. 3, 110. [9] A l p e n b u r g *Tirol* 362; S e l i g m a n n *Blick* 2, 326. [10] S e l i g m a n n 2, 351. [11] B i r l i n g e r 1, 44. [12] ZfVk. 15, 314. [13] B a a d e r *NSagen* 55 f.

2. Eine zweite B. war eine königliche Prinzessin aus Schweden, machte sich durch viele Offenbarungen bekannt und starb 1373 auf der Rückreise von Jerusalem. Man hat 8 Bücher von ihren Weissagungen. Verwechslungen mit der irischen B. kommen vor [14].

[14] Vgl. z. B. v. H e u r c k u. B o e k e n o o g e n a. a. O. 50 f.   Sartori.

Brigittengebet.

Der schwedischen Heiligen Brigitta [1] wurde schon im 15. Jh. ein apokryphes Gebet bzw. ein Zyklus von 15 Gebeten zugeschrieben, der eine Offenbarung an sie, die hl. Elisabeth (vermutlich die Visionärin E. von Schönau † 1164) [2] und die hl. Mechtild (M. von Magdeburg † 1280 oder M. von Hacke born † 1310, beide Visionärinnen) [3] durch Jesum über seine Passion enthält (quinde cim orationes de passione domini — revelate a domino Jesu — sancte Brigitte, regine Suecie) [4]. Es werden darin alle Wunden, Schläge, Martern des Heilands mit genauen Zahlenangaben aufgezählt und dem Ganzen, das als Amulett getragen wurde („Kleiner Seelenschatz, allezeit bey sich zu tragen"), eine Fülle von Gnaden und Schutz vor allerlei Übel zugeschrieben. Wie der Himmelsbrief (s. d.), die Länge Christi (s. d.) u. ä. Zettel soll das Gebet 1555 (was aber zu seinem früheren Auftreten nicht paßt) im hl. Grab

zu Jerusalem gefunden worden sein. Auch
die Zusammenstellung der 3 Frauen zeigt
zeitliche Widersprüche, die den apokryphen Charakter des Schutzzettels
ohne weiteres erkennen lassen. Die Kirche
hat das Gebet frühzeitig auf den Index
gesetzt und verurteilt [5]), ohne daß sie
dadurch verhindern konnte, daß es bis
heute umläuft und benutzt wird [6]). Auch
nach China hat es, wohl durch die Jesuiten, den Weg gefunden und seine Spuren
in einem taoistischen Leben Jesu vom
Jahre 1701 n. Chr. hinterlassen [7]).

[1]) H a u c k RE. 3, 239. [2]) a. a. O. 5, 308.
[3]) a. a. O. 12, 482 ff. [4]) Trierer Hd. von 1570
Liturg. Hdd., Verzeichnis Heft 4 (1897), 53;
S a l i c e t u s Antidotarius animae (Straßburg
1490, Grüninger, 14 ff.; T h i e r s 4, 65;
D o r o t h e i A s c i a n i Montes pietatis Ro-
manenses historice, canonice, theologice detecti
(Lipsiae 1670) 401 § 123 nach einer Edition
Trident 1648; Geistl. Schild 109; A. L a m b s
Über den Aberglauben im Elsaß (1880), 74.
[5]) Analecta Ecclesiastica Roman. 3 (1895), 353
Indulg. Nr, 665; T h i e r s 4, 25; SAVk. 17
(1913), 186 f. [6]) Z. B. in einer italienischen
Lettera di Gesù Cristo, gedruckt zu Fiorenzuola
d'Arda 1893, Tip. Pennaroli. [7]) Zeitschr. für
Missionskunde u. Relig.wiss. 40 (1925), 285 f.
　　　　　　　　　　　　　　　　　　Jacoby.

Brocken. Als höchste und weithin sichtbare Erhebung des Harzes, durch auffallende Wolkenbildungen am Gipfel, durch
großartige Felsen und Höhlen die Phantasie anregend, ist der B. seit Alters von
zahlreichen Sagen umwoben (s. Berg).
Die älteste bekannte Erwähnung des B.
(brochilsberg) als Aufenthaltsort und Sammelplatz böser Unholde und Hexen steht
im Münchner Nachtsegen (14. Jh.) [1]).
Seit dem 17. Jh. ist der Name Blocksberg (s. d. 1.) für den B. als Versamm-
lungsplatz der Hexen gebräuchlich geworden. Doch wird auch, besonders im
Harz selbst, von der B.fahrt der Hexen
oft am 12. Mai, an dem die Hirten im
Harz ins Gebirge ziehen, erzählt.

1. B. f a h r t. Am 12. Mai [2]) reiten die
Hexen auf Enten, Gänsen, Mulden, Ofengabeln, Mistgrepen [3]), auf einem Puter-
hahn [4]) auf den B., oder ein Schluck aus
einem kleinen Glase versetzt sie im Augenblick dahin [5]). In der Walpurgisnacht
springen die Spitzen des Weißdorns ab,

daran ist die B.fahrt schuld (s. Blocksberg 3) [6]). Auch Fremde können mitfah-
ren, ein Mädchen nahm ihren Bräutigam
mit [7]) (s. Blocksberg 4). Wenn man Kopf
und Leib mit Dost und Baldrian umwindet, kann man die Hexen auf den B.
fahren sehen [8]) (s. Blocksberg 6). Auf dem
B. müssen die Hexen den Schnee weg-
tanzen [9]) (s. Blocksberg 7 b). Das Fest
wird ähnlich wie das Blocksbergfest geschildert (s. Blocksberg 7). Auch ein Hexenaltar, -brunnen und -waschbecken
wird erwähnt. „Beim Hexenaltar sieht
man am 1. Mai Besen, Katzen und Hunde
und den Tanz der Erwachsenen mit Fak-
keln. Unter dem Hexenaltar soll sich
ein unterirdischer Gang befinden; eine
Art Licht, Kobolz genannt, kommt zuweilen darunter vor" [9 a]) (s. u. 5).

[1]) ZfdA. 41, 301 ff. [2]) P r ö h l e Unterharz
118 Nr. 311; 121 Nr. 316. [3]) 119 Nr. 312.
[4]) 119 Nr. 313. [5]) 120 Nr. 314. [6]) 117. [7]) 119,
Nr. 313. [8]) 119 Nr. 312. [9]) 117. [9 a]) 121 Nr. 315.

2. T a n z w i e s e. Am frühen Morgen
des 12. Mai kamen Leute auf den B.; da
hörten sie schon Musik von oben. Aber es
waren nur Katzen, die spielten und zech-
ten. Als die Leute davon in der Hütte erzählten, stürzten die Katzen herein und
wollten sie zerreißen [10]).

[10]) P r ö h l e Unterharz 121 Nr. 316.

3. B r u n n e n. Aus dem Brunnen auf
dem B. (vgl. Blocksberg 1 und 7) soll
Wein quellen [11]).

[11]) P r ö h l e Unterharz 122 Nr. 318.

4. B r a u t k l i p p e. Am 1. Mai,
wenn die Hexen den B. bekränzen, wird
die sogenannte Brautklippe, hauptsächlich von Beerensucherinnen, unter Singen
von Liebesliedern bekränzt. Dadurch
werden sie Glück beim Aufsuchen der
Beeren haben [12]).

[12]) P r ö h l e Unterharz 136 Nr. 347.

5. L i c h t. Im Juli brennt zuweilen
ein Licht auf dem B., das bedeutet
Krieg [13]).

[13]) P r ö h l e Unterharz 122 Nr. 317.

6. B.- G e s p e n s t. Die Erscheinung
des B.gespenstes, der Schatten des Be-
obachters oder anderer Personen auf
einer Nebelwand [14]), liegt folgende Er-

zählungen zugrunde: Alle Jahre zu einer gewissen Zeit läßt sich das B.gespenst, eine Riesengestalt, sehen. Es vertreibt die Leute vom B. und ist eine Frau [15]). Ein Hirt sah in einem besonders trockenen Sommer einen riesigen Mann über den B. schreiten, dessen Schritte das Gras versengten [16]).

[14]) MtdöAlpenver. 1890, 49; ZAlpV. 1880, 121. [15]) P r ö h l e *Unterharz* 136 Nr. 348. [16]) K u h n u. S c h w a r t z 179 Nr. 201.

7. Außerdem knüpfen sich Sagen von Venedigern, verborgenen Schätzen, von der Springwurzel, von Werwölfen, der Johannisblume, verschiedenen Spukgestalten, vom Teufel und von einem Wunschsumpf, an den B. [17]).

[17]) P r ö h l e *Unterharz* 122—135.

Vgl. B e r g , B l o c k s b e r g , V e n e d i g e r .   **Weiser.**

Brombeere (Rubus fruticosus).

1. B o t a n i s c h e s . Die B. (botanisch in eine große Anzahl von Arten gegliedert) ist überall häufig im Gebüsch, in Hecken und in Wäldern. Die Beeren sind schwarz, bei der auf Äckern zu findenden Kratzbeere (R. caesius) blau bereift. Die Schößlinge vieler Arten hängen bogig über und bewurzeln sich dann meist im Herbst an der Spitze (vgl. unten das „Durchkriechen") [1]).

[1]) M a r z e l l *Kräuterbuch* 132.

2. Das D u r c h k r i e c h e n (s. d.) durch einen (an der Spitze bewurzelten, vgl. oben) B.schößling s c h ü t z t v o r K r a n k h e i t und V e r z a u b e r u n g . Das Mittel wird angewendet (an drei Freitagen), wenn ein Kind nicht gehen lernen will [2]), gegen Eißen (am Karfreitag vor Sonnenaufgang) [3]), gegen Husten [4]). Auch von Eheleuten, die durch Zauber einer Dorfhexe einander spinnefeind geworden sind, wurde das Mittel angewendet (17. Jh.) [5]). Besonders häufig findet sich das Durchkriechen durch einen B.schößling in England [6]) und in Frankreich[7]). Bei den Slowaken Ungarns ist das dreimalige Durchkriechen ein Mittel gegen Alpdrücken [8]).

[2]) G r i m m *Myth.* 3, 463. [3]) SAVk. 2, 260; 15, 5; als Mittel gegen Schwären schon ge-

nannt im *Tractatus v. Erkanntnus der Magnet. Ursachen usw. beschrieben durch einen Naturae Curiosum.* Frankf. a. M. 1701. [4]) F o g e l *Pennsylvania* 294. [5]) S e y f a r t h *Sachsen* 209. [6]) Schon in einem angelsächs. angegeben als Mittel gegen Ruhr: C o c k a y n e *Leechdoms* 2, 291; ferner F r a z e r *Balder* 1, 242; 2, 180; FL. 13, 172; B a r t e l s *Pflanzen* 10, 19; S t e r n e *Sommerblumen* 1884, 189. [7]) Vor allem auf keltischem Boden: H ö f l e r *Kelten* 29; S é b i l l o t *Folk-Lore* 3, 385; vgl. auch M a n n h a r d t 1, 226. 237. [8]) Dbot-Monatsschr. 10 (1892), 82.

3. Die „Walridersken"[9]) setzen sich in einen B.strauch, der dann verdorrt [10]). Offenbar liegt hier die Vorstellung zugrunde, daß die B. vom Alp gedrückt wird. Andrerseits dient der B.strauch zum E r k e n n e n und zum V e r t r e i b e n (s. Dornsträucher) der Hexen. Wenn man an Pfingsten einen Kranz von B.wurzeln in den Hut legt, so erscheinen einem die Hexen mit einem Achtelfaß auf dem Kopf [11]) (vgl. Gundermann). Ein angelsächsisches Rezept gegen Verzauberung enthält neben anderen pflanzlichen Mitteln B.(-zweige?), die unter das Altartuch gelegt und über die neun Messen gelesen werden müssen [12]). Ein im Halbkreis gebogener, an beiden Enden bewurzelter (vgl. oben!) B.zweig über der Stalltür schützt das Vieh vor Verhexung (Frankreich) [13]). Das Einfüllen der Federn in das Ehebett geschieht durch einen aus B.-zweigen geflochtenen Rost, dann sind die Eheleute vor Hexerei geschützt (Slowaken Nordungarns) [14]).

[9]) M e y e r *Germ. Mythen* 118. [10]) S t r a k k e r j a n 1, 390. [11]) D e r s . 1, 342; Aus dem Posener Land 3 (1908), Nr. 11; vgl. auch ZfVk. 3, 389. [12]) C o c k a y n e *Leechdoms* 2, 139. [13]) R o l l a n d *Flore pop.* 5, 187. [14]) DbotMonatsschr. 10 (1892), 82.

4. N a c h B a r t h o l o m a e i (24. August) darf man k e i n e B.n mehr e s s e n und man sagt, der „Barthel habe sie voll gemacht" (= mit seinem Kot verunreinigt) [15]). „Wenn Bartholomäus over de Brambeere gekropen es, dann ös der Worm drin" [16]).

[15]) K u h n u. S c h w a r t z 400, 516; HessBl. 22, 9; der Glaube ist besonders häufig in England: W o l f *Beiträge* 1, 55; FL. 16, 454; D ä h n h a r d t *Natursagen* 1, 203. Ganz ähnliche Anschauungen gehen auch über die Heidelbeere (s. d.). [16]) M ü l l e r *Rhein.Wb.* 1, 903.

5. Um die T a u b e n an den S c h l a g
z u   f e s s e l n ,   muß man am Gründonnerstag vor Sonnenaufgang stillschweigend einen B.strauch holen und ihn
ins Gegitter flechten [17]. Hier liegt vielleicht der Gedanke zugrunde, daß die
stachligen B.rankcn die Tauben festhalten sollen.

[17]) W i t z s c h e l *Thüringen* 2, 195.

6. Um B.s t r ä u c h e r (Rubus cae-
sius) v o m   A c k e r   z u   e n t f e r n e n ,
dengle man die Pflugschar am Karfreitag
vor Sonnenaufgang und pflüge dann damit das Land [18]. In Frankreich muß man
zu dem gleichen Zweck die B.sträucher
am Vorabend von Mariae Himmelfahrt
ausreißen [19].

[18]) W i t z s c h e l *Thüringen* 2, 195. [19]) R o l -
l a n d *Flore pop.* 5, 183.

7. Wie von anderen Baum- und Strauch-
früchten (vgl. z. B. Buche, Eberesche,
Eichel, Hasel) heißt es auch von den B.n,
daß ihr   z a h l r e i c h e s   Auftreten
einen h a r t e n   W i n t e r verkünde [20].
Viele B.n im Herbst versprechen eine
gute Roggenernte [21] oder ein reiches
Weinjahr [22] (vgl. Efeu). B.n deuten
einen Trauerfall in der Familie (wohl wegen der s c h w a r z e n Farbe) an [23].

[20]) S t r a c k e r j a n [2] 2, 120; D r e c h s l e r
2, 218; K n o o p *Hinterpommern* 181.
[21]) S t r a c k e r j a n [2] 1, 28. [22]) W i l d e
Pfalz 35. [23]) H ö h n *Tod* 311.   Marzell.

Brosamen. Für die heilige V e r e h -
r u n g der B. und die kultliche Bedeutung
derselben als Opfer und Apotropaion gilt
genau dasselbe, was über Brot gesagt ist.

1. Wer die B. nicht achtet, achtet die
Brocken nicht [1]. Schon Ekkehard IV
hat in seiner interessanten Benedictio ad
mensas einen besonderen Abschnitt „super fragmenta" [2] eingefügt:

Nil leve nil vanum violet tot fragmina panum.
Fratrum fragmentis assit manus omnipotentis.

In der Schweiz sagt man: lieb haben es
klys Brösemli [3]. Wenn man Brotkrumen
wegwirft, ohne daß die Hühner sie fressen
können, ist das eine Sünde [4] oder der
Segen des Hauses verschwindet [5]; wenn
die Kinder mit ihnen wüsten, müssen sie
alle B. nach dem Tode mit blutenden Au-

gen suchen [6]); wer sie schändet, wird mit
Hunger und Mangel von Gott gestraft [7];
wer auf dem Kirchweg essend B. fallen
läßt, muß sie nach dem Tode sammeln [8];
findet man ein unter den Tisch gefallenes
Krümchen nicht, so betet man (in Hessen)
ein [9] oder drei [10] Vaterunser; in Rumänien [11] küßt man jedes heruntergefal-
lene Stücklein Brot. Besonders in Tirol
achtet man ängstlich darauf, kein Bro-
sämchen auf dem Boden liegen zu lassen; denn alle verunehrten B. sammelt
der Teufel in einem Sack und schlägt
diesen dem Schänder auf dem Tod-
bett um die Ohren [12]; er backt daraus einen Laib Brot, den der Frevler
glühend essen muß [13], oder wirft sie
diesem glühend ins Gesicht [14], oder wirft
den aus den B. gebackenen Laib in die
Wagschale der Sünden [15], oder jede Brot-
krume, die unbeachtet auf dem Boden
liegen bleibt, wird in der Hölle zu einem
glühenden Scheit [16]); nach dem Aberglauben in Nassau muß einer bald sterben,
sobald er ein Krümchen Brot aus dem
Munde fallen läßt [17]. Die Sage von der
Frau Hütt [18], welche ihre beschmutzten
Kinder mit B. und Semmelkrumen reinigen läßt, zeigt, wie schwer die Schänder
der B. bestraft werden; die badische
Sage [19] berichtet, daß die Einwohner
einer Stadt beim Titisee versanken, weil
sie dem Vieh B. fütterten und die Brot-
kruste als Schuh benutzten (siehe Brot
§ 7b). Wenn man auf Brotkrumen tritt,
müssen die armen Seelen leiden [20], oder
die B., über die man fährt, schreien so
laut, daß man taub wird [21]. Schon in
einer Schrift des Humanisten Giraldi [22]
aus Ferrara wird ein angebliches symbolum Pythagoreum überliefert: minuta
panis pedibus conculcare turpe.

[1]) Z i n g e r l e *Tirol* 37, 304. [2]) Veröffentlicht von K e l l e r in den Mitt. d. antiquar.
Gesellschaft Zürich 3 (1846—47), 107 v. 29 f.;
über tot steht die Glosse sacra. [3]) SchweizId.
5, 804. [4]) R e i s e r *Allgäu* 2, 447, 233.
[5]) J o h n *Erzgebirge* 30. [6]) D r e c h s l e r 2,
15; vgl. MschlesVk. 1897, 8; W. 458; genau so
in Böhmen: G r o h m a n n 103, 716. [7]) L ü -
t o l f *Sagen* 554, 563; vgl. B r o n n e r *Sitt'*
u. Art 203. [8]) B a r t s c h *Mecklenburg* 2, 136,
593; vgl. H e y l *Tirol* 815, 322. [9]) S t a u b
Brot 10 A. 2; vgl. F i s c h e r *Aberglauben*

(1790), 239. [10]) M ü h l h a u s e 56; L a n d -
s t e i n e r *Niederösterreich* 69. [11]) F r a z e r
7, 1 ³, 13; dasselbe in Böhmen: G r o h m a n n
102, 714. [12]) Z i n g e r l e *Tirol* 37, 299;
H e y l l. c. 815, 322. [13]) Z i n g e r l e l. c.
37, 297; H e y l l. c.; W. 458 [14]) Z i n g e r l e
l. c. 37, 298; W. 548. [15]) Z i n g e r l e l. c. 300;
nach böhmischem Aberglauben nimmt der
Satan die Seele, sobald die verunehrten B.
mehr wiegen als der Mensch: G r o h m a n n
103, 715; W. 458. [16]) B a u m g a r t e n *Jahr*
7. [17]) K e h r e i n *Nassau* 2, 269, 238; fällt
dem Serben beim Brechen des Weihnachts-
kuchens ein Stück zu Boden, so bedeutet das
einen Todesfall: ZfVölkerpsychol. 18 (1888),
360. [18]) Literatur siehe Brot (Brotsagen); ausführlich bei A l p e n b u r g *Tirol* 239—40; vgl.
Kloster 9, 540; G r i m m *Sagen* 174, 233; R a n k e
Volkssagen 230. [19]) W a i b e l - F l a m m 2,
123—24. [20]) G r o h m a n n 103, 717.
W. 458; vgl. 769; H e c k s c h e r 2, 378 (Salzkörner). [21]) G r o h m a n n l. c. 103, 718.
[22]) *Philosophi Pythagorae symbolorum interpretatio*: symbolum Nr. 18 ediert v. B o e h m in
ZfVk. 1915, 26 u. 21 f.

2. Als O p f e r kommen die B. den
armen Seelen zugute, denen man auch
sonst die Abfälle vom Tische opfert; diese
Vorstellung ist schon antik und allgemein. Bekannt ist das symbolum Pythagoreum [23]): τὰ πεσόντ᾽ ἀπὸ τῆς τραπέζης μὴ
ἀναιρεῖσθαι, das gehörte alles den Heroen
oder Totenseelen; die Römer [24]) spendeten das den Laren, sie verbrannten von
jeder Mahlzeit eine Abgabe im Herdfeuer [25]). Schon Frater Rudolphus [26])
tadelt, daß man den Hausgeistern auf
dem Herde opfert; in Krems [27]) warfen
früher die alten Weiber täglich etwas von
jeder Speise ins Herdfeuer für die armen
Seelen; in Schleswig-Holstein [28]) bekommen die Unterirdischen die B., welche
vom Tisch fallen; die alten Preußen [29])
vergruben nach dem großen Dorffest B.
und Knochen. In der Oberpfalz [30]) sammelt man die Woche über die B. im Tischtuch [31]) und verbrennt sie am Samstag
für die armen Seelen. „Welcher (nach der
alten Weiber Philosophey, 1612) des
abends das tischtuch lässet liegen, auff
dem tisch gedeckt und die mäus darauff
kommen und essen die brosam, der wird
schwartze zälin kriegen und werden ihm
faul" [32]). In Tirol sagt man, wenn eine B.
zur Erde fällt [33]):

> Arme Seelen rappet,
> Daß 's der Tuifel nit dertappet.

Am Treffelstein (Oberpfalz) stellt man
Weihwasser mit B. am Allerseelentag aufs
Grab [34]). Wie man Mehl und Brot dem
Sturm und Wind opfert (Sturm und
Wind = Seelengeister) [35]), so auch B.;
in der Schweiz [36]) und in Baden [37]) legt
man gegen Sturm und Gewitter B. vor
das Fenster; 1675 wird in Tirol ein Topf
mit B. und Speiseresten auf die Tor-
säule in der Dreikönigsnacht gesetzt [38]),
„dem windt damit zufuedern, daß sel-
biger das ganze Jahr hindurch seine (des
Bäckermeisters) Gründt und sachen khei-
nen schaden zuefüegen mögen". Nach
altem Tiroler [39]) Aberglauben muß man
gegen Donner in drei Rauchnächten die
„Brotpresln" im Tischtuch sammeln (Opfer und Apotropaion). Im Schaumburgischen streuten die Weiber beim Erntefest
vor 140 Jahren B. auf die Stoppelfelder,
gerade wie sie eine Libation von Bier
oder Branntwein darbrachten (Fruchtbarkeitsopfer). Opferaugurium finden wir in
Elbestal-Zell [41]), wo die Großdirn mit B.
und Speiseresten auf dem Weizenfeld
Eheaugurien anstellt; in Pommern [42])
schließt man aus B. und Speiseresten auf
das kommende Jahr. In Frankreich erprobt man mit B. die Güte des Wassers [43]).

[23]) A t h e n a e u s 10, 427 E: τοῖς τετελευτη-
κόσι τῶν φίλων ἀπένεμον τὰ πίπτοντα τῆς τροφῆς
ἀπὸ τῶν τραπεζῶν; vgl. D i o g e n e s L a e r t i u s
8, 34 = 212, 19 ff. C o b e t; alle Stellen bei
R o h d e *Psyche* 1, 245 A. 1; B o e h m *De symbolis Pythagoreis* (1905), 26 f.; D e r s. ZfVk.
1915, 26; U s e n e r *Götternamen* 249 (E u r i -
p i d e s fr. 667 = 3, 179—80 Nauck); D ö l g e r
Ichthys 2, 514 A. 1; S a m t e r *Familienfeste*
108 f.; ARw. 7, 45; dagegen 10, 373; Ndd-
ZfVk. 1926, 14; P a u l y - W i s s o w a 1,
91; ZfVölkerpsychol. 18 (1888), 13 ff.; Mschles-
Vk. 1908, Heft 19, 9 f.; Archiv f. Anthropol.
N.F. 6 (1907), 95. [24]) P l i n i u s *Nat. hist.* 28,
27 = 4, 284—85 Mayhoff: Cibus etiam e manu
prolapsus reddebatur utique per mensas ve-
tabantque munditiarum causa deflare et sunt
condita auguria quid loquenti cogitantive id
acciderit, inter execratissima, si pontifici acci-
dat dicis causa epulanti; in mensa utique id
reponi adolerique ad Larem piatio est; ZfVölkerpsychol. 18, 359. [25]) S e r v i u s zu *Aeneis*
1, 730 = S e r v i i G r a m m a t i c i *Commentarii* ed. T h i l o - H a g e n 1, 204, 1 ff.:
apud Romanos etiam cena edita sublatisque
mensis primis silentium fieri solebat, quoad ea,
quae de cena libata fuerant, ad focum ferrentur

et in ignem darentur; vgl. P a u l y - W i s -
s o w a 1, 30. [26]) MschlesVk. 1915, 36 Nr. 43,
vgl. 51 u. 1908 Heft 19, 13. [27]) L a n d s t e i -
n e r *Niederösterreich* 32; L i p p e r t *Christentum* 441; S a r t o r i *Totenspeisung* 47 b;
was vom Beerdigungsschmaus der Altletten zu
Boden fiel, gehörte den armen Seelen: Ausland
1874 Nr. 1, 213; vgl. B o e h m l. c. 27 (Frankreich). In Schlesien läßt man am Christabend
Speisereste für die armen Seelen stehen: P e -
t e r *Österreichisch-Schlesien* 274; ZfVölkerpsychol. 18, 372; oder die armen Seelen essen
die Vorräte auf: MschlesVk. 1903 Heft 9, 26;
vgl. ZfVölkerpsychol. l. c. 13 f.; S c h ö n -
w e r t h *Oberpfalz* 1, 286; ZfVölkerpsychol.
l. c. 267. [28]) M ü l l e n h o f f *Sagen* [2] 343,
508; NddZfVk. 1926, 3; in der Oberpfalz die
Holzfräulein: Bavaria 2, 238; ZfVölkerpsychol.
18 (1888), 373 u. 13 f. 15 (Chinesen). [29]) T e t z -
n e r *Slaven* 384 A.; vgl. R o h d e *Psyche*
1, 245 A. 1; auch F r a t e r R u d o l p h u s
l. c. wettert gegen das Eingraben von Opfern
für die „Stetewaldiu". In novis domibus sive
quas de novo intrare contigerit ollas plenas
rebus diversis diis penatibus, quos Stetewaldiu
vulgus appellat, sub terra in diversis angulis et
quandoque fodiunt retro larem. [30]) S c h ö n -
w e r t h *Oberpfalz* 1, 284 f.; 403, 3; 2, 88
Nr. 4; allgemein: MschlesVk. 1908, Heft 19,
9 f.; Archiv f. Anthropol. N. F. 6 (1907),
95; R o c h h o l z *Glaube* 1, 323; ZfVölkerpsych. 18 (1888), 373; vgl. 366 (Brotreste vom
Paschafest verbrannt); vgl. 370 (Reste vom Ma-
nenkuchen, Bramanen); Z i n g e r l e l. c. 37,
301; D r e c h s l e r 2, 12. 139; W. 458;
ZföVk. 1897, 116; J o h n *Westböhmen* 247;
B a u m g a r t e n *Jahr* 7; Grohmann
41, 257; 198; 1392: damit die armen Seelen
Kühlung erhalten; vgl. W. 430; S a r t o r i
l. c. 47 b; L i p p e r t *Christentum* 441;
NddZfVk. 1926, 16; dazu die A. 22 zitierte
Literatur; sonst siehe Artikel „Arme Seelen". [31]) In Graubünden sammelt man die B.
in einem über dem Tisch hangenden Korb:
S t a u b *Brot* 13; vgl. R o c h h o l z *Sagen* 1,
303; auch bei Regensburg wirft man die B. ins
Feuer: Bavaria 2, 305. [32]) ZfdMyth. 3, 316, 82.
[33]) Z i n g e r l e l. c. 37, 300; vgl. L i e b -
r e c h t *Zur Volksk.* 399 ff.; B o e h m l. c. 26;
Beilage zur Allg. Zeitung 1901 Nr. 271, 1 f.
[34]) S c h ö n w e r t h l. c. 1, 283; S a r t o r i
l. c. 54 a; Bavaria 2, 312; L i p p e r t *Christentum* 441; vgl. die Esten: Kloster 12, 243.
[35]) Beil. z. Allg. Zeitung 1901 Nr. 271, 2; M e y e r
Baden 367; H ö f l e r *Weihnachten* 27 ff.; J a h n
Opfergebräuche 57. [36]) W e t t s t e i n *Disentis* 174,
45. [37]) S c h m i t t *Hettingen* 17. [38]) J a h n
Opfergebräuche 59 f.; ZfVk. 1897, 195 f.
[39]) BayHfte 1 (1914), 230 Nr. 34 (18. Jh.).
[40]) J a h n l. c. 168. [41]) B a u m g a r t e n
Jahr 9; H ö f l e r *Weihnachten* 21 f.; vgl.
ZfVölkerpsychol. 18, 268 f.: weitere Augurien
mit B. u. Speiseresten. [42]) BiPommVk. 3, 185.
[43]) S é b i l l o t 2, 215: si les miettes de pain
etées sur l'eau vont tranquillement et vite au

fond, on peut en boire en toute confiance;
vgl. 2, 298.

3. Besondere Kraft haben die B. des
W e i h n a c h t s f e s t b r o t e s : „die
prosen, die ze weihnachten uber werden,
di gib ze essen dem, der tob von hunden
oder anders" [44]) (13 Jh.). Nach Maennling [45]) haben die B., die man am Christabend „bey die Wurtzeln der Bäume
schüttet, die Kraft, sie tragend zu machen". Die B. gibt man zwecks Übertragung von Fruchtbarkeit auch dem
Vieh [46]). Die Rockenphilosophie berichtet [47]): „wo man weihnachten das tischtuch nach der mahlzeit auf die bloße erde
ausschüttet unter freiem himmel, da
wächst brosamkraut" (B. volksetymologisch als Brotsamen gedeutet nach Höfler [48])). Das Tischtuch, worauf gegessen
wurde, räuchere man mit abgefallenen B.
und wickle das Kind hinein [49]).

[44]) Sitzber. Wien. 71, 488; H ö f l e r *Weihnacht*
25. [45]) M a e n n l i n g 201; H e c k s c h e r
398; D r e c h s l e r *Haustiere* 16; in Schweden
B. vom Julbrot: Globus 72, 375; H ö f l e r
l. c. 27. [46]) S c h ö n w e r t h 403, 2; W. 458;
R e i s e r *Allgäu* 2, 447, 233; dagegen W a i -
b e l - F l a m m 2, 123 f.; K ü h n a u *Sagen*
2, 32, 685 (Skrzolek vertrieben); auch die Bramanen geben die Reste des Manenkuchens dem
Vieh: ZfVölkerpsychol. 18, 370. [47]) G r i m m
Myth. 3, 446, 369; Z i n g e r l e l. c. 187, 1547:
wenn man B. vom hl. Abend in der hl. Nacht
sät, geht das Brösmenkraut auf (Zillertal);
vgl. 188 Nr. 1548: sät man in der hl. Nacht
B., gehen sie auf: ZfdMyth. 2, 422, 64; B i r -
l i n g e r *Schwaben* 1, 382; F o g e l *Pennsylvania* 261, 1362; S t a u b *Brot* 55 (B. werden
zu Blumen), vgl. 148. [48]) H ö f l e r l. c. 27.
[49]) Land ob der Enz, Journal: G r i m m 3,
460, 743.

4. Wie durch Brot, so erhalten die
H e x e n [50]) auch durch B. Macht über
die Menschen; zu Semlin mußte einer, der
verhexte Krumen aß, die für die Hühner
bestimmt waren, Eier legen [51]).

[50]) K ü h n a u *Brot* 29; W. 458. [51]) K u h n -
S c h w a r t z 106, 121, 2; vgl. B o l t e -
P o l i v k a 3, 365.

5. Als A p o t r o p a i o n sind B.
ebenso wirkungsvoll wie Brot: Nach dem
Journal 1786 trug man im Ansbachischen [52]) „drei brodkrummen, drei Salzkörner, drei Kohlen bei sich wider
zauber"; um immer Geld zu haben trägt

man 3 B. bei sich[53]); in England [54]) legt man gegen bösen Blick 3 B. ins Kopfkissen (vgl. Brot); nach der Rockenphilosophie [55]) soll man die drei Christabende alle B. aufheben; „sie sind gut, wenn man sie einem eingibt, dems geteuscht hat"; auch in Ungarn [56]) sind die B. vom Weihnachtsbrot besonders übelabwehrend und glücksbringend für das Haus und die Hühner; wenn die Hühner verlegen, stiehlt man 3 Strohbänder, macht ein Nest und legt 3 Federchen und 3 B. vom oberen Brotrand hinein[57]); am Lechrain [58]) verpflöckt man 3 Brösele Osterbrot u. a. in der Stalltürschwelle, um das Vieh zu enthexen. Wenn die Butter nicht zusammengehen will, legt man 3 B. unter das Faß (Mergentheim) [59]) oder wirft 3 B. in den 3 höchsten Namen hinein[60]) (vgl. Milchhexe). Damit der Schatz in seiner wahren Gestalt erscheint, wirft man B. auf ihn, so auf den Schatz unter der Hochburg [61]), der in Gestalt von Bohnenschoten gesonnt wird. Auch im Schießzauber wirken B. bannlösend: „Wenn ein Hase Männlein macht und deshalb die Flinte nicht losgeht, soll man B. hineinladen [62]); der Jägerbursche aus Makkensen lädt 3 Brotkrumen in die Flinte und erlöst ein verzaubertes Reh durch zwei Schüsse [63]); wenn man mit Brotkrumen nach Gewitterhexen schießt, fallen sie in Menschengestalt tot zur Erde [64]). Wie das Brot, so wirken auch die B. apotropäisch und reinigend: Ungesundes Wasser verliert die Kraft, wenn man B. hineinstreut [65]).

Im S c h a d e n z a u b e r werden die B. ebenfalls erwähnt: Im Jahre 1675 gestand ein Bäckermeister in Steiermark, daß er „zur Kirchtagszeit vor Aufgang der Sonne Staub und B. aus den Fenstern zusammengewischt und vor sein Haus gestreut habe, damit seine Wirtschaft gedeihe und die des Nachbarn Schaden leide" [66]).

[52]) G r i m m Myth. 3, 459, 713; S t a u b l. c. 55, 3 Brotbrosmen als Amulett in der Schweiz: SchweizId. 5, 806. [53]) W. 633. [54]) S e l i g m a n n Blick 2, 94. [55]) G r i m m l. c. 449, 446. [56]) H ö f l e r Weihnacht 26. [57]) SAVk. 24, 65. [58]) L e o p r e c h t i n g Lechrain 28. [59]) E b e r h a r d t Landwirt-

schaft 18. [60]) B i r l i n g e r Volksth. 1, 497, 23; F o g e l Pennsylv. 376, 2020; W. 707 dagegen 708. [61]) W a i b e l - F l a m m 2, 328; vgl. S c h ö n w e r t h l. c. 1, 405, 10; R o c h h o l z Sagen 1, 143, 226; B a u m g a r t e n Jahr 7; W. 640. [62]) Z i n g e r l e l. c. 92, 787; vgl. K ü h n a u Brot 27; S t r a c k e r j a n 2, 224, 475; 1, 473, 252; W. 415; vgl. W e t t s t e i n Disentis 175, 54: gegen verhexte Tiere wird die Flinte mit Brot geladen. [63]) E c k a r t Südhannov. Sagenb. 204. [64]) ZfVk. 1893, 389; vgl. W e i n h o l d Ritus 14. [65]) Bavaria 2, 305; vgl. S é b i l l o t 3, 215; 2, 298. [66]) ZfVk. 1897, 195.   Eckstein.

Brosamkraut s. M u t t e r k r a u t.

Brot.

A. 1.—3. N a m e, U r s p r u n g, A r t. — B. B. i m V o l k s g l a u b e n und in der S a g e. 4—6. Das heilige B. 7. B.schänder und Geizige. 8. Blutendes B. — C. B. i m A b e r g l a u b e n u n d Z a u b e r r i t u s. I. 9. bis 11. Weihnachts-, Neujahrsopferfest, Julfest. 12.—15. Acker- und Saatriten. 16. Opfer für Wasserdämonen. 17. Auffindung Ertrunkener. 18. Opfer für Wind- und Wetterdämonen. 19. Opfer für Feuer. II. 20. B. und Salz. 21. B. als Apotropaion. 22.—30. B. als (apotropäisches) Opfer. III. 31.—34. B. im Liebes-, Schaden-, Schieß- usw. Zauber. 35.—38. B. im Heilzauber (s. Heilb.e). IV. 39.—43. B.orakel. — D. B. i n L i e b e, E h e u n d F a m i l i e. 44. Allgemeines. 45. Hochzeitsb. (s. d.) 46. Taufb. (s. d.) 47. Tod u. B. (s. Totenopfer). 48. Heimwehrbrot (s. d.). 49. Kind, 1. Schulgang (s. d.). 50. Vieh angewöhnen. 51.—57. B.zeremonie. 58. B. im Traum.

A. 1. N a m e, U r s p r u n g, A r t. Das älteste germanische Wort ist L a i b[1]); der Name B. findet sich zuerst in der Zusammensetzung bîebrot [2]). Die Verwandtschaft von B. mit Brauen [3]) lehnen Paul und Kluge ab und neigen eher zu Sievers Ableitung von ags. bread. Eine Vorstufe des gebackenen B.es ist der heute noch im Norden sehr geschätzte B r e i aus bestimmten Fruchtarten. Brei bedeutete früher wie B. so viel wie Speise [5]). Als dann die Germanen und überhaupt die indogermanischen Völker den gekochten oder rohen Brei in der heißen Asche buken oder rösteten [6]), entstand so das flache, ungesäuerte [7]) F l a d e n b.[8]) (derbes B.) [9]). Im Rigsmal der Edda nimmt die alte Edda einen Laib aus der Asche, schwer und klebricht und voll von Kleien [10]). Später kam das erhabene B. auf (Panis fermentatus), mit Hilfe eines Gärungsmittels gebacken [11]).

[1]) K l u g e *EtWb.*[10] 290; P a u l *DWb.*[3] 93; H o o p s *Reallex.* 1, 330—31; H e h n *Kulturpflanzen*[6] 540—41; G r i m m *DWb.* 2, 399 bis 400. [2]) G r a f f *Ahd. Sprachschatz* 3, 232; L e x e r *Mhd. Wb.* 1, 266. [3]) H ö f l e r *Fastengebäcke* 32; d e r s. *Ostern* 27; ZföVk. 1903, 189 ff.; S c h r a d e r *Reallex.* 111 ff. [4]) W e i n h o l d *Frauen* 2, 52—53; W i s s o w a *Religion*[2] 145; ZfVk. 1904, 265; B l ü m n e r im *Handbuch v. Iwan* Müller 4, 2, 2[3] p. 162; O. B e n n d o r f im *Eranos Vindobonensis* 375; S c h r a d e r *Reallex.* 111; M o m m s e n *Römische Gesch.*[8] 19; ZfVk. 1904, 265; ZföVk. 9 (1903), 18. [5]) F r e i d a n k 83, 27: „Ist dem Toren Brei zur Hand, was kümmert ihn das Vaterland?" G r i m m *DWb.* 2, 354; vgl. Kloster 6, 1078. [6]) Die Zubereitung kann man sich etwa so vorstellen, wie die s c h w e d i s c h e K a v a l l e r i e im MA. ihre B.e in der Asche röstete: *Argovia* 1886, 57; Bartholomäus C a r r i c h t e r *Der Teutschen Speiskammer* (Straßburg 1614), 100; vgl. S c h u l l e r u s *Siebenbürgen* 76; K l a p p e r *Erzählungen* 252, 19: panis cinereus; für die Antike: P a u l y - W i s s o w a 11, 2, 2090 ff. [7]) Über die kultliche Verwendung des u n g e s ä u e r t e n B.es vgl. J a c o b y *ARw.* 13 (1910), 559; G i h r *Meßopfer*[19] 456—57; der flamen dialis in Rom durfte kein gesäuertes B. berühren: F r a z e r 2, 13 mit Lit.; E k k e h a r d IV *Benedictiones ad mensas* = *Mitt. d. antiquar. Gesellsch. Zürich* III (1846—47), v. 17 p. 106: azima signetur cruce paschaque commemoretur; vgl. MG. script. Meroving. 4, 266 Z. 6 = 297 Z. 17: panes azymi (= non fermentati: I s i d o r *Origines* XX, 2, 15 (Lindsay). [8]) ZföVk. 1914, 23—35 m. Lit.; S c h r a d e r l. c.; H o o p s l. c.; B e n n d o r f l. c. [9]) G r a f f *Ahd. Spr.* 2, 291; S t e i n m e y e r - S i e v e r s *Ahd. Glossen* 3, 153 (summarium Heinrici, XII. Jahrh.); M u r m e l l i u s *Pappa puerorum*: de cibi generibus (Ausgabe von G e r v a s i u s S o p h e r u s Brisacensis 1517): panis subcinericius; vgl. auch die B.arten, welche E k k e h a r d IV *benedictiones ad mensas* aufführt v. 10—28 (p. 106—107 und 117): panis frixus, „gebregelt in oleo vel butyro"; p. fermentatus; p. de spelta; p. triticeus; p. sigalinus; p. de hordeo; p. de avena; p. s u b c i n e r i t i u s; vgl. Isidor *Origines* XX, 2, 15 (Lindsay). [10]) N e c k e l 276 f.; S i m r o c k *Edda* XV, 4 = p. 97; Kloster 6, 1079; vgl. G r i m m e l s h a u s e n *Simplizissimus* 1, c. 9. [11]) W e i n h o l d *Frauen*[3] 2, 52 ff.; H ö f l e r *Ostern* 27—28; G r a f f l. c. 2, 291 bis 292; H e c k s c h e r 1, 292—93 und 525 bis 526; ZfVk. 1914, 369; S t a u b *B.* 129 u. ö.; H e h n[6] 540 ff.; B l ü m n e r l. c. 74 ff.; F i s c h e r *Altertumsk.* 57; *Glotta* 15, 62; A. M a u r i z i o *Die Getreidenahrung im Wandel der Zeiten.* Zürich 1916; ZfVk. 1917, 163. 260; ZföVk. 1914, 23 ff.; E. H a h n *Unser tägliches B. im Wandel der Völker und Zeiten* *Lübecker Blätter* 60, 106 ff.; M ü l l e n h o f f *Altertumsk.* 4 (1920), 150 ff.; H e y n e *Hausaltertümer* 2, 270 ff.; L i p p e r t *Kulturgeschichte*

d. Menschheit 1, 588; 2, 194 ff.; C o l e r 13 ff. (B.arten); W e i n h o l d *Altnordisches Leben* 149 f. Über bayr. B.arten, B.sitten: *Erlanger Heimatblätter* 4 (1921), 185 ff. 189 ff. 193; vgl. auch Alte und neue Welt, Einsiedeln 1922, 506—510. Über B. und B.arten ist auch der Anfang der Physica der Äbtissin Hildegard interessant = M i g n e *Patr. lat.* 197, 1130 ff.; über Notb.e, die man in Zeiten der Not zubereitet, Kräuter- und Rindenb.e vgl. H ö f l e r *Engel-, Not-, Hungerb.* in ZföVk. 20 (1914), 77—84; Kloster 6, 237; auch C o l e r 20. Zu den russischen Hungerb.en vgl. ZfEthnol. 1892, 506 ff. Über frühere B.formen vergleiche man die Abbildung bei J o h. P l a c o t o m u s (= Brettschneider) *De tuenda bona valetudine, libellus* E o b a n i H e s s i *commentariis doctissimis illustratus* p. 62; dazu Kloster 6, 1081 (Abbild. 157 und 159). 1096; C a r r i c h t e r l. c. 93 ff. 96—104; über christliche B.arten s. D ö l g e r *Ichthys.*

2. Am meisten Kraft hat nach deutschem Volksglauben das Schwarz-Hausbackenb.[12]); die Seele des Hauses sitzt im grauen oder schwarzen Haus- oder Heimb.[13]); das Weißb. wird noch in vielen Gegenden, z. B. im Schwarzwald, wie ein Leckerbissen gegessen [14]). Aber auch das gewöhnliche B. ist ein Leckerbissen: „disen sumer hât er si gekowen gar für b.[15])". Auf Island heißt ein Kuchenfest 'B.mahlzeit'[16]). Die Flitterwochen heißen im nl. 'witteburetsweke' [17]), in Westfalen 'Stubenwiäken' [18]) (vgl. Kaswochen in Kärnten) [19]). Mathias Kramer[20]) berichtet (1676), daß man von einem Ehegatten, der mit dem andern nicht fürlieb nehmen wolle, sagt, er wolle Beckenb. (= Weißb.) essen; also Hausb. Symbol für Familie und Ehe; dies hat auch mehr Gehalt als das Beckenb.

Beckebroud macht Backe doud,
Bauernbroud macht Backe roud [21]).

[12]) G r i m m *Sagen* 176 Nr. 236; S t r a k e r j a n 2, 225; *Eifelvereinsblatt* 29, 31—32; MschlesVk. 1906, Heft 15, 145; K r a u ß *Südslaven* 658. [13]) M e y e r *DVolksk.* 209; W r e d e *RheinVk.* 194; vgl. P l i n i u s *N. H.* 22, 138; P e t r o n i u s *Satiren* c. 66. [14]) B i r l i n g e r *Schwaben* 2, 380; M e y e r *Baden* 371. [15]) W e i n h o l d *Frauen* 1, 212. [16]) ZfVk. 1896, 390. [17]) W e i n h o l d l. c. 2, 1. [18]) S a r t o r i *Westfalen* 110; vgl. „Wääkwochen": W r e d e *EifelerVk.* 169; d e r s. *Rheinische Vk.* 184. [19]) S t a u b *B.* 9. [20]) M. K r a m e r *Dictionario tedesco-italiano* 1 (Nürnberg 1676), 753. [21]) S c h m i t t *Hettingen* 16; vgl. F r i s c h b i e r *Preuß.Wb.* 1, 110; besondere Kraft hat die B.rinde: M ü l l e r *Rhein.Wb.* 1, 1018; vgl. A. 423.

3. Als vegetatives Fruchtbarkeitssymbol des Ackerbauers, als Substitut der konzentrierten Kraft, wobei noch besonders die Symbolik der Gottesgabe B.[22]) im Vaterunser [23]) für Nahrung einwirkt (vgl. Psalm 41, 10), bedeutet das B. die tägliche Nahrung [24]): Versöhnungsb. = Versöhnungsmahlzeit [25]); Tränenbrot = Leichenmahl [26]). In weiterer Entwicklung ist B. = Leben [27]):

Nun hab ich mich getan vom B.,
seht, Lieber, seht, ich bin steintot [28]).

Bei den Südslaven ist das B. besonders hoch gehalten als Symbol der Familie, der Nahrung und Existenz: Bei der Teilung einer Hausgemeinschaft zerschneidet der bisherige Hausvorstand einen Laib B. in so viel Teile, als Partien da sind; von jetzt an muß jede Familie ihr eigenes B. erwerben und essen [29]); zu ergänzen ist diese symbolische Bedeutung des B.es durch die Zeremonie beim Sippenmahl mit Orakel, von Krauß genau beschrieben [30]).

[22]) B. und Wein ist ein Geschenk Gottes, welches dieser jährlich aus der Erde hervorsprießen läßt: A n h o r n *Magiologia* (1675), 789 (Psalm 104, 14—15); das gilt besonders für die Völker, bei denen B. und Wein die einfachste Form der Mahlzeit ausmachen, z. B. bei den Griechen und Römern: Glotta 15, 64; ARw. 14, 25 ff.; B a s t i a n *Elementargedanke* I, 121. [23]) M a t h a e u s 6, 11; L u c a s 11, 3. [24]) S t a u b *B.* 1—6. II A. 3. 47; G r i m m *DWb.* 1, 400; H ö f l e r *Ostern* 49; K r a m e r l. c. 2, 1178; W. v. E s c h e n b a c h *Parzival* 803, 26; W e i n h o l d *Frauen* I, 212; G r y p h i u s *Peter Squenz* p. 22 (Ausgabe v. 1663); H e c k - s c h e r I, 466. [25]) S t a u b l. c. 18; vgl. das Anbieten von B. als Zeichen der Versöhnung in Italien: M a n z o n i *I promessi sposi* cap. 4; vgl. D i e l s *Vorsokratiker* ² I, 279 Z. 43: bei B. versammeln sich die Freunde, jetzt die Barbaren (= D i o g e n e s L a e r t i u s 8, 35 = 212, 31 ff. Cobet); vgl. P a u l y - W i s - s o w a I, 50. [26]) W i t t s t o c k *Siebenbürgen* 108. [27]) G r i m m *DWb.* 1, 400—401; S t a u b l. c. 2; K r a u ß *Südslaven* 55 (Märchen). [28]) G r y p h i u s *Peter Squenz* p. 36 = p. 37 Neudrucke; M. K r a m e r l. c. 3, 300; vgl. die Redensarten: Sein (letztes) B. ist ihm gebacken und avoir ses carottes cuites = er muß sterben; G. W u s t m a n n *Sprichwörtliche Redensarten* ³ 85. [29]) K r a u ß *Südslaven* 128. 55. [30]) Ebd. 55—57; vgl. ZfVölkerpsychol. 18, 377 ff.

B. B. i m V o l k s g l a u b e n u n d i n d e r S a g e.

4. D a s h e i l i g e B. Dieses letzte und beste Produkt (die letzte Gabe, der letzte Bissen B., überhaupt alles, was zuletzt übrig bleibt, hat die größte Kraft) [31]) des Getreides ist für alle, besonders die ackerbautreibenden Völker aller Kulturstufen, das S y m b o l k o n z e n t r i e r - t e r K r a f t und die lebenserhaltende Speise [32]). Der vitalistische Mensch sieht in ihm die Vereinigung aller Fruchtbarkeit der Erde; im Seelen- und Dämonenkult ist es die beste Gabe der chthonischen Geister und Fruchtbarkeitsdämonen [33]); später wird es zum heiligen Geschenk der Götter; als Lebensbringer dringt es in die Kulte ein [34]).

[31]) R e u t e r s k i ö l d *Speisesakramente* 115; ZfVk. 1891, 189; P a u l y - W i s s o w a II, 2185; B e e r ’Απαρχαί. Würzburg 1913; NiederdZfVk. 1926, 15. [32]) R e u t e r s k i ö l d 115—125; Glotta 2, 226—228. [33]) K ü h n a u *B.* 5 ff. [34]) R e u t e r s k i ö l d 122; ARw. 7, 114 ff.

5. Im deutschen Volksglauben lagern die verschiedenen Schichten der B.verehrung und des B.kultes über- und durcheinander: der Pflugritus zeigt ältestes Gut [35]). Der Kraftvermittler B. bekommt das Kreuzzeichen [36]), die kirchlichen Weihen, welche nun der Träger dieser Kraft werden [37]). Das Christentum macht sich die dem heidnischen Ackerbauer innewohnende Scheu vor dem Fruchtbarkeitserhalter und -spender dienstbar: Christus, das B. des Lebens [38]), der Weizen auf dem Acker Marias [39]) in der mittelalterlichen Mystik, wird zum Schirmherr der Gottesgabe [40]); diese ist seit der Speisung der 5000 geweiht. Daher sättigt nach Männling (216—17) das Lätareb. am meisten. Dieses Wunder wirkt auf die Legenden ein, so haben wir dieses Motiv in der Tiroler Sage vom Bruder Batho [42]) und in den B.wundersagen des Dialogus miraculorum des Caesarius von Heisterbach, welcher zum Jahre 1197 berichtet, daß kleine Teiglaibe im Ofen zu großen B.en aufgingen [43]). Zu vergleichen ist auch die Sage vom Wundermehl bei Freiberg anläßlich einer Teuerung [44]), die Speisung eines verirrten Kindes in Baden [45]), die Sage vom frommen Bäcker in Thüringen [46]); auch in der Vita Co-

lumbani ist eine Episode eingefügt, wo der hl. Columban B. und Bier vermehrt nach dem Vorbild Christi [47]).

[35]) M a n n h a r d t 1, 158. [36]) H e c k - s c h e r 1, 135 ff.; 2, 393 ff. [37]) F r a n z *Be- nedictionen* 1, 262—278 und 2, 138; R e u t e r - s k i ö l d 121; H a a s *Rügen* 44; M ü l l e r *RheinWb.* 1, 1015. [38]) G u n k e l *Märchen* 58 f. [39]) In den mittelalterlichen Predigten ist Maria der Acker, welcher durch Gottes Tau Korn trägt: S c h ö n b a c h *Predigten* 3, 217, 6; ZföVk. 1912, 138; vgl. die Madonna mit der Weizenähre: S e p p *Sagenschatz* 617—619. [40]) M a n n h a r d t 1, 230—243; R e u t e r s - k i ö l d 121 ff.; F o n t a i n e *Luxemburg* 37; ARw. 13, 558 ff.; L i p p e r t *Christentum* 209. [41]) M e y e r *Baden* 372. [42]) H e y l *Tirol* 561, 14; über Engel- und Wunderb.e: ZföVk. 20 (1914), 77—79. [43]) IV, 65 = I, 23, 4 Strange; vgl. K l a p p e r *Erzählungen* 344, 4. [44]) M e i c h e *Sagen* 625, 770; vgl. 660, 818; K ü h n a u *Sagen* 3, 455, 1835. [45]) W a i b e l - F l a m m 2, 106; vgl. H a u p t *Lausitz* 1, 253, 314: Engel speist Kinder mit Wunderb. [46]) B e c h s t e i n *Thüringen* 280, 146. [47]) MG. script. Meroving. IV, 84, 11 ff.; vgl. H a u p t *Lausitz* 1, 278, 367.

6. Diese G o t t e s g a b e [48]), in ältester Zeit Opfer auf dem Tisch als Hausaltar [49]), 'dat leiwe B.', ('uns Herrgott ist dor baben') [50]), das tägliche B.[51]), Gottes Speise [52]), ist so heilig und verehrungs- würdig, daß man in seiner Gegenwart nicht fluchen darf [53]). Wenn man die Himmelsgabe fallen läßt, muß man sie küssen und um Verzeihung bitten [54]). Im Rheinland sagt man, wenn das Kind B. fallen läßt: 'Das Herrgöttcher kommt' [55]). In Dänemark heißt es, eine fromme Mut- ter soll ihre Kinder dazu anhalten, herab gefallenes B. aufzuheben und zu küssen [56]); wer auf B. tritt, hat Unglück [57]); nach dem Glauben in Nassau muß er bald sterben [78]). Auf jeder Mißachtung steht die schwerste Strafe [59]). Wenn man drei Tage nicht an Gott denkt und kein Weih- wasser nimmt und sich am zehnten Tage auf einen Laib B. setzt, so ist man dem Teufel verfallen [60]). Auch B.reste und B.- krümchen (s. Brosamen) dürfen nicht weggeworfen werden [61]). In einem Indi- culus der Humanistenzeit, welcher auf Vorschriften der Pythagoräer zurückgeht (Plinius XXVIII, 27 = Diog. Laertius VIII, 34), lesen wir: minuta panis pedibus conculcare, turpe [62]). Darauf geht eine

Stelle der Magiologia: Abergläubische Leute halten es für ein Unglück, wenn einer ein Stück B. fallen läßt und das wiederaufgehobene „nicht auf alte heid- nische pythagoreische Weise mit diesen Worten: 'O du heiliges B.' küßt" [63]). B.- reste werden im Feuer den armen See- len [64]) geopfert [65]). Mit B.kugeln spie- len [66]), ja schon sie formen [67]), ist ein Sakrileg. Schimmliges B. muß man essen [68]) (pädagogisch), verdorbenes ver- brennen [69]); wer mit B. wirft, kommt nicht in den Himmel [70]).

[48]) B r o n n e r *Sitt u. Art* 203; F i n d e r *Vierlande* 2, 222; S c h ö n w e r t h *Oberpfalz* 1, 403 ff.; R o s e g g e r *Steiermark* 1, 61 ff.; R e i s e r *Allgäu* 2, 447; K ü h n a u *Brot* 5; L a n d s t e i n e r *Niederösterreich* 69; S a r - t o r i *Sitte u. Brauch* 2, 32; Globus 42, 76 ff.; SAVk. 5, 92; L e s s i n g *Sinngedichte* Nr. 109; D r e c h s l e r 2, 14 ff.; M e y e r *Baden* 371 ff.; R o s e g g e r *Steiermark* 1, 61—66; Unoth 1, 453; B u x t o r f *Judenschul* 191; SchwVk. 5, 92; M e i c h e *Sagen* 607, 749; G r o h m a n n 102 ff. [49]) ZfEthnolog. 34, 62 ff. 65; ZfVk. 25, 341; P a u l y - W i s s o w a 1, 49. [50]) B a r t s c h *Mecklenburg* 2, 134; F r i s c h b i e r *Hexenspruch* 122 ff.; D e r s. *PreußWb.* 1, 110. [51]) M ü l h a u s e 55 ff.; F r i s c h b i e r *PreußWb.* 1, 110. [52]) B o l t e - P o l i v k a 3, 461—63; Germania 1857, 247; M e i c h e *Sagen* 607, 749. [53]) K ü h n a u *B.* 5; vgl. F r a z e r 7, 1, 13; vgl. BlpommVk. 4, 73; B. verschwenden ist Sünde: F o x *Saar- land* 399. [54]) D r e c h s l e r 1, 287 und 2, 14; G r o h m a n n 102—03, 714—718; F i s c h e r *Aberglauben* (1790), 239; K ü h n a u *B.* 5; R e i s e r *Allgäu* 2, 447; S a r t o r i *Sitte u. Brauch* 2, 33; S c h ö n w e r t h *Oberpfalz* 1, 403; Urquell 4, 116; V e r n a l e k e n *Mythen* 41 ff.; L a i s t n e r *Nebelsagen* 302 ff.; Z i n - g e r l e *Tirol* 36, 289; W. 458; Globus 42, 90 ff.; S t a u b *B.* 10; W e t t s t e i n *Disentis* 174, 38; ZfVk. 1893, 27; 1894, 291; 1895, 416; K ö h l e r *Voigtland* 395; F r a z e r 7, 1, 13; B u x t o r f 191; vgl. denselben Glauben in Spanien: Bibliotheca de las traditiones popu- lares 1 (Sevilla 1883), 526, 153. [55]) M ü l l e r *RheinWb.* 1, 1015; ähnlich in Braunschweig: A n d r e e 402. [56]) J. M. T h i e l e *Den danske Almues overtroiske Meninger* 41, 181. [57]) l. c. 41, 180; wer auf B tritt, wird am linken Ohre taub: G r o h m a n n 103, 719. [58]) K e h r e i n *Nassau* 269, 238; über die ehrfurchtsvolle Behandlung vgl. BlpommVk. 4, 73; vgl. O b e r h o l z e r *Das B. im Glauben und Aberglauben unseres Volkes*: Alte und neue Welt (Einsiedeln) 1922, 506—10. Nach Ber- liner Glaube zieht es schwere Strafe nach sich, wenn man B.reste wegwirft: ZfEthnol. 15, 91. [59]) ZfVk. 1894, 291; S t a u b *B.* 10; A n d r e e

Braunschweig 402; H e y l *Tirol* 815, 322; S t r a c k e r j a n 1, 49; W o l f *Beiträge* 1, 218. [60]) B a u m g a r t e n *Heimat* 2, 103. [61]) L i e b r e c h t *Zur Volksk.* 399; Z i n - g e r l e *Tirol* 37 Nr. 297—300; G r o h m a n n 102—03; ZrwVk. 1913, 244; D r e c h s l e r 2, 12 und 15; L ü t o l f *Sagen* 554, 563; Globus 42, 90; Urquell 4, 118; ZfVk. 1914, 56; W. 458; H e y l *Tirol* l. c.; S t r a c k e r j a n 1, 49. [62]) ZfVk. 1915, 22 und 26; vgl. B u x t o r f *Judenschul* 191: angelum nomine Nabel huic muneri propositum esse, ut illos observet, qui- bus panis in terram excidit, ita ut pedibus conculcetur: illos enim in paupertatem conicit. [63]) A n h o r n *Magiologia* 147. [64]) M a n n - h a r d t 1, 81—82; G r o h m a n n 198, 1392. [65]) Wenn die armen Seelen die Brosamen nicht holen, freut sich der Teufel darüber: Z i n - g e r l e *Tirol* 37 Nr. 297—301. [66]) S t a u b 10; W. 458; T e m m e *Pommern* 340; L ü t o l f *Sagen* 554 Nr. 563; S t r a c k e r j a n 1, 49; J o h n *Erzgebirge* 31; in Mecklenburg werden Hirtenknaben, die mit B.kugeln spielen, zu Stein: B a r t s c h 1, 427 Nr. 599. [67]) SAVk. 1925, 103. [68]) Ebd. [69]) G r o h m a n n 103, 717. 727; S c h r a m e k *Böhmerwald* 254; vgl. F r a z e r 7, 1, 13. [70]) S t r a c k e r j a n 1, 49.

7. Entsprechend der heiligen Verehrung und dem Kulte, welchen das Volk mit dem B.e treibt, berichtet die V o l k s - s a g e [71]) von der furchtbaren Bestra- fung der B.schänder [72]). So frevelt der böhmische Winddämon Banadietrich, der so fromm und tugendsam, daß ihm der Wind (Wetterdämon!) den Mantel trug; als er aber wegen eines Vergehens sich das Mißfallen Gottes zuzog, beschloß er die größte Sünde zu begehen und B. in seine Schuhe zu legen, um so die Gottesgabe mit Füßen zu treten. Ganz parallel geht die Sage, nach der Friesland überschwemmt wurde, weil ein Priester die Hostie mit Füßen trat [73]) und ein Friese die Hostien verschüttete. Als Strafe mußte Banadietrich bis zum jüngsten Tage jagen [74]). Nach anderer Version entführte ihn ein Wagen in die Luft (Siebengestirn) [75]). Noch berühmter ist die Sage von Vinetas Untergang, des- sen Einwohner die Mauerlöcher mit B. ausbesserten [76]). Es gibt viel ätiologische Wandersagen, welche sich, natürlich mit einigen Kompromissen, inhaltlich und geographisch, in vier Gruppen zerlegen lassen:

a) In einem vorwiegend norddeutsch- schlesisch-österreichischen Kreis besudeln oder schlagen H i r t e n b u b e n aus Un- zufriedenheit über das einfache schwarze Hausb. die Gottesgabe, oder F u h r - m ä n n e r verwenden es als Brücke und Radschuh; zur Strafe wird der Frevler in Stein verwandelt (Ausdeutung bizarrer Gebirgsformen), er versinkt oder muß umherirren. So erzählt man sich von den Hirtensteinen bei Kieslingswalde (Glatz) [78]): Die b.schändenden Hirten- buben werden zu Stein. Vom Versinken berichten die vielen Versionen über den Moosbruch bei Reihwiesen (Oberschle- sien) [79]), wo auch die Strafen gehäuft werden. Auch die sagenhafte Stadt Nini- veh bei Greifswald geht zugrunde und versinkt, weil eine Frau B. in einen Wasserlauf warf [80]).

b) In einer süddeutsch-rheinischen Gruppe (vgl. die Alpensagen über Schän- dung von Butter und Käse) [81]) verun- ehren namentlich R i t t e r f r ä u l e i n oder ganze Gemeinschaften in Luxus und Übermut das B., indem sie darauf gehen und Tümpel damit anfüllen [82]). Als Strafe folgt Versinken und Entstehung eines Sees. Oft klingt das alte Philemon-Baucis- Motiv an, das jedoch in Frankreich ins Christliche übersetzt rein sich findet [83]). In einer Sage in Pommern [84]) bittet ein Bettler vergebens um B.; er verflucht das Schloß, welches versinkt. In Tirol wird erzählt, wie ein zauberhafter Bettler (An- klang an die christliche Version) nur von einer alten Witwe aufgenommen wird; das ganze Dorf versinkt [85]). Die Schloß- bewohner bei St. Georgen (Baden) ließen sich eine Eisbahn aus Salz herstellen und gingen bei schlechtem Wetter in ausge- höhlten [86]) B.laiben [87]). Die Bewohner der Burg Althornberg forderten das Strafge- richt Gottes heraus, indem sie am Weih- nachtsabend tanzten und sich Batzen- wecke unter die Füße banden [88]). Laistner deutet diese Sagen meteorologisch [89]). Spärlicher berichten darüber böhmisch- schlesische [90]), niederrheinische [91]) und holsteinische [92]) Sagen. Sogar die Not- durft verrichten die Frevler ins ausge- höhlte B.[93]). Auch das Reinigen der Kinder mit B.[94]) und Ähren [95]) gehört zu diesen Ursprungsagen. Die Sage, die erklärt, weshalb die Getreidehalme nur oben Ähren tragen, hat in Schlesien die Version, daß der Engel Gabriel die Strafe vollzieht. In Frankreich wird eine Frau, welche den Tisch mit B. abwischt, von Jesus und dem Erzengel Gabriel bestraft[96]). In Tirol sagt man zu den Kindern: Spart euere Brosamen für die Armen, damit es euch nicht geht wie der Frau Hütt. Diese ließ durch einen Diener ihr Kind mit Brosamen reinigen und wurde zur Strafe versteinert[97]). Von einer andern Strafe für dieses Verbrechen erzählt die oberpfälzische Sage[98]).

c) In den Zeiten der H u n g e r s n o t wird diese Hauptnahrung den Armen versagt[99]). Das B. wird zu Stein[100]) (und blutet) oder zu Schlangen[101]), oder der Geizige wird von Mäusen aufgefressen[102]). Diese Sagen finden sich überall. In der Thüringischen Sage sitzt nach dem Tode des Vaters, dem die Kinder das B. verweigern, eine Kröte auf dem B.schrank. Das B. mit der Kröte wird in Stein gezeigt am Rathaus zu Neustadt[103]). Auch im Volkslied hören wir oft von der unbarmherzigen reichen Schwester, welche der armen Schwester B. für die sechs Kinder verweigert[104]):

> Und als der Herr aus der Kirche kam,
> Wollt er aufschneiden das B.:
> Das B. war wie die Steine,
> Das Messer von Blut so rot.

Die steinernen Laibe werden sogar noch gezeigt[105]). Anderseits hat die Versteinerung des B.es in der Sage einen guten Zweck: Als der mildtätige Torwart Seemoser vom Freisinger Dom das für die Armen bestimmte B. dem geizigen Bischof Gerold zeigen sollte, verwandelte sich das B. in Stein[106]).

d) In der Schweiz, in Schlesien und in Kärnten wird die Gottesgabe in schweren Zeiten den Schweinen gegeben[107]); oder es wird zu Wuchergeschäften benutzt, so vom Metzger von Horb in Schwaben[108]); zur Strafe muß der Geizige herumgeistern (als Schwein)[109]).

---

[71]) S i e g h a r d t *Nordbayr. Brotsagen u. Sitten*, Erl. Hmtbl. (1920), 185 ff. 189 ff. 193; vgl. SAVk. 11, 49. 20. [72]) K ü h n a u *B.* 5 ff.; Globus 42, 91—92; vgl. auch Kornfrevler- und Wucherer und ihre Strafe: SAVk. 17 (1913),

133—34; T e m m e *Pommern* 130 Nr. 94; K ü n z i g *Badische Sagen* 13 Nr. 25. [73]) C a e - s a r i u s *Dialogus* 2, 4 c. 3; 2, 209 c. 55. [74]) ZfVk. 1894, 291; vgl. G r o h m a n n *Sagen* 75 ff. 79. 90. 95; L a i s t n e r *Nebelsagen* 302 ff.; E. H M e y e r *Germ. Mythologie* 237; D r e c h s l e r 2, 15. [75]) R o c h h o l z *Sagen* 2, LIV. [76]) R a u m e r *Insel Wollin* (1851) 24; vgl. G r i m m *Sagen* 177 Nr. 238 bis 39; R a n k e *Sagen* 236. [77]) K ü h n a u 1, 575; 3, 327—330. 331 ff. 335. 336—37. 338. 374. 388. 391—93. 396; B ö c k e l *Volkssage* 104; G r a b i n s k i *Sagen* 12—13; K ü h n a u *B.* 5; ZfVk. 1902, 68. vgl. 67; K u h n *Märk. Sagen* 248; D e r s. *Märk. Märchen* 233; D e r s. *Westfalen* 1, 287 Nr. 336; 308 Nr. 348; K u h n - S c h w a r t z 109. 475. 482 A.; G r i m m *Sagen* 176 Nr. 236; T e m - m e *Altmark* 100; M ü l l e n h o f f *Sagen*[2] 153 Nr. 227; B a r t s c h *Meckl.* 1, 427. 429; ZfVk. 1897, 103. [78]) K ü h n a u *Sagen* 3, 393 bis 397; vgl. 1, 576; 2, 202. 610; 3, 336. 340. 374; in seinem Index (= *Sagen* 4, 112—113) bietet Kühnau eine gute Übersicht über die Art der Freveltaten; D e r s. *Brot* 5; ZfVk. 1897, 193; zum Spielen mit B.kugeln oder B.kegeln vgl. B a r t s c h *Meckl.* 1, 427. 599; S c h e l l *Berg. Sagen* 349 Nr. 53; K u h n - S c h w a r t z 54 Nr. 57. [79]) K ü h n a u *Sagen* 3, 371—82; vgl. 1, 575 ff. [80]) H a a s *Rügensche Sagen*[5] 134 Nr. 234; vgl. 135 Nr. 236. [82]) W a i b e l - F l a m m 2, 75—77. 123—25. 294—95. 333 bis 335; O c h s *BadischesWb.* 1, 127; R e i s e r *Allgäu* 1, 233; vgl. G r a b e r *Kärnten* 245 ff.; A l p e n b u r g *Tirol* 191 Nr. 61; E n g e - l i e n u. L a h n 1, 64. [83]) O v i d *Metam.* l. VIII v. 610—698; vgl. S é b i l l o t 2, 392 bis 394; Jesus wird als Bettler überall abgewiesen, nur eine alte Frau nimmt ihn auf; diese und ihre Ziege werden zu Stein, das Dorf versinkt. [84]) BlpommVk. 3, 38 Nr. 18. [85]) A l - p e n b u r g *Tirol* 233, 4 (Lago santo); nach einer Siebenbürgischen Sage bittet der Heiland eine Frau um B.; als diese ihn abweist, wird sie zur Schildkröte: M ü l l e r *Siebenbürgen* 128 Nr. 168; nach S h a k e s p e a r e *Hamlet* IV, 5 wird eine Bäckerstochter, die dem Heiland B. verweigert, zur Eule; vgl. Kloster 9, 384 ff., nach der schlesischen Sage bittet ein Berggeist um B. und tötet, abgewiesen, den Frevler: MschlesVk. 1906 Heft 15, 110. [86]) K ö h l e r *Kl. Schr.* 1, 437 A. [87]) W a i b e l - F l a m m 2, 75—77; nach einer Pommerschen Sage wird eine Prinzessin, die den Armen B. verweigert und auf Salz Schlitten fährt, vom Blitz getötet und die Stadt bei Werben versinkt: T e m m e *Pommern* 207 Nr. 164; auch die Nonnen bei Bergen versinken, weil sie auf Salz Schlitten fahren: H a a s *Rügensche Sagen*[5] 85 Nr. 147. [88]) O c h s *Bad.Wb.* 1, 127. [89]) L a i s t n e r *Nebelsagen* 246 ff. 302 ff.; G r o h m a n n 32 Nr. 178; K u h n - S c h w a r t z 475 Nr. 57; Bedenken gegen Laistners Methode äußert mit Recht: R. M. M e y e r *Religgesch.* 34. 624. [90]) K ü h n a u *Sagen* 3, 370 ff.; 2, 498. 507;

Mschles. Vk. 1908 Heft 20, 84; G r i m m
Sagen 176 Nr. 235 und 237; P e t e r *Öster-
reichisch-Schlesien* 88; G r o h m a n n *Sagen*
78. [91]) S c h e l l *Berg. Sagen* 552 Nr. 25; 553
Nr. 28; K u h n *Westfalen* 168 Nr. 174 a;
G r i m m *Sagen* 174 Nr. 234. [92]) M ü l l e n -
h o f f *Sagen* [2] 153 Nr. 226; M o n t a n u s
Volksfeste 1, 218. [93]) K ü h n a u *Sagen* 3, 337
Nr. 1717; vgl. G r a b i n s k i *Sagen* 13;
B o l t e - P o l i v k a 3, 417; nach einer nie-
dersächsischen Sage bestreicht die Gräfin das
B. mit Kot: S c h a m b a c h u. M ü l l e r 51
Nr. 71. [94]) G r i m m *Sagen* 174, 233; A l -
p e n b u r g *Tirol* 122. 238, 11. 239—40; R e i -
s e r *Allgäu* 1, 239 und 263; T e t t a u und
T e m m e 208—209; K u h n *Westfalen* 1,
287; D e r s. *Märk. Sagen* 81; L a i s t n e r
Nebelsagen 159 und 303. [95]) L ü t o l f *Sagen*
376 Nr. 348; W i t z s c h e l *Thüringen* 2, 34,
25; in der schlesischen und oberpfälzischen
Version reinigt die Frau das Kind mit B.:
G r a b i n s k i *Sagen* 13; S c h ö n w e r t h
Oberpfalz 1, 408, 20; zur Literatur: B o l t e -
P o l i v k a 3, 417—20; vgl. die Berchtes-
gadener Ährensage bei S e p p *Sagenschatz*
617 ff. Nr. 169. [96]) S é b i l l o t 3, 448.
[97]) G r i m m *Sagen* 233; A l p e n b u r g
238, 11; 240, 1; R a n k e *Volkssagen* 230;
B ö c k e l *Volkssage* 104. Nach einer türkischen
Sage wird die Frau, die ihr Kind mit B. reinigt, in eine Schildkröte verwandelt, das Kind
in einen Affen: S t e r n *Türkei* 1. 15. 399 ff.;
in den Cevennen reinigt kein Mädchen den Teller
mit einer B.rinde, sonst regnet es am Hochzeitstag: ZfdMyth. 2, 418, 12. [98]) S c h ö n w e r t h
1, 408, 20. [99]) M e i e r *Schwaben* 1, 319, 361;
P o l l i n g e r *Landshut* 84 mit A.; G r i m m
Sagen 180, 240; G r a b e r *Kärnten* 251, 340;
M ü l l e n h o f f *Sagen* [2] 151—52 Nr. 224 und
225; W a i b e l - F l a m m 2, 92; vgl. die
Sage von der geizigen Schloßjungfrau bei
K ü n z i g *Bad. Sagen* (L. 1925) 4, 7 und ebenda vom geizigen Kaufmann und der geizigen
Müllerin: 14, 27 und 15, 50; die Bergische Sage
weiß von der hartherzigen Bäuerin zu berichten
(S c h e l l 84, 3) und dem Getreidewucherer
S c h e l l 92, 16. [100]) P o l l i n g e r *Landshut*
84; G r i m m *Sagen* 180, 240; Kloster 9,
982 ff.; hier spielt ebenfalls wie in den oben erwähnten Sagen das Philemon-Baucis-Motiv
herein, indem der Heilige bei der armen Witwe
in einer großen Stadt um Almosen bittet; vgl.
R o c h h o l z *Glaube* 1, 50. [101]) W a i b e l -
F l a m m 2, 79—80; ZfdMyth. 1, 243; K l a p -
p e r *Erzählungen* 343, 13 ff. bringt eine Sage,
nach der der Braten, der aus Hartherzigkeit
vom Sohn vor dem Vater verborgen wird, sich
in K r ö t e n verwandelt; für Brot: B o l t e -
P o l i v k a 3, 462 A. 1; 168 A. 1. [102]) G r i m m
Sagen 181, 241; L i e b r e c h t *Zur Volksk.*
1 ff.; S e p p *Religion* 308 ff.; in einer Sage
Mecklenburgs wird ein Bauer, der B. verweigert,
von Ratten in einem Haus auf einem See verfolgt: B a r t s c h 1, 299, 398. [103]) W i t z -
s c h e l *Thüringen* 1, 233, 234. [104]) E r k -

Böhme 1, Nr. 209 a—f mit Anmerk.; B o l t e -
P o l i v k a 3, 461 f. zu Nr. 205; 462 A. 1;
M ü l l e n h o f f *Sagen* [2] 152—53, 224—25;
BlpommVk. 4, 122—24 mit Literatur; N i -
d e r b e r g e r *Unterwalden* 1, 32 ff. [105]) M e i e r
Schwaben 1, 319, 361; P o l l i n g e r *Landshut*
84 m. A.; Kloster 9, 982; ein anderes Motiv
liegt dem steinernen B. auf dem Wappen im
Friedhof zu Hofen bei Cannstatt zugrunde;
B i r l i n g e r *Volkstüml.* 1, 155, 241; vgl.
Arch. f. Anthropol. N. F. 4 (1906), 148. In der
Sage vom frommen Bäcker wird das B. zu
Hobelspänen vor den Augen des Abtes:
B e c h s t e i n *Thüringen* 1, 281; W i t z -
s c h e l 1, 146, 142. Dieses Motiv ist vor allem
aus der Legende von der Landgräfin Elisabeth
von Thüringen bekannt; die mildtätige Fürstin
antwortet auf die Frage, was im Korbe sei:
,,Herr, Blumen''; und im Korbe sieht der Land-
graf Blumen: B e c h s t e i n l. c. 1, 171; auffallend dasselbe in Frankreich: S é b i l l o t
3, 440—42; die B. der Verena verwandelt sich
in einen Kamm: R o c h h o l z *Gaugöttinnen*
96. 121—22. [107]) R o c h h o l z *Sagen* 2, 136,
362; SAVk. 1925, 125; S t a u b *B.* 5—6;
K ü h n a u *Sagen* 1, 116; dagegen 2, 32
G r a b i n s k i *Sagen* 24; M e i e r *Schwaben*
269 Nr. 301; vgl. G r a b e r *Kärnten* 166,
215; S c h e l l *Berg. Sagen* 84, 3. [108]) M e i e r
Schwaben 1, 275, 309; R o c h h o l z *Sagen* 2,
137, 363; nach der badischen Sage verlangt ein
Priester im Kloster zu Ottersweier einen Acker
für einen Laib B.: K ü n z i g *Bad. Sagen* 8
Nr. 11. [109]) G r a b e r *Kärnten* l. c.; S t ö b e r
Elsaß 2, 96, 131; K ü n z i g l. c. 4, 7; 14, 27;
15, 50; vgl. 14, 28; vgl. S c h e l l *Berg. Sagen*
84, 3 und 92, 16.

8. D a s b l u t e n d e B.[110]): Diese
Wandersage, beeinflußt durch die Erzählungen von der blutenden Hostie [111]),
treffen wir in zwei grundverschiedenen
Versionen:

a) In der schlesischen Sage von der
Schändung des lieben B.es durch die
Kühjungen bei Reihwiesen wird das B.,
wie wir gesehen haben, zu Stein; aber
eine Variation der Sage berichtet auch,
daß Blut heraustropfte und eine Stimme
erscholl: ,,Weil du meine Gabe mit Peit-
schenhieben entwürdigt hast, so sollst du
zur Strafe . . . umherirren'' [112]). In der
Kärntner Sage von der Kirche zum heiligen Blut zu Wolfsberg (1338) stechen die
Juden die Hostien mit Messern, worauf
Blut fließt [113]). In Niederbayern wird aus
dem Jahr 1908 ein Fall erzählt, wo eine
Hostie das Bier blutig färbte [114]).

b) Eine andere, in Oberdeutschland [115]),
Schleswig [116]), Sachsen [117]) und Dort-

mund [118]) auftauchende Sage erscheint immer in Verbindung mit Mißwachs (feuchtes Jahr), Krieg [119]), Hungersnot oder der damit verbundenen Hartherzigkeit. So berichtet Thietmar [120]) von Merseburg aus seiner Zeit (11. Jh.): Als einmal während einer mühvollen Ernte die ermüdeten Schnitter sich erheben wollten, sahen sie, wie ein eben angeschnittener Laib B. Blut vergoß. Im Jahre 1016 floß bei einem Landmann in Meißen [121]) Blut aus dem B.; es folgt Krieg und vergossenes Menschenblut. Auch aus dem B. der Hartherzigen fließt Blut: im Volkslied von der unbarmherzigen Schwester wird in drei Variationen [122]) das B. zu Stein und das Messer blutig, eine Bearbeitung [123]) spricht nur vom blutenden B.e, und damit stimmt eine spanische Ballade auffallend überein, vom Lokalkolorit abgesehen und vom Schlusse [124]):

> Tomo, un pan y lo partio,
> Lollo que sangue vertia!

Rochholz [125]) erklärt den Ursprung dieser Sage aus der Eigenart eines Bacterium prodigiosum. Diese Bakterien sollen in neuester Zeit (1841 in Paris, 1869 in Chemnitz) als blutrot stinkende Masse auf dem B. nachgewiesen worden sein, in oberdeutscher Mundart spricht man von Speiseblut [126]). Zu vergleichen ist eine Lausitzer Blutwundersage, nach welcher 1616 auf Äckern und Kornhalmen Blut gefunden wurde und ein erkalteter Mehlbrei mit Blut bedeckt war [127]). Blut, als Analogieorakel blutiger Kriege, fließt aus Holz [128]), aus einem Fuhrmannslöser [129]). Eine Parallele zur bretonischen Sage 'Le pain changé en une tête de mort', bietet die deutsche Sage nicht [130]).

[110]) Zur Literatur: Bolte-Polivka 3, 461—63; Tharsander Schauplatz 1 (1737), 305. [111]) Argovia 1886, 48—53 dazu Caesarius Dialogus 2, 183, c. 25, wo die geschändete Hostie in sanguinem coagulum verwandelt ist; vgl. das Wunderblut zu Wilsnack: W. Schwartz Sagen und alte Geschichten der Mark Brandenburg [7] (B. 1921) 173, 116, dazu Caesarius Dialogus 9, c. 16 = 2, 178 Strange; auch in einer Mecklenburger Sage blutet die geschändete Hostie: Bartsch 1, 355, 483; vgl. Heyl Tirol 678, 154, wo aus der gestochenen Hostie Blut fließt; zur Literatur: Strack Blut 35—36; Tharsan-

der l. c. 1, 317; Brevinus Noricus (1721), 4 ff.; Franzisci Der höllische Proteus (1690) 47 ff. [112]) Kühnau Sagen 1, 576 = 3, 374; vgl. Bartsch Mecklenburg 1, 427, 599. In Pommern sagt man: Wenn man mit dem Messer ins B. sticht, sticht man dem lieben Gott ins Herz: Temme Pommern 340; vgl. ZfVölkerpsychol. 18, 279. [113]) Graber Kärnten 404 Nr. 559; 333 Nr. 467; in mittelalterlichen Erzählungen durchbohren Juden das Christusbild, worauf Blut fließt: Klapper Erzählungen 307, 12 und 324, 13; Heyl Tirol 678, 154; Kloster 12, 323 ff. 1048. [114]) DG. 10, 15. [115]) Rochholz Glaube 1, 50; Argovia 1886, 48 ff.; vgl. Schöppner Sagenbuch Nr. 882 und Reiser Allgäu 1, 419. [116]) Müllenhoff Sagen [2] 151 Nr. 224. [117]) Meiche Sagen 637, 789; 633, 779; vgl. Wolf Niederländ. Sagen Nr. 153. [118]) Grimm Sagen Nr. 240. [119]) Literarisch verwertet von Löns Werwolf c. 1. [120]) Meiche l. c. 633, 779 = MG.SS. 3, 858, 40. [121]) Ders. l. c. 637, 789. [122]) Erk-Böhme 1, Nr. 209 a—c. [123]) Ebd. Nr. 209 d. [124]) Abh. Wiener Akad. phil.-hist. Kl. 31 (1859), 143—45; vgl. Bolte-Polivka 3, 462. [125]) Argovia 1886, 60—65; vgl. Strack Blut 35—36 mit Literatur. [126]) Argovia 1886, 60. [127]) Kühnau Sagen 3, 429, 1797. [128]) Meiche Sagen p. 638 (im J. 1636). [129]) Ebd. l. c. 622, 766 (im J. 1587). [130]) Köhler Kl.Schr. 1, 154.

C. Das B. im Aberglauben und Zauberritus. I. Abergläubische Vorstellungen und rituelle Zauberhandlungen, welche auf der Eigenschaft des B.es als Opfer und als Opfersubstitut beruhen (über die Gebildb.e dieser Kultzeiten s. Gebildb.e) und als Übertragungsmedium.

9. Weihnachts-, Neujahrsopferfest, Julfest. Uralte Wachstumsfruchtbarkeitsriten haben sich in diesen Rauchnächten mit versöhnenden Opfern für die Seelendämonen verbunden, und beides lebt in Opfern für das Christkindchen und die heiligen Personen der christlichen Weihnachtszeit weiter (s. Speiseopfer). Die Fruchtbarkeitsdämonen werden zur Percht, Frau Holle, ja zur Diana [132]). Die Opfergabe dieser Opfer (der Weihnachtstisch als Opferaltar bleibt im Norden bis Dreikönig für die Speisung der Geister gedeckt) [133]) ist vorzugsweise das B., neben Brei im Norden [134]). Höhepunkt ist das „heilige Mahl" am Weihnachtsabend [135]) (s. d.).

[131]) ZföVk. 1903, 15 ff. 186 ff.; Höfler Weihnachten 1—6. 10. 74; W. 74 ff.; Reuterskiöld 118 ff.; für den Einfluß der rö-

mischen Neujahrsgebräuche: S c h n e i d e r im ARw. 20, 82—87 m. Lit. [132]) P r ä t o r i u s *Weihnachtsfratzen* 395, 403. [133]) S c h u b e r t *Reisen* 3, 202; Globus 72, 375; F e i l b e r g in HessBl. 5 (1906), 35. 28 ff.; M ä n n l i n g 205. [134]) H ö f l e r *Weihnachten* 18—19. 29 bis 30. [135]) D e r s. l. c. 13—14; ZfVk. 1894, 78.

10. Der älteste Beleg für das B.-O p f e r an Weihnachten in Deutschland ist eine Stelle in der sog. Homilia sancti Augustini de sacrilegia, der Predigt eines Heidenmissionars [136]). „Quicumque in Kalendas Januarias mensas p a n i b u s et aliis cybis ornat et per noctem ponet et diem ipsum colit et auguria aspicet . .'' Etwas später fallen die Capitula cum italicis episcopis deliberata [137]): „ut nullus Kalendis Januariis . . aut mensas cum lapidibus in domibus praeparare . . nisi voluerint ad ecclesiam p a n e m o f - f e r r e , simpliciter offerant, cum aliqua de ipsa impia commixtione'' (offenbar Opferb., mit besonderm Ritus zube- reitet). Nach der Sage ist es ein ausneh- mend fein schmeckendes B., das man gemeinsam verzehrt [138]). Bereits im 12. Jh. wird es aus Weißmehl hergestellt [139]). Als B.-Substitut früherer Tieropfer hat es neben der einfachen Laibform mannigfal- tige Gebildformen (s. Gebildb.e) von Tieren, welche auch beim Ackerritus [141]) eine Rolle spielen. Neben diesen Festgebäcken darf das Hausb. nicht fehlen, sonst geht der Segen aus dem Haus [142]). Es darf am hl. Abend nicht aus dem Hause getragen werden [143]).

[136]) ARw. 20, 110; ein B.opfer an Quellen, dargebracht an Neujahr, erwähnt auch M a r - t i n v o n B r a g a vgl. A. 268. [137]) MG. leg. 2 tom., 202 Z. 21; ZfVk. 1904, 262 ff. [138]) H ö f - l e r l. c. 24; B a u m g a r t e n *Jahr* 8. [139]) H ö f l e r l. c. 30. [140]) Ebd. 6. 59 u. passim; Globus 72, 371 ff.; N i l s s o n *Jahresfeste* 50; R e u t e r s k i ö l d 116—118; ZfVk. 1902, 437—39. [141]) R e u t e r s k i ö l d l. c.; s. Ge- bildb.e. [142]) D r e c h s l e r 1, 33. 35; J o h n *Erzgebirge* 155. [143]) J o h n l. c. 114.

11. Durch Größe zeichnen sich beson- ders die S p a l t g e b ä c k e aus, so das 24 Pfund schwere Julbrot der Dänen [144]) und das westfälische Mittwinterb. [145]). Das Gesinde bekommt in Schwaben Weiß- und Birnb.[146]) (s. Birnb.). In Baden be- kommen die Hausgenossen das Met- tenb.[147]).

Viele Beispiele zeigen, wie das Christen- tum auch beim B.-Opfer die alten Ge- bräuche übernimmt (das beweisen vor allem die Gebildb.e). Die hl. drei Könige übernehmen die Rolle der tres illae soro- res (Parcae = Nornen). Im Frankenwald stellt der Bauer vor dem Bettgehen einen Krug Wasser und einen B.laib auf den Tisch und lädt die heiligen Dreikönige ein [147a]); dasselbe stellte früher der Bauer im Kanton Bern den Hausgeistern hin [147b]). Sebastian Frank (1567) erzählt von einem ähnlichen Opfer, erweitert auf Christus und Maria mit Augurium [147c]). An an- dern Orten schlägt man ein Stück B. für Christus [147d]) ein, und zwar in ein weißes Tuch (s. weiß und Speiseopfer). Eine schlagende Parallele zu diesem B.- weihnachtsopfer in Deutschland, das auf antik-römischen Brauch zurückweist, hat Usener im böhmischen Brauch des largum sero aufgezeigt: man stellt B.e mit Messern für die Götter hin, ut in noc- tibus veniant di et comedant [147e]). Im flandrischen Volksliede backen die drei Könige selbst B. in der Bäckerei [147]); in Steiermark [149]) ziehen die Dreikönigs- sängerinnen gabenheischend umher; und in Obersteiermark erhalten die Perchten neben Milch auch B.[150]), von dem man zuvor gekostet hat. In Schlesien bleibt nach dem Mahl B. und ein Pfennig auf dem Tisch liegen, damit man im nächsten Jahr nicht Mangel habe [151]).

Die Haustiere, welche sonst kein B. erhalten sollen, bekommen am hl. Abend B. und Pfeffernüsse oder B.schnitten mit Salz bestreut in Schlesien [152]) oder Julb. im Norden [153]). Im Allgäu besprengt man dieses B. noch mit Weihwasser [154]). Diese Spende an das Hausvieh wird in Ungarn in naiver Be- dingung mit dem Windopfer verbun- den [155]). In Bayern bekommt das Vieh nach der Mette oder während derselben Kletzenb. oder B.[156]). In Steiermark drückt die Frau in das nach der Mette genossene Kletzenb. vor dem Backen einen Schlüssel- bart ein; sonst läßt die Percht das B. ver- brennen oder es ruht kein Segen darauf [157]). In Mecklenburg füttert man dem Vieh Neu- jahrsb., „Liwb.''. Dasselbe tat man früher in Frankreich, um der Kuh das Kalben zu erleichtern [158]). In Muggensturm (Baden) erhalten an Dreikönig alle Glieder der Familie und das Vieh B. und Salz, beides geweiht [159]), im Erzgebirge bekommen die Pferde und Kühe B.schnitten mit Salz und Zwiebeln [160]), in Österreich am Stephanstag B. mit geweihtem Salz [161]). Auf dem Kultb. ruht reichster Segen. Es ist heilig und besonders schmackhaft, verdirbt und schimmelt nicht, zumal vom Christtau benetzt [162]). „Das B. so auff Weihnachten gebacken wird, soll sich sehr lang halten" (1663) [163]). Es hat wunderbare, durch die Weihen der Kirche [164]) besonders zauberhafte Heil- und andere Kräfte [165]), z. B. im Krieg [166]). Im 13. Jh. gab man die „Brosen, die ze Weihnachten über werden dem, der tol von hunden oder anders" [167]). Besonders das Mettenb. ist ein Heilmittel (Pfalz) [168]), in Schlesien der Christstriezel [169]) und das vom Christtau benetzte [170]) B. (wie die Christgarbe [171]) bis 1523 in Stralsund). Schon Gervasius v. Tilbury schreibt über die alten Britannier: „sed et de pane nocte illa (natalis Domini) sub dio composito compertum habeo, quod febricantibus proderit, si tamen adsit fides, quae operatur" [172]). Dasselbe bei den Deutschamerikanern [173]) und in Nassau [174]). Dieses gesegnete Kultb. wirkt apotropäisch: mit Honig beschmiert oder Dill bestreut wurde es in Mitteldeutschland im 17. Jh. gegen Verzauberung angewandt [175]). Coler schreibt: „B., welches an Weihnachten gebacken ist, hält sich bis Pfingsten, gibt aus, soll dem Haus sehr schutzlich sein, schimmelt nicht; in Wälschland gibt man es den Kindern am St. Paulstag, um sie vor Schlangenbissen zu bewahren." Und ein alter Tiroler Aberglaube meint [178]): „Ein laib Weinachtb. über den thenn heibn, bleibn keine Mäus' mehr, ist gut firs fieber." In Schweden [179]) schützt das Julb., in Frankreich [180]) das in den drei Weihnachtsmessen geweihte B. vor Unglück im Krieg.

Als Opfer für die Vegetationsdämonen streicht die Bäuerin in Tirol und Mähren die mit Teig beklebten Finger an den Bäumen [181]) ab. Im Kreise Allenstein steckt man Neujahrsgebäck ins Stroh, mit dem man die Bäume umwickelt [182]), in Pommern neben Backobst und Geld vor allem B. [183]). In Österreich füttert man die Erde mit einem daumenförmigen (Phallus?) [184]) B., und an der Nahe ist das Opfer für die Fruchtbarkeitsgeister dem Christkind geschenkt worden [185]). Oft sind diese Opfer durch B.-Spenden an Arme oder Kinder abgelöst, so nach dem Rastetter Hofrecht von 1378 [186]), wonach das aus den ausgescharrten Teigresten hergestellte Mutschellaiblein, das für die Hausgeister bestimmt ist (vgl. backen), den Armen gegeben wurde. Vielleicht ist auch der Chiemgauer Mettenlaib, den der Meßmer für langes, dämonenabwehrendes Läuten erhält, eine Ablösung der die Dämonen vertreibenden Opfer in der Christnacht [187]). Werden die Vegetationsgeister nicht gespeist, so rächen sie sich durch Schadenzauber und verursachen eine Mißernte [188]).

In Elbestalzell kann man mit dem Störilaib den Bräutigam (die Braut) herbeizaubern [189]), die Großdirn stellt mit den Speiseresten Liebesauguria an [190]), mit B., Kohle und Kränzlein auguriert man in Egerland [191]).

Alle Arten von Opfer- und Kultgebräuchen (Geschenke, Augurien, abgelöste Opfer in Form von Armenspenden, Vegetationsspenden und Fruchtbarkeitsriten) kristallisieren sich um den W e i h - n a c h t s s t ö r i; dieser ist so gewissermaßen das Muster eines Gemeinschaftsopfers und Kultb.s [192]). Baumgarten hat folgende Gebräuche unterschieden [193]): Neben dem Störilaib backt man 1. einen kleinen Laib, den der erste Arme bekommt (die Großmutter reicht ihn mit einem Geldstück, einem Ei und Fleisch), 2. mehrere Laibchen für das Vieh, 3. vier bis fünf daumenförmige B.e für Luft, Wasser, Feuer, Erde. Am Abend vor Dreikönig steckt man ein B. auf einen Baum, ein anderes wirft man in die Hauslache, 4. Brosamen, Abfälle und Backofenwisch trägt die Großdirn in einem Tischtuch auf das Weizenfeld; in der Richtung, wo sie einen Mann sieht, heiratet sie.

Die verschiedenen Spaltgebäckarten des Weihnachtfestb.s und die andern Gebildformen werden unter Gebildb. aufgezählt.

[144]) H ö f l e r l. c. 31. [145]) Ebd. l. c. 29—31; S a r t o r i *Westfalen* 137; K. Ch. L. S'c h m i d t *Idiotikon* 43. [146]) B i r l i n g e r *Volkstüml.* 1, 7; H e r z o g *Volksfeste* 204—205; H ö f l e r l. c. 29; ZföVk. 9 (1903), 18. [147]) M e y e r *Baden* 488; H ö f l e r l. c. 24. [147a]) Bavaria 3, 1, 309; J a h n l. c. 279; H ö f l e r *Weihnachten.* 31. [147b]) SAVk. 1897, 219; über das Julb. im Norden vgl. NddZfVk. 1926, 14 ff. [147c]) J a h n l. c. 279; vgl. Weihnachtsgebildb.e, Bohnenkönig; zur Erweiterung auf Christus und Maria vgl. U s e n e r *Kl. Schr.* 4, 428. [147d]) J o h n *Erzgebirge* 156; in Schlesien für die Engel: G r a b i n s k i *Sagen* 51. [147e]) U s e n e r *Religionsgeschichtliche Untersuchungen* 2 (189), 46 ff.; ARw. 20, 376 ff.; vgl. ZfVk. 1904, 265 ff.; T i l l e *Weihnachten* 49; H ö f l e r l. c. 31; über B.opfer in den Rauchnächten handelt ausführlich H ö f l e r: ZföVk. 9 (1903), 18—20; ZfVk. 1904, 258. [148]) ZfVk. 1904, 263; NdlTVk. 8, 3; 11, 124. [149]) ZfVk. 1896, 304. [150]) J a h n *Opfergebräuche* 283; ZfdMyth. 4, 300; W e i n h o l d *Weihnachtsspiele* 25; ZfVk. 1904, 266 ff.; im Mölltal bekommt die Percht an Dreikönig B. und gefüllte Nudeln; wenn sie davon genießt, gibt es ein gutes Jahr: G r a b e r *Kärnten* 91 Nr. 111. [151]) D r e c h s l e r 1, 35; F e h r l e *Feste* 15; an manchen Orten läßt man das B. für die Engel liegen: G r a b i n s k i *Sagen* 51. [152]) D r e c h s l e r 35—36; D e r s. *Haustiere* 13; B r u n n e r *Ostd. Volksk.* 208; vgl. ZfVk. 1902, 438; vgl. Bavaria 2a, 302. [153]) H ö f l e r l. c. 25—26. 12; S a r t o r i *Sitte u. Brauch* 3, 32 A. 34; B o e c l e r *Ehsten* 93; W. 683. 692; J a h n *Opfergebräuche* 118; B a r t s c h *Mecklenburg* 2, 24; M e y e r *Baden* 488; Z a h l e r *Simmenthal* 47. [154]) H ö f l e r l. c. 25. [155]) Ebd. 26. [156]) B a u m - g a r t e n *Jahr* 11; BayHfte. 1 (1914), 230 Nr. 35; vgl. BlpommVk. 3, 184; in der Pfalz das „Gelecker": geweihtes B. u. Salz: Bavaria 2a, 302. [157]) ZföVk. 1, 249. [158]) B a r t s c h *Meckl.* 2, 241 Nr. 1253 ff.; L i e b r e c h t *Gervasius* 228 Nr. 106; 239 Nr. 243; 233 Nr. 160. [159]) M e y e r *Baden* 494. [160]) J o h n *Erzgebirge* 162; auch bei den Schwaben im Banat erhalten die Pferde am ersten Weihnachtstage B.: B e l l *Banat* = D. Deutschtum im Ausland (1926), 124. [161]) ZföVk. 1, 251. [162]) J a h n *Opfergebräuche* 280—81; B i r l i n g e r *Schwaben* 1, 382; S t r a c k e r - j a n 2, 224; W. 175; H ö f l e r l. c. 24; B a u m g a r t e n *Jahr* 8; L i e b r e c h t *Gervasius* 233 Nr. 160. [163]) H ö f l e r l. c. 23. [164]) F r a n z *Benediktionen* 1, 593—94. [165]) H ö f - l e r l. c. 25—28; Globus 72, 375; J a h n l. c. 277; J o h n *Erzgebirge* 154; S e y f a r t h *Sachsen* 269. [166]) Globus 72, 375; S e l i g m a n n *Blick* 2, 329. [167]) Sitzb. Wiener Akad. phil. hist.

Kl. LXXI 488. [168]) H ö f l e r l. c. 24. [169]) D r e c h s l e r 1, 34 Nr. 27; S c h r a m e k *Böhmerwald* 116. [170]) W. 78; H ö f l e r l. c. 24. 26; im Rheinland essen es Vieh und Menschen ZrwVk. 16 (1919), 55. [171]) M a n n h a r d t 1, 233; H e c k s c h e r 2, 397—98. [172]) L i e b - r e c h t *Gervasius* 2 c. XII de rore coeli; vgl. T h a r s a n d e r *Schau-Platz* 1, 86. [173]) F o g e l *Pennsylvania* 261 Nr. 1362. [174]) K e h r e i n *Nassau* 2, 259 Nr. 116; vgl. BayHfte. 1 (1914), 233 Nr. 65. [175]) H ö f l e r l. c. 26. 27—28. [176]) C o l e r l. c. 13 c. 3. [177]) S c h n e l l e r *Wälsch-tirol* 240 [37]. [178]) BayHfte. 1 (1914), 233, 65; vgl. T h i e r s bei L i e b r e c h t *Gervasius* 237, 210: B., gesegnet in den drei Weihnachtsmessen, heilt alle Krankheiten. [179]) Globus 72, 375; vgl. 373. [180]) S e l i g m a n n *Blick* 2, 329. In Frankreich backte man nach Thiers vor Noël ein gros pain, le pain de calende; man schnitt es in Stücke und machte ein paar Stücke mit dem Messer 3 oder 4 Kreuze; diese Stücke bewahrte man als heilkräftig auf; der Rest wird für den jour des rois aufgehoben: L i e b r e c h t *Gervasius* · 232, 153. [181]) H ö f - l e r l. c. 27; W. 431; Globus 72, 375. [182]) H ö f l e r *Neujahrsgebäcke* = ZföVk. 1903, 201. [183]) BlpommVk. 7, 89. [184]) J a h n *Opfergebräuch.* 279; M ä n n l i n g 201; B a u m g a r t e n *Heimat* 1, 42; D e r s. *Jahr* 9 ff. [185]) S a r t o r i *Sitte und Brauch* 3, 47 A. 110; H ö f l e r l. c. 32 vgl. 17. [186]) H ö f - l e r l. c. 21. 27—18; G r i m m *RA.* 1, 497; ZfVk. 1904, 262—63; vgl. SAVk. 1898, 69. 142: nach einem Legat von 1762 werden les miches de noël an die Armen verteilt. [187]) DG. 13, 182 ff. [188]) H ö f l e r l. c. 22; ZfVk. 1897, 188. [189]) H ö f l e r l. c. 22; B a u m g a r t e n *Jahr* 9. [190]) H ö f l e r l. c. 21—22. [191]) Ebd. 25; vgl. S a r t o r i *S. u. B.* 3, 36. [192]) H ö f l e r l. c. 21 ff. [193]) B a u m - g a r t e n *Jahr* 9 ff.; ZfVk. 1904, 259 ff.; vgl. N a u m a n n *Gemeinschaftskultur* 72 ff.

12. A c k e r - u n d S a a t r i t e n: Als Fruchtbarkeitssymbol eignet sich das Jul- und Weihnachtsb. besonders für die private Pflug- und Säezeremonie; Jahn (Opfergebräuche) betont zu sehr den Opfercharakter dieser heiligen Handlungen; dagegen hebt Reuterskiöld (Speisesakramente) mit Recht die zentrale Bedeutung des Übertragungszaubers im Bewußtsein der Menschen hervor; beide Vorstellungen verschlingen sich hier. Das Kultb. der Rauchnächte erhält und bewahrt die Fruchtbarkeit (Analogiezauber und Übertragungszauber), der magische Zauber, in dem es verwendet wird, zwingt die Erde zur Fruchtbarkeit [194]), wie das Julb., das in die Saathaufen gesteckt wird, die Körner keimkräftig erhält [195]). In Ostpreußen bindet man in einen Zipfel des Säetuches B., Geld, Salz und F e n c h e l (Musterbeispiel für die Verbindung von Fruchtbarkeitsübertragung, Opfer und Apotropaion), dann gedeiht die Saat [196]). Sogar das Säetuch wird auf den Opfertisch am Weihnachtsabend gelegt [197]), und ein bayrischer Beichtspiegel (1468) berichtet [198]), daß man eine Pflugschar unter den Weihnachtstisch legte, um die Geräte für die Ackerbestellung recht fruchtbar zu machen. Um auch auf sich selbst, das Gesinde und das Vieh den Segen zu übertragen, bewahrt der Bauer vom Festb. für Mensch und Tier einen Teil auf; so berichtet der pommersche Bürgermeister Wessel (um 1500): „Dadt nyejar dadt se backeden, dadt wart thom dele vorwaret beth de meyer meyen wolden, so ethen se darvon; meneden se konden sick denne nen verdrot dhon" [199]). Als Kraftb. wird es besonders beim Pflügen an Menschen und Hausvieh ausgeteilt [200]); in St. Gallen bekommen nach dem ersten Pflügen alle Beteiligten ein Stück B. [201]), das an Ort und Stelle gegessen wird. Der erste Pfluggang und das Ziehen der ersten Furche ist für den ackerbautreibenden Germanen eine heilige Handlung [202]) mit Opfer an die A l l m u t t e r [203]) oder später an die W a c h s t u m s d ä m o n e n , das teils aus Korn [204]), welches über den Pflug geschüttet wird, teils aus B. besteht, wenn irgend möglich aus dem aufbewahrten Festb. [205]). Daß diese Zeremonie gemeingermanisch war, können wir aus einer alten Ackerbuße ersehen, welche um das Jahr 1000 aufgezeichnet ist, ein Musterbeispiel dafür, wie Christliches auf Altheidnisches aufgepfropft wurde; E. H. Meyer hat dieses Dokument interpretiert [206]). Nachdem der Pflug besonders geweiht ist, heißt es (l. c. 131): „Nimm dann jeder Art Mehl und ein Mann backe einen Laib von der Breite der innern Handfläche und knete ihn mit Milch und heiligem Wasser und lege ihn unter die erste Furche . . . ."; Meyer führt (139—144) die modernen Parallelen an [207]); die Opferspende ist in Baden und Schwaben durch eine Spende an Kinder und Arme abgelöst („G l ü c k s b.", „Meneb.") [208]). In

Baden ist das erste Pflügen noch eine Zeremonie [209]). Eine Sage kündet von der tieferen Bedeutung des „Glücks"- oder „Meneb.es" beim Pflugritus: Ein Bauer verweigerte einst das Meneb. für die Menebuben, welche die Pflugtiere trieben; als er aber allein mit den Ochsen das Feld pflügte, fielen diese tot um [210]). Man legt auch unter den ausfahrenden Pflug ein B., so in Böhmen [211]); alle diese B.e erhalten meistens die Armen [212]); besonders segenund fruchtspendend ist geweihtes B.; so heißt es im carnifex exarmatus, daß „das in festis St. Blasii und St. Agathae geweihte B. gut ist vor die Aeckher, auf welchen die Früchtengewaechs wegen den Ungeziefer Schaden leyden" [213]). In den Niederlanden spielt das St. Pauls-Brötchen als Pflugb. und Apotropaion gegen Würmer eine Rolle [214]). Auch das dem Körneraugurium ähnliche B.a u g u r i u m fehlt nicht: „Bleibt die Schüssel mit Mehl, B. und einem Ey unversehrt, so ist es ein gutes Zeichen für die Ernte; die Schüssel wird dann unter die Armen verteilt, damit sie beten für das Gedeihen der Saat; die Gabe heißt P f l u g s b." [215]).

[194]) B a u m g a r t e n *Jahr* 9. [195]) Globus 72, 375; M ä n n l i n g 205: Die Schweden backen an Weihnachten Kuchen und mischen davon unter das Getreide, damit der Acker fruchtbar wird; vgl. J. G. ab E c k h a r t *Commentarii de rebus Franciae orientalis et episcopatus Wirceburgensis* I (1729), 409 ff. [196]) J a h n *Opfergebräuche* 332; W. 652. [197]) W. 652. [198]) Zf-Vk. 1904, 144. 259. [199]) F r a n z W e s s e l s *Schilderung des kathol. Gottesdienstes in Stralsund* (Stralsund 1837) 4; J a h n l. c. 162. 281; BlpommVk. 5, 55; ZföVk. 1903, 201. [200]) Globus 72, 375; ZfVk. 1914, 141; H ö f l e r l. c. 39; R e u t e r s k i ö l d 117; D u C a n g e 7, 491—92 (simulacrum). [201]) SAVk. 11 (1907), 251. [202]) S a r t o r i *Sitte u. B.* 2, 54. 60 ff.; W. 428 ff. [203]) D i e t e r i c h *Mutter Erde* [2] 97 ff. 107 ff. [204]) F i s c h e r *Angelsachsen* 7 [205]) Globus 72, 375; H ö f l e r *Ostern* 50; D u C a n g e l. c. [206]) ZfVk. 1904, 130 ff. [207]) J a h n *Opfergebräuche* 74 ff. 77; M a n n h a r d t 1, 158. 317. 538 ff.; R e u s c h e l *Volkskunde* 2, 30. [208]) M e y e r *Baden* 119. 417; ZfVk. 1904, 139. [209]) M e y e r l. c. 417. [210]) L a c h m a n n *Überlingen* 442 ff. [211]) G r o h m a n n 143 Nr. 1056: in Mähring an der bayrischen Grenze legt man unter den ersten Pflug ein Ei und ein Stück B., das man dem ersten Bettler gibt; vgl. 1057: ein Ei u. B. aufs Feld gelegt, damit es gute Früchte bringt. [212]) M e y e r

l. c. 140; M e y e r *Baden* 417; J a h n l. c.
75. [213] B i r l i n g e r *Schwaben* 1, 421.
[214] H ö f l e r *Fastnacht* 14; eine ähnliche
fruchtbarkeitsübertragende Bedeutung hatte
nach Höfler (?) der Meinradswecken für die
Winzer (?) l. c. 12; in Rußland bindet man
B., das an Mariä Verkündigung geweiht ist,
an das Saatgefäß: H ö f l e r *Fastnacht* 97 ff.
[215] S c h ö n w e r t h *Oberpfalz* 1, 400 Nr. 2;
J a h n l. c. 75. 76—78.

13. Analogiezauber beim Ritus der ersten
F l a c h s -, H i r s e a u s s a a t [216]:
Parallel zur Pflug- und Säezeremonie wird
auch hier neben Samen oder Eiern B. geopfert; von den Festb.en wird das A n -
t o n i u s b. bevorzugt [217]); vom Weih-
nachtsfestessen werden für Bauer und Gesinde Eierkuchen aufbewahrt und beim
Säen verzehrt [218] (s. Ei).

[216] H a l t r i c h *Siebenbürgen* 299. [217] S a r -
t o r i *Sitte u. B.* 2, 112; W. 175; J a h n
194 ff. 204; Janus 7, 234—236. [218] J a h n
l. c. 196.

14. B. beim E r n t e r i t u s : B. wird
als Fruchtbarkeitssymbol in die e r s t e [219]
oder l e t z t e Garbe gebunden (J a h n [220])
faßt diese Zeremonie zu einseitig als reines
Opfer auf, dagegen Reuterskiöld [221] und
wieder anders Mannhardt [222] und Frazer [223]) oder stellvertretend in die letzten
(drei) Halme [224]); in La Palisse (Dép. de
l'Allier) hängt man an die Spitze der im
letzten Getreidefuder aufgestellten Tanne
einen Mann aus Brotteig, der nach Ernte-
schluß unter das Volk verteilt wird [225]
(siehe Gebildb.e § 3); auch in die drei
Ähren für den Oswald steckt man B. [226]
und in Bayern [227] für die Waudlhunde.
Nach der Rügenschen Sage verzehrt der
Roggenwolf gern das Frühstück- und
Vesperb. der Schnitter, das diese vergebens verbergen [228]). Schnitterb. bekommt in der Schweiz jeder Schnitter
nach der Sichellöse [228 a]. Nach der Kärntner Sage läßt ein Bauer für die Saligen
Ähren liegen; diese backen B. daraus,
das nie ausgeht [229]. Dieselben Fruchtbarkeitsriten schließen die Flachs- [230]
und Heuernte [231] ab; ein reines Opfer
haben wir beim W e i d e s c h l u ß auf
der Alm, wo man B., Milch und Käse für
die Vegetations- und Fruchtbarkeitsdämonen zurückläßt [232].

[219] W. 438; in Pommern wird in die letzte
Hafergarbe das Vesperb. gebunden: Blpomm-
Vk. 3, 31; NiederdZfVk. 1926, 15. [220] l. c. 163
bis 193. [221] *Speisesakramente* 112 ff. [222] *Wald-
u. Feldk.* 1, 158. 209. 217; D e r s. *Forschungen*
21 ff. 30. 35 ff. [223] 1, 2, 46 ff.; 8, 51. [224] S a r -
t o r i *Sitte u. Br.* 2, 88; M a n n h a r d t 1,
209; J a h n l. c. 158. 160. 172. 180. 248; W.
433 ff. [225] L i e b r e c h t *Zur Vk.* 437;
M a n n h a r d t l. c. 1, 205. Dieses Gebildb.
hat Zauberkraft, wie das am Palmen ange-
brachte B.: F e h r l e *Feste* 54; vgl. Bretzel;
bei den Römern heilen die am Oktoberroß
angehängten B e : C h a n t e p i e d e l a S a u s -
s a y e 2, 424; vgl. 435. [226] M a n n h a r d t
l. c. 1, 209; J a h n l. c. 176; W. 434. [227] J a h n
l. c. 165. [228] H a a s *Rügensche Sagen* [5] 64
Nr. 114. [228a] SAVk. 24, 102. [229] G r a b e r
Kärnten 56 Nr. 63. [230] J a h n l. c. 197—204;
W. 435. [231] J a h n l. c. 205—206. [232] Ebd.
321—22; R o c h h o l z *Sagen* 1, 384; A l p e n -
b u r g *Tirol* 13. 104.

15. Vom neuen Mehl bringt man ein
Erstlingsopfer dar (schon bei den Römern
die mola salsa) [233]), um den Segen des
ersten Teiles der Hauptnahrung zu erzwingen (Anfangszauber) (vgl. die reis-
pflanzenden Völker) [234]); an der Wolga [235]
verteilt der Priester das neue B. mit einer
Zeremonie unter die Dorfgemeinde, verbunden mit Segensspruch; Chateaubriand
erzählt Ähnliches vom Herbstfest der
Natchez [236] am Mississippi, welche die
ersten Maiskolben auf dem Altare opfern
und aus dem neuen Mehl ungesäuertes B.
bereiten, um es in feierlicher communio zu
genießen. Jn Langenbielau [237] in Schlesien bereitet man aus dem Mehl der letzten Garbe einen Laib, der Zauber- und
Heilkraft hat und unter die Familie verteilt wird. Mannhardt [238] hat (Oktoberroß) den römischen Gebrauch, das Haupt
des Pferdes mit einem B.kranz zu schmükken, in Parallele zu deutschen Gebräuchen so gedeutet, daß das Oktoberroß den
Getreidegott symbolisieren soll (ihm folgt
Frazer) [239], dagegen Wissowa [240] und
Höfler [241]. Das Opfer aus dem neuen Mehl
ist jetzt durch die Armenspende abgelöst;
in Westfalen stellte man in alter Zeit bei
der ersten „Backete" vom neuen Korn
„Liewe Keuken" her, die man an Nachbarn und Verwandte verteilte [242], in Siebenbürgen [243], der Schweiz [244] jetzt noch
an Ortsarme; in der Stargarder Gegend
werden vom neuen Mehl halbmondförmige

Brötchen gebacken, worauf eine Kirsche eingedrückt ist [245]. Die ganze Familie nimmt am Opfer teil, so in Schottland, wo man für den Erzengel einen großen Kuchen backt, von dem jeder in dem Hause bekommt [246]; wie hier an die Stelle der Fruchtbarkeitsdämonen ein Heiliger tritt, so hat die kath. Kirche überhaupt dieses Erstlingsopfer in der benedictio panis novi [247] in ihren Kult aufgenommen; dieses B. bringt Gesundheit. Prätorius zählt unter den auffallend vielen Göttern der Preußen und Litauer auch „Skalsa" auf, die Göttin des Getreidesegens, welcher vom ersten ausgedroschenen Getreide B.e gebacken werden; einen Teil bewahrt man in der Vorratskammer auf als Gewähr für den Segen des Hauses [248]. Eine oberpfälzische Sage erklärt, warum man Hund und Katze des Hauses das Erstlingsopfer darbringt [249]. Auch das Augurium fehlt nicht: Wenn man in Böhmen zum erstenmal vom neuen B. ißt, steckt man es mit der rechten rückwärts um den Kopf gedrehten Hand in den Mund; geschieht dies leicht, so wird ein billiges Jahr, sonst kommt Teuerung [250]; in Böhmen opfert man ein Stück vom neuen B. dem Feuer, damit das B. nicht verbrennt [251].

16. B. als Opfer für Wasserdämonen: Das Wasser ist nicht nur das reinigende apotropäische Element [252], sondern auch der Sitz von Dämonen (Wasser entgiftet man durch B.) [253], namentlich von Fruchtbarkeitsdämonen, welche mit Vorliebe an Quellen [254] verehrt werden. Schon der Indiculus [255] cap. 11 erwähnt die Opferquellen, gegen die auch die admonitio generalis [256] sich wendet (789), welche auch schon die bei solchen Gelegenheiten angestellten Augurien verdammt [257]. Die Sagen (auch französische) [258] weisen darauf hin, daß man ursprünglich den Wassergeistern Menschen opferte, besonders bei Wasserbauten [259]. „Am Himmelfahrtstage verlangt die Enz bei Vaihingen und Bietigheim einen Laib B., ein Schaf und einen Menschen als Opfer, weshalb sich an diesem Tage niemand badet" [260]; nach den meisten Sagen ist der Johannistag [261] der Opfertag [262]. Das jetzige B.-opfer (auch antik) [263] ist also ein Substitut für Menschen- oder Tieropfer; nach dem Dämonenglauben empfangen bestimmte Wassermänner oder Nixen das Opfer, der Diemelnix bekommt B., der Nickelman einen schwarzen Hahn, einen Hund und eine Katze [264]. Diese B.opfer an Quellen fand schon Burchard von Worms vor: Venisti .... ad fontes vel ad lapides [265] vel ad arbores ... aut panem aut aliquam oblationem detulisti aut ibi comedisti aut aliquam salutem corporis [266] aut animae ibi requisisti [267]. Der älteste früh-mittelalterliche Beleg für B.opfer (an Neujahr) an Quellen steht bei Martin v. Braga († 580) de correctione rusticorum [268]: Vulcanalia et Kalendas observare, mensas ornare, lauros ponere, pedem observare, effundere in foco super truncum frugem et vinum et panem in fontem mittere, quid est aliud nisi cultura diaboli. Ein schönes Beispiel für die Ablösung alter B.riten durch kirchliche Zeremonien haben wir in Österreich an der Salzach, wo der Geistliche nach feierlicher Prozession geweihte Hostien in den Fluß wirft [269]. Der ursprüngliche Opfergedanke ist zugunsten der dämonenabwehrenden Kraft des B.es in den Hinter-

[233] Wissowa Religion [2] 159; in Griechenland brachte man an den Thargelien den θαργηλὸς ἄρτος als Erstlingsopfer dar: Athenaeus 3, 114 a; Pauly-Wissowa 11, 2, 2097; vgl. Bavaria 4, 381; ZfVölkerpsychol. 18, 18. [234] ARw. 9, 268; auf Celebes ist das Essen des ersten Reises eine heilige Zeremonie: Frazer 5, 2, 54. 55—56. [235] Frazer 5, 2, 51; vgl. das Fest der Litauer: Frazer 5, 2, 49—50. [236] Ebd. 136; dazu 360. [237] Drechsler 2, 67; Frazer 5, 1 [3], 148—149; Mannhardt Forschungen 334 ff.; in Schlesien herrscht der Glaube, daß man vom neuen B. nicht viel essen darf, sonst wird man nicht recht satt: ZfVölkerpsychol. 18, 18. [238] Forschungen 156—201; bes. 169 ff. 281 ff.; diese B.e haben Heilkraft: Chantepie de la Saussaye-Bertholet 2, 424, vgl. 435. [239] Frazer 5, 2 [3], 42—43. [240] Religion 145. [241] BayHfte. 1914, 151—52. [242] Sartori Westfalen 110; Frazer 8, 136 ff. [243] Jahn l. c. 249. [244] Staub B. 60 ff. [245] BlpommVk. 3, 149; 4, 73. [246] Jahn l. c. 250. 332 A. [247] Franz Benediktionen 1, 268—69. [248] Prätorius 68; Usener Götternamen 101; [249] Schönwerth Oberpfalz 1, 408 Nr. 20; vgl. A. 94—96. [250] W. 339; Jahn l. c. 249; Grohmann 144—45 Nr. 1069. [251] Grohmann 103 Nr. 721.

grund getreten, wenn in Schlesien neunmal geweihtes Johannisb., in die Kleider
genäht, gegen den Wassermann[270]) schützt,
auch sonst belegt[271]). Anderseits verlangt
der Wassermann B. für bestimmte Dienste[272]). Wichtel versprechen für die Über-
fahrt über das Wasser B.[273]). Andere Opfer
richten sich an das Wasser als Fruchtbar-
keitsfaktor im großen Backofen der Natur. Wasserfräulein backen in Baden[274])
Kuchen und geben den Mähdern Pflaum-
kuchen. Im Elsaß legt man in der Silvesternacht eine Waffel und Flachs auf
den Brunnenstock[275]), eine schlagende
Parallele zu der Braga-Stelle. An alte
Quellopfer gemahnt auch der Kuchenritt
in Schwaben[276]). Noch vor 70 Jahren
warfen die Kinder in den Ilkenborn bei
Sievershausen B., Zwieback und Blumen;
und ebenso ließen die Mütter ihre Kinder
in den Reinhardsbrunnen bei Göttingen
Kuchen werfen, als Gabe für die unge-
borenen Kinder[277]). B.- und Kuchenopfer,
mit denen man sich von Übeln befreien
oder vor solchen bewahren will, kennt
man besonders in Frankreich[278]). Zu vergleichen ist die Sitte in St. Georgskir-
chen[279]), wo man am Georgitag (da sammelt man auch Tau) B. in einen Brunnen
taucht und dem Vieh gibt; apotropäisch
aber ist es, wenn man am selben Tag dem
Pferde etwas vom Palmbusch und etwas
B. gibt[280]); dagegen hat der Brauch in
Schöten bei Apolda offenbar den Sinn,
daß man durch das Essen des in den
Brunnen getauchten B.es an der Kraft
des Frühlingstaues, -wassers teilnehmen
will[281]). Den Opfercharakter beweisen
auch die Jahres- und Liebesauguria, so
wirft man Gebäck ins Wasser (vgl. A. 263)
und prophezeit aus dem Wasserstand[282]);
typische B.auguria über Schicksal, Liebe
und Treue haben wir besonders in Frankreich[283]).

[252]) S e l i g m a n n *Blick* 2, 234—37; D ö l l-
e r *Speisegesetze* 148 ff. 156 ff. 259 ff.; F r a n z
Benediktionen I, 43 ff.; H ö f l e r *Volksmedizin*
43 ff. [253]) L a m m e r t 46. [254]) D o l l e r l. c.
259 ff.; J a h n *Opfergebräuche* 118 ff. 140 ff.
151; S é b i l l o t 2, 216 ff.; vgl. L ü t o l f
Sagen 24 ff. [255]) MGleg 2, 1, 223 Z. 11;
vgl. Z. 26—28; H e f e l e *Conzilieng.* 3²,
505—511; S a u p e *Indiculus* 15. [256]) MGleg.

2, 1, 59 c. 65. [257]) Vgl. das Capitulare MG.
l. c. 104, 5. [258]) S é b i l l o t 2, 170—171.
[259]) G r i m m *Myth.* 1, 37 A. 2; S é b i l l o t
2, 170. [260]) M e i e r *Schwaben* 400 Nr. 86
und 87; H. L. F i s c h e r *Aberglauben* 309.
[261]) Johanni in Thüringen: W i t z s c h e l
Thür. 2, 212 Nr. 35. [262]) M e i e r *Schwaben* 429
Nr. 121—22; B i r l i n g e r *Volkst.* 1, 133
Nr. 202; G r i m m *Myth.* 1, 409; S c h e l l
Bergische Sagen 392 Nr. 40; H a a s *Pommersche Sagen*⁴ 36; K ü h n a u *B.* 9 ff.;
S t ö b e r - M ü n d e l *Sagen des Elsaßes* 1, 40;
M e y e r *Baden* 506—507; W e i n h o l d
Quellen 56 u. ö.; F r a z e r 7, 2, 28; 1, 2³, 157ff.;
S é b i l l o t 2, 170 ff. 382; W. 43. 429.
[263]) S e p p *Religion* 293; P a u s a n i a s X
8, 10 und VII, 23, 3 (hier ist die Frage, ob
der andere Zweck, nämlich unterirdische Verbindungen herzustellen, die Hauptsache war).
[264]) J a h n *Opfergebräuche* 151; W. 429;
G r o h m a n n l. c. 50 Nr. 318. [265]) S é b i l-
l o t 4, 64. 51 ff. [266]) Ebd. 2, 297. 302. 321. 382.
[267]) S c h m i t z *Bußbücher* 2, 424 c. 66;
P f a n n e n s c h m i d *Erntefeste* 31; F r a n z
Benediktionen I, 44; G r o h m a n n 43; ARw.
20, 120. [268]) c. 16 = p. 30 Caspari; über Pirmin vgl. OberdZfVk. 1927, 99. 105. [269]) DG.
12, 109. Beim Gebet um Regen werfen die
Tschuwaschen B.laibe ins Wasser: Globus 63,
323. [270]) D r e c h s l e r 2, 16. 167. 256.
316; auch Kümmelsuppe und B. vertreibt den
Wassermann (rein apotropäisch!): T a u b-
m a n n *Nordböhmen* 45. [271]) K ü h n a u *Sagen*
2, 218 ff.; H a u p t *Lausitz* 1, 53 ff.; W. 429;
F o g e l *Pennsylvania* 138 Nr. 631. [272]) K e l-
l e r *Grab* 5, 306; W. 576; S c h ö n w e r t h
Oberpf. 1, 406 Nr. 11; G r o h m a n n *Sagen*
1, 153; K ü h n a u *B.* 39; D e r s. *Sagen* 2,
326. [273]) K ü h n a u *B.* 39. [274]) Alemannia
1897, 12. [275]) J a h n *Opfergebräuche* 285. 117
bis 118. 140. 204; H ö f l e r *Weihnachten* 27;
S é b i l l o t 1, 476; 2, 297. 302. 320—21;
K ü h n a u *B.* 10. 13 ff.; MschlesVk. 1901, 38;
S e p p *Religion* 293 ff.; M e i e r l. c. 400
Nr. 87; M a n n h a r d t 1, 245; H e c k s c h e r
1, 137. 395 A. 311. [276]) M e i e r l. c. 421
Nr. 105. [277]) S c h a m b a c h u. M ü l l e r
60 Nr. 81; S e p p *Religion* 293; S é b i l l o t
1, 476. [278]) S é b i l l o t 2, 297; im 17. Jh.
opferte man Butterb.: 2, 302; dem Brunnen
von Champsac opferten Magenkranke: 2, 320
bis 321; vor allem schützt in Wasser getauchtes B. (vorher ein Evangelium lesen)
gegen Hundswut: 2, 273. 319; 3, 136.
[279]) B a u m g a r t e n *Jahr* 24. [280]) l. c.
[281]) W i t z s c h e l *Thür.* 2, 212 Nr. 35.
[282]) J a h n *Opfergebr.* 327. [283]) S é b i l l o t
2, 215, 223. 243—44. 253. 294.

17. Eine interessante Mischung von
Opfer an die Wasserdämonen und Sympathiezauber ist das auch bei sehr vielen
andern Völkern verbreitete Aufsuchen
Ertrunkener (s. d.) durch B.[284]).

[284]) L i e b r e c h t *Z. Volksk.* 344 ff.; W. 175. 371; H a l t r i c h *Siebenbürgen* 299; M e y e r *Baden* 507—508; MschlesVk. 1902, 21 ff. 53. 87 ff.; ZfVk. 1907, 372—373; W i t t s t o c k *Siebenbürgen* 64; ZfEthnol. 1902, 62 A. 6; W o l f *Beiträge* 1, 236; S é b i l l o t 2, 384 bis 385.

18. B. o p f e r   f ü r   W i n d - u n d W e t t e r d ä m o n e n: Die atmosphärischen Dämonen, welche B. backen (Backgeräusch = Gewitter siehe backen: der liebe Gott schmeißt beim Gewitter mit der B.kruste) [285]), sollen andererseits durch B.opfer versöhnt werden [286]). In Österreich füttert man die Windgeister mit Störib.[287]). In Tirol steigt man am Gregoritag auf einen Baum, windet es nicht, so gibt man den Kindern B. (Ablösung) [288]); auch opfert man am Abend vor Dreikönig dem Wind einen Laib B. und spricht dazu:

> Söh, Wind, da hast Du das Dein,
> Laß ma Du a das Mein [289]).

Am Blasitag [290]) stellt man in Steiermark für den Wind Milch und B. vor das Haus, oder man opferte 1675 in der „reichen Nacht" Brosamen und Speisereste auf einer „Thorsäule", „den Wind damit zu fuedern" [291]); am Bachlabend legt man ein Stück B. für den Wind auf den Zaunpfahl [292]). In Schlesien legt man der Melusine B. und Mehl aufs Fenster [293]). Eine Erinnerung an alte prophylaktische Opfer lebt noch in vielen Flurprozessionen weiter, so im Kanton Luzern [294]). Auch Auguria werden angestellt: so legt man in Niederösterreich am 20. Dezember Mehl und Salz auf den Dachfirst; nimmt der Wind das Opfer an, so sind keine Stürme zu fürchten, sonst muß man sich vor Stürmen hüten [295]). Sind die Wind- und Gewitterdämonen entfesselt, so legt man B.krumen vor das Fenster [296]), im Rheinland [297]) ein Stück B. ins Fenster, in Tirol „zwei B.läden kreuzweise"auf den Weg[298]), im Emmental Messer und Gabel kreuzweise und darauf B., alles in die Dachtraufe [299]); hier ist das Opfer zum Apotropaion gegen die Hexen geworden (Kreuz). Schon Cäsarius v. Heisterbach erzählt, daß von einer Frau in Eudenich eine Hostie gegen Hagel eingegraben wurde, offenbar als Apotropaion [300]). In

der Oberpfalz teilen die Juden das Gewitter, indem sie ein B. zerteilen [301]), den Laib wieder zusammenkleben und unter Zauberformeln rücklings in den Ofen schieben (Analogiezauber) [302]). Bei Sonnenfinsternis werden Brosamen [303]) und Palmen [304]) ins Feuer geworfen. Auch B.korb [305]) und B.schaufel [306]) vertreiben die Winddämonen [307]) (vgl. backen), ebenso der Backtrog [308]) (a. 1895). Anhorn [309]) erwähnt in seiner Magiologia die B.schüssel als Apotropaion gegen Hagel; noch jetzt benützt man in Böhmen die B.schüssel gegen den Wind bei Feuersbrunst [310]), in Heidenhein (Baden) gegen Hagel [311]).

[285]) M ü l l e n h o f f *Sagen*[2] 377 Nr. 555; M e n s i n g *Schleswig-Holst.Wb.* 1, 530; K u h n - S c h w a r t z 475 A. 57; wenn es donnert, schüttelt der Herrgott das B. in die Truhe: H e y l *Tirol* 796 Nr. 220; Kloster 9, 932; vgl. K ü h n a u *B.* 20 ff.; L a i s t n e r *Nebelsagen* 247—249. [286]) K ü h n a u *B.* 24 ff.; M e y e r *Baden* 200 ff.; W l i s l o c k i *Magyaren* 62. 63; C a m i n a d a *Friedhöfe* 112; mit Vorsicht ist R o c h h o l z' Deutung zu lesen: *Gaugöttinnen* 22 ff. [287]) H ö f - l e r *Weihnachten* 27. [288]) Z i n g e r l e *Tirol* 142 Nr. 1234. [289]) J a h n *Opfergebräuche* 59 bis 60; B i r l i n g e r *Schwaben* 1, 402; vgl. Archiv f. Anthr. N. F. 3 (1905), 125. [290]) ZföVk. 2, 307. [291]) J a h n l. c. 59—60. [292]) A n d r e e - E y s n *Volkskundl.* 160. [293]) D r e c h s l e r 2, 160 Nr. 540; vgl. H ö f l e r in ZföVk. 9 (1903), 186—87. [294]) J a h n l. c. 149 ff. [295]) J a h n 95; der Wind ist ein gefräßiger Dämon: nach Prätorius schüttete zu Bamberg ein altes Weib einen Sack Mehl in die Luft und sagte: „Lege Dich lieber Wind, bring' das Deinem Kind": G r i m m *Myth.* 1, 529; M a n n h a r d t *Germ. Myth.* 754; F r a z e r 1[3], 1, 327 A. 5. [296]) W e i t s t e i n *Disentis* 174 Nr. 45; S c h m i t t *Hettingen* 17. [297]) M ü l l e r *Rheinisches Wb.* 1, 1015; C a m i n a d a l. c. 112. [298]) ZfdMyth. 2, 421 Nr. 53; Z i n g e r l e *Tirol* 61 Nr. 529 oder zwei lange B.e kreuzweise auf den Tisch: W. 444; J a h n l. c. 49. [299]) SAVk. 15 (1911), 6. [300]) *Dialogus* IX, c. 25 = 2, 183 Strange. [301]) S c h ö n w e r t h l. c. 2, 119 Nr. 6; vgl. S c h e l l *Berg. Sagen* 104 Nr. 47; H a l t r i c h *Siebenbürgen* 299. [302]) J a h n l. c. 59; W. 449. [303]) S c h ö n w e i t h l. c. 2, 55 Nr. 2, wenn es im Ofen saust, wirft man Mehl u. B. hinein in Gottes Namen für die armen Seelen: Ebd. 2, 88 Nr. 4. [304]) W. 449. [305]) J a h n l c. 59; W. 445, vgl. backen. [306]) D r e c h s l e r 2, 58; B a u m g a r t e n *Heimat* 1, 64. [307]) G r o h m a n n l. c. 42 Nr. 269—70. [308]) BlpommVk. 3, 188. [309]) A n - h o r n *Magiologia* (1675), 702. [310]) W. 443. [311]) M e y e r *Baden* 361.

19. Ganz parallel zum Windopfer ist das B.opfer bei Feuersbrünsten[312] (s. d.) zu verstehen (neben dem Tieropfer)[313]; wie der erste Laib, der beim Backen in den Ofen kommt, vor dem Wetter schützt[314], so gebraucht man auch das B., welches unter Hersagen der drei höchsten Namen in den Backofen (s. d. und backen) geschoben wird, prophylaktisch gegen die Feuersgefahr[315] oder „gewichenes"[316] oder gepiptes[317] B. In Schlesien[318] stürzt man bei einem Feuer in der Nachbarschaft den Tisch um und legt auf jeden Fuß ein Stückchen B.; man opfert dem Feuer die Brosamen (s. d.) vom Tisch[319], und wenn man aus neuem Korn B. backt[320], weil die Feuermännlein B. verlangen[321]. Eine Hexe im oberen Murtale[322] sagte 1602 aus: Die Leute sollen am Ostersonntag ein Stück Weizenb. auf die Scheiterhaufen vor das Haus legen, dann schadet kein Wetter. In Thüringen macht man mit dem Laib B. einen Umgang um das brennende Haus[322a]. In ausgebrochenes Feuer wirft man einen warmen[323] Laib B.[324], besonders wirkungsvoll (unter Anrufung der drei heiligen Namen) ist gepiptes[325] B., geweihtes[326] B., oder Festb.[327]), Weihnachtsb.[328]), insbesondere Agathenb.[329], das man noch jetzt in der Bar auf dem Speicher aufhängt; nach der Legende soll die heilige Agathe die Stadt Catania vor dem Ätna geschützt haben[330]); erwähnt werden auch Weihnachtsbrötchen (Wickelkinder)[331]); eine „Sechswöchnerin"[332] muß ein neugebackenes B. unter Zaubersprüchen ins Feuer werfen, ohne die Erde zu berühren (s. barfuß). Besondere Kraft gegen das Feuer schreibt das Volk den Judenmatzen[333] zu oder B. mit hebräischen Zeichen[334]. Überhaupt heben die alten Aberglaubenwerke gerade die Juden als Feuerbeschwörer hervor. Anhorn[335] führt mehrere Fälle auf, wo man einen Zettel mit „*Magen David*" beschrieb und in ein B. backte, das man ins Feuer warf; mit solchem B. soll ein Jude an einem Fürstenhof das Feuer gelöscht haben; Zimmermann[336] erörtert auch mehrere Fälle dieser Art, wo Juden mit B. dem Feuer Einhalt geboten haben sollen; Thar-

sander[337] berichtet auch, daß die Juden einen Zauberzettel (Zauberwort: „*Aghela*", s. Agla) ins B. backten und damit Brände löschten. Eine Bergische Sage[338] berichtet, wie die Krutscheider bei einer furchtbaren Feuersbrunst einen Juden holten, der als Zauberer verschrien war; der warf ein B. unter Gemurmel rückwärts in die Glut, die sofort erlosch. Der Rat, nach dem B.opfer rasch davonzulaufen, ist häufig gegeben[339]. Ganz besondere Zauberkraft schrieb man der Hostie[340] zu. Auch die Backgeräte[341] spielen eine Rolle. Wenn bei einer Feuersbrunst das B. mitverbrennt, brennt es bald wieder[342] (Schles. Erzgeb.). Ein pädagogischer Aberglaube liegt wohl dem Verbot zugrunde, das B. ins Feuer zu werfen, weil man sonst hungere[343].

Zu erwähnen sind noch B.opfer an Himmelfahrt[344], am St. Georgsabend[345], B.opfer an Sträuchern und Bäumen[346]: Wenn ein Mädchen einem Burschen gefallen will, geht es an einem Sonntag im Fasching mit ihrer Mutter ins Feld, gräbt eine Tollkirschwurzel aus und legt in das Erdloch B., Salz und Branntwein; auf dem Heimweg hält sie die Wurzel über den Kopf und darf mit niemand streiten. B.opfer werden in manchen Fällen abgelöst durch B.stiftungen[347].

[312] Kühnau B. 10 ff.; Staub B. 112 ff. ARw. 13, 530. [313] Grohmann l. c. 41 Nr. 258 A; Schönwerth l. c. 2, 85: eine Katze mit schwarzen, roten und weißen Streifen (= Feuerkatze) oder einen warmen Laib B. [314] Birlinger *Schwaben* 1, 402. [315] Panzer *Beitrag* 2, 527. [316] Meyer *Baden* 498. [317] Birlinger *Schwaben* 1, 324; Höfler *Ostern* 26 ; s. backen. [318] ZfVölkerpsychol. 18, 264; gegen Feuersgefahr liegt in 4 Winkeln B.: Rochholz *Glaube* 2, 121. [319] Drechsler 2, 139; Grohmann l. c. 41 Nr. 257; vgl. Schönwerth l. c. 2, 88 Nr. 4. [320] W. 620; Grohmann l. c. 41 Nr. 256; vgl. Panzer *Beitr.* 2, 214 Nr. 385; vgl. 535; Jahn *Opfergebr.* 120; Drechsler l. c. 2, 139. [321] Schönwerth l. c. 2, 94 § 17 Nr. 2; Drechsler l. c. 2, 139—40. [322] ZfVk. 1897, 190. [322a] Witzschel *Thüringen* 2, 293, 156. [323] Schönwerth l. c. 2, 85. [324] MachlesVk. 1897, 63; Grohmann 41 Nr. 258; Jahn l. c. 12; Baumgarten *Jahr* (1860) 30; ZföVk. 8, 113 = Drechsler 2, 140; Haltrich *Siebenbürgen* 309; Schell *Berg. Sagen* 104 Nr. 47. [325] Bohnenberger 1, 25; Panzer *Beitrag* 2, 527. [326] Schön-

w e r t h l. c. 2, 84 § 12 (dreimal geweiht); 85
(Priester wirft ausgehöhlten Laib ins Feuer,
das er segnet); W. 618; M e y e r *Baden* 375,
[327]) H ö f l e r *Ostern* 26. [328]) Bavaria 3, 1, 340.
[329]) M e y e r l. c. 375. 498; D r e c h s l e r
2, 139; W. 618. [330]) F r a n z *Benediktionen* 1,
272 ff.; K ü n s t l e *Ikonographie der Heiligen*
37—38; wer in diesem Buch Material für die
Volkskunde sucht, ist enttäuscht; dafür stößt
der Verf. in seiner überheblichen Kritik an Sol-
tau und Usener offene Türen ein. [331]) H ö f l e r
Weihnachten 76. [332]) G r i m m *Myth.* 3, 173.
[333]) S c h ö n w e r t h l. c. 2, 85—86. 87 Nr. 4;
W. 618; in Hettingen bewahrt man Judenmatzen im Haus auf gegen Blitz: S c h m i t t
Hettingen 18; ebenso in Schwaben: B i r -
l i n g e r *Volkstüml.* 1, 195 Nr. 308. 5.
[334]) M e y e r l. c. 377; B i s c h o f f *Kabbalah*
2, 194 ff.; W. 618; vgl. J. H. F i s c h e r l. c.
169. [335]) A n h o r n *Magiologia* 796; vgl.
M ä n n l i n g 193. [336]) *Brevinus Noricus*
l. c. 103—107. [337]) T h a r s a n d e r l. c. 2,
413. 336. 371 ff. [338]) S c h e l l *Berg. Sagen* 104
Nr. 47; vgl. H a l t r i c h *Siebenbürgen* 299.
[339]) *MschlesVk.* 1896, 48; S c h ö n w e r t h
l. c. 2, 85—86; G r o h m a n n l. c. 41 Nr. 258;
M e y e r l. c. 377; W. 443. [340]) S t a u b *B.* 15
A. 1; H e f e l e *Concilieng.* 4, 672; D r e c h s -
l e r 2, 140; T h i e r s *Traité* 2 (Paris 1741),
314 ff. [341]) S c h ö n w e r t h l. c. 2, 84, c. 12;
86 Nr. 1; G r o h m a n n l. c. 42 Nr. 269; 43
Nr. 270; W. 443. [342]) W. 295. [343]) W e t t -
s t e i n *Disentis* 174 Nr. 37. [344]) H e y l *Tirol*
757 Nr. 35; vgl. B.opfer an Lichtmeß: M e y e r
Baden 499. Über B.opfer bei den Persern:
C h a n t e p i e d e l a S a u s s a y e 2, 250;
über die heilige Verehrung der Opferb.e bei
den Ägyptern: ders. 1, 490; zum wunderbaren
Opferb. im Gral: R o c h h o l z *Glaube* 1, 33;
vgl. A. 233. [345]) H e y l l. c. 758. [346]) *ZföVk.*
1897, 117, 174; über Baumopfer siehe: H ö f -
l e r *Waldkult* 54, 58. [347]) R e i s e r *Allgäu* 2,
307; N i d e r b e r g e r *Unterwalden* 1, 144;
vgl. A. 186; H ö f l e r *Weihnachten* 21.

II. **Das B. wirkt a p o t r o p ä i s c h.**
20. B. u n d S a l z sind seit alters und
bei allen Völkern [348]), besonders bei den
Russen [349]) und Germanen [350]), offenbar
auf Grund urgemeinsamer Anschauungen,
als kraftspendende und konservierende
Stoffe nicht nur der Gegenstand größter
Verehrung, sondern auch die sichersten
Abwehrmittel gegen alle bösen Geister und
Übel. „Brot und Salz segnet Gott" [351]).
Im Simmental sagt man: „Es kamen 3
ding vom Himmel herab, das eine das
war die sunnen, das andere war der mon,
dann 3 das was das heilig däglich brot,
dass schlug alle bösse gichte und gesüchte
dott" [352]). Sobald der Mensch empirisch

festgestellt hat, daß diese Nahrungsmittel
die Gesundheit erhalten und fördern,
haben sie für ihn apotropäische Kräfte;
denn kraftspendende Wirkung und Abwehr des Bösen sind nicht zu trennen.
An Stelle des B.es tritt bei den Reis pflanzenden und verehrenden Völkern der
Reis [353]). B. und Salz sind (wie Wein)
beim Hexenmahl meist ausgeschlossen [354]), B. als Gottesgabe und Element
des Abendmahles. In den Hexenprozessen
wird erzählt, daß gelegentlich beim Mahl
B. und Wein gereicht wurden, „aber", so
sagt eine Hexe in Langwies bei Davos
aus [355]), „der Wein habe gesellet" [356]), das
B. aber „habe nit ein imen (= Beige-
schmack, belegt für Davos, jetzt ausgestorben) [357]) ghan, wie anderß Brod, sondern ein imen, dergleichen sie an B. nie
gesehen"; ein andermal ist das B. wie
„roßzorten" [358]) gewesen. In einem Steiermärker Prozeß (1673) sagt eine Hexe:
Der Wein habe wie Rosenwasser geschmeckt und das B. habe sich am andern
Tag in ein Stück Schwein verwandelt [359]);
ein andermal schmeckt das Birnb. wie
„Küchli-Rinda" [360]), B. wird zu „roß-
kot" [361]), die Speisen sind Teufelstrug,
„Kogebein und Mist" [362]); eine Mecklenburger Hexe bekam „swartz broth, wer
süße gewesen" [363]); oder das B., in dem
das Salz fehlt, ist aus schwarzer Hirse zubereitet [364]). Die Hexe ist Feindin des
B.es [365]) und hat keine Macht darüber, besonders wenn es mit dem Kreuz gezeichnet ist [366]). Die größte Macht hat das
Hausb., Grau-Schwarzb.[367]), und davon
schreibt man wieder der Rinde [368]) die
größte Wirkung zu. Nach einer Bar-
nimer [369]) Sage bannt Salz die Hexen sicher;
nach einem Grimmschen Märchen [370])
hat der Teufel über B. keine Macht; geweihtes B. und Salz retten in der badischen Sage vom Spuk auf dem Schloß
von Münzesheim den tapferen Hecheler
vor dem Geist [371]). Dem Kind legt man B.
und Salz in die Windel [372]), um es vor Dämonen zu schützen.

B. und Salz schützt vor Drachen und
Hexen [373]); wäscht man das Geld in reinem
Wasser und legt B. und Salz dazu, so
können es der Drache und böse Leute

nicht holen [374]); im Stall hängt man B.
und Salz gegen Hexen auf [375]), und nach
Coler [376]) schützt es gegen Krankheit und
Ansteckung. Auch hier hat der christliche
Glaube und Aberglaube uraltes Gut überdeckt und oft verschüttet; über die abergläubische Verehrung des kirchlich geweihten B.es und Salzes handelt vor allem
Franz [377]). „Also getaufft B. soll helfen
wider die Anfechtung der Teuffel, be-
vorab wenn Saltz dabey ist" [378]); B. und
Salz, an Dreikönig geweiht, hilft in Baden
gegen Krankheit [379]). Die Schänder von
B. und Salz werden, wie die B.schänder,
furchtbar bestraft [380]). B. und Salz bietet
man dem Gaste[381]) an, bringt es auch selbst
zu Besuch mit [382]), legt man dem Täufling vor der Taufe und auch sonst in die
Windel [383]) (Norddeutschland Wetterau,
Böhmen, Siebenb., Speier), in der Schweiz
vertritt der Käse [384]) das Salz. B. und Salz
nimmt man in die neue Wohnung [385]) mit
und trägt es als Amulett bei sich,
um sich vor Zauber zu schützen [386]): „B.
und Salz bei sich getragen sichert wider
Zauberei", sagt die Rockenphilosophie[387]).
B. und Salz steckt die Braut in die
Schuhe [388]), man sieht darin ein Mittel
gegen böse Hunde [389]) (Oberpf.), es wird
in Siebenbürgen gegen die Wetterdämonen [390]) verwendet, in der Volksmedizin gegen Fieber [391]); das Volk sagt: Salz
und B. macht Backen rot [392]). Gegen
Viehverhexung kennt man im Egerland
folgendes Mittel: man schneidet von einem
frischen Laib B. drei Stücklein und gibt
diese, mit Salz bestreut, dem Vieh [393]).

[348]) W i s s o w a 159; D ö l l e r *Speisegesetze* 31 ff.; P l i n i u s *Hist. nat.* 30, 101;
S a m t e r *Geburt* 51—61; S e l i g m a n n 2,
33 ff. 37 ff. 93 ff.; H e h n l. c. 27; B u x -
t o r f 186. [349]) ZfVk. 1905, 147—149; im
Kriege trugen viele Russen in der Gefangen-
schaft Säckchen mit B. und Salz als Amu-
lette am Hals: ZfrwVk. 13 (1916), 80; vgl.
B i s c h o f f *Kabbalah* 2, 194 ff. [350]) S e l i g -
m a n n l. c.; W i l u t z k i *Recht* 2, 145;
D r e c h s l e r 2, 13. 101. 110; H e c k s c h e r
I, 126 f; 2, 378 f.; ZfVk. 1905, 145. [351]) G r i m m
Sagen 460, 566. [352]) Z a h l e r *Simmental* 107;
ZfVk. 1904, 267. [353]) D ö l l e r l. c.; S e l i g -
m a n n l. c. [354]) G r i m m *Myth.* 2, 877;
A n h o r n *Magiologia* 644; S o l d a n - H e p p e
I, 204. 285; S c h ö n w e r t h l. c. 3, 179, 8;
L ü t o l f 174, 223; S c h r e i b e r *Hexen-*

prozesse 66 ff.; aus einem Prozeß in Baden
(1614): ZfVk. 1904, 418, 3; W a i b e l - F l a m m
2, 48; N i d e r b e r g e r *Unterwalden* 2, 161;
B i r l i n g e r *Schwaben* 1, 132 (1600 Rottenburg); 141, 16 (1601); 144, 17 (1601); 148, 28;
B a u m g a r t e n *Jahr* 7; HessBl. 4 (1905),
210, 4; über ein hessisches Zeugnis aus dem
Jahre 1597: ZfdMyth. 2, 67; L ü t o l f l. c.
204, 135. 174, 112; G o c k e l 11; ArchfAnthr.
N.F. 3 (1904), 97 f.; vgl. G r a b e r 225, 306.
Aus einem Hexenprozeß 1335 zu Toulouse
(bei H a n s e n *Hexenwahn* 453, 4) erfahren
wir auch, daß Salz mangelte. [355]) S c h m i d -
S p r e c h e r 47. [356]) Gesellen — nach Essig
schmecken: SchweizId. 1, 530. [357]) Ebd. 1, 222.
[358]) Ebd. [359]) ZfVk. 1897, 193. [360]) S c h m i d -
S p r e c h e r 133. [361]) l. c. 201. [362]) l. c.
212. [363]) B a r t s c h *Mecklenburg* 2 ,10 (1576).
[364]) T h a r s a n d e r 2, 454. [365]) K ü h n a u
B. 26 ff.; S e l i g m a n n 2, 94; L ü t o l f
204; B a u m g a r t e n *Heimat* 2, 124; D e r s.
Jahr 15; S t a u b 54 ff.; S a m t e r l. c. 153;
B a r t s c h l. c. 2, 36; wenn das B. schimmelt,
ist die Hexe daran schuld: G r a b i n s k i
Sagen 39. [366]) S c h ö n w e r t h 3, 179;
H e c k s c h e r 135 ff.; nur B. kann man ge-
fahrlos aufheben, da das Böse keine Macht darüber hat: W. 452; A l p e n b u r g *Tirol* 264;
dagegen B i r l i n g e r *Volkstüml.* 1, 322, 521.
[367]) K ü h n a u l. c.; S e y f a r t h *Sachsen*
299 ff.; S c h ö n w e r t h 1, 405; M e y e r
Baden 371 ff.; M ü l l e r *RheinWb.* 1, 1018.
[368]) S t a u b 54; W. 175. 451. 576. 619. 682;
J a h n *Opfergebräuche* 160; G r i m m *Myth.*
3, 455, 612; D r e c h s l e r 1, 177; ZfrwVk.
1905, 208; J o h n *Erzgebirge* 31. 38. 66;
SAVk. 2 (1898), 271, 181: wenn man von der
oberen Rinde etwas in die Tasche steckt, ist
man vor Verhexung sicher. [369]) S c h w a r t z
Sagen usw. d. Mark Brandenburg [7] 115, 70.
[370]) B o l t e - P o l i v k a 3, 187—88. [371]) K ü n -
z i g *Bad. Sagen* 70, 200; vgl. B a r t s c h 2,
26. [372]) G r i m m *Mythol.* 3, 453, 564; S a m -
t e r *Geburt* 153 A. 3; B i r l i n g e r *Volks-*
tüml. 2, 447, 419; F r a n z *Benediktionen* 1,
228. [373]) F i s c h e r l. c. 123. [374]) G r i m m
Mythol. 3, 434, 6. [375]) S c u l t e t u s 127—29;
P r a e t o r i u s *Blocksberg* 116. 118. 119. 121. 124.
[376]) *Oeconomia* 2, 288. [377]) F r a n z l. c. 1,
223 ff. 262. 271; 2, 138; S e l i g m a n n 2,
332 ff.; W r e d e *RheinVk.* 256. [378]) P r ä t o r i u s
Phil. 58. [379]) W. 79; M e y e r *Baden* 494.
[380]) W a i b e l - F l a m m 2, 76. [381]) ZfVk.
1892, 185; G r o h m a n n 146, 1080—81.
[382]) *Urquell* 1890, 46. [383]) W. 175. 414. 591;
G r i m m *Myth.* 2, 923 und 3, 453, 564;
H i l l n e r *Siebenbürgen* 38 Nr. 1; für andere
Völker: D ö l l e r 31; über B. als Apotropaion
bei Wöchnerinnen und Kindern: H ö f l e r
ZföVk. 1909, 91—94. [384]) S t a u b 54.
[385]) H a a s *Volkskunde* 43; Globus 91, 336;
S e l i g m a n n 2, 37—38; G r i m m *Myth.* 3,
442, 238; W r e d e *RheinVk.* 69. [386]) W. 413,
414; B o h n e n b e r g e r 1, 3. 24; G r o h -
m a n n l. c. 156. 1128. 1129. [387]) G r i m m

Myth. 3, 440, 182; J. H. F i s c h e r 138. [388]) W. 562. [389]) W. 450. [390]) S c h u s t e r *Mythologie* 428. [391]) W. 499; ZfVk. 1905, 137; ARw. 7, Beiheft 33 ff. [392]) S t a u b 31. [393]) ZföVk. 6 (1900), 124.

21. B. [394]): In den Hexenprozessen wird oft das „gottgesegnete B." als Apotropaion erwähnt; so sagt eine Graubündner [395]) Hexe aus, „als der Böse ihr mal stark zugesetzt, habe sie B. aus dem Sack genommen und darin gebissen, da sei alles vor ihr verschwinnen, wie daz gestüb in der sunnen"; interessant ist auch die moderne Verwendung von B. als Übelabwehrer beim Ballbesuch, wovon Wünsch [396]) berichtet; wenn der Bauer ausgeht, steckt er B. zu sich: „A weng a Brad is a guata Gfört" [397]). Besondere apotropäische Kraft hat das sogenannte Hexenb. oder der Hexenzelten (Schweiz), in welches Kräuter gebacken sind und das mit Weihwasser geweiht ist [398]); allgemein wurden früher die von der Kirche geweihten [399]) B.e zu Zauberzwecken mißbraucht, besonders die Heiligenb.e (Agathen- und St. Blasib.) [400]) und Osterb.e [401]). „Von Brodrinde drey Kreuze geschnitten und am Ostermorgen in der Kirche geweiht und dann unter Stalltür und Barren gelegt, hilft gegen bösen Zauber" [402]). Auch das im Namen Gottes gipite B. schützt das Haus vor den Hexen (vgl. backen); interessant, wie hier die Hexen an Stelle der Vegetationskobolde treten [403]); man schützt sich auch, indem man ein Messer ins B. steckt und es so in den Schrank legt [404]); Bettlerb. [405]) dient als Amulett fürs Vieh. Um das Haus und die eigene Person prophylaktisch vor Hexen zu schützen, steckt man ein Stück der oberen B.rinde ein [406]) oder bricht zwei zusammengebackene B.e auf dem Kopf [407]) oder trägt (mit der hl. Dreizahl): drei Brosamen, drei Salzkörner [408]), dazu drei Kohlen [409]), gegen bösen Blick B. und Käse [410]) bei sich; besonders schützt man sich so nach Sonnenuntergang [411]) und vor Tagesgrauen; daher steckt man beim Schlafengehen ein Stück B.rinde in die Tasche gegen das „Antun" (Schweiz) [412]), auch in Schweden [413]) ißt man morgens nüchtern B. [414]); Bähschnitten [415]) sind

vor allem wirksam; hier möge auch eine interessante Variation des bekannten Spruches der Holzweiblein: Erzähl' keinen Traum usw. erwähnt werden, der dem Geist eines erschlagenen Bergmannes in den Mund gelegt wird: Und röste kein B. [416]); nüchtern B. essen schützt auch gegen den Wassermann [417]) (vgl. Bissen). Drei Brosamen im Geldbeutel schützen vor Schadenzauber [418]) (Berg., Bö.); einer ins Haus eintretenden Hexe gibt man ein Stück B. mit drei Körnern Salz [419]). Ist eine Hexe in der Stube gefangen, so verklebt man das Schlüsselloch mit B. [420]); eine ganze Hexenbeschwörung in neuerer Zeit aus der Ortenau lesen wir in der Alemannia [421]); geht man über Feld, so trägt man gegen das Antun drei Stückchen B. bei sich [422]); überhaupt: wer gern B.rinde ißt, den verläßt das Glück nicht (Bö.) [423]). Wenn man zum B. noch einen heiligen Gegenstand hinzufügt, ist die Wirkung um so schärfer; so stecken die Bauern bei Pestalozzi (Lienhard u. Gertrud) B., Psalter und Testament zu sich, um vor dem Teufel sich zu schützen [424]).

[394]) S e l i g m a n n 2, 37 ff. 93 ff.; F r a n z l. c. 1, 262; Globus 42, 76 ff.; Bayernland 39, 20; W. 175. 411. 452; M e i e r *Schwaben* 1, 250, 278; M e y e r *Baden* 371 ff.; K r a u ß *Volkforsch.* 71; A l p e n b u r g 349—50; S c h i n d l e r *Aberglaube* 349; S é b i l l o t 1, 162; S c h r a m e k *Böhmerw.* 254; J o h n *Westböhmen* 247. [395]) S c h m i d - S p r e c h e r 57. [396]) Glotta 2, 398. [397]) B a u m g a r t e n *Jahr* 7; dagegen 15 (Kreisstehen). B. in der Tasche schützt vor Bezauberung und Heimweh: R o c h h o l z *Glaube* 2, 118. 308; Bavaria 4 b, 405; dem armen Soldaten in der Fremde bringt das Graumännlein B., an dem er nur zu riechen braucht, wenn er Hunger hat: C u r t z e *Waldeck* 56. [398]) S t a u b 55; Janus 7, 302; L a n d s t e i n e r *Niederösterreich* 69. [399]) Geweihtes B. gegen Zauber: S c h ö n w e r t h 3, 220; gegen Malefiz bringt die Apotheca spiritualis (zitiert bei B i r l i n g e r *Schwaben* 1, 426) folgende Mittel: äußerlich zwei Bäuschlein mit geweihter Asche und Sand, innerlich benediziertes B. oder St. Johannwein in benediziertem B. angefeuchtet. Das vom Geistlichen geweihte B. schimmelt nach Jahren nicht: Alemannia 25, 53. [400]) Das in festo St. Agathae geweihte B. ist gut 1 in Feuersbrünsten, 2. wenn man Unglück leidet in Schmelzöfen. 3. in schwermütig und verzweifelten Gedanken, 4. wenn die Kinder durch malefizischen Atem oder zauberischen Anblick am Wachstum oder an den Gliedern Schaden leiden,

5. das Brandmal der Hexen zu vernichten: B i r l i n g e r *Schwaben* 1, 421; gegen zweifelhafte Zustände zerstoßenes Agathab.: l. c. 424; zum Einnehmen wird angeraten gegen philtrum amatorium: Agathab. neben andern Mitteln wie Benedikten- und Tausendguldenkraut: l. c. 426: gegen Malefiz bei Erwachsenen: St. Agathab., parum auri, thuris et Myrrhae, cardo benedict; über Agathab. in der bayrischen Pfalz: Bavaria 1 a, 367; F r a n z l. c. 1, 262. 268 bis 278; vgl. eine bayrische Kirchenvorschrift Argovia 5, 347; S e l i g m a n n 2, 333. [401]) S c h ö n w e r t h 1, 405, 10; L e o p r e c h t i n g *Lechrain* 28 ff. [402]) S c h ö n w e r t h l. c.; J. S c u l t e t u s *Gründlicher Bericht von Zauberey Zauberwesen* 127. 129; H o f f m a n n - K r a y e r 124. 149; vgl. Karfreitagsb. gegen Viehschelm: A l p e n b u r g *Tirol* 350; C a r r i c h t e r *Von gründlicher Heilung* (Straßburg 1551), 30 erwähnt als Mittel gegen Viehbezauberung ein Stück neugebackenes B. und Knoblauch mit Weihwasser; vgl. G o c k e l 102 f.; nach L ü t o l f *Sagen* 177, 113 schützt Meisterwurz, ein Stück geweihte Kerze und ein Bißchen B. vor Hexen. [403]) W i t z s c h e l *Thür.* 2, 265, 18; vgl. die Verwendung des B.stempels ARw. 21, 230; 23, 160; Pfälzer Museum 36, 58; 37, 57. [404]) SAVk. 1898, 271, 177; eine drastischere Methode bei S é b i l l o t 1, 162; mit geweihtem B. kann man auch die Glocken der versunkenen Stadt läuten hören: D e r s. 2, 454. [405]) A l p e n b u r g 350, vgl. A. 483. [406]) SAVk. 2, 271; V e r n a l e k e n *Alpensagen* 418; bes. bei Festen: Rogas. FamBlatt 2 (1898), 48. [407]) ZrwVk. 1905, 200. [408]) S t a u b 55. [409]) G r i m m *Myth.* 3, 459, 713; W. 414; S e l i g m a n n 2, 98; Bavaria 3, 305. [410]) S e l i g m a n n 2, 48. 94; S t a u b 54; J a c o b y in ARw. 16 (1913), 560 ff.; Anthropophyteia 10, 55. [411]) S e l i g m a n n 2, 94; M e y e r *Baden* 372. [412]) S t a u b l. c.; L a n d s t e i n e r l. c. 69. [413]) ZfdMyth. 3, 430. [414]) G r i m m *Myth.* 3, 442, 236; ZfVölkerpsych. 18, 24; ZfdMyth. 3, 403; Urquell 5 (1894), 227. [415]) G r i m m *DWb.* 1, 1080; T a u b m a n n *Nordböhmen* 45. 49. 52; Anthropophyteia 3, 39, 29. [416]) S c h a m b a c h - M ü l l e r 238, 247. [417]) G r o h m a n n l. c. 163; der Este ißt morgens nüchtern B., so ist er vor dem Kuckuck geschützt: ZfVölkerpsych. 18, 263. [418]) W. 175; J o h n *Westböhmen* 247. [419]) G r i m m *Myth.* 3, 454, 570; S e l i g m a n n 2, 37. [420]) J e c k l i n *Volkstüml.* 2, 144. [421]) Alemannia 23, 32; L e o p r e c h t i n g *Lechrain* 87; noch interessanter ist eine Stallbeschwörung mit Osterb.: 28 ff.; mit B. und Salz stört man auch den Hexeneinfluß beim Buttermachen: L ü t o l f 225, 159; damit die Pferde nicht gestohlen werden oder krank werden, geben ihnen die Zigeuner unter Zauberformeln B. und Salz und spucken ihnen 7mal in die Augen: SAVk. 15 (1911), 116. [422]) S t a u b l. c.; B a u m g a r t e n *Heimat* (1869), 6; Unoth 1, 181, 32; S c h ö n w e r t h l. c. 1, 405, 9; M e y e r *Baden* 372; B i r l i n g e r

Volkstüml. 1, 493; ein ganz modernes Beispiel für B. als Amulett im Ballsaal: Glotta 2, 398; vgl. A. 396. [423]) G r o h m a n n l. c. 104. 732. [424]) S t a u b l. c. 55; B a u m g a r t e n *Heimat* 2, 104—105; Jägerhörnlein 130; vgl. Globus 93, 336 (Salz und Bibel neben Salz u. B.); vgl. ZfdM. 4, 5, 43: Psalmbuch in der linken, ein Stückchen frisches B. in der rechten Hand und Salz in der Westentasche.

22. Die Auffassung des B.es als Opfergabe ist noch ganz deutlich, wenn ein Bäcker in Franken täglich drei Weißb.e in den Schornstein wirft und spricht: Herr Teufel, sie sind Dein [425]); ein apotropäisches Gegenopfer bringt der Schlesier dar, der glaubt, daß der Meineid nichts schade, wenn man während des Schwures ein Stück B. im Munde hat und dann ausspuckt; so kann sich der Teufel nicht des Meineidigen bemächtigen [426]); in Süddeutschland dient zu diesem Zweck eine geweihte Hostie [427]).

[425]) W. 438. [426]) D r e c h s l e r 2, 17; ARw. 12, 61; Gerichtssaal 66 (1905), 84 ff.; man trägt auch das B. unter der Achsel und gibt es dem Hund: MschlesVk. (1906), Heft 15, 111. [427]) Gerichtssaal l. c.

23. Ist jemand behext, so hilft B. mit dem Kreuzzeichen [428]) oder neun Stückchen B. und neun Kohlen [429]), besonders aber stellt man mit B. ein Augurium darüber an, ob jemand behext ist oder nicht; Leoprechting beschreibt z. B. den Apparat, der augurialisch und apotropäisch in diesem Falle ins Werk gesetzt wird [430]).

[428]) S e l i g m a n n l. c. [429]) W. 413; G r o h m a n n 156 Nr. 1129; B o e c l e r *Ehsten* 19; L i e b r e c h t *Gervasius* 320; Bavaria 3, 935. [430]) *Lechrain* 18—19; nach G o c k e l l. c. 75 ist jemand verhext, wenn ihm das B. zuwider ist.

24. B. im B a n n z a u b e r: Mit B.-krumen und B.kugeln kann man Hexen schießen, so daß sie in Menschengestalt zu Boden fallen (Ostfriesl., Schw., Schles.) [431]), man kann den Werwolf [432]), den Heidelbeermann (Frk.) [433]), einen Fischkobold [434]) zwingen, die wahre Gestalt zu zeigen; B. schützt vor dem wilden Jäger [435]) und dem wilden Heer [436]); denn das Wildheer in Schwaben [437]) und Mutter Gauerken [438]) in Mecklenburg bringen Unheil und Krankheit; B., auf verhextem Feld oder dem Hexenplatz vergraben,

macht die verhexte Erde wieder fruchtbar [439]); es reinigt das von Krankheitsdämonen verhexte Wasser [440]); nach altem Aberglauben im Ansbachischen sieht
man in der Walpurgisnacht alle Hexen
mit Melkkübeln auf dem Kopf, wenn man
drei Getreidekörner, die man im B. gefunden hat, bei sich trägt [441]).

[431]) K ü h n a u B. 27; ZfVk. 1893, 389;
W. 415; S t r a c k e r j a n 2, 224, 475; vgl.
1, 473, 252; W e t t s t e i n *Disentis* 175, 54:
B. in die Flinte gesteckt. [432]) T o e p p e n *Masuren* 32; W. 408; S é b i l l o t 1, 286.
[433]) W. 436. [434]) P e t e r *Oesterreichisch-Schlesien*
4; M e y e r *Baaen* 372. [435]) B a u m g a r t e n
Jahr 7 f.; d e r s. *Heimat* 2, 118. [436]) W o l f
Beiträge 2, 159; M e y e r *Baden* 372. [437]) M e i e r
Schwaben 1, 138. [438]) B a r t s c h 1, 25.
[439]) S t a u b 54—55; R o c h h o l z *Sagen* 2,
169; H e r z o g *Schweizersagen* 2, 180. [440]) W.
175. [441]) G r i m m *Myth.* 3, 458, 685.

25. B. und Nahrungsmittel: „Beim Verkauf süßer Milch (siehe Milch) geben
manche ein Stückchen B. in diese, um sie
vor Verzauberung zu schützen" (Bö.) [442]),
auch in Schlesien [443]), vor allem schützt
B. auch die Butter vor Verhexung [444])
(siehe Butter).

[442]) S c h r a m e k *Böhmerwald* 241.
[443]) D r e c h s l e r 2, 111. [444]) W. 408; B i r-
l i n g e r *Volkstüml.* 1, 497; S e l i g m a n n
2, 38.

26. B. gegen Krankheitsdämonen: Im
Luzerner Pestbüchlein steht (1611), daß
alle Präservativmittel mit Anken, Salz
und B. zu essen seien [445]); dem Vieh gibt
man in den Rauchnächten geweihtes B.,
Salz und Kreide [446]); B. erhält in Westfalen und Luxemburg das Vieh beim Austrieb [447]), in Österreich B. in Stephani-
wasser getaucht [448]).

[445]) S t a u b 56; Q u i t z m a n n *Baiwaren*
138; S c h ö n w e r t h 3, 19. [446]) W. 682;
D r e c h s l e r 2, 105. [447]) W. 175; F o n-
t a i n e *Luxemburg* 64; vgl. A. 375—76.
[448]) ZföVk. 1, 251.

27. B. als Apotropaion beim Schatzgraben: Hier sind die Dämonen besonders tätig, man schützt sich durch B.[449]);
„wer wolle, daß ihme, indem er einen Schaz
außgrabe, kein Schaden widerfahre, der
müsse B. bey sich haben; denn der Teufel
habe manchmalen selber bekennet, er
könne denen keinen Schaden zufügen, die

B. bey sich haben" [450]); e contrario darf
man kein Brot mitnehmen, um die Geister
nicht zu verscheuchen [451]). Wenn man den
Schatz sieht (wenn er glüht), wirft man
rasch eine B.rinde darüber [452]), um seine
Rückkehr in die Geisterwelt zu verhüten,
oder süßes Marktb.[453]); wenn eine schöne
Jungfrau den Schatz unter einer Schutz-
gestalt (Böhmen) sonnt, wirft man rasch
Brosamen oder Schwarzb. darauf, damit
der Schatz in wahrer Gestalt erscheint [454]). Am wirksamsten ist es natürlich, wenn man, wie die beiden
Schatzheber in Schlierstadt, drei Bröcklein B. und Weihwasser im Namen
Gottes verwendet [455]).

[449]) G r i m m *Myth.* 3, 441, 218; H e c k-
s c h e r 2, 380. [450]) A n h o r n *Magiologia*
858; T h a r s a n d e r 1, 539. [451]) M e y e r
Aberglaube 290. [452]) G r i m m *Myth.* 3, 455.
612 (aus dem Journal); vgl. 2, 811; nach G r a-
b e r *Kärnten* 107 Nr. 126 gibt man dem schatzhütenden Hund einen Laib B. mit einem Messer
darin. [453]) R o c h h o l z *Sagen* 1, 240.
[451]) Ebd. 1, 143, 226; W a i b e l - F l a m m 2,
328; S c h ö n w e r t h 1, 405, 10. [455]) K ü n-
z i g *Bad. Sagen* 96, 256.

28. Umgekehrt ist das B. in den Händen
der Hexen und Dämonen ein M i t t e l
f ü r d e n S c h a d e n z a u b e r, da
es zugleich ein Schutz und ein kostbarer
Teil des Menschen selbst ist, mit dessen
Besitz sie auch den Menschen selbst in ihre
Gewalt bekommen, und wenn es auch nur
eine B.krume ist [456]). Dem Teufelsb.
fehlt das Scherzchen [457]), vom Hexenb.
betont eine Hexe in Graubünden [458]) seinen besonderen Geschmack. Die Hexe
schielt sehnsüchtig nach dem B., sogar
im Kinderlied [459]). Wie im Milchzauber
die Hexen Milch stehlen, so kann man
auch durch des Teufels Hilfe B. an
sich ziehen, so die behexten Schweizer-
buben [460]). Nach einer pommerschen Sage
verfällt eine Frau, die der Hexe B. bringt,
dieser und dem Teufel, vergeblich ge-
warnt von drei Tauben [461]); mit B.-
krumen, welche vom Weihnachtstisch
fallen, machen die Hexen Zauber [462]) (Ungarn); damit die bösen Dämonen keine
Gewalt über das B. bekommen, darf man
es nicht auf den bloßen Boden legen,
sonst wird man wahnsinnig [463]).

[456]) K ü h n a u B. 29; W. 458. Wenn eine Hexe einer Person B. gibt, hat sie Gewalt über sie: MschlesVk. 1905 Heft 13, 89. 90 ff. [457]) S c h ö n w e r t h Oberpfalz 1, 135—36. [458]) S c h m i d - S p r e c h e r 47. [459]) S t a u b 55. [460]) SAVk. 2 (1898), 274, 5. [461]) J a h n Pommern 337 ff. [462]) W l i s l o c k i Magyaren 84. [463]) Z i n g e r l e 37 Nr. 303; R e i s e r Allgäu 2, 447; G r o h m a n n 103, 725. 169, 1194; ZfVölkerpsychol. 18, 255; S c h ö n - w e r t h 1, 405, 10.

29. B. und Fruchtbarkeitsdämonen: Ganz anders stellen sich die Vegetations- dämonen, Seelengeister, Elben, Zwerg- lein, auch bergentrückte Helden zu dem B. als letzte und beste Gabe der Erde [464]); hier haben wir Reste alter Fruchtbarkeits- anschauungen; für die Seelengeister ist es natürlich die ersehnte Haupt- und Kraft- speise, die sie im Leben genossen haben, nach der sie jetzt im Tode lechzen; vgl. § 10 u. 11, Bier, Butter. Diese Geister, deren Lieblingsbeschäftigung das Backen ist [465]) (siehe backen), bei der man sie nicht stören darf [466]), geben dem Menschen B.[467]), oder sie stehlen es. Dem Backofen- feste in Lüthorst [468]) (Niedersachsen) wohnten früher Zwerge bei, die in der Not B. liehen und dafür Zwergenb. gaben; aber die Leute hatten keine Ruhe und Rast mehr; bei Selbitz (Bayreuth) lieh einst ein Zwergweiblein ein B. von einem Bauern und gab dafür einen Laib [469]). Die Kobolde verlangen, wenn sie B. geben, Dankbarkeit und belohnen diese mit Gold, wie die Graumännlein bei Landshut [470]), die Berggeister in Fränkisch-Gmünd [471]) oder die Holzweiblein in Sachsen [472]); in Schlesien [473]) erhalten die Zwerglein Milch, B. und einige Pfennige (Fruchtbarkeits- opfer), in Schwaben die Erdmännlein Kuchen [474]). Die „guten Leutchen" helfen in Kärnten beim Roggenschnitt und be- kommen dafür B. und Käse [475]), die Berg- männlein im Stromberg (Lausitz) ver- langen Weißb. für das Ausleihen der Braupfanne [476]); auch die Hausgeister ver- langen B., so der Nisebok in Schleswig [477]). Das Lichtmeßgebäck ist speziell für die Hausgeister als Opfer gedacht [478]); die Letten hatten einen eigenen Gott des Hauses und Hofes, dem sie in Hainen auch B. opferten [479]). Interessant ist, wie in Sachsen Puppen aus Alraunwurzeln

(Hausgötzen) gebadet und durch B.opfer geehrt werden [480]) (vgl. Butter A. 327). Das Koboldmännchen besorgt für Kuchen das Vieh [481]) (Schwaben); die wilde Jagd dankt für B. dadurch, daß sie das B. nicht mehr ausgehen läßt [482]). Die Krone der Königsschlange bekommt man, wenn man warmes B. auf ein rotes Tuch legt (Kärnten) [482 a]).

[464]) K ü h n a u B. 29—35; M a n n h a r d t 1, 75. [465]) B a r t s c h 1, 31; H o f f m a n n - K r a y e r in ZfVk. 1915, 119; vgl. 116. [466]) S é - b i l l o t 4, 28. [467]) B a r t s c h 1, 591; Kloster 9, 192. 540; die Unterirdischen geben dem Knecht B. (siehe backen), wenn er pflügt: B a r t s c h 1, 41, 61. 80; dem kranken Knecht geben sie B.suppe: D e r s. 1, 82, 90; der Puk in Rügen verwandelt den Aschenkuchen der armen Frau in schönes Weißbrot: H a a s Rügensche Sagen [5] 93, 163. [468]) S c h a m - b a c h - M ü l l e r 120, 143. [469]) G r i m m Sagen 29, 34; diese Zwerge haben sehr christ- liche Grundsätze; denn sie verschwinden, als die Leute fluchen und die Bauern vor der Kirche den Acker besuchen; vgl. 213, 298; M a n n - h a r d t 1, 103; 92 A. 1; vgl. dagegen G r a - b e r l. c. 65 Nr. 72, 5. [470]) K ü h n a u Sagen 2, 202; vgl. T e m m e Pommern 302, 254. [471]) G r i m m Mythol. 2, 796. [472]) M e i c h e Sagen 342—43. [473]) K ü h n a u B. 37; Kloster 9, 200; G r i m m Sagen Nr. 34. 37. 154; M e i c h e l. c. 211. [474]) M e i e r Schwaben 1, 64; W a i b e l - F l a m m 2, 182; H a u p t Lausitz 1, 37; die schlesischen Erdmännlein geben dem Heulpeter Steinb. und Steinbutter: K ü h n a u Sagen 2, 131, 765; M ü l l e n - h o f f [2] 300 Nr. 445. 447; aber der „Bölima" gibt den unfolgsamen Kindern B. aus Hobel- spänen: R o c h h o l z Sagen 1, 182, 407. [475]) G r a b e r Kärnten 64, 72; vgl. L ü t o l f 475, 436 d. [476]) K ü h n a u Sagen 2, 73, 739; H a u p t Lausitz 1, 37. [477]) M ü l l e n h o f f [2] 337, 499; NiederdZfVk. 1926, 14 ff.; vgl. R o c h h o l z Glaube 7, 14—15. [478]) H ö f l e r Fastnacht 14—15. [479]) U s e n e r Götternamen 108; M a n n h a r d t 1, 52 ff.; zu diesem B.- opfer an Bäumen vgl. auch das B.- und Wein- opfer beim Kräutergraben: P l i n i u s 24, 11; G r i m m Mythol. 2, 1010. [480]) M e i c h e 301, 391; NddZfVk. 1926, 12. 13 ff. [481]) B i r - l i n g e r Schwaben 1, 257 f.; nach preußischem Aberglauben quält die Mahr das Vieh nicht, wenn man abends auf dem Tisch B. liegen läßt: T e t t a u - T e m m e 286; W. 194; ZfVölkerpsychol. 18, 372; vgl. S é b i l l o t 3, 91. [482]) W. 17; B a r t s c h 1, 24 f.; vgl. 1, 23, 26; M ü l l e n h o f f [2] 388, 574; Kloster 9, 103; M ü l l e n h o f f l. c. 355, 521; Mschles- Vk. 1906 Heft 15, 110; vgl. N i d e r b e r g e r Unterwalden 1, 36; Z i n g e r l e Sagen 26, 31; M a n n h a r d t 1, 103; S é b i l l o t 2, 109. 392; 4, 29; oft werden die von den Zwergen

geschenkten B.e zum Talisman: H a u p t *Lausitz* 2, 27, 34; oder die Waschweiblein geben einen Laib voll Gold zurück: W i t z s c h e l l. c. 1, 225, 223. [482a)] ZfdMyth. 3, 30, 24.

30. Dem A l p verspricht man ein B.-o p f e r [483)]; beim Alp, dessen Rücken wie ein Teigtrog ist [484)], wird das Opfer meist zum Apotropaion wie beim Wassermann; man verspricht ihm ein Stück B.[485)], ein Weichb.[486)], neugebackenes B.[487)], ein Brotel [488)], eine Schnitte [489)], ein Kleinbrotel [490)]; beim Begraben der Elben gibt ihnen die Hexe unter anderm auch B. mit ins Grab [491)], für die Beziehung des B.es zur Vegetation ist eine Oberpfälzer Sage lehrreich: wo der Regenbogen zu Boden geht, liegt ein Laib B. und Geld [492)]; von einem seltsamen B.opfer für einen Höllenhund berichtet Schell [493)]; Wodans Seelenhunde fallen in die Backstube ein und schlürfen Teig [494)].

[483)] K ü h n a u *Sagen* 3, 122, 129 ff.; G r o h m a n n 26, 130; vgl. B. u. Wechselbalg: BlpommVk. 10, 375. [484)] G r i m m *Mythol.* 3, 504, 42. [485)] K ü h n a u *Sagen* 3, 109. 133. Gegen das Toggeli bettelt man in drei Nachbarhäusern ein Stück B. und legt das in die Wiege: ZfdMyth. 4, 112. [486)] K ü h n a u 3, 121. [487)] l. c. 3, 135. 122. [488)] l. c. 3, 111. 117; MschlesVk. 1905 Heft 13, 99; Janus 7 (1902), 304. [489)] K ü h n a u 3, 113; ein Butterb. 3, 125. [490)] l. c. 3, 114. 117. 129. 131—132; ein apotropäisches Opfer an den Werwolf haben wir in Frankreich: S é b i l l o t 1, 286. [491)] G r i m m l. c. [492)] S c h ö n w e r t h 2, 129—30. [493)] ZrwVk. 1905, 91. [494)] H ö f l e r *Neujahr* 202.

III. B. i m Z a u b e r [495)] (Fruchtbarkeitszauber siehe Acker- und Ernteriten und Auguria).

31. a) Im L i e b e s z a u b e r : Auf eine ältere gemeinsame Stelle muß man aus folgenden Bußvorschriften schließen: Einmal lesen wir im Poenitentiale Arundel [496)] (9. Jahrh.): si qua piscem in puerperio suo mortuum vel panem super nates [497)] (vases cod.) confectum suas vel menstruum sanguinem suum [498)] marito suo ad manducandum vel ad bibendum dederit, V annos graviter poeniteat [499)]. Weiter überliefert uns der Korrektor Burchardi [500)] († 1024): Fecisti quod quaedam mulieres facere solent? Prosternunt se in faciem et discoopertis natibus iubent, ut supra nudas nates conficiatur panis, et eo decocto tradunt maritis suis ad come-

dendum. Hoc ideo faciunt ut plus exardescant in amorem illarum. Si fecisti, duos annos per legitimas ferias poeniteas. Ein anderes Liebesb. wurde hergestellt, indem man Körperteile hinein backte; Frater Rudolfus [501)] berichtet uns von solchen Kuchen: tortulas dant eis, ad quas de omnibus crinibus sui corporis et de sanguine suo apponunt. Solche Haarbrötchen kennen auch die Esthen [502)]. Wie man im Mittelalter das Körperfluidum mit den supra nates confecti panes wirken ließ, so gibt in Braunschweig [503)] der Bursch seinem Mädchen ein Stück B. heimlich zu essen, das mit dem Schweiß[504)] der Achselhöhle durchtränkt ist; ein noch weniger appetitliches Zauberb. ist in Mecklenburg [505)] im Brauch. Um den ungetreuen Ehemann wieder an sich zu fesseln, kocht die Frau am grünen Donnerstag aus 3 Stückchen B. (aus 3 Ehen) eine Suppe und gibt sie dem Mann [506)]. Für die Südslaven erwähnt Krauß [507)] B. und Salz im Liebeszauber; in Bayern mischt man jetzt noch Blut, Nägel und Haare unter die Speisen, um Gegenliebe zu erzeugen [508)]. Auch hier hat geweihtes B. besondere Kraft: man weiht zwei B.e, die zuerst in den Backofen kamen, unbemerkt auf dem Altar und gibt sie dann der Person, deren Gunst man erringen will [509)]; in der Bukowina verwendete man B. und Salz im Liebeszauber [510)].

[495)] Anthropophyteia 10, 54 ff. behandelt K r a u ß ausführlich das B. im Zauber. [496)] S c h m i t z l. c. 1, 459 c. 81. [497)] ARw. 1927, 332—337 mit modernen Parallelen. [498)] Katamenienblut auch sonst in den Pönitentialen im Liebeszauber: S c h m i t z l. c. 2, 448, 176, vgl. 1, 429; ARw. 1927, 335—336 mit Lit.; H o v o r k a - K r o n f e l d 2, 172. 175; D ö l l e r 50—54. 56 ff.; B a r t s c h *Mecklenburg* 2, 353, 1657; P o l l i n g e r *Landshut* 247 f.; A n d r e e *Braunschweig* 297. [499)] S c h m i t z 1, 314, c. 90. [500)] Ebd. 2, 447, c. 173; W a s s e r s c h l e b e n 661, c. 161; G r i m m *Myth.* 2, 922; 3, 409 f.; F r i e d b e r g 67. 87; W e i n h o l d *Ritus* 48. K r a u ß bringt in den Anthropophyteia 5, 245 Nr. 3 d eine schlagende Parallele: Die Südslavinnen kneten den Rundkuchen, mit dem sie den Mann verrückt machen wollen, auf ihren nates; vgl. 5, 244 ff.; 6, 225 ff. [501)] MschlesVk. 1915, 33 f. Nr. 30; Theol. Quartalschr. 1906, 425; ARw. 20, 417 ff.; H o v o r k a - K r o n f e l d 2, 172. 178—79; RVV.

4, 180; Bavaria 2a, 270; P o l l i n g e r l. c.;
G r i m m *Mythol.* 2, 923; W l i s l o c k i
Magyaren 50; ZfVk. 1907, 73 f. [502]) G r i m m
l. c.; vgl. K r a u ß *Südslaven* 168; Anthropophyteia 3, 165—68. [503]) A n d r e e *Braunschweig* 297; vgl. G r i m m *Sagen* 97, 116;
ARw. 1927 l. c. [504]) MschlesVk. 1915, 41;
ZfVk. 1891, 182 Nr. 3; G r o h m a n n 209,
1452; H o v o r k a - K r o n f e l d 2, 169. 179;
S t o l l *Zauberglaube* 70 ff.; SAVk. 2 (1898),
268, 155; 9 (1905), 154: Küchlein mit Haaren
und Nägeln (a. 1504). [505]) B a r t s c h 2,
58, 183; H o v o r k a - K r o n f e l d 2, 170.
[506]) H ö h n *Volksheilk.* 1, 120. [507]) K r a u ß
Volkforsch. 169. [508]) P o l l i n g e r l. c.;
Bavaria 2a, 270; M e y e r *D. Volkskunde* 167.
[509]) ZföVk. 1897, 119, 226. Nach den Akten
eines Prozesses in Altenburg (1927) aß eine
von ihrem Liebhaber verlassene Kuhmagd ein
von einem Wunderdoktor geweihtes Stück B.:
Frankfurter Zeitung v. 24. 8. 1927 erstes Mor-
genbl. [510]) l. c. 117, 174.

32. b) Im S c h a d e n z a u b e r. Das älteste Zeugnis für die Verwendung des
B.es im Schadenzauber bietet uns der
Korrektor Burchardi [511]) (= Regino II
c. 5): Fecisti ligaturas et incantationes [512])
et illas varias fascinationes quas nefarii
homines, subulci vel bubulci et interdum
venatores faciunt, dum dicunt diabolica
carmina super p a n e m et super herbas
et super quaedam nefaria ligamenta et
haec aut in arbore abscondunt aut in
bivio aut in trivio proiciunt ut aut sua
animalia vel canes liberent peste et a
clade et alterius perdant? Auch für den
Liebeszauber erwähnt der Korrektor ein
Schadenzauberb. [513]): Fecisti quod quaedam mulieres facere solent? Deponunt
vestimenta sua et totum corpus nudum
melle inungunt, et sic mellito suo corpore
supra triticum in quodam linteo in terra
deposito sese hac atque illac saepius re-
volvunt [514]) et cuncta tritici grana, quae
humido corpore adhaerent, cautissime
colligunt et in molam mittunt et retror-
sum contra solem a molam circuire
faciunt et sic in farinam redigunt et de
illa farina panem conficiunt et sic maritis
suis ad comedendum tradunt, ut comesto
pane marcescant et deficiant; dasselbe
Zauberb. wird nach der Lesart des cod.
Vind. 926 [515]) auch als Liebeszauberb.
verwendet wie das oben erwähnte: conficiunt posterioribus prementes et sic
maritis suis dant ad edendum, ut ab eis

amplius amentur; genau denselben Zau-
ber mit Hafer berichtet Schell aus dem
Bergischen [516]). B., heimlich in die Feder-
betten eingenäht, bringt Unglück und
Tod [517]); die Magyaren [518]) kennen ein
Schadenzauberb., mit dem Samen des
Mannes beschmiert. Ein ganz anderer
Schadenzauber ist in Gegenden mit viel
Milchwirtschaft sehr geläufig: Wenn man
B. in die Milch schneidet, statt es zu
brocken, so schneidet man der Kuh das
Euter [519]) (die Milch) oder den Rahm [520])
ab, oder die Mutter Gottes weint [521]).
Wenn man das B. in die Milch schneidet
und es taucht ein Stück nicht unter, so
setzt sich die Drud darauf, und wer es
ißt, den quält sie [522]); wenn man B. ißt
und dabei von jungen Vögeln spricht, so
gehen diese ein [523]). Schadenzauber mit
B. wird in den Hexenprozessen oft erwähnt; B. ist ja das gegebene Medium,
um damit Präparate einzugeben: eine
Schweizer Hexe (1528, Luzern) spritzt
Krötengift auf B. [524]); die medizinische
Fakultät in Rostock untersuchte 1681
einen Fall, wo eine Hexe B. mit F e t t
einem Mann gab, der nach dem Genuß
Uebelkeit verspürte [525]).

[511]) Schmitz 2, 423 c. 63; W a s s e r s c h -
l e b e n 644, c. 94; G r i m m *Mythol.* 3, 404,
43; Regino bei M i g n e *Patr. Lat.* 132, 284
Nr. 44; F r i e d b e r g 26—27. [512]) S c h m i t z
1, 463, c. 94. [513]) Ebd. 2, 451 c. 193; W a s -
s e r s c h l e b e n 664, 179; Weinhold
Ritus 49. [514]) H o v o r k a - K r o n f e l d 2,
169. [515]) S c h m i t z 2, 452; ZfVk. 1907, 74.
[516]) ZrwVk. 1906, 62, 5. [517]) Fall aus dem Jahre
1730: ZfVk. 1894, 61; W l i s l o c k i *Magyaren* 84. [518]) W l i s l o c k i l. c. 133; vgl. die
Pönitentialen: S c h m i t z 2, 445, 166; 541,
191; vgl. 1, 314, 90; G r o h m a n n 209, 1454;
S t e r n *Türkei* 2, 320. [519]) E b e r h a r d t
Landwirtschaft 18; P o l l i n g e r *Landshut*
164; D r e c h s l e r 2, 16; B i r l i n g e r
Volkst. 1, 495; ZfdMyth. 1, 48; G r o h -
m a n n 104, 733; S c h ö n w e r t h 1, 334;
SAVk. 1917, 34; W. 458. 705. [520]) M e i e r
Schwaben 2, 498, 324; P a n z e r *Beitr.* 1, 264;
W. 705. [521]) B i r l i n g e r *Schwaben* 1, 410;
R o c h h o l z *Glaube* 1, 50. [522]) G r o h m a n n
25, 125; W. 403; ZfVölkerpsychol. 18, 278.
[523]) D r e c h s l e r 2, 16; W. 458. [524]) SAVk.
3 (1899), 192. [525]) B a r t s c h *Mecklenburg* 2,
34. Nach P r a e t o r i u s *Blockesberg* 246
macht eine Hexe mit vergiftetem B. Schadenzauber; ungewiß ist, ob auch das in einem
Frankfurter Prozeß (1494) erwähnte Mittel

für Schadenzauber bestimmt war (H a n s e n l. c. 594, 16 ff.): Recipe kole quinte, 1 firtel von eyn appel in der appoteken, solich uff eyn snyd brots geleet.

33. c) Im J ä g e r -, S c h i e ß - und W a f f e n z a u b e r: B. ins eigene Blut getaucht [526]), besonders geweihtes Festb., macht kugelfest „gfrorn": In diesem Glauben wird das Lammlb., zusammen-geknetet mit dem Blute eines während der Christmette abgestochenen Lammes, von den Pustertaler Wildschützen ge-gessen [527]), ebenso Osterkuchen [528]) mit Lammblut; wie man Hexen mit B.kru-men schießen [529]) kann (s. Brosamen), so steckt man B. in die Flinte gegen ver-hexte Tiere (Hasen) [530]). Auf eine Elster, welche einem nachfliegt (= Hexe), darf man nicht mit gewöhnlicher Ladung schie-ßen, sondern muß B. darunter mischen[531]). Wenn das Gewehr gebannt („g'leid-wärchet") ist, legt man im Sarganser Land Agathenb. unter den Lauf [531 a]); sogar Waffen konnte man mit Osterb. zauberkräftig machen [532]). Zschokke er-wähnt im „Adderich im Moos" c. 20 (= Werke IV, 161), daß der Degen sicher sticht, wenn er vorher in warmes B. ge-steckt wird.

[526]) G r o h m a n n 205, 1427; W. 475. [527]) ZfdMyth. 3, 343; A l p e n b u r g l. c. 358. 381; Z i n g e r l e *Tirol* 75, 627; H ö f l e r *Weihnachten* 63; D e r s. *Ostern* 29; Globus 42, 77. [528]) W. 475; S e p p *Religion* 142. [529]) W e i n h o l d *Ritus* 14. [530]) W e t t s t e i n *Disentis* 175, 54; M e i e r *Schwaben* 1, 250. 278. [531]) SAVk. 2 (1898), 219. 47; vgl. S o l -d a n - H e p p e 2, 40. 140 ff.; SAVk. 1925, 136. [531a]) SAVk. 1925, 288. [532]) F r e y t a g *Bilder a. deutscher Vergangenheit* 2 (1859), 73; F r a n z *Benediktionen* 2, 299 ff.

34. d) Durch g e w e i h t e s B. wer-den sogar nach einer Handschrift (1390) G e f a n g e n e b e f r e i t [533]): Item ist dir ein frind gefangen: Man näht einen gemischten Bissen B. in den Achselbesatz eines Hemdes und sendet dieses dem Ge-fangenen; das Mittel ist bei Friedrich [534]) dem Schönen probiert worden, als er in Trausnitz gefangen saß (1322). Dieser Aberglaube, der in diesen strenggläubigen Kreisen durch die kirchliche B.weihe-formel (ut sit contra universas cuncto-rum inimicorum insidias auxilium et

lutamen) [535]) noch gestützt wurde, war offenbar auch in Frankreich gebräuch-lich; denn J. B. Thiers [536]) berichtet dar-über; man muß nüchtern eine B.kruste essen, auf der die Worte stehen: Senozam, Gozoza, Gober usw.

[533]) Argovia 5, 70; Germania 21, 80; S t a u b 55; vgl. A. 539. [534]) Argovia 5, 346 f. [535]) Ebd. 347; vgl. F r a n z *Benediktionen* 1, 270: sal-vos fac eos in omni periculo. [536]) L i e b r e c h t *Gervasius* 253 Nr. 418.

35. e) S o n s t i g e r Z a u b e r: An-horn schreibt in seiner Magiologia [537]): Es ist Aberglaube, dafür zu halten, wann einer ein von einem Aussätzigen gebettel-tes Stück B. esse, könne einem solchen niemand mehr kein Almosen mehr ver-sagen, ob ers gleich weder wert noch dürftig sei. Als einer den Stein der Weisen finden wollte, setzte er nach Anhorn einen umständlichen B.zauber ins Werk: Einer, der in der Christnacht um die Gnade betete, den Stein der Weisen zu finden, hörte die Worte: „B., B., B."; hierauf knetet er Mehl mit Maientau und macht daraus große runde B.e; die Rinde schenkt er den Armen, die heiße Krume destilliert er [538]). Eine Hexe gestand 1602, daß ihr der Teufel einen Zettel in B. ge-backen gab, wodurch sie Schlösser öffnen konnte[539]). Auch zum Lösen des Bannes wird B. erwähnt: Der verzauberte Kater in Malchow wird erlöst, weil ihn die Frau mitnahm und mit B. speiste [539 a]).

[537]) *Magiologia* 149. [538]) l. c. 905—907. [539]) ZfVk. 1897, 190. [539a]) K. R o s e n o w *Sagen des Kreises Schlawe* 71, 78.

36. f) D i e b e s b a n n z a u b e r: Die Verwendung des B.es im Diebeszauber geht auf das iudicium offae (panis adiu-rati) zurück; das Ordal mit B. und Käse war ursprünglich kirchlich anerkannt; es entartete aber immer mehr zu einer abergläubischen Zeremonie, welche die Kirche schließlich streng verfolgen mußte. Während Patetta [540]) in seinem Werk über das Gottesurteil behauptet, daß nur die „leges anglo-sassoni" diese Institution kennen, beweist Jacoby [541]) in einem grundlegenden Aufsatz, daß das iudicium offae christlichen Ursprunges ist; Jacoby erweist den Zusammenhang zwischen

Abendmahlsprobe und der Probe mit dem geweihten Bissen, die in Anlehnung an abergläubische Verwendungen der Eucharistie entstand. Beim iudicium offae (offa = bizzo) [542]) oder offa iudicialis wird dem Angeklagten, der fast immer ein Dieb ist, unter Gebeten und Beschwörungen trockenes Gerstenb. und Schafs- oder Ziegenkäse gereicht; auf das B. (oft auch auf den Käse) setzt man eine Inschrift [543]) (Psalmzitat oder Vaterunser, aber auch andere Buchstaben); kann der Angeklagte den Bissen hinunterschlucken, so ist er unschuldig, bleibt ihm der Bissen im Halse stecken, so ist er schuldig; daher kommt die Verwünschungsformel: Das Stück B. soll mir den Tod bringen, wenn ich die Unwahrheit gesagt (Baden und öfters) [544]); und die Rockenphilosophie sagt: wer gestohlen Käse oder B. ißt, bekommt das Schlucken davon [545]); die Zeremonien und Formeln sind alle im fünften Band der MG legum sectio 629 ff. zusammengestellt, auch für die Probe mit dem hängenden B. [546]); der Gang des Ordals ist immer ungefähr also [547]): incipit probatio a cunctis furtis probandis: Antequam incipias, canitur missa de sancta Trinitate ... Domine. ... te invocamus, ut, quicumque de isto furto culpabilis est, aponatur ei panis et caseus, ut te iubente constringantur fauces illius et guttur eius claudatur, ut qui istud furtum comisit, antea removat quam pertranseat, ut sciat, quod tu es deus .... Daß Ordale mit Erfolg durchgeführt wurden, ist erwiesen, und nur so kann man die Zähigkeit begreifen, mit der diese Zeremonie sich hielt [548]). Nach Hartlieb war zu dessen Zeit (das Buch ist 1455 geschrieben) das Käseordal noch im Volke üblich [549]). Auch Bartsch berichtet davon, wie man einst in Mecklenburg einen Dieb mit Käse überführte [550]): Ein Familienbuch aus dem Jahre 1566 schreibt vor: Auf einen weißen Käse schreibt man die Worte: + deus + meus + max + pax + vivax; der Dieb kann den Käse nicht essen, wird im Gesicht wie eine Kornblume, und sein Mund schäumt wie der eines Bären. In einem isländischen

Zauberbuch vom Jahre 1664 ist bei Diebstahl das B.-Käseordal angeraten; man soll auf B. oder Käse die Worte makk, rakk, fenakk ritzen und dem Verdächtigen geben [551]). Es ist wohl kein Zweifel, daß die wichtige Rolle des B.es im Diebesordal auf dessen Verwendung im Diebesbannzauber eingewirkt hat. Anhorn erwähnt einen Zauber, um Entwendetes zu bekommen: Wann einer bey einem Becken ein B. ohne Reden kauffte, dasselbige in ein Gut-Leut- oder Siechenhaus trage, daselbst auf den Tisch lege und wiederumb hinweggehe, niemanden grüße, keinem grüßend danke .... dem solle .... was ihme entwendet worden, widerumb zu hauß kommen [552]). Eine Genfer Prozeßurkunde, zitiert bei Hansen 526, bietet das Geständnis einer Hexe (10. Mai 1401), die von Bestohlenen um den Zauber ersucht wurde: Sie zitiert den Teufel in einer Kammer; darin steht ein Tisch, bedeckt mit einem Tuch, und B. darauf; auf einen Zauberspruch erscheint der Teufel und nennt den Tag des Diebstahles. Die Szene hat Ähnlichkeit mit dem A. 572 erwähnten Augurialzauber (vgl. Essen); dieser Zauberapparat kann völlig unabhängig vom B.ordal entstanden sein. Schon Hartlieb warnt [553]) vor einem im Liebeszauber geläufigen Sympathiezauber, der wohl auch vom iudicium offae kaum beeinflußt ist: es ist aber ain ungelaub, wann man ain verlust tuet, so sind lüt, die beswern ein prot und stechen darein driu messer in driu crütz und ain spindel und ainen enspin daran und halten das zwain person uf den ungenannten vinger und beswert bei den hailigen zwölfboten. Um den Dieb zu zwingen, das Gestohlene zu bringen, ist folgender Sympathiezauber in der Schweiz, in Mecklenburg (hier mit kurzer Beschwörung, ebenso in Pommern) und öfters belegt [554]):

„Nim 3 Bröcklein B r o d und drey Sprätlein (= Prise, kleines Maß) Salz und 3 Bröcklein Schmalz: mache eine Starke glut, und Lege alle Stücke darauf und Sprich dise Worte drey mahl dazu und bleibe allein: Ich lege dir Dieb oder Diebin, Brod, Salz und Schmalz auf die

Glut, wegen deiner Sünde und Übermuth. ich lege es Dir auf die Lung Leber und Herzen, das dich ankommt ein großer Schmerzen, es Sol dich anstosen eine grosse Noth, als wen es dir thät der bitere Tod; es Solen dir alle adern Krachen und Todes Schmerzen machen, das du keine Ruhe nicht hast, bis du das gestohlene bringst, und hinthust wo du es gestohlen hast; dis 3 mal gesprochen und jedesmahl die 3 höchsten Namen dazu gesprochen."

Um vom Dieb zu t r ä u m e n, bindet man B. und Knoblauch unter den Arm (Pommern) [555]).

[540]) P a t e t t a *Le Ordalie* 202; F r a n z *Benediktionen* 2, 358. [541]) J a c o b y *Der Ursprung des Judicium offae* im ARw. 13 (1910), 524—566; F r a n z *Benediktionen* 2, 335 ff. 341 ff. 358 ff.; G r i m m *RA.* 2, 597; Kloster 12, 1097. [542]) S t e i n m e y e r - S i e v e r s *Ahd. Glossen* 3, 154 (Summarium Henrici). [543]) D i e t e r i c h *Abraxas* 159. [544]) M e y e r *Baden* 372; P o l l i n g e r *Landshut* 164; S t a u b *B.* 54; A. d e C o c k *Oude Gebruiken* 112 ff. [545]) G r i m m *Myth.* 3, 440, 188 = F i - s c h e r 213; bleibt einem das B. im Halse stecken, so soll man davon in beide Ohren tun: T h a r s a n d e r 3, 489. [546]) F r a n z l. c. 2, 360 ff. [547]) MG. leg. sectio 5, 633, 33 ff. [548]) J a c o b y l. c. 563—66; S c h i n d l e r *Aberglaube* 232; vgl. W. v. E s c h e n b a c h *Parzival* 803, 26; M ä n n l i n g 283—84; in der Weltliteratur finden wir das iudicium offae bei B o c c a c c i o: In der 6. Geschichte des 8. Tages seines *Decamerone* werden anstatt Käse und B. Weißwein mit Ingwerpillen zum iudicium verwendet, durch das zum Scherz der Bestohlene selbst als Dieb eines Schweines erwiesen werden soll; in Rußland Proben mit Kreuzb.: F r a n z l. c. 2, 336. [549]) G r i m m *Myth.* 3, 428, cap. 51 [550]) B a r t s c h *Mecklenburg* 2, 340, 1624; vgl. ARw. 13, 539 bis 542. [551]) ZfVk. 1903, 271, 10. [552]) A n - h o r n *Magiologia* 771—72; vgl. 786: von 9 Häusern mit bloßen Gebärden . . . B. . . . betteln . . . . [553]) G r i m m *Myth.* 3, 428, cap. 50. [554]) SAVk. 1898, 266, 144; B a r t s c h *Mecklenburg* 2, 339, 1623; ZfVk. 1905, 145; BlpommVk. 4, 47, 13; W. 241. 643; eine andere Zaubermethode mit B. gibt T h i e r s *Traité* bei L i e b r e c h t *Gervasius* 222, 38; T h o - m a s (*Welsh fairy book* p. 296) erwähnt ein Art B.orakel, um den Namen des Diebes festzustellen: man wirft B. ins Wasser und nennt die Namen der vermuteten Diebe; das B. sinkt, sobald man den Namen des wahren Diebes nennt; dasselbe Orakel bei S é b i l l o t 2, 223 (vgl. B.orakel); vgl. das B.-Weinopfer bei M ä n n l i n g 291. [555]) BlpommVk. 4, 120, 5; vgl. ZfVk. 1903, 271, 10.

37. g) B. im Heilzauber s. Heilb.e

IV. V e r w e n d u n g d e s B.es z u A u g u r i e n. Tief in den alten Ritus und das Zauberwesen hinein führt uns das mit dem F e s t b. angestellte Augurium besonders in den R a u c h n ä c h - t e n [556]).

38. a) W e i h n a c h t s - und N e u - j a h r s augurien (Opferweissagung und Anfangszauber), beeinflußt vom gewaltigen römischen Augurial- und Anfangsritus [557]), werden schon beim Backen angestellt (s. backen), besonders aber beim Weihnachtskultb. Ein sehr altes Zeugnis haben wir in einem Papierkodex des 14. Jhs. zu St. Florian in Oberösterreich [558]): Item in der letzten Rauchnacht (d. i. am Dreikönigsabend) tragent sy ain ganczen laib und ches umb das haus und peissent darab. Als manig pissen man tan hat, so vil schober wernt im auf dem veld. Aus dem Messer, welches man ins B. steckt, weissagt man ein trockenes oder feuchtes Jahr [559]) oder man auguriert, je nachdem die Percht vom B. und den Nudeln ißt oder nicht [560]). Sebastian Frank (bei Jahn l. c.) berichtet in seinem Weltbuch, daß man am Dreikönigstag in einen „guten leckkuchen oder lebzälten" einen Pfennig hineinbackte; beim Verteilen bekamen Christus, Maria und die drei Könige je ein Stück; wer von den Hausgenossen das Stück mit dem Pfennig erhielt, wurde König und schützte das Haus durch Kreuze an den Balken vor Unglück (vgl. auch Neujahrsgebäcke). Wenn bei den Wenden die Hausfrau zum erstenmal backt, macht sie in das schönste B. soviel Löcher, als Seelen zur Familie gehören, und schüttet in jedes Loch ein paar Salzkörner; wessen Loch nach dem Backen schwarz ist, der stirbt zuerst; ist es aufgesprungen, so wird er krank; ist es sehr breit, so wandert er aus [560 a]).

[556]) Man kann hier in weiterem Sinne die Zeit vom Andreastag bis Dreikönig zusammenfassen: vgl. ZföVk. 9 (1903), 15 ff. Für die Silvesterb.orakel der Russen vgl. Globus 63, 77. [557]) ARw. 20, 86 ff. u. ö.; R a d e r m a c h e r *Beiträge* 100 ff. [558]) J a h n *Opfergebräuche* 280; G r i m m *Myth.* 3, 418, 33; über Neujahrsauguria, mit B. unter drei oder zwölf Dingen, wobei B. Zufriedenheit bedeutet und Wohl-

stand vgl. Dähnhardt *Volkstüml.* 1, 28 Nr. 53; am Klöpfelabend in Tirol orakelt man mit B., Hafer und Erde: Zingerle *Tirol* 183 Nr. 1519. [559] Jahn l. c.; W. 329; Drechsler 1, 26—27. [560] W. 437; Graber *Kärnten* 91, 111: wenn die Percht ißt, gibt es ein gutes Jahr; vgl. Jahn l. c. 279. 288. [560a] Schulenburg *W. V.* 133.

39. b) **B.auguria im Liebeszauber.** Die meisten Orakel stellen die Mädchen in der Andreasnacht [561] an, daneben auch in der Thomasnacht, Christ- und Neujahrsnacht. Eine Sage zeugt von dem hohen Alter dieser mit dem alten Opferritus zusammenhängenden Weissagung [562]: Das Mädchen geht mit einem Stück Rinde einer Semmel in der Christnacht ins Bett, nachdem es die Rinde tagsüber unter dem rechten Arm [563] getragen hat, und sagt: „Jetzt hab' ich mich gelegt und B. bei mir, wenn doch mein feins Lieb käme und äße mit mir." Ist am Morgen die Semmel abgenagt, so bringt das Jahr die Heirat. Im Emmental betteln die Mädchen Mehl aus drei Häusern und backen B. davon; mit diesem sehen sie den Schatz im Traum; es genügt auch, B. und Käse auf den Tisch zu stellen [564]. In Bayern [565] legt man B.kügelchen in einen Kreis; wessen Kügelchen eine Gans zuerst frißt, dieses Mädchen heiratet zuerst; man kann so erfahren, ob man im kommenden Jahr heiratet, indem man mit dem Störilaib [566] Auguria anstellt, oder ob man den Geliebten zum Mann bekommt [567]; ja sogar über Beruf und Namen des Zukünftigen kann man das B.orakel befragen, indem man B.kugeln ins Wasser wirft, und ihn im Traum zitieren [567]. Eine Kärntner Sage erzählt, daß die Mädchen auf Grund eines Zaubers mit B. und Messer nackt (vgl. Weinhold, Ritus) ihren Zukünftigen schauen könnten und erwähnt einen Fall, wo das „Leas'ln" sich bewährte [569]. In Frankreich auguriert man aus dem „flottement" der ins Wasser geworfenen B.stückchen [570], auch die Ehemänner orakeln so, ob die Frau treu ist [571]. Ein eigentümliches Orakel stellte eine Züricher Meistersfrau an, welche auf 4 Tische je ein B. und ein Maß Wein setzte; sie sprach die Einsegnungsworte des Abendmahles und

sah als Vision den Tod ihres alten Mannes und die Heirat mit einem jungen Burschen [572] (s. essen). Wenn man im B. ein Roggenkorn findet und es auf die Türschwelle legt, wird man den heiraten, der zuerst darauf tritt [573].

[561] Grimm *Sagen* 95, 114; Weinhold *Ritus* 6; Ders. *Frauen* 1, 261; John *Westböhmen* 247; Brevinus Noricus 10—11; Bräuner *Curiositäten* 87 ff.; Tharsander 1, 84. [562] Grimm *Sagen* 6 f. Nr. 115 und 116; *Mythol.* 3, 470, 957; vgl. Witzschel 1, 209, 208; eine ähnliche Einladung bei Tharsander 1, 84. [563] Vgl. Liebeszauber A. 504. [564] SAVk. 15 (1911), 3. [565] Pollinger *Landshut* 195; Hovorka-Kronfeld 2, 176. [566] Höfler *Weihnachten* 21—22. [567] *Urquell* 1890, 12. [568] Drechsler l. c. 1, 7. 13. 49; John *Westböhmen* 2; Staub 56; vgl. Wlislocki *Magyaren* 88. [569] Graber l. c. 201, 268; vgl. Tharsander 1, 84. [570] Sébillot 2, 243—44. 223. [571] l. c. 253. [572] Staub *B.* 56. [573] Mensing l. c. 529.

40. c) **Brautb.augurium** [574]: Die Zürcher Kirchensynode [575] klagt 1861 darüber, daß man das Brautb. zur Weissagung mißbrauche; man gab dem Brautpaar bei der Rückkehr von der Trauung, B. und der Teil, dessen B. zuerst **schimmelte**, mußte zuerst sterben (vgl. Hochzeitsb.). Dieses Orakeln aus dem Hochzeitsb. ist verbreitet, man weissagt sogar, je nachdem das „Köppl" unten oder oben schimmelt, für den „incubus" und die „succuba" [576]. In Westfalen sagte man früher nach Weddigen: schimmelt die Rinde des aufbewahrten Hochzeitsb.es, so steht eine unzufriedene Ehe bevor [577].

[574] Vgl. das Brautb.orakel in Rumänien: Stern *Türkei* 2, 12—13. [575] Staub l. c. 53. [576] Höfler *Hochzeit* 18; Baumgarten *Jahr* 7; dasselbe in Frankreich: Sébillot 2, 251. 194. [577] Grimm *Mythol.* 3, 466, 883.

41. d) Auch bei der **Pflugzeremonie** und mit dem aus dem neuen Korn gebackenen B. stellt man Augurien an (s. backen). Bäckt man das erste B. aus neuem Korn, so werden in einen Laib vier Ähren gesteckt, davon jede ein Vierteljahr bezeichnet; je verbrannter eine Ähre ist, desto teurer wird der durch sie bezeichnete Zeitabschnitt [578].

e) Nächst diesen Opferaugurien stehen die t ä g l i c h e n O m i n a aus der Art des B.abschneidens, Lage der Brosamen und andern Begleiterscheinungen des B.-gebrauches im Leben; diese Vorbedeutungen [579]) beziehen sich auf das Auffinden von Korn [580]) im B., was Glück bedeutet; wer im B. gebackene Getreidekörner findet, kann die Hexen erkennen [581]), oder man hat einen hungrigen Freund [582]) zu erwarten, wenn man „doppelt abschneidet", man auguriert über Wünsche [583]); wenn man fünf B.kügelchen dreimal so wirft, daß ein Kreuz entsteht, erfüllen sich alle Wünsche [584]); man befrägt das B. über Teuerung, Glück und Unglück [585]), man findet sogar eine Bedeutung dahinter, wenn ein Stück B. in den Kaffee fällt [586]); wenn das B. auf der braunen Seite liegt, bedeutet das Unglück und Streit (vgl. § 53). Wer die kleine Seite einer B.schnitte bestreicht, heiratet einen Witwer oder gibt eine schlechte Stiefmutter [587]); bestreicht jemand in Gedanken ein zweites B., ehe das erste aufgezehrt ist, so ist Besuch zu erwarten [588]).

[578]) J o h n *Erzgebirge* 31.   [579]) G r i m m *Mythol.* 2, 937.   [580]) J o h n *Erzgebirge* 30. [581]) S c h i n d l e r *Aberglaube* 290.   [582]) P r ä - t o r i u s *Phil.* 166; W o l f *Beiträge* 218; M e n - s i n g l. c. 429.   [583]) W. 328; M e i e r *Schwaben* 2, 504, 367.   [584]) C u r t z e *Waldeck* 373, 15. [585]) P a n z e r *Beitr.* 1, 266; SAVk. 1917, 44; *Alemannia* 33, 303; L a m m e r t 99.   [586]) SA-Vk. 7, 133; 12, 214. 279.   [587]) M e n s i n g l. c. 528; F o g e l *Pennsylvania* 369, 1974.   [588]) M e n - s i n g l. c.

42. f) Endlich beziehen sich eine Reihe von Vorzeichen auf G e d e i h e n des B.-getreides und B.p r e i s e s. Den Wachtelruf deutet der Bauer [589]): Gib mer Brod, 's het kei Nod; wenn man im Frühjahr die ersten erblickten Kornähren durch den Mund zieht oder die abgestreiften Ähren verzehrt, wird man an B. nicht Mangel haben [590]) (Fruchtbarkeitszauber mit Augurium). „Großi Mutten (Erdschollen), großi Stücki Brod" sagt der Schweizer [591]); in Mecklenburg [592]) muß an „Nijorsabend dat Gasselgeschir unnert Dak bröcht war'n, süs gerät 't B. nich in dat Jor." In Ostpreußen [593]) dürfen die Kinder an

einem Fuß nicht unbekleidet sein, sonst kommen sie nie zu B.(=Lebensunterhalt). B.preisorakel [594]) stellt man an aus der Beobachtung der Bahn des Heerewagens [595]) (= Bär) bei Rorschach, aus dem Ruf der Wachtel [596]), aus dem Spielen der Kinder [597]), aus der Punktierung des Pferdewürmchens [598]), aus der Rükkenlage des B.es [599]) (vgl. § 53); wenn die Kinder mit dem Finger im B.e bohren oder mit dem Messer hineinstechen, gibt es eine Teuerung [600]).

[589]) S t a u b 19.   [590]) W. 126; D r e c h s - l e r 2, 43.   [591]) S t a u b 53.   [592]) B a r t s c h *Mecklenburg* 2, 230, 1197 b.   [593]) W. 606. [594]) S t a u b 52 ff.   [595]) D e r s. l. c.   [596]) l. c.; M ü l l e r *RheinWb.* 1, 1015.   [597]) *Urquell* 3 (1892), 39; M ü l l e r l. c.   [598]) J o h n l. c. 31. [599]) *Urquell* 1892, 40; E n g e l i e n u. L a h n 271.   [600]) E n d e r s *Kuhländchen* 80.

43. g) In Holstein gesteht eine Hexe (1584): „Sie habe drei Bissen B. gebissen, von dem B.e, das Donnerstags gebacken in tausend † Namen, habe Wasser gefüllt in deren Namen, die Bissen auf das Wasser aus dem Munde fallen lassen, den Satan beschworen, er solle ihr sagen bei dem Brote und Wasser, ob der Abwesende lebend oder tot sei; wenn lebend, so liefe das B. rund umher, wenn tot, gingen die Bissen zu Grunde" [601]).

[601]) B a r t s c h *Mecklenburg* 2, 21; im 17. Jh. stellte man auf diese Weise in Frankreich Orakel an: S é b i l l o t 2, 223.

D. B. in Liebe, Ehe und Familie.

44. Die Verbindung der die Fruchtbarkeit der Erde bedingenden Vegetationsvorgänge mit dem B.kultus läuft mit Opferriten und andern Vorstellungen (vor allem Versöhnung der Geister) [602]) in der Bedeutung des B.es f ü r L i e b e , E h e u n d F a m i l i e zusammen; das Zeugen und Werden in der Natur und das menschliche Fruchtbarkeits- und Liebesleben werden durch Analogie verbunden [603]), Backen (s. d.), Wachstum, Zeugen und Gebären in Bildern und Redewendungen gleichgesetzt [604]); dazu kommt die Vorstellung von B. als Symbol der Kraft, der Speise, des Haussegens, der Hausehre (vgl. A. 20) und die übelabwehrende Kraft dieses Hauptnahrungs-

mittels; denn nirgends sind die übel-
wollenden Dämonen gefährlicher als bei
der Liebe und Hochzeit [605]), so verbindet
sich hier **F r u c h t b a r k e i t s -** und
Ü b e r t r a g u n g s z a u b e r (sonst
Überschütten mit Reis und Weizen) [606])
und Analogiezauber mit apotropäischer
Kraft, zugleich soll das B.opfer die alten
Hausgeister versöhnen und die neuen gewinnen.

[602]) ZfVk. 1915, 337, 8. [603]) K ü h n a u *B.*
14. 20 ff.; J a h n *Opfergebräuche* 31; vgl.
backen. [604]) S t a u b 38—39; D r e c h s l e r
1, 181, 206; K ü h n a u *B.* 20—21; H ö f l e r
Neujahr 198. [605]) D ö l l e r 74—76. 153 ff.;
B a r t s c h 1, 63—65; H ö f l e r *Hochzeit*
22, 58. [606]) Ilbergs NJ. 27 (1911), 501; H ö f -
l e r l. c. 58; Globus 60 (1891), 354; Kloster
12, 187. 195 f.; vgl. T e m m e *Altmark* 74;
Kloster 9, 492; RVV. 14, 3, 13—14; B. und
Korn über die Braut ausgeworfen: SAVk. 1,
49 ff. 20 ff.; man legt auch Getreidekörner in
die Schuhe der Braut: Kloster 9,4 92.

45. B. bei der **H o c h z e i t** s. Hochzeitsb.

46. B. bei der **T a u f e** s. Taufb.

47. **T o d** u. B. s. Totenopfer.

48. **H e i m w e h** b. (s. d.).

49. **Kind** (s. d.), 1. Schulgang (s. d.).

50. Ganz dieselbe Vorstellung wie beim
Heimwehb. und Gewöhnb. liegt zugrunde,
wenn man dem **V i e h**, das ja, abgesehen vom segenbringenden Weihnachtskultb., die Gottesspeise nicht erhält [607]),
beim Wechsel des Besitzers B. gibt [608]);
einer neu eingestellten Kuh oder einem
sonstigen in die Hausgemeinschaft neu
aufgenommenen Tier gibt man geweihtes [609]) (Schwab., Bay., Lux.) oder gewöhnliches B.[610]), oft mit Weihsalz [611])
(apotropäisch wie auch das geweihte B.);
klar ist die apotropäische Bedeutung auch
in Dänemark, wo das neue Stück Vieh
Schwarzb. und ein Stückchen Eberesche
erhält [612]). Beim Ausscheiden aus der
Hausgemeinschaft gibt der Verkäufer
dem Tier B. mit (Heimwehb.!), welches
das Tier oder der Käufer verzehrt [613])
(Frk., Oberpfalz, Westf., Bad.), Glücksb.
in Baden [614]), Winneb. in Westfalen [615]).
An dieses B. knüpft sich oft ein Augurium für Vieh und Käufer [616]). Um das
Vieh beim Austreiben zusammenzuhalten

und an die Weide zu gewöhnen, bekommt
es B.[617]) vom „Gewöhngetreide"; apotropäischen Sinn hat das B. und das geweihte
Salz beim ersten Austrieb oder Anspann
gegen giftige Kräuter und böse Dämonen [618]). Die Mittel für das Gewöhnen von
Hunden und Schweinen erinnern an den
Liebeszauber: Man durchtränkt das B.
mit dem Schweiß [619]) des Hausherrn unter
der Achsel (Wetterau, Westf., Schles.)
oder im Stiefel (Böh.). In Pommern [620])
verwendet man auch ein Stück Kringel,
auf das man dreimal gespuckt hat, oder
man schabt etwas von der Zunge ab und
gibt es auf B. dem Hunde; um zwei Kühe
aneinander zu gewöhnen, gibt man jeder
ein Stück B. mit ein paar Haaren der
andern [621]). Damit sich die Kuh nach dem
Kalbe nicht zu tot schreit, reißt man dem
Kalb drei (Büschel) Haare aus und gibt
diese im B. der Kuh zu fressen [622]). Der
St. Florianer Papierkodex enthält auch
diese Notiz: item so aine ain chalb ver-
chauft, so sneyt sy dem chalb das wedl
ab, ab seinem swenczl, und des hars ab
dem rechten arm, und gibts der chue
ze essen, so rert sy nicht noch dem
chalb [623]). Hunden gibt man die B.marke
zu fressen, damit der Dieb ihnen das Bellen nicht nehmen kann [624]); natürlich
wirkt das Weihnachtsb. besonders apotropäisch mit Knoblauch [625]). Hennen
gibt man B., damit sie sich angewöhnen
und gut legen [626]); Abendmahlsb. schützt
gegen den Habicht [627]); wenn die Hühner
verlegen, so stiehlt [628]) man einige Strohbänder, macht ein Nest davon und legt
drei Federchen und drei B.krumen (von
der oberen Rinde) hinein [629]).

[607]) D r e c h s l e r 2, 16. [608]) S a r t o r i 2,
141 ff.; Globus 42, 89. [609]) P o l l i n g e r
Landshut 155; E b e r h a r d t *Landwirtschaft*
18; F o n t a i n e *Luxemburg* 64. [610]) W. 175;
679; S t a u b 54; S t r a c k e r j a n 1, 124;
B i r l i n g e r *Schwaben* 1, 403; M e i e r
Schwaben 498; B a r t s c h 2, 144, 640, hier
zusammen mit Kreuzdorn rein apotropäisch.
[611]) E b e r h a r d t und B i r l i n g e r l. c.
[612]) ZfVk. 1912, 185. [613]) W. 690 und 687;
H ü s e r *Beiträge* 2, 26; Bayernland 29,
20; Bavaria 2 a, 300. [614]) M e y e r 373.
[614]) S a r t o r i *Westfalen* 112. [616]) J o h n
Westböhmen 211 und 247—48; W. 690. [617]) J o h n
l. c. 211 u. 248. [618]) E b e r h a r d t *Landwirtschaft* 19; B a r t s c h *Mecklenburg* 2, 167, 793

aus dem Jahre 1572; S c h r a m e k *Böhmerwald* 238 und 254; W. 175. 693; B i r l i n g e r
Volkst. 1, 122; ausführlich *Heimat* 37 (1927),
111, 2; 112, 3; B r e v i n u s *Noricus* 352 ff.
[619]) W. 687. 679; D r e c h s l e r 2, 16—17.
96; K ö h l e r *Voigtland* 429; J o h n *Erzgebirge* 233; ZrwVk. 1909, 269; D r e c h s l e r
Haustiere 10. [620]) BlpommVk. 7, 44; D r e c h s-
l e r 2, 16—17; S é b i l l o t 3, 109 (16. Jh.);
in Frankreich gibt man auch, um die Ratten zu
vertreiben, diesen B. vom Nachbarhaus, dann
ziehen die Tiere in dieses Haus um: S é b i l l o t
3, 31. [621]) P o l l i n g e r *Landshut* 155; Zrw-
Vk. 2, 293; S a r t o r i *Sitte und Brauch* 2,
141. [622]) W. 699; G r o h m a n n 137, 995;
D r e c h s l e r 2, 102; D e r s. *Haustiere* 7.
[623]) G r i m m *Myth.* 3, 417, 21. [624]) W. 680;
K u h n *Märk. Sagen* 381, 42. Über den zauberhaften Zweck der B.marke und des B.stem-
pels: ARw. 21, 230; 23, 160; Pfälz. Museum 36
(1919), 58 und 37 (1920), 57; W i t z s c h e l
Thüringen 2, 265, 18. [625]) D r e c h s l e r 2,
209; W. 680; B a r t s c h *Meckl.* 2, 243, 1262 b;
S a r t o r i 3, 32. [626]) M e i e r *Schwaben* 514,
441; G r i m m *Mythol.* 3, 455 Nr. 616;
G r o h m a n n Nr. 1045; ZfVölkerpsychol. 18,
205; B i r l i n g e r *Schwaben* 1, 400; W o l f
Beiträge 1, 221. [627]) SAVk. 24, 65. [628]) Theol.
Quartalschr. 1906, 419—20. [629]) SAVk. 24
(1923), 65.

51. Als G o t t e s g a b e, als O p f e r -
g a b e, als A p o t r o p a i o n und
S y m b o l des Hausglückes und der
Familie (der Besuch erhält, um dem Haus
Glück und Segen zu bringen, Hausb; vgl.
anschneiden) [630]) wird das B. im Hause
mit feierlichem Zeremoniell [631]) umgeben.
Es ist der besonderen Hut des Hausherrn
anvertraut; dieser schneidet den Laib an
(s. anschneiden), dieser bricht das B. [632]);
es ist das bevorzugte Opfer für die Haus-
geister [633]).
    [630]) G r o h m a n n 146, 1080—1081; vgl.
L a m m e r t 234; bei den Südslaven B. und
Salz: K r a u ß *Sitte und Brauch* 647; vgl.
A. 348 ff. [631]) J o h n *Erzgebirge* 31; B u x t o r f
Judenschul 186. 191. 236; SAVk. 1906, 114;
Erlanger Heimatblätter 4 (1921), 185 ff. 189 ff.
193(bayr. B.sitten). [632]) K r a u ß *Sitte und
Brauch* 88. [633]) B.opfer an Zenopatis: U s e n e r
Götternamen 105; vgl. § 29; bevor die Esten
vom B. genießen, opfern sie ein Stücklein den
Hausgeistern: B o e c l e r *Ehsten* 129; vgl.
G r i m m *Mythol.* 3, 431, 97.

52. B. u n d T i s c h: Man deckt den
Tisch nicht, ohne zugleich B. aufzulegen,
widrigenfalls soll man einen Zipfel des
Tischtuches überschlagen [634]); man darf
es aber nicht auf den bloßen Tisch legen;

vor allem soll man einen ganzen Laib
nicht unaufgeschnitten (Messer im ange
schnittenen B. schützt gegen Hexen und
Teufel [635]) vom Tisch tragen, sonst gehen
die Leute hungrig davon [636]), e contrario
an Weihnachten [637]) (Erzgeb.): „wer von
der mahlzeit aufsteht, soll das brot, davon
er gegessen, nicht liegen lassen; nimmt es
ein anderer und wirft es über den Galgen,
so kann jener dem Galgen nicht entgehen" [638]); wer den letzten Bissen B.
einem Hund oder einer Katze gibt, dem
schwinden die Kräfte [639]). Wenn man ver-
reist, muß man das B. vom Tisch nehmen
und in den Schrank legen [640]).
    Wenn man das B. über Nacht auf dem
Tisch liegen läßt, weinen die armen Seelen [641]); man steckt ein Messer hinein [642])
und muß es einwickeln [643]), denn es will
schlafen; als Symbol des Hauses und Apotropaion darf es über Nacht nicht ausgehen [644]), sonst gibt es Unglück [645]), vor
allem nicht an Weihnachten [646]). In Pommern holt man, wenn ein B. aufgegessen,
sofort einen ganzen Laib, damit die Engel-
kens B. finden, wenn sie über Nacht ins
Haus kommen [647]).
    [634]) Rockenphilosophie: G r i m m *Myth.* 3,
435, 16; J. H. F i s c h e r l. c. 239; vgl. J o h n
Erzgebirge 30. [635]) S c h ö n w e r t h 1, 405,
10; H e c k s c h e r 128 ff.; P a u l y - W i s -
s o w a 1, 50—51; C h a n t e p i e d e l a S a u s -
s a y e 2, 357; vgl. anschneiden; S t a u b 55;
L i e b r e c h t *Gervasius* 100 A. 2; dagegen
die Ruthenen, welche das B. nur brechen vgl.
Beilage z. allgem. Literaturzeitung 1903 Nr. 202,
p. 462. [636]) Rockenphilosophie: G r i m m *Mythol.* 3, 436, 63; M e i e r 2, 498, 327; J o h n
Erzgebirge 30; W. 457, dagegen G r o h m a n n
104, 729—30; das B. muss immer angeschnitten
in der Lade liegen: R o c h h o l z *Glaube* 2, 118.
[637]) J o h n *Erzgebirge* 154; vgl. G r o h m a n̈ n
104, 729—30. [638]) G r i m m *Myth.* 3, 440,
168; J. H. F i s c h e r l. c. 152; ZfVölkerpsychol. 18, 369; Urquell 1890, 185; J o h n
Erzgebirge 31; oder Zahnschmerzen (paedag. ?)
G r i m m *Myth.* 3, 458, 701 (aus dem Journal); W. 458. [639]) M ü l l e r *Isergebirge* 34;
dagegen S c h ö n w e r t h 1, 408, 20; H i l d e -
g a r d warnt in ihren *Physika* (de cane) B. zu
essen, in das man Hund gebissen hat, weil man
damit sich vergiften kann: M i g n e *Patrologia
lat.* 197, 1328. [640]) S a r t o r i *S. u. B.* 2, 51;
K ö h l e r *Voigtland* 429. [641]) S c h ö n w e r t h
1, 404, 7; W. 458. 769. [642]) S t a u b 55; zur
Erklärung vgl. L i e b r e c h t *Gervasius* 100
A. 2; vgl. dagegen A. 674 ff. [643]) G r o h m a n n
104, 735; B r o n n e r *Sitt' u. Art* 205; B u x-

t o r f *Judenschul* 236; W. 458. [644]) ZfVk.
1891, 189; J o h n *Erzgebirge* 30; K ö h l e r
Voigtland 425; S c h ö n w e r t h 1, 404—405, 7.
[645]) G r o h m a n n 104, 736; *Alemannia* 33
(1905), 300; W. 175; vgl. ZfrwVk. 15 (1918), 88.
[646]) W. 293. [647]) BlpommVk. 3, 150.

53. Wie man B. legen muß: 1. Nicht
auf das Bett, sonst ruht die Arbeit
(päd.) [648]); 2. nicht auf den Rücken [649])
(vgl. Messer) [650]) (früher war das Legen
des B.es auf den Rücken die Strafe für
Edelleute) [651]); zur Sonderbundszeit fiel
einem Schweizer Soldaten das B. auf den
Rücken: „Jetz hed's gfählt", sagte er,
„mir ligged uf em Rügge, bevor 's Obig
isch"; allgemein hat das Liegen des B.es
auf dem Rücken üble Vorbedeutung; man
darf das B. nicht auf die obere (runde)
schwarze Seite legen [652]):

a) sonst kommen die Hexen oder der
Teufel ins Haus [653]), der Tod [654]), der
Scherge [655]) holt es;

b) es weinen die Mutter Gottes [656]) oder
die Engel im Himmel [657]), oder die armen
Seelen [658]) leiden;

c) Unglück kommt ins Haus [659]), ein
Schiff ist in Not [660]), es ertrinkt einer [661]);

d) es gibt Streit im Haus [662]);

e) das B. gedeiht nicht [663]);

f) man muß noch sieben Jahre ledig
bleiben [664]); wenn ein junger Mann das B.
verkehrt auf den Tisch legt, bekommt er
eine „sygelig" Frau [665]). Wenn ein Kind
ins Feuer (Wasser) fällt, muß man zuerst
das auf dem Rücken liegende B. wenden
und dann das Kind retten [666]).

Andererseits wirkt B., verkehrt gelegt,
apotropäisch gegen Hexen und Drude
und deren Einfluß:

a) die Hexe, die ins Haus eingedrungen
ist, wird gebannt [667]);

b) schwärmende Bienen werden zurückgehalten [668]);

c) allgemein kehren entlaufene Tiere
zurück [669]).

3. Das B. darf nicht über den Tisch-
rand ragen, sonst bricht eine Krankheit
aus [670]).

4. Das B. darf nicht mit dem ange-
schnittenen Teil gegen die Türe schauen,
weil sonst das Glück oder die Nahrung
aus dem Hause geht [671]). Es muß gegen
Sonnenaufgang schauen und dem Herr-

gott ins Gesicht [672]). Aber auch diese Lage
wehrt Hexen im Hause ab [673]). Man darf
kein Messer aufs B. legen [674]) und keines
hinein stecken:

a) Sonst sticht man Christus oder die
Engel [675]), es fließt Blut [676]) (vgl. blutendes B.);

b) die armen Seelen weinen [677]);

c) man hat Unglück [678]);

d) man bekommt Zahnweh [679]).

Messer im B. wehrt, besonders auf
offenem Feld [680]), ebenfalls böse Dämonen [681]) ab und hält Bienen zurück [682]).

[648]) ZfVk. 1891, 189 (Brandenburg). [649]) P r a e -
t o r i u s *Phil.* 32; B r o n n e r *Sitt' u.
Art* 206; B a r t s c h 2, 135, 591; *Globus* 42,
104—105; G r a b i n s k i *Sagen* 34; F o x
Saarl.Vk. 308. 399; S c h ö n w e r t h 1, 404,
5; G r i m m *Myth.* 3, 443, 278; D e r s. *RA.* 1,
713; S t a u b 56 ff.; J o h n *Oberlohma* 161;
G r o h m a n n 104, 731; K u h n *Märk.
Sagen* 387, 94; L a n d s t e i n e r *Niederöst.* 69;
L a u b e *Teplitz* 52; M e y e r *Baden* 226;
P a n z e r *Beitrag* 2, 295; S a r t o r i *S.u.B.*
2, 34; S c h m i t t *Hettingen* 17; DG. 5, 214;
S c h m i t z *Eifel* 1, 68; V e r n a l e k e n *Al-
pensagen* 418; ZfVk. 1892, 187; 1914, 56; vgl.
Lares 4, 57; SAVk. 21, 28 ff. [650]) ZrwVk. 1905,
199; B u x t o r f *Judenschul* 193; ZfVölker-
psychol. 18, 274 ff.; W. 460. [651]) G r i m m
RA. 2, 304; S t a u b 57 A. 1. [652]) ZföVk.
1897, 116. [653]) G r i m m *Myth.* 3, 453, 548;
R e i s e r *Allgäu* 2, 447, 229; SAVk. 25
(1925), 283; HessBl. 15, 130 Nr. 29;
ZfdMyth. 1, 243; J o h n *Erzgebirge* 30;
ZrwVk. 1905, 199—200; M ü l l e r *Rhein. Wb.*
1, 1015. [654]) H e y l *Tirol* 783, 114. [655]) Z i n -
g e r l e 36, 287; böse Leute haben darüber
Gewalt: SAVk. 12 (1908), 280. [656]) S c h r a -
m e k *Böhmerwald* 254; J o h n *Westböhmen*
247; F o n t a i n e *Luxemburg* 102; S t a u b
157. [657]) R e i s e r *Allgäu* 2, 447, 229; F o g e l
Pennsylvania 373, 2004. [658]) D r e c h s l e r 1,
310; S c h ö n w e r t h 1, 288, 15; M ü l l e r
RheinWb. 1, 1015; G r a b i n s k i *Sagen* 34.
[659]) A n d r e e *Braunschweig* 402; B a r t s c h
2, 135, 591 (oder die Frau bekommt das Regi-
ment: B a r t s c h 2, 136, 592); ZfEthnol. 15,
91; S c h ö n w e r t h 1, 404; W o l f *Beiträge* 1,
218; J o h n *Erzgebirge* 30; G r o h m a n n 104,
731; S t a u b 157; *Urquell* 1892, 40; E n g e l i e n
und L a h n 271; ZfVk. 1895, 416. [660]) M e n -
s i n g *Schleswig-HolstWb.* 1, 529. [661]) K e h r e i n
Nassau 2, 269, 239. [662]) P o l l i n g e r *Landshut*
164; F o g e l *Pennsylvania* 378, 2030; Rogasener *Familienbl.* 1, 1899, 40; Unoth 1, 186,
124; W. 457; ZfVk. 1891, 189; B a r t s c h 2,
136, 592. [663]) W. 457; ZfdMyth. 4, 413.
[664]) *Alemannia* 1905, 302. [665]) T h i e l e l. c.
41, 182. [666]) M ü l l e r *RheinWb.* 1. 1015;
S c h m i t z *Eifel* 1, 68; ZfVölkerpsychol. 18,

276. [667]) G r i m m *Myth.* 3, 459, 720; B r o n -
n e r *Sitt u. Art* 206; L ü t o l f *Sagen* 226 g;
S c h ö n w e r t h 1, 158, 13; 215, 4; 3, 175;
W. 415; man verliert den Schlickser: K e h r -
r e i n *Nassau* 2, 268 Nr. 228.   [668]) M e i e r
Schwaben 2, 514, 445; F o g e l *Pennsylvania*
217, 1097; S c h ö n w e r t h 1, 355; P o l -
l i n g e r *Landshut* 157; W. 671; E b e r -
h a r d t *Landwirtschaft* 3, 22. [669]) B a r t s c h
2, 334, 1612. [670]) ZfVk. 1891, 189; D r e c h s -
l e r 2, 14. [671]) P r a e t o r i u s *Phil.* 32; A n -
d r e e *Braunschweig* 402; M e n s i n g 1, 529;
MschlesVk. 1906 Heft 15, 113; B a r t s c h 2,
136, 592; D r e c h s l e r 2, 15; J o h n *Erzgebirge* 30; S t r a c k e r j a n 1, 53; 2, 224,
475; Deutsches Volksliedarchiv A. 65892;
Urquell 1890, 47; ZrwVk. 1905, 200; F i n d e r
Vierlande 2, 222; G r i m m *Myth.* 3, 444, 298;
W. 457; S e l i g m a n n 1, 236; ZfVk. 1914,
55; für Weihnachten vgl. J o h n *Erzgebirge*
155. [672]) S c h ö n w e r t h 1, 404, 5. [673]) Ebd.
3, 175. [674]) Vgl. B u x t o r f *Judenschul* 191:
nullum illi vas imponitur. [675]) G r o h m a n n
104, 737 u. 739; W. 457; H e y l *Tirol* 18, 13;
B i r l i n g e r *Volkstüml.* 1, 494; T e m m e
Pommern 340. [676]) H e y l l. c.; ZfVölkerpsychol. 18, 279. [677]) W. 457. 767; S c h ö n -
w e r t h 1, 404, 6. [678]) S c h ö n w e r t h 3,
280. [679]) G r o h m a n n 104, 741; W. 457.
[680]) S c h ö n w e r t h 1, 405, 10. [681]) D e r s.
1, 405; 3, 175; L e o p r e c h t i n g *Lechrain*
18; vgl. A. 463. [682]) F o g e l *Pennsylvania* 217,
1097.

54. Über die heilige Handlung des An-
schneidens s. anschneiden; man schließt
auf Charakter[683]), Schicksal[684]), Fortkommen [685]), Eheaussichten [686]). Am Christtag
darf man kein B. anschneiden usw. [687]).

[683]) G r i m m *Myth.* 3, 437, 99; B r e v i n u s
N o r i c u s 122—26; J. H. F i s c h e r l. c.
200; B e c h s t e i n *Thür.* 2, 185; D r e c h s -
l e r 2, 14; G r o h m a n n 226, 1601; J o h n
Westböhmen 247 f. 251; P o l l i n g e r
Landshut 164; S c h r a m e k *Böhmerwald*
254; S t r a c k e r j a n 1, 37; 2, 224. 475;
W. 317; Alemannia 1905, 304. [684]) Globus 42,
105; D r e c h s l e r l. c.; B r o n n e r *Sitt
u. Art* 205—206; S a r t o r i *Sitte u. Brauch* 2,
33; S t a u b 57 ff.; J o h n *Erzgebirge* 30;
J o h n *Westböhmen* 247; Urquell 1890, 185;
D ä h n h a r d t *Volkstüml.* 1, 97, 5; S c h u l t z
Alltagsleben 148. [685]) S c h r a m e k 254.
[686]) ZfVk. 1913, 280 ff.; K ö h l e r *Voigtland*
395; A n d r e e *Braunschweig* 402. [687]) B r e -
v i n u s N o r i c u s 186.

55. Besondere Vorsicht ist geboten,
wenn man B. ausgibt oder verschenkt [688]),
besonders warmes B. (ist der Gier und
Gewalt der Dämonen ausgesetzt) [689]) darf
man nicht ausgeben, weil sonst jemand
stirbt [690]), man muß es mit Salz gegen

Schabernack schützen [691]); warmes B.
dient aber auch dazu, um angehexte Wunden zu heilen [692]). Kindern gibt man vom
frischgebackenen B. nur dann, wenn sie
vorher ein Vaterunser gebetet haben [693]);
auch „ken Knust ut'n Hus" [694]); ge-
schenktes oder ausgeliehenes B. muß man
einhüllen [695]) oder vorher ein Stück abschneiden [696]); man soll kein angebissenes
Stück B. ausgeben, weil man die Kraft
ausgibt [697]), und keinem Bettler das Endstück [698]).

[688]) S a r t o r i *Sitte u. Brauch* 2, 34; am
Freitag darf man kein B. ausleihen: B r e -
v i n u s N o r i c u s 219 f. [689]) F r i s c h -
b i e r *Hexenspruch* 123; B i r l i n g e r *Volkstüml.* 1, 494. [690]) S t r a c k e r j a n 1, 38; 2,
224, 475; W. 620; B a r t s c h l. c. 2, 135. 588.
[691]) F r i s c h b i e r l. c.; ZfVk. 1905, 145.
[692]) Alemannia 41 (1913), 6 (Hexenprozeß
von 1563). [693]) Z i n g e r l e *Tirol* 9, 77.
[694]) B a r t s c h l. c. 2, 135, 587 a, b u. c;
S a r t o r i l. c.; J o h n *Erzgebirge* l. c.;
M e n s i n g l. c. 1, 529; MschlesVk. 1906 H. 15,
113 (Ränftel). [695]) D r e c h s l e r 2, 16.
[696]) ZfVk. 1891, 189; S c h u l e n b u r g *Wend.
Volkst.* 117; W. 625; J o h n *Erzgebirge* 30;
K ö h l e r *Voigtland* 426; Urquell 1890, 47.
178; man muß den Knust behalten, sonst gibt
man das Glück aus dem Haus: BlpommVk. 3,
106. [697]) P r ä t o r i u s *Phil.* 122; W. 458;
vgl. ZfVk. 1891, 189. [698]) W. 625.

56. Angebotenes B. muß man ganz
aufessen [699]), für geliehenes darf man sich
nicht bedanken [700]); bekommt man Ma-
gendrücken, so ist das B. nicht gegönnt[701]),
ebenso, wenn einem das B. aus der Hand
fällt [702]). Angebissenes B. [703]) darf man
nicht essen und kein gefundenes [704]) (dagegen ist gefundenes B. in Böhmen und
Tirol segenbringend) [705]), in Tirol muß
man ein Kreuz darüber machen [706]);
schimmliges B. (pädagog.) macht nach
der Rockenphilosophie reich und alt [707]),
schafft weiße Zähne [708]), eine gute Stimme [709]), helle Augen [710]), bringt Geld [711])
und Segen ins Haus [712]) und heilt Krankheiten [713]).

[699]) S c h ö n w e r t h l. c. 1, 404, 8; G r i m m
Myth. 3, 458, 701; P a n z e r *Beitr.* 1, 258;
B r e v i n u s N o r i c u s 73. [700]) D r e c h s -
l e r 2, 23, 383; W. 625. [701]) M e i e r *Schwaben*
2, 512, 430; R e i s e r *Allgäu* 2, 447; W i t z -
s c h e l l. c. 2, 285, 102. [702]) C u r t z e *Waldeck* 417, 227; ZfVk. 1902, 178, 122; Z i n g e r l e
Tirol 36, 291; ZfVölkerpsychol. 18, 359.
[703]) G r i m m *Myth.* 3, 439, 146; 449, 448;

W. 458; ZfVk. 1891, 189; ZfVölkerpsychol. 18, 158. [704]) D r e c h s l e r 2, 249; W. 458; B i r l i n g e r *Schwaben* I, 410. [705]) G r o h - m a n n 103, 720; A l p e n b u r g *Tirol* 264; J o h n *Erzgebirge* 31; vgl. W. 454. [706]) Z i n - g e r l e *Tirol* 37, 296. [707]) G r i m m *Myth.* 3, 443, 272; W o l f *Beitr.* I, 218; D r e c h s l e r l. c. 2, 15. 265; H a l t r i c h *Siebenbürgen* 299; L a m m e r t 97; B a r t s c h l. c. 2, 136, 594; 135, 589; P a n z e r *Beitr.* I, 258; W. 454. [708]) M e i e r *Schwaben* 2, 508, 403; B i r l i n g e r *Volkst.* I, 498, 28. [799]) S c h ö n w e r t h l. c. I, 406, 14; B o h n e n b e r g e r Nr. I, 24; B i r l i n g e r *Schwaben* I, 410; Bayernland 29 (1917), 20; Z i n g e r l e l. c. 36, 290. [710]) S e y f a r t h *Sachsen* 269; K ö h l e r *Voigt-land* 433; J o h n *Westböhmen* 248. [711]) A n d r e e *Braunschweig* 402; M ü l l e r *RheinWb.* I, 1015. [712]) B a r t s c h l. c. 2, 135, 589. [713]) G r o h - m a n n l. c. 104, 738; W. 175.

57. Teile des B.es: Das letzte von den Naturprodukten, die letzte Garbe, hat die größte Kraft, so auch in Braunschweig der letzte Bissen B. [714]); in Mecklenburg und Schleswig-Holstein spielen die beiden Knuste eine besondere Rolle [715]); in West-falen und Schleswig heißt das obere Knüstchen beim Anschneiden der Lach-knust, das andere der griene Knust [716]); ein Stück aus der Mitte des Leibes ge-schnitten, heißt in Böhmen Witfrau oder Witmann; wer davon ißt, bekommt eine Witfrau oder einen Witmann [717]); wer den Anschnitt ißt, wird geizig [718]); für die Mädchen knüpft sich an das Knauzessen allerlei erotischer Aberglauben [719]), sie be-kommen starke Brüste, sie gebären nur Knaben, wenn sie heiraten (vgl. an-schneiden und Birnb.).

[714]) ZfVk. 1891, 189; W. 458; S a r t o r i *Sitte u. Brauch* 2, 34; J o h n *Erzgebirge* 30. [715]) ZfVk. 1913, 281; 1914, 55—56; M e n - s i n g l. c. I, 529. [716]) G r i m m *Myth.* 3, 471, 984; M e n s i n g l. c. [717]) J o h n *West-böhmen* 251. [718]) P a n z e r *Beitr.* I, 267; W. 457. [719]) H ö f l e r *Weihnachten* 28—29; wenn die Mädchen die Knauzen essen, bleibt ihnen der Schatz treu: B i r l i n g e r *Schwa-ben* I, 415; K ü h n a u *Sagen* I, 584; K n o o p *Hinterpommern* 158; M e n s i n g l. c. 529; R o c h h o l z *Sagen* 2, 319, 495 (B.rinde); G r a b i n s k i *Sagen* 47; vgl. das Anschneiden des Bodenscherzes an Sebastian: H ö f l e r *Fastnacht* 11.

58. Interessanter Aberglaube knüpft sich auch sonst an das B.[720]); so legt man das Träumen von B. als Glück oder Un-glück aus[721]). Im Traumbuch des Johann Lewenklaw sind die Träume über Nahrung zusammengestellt; über B. sagt er: Wann einem traumet, wie er gar brühheiß B. esse, so wird er Reichtum mit Angst er-langen wegen des Feuers, nach dem das B. sehr heiß gewesen; isset er kalt B. mit Käse, so wird er Reichtum und Wohl-fahrt haben usw. [722]). Wem die Zähne weit auseinander stehen, der muß sein B. in der Ferne suchen [723]). Wenn ein Armer seine Schuld bezahlen will, muß er so viel Vaterunser beten, als Grashalme das ihm gegebene B.stücklein bedecken; weil sie das nicht können, sagen sie „Gott lohn's" [724]). Auf eine W a l l f a h r t nimmt man B. mit; aber man darf nichts davon zurückbringen, sonst schleppt man eine Krankheit ins Haus [725]). Geht man irgend wohin zum Zwirnen des Garnes, muß man den Korb, worin die Spulen sind, zudecken und ein Stück B. hinein-legen [726]) (apotrop. Schutz?). In Schwe-disch-Finnland [727]) darf man nicht das Mehl vom B. blasen, sonst gehört es dem Troll. Wenn man beim B.essen von jun-gen Vögeln spricht, gehen diese ein [728]). Den Kehricht darf man nicht über die Türschwelle kehren, sonst kehrt man das B. hinaus [729]). Aberglaube knüpft sich auch an das B.m e s s e r: Liegt es auf dem Rücken [730]), so geht die Nahrung fort oder die armen Seelen leiden [731]); schneidet man Bäume mit dem B.messer, so werden sie brandicht [732]); ein B.messer verwendet man auch bei der Beschwörung, sobald ein Pferd das Hufeisen verloren hat [733]): item ain pfärd, das ein isen ver-liert, so nim ain brotmesser und umb-schnit im den huf an den wenden von ainer fersen zue der ander . . . In Mecklen-burg darf die Schwangere und die Wöch-nerin nicht vor dem B.schrank stehen, sonst wird das Kind heißhungrig [734]). Der Zürcher Spruch: „Wer Käse ohne B. ißt, bekommt Läuse" ist bei Staub [735]) erklärt; nach schleswig-holsteinischem Aberglauben muß man Eier mit B. essen, sonst bekommt man kaltes Fieber [736]). Wenn man B. ißt, woran die Mäuse ge-nagt haben, bekommt man gute Zähne[737]).

[720]) ZfVk. 1914, 56; J o h n *Erzgeb.* 224; D r e c h s l e r 2, 235. [721]) C a m i n a d a *Fried-*

höfe 112; Urquell 1 (1890), 203, **4**; D r e c h s -
l e r 2, 203. [722]) *Traumbuch Apomasaris* von
J o h. L e w e n k l a w (Frankfurt 1655) im
Anhang zur *Oeconomia ruralis* v. J. C o l e r
p. 50; bei den Juden der Bukowina bedeutet
Träumen von B. Glück: Globus 80, 159; vgl.
das *Traumbuch Artemidori* (Straßb. 1624) 184,
66. [723]) M e n s i n g l. c. 1, 729; M e i c h e *Sagenb. d. sächs. Schweiz* 127 Nr. 77. [724]) G r i m m
Myth. 3, 472, 994. [725]) D r e c h s l e r 2, 235.
[726]) C a m i n a d a *Friedhöfe* 112. [727]) Hembygden 6, 84. [725]) D r e c h s l e r l. c. 2, 16.
[729]) M e n s i n g l. c. 1, 530. [730]) ZfVk. 1914, 57,
50. [731]) G r a b i n s k i *Sagen* 34. [732]) D r e c h s -
l e r 2, 81 aus dem schlesischen Wirtschafts-
buch (1712), p. 212. [733]) G r i m m *Myth.* 3,
502, 36. [734]) B a r t s c h 2, 41, 47 a; 43, 64.
[735]) *B.* 8. [736]) M e n s i n g l. c. 1, 529.
[737]) G r a b i n s k i *Sagen* 46. Zu diesem Sym-
pathieaberglauben vgl. S é b i l l o t 3, 51.

Eckstein.

Bruch [1]). „Leibschäden" kommen namentlich bei der ländlichen Bevölkerung
sehr häufig vor.

Zunächst suchte man prophylaktische
Mittel dagegen. In Süddeutschland heißt
es allgemein: Eier, am Gründonnerstag
gelegt, noch mehr aber Karfreitagseier,
schützen vor Leibesschaden und B. [2]).

B.e heilt man mittels Durchziehen
(s. d.), Verbohren (s. d.), Verknüpfen (s.
d.), Wegschwemmen (s. d.), Verpflanzen
(s. d.) in sog. B.stöcke. Seltener ist, daß
man b.leidenden Kindern den Leib mit
Glockenschmieröl der Kirchen einreibt [3])
oder besondere Segen (s. d.) anwendet.

[1]) H ö f l e r *Krankheitsnamen* 75; H o v o r -
k a - K r o n f e l d 2, 478; H o o p s *Reall.* 1,
331. [2]) W u t t k e § 85. 87; H o v o r k a -
K r o n f e l d 2, 479. [3]) W u t t k e § 193.

Stemplinger.

Bruchkraut s. F e t t h e n n e.

Brücke.

1. Primitivem Glauben gemäß hat
jeder Fluß seine Gottheit. Wird durch
eine B. oder einen Steg die natürliche
Grenze, welche der Fluß bildet, aufgehoben, so muß die Flußgottheit durch
einmalige oder regelmäßig wiederkehrende Opfer besänftigt werden. Dadurch
wird die B. unter ihren Schutz gestellt
und wird ihrerseits heilig [1]). Spuren dieser
Anschauung finden sich noch in der altrömischen Religion; denn der „Pontifex"
(zusammengesetzt aus pontem und facere) scheint ursprünglich nicht nur B.n-

„Baumeister" gewesen zu sein, sondern
als Priester auch gleichzeitig die Aufgabe
gehabt zu haben, den Gott des überbrück-
ten Flusses durch besondern Kult zu verehren resp. zu besänftigen [2]).

Es ist nicht erstaunlich, wenn sich auch
im deutschen Volksglauben noch Überreste dieser Anschauungen finden. Wie
manche Rechts- und Zauberhandlungen
(über letztere s. unten 3) an resp. auf der
G r e n z e (s. d.) zu geschehen haben,
kommt es auch vor, daß sie bei oder auf
der B. erfolgen müssen. In Niederdeutschland hatte sich bis ins 18. Jh. die alte Sitte
verbreitet, feierliche Feste, Mahlzeit und
Trinkgelag, auf der B. zu halten [3]). An
Stelle alter F l u ß g ö t t e r wurden
Standbilder Heiliger [4]) (s. Nepomuk) in
Mitten der B.n errichtet, und die letzten
Nachfahren dieser Flußdämonen stellen
vielleicht manche der Geister dar, die
sich um und unter der B. aufhalten
(s. u. 2). Daß beim Bau von B.n O p f e r
dargebracht werden mußten, davon weiß
auch die Sage zu berichten [5]). Das weitverbreitete kindliche B.nspiel scheint
eine Reminiszenz an diese B.nbauopfer zu
sein [6]). Die Schwierigkeit der Errichtung
mancher B.n führte dazu, sie nur als Werk
des Teufels erklären zu können (s. Teufelsb.).

[1]) H a s t i n g s 2, 848 ff. [2]) Ebd. 855;
W i s s o w a *Religion* 503 [2]. [3]) G r i m m *Myth.*
2, 419; Liebrecht *Zur Volksk.* 435 f.
[4]) Vgl. z. B. Meiche *Sagen* 433 Nr. 572.
[5]) G r i m m *Myth.* 1, 37; ZfEthnol. 1898, 10;
K r a u ß *Relig. Brauch* 161 ff. [6]) H a s t i n g s
2, 852; B ö h m e *Kinderlied* 522 ff. Nr. 289 ff.

2. B.n sind gefürchtete G e i s t e r -
o r t e. Zunächst sind es W a s s e r -
g e i s t e r oder ihnen ähnliche Gespenster, die dort ihr Wesen treiben und die
voraussichtlich Abkömmlinge der alten
Fluß- und B.ngötter sind; über sie s. bei
Wassermann. Daneben finden sich auf,
unter und bei den B.n andere Geister,
für welche die B.n bzw. Flüsse (und Gewässer überhaupt) die Grenzen ihres Re-
viers (s. Geisterort, -revier) darstellen.
Sie halten sich gerne dort auf, weil sie
dann die über die B. kommenden Menschen durch ihr ganzes Revier begleiten,
sie entweder möglichst lange plagen oder

ihnen Anlaß zur Erlösung geben können. Aus diesen Gründen wollen Geister oft unter eine B. (ohne Joch) gebannt werden [7].

Zahlreiche Sagen wissen von solchen Geisterb.n zu erzählen, wo man nachts nicht weiter kommt, irregeführt, mißhandelt, gedrückt usw. wird [8]. Die Geister zeigen sich oft als Lichter [9] oder sie erscheinen als Kopflose [10]; die auf Erlösung (s. d.) hoffenden niesen (s. d.) [11] oder geben ihre Sehnsucht auf andere Weise kund [12] (Traum vom Schatz auf der B.) [13]. Vielfach hat der Geist die Gestalt eines Hundes (B.nhund) [14] oder einer Katze (B.nkatze) [15] oder anderer Tiere [16]. Auch bekannte Geistergestalten machen B.n und ihre Nähe unsicher, so der Schimmelreiter [17], die Feuermänner [18], die weiße Frau [19], das Graumännchen [20], der Wechselbalg [21]. Manche Geister führen den Namen des Baches oder Flusses, so z. B. das Hirschbach-, das Kübeles- und Tonesbüchelweible im Allgäu [22]; mancherorts kommen eigentliche „B.nmännchen" und -„fräuli" vor [23]. Wenn der wilde Jäger über die B. zieht, steht auf der B. ein Mann, der die Leute warnt, über die B. zu gehen [24]. Wohl zum Schutz vor allen dieser Geistern und zu ihrer Seelen Heil soll, wer über eine B. geht, ein Vaterunser beten (anno 1787) [25].

[7] Meiche Sagen 146 Nr. 194; Schönwerth Oberpfalz 3, 116 Nr. 2. [8] John Erzgebirge 131; Birlinger Aus Schwaben 1, 207 Nr. 13; Kohlrusch Sagen 135 f. Nr. 5; Wolf Beiträge 2, 302; Baader NSagen (1859), 16; SAVk. 25, 133; Reiser Allgäu 1, 121 f.; Heyl Tirol 594 Nr. 54; Waibel und Flamm 1, 302 f.; 2, 126 f.; Meier Schwaben 1, 85 Nr. 94; 1, 277 Nr. 312; Müllenhoff Sagen 246 Nr. 337; Lachmann Überlingen 65; Kuoni St. Galler Sagen 25; Leoprechting Lechrain 117 f.; Schell Berg. Sagen 523 Nr. 59. [9] SAVk. 21 (1917), 175; Witzschel Thüringen 1, 123 f. [10] Reiser Allgäu 1, 308 Nr. 396; Heyl Tirol 321 Nr. 138; 223 Nr. 34; Witzschel Thüringen 1, 199 Nr. 194; Köhler Voigtland 523 Nr. 119; Kühnau Sagen 1, 332 Nr. 320; 1, 338 f. Nr. 328. [11] SAVk. 25, 233 f.; Jecklin Volkst. (1916), 367; Stöber Elsaß 1, 58 Nr. 78; Ranke Volkssagen 48. [12] Knoop Hinterpommern 135 Nr. 275. [13] Jegerlehner Sagen 2, 272 Nr. 30 und 328, Anm. dazu (mit Lit.); Knoop Schatzsagen 5 Nr. 3. [14] Waibel u. Flamm 2,

264 (Dorftier); Jegerlehner Sagen 2, 211; Reiser Allgäu 1, 283 Nr. 348; Panzer Beitrag 1, 147 f. Nr. 165; Strackerjan 2, 314. 323; Schambach u. Müller 195 Nr. 212, 1; Kuhn Westfalen 1, 355 Nr. 393; Grohmann Sagen 234 f.; Kühnau Sagen 1, 324 f. Nr. 303; 1, 326 Nr. 306; 1, 329 Nr. 312; 1, 331 Nr. 318. [15] Reiser Allgäu 1, 276 f. Nr. 334. [16] Ebd. 1, 294 Nr. 370 (weißes Roß); Kühnau Sagen 1, 326 f. Nr. 308 (Ziegenbock). [17] Graber Kärnten 88. [18] Pollinger Landshut 133 i. [19] Kuhn Westfalen 1, 339 Nr. 375. [20] Eisel Voigtland 44 Nr. 97; Schulenburg Volkstum 82. [21] Schell Berg. Sagen 351 f. Nr. 54; 459 Nr. 65; Bräuner Curiositäten 9. [22] Reiser 1, 122; 1, 123 f. Nr. 123; 1, 121 Nr. 119. [23] Meiche Sagen 938 Nr. 1147; Verhandl. d. histor. Vereins v. Oberpfalz und Regensburg 68 (1918), 173 ff.; Kuoni St. Galler Sagen 254 f. [24] Kühnau Sagen 2, 477 f. Nr. 1087. [25] Grimm Myth. 3, 454 Nr. 595.

3. B.n sind weiter berüchtigte Hexenorte; vor allem betreiben die Hexen dort ihr zauberhaftes Buttern [26]. Eine Hexe, die ihrer Tochter das Hexen nicht lehren wollte, wurde deshalb jeden Mittag zwischen 11 und 12 Uhr vom Teufel unter einer B. mit Drahtruten gepeitscht [27]. Hexen können sich erlösen, wenn sie unter einer B. stehen, sobald ein Täufling über sie getragen wird. Aus dem Kinde wird aber nach 14 Jahren entweder eine Hexe oder ein Hexenmeister [28]. — Auf und unter B.n, vor allem solchen, über die Hochzeits- und Leichenzüge gehen, wird allerlei Zauber getrieben. Wer am Sonnwendabend den Mut und das erforderliche Glück hat, nachts zwischen 11 und 12 Uhr unter einer solchen B. neun kleine Kegel und eine Kugel aus einem Holze auszuschneiden, der muß beim Kegelschieben gewinnen; er braucht dann nur in der einen Hand so viel von jenen Kegeln zu halten als er mit der andern umwerfen will (Kärnten) [29]. Karfreitagswasser muß man im Isergebirge unterhalb einer B., über die im Laufe des Jahres eine Leiche getragen wurde, schöpfen [30]; der Weg zum Holen des Osterwassers (s. d.) muß im Erzgebirge über eine B. führen, über welche die letzte Leiche getragen wurde [31]. Wasser, unter einer B. geschöpft, über die ein Brautpaar und ein Leichenzug geschritten wa-

ren, heilt vom „Vermanten" [32]). Das Mädchen, das sich in Steiermark an Weihnacht, beim Kirchgang, unter einer B., worüber man die Leichen in den Kirchhof trägt, wäscht und, ohne sich abzutrocknen, zur Kirche geht, wird dort von ihrem Zukünftigen abgetrocknet [33]). Um sich von Warzen zu befreien, stellt man sich unter eine B., über die ein Leichenzug geht, und streicht die Warzen kreuzweise mit einem Läppchen, das man dann hinter sich wirft mit den Worten: „Nimm sie mit usw." (Sachsen) [34]), oder man geht, wenn die Totenglocke läutet, mit einem Bekannten über eine B., und dieser muß auf die Warzen spucken (Böhmen) [35]). Besonders reich ist hierher gehöriger Aberglaube in Böhmen: Jemand, der das Fieber hat, darf nicht über eine B. gehen, ohne dreimal ins Wasser zu spucken, sonst kann er nie vom Fieber geheilt werden [36]). Wenn eine Wöchnerin zum ersten Male ausgeht, und sie muß über eine B., so soll sie, sobald sie die B. betritt, einige Geldstücke in das Wasser werfen, damit der Wassermann ihr Kind nicht ins Wasser ziehe [37]). Kommt ein Kind tot auf die Welt, so schneidet sein Vater einem neugeborenen Kalbe den Kopf ab, stellt sich mit diesem auf eine B., wirft den Kalbkopf über den seinen weg ins Wasser und eilt dann, ohne sich umzusehen, nach Hause. Das totgeborene Kind wird dann lebendig [38]). Eine Erblindete erhielt von einer Kärntner Zauberin einen Lederring um den bloßen Leib, ihr Vater drei Nähte. „Wenn sie über eine B. kämen, über die man Tote führte, sollten sie jedesmal eine Naht hinterrücks in den Bach werfen. Das taten sie getreulich, und die Tochter wurde wieder sehend" [39]). Nach einer siebenbürgischen Sage wurde ein Mann, der mit einer andern Frau davongelaufen war, durch eine Hexe wieder zu seinem Weibe zurückgezwungen; doch bald verließ er sie wieder; um aber zu verhüten, daß er nicht ein zweitesmal zurückgezaubert werden könnte, soll er bei jeder B. einen Kreuzer gelassen haben [40]). Bei der Erlösung eines Geistes darf man erst, wenn man über die dritte B. gegangen ist, in den

Sack schauen, sich umsehen, am Blumenstrauß riechen usw. [41]). Fährt in der Kaschubei der Taufzug über eine B., so darf das Kind nicht schlafen, sonst wird es ein Bettnässer [42]). Ein Segen für Stillen des Blutes aus Swinemünde lautet:

Ich ging über eine B., worunter drei Ströme liefen, der erste hieß Gut usw.   [liefen,

[26]) K ü h n a u *Sagen* 3, 41 f. Nr. 1398; 3, 54 Nr. 1413; P e t e r *Oesterr.-Schlesien* 2, 72 f. [27]) E c k a r t *Südhannover. Sagen* 126. [28]) K u o n i *St. Galler Sagen* 120 Nr. 243. [29]) ZfdMyth. 4, 412 Nr. 12. [30]) M ü l l e r *Isergebirge* 26. [31]) J o h n *Erzgebirge* 194. [32]) G r a b e r *Kärnten* 203 Nr. 271; vgl. ZfVk. 11 (1901), 328 (gegen bösen Blick, nordisch); FL. 8, 92. [33]) ZfdMyth. 2, 29. [34]) S e y f a r t h *Sachsen* 214. [35]) G r o h m a n n 171 Nr. 1211. [36]) Ebd. 164 Nr. 1152. [37]) Ebd. 115 Nr. 858; vgl. M e y e r *Baden* 11 f. [38]) G r o h m a n n 106 Nr. 755; D e r s. *Sagen* 1, 135. [39]) G r a b e r *Kärnten* 215 Nr. 292. [40]) M ü l l e r *Siebenbürgen* 144 Nr. 207. [41]) P r ö h l e *Unterharz* 107 f. Nr. 262. 269. [42]) S e e f r i e d - G u l g o w s k i 122. [43]) K u h n u. S c h w a r t z 438 Nr. 315.

4. **M y t h o l o g i s c h e s.** Ein Bestandteil alter und weltverbreiteter Jenseitsvorstellungen sind der Fluß, der vor dem Eingang zur Unterwelt (Hölle) (s. d.) dahinfließt, und die B., über die die Toten zu gehen haben [44]). Diese Anschauung findet sich auch im alten Norden [45]); sie kam, wie neuerdings angenommen wird, dorthin aus dem hellenistisch-römischen Kulturkreise [46]). Eine letzte Spur von dieser „Seelenb." wird in den Zwergensagen gesehen, in denen der Übergang über einen Fluß beim Auszug der Zwerge sich sehr häufig findet [47]). Milchstraße (s. d.) und Regenbogen (s. d.) erscheinen in der Lieder-Edda und der Snorri-Edda als „schwankende Zitterstraße", als Himmelsb., über die die Seelen der Gefallenen nach Walhall ziehen [48]). Ob zwischen der goldenen B. des Kinderlieds [49]) und der gläsernen [50]), wie sie auch in Märchen sich finden, und diesen alten mythischen Vorstellungen irgendwelche Beziehungen bestehen, bleibe dahingestellt; solche Zusammenhänge wurden von Forschern romantischer Richtung auch in den ledernen B. gesehen, von denen Sage und alte Überlieferungen berichten [51]).

In Prophezeiungen von der Zukunftsschlacht und vom Weltende kommen B.n ebenfalls vor. Wenn die B. zu Köln fertig sein wird, wird gleich Kriegervolk darüber ziehen, verkündete der Jannes-Pitter (Johann Peter Knopp), und Spielbernd (Johann Bernhard Rembold) (beides Rheinländer): Zu Mondorf an der Siegmündung wird man die B. bauen über den Rhein; geschieht es oberhalb der Sieg, dann können die Leute glücklich sein; geschieht es aber unterhalb, dann wehe dem bergischen Lande! Dann gehe man auf die linke Rheinseite, weil es auf der rechten nicht taugt, und nehme ein Brot mit; hat man es aber aufgegessen, so ist es Zeit, schnell zurückzugehen, weil es auf der linken Seite nicht taugt [52]).

[44]) H a s t i n g s 2, 852 ff. [45]) G r i m m *Myth.* 2, 692 ff.; N e c k e l *Walhall* 51 ff. [46]) S c h r ö d e r *Germanentum* 34 ff. [47]) G r i m m *Myth.* 2, 696 f.; K u h n *Myth. Stud.* 2, 70 ff.; M a n n h a r d t *Germ. Mythen* 363. [48]) S c h r ö d e r a. a. O. 33; G r i m m *Myth.* 1, 295 f.; 2, 610 ff.; M e y e r *Germ. Myth.* 190 f.; L i e b r e c h t *Gervasius* 90 ff. [49]) B ö h m e *Kinderlied* 523 f. Nr. 290 ff.; M e y e r *Germ. Myth.* 134; *ZfdMyth.* 2, 190 f.; S e p p *Altbayr. Sagenschatz* 640 ff. Nr. 175. [50]) M e y e r *Germ. Myth.* 135; M a n n h a r d t *Germ. Mythen* 330 f. [51]) R o c h h o l z *Sagen* 2, 216 f. Nr. 428; L a i s t n e r *Nebelsagen* 102. 178. 250 f.; B i r l i n g e r *Volksth.* 1, 175 Nr. 272; 1, 237 f. Nr. 365; L ü t o l f *Sagen* 257 f.; P a n z e r *Beitrag* 1, 354. [52]) Z a u n e r t *Rheinland* 2, 248 f.; S c h e l l *Berg. Sagen* 489 Nr. 51.

5. Über die Lügenb. s. **l ü g e n.**

Bächtold-Stäubli.

Bruder ist bei allen Völkern die Bezeichnung für die engste kollaterale Verwandtschaftsbeziehung, mag diese durch Gemeinsamkeit der Totems [1]) oder Gemeinsamkeit des Blutes hergestellt sein. Hiebei gelten als „Brüder" bisweilen nur Söhne derselben Mutter [2]), bisweilen nur Söhne desselben Vaters [3]). Im griechischen wurde offenbar das alte φρήτηρ, welches die Verwandtschaft durch den Vater bezeichnete, durch den Ausdruck ἀδελφός, d. i. die demselben Mutterschoß Entsproßenen verdrängt, vielleicht als die vaterrechtlich organisierten einwandernden Stämme sich mit mutterrechtlichen Ureinwohnern berührten [4]).

B. nennen sich oft aber auch alle derselben Altersklasse [5]) angehörigen Mit-

glieder einer Gruppe, im übertragenen Sinne alle jene, welche im Sinne der Gleichberechtigung und Gleichstellung (s. Vater) einander besonders enge verbunden sind (s. Blutsbrüderschaft, Wahlbrüderschaft), sei diese Verbindung durch persönliche Gesellung oder durch Gleichheit des Berufes [6]) oder Amtes [7]) zustande gekommen. So nennen sich die Priester untereinander B. (4. Mos. 8, 26). Frater, d. i. B., heißt der dienende Bruder in den katholischen Orden. In weiterer Abschwächung verwendet dieses Wort der Volksmund, wie in der Geschichte vom „Bruder Lustig" [8]), den „Brüdern Wohlgemut" [9]) im Schwertsegen oder in der Wendung „B. Petrus", die dem Paulus beigelegt wird [10]).

[1]) S p e n c e r and G i l l e n *The Native Tribes of Central Australia* 57. [2]) H a r t l a n d *Primitive Paternity* 1, 263 ff. [3]) W i l u t z k y *Recht* 2, 172 ff. [4]) P. K r e t s c h m e r *Glotta* 2, 201 ff.; S c h r a d e r *Reallex.* 1, 169. [5]) S c h u r t z *Altersklassen*, passim; G u t m a n n *Recht der Dschagga* 321 ff. [6]) J e r e m i a s *Das Alte Testament im Lichte des Alten Orients* 361. [7]) Ebd. 200. [8]) G r i m m *KHM.* Nr. 81 [9]) *SAVk.* 21 (1917), 235. [10]) G r i m m *KHM.* 5, 148.

Brüdertum bedeutete einst die engste Schicksalsgemeinschaft [11]) (die Goldkinder, das Heldenpaar Baltram und Sintram), Haus- und Vermögensgemeinschaft [12]), wie sie heute noch bei den Südslaven vorherrscht [13]). Um innerhalb derselben noch eine hierarchische Schichtung zu ermöglichen, wird meist schon bei primitiven Völkern dem älteren B. [14]) eine Vorrangstellung eingeräumt. „Auf das Wort Deines älteren B.s wie auf das Wort eines Greises mögest Du Dein Ohr richten" [15]), heißt es. Andererseits spiegelt das deutsche Märchen vielfach eine Bevorzugung des Jüngsten (s. d. und Erbe).

Das Brüdermotiv spielte einst im Mythos [16]) ebenso wie im Kultus [17]) eine große Rolle zur Bezeichnung der inneren Verbundenheit scheinbar gegensätzlicher Gestaltungen; so sind Zeus, Poseidon und Hades, die Götter des lichten Himmels, der Meeres-Feuchte und des dunklen Erdinnern Brüder (s. Zwillinge). Deshalb sind Brüder zur Ausübung mancher magischen

Prozeduren , wie z. B. zur Entzündung von Notfeuern [18]) und zum „Durchziehen" [19]), besonders berufen, Vorstellungen, welche vielleicht Übertragung von der Idee der Himmelsmacht von Zwillingen auf nacheinander geborene Brüder bilden [20]).

[11]) G r i m m *KHM.* 5, 144; L ü t t i c h *Zahlen* 16; L o s c h *Balder* 15. [12]) S c h r a d e r *Reallex.* 1, 247 ff. [13]) K r a u ß *Sitte und Brauch* 64 ff.; W i l u t z k y *Recht* 2, 102 ff. [14]) S p e n c e r and G i l l e n *The Northern Tribes of Central Australia* 79; G u t m a n n *Recht der Dschagga* 320. [15]) A. J e r e m i a s a. a. O. 584. [16]) P. W. S c h m i d t 1, 310 ff. 377 ff. [17]) D i e t e r i c h *Mithrasliturgie* 149. [18]) G r i m m *Myth.* 3, 174; B a r t s c h *Mecklenburg* 2, 150 f. [19]) G r i m m *Myth.* 2, 976. [20]) G o l t h e r *Myth.* 214 ff.

Eben deshalb bedeutet es höchste Tragik [21]), Zusammenbruch aller sozialen Ordnung, eines der Zeichen der Götterdämmerung [22]), wenn die allgemeine Entsittlichung soweit geht, daß Brüder einander ermorden, ebenso wie Brüdermord Kennzeichen der Endzeit [23]), des Jüngsten Tages [24]) ist.

Andererseits ist das Motiv der feindlichen [25]), kämpfenden, sich gegenseitig vernichtenden Brüder in fast allen Religionen und Sagenkreisen anzutreffen. Sicherlich bietet sehr häufig historisches Geschehen die Unterlage der mannigfachen [26]) B.morderzählungen, in Germanien [27]) sowohl als im Orient. Die ägyptische Mythologie ist beherrscht von der Idee des B.mordes des Seth an Osiris. Nach dem Alten Testament ist der erste Mord ein B.mord, bekämpfen sich die Brüder (Zwillinge) Jakob und Esau schon im Mutterleibe; Josef wird von seinen Brüdern verkauft; dem Jotham stellen seine Brüder nach dem Leben. In der griechischen Sage begegnen u. a. die feindlichen Brüder Herakles und Iphikles, Eteokles und Polyneikes, Atreus und Thyest; in Rom Romulus und Remus, in Germanien Fafnir und Regin usw.[28]). Der B.mord Hödurs an Baldur wird von dem dritten B. Wali sogleich gerächt; er ist Angelpunkt der kosmischen Geschehnisse.

Im allgemeinen scheint gegen einen B. Blutrache nicht geübt worden zu sein,

mag er auch den Vater oder den Gatten getötet haben [29]); doch kann dies, wo es sich um eine Verletzung der Rechte der Schwester durch ihren B. handelt, auch so zu erklären sein, daß der B., insbesondere nach dem Tode des Vaters, aber auch schon vorher, der natürliche Beschützer seiner Schwester war [30]), dessen Schutz ihr auch in das Haus des Gatten folgte [31]). Nach germanischem Rechte stand B.mord nicht unter strengerer Strafsanktion wie anderer Mord [32]); erst die Kirche setzte besonders harte Buße darauf [33]). So wurde dem Herrn von Burgwall als Buße auferlegt, die Kirche zu Hatten zu bauen [34]).

Ursache der Feindschaft ist meist Herrschsucht, Habsucht [35]) oder Eifersucht [36]), sei es auf Braut [37]), Gattin [38]) oder die gemeinsame Schwester [39]), ein Motiv, das nach orientalischer Überlieferung auch bei Abels Ermordung mitgespielt haben soll [40]). Als Gipfelpunkt der Tragik empfindet das Volk den unfreiwilligen, gegenseitigen B.mord [41]), besonders wenn die Brüder im Krieg auf verschiedenen Seiten gedient hatten.

Der B.mörder geht als feuriger Mann [42]) oder auch als Irrlicht [43]) um.

[21]) W u n d t *Mythus und Religion* 2, 277. [22]) S i m r o c k *Mythologie* 115. 221. [23]) Marc. 13, 12. [24]) M e y e r *Religgesch.* 17. [25]) S é b i l l o t *Folk-Lore* 4, 454. [26]) M e y e r *Religgesch.* 106; SAVk. 25, 51; R o c h h o l z 2, 74; H e r z o g *Schweizersag.* 2, 24. [27]) S t r a k k e r j a n 2, 219 Nr. 462. [28]) B u g g e *Heldensagen* 310. [29]) S i m r o c k *Mythologie* 135. [30]) S c h r a d e r *Reallex.* 1 ², 169. [31]) O. H o f f m a n n *Die Verwandtschaft mit der Sippe der Frau* (Breslauer Festschrift) 1911, 179; G u t m a n n *Recht der Dschagga* 10, 164 ff. [32]) W i l d a *Strafrecht* 714 ff. [33]) F r i e d b e r g 10. [34]) S t r a c k e r j a n 2, 297. [35]) B i r l i n g e r *Volkst.* 1, 257. [36]) K u h n *Westfalen* 1, 245 Nr. 279. [37]) B i r l i n g e r *Volksth.* 1, 257. [38]) G r i m m *KHM.* 5, 103. [39]) S c h e l l *Berg. Sagen* 560 Nr. 41. [40]) J e r e m i a s a. a. O. 106 f. [41]) S t ö b e r *Elsaß* 1, 103 Nr. 141; S t r a c k e r j a n 2, 288. [42]) K u o n i 107. [43]) Ebd. 77.   M. Beth.

Bruderschaft. Die Organisation primitiver Gesellschaften wird nicht nur durch den Blutverband bestimmt, sei er agnatisch [1]), agnatisch territorial [2]), rechne er nach der Mutter [3]), oder werde er religiös mystisch bedingt [4]). Eine gleich enge Verbindung, die B., kann auch zwischen Unverwandten zufällig entstehen oder bewußt herbeigeführt werden [5]). Durch Zufall entsteht B. z. B. durch gemeinsame Pilgerschaft nach dem Kloster des hl. Johannes von Rila oder nach dem Grabe Christi, durch ein gemeinsames Bad im Jordan, zwischen im gleichen Monat geborenen oder im selben Wasser getauften Kindern, zwischen Sippen, welche den gleichen Schutzheiligen feiern [6]), durch Teilnahme an den gleichen Mysterien [7]), durch Annahme der Bitte einer sich in Not befindlichen Person, die sogenannte „Notbrüderschaft" [8]), durch Milchgemeinschaft und Erziehungsgemeinschaft (Pflegebrüderschaft) [9]), durch einen weisenden Traum [10]). Oft ist der Partner ein überirdisches Wesen [11]); so neigt sich Kara schwesterlich zu Helgi.

Daneben wird B. meist durch mit Absicht und unter bedeutsamen Zeremonien abgeschlossene Einzelbündnisse begründet. Bei den Germanen findet man besonders die drei Formalakte des Gangs unter dem Rasenstreifen, der Vermischung des Blutes und der Ableistung des Eidschwures, unter welchen der Eidschwur eine besonders bedeutsame Rolle spielte [12]). Gemeinsames Genießen eines Trunkes Wein, mit oder ohne Blutzusatz [13]), an Stelle des primitiveren unvermischten Bluttrunks, Intervention eines Geistlichen, kirchliche Einsegnung, Festsetzung bestimmter Tage für die Abschließung der B., was auch auf religiösen Einschlag deutet [14]), und andere Motive [15]) können hinzukommen (s. Wahlbrüderschaft), doch bleibt der Gedanke der künstlichen faktischen, magisch herbeigeführten Blutsgemeinschaft vorherrschend [16]), welcher Unverletzlichkeit zukam [17]), bis ins Kinderspiel [18]). Die rechtliche Tragweite der B. ist oft sehr weitreichend [19]), selbst Gütergemeinschaft herrscht oft zwischen den „Brüdern".

[1]) S c h r a d e r *Indogermanen* 101 f. [2]) Ebd. 38 ff. [3]) K o r n e m a n n *Die Stellung der Frau in der vorgriechischen Mittelmeerkultur* (1927), 23 ff. [4]) L é v y - B r u h l *Das Denken der Naturvölker* (Wien 1921), 70 ff.; F r a z e r 12, 197; V i s s c h e r *Naturvölker* 2, 557.

[5]) K o n d z i e l l a *Volksepos* 154 f. [6]) C i s - z e w s k i *Künstliche Verwandtschaft* 4 ff.; K r a u ß *Sitte und Brauch* 619 ff. [7]) P e r - d e l w i t z *1. Petrusbrief* 80. [8]) C i s z e w s k i 71 f. [9]) ZfVk. 3 (1893), 103 ff. [10]) Urquell 2 (1891), 50. [11]) S t r a u ß *Bulgaren* 53. [12]) ZfVk. 3 (1893), 105 f. [13]) K i r c h e r *Wein* 83 f. [14]) C i s z w e s k i 41 ff.; K r a u ß *Sitte u. Brauch* 630; ZfVk. 20 (1910), 144. [15]) Urquell Nf. 1 (1897), 253 ff.; v. G e n n e p *Rites de passage* 72 Anm. 1. [16]) ZfVk. 3 (1893), 103. [17]) R o c h - h o l z *Sagen* 2, 48. [18]) Urquell 2 (1891), 49. [19]) ZfVk. 3 (1893), 105.

2. Auf einer anderen, wenn auch verwandten Grundlage beruhen die männerbundartigen B.en [20]). Sie gliedern sich bisweilen nach Berufen, wie die B.en der Bergknappen [21]), die B. der Kästräger in Hagenau am See [22]); oder sie dienen Wohltätigkeitsbestrebungen [23]). Diese Gebilde zeigen einen offenbaren Zusammenhang mit den germanischen Gilden [24]).

Eine Zwangsgenossenschaft, nach Stand bzw. Alter gegliedert, ist die B. der konfirmierten unverheirateten Burschen in Siebenbürgen [25]). Die Aufnahmebräuche versinnbildlichen, daß die Aufgenommenen sich unter allen Umständen der strengen Zucht zu fügen haben, s. a. K n a b e n s c h a f t.

Eine Parallele bilden die schweren Mannbarkeitsprüfungen bei den Primitiven, sowie das B.sband, welches alle zur selben Altersklasse gehörigen Männer umschließt, noch enger aber diejenigen, welche zugleich die Riten durchmachten [26]). Eine losere, moderner anmutende Form unter einem selbstgewählten Führer wurde in Afrika entwickelt [27]), die den Übergang zu Wahlbrüderschaftsbildungen zeigt.

[20]) N i d e r b e r g e r *Unterwalden* 3, 457 ff. [21]) J o h n *Erzgebirge* 202. 210. [22]) S a r t o r i 2, 188. [23]) de la C h e n e l i è r e *Les Charités en Normandie* in RTrp. 6, 423. [24]) M e y e r *Baden* 527. [25]) F r o n i u s *Siebenbürgen* 8, 48 ff.; W i t t s t o c k *Siebenbürgen* 81 ff. [26]) G u t m a n n *Recht der Dschagga* (1926), 309 ff.; S c h u r t z *Altersklassen* passim. [27]) F r o b e n i u s *Die atlantische Götterlehre* (Jena 1926), 37 f.   M. Beth.

Brunelle s. K n a b e n k r ä u t e r.

Brünhild. 1. Zu der problematischen Gleichung Br. = Dornröschen s. d. Hier handelt es sich um das Vorkommen des

Namens B. in der Naturnamengebung in Deutschland (und Frankreich) und damit um Zeugnisse für ihre Existenz im Volksglauben. Diese Zeugnisse sind: 1. das Brunhildenbett auf dem Feldberg im Taunus, belegt in einer Urkunde des Erzbischofs Bardo von Mainz vom Jahre 1043: et inde in medium montem veltberc ad eum lapidem qui vulgo dicitur lectulus Brunihilde [1]); 2. ad Brunhildenstein aus der Markbeschreibung des Klosters Bleidenstatt, Zeit des Willegis 975—1011, zurückzuführen bis 812, betrifft einen Fels in der Nähe von Wörsdorf, die jetzige 'Hohe Kanzel' von Engenhahn, welches 10 km nördlich Wiesbaden liegt [2]); 3. die Brunihiltwisi in einer Wormser Urkunde von 1141 [3]) und viell. der Brûnhiltegraben in einer Wormser Urkunde von 1355 [4]); 4. der Brûnoldesstuol bei Bad Dürkheim in einer Amorbacher Urkunde von 1360 [5]); 5. der Pierre Brunehaut im Felde bei Tournai [6]) und 6. vielleicht der Breundelstein bei bayr. Wasserburg [7]). Besonders die Komposition mit -bett, -stein, -stuhl macht eine Beziehung auf die B. der Heldensage wahrscheinlich. Hat das 9.—12. Jh. riesenhafte Felsbetten auf Bergen nach Br. benannt, so ist damit bezeugt, daß das Motiv von B.s Zauberschlaf und Erlösung, die Figur der schlafenden Kampfjungfrau auf der Felsenburg und die Erweckungssage, vor der Abfassung und Kodifizierung der Epen, die das Motiv nicht mehr kennen, in Deutschland, besonders in der Rhein-Maingegend, volkstümlich war [8]). — Wie der Name Brunhille in einen Blutstillsegen neueren Datums aus der Mark Brandenburg geraten ist [9]), ist damit freilich noch nicht erklärt.

[1]) S a u e r *Cod. dipl. Nassoicus* 1, 61 Nr. 117 = B o e h m e r *Regesta archiep. Magunt.* 1, 172; W. G r i m m *Heldensage* ³ 169. [2]) S a u e r 1, 14 Nr. 46; vgl. 1, 15 ff. = G u d e n *Cod. dipl.* 1, 479; S c h l i e p h a k e *Gesch. von Nassau* 1, 471 Nr. 4; 1, 114 ff. 120 ff. 406 ff. [3]) B o o s *Wormser Urkunden* 2, 717. [4]) D e r s. 2, 322, 13. [5]) H e n n i n g ZfdA. 49 (1907), 482; S p r a t e r *Pfälz. Museum* 36, 34—37; S p r a t e r u. B e c k e r *Der B.stuhl bei Bad D.* 1917. [6]) K. H o f m a n n MSB. 1871, 675 f.; S é b i l l o t *Folk-Lore* 4, 329. [7]) S e p p *Sagen* 96. [8]) John M e i e r PBB. 16 (1892), 81;

W. B r a u n e PBB. 23 (1898), 246 ff.; H e n n i n g ZfdA. 49 (1907), 480; früher W. M ü l l e r *Mythologie d. dt. Heldensage* 85. [9]) ZfVk. 1 (1891), 195.

2. Auf die Merowingerkönigin B.e indessen sind vielleicht die bei Sébillot [10]) undatiert notierten Bezeichnungen de Brunehaut zu beziehen, die in Frankreich Römerstraßen, Schlösser, Türme tragen (falls nicht ein Mannsname Brunehaldus zugrunde liegt); auch die Milchstraße heißt in Nordfrankreich und Belgien chaussée de Brunehaut, ndl. ver Broeneldenstraete [11]). Aus dem 14. Jh. belegt ist der Name der Straße de Cameraco usque ad mare Witsantum mit calceria Brunechildis, ausdrücklich auf die Königin bezogen [12]). Vgl. noch Pharaild.

[10]) S é b i l l o t *Folk-Lore* 4, 102. 329. [11]) V e r d a m *Mnd. Woordenb.* 7, 2278; G r i m m *Myth.* 1, 326; 3, 106; M e i ß n e r ZfdA. 56 (1919), 83. [12]) Johannis L o n g i *Chronicon S. Bertini* (MG. SS. XXV 759); G r i m m *Kl. Schriften* 8, 498; M e i ß n e r a. a. O.   H. Naumann.

Brunnen.

1. Abgrenzung des Gebiets. — 2. Heilende und wunderbare Kraft. — 3. Wunderbare Spenden. — 4. Weissagung. — 5. Schädliche Wirkung. — 6. Dämonen und Gottheiten. — 7. Heilige. — 8. Eingang in die Unterwelt und Hölle. — 9. Entstehungssagen. — 10. Kultische Bräuche und Verehrung.

1. A b g r e n z u n g   d e s   G e b i e t s. „B." bedeutet im Deutschen sowohl die Quelle [1]) als die künstlich gefaßte oder mechanisch erschlossene Wasserader. Wenn seit dem 16. Jh. in der nhd. Schriftsprache „Quelle" u. „B." geschieden werden, so ist das nie volkstümlich geworden; wir betrachten daher beide gemeinsam. Anderseits ist „B." ein Teil des Gebietes „Wasser" u. berührt sich somit vielfach mit „Meer", „See", „Teich", „Strom", „Fluß", „Bach" (s. dd.). Wir haben hier in erster Linie von dem Glauben zu reden, der sich an die Quelle als den Ursprung des Wassers und den B. als wichtigen Teil einer Siedlung knüpft.

[1]) G r i m m *Myth.*³ 550; DWb. 2, 433 f.

2. H e i l e n d e   u.   w u n d e r b a r e   K r a f t. Der Glaube an die Heilkraft des B.wassers knüpft sich an natürliche Beobachtungen: das Wasser reinigt, der

Trunk frischen Quellwassers erquickt, manche Quelle (Mineralquelle) bietet heilende Bäder und heilenden Trunk. Somit sind es meist ganz bestimmte B., denen man diese Kraft zuschreibt. Das Volk glaubt jedoch öfters an die Heilkraft des B.wassers überhaupt zu bestimmten heiligen Zeiten, besonders zu Beginn eines neuen Abschnittes, an Neujahr, an den beiden Sonnwendfesten (Johannis und Weihnachten), am 1. Mai, an Fastnacht (s. auch Osterwasser, Pfingstwasser), oder an den Tagen bestimmter Heiliger, an Peter und Paul, am Maria-Magdalenentag, an Jakobi, im Allgäu auch am Mange-(Magnus-)tag (6. Sept.[2])). „Wasser, zu heiliger Zeit, mitternachts, vor Sonnenaufgang, in feierlicher Stille geschöpft, führt noch späterhin den Namen *heil(a)-wâc, heilwæge*" (s. d.)[3]). Das Wasser ist da am heilkräftigsten, wo es unmittelbar aus dem Schoß der Mutter Erde hervorquillt; besonders wird dies von f l i e -ß e n d e m B.wasser betont[4]). Bestimmte B. helfen gegen bestimmte Krankheiten: gegen Fieber[5]) (vereinzelt heilt Fieber dasselbe B.wasser, durch das man es sich zugezogen hat)[6]), Lausweh, Zahnweh, Reißen im Kopf[7]), Augenleiden[8]), Hundebiß[9]), Sommersprossen[10]), Kröpfe[11]), den weißen Fluß der Frauen[12]), Unfruchtbarkeit der Frauen[13]); sie schaffen Kindbetterinnen Erleichterung[14]), sind gut für kranke Kinder[15]); das Hänschesbörnchen bei Vadenrod (Hessen) verhilft zu besonderer Schlauheit[16]). Der Gesundbrunnen bei Dünschenberg (Mecklenburg) tat den Ärzten solchen Abbruch, daß sie einen Schäfer zwangen, seinen Hund hineinzuwerfen; die Heilkraft des Wassers hörte auf[17]). Der B., der aus der mütterlichen Erde hervorquillt, liefert auch die kleinen Kinder (s. Kinderb.).

[2]) R e i s e r *Allgäu* 2, 165. [3]) G r i m m *Myth.*[3] 551. [4]) S i t t e w a l d *Aberglauben* 804 [5]) G r o h m a n n 163; M e y e r *Baden* 41; B i r l i n g e r *Aus Schwaben* 1, 192; ZfVk. 5, 212. [6]) H o v o r k a u. K r o n f e l d 2, 335. [7]) Ebd. [8]) SAVk. 8, 146. [9]) S é b i l -l o t *Folk-Lore* 2, 245. [10]) R o c h h o l z *Drei Gaugöttinnen* 60 f. [11]) P a n z e r *Beitrag* 2, 295. [12]) W o l f *Beiträge* 2, 186 f. [13]) W e i n h o l d *Quellen* 25; ZfrwVk 1905, 249; HessBl. 16, 7. [14]) K ö h l e r *Voigtland* 366. [15]) R o c h h o l z

a. a. O. 60. [16]) HessBl. 16, 8. [17]) B a r t s c h *Mecklenburg* 1, 357.

3. W u n d e r b a r e S p e n d e n. Aber der B. gibt nicht nur gewöhnliches Wasser. Im Kalotaszeger Bezirk holen sich die Mädchen in der Dämmerung am B. „goldenes" Wasser. Wer sich damit wäscht, wird schön. Aber der Neid gönnt diese Gabe den Genossinnen nicht: die erste, die dort ist, wirft Spreu hinein, so daß die andern kein goldenes Wasser bekommen können[18]). Die Tatsache, daß in manchen Landstädten beim Empfang des neuen Landesfürsten aus dem Marktb. Wein floß, ließ den Wunsch entstehen, der B. möge dieses edle Naß selbsttätig spenden. So schöpft man Wein aus dem B., wenn man nicht hineinsieht, in der Christnacht[19]) oder in der Osternacht um 12 Uhr[20]) (s. Wasser u. Wein). Aus dem B. der heiligen Hunna im Elsaß floß in einem armen Jahre aus allen Röhren Wein[21]) (auch das Märchen kennt einen Marktb., aus dem Wein fließt)[22]). Einen Milchb. kennt das Elsaß[23]). Aus einem B. bei Cronweißenburg quoll „Karchsalb" und Wagenschmiere[24]).

[18]) ZfVk. 4, 319. [19]) S i t t e w a l d *Aberglaube* 804; D r e c h s l e r 1, 23; K a p f f *Festgebräuche* 9 Nr. 2. [20]) HessBl. 16, 8. [21]) W o l f *Beitr.* 2, 5. [22]) G r i m m *KHM.* 29. [23]) S t ö b e r *Elsaß* 1, 38 Nr. 57. [24]) R o c h - h o l z *Sagen* 2, 242.

4. W e i s s a g u n g. Neben diesem Wunderbaren haftet dem B. noch manch Geheimnisvolles an: er wirft das Spiegelbild zurück, und in der Dunkelheit scheint es oft ein anderes zu sein; er führt hinab in das Reich der Unterirdischen (s. 8); er versiegt plötzlich oder läuft über, oder die Quelle ändert ihren Lauf: deshalb schreibt man ihm die Gabe der Weissagung zu. 731 verbot Papst Gregor III. in seinem Erlaß an die Fürsten und an das Volk der germanischen Provinz die fontium auguria[25]). Durch Trinken erfährt man die Zukunft: wer in der Weihnachtszeit während des Zusammenläutens der ersten Messe an drei B. unangeredet trinkt, aber noch während des Läutens in die Kirche kommt und über die rechte Ahsel zurückschaut, sieht sein Zukünftiges (Wol-

perdingen bei St. Blasien), und Heiratslustige trinken aus einem B. Wasser und
warten bei der Kirchtüre: wer zuerst
herauskommt, ist Braut oder Bräutigam [26]). In der Westschweiz muß ein
Bursche aus 7, 9 oder 11 B. je drei
Schluck Wasser trinken, im Simmental
muß dies zwischen 11 und 12 Uhr nachts
geschehen, im Emmental dürfen dabei
keine B.leitungen überschritten werden:
dann sieht er die ihm bestimmte Frau vor
der Kirchentür stehen [27]). — Die Eis-
figuren des gefrorenen Wassers, in einem
Geschirr aus 3 oder 7 laufenden B. beim
Betzeitläuten des heiligen Abends geholt
und unter die Dachtraufe gestellt, zeigen
am Schluß der Engelmesse anderen Tages
den Stand des Zukünftigen [38]). In Böhmen wirft man in der Karwoche Kreuzchen aus Zweigen geschnitzt in den B.,
um die Zukunft zu erraten [29]). — Ein
anderes Mittel ist das B.sehen. Dem Mädchen zeigt sich so der Zukünftige am heiligen Abend[30]), in der Neujahrsnacht [31]),
am Silvesterabend (es muß sich aber mit
einem Brautschleier und einem Licht, das
bei einer Trauung gebrannt hat, aus-
rüsten), am Andreasabend in der Dämmerung [32]), in der Andreasnacht um
12 Uhr (es sieht aber zugleich den Teufel) [33]), im Elsaß in gewissen B. zwischen
11 und 12 Uhr [34]). Wenn man an 11 B.
Wasser trinkt, dabei aber jedesmal rücklings zum B. tritt, erscheint beim 11. B.
das Bild des Zukünftigen [35]). Wäscht sich
das Mädchen zwischen 11 und 12 Uhr
nachts an drei Morgenb. (die nach Morgen
fließen), dann steht er an der Kirchentür
mit einem Tüchel in der Hand, sie abzutrocknen [36]). Zuweilen erfährt man auch
anderes, wenn man in den B. sieht. Eine
Weibsperson, die in den B. sah, hörte
Musik, weinen, lachen, „und noch anderes
muß sie gesehen und gehört haben, weil
sie ganz blaß und krank in die Stube zu-
rückkam" [37]). — Weit verbreitet, bes. in
Oberdeutschland, sind die Hungerb.: sie
fließen nur dann, wenn ein unfruchtbares
Jahr bevorsteht [38]). Seltener zeigt ein B.,
der ganz voll ist, ein fruchtbares Jahr
an [39]). — Den Tod verkündet der B.
eines adligen Stammhauses in Franken:

wenn jemand aus dem Geschlecht sterben
soll, versiegt auf einige Wochen sein
Wasser [40]); bei einem andern fränkischen
Geschlecht wird bei bevorstehendem
Todesfall der Quell durch einen unbe-
kannten Wurm getrübt [41]). Verlangt ein
Kranker nach Wasser aus dem Ehlborn zu
Gambach (Hessen), so ist dies ein Zeichen
des nahen Todes [42]). Verändert der B.
seinen Lauf, so wird bald eine große
Schlacht im Lande geschlagen [43]). —
Über die unmittelbare Weissagung des
B.geistes s. 6 (s. auch „Wasserorakel").

[25]) W e i n h o l d *Quellen* 28.   [26]) M e y e r
Baden 199.   [27]) SchwVk. 3, 88.   [28]) M e y e r
a. a. O. 199.   [29]) G r o h m a n n 49.   [30]) ZföVk.
4, 146.   [31]) B a r t s c h *Mecklenburg* 2, 238.
[32]) H o v o r k a u. K r o n f e l d 2, 177.
[33]) M e i e r *Schwaben* 2, 454.   [34]) Urquell NF.
1, 71.   [35]) SAVk. 8, 267 f.   [36]) ZfVk. 8, 250.
[37]) V e r n a l e k e n *Mythen* 346.   [38]) G r i m m
*Myth.*³ 557 f.; B i r l i n g e r *Volksth.* 1, 141;
L a m m e r t 47 f.; R e i s e r *Allgäu* 1, 236;
M e i e r *Schwaben* 1, 262.   [39]) Ebd. 1, 263.
[40]) G r i m m *Sagen* Nr. 104.   [41]) L a m m e r t
47.   [42]) HessBl. 16, 22.   [43]) R e i n *Brunnen
im Volksglauben* 122.

5. S c h ä d l i c h e W i r k u n g. Aber
auch Unheil kann der B. bringen. Hier
sind ebenfalls wieder natürliche Beobachtungen der Ausgangspunkt: ein kalter
Trunk schädigt den erhitzten Menschen,
mancher B. hat ungesundes Wasser, ver-
unreinigte B. bringen Krankheit; der
überlaufende B. richtet Schaden an,
mancher hat durch Sturz in den B. sein
Ende genommen. Vor fremdem Wasser
(in anderen Dörfern) soll man sich in acht
nehmen, es verursacht leicht Krankheiten, bes. Hautausschlag; wer aus dem
Krockeborn bei Allmenrod (Hessen)
trinkt, bekommt Grinder [44]), wer aus dem
Kropfb. bei Grieningen (Bayern) trinkt,
einen Kropf [45]). Das Vieh erkrankt, wenn
man an Sonntagen den B.trog aus-
wäscht [46]). Die Hühner vertragen die
Eier, wenn die Hausfrau an Fastnacht zum
B. geht [47]). Unglück in der Familie ruft
es hervor, wird am ersten Weihnachtstage und Neujahr Wasser aus dem B. geholt [43]). Tödlich wirkt die Berührung des
schwarzen Wassers eines B.s am Fuße des
Radelsteins in Böhmen; an heißen Tagen
kommt dichter Nebel aus ihm hervor, und

daraus entsteht Hagel und Unwetter [49]).
Über einen B. darf man kein Haus bauen,
da sonst bald jemand darin stirbt [50]). Die
letzten Beispiele führen uns schon zum
Glauben an den B.dämon (s. 6.).

[44]) HessBl. 7 f. [45]) P a n z e r *Beitrag* 2, 295.
[46]) SAVk. 21 (1917), 42. [47]) W u t t k e 83
§ 98. [48]) B a r t s c h *Mecklenburg* 2, 314.
[49]) G r o h m a n n *Sagen* 255. [50]) Urquell 1, 9.

6. D ä m o n e n   u n d   G o t t h e i -
t e n. Diese wunderbaren Eigenschaften,
die dem B. anhaften, die guten wie die
bösen, haben schon in alter Zeit den
Glauben an im B. waltende Wesen veranlaßt. Die B.dämonen vermischen sich
jedoch vielfach mit anderen: Wasser-
frauen, die die Menschen besuchen und
ihnen helfen, aber vor 12 Uhr zu Hause
sein müssen, Wassermänner, die die Menschen schrecken und zu sich hinabziehen
(der „Hakenmann" zieht Kinder mit
einem Haken hinunter); solche, die auf
dreimaligen Anruf das Wasser überlaufen lassen und der rufenden Person den
Tod bringen, sind für den B. nicht bezeichnend (s. Wasserelben, Wasserfräulein, Wassergeist, Wassermann). Häufig
herrscht hier auch die Vorstellung, daß
Seen, Flüsse und B. durch unterirdische
Gänge miteinander verbunden sind, so
daß der B. für den Wassergeist nur ein
Ausgang zur Oberwelt ist (vgl. Mörikes
„Historie von der schönen Lau"). Die
Tatsache spielt mit herein, daß von manchen B. unterirdische Gänge ihren Anfang nehmen. — Andere B.dämonen sind
unterirdische Gottheiten, da der B. der
Eingang zur Unterwelt ist (s. 8). Besonders deutlich wird dies bei Holda oder
Holla (s. d.), in deren unterirdisches Reich
es durch den B. geht und die auch Kinder
schenkt (s. „Kinderb."). Bei Frischborn
(Hessen) heißt ein B. „Frau-Rolle-Loch"
(entstellt aus „Frau-Holle-Loch") [51]). Zum
Wesen der Unterirdischen paßt auch das
Weissagen der B.geister [52]) (und der
Wassergeister überhaupt, vgl. Hagen und
die Meerfrauen im Nibelungenlied). —
Und schließlich vermengen sich die B.-
geister öfters mit verwünschten Gestalten. Manchmal hüten sie auch Schätze,
die schwer zu heben sind. Veranlassung

zu diesem Glauben mögen mancherlei
Funde gegeben haben; in Kriegszeiten
wurde Geld und Gut, mitunter auch die
Kirchturmglocke in B. und Seen versenkt (s. Schatz, Glocke). — Die B.gott-
heiten sind, dem nährenden, reinigenden
und heiligenden Wesen des Wassers entsprechend, meist weiblich [53]). Die badenden Jungfrauen sind ein Zeichen für gutes
Heuwetter, d. h. die Nebel und Wolken
haben sich gesenkt. Während diese auch
an Flüssen und Seen zu Hause sind, gehören die waschenden Jungfrauen vielleicht enger zum B. „Die Handlung des
Waschens selbst dieser geisterhaften
Weiber ist von dem Plätschern des Wassers abgeleitet" [54]). Der Nebel veranlaßt
wieder die Vorstellung, daß sie ihre Lei-
nenwäsche an den Nußhecken trocknen,
wie beim Seileborn am Roteberg (Hessen) [55]). — Altertümliche B.geister sind
Tiere im B., Kröte, Krebs, Forelle u. a.,
die den B. rein halten [56]); giftige Dünste,
die dem B. entsteigen, kommen von
einem giftspeienden Lindwurm [57]) (s.
Lindwurm; vgl. auch die Kröte im B.
bei Grimm KHM. 29). — Böse B.geister
sind auch die Frauen im B. in der Gegend
von Merklin (Böhmen), die Fieber über
die Menschen bringen. Will man sich davon befreien, so muß man das ausgezogene
Hemd zu einer bestimmten Stunde der
Nacht über das Dach werfen; gelingt dies
auf den ersten Wurf, ist man fieberfrei,
muß der Wurf wiederholt werden, so verliert sich das Fieber erst nach einiger Zeit.
Man darf sich aber inzwischen nicht nachts
im Freien blicken lassen, denn der Geist
lauert einem auf, um sich zu rächen (beruht auf der Erfahrung, daß der Aufenthalt abends im Freien in Sumpfgegenden
gefährlich ist) [58]). — In manchen Gegenden nimmt es der B.geist übel, wenn man
in den B. hineinblickt; er zieht einen hinunter [59]), bedeckt einen mit einem Ausschlag oder schlägt einen über den Kopf [60]);
wer in Trachenberg (Schlesien) in der
Christnacht um 12 Uhr in den B. sieht, wird
von den Nixen hinabgezogen [61]). Erwähnt
sei hier noch der Mimirsb. der Edda, wiewohl es fraglich bleiben muß, wie viel davon
auf alten Volksglauben zurückgeht.

[51]) HessBl. 16, 22. [52]) W e i n h o l d *Quellen* 28 f. [53]) Ebd. 17. [54]) Ebd. 22. [55]) HessBl. 16, 35. [56]) Ebd. 8 f. [57]) P a n z e r *Beitrag* 1, 233 f. Andere solche Tiere: W e i n h o l d a. a. O. 25; Basilisk: M a i l l y *Niederösterreich* 27 Nr. 61. [58]) H o v o r k a u. K r o n f e l d 2, 330. [59]) M ü l l e r *Siebenbürgen* 34 f. [60]) SAVk. 25, 50. [61]) D r e c h s l e r 1, 23.

7. **H e i l i g e.** Die christliche Kirche konnte diesen B.dämonen gegenüber zweierlei Stellung einnehmen: sie konnte sie bekämpfen oder durch Heilige ersetzen. Der heilige Remaclus vertrieb ein heidnisches Wasserweib aus einem B.[62]). Meist ließ sich aber das Volk seine B.-geister nicht nehmen, und so treffen wir zahlreiche B.heilige, den heidnischen B.-frauen entsprechend meist heilige Jungfrauen [63]), neben bekannten Heiligen wie Hedwig, Walburgis u. a. zuweilen ,,drei Jungfrauen" [64]). Hier liegt die Beziehung nahe zu den drei Schicksalsschwestern, die am B. spinnen (vgl. auch die drei Nornen der Edda an Mimirs B.). Im Salzburger Land und in Tirol verdrängten die Geistlichen die alten B.heiligen durch die Notre Dame de Lourdes [65]). Die Muttergottes gibt Mariabrunn den Namen [66]), sie tränkt die mutterlosen Kinder im Milchb.[67]), sie sitzt mit dem heiligen Johannes im B. und geigt und spielt mit den Kindern [68]).

[62]) R o c h h o l z *Drei Gaugöttinnen* 130. [63]) ZfVk. 11, 201. [64]) G r o h m a n n 47; W o l f *Beitr.* 2, 187. [65]) M e y e r *Baden* 533. [66]) W o l f *Beitr.* 2, 415. [67]) S t ö b e r *Elsaß* 1, 38 Nr. 57. [68]) W o l f a. a. O. 1, 165.

8. **E i n g a n g i n d i e U n t e r - w e l t u n d H ö l l e.** Die gewaltige, unheimliche Tiefe vieler B. vergrößert die Volksphantasie ins Ungemessene, die christliche Kirche verwandelt das unterirdische Reich, in das sie führen, in die Hölle und die unheimlichen Wesen, die dort weilen und durch den B. heraufkommen, in Teufelsgestalten. Das ,,Schiffsloch" bei Nieder-Florstadt (Hessen) ist so tief, daß eine Kirche mit ihrem Turm hineingehen soll [69]); bei Volkartshain (Hessen) ist ein tiefer B.; die Bauern schütteten einmal hundert Wagen voll Steine hinunter, und man merkte nicht, wo sie hinkamen [70]). In Ried bei Petersbrunn (Oberbayern) hat man einen B. so

tief gegraben, daß die Arbeiter den Hahn krähen hörten [71]), in Graustein hörten die grabenden Arbeiter Gänse schreien [72]). Der Escherb. in Kreutzendorf (Schlesien) ließ sich nicht zuschütten, in seiner grundlosen Tiefe sah man alle möglichen Gestalten [73]) (s. auch ungründlich). Namen wie Erdmännlisbronnen [74]), Wichtelb. [75]), Doggelib. [76]) weisen auf die Unterwelt, Teufelsborn heißt ein B. in Zell (Hessen) [77]), zahlreiche B. werden als Eingang zur Hölle betrachtet [78]). In Holsterschlag in Böhmen entstiegen dem Kellerb. grünröckige Männer mit einem Pferdefuß, also Teufel [79]). Der B. erscheint als ,,helle" in dem mhd. Gedicht ,,Reinhart Fuchs" [80]).

[69]) HessBl. 16, 10. [70]) Ebd. 56. [71]) P a n z e r *Beitrag* 2, 135. [72]) S c h u l e n b u r g *Wendisches Volksthum* 168. [73]) K ü h n a u *Sagen* 3, 304 f. [74]) *Zimmernsche Chronik* 4, 229. [75]) *Zeitschr. f. hess. Gesch.* 7, 210. [76]) R o c h h o l z *Sagen* 1, 270. [77]) HessBl. 16, 59. [78]) W e i n h o l d *Quellen* 23 f. [79]) G r o h m a n n *Sagen* 167. [80]) *Altdeutsche Textbibl.* 7 V. 910.

9. **E n t s t e h u n g s s a g e n.** Die heilige Scheu, die man vor der Wunderkraft des B.wassers und den B.gottheiten und -heiligen empfand, veranlaßte mancherlei Sagen über Entstehung der B. Das Älteste ist vielleicht, daß man sie durch den Blitz des Himmels ins Dasein treten läßt, dann ist es der Speer oder Stab eines Helden oder Heiligen, der die Quelle hervorsprudeln läßt, auch durch Gebet entsteht sie, manchmal auch durch den Hufschlag eines Rosses oder eines anderen Tiers; ein Drache wühlt sie auf, eine Taube läßt einen Tropfen aus dem Schnabel fallen, der den Fels aushöhlt und mit Wasser anfüllt. Meist veranlaßt Wassersnot die Entstehung, mitunter ist sie ein göttliches Zeichen zur Bestätigung einer Tatsache [81]). Hervorgerufen sind solche Sagen z. T. wohl auch durch die ,,B.schmecker" [82]); schon die Alten spürten Quellen durch magische Mittel auf; es ist nicht immer die Wünschelrute (s. d.).

[81]) Zahlreiche Belege für all diese Sagen bei W e i n h o l d *Quellen* 4 ff. [82]) SAVk. 3, 174.

10. **K u l t i s c h e B r ä u c h e u n d V e r e h r u n g.** Die Heiligkeit des B.s

veranlaßt verschiedene Bräuche. Die ungeheure Wichtigkeit, die der B. seit alters für Mensch und Vieh, für die ganze Siedlung hat, macht es zur Pflicht, für seine Reinhaltung zu sorgen. Daher finden alljährlich B.reinigungen statt, meist zu Pfingsten oder zu Johannis [83]), im schwäbischen Rottenburg am Dienstag nach Trinitatis; dort mußte der zuletzt in die Nachbarschaft Gekommene in den B. steigen und helfen ausputzen; waren mehrere neue Nachbarn da, so wurde gelost, jeder B.nachbar stiftete einen Kreuzer, ein Trinkgelage schloß sich an [84]). Anderswo tun es die jungen Leute: die Burschen reinigen die B. und streuen Salz hinein, die jungen Mädchen müssen dann mit ihren Schürzen den Burschen die Füße abtrocknen [85]). Die Mädchen entfernen mit ihren Händen den Schlamm (in Böhmen [86]) und in der Eifel) [87]). An den beiden Sonnwenden wird der B. bedeckt, daß ihn der Drache nicht vergifte oder verunreinige [88]), auch bei Sonnenfinsternissen, weil während dieser Zeit Gift fällt [89]), und bei Mondfinsternissen [90]). Weiterhin muß der B. geschützt werden gegen böse Geister, die das Wasser unrein und schädlich machen für Menschen und Vieh, in den Zwölften: man schießt in der Christnacht und Silvesternacht ein Feuergewehr in den B. ab [91]). In den synodalen Statuten der Diözese von Meaux heißt es: „Die Quellen sollen durch einen Riegel verschlossen und bewacht werden wegen der Zauberei" [92]). Auch Feuerbrände wirft man in der Christnacht in den B. zum Schutz gegen Hexen, oder ein nacktes Mädchen wird hinabgelassen und wirft Stahl und Feuerstein hinein, um das Haus gegen Blitz zu schützen [93]). Der B. versiegt, wenn eine „unreine" Frau daraus schöpft: während sie in der Periode ist [94]), während der Schwangerschaft [95]), in den sechs Wochen nach der Niederkunft [96]); im Voigtland muß sie vorher ein kleines Geldstück hineinwerfen [97]), andernorts drei Brotrinden [98]) oder eine Handvoll Salz [99]); das Wasser wird rot, wenn die Wöchnerin schöpft [100]), es bekommt Ungeziefer [101]), sie selbst wird außerdem lausig [102]), das Kind wird ein Bettnässer [103]). — „Wer in eine Quelle spuckt, speit dem lieben Gott ins Gesicht" [104]). Kinder dürfen keine Steine in den B. werfen, „denn es ist Gottes Auge darin" [105]). Auch sonst wird Achtung vor der Heiligkeit des B.s verlangt. Wer dem B. in Glotterbad „Wasser" sagte, mußte ein Fuder Wein zahlen [106]). Wie vielerorts dem Vieh, wird in Schlesien dem B. der Tod des Hausherrn angesagt [107]). Eine neu aufziehende Magd muß in den B. sehen, um recht lange bei der Herrschaft zu bleiben [108]). — Dem B.dämon müssen Opfer gebracht werden, daß er keinen Schaden anrichtet und weiterhin Gutes spendet. Selten fordert er alljährlich ein Menschenopfer, wie der B. am Mainzer Tor in Friedberg [109]); sonst verlangen dies Flußgeister. Gelegentlich haben wir noch die Ablösung des Menschen durch ein Tier [110]); wenn der überquellende B. durch ein schwarzes Tier, das hineingeworfen wird, sich beruhigt, klingt wiederum der Glaube an die Unterirdischen an (s. auch Menschenopfer, Tieropfer, Wasseropfer). Bei der Vernichtung des Heidentums in Böhmen wurden ausdrücklich die Opfer am B. verboten, die man zu Frühlingsbeginn darzubringen pflegte [111]). — Die Hauptsorge ist, daß der B. nicht versiege. Deshalb wirft man Geld hinein am heiligen Abend [112]) und zur Wintersonnenwende [113]), die Wöchnerin tut es beim Kirchgang [114]), und wenn sie zum erstenmal zum B. geht [115]). Sonst spendet man Speisen. Im Böhmerwald steckt man am Fasttag vor dem Weihnachtsfest Brot in die B.röhre, dann geht das Wasser das ganze Jahr nicht aus [116]); in den neugegrabenen B. wirft man Salz [117]), ebenso in den B. zur Osterzeit [118]), an Weihnachten Salz [119]), Brosamen [120]), Honig [121]), von jeder Speise einen Löffel voll auf einem besonderen Teller [122]); auf Käseopfer weisen Namen wie „Käseb." [123]). Teilweise vermischt sich bei diesen Bräuchen die Opferhandlung mit einer Zauberhandlung. — An der Hochzeit wirft bei den Esten die Braut Geld und Bänder in den B. [124]), in Bulgarien speit sie eine Münze hinab und schüttet Hirse hinein [125]); bei Tauberbischofsheim wirft die Hebamme ein Stück Zucker in den B., damit die Frau ein Kind bekommt (Kinderb.!). — Auch zwecks Heilung von Krankheit müssen dem B. Opfer gebracht werden: neben Geld häufig Metallgegenstände, besonders gebogene Nadeln, die an die Fibeln erinnern, die den Nymphen geopfert wurden [126]), dem Quell des heiligen Quirinus getrocknetes Schweinefleisch gegen Augen- und Hautkrankheiten [127]). Bei Krankheiten kommen öfters noch andere Bräuche in Frage. In Unterfranken wird der Fieberkranke zur Ader gelassen, ein reines Tüchlein mit dem Blute benetzt und in den B. gelegt: so wird das Fieber des Kranken gekühlt [128]). Hat eine Wöchnerin keine Milch, netzt eine alte Frau ein Weizenkringel des Morgens an drei B., wobei sie nicht reden darf, damit die badenden Nymphen sie nicht gewahren. Dies Weizengebäck ißt die Wöchnerin, damit ihre Milch fließe wie das Wasser vom B. [129]). — Hierher gehören auch die vielen Brunnenwallfahrten und der Umgang um den B.: dreimal (auch sechs-, neun- oder zwölfmal) muß der B. umgangen oder umritten werden von Osten nach Westen [130]), drei Vaterunser werden dabei gebetet [131]), dreimal wird der Mund dabei voll Wasser genommen. Wer die Wallfahrt in Stellvertretung übernimmt, wäscht sich den Körperteil, an dem der Kranke leidet [132]). Die Kranken hängen Kleidungsstücke (wohl die des kranken Körperteils) an Bäume und Büsche und lassen sie zurück [133]). — Auch Zaubersprüche werden am B. gesprochen zur Behebung von Krankheiten: gegen Fieber [134]), gegen Zahnschmerzen (das Zahnweh soll in den B. fallen) [135]); ein krankes Roß wird bespritzt und besprochen [136]) (s. auch Heilzauber). Treibt der Hirt am Pfingsttage zum erstenmal das Vieh auf die Weide, führt er es erst zum B. und schreit ihm ins Ohr: „Kommt wieder nach Haus!" [137]). Oder er betet mit abgezogenem Hut am B. [138]). — Auch der Dorf- oder Stadtb. wird an vielen Orten umwandelt und umritten (wie die Heilquelle, s. o.), und zwar an Neujahr, Fastnacht, Pfingsten [139]); manchmal auch beim Kirchweihfest [140]). Es handelt sich hier um einen Fruchtbarkeitszauber, der — in Oberdeutschland z. T. bis in die Gegenwart — mit der B.tauche verbunden ist, einem alten Regenzauber (s. d. u. Wasserguß). Zwei ledige Burschen oder der jüngstverheiratete Mann mußten am Aschermittwoch in den Marktbrunnen springen, dann rannten sie unter die Menge und küßten einige Mädchen [141]). In Scheer und Sigmaringen wurden an Silvester oder am Fastnachtmontag die im letzten Jahre Neuvermählten in den B. getaucht [142]). Als Gesellentaufe finden wir den Brauch in Bayern: die freigesagten Gesellen waschen so alle Unarten der Lehrlinge von sich ab [143]). Am Aschermittwoch springt der Fastnachtsnarr in den B. (in Waldshut bis 1869 üblich); heute wird vielfach statt dessen eine Strohpuppe verbrannt oder ersäuft (am Montag nach Aschermittwoch geschah dies in Zürich) [144]) (s. Fastnacht begraben); der „Pfingstdreck" in St. Georgen mußte in allen B.trögen ein Bad nehmen. Eine Spur der B.tauche hat sich in dem Hildesheimer Maigrafenritt „über den B." noch erhalten [145]). — Ein anderer Fruchtbarkeitszauber ist das B.schmücken. Im Mai [146]) oder an Ostern [147]) oder an Pfingsten [148]) wird der B. mit Blumen und Kränzen geschmückt, ein Baum wird an Neujahr [149]) oder am 1. Mai auf den B.-rand gesteckt [150]); mancherorts wird das Vieh am 1. Mai aus dem bekränzten B. getränkt [151]). Die Fruchtbarkeit des Baums soll auf den B. übertragen werden, daß das Wasser nicht versiegt (s. Maien). — Aus B.reinigen, B.tauche und B.-schmücken sind somit vielerorts B.feste entstanden, die heute noch vielfach bestehen, ohne daß die Bräuche noch verstanden werden. Bisweilen finden sie bei der Wahl des neuen B.herrn statt, und das anschließende Gelage, manchmal verbunden mit nachfolgendem Tanz, ist die Hauptsache geworden [152]).

[83]) W e i n h o l d *Quellen* 34. [84]) B i r l i n g e r *Volksth.* 2, 205. [85]) ZfVk 7, 93. [86]) G r o h m a n n 52. [87]) S c h m i t z *Eifel* 1, 99. [88]) W o l f *Beiträge* 2, 387. [89]) P a n z e r *Beitrag* 2, 315; W u t t k e 301 Nr. 442; G r o h m a n n 28. [90]) S a r t o r i 2, 27. [91]) B a r t s c h *Mecklen-*

burg 2, 226. 244. [92]) S e l i g m a n n I, 237.
[93]) W u t t k e 68 § 78; ZfVk. 4, 402; S a r -
t o r i 3, 232. [94]) B i r l i n g e r *Aus Schwaben*
I, 192. [95]) W u t t k e 376 § 571; H ö h n *Geburt* Nr. 4, 258. [96]) P a n z e r a. a. O. I, 259;
K ü h n a u *Sagen* 2, 690. [97]) K ö h l e r
Voigtland 437. [98]) W u t t k e 379 § 576.
[99]) D r e c h s l e r I, 204 f. [100]) HessBl. 16,
28 f. [101]) B o h n e n b e r g e r Nr. I, 3. 21.
[102]) L a m m e r t 173. [103]) H ö h n a. a. O.
Nr. 4, 266. [104]) R o c h h o l z *Drei Gaugöttinnen* 131. [105]) W u t t k e 14 § 12. [106]) M e y e r
Baden 569. [107]) D r e c h s l e r I, 291. [108]) Ebd.
2, 149. [109]) HessBl. 16, 21. [110]) L i e b r e c h t
Zur Volksk. 335. [111]) Vgl. G r o h m a n n 74 f.
[112]) J o h n *Erzgebirge* 163. [113]) G r o h m a n n
50. [114]) J o h n a. a. O. 65. [115]) W u t t k e
293 § 429; K ö h l e r *Voigtland* 419.
[116]) S c h r a m e k *Böhmerwald* 114. [117]) S a r -
t o r i 2, 27. [118]) B i r l i n g e r a. a. O. 2, 82.
[119]) S c h r a m e k a. a. O. 116. [120]) J o h n
Westböhmen 16. [121]) D r e c h s l e r I, 40;
S a r t o r i 2, 27. [122]) G r o h m a n n 50.
[123]) S e p p *Sagen* 331; R o c h h o l z a. a. O.
6. [124]) W u t t k e 292 § 428. [125]) M e y e r
Baden II. [126]) W e i n h o l d a. a. O. 60.
[127]) Ebd. 41. [128]) L a m m e r t 198. [129]) ZfVk.
4, 146. [130]) S é b i l l o t 2, 245. 295; M o o r e
in: FL. 5, 224. [131]) M ü l l e r *Siebenbürgen*
216. [132]) S é b i l l o t 2, 277. [133]) H o v o r k a
u. K r o n f e l d I, 268. [134]) G r o h m a n n
163. [135]) W u t t k e 336 § 501. [136]) D r e c h s -
l e r 2, 114. [137]) K u h n u. S c h w a r t z
389. [138]) M e y e r *Baden* 138. [139]) K n u c h e l
Umwandlung 90. [140]) M a n n h a r d t I, 430.
[141]) B i r l i n g e r *Volksth.* 2, 30 ff. [142]) M a n n -
h a r d t I, 488. [143]) P a n z e r a. a. O. I, 229.
[144]) V e r n a l e k e n *Alpensagen* 364.
[145]) M a n n h a r d t I, 377. [146]) SAVk. 2, 16 f.
II, 36. [147]) S a r t o r i 3, 152. [148]) M e y e r
a. a. O. 157; ZfVk. 14, 421. [149]) M a n n h a r d t
I, 241. [150]) S a r t o r i *Sitte u. Brauch* 3, 70.
[151]) M e y e r a. a. O. 220. [152]) W o l f a. a. O.
I, 229 f.; NddZfVk. 4, 245 ff.   Hünnerkopf.

Brüste [1]). Volle B. werden gerne gesehen; im Niederbayrischen [2]) wendet
man, um solche zu bekommen, Weihwasser an; im Österreichischen [3]) stellen
sich Mädchen, die vollbusig werden wollen, nachts bei Vollmond unverhüllt ans
Fenster und sagen:

„Herr Man (Mond)
Schein mei Brust an,
Daß 's wird wie ein Essigkrug,
Hab i mei Lebtag Brust genug."

Die Brustdrüsenentzündung gehört zu
den gefürchtetsten Erkrankungen von
Wöchnerinnen. Es wird geraten, den
rechten Schurzzipfel oben in das Schurz-
band zu stecken oder Milch aus der Brust

auf ein heißes Bügeleisen zu träufeln [4]).
Bei Brustschwellungen (Einschuß) soll
der Mann früh morgens einen Feldstein
nehmen, dreimal das Kreuzzeichen über
die B. machen, dann den Stein wieder
genau einsetzen, wie er vorher lag [5]).
Gegen Brustwarzen verwendet man im
Ennstal sog. Menschenschmalz, d. h. aus
Frauenmilch bereitete Butter [6]). Bei Wo-
chenbettfieber glaubt man in Bayern,
„daß die Spinn der Kranken zum Kopf
gestiegen sei" [7]). Häufig findet man V o -
t i v b. (s. Votiv) in Wallfahrtskapellen [8]).

[1]) H o v o r k a u. K r o n f e l d 2, 606.
[2]) P o l l i n g e r *Landshut* 248. [3]) ZföVk. 3, 7.
[4]) H o v o r k a u. K r o n f e l d 2, 606.
[5]) W u t t k e § 495. [6]) H o v o r k a u.
K r o n f e l d 2, 607. [7]) Ebd. [8]) A n d r e e
Votive 117.   Stemplinger.

brüten. Von Bedeutung ist der Tag, an
dem man die Henne ansetzt. Am Ostermorgen zwischen 11 und 12 Uhr gesetzte
Eier geben Hühner, die jedes Jahr die
Farbe wechseln, Gründonnerstag gesetzte geben bunte Hühner [1]). Die Küken
gedeihen gut, wenn man die Eier an einem
Kirchtag unterlegt [2]), am Sonntag während des Läutens [3]), zwischen 11 und 12
Uhr, wenn der Pastor den Segen spricht [4]),
wenn die Leute die Kirche verlassen [6]):
solche Hühner laufen nicht auseinander [6]).
Günstig ist es, Hennen Freitag mittags
11 Uhr [7]) oder an allen Wochentagen von
11 bis 12 Uhr anzusetzen [8]). Morgens um
6 Uhr und mittags um 12 Uhr gesetzte
Eier geben lauter Hennenküken [9]). Der
Sophientag gilt als günstig, der Valentinstag als ungünstig für den Brutbe-
ginn [10]). Man muß die Eier bei neuem [11])
oder wachsendem Lichte ansetzen [12]) und
zwar in ungerader Zahl [13]), dann gibt es
mehr Hennen- als Hahnenküken [14]). Bevor man die Henne setzt, muß man die
Eier in eine Mütze, am besten die eines
Juden, legen [15]). Will man Hühner mit
einem Schopf haben, muß man beim Ansetzen einen hohen Hut tragen [16]) oder
der Henne einen solchen wie auch eine
große Mütze aufstülpen [17]). Legt man
einen Reifen um das Brutnest, so nehmen
die Küken später keinen Schaden [18]).
Wenn man Eier setzt, darf man bei Tisch

nicht davon reden, sonst kommen sie nicht aus[19]). Will man mehr Hennen als Hähne haben, so muß man das Brutnest von Stroh machen, das man aus einem Frauenbett zieht, in einem Neste von Männerbettstroh ausgebrütetes Geflügel wird männlich[20]). Aus einem Neste, auf dem eine Gans brütet, darf man keinen Strohhalm ziehen, sonst verderben die Eier[21]), wie man überhaupt Geflügelnester nicht mit der Hand berühren darf, weil sonst die Hennen nicht hineingehen[22]). Der brütenden Gans wird Quendel untergelegt[23]). Besonders empfindlich ist die keimende Frucht gegen Lärm. Wo das Geflügel brütet, darf nicht mit Peitschen geknallt und mit Wagen gerasselt werden[24]). Während des Gewitters stellt man einen großen Kessel neben die Nester, der den Schall auffangen soll[25]). In der Brutzeit darf kein Nagel in die Wand geschlagen werden und ist alles Schießen verboten[26]). Hühner b. leicht, wenn man sie mit den Resten füttert, die nach der Frühlingssaat im Sack bleiben[27]).

[1]) H e c k s c h e r *Hann. Volksk.* 1, § 79. [2]) S p i e ß *Fränkisch - Hennebergisch* 152. [3]) J o h n *Erzgebirge* 234. [4]) F o g e l 183. [5]) D r e c h s l e r 2, 87; G r i m m *Myth.* 3, 18. [6]) H e c k s c h e r *Hann.Vk.* 1, § 79. [7]) B i r l i n g e r *Aus Schwab.* 1, 473. [8]) F o g e l 183. [9]) Ebd. 180. [10]) D r e c h s l e r 2, 87; J o h n *Westböhmen* 216. [11]) G r o h m a n n 141; D r e c h s l e r 2, 88. [12]) L e o p r e c h t i n g *Lechrain* 150. [13]) B a r t s c h *Mecklenburg* 2, 159; S c h m i t t *Hettingen* 15; *Alemannia* 27, 241; F o g e l 183. [14]) J o h n *Erzgebirge* 234. [15]) T o c p p e n *Masuren* 101. [16]) R e i s e r *Allgäu* 2, 79; D r e c h s l e r 2, 88. [17]) D r e c h s l e r 2, 88. [18]) Ebd. 2, 85. [19]) F o g e l 183. [20]) B a r t s c h *Mecklenburg* 2, 159; D r e c h s l e r 2, 88. [21]) G r o h m a n n 140. [22]) F o g e l 180. [23]) G r o h m a n n 140; D r e c h s l e r 2, 88. [24]) H e c k s c h e r 124, 369; B a r t s c h *Mecklenburg* 2, 158. [25]) H e c k s c h e r 370. [26]) Ebd. 370 = B i r l i n g e r *Aus Schwaben* 1, 403. [27]) M e y e r *Baden* 411. Heckscher.

Bryonia s. Z a u n r ü b e.

Buccomantie (Mundwahrsagung, bucca = Mund). Eine um die Mitte des 19. Jhs. von dem Zahnarzt Rogers nach antikem Muster geprägte Bezeichnung für „die Kunst, die Vergangenheit, Gegenwart und Zukunft eines Menschen auf Grund der Betrachtung seines Mundes zu erkennen", also einer Unterabteilung der Physiognomonik[1]).

[1]) William R o g e r s *La Buccomancie* (Paris 1851); nach dem Französischen bearb. von H. G a u ß (Weimar 1853, mit Abb.) Boehm.

Buch.

1. Neben der Bibel (s. d.), dem Gebet- und Gesangb. (s. d.) spielt auch das gewöhnliche B. eine Rolle in Glaube und Brauch des Volkes; es ist in manchen Fällen einfach an die Stelle derselben getreten. So legt man gegen das Berufen in Siebenbürgen ein B. in die Wiege unter das Hauptkissen des Kindes; es hilft auch gegen den Alp[1]). Gegen Krankheit steckt man die ererbten (handschriftlichen) Hefte (Büchlein) mit Rezepten und Segen dem Patienten unter den Kopf[2]). Das Beisichtragen von Zauberbüchlein (wie z. B. des Geistlichen Schildes) sichert „vor allen Feinden, sie seien sichtbar oder unsichtbar und auch den, der dieses Büchlein bei sich hat, der kann ohne den ganzen Fronleichnam Jesu Christi nicht ersterben, in keinem Wasser ertrinken, in keinem Feuer verbrennen, auch kann kein unrecht Urteil über ihn gesprochen werden"[3]). — Meist verwendet man jedoch heute die heiligen Bücher (Bibel, Gebet- und Gesangb.), wenn man sich gegen Gefahr schützen oder Unheil abwehren will, mit dem gewöhnlichen B. (oft muß es aber ein „Erbb." sein) verfolgt man andere Zwecke: In Westböhmen steckt man vor dem Gang zur Taufe zwei Messer oder zwei Gabeln oberhalb der Tür in den Türstock und legt ein B. darauf; dann lernt das Kind leichter lesen[4]); die Siebenbürger glauben, daß ein Kind gelehrig wird, wenn man ihm ein B. unter das Köpfchen legt oder wenn man ihm einen Brief in sein Häubchen steckt[5]); in Pommern lassen die Angehörigen das neugeborene Kind bald nach der Geburt in ein B. sehen; dann lernt es später sehr gut[6]). Das erste B. soll ein Kind von seinen Paten bekommen[7]). Das sind zweifellos sekundäre Abwandlungen des ursprünglichen Schutzmittels. — Weit verbreitet ist der Glaube, daß, wenn man

etwas auswendig lernen will, man abends das B. unter das Kopfkissen legen müsse[8]). Läßt man ein B. nachts offen liegen, so vergißt man alles, was man daraus gelernt hat[9]). — Schon die Rockenphilosophie[10]) erklärt: „Wenn ein Bräutigam seiner Braut ein B. kauft oder schenkt, so wird dadurch die Liebe verblättert"; der Glaube ist noch heute weitverbreitet[11]). — Kirchlich gelehrten Ursprungs, aber volkstümliche Übung geworden, ist das dem Bibelorakel (s. d.) entsprechende B.orakel, das uns aus dem MA.[12]) und der Neuzeit[13]) viel belegt ist: man öffnet wahllos ein B. und glaubt aus dem, worauf das Auge zuerst fällt, die Zukunft zu erkennen. — Wie Erbbücher (Bibel, Gebetb.) so dienen auch gewöhnliche oder aber Zauberbücher zur Entdeckung eines Diebes: man nahm im obern Nahetal ein B. und ging morgens vor Sonnenaufgang ins Freie, schlug dann in dem B. Blatt für Blatt herum und nannte bei jedem Blatt den Namen eines des Diebstahls Verdächtigen. Sobald der Name des wirklichen Diebes genannt wurde, schlug das Blatt von selbst herum, wenn sich auch sonst kein Lüftchen regte[14]).

[1]) Haltrich *Siebenb. Sachsen* 260 Nr. 3; Seligmann *Blick* 2, 302. [2]) Seyfarth *Sachsen* 149. [3]) Geistl. Schild. 170 f. [4]) John *Westböhmen* 263. [5]) Hillner *Siebenbürgen* 52 Nr. 17; vgl. auch Rochholz *Kinderlied* 282; Höhn *Geburt* 278; Fogel *Pennsylvania* 37 Nr. 46 ff. [6]) Urquell 5 (1894), 279. [7]) Fogel 37 Nr. 45 ff. [8]) Bartsch *Mecklenburg* 2, 314 Nr. 1536; Strackerjan 1, 114; Drechsler 2, 267; Urquell 1 (1890), 165 Nr. 59; Sartori *Sitte u. Brauch* 1, 45; Fogel *Pennsylvania* 360 Nr. 1920; Lammert 92. [9]) Fogel a. a. O. 365 Nr. 1953; vgl. Liebrecht *Z. Volksk.* 331 Nr. 159 (Norwegen). [10]) 106 Nr. 83 = Grimm *Myth.* 3, 437 Nr. 80. [11]) Panzer *Beitrag* 1, 261 Nr. 72; Köhler *Voigtland* 438; Drechsler 1, 232. [12]) ZfVk. 11 (1901), 277 f.; Mschles-Vk. 21 (1919), 83 f. Nr. 19. [13]) Wuttke 242 § 349. [14]) ZfrheinVk. 2 (1905), 298.

2. In einer unterfränkischen Schatzsage gesteht der schatzhütende Geist: „Den Schatz kann nur derjenige heben, welcher das B. des Lebens mitbringt und anwendet; das wird im Kloster der schwarzen Karmeliter in Würzburg aufbewahrt." Weil aber die Karmeliter das B. nur gegen ein Pfand von zehntausend Gulden herausgeben wollten, die Schatzgräber aber diese Bürgschaft nicht leisten konnten, ist der Schatz noch heute ungehoben[15]). Nach Cäsarius von Heisterbach (VII, 38) halten Enoch und Elias das B. des Lebens; wird die letzte weiße Seite desselben gefüllt, so ist der Untergang der Welt gekommen[16]). In einer niedersächsischen Sage besitzt der Teufel ein B. des Lebens[17]).

[15]) ZfdMyth. 1 (1853), 303 f. [16]) Kaufmann *Caesarius* 142. [17]) Harrys *Sagen Niedersachsens* Nr. 33. Über das Buch des Lebens vgl. Hastings 2, 792 ff.; Gunkel *Märchen* 104.

3. Die grüne Jungfer auf dem Hausberge kann nur erlösen, wer das B. lesen kann, das ihre und des Schlosses Geschichte enthält. Doch ist es in so alter Schrift geschrieben, daß noch niemand es zu lesen vermochte. Wenn aber einst jemand das B. wird lesen können, so wird sich das Schloß aus dem Berg auf den Gipfel desselben heben und die Jungfer wird erlöst sein[18]). Bergentrückte haben oft ein B. bei sich[19]).

Über vom Himmel gefallene Bücher s. **Himmelsbriefe.**

[18]) Sommer *Sagen* 17 Nr. 12. [19]) Wolf *Beiträge* 2, 70.   Bächtold-Stäubli.

Buchdrucker (Schriftgießer und Schriftsetzer). Bei den B.n hat sich noch ein Rest der alten Gesellenweihe[1]) erhalten, die seit dem MA. in vielen Handwerken üblich war und die letzten Endes auf uralte, primitive Jünglingsweihen zurückgeht. Es ist dies das sog. „Gautschen"[2]), wobei der Lehrling nach Beendigung seiner Lehrzeit von den in derselben Offizin arbeitenden Gesellen in einem mit Wasser gefüllten Gefäß oder mittels nasser Schwämme gründlich befeuchtet wird. Zur Bestätigung wird ihm ein sog. „Gautschbrief" ausgestellt, den (der Prinzipal und) alle Gehilfen unterzeichnen, wofür der neue Geselle ihnen einen Trunk spenden muß.

In früherer Zeit wurde die Aufnahme in den Gesellenstand von einem Spiel, der „Depositio cornuum"[3]), begleitet, wofür aber in diesem Falle nicht der verwandte Handwerksbrauch, sondern die akademische Deposition, der sich die jungen Studenten an der Universität unterziehen mußten, das nächste Vorbild abgab. Diese Beeinflussung erklärt sich aus den Beziehungen der B., denen eine gewisse Bildung und die Kenntnis der alten Sprachen nicht fehlen durften, zu den Universitätskreisen. Angehörige dieses Berufes waren an den Hochschulen eingeschrieben, und heute erinnert noch der Titel Universitätsb. an diese Verbindung.

Der junge Geselle, der nach seinem mit Hörnern versehenen Hut „Cornut" (Gehörnter) genannt wurde, mußte erst eine Reihe grotesker und beschämender Zeremonien über sich ergehen lassen, bevor er der Aufnahme in den neuen Stand würdig erachtet wurde. Wie bei anderen derartigen Bräuchen sollte er durch fingiertes Behauen, Behobeln, Befeilen, Haar- und Bartscheeren, Zahnreißen, durch Ohrfeigen, Abschlagen des Cornutenhutes, Beichte und Taufe symbolisch zu einem neuen Menschen gemacht werden.

Aus dem 17. und 18. Jh. sind mehrere Depositionsspiele für B. erhalten, von denen das älteste aus dem Jahre 1621 von dem Danziger B. Paulus de Vise stammt, nach welchem der Dichter Joh. Rist sein Stück von 1655 verfaßte.

Daß die B.kunst einst von einem gewissen Nimbus umgeben war, zeigt die früher allgemeine Verwechslung des Mainzer B.s Joh. Fust mit Dr. Joh. Faust, wovon sich (neben der Beziehung auf die B.schwärze) die scherzhaften Bezeichnungen Schwarzkünstler und schwarze Kunst für die B. und ihre Tätigkeit herleiten dürften [4]).

[1]) Z. B. die Lehrlings- und Gesellenweihe zünftiger Handwerke, das Hänseln der Kauf- und Fuhrleute, die Wehrhaftmachung der Jäger vgl. S c h a d e Weimar. Jahrbuch 4, 258 ff.; 6, 292 ff.; O t t o D. altd. Handwerk[4] 113 ff. [2]) SchweizVk. 7, 17 ff.; W. F a b r i - c i u s Die akad. Deposition 1895, 65 Anm. [3]) S c h a d e a. a. O. 6, 369 ff.; G ä d e r t z Akad. Blätter 1884, 385 ff.; F a b r i c i u s a. a. O.; K l e n z Die deutsche Druckersprache 1900, 62 ff. [4]) K l e n z a. a. O. 96.   Schömer.

Buche (Rot-, Waldb.; Fagus silvatica).
1. B o t a n i s c h e s. Die B., leicht kenntlich an der glatten silbergrauen Rinde, hat ihr Hauptverbreitungsgebiet im westlichen Europa (etwa bis zur Linie Königsberg-Kaukasus). In der Urzeit war sie wegen ihrer ölhaltigen Früchte (Bucheckern) ein wichtiger Nahrungsbaum. Schon in der vorgeschichtlichen Zeit hat sich die B. auf Kosten der Eiche weit ausgebreitet [1]). Die Rotb. darf nicht mit der zu den Birkengewächsen gehörigen Weißb. (Hainb.; Carpinus betulus), die etwas gefaltete, am Rande scharf gezähnte Blätter hat, verwechselt werden [2]).

[1]) H o o p s Reallex. 1, 344.   [2]) M a r z e l l Kräuterb. 88. 97.

2. Die S a g e kennt verschiedene wunderbare B.n, so H e x e n b.n, unter denen die Hexen tanzten [3]) und Blutb.n (botanisch ist darunter die var. purpurea mit rötlichen Blättern zu verstehen) [4]). Unter der Zauberb. in Unter-Seeland (Kärnten) wurde den Vorübergehenden allerhand Schabernack angetan [5]). Auch in der christlichen Legende spielt oft die B. eine Rolle (Wallfahrtsort, heiliger Baum usw.) [6]). In Westfalen ist die B. der „Kleinkinderbaum" (vgl. Esche), aus dem die kleinen Kinder geholt werden [7]). Vielleicht schimmert hier noch die Anschauung von der B. als einem Fruchtbaum durch, vgl. die Volksmeinung in der Franche-Comté: Wenn es viele Bucheckern gibt, wird es viele uneheliche Kinder geben [8]) (s. Hasel). Gehört auch der Glaube hieher, daß neugeborenen Mädchen, die in einer buchenen Wanne gebadet werden, später einmal die Männer sehr nachlaufen (Stettin) [9])? Oder denkt man an einen Vergleich der glatten glänzenden Buchenrinde mit der Haut der Mädchen?

[3]) Z. B. M e i e r Schwaben 195.   [4]) H e r - z o g Schweizersagen 1, 251; SchweizId. 4, 982. [5]) G r a b e r Kärnten 21.   [6]) H ö f l e r Waldkult 73 ff.; S c h ö p p n e r Sagen 1, 274; G r e d t Luxemburg 273. 278.   [7]) Urquell 5, 287; S c h e l l Berg. Volksk. 108; S a r t o r i Westfalen 77.   [8]) B e a u q u i e r Faune et flore 2, 63.   [9]) Urquell 5, 279.

3. Weit verbreitet ist der Volksglaube, daß die B.n nicht vom B l i t z getroffen

werden, und daß man sich daher bei einem Gewitter unter einer B. unterstellen könne (,,doch die Buchen mußt du suchen") [10]). Es ist übrigens durch die wissenschaftlichen Untersuchungen des Botanikers E. S t a h l [11]) festgestellt, daß die B. (z. B. im Gegensatz zur Eiche) von starken Blitzschäden meist verschont bleibt. Besonders die B.n (vgl. Birke), die an Fronleichnam zum Schmuck der Altäre gedient haben, sollen vor Blitz schützen [12]).

[10]) Z. B. G r i m m *Myth.* 3, 64; SchweizId. 4, 980; ZfrwVk. 1908, 227; M a r z e l l *Bayer. Volksbot.* 138; ebenso in den Ardennen und in Lothringen: S é b i l l o t *Folk-Lore* 3, 381. [11]) *Die Blitzgefährdung der verschiedenen Baumarten* 1912, 52. [12]) R e i s e r *Allgäu* 2, 147; A n d r i a n *Altaussee* 125.

4. Ein B.nblatt mit T bezeichnet [13]), einem Menschen oder Vieh eingegeben, heilt allen Schaden und schützt vor Behexung [14]). Kniet man an Weihnachten während der Mitternachtsmesse auf ein neues buchenes Stühlchen, worauf noch niemand kniete, so sieht man die Hexen[15]) (vgl. neunerlei Holz). Hat das Vieh Läuse, so besiebt man es mit gebrannter Zwölften-B.nasche [16]).

[13]) T als Schutzmittel vgl. A n d r e e - E y s n *Volkskundliches* 65. [14]) M o n t a n u s *Volksfeste* 118. [15]) JbElsaß-Lothr. 10, 237. [16]) B a r t s c h *Mecklenburg* 2, 152.

5. B.nholz, im N e u m o n d gehauen, ist dauerhaft und wird vom Wurm nicht leicht zerfressen [17]) oder die Nachtriebe treiben, wenn es im zunehmenden Mond geschlagen worden, besser und kräftiger aus [18]).

[17]) B a r t s c h *Mecklenburg* 2, 200. [18]) W i l d e *Pfalz* 37.

6. In der V o l k s m e d i z i n wird die B. nur wenig verwendet. Die hl. H i l d e g a r d [19]) bringt eine ,,Beschwörung" gegen Gelbsucht, in der die B. eine Rolle spielt. Durch das ,,ungebohrte" Loch einer alten B. bei Fischbach (Pfalz) steckte man ,,rauhliche" Kinder, die nicht gedeihen wollten [20]) (vgl. Durchziehen). Ein Absud von dem Holz der Wunderb. bei Kattenbuch (BA. Weissenburg in Bayern) sollte bei schwangeren Weibern die Geburt eines Knaben, der

Absud von dem Holz der Linde aber die eines Mädchens bewirken [21]).

[19]) *Physika* 3. 26. [20]) B e c k e r *Pfalz* 136. [21]) J ä c k e l *Oberfranken* 178.

7. Am Mittag des J o h a n n i s t a g e s tun sich die Bucheckern auf, und wenn es dann r e g n e t, werden die F r ü c h t e t a u b [22]). Andrerseits heißt es aber gerade im Gegenteil, daß die B.nmast gut werde, wenn es am Johannistage regne [23]). Viele Bucheckern im Herbst bedeuten einen folgenden strengen und harten Winter [24]) oder ein Mäusejahr [25]), daher der Schweizer Spruch: ,,Vil Buech, vil Fluech" [26]). Wenn die B. bald austreibt, dann gibt es eine frühe Ernte[27]), oder so lang der B.nwald vor oder nach Georgi (23. April) grün wird, so lang vor oder nach Jakobi (25. Juli) fällt die Ernte [28]). Wenn die B.n zuerst unten ausschlagen, so steigen die Getreidepreise, grünen sie aber zuerst oben, so sinken die Preise [29]). Will man wissen, wie der kommende Winter wird, so schneide man an Allerheiligen (1. November) einen Span aus einer B.: Ist er trocken, so gibt es einen trockenen, warmen Winter, ist der Span naß, so folgt ein sehr kalter Winter (in verschiedenen Gegenden) [30]).

[22]) K u h n *Westfalen* 2, 176; B a r t s c h *Mecklenburg* 2, 271; A n d r e e *Braunschweig* 410; JbElsaß-Lothr. 10, 231. [23]) K u h n und S c h w a r t z *Mecklenburg* 2, 292. [24]) SchweizId. 4, 983; W i l d e *Pfalz* 37; vgl. auch Eberesche, Esche, Hasel. [25]) SchweizId. 4, 983; ebenso in Ungarn: Verh. d. Ver. f. Natur- u. Heilkunde zu Preßburg. NF. 7 (1887-91), 100. [26]) SchweizId. 4, 983. [27]) F i s c h e r *Schwäb.Wb.* 2, 828. [28]) Ebd. 3, 374. [29]) B i r l i n g e r *Aus Schwaben* 1, 412; SchweizId. 4, 980. [30]) Bereits bei C o l e r u s *Oeconomia oder Hausbuch* 1 (1604), 206; ferner ZfVk. 10, 211; W r e d e *Rhein.Vk.* 90; W i r t h *Pflanzen* 14; Heimatblätter 1 (Kufstein 1923 bis 1924) H. 11, 9; Y e r m o l o f f *Volkskalender* 457. Marzell.

Buchfink s. F i n k.

Buchsbaum (Buxus sempervirens).

1. B o t a n i s c h e s. Strauch mit lederartigen, eiförmigen immergrünen Blättern und kleinen unscheinbaren gelblichweißen Blüten. Die Heimat des B.s ist das südliche und westliche Europa, im südlichen Mitteleuropa kommt er an ein-

zelnen Stellen wild vor. Sonst wird der B.
häufig in Gärten, Anlagen und in Fried-
höfen angepflanzt [1]). Den Germanen der
Urzeit war der B. anscheinend nicht bekannt [2]).

[1]) Marzell *Kräuterbuch* 138. [2]) Hoops
Reallex. 1, 347—349.

2. Die Zweige des B.s bilden besonders im westlichen Deutschland einen
häufigen Bestandteil des P a l m s (s. d.)
und teilen mit diesem die a n t i d ä m o -
n i s c h e n Eigenschaften [3]). Der B.
vertreibt den Teufel, weshalb ein nieder-
deutscher „Gart der Gesundheit" (Ortus
Sanitatis) [4]) berichtet: „Bußboem v e r -
d r y f f t den d u v e l dat he neene
stede mach in dem huße. vnde darumme
leth men an velen enden gemeynliken
bußboem wyghen up dem P a l m d a c h
meer wen ander kruet" [5]). Das Kräuterbuch des Hieronymus B o c k v. J. 1546
bildet neben dem Holzschnitt des B.s
den davoneilenden Teufel ab. Vielleicht
hängt damit auch die sprichwörtliche
Redensart zusammen „einen Ketzer mit
B. bestecken und dem Pluto (Teufel)
zum Neujahr schenken" [6]). Die geweihten
B.zweige s c h ü t z e n v o r B l i t z -
g e f a h r [7]), bewahren das Vieh vor
Krankheit und bösem Zauber (Aargau) [8]).
Der B. bringt Glück, daher stecken ihn
die Burschen bei der Aushebung zu sich,
um frei zu werden, oder nehmen davon
ein Ästchen, wenn sie eine Reise tun, zu
sich (Siebenbürgen) [9]).

[3]) Z. B. Franz *Benediktionen* 1, 487;
Mannhardt 1, 287; Diener *Hunsrück*
230. [4]) Lübeck 1520. [5]) Schiller *Tierbuch*
2, 23; ebenso im Ortus Sanitatis, deutsch,
Mainz 1485, Kap. 70. [6]) Grimmelshausen
Simpl. 3. Buch, 5. Kap.; vgl. auch Wander
Sprichwörterlexikon 1, 500. [7]) Leithaeuser
Berg. Pflanzennamen 11. [8]) SchweizId. 4, 999;
ebenso in Frankreich: Sébillot *Folk-Lore*
3, 381; Rolland *Flore pop.* 9, 247 f.
[9]) Schullerus *Pflanzen* 88.

3. Als O r a k e l p f l a n z e wird der
B. am Matthiastage (24. Febr.) [10]) von
den Mädchen benutzt: Wenn sie mit verbundenen Augen an den auf den Tisch
gelegten B.zweig kommen, so werden sie
noch in demselben Jahr Braut [11]). An
Weihnachten oder Neujahr werden in

einen mit Wasser gefüllten Teller so viele
B.blätter gelegt, als Familienmitglieder
vorhanden sind, und jedes Blatt wird mit
dem Namen eines solchen bezeichnet.
Wessen Blatt am Morgen grün ist, bleibt
gesund, ein fleckiges Blatt bedeutet
Krankheit, ein schwarzes Tod [12]). Wölbt
sich das auf einen heißen Ofen oder in die
heiße Feuerstelle gelegte B.blatt, so
kommt der Soldat gut vom Krieg nach
Hause, schrumpft es zusammen, so wird
er verwundet, wird es schwarz, so stirbt
er [13]). Die bulgarischen Mädchen legen
zwei B.blätter auf den warmen Herd;
kommen die beiden Blätter beim Trocknen und Rollen zusammen, so bedeutet
dies baldige Heirat [14]). Auch in Frankreich sind Orakel mit den auf den heißen
Ofen gelegten B.blättern gebräuchlich.
Es wird hier besonders auf das Knistern
der eintrocknenden Blätter geachtet [15]).

[10]) Orakeltag in Liebesangelegenheiten vgl.
Sartori *Sitte u. Brauch* 3, 90. [11]) Heßler
Hessen 2, 93. [12]) Schullerus *Pflanzen* 84.
[13]) Ebd. 89. [14]) Arnaudoff *Bulgar. Fest-
bräuche* 1917, 21. [15]) Sébillot *Folk-Lore* 3,
296; Rolland *Flore pop.* 9, 248.

4. In der S y m p a t h i e m e d i z i n
werden „Fieberpackerln" benutzt, die 72
B.blätter [16]) enthalten. Sie werden vom
Kranken abends um den Hals gehängt
und dann morgens weggenommen [17]) oder
nach dem „Abzählen" (s. zählen) von
72 bis 1 in fließendes Wasser geworfen [18]).
Die Blätter des als „Palm" geweihten B.s
werden gegen starkes Fieber gekaut [19]).
In die vom Boden aufgenommene und in
einen Topf geworfene Fußspur eines
Menschen wird B. gepflanzt. Wie dieser
wächst, so muß der Mensch vergehen [21]).
Unter einem B. schlafen gilt als gefährlich [21]). „Paternoster" (Rosenkränze),
Löffel oder Messerhefte aus B.holz benehmen die Lust zur Unkeuschheit [22]).

[16]) Zur Zahl „72" vgl. ZfVk. 23, 69 f.
[17]) Fossel *Volksmedizin* 130. [18]) Andrian
Altaussee 134. [19]) Wilde *Pfalz* 38; übrigens
wurden die B.blätter in der älteren Medizin
gegen Wechselfieber verwendet. [20]) Schiller *Tierbuch* 2, 23. [21]) Buck *Volksmedizin*
33; der B. enthält tatsächlich giftige Alkaloide.
[22]) Ortus Sanitatis, deutsch, Mainz 1485,
Kap. 70.   Marzell.

Buchstabe. Die einzelnen B.n des Alphabets (s. d.) dienen in mannigfacher Weise zu Zauber und Symbolik. Anregung dazu kann kommen von antiken Zaubervorschriften, von dem A und O und anderen geheimnisvollen Wörtern in der Bibel, aus der Kabbala, vom Runenzauber oder gelegentlichen Anlässen, indem bestimmte Wörter, Sätze oder Sprüche mit den betreffenden B.n anfingen. Oft handelt es sich natürlich um einfachen Humbug, und die Hexenmeister setzen irgend etwas geheimnisvoll Aussehendes hin. Denn seit den frühsten Zeiten, schon bei den alten Ägyptern, „war die Unverständlichkeit der Worte die Vorbedingung für die Zauberkraft der Formel" [1]).

Unsprechbare B.nzusammenstellungen, denen nur schwer ein Sinn abzugewinnen ist, werden empfohlen für sehr verschiedenartige Zauberhandlungen, zur Blutbesprechung [2]). „Vor das Reissen" empfehlen die „Neunzig Geheimnisse" sechs Zeilen, in denen, nur leise verstellt, u. a. sich die Worte „die Dummen werden nicht alle" verbergen. Sie müssen auf einen Zettel geschrieben, neun Tage angehängt und ins fließende Wasser getragen, dem Wasser entgegengeworfen werden [3]). Wenn ein Vieh bezaubert ist, so nagle über die Stalltüre I + I, von weiteren Kreuzen umgeben [4]). Auf dem Tridentinum trugen geistliche Herren gegen die Pest den Zachariassegen (s. d.):

+ Z. + D. I. A. + B. I. Z.
+ S. A. B. + Z. H. G. F.
+ B. F. R. S. [5]).

Gegen Krampf soll ein ähnlich beschriebenes Papier in ein Stücklein ungebleichtes Tuch eingeschlagen und in einer ungeraden Stunde umgehängt werden (in Berghüllen-Blaubeuren) [6]). Ein Himmelsbrief enthält dergleichen Zeichen [7]). Um „immer viel Glück zu haben", soll man bestimmte Buchstaben bei sich tragen [8]), und aus Württemberg wird empfohlen: „Wer die sieben Buchstaben: A. M. U. L. E. T. S. (also: Amulets!) auf der rechten Seite trägt, der kann von keinem bösen Menschen betrogen werden" [9]). Auch soll man das Papier oder die andern

Gegenstände, auf die die B.n geschrieben sind, verzehren [10]).

Wie solche B.nzusammenstellungen zu verstehen sind und woher sie jeweils stammen, ist naturgemäß oft nicht oder schwer zu sagen. Aus dem a n t i k e n Z a u b e r stammen die dort κλίματα genannten Figuren. Ein Zauberwort, etwa abracadabra (s. d.), wird immer wieder um einen B.n an einer oder beiden Seiten verkürzt Zeile unter Zeile hingeschrieben, so daß ein Dreieck entsteht, an dessen unterer Spitze sich nur das a noch befindet (Schwindeformel) [11]). Auch das bekannte B.nquadrat aus sator arepo tenet opera rotas (s. d.), das die Kräfte der verschiedenen Gruppierungen dieser Wörter entfesselt [12]), stammt aus antiker Zeit, ebenso Pentagramme (s. d.), Hexagramme (s. d.), die mitunter durch B.n geziert vorkommen [13]).

Aus der B i b e l begegnet außer dem AO das INRI (s. d.) als Zauberschutz [14]), das Ananisapta (s. d.), z. B. als Tiroler Haussprüch [15]), u. a. m. K a b b a l i s t i s c h e Umdeutung von B.n zu Zahlen scheint im deutschen Volksglauben kaum vorzukommen, und unmittelbares Fortleben des R u n e n - z a u b e r s ist natürlich schwer zu beweisen; beides kann aber jederzeit auftauchen und ist bei Entzifferung rätselhafter B.nreihen mitunter vielleicht heranzuziehen.

B.n sind ferner sicherlich oft als W o r t - a n f a n g für damit gemeinte Worte, Verse, Sprüche hingeschrieben, vgl. z. B. oben das zweimalige I wohl für Jesus. So mögen oft kirchliche Benediktionen dahinterstecken [16]), oder Zeilen aus Losbüchern [17]), wie sie in vielen Literaturen entstanden sind.

[1]) H ä l s i g *Zauberspruch* 20. [2]) B a r t s c h *Mecklenburg* 2, 381. [3]) S e y f a r t h *Sachsen* 155; G a n z l i n 21 Nr. 39. [4]) Romansb. 35. Ein ähnlicher Viehschutz: F r i s c h b i e r *Hexenspr.* 13—14; G a n z l i n 19 Nr. 30. [5]) Geistl. Schild 19. [6]) H ö h n *Volksheilkunde* 1, 129. [7]) G a n z l i n 15. [8]) K ö h l e r *Voigtland* 410. [9]) W u t t k e 179 § 244. [10]) S e y f a r t h *Sachsen* 152; A n d r i a n *Über Wortaberglauben.* Korresp.Bl. d. dt. Ges. f. Anthropol., Ethn. u. Urgesch. 27 (1896), 112 Nr. 10. [11]) D o r n s e i f f *Alphabet* 63 ff.;

Wuttke a. a. O. [12]) Dornseiff ebd. 79 mit Nachtr. Dort Übersicht über die Erklärungsversuche. Dazu noch Friedenthal *Menschheitskunde.* Leipzig 1927, 102; Wuttke 180. [13]) Wuttke 179. [14]) Ebd. [15]) HessBl. 20 (1921), 6; ZfVk. 1 (1891), 104, zur Art der dortigen Deutung (Notarikon): Dornseiff *Alphabet* 137. [16]) Dornseiff *Alphabet* 78. [17]) Ebd. 152 ff.   Dornseiff.

Buchweizen (Fagopyrum esculentum).

1. **Botanisches.** Der B. ist ein Knöterichgewächs mit pfeil- bis herzförmigen Blättern und weißen oder rötlichen Blüten. Seine Früchte sind dreikantige Nüßchen. Er wird in manchen Gegenden (z. B. Ostpreußen, Nordwestdeutschland, Tirol) auf dürftigem Sand- oder Heideboden gebaut. Seine Heimat ist das mittlere Asien. Erst gegen Ende des Ma.s kam er nach Europa [1]).

[1]) Marzell *Kräuterbuch* 213 f.

2. Im westlichen Deutschland liefert der B. ein Festgebäck, so am Donnerstag vor Fastnacht [2]) oder am Martinitag [3]). Am Neujahrstag muß man den Kühen B.stroh zu fressen geben, daß sie bald trächtig werden [4]). Hier scheint der B. ähnlich wie die Hirse (s. d.) ein Fruchtbarkeitssymbol zu sein.

[2]) Wrede *Eifel*[2] 206; ebenso im Vlämischen: Höfler *Fastnacht* 38; Rolland *Flore pop.* 9, 271. [3]) Pfannenschmid *Erntefeste* 216. [4]) Bartsch *Mecklenburg* 2, 233.

3. Über Saat und Gedeihen des B.s findet sich nur wenig deutscher Aberglaube. Am Weihnachtsabend taucht man ein Fichtenreis in Weihwasser und steckt es über Nacht ins Freie. Hat das Reis am Christtag viel Eisperlen, so wird der B. der ersten Aussaat recht gut, sind keine Eisperlen daran, so wird die B.saat nicht gut ausfallen. In entsprechender Weise gilt Silvester als Orakel für die zweite und Dreikönig für die dritte Aussaat (Steiermark) [5]). Das Orakel scheint südslavischer Herkunft zu sein [6]). Der B. soll ausgesät werden am Urbanstag [7]), am Siebenschläfertag (27. Juni) [8]), bei Mondenschein [9]). Wie die Vizebohnen (Phaseolus vulgaris) geraten, so gerät auch der B.[10]). Wenn es viel donnert und blitzt, so setzt der B. wenig Korn an (Frankfurt a. O.) [11]).

[5]) ZföVk. 6, 173. [6]) Schneeweis *Weihnachtsbräuche* 131. [7]) Dithmarschen: ZfVk. 24, 58; Posen: Rogasener Familienblatt 1 (1897), 18. [8]) Freiburg i. B.; Pennsylvanien: Fogel *Pennsylvania* 202. [9]) Strackerjan 1, 106. [10]) Ders. 2, 130. [11]) Wander *Sprichwörterlexikon* 1, 674; in der Basse-Bretagne glaubt man das Gegenteil: Rolland *Flore pop.* 9, 182.

4. Der Fieberkranke schüttelt eine Handvoll B. zwischen den Händen und streut ihn dann aus; geht der B. auf, so verschwindet das Fieber [12]).

[12]) Strackerjan 1, 74.   Marzell.

Buckliger. Der Angang krüppelhafter Menschen (Lahmer, Einäugiger, Blinder, B.) galt schon im Altertum als unheilvoll [1]). Das Christentum rottete diesen Glauben nicht aus; so gelten Bucklige als „von Gott gezeichnet", denen man aus dem Wege gehen soll [2]); deswegen denkt man sich auch die Hexen hinkend und buckelig [3]).

Gegen den Buckel schneidet man in Deutschböhmen von einer kräftigen vollbelaubten Eiche im Frühjahr bei zunehmendem Mond einen Ast mit einem Schnitt ab, bestreicht damit den Buckel und bewahrt den Ast an einem kühlen und dunklen Ort auf [4]).

[1] Grimm *Mythol.* 2, 942; Stemplinger *Abergl.* 45. [2]) Wuttke § 307. [3]) Heyl *Tirol* 305 N. 122. [4]) Hovorka-Kronfeld 2, 471.   Stemplinger.

Buddejäger s. Ewiger Jäger.

Buddemann s. Scheuche.

Bühne s. Schauspieler.

Buko. In einem weitverbreiteten, ursprünglich niederdeutschen Kinderliede wird ein B., meist mit einer näheren Ortsangabe (von Halberstadt, Halle, Bremen u. ä.), aufgefordert, dem Kinde Geschenke mitzubringen [1]). — Damit ist wohl ein hilfreicher Hausgeist gemeint, der mit kinderfreundlichen historischen Persönlichkeiten (Bischof Bucco von Halberstadt) vermengt wurde [2]). Andere denken an den Marienkäfer (coccinella septempunctata) [3]), obgleich es unklar erscheint, weshalb dieser als Geschenkspender auftreten soll. Ob alte mythologische Er-

innerungen zugrunde liegen, ist zweifelhaft [4]).

[1]) Reichste Variantensammlung bei W o s -
s i d l o *Mecklenburg* 3, 30 ff. 298 ff. Dazu
Ergänzungen durch D e i t e r Korrbl. f. nd.
Sprachf. 34, 36 f.; M e n s i n g *Schleswig-
Holstein.Wb.* 1, 565 ff. [2]) ZfrwVk. 1905, 316.
[3]) W o s s i d l o a. a. O. 302 f. [4]) G r i m m
Myth. 2, 552.   Stammler.

Bulle s. Stier.

Bullkater, zu *Bull*, vgl. mhd. *bullen*,
büllen „heulen" (vom Winde), bellen,
brüllen. Nächstverwandt sind Worte wie
bullern, „bollern, poltern". *Kater* oder
Katze ist eine gängige Bezeichnung für
Wetterwolken.

I. G r u n d v o r s t e l l u n g. B. ist
ursprünglich (in Norddeutschland heute
noch) die am Himmel aufziehende
s c h w a r z e   W i n d -   u n d   G e -
w i t t e r w o l k e, ein Relikt germanischen Naturdämonenglaubens [1]). In der
Provinz Sachsen nennt man die Gewitter-
wolken M u r r k a t e r oder S c h w a r -
z e   K a t e r („da kommt ein schwarzer
Kater herauf", „da steht ein Murrkater",
Liegnitz: „Ach die grauen Wolken, das
sind die rechten Katzen") [2]).

[1]) M e y e r *Germ. Myth.* 104. [2]) M a n n -
h a r d t 2, 173 A.

II. A b g e l e i t e t e   V o r s t e l -
l u n g e n. Infolge der mannigfachen
Einwirkungen der Wetterwolken (Gewitterregen usw.) auf das menschliche
Leben hat der B. in mehrfacher Form
als D ä m o n   d e r   F r u c h t b a r k e i t
(in Tier- und Menschengestalt) bei den
Deutschen und einem Teil der West- und
Nordfranzosen Gestalt gewonnen.

1. B. a l s   K o r n d ä m o n. Aus dem
Empfinden des Naturmenschen für die
das Korn befruchtende Wirkung des Ge-
witterregens ist die Übertragung der Bezeichnung B. auf einen im K o r n
w o h n e n d e n Fruchtbarkeitsdämon
leicht verständlich. Die Vorstellung von
der Katze bleibt erhalten. So spricht man
davon, daß „der Kornkater im Korn
geht" [3]) (Kr. Buttstädt). Die langen Wellenlinien, die besonders beim aufziehen-
den Gewitter der Wind durch die großen
Getreidefelder Norddeutschlands jagt,

versteht man als eine Regung der Korndämonen. So spricht man davon, daß
„die Windkatzen im Getreide laufen, die
Wetterkatzen im Korn sind" (Umgebung
Bremens, Lüneburger Heide). Mäht man
das Getreide, so heißt es im Kreise Frei-
stadt (Schlesien), „man hasche den Kater". Beim Dreschen heißt ebenfalls in
Schlesien (Grünberg) der, der den letzten
Flegelschlag tut, „der Kater" [4]). Dieser
Anschauung liegt wohl der Gedanke zugrunde, den Getreidesegen einer Ernte
zum eigenen Nutz und Frommen festhalten und genießen zu wollen.

[3]) Nach einigen Erklärern ist der Ausdruck
dann gebraucht, wenn man das oft über Heide,
Wiesen und großen Feldern im Hochsommer
zu beobachtende Flimmern der heißen Luft
wahrnimmt: K ü c k *Wetterglaube* 136; s. Wetter-
katze. [4]) Die gleichen Vorstellungen von den
Korndämonen in Katzengestalt existieren in
Westfrankreich, wo man z. B. in der Umgebung von Vesoul beim Abernten des letzten Halmes sagt: nous tenons le chat par la
queue, vgl. M a n n h a r d t 2, 173 A.

2. B. a l s   B u l l e m a n n (böser
Mann, heimtückisches Gespenst). Andrerseits hat die mit dem Aufziehen von Wetterwolken drohende Gewittergefahr und
das unberechenbarem Blitzschlag gegenüber sich äußernde Ohnmachtgefühl des
Menschen den B. zu einem b ö s e n
M a n n werden lassen, dessen Stimme
dumpf wie das ferne Grollen des Donners
tönt [5]). Mit der Drohung seines Kom-
mens schreckt man vor allem Kinder [5]);
vgl. die verwandte Vorstellung von der
Holzkatze, einem katzengestaltigen Wald-
dämon, den man in Eisfeld (Meiningen)
kennt: sind unfolgsame Kinder auf dem
Felde, so schreckt man sie mit dem Rufe
„die Holzkatze kommt" [6]). Um den in der
Ferne grollenden Donner nachzuahmen,
schlägt man in Mecklenburg so gegen die
Türe, daß es ein dumpfes Geräusch gibt,
oder ruft ein langgezogenes grausiges
„buu", indem man hinzusetzt: „hürst
du, de B. kümmt" [7]).

[5]) B a r t s c h *Mecklenburg* 2, 127. [6]) M a n n -
h a r d t 2, 172 A. 3. [7]) B a r t s c h *Mecklenburg* 2, 127. Dieser Glaube ist auf Mitteldeutschland und Norddeutschland beschränkt.
Ich trage daher große Bedenken, ohne weiteres
mit dem B. genannten Gespenst den südd.

„Bullemann" zusammenzustellen, von dem Reiser *Allgäu* 1, 83 f. berichtet, daß derselbe sich überall in Schluchten, Tobeln, unter Brücken zumal vor dem Hereinbruch der Nacht aufhalte, um Kinder, die kein reines Gewissen haben, zu ängstigen.

3. **M i s c h v o r s t e l l u n g e n.** Endlich seien einige Volksanschauungen vom B. erwähnt, in denen der getreidespendende Dämon und der böse Mann verbunden erscheinen. Hieraus ergibt sich auch noch eine andere Möglichkeit der Erklärung, wie B. zu einem Gespenst wurde. Um das Korn vor dem unnützen Betreten durch Kinder zu schützen, macht man die Kleinen bei Probstei (Umgebung von Kiel) glauben, „der B. sitze im Korn" [8]). Der B. im Korn ist launisch: ein fauler Schnitter beklagt seine Mühen mit der verpönten Formel, „die Katze wolle ihm auf den Buckel springen" [9]). Mit diesem Betonen des Bösartigen im Korndämon steht wohl der gelegentlich bezeugte Brauch in Zusammenhang, nach dem Ausdreschen der letzten Halme auf dem Gutshofe eine Katze totzuschlagen, eine übrigens auch in Nordfrankreich bekannte Sitte. (Umgebung von Amiens: On va bouffer [tuer] le chat). Aus dem andern Erntebrauch, der das Einführen des Korndämons zum Segen des Hauses darstellt (s. u.), entwickelte sich die Anschauung vom B. als lebenspendendem, aber auch ängstigendem Dämon, die wir noch am Anfang des vorigen Jahrhunderts in Schweden bezeugt haben in dem Erscheinen des B.s zur Weihnachtszeit [10]), vielleicht heute noch gefeiert im Kreise Franzburg, Reg.-Bez. Stralsund [11]). Am Weihnachtsfeste, dem alten Julfest, kommt ein Mann mit fürchterlicher Maske auf einem Ziegenbocke in die Häuser; in der Hand führt er eine Rute. Dieser Brauch muß in engstem Zusammenhang mit einem aus Schlesien bezeugten Erntebrauch stehen [12]): Hier schmückt man den Schnitter, der zuletzt fertig wird — auch er erhält den Namen „Kater" —, mit Roggenhalmen, grünen Reisern und einem langen Schwanze. Hinter diesem „gehaschten Kater" ziehen alle Erntearbeiter zum Hof ein. Der Kater muß bei dem Zuge alle in Sicht kommenden Personen, namentlich Kinder, mit

Rutenschlägen (die Rute ist die Wachstum verleihende Lebensrute s. u.) vertreiben. So liegt vermutlich auch dem Umgehen des B.s an Weihnachten ein Rest alten Segens- und Erntezaubers (Donarkult?) zugrunde; über die Rute s. o.; der Ziegenbock ist doch wohl der Blitz (s. d.) [13]), aus dessen erstem Erscheinen beim Jahresanfang die Fruchtbarkeit geweissagt wurde (s. Blitz). — Unter dem Einfluß des Christentums ist der alte B. allmählich verdrängt worden. Man begann ihn einfach zu ersetzen durch den Heiligen des 6. Dezember, St. Niklas, der aber ganz den Charakter des alten Erntedämons angenommen hat [14]). Die Süßigkeiten, die er bringt, deuten die Fruchtbarkeit des kommenden Jahres an [15]) (dann übertragen, daß alles im Jahre wohl vonstatten gehe; letztere Auffassung leitet sich aber sicher von den antiken Neujahrsbräuchen her) [16]), die Rute in seiner Hand ist die das Wachstum fördernde Lebensrute [17]) wie bei dem B. genannten Weihnachtsgespenst [18]).

[8]) M a n n h a r d t 2, 173 A. [9]) Ebd. 2, 173 A. [10]) E. M. A r n d t *Erinnerungen aus Schweden.* Berl. 1818, 366. Die Erklärung als Stierkater ist sicher falsch: M a n n h a r d t 2, 174 A. oben. [11]) M a n n h a r d t ebd. [12]) Ebd. 2, 173 A. [13]) M e y e r *Germ. Myth.* 100 f. 110; M a n n h a r d t 2, 173 f. [14]) M a n n h a r d t 2, 184 A. 2 (sehr eingehend). Macht sich hier die Einführung des gregorianischen Kalenders geltend? Vgl. Art. Bauernregeln. [15]) M e y e r *Germ. Myth.* 101. In Schwaben formt man das Gebäck zu T i e r e n (Springerle), hauptsächlich B ö c k e n (s. Habergeiß). [16]) O v i d *Fast.* I 185—189; Bilfinger *Das germ. Julfest* 58 ff. [17]) M a n n h a r d t 2, 187 A. [18]) Vgl. auch M e y e r *Germ. Myth.* 101 unten.

4. **M e t a p h o r i s c h** wird B. in Redensarten gebraucht, in denen ebenfalls die Anschauungen des Erntedämons und des Gewitterdämons noch deutlich erkennbar nachwirken [19]). Alle drei Zeugnisse stammen aus Norddeutschland: „1. Sick to 'n B. maken" sagt man, wenn man einen z o r n i g e n und g r a u s a m e n Charakter beschreiben will; 2. „se hebben mal ens bullkatert", wenn man das W e i h n a c h t s f e s t etwas wild gefeiert hat [20]); 3. „Morgen frouh könnt s' de Wērkatten danzen hören" in der Lüneburger Heide

von dem Katzenjammer d. h. Schädel-
b r u m m e n (Kater!) am folgenden Tage
nach übermäßigem Alkoholgenuß [21]).

Vgl. A t m o s p h ä r e , W o l k e .

[19]) E. M. A r n d t *Nebenstunden* 442; Hinweis
bei H e c k s c h e r 212. [20]) E. M. A r n d t
Nebenstunden 443; H e c k s c h e r ebd.
[21]) K ü c k *Wetterglaube* 138.

    Außerdem manches bei H e c k s c h e r
174. 175 aus E. M. A r n d t s *Schriften* mit Ergänzungen der modernen Parallelen (z. T.
falsch) 426. Bullemann und Butzemann gehören ihrem Ursprung nach so wenig zusammen
wie Bullemann und Bullkater.   Stegemann.

Bumann, auch Bukerl, Bomann (Quedlinburg), Bäumann (Köln). Kinderschreck
(s. d.) in Niederdeutschland, „schwarzer
Mann" ohne deutlich umrissene Gestalt.
„Der B. haust in Wassergräben, Tüm-
peln, Brunnen oder in dunklen Winkeln
des Kellers, Stalles, Bodens; zuweilen
reitet er auch auf einem großen Pferd umher, eine große Rute in der Hand, dann
dürfen die Kinder nicht mehr draußen
spielen, sondern müssen ins Bett" [1]).
Schreiende Kinder werden bedroht: B
kümt un nimt di mit, stickt di in Sack! [2])
Der Name stammt aus der Kinderstube
(bü ist Schrecklaut) [3]). — Dem ndd. B.
entspricht in Oberdeutschland der Böli-
und Bullemann (s. Bullkater II, 2) und
Butzemann (s. d.).

[1]) M e n s i n g *Schlesw.-Holst.Wb.* I, 578.
[2]) M ü l l e n h o f f *Sagen* [2] 545 zu Nr. 499.
[3]) M e n s i n g *Wb.* I, 556. Im übrigen vgl.
noch z. B. R i c h e y *Id. Hamburgense* 28;
Brem.Wb. I, 153; S t r a c k e r j a n I, 422;
Ndd. Jahrb. 29, 145 (Quedlinbg.); H ö n i g
Köln 13. 22; andre Literatur s. H e c k s c h e r
426.   Ranke.

Bündelchen. Unter B ü n d e l e , B ü n-
t e l i versteht man in Süddeutschland
und in der Schweiz S ä c k c h e n m i t
a m u l e t t ä h n l i c h e n D i n g e n ;
sie finden im Heil- und Abwehrzauber
Verwendung und kommen unter anderen
Bezeichnungen auch im übrigen Deutschland vor. Es handelt sich dabei um eine
Häufung der Zaubermittel [1]); Gegenstände, deren jeder für sich schon bei be
stimmten Gelegenheiten als zauberkräftig
gilt, werden, ebenso wie Kräuter und auf-
geschriebene Segensformeln, zusammen-
getan. Mit jedem neuen Ding erhöht sich

die Kraft des Ganzen, und der Träger
oder Besitzer sichert sich auf diese Weise
gewissermaßen ein U n i v e r s a l m i t t e l
g e g e n a l l e U n g l ü c k s f ä l l e , die
ihn, seine Familie und seine Habe heimsuchen könnten.

    Amuletthäufungen von T i e r - ,
P f l a n z e n - u n d M i n e r a l t e i l e n
finden sich schon in Gräbern der Bronzezeit [2]). Gregor von Tours erzählt von
einem Betrüger, der statt spanischer Reliquien einen Sack voll merkwürdiger
Dinge bei sich führte: W u r z e l n u n d
K r ä u t e r , M a u l w u r f s z ä h n e ,
M ä u s e k n o c h e n , B ä r e n k l a u e n
u n d - f e t t [3]). 1715 kam zu Jena in einer
Gerichtsverhandlung über eine Schatz-
gräberei, die mit dem Tode zweier der
Beteiligten endete, eine ganze Muster-
sammlung verschiedenartigster Amulette
zutage. Darunter waren auch zwei B., und
zwar eine hölzerne länglich rund gedrech-
selte Büchse mit drei I n s c h r i f t -
s i e g e l n , zehn in Papier gewickelten
P f e n n i g e n , einem „b ö h m i-
s c h e n" D i a m a n t e n , einem be-
s c h r i e b e n e n Z e t t e l , einem
Fetzen von einem weißen W i e s e l f e l l ,
einem M e s s i n g s t ü c k m i t m a-
g i s c h e n Z e i c h e n und etwas
B a u m w o l l e , sowie ein viereckiges
ledernes Beutelchen, an einem Riemen
um den Leib zu tragen, mit einer in den
Anfang des Johannisevangeliums gewickelten G l ü c k s h a u b e , einem
B l e i s i g i l l u m mit Inschrift, einem
B i l d d e s h e i l i g e n N i k o l a u s ,
einem Stück L e i n w a n d m i t M e n-
s t r u a l b l u t , einem Z e t t e l mit
des Schatzgräbers Geburtsstunde, vier
kleinen K o r a l l e n z i n k e n , zwei
Stückchen H y a z i n t h und einem
Stückchen L a p i s l a z u l i [4]). Um
1800 pflegten die Mönche des Klosters
Beurig in den Dörfern Lebensmittel gegen
sogenannte „Deibelsgäschel" einzutau-
schen. Eine solche Teufelspeitsche [5]) galt
als Abwehrmittel gegen alle Angriffe des
Bösen und bestand aus einer Unterlage
mit neun B i l d feldern auf der Vorder-
und zwei auf der Rückseite, ferner dem
Allerheiligsten: einer M a d o n n e n-

statue aus Gips und andern Klein-
amuletten, und schließlich noch
einem, mannigfaltige Kräuter enthaltenden, zusammengefalteten Papier
mit denselben Heiligen wie auf den Bildern und der Unterschrift: Contra Male-
ficiam Contra Ignem Pestem et Tempe-
statem [6]). Volkstümliche Arzneibücher
des 18. Jh. empfehlen B. gegen die verschiedensten inneren und äußeren Krankheiten sowie als Mittel, kugelfest oder
beliebt zu werden [7]). Dieser Abwehrzauber
durch Amuletthäufungen hat sich bis in
die Gegenwart hinein erhalten. In Böhmen
hängt man der Wöchnerin ein solches
Päckchen an einer Schlinge um den
Hals [8]). In Oberbayern gebraucht man
gegen Krankheiten, besonders gegen
Krämpfe, die Frais- und Gicht-
beten, mit einem roten Faden zu-
sammengebundene Amulette verschiedener Art [9]). Dabei kann das einzelne
Glied einer solchen Kette wiederum aus
einem B. bestehen, wie die ,,Fleischlis-
Täfala" im Frankenwald, ein etwa einen
Quadratzoll großes messingblechumran-
detes Ledersäckchen mit höckerigem Inhalt (Wurzel oder Samen) [10]). Im Samland
bindet man der Wöchnerin und ihrem
Kinde B. an, die Tharant, Baldrian,
Kreuzkümmel, Teufelsdreck,
Knoblauch, Salz, Brot,
Stahl und Geld enthalten [11]). In
Baden tut man Papierstreifen
mit Bibelsprüchen hinein [12]);
in der Schweiz sollen ,,dreiergattig"
(dreierlei) Sachen darin sein [13]); ein altes
Simmenthaler Mittel zur Gewöhnung der
Säuglinge an die Mutterbrust empfiehlt
dreifach Rauten, Immergrün und Allermannsharnisch, daraus ein ,,bündelin gemacht und dem kind daß Mul gerieben
der Mutter daß Büppy (Brustwarze) und
der Mutter angehenkt" [14]). Sind in den
meisten dieser Beispiele Gegenstands-
und Wort- oder Zeichenamulette in dem
B. miteinander vereint, so treten die
letzteren auch allein in der Häufung auf.
Schon die Anschauung, daß ein geschrie-
benes oder gedrucktes Zauberbuch
mit seinen verschiedenartigen Rezepten
und Anweisungen als Ganzes abwehr-

kräftig sei gegen allerlei Übel, weist
darauf hin, daß neben dem gelegentlichen
Gebrauch des einen oder andern Segens
das Buch selbst als Kollektivschutz gewertet wurde. Und ebenso ist es mit gewissen Haus- oder Schutzbriefen,
die aus einer Reihe von Einzelsegen und
-bitten zusammengesetzt und mit den
Bildern von Schutzpatronen für ganz verschiedene Fährnisse geschmückt sind [15]).

Je nach dem besonderen Zweck des
B.s ist seine Verwendung eine
andere. Denkt man ganz allgemein an die
Beschirmung des Hofes und seiner Insassen, so hängt man es wie den Schutzbrief im Hause auf, nagelt es an die Tür
oder Schwelle des Stalles [1]) oder verwahrt es sonstwie. Ist es in erster Linie
auf den Schutz eines Einzelmenschen abgesehen, so trägt es der Eigentümer bei
sich und zwar auf dem bloßen Leibe [16]).
Dem Kranken bindet man's um den
Hals [12]) [8]) [11]) [17]); einem Kindlein wurde es in
solchem Falle ,,am dritten Tag Neumond
vor Sonnenaufgang angelegt und am
9. Tag wieder vor Sonnenaufgang abgenommen und in ein Rührendt Waser geworfen" [18]) oder auch ungeöffnet vergraben [12]). Den Inhalt darf der Kranke
nicht kennen [7]); deshalb kann er auch das
B. nicht öffnen, ohne es zu zerstören [10]).

Sofern man ein B. nicht ererbt hat, muß
man es schon vom Nachbarn oder gar aus
dem nächsten Dorfe entleihen [10]). Quacksalber halten es auch wohl feil [7]), doch
kann man es meistens nur erhalten von
solchen Leuten, denen man auch sonst
übernatürliche Kräfte beimißt [12]) oder
vielleicht gar eine Verbindung mit dem
Teufel nachsagt. Bei dem Gebrauch aber
soll man sich durch nichts abschrecken
lassen. Als man einst im Kanton Zürich
ein solches B. einem behexten Kinde in
die Tasche tat, krachte es durchs ganze
Haus, und als das Kind es herausnahm
und fortwarf, flog es in der Stube herum,
daß man es kaum wieder einfangen konnte.
Daraufhin nähten es die Eltern dem Kinde
ins Futter, und die Krankheit verging [19]).

S. Amulett, Breve.

[1]) Helm Die Häufung der Zaubermittel in
SAVk. 20, 177 ff. Vgl. Amulett [59]). [2]) Ebd. 177.

³) G r e g o r v. T o u r s *Historia Francorum* lib. 9, cap. 6. ⁴) SAVk. 20, 179. ⁵) Ebd. 28, 81 ff. ⁶) ZfrwVk. 7, 1 ff. Ganz ähnliche „Gweichtel“ einer Fraiskette mit Abb. bei Vi l l i e r s - P a - c h i n g e r *Amulette und Talismane.*. München (1927), Taf. 8. ⁷) M e s s i k o m m e r 1, 174 f. ⁸) J o h n *Westböhmen* 105 ff. 273. ⁹) A n d r e e - E y s n *Volkskundl.* 144 ff. 136. ¹⁰) F l ü g e l *Volksmedizin* 54. ¹¹) Urquell 1, 133. ¹²) M e y e r *Baden* 564. ¹³) SAVk. 21, 48 f. ¹⁴) Z a h l e r *Simmenthal* 59. ¹⁵) Vgl. A n d r e e - E y s n *Volkskundl.* 67 ff. ¹⁶) SAVk. 21, 54. ¹⁷) Hess-Bl. 25, 194 ff. ¹⁸) SAVk. 2, 262. ¹⁹) SAVk. 2, 273.　　　　　　　　　　　　Freudenthal.

bunt s. Farbe.

Burchard von Worms.

Vita Burchardi episcopi ed. W a i t z MG. SS. 4, 829—846; neu herausg. von H. B o o s *Quellen der Wormser Geschichte* 3 (1893), 97 bis 127.

Herm. G r o s c h *Burchard I., Bischof zu Worms.* Diss. Jena 1895; H. B o o s *Geschichte der rheinischen Städtekultur* 1, 253—309; W a t - t e n b a c h 1 ⁷, 397—399; A. M. K ö n i g e r *Burchard I. von Worms und die deutsche Kirche seiner Zeit* 1905.

1. Geboren um 960 im Hessengau, Schüler des Albert von Gembloux zu Lobbes, später Kanonikus zu Mainz und Probst des Viktorstifts; Bischof von Worms seit 1000, gestorben 1025.

Als Bischof ausgezeichnet durch seine rege Tätigkeit, die allen Gebieten der Verwaltung und kirchlichen Einrichtung zugute kam. Ihr verdankt auch sein Hauptwerk seine Entstehung, das er mit Hilfe Alberts und wohl auch anderer Mitarbeiter in den Jahren zwischen etwa 1011 und 1023 verfaßte ¹), die *Decretorum libri viginti* ²).

¹) G r o s c h 55. ²) Zuerst gedruckt Köln 1548; jetzt bei M i g n e *Patr. lat.* 140, 537 1058.

2. B.s Werk war die bis dahin vollständigste Sammlung kirchlicher Satzungen, die in einem wenn auch nicht immer geschickten doch übersichtlichen System zusammengestellt sind. Die Sammlung umfaßt, mit Ausnahme des Dogmatischen, die ganze Menge der in der kirchlichen Praxis begegnenden Fragen, besonders auch die Poenitentialbestimmungen.

Vom Aberglauben wird dabei an verschiedenen Stellen gehandelt ³). Buch I enthält in Kapitel 94 die Bußfragen, die der Bischof oder sein Vertreter bei der Bereisung der Diözese stellen soll; die Fragen 9. 42—45. 49—52 und 54 beziehen sich auf abergläubische Bräuche. Das ganze Buch X (*de incantatoribus et auguribus*) wendet sich gegen Zauberei und Wahrsagung. Das Buch XIX mit dem Titel *Corrector et Medicus* ⁴) enthält in Kap. 5 siebenundvierzig Bußfragen, die sich mit Aberglauben befassen; hinzu kommt noch Kap. 152.

³) Gesammelt abgedruckt bei G r i m m *Myth.* 3, 404—411. ⁴) Separatdruck von Kap. 5 bis 33 (mit anderer Zählung als bei Migne); von W a s s e r s c h l e b e n *Bußordnungen* 624 bis 676. Kritische Ausgabe von Kap. 1—33 bei H. J. S c h m i t z *Die Bußbücher und das kanonische Bußverfahren* (Düsseldorf 1898) 407 bis 467 (mit vorausgestellter Untersuchung 381 ff.). Die den Aberglauben betreffenden Abschnitte aus Kap. 5 mit besonderer Zählung auch bei F r i e d b e r g *Bußbücher* 82 bis 101. Es entsprechen sich bei Friedberg bzw. Schmitz jeweils die folgenden Nummern: Fr. 1—11 = Schm. 60—70; 12—14 = 90—92; 15—20 = 94—99; 21—24 = 101—104; 25—29 = 149—153; 30—37 = 166—173; 38—40 = 175—177; 41—43 = 179—181; 44—45 = 185—186; 46—47 = 193—194.

3. B.s Werk ist eine Kompilationsarbeit ⁵). Er nennt selbst zu Beginn einige seiner Hauptquellen: Kirchenväter, ältere Canonessammlungen (wichtig der Pseudo - Isidor), Konzilsakten, Papstdekrete, das Poenitentiale Romanum, Poen. Theodori und Poen. Bedae. Andere treten hinzu ⁶): Regino von Prüm (s. d.), Martin von Bracara, Hrabanus Maurus (s. d.), Caesarius von Arelat (s. d.), u. a. Meist nennt B. außerdem vor jedem Kapitel seine Quelle, wenn auch nicht immer richtig, doch gewiß kaum, wie Grosch annahm, absichtlich unrichtig ⁷). Es ergibt sich daraus ⁸), daß auch seine Angaben über den Aberglauben für deutsche Verhältnisse nur bedingten und sehr verschiedenen Wert haben, da das meiste aus älteren auch außerdeutschen Vorlagen nachzuweisen ist. Eine Ausnahme bildet ein Teil des Materials in Buch XIX. Zwar ist auch dieses als Ganzes eine Erweiterung ⁹) der Canones des römischen Konzils von 743. Aber hier hat B. in kleineren Änderungen des Wortlauts und

größeren Zusätzen offenbar auf den heimischen Brauch Rücksicht genommen. Hierbei handelt es sich um die folgenden abergläubischen Bräuche und Anschauungen [10] (die beigegebenen Nummern verweisen auf Friedberg): Neujahrsbräuche (3. 24; vgl. auch Schneider a. a. O.), Zauber und Besprechung beim Spinnen (5), Zauber mit Leichen und Leichenteilen (17), mit Herdfeuer und -rauch (16. 21), Krankheitserregung (38) und -heilung (16. 41), Liebes- und Impotenzzauber (35—37. 39. 45. 46), Regenzauber (47), Hexen (34), nächtliche Entrückung (34. 35), Behexung der Haustiere (32. 33), Orakel mit Bibelstellen (8), Angang (25), Wahrsagung über Krankheitsausgang (22), Totenopfer (15), Totenbannung (42. 43), sonstige Totenbräuche (18), dämonische Wesen (23), Waldweiber (28), Werwolf (27), Hulda und nachtfahrende Frauen (11. 12), Schicksalsfrauen (27), Geisterbannung durch Hahnenschrei (26), Speisung von Seelen und Dämonen (29), Quell-, Baum- und Steinkult (15).

[5]) G r o s c h 57 f.; E. D i e d e r i c h *Das Dekret des Bischofs Burchard von Worms. Beiträge zur Geschichte seiner Quellen.* Diss. Breslau 1908 (nicht ausreichend). [6]) Vgl. B o e s e *Superst. Arel.* 53—56; Fed. S c h n e i d e r ARw. 20, 362 f. [7]) Alb. H a u c k *Über den liber decretorum B.s von Worms.* Sitzb. Leipzig 46 (1894), 65 ff. [8]) Vgl. S c h ö n b a c h Sitzb. Wien 14 , 7, 125. [9]) S c h n e i d e r a. a. O. 360 ff. [10]) Herausgehoben bei F r i e d b e r g a. a. O. 82 ff.   Helm.

Burchard (s. Burkhard) von Würzburg.

Vita Burchardi. AA. SS. Oct. VI, 557—594; H a h n ADB. 3, 564—566.

B. I., erster Bischof von Würzburg, gest. 754. Das ihm zugeschriebene Homiliarium [1] enthält einige Predigten mit Mahnungen gegen Zauber, Lose und Wahrsagung (Nr. 19. 23. 25), gegen heidnische Opfer und Kultstätten (Nr. 23) und gegen Neujahrsbräuche (Nr. 3). Diese Predigten scheinen von Caesarius von Arelat (s. d.) abhängig zu sein [2].

[1]) Im Auszug bei E c k h a r t *Commentaria de rebus Franciae orientalis* 1 (Würzburg 1729), 837—847. [2]) B o e s e *Superst. Arelat.* 36—37.
     Helm.

Burgbrennen heißt in der Eifel und in Luxemburg das Abbrennen der Feuer am ersten Sonntag in den Fasten, vereinzelt auch am Sonntag vor Fastnacht oder an Halbfasten [1]). Das Wort Burg bedeutet (wie in dem kurzen Sigurdliede der Edda) den hochgetürmten Scheiterhaufen. In Herscheid bei Prüm setzt man auf das die Burg krönende Kreuz eine Strohkatze [2]). Die Glaubensvorstellungen, die man mit diesen Feuern verbindet, sind die gleichen wie bei den Fastnachtsfeuern überhaupt.

[1]) S c h m i t z *Eifel* 1, 21; 2, 148 f.; F o n t a i n e 28 ff.; S a r t o r i *Sitte und Brauch* 3, 108 f.; W r e d e *RheinVk.* 251 ff.; *EifelerVk.* 210 f. [2]) W r e d e *EifelerVk.* 210.   Sartori.

Burkhard (s. a. Burchard), hl., angelsächsischer Herkunft, einer der bekanntesten Schüler und vertrautesten Mitarbeiter des hl. Bonifatius, erster Bischof von Würzburg (741) und Erbauer des Salvatordomes dort, deshalb auch mit einem Kirchenmodell in der Rechten abgebildet, gest. 2. Februar 754, Fest am 14. Oktober, dem Tage der Translatio seiner Gebeine (1033) in die ihm zu Ehren erbaute Kirche (Burkhardi - Kirche zu Würzburg) [1]). Der B.tag sowie die ganze B.-woche galten als ungünstig für die Saat, da sie in die Zeit fallen, in der „die Seelen besonders rührig" sind [2]). Im Hennebergschen war der B.woche ein besonderes Gebäck üblich, der Borkelsweck („Zwick"), ein langes, schmales, keilförmiges Brot aus mürbem oder einfachem Teig mit vielen Querfurchen. Man brachte es auch vom B.markt in der B.woche als Patenbrot mit. In Meiningen wünschten sich den B.weck Kinder und junge Leute oder wußten ihn sich zu verdienen [3]). Das Brot wird als „Sippe-Opferbrot" aufgefaßt und in die Reihe der Kultbrote zu Beginn des neuen Wirtschaftsabschnittes um St. Michael gestellt [4]). Ursprünglich stammen die hier aufgeführten Volksmeinungen und Bräuche vom Michaelstage her, verbanden sich aber seit Einführung des Gregorianischen Kalenders mit dem B.tag und der B.woche. Das ist deutlich zu erkennen an der Verlegung der sog. Muswiese, eines Volksfestes zu Musdorf bei Roth am See (Schwaben), und des Michaelsmarktes in die B.woche.

Am Mittwoch dieser Marktwoche tanzen die Metzger dort um ein großes Feuer, das wiederum auf die Michaelsfeuer hinweist [5]). Noch an andern Orten wurde oder wird der B.tag durch Feste mit Schmausereien gefeiert [6]).

[1]) Die ältere Vita Burchardi in MG. SS. XV, 47 ff. Die jüngere Lebensbeschreibung (*Vita S. Burchardi*) mit einer Untersuchung über den Heiligen neu herausgeg. von B e n d e l (Paderborn 1912); H e f n e r *Das Leben des hl. Burchard von Würzburg*. SA. a. d. Archiv d. Ver. f. Unterfranken und Aschaffenburg 45 (1903), 5—63; S a m s o n *Die Heiligen als Kirchenpatrone* 154—155. [2]) K e l l e r *Grab des Aberglaubens* 2, 191; K ö h l e r *Voigtland* 378; W u t t k e 418 § 651. [3]) S p i e ß *Fränkisch-Henneberg* 100. [4]) ZfVk. 11 (1901), 197 (mit Abbildung). [5]) M e i e r *Schwaben* 1, 450; nach diesem R e i n s b e r g - D ü r i n g s f e l d *Das festliche Jahr* [2] (1898), 378. [6]) M e i s i n g e r *Hinz und Kunz* 12—13.   Wrede.

Bürstenorakel. Eine hsl. in Rheinau erhaltene Predigt [1]) bekämpft folgenden Neujahrsbrauch: ,,Es sint súntlich fröwen, die nemen zwo búrsten und legent si crútzwis über enander an die glůt; und ist das sich die búrsten rimpfend gegen enånder, so sóllent zwei zesamen komen, die enander holt sind; und sóliche ketzerliche ziperwerk tribent si uff die zit.''

[1]) SAVk. 26, 281.   Boehm.

Busch, brennender, der aber durch das Feuer nicht verzehrt wird, zeigt die Stelle an, wo ein Schatz liegt und gehoben werden kann [1]). Aus einem B. im Kt. Baselland stieg eine Rauchwolke, aber nirgends war Feuer zu sehen; als Zauberworte über ihn gesprochen wurden, war ein Gepolter hörbar und hörte das Rauchen auf [2]). Wohl entlehnt aus 2. Mose 3, 2.

[1]) E c k a r t *Südhannov. Sagen* 133; M e i c h e *Sagen* 726 Nr. 898. [2]) L e n g g e n h a g e r *Sagen* 61.   Bächtold-Stäubli.

Buschmännchen, identisch mit Zwergen. Mit einer typischen, viel zitierten Zwergensage verbunden, erscheint der Name, soweit bekannt, nur bei Haupt [1]); sie stammt aus Königshain bei Görlitz (es sei an den bes. in Görlitz verbreiteten Namen Buschmann, Puschmann erinnert). Buschmann s. wilder Jäger.

[1]) H a u p t *Lausitz* 1, 40 (danach M a n n -

h a r d t 1, 92; K ü h n a u *Sagen* 2, 74; W o l f ZfdMyth. 4, 212; G r ä s s e *Preußen* 401).
    H. Naumann.

Buschgroßmutter, Buschweibchen, eine Walddämonenfigur primitivster Art, von den Mythologen des 19. Jhs. in viel zu hohe Sphären gerückt. Die Hauptquellen, auf denen im wesentlichen auch die Darstellung bei Grimm, Mannhardt, Simrock, E. H. Meyer [1]) beruht, findet man heute bei Grohmann, Vernaleken, Meiche, Kühnau, Eisel [2]) verzeichnet. Im 19. Jh. scheint der Glaube sich auf Thüringen, Sachsen, Deutsch-Böhmen, Schlesien zu beschränken. Die niemals sämtlich zugleich bezeugten, hier aber zusammengetragenen Züge der Dämonin sind: sie wohnt im tiefsten Wald, läßt sich nur alle 100 Jahre sehn, ist ein steinaltes, runzliges, kleines, tiefgebücktes, häßliches Weiblein mit langem, schneeweißem, verwildertem, verlaustem Haar, mit Moos auf den Füßen, mit Stock, Schürze, Hucke auf dem Rücken. Von ihrem Herdfeuer steigt der Nebel auf, der an den Bergen hängt. Sie will gekämmt und gelaust sein. Willfährigen und Guten ist sie gut und belohnt sie mit Laub, das zu Gold wird, oder mit unerschöpflichem Garnknäul. Sie ist böse gegen Böse und Spötter, ihr Anhauch bringt Ausschlag, sie hockt auf. Völlige Bosheit gegen beerenpflückende Kinder oder gegen Hirten, deren Kühen sie die Milch ausmelkt, ist ein besonderer Zug [3]), zu dem der dämonische Eisenkopf [4]) paßt. Sonst ist das unberechenbare Zugleich von Bösartigkeit und Güte ein grade besonders bezeichnender primitiver Zug. Aus Siebenbürgen werden noch eigentümliche Züge erwähnt: der Walache kennt eine Buschmutter, bald altes Weib, bald schöne Jungfrau, vermummt, mit stieren Augen, bei Mondschein an dunklen Stellen im Walde auftauchend [5]). Aber ebenso oft erscheint die Dämonin kollektivisch [6]), als Horde von Busch-, Wald-, Holz-, Moosweibchen, Buschrülpen mit denselben Zügen, zu denen noch 'Plotschfüße' und wimmernde Sprache kommen, vom Nachtgeist, wilden Jäger oder Teufel gehetzt, vor dem dann ein durch Gebet oder Kreuz zufällig geheiligter Baumstumpf ihre einzige Rettung ist. Holzfällern, Hirten, erfrierenden Jägern, armen Alten und Kranken sind sie hilfreich, sie geben den Leuten von ihrem im Berg gebackenen Kuchen, sie treten mit den Ackerleuten in Brottausch ein; sie verschwinden, wenn der Wald sich lichtet oder wenn die Obrigkeit den Holzsammlern und Streuholern die Wälder sperrt, denn sie lieben den Verkehr mit den Menschen. — Ganz vereinzelt findet sich schließlich auch die Vorstellung von einer Horde mit Führerin, Moosfräulein und B.[7]). Aber der im 19. Jh. gern gebrauchte Begriff Königin der Moosfräulein[8]) oder gar die Identifizierung mit den großen altgerm. Göttinnen[9]) erscheint für diese außerordentlich primitive und landschaftlich beschränkte Dämonenfigur ganz unangebracht. Solche Beziehung scheint sich im wesentlichen auf den etwas romantischen Bericht Bergemanns[10]) von 1836 aus Schlesisch-Löwenberg zu stützen, der von schönen, verliebten, launenhaften Holzjungfern redet und der ihnen eine Königin mit Krone und Hofdamen zuschreibt. Die Gesellschaft sonnt sich zur Mittagsstunde am Bergeshang und lustwandelt an schönen Morgen und Abenden.

[1]) Grimm *Myth.* 1, 400; Mannhardt 1, 86; Simrock *Mythologie* 440; E. H. Meyer *Germ. Myth.* 159. [2]) Grohmann *Sagen* 132 = Vernaleken *Mythen* 242; Meiche *Sagen* Nr. 460. 461; Kühnau *Sagen* 2, 187; Eisel *Voigtland* 105. [3]) Kühnau *Sagen* 2, 187. [4]) E. H. Meyer *Germ. Myth.* 159. [5]) Müller *Siebenbürgen* 206. [6]) Meiche *Sagen* Nr. 459. 460; MschlesVk. 10 (1908), 18; Kühnau *Sagen* 2, 190; 2, 187; 2, 193; 2, 185; 2, 189; Taubmann *Nordböhmen* 15, 16. [7]) Grimm *Myth.* 1, 400. [8]) Mannhardt *Germ. Mythen* 478; Simrock *Mythologie* 440. [9]) Kuhn u. Schwartz 481. [10]) Jetzt bei Kühnau *Sagen* 3, 811.
           H. Naumann.

Bussard [1]), namentlich Mäusebussard, auch Mauser (ahd. *mûsâri*, mhd. *mûser* und *mûzære*[2])), vielleicht ursprünglich *mûs-aro* „Mäuse-Aar", Buteo buteo *Linn.*[3]).

1. Biologischer Aberglaube. Im griechischen Altertum wurde der B.

τριόρχης genannt, weil man glaubte, er besitze drei Hoden[4]). Conr. Gesner[5]) erwähnt diese Überlieferung, stellt aber ihre Unrichtigkeit fest. Seine Faulheit hat zu der sprichwörtlichen Redensart geführt: „Du sitzest wie ein B.", weil er „nit ab statt weycht / ob man schon zwey oder drey mal nach jm geschossen hat"[6]); auch Albertus Magnus sagt von ihm „pigri volatus", „trägen Fluges"[7]), was freilich zu den Schilderungen Brehms nicht stimmen will.

[1]) Dieser Name, der aus dem afranz. *bussart* stammt, wurde auf deutschem Gebiet zuerst von Conr. Gesner *Hist. avium* (1555) gebraucht, im deutschen Vogelbuch (1582) fol. 142 b: Bushard. [2]) Benecke glaubt in seiner Anmerkung zu Hartmanns *Iwein* V. 284 die beiden Formen auch in der Bedeutung trennen zu sollen. [3]) Suolahti *Vogelnamen* 352 ff.; Brehm *Tierleben* 4 6, 380; Swainson *Folk-Lore of British Birds* 133; Rolland *Faune pop.* 2, 11 ff.; Albertus Magnus *De anim.* 23, 29; brobuxen, d. i. wohl = brôchbuxen, brôch = bruoch „Moor"; s. Suolahti 354 f. [4]) Plinius *N. H.* 10, 9, 1. [5]) *Tierbuch* 1582, Fol. 142 b f. [6]) Ebd. 143 a. [7]) *De Animal.* 23, 29.

2. Schon im Altertum galt der B. als vorbedeutend, und zwar, nach Plinius[8]), in günstigem Sinne. Auf deutschem Sprachgebiet wird mehrfach von der Vorbedeutung des B.s gesprochen; doch scheint er hier vorwiegend Unglück zu bedeuten. Die älteste Stelle in dem St. Trudperter „Hohen Lied" (12. Jh.)[9]) läßt uns über den Sinn im unklaren: „derwerder des fiur sehennes oder des hant sehennes odir der agelsteren odir des musares odir so dich din ore iucket odir din ouge . . ." Stellen aus Hartmanns von Aue „Erek" und Wirnts von Grafenberg „Wigalois" zitiert Grimm in seiner Mythologie[10]); eine andere findet sich bei Berthold von Regensburg[11]): „sô geloubent etelîche an den miusearn. sô ist dem der hase übern wec geloufen." In England verkündet der B. Regen und Sturm[12]).

[8]) *NH.* 10, 9, 1; s. a. Hopf *Tierorakel* 96. [9]) Herausg. v. Haupt 95, 15. [10]) 2, 939: *Erek* V. 8130; dazu Anm. von Jos. Haupt in seiner Ausgabe; *Wigalois* V. 6187. [11]) Herausg. von Pfeiffer 1, 265, 4. [12]) Swainson l. c. 133.

3. Volksmedizin. Der Genuß

des B.fleisches macht wahnsinnig (Schwaben) [13]).

[13]) J ü h l i n g Tiere 248 (nach B u c k Volksmedizin 52).

4. S a g e n ätiologischer Art über den B. sind nur auf außerdeutschem Boden überliefert [14]).

[14]) D ä h n h a r d t Natursagen 3, 11 ff. 256; 4, 54.   Hoffmann-Krayer.

Bußbücher s. P o e n i t e n t i a l e.

Buße (eigentl. „Besserung") bedeutet ursprünglich nur Abtragung einer Schuld, rechtlich die Ablösung der nach dem Grundsatz der Vergeltung verschuldeten Strafe durch Zurückführung des Schadens auf den Geldwert. In dieser rein materiellen Bedeutung hat sich das Wort B. bis auf den heutigen Tag erhalten. Wie es im mosaischen Recht hieß: „Auge um Auge, Zahn um Zahn" (Exod. 21, 23—25), so bestimmten die Leges XII tab. (7, 9): si membrum rupsit, ni cum eo pacit, talio esto. Eine Parallele dazu bildet die deutsche Viehb. für genommenes Wild, während sonst in Deutschland eine weniger strenge Auffassung herrschend wurde (Wergeld) [1]). Folglich bezeichnet büßen die Handlung der Abtragung einer Schuld. Einen Nachhall einer solchen Kulthandlung haben wir in der im norddeutschen und im süddeutschen Sprachgebiet belegten Verwendung von büßen in der Bedeutung von besprechen (s. d.), heilen. So nennt der märkische Bauer das Besprechen einer Krankheit büeten [2]); in Hettingen (Baden) versteht man unter „die Zähne büßen", die Zähne segnend umfahren [3]). Kirinsb. heißt in der Ortenau und im Elsaß eine Skrofelkrankheit an Armen, Füßen oder im Gesicht [4]). Um sie zu heilen, muß nicht nur der Kranke allerhand strenge Übungen vornehmen, sondern seine ganze Verwandtschaft muß 40 Tage lang beten und fasten. Ein eigener Bußzettel verzeichnet die Zeichen der Krankheit und gibt Verhaltungsmaßregeln. Hierher gehört auch die (in Baden) weit verbreitete Redensart de gluste biesse = seinen Willen erfüllt bekommen. Endlich bedeutet alemann. büetze (bietze) = nähen, flicken, ausbes-

sern, womit der verbreitete Familienname Albietz (also = Flickschuster) zusammenhängt [5]).

Das Büßen einer Krankheit ist ein Kultakt, der die Vertreibung oder Versöhnung des Krankheitsdämons zum Ziel hat. So ist auch bei der Kirinsb. der hl. Quirinus als der zürnende Dämon aufgefaßt, der die Krankheit gesandt hat, die ihm deshalb auch abgebüßt werden muß. In der Leibs Artzney des Georg Pictorius (1566) ist 156 b und 159 b die Rede von den B.närzten (die heilgen schender und bûssenärtzt), d. h. von Betrügern, die von den Heiligen die Herkunft der Krankheiten herleiten.

Der Begriff B. in seiner zunächst rein materiellen Bedeutung als Ersatzleistung für eine Schuld — buzer (Büßer) heißen um 1360 nach dem Villinger Stadtrecht 25 die Räte als Richter über Unfug [6]) — tritt auch in der kirchlichen Bußpraxis des Ma.s in Erscheinung, wenn z. B. nach den Bußbüchern bei Körperverletzungen die Arztkosten bezahlt werden sollen, was im Unvermögensfall durch einjähriges Fasten ersetzt werden kann. Die schweren Auswüchse aber, die in der kirchlichen Bußpraxis des Ma.s, namentlich in der Verwendung der Bußgelder, zutage traten, haben mit Aberglauben nichts zu tun, sondern sind als offenkundige Mißbräuche anzusehen. Als Hauptwerk hierüber ist an Stelle des ganz unkritischen Friedberg, Bußbücher, in erster Linie Herm. Jos. Schmitz, Die Bußbücher und die Bußpraxis der Kirche, 1883 und 1898, zu benützen.

Im Anschluß an die Buß- und Bittfahrten, die im frühen Ma. reuige Sünder an besondere Gnadenstätten (Rom, Palästina u. a.) ausführen mußten, entstanden wohl auch die harten B.n und Kasteiungen, die bei Wallfahrten bis ins 17. Jh. üblich waren und in Einzelfällen noch in der jüngsten Zeit fortwucherten[8]). So tat in Tirol ein früherer Hexenmeister aufrichtig B. und hob seine Augen nie mehr zum Himmel empor, sondern senkte den Kopf ständig so zur Erde, daß er nach ein paar Jahren einen Buckel bekam, daß man darauf hätte reiten können [9]). In

Bayern war das Schleppen schwerer Holzkreuze in Nachahmung der Kreuztragung Christi nach einem oft weit entfernten Gnadenort sehr beliebt. Die Bußübung war vor allem nachts vorzunehmen, wobei man sich auf den Knien fortzubewegen hatte. Dieses Rutschen auf den Knien ist ein uralter, schon vom römischen Heidentum geübter Brauch. So stieg Julius Cäsar nach seiner Rückkehr aus dem Feldzug gegen Scipio und Cato auf den Knien die Treppe zum Tempel des Juppiter Capitolinus hinauf (Dio Cassius XIV 21). Die blutenden Knie beweisen, wie ernst man diese Bußübung nahm (Juvenal Sat. VII 525). Daß die Erduldung körperlicher Schmerzen dabei die Hauptsache war, zeigt auch das Gelübde, das im Jahre 1446 ein Mann für die Heilung seiner geisteskranken Frau dem hl. Leonhard gelobte und erfüllte: eine sechs Pfund schwere eiserne Kette und eine eiserne Figur trug er auf bloßem Leib in fünf Tagereisen nach Imhenhofen. Noch im Jahre 1904 trug der etwa 70jährige „Jochei" (Joachim Hasenknopf) in Obersalzberg bei Berchtesgaden Tag und Nacht eine 36 Pfund schwere Eisenkette mit 7 cm langen Gliedern um den Leib (Andree, Votive Fig. 5). Auch ganz nackt, die Arme oft in Kreuzform ausgespannt, machten die Männer in früheren Zeiten ihre Bußfahrten. Aber auch die Wallfahrt „in Wolle" oder „im härenen Gewand" galt als Bußverschärfung [10]. Andere machten die Wallfahrt auf Erbsen, die sie sich in die Schuhe getan hatten.

Was in diesem Leben nicht gebüßt wurde, muß nach dem Tode gesühnt werden (s. Arme Seelen). Die Strafe steht dann meist in enger Beziehung zu dem einstigen Vergehen [11]. So wandert der Grenzfrevler die Grenze auf und ab und trägt den Markstein auf seiner Schulter; Knappen eines Goldbergwerks, die Sonntags, statt den Gottesdienst zu besuchen, mit goldenem Kegelspiel spielten, müssen nach dem Tod alljährlich am Vorabend des hohen Frauentags, wie auch am Festtag selbst, das goldene Kegelspiel aus dem Grund des Wassers heraufholen, in welches das Bergwerk versank, und müssen oben kegeln, bis die Sonne untergegangen ist [12]. Manche solcher Büßer können von mutigen Menschen erlöst werden [13]. Aber Siechtum, ja sogar Tod ist manchmal der Lohn für die Erlösung eines büßenden Geistes [14]. Oft ist der B. eine zeitliche Grenze, 100 Jahre oder gar Jahrhunderte, gesetzt [15], in anderen Fällen dauert sie bis zum Jüngsten Tag oder gar in alle Ewigkeit [16]. Die bekanntesten Büßergestalten des griechischen Altertums sind Tityos, dessen Leib zwei Geier zerhacken, Tantalos, der trotz der herrlichen Früchte, die zum Greifen nah über ihm hängen, und trotz des klaren Wassers, dessen Spiegel ihm fast die Lippen netzt, ewig hungern und dürsten muß, und Sisyphos, der einen gewaltigen Felsblock ohne Unterlaß einen Berg hinaufwälzt, um ihn kurz vor dem Ziel immer wieder in die Tiefe rollen zu sehen. Zum Unterschied von den wesenlosen Schatten müssen die Seelen dieser Büßer volles und dauerndes Bewußtsein besessen haben, um die Strafe überhaupt empfinden zu können [17]. Merkwürdigerweise spielt das Sisyphosmotiv auch im deutschen Volksglauben eine Rolle: Ein ungetreuer Hirt ließ die Kuh einer armen Frau absichtlich in einen Abgrund stürzen und jauchzte darüber vor Freude. Nun muß er nach seinem Tod die Kuh mit Ächzen und Stöhnen den steilen Berg hinaufschleppen. Ist er oben angelangt, so fällt ihm das Tier wieder hinunter, und er muß dazu jauchzen [18].

[1]) Grimm RA. 2, 210; Lippert Christentum 22 f. 339; Frazer 12, 409; Sébillot Folk-Lore 4, 474. [2]) Lippert Christentum 22 f. 177. [3]) Ochs Bad.Wb. handschr. [4]) SchweizId. 4, 1751; 5, 1305. [5]) Ochs Bad.Wb. handschr. [6]) Ebd. [7]) Lippert Christentum 340 f. [8]) Andree Votive 33 f. [9]) Heyl Tirol 670 Nr. 146; vgl. 667 Nr. 143. [10]) Andree Votive 28 ff. [11]) Ranke Sagen 46; Niderberger Unterwalden 2, 99. [12]) Heyl Tirol 271 Nr. 84. [13]) Kühnau Sagen 1, 252. 255. 410. 581; Sébillot Folk-Lore 1, 125. [14]) SAVk. 11 (1907), 134. [15]) Meiche Sagen 225 Nr. 284; 411 Nr. 543. [16]) Grimm Sagen 120 Nr. 143; 122 Nr. 146; Ranke Sagen 46. [17]) Rohde Psyche 1, 61 f. 318, 4. [18]) Kuoni St Galler Sagen 168 Nr. 302; Ranke Sagen 46.   Mengis.

Bußordnungen, -spiegel s. P o e n i t e n - t i a l e.

Bußtage und Bettage als besondere kirchliche Feiertage sind aus der Not geboren. Nach dem Vorbild des Alten Testaments („Versöhnungstag" Lev. 16) werden sie angeordnet in gefährlichen Zeiten, bei Seuchen, Kriegsgefahr, Teuerung. Dabei ist charakteristisch, daß es sich um behördliche Maßnahmen, weniger um den spontanen Ausdruck gesteigerter Religiosität handelt. So haben z. B. Theodosius der Große und Karl der Große B. angeordnet. Die erste evangelische Bettagsfeier wurde 1532 in Straßburg gehalten. Die Schrecken des 30jährigen Krieges ließen die B. höhere Bedeutung gewinnen. In Hessen z. B. gab es von 1632—48 jährlich nicht weniger als 64 Bettage. Die evangelischen Landeskirchen haben mit Ausnahme des Elsaß alle ihren Buß- und Bettag, doch herrscht keine Einheitlichkeit in der Gestaltung, die einen machen einen Sonntag zum B., die andern einen Werktag. Ende des vorigen Jahrhunderts hat man in 28 Landeskirchen 47 verschiedene B. an 24 über das ganze Jahr verteilten Tagen gezählt [1].

Die Einrichtung des Buß- und Bettags hat im Volk keinen festen Fuß gefaßt. Im Grunde ist ein besonderer B. mit dem Wesen des evangelischen Christentums auch nicht recht vereinbar, denn nach Luther soll das ganze Leben eine ständige Buße sein. Indessen sind sich die wenigsten Menschen des Bußernstes dieser Forderung bewußt. Der Durchschnittschrist denkt ans Buße tun erst, wenn es ihm schlecht geht; und dann tut er Buße, nicht aber an dem Tag, für den es ihm von der Kirche vorgeschrieben ist. So kann man sagen, daß Buß- und Bettag im Volksleben kaum eine andere Rolle spielen als der gewöhnliche Sonntag. Der B. steht unter dem Gebot der Sonntagsheiligung. Jede nicht lebensnotwendige Arbeit ruht. Man darf nicht nähen, sonst bekommt man schlimme Finger [2]; nicht einmal ein Weizenfeld darf man betreten, sonst kommt der Brand in den Weizen [3]

— Gebote, die der Furcht vor der Rache des durch Sabbatschändung verletzten Gottes entspringen.

[1] RGG.¹ 1, 1494 ff. [2] B a r t s c h *Mecklenburg* 2, 256. [3] Mitt. Anhalt. Gesch. 14, 20.
             Rühle.

Butte I f., B u t t m. (Rhombus), spez. S t e i n b u t t , T u r b o t (Rhombus maximus). L e g e n d e n und T i e r - g e s c h i c h t e n zur Erklärung des s c h i e f e n M a u l s , der E i n s e i - t i g k e i t und der S t u m m h e i t hat Dähnhardt in den „Natursagen" zusammengestellt [1]. Sie sind teilweise identisch mit den Geschichten von der Flunder, Scholle (s. d.); z. B. als der Barsch der Steinb. mitteilte, daß der Hering zum König der Fische gewählt worden sei, zog sie den Mund schief und sprach: „Is de Hiring ook 'n Fisch?" Währenddessen krähte der Hahn, und deshalb blieb der Steinb. der Mund schief stehn.

Im M ä r c h e n von dem Fischer und seiner Frau (Grimm Nr. 19) ist es eine B., die der Fischersfrau die Wunschgeschenke verschafft. Sie wird mit dem Vers herangerufen:

> Manntje, Manntje, Timpe Te,
> Buttje, Buttje in der See,
> myne Fru de Ilsebill
> will nich so as ik wol will [2].

V o l k s m e d i z i n . „Das fleisch obgenannter fischen (Dornbutt und Glattbutt) zerstossen / ausz hungwasser (Honigwasser) getruncken / ist nutz denen so den ritten (Schüttelfieber) habend" [3].

s. a. S c h o l l e .

[1] Legenden: schiefes Maul: 2, 253 (Norw. Isl.); 3, 25 (Estl.); Einseitigkeit: 2, 269 (Estl.); Stummheit: 2, 253 (Estl.); Tiergeschichten: schiefes Maul 3, 24 (Meckl., nach W o s - s i d l o *Mecklenb.* 2, 23); 4, 195—97 (Pom., Holl., Vlaml., Engl.). [2] Vgl. B o l t e - P o - l i v k a 1, 138 ff., wo auch andere Fische genannt werden. [3] G e s n e r *Fischbuch* 1575, 51 b.   Hoffmann-Krayer.

Butte II f., auch Wechselb., Wasserb. = Wechselbalg (s. d.). Die Bezeichnung scheint auf fränkisch-oberpfälzisches Gebiet beschränkt [1], ist aber etymologisch kaum von ndd. adj. *butt* „klumpig, stumpf", m. *butt(je)* „kleiner Knirps" [2] und damit von hd. *butz* (s. d.) zu trennen, bedeutet also ursprünglich Klotz, kurze, dicke Gestalt[3]) (anders L a i s t n e r: von mnd. *buten* = tauschen[4]) und H ö f - l e r: von *bütte* = Bauch)[5]).

[1]) ZfdPh. 3, 333; P a n z e r *Beitrag* 2, 101; L a m m e r t 142; S c h ö n w e r t h *Oberpfalz* 1, 190 Nr. 9; 194 Nr. 18; Bavaria 3, 1, 308; 2, 935. [2]) M e n s i n g *Schlesw.Holst.Wb.* 1, 600 f. [3]) F a l k u. T o r p *Etym.Wb.* 1, 119 s. v. *bussemann.* [4]) L a i s t n e r *Nebelsagen* 335 und ZfdA. 32, 159 [5]) H ö f l e r *Krankheitsn.* 86.   Ranke.

Butter.

1. Geschichtliches. — 2. Heiligkeit der B. und Strafe der Schänder. — 3. B. und Vegetationserscheinungen. — 4. bis 7. Die B.hexe. — 5. u. 6. B.raub. — 7. Schadenzauber beim Buttern. — 8. Gegenzauber. — 9. B.hexe und Schmetterling. — 10. Das Buttern. — 11. Zeit des Butterns. — 12. Vorsichtsmaßregeln beim B.verkaufen. — 13. Maien-, Bartholomäusb. — 14. B.opfer. — 15. B. im Schadenzauber und als Apotropaion. — 16. B. im Fruchtbarkeitszauber. — 17. B. im Heilzauber und in der Volksmedizin. — 18. B.sieden. — 19. Allerlei Aberglaube. — 20. B.reime.

1. G e s c h i c h t l i c h e s[1]): Die älteste Nachricht über dieses wichtige Produkt der milchwirtschafttreibenden Völker bringt uns Hekataios von Milet, welcher in seiner περίοδος τῆς Εὐρώπης von den Paioniern berichtet[2]): ἀλείφονται δὲ ἐλαίῳ ἀπὸ γάλακτος; das Wort selbst überliefert der Verfasser des Werkes über die Krankheiten, welches unter dem Namen des Hippokrates geht[3]): Die Skythen gewinnen aus Stutenmilch ein Fett, ὃ βούτυρον καλέουσιν. Die Kunde von der B. brachten offenbar die Kolonialgriechen[4]) aus dem Pontos nach der Heimat, wo man statt tierischer Fette das Olivenöl zum Kochen gebrauchte[5]). Auch die Römer[6]) gebrauchten die B. sehr wenig; die Barbaren galten ihnen[7]) wie den Griechen[8]) als „B.esser", besonders war die B. die Nahrung der Reichen[9]); daneben diente die B. vor allem als Salbe[10]). Zu diesem Zweck wurde sie auch ursprünglich bei den Germanen benutzt; sie heißt ja ahd. chuosmero[11]) (noch jetzt in Skandinavien „Schmeer"), und die in Südwestdeutschland jetzt noch für B. übliche Bezeichnung A n k e n[12]) (ahd. ancho) hängt mit unguentum zusammen; es ist

auch kein Zufall, daß Plutarch[13]) von den kleinasiatischen keltischen Galatern berichtet, ihre Frauen salbten sich mit B., dasselbe wissen wir von den Burgundionen[14]). Als Nahrungsmittel drang die B. erst spät in Mittel- und Oberdeutschland durch[15]).

[1]) Zur Geschichte der B. vgl.: H e h n *Kulturpflanzen* 153 ff.; P a u l y - W i s s o w a s. v. B. (3, 1089—1092); A n d r e e *Braunschweig* 245 ff.; S c h r a d e r *Reallex.* 121 ff.; H o o p s *Reallex.* 1, 364 ff.; W e i n h o l d *Frauen* 2, 50 ff.; L i p p e r t *Kulturgesch.* 1, 538—39; F i s c h e r *Altertumsk.* 55; M a r t i n y *Molkerei*; D e r s. *Kirne u. Girbe.* Bremen 1895; S a r t o r i 2, 144; W a l t e r *Medizinische u. oeconomische Abhandlung vom B.* Erlangen 1751; M a r t i n y *Die B.bereitung*, Schr. d. milchwirtschaftl. Ver. Nr. 1, Danzig 1874; M ü l l e n h o f f *Altertumsk.* 4 (1920), 348; S c h u l t z *Alltagsleben* 148 ff.; H e r d i *Käse* 3 ft. 11. 24. 31. 34; H ö f l e r *Volksmedizin* (1883) 139 ff.; W i r t h *Beiträge* 4—5, 5 ff.; interessant sind auch die Abschnitte über B. bei C o l e r und J o h a n n P l a c o t o m u s (Brettschneider): *De tuenda valetudine, libellus Eobani Hessi commentariis doctissimis illustratus* 67; über B. bei den Russen: Z e l e n i n *Russ. Volksk.* 127 ff.; über das B.geschäft im Kt. Bern: SAVk. 13 (1909), 5 ff.; vgl. 9 (1905), 182. 264 ff.; über die Geschichte der B.bereitung in Holstein: Heimat 37 (1927), 108 ff. [2]) fr. 154, J a k o b y; vgl. H e r o d o t 4, 2. [3]) P a u l y - W i s s o w a 3, 1089. [4]) H e h n[6] 15?. [5]) Ebd. 158 und S c h r a d e r l. c.; M a r t i n y *Molkerei* 30—31; ZfEthnol. 1894, 9. [6]) B l ü m n e r *Röm. Privataltert.* (1911), 191; P a u l y - W i s s o w a 3, 1090. [7]) P l i n i u s 28, 133; B l ü m n e r l. c. [8]) A t h e n a e u s 4, 131 b; P a u l y - W i s s o w a 3, 1090; H e h n[6] 153. [9]) P l i n i u s l. c.; S c h r a d e r l. c. 123; M a r t i n y *Kirne u. Girbe* 21 ff.; W e i n h o l d *Frauen* 2, 50. [10]) P a u l y - W i s s o w a l. c.; S c h r a d e r l. c.; H e h n[6] 156; H o o p s l. c. [11]) H e h n[6] 156; G r a f f *Ahd. Spr.* 1, 345; G r i m m *DWb.* 2, 582. [12]) G r i m m l. c.; P a u l *DWb.*[3] 23; K l u g e *EWb.*[10] 19; S c h r a d e r l. c.; H o p s l. c.; W e i r h o l d *Frauen* 2, 50; O c h s *Bad. Wb.* 1, 53. [13]) P l u t a r c h *adversus Colot.* 4 = Bernadakis; H e h n[6] 157. [14]) S i d o n i u s A p o l l i n a r i s *carm.* 12, 6; H e h n[6] 157; F i s c h e r *Schwäb. Wb.* 1, 1566. [15]) M a r t i n y *Kirne u. Girbe* 121 ff.

2. Wie das Brot, so ist die B. bei den B. und Käse produzierenden Völkern und Stämmen heilig, und der B.s c h ä n d e r wird wie der Brotschänder in der Sage mit schwerer Strafe verfolgt; von solchen Strafgerichten wissen besonders die Kärntner Sagen zu berichten: An der Stelle, wo heute die Hochalmspitze[16]) sich erhebt,

waren einst blühende Auen, die den Bewohnern Milch und goldene B. spendeten [17]); aber die Älpler wurden übermütig, und am Sonntag schoben die Burschen mit Käsekugeln nach Butterkegeln; zur Strafe versanken die Auen und ihre Bewohner in der Erde, an der Stelle erhob sich die Hochalmspitze; entweder kegeln übermütige Almer [18]) mit Käsekugeln nach B.kegeln, oder Knappen [19]), die das Gold frech gemacht hat, treiben dieses frevelhafte Spiel; der Hirte auf der Blümlisalp baut eine Treppe aus Käse und reinigt sie mit Milch [20]); ein Orkan verschüttet das Haus, der Senn geht als Geist um. Auch das P h i l e m o n - B a u c i s - Motiv wird in einer Sage des Vispertales angeschlagen: Der Herrgott bittet eine Bäuerin um B.; als diese eine Gabe hartherzig verweigert, wird das Dorf verschüttet [21]); das Haus eines B.zauberers wird verschüttet, an seiner Stelle steht der „Ankenstein" [22]). A n k e n f ä l - s c h e r müssen, wie die Nahrungsfälscher überhaupt, umgehen und herumgeistern, so der Choli im Sennhof [23]). Zu diesen Sagen gehört auch die Erzählung, nach der seit dem Fluch eines zauberhaften Bettelmannes die B. beim Einsieden von da an, wo der Schaum im Sieden ist, bis zu dem Punkt, wo sie genug gesotten hat, im „Abgehen" ist [24]).

[16]) G r a b e r *Kärnten* 239, 327. [17]) Sagenhafter B.reichtum herrschte auch auf dem Ober-Heidacherhof in Tirol: H e y l *Tirol* 625, 90; über andere B.sagen in der Schweiz: SAVk. 16 (1912), 137. [18]) H e y l. 240, 328; 241, 329; Alpenburg *Tirol* 230, 1; 409, 12. [19]) A l p e n - b u r g 241, 330. Auch eine Sage Mecklenburgs berichtet von der Schändung von B., Brot und Käse: B a r t s c h 1, 94. 107. [20]) G r i m m *Sagen* ⁴ 92. [21]) D e r s. 244, 344. [22]) ZfEthnol. 1894, 15. [23]) R o c h h o l z *Sagen* 2, 144. 370 b. [24]) H e r z o g *Schweizersagen* 1, 127 = J e c k l i n *Volkstüml.* (1916) 331; G r i m m *Sagen* 244 Nr. 344; Kloster 9, 981.

3. Wie das Bild des Brotbackens bei der Bezeichnung der atmosphärischen Vorgänge im Sprachschatz und im Wortwitz des deutschen Volkes geläufig ist, so überträgt auch die Phantasie der Stämme, welche ihren Unterhalt durch B.- und Käsehandel bestreiten, analoge Bilder aus dem B.geschäft (vergleichen kann man

ein Rätsel der Südslaven [25]), wonach die Sonne ein B.ball ist) auf die Wetter- und Vegetationserscheinungen [26]) (vgl. auch Milch). Der Tau ist die Himmelsmilch, welche auf die Erde geträufelt wird, mit Maientau treiben die Hexen B.zauber [27]); wenn es regnet und hagelt, sagt man in Schweden [28]): jetzt sind die Hexen am B.n; in Estland erbittet man in einem rhythmischen Zauberlied Rahm vom Himmel aus den Wolken [29]); am Steinhudermeer sagt man, wenn es donnert: use Herrgott mangelt [30]); die Kornmutter [31]) zerstampft die Kinder in einem eisernen B.faß; die Zwerge erblickt man beim B.n und am B.faß [32]), sie verschenken B.brote [33]), die Heinzelmännchen [34]) schenken einem kranken Mann B.m i l c h , dieser gesundet; wenn die „Salige" in Tirol [35]) b.t, gibt es noch einmal so viel B.; in Frankreich [36]) bringen die Zwerge kostbare B. in die Hütten der Armen; die schlesischen Erdmännlein machen [37]) Steinbrot und Stein-b.; in Schleswig [38]) singen die Kinder an Stellen, wo die Unterirdischen nach der Sage b.ten: Rummel, rummel tut, smiet'n Bodderbroot herut. Die Zwerge wohnen in B.bergen [39]); im „B.faß" [40]) (einem Granitfelsen bei Leuchtenberg in der Oberpfalz) rührt der Teufel seine B.[41]). Riesen bauen B.kuppen [42]) oder schleppen Schmalz in Kraxen über die Berge [43]); die Alraune heißen in Schweden [44]) B.-bringer; ein Pilz in England heißt Trollb.[45]), auch ein Beweis für die Verbindung Elfen = B.; eine Abart der Vegetationselben ist der Puk im Holsteinischen, ein Hausgeist, welcher für seine kleinen Dienste ein Stück B. in der Grütze haben will [46]).

[25]) K r a u ß *Religiöser Brauch* 18. [26]) Über das Buttern der Elemente: K u h n *Herabkunft* 12 ff. 111. 161. 204. 247; S c h w a r t z *Studien* 290; die Figur im Monde deutet man als eine Predigersfrau, die den Sonntag durch Buttern entheiligte und nun ewig mit dem B.faß im Mond stehen muß: M e n s i n g *Schleswig-Holst. Wb.* 1, 463; M ü l l e n h o f f *Sagen* ² 549; 306—07; bei den Indern ist die Verbindung Vegetationsgötter-B. sehr häufig: O l d e n b e r g *Religion des Veda* ² 70—71. 116. 330. 444; M a r t i n y *Molkerei* 4 ff. 7 ff. [27]) M a n n - h a r d t *Germ. Myth.* 4—5; M a r t i n y *Molkerei* 4—11; ZfEthnol. 1894, 7—9. 13 ff.; in Frankreich hat das Wasser der B.teiche b.vermehrende Kraft: S é b i l l o t 2, 462 u. 3, 83.

[28]) Mannhardt *Forschungen* 309 A. 3. [29]) Bücher *Arbeit u. Rhythmus* 107—108; Martiny *Molkerei* 5. [30]) Kuhn l. c. 14. [31]) Mannhardt *Forschungen* 309. [32]) Müllenhoff *Sagen* 306, 458; Laistner *Nebelsagen* 234; Kühnau *Sagen* I, 75. 89; Panzer *Beitrag* I, 101, 121; Eisel *Voigtland* 96, 244. [33]) Müllenhoff l. c.; vgl. 316, 475. [34]) Gander *Niederlausitz* 44 Nr. III. 155. [35]) Zingerle *Kinder- und Hausmärchen* (Innsbruck 1852) 55; Mannhardt *Germ. Mythen* 52. [36]) Sébillot I, 231. [37]) Kühnau 2, 31. [38]) Mensing l. c. I, 462; Müllenhoff *Sagen* [2] 543. [39]) Müllenhoff 306, 458; Kühnau 2, 131, 765; Rochholz *Sagen* 2, 224, 435; Pröhle *Harzsagen* 2, 96; Andree *Braunschweig* 90; E. H. Meyer *Germ. Mythologie* 126; vgl. die B.teiche in Frankreich: Sébillot 2, 462 u. 3, 83. [40]) Bei Frauenstein heißt ein Fels B.-töpfchen: Meiche *Sagen* 826, 1015; vgl. des Teufels B.faß auf Rügen: Haas *Rügen* 67, 119. [41]) Panzer *Beitrag* 1, 101. 121. [42]) Witzschel *Thüringen* 1, 255, 266. [43]) Laistner *Nebelsagen* 54—55, aus Alpenburg 31; vgl. Meiche *Sagen* 826, 1015. [44]) Mannhardt *German. Mythen* 53. [45]) Ders. 54; in Frankreich dürfen die Kühe keine Pilze fressen, weil diese von den tireurs de beurre stammen: Sébillot 3, 482. [46]) Müllenhoff l. c. 354, 520; 349, 515; 343, 507; 340, 502; Mensing l. c. 1, 40; so auch der nordische Niß: ZfVk. 1898, 130 ff. 138; vgl. den shetländischen Hausgeist: Heckscher 88; das „Koberchen" bei Dresden verschafft dagegen reichlich B.: Meiche *Sagen* 298, 387; NddZfVk. 1926, 3. 4; Alpenburg *Tirol* 113, 24: das Gerlos-Manndel bittet um B. und gibt dafür Lehmkugeln, die zu Gold werden: Kühnau *Sagen* 3, 125.

4. Die B.hexe [47]) oder Bihlweise (nach Coler) [48]). Sie giert sehr nach B., weil sie besonders zu den fetten Mahlzeiten [49]) B. braucht. Hier laufen zwei Vorstellungen zusammen: Einmal führt ein direkter Weg von den b.nden Vegetationsdämonen zu den Hexen, die mit B. Zauber treiben [50]); diese Verwandtschaft zwischen Vegetationsgeistern und Hexen zeigt klar die Holsteinische Geschichte von den Unterirdischen, die B.-brot anbieten; dieses wird kohlschwarz und aufgequollen, ähnlich wie die Hexenb. zu einer übelriechenden Masse wird [51]); wenn die „Salige" b.t, gibt es wie bei der B.hexe eine doppelte B.menge [52]); im „B.-faß" bei Leuchtenberg b.t ausgerechnet der Teufel [53]); dann aber ist dies hochwichtige Geschäft der Hausfrau wie das Backen von allerhand Aberglaube um-

rahmt, welcher der Furcht vor schädigenden Dämonen entspringt; wir unterscheiden zwei Arten von B.hexen: a) die einen ziehen große B.mengen auf Kosten anderer an sich; b) andere bewirken durch Schadenzauber, daß die B. anderer Frauen nicht zusammengeht [54]).

[47]) Schwartz *Die B.hexe von Wagnitz* in ZfEthnol. 1894, 1—19; Müller in ZrwVk. 10 (1913), 267 ff.; Grimm *DWb.* 2. 585; Martiny *Molkerei* 19 ff.; Fogel *Pennsylvania* 177 ff.; W. 217 u. 417; Grimm *Myth.* 2, 897; Quitzmann *Baiwaren* 226; vgl. B.hase: Bartsch *Mecklenb* 2, 39. 37. [48]) Martiny l. c. 32; Coler *Oeconomia*; Klingner *Luther* 77. Die Billeweis in Kärnten bietet einem Bauern B., Honig und Weißbrot an, wenn er bei ihr bleibe: Graber *Kärnten* 66 c. [49]) Schwartz l. c. 16—17; W. 217; Martiny *Molkerei* 22; Bronner *Sitt' u. Art* 157; Leoprechting *Lechrain* 10. 19; um eine ins Haus kommende Hexe glücklich wieder hinauszubekommen, muß man ihr B. oder Fett geben: Birlinger *Volksth.* 1, 327. 536; die südslavische Hexe braucht zum Fliegen Stutenb.: Krauß *Relig. Brauch* 117; Ders. *Volkforschungen* 73 ff.; die Hexensalbe besteht u. a. aus Gallenkraut und B.: Mannhardt l. c. 36 A 4. [50]) Mannhardt *Germ. Myth.* 54. [51]) Müllenhoff 317, 475; vgl. 306, 458 und 311, 467. [52]) Mannhardt l. c. 52. [53]) Panzer *Beitrag* 1, 101, 121; vgl. Haas *Rügen* 67, 119. [54]) Schmid-Sprecher 60; Hansen *Hexenwahn* 210; 260, 24; 288, 25; vgl. 289, 26 ff.; 370—71; Prozeß 1458 in Konstanz; 584—85: 1486 Prozeß in Tiersberg (Baden); 597; 612 Nr. 257.

5. ad. a) In den Hexenprozessen spielt der Vorwurf, daß eine Person Milch an sich zieht [55]) und viel B. [56]) macht, eine große Rolle. Eine Graubündener Hexe rühmt sich, ihr gebe es mehr als „die Krine Schmaltz von der gebseten" [57]), und bereits im Poenitentiale des Burchard von Worms werden die Hexen erwähnt, welche Milch und Bienen vom Nachbar zu sich zaubern [58]). Fecisti .... ut si vicinus eius lacte vel apibus abundaret, omnem abundantiam lactis et mellis .... ad se et sua animalia ... e suis fascinationibus et incantationibus se posse convertere credant? Literarische Verwertung findet dieser Aberglaube schon in der Aberglaubenliste von Vintlers [59]) Pluemen der Tugent v. 7731—2:

Und etlich stelen auß den Kübeln
Das schmaltz, die weyl mans ruert.

Die Mittel, mit denen die B.hexen, die immer auffallend viel B. zu Markt tragen [60]), die B. aus andern Häusern herzaubern [61]), sind mannigfaltig: Ein roter Lappen [62]) unter dem B.faß, die erste Spitzweide [63]) beim Almauftrieb, ein Zauberspruch [64]) aus dem Hexenbuch [65]) bewirken, daß das B.faß sich rasch füllt. Die österreichische B.hexe stellt ihr B.-faß auf den Wechsel (die Stelle, wo die Dielen zusammenstoßen) [66]). Nach altem württembergischen Aberglauben bekommt man viel B., wenn man das B.faß auf eine Handzwehl (Handtuch) stellt und einen Haarkamm darunter legt [67]); die B.hexe von Tegerfelden hat unter dem Kübel einen Kamm und murmelt: Us jedem Hus en Löffel [68])! Die B.hexe b.t am Sonntag [69]), sie stiehlt die B. mittels des Zauberschlüssels [70]). In der Oberpfalz rührt eine Bäuerin nach der Sage nackt die B. mit dem Spruch [71]):

> Rühr di, Küberl, rühr di,
> Von hier bis nach Ram (Rom)
> Von jedem Haus a Tröpfl,
> Kimd denna -r- ebbas zam.

In dem B.topf der B.hexe zu Wagnitz sitzt eine „Muggel" (Kröte) [72]). In einer Brandenburgischen Sage gewinnt eine B.hexe zu Lenzen mit einem gegabelten Haselzweig, an dem eine Kröte in die Rinde eingeschnitten ist, viel B. [73]); in Fleischwangen (Schwaben) schlägt man, wenn es beim B.n keine B. gibt, eine Kröte tot und hängt sie im Stall auf [74]). Die Hildesheimer B.hexe hat ein „Düweletgen" (= Kröte) [75]).

Sehr verbreitet, besonders in Schlesien und im Allgäu, ist folgende Sage [76]): Ein Schneider [77]), Kaufmann [78]), Schuhmacher [79]), Knecht [80]), einmal auch ein Liebhaber [81]), Gymnasiasten [82]), beobachten die B.hexe, welche (nackt [83]) oder nur mit einem Hemd [84]) bekleidet) mit Zaubersalbe [85]) oder Zauberpulver [86]) oder einem Kamm unter dem Kübel [87]) riesige B.-mengen bekommt; der Beobachter macht die Zauberzeremonie nach, worauf der Teufel die Unterschrift verlangt; meistens wird der Teufelsbann mit dem Namen Jesu [88]) oder Jesu von Nazareth [89]) zuschanden gemacht; überhaupt wird He-

xenb. durch Dreifaltigkeitswachs [90]), die Einwirkung Gottes [91]) oder das Kreuzzeichen [92]) und indem man sie im Namen Gottes anschneidet [93]), zu Pferde- und Kuhdreck. So prüft nach einer sächsischen Sage (um 1650) ein Soldat die B. einer B.hexe, indem er sie auf ein Messer mit drei Kreuzen spießt; die Butter wird zu Kuhfladen [94]). Häufig kehrt der Zug in den Sagen wieder, daß ähnlich dem Motiv im Zauberlehrling, der, welcher die abgelauschte Zauberzeremonie nachahmt, die Zauberformel nicht genau sagt und der rauschenden B.fülle nicht Einhalt gebieten kann [95]). Die B.hexen b.n auch am Bach [96]) neben dem Haus, aus welchem sie die B. herausziehen oder auf einer Brücke [97]); einmal verrät auch das Töchterlein der B.hexe das Zauberöl dem Sennen [98]), der vom Teufel geholt wird; das „Hagsbergweible" [99]) sitzt auf einem Tannenstrunk und b.t; in Böhmen b.t der Geist der verstorbenen B.hexe [100]); einem Priester, der den Zauberspruch der Hexe nachsagt, fließt die B. aus dem Ärmel [101]). Ein Rest des Aberglaubens von der B.hexe steckt noch in den B.arbeitsliedern [102]), welche die Mädchen beim B.n herleiern, ohne an den ursprünglichen Sinn zu denken: Ein Liedchen, welches im Rheinland [103]) gerade so gut belegt ist, wie bei den Deutschamerikanern [104]), singt man noch in Diersheim [105]) (Bad.):

> Butter dich, butter dich,
> 's gibt kein größ're Hex' als ich.

[55]) Z i n g e r l e *Tirol* 39, 325. [56]) H a n s e n l. c. 303, 29; 536, 30: die Milch gab keinen Nutzen; S c h m i d - S p r e c h e r 59—60 und 40 (aus dem J. 1657). [57]) S c h m i d - S p r e c h e r 40. [58]) S c h m i t z 2, 446, 168; H a n s e n l. c. 42; K o e n i g e r 236; dazu eine Predigtstelle: S c h ö n b a c h *Berthold v. R.* 30; G r i m m *Myth.* 2, 837; 3, 409; G r o h m a n n 135, 980. [59]) *ZfVk.* 1913, 6 und 117. [60]) K ü h n a u *Sagen* 3, 58, 1418; O c h s *Bad. Wb.* (Diersheim) Zettelkatalog. [61]) S t r a c k e r j a n 2, 225, 476; W. 216; P r a e t o r i u s *Blocksberg* 95 bis 148 (Hexen stehlen B.). [62]) *ZfdMyth.* 2 (1854), 303; M a n n h a r d t *Germ. Myth.* 16 ff.; K n o o p *Hinterpommern* 130, 264. Eine badische Sage veröffentlicht M ü l l e r: Christl. Familienblatt 1925 Nr. 39, Beilage des Achener und Bühler Boten 1925 Nr. 85; Festschrift Cimbria. Dortmund 1926, 106; M ü l l e r *Rh. Wb.* 1, 267. Zum roten Tuch unter dem Faß kommt meist der Spruch: Aus jedem

Haus ein Löffelchen: H ü s e r *Beiträge* 2, 21, 62; vgl. K u h n *Westfalen* 2, 224, 5; DG. 15, 206; B i r l i n g e r *Volkstüml.* 1, 307, 493 A. 1; andere Mittel: L ü t o l f *Sagen* 210. 354. [63]) ZfVk. 1895, 408. [64]) Urquell N. F. 1 (1897), 20; A l p e n b u r g *Tirol* 289 ff.; T h a r - s a n d e r 2, 371; ZfVk. 1908, 183, 5; M ü l l e r *RheinWb.* 1. 267 [65]) K ü h n a u 3, 70, 1429; MschlesVk. 1905, Heft 13, 88—89. 90 ff. [66]) ZföVk. 1907, 132. [67]) G r i m m *Myth.* 3, 457, 667. [68]) S t e p h a n *Askanische Vk.* 112. 258—59; R o c h h o l z *Sagen* 2, 169, 393; H e r z o g *Schweizersagen* 2, 179—80; vgl. A. 62. [69]) ZfdMyth. 2 (1854), 73, 5; vgl. M e n - s i n g l. c. 1, 463. [70]) H e y l *Tirol* 294, 112. [71]) S c h ö n w e r t h *Oberpfalz* 1, 372; 376 ff. 382, 15; Bavaria 2, 249. 382; ZfVk. 1897, 115. Ein Vogelvers, der in Villingen der Wildtaube zugeschrieben wird, heißt nach O c h s *Bad. Wb.* Zettelkatalog:

> Bi z'Rom gsi,
> ha B. kauft,
> isch dier gsi.

Im Hotzenwaldreim steht Bern für Rom: W e i n - h o l d *Ritus* 43; vgl. B ü c h e r *Arbeit u. Rhythmus* 108. Die B.hexen zu Völs entziehen der Bäuerin mit folgendem Spruch die B. (A l p e n b u r g 290):

> Die Bäurin schlegelt den B, juchhe!
> Doch macht sie koan B., koan B., o weh!
> Sie buttert und schlegelt und schlegelt, o Graus—
> Statt d'n B. im Kübel — a gräuliche Maus.

[72]) S c h w a r t z l. c. 7, 17; S c h a m - b a c h u. M ü l l e r 166. 184; 167, 185. [73]) S c h w a r t z *Brandenburg*[7] 176—78 Nr. 119. [74]) B i r l i n g e r *Volksth.* 1, 488 Nr. 46. [75]) S c h a m b a c h - M ü l l e r 167. [76]) S c h w a r t z l. c. 10 ff. [77]) K ü h n a u 3, 26, 1379; 3, 79, 1436; R o c h h o l z *Sagen* 2, 169 und 188; S c h ö n w e r t h 1, 369 ff.; ZfVk. 1900, 51—52; L a n d s t e i n e r *Nieder-österreich* 59 ff.; E n d t *Sagen u. Schwänke* 192; diese Sage ist auch in Baden bekannt: M ü l - l e r l. c. Nr. 25; vgl. B a a d e r *Sagen* (1851) Nr. 107. 135. 294. [78]) K u h n *Westfalen* 2, 224, 5; H ü s e r *Beiträge* 2, 21, 62. [79]) R e i s e r *Allgäu* 1, 183. 185, 3. 195. [80]) K ü h n a u 3, 43, 1400. [81]) Ebd. 3, 86, 1441. [82]) Ebd. 3, 48, 1404. [83]) S c h ö n w e r t h 1, 369 und 372; ebenso bei den Südslaven: K r a u ß *Relig. Brauch* 55—59; Weinhold *Ritus* 43—44; W. 217; Anthropophyteia 6, 207—08. [84]) K ü h n a u 3, 86, 1441. [85]) Ebd. 3, 26, 1379; 3, 43, 1400; S c h ö n w e r t h 1, 369 ff. und 372 ff. [86]) K ü h - n a u 3, 48, 1404; L a n d s t e i n e r *Nieder-öst.* 59 ff.; P r ö h l e *Unterharz* 164, 426; Ur-quell 5 (1894), 282. [87]) R o c h h o l z *Sagen* 2, 169; vgl. A. 67. [88]) K ü h n a u 3, 48, 1404; vgl. K u h n - S c h w a r t z 26, 32 und K n o o p *Hinterp.* 130 f. [89]) K ü h n a u 3, 26, 1379; L a n d s t e i n e r *Niederöst.* 59 ff.; K u h n *Westfalen* 2, 224, 5; H ü s e r *Beiträge* 2, 21, 62. [90]) L e o p r e c h t i n g 10. [91]) K ü h n a u

3, 46; vgl. Urquell N. F. 1 (1897), 20. [92]) K ü h - n a u 3, 81; E n d t *Sagen* 192; vgl. G r o h - m a n n 95, 662; vgl. A. 106. [93]) K ü h n a u *Sagen* 3, 79, 1436, vgl. 46; vgl. B a r t s c h 1, 288, 381. [94]) M e i c h e *Sagen* 484, 629; vgl. W a i b e l - F l a m m 2, 50; vgl. M e i c h e l. c. 232, 342; K r u s p e *Erfurt* 2, 88 ff.; P r ö h l e *Unter-harz* 164, 426; Hexenb. sinkt im Wasser: F i - s c h e r *Aberglaube* 124. [95]) M ü l l e n h o f f[2] 240, 355; S c h ö n w e r t h 1, 371; R o c h - h o l z 2, 169; S c h w a r t z l. c. 15; B a r t s c h 1, 120, 141. [96]) M a n n h a r d t *Germ. Myth.* 27; M ü l l e n h o f f *Sagen* 239, 355; in Finistère bildet die Bachgrenze eine Schranke für die Macht der B.hexerei: S é b i l - l o t 2, 373; in Mecklenburg buttert die Hexe, so oft nebenan die Bäuerin buttert; sie wird dadurch zitiert, daß sich die Bäuerin aufs Faß setzt: B a r t s c h 1, 119, 139. Die Erzäh-lung in Sprengers Hexenhammer und die An-sicht von Trithemius bei R o c h h o l z *Gau-göttinnen* 74 f. [97]) K ü h n a u 3, 41, 1398; 54, 1413; R o c h h o l z *Gaugöttinnen* 74. [98]) R e i - s e r *Allgäu* 1, 185, 2. [99]) Ebd. 1, 112—113. [100]) K ü h n a u 3, 76. [101]) M a r t i n y *Molkerei* 30. [102]) B ü c h e r *Arbeit u. Rhythmus* 107 f.; M ü l l e r l. c. A. 62. [103]) M ü l l e r *Rh. Wb.* 1, 268; W r e d e *Rhein. Vk.* 135; D e r s. *Eifeler Vk.* 93; M ü l l e r *Rhein. Wb.* 1, 1170 und 1185. [104]) F o g e l *Pennsylvania* 177, 849. [105]) O c h s *Bad. Wb.*, Zettelkatalog; ein anderer Spruch in Brandenburg: S c h w a r t z *Brandenburg*[7] 177 Nr. 119:

> Botter botter dick,
> Botter jrot Stück.

Für Schlesien: Mschles Vk. 1905, H. 14, 23; be-kannt ist der Spruch in der Oberpfalz: S c h ö n - w e r t h 1, 382, 15. 372. 376.

6. Eine Gruppe von Sagen berichtet von B. schleppenden Hausgeistern [106]) (vgl. A. 46; 72—75), welche der Hexe B. verschaf-fen; cs ist der „Teufel", welcher in Sachsen als Quarkdrache [107]), in Baden als Knöpfle-kröte [108]), welche Knöpfle scheißt, in Schleswig als Roggenkatze [109]) für seine Hexen stiehlt. Eine alte Frau in Schles-wig-Holstein [110]) hatte einen Hausgeist auf dem Boden, dem sie nur zu sagen brauchte: „Matt'n schiet Bodder"; diese B. speienden Hausgeister sind vor allem im Norden [111]) (Schweden und Norwegen) bekannt; in Schweden sagt man zum Alraun [112]):

> Butter und Käse sollst Du mir bringen,
> Und dafür soll ich in der Hölle brennen.

Diese b.raubenden Hauskobolde sind eine Vorstufe der B.hexen, denen sie dienstbar sind. In einem Gruober [113])

Hexenprozeß (1653) sitzt der Teufel als K r ö t e auf dem Schmalzfaß; diese sitzt nach der niedersächsischen Sage im B.-topf [114]) oder unter dem B.faß [115]), sie spritzt in der Oberpfalz [116]) B. in die Pfanne, nach einer Schweizer [117]) Version „chotzet ein Hund Anken"; Schwartz [118]) erklärt diesen Aberglauben meteorologisch; dieser Deutung haften die Vorzüge und Schwächen an, welche Laistners Buch „Nebelsagen" hat; auf Grund von ein paar wirklich treffenden Deutungen werden alle möglichen Erscheinungen in dieselbe Zwangsjacke gepreßt. Singulär ist der Braunschweiger [119]) Aberglaube, daß die Hexen in Gestalt von Hermelinen die Milch und den Kühen den Nutzen rauben und daß man, um das B.n zu fördern, das Euter mit Hermelinpelz reiben muß; das ist der Sympathiezauber [120]): ὁ τρώσας καὶ ἰάσεται; die Römer hängten den Kühen gegen den Biß der Spitzmaus und die daraus entstehende Geschwulst eine tote Spitzmaus um [121]).

Um B.segen zu erzwingen, treiben die B.hexen vor allem mit dem Maientau Zauber; sie heißen in Holstein Daustriker [122]); „Maimorgen muß es getaut haben [123]), dann gibt es ein gutes B.jahr"; an einem Maimorgen nahm im Holsteinischen [124]) eine Hexe vor Sonnenaufgang auf den Feldern der Nachbarn den Tau mit großen Tüchern auf und sammelte ihn in eine Kruke; davon nahm sie jedesmal einen Löffel voll, wenn sie b.n wollte und goß ihn ins Faß, indem sie dabei sprach: „Ut elk Huus en Lepel vull!"; der Tau als Himmelsmilch vermehrt die B.[125]); allgemein kann nach ostfriesischem [126]) Aberglauben „die hexe dem vieh dadurch schaden, daß sie auf seiner Weide den Tau vom Grase streicht". Mit diesem Tauzauber hängt offenbar ein Gegenzauber zusammen, welchen man in Holstein von zwei Knechten erzählt [127]): Sie wälzten sich in der Johannisnacht nakkend im Tau, und sie konnten daraufhin in der Kirche die Milch- und B.hexen erkennen, indem jede eine Milchbütte auf dem Kopfe trug. Genau dieselben Vorstellungen von der Zauberkraft des Maientaues für die B.gewinnung treffen wir in

Frankreich [128]). Am gefährlichsten sind die B.hexen in der Walpurgisnacht [129]) und am Johannisabend [130]) (24. 6.), wo die Hexen auch sonst frei walten können; daher töteten die Frauen Irlands [131]) nach einer Nachricht des 16. Jhs. am 1. 5. alle Hasen auf ihrem Gebiet, weil sie diese als milchraubende Hexen ansahen; in Deutschland legt man einen Besen vor die Stalltür [132]) und trifft sonstige Gegenmaßnahmen [133]); einen prophylaktischen Zauber an Walpurgis finden wir im Bezirksamt Wunsiedel, wobei man Feuereisen und Kamm verwendet; auf diese beiden Apotropaia stellt man das B.faß, in welches drei Steine gelegt werden; diese übergießt man mit heißem Wasser [134]). In Böhmen reinigen die Hausfrauen am Karsamstag das B.faß im Bach [135]); von einem großen prophylaktischen Zauberapparat am Georgstag (23. 4.) berichtet Seligmann [136]). In Schlesien gruben früher die Bauern am Johannistag „Totentöpfe" aus und gossen Milch darein, um den B.-gewinn. zu vermehren [137]); ähnlichen Aberglauben treibt man in Holstein [138]) mit den Urnen alter Gräber, die man für Töpfe der Unterirdischen hält. Im Voigtland reiten die Hexen in der Walpurgisnacht auf dem B.stößel [139]). In der Oberpfalz streichen sie am Johannistag Tau und erhalten die Milch von jenen Kühen, welche das Gras der abgestreiften Wiesen fressen [140]). In Österreich rühren die B.-hexen am Georgitag unter der Traufe, damit sie immer Milch haben [141]); im Egerland reibt man mit gestohlener Milch das Euter der Kühe ein (1. 5. oder Samstag und Sonntag) [142]); nach skandinavischem Aberglauben stehlen die Hexen am Gründonnerstag die Milch [143]).

[106]) Am bekanntesten ist der B.schlepper als Drache in Thüringen: W i t z s c h e l 2, 276, 2; 270, 55; 1, 323, 336; Steffchen bringt B. und Rahm zum Kuchenbacken: 2, 292, 150; über Stöpgen: B r e v i n u s N o r i c u s 196 ff.; S c h a m b a c h - M ü l l e r 163, 182 (Stöpke). Läßt der Drache den Raub fallen, so sieht man eine stinkende, milchige Masse, das Drachenschmalz: S c h ö n w e r t h 1, 394. 396; G r o h m a n n 23, 107; R o c h h o l z *Gaugöttinnen* 75; vgl. A. 90 ff.; wenn man den Namen des Heilandes ruft, läßt er alles fallen: G r i m m *Myth.* 3, 452, 520; über B.schlepper vgl. ferner:

S c h w a r t z *Brandenburg* 60, 34; 131, 83;
M e i c h e *Sagenbuch der sächsischen Schweiz* 18,
5; ZföVk. 1900, 125 (Egerland); ZfVk. 1892,
78 ff.; vgl. Speck, Eier. [107]) M e i c h e *Sagen*
314, 413; vgl. 304, 395; 298, 387; vgl. ZföVk.
1900, 125. [108]) W a i b e l - F l a m m 2, 166
bis 167; K ü n z i g *Sagen* 63, 184; 65, 189; vgl.
den Knödelhund in der Oberpfalz: S c h ö n -
w e r t h 1, 377, 7; vgl. R o c h h o l z *Sagen* 2,
172, 396. [109]) M ü l l e n h o f f [2] 222, 327.
[110]) M e n s i n g 1, 460; Urquell 6, 194; M e i -
c h e 298, 387; ZfVk. 1892, 80; vgl. K ü n z i g
l. c. In Mecklenburg bringt der Drache B.
(B a r t s c h 1, 260. 337), ebenso in Thüringen
(W i t z s c h e l 2, 292, 150); andere B.bringer
sind hasengestaltig (vgl. Milch): M a n n h a r d t
Germ. Mythen 52—53; vgl. B a r t s c h *Mecklenburg* 2, 39, 37. In Brandenburg buttert ein
dreibeiniger Hase für die Frau: S c h w a r t z
Brandenburg 7, 131, 83; bei Erfurt hat eine
Bäuerin ein kleines rotes Männlein, das sie
unter das B.faß stellt: K r u s p e *Erfurt*
2, 88 ff.; in Mecklenburg finden wir den
Dümmling im B.faß: B a r t s c h 2, 478, 39.
[111]) NddZfVk. 1926, 4 mit Literatur; ZfVk. 1892,
78—80. [112]) M a n n h a r d t l. c. 56.
[113]) S c h m i d - S p r e c h e r 36; vgl. H a n -
s e n *Hexenwahn* 535, 11 ff. [114]) S c h a m b a c h -
M ü l l e r 166, 184; S c h w a r t z l. c. 1;
G r i m m *DWb.* 2, 585. [115]) S c h a m b a c h -
M ü l l e r 167, 185, vgl. p. 359. [116]) S c h ö n -
w e r t h *Oberpfalz* 1, 376, 6. [117]) SAVk. 1925,
138, 96. [118]) l. c. 8 f. 17 ff. [119]) A n d r e e
Braunschweig 401; vgl. D r e c h s l e r 2, 106,
478. [120]) P a u l y - W i s s o w a 1, 36. [121]) C o -
l u m e l l a 6, 17, 5. [122]) M ü l l e n h o f f [2]
240; G r i m m *Myth.* 2, 897; 3, 477, 1118; 311;
R o c h h o l z *Gaugöttinnen* 72—73; M a n n -
h a r d t *Germ. Myth.* 5. [123]) M ü l l e n h o f f [2]
239, 355, 2; M a n n h a r d t l. c.; W. 88.
[124]) M ü l l e n h o f f l. c.; W. 88; vgl. S c h ö n -
w e r t h *Oberpfalz* 3, 172, 27; B r o n n e r
Sitt' u. Art 157; R o c h h o l z *Gaugöttinnen*
74—76. [125]) M a n n h a r d t l. c. 5—7. 27;
vgl. S é b i l l o t 1, 95; 2, 241. [126]) G r i m m
Myth. 3, 477, 1118. [127]) M ü l l e n h o f f [2]
230, 338; S c h i n d l e r *Aberglaube* 291; in
Braunschweig erkennt man die B.hexe durch
die Erbegge an den B.fässern: A n d r e e 381;
vgl. K u h n - S c h w a r t z 378, 45. [128]) S é -
b i l l o t 2, 439; 3, 85. [129]) K u h n -
S c h w a r t z 393 ff.; D r e c h s l e r 1, 109;
F r a z e r 1, 2, 52. 127; 6, 267; 7, 1, 154; B r o n -
n e r *Sitt' u. Art* 156—58. Ähnlich ist das Gegenmittel in Bayern (Bavaria 2 a, 309): Am 1. 5.
geht die Bäuerin aufs Feld, streicht dreimal
mit der Sichel in die Luft und schneidet drei
Grashalme ab und sagt:

> O du guter Walberntau
> Bringe mir, soweit ich schau,
> In jedem Hälmlein Gras
> Ein Tröpflein Schmalz.

P a n z e r *Beitrag* 2, 301; R o c h h o l z *Gaugöttinnen* 62. 74. [130]) Die Esten bitten in einem
Zauberlied am Johannistag um B. so gelb wie
die Sonne: F r a z e r 7, 1, 176—77; 180 und
185; bes. 1, 2, 127 A. 2 und A 3. mit Literatur
und 7, 2, 74. [131]) F r a z e r 1, 2, 53; heute umwinden die Iren das B.faß am 1. 5. mit einem
Kranz aus den Zweigen des Vogelbeerbaums:
F r a z e r 1, 2, 52—53. [132]) K u h n *Herabkunft* 163; ZfVk. 1891, 181; K u h n -
S c h w a r t z 393 ff. [133]) S a r t o r i 3, 170
A. 3; K ü h n a u *Sagen* 3, 39, 1394; A n d r e e
381; W i t z s c h e l *Thüringen* 2, 262 ff.; K e h r -
e i n *Nassau* 2, 258, 110. [134]) DG. 12, 148; vgl.
B ü c h e r *Arbeit u. Rhythmus* 108. [135]) G r o h -
m a n n 46, 296; in Schlesien b.t die Bäuerin am Karfreitag vor Sonnenaufgang nackt:
D r e c h s l e r 2, 105; vgl. K r a u ß *Relig.
Brauch* 55; W e i n h o l d *Ritus* 43—44.
[136]) S e l i g m a n n *Blick* 2, 378; vgl. K r a u ß
Relig. Brauch 127. [137]) D r e c h s l e r 2, 240,
617. [138]) M ü l l e n h o f f 302, 450. [139]) F r a -
z e r 6, 160 und 7, 2, 73—74. [140]) S c h ö n -
w e r t h 3, 172, 27. [141]) B a u m g a r t e n
Jahr 24. Daß Hexen auf dem Dach b.n, erwähnt besonders P r a e t o r i u s *Blocksberg*
455. [142]) ZföVk. 6 (1900), 124. [143]) M a n n -
h a r d t l. c. 27.

7. ad. b). Die Hexen — das böse Weib
Slaczona [144])(Lausitz) — bewirken, daß der
Rahm nicht zu B. wird [145]); in den Hexenprozessen werden die Frauen besonders
auch des B.schadenzaubers angeklagt:
Die Milch gab keinen Nutzen [146]), eine
GraubündnerHexe sperrt das „Achen" [147]);
eine andere wird vernommen, weil „der
raum sich nit wellen achen, sondern uber
das Kübli us wellen" [148]); eine dritte tut
Pulver in das „Achkübeli, daß es inen
nit habe geachet" [149]). Vor 70 Jahren gab
es im Stift zu Einsiedeln ein „Teufelaus-
treibungskollegium" für und gegen das
„Ankenmachen" [150]). Schon der Schweizer
Ausdruck: „'s Anke isch mer g'nô",
deutet auf die Ansicht vom fremdem
bösem Einfluß aufs B.n [151]); wie ernst
man die Gefährlichkeit dieser B.hexen
nahm, zeigt eine Stelle aus einem Ge-
richtsakt des 15. Jh.: modus tollendi
maleficium impedimenti Butyrizationis,
correptionis lactis; es folgt Oremus und
Exorzismus [152]). Einen von den Hexen
gerne angewandten Schadenzauber erwähnt das Journal [153]) und die Rockenphilosophie [154]): Man zählt die Reifen am
B.faß von unten aufwärts und wieder
von oben herab; es genügt sogar, daß eine
böse Frau ins B.faß schaut [155]); den bösen
Blick fürchtet man vor allem in Schles-

wig-Holstein [156]), viel Material bietet Seligmann [157]); nach einer schlesischen [158])
Sage ist es ratsam, das B.faß nicht ins
Freie zu stellen, weil sonst die Hexe hin-
einlangt und das Faß verzaubert; in der
Neißer und Leobschützer Gegend reiten
die Hexen des Nachts das Dorf entlang
und verhexen das B.geschäft [159]); sie reiten
auf dem B.faß auf den Blocksberg [160]);
sie waschen ihre B.fässer an Karfreitag-
mitternacht [161]); gefährlich ist auch das
Loben oder „Überrufen" des B.fasses
während des B.ns [162]): tritt eine zum B.-
faß und überruft sie mit den Worten:
„Das ist ein schön Faß Milch!" so schäumt
die Milch und bringt wenig B.; man ent-
gegne: „Wäre dein groß Maul nicht, so
geriete sie noch besser"; nach isländi-
schem Aberglauben vereitelt ein Stückchen Zucker das B.n, offenbar ein empiri-
scher Spruch [163]). Es gibt auch böse
Leute, welche die B. „festmachen", daß
sie unzerschneidbar ist wie Stahl [164]). So
macht nach Tharsander [165]) ein Zauberer
die B. fest, daß kein Messer hindurchgeht.
Behexte B. erkennt man daran, daß sie
schäumt und stinkt [166]). Literarisch verwendete z. B. Hölty [167]) in seiner Ballade
Leander und Ismene den Schadenzauber
mit dem B.faß:

> Sie hexte Froschlaich, Ruß und Haar
> ins Butterfaß des Küsters.

In Frankreich läßt Cyrano von Berge-
rac [168]) in einem seiner Lettres diverses
(1654) Agrippa von Nettesheim seine
Künste proklamieren, darunter auch
einen Spruch für B.schadenzauber: „No-
lite fieri". Luther glaubt offenbar an die
Existenz der B.hexen: possunt butyrum,
lac, caseum aliis furari [169]); und kein geringerer als Shakespeare verwendet diesen
Glauben an den Schadenzauber der Vegetationskobolde und Hexen im Sommer-
nachtstraum, wo die Elfe dem Troll seine
Untaten vorhält (II, 1, 32 ff.):

> So bist Du jener schlaue Poltergeist,

-- -- -- -- -- -- -- -- -- -- -- -- -- --

Durch den der Brau missrät und mit Verdruß
Die Hausfrau atemlos sich b.n muß [170]).

[144]) K ü h n a u *Sagen* 2, 48, 707. [145]) S c h r a-
m e k *Böhmerwald* 258; vgl. F o g e l *Pennsylvania* 179, 860 und Z i n g e r l e 39, 325. Nach
W i e r u s *Opera omnia* (Amsterdam 1660) *de*

diabolo c. 12 bewirkt der Teufel, daß die Milch
nicht buttert. [146]) H a n s e n *Hexenwahn* 536,
30; die Milch bleibt „galt": SAVk. 1898, 109;
M e i c h e *Sagen* 306; 399; auf dem Hexenplatz berichtet eine Hexe dem Teufel, daß
sie das B.n verhinderte: SAVk. 1925, 287.
[147]) S c h m i d - S p r e c h e r 40; vgl. 171.
[148]) Ebd. 41; vgl. 87; ebenso in Böhmen:
G r o h m a n n 138, 1013; dazu 155, 1120 und
156, 1132; eine Luzerner Hexe bewirkte, daß,
wenn man einen halben Tag ankte, ein Schum
oben war: SAVk. 1899, 96. 103. 112.
[149]) S c h m i d - S p r e c h e r 54—55; vgl.
139. 150—51; T h i e r s erwähnt einen franz-
zös. Schadenzauber: 3mal aufs B.faß schlagen
mit Psalmspruch: L i e b r e c h t *Gervasius*
252, 399. [150]) R o c h h o l z *Sagen* 2, 153; vgl.
171. [151]) SchweizId. 1, 344. [152]) N i e d e r-
b e r g e r *Unterwalden* 3, 554 ff. [153]) G r i m m
Myth. 3, 461, 759. [154]) Ebd. 3, 444, 286; vgl.
M ü l l e n h o f f [2] 239, 355; in Pommern zählt
man als Gegenzauber von unten nach oben:
BlPommVk. 3, 107; ZfVk. 1914, 56, 25;
S c h ö n w e r t h *Oberpfalz* 1, 337; K n o o p
Hinterpommern 171; E n g e l i e n u. L a h n
273, 210; M a r t i n y 22. [155]) ZfVk. 1901, 322
vgl. 307 ff.; B a r t s c h *Meckl.* 2, 136, 599;
M a r t i n y 22. [156]) Wenn eine alte Frau ins
B.faß schaut, kann man nicht „afboddern":
M e n s i n g 1, 463, vgl. 464. 470; die Gegenzau-
bermittel gegen den bösen Blick sind 470—71
aufgezählt; vgl. Urquell 5 (1894), 282. [157]) S e-
l i g m a n n 2, 484: B. und B.faß. [158]) K ü h-
n a u *Sagen* 3, 72, 1432; D r e c h s l e r 2, 253.
[159]) K ü h n a u l. c. 41, 1397; vgl. A n d r e e
Braunschweig 381. [160]) L a i s t n e r *Nebelsagen* 234. [161]) K ü h n a u 3, 50, 1409.
[162]) G r i m m *Myth.* 3, 463, 823. dazu 2, 897;
ZfVk. 1914, 56, 18; Urquell 5 (1894), 281 ff.
[163]) ZfVk. 1903, 271. [164]) M e i c h e *Sagen*
559, 693. [165]) T h a r s a n d e r 2, 700. [166]) Zf-
Vk. 1914, 56, 18; W. 391; K l i n g n e r *Luther*
77; in Böhmen läuft diese B. beim Auslassen
über den Topf: G r o h m a n n 138, 1013;
vgl. A. 90 ff. u. 106. [167]) M a r t i n y 22;
G r i m m *DWb.* 2, 584; vgl. F r e n s s e n
Jörn Uhl cap. 25. [168]) ZfVk. 1904, 414 = S é-
b i l l o t 3, 87. [169]) K l i n g n e r l. c. 77.
[170]) A c k e r m a n n *Shakespeare* 123.

8. Gegen diesen Schadenzauber läßt der
Volksaberglaube eine stattliche Front von
G e g e n z a u b e r m i t t e l n [171]) auf-
marschieren. Wir finden eine ganze Skala
vom einfachsten Gegenmittel bis zum
feierlichen rituellen Gegenzauber [172]):
wenn der Rahm nicht brechen will, wirft
man Brotbröcklein [173]) in den drei höchsten Namen hinein oder Salz [174]) oder
Salz und Brot [175]) als Apotropaia; man
legt auch alte [176]) B. ins Faß oder solche
von einer neumelkigen [177]) Kuh oder Ear

tholomäusb.[178]) oder B. aus der Kreuzwoche [179]); man pfeift [180]) wohl auch ins
B.faß oder gießt die Milch durch die
„Ranken der Alfranken" [181]). Der Aberglaube kennt noch wirksamere Abwehrmittel: Das verhexte Faß zu Lewin
(Schlesien) wird entzaubert, indem man
dasselbe mit Seife ausschmiert und ko-
chendes Wasser hineingießt und mit
einer glühenden Eisenstange hineinfährt [182]). In einem Graubündner Hexenprozeß halfen sich die Leute, denen man
das Schmalzen sperrte, damit, daß sie ein
Roßeisen „ins Feuer legten und rot werden ließen und dann in den drei heiligen
Namen in das Kübeli legten und ankten;
da sei Trina Müller an die Türe gekommen und habe rätz angestoßen, sie aber
rätz geanket" [183]); als das B.n nicht geraten wollte, ging nach einer Tiroler [184])
Sage der Bauer zu einem, der die Zauberbücher kannte [185]); auf dessen Rat stellte
die Bäuerin den B.kübel unter die Dachtraufe [186]) und stieß während des Schlagens einen glühenden Spieß in das Faß,
worauf der Schadenkobold einen Seufzer
ausstieß und entwich; in einer Kärntner [187]) Sage wirft man glühende Nägel
(Eisen) [188]) ins Faß. In Württemberg [189])
wird ein Segen mit drei Nägeln auf den
Boden des Fasses genagelt; in Tirol [190])
gießt man Weihwasser, welches am Sonntag neunmal gekocht ist, in den Kübel und
gräbt in den Boden folgendes Zeichen ein:

$$\frac{a \mid g}{l \mid a}$$

(s. Agla). Man brennt I. N. R. I. am B.-
kübel ein[191]). In Schleswig [192]) fährt man
mit einer glühenden Eisenstange hinein,
im Allgäu steckt man glühende Teile der
Pflugschar ins Rührfaß [193]), in Oldenburg
eine glühende Mistgabel [194]); überhaupt
verwendet man die apotropäische Kraft
des Metalls [195]) im Gegenzauber, um das
B.n zu ermöglichen. Die Rockenphilosophie rät [196]): ein weib, das butter rühren
will, soll ein dreikreuziges messer ans
fass [197]) stecken, so gerät die butter; in
Friesland [198]) steckt man Messer um den
Deckel des B.fasses, in der Oberpfalz [199])
wirft man einen Ehetaler ins Faß; in

Baden [200]) eine Kupfermünze (Benedic-
tuspfennig), in Mecklenburg [201]) einen
Erbschlüssel, in Tirol [202]) eine glühende
Eisenkette; im Rheinland tunkt die
Bäuerin ein Markstück, den Ehering
ins Drehfaß [203]). Ererbte Sachen werden
beim Abwehrzauber bevorzugt: In Thüringen [204]) muß man Milch in einem neuen
Topf kochen und etwas von der Milch auf
einer Erbschaufel mit der Erbsichel
schlagen; das muß man dreimal tun; beachtenswert ist hier die Häufung der Apotropaia: Stahl, Ererbtes [205]), Feuer — Drei-
heit! Oder man legt in der Oberpfalz
unter das Faß ein Stück Eisen [206]), eine
Feuerzange [207]), in Dithmarschen [208]) einen Sargnagel, in der Mark kreuzweise
zwei Stricknadeln [209]), in Mecklenburg [210])
einen Feuerstahl. Auch das Journal berichtet aus dem Saalfeldischen: will das
B.n nicht fort, so legen sie Feuerstahl oder
Messer unters Faß [211]); in Schlesien steckt
man das Küchenmesser in die Tasche [212]);
man wirft auch einen Kieselstein ins B.-
faß, welchen man am Ostermorgen von
einem Kreuzweg geholt hat[213]); oder in
Mecklenburg [214]) soll man an „Maidag un
Johanninacht ne Schal mit Melk na'n
Krüzweg dreg'n un'n Kreis mit drei
Krüzen dor rüm maken, denn wart't
beter." Besonders häufig ist der Wider-
zauber mit apotropäischen Holzarten:
ein in Graubünden angeklagter Hexenmeister, „der Pfründ", rät [215]): „Wenn
einer nicht schmalzen könne, soll er den
Rahm ins Kübeli schütten, ein groß Feuer
machen, das Kübeli zwischen die Beine
nehmen und etliche Züge tun und es mit
drei in demselben Jahr gewachsenen, in
den heiligen drei Namen gebrochenen
Haselschossen in des Teufels Namen
schmützen." In Braunschweig beschleunigt ein im Frühjahr abgeschnittener und
geweihter, gabelförmiger Haselzweig das
B.n [216]); in Schwaben legt man drei Reiser
vom Besen und einen Kamm unters
Faß [217]); in Schweden verwendet man die
Flugesche, am Himmelfahrtstage geschnitten, gegen B.verhexung [218]). Nach
der Bunzlauischen Monatsschrift [219])
peitscht man das B.faß mit einer Weiden-
rute [220]), die aber nicht mit dem Messer

geschnitten werden darf, im Egerland mit Dornzweigen [221]). Am meisten Verwendung findet der Vogelbeerbaum [222]); prophylaktisch umwindet die irische Bäuerin [223]) am I. 5. das B.faß mit einem Kranz aus den Zweigen des Vogelbeerbaumes; mit einem solchen Zweig umwindet sie den Griff des B.stößels [224]) beim B.n; in Schleswig [225]) war früher der Stiel des Stößels aus dem Holz des Vogelbeerbaumes gemacht, ebenso in Schottland [226]); auf Rügen [227]) macht man ihn aus Kreuzdorn, in Frankreich [229]) aus Ginster; in der Oberpfalz [230]) verfertigt man den Rührstecken aus Wacholderholz [231]), woran das Wild die Rinde mit dem Geweih abgestoßen hat; die B.dirne schneidet das Holz am Walperntag; hier peitscht [232]) man auch die Milch mit Schlehen oder Hagedorn; gegen den Milchraub verbrennt man die Haut [233]), heute noch „Hexe" genannt. Oft muß ein Hexenmeister [234]) einen Gegenzauber inszenieren, wie der Thiseheiri von Schweissingen [235]); in Tirol [236]) besprengt man den Schwengel der größten Kirchenglocke auf der rechten Seite mit Rahm; der erste Schlag trifft die Hexe; in der Oberpfalz [237]) reinigt man das Geschirr mit Schmiedzunder oder räuchert den Stall aus, in Mecklenburg [238]) hantiert man mit den bekannten drastisch-unappetitlichen Apotropaia; in Bayern [239]) legt man Knoblauch, geweiht am Dreikönigstag, ins B.faß mit einem Spruch; nach einem Mittel der Zuger Mönche [240]) schürt man während des B.n's unter einem umgestürzten Kessel Feuer [241]). Um die Hexen [242]) zu überlisten, welche die Reifen zählen, zählt man die Reifen von oben nach unten oder legt einen Zwirnsfaden unter das Eisenband um das Faß [243]) oder bindet eine Schürze [244]) um das Faß oder legt einen roten [245]) Lappen darunter. In Tirol schoß ein Mann in den Treibkübel und tötete die Hexe [246]). Zuweilen fährt man das B.faß auf einem Wagen im Galopp bis zur Grenze der Feldmark [247]) und dann wieder zurück [248]). Um sich vor dem Schadenzauber eines Hexenmeisters zu schützen, gibt man ihm Schmalz auf einem Stück Brot (Apotropaion) [249]). Schließlich treffen wir auch noch das

Verpflöcken [250]) als Gegenmittel an: In Mecklenburg [251]) verpflöckt man Menschenkot in drei Löchern des B.stabes, in Böhmen [252]) Rahm im „Hackeklotz", im Allgäu sticht man Wasen aus, gießt Rahm in das Loch und legt den Wasen wieder darauf [253]). In Schleswig [254]) legt man einen Donnerkeil neben das B.faß (vgl. Milch); man legt auch wohl anderswo die Wurzel des Kreuzkrautes [255]) in den Rahm, in Tirol den „Höllenbrand" unter das Faß [256]); in Pommern [257]) gibt man den Kühen Branntwein, der von geborgtem Geld gekauft ist, damit sie b.reiche Milch geben; in Siebenbürgen läßt man zu demselben Zweck die Kühe an Salz lecken und vergräbt dies unter der Gemeindetürschwelle [258]).

Um den Urheber des Schadenzaubers zu entdecken, hängt man am Bodensee[259]) das B.faß ins Kamin. Es ist nicht verwunderlich, daß dem von diesem festen Ring von Zauberriten umgebenen B.faß selbst Zauberkraft zugeschrieben wird, wie dem Faß von Poppendorf in Steiermark, welches dem, der das Ohr an die Öffnung legt, die Zukunft verkündet [260]). Am Thomastag — in der Thomasnacht b.t man in Westfalen [261]) und backt Kuchen — geht man nach Baumgartens zuverlässiger Mitteilung zum B.faß und hört hinein, um zu orakeln („Leiralosn") [262]). Daher ist das B.faß der Stolz der (Eifeler) [263]) Hausfrau [264]); sie gibt es nie her, sonst wird ihr der Rock gestohlen [265]).

[171]) **Martiny** l. c. 26 ff. [172]) **Frischbier** *Hexenspruch* 124; **Sartori** *Sitte u. B.* 2, 144—45. [173]) **Birlinger** *Volksth.* 1, 497; auch bei den Deutschamerikanern belegt: **Fogel** *Pennsylvania* 376, 2020; dagegen **Grohmann** 139, 1015, wonach kein Brotkrümchen ins B.faß fallen darf. [174]) **Wrede** *Eifeler Vk.* 93—94; **Liebrecht** *Gervasius* 220, 24. [175]) SchweizId. I, 344 = **Lütolf** *Sagen* 225 d; **Meier** *Schwaben* 177, 15. [176]) ZfrwVk. 1913, 271—72; Urquell 5 (1894), 282. [177]) ZfrwVk. 1919, 272. [178]) Ebd. 17 (1920), 44; vgl. 13 (1916), 142. [179]) **Wrede** *Eifeler Vk.* 94; **Müller** *Rhein. Wb.* I, 1170; ZfrwVk. 1913, 271. [180]) **Wrede** l. c. [181]) Urquell l. c. [182]) **Kühnau** *Sagen* 3, 72, 1432; **Drechsler** 2, 105; vgl. einen ähnlichen Zauber: **Drechsler** 2, 254, 634 und III, 484; **Fogel** *Pennsylvania* 179, 861; **Zingerle** *Tirol* 64, 554. [183]) **Schmid-**

S p r e c h e r 54—55, vgl. 87. [184]) H e y l *Tirol*
227, 38; 801, 250; Z i n g e r l e 64, 554; noch
jetzt bei den Deutschamerikanern: F o g e l
178, 853; vgl. M a n n h a r d t *Germ. Myth.* 17.
[185]) ZfVk. 1901, 307—08. [186]) Wer in den Rauchnächten unter der Dachtraufe rührt, dem kann
keine Hexe schaden: B a u m g a r t e n *Jahr*
14. [187]) G r a b e r *Kärnten* 221, 298; in Böhmen verwendet man eine glühende Gabel:
G r o h m a n n 139, 1018. [188]) Noch 1850 in
den Vierlanden belegt: H e c k s c h e r 383;
V o n b u n *Beiträge* 82; auf den Shetlandinseln
wirft man rotglühende Stei.ie ins B.faß: H e c k-
s c h e r 530. [189]) E b e r h a r d t *Landwirtschaft* Nr. 3, 18; man legt auch das Schellenaß
unter das Faß: B i r l i n g e r *Schwaben* 1, 399.
[190]) A l p e n b u r g *Tirol* 362; Z i n g e r l e
39, 324. Im Grießtal in Tirol benediziert der
Pfarrer das B.faß, wenn es am Geweihten
fehlt: ZfVk. 1894, 79. [191]) Z i n g e r l e 39, 326.
[192]) ZfVk. 1914, 56, 24; M e n s i n g 1, 470 f.
[193]) R e i s e r *Allgäu* 2, 440, 157. [194]) S t r a k-
k e r j a n 1, 347; F o g e l 178, 852; W. 708;
F i s c h e r *Oststeirisches* 125. [195]) In Frankreich
verwendet man eine Steinaxt: S é b i l l o t 4, 75;
vgl. P a u l y - W i s s o w a 1, 50—51; L i e b-
r e c h t *Gervasius* 100. [196]) G r i m m *Myth.* 3,
437, 70; ebenso M a e n n l i n g 301; F i s c h e r
Aberglaube 124; noch heute bei den Deutschamerikanern belegt: F o g e l 177, 851; vgl.
H e c k s c h e r 383; mit einem Messer, welches
3 Kreuze gehabt, prüft einer (um 1650) in
Leipzig die Hexenb.: M e i c h e *Sagen* 484,
629; in Böhmen entzaubert man die Teufelsb.
mit Weihwasser: G r o h m a n n 95, 662; vgl.
Z i n g e r l e 39, 324. [197]) D r e c h s l e r 2,
254, 635. [198]) M ü l l e n h o f f² *Sagen* 228, 335.
[199]) S c h ö n w e r t h 1, 338; oder einen Silber-
gulden: S c h r a m e k *Böhmerwald* 240;
S e l i g m a n n 2, 22; L ü t o l f *Sagen* 225,
159 d. [200]) M e y e r *Baden* 403; S c h m i t t
Hettingen 17; F i s c h e r *Schwäb. Wb.* 1, 1565;
H a a s *Rügener Vk.* 43; E b e r h a r d t *Landwirtschaft* Nr. 3, 18; B a r t s c h *Mecklenburg*
2, 137, 603; Z i n g e r l e 39, 322: am B.kübel
soll ein Benediktuspfennig sein; im Saarland
legt man einen Benediktuspfennig ins Wasser,
das die Kühe saufen: F o x *Saarland* 281.
Nach dem carnifex exarmatus ist der Benediktuspfennig gut, wenn die Kühe rote Milch
oder keinen Rahm geben: B i r l i n g e r *Schwaben* 1, 428. [201]) B a r t s c h 2, 136, 596; F i s c h e r
Schwäb. Wb. 1, 1565; H e c k s c h e r 383;
D r e c h s l e r 2, 255, 635; S e l i g m a n n 2, 7—9.
[202]) H e y l *Tirol* 801, 250. [203]) ZfrwVk 1913,
272; D r e c h s l e r ., 254, 634. [204]) W i t z-
s c h e l 2, 271, 64; S c h e l l *Berg. Sagen* 51
[205]) G r i m m *Myth.* 2, 928; 3, 441, 202; 470,
954. [206]) S c h ö n w e r t h 1, 394; DG. 12, 148.
[207]) S c h ö n w e r t h 1, 338; W. 707; eine
Ofenzange: Bavaria 2 a, 303. [208]) ZfVk. 1914,
56, 23; B a r t s c h 2, 355, 1670; M e n s i n g
1, 60. 471; S e l i g m a n n 2, 14. 18. [209]) Zf-
Vk. 1891, 185. [210]) B a r t s c h 2, 136, 596;
H a a s *Rügener Vk.* 43; S e l i g m a n n 2, 15;

in Oldenburg legt man unter das B.faß ein Hufeisen mit ungerader Löcherzahl, das schweigend
vor Sonnenaufgang geschmiedet ist: S e l i g -
m a n n 1, 75; über das heilige Schweigen:
RVV. 20, Heft 2, 102. [211]) G r i m m *Myth.* 3,
452, 529; vgl. R o c h h o l z *Glaube* 2, 230;
B a a d e r *Sagen* Nr. 107; in Waldeck Messer
oder Gabel: C u r t z e *Waldeck* 390, 104.
[212]) D r e c h s l e r 2, 111; vgl. 254, 635. [213]) B ü -
c h e r *Arbeit u. Rhythmus* 108; S e l i g m a n n
1, 281—82; 2, 378; D r e c h s l e r 2, 111, 484;
vgl. ZföVk. 1897, 115. [214]) B a r t s c h 2, 136,
597; 147, 661 b. [215]) S c h m i d - S p r e c h e r
91; B ü c h e r l. c. 108; M a r t i n y l. c. 27;
W. 142; vgl. K ü h n a u *Sagen* 1, 249; 3, 263
bis 264; S e l i g m a n n 1, 286; im Egerland
mit Dornhecke geschlagen: ZföVk. 6 (1900),
124; zu Hasel als Apotropaion vgl. B o l t e -
P o l i v k a 3, 477 Nr. 210. [216]) A n d r e e
Braunschweig 246; H e c k s c h e r 386; ZfVk.
1901, 9; K r a u ß *Slav. Volksforsch.* 74—75 A. 1.
[217]) F i s c h e r *Schwäb. Wb.* 1, 1565; K ü h-
n a u *Sagen* 4, 108. [218]) M e y e r *Germ. Myth.*
84—85; vgl. M a n n h a r d t 1, 11 und 56.
[219]) G r i m m *Myth.* 3, 475, 1058; D r e c h s-
l e r 2, 111, 484. [220]) M a n n h a r d t 1,
270. 288—89; in der Schweiz soll man mit
einer „Ruthe" dreimal an die Krippe schlagen:
L ü t o l f *Sagen* 222, 157. [221]) B ü c h e r l. c.
108; ZföVk. 1900, 124; vgl. G r o h m a n n
139, 1016: Schläge mit Dornstöcken; B a r t s c h
1, 117, 135; 2, 38, 27; 144, 640;
ZfVk. 1891, 185. [222]) M a n n h a r d t *Germ.
Mythen* 17 ff.; W. 145; F r a z e r 7, 2, 281;
1³, 2, 53; M a n n h a r d t 1, 271—72. 298.
[223]) F r a z e r 1³, 2, 52—53. [224]) D e r s. l. c.
53 A. 1. [225]) M ü l l e n h o f f² 239, 355, 1;
M a n n h a r d t l. c. 18; nach anderem Bericht ist in Holstein die Scheibe aus diesem
Holz: Urquell 5 (1894), 192. [226]) F r a z e r 1³,
2, 53. [227]) H a a s *Rügener Vk.* 43; H e c k-
s c h e r 395; S t r a c k e r j a n 1, 427, 229;
B ü c h e r l. c.; W. 707; K u h n *Herabkunft*
204; auch in Pommern macht man den B.stab
aus Kreuzdorn: T e m m e *Pommern* 342.
[228]) W i t z s c h e l *Thüringen* 184, 181. [229]) S é -
b i l l o t 3, 386. [230]) S c h ö n w e r t h 1, 337;
W. 707; am Lechrain aus dem Holz des Kranewit (= Wachholder): L e o p r e c h t i n g 96;
M a r t i n y 27—28. [231]) M a n n h a r d t 1,
265. 267; Bavaria 2 a, 303: außerdem stellt
man das Rührfaß auf die Ofenzange und wirft
geweihtes Salz ins Faß; BlPommVk. 4,
102, 6; H ö f l e r *Waldkult* 113; K u h n l. c.;
Z i n g e r l e 108, 931. [232]) Sonst schlägt man
die Milch mit Messern: W r e d e *Rhein. Vk.*
135; vgl. A. 204 und 182. [233]) S c h ö n w e r t h
1, 394; B r u n n e r l. c. 156—57; Bayr. Hefte
1914, 233, 64 (alter Tiroler Aberglaube); Urquell 5 (1894), 282. [234]) SAVk. 21 (1917), 215;
hier wirft der Meister etwas in die Lire und
zitiert die Hexe, vgl. ZfVk. 1901, 319; ein Bauer
an der Wupper geht zur weisen Frau von
Hagen; er muß der Kuh etwas eingeben und
dem Tier über den Rücken streichen; die Hexe

wird auch hier zitiert: S c h e l l *Berg. Sagen*
168, 70 [235]) R o c h h o l z *Sagen* 2, 153, 378;
die irische Hexe geht dreimal gegen die Sonne
um das B.faß: H e c k s c h e r 328. [236]) H e y l
Tirol 801, 250; auf Wangerooge macht man
mit Rahm 4 Kreuze auf die Haustür: M a n n -
h a r d t *Germ. Mythen* 25. [237]) S c h ö n -
w e r t h I, 338. [238]) B a r t s c h 2, 136, 598;
vgl. ZfVk. 1914, 56, 19; in Schleswig verrich-
tete man früher die Notdurft in das B.faß:
M e n s i n g I, 470—71; dieses drastische
Mittel erwähnt auch Luther gegen Milchzauber:
K l i n g n e r 38. 78; K e l l e r *Grab* 5, 320—21;
B i r l i n g e r *Schwaben* I, 409; Z i n g e r l e
65, 555; P r a e t o r i u s *Blocksberg* 148;
G o c k e l *Tractatus polyhistoricus* (F. u. L.
1699) 114 f. [239]) P o l l i n g e r *Landshut* 158;
M a r t i n y 28. [240]) R o c h h o l z *Sagen* 2,
III, 395, vgl. 188; vgl. S c h a m b a c h - M ü l -
l e r 175, 3. [241]) In Norwegen setzt man eine
Tasse Rahm aufs Feuer: ZfVk. 1901, 323; vgl.
F i s c h e r *Oststeirisches* 126; im Muotatal
(Schweiz) wirft man der Katze (= Hexe)
heiße B. ins Gesicht, worauf eine Bäuerin
Brandwunden bekommt: SAVk. 1898, 109;
in Mecklenburg tötet man die Hexe, indem
man die Milch anzündet: B a r t s c h I, 120,
140. [242]) D r e c h s l e r 2, III, 484; BlPomm-
Vk. 3, 107. [243]) M ü l l e n h o f f [2] 239, 255, 1;
ZfVk. 1891, 185; 1914, 56, 25; S c h w a r t z
Brandenburg [7] 176—77 Nr. 119; B a r t s c h 2,
39, 38; Urquell 5 (1894), 282; Heimat 37, 113,
24; M e n s i n g l. c. I, 470; Bavaria 2 a, 303.
[244]) E n g e l i e n u. L a h n 273, 210; M e n -
s i n g I, 470—71. [245]) K n o o p *Hinterpommern* 171, 149; S i m r o c k *Mythologie* 154 bis
155. 558; K ü h n a u *Sagen* 4, 175; in Holstein
wird, wenn man nicht „abboddern" kann, ein
rotes Tuch übers Faß gelegt: M e n s i n g I,
470—71; Urquell 5 (1894), 192; vgl. BlPomm-
Vk. 3, 150; S e l i g m a n n I, 331; R o c h -
h o l z *Sagen* 2, 172, 396 A; D e r s. *Glaube* 2,
230; B a a d e r *Sag.* Nr. 107; M ü l h a u s e
56 ff. [246]) H e y l *Tirol* 40, 53; V o n b u n *Beiträge* 82 ff.; D r e c h s l e r 2, III, 484; M e n -
s i n g l. c. I, 470—71; derselbe Glaube in Nordamerika bei den Deutschamerikanern (Kaiserslautern): F o g e l *Pennsylvania* 179, 857.
[247]) In Irland holt man einen Mund voll Wasser
am Gemarkungsbach: M a n n h a r d t *Germ.
Mythen* 27—28; ZfrwVk. 1913, 270; über die
Heiligkeit der Grenze: P f i s t e r in P a u l y -
W i s s o w a II, 2, 2147. [248]) Urquell 5 (1894), 282;
W. 708; BlPommVk. 3, 150. [249]) ZfdMyth. I
(1853), 236, 9. [250]) W. 708. 490. [251]) B a r t s c h
2, 136, 598. In Tirol verpflöckt man Pulver in
die Krippe: Z i n g e r l e 41, 347; oder man hat
ein Amulett (Konzeptionszettel) in das B.faß
eingespundet: R o c h h o l z *Glaube* 2, 168; in
der Schweiz sorgt man prophylaktisch für B.
durch das Ankenmilchbohren: R o c h h o l z
l. c. 2, 150. [252]) G r o h m a n n 232, 1676, vgl.
134, 978; diese Stelle meint wohl W u t t k e
708, vgl. A. 250. [253]) R e i s e r *Allgäu* 2, 440,
155; in Mecklenburg b.t man in einem Zaun-

pfahlloch: B a r t s c h 2, 355, 1669. [254]) M a n n -
h a r d t *Germ. Mythen* 22; diesen apotropäischen Fruchtbarkeitsfetisch bestreicht man in
Telemarken am Donnerstag mit B.: M a n n -
h a r d t l. c. 23; NddZfVk. 1926, 12; ARw. 18,
594; S é b i l l o t 4, 75: wenn die B. weggе-
zaubert ist, frottiert man das Euter mit einer
Steinaxt. [255]) M a n n h a r d t l. c. 24. [256]) Z i n -
g e r l e 105, 902; die Orobanche oder Sonnen-
wurz macht die Kuh fruchtbar, daher ist sie
auch apotropäisch: F r a n k v. F r a n k e n a u
Flora Francica rediviva oder Kräuterlexikon
(L. 1716) 419. [257]) BlPommVk. 4, 46. [258]) H a l t -
r i c h *Siebenbürg. Sachsen* 277, 6; im Egerland
gibt man dem Vieh 3 Stückchen frischen Brotes, mit Salz bestreut: ZföVk. 6 (1900), 124;
in der Schweiz „Stryten" kreuzweis unter die
Krippe: L ü t o l f *Sagen* 22., 157. [259]) L a c h -
m a n n *Überlingen* 393; vgl. F i s c h e r
Schwäb. Wb. I, 1565. [260]) V e r n a l e k e n
Mythen 343, 47. [261]) K u h n *Westfalen* 2, 100,
308. [262]) B a u m g a r t e n *Jahr* 5. [263]) W r e -
d e *Eifeler Vk.* 48. [264]) A n d r e e *Braunschweig*
245—46. [265]) B o h n e n b e r g e r Nr. I, 19.

9. Wie die Hexen und B.kröten [266]), so
wird auch die verhexte B. verbrannt [267]),
um den Schadenzauber unschädlich zu
machen, meistens an einem Kreuzweg [268]),
dann erscheint die Seele der B.hexe als
Maikäfer, den man ohne Strafe töten
kann; überhaupt erblickt der Volksglaube
die Seelen der Hexen oft in den Schmet-
terlingen [269]), in welchen die Phantasie
auch die Elfengeisterlein und den Alp [270])
vermutet, ein Beweis für die nahe Beziehung der Hexen zu den Elfen; als B.-
vogel [271]) oder als Motte [272]) nascht die B.-
Hexe an Milch und B. Ein B.händler
tötet einen Falter und damit die B.hexe,
welche in dieser Gestalt die B. verzauberte [273]). Von den Hexen gestohlene B. kann
wieder entdeckt werden, wenn man
einige Halme vom Strohdach über die
Tür legt und anzündet [274]). Als es bei
einem Mann nicht b.n will, zündet er zufällig einen Strohhalm an der Kerze an;
sofort ist der Zauber gebrochen, und eine
Hexe hat die Finger verbrannt [275]).

[266]) S c h a m b a c h - M ü l l e r 169, 185
vgl. A. 72. [267]) K l i n g n e r *Luther* 77; im
Aargau verbrennt man Stroh unter einem
Füllen: R o c h h o l z *Sagen* 2, 229; D e r s.
Glaube 2, 149; in Niedersachsen kocht man auf
den Rat des Scharfrichters den Rahm: S c h a m -
b a c h - M ü l l e r 175, 3. [268]) S t r a c k e r -
j a n I, 358; F r a z e r [7] [3], I, 322; W. 417.
[269]) G r i m m *Myth.* 2, 905; ZfdMyth. 3, 176
Nr. 5; M a n n h a r d t I, 329; speziell die Seele

der B.hexe denkt man sich als B.vogel: F r i s c h b i e r *Preußisches Wb.* 1, 123—124; M ü l l e r - F r a u r e u t h *Obersächsisches Wb.* 1, 178; 2, 245 (Molkendieb); G r i m m *DWb.* 2, 586; K r a u ß *Slav. Volksforsch.* 57; K ü h - n a u *Sagen* 1, 156; M e n s i n g 1, 466 (Bodderliker = Schmetterling). 463 (Bodderfleeg = Schmetterling); B ö h m e *Kinderlied* 177—78; M ü l l e n h o f f ² 509, 652, 2; Marienkäfer: M a n n h a r d t *Germ. Mythen* 347. 353. 397 bis 398; bekommt Milch- u. B.opfer: 355, vgl. 246. 251. ²⁷⁰) G r i m m *Sagen* 74, 80; K ü h - n a u *Sagen* 3, 106. ²⁷¹) M a n n h a r d t *Germ. Mythen* 54; vgl. die A. 269 zitierte Literatur; die Grundvorstellung ist die Seele der Verstorbenen als Seelenvogel; sie ist nach der B. als Lebens- und Kraftsymbol lüstern; eine Abart ist der b.raubende Vegetationsdämon: G ü n - t e r t *Kalypso* 224—225. ²⁷²) D r e c h s l e r 2, 253—54. ²⁷³) G ü n t e r t l. c. ²⁷⁴) F r a z e r 1³, 2, 53; W. 708; vgl. die Rockenphilosophie: G r i m m *Myth.* 3, 447, 389 ²⁷⁵) V o n b u n *Beiträge* 82; Strohhalm ist Verwandlungsform von Alp und Hexe: K ü h n a u *Sagen* 3, 109. 115. 121. 124—25. 127—28.

10. **D a s B.n**: Bei dieser dauernden Abwehrbereitschaft der die Milchgeschäfte verwaltenden Hausfrau gegen die Anfechtungen und den Schadenzauber der B.hexen wird das B.geschäft selbst zur Zeremonie: Die Bäuerin ²⁷⁶) tut vor dem Anrühren etwas Weihwasser ²⁷⁷) ins Faß oder einige Körner Salz ²⁷⁸) und macht drei Kreuze ans Faß ²⁷⁹); besonders in der Oberpfalz bedarf es umständlicher Vorbereitungen ²⁸⁰): Die Bäuerin stellt sich mit dem Rücken gegen die Tür, legt beide Arme übers Kreuz vor die Brust und faßt mit gekreuzten Armen den Rührstecken; sie wischt auch den Rührstecken mit einem Armsünderlappen ab. Auf der Stelle, wo das B.faß steht, macht man in Holstein ²⁸¹) ein Kreuz; in Pommern legt man unter das B.faß eine Mannshose ²⁸²). Das Faß darf nicht unter dem Stubenbalken" ²⁸³) stehen, e contrario: „auch stelle man sich mit dem B.faß unterm Balken" ²⁸⁴). Größte Vorsicht übt man vor dem „Versehen"; wer schielt ²⁸⁵), darf nicht zugegen sein; die B.gefäße ²⁸⁶) darf nicht jeder sehen; vor allem darf man ein neues ²⁸⁷) B.faß nicht auf der Straße sehen lassen; ebenso darf man das Milchgerät nicht nach Sonnenuntergang draußen lassen ²⁸⁸); zu Beginn des B.ns spricht man in Rottweil:

Im Namen der heil. Dreifaltigkeit, Daß sich Milch und B. voneinander scheid ²⁸⁹).

Beim Rühren muß man nur in einer Richtung ²⁹⁰) drehen, sonst dreht man wieder auf; während des B.ns darf man nicht ins B.faß sehen ²⁹¹). Bekommt die Bäuerin während des wichtigen B.geschäftes Besuch, so soll die Fremde nach Hettinger Aberglauben ²⁹²) (auch in Schleswig) mitstoßen, damit die Butter rasch zusammengeht; in Böhmen ²⁹³) muß sich der Besuch setzen; tritt hier ein fremder Mann in die Stube, so schlägt die Magd dessen Mütze am B.faß ab ²⁹⁴); wie schon betont, darf man die B. nicht loben lassen ²⁹⁵); bei Itzehoe darf man keine Sumpfdotterblume mit ins Haus nehmen, sonst gibt es keine B.²⁹⁶).

²⁷⁶) Eine menstruierende Frau darf in Frankreich nicht b.n: S é b i l l o t 3, 87; vgl. F r a - z e r 7, 1, 22. 80. 84; d e r s. *Totemism* 2, 534. ²⁷⁷) F i s c h e r *Schwäb. Wb.* 1, 1565; S c h ö n - w e r t h *Oberpfalz* 1, 337; vgl. A l p e n b u r g *Tirol* 362. ²⁷⁸) W r e d e *Rhein. Vk.* 135; in der Oberpfalz Dreikönigsalz: S c h ö n w e r t h l. c.; M e n s i n g 1, 471. ²⁷⁹) D r e c h s l e r 2, 111, 484; W. 707. ²⁸⁰) S c h ö n w e r t h l. c.; Bavaria 2 a, 303; vgl. S t e p h a n *Askanische Vk.* 112, 258 f. ²⁸¹) *ZfVk.* 1914, 56, 22. ²⁸²) *ZfrwVk.* 1913, 270. ²⁸³) *ZfVk.* 1914, 56, 21; *ZfrwVk.* 1913, 270; W. 707; D r e c h s l e r 2, 111, 484; M e n s i n g l. c. ²⁸⁴) *ZfrwVk.* 1913, 271. ²⁸⁵) B a r t s c h *Mecklenburg* 2, 136, 599; S e l i g m a n n 1, 235; M e n s i n g l. c. 464; *Urquell* 6, 193 ff. Trägt man in der Oberpfalz das B.faß über die Gasse, so verdeckt man es: Bavaria 2 a, 303. ²⁸⁶) *ZfrwVk.* 1913, 271; *Urquell* 5 (1894), 282; *ZfVk.* 1901, 322 und 327; S e l i g m a n n 1, 235. ²⁸⁷) W. 706. ²⁸⁸) M e n - s i n g l. c. 70 (afkarnen); in Schlesien behext eine B.hexe das B.faß, das vor der Türe steht: *MschlesVk.* 1905, Heft 13, 92. ²⁸⁹) F i s c h e r *Schwäb. Wb.* 1, 1565; ein anderer Spruch in Niederbayern: *ZfrwVk.* 1913, 270. ²⁹⁰) F o - g e l *Pennsylvania* 177, 848 (Heidelberg). ²⁹¹) G r o h m a n n 138, 1014; M a r t i n y 12; W. 708. ²⁹²) S c h m i t t *Hettingen* 17; wenn in Waldeck das B.n geraten will und es kommt Besuch und stößt dreimal schweigend, gibt es sofort B.: C u r t z e *Waldeck* 391, 105; M e y e r *Baden* 403; M e n s i n g 1, 471; *Urquell* 5 (1894), 192; *ZfrwVk.* 1913, 272. ²⁹³) G r o h m a n n 139, 1017. ²⁹⁴) Ebd. 146, 1079. ²⁹⁵) M e n s i n g 1, 471. ²⁹⁶) D e r s. 1, 70 (afkarnen).

11. **Über die Z e i t ²⁹⁷) d e s B.ns** herrschen Ansichten, die sich scharf widersprechen: Am Tage vor und nach Vollmond darf im Rheinland nicht geb.t wer-

den [293]). Neumond [299]) wird in Böhmen, die Ebbe an der Küste der Bretagne bevorzugt; in der Oberpfalz soll man an den ersten drei Freitagen [300]) des Monates b.n, weil da die Hexen selbst nicht ausrühren; auch in Mecklenburg [301]) glaubt man: „Das B.n am Freitag bringt die beste und schönste B."; in Schlesien soll man am guten Freitag vor Sonnenaufgang b.n [203]); Zimmermann berichtet: wenn die Bauernweiber das erstemal wieder eine Kuh melken und sie b.n drei Freitage hinter einander aus, dann können die Hexen dem Vieh nicht schaden [303]). Dagegen soll in Schwaben [304]) das B.n am Mittwoch und Freitag unterbleiben, und nach der schlesischen [305]) Überlieferung sagt eine Hexe zu Braunau (1617) aus: sie habe sich mit Freitagsb. geschmiert und mit andern Hexen zu Katzen verwandelt; gegen den Mittwoch [306]) spricht sich auch der Aberglaube in Gernsbach im Speierschen aus, wie das Journal berichtet: ein Weib, das Mittwochs B. plumpt, ist eine Hexe; aber in Hinterpommern [307]) sind Mittwoch und Sonnabend B.tage; am Sonntag [308]) rühren die Hexen; die Figur im Monde ist nach braunschweig. Aberglauben ein Mädchen, welches dorthin versetzt wurde, weil es am Sonntag [310]) b.te. Vor allem erhält man in der Walpurgisnacht [311]) viel B.; auch über das B.n am Karfreitag [312]) und Himmelfahrtstag [313]) herrschen abergläubische Ansichten. Nach rheinischem [314]) Aberglauben soll die B. morgens um 3 Uhr gedreht werden, nach schlesischem vor Sonnenuntergang [315]), nach nordischem am Abend [316]). Die Billeweiß [317]) im Görschitztal weissagen dem Volke: Wenn die Bäuerinnen nachmittags B. rühren und die Hühner nachmittags Eier legen, werden schlechte Zeiten kommen. „Von derselben Kuh darf man in einer Woche nicht zweimal B. machen, sonst bekommen die Hexen Gewalt über sie" [318]). Bei Gewitter b.t es sich schlecht [319]).

[297]) B u c h *Woljaken* 50, 151; russische B.-woche. [298]) ZfrwVk. 1913, 271. [299]) G r o h - m a n n 135, 980; über den Einfluß der Ebbe s. Sébillot 2,20, [300]) Schönwerth 1, 337; W. 707; Bavaria 2 a, 303; R o c h h o l z *Glaube* 2, 52—53: am Freitag b.n die Hexen nicht.

[301]) B a r t s c h 2, 217, 1132. [302]) D r e c h s - l e r 2, 111, 484. [303]) F i s c h e r *Schwäb. Wb.* 1, 1565. [304]) K ü h n a u *Sagen* 3, 21, 1370. [305]) Brevinus Noricus 223. [306]) G r i m m *Myth.* 3, 453, 567; M a n n h a r d t *Germ. Myth.* 16. [307]) K n o o p *Hinterpommern* 171, 145. [308]) ZfdMyth. 2 (1854), 73, 5. [309]) A n d r e e *Braunschweig* 246. In Schleswig-Holstein wird eine Predigersfrau so bestraft: M e n s i n g 1, 463; M ü l l e n h o f f² 549; Urquell 1, 85. [310]) G r i m m *Myth.* 2, 597 ff.; G r o h m a n n 28—31; K r a u ß *Südslaven* 12 ff.; S c h ö n - w e r t h 3, 137, 16. [311]) W. 89. [312]) M ü l l e r *Isergebirge* 27; sie ist besonders heilsam: D r e c h s - l e r 2, 235, 611. [313]) K u h n *Westfalen* 2, 159, 446. [314]) ZfrwVk. 1913, 271. [315]) D r e c h s - l e r 2, 254, 634; 111, 484. [316]) G r a b e r *Kärnten* 65, 73. [317]) ZfVk. 1898, 138. [318]) W. 707. [319]) M ü l l e r *Rhein. Wb.* 1, 1184; vgl. F i s c h e r *Schwäb. Wb.* 1, 1565: wenn die B. nicht zusammengeht, gibt es Regen: G r o h - m a n n 38, 225.

12. Wenn der B.wecken [320]) geraten ist, wobei sich die Kirnerin rühren muß — „denn de boter kömt schier, wenn se schwet süht" [321]) — und gepfundet wird, so macht man auf das vollgestrichene Pfundmaß in Mecklenburg [322]) zwei kreuzweise Eindrücke mit der Kelle; die niederrheinische [323]) Hausfrau drückt, wenn sie die B. im Topf einmacht, ein Kreuz in die Oberschicht ein; beim B.verkauf übt die Bäuerin vom Nahetal [324]) die gleiche Vorsicht wie beim Milchverkauf: die gekaufte B. muß sofort nach Hause getragen werden, ohne daß man noch in ein anderes Haus eintritt; sonst würden die Kühe, von denen die B. stammt, verhext werden. Die schlesische Bäuerin verkauft nach Sonnenuntergang keine B. [325]). Die erste B. darf nicht verkauft oder verschenkt werden, sonst gibt man den Nutzen der Kuh fort; die B. darf nur verdeckt über die Straße getragen werden [316]); wenn man B. verschenkt, muß dafür Brot und Salz gegeben werden [327]).

[320]) Über die Form: J. P l a c o t o m u s *De tuenda bona valetudine, libellus Eobani Hessi commentariis doctissimis illustratus* p. 67. [321]) Zf-rwVk. 1913, 272. [322]) B a r t s c h 2, 136, 600; vgl. ZfVk. 1896, 388. In Brandenburg wird die B. gegen den Teufel mit Doppelkreuz geritzt: O. S t e p h a n *Ashanische Vk.* 112; vgl. Urquell 5 (1894), 282 A. [323]) Der Niederrhein 1880, 112; ZfrwVk. 1913, 272. [324]) ZfrwVk. 1905, 203; vgl. Heckscher 379; eine alte Rottweiler Satzung sagt: Wer dem Henker und dem Schinder abkouffet hat Schmalz oder

Unschlitt, dem soll die Zunft verboten sein ein Jahr: B i r l i n g e r *Schwaben* 2, 445. [325]) D r e c h s l e r 2, 253, 633 = G r i m m *Myth.* 3, 473, 1023 (aus der bunzlauischen Monatsschrift 1791); H e c k s c h e r 379 aus Richter (1702). [326]) W. 709; S e l i g m a n n 2, 280; vgl. Bavaria 2 a, 303. [327]) ZföVk. 1897, 183, 298 (Bukowina).

13. B. m i t b e s o n d e r e r E i g e n - s c h a f t : Schon Coler [328]), bei dem sich sehr gute Beobachtungen neben abstrusestem Zeug finden, begründet die besondere Kraft der ,,Mayenb.'' [329]) damit, daß die Kühe da die besten Kräuter fressen [330]); zu dieser rein empirischen Feststellung gesellt sich der am 1. Mai besonders lebhafte Glaube an die Tätigkeit der Hexe, also auch der B.hexe; in Schwaben spielt der Maianken, die Maib. eine große Rolle; im Allgäu [331]) wird am 1. 5. in jedem Haus Maib. gerührt; diese wird, mit grünen Kräutern dekoriert, mittags nach dem Essen aufgetragen, und jedermann streicht sich davon aufs Brot (siehe B.opfer); auch in Tirol [332]) ißt man Maib. in Menge, und in der Meraner [333]) Gegend ist es Sitte, am Pfingstsamstag nach dem Nachtessen die Maib. auszuschnellen. Im Aargau ist schon 1223 die Ankenschnittenprozession erwähnt, ein Flurumritt am Himmelfahrtstag, wobei man den Pferden Ankenschnitten ins Maul stößt, damit sie gesund bleiben [334]). Am Lech [335]) ist das B.n am 1. 5. sogar vorbedeutend: am 1. 5. soll man recht schmalzen, dann hat man das ganze Jahr Schmalz im Haus; in Hessen [336]) gibt man den Kühen am Walpurgisabend B.blumen, damit die B. das ganze Jahr schön gelb ist. Von der Frühjahrsb. hat auch die B. der Kreuzwoche [337]) eine besondere (Heil-)Kraft, in Finistère [338]) schreibt man der B. pendant la semaine des Rogations ebenfalls eine besondere Eigenschaft zu. In Tirol (Pitztal) ist die B., die um Johanni gerührt wird, heilsam und wird aufbewahrt [339]). Coler [340]) hebt auch die B. hervor, welche man im ,,Ohst'' (= August) einlegt; das ist die Bartholomäusb. [341]) (24. 8.) oder der im alemannischen Süden als heilkräftig gepriesene Bartholomäusanken [342]), den man nicht verkauft und der sich jahrelang hält [343]); er

hat den Namen davon, daß der Apostel Bartholomäus zur Salbung seiner Wunden nach B. verlangte [344]).

[328]) C o l e r *Oeconomia* 1, 403. 410 c. 66; d e r s. *Astrologia* 61 und 59; Barthol. C a r - r i c h t e r *Der Teutschen Speiskammer* (1614) 63; L a m m e r t 206 A 1; vgl. M ü l l e n - h o f f 239, 355, 2; S t a r i c i u s *Heldenschatz* (1679), 129; R o c h h o l z *Gaugöttinnen* 23 bis 24. [329]) Auch in Frankreich: S é b i l - l o t 3, 88. [330]) Man soll den Kühen im Mai Nesseln füttern: C o l e r *Astrologia* 59. [331]) R e i s e r *Allgäu* 2, 138, 8; B i r l i n g e r *Schwaben* 2, 93; d e r s. *Volkst.* 2, 95, 126; L a m - m e r t 206; H i l l n e r *Siebenbürgen* 50; F e h r l e *Feste* 63. [332]) H ö r m a n n *Volksleben* 95; vgl. S a r t o r i 3, 191 und 217. [333]) P f a n - n e n s c h m i d *Erntefeste* 488. [334]) M a n n - h a r d t 1, 399—400; R o c h h o l z *Gaugöttinnen* 24. 78; vgl. das Maibutterausschnellen an Pfingsten bei Meran: Z i n g e r l e *Tirol* 161 Nr. 1368. [335]) L e o p r e c h t i n g *Lechrain* 177; vgl. S c h u l e n b u r g *W. Volksth.* 76; J o h n *Westböhmen* 73; in Tirol geht man zum Maibutteressen aufs Land: Z i n g e r l e l. c. 155 Nr. 1313; im Zillertal wird an Fasching Fastnachtsb. aufgetragen; wird das unterlassen, so zieht Not ins Haus: Z i n g e r l e 138 Nr. 1208. [336]) H e s s l e r *Hessen* 2, 327 ff.; S a r t o r i 3, 182 A. 57. [337]) M ü l l e r *Rhein. Wb.* 1, 1170; ZfrwVk. 1913, 271; S c h m e l l e r *Bayr. Wb.* 1, 311. [338]) S é b i l - l o t 3, 88; G r i m m *DWb.* 5, 2201. [339]) Z i n - g e r l e 160, 1362. [340]) l. c. 410. [341]) ZfrwVk. 1913, 271; A. B a u m g a r t e n *Jahr* 29—30; M ü l l e r *Rhein. Wb.* 1, 1170; M e n s i n g 1, 240. [342]) M e y e r *Baden* 403. 509; ZfVk. 1898, 439; S a r t o r i 3, 244. [343]) O c h s 1, 121; vgl. M ü l l e r *Rhein.Wb.* 1, 484; W a n d e r *Sprichwörterlex.* 1, 521, B. Nr. 4. [344]) M e y e r l. c. 403; in Schleswig heilt man mit Barramesbodder Wunden: M e n s i n g l. c.

14. Das B. o p f e r : In Norwegen [345]) opfert man noch heute der Sonne B.; B. als Fruchtbarkeitssymbol opfert man den Vegetationsdämonen; im Riesengebirge [346]) finden wir unter den Opfergaben für Wind [347]) auch B.; dem Alp [348]) verspricht man B. und Käse. Über die Opfer an die Hausgeister und Vegetationskobolde vgl. § 3 u. A. 46; über das B.opfer für Hausgötzen handelt L. Weiser [349]); in Telemarken [350]) wird der Donnerkeil jeden Donnerstag mit B. bestrichen; wie die alte germanische [351]) Gewohnheit, die Göttersymbole mit Fett zu bestreichen, im Christentum fortlebte, zeigt eine bis ins 17. Jh. in Bayern geübte Sitte, das Karfreitagskruzifix mit Eiern und Schmer

zu bestreichen [352]). Diese Opfer für die Fruchtbarkeitsgeister sind in der Laufener [353]) Gegend abgelöst durch Gaben an die Kirche [354]): Bis zur Mitte des 19. Jhs. opferten dort die Bäuerinnen B. auf dem Altar als Dank für den Wettersegen; diese Gabe brachten die Gläubigen besonders gern dar, wenn der Pfarrer im Rufe stand, wettergerecht zu sein; und eine Ablösung zweiten Grades fand statt, indem man die B. später in den Pfarrhof brachte. Über B. als Votivgabe gegen Kropfleiden (1591) und als Opfer für St. Leonhard gegen B.zauber siehe Andree [355]). Als Erstlingsopfer von der wunderkräftigen Maib. — als Dank für die Benediktion, welche der Pfarrer dem Vieh spendete — bringt man im Allgäu [356]) einen B.ballen ins Pfarrhaus, auf welchen man den Namen Jesu eingepreßt hat; die erste B. von der Milch der Erstlingskuh wird in Ostpreußen [357]) dem Hospital [358]) gespendet, in Österreich, Schlesien und Westböhmen für die Kirchenlampe [359]). Die Kirche [360]) selbst segnet die Frühlingsb. am Ostersamstag schon im MA. Auch zum Erntedankopfer verwendet man B.: im Oberamt Leutkirch [361]) brachten die Bauern dem heiligen Martin B. und Eier dar; zur Speisung der Alpendämonen läßt man in Tirol [362]) bei der Abfahrt von der Alm neben Brot und Käse [363]) auch B. zurück. Auch zur Ablösung des Hausbauopfers ist das B.opfer belegt [364]). B. als Opfer an Allerheiligen für die armen Seelen kennt man in Böhmen [365]), B. als Totenopfer während des Seelenamtes in Graubünden [366]). Am Vorabend des Allerseelentages wird in Tirol (Alpach) nach dem Rosenkranz eine mit Schmalz gefüllte Lampe auf den Herd gestellt, damit sich die armen Seelen mit dem Fett die Wunden lindern [367]). Im Zillertal wird am Samstag nach dem Krapfenbacken ein Stück B. auf den Dreifuß gelegt, damit sich die armen Seelen die Brandwunden schmieren können [368]). Wird Schmalz aus dem Kessel verschüttet, so schenkt man das den armen Seelen [369]) (wie die Brosamen und Speiseabfälle).

B. ist das Fruchtbarkeitssymbol und die Speise des Lebens, nach der die Seele am meisten verlangt; das ist bei den Bulgaren [370]) wohl der Grund, warum sie der herumirrenden Seele drei Tage lang B. und Wein in die Sterbekammer stellen; die Hindu [371]) begießen die Leiche mit B., Milch und Honig; die Chewsuren [372]) legen den Toten B.gebäck auf die Brust; bei den Ditmarschen [373]) und auf Jütland [374]) finden wir die Ablösung durch B.brotspende an die Gäste.

[345]) Helm *Religgesch.* 1, 187; ZfVk. 1898, 143; Meyer *Religgesch.* 106 A. 1. 417 A. 1; vgl. Frazer 7, 1, 180; vgl. das Kinderliedchen an die Sonne bei Meyer *Germ. Mythen* 389 d; die Sonne wird bei den Südslaven mit einem B.-ball verglichen: Krauß *Relig. Brauch* 18; die Indier opfern dem Indra B.: Mannhardt *Germ. Mythen* 4. [346]) Grohmann 3, 12. [347]) Über B.opfer an Wasserdämonen: Oldenberg *Religion des Veda* [2] 118. 352. 418. 444; für Frankreich: Sébillot 2, 302; vgl. 3, 83; 2, 289. 439. 462; über B. als Vegetationsopfer unter Eichen bei den Litauern vgl. Chantepie de la Saussaye-Bertholet-Lehmann 2, 536; in den Niederlanden opfert man dem Kabouterchen B. und Eier: Wolf *Niederl. Sagen* Nr. 560; Kloster 9, 200. [348]) Lippert *Christentum* 452; B.brot: Kühnau *Sagen* 3, 125 Nr. 1494; vgl. 1495; B.brot für den Wolf beim Getreidemähen: Jahn *Opfergebräuche* 179. [349]) NddZfVk. 1926, 12 und 13—14 mit Literatur; B.fladen an Paulibekehrstag in Niederland deutet Höfler *Fastnacht* 13 als Opfer; über B.opfer an Marienkäfer: Mannhardt *Germ. Mythen* 355; Alraunwurzel-Puppen werden mit Öl gesalbt: Meiche *Sagen* 302, 392; vgl. 391 (Brotopfer). [350]) Mannhardt *Germ. Mythen* 29. [351]) Grimm *Myth.* 1, 51. [352]) Quitzmann *Baiwaren* 247; Panzer *Beitr.* 2, 281; vgl. Saussaye-Bertholet *Lehrbuch der Religionsgeschichte* 1, 183; vgl. Rochholz *Glaube* 1, 319. [353]) DG. 11, 215. [354]) Lippert l. c. [355]) *Votive* 165; auch die Bulgaren bringen B. in die Kirche als Opfergaben bei Krankheitsfällen: Strauß *Bulgaren* 99. [356]) Birlinger *Volksth.* 2, 95, 126; Reiser *Allgäu* 2, 138, 9. [357]) Toeppen *Masuren* 100; Jahn *Opfergebräuche* 303; Sartori 2, 145 A 19; W. 424. [358]) Das erste Kalb gehört dem Hospital: Sartori 2, 138. [359]) Jahn *Opfergebräuche* 304; John *Westböhmen* 211; Drechsler 2, 101; Sartori 2, 145. In Frankreich opfert man diese B. der Jungfrau Maria: Sébillot 3, 83; vgl. 3, 36. [360]) Franz *Benediktionen* 1, 592. [361]) Zfd-Myth. 1, 441 ff.; Jahn l. c. 320. [362]) Alpenburg *Tirol* 104, 13; Jahn l. c. 321. [363]) Rochholz *Sagen* 1, 384. [364]) Rosegger *Steiermark* 10; vgl. ZfEthnol. 1898, 26; Tettau u. Temme 98; Grimm *Sagen* 145, 179; vgl. 494; Frischbier *PreußWb.*

I, 124; S e l i g m a n n 2, 292. [365]) G r o h - m a n n 198, 1391. [366]) H o f f m a n n - K r a y e r 48; vgl. SAVk. 14, 79—80; C a m i n a d a *Friedhöfe* 121—22; SAVk. 15 (1911), 227 ff. [367]) Z i n g e r l e *Tirol* 176 Nr. 1470; vgl. R o c h h o l z *Glaube* 1, 324; ZföVk. 1906, 150 bis 151; in Bayern wird am Allerseelentage dem Kloster u. a. ein Wachsstock und ein B.- ballen geschenkt: R o c h h o l z *Glaube* 1, 319; die Brahmanen reiben die Toten mit B. ein: R o c h h o l z l. c. 1, 235. [368]) Z i n g e r l e l. c. 124 Nr. 1124. [369]) D e r s. 56 Nr. 476. [370]) ZfVk. 1901. 20 ff.; S a r t o r i *Totenspei- sung* 42 [2]; ARw. 24, 291 ff.; S t r a u ß *Bulga- ren* 101 [371]) S a r t o r i l. c. 11. [372]) Glo- bus 76, 209; S a r t o r i l. c. 12[1]. [373]) Urquell 1, 48 ff.; S a r t o r i l. c. 24[2]; vgl. ZföVk. 4 (1898), 114; S a r t o r i l. c. 25[2]. [374]) F e i l - b e r g *Dansk Bondcliv* 1, 359 ff.; S a r t o r i l. c. 6[2].

15. B. im Schaden- und Gegenzauber (abgesehen vom Schadenzauber beim B.n): eine Graubündner [375] Hexe (1702) „gesteht": ins Schmalz habe sie ein „löchly gemacht und pulver ingelegt und ordent- lich vermacht; habe er dies Schmalz wäg- genommen, wissy aber nit, wär davon thot". In einem Hexenprozeß (1486) ge- steht die Köchin des Junkers Hans Röder von Diersburg, dessen Kind beseitigt wer- den soll [376]: Sie habe die Kunhin geheißen, B.[377]) und Milch zu nehmen und das Kind des Junkers damit zu bestreichen und zu salben, damit es zu Gott fahre und man seiner abkomme. Eine Schweizer Hexe macht einen Knaben mit einem B.brot krank [378]. Eine bayrische Hexe tötete die Nachbarin, indem sie das mit drei Nägeln durchbohrte Herz einer Kuh in B. sott und es in den Lech warf [379]. Im Gegen- zauber wird B. in Verbindung mit Brot gebraucht [380]. Auch im iudicium offae findet B.brot offenbar als Substi- tut [381] für Käse Verwendung: 1618 unterwirft sich eine Lincolner Hexe dem Ordal mit B.brot und erstickt [382]. B. als Fruchtbarkeitssymbol ist natürlich apotropäisch; in einer bei Gockel er- wähnten Salbe gegen Zauberei findet sich B. aus Pferdemilch [383]. Wenn in der Schweiz ein geschälter Haselzweig, mit frischer B. gesalbt, ins Faß gehängt wird gegen den schimmlichen Geschmack, so ist wohl auch hier der apotropäische Zweck primär [384].

[375]) S c h m i d - S p r e c h e r 151. [376]) Frei- burger Diözesan-Archiv 15 (1882), 97—98; H a n s e n *Hexenwahn* 585. [377]) E c k s t e i n Z. Gesch. Oberrheins 1927, 635—36. [378]) SAVk. 1927, 34; vgl. B a r t s c h *Mecklenburg* 2, 18 (27. 7. 1584); 34, 12 (1681); A n d r e e *Braun- schweig* 383; W. 395. [379]) L e o p r e c h t i n g *Lechrain* 43. [380]) D e r s. 18. [381]) N e g e l e i n in Zf- Ethnol. 1902, 61. [382]) ARw. 13, 531; S o l d a n - H e p p e 1, 386. 399 ff. [383]) *Tractatus polyhi- storicus* 149; die Ovampo streichen sich, um sich beim Essen vor Schadenzauber zu schützen, B. zwischen die Augen: ZfVölkerpsychol. 18, 150. [384]) L ü t o l f *Sagen* 371 Nr. 340 d.

15. B. i n F r u c h t b a r k e i t s - u n d L i e b e s z a u b e r: B. als reini- gendes- und Fruchtbarkeitssymbol war schon in der Antike bekannt: Bei den Babyloniern [385] wirkte sie reinigend; und Áthenäus erzählt, daß die aus Lybien zu- rückkehrende Aphrodite [386] die Gegend um den Eryx mit B.duft erfüllte. Daß man auch damals schon die B. bei Hoch- zeiten besonders bevorzugte, geht aus einer Stelle des Anaxandrides [387] hervor, nach der an einer thrakischen Hochzeits- tafel (382 v. Chr.) b.essende Männer saßen. Heute wird in Makedonien [388] der Braut B. gereicht, mit der sie die Schwelle (vgl. Fett) bestreicht [389], in Böhmen [390] und bei den Südslaven [391] wird sie beim Lie- beszauber verwendet. Im Rheinland [392] wird die B. beim Hochzeitsmahl von Braut und Bräutigam angeschnitten. In Schles- wig bringen die Nachbarn am Tag vor der Hochzeit (Bodderbeersdag) einen B.ballen von 8 bis 10 Pfund [393]. In Mecklenburg stand früher ein aus B. geformter Hahn auf der Hochzeitstafel [394]; in Schleswig [395] führt die zuletzt verheiratete Frau mit der B., auf der ein Stäbchenkreuz [396] ist, einen Tanz auf; vgl. auch die B.zeremonien bei der Hochzeit der Esten [397]. Einen offen- baren Fruchtbarkeitsritus haben wir in der Schweiz [398], wo das Kind nach dem ersten Bade mit B. eingerieben wird (vgl. Fett). Zum Fruchtbarkeitszauber tritt die Analogie in einem mecklenburgischen [399] Gebrauch: „Ist ein Mädchen geboren, so wird ein B.faß in die Stube gebracht, die Händchen des Kindes an den B.stab ge- legt und so einige Male auf und nieder ge- führt. Dann bekommt das Kind im spä- teren Leben immer schnell und leicht B.;

nach einer andern Version findet die Zeremonie vor der Taufe statt [400]). Ein Musterbeispiel für einen Übertragungszauber mit B. haben wir in Schleswig-Holstein [401]): auf einer nicht ergiebigen Weide vergräbt man ein Messinghorn, mit B. gefüllt, mit den Worten: gel blank Bodder; über den Fruchtbarkeitsritus der Ankenschnittenprozession im Aargau siehe § 13.

[385]) ARw. 17, 401 und 408 A. 5. [386]) A t h e - n a e u s 9, 395 a; P a u l y - W i s s o w a 3, 1091 oben. [387]) A t h e n a e u s 4, 131 b; P a u - l y - W i s s o w a 3, 1090. [388]) S t e r n *Türkei* 1, 107. [389]) Nach P l i n i u s 18, 135. 142 bestrich die Braut die Pfosten apotropäisch mit Fett. [390]) G r o h m a n n 210, 1459. [391]) K r a u ß *Slav. Volkforsch.* 166—67. [392]) ZfrwVk. 12 (1915), 46. [393]) M e n s i n g 1, 461; das Hochzeitsfest heißt „Bodderkösten": Heimat 37, 114 ff. [394]) B a r t s c h 2, 66, 239. [395]) M e n - s i n g 1, 465. [396]) H ö f l e r *Weihnachten* 69. [397]) G r i m m *Myth.* 3, 488, 18; B o e c l e r *Ehsten* 40. [398]) H o f f m a n n - K r a y e r 24; antik: P l i n i u s 11, 239. [399]) B a r t s c h 2, 42, 53. [400]) D e r s. 2, 44, 71. [401]) M e n s i n g 1, 464.

17. B. i m V o l k s m e d i z i n - u n d H e i l z a u b e r: Schon die Skythen [402]) glaubten, daß B., auch in kleinen Mengen genossen, Hunger und Durst stille und besondere Kräfte verleihe, während die Griechen [403]) B. für schädlich hielten und noch halten. Dagegen gilt bei uns die B. als Kräftigungsmittel, besonders in Tirol [404]). Nach einer Schweizer Erzählung werden drei Brüder durch B.genuß riesenstark [405]). Schon Coler [406]) rühmt Maienb.[407]) als Arznei und Wundtrank, weil sie ungesalzen von innen heraus heilt; des Morgens nüchtern gegessen, nützt sie gegen „Stich eines giftigen Wurmes und gegen Pestilenz" [408]). Als Wundsalbe wird vor allem die „Neuntagb." (Maib. von erstkalbenden Kühen in den ersten 9 Tagen bereitet) geschätzt [409]). Auch im „Ohst" (August) eingelegte B. ist heilkräftig; in der Eifel [410]) rühmt man B. aus der Kreuzwoche [411]) und Bartelmisb. [412]) große Heilwirkung nach, in Deutsch Killmes (Westböhm.) solcher B., die vom hl. Abend aufbewahrt wird [413]); der Schlesier [414]) gebraucht Karfreitagsb. bei Verletzungen, und der Deutschamerikaner[415])

sieht ungesalzene B. für Wunden als gutes Mittel an; der Märker [416]) schwört auf ungesalzene Gründonnerstagsb. Besonders gerne gebraucht man B., oft mit Zutaten, als Salbe für alle möglichen Schäden, wie schon die Inder [417]) die Wunden der Elefanten mit B. behandelten, während die römischen [418]) Ärzte sie bei gynäkologischen Entzündungen empfahlen. Die heilige Hildegard kennt B. nur als Salbe; in den Physica erwähnt sie eine Salbe gegen Kopf- und Augenweh[419]): accipe folia et corticem ipsius (Fickbaum) et ea modice contunde et in aqua valde coque et tunc etiam arvinam ursi et parum minus de angssmêre (wohl angosmêre?) et sic fac unguentum; in den causae et curae erfahren wir von einer Salbe aus fenum graecum und B. (Kusmalz) gegen tumor in virilibus [420]). In Schlesien [421]) mit Spitzwegerichsaft gemischt, in Bayern [422]) auf ein Salatblatt gestrichen, dient die B. als Wundsalbe. Im Schweizer Jura verwendet man B. und Salz mit einem Zauberkreis gegen Verrenkung [423]). Gegen Brandschaden ist das Dreimonatsschmalz [424]) als unfehlbares Mittel bekannt; es wird aus Mai-, Juni- und Julib. zu gleichen Teilen und feinem Baumöl [425]) zubereitet; in Tirol wird Junib. als heilsam aufbewahrt [426]). In Württemberg [427]) ist Schmalz der Holderküchle von Sommerjohanne heilkräftig; bei Wassersucht [428]), bei Krupp [429]), bei Gesichtsrose [430]) angewandt, heilt die B. durch Sympathiezauber im Lippischen[431]) „Frostballen", in Württemberg [432]) läßt man dagegen heißes Schmalz auf ein Eisstück tropfen; im Rheinland [433]) vertreibt das aus ungesalzener B. fließende Wasser rote Flecken am Kinn. Insbesondere gilt B.schnitte als Heilmittel namentlich als Medium, um zauberkräftige Formeln zu essen (vgl. essen) [434]): Wenn man in Pommern das Fieber hat, muß man vom Pfarrer oder sonst einem vornehmen Herrn ein B.brot fordern und fortgehen, ohne sich zu bedanken; gegen Hundswut zeichnet man in Liebenthal (Schles.) [435]) auf eine fettgeschmierte B.schnitte folgendes Kästchen mit einer Stecknadel:

X	S	X	M	X
6	X	6	X	5
X	SSS	C	X	6
6	X	SSS	C	X

Das Brot schneidet man in drei Teile und gibt es im Namen Gottes usw. In Mecklenburg bekommen die Hunde an Weihnachten, Neujahr und Dreikönigabend B.brot mit geschabtcm Silber gegen Tollwut [436]). Anhorn erwähnt in seiner Magiologia, daß die „segner" gewisse Zeichen auf (Brot und) B. machen und das den Kranken geben [437]). Man kaut B.brot gegen Geschwüre [438]) und böse Brust [439]); gegen Fieber ißt man im Kreise Schweidnitz [440]) ein B.brot im Namen der hl. Dreifaltigkeit mit einer Zauberformel; in Mecklenburg [441]) verzehrt man ein B.brot, auf das mit dem Finger geschrieben ist:

> Fieber bleib aus,
> Ich bin nicht zu Haus.

B.ruß wurde als Augenarznei gebraucht [442]); B.dämpfe werden bei Schwindsucht eingeatmet [443]). B.milch vom Kübel vertreibt alle Übel [444]); gegen Kopfschmerzen trinkt man am Christabend [445]) B.milch; man gebraucht sie als Schönheitsmittel [446]), auch gegen Flechten [447]); aber in Holstein [448]) macht B.milch träge, und in der Oberpfalz [449]) bekommt der, welcher im Winter B.milch trinkt, im Frühjahr den „Schüttler". In der Viehmedizin [450]) gibt man der Kuh beim Kalben B.brot mit Salz; in der Schweiz schmierte man (1563) den Leib des Hundes mit B.[451]). In einer von Schönbach [452]) exzerpierten Handschrift (17.—18. Jh.) finden wir die Notiz: wenn eine Frau ihre Katze nicht verlieren will, so schmiere sie ihr die Tatzen des Abends mit B., das paßt zu dem A. 436 erwähnten antiken Aberglauben.

[402]) P l i n i u s 11, 284; 25, 82—83. [403]) H e r - m a n n *Privataltertümer* [3] 229; S o r a n u s 258, 7 ff. (Rose): den Kindern soll man keine B. geben; vgl. U s e n e r *Kleine Schr.* 4, 415 f.; dagegen ist bei A n t h i m u s B. für Phthisiker verboten: § 77 = p. 20 Rose. [404]) ZfVk. 1984, 111. [405]) SAVk. 1898, 12; im dänischen Märchen erhält ein Junge durch 36 Löffel Brei mit B. die Kraft von 36 Männern: G r u n d t v i g *Dänische Volksmärchen* 2 (L. 1878—79), 221; vgl. 82; die Tiroler Riesen

saufen ungeheuere Kübel mit B.milch aus: A l - p e n b u r g 39, 16. [406]) C o l e r 410 c. 66; in Holland aß man B. und Käse gegen Stein: 411 c. 68. [407]) Auch in England: V i n - c e n t S t u c k e y L e a n *Collections of proverbs* 2 (Bristol 1902—c4), 506; vgl. S é b i l - l o t 3, 88. [408]) C o l e r *Prodromus* 61, vgl. 59; R o c h h o l z *Gaugöttinnen* 23—24; C a r - r i c h t e r l. c. 63 ff.; bei M a e n n l i n g 259 wird als Schutz vor Krankheiten empfohlen: Maikäfer in B. gebacken. [409]) H o v o r k a - K r o n f e l d 2, 360. [410]) W r e d e *Eifeler Vk.* 96; ZfrwVk. 1913, 271; vgl. 1915, 134. [411]) In Frankreich le beurre des Rogations: S é b i l - l o t 3, 88. [412]) W a n d e r *Sprichwörterlex.* 1, 521, B. Nr. 4; M ü l l e r *RheinWb.* 1, 1170; ZfrwVk. 18 (1921), 57; in Schleswig heilt die Barrameesbodder Wunden: M e n s i n g 1, 240; vgl. A. 344. [413]) J o h n *Westböhmen* 17. [414]) D r e c h s l e r 2, 235, 611; 1, 85, 90. [415]) F o g e l *Pennsylvania* 297, 1570. [416]) ZfVk. 1891, 180. [417]) S t r a b o 15, 705; A e l i a n *Historia animalium* 13, 7; vgl. heute die Balima: F r a z e r *Totemism* 2, 334. [418]) P a u l y - W i s s o w a 3, 1091—92; G a l e n 6, 272 bezeichnet sie als φάρμακον. [419]) M i g n e *Patr. lat.* 197, 1227 c. 14. [420]) *Causae et curae* ed. Kaiser p. 181, 29; vgl. 197, 30; 202, 17; MG. scriptores rer. Merovingarum 4, 63, 20 (vita Columbani). [421]) D r e c h s l e r 2, 209—10. [422]) L a m m e r t 206; im Saarland B. und Honig gegen Geschwüre: F o x *Saarland* 306; in der Schweiz (1557) gegen Biß: SchweizId. 4, 1915. [423]) SAVk. 1923, 80. [424]) Ebd. 8, 153. [425]) Vgl. H i l d e g a r d *causae et curae* 202, 17 Kaiser; 166, 17; 195, 15. [426]) Z i n g e r l e 160, 1362. [427]) B o h n e n b e r g e r Nr. 1, 24. [428]) SchweizId. 4, 1915 (zum Jahr 1563). [429]) M a n z *Sargans* 76. [430]) ZfrwVk. 1904, 102; vgl. G r o h m a n n 159, 1140. [431]) ZfrwVk. 1912, 72. [432]) B o h n e n b e r g e r Nr. 1, 19. [433]) ZfrwVk. 1904, 98. [434]) T e m m e *Pommern* 342; vgl. R o c h h o l z *Gaugöttinnen* 23. 24. 74. [435]) D r e c h s l e r 2, 291, 674; vgl. 303 und 307; S e y f a r t h *Sachsen* 174; ein Schäfer in der Neumark schrieb auf B.brot die Satorformel und verkaufte kleine Stücke davon gegen Tollwut: ARw. 13, 531; Verh. d. Berl. Ges. f. Anthrop. 1883, 248. [436]) B a r t s c h 2, 138, 611 und 615; 227, 1182; im antiken Aberglauben gewöhnt man die Hunde durch B.lecken ans Haus: P a u l y - W i s s o w a 1, 50. [437]) A n h o r n *Magiologia* 787; B a r t s c h 2, 394. [438]) Urquell 4 (1898), 153; ZfrwVk. 1904, 101; 1913, 189. [439]) Urquell l. c. [440]) D r e c h s - l e r 2, 303; vgl. 282; B a r t s c h 2, 449, 2064 bis 2065. [441]) B a r t s c h 2, 394, 1842 d. [442]) G r i m m *DWb.* 2, 586 oben. [443]) H o v o r - k a - K r o n f e l d 2, 60. [444]) H e y l *Tirol* 802, 257; ZfVk. 1893, 175; vgl. 47 und 50; W a n d e r *Sprichwörterlex.* 1, 525; H o v o r - k a - K r o n f e l d 1, 136; BlPommVk. 10, 59, 51. [445]) W. 536; J o h n *Erzgebirge* 154. [446]) J o h n *Erzgebirge* 154; ZfrwVk. 1913, 189; S é b i l l o t 3, 88. [447]) ZfrwVk. 1914, 164.

[448]) ZfVk. 1914, 57, 55. [449]) L a m m e r t 260; H o v o r k a - K r o n f e l d 2, 324. [450]) J o h n *Erzgebirge* 227; ZfVk. 1913, 182 (Isergebirge); W. 696; bei Lübeck kennt man abgekochte Schafgarbe, in B. eingeknetet gegen Euterer- krankung: Heimat 37, 113, 18. [451]) SchweizId. 4, 1915. [452]) *Berth. v. Regensburg* 151; ZfdMyth. 3, 315, 75.

18. Das B.b r o t , von Cysat [453]) als Leckerbissen (vgl. B.woche = Flitter- woche) [454]) bezeichnet, im Sprichwort [455]) aber zuweilen gering eingeschätzt, schen- ken die Unterirdischen [456]) (vgl. § 3 A. 33), es wird auch zum Schaden- (vgl. § 15) und, wie wir eben sahen, zum Heilzauber verwandt. Auch im Ackerfruchtbarkeits- ritus spielt es eine Rolle: Im Erzgebirge [457]) ißt man B.schnitte beim Stecken des Samens, damit das Kraut fett wird (Ana- logiezauber), in Westfalen [458]) macht es den Flachs üppig. Im Kanton Luzern hat B.brot besonders am Himmelfahrtstag Zauberkraft [459]). An diesem Tage findet auch der fruchtbarkeitbringende Flur- umritt, die Ankenschnittenprozession statt, wobei die B.schnitten zauber- und heilkräftig sind (vgl. § 13). In Westfalen ist ein B.brot das Zeichen der Absage [460]) bei der Werbung; wird dem Bewerber gar „schwarze B." [461]) (Zwetschgenmus) ge- reicht, so braucht er erst recht nicht wie- derzukommen. Essen Kinder ihre B.- schnitte auf der Straße [462]), so schwin- det der Segen des Hauses. Träumen [463]) von B.brot zeigt das Eintreffen eines Briefes an (Ostpreußen). Alte B. muß gedrückt werden, wenn das B.brot schmecken soll [464]).

[453]) C y s a t 2ɕ, 83, 1, 3 und 4. [454]) G r i m m *DWb.* 2, 587. [455]) Ebd. 2, 584. [456]) M ü l l e n - h o f f 306, 458, vgl. Nr. 475. [457]) J o h n *Erz- gebirge* 225; S a r t o r i 2, 68. [458]) K u h n *West- falen* 2, 185, 518. [459]) J a h n *Opfergebräuche* 149—50. [460]) JbnddSprachf. 1877, 131; H ö f - l e r *Hochzeit* 5—6; M e y e r *Baden* 256. [461]) H o t t e n r o t h *Nassauische Volkstrach- ten* 38. [462]) J o h n *Erzgebirge* 30. [463]) Urquell 1 (1890), 204, 20; vgl. Träumen von B.milch- trinken = Unglück: RVV. 11, 325. [464]) Urquell 1 (1890), 185, 18.

19. B. s i e d e n : Einst kam Christus zu einer Frau, welche B. ausließ; auf seine Frage, was sie in der Pfanne habe, sagte sie: „Nichts", weil sie glaubte, es sei ein Schmalzbettler; da sagte der Herr:

Weil die Sache nichts soll sein,
Wird sie sieden halbe ein.

Daher geht beim Schmalzsieden immer ein Teil verloren [465]). Wenn ausgelassene B. nicht gerinnt [466]) (Oberpfalz) oder eine Vertiefung [467]) hat (Mark), stirbt jemand aus der Familie; beschrieene B. läuft beim Sieden alle aus dem Topf [468]).

[465]) R e i s e r *Allgäu* 1, 360, 454; vgl. oben A. 24. [466]) L a m m e r t 100; W. 297. [467]) ZfVk. 1891, 184, 6. [468]) G r o h m a n n 138, 1013.

20. A l l e r l e i A b e r g l a u b e n : Für ein gutes oder schlechtes B.jahr hat man drastisch-scherzhafte und ernstge- meinte Augurien: Ech han Jöck an Arsch, et git e got Bodderjar [469]); danzen de Möcken em Janner, so ed et foder un de Botter rar [470]); Tau am Maimorgen deutet auf ein gutes B.jahr [471]), regnet es, dann wird die B. bitter [472]); viele Marien- käfer [473]) sagen ein gutes B.jahr an; wenn es über die kahlen Bäume donnert, haben die Hexen kein B.jahr [474]). Fällt das B.- brot auf die B.seite, so gibt es Regen (oder man hat schon eine Sünde getan) [475]), wenn es auf die ungeschmierte Seite zu liegen kommt, so wird das Wetter gut [476]); wer viel B. ißt [477]), den stößt die Kuh (sympathetisch und pädagogisch); an Fastnacht [478]) darf man nicht viel B. essen, sonst stoßen einen die Kühe; man soll nicht B. zum Hängefleisch essen [479]) (pädagog.). Im Isergebirge legt man in die erste Tränke nach dem Kalben einen Plättbolzen, damit die B. im Sommer hart wird [480]).

[469]) M ü l l e r *RheinWb.* 1, 1178; ebenso bei den Deutschamerikanern: F o ɕ e l *Pennsyl- vania* 83, 306; ZfdMyth. 3, 17.; vgl. V o n - b u n *Beiträge* 107; M e n s i n g l. c. 464. [470]) M ü l l e r 1, 1174. [471]) M ü l l e n h o f f[2] l. c. 239, 355, 2; M e n s i n g 1, 464. [472]) M e n - s i n g 1, 460. [473]) D e r s. 1, 464; den Mai- käfer bittet man um B.: M a n n h a r d t *Germ. Mythen* 356; vgl. § 9. [474]) B a r t s c h 2, 204, 998. [475]) G r i m m *Myth.* 3, 472, 998. [476]) M e n - s i n g 1, 462; vgl. 460: gleitet die B. vom Messer ab, so gibt es Regen: B a r t s c h 2, 211, 1061. [477]) J o h n *Erzgebirge* 31. [478]) W. 97; M a r t i n y *Molkerei* 13; in der Fastenzeit war früher B. verboten: H ö f l e r *Weihnachten* 45; durch die B.briefe ist die B. in der Fasten- zeit erlaubt: H ö f l e r *Fastnacht* 72; G r i m m *DWb.* 2, 584; B.briefe: S a r t o r i *Sitte u. Brauch* 3, 118 A 125. [479]) ZfVk. 1898, 157 (Is- land). [480]) Ebd. 1913, 182.

21. Von den B.reimen der Kinder nehmen die meisten auf die Hilfe der Dämonen Bezug, so der Aargauer Reim [481]):

Schidi-Schidi Anke
Im Barthli wemmer danke . . .

Andere bringen das Rätsel von der Rose auf weißem Schnee [482]). Ein Villinger Vogellied, das das Gurren der Wildtaube nachahmt, ist oben (§ 5) bei den Versen zitiert, die man zum Buttern singt.

[481]) R o c h h o l z *Sagen* 1, 337. [482]) S t r a c k e r - j a n 2, 225, 496; A n d r e e *Braunschweig* 246.
　　　　　　　　　　　　　　　　Eckstein.

Butterblume s. H a h n e n f u ß.

Buttervogel (s. Schmetterling). Dieser Ausdruck (vgl. engl. butterfly) ist mythisch zu werten wie die Synonyma Butterhex, Milchtrud, Milchzauberin, Molkentöfer (Milchzauberer) deutlich zeigen. Zugrunde liegt der weit verbreitete Glaube, daß die Hexen sich in Schmetterlinge verwandeln, um besser ihrem Gelüste nach Milch und Butter fröhnen zu können (Näheres siehe bei Schmetterling).
　　　　　　　　　　　　　　　　Riegler.

Butz. Mhd. *butze* [1]), in der Schweiz daneben die etymologisch verwandten Formen *bôz* und *bûz* [2]).

[1]) MhdWb. 1, 286; G r i m m *Myth.* 1, 418. [2]) SchweizId. 4, 1994 f. 1999 f., vgl. 2003 f.

1. S c h r e c k g e s t a l t, K o b o l d. Früher anscheinend auf dem ganzen hd. Sprachgebiet verbreitet [3]); heute ist B. im Alpengebiet Bezeichnung für alle Arten von Gespenstern, umgehenden Geistern und Dämonen [4]); es gibt: „Hausb., Kellerb., Tobelb., Alpb., Waldb. usw."[5]); Bütze sind „Wichte, Elbe, Zwerge, Feld-, Holz-, Wasserleute usw.; man sagt: da huse en B., da tüeis butza"[6]); auch der Teufel ist ein B.[7]).

[3]) DWb. 2, 588. [4]) SchweizId. 4, 2004; J e c k - l i n *Volkstüml.* 544 f.; V o n b u n *Sagen* [2] 57 ff.; S c h m e l l e r *BayrWb.* 1, 316; A l - p e n b u r g *Tirol* 131 ff.; Z i n g e r l e *Sagen* 732 s. v. Pütze; L e x e r *KärntWb.* 337. [5]) J e c k l i n a. a. O. [6]) V o n b u n a. a. O. [7]) Ebd.; SchweizId. 4, 1995. 2010 f.

2. B. bezeichnet auch die den B. (s. o. 1) darstellende vermummte Person [8]); das Maskenlaufen heißt darum auch *butzengehn* oder *butzenlaufen* (swd.) [9]), vgl. auch Pfingstb. (s. d.).

[8]) F i s c h e r *SchwäbWb.* 1, 1570. [9]) SAVk. 2, 145; SchweizId. 4, 2003; Davoser Landbuch 38; R e i s e r *Allgäu* 2, 61; B i r l i n g e r *Volkst.* 2, 455; K a p f f *Festgebräuche* 2, 13.

3. B. und Bützele ist das (vom B. gebrachte?) im Wachstum zurückgebliebene Kind oder Tier [10]) (s. *Butte*) und das Knötchen in der Haut (Pustel), „das von einem B. einem angeblasen wird" [11]) (?); desgl. der verhärtete Nasenschleim [12]) (s. a. Bögg).

Etymologisch gehört B. entweder als obd. Form zum ndd. *Butte* (s. d.), bedeutet also ursprünglich „Klotz, kleines Wesen"; oder es gehört, mit jenem nur mittelbar verwandt, in der ursprünglichen Bedeutung „Klopfgeist, Poltergeist" zu ahd. **piozan*, mhd. *bôzen* „schlagen" [13]).

[10]) SchweizId. 4, 2004; J e c k l i n *Volkst.* 544; B i r l i n g e r *Wb.* 85; M ü l l e r - F r a u r e u t h 1, 179; S c h m e l l e r *Bayr. Wb.* 1, 316, 318. [11]) J e c k l i n a. a. O.; H ö f l e r *Krankheitsn.* 87; SchweizId. 4, 2001. [12]) SchweizId. 4, 2005; F i s c h e r *SchwäbWb.* 1, 1569; S c h m e l l e r *BayrWb.* 1, 317. [13]) G r i m m *Myth.* 1, 419 f.; H e r t z *Elsaß* 74 u. Anm.; anders L a i s t n e r *ZfdA.* 32, 145 ff.
　　　　　　　　　　　　　　　　Ranke.

Butze(n)mann, auch *bôzemann* (hess.) [1]). Schreckgestalt, „schwarzer Mann" (s. Kinderschreck) und (wie Butz) die sie darstellende Maske und die Vogelscheuche. Ableitung von Butz (s. d.), aber sehr viel weiter verbreitet als dies [2]). Die gleichen Bedeutungen hat *Butzemäckeler* [2]), *B.- graale* (= -grauchen) [4]), *B.bercht, B.mummel, B.wubele* [5]), *Butzibau* [6]). — Ins ndd. ist B. als *Bus(s)emann*, (*Buschemann, Buselmann, Büsemann*) übernommen [7]) und in der gleichen Form auch ins dänische gedrungen [8]). Dem schweiz. *Butzibau* entspricht ostpr. *Buschebau* [9]).

[1]) V i l m a r *Wb.* 50; C r e c e l i u s *Wb.* 231. [2]) DWb. 2, 595; R e i s e r *Allgäu* 1, 83; K a p f f *Festgebr.* 6; R i e t s c h e l *Weihnacht* 114; B i r l i n g e r *Volksthüml.* 2, 23; F i s c h e r *Schwäb.Wb.* 1, 1574; M ü l l e r - F r a u r e u t h 1, 178; A l b r e c h t *Leipzig* 97; JbnddSpr. 29, 196 (Quedlinburg); S c h a m - b a c h *Wb.* 37; F r i s c h b i e r *Wb.* 1, 124; weitere Lit. bei H e c k s c h e r 426 zu 96. [3]) M e i e r *Schwaben* 1, 149. [4]) Ebd. [5]) B i r - l i n g e r *Wb.* 84 f. [6]) J e c k l i n *Volkstüml.* 545; S t a l d e r 1, 251; SchweizId. 4, 896. [7]) S t r a c k e r j a n 1, 419; S c h a m b a c h *Wb.* 37; M e n s i n g 1, 592, 593 f. [8]) F a l k u. T o r p 1, 119. [9]) F r i s c h b i e r *Wb.* 1, 122.
　　　　　　　　　　　　　　　　Ranke.